KB151858

제3판

소아재활의학

Pediatric Rehabilitation

대한소아재활·발달의학회

소아재활의학 | 3판

첫째판 1쇄 인쇄 | 2006년 9월 20일
첫째판 1쇄 발행 | 2006년 9월 30일
첫째판 2쇄 발행 | 2008년 2월 20일
둘째판 1쇄 인쇄 | 2013년 2월 08일
둘째판 1쇄 발행 | 2013년 2월 21일
셋째판 1쇄 인쇄 | 2021년 6월 10일
셋째판 1쇄 발행 | 2021년 6월 26일

지 은 이 대한소아재활 · 발달의학회
발 행 인 장주연
출판기획 최준호
책임편집 오수진
표지디자인 김재욱
편집디자인 유현숙
일 러 스 트 이호현, 김명곤
발 행 처 군자출판사
등록 제4-139호(1991.6.24)
(10881) 파주출판단지 경기도 파주시 회동길 338(서패동 474-1)
전화 (031)943-1888 팩스 (031)955-9545
www.koonja.co.kr

ISBN 979-11-5955-723-1
정가 80,000원

저자 소개

교과서 개정편찬위원회

위원장 : 성인영 (울산의대 서울아산병원)
총 무 : 양신승 (충남의대 충남대학교병원)
간 사 : 김보련 (고려의대 안암병원) 홍보영 (가톨릭의대 성빈센트병원)

교과서 개정편찬위원 :
고성은 (건국의대 건국대학교병원)
김명옥 (인하의대 인하대학교병원)
나동욱 (연세의대 세브란스병원)
박주현 (가톨릭의대 서울성모병원)
방문석 (서울의대 서울대학교병원)
신용범 (부산의대 부산대학교병원)
한승훈 (한양의대 구리병원)

집필진 (가나다 순)

강은영 (광주기독병원)
고성은 (건국의대 건국대학교병원)
고태성 (울산의대 서울아산병원 소아청소년과)
권범선 (동국의대 일산병원)
권정이 (성균관의대 삼성서울병원)
김동아 (국립재활원)
김명옥 (인하의대 인하대학교병원)
김미정 (한양의대 한양대학교병원)
김민영 (차의과학대학교 분당차병원)
김보련 (고려의대 안암병원)
김붕년 (서울의대 서울대학교병원 소아청소년정신과)
김성우 (국민건강보험 일산병원)
김수아 (순천향의대 천안병원)
김수연 (부산의대 양산부산대학교병원)
나동욱 (연세의대 세브란스병원)
류주석 (서울의대 분당서울대학교병원)
박상덕 (서울재활병원 물리치료실)
박수성 (울산의대 서울아산병원 정형외과)
박은숙 (연세의대 세브란스병원)
박정미 (연세원주의대 원주세브란스기독병원)
박주현 (가톨릭의대 서울성모병원)
방문석 (서울의대 서울대학교병원)
성인영 (울산의대 서울아산병원)
손수민 (영남의대 영남대학교병원)
송선홍 (울산의대 강릉아산병원)
신용범 (부산의대 부산대학교병원)
양신승 (충남의대 충남대학교병원)
유승돈 (경희의대 강동경희대학교병원)
유지현 (인제의대 일산백병원)
육진숙 (서울아산병원 재활의학과)
이상지 (가톨릭의대 대전성모병원)
이소영 (계명의대 동산병원)
이지선 (서울재활병원)
이지연 (서울의대 서울대학교병원 신경외과)
이지인 (대구파티마병원)
임 선 (가톨릭의대 부천성모병원)
임신영 (아주의대 아주대학교병원)
장대현 (가톨릭의대 인천성모병원)
장현정 (성균관의대 삼성창원병원)
전재용 (울산의대 서울아산병원)
정세희 (서울의대 서울보라매병원)
정아영 (울산의대 서울아산병원 영상의학과)
정한영 (인하의대 인하대학교병원)
천정은 (서울의대 서울대학교병원 영상의학과)
최경효 (울산의대 서울아산병원)
한승훈 (한양의대 구리병원)
홍보영 (가톨릭의대 성빈센트병원)
홍지연 (푸르메재단 넥슨어린이재활병원)

발간사

대한소아재활발달의학회는 2000년 2월 21일 소아재활에 관심 있는 11명의 재활의학과 전문의가 모여서 시작한 소아재활 연구모임으로부터 출발하였습니다. 울산의대 성인영 교수님께서 발표하신 'Xeroderma Pigmentosum 환아'에 대한 증례가 첫 연구모임의 주제였고 이후 정기적인 모임을 가진 후 2002년 5월 30일 가톨릭의대 고(故) 강세윤 교수님을 초대 회장으로 하는 대한소아재활연구회를 창립하게 되었습니다. 2005년 연구회 정기총회에서 대한소아재활의학회로 명칭을 개정하였고 이듬해인 2006년 10월 12일 '소아재활의학' 교과서를 발간하고 기념식을 개최하였습니다.

'소아재활의학 제1판'은 한글로 쓰여진 첫 번째 소아재활 교과서였습니다. 그 당시 재활의학에 대한 개괄적인 서적은 있었으나 장애 아동을 위한 재활의학적 평가와 진료를 하는 데 참고할 만한 서적이 없었기에 국내에서 소아재활 진료를 하는 의사와 치료사 그리고 전공의와 학생을 위한 교과서가 필요하다는 것이 회원들의 생각이었습니다. 대한재활의학회와 유관학회에서도 학회를 대표하는 교과서를 발간하지 못하였던 시기에 '소아재활의학 제1판'은 학회 회원들의 남다른 열정이 있었기에 가능하였고 그 결과 1쇄가 1년도 안되어 완판되는 성과를 올리기도 하였습니다.

대한소아재활의학회는 2009년 정기총회에서 대한소아재활발달의학회로 개칭하고 영유아 발달을 포함한 폭넓은 영역에서 학술활동을 하게 되었습니다. 그리고 2013년 2월 23일 '소아재활의학 제2판'을 출간하였습니다. 소아재활이 매우 빠른 속도로 변화하고 발전하면서 용어와 정의가 변경된 것도 있었고 진단과 치료에 새로운 기법이 도입되어 실행되었기 때문에 이러한 학문적 흐름을 반영하여 개정판을 출간하였습니다. 당시 대한소아재활발달의학회 정한영 회장님은 발간사에서 출간을 '산고(産苦)의 고통(苦痛)'에 해당하는 어려움과 보람으로 표현하셨을 정도로 더 한층 발전된 교과서가 완성되었습니다.

이제 '소아재활의학 제3판'을 출간하게 되었습니다. 소아재활의학은 그 중요도가 날로 커지고 있습니다. 저출산이 중요한 사회적 문제가 되고, 신생아 집중치료기술의 발전으로 고위험 신생아의 생존율이 향상되면서 영유아 발달에 대한 관심이 커져서 이를 책임질 전문가에 대한 요구도 커지고 있습니다. 사회적으로 결혼이 늦어지고 산모의 나이가 많아지면서 태아의 유전적 질환이 증가되고 이에 대한 의학적 요구도 높아지고 있습니다. 장애 아동에 대한 새로운 수술적 및 비수술적 치료기술이 개발되고, 기존 치료기술에 대한 근거 중심 연구가 진행되고 있습니다. '소아재활의학 제3판'은 이러한 사회적 요구에 따라 재활의학과 전문의는 물론 전공의, 물리치료사, 작업치료사 언어치료사 등의 진료와 교육 및 연구에 지침서가 될 것입니다.

이번 개정판에서는 각 전문 분야의 국내 최고의 지식과 경험을 갖추신 최고의 집필진이 참여하였습니다. 소아재활 전문의로서 해당 분야의 진료와 학술활동이 뛰어난 전문가께서 대다수 집필진으로 수고해주셨고 소아청소년과, 영상의학과, 정신건강의학과, 정형외과, 신경외과, 물리치료, 작업치료 등은 전문성 제고를 위하여 관련 해당 분야 전문가를 집필진으로 모셨습니다. 바쁘신 중에도 집필에 참여해주신 모든 집필진들께 감사드립니다.

끝으로 이 책이 나오기까지 수고해주신 모든 편찬위원님들께 감사드리며 특히 제1판에서부터 제3판까지 대표저자로 수고해주신 성인영 교수님께 각별한 감사를 드립니다. 또한 '소아재활의학' 출판사로 참여해주신 군자출판사에도 감사드립니다. '소아재활의학 제3판' 발간으로 우리나라 소아재활 수준이 한층 더 높아질 것으로 생각합니다. 대한소아재활발달의학회의 무궁한 발전을 기원합니다. 감사합니다.

2021년 5월

대한소아재활발달의학회장 권범선

서문

'소아재활의학' 세 번째 개정판을 출간하며 남다른 감회에 젖습니다.

2000년 2월 21일 당시 서울중앙병원(현, 서울아산병원) 7층 재활의학과 의국 회의실에서 소아재활에 대한 열정이 넘치셨던 재활의학과 전문의 11분이 모여 공부를 시작하였던 '소아재활 연구모임' 이 본 '대한소아재활발달의학회' 의 효시였으니, 겨자씨의 비유가 떠오릅니다.

대한재활의학회가 창립된 지 50년을 맞이하는 올해, 우리나라의 재활의학은 1950년 한국전쟁 후 창궐하였던 소아마비 어린이의 재활로부터 시작하였기에, 소아재활의학은 우리나라 재활의학의 역사와 맥을 같이 한다고 할 수 있습니다. 어느덧 반세기가 지난 오늘날 재활의학은 장애의 예방과 치료뿐 아니라, 진단과 인간의 삶의 질적인 개선을 도모하는 포괄적 의학으로서 놀라운 발전을 거두었습니다. 소아재활의학 또한 다양한 선천적, 후천적 장애 아동의 진단과 치료를 책임지는 재활의학 세부 전문영역으로서 눈부신 발전을 이루어 왔습니다. 일찍이 우리나라에 재활의학의 씨앗을 뿌리시고 키우신 훌륭하신 선각자 교수님들께서 평생을 바쳐 헌신해 오신 은덕을 다시 한번 기려봅니다. 본인을 재활의학, 소아재활로 이끌어 주신 은사님이시자 우리나라 재활의학의 대모이신 고 오정희 교수님을 비롯하여, 고 안용팔 교수님, 고 신정순 교수님 등 초대 원로 교수님의 헌신이 있으셨기에 오늘날 우리나라의 재활의학이 있으며, 대한소아재활의학회 초대 회장을 맡아 초석을 다져주신 고 강세윤 교수님이 계셨기에 많은 어려움을 헤치고 우리 소아재활발달의학회가 반듯이 설 수 있었습니다. 진심으로 머리 숙여 감사드립니다.

첫 번째 '소아재활의학' 을 발간하였던 2006년은 '대한소아재활의학회' 로 출발한지 불과 1년이 경과한 해였습니다. 탄생한 빨간 빛깔의 책을 받아 들고, 기쁨과 만감이 교차하였던 당시의 기억이 새롭습니다. 소아재활 관련 서적이 국내외적으로 많지 않았을 뿐더러, 우리 글로 된 책이 없었던 당시, 한글로 된 첫 번째 교과서였던 '소아재활의학' 은 많은 분들의 관심과 사랑을 받았습니다. 학회 출범 1년 만에 교과서를 발간한 유래를 찾기 어려울 뿐 아니라, 전문 서적이 첫판 1쇄 발행 후 완판되어, 1년여 만에 2쇄 발행에 들어갔던 전설을 만들기도 하였지요. 그만큼 소아재활 관련 지식과 제대로 된 서적에 대한 갈망이 얼마나 컸는지 짐작할 수 있습니다. 양적으로나 질적인 면에서 성장과 발달을 거듭해 온 우리나라 소아재활과 대한소아재활발달의학회의 발전에 '소아재활의학' 교과서가 조금이나마 도움이 되었기를 기대해 봅니다.

매우 빠른 속도로 변화하고 발전하고 있는 의학과 시대 상황과 맞물려, 소아재활의학은 진단과 치료에 있어서 새로운 기법과 의과학 영역들이 속속 도입되고 있습니다. 이러한 도도한 학문의 흐름 속에서 소아재활의학의 발전에 부응하기 위하여 2013년 개정판 발간에 이어, 이후 축적된 변화와 최신 지식들을 정리하고 보완해야 할 절실한 필요가 또 다시 대두되었습니다. 2021년 올해 8년 만에 출간하게 된 세 번째 개정판은 기존 두 번째 개정판의 골격은 유지하되 내용을 보다 심층적으로 다루고자 하였고, 새로운 내용을 추가하여 기존 27개에서 31개로 장이 증가하였습니다. 국내외적으로 아직 정리된 내용을 찾을 수 없는, 오직 세 번째 개정판에서만 볼 수 있는 장도 있음을 말씀드립니다. 용어는 대한재활의학회와 대한의사협회 용어집을 근거로 사용하였으며, 여러 용어가 혼재된 경우에는 보다 널리 사용되거나 내용상 더 적절하다고 판단되는 용어를 선택하였고, 뇌전증, 조현병과 같이 용어집에는 아직 등재되지 않았으나 관련 전문학회에서 오랜 논의 끝에 사용을 결정한 경우에는 이를 존중하였습니다. 또한 대한재활의학회에서 2020년에 발간한 '재활의학' 교과서를 존중하여 가능한 한 용어를 통일하여 사용하도록 하였습니다. 그러나 일부 논란이 있는 용어 선정에 대해서는 학회 차원에서의 광범위한 재논의와 합의가 뒤따라야 함을 숙제로 남깁니다.

집필진은 소아재활의학을 전공하시는 우리나라 최고의 지식과 경험을 갖추신 교수님들께서 참여하셨으며, 물리치료, 작업치료 영역과 영상의학, 수술치료, 소아정신과, 소아신경과 영역에서 역시 최고의 전문가들께서 집필에 동참해 주시어 전문성을 담보해 주셨습니다. 바쁘신 중에도 본 세 번째 개정판 집필에 기꺼이 참여해 주신 48분, 모든 집필진께 진심으로 감사의 말씀드립니다.

아울러 1년여 준비기간 동안 코로나 19 상황의 어려움 속에서도 동참하시어 수고해 주신 개정편찬위원회 위원님들께 진심으로 감사드리며, 특히 모든 원고들을 일일이 읽고 꼼꼼히 검수하시는 일뿐 아니라 집필진과의 협력과 연락, 출판사와의 조율 등 크고 작은 일들을 묵묵히 수행해 오신 홍보영 교수님, 김보련 교수님, 두 분 간사님께 각별한 감사를 전합니다. 초판 때부터 좋은 책이 탄생되도록 애써주신 군자출판사에도 감사드립니다. 또한 한없이 부족한 제게 초판부터 세 번째 개정판까지 집필진으로, 또한 편찬위원장이란 막중한 업무를 맡겨주신 대한소아재활발달의학회와 학회 임원진들께 송구함과 진심 어린 감사를 드립니다. 제게는 더할 수 없는 영광이요, 즐거움이었습니다.

마지막으로 이 책이 장애 어린이들의 재활에 작으나마 도움이 되고, 우리나라 소아재활의 발전에 작은 초석이 되기를 소망하며, 이 땅의 모든 장애 어린이와 가족들께 이 책을 헌정합니다.

집필진을 대신하여,

2021년 5월

개정편찬위원장 성인영

목차

SECTION 1 서론 *Introduction*

3 CHAPTER 1 소아재활의학의 역사와 현재, 그리고 미래 (History, Present and Future of Pediatric Rehabilitation) — 성인영

11 CHAPTER 2 성장과 발달 (Normal Growth and Development) — 고성은, 홍보영

SECTION 2 평가 *Evaluation*

31 CHAPTER 3 소아 신경학적 진찰 (Pediatric Neurologic Examination) — 김성우, 한승훈, 김수아

53 CHAPTER 4 발달 및 기능 평가 (Developmental and Functional Assessment) — 정한영, 류주석, 김수연

75 CHAPTER 5 영상의학적 평가 (Pediatric Imaging) — 정아영, 천정은, 손수민

139 CHAPTER 6 전기진단검사 (Electrodiagnosis) — 방문석

159 CHAPTER 7 유전학적 평가 (Genetic Evaluation) — 임신영, 장대현

SECTION 3 흔한 임상적 문제 *Major problems*

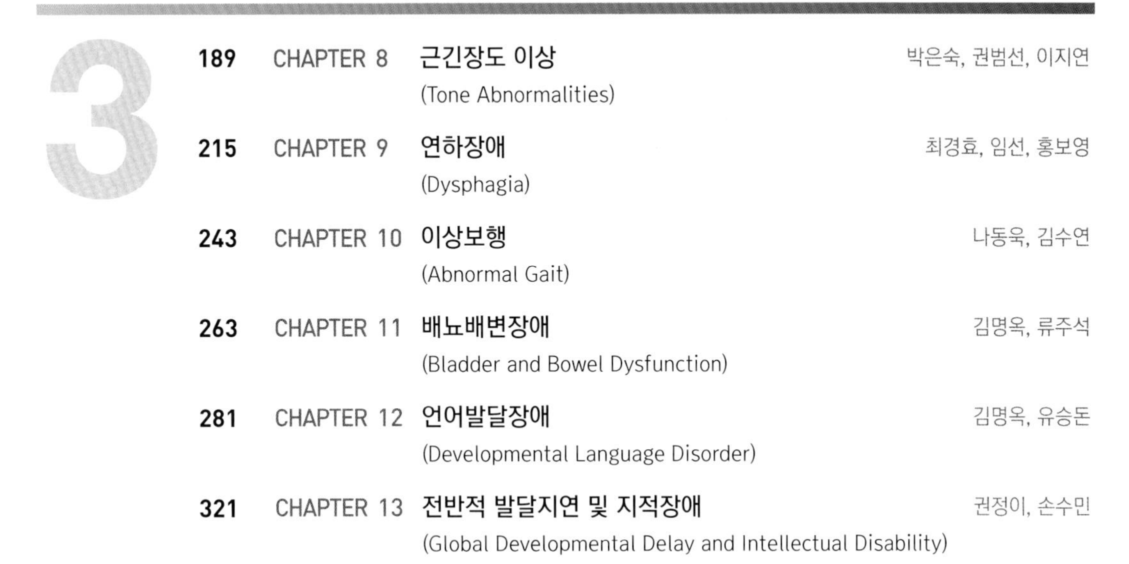

189 CHAPTER 8 근긴장도 이상 (Tone Abnormalities) 박은숙, 권범선, 이지연

215 CHAPTER 9 연하장애 (Dysphagia) 최경효, 임선, 홍보영

243 CHAPTER 10 이상보행 (Abnormal Gait) 나동욱, 김수연

263 CHAPTER 11 배뇨배변장애 (Bladder and Bowel Dysfunction) 김명옥, 류주석

281 CHAPTER 12 언어발달장애 (Developmental Language Disorder) 김명옥, 유승돈

321 CHAPTER 13 전반적 발달지연 및 지적장애 (Global Developmental Delay and Intellectual Disability) 권정이, 손수민

SECTION 4 치료 *Management*

339 CHAPTER 14 운동치료 (Therapeutic Exercise and Physical Modalities) 권범선, 이지인, 박상덕

355 CHAPTER 15 작업치료 (Occupational Therapy) 박주현, 정세희, 육진숙

377 CHAPTER 16 언어치료 (Speech Therapy) 장현정, 양신승

397 CHAPTER 17 인지치료 (Cognitive Therapy) 성인영, 김보련

427 CHAPTER 18 보조기, 의지, 보조 기구 (Orthoses, Prostheses and Assistive Devices) 김민영, 김명옥, 박정미, 나동욱

SECTION 5 질환별 재활 *Specific disorders*

465 CHAPTER 19 뇌성마비의 원인과 평가 (Cerebral Palsy: Etiology and Evaluation) — 임신영, 정한영

481 CHAPTER 20 뇌성마비의 임상양상과 치료 (Cerebral Palsy: Clinical Features and Management) — 성인영, 신용범, 박수성

529 CHAPTER 21 신경근육 질환 (Neuromuscular Diseases) — 박주현, 신용범

563 CHAPTER 22 척수 질환 (Spinal Cord Disorders) — 방문석, 유지현

591 CHAPTER 23 외상성 뇌손상과 기타 뇌 질환 (Traumatic Brain Injury and Other Brain Disorders) — 고성은, 홍지연

619 CHAPTER 24 소아재활영역에서 흔히 보는 유전 질환 (Common Genetic Disorders in Pediatric Rehabilitation) — 신용범, 장대현, 김보련

653 CHAPTER 25 소아기 정신장애 (Childhood Mental Disorder) — 김붕년

685 CHAPTER 26 근골격계 질환 (Musculoskeletal Disorders) — 이소영, 나동욱, 강은영, 장현정

723 CHAPTER 27 소아암 재활 (Pediatric Cancer Rehabilitation) — 전재용, 이상지

737 CHAPTER 28 뇌전증 (Epilepsy) — 고태성

SECTION 기타 *Special issues related with pediatric rehabilitation*

761 CHAPTER 29 장애 아동의 성인기 전환 및 노화 방문석, 이지선, 정세희
(Transition and Aging in Child onset Disability)

783 CHAPTER 30 장애인 스포츠와 레크리에이션 김미정, 송선홍, 한승훈
(Parasports & Recreations)

795 CHAPTER 31 장애 진단 정한영, 김동아
((Disability Evaluation)

807 찾아보기

SECTION 1

서론
Introduction

CHAPTER 1 소아재활의학의 역사와 현재, 그리고 미래
(History, Present and Future of Pediatric Rehabilitation)
CHAPTER 2 성장과 발달(Normal Growth and Development)

CHAPTER

1

소아재활의학의 역사와 현재, 그리고 미래

History, Present and Future of Pediatric Rehabilitation

성인영

어린이, 영아를 뜻하는 영어의 infant는 라틴어 infans에서 유래되었다. Infant는 'unable to speak'을 의미하는데, 이는 타고난 장애(innate sense of disability)의 의미를 내포한다고 할 수 있다. 따라서 우리 모두는 부모님의 집중적인 훈육과 교육, 즉 habilitation을 통해 비로소 기능을 얻게 되었다고 할 수 있으며, 그 과정에는 격려와 지지, 도전이 필요했다. 이는 어쩌면 소아재활의학의 목표, 과정과 흡사하다.

재활의학의 아버지로 불리우는 Howard A Rusk 박사는 재활의 목적이 환자의 건강과 생명을 최선의 상태로 회복시키고 유지하는 데 있다고 하였고, 세계보건기구는 재활을 "환경과 상호 작용하여 건강 상태에 있는 개인의 기능을 최적화하고 장애를 줄이기 위해 디자인된 일련의 중재(a set of interventions designed to optimize functioning and reduce disability in individuals with health conditions in interaction with their environment)"라 정의한 바 있다.

소아재활의학은 후천적으로 발생한 장애 이외에도 많은 선천성 장애를 갖고 출생하는 어린이들의 능력을 육체적, 정신적, 사회적, 직업적, 교육적으로 최대한 발휘할 수 있도록 도와주는 의학이다. 살아가는 데 필요한 기능을 제대로 습득한 경험이 없는 영유아를 대상으로 하는 만큼 보다 면밀한 진단과 조기 집중치료를 시행하여, 장애를 예방하고 극소화해야 한다. 또한 성장과 발달이 활발하게 일어나는 시기이므로 이에 대한 충분한 숙지와 이해가 필요하다.

과거 어린이는 어른의 축소품이고 부속물이란 생각이 오랜 기간 지배하기도 하여, 2500년 전 고대 그리스 시대에는 영아살해가 아무런 죄의식 없이 행해졌었다. 폴리스 중 하나였던 스파르타에서는 모든 신생아들을 검열한 후 신체가 허약해 보이거나 사소한 장애라도 발견되면 낭떠러지에서 떨어뜨려 희생시키는 일이 관습처럼 행해지기도 했다.[1]

기원 전 14세기경에 그려진 고대 이집트의 벽화에는 소아마비로 추정되는 장애인의 모습이 그려져 있어(그림 1-1) 소아기 장애는 인류의 역사와 함께 있었던 것으로 짐작된다.

그림 1-1 소아마비 후유증으로 인한 우측 하지마비장애를 갖고 있는 것으로 추정되는 고대 이집트 벽화 그림(기원전 1403-1365년)

뇌성마비 역시 고대 기원전 시대부터 인류에 존재하였던 것으로 짐작되는데, 기원전 1196년부터 1190년까지 이집트를 지배하였던 파라오 십타(Siptah)는 뇌성마비의 최초 사례로 추정되고 있다. 미라 상태의 그의 시신을 검안한 결과 심하게 변형된 손과 발을 발견한 의학사학자들은 십타의 미라가 뇌성마비를 가진 인체의 가장 오래된 물증이라고 주장했다. 기원전 400년경 히포크라테스의 저술로 짐작되는 "On the Sacred Disease"에는 현재의 뇌성마비와 매우 유사하게 기술한 부분이 있으며, 로마의 황제 클라우디우스도 뇌성마비를 가지고 있었던 것으로 추정된다. 클라우디우스 황제가 뇌성마비와 유사한 신체적 문제점들을 갖고 있음이 여러 역사적 기록에 묘사되어 있기 때문이다.

의학 역사가들이 이후 뇌성마비와 관련된 것으로 추정한 예술 작품으로 마귀가 건강한 아기를 바꾸어 가는 모습을 그린 그림과 경직성 편마비형 뇌성마비로 의심되는 소년의 그림이 있다(그림 1-2). 마귀가 건강한 아기를 데려가는 그림은 15세기 당시 사람들의 뇌성마비에 대한 생각들을 추측하게 한다.

또한 성경에 어린이와 장애인들에게 관심을 갖

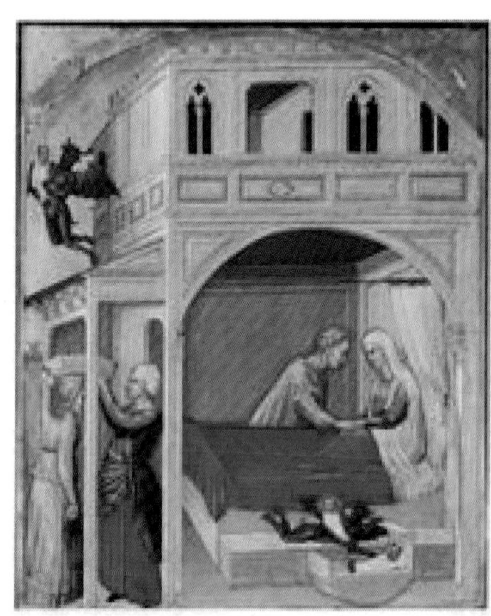

그림 1-2 왼쪽: 마귀가 건강한 아기를 바꾸어 가는 모습을 그린 그림(15세기 바로톨로메오 작품), 오른쪽: 경직성 편마비형 뇌성마비로 의심되는 소년의 그림(1642년 주세페 드 리베라 작품)

고, 동등한 인격체로 대하는 모습이 매우 자세히 기록되어 있는데, 성경을 바탕으로 표현한 16세기 유럽 화가들의 그림에서도 어린이와 장애인의 모습을 찾을 수 있다(그림 1-3). 그러나 이는 역설적으로 그 시대에 어린이와 장애인이 가장 소외되고 약한 계층이었음을 짐작하게 한다.

장애 어린이를 도와주는 의료기관이 처음 만들어진 것은 1780년대 스위스의 소도시 Vaud였으며, 이후 1830년 뮌헨 등 유럽의 몇몇 도시에서 주로 정형외과 진료를 하는 병원이 만들어졌다. 미국에서는 1870년대 필라델피아의 Seashore House가 장애 어린이들을 위한 의료기관으로 처음 세워져, 소아재활의 태동은 19세기부터 시작되었다고 할 수 있다. 그러나 당시는 재활이라기보다 장애 어린이에게 관심을 갖기 시작하여 주로 정형외과적 치료를 시행하고, 병원에서의 돌봄(care)이 이루어졌다는 표현이 정확할 것이다.[2]

과거 초창기 소아재활의학은 소아는 성인의 축소판이라고 생각하여, 소아장애인을 위한 재활프로그램 또한 성인의 것을 답습하는 수준으로 시작하였다. 두 차례의 세계 대전이 재활의학이 의학의 전문분야로 발전해 나아가는 데에 결정적인 역할을 했다면, '소아마비'와 '뇌성마비'는 소아재활의학의 형성에 견인차 역할을 했다고 할 수 있다.[3]

1940~1950년대 전 세계적으로 창궐하였던 소아마비는 심각한 후유증을 남기게 되어 소아정형외과학의 발전과 함께 재활치료의 필요성이 대두되면서 소아재활의학의 틀을 잡기 시작하였다.[4,5] 이후 소아마비는 백신의 개발 등 예방과 환경의 개선에 힘입어 소멸되었으나, 세계대전 이후 베이비붐 시대가 도래하면서 출산율의 가파른 증가가 있었고, 지속적인 의학의 발전에 힘입어 영아 사망률이 감소하고 과거에는 사망할 수밖에 없었던 많은 고위험 환아들이 생존하게 되면서 장애 어린이의 숫자도 증가하게 되었다. 이중 뇌성마비는 소아에서 발생하는 질환 중 심한 장애를 남기는 대표적 질환으로 소아재활의학의 필요성을 크게 각인시키는 주요 요인으로 대두되었다. 이는 세계적인 현

그림 1-3 16세기 프랑스 화보집에 실린 그림으로 예수와 함께 십자가를 든 10명의 사람들이다. 10명의 사람들은 당시 사회적 약자들이었을 것이라 생각되며, 그들 중에 어린이와 하지 장애인, 여성이 눈에 뜨인다(헌팅돈 도서관 소장, 산마리노, 캘리포니아, 미국).

상이었으며, 6.25 한국 전쟁이라는 참혹한 전화를 겪은 우리나라에서는 소아마비가 더 오랜 기간 유행하는 등, 장애 어린이의 문제가 더욱 극명하였다.

6.25 전쟁 후 미국을 비롯한 외국에서 재활의학을 수련 받고 귀국하시어 우리나라 재활의학의 씨를 뿌리셨던 고 오정희 교수님을 필두로, 이젠 모두 고인이 되신 안용팔 교수님, 신필수 교수님, 신정순 교수님께서는 각심학원(현 국립재활병원), 삼육아동 재활원과 각 대학병원 등지에서 장애 어린이들을 위한 재활을 시작하셨다. 또한 소아재활이라는 단어조차 생소하였던 우리 사회에 소아재활의학의 필요성과 중요성을 알리려는 헌신적인 노력을 아끼지 않으시며 우리나라 소아재활의학 초석을 다지셨다(그림 1-4). 이렇듯 우리나라에서의 재활의학은 소아재활의학으로부터 시작되었다고 해도 과언이 아니다. 또한 소아재활의학이란 세부 전문성 확장을 위하여 소아재활발달의학회로 발전하기까지 고 강세윤 교수님의 헌신과 아낌없는 지지가 있으셨기에 가능하였다.

재활의학의 세부 전문영역으로서 소아재활의학의 역사를 살펴보면, 미국에서는 1999년 소아재활 세부전문의 제도가 처음 도입되어 2003년에 첫 세부전문의 시험을 시행하였는데, 재활의학과 전공의 수련과정을 수료 후 2년간의 펠로우 과정을 끝마치거나, 소아과 및 재활의학과 연합 전공의 프로그램 수료 후 1년간 펠로우 과정을 마치고 나면 시험에 응시할 수 있는 자격이 주어졌다.[6]

우리나라에서는 다른 세부영역과 마찬가지로 아직 소아재활 세부전문의 제도가 도입되지는 않았으나 2018년부터 소아재활발달전문가 인증 (Quality Control Certificate)시험을 시작하였고, 2021년 현재 52여명의 소아재활 QC 인증의를 배출하였으며, 2020년 현재 전국 68개 병원에서 77명의 소아재활 전담 교수 및 전문의가 활동하고 있다.

心身장애자 早期教育아쉽다

全國에百萬여명…無關心속에放置

어릴때치료하면 대부분正常機能회복

正常兒들과統合教育 劣等感씻어줘야

그림 1-4 장애 아동의 조기 발견과 치료, 조기 교육의 중요성을 강조하는 내용으로, 당시 고려대학교 의과대학 재활의학과 과장 오정희 교수는 특히 조기 발견과 조기 치료를 위한 제도적 장치의 필요성을 역설하셨다.
(출처: 동아일보 1980년 11월 7일자 사회면)

소아재활발달의학회의 시작은 2000년 2월 21일 소아재활에 관심있는 재활의학과 전문의 11명이 서울중앙병원(현 서울아산병원)에 모여 시작한 '소아재활 연구모임'이다. 이후 2002년에 '소아재활연구회'가 결성되었고, 2005년 학회로 거듭났으며, 2021년 현재 정회원 1,081명의 중견 학회로 성장하였다. 주요 활동으로는 2006년 첫 '소아재활의학' 교과서 발간 후 2013년에 개정판을 발간한데 이어, 2021년 세번째 개정판의 발간을 앞두고 있다. 또한 2007년부터 우리나라 처음으로 전국 규모의 뇌성마비 데이터베이스 구축을 위한 전담팀을 학회 내에 만들어, 2009년 데이터베이스 구성안을 확정하였으며, 2015년까지 사업을 시행하였고, 그 결과를 2017년에 발표하여 우리나라 뇌성마비의 기본적 정보자료를 제공한 바 있다.[7] 2016년에는 우리나라 장애아동의 재활의료 전달체계 구축 방안 연구를 시행하여 국가 보건정책 결정에 필요한 근거자료를 마련하였다. 이와 같이 길지 않은 학회 역사와 우리나라의 심각한 출산율 저하에 따른 소아 인구의 감소에도 불구하고, 본 학회가 규모의 성장뿐 아니라 활발한 활동으로 발전을 지속해 올 수 있었던 것은 소아 장애인과 고위험군, 재활치료 및 특수교육 대상아의 증가와 함께 장애 어린이의 치료에 있어서 소아재활치료의 중요성을 인식하게 되었기 때문이다. 더불어 소아재활을 담당하고 있는 회원 여러분들의 진심어린 열정이 근간이 되었다고 생각한다.

뇌성마비는 발달중인 미성숙한 뇌에 발생한 비진행적 손상에 의해 운동 및 자세의 장애가 초래된 질환군으로 오랫동안 정의되어 왔듯이 주로 운동장애만 부각되어 중점적으로 치료해 온 것이 사실이다. 그러나 뇌에 발생한 병변인 만큼 운동장애뿐 아니라, 감각, 인지, 의사소통 등 다양한 기능에서의 장애를 동반하는 경우가 많다. 따라서 신체 운동기능 위주의 물리치료, 정형외과적 수술 위주의 치료만으로는 한계가 있음을 인식하고 운동기능 치료에 큰 비중을 두었던 초기 치료방식에서 벗어나 다양한 영역의 전문가들이 함께 참여하는 팀 접근방식의 필요성이 대두되었다. 이는 소아재활의학이 지향하는 바이기도 하였기에 소아재활은 뇌성마비의 진단과 치료에 중요 역할을 담당하면서 전문성을 확립하여 발전하여 왔다. 최근에는 좀 더 다양한 질환과 소아 장애 영역의 진단과 치료, 연구로 범위를 확대하고 있다.

향후 소아재활의학이 지향하여 발전해 나아가야 할 사항으로는 첫째, 근거 중심의 임상을 지향하여야 한다. 경험에 바탕을 둔 임상만으로는 부족하다. 과학적으로 검증된 방법들을 선택하여 실행함이 소아재활의학의 전문성 확보와 발전을 위하여 매우 중요하기 때문이다.

둘째, 근거 중심의 임상을 실행하기 위하여 과학적 근거에 기초한 적극적인 연구가 필요하다. 소아재활 치료가 매우 개별화되고 복합적이며, 대상 환아군이 동질하지 않다는 점, 발달이라는 소아의 특성과 윤리적인 문제 등과 같이 연구진행에서 고려해야 할 요소들이 많이 있으므로 잘 계획된 다학제간 연구를 통해 극복해야 할 것이다.

셋째, 장애 요인의 변화에 따라 진단방법과 재활치료, 연구 영역의 변화와 확대가 필요하다. 종래 소아재활의학을 이끌었던 대표적인 질환들인 소아마비, 뇌성마비는 각각 말초신경계와 중추신경계 병변에 의해 초래된 신체적인 장애가 주요 증상인 만큼, 신체기능의 재활에 포커스가 맞추어져 왔던 것이 사실이다. 그러나 우리나라 장애인 등록자 중 지적장애인과 자폐성 장애인, 언어 장애인이 증가하는 추이를 보이고 있고(그림 1-5, 6),[8,9] 특히 소아에서 그 변화가 더욱 뚜렷하여 2019년 신규 등록 18세 미만 장애인 8,267명(8.4%) 중, 장애유형으로는 지적장애 47.2%, 자폐성 장애 16.9%, 언어 장애 13.9%의 순서로 많아, 뇌병변 장애 10.8%를 능가하였다(그림 1-7).[8] 따라서 이들 다빈도 장애의 진단과 치료에 더 많은 관심과 노력이 필요하다.

넷째, 의과학의 발전과 새로운 의료환경에 따른 적절한 대응이 필요하다. 장애를 유발하는 원인 질환의 진단 및 치료방법에서 확장과 변화가 이루어지고 있음에, 선천적 장애아들을 직접 접하는 전문가로서 이러한 변화와 발전에 앞장 서 나아가야 할 것이다. 유전학적 진단과 치료, 디지털 치료를 포함하는 비대면 치료, 로보틱스, 3D 프린터 등 많은 첨단 분야들이 해당되며, 시행에 앞서 반드시 윤리적, 의학적 충분한 검토와 확인이 선행되어야 한다.

(단위: 명, %)

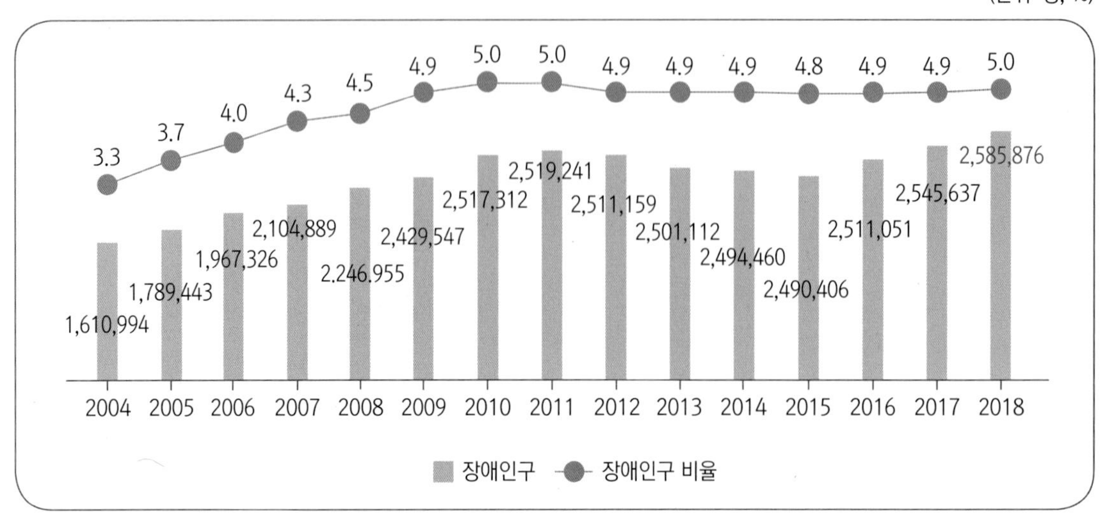

그림 1-5 우리나라 등록 장애인구 및 장애인구 비율의 연도별 추이, 2004~2018년

(출처: 보건복지부 등록장애인 현황, 행정자치부 주민등록 인구통계)

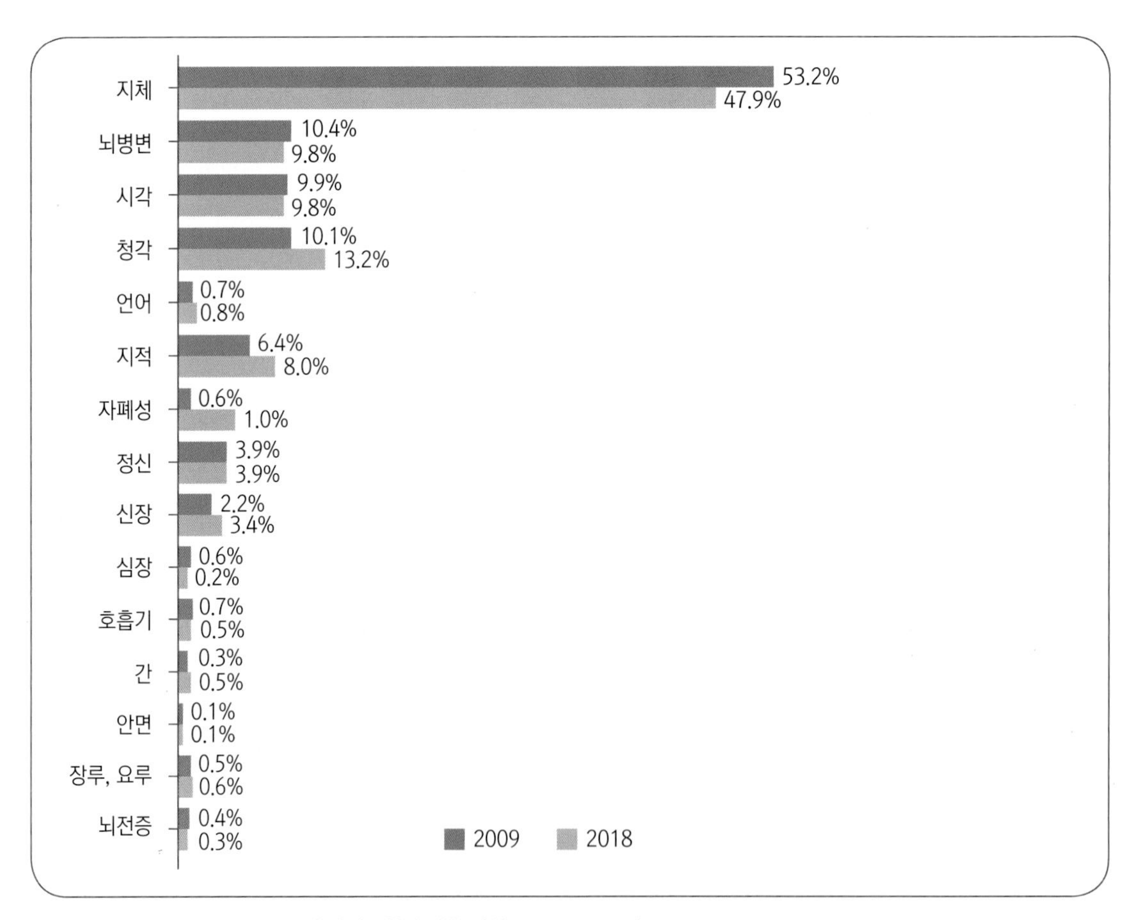

그림 1-6 우리나라 등록 장애인의 장애유형별 비율 변화, 2009~2018년

(출처: 보건복지부, 「등록장애인 현황」, 각 연도)

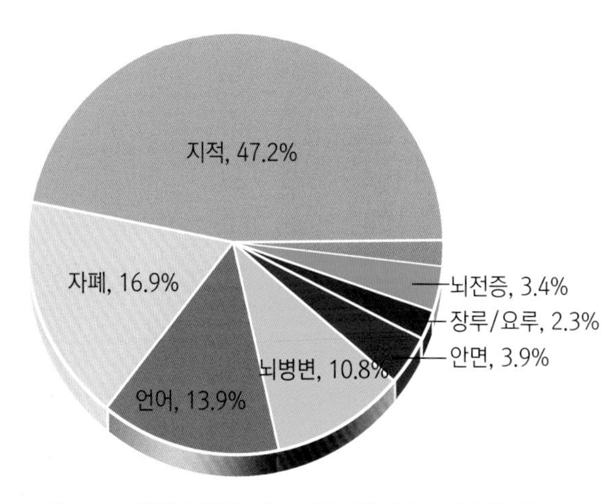

그림 1-7 2019년 18세 미만 등록 장애인의 장애유형별 분포

다섯째, 최적의 재활치료 시스템 정립을 위한 노력이 필요하다. 뇌가소성에 근거한 조기 치료의 중요성은 아무리 강조해도 지나치지 않으며, 적절한 치료 환경의 제공 또한 중요하다. 보편적 복지라는 정치적, 사회경제적 이슈와 맞물려 재활치료의 접근 용이성과 범위는 확대되고 있으나 검증되지 않은 유사 재활치료 기관의 난립과 중복 시행과 같은 문제점들 또한 많다. 이들의 개선은 장애 어린이가 최대한으로 건강하게 잘 성장 발달하기 위한 필수 과제이므로 소아재활전문가로서 관심을 갖고 주시 관찰하며, 문제점 개선을 위하여 노력하고, 힘을 합하여야 할 것이다.

소아재활의학은 임상에서 재활치료뿐 아니라 많은 경우 진단과 치료를 모두 담당한다. 또한 진행성 질환이 아닌 경우에도 성장 발달과 함께 임상 양상이 계속 변화한다는 점, 환자와의 직접적인 의사소통이 잘 안 되는 경우가 많다는 점, 주변 환경에 크게 영향을 받는다는 점 등의 특성이 있기에, 이를 극복하기 위한 지속적인 노력이 필요한 분야이다.

또한 임상에서 어린 환자들을 사랑하는 마음으로 안아주며 진찰할 수 있으며, 진단하고, 재활치료 효과를 확인할 수 있는 소아재활의학의 장점과 매력은 늘 우리에게 새로운 각오를 다지게 한다. 이는 소아재활의학이 재활의학 안에서도 가장 전문성을 요하는 접근이 어려운 분야임에도 불구하고, 우리의 도전을 계속하게 한다.

▶ 참고문헌

1. Pinto KS. Rocha AP. Coutinho AC. Goncalves DM. Beraldo SS. Is rehabilitation the Cinderella of health, education and social services for children? Ped Rehabil. 2005;8(1):33-43.
2. Schalick WO. Children. disability and rehabilitation in history. Ped Rehabil. 2001;4(2):91-95.
3. Helders PJM. Engelbert RHH. Gulmans VAM. Net VD. Pediatric rehabilitation. Dis Rehabil. 2001;23 (11):497-500.
4. Trevelyan B. Smallman-Raynor M. Cliff A. The spatial dynamics of poliomyelitis in the United States: From epidemic emergence to vaccine-induced retreat, Ann Assoc Am Geogr. 2005;95(2):269-293.
5. “History of vaccines website - Polio cases surge” , College of Physicians of Philadelphia 2010;3(11).
6. Turk MA. Neufeld JA. Pediatric rehabilitation medicine subspecialty training. PM & R. 2009;1(12): 1055-7.
7. Yim SY. Yang CY. Park JH. Kim MY. Shin YB. Kang EY. Lee ZI. Kwon BS. Chang JC. Kim SW. Kim MO. Kwon JY. Jung HY. Sung IY; Society of Pediatric Rehabilitation and Developmental Medicine, Korea. Korean Database of Cerebral Palsy: A Report on Characteristics of Cerebral Palsy in South Korea. Ann Rehabil Med. 2017;41(4):638-649.
8. 국가통계포털 http://kosis.kr/gen-etl/ 장애인현황-등록장애인수-전국 연령별, 장애유형별, 남녀별.
9. 한국장애인 고용공단 고용개발원. 2019 한 눈에 보는 2019 장애인통계 4-5.

CHAPTER

2 성장과 발달

Normal Growth and Development

고성은, 홍보영

소아에서 성장과 발달에 대한 평가는 매우 기본적이면서 중요한 것으로 아동의 방문 시 확인하여야 한다. 성장 확인을 위해서는 영유아 시기에 신장, 체중, 두위의 측정을 주기적으로 하는 것이 필요하다. 태아 시기의 성장은 산모의 영양상태, 약물의 사용, 심리적 외상 등 다양한 사회적, 환경적 영향을 받게 된다. 유전적 요인뿐만 아니라, 동일한 DNA 염기서열을 갖고 있어도 특정 질환의 발현이 다른 경우 등 설명이 잘 되지 않는 부분에 대해 여러 가지 환경적 요인이 유전자 발현에 후생학적으로 영향을 미치고 있다는 개념이 대두되어 후생유전학(epigenetics)에서 주로 연구되고 있다. 이와 같이 사람은 신체적, 신경학적, 환경적인 여러 요인에 의해 태아의 성장과 출생 후, 영유아 시기 등을 거쳐 어쩌면 평생토록 성장과 행동 발달 등에 영향을 받으며 성장하고 발달한다.[1]

1. 뇌 발달

수정 후 6일째에 착상이 시작되고 태아는 중앙이 비어있는 동그란 세포덩어리인 주머니배(blastocyst)를 형성하고, 임신 후 약 2주가 지나면 착상이 완료되고 자궁과 태반의 혈류가 시작된다. 배아(embryo)는 내배엽(endoderm)과 외배엽(ectoderm)의 두 층으로 이루어지고 양막(amnion)이 형성되기 시작한다. 3주가 되면 중배엽(mesoderm)이 나타나기 시작하며 신경관과 혈관들도 형성된다. 재태연령 4~8주 동안 크기가 커지면서 팔다리가 형성되어 사람의 형상을 갖추게 되며, 척추와 근육의 전구체인 체절(somite)과 장차 아래턱뼈, 위턱뼈, 구개, 외이, 그리고 그 외의 머리와 목의 구조물들이 될 아가미활(branchial arch)이 형성되고 뇌가 빠르게 자란다. 재태연령 9주부터는 태아 시기(fetal period)가 시작되며 이 때의 크기는 대략 5 cm, 무게는 약 8 g이며 매우 빠른 신체의 성장과 더불어 조직, 기관, 기관계의 발달이 일어난다. 재태연령 25주에는 무게가 약 900 g, 크기가 24 cm로 자라게 되며, 임신 제3분기가 시작되고, 재태연령 28주 경에는 체중이 1,000~1,300 g으로 성장하고 머리가 아래쪽으로 간다.

성장과 발달은 복잡하고 상호 의존적인 과정들이다. 이러한 과정들은 어떤 단계에서든 붕괴될 수 있고 이 결과로 기능부전이 발생한다. 따라서, 성장과 발달 과정을 정확히 이해하기 위해서는 신경계의 발달에 대한 이해가 필요하다. 출생 전의 뇌의 발달단계는 배아전기(preembryonic stage), 배아기(embryonic stage), 태아기(fetal stage)로 나뉜다.

배아전기는 임신 후 2주간이며 난관에서 난자가 수정된 후 자궁강으로 이동하면서 세포 분열을 시작한다. 반복되는 세포분열은 주머니배(blastocyst)를 형성하고 주머니배의 바깥판(outer layer)은 태반의 일부를 형성하고 속세포덩이(inner cell mass)는 배아가 된다. 주머니배가 자궁의 자궁내막에 착상을 하면서 속세포덩이가 배자판(embryonic disc)이 되고 이것은 외배엽과 내배엽을 이루고 곧, 두 층 사이에 중배엽이 발생하게 된다.

신경계와 피부는 모두 배아의 외배엽(ectoderm germ layer)에서 발생한다. 신경계와 피부가 발생학적으로 외배엽에서 공동기원함으로 인하여 신경계와 피부에 동시에 이상징후가 나타나게 되기도 한다. 경련, 발달지연, 학습과 행동장애 등을 일으키는 신경섬유종증(neurofibromatosis), 결절경화증(tuberous sclerosis), 스터지-웨버증후군(Sturge Weber syndrome) 등의 신경피부증후군(neurocutaneous syndromes)이 그 예이다.

배아기는 임신 후 2주에서 8주까지이며 이 시기에 기관(organ)들이 형성된다. 외배엽은 감각신경계, 표피 및 신경계로 발달하고 중배엽은 진피, 근, 뼈, 순환계로 내배엽은 장, 간, 이자 및 호흡기계통으로 분화한다. 태아기는 임신 8주 말부터 출생까지의 시기이며, 태아기에 신경계는 더욱 발달하고 수초화가 일어난다.

1) 신경관 형성(임신나이 18~26일)

신경관 형성(neural tube formation)은 배아의 등쪽에서 뇌와 척수 형성이 유도되는 과정이다. 신

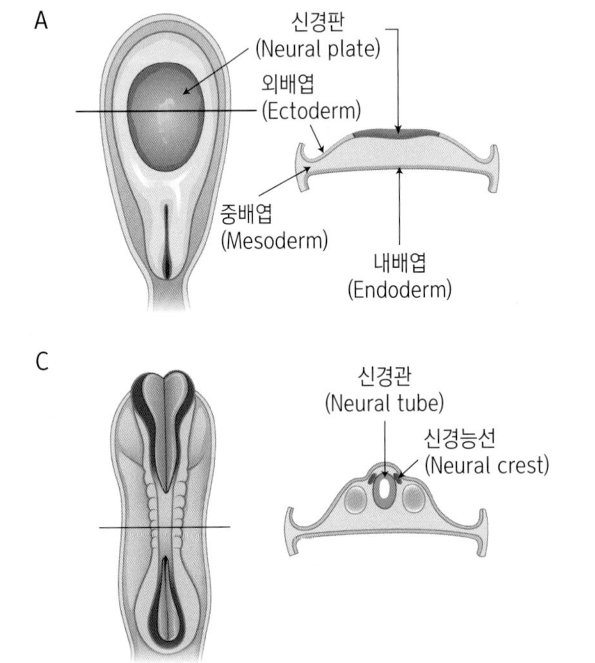

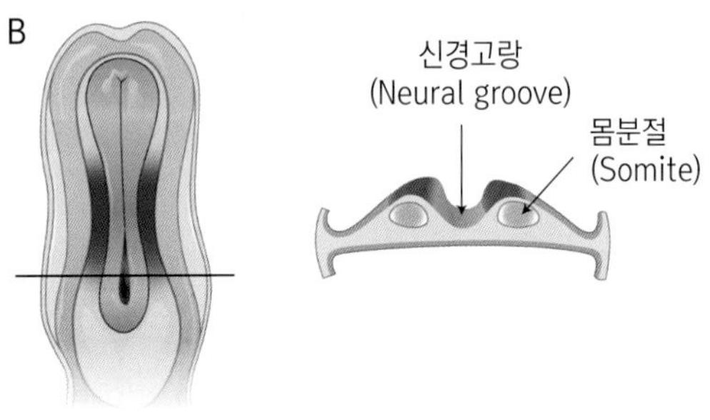

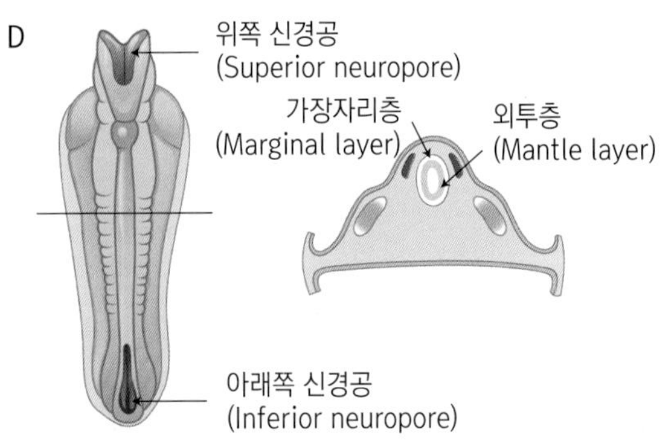

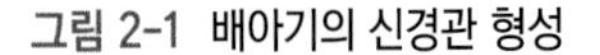
그림 2-1 배아기의 신경관 형성

경계는 외배엽이 종으로 길어지며 신경판(neural plate)을 형성하면서 시작된다(그림 2-1A). 신경판은 배아의 표면에 머리쪽에서 꼬리쪽으로 형성이 되며 양수와 닿아 있다. 신경판의 외측 모서리가 함입되면서 신경고랑(neural groove)이 되고(그림 2-1B), 임신나이 21일에 고랑이 서로 만나게 되면 신경관(neural tube)을 이룬다(그림 2-1C). 신경 고랑은 두부와 미부 방향으로 지퍼 형태로 빠르게 닫히는데 끝 쪽은 신경공(neuropore)으로 열려 있게 된다(그림 2-1D). 신경관은 전반적인 신경계의 기본을 이루게 된다. 이러한 신경관이 형성될 당시, 약 125,000개의 세포를 포함하는데 출생 시, 인간의 뇌가 포함하는 세포가 1천억개에 이르는 것을 생각하면 임신기간 동안 분당 250,000개의 세포가 생성되는 것을 알 수 있다. 신경관 주변의 세포가 신경관과 외배엽에서 분리되어 신경능선(neural crest)을 형성한다.

신경능선이 형성되면 신경관과 신경능선이 배아의 안쪽으로 이동하고 그 위로 나중에 피부 표피층이 되는 외배엽이 닫히게 된다. 신경관의 위쪽 신경공은 27일경, 아래쪽 신경공은 30일경에 닫힘이 끝나게 된다. 임신 26일이 되면 신경관은 두 개의 고리로 분화되며(그림 2-1D), 외투층(mantle layer, inner wall)은 세포체(cell bodies)가 위치하며 장차 회색질(gray matter)로 되며, 세포돌기(processes of cells)를 포함하는 가장자리층(marginal layer, outer wall)은 축삭(axon)과 신경아교세포(glial cells)로 이루어진 백질(white matter)이 된다.[2] 신경관은 뇌와 척수를 이루며, 신경관이 덮이면서 주위의 중배엽은 체절이라 불리는 구형의 세포덩어리로 나뉜다. 이 체절은 후두엽 쪽에 처음 나타나서 머리쪽으로 새로이 생겨난다. 체절의 앞쪽내측이 장차 척추와 두개골이 되는 골분절(sclerotome)이며, 뒤쪽내측이 골격근이 되는 근분절(myotome), 외측이 진피가 되는 피부분절(dermatome)이다.[2]

신경관이 형성되는 임신나이 3-4주 시기에는 형성 시기에 문제가 생기면, 무뇌증(anencephaly), 아놀드 키아리 증후군(Arnold-Chiari malformation), 이분척추(spinal bifida), 척수수막류(myelomeningocele), 척수갈림증(myeloschisis)과 같은 질환을 유발할 수 있다.

2) 뇌 형성

위쪽 신경공이 닫힐 때, 뇌로 발달될 신경관의 부위는 전뇌(forebrain, prosencephalon), 중뇌(midbrain, mesencephalon), 후뇌(hindbrain, rhombencephalon)로 3개의 팽대가 일어나고, 곧 2개의 팽대가 더 일어나 5개로 구분된다(그림 2-2). 종뇌(telencephalon)는 대뇌반구(cerebral hemisphere)가 되고, 대뇌 반구가 확장되면서 간뇌(diencephalon)를 덮게 된다. 후뇌의 아래 부분은 연수(myelencephalon)가 되고 윗 부분은 후뇌(metencephalon)로 된다. 이들은 장차 연수(medulla), 교뇌(pons), 소뇌(cerebellum)로 분화한다. 후뇌 윗쪽의 중심관(central canal)은 확장되어 제4뇌실을 형성한다. 중뇌는 발달 중에 계속 중뇌의 명칭을 유지하며, 중심관은 제3뇌실과 제4뇌실을 연결하는 대뇌수도관(cerebral aqueduct)을 형성한다.

전뇌의 뒤쪽 부분은 중앙(midline)에 위치하여 간뇌(diencephalon)를 형성하여 시상(thalamus)과 시상하부(hypothalamus)가 되고, 중심 공동은 제3뇌실을 형성한다. 전뇌의 앞쪽 부분은 종뇌가 되며, 중심 공동은 두 개의 측내실(lateral ventricle)로 확장된다. 종뇌는 대뇌반구가 되며, 대뇌반구가 확장되면서 간뇌를 덮게 된다. 대뇌 반구는 기저핵(basal ganglia), 백질(white matter), 피질(cortex)로 이루어지며, 배가쪽으로(ventrolateral) 확장되면서

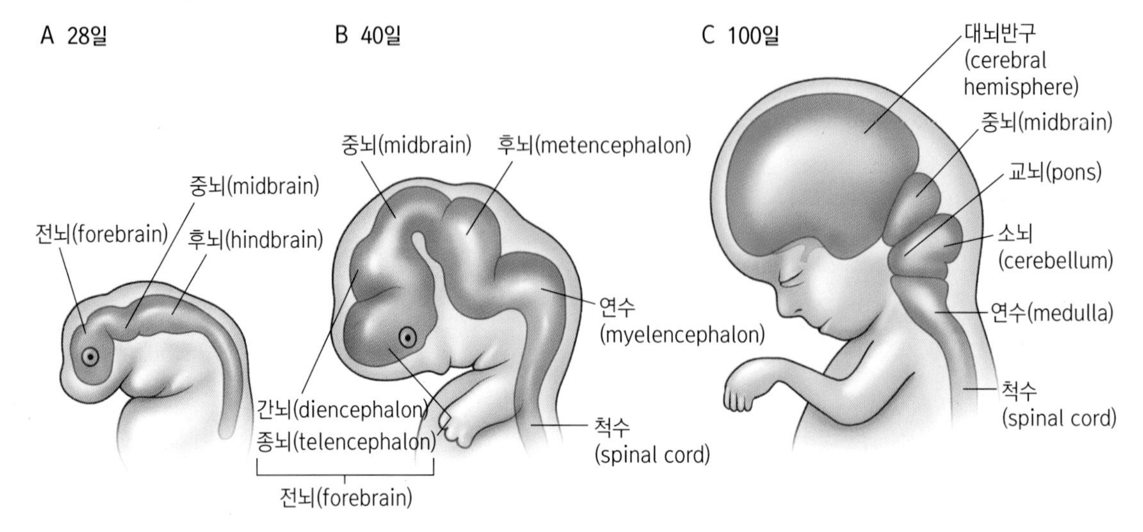

그림 2-2 뇌의 형성 과정

측두엽(temporal lobe)을 형성하며 C자 모양이 된다.[2] 뇌의 팽대가 이루어지는 2~3개월에 문제가 생기는 경우에는 완전전뇌증(holoprosencephaly)이 발생할 수 있고, 세포 증식이 활발하게 이루어지는 3~4개월경에는 태아알코올증후군(fetal alcohol syndrome) 등이 발생할 수 있다. 또한, 신경 이동(neuronal migration)이 활발한 3~5개월경에 발달과정이 잘 되지 않을 때에는 이소증(heterotopia), 발작(seizure) 등이 유발될 수 있다.

3) 출생 후 뇌의 발달

출생 즈음에는 뇌의 구조는 얼추 이루어지지만, 많은 세포들이 세포소멸(apoptosis)의 과정을 거치고, 경험에 따라 여러 시냅스(synapse)가 새로 형성되고 가지치기가 일어나게 된다.[3] 성인이 되기까지 많은 경험에 따라 뇌가 계속 적응하고 변화한다는 개념을 뇌가소성(neural plasticity)이라고도 한다. 많은 발달장애들이 이러한 뇌의 기능적 연결망의 형성과정에 문제가 생기면 발생하는 것으로 여겨지고 있다. 건강한 뇌의 발달을 위해서는 1) 사람과의 상호작용이 민감하게 반응하고(responsive), 감정적으로 지지되고, 발달을 자극하며 이루어져야 하고, 2) 적절한 영양공급과 건강유지를 위한 지지가 필요하고, 3) 위험으로부터 보호되어야 하며, 4) 배움의 기회가 주어지는 환경에서 양육되어야 한다.[1,3]

출생 후 첫 3개월간 피질의 신경세포(neuron) 수는 23~30%가 증가하게 되며, 축삭과 수상돌기(dendrite)가 길게 자라고 여러 연결망, 즉 시냅스를 형성한다. 시냅스의 형성은 첫 2년간 매우 활발하게 이루어져 2세경이 되면, 뇌의 크기는 성인의 약 80%로 성장하나, 시냅스의 수는 성인에서보다 50%가 더 많다. 이후에 다시 시냅스의 수가 줄어들고 가다듬어지게 되며 이를 시냅스 가지치기(synaptic pruning)라고 한다. 이 과정에 유아기의 여러 감각 자극을 포함한 경험(운동, 감정 등)이 영향을 미치며, 약한 연결망은 사라지고, 자주 활성화되는 시냅스는 더 성장하고 안정되게 된다. 약 5세가 되면 뇌는 성인의 90% 크기로 자라게 된다.[4]

2. 성장

1) 성장

성장은 신체가 자라고 생물학적으로 성숙해지는 과정을 일컬으며, 소아에서 가장 중요한 활력 징후 중 하나이다. 비정상적인 성장은 소아에서 병적인 상황의 첫번째 징후일 수 있다. 그러므로 소아에서 성장을 주기적으로 보는 것은 매우 중요하며, 성장 평가를 위해 키, 체중, 두위, 체질량 지수의 성장 차트를 사용한다(그림 2-3).

2) 신장, 체중, 두위와 성장

성장은 정상적으로 늘 일정하게 일어나지는 않고 급성장기(growth spurt)와 그렇지 않은 시기가 반복적으로 나타나며, 성장의 속도는 일반적으로 봄과 여름에 더 빠르다. 다태아는 출생 후의 성장 속도가 단태아보다 빠르지만 2.5세 전까지는 키, 체중이 단태아보다는 작다가 약 4세경이 되면 비슷해진다.[5, 6] 28주 미만에 출생한 극소미숙아나 1,500 g 미만의 극소저체중아의 경우에는 성인이 되었을 때의 키가 작을 위험이 더 많은 것으로 알려져 있다.

출생 시 약 35 cm의 두위를 보이나, 첫 5~6개월간 활발하게 지속되는 신경 세포의 분화로 머리 둘레는 지속적으로 자라며, 약 3개월까지 대략 1주에 0.5 cm, 그 이후에는 1주에 약 0.25 cm 성장한다. 머리 둘레는 생후 1년경에는 약 47 cm, 생후 2년에는 49 cm로 성장한다. 체중은 출생 시 평균 3~3.5 kg 정도의 체중을 보이고 출생 직후 약간 빠졌던 체중이 약 2주 뒤에는 회복을 하고 약 5개월이 되면 출생 시의 체중의 2배로 자란다. 생후

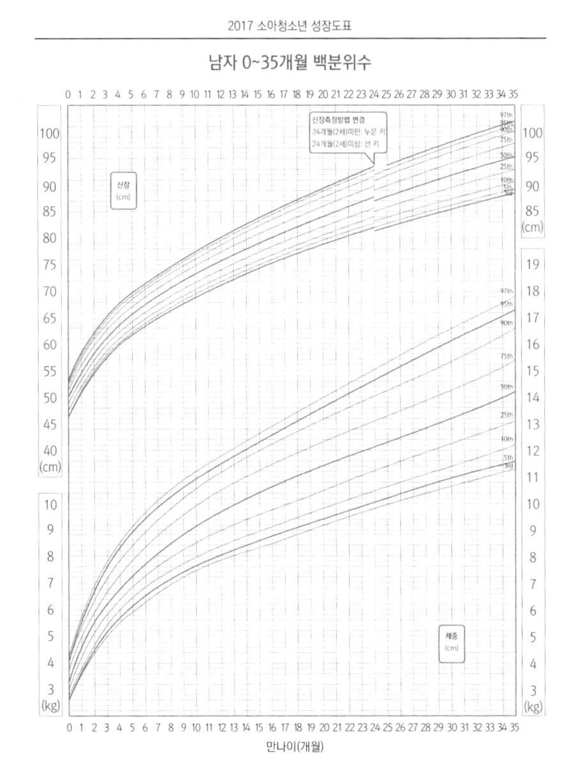

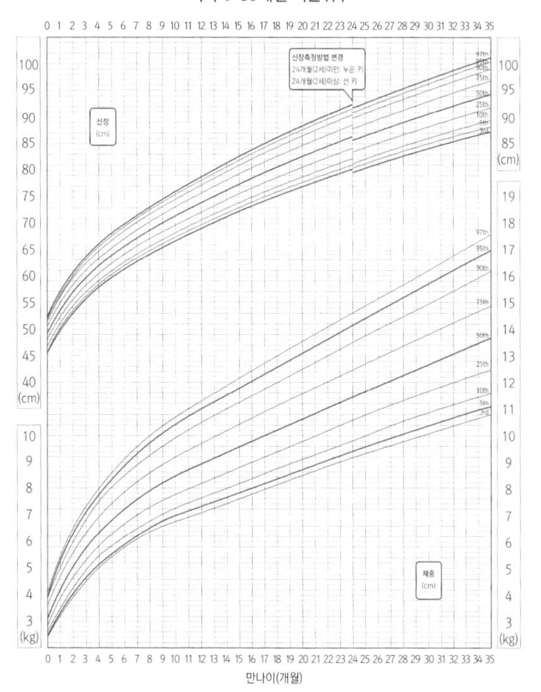

그림 2-3 남아와 여아의 신장과 체중의 성장도표

(질병관리청 성장도표 그래프 발췌, https://knhanes.cdc.go.kr/knhanes/sub08/sub08_02.do)

1년이 되면 체중은 출생 시의 약 3배 정도로 증가하게 되어 약 10 kg 전후가 되며, 생후 2년 째에는 약 12~12.5 kg로 출생 시 체중의 약 4배로 성장한다. 키는 출생 후 첫 9개월 정도까지는 대략 1주에 0.75~0.5 cm씩 자란다. 2세 이후에는 신체와 머리 둘레의 성장이 다소 주춤해지며 대략 1년에 2 kg의 체중 증가와 7~8 cm의 키 증가가 나타난다. 3~18세 사이에 두위는 약 5~6 cm 정도만 더 성장한다. 6~11세 사이에는 대략 1년에 6~7 cm 키가 자라며, 3~3.5 kg의 체중 증가가 있다. 사춘기 시기에는 여자는 테너 3단계에서, 남자는 테너 4단계에서 급성장이 일어나며, 남아에서 여아보다 평균 약 2년 정도 더 성장한다.

키는 유전적 영향을 많이 받으므로 부모의 키를 통해 키를 자녀의 키를 예측해보기도 하는데 남아의 경우에는 남자와 여자의 평균 차이인 13 cm를 엄마 키에 더한 수와 아빠 키의 평균([(엄마 키+13 cm)+아빠 키]/2)으로, 여아의 경우에는 엄마 키와 아빠 키에서 13 cm를 뺀 수의 평균([엄마 키+(아빠 키−13 cm)]/2)을 통해서 예상해 볼 수 있다.

3) 계통 및 기관별 성장

임신나이 9주경부터는 조직, 계통의 성장과 분화가 지속적으로 이루어지게 된다. 임신나이 10주 정도되면 사람의 얼굴 성상을 하게 되고 중장(midgut)이 시계 반대방향으로 돌면서 위, 소장, 대장 등이 제 위치에 위치하게 된다. 임신나이 12주에는 성별을 구분할 수 있는 성기를 확인할 수 있다. 폐의 발달도 지속적으로 이루어져 기관지, 세기관지 등으로 점점 더 세분화되고 임신나이 20~24주가 되면 원시적인 폐포가 형성되고 계면활성제(surfactant)의 형성이 시작된다.[3]

두위와 별개로 뇌의 성장은 보다 일정한 양상으로 지속된다. 출생 이전의 시기에 뇌는 대단히 빠른 속도로 성장해서 출생 시 뇌의 무게는 성인 뇌 무게의 약 25%가 된다. 신생아의 두부는 성인보다 몸통의 크기와 비교하여 훨씬 크다(그림 2-4).

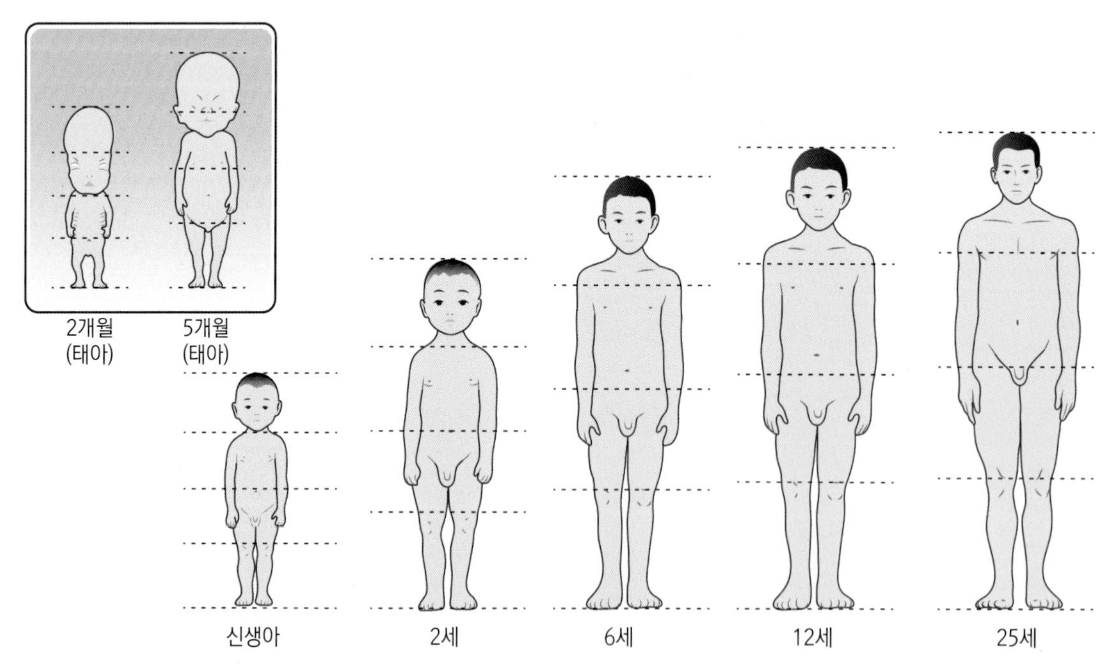

그림 2-4 소아의 신체 비율

출생 시 뇌 중에서 중뇌는 가장 발달된 부분이다. 피질은 세포와의 연결이 증가하게 되며 6개월이 되면 거의 1/2이 완성되고 2세가 되면 약 3/4이 완성된다. 이것은 신생아에서 보이는 반사의 일부가 사라지는 것을 설명해준다. 피질의 발달은 균등하지 않다. 예를 들면, 청각과 시각을 관장하는 부위는 출생 시에 잘 발달되어 있으나, 운동 발달을 관장하는 부위는 그 이후에 발달하게 되며 고도의 인지 기능을 관장하는 부위는 더 늦게 발달하게 된다(그림 2-5). 이는 아기가 일정한 연령이 되어야 각 기능을 수행하게 되는 것을 설명해 준다. 백질화는 척수에서조차 출생 시에 완성되어 있지 않으며, 척수의 수초화와 말초신경의 수초화는 빠르게 진행하여 약 2세 정도가 되면 거의 완성된다. 뇌의 결합 조직의 성장과 백질화는 보다 오래 지속되어 어떠한 경우는 사춘기에까지 이르게 된다.

뼈의 성장은 크기가 증가되는 과정과 뼈가 단단해지는 과정을 거치게 된다. 두개골은 여러 개로부터 하나로 유합되며, 천문의 폐쇄를 거치게 된다. 그러나, 수부, 손목, 족부, 족관절 등의 뼈는 수적인 증가가 일어나게 된다. 출생 시 체중에 대한 심장박출량은 kg 당 성인의 약 3배이며, 이는 고도의 산소 소모량에 기인하며, 이러한 심장 박출량은 곧 감소하게 된다. 호흡 수는 연령과 함께 감소하게 되고, 최대 유량(peak flow)은 증가하나, 십대에 이르기까지 성인의 속도에 도달하지는 않는다.

면역 계통의 발달은 항체의 형성, 감염과 질환에 대한 저항력 등을 포함하는데 이는 매우 복합적인 과정이다. 신생아 시기에는 항체, 특히 면역 글로블린 G가 낮으며 이는 태반의 장벽을 통과하지 못하고 신생아가 자체적인 면역 글로불린 형성을 하지 못하기 때문이다.

소화기 계통 또한 발달의 과정을 거치게 되는데 일반적으로 소화기 계통의 발달에 관여하는 중요한 인자는 신생아 초기에 단백질을 잘 흡수하느냐 하는 점과 전분, 지방, 그리고 때로는 당을 소화시키는데 어려움이 있느냐와 관련이 있다.

호르몬의 형성은 아동기에 변화의 과정을 거친다. 갑상선 호르몬과 테스토스테론은 출생 전에 존재한다. 출생 후에 성장은 기본적으로 갑상선과 뇌하수체에 의해 사춘기까지 이루어지며 또한 부신호르몬과 성호르몬은 생식기관의 성장에 영향을 미치게 된다.

4) 성장 부전

머리둘레가 크거나 작은 것은 모두 발달과 관련이 있으나 직접적으로 지능의 저하와 관련이 있지는 않다. 소두증(microcephaly)은 정상 범위에서 특별한 구조적 이상이나 지능 저하와 관련 없이 있을 수도 있으며, 평균 이상의 인지 기능을 가진 경우에도 볼 수 있다. 그러나 소두증이 염색체 이상이나 뇌병변과 관련되어 있을 경우에는 대개 인지기능의 저하를 동반한다. 대두증(macrocephaly)은 수두증(hydrocephalyus)과 관련된 경우 인지기능의 저하나 학습장애와 관련이 있다. 머리가 큰 경우의 약 50%는 유전적인 것으로 인지기능과는 별개이며, 별다른 문제 없이 대두증만 보이는 경우에는 부모 중 머리가 큰 경우가 있을 경우 예측해 볼 수 있다. 그러나, 가족력이 없을 때에는 수두증이 없다 하여도 인지기능 저하의 유병률이 더 높다고 알려져 있다.[7] 성장에 이상이 있는 경우에는 손목 X-선 촬영을 통해 골 연령을 확인하여야 하고, 전혈검사(complete blood count)나 갑상선호르몬 검사 등을 포함한 포괄적인 실험실적 검사를 시행하며 소아내분비 전문의의 진료가 필요하다. 그 외에도 염색체 검사나 소변 검사가 도움이 되기도 하다.

3. 발달

1) 발달의 정의

발달은 기능의 분화를 의미하며, 일반적으로 성인과 아동을 구분하는 특징이다. 발달은 해부학적, 생리적, 행동학적 발달로 나눌 수 있으며, 여러 인자들이 발달에 영향을 미친다. 발달 영역별로 특히 활발하게 이루어지는 시기의 차이는 있으나(그림 2-5) 출생 후 6세 미만의 영유아 시기는 모든 면에서 급속한 성장과 발달이 일어나는 시기로 특히 첫 2-3년은 아동의 발달에 매우 중요한 시기로 뇌의 구조적, 기능적 발달이 활발하게 일어나는 시기이다.[8] 이 시기에 연령에 맞는 발달을 정상적으로 획득하지 못할 때 발달지연(developmental delay)이라는 한다. 미 질병통제 및 예방센터(Centers for Disease Control and Prevention, CDC)에서는 6명 중 1명이 발달장애 혹은 발달지연을 갖고 있으며, 0.5%가 자폐, 0.7%가 지적장애, 7.7%가 학습장애, 3.7%가 발달지연을 갖고 있다고 보고하였다.[9] 발달은 운동발달, 인지, 언어, 사회성과 개인 자조 등 영역별로 확인을 하며, 연령에 따른 기능 정도를 보기 위해 실제 아동의 연령(생활연령) 대비 발달하고 있는 연령의 비를 구해 간단히 발달지수(developmental quotients, DQ)를 계산하기도 한다.

$$발달지수 = \frac{발달연령}{생활연령} \times 100$$

발달지수가 85 이상이면 정상 범위로 보고 70 미만이면 비정상으로 보고, 그 사이는 경계성으로 면밀한 관찰을 요하는 것으로 판단한다. 미숙아의 경우는 분만 예정일에 따라 교정한 나이로 평가하며 통상적으로 2세까지는 교정연령을 사용한다.

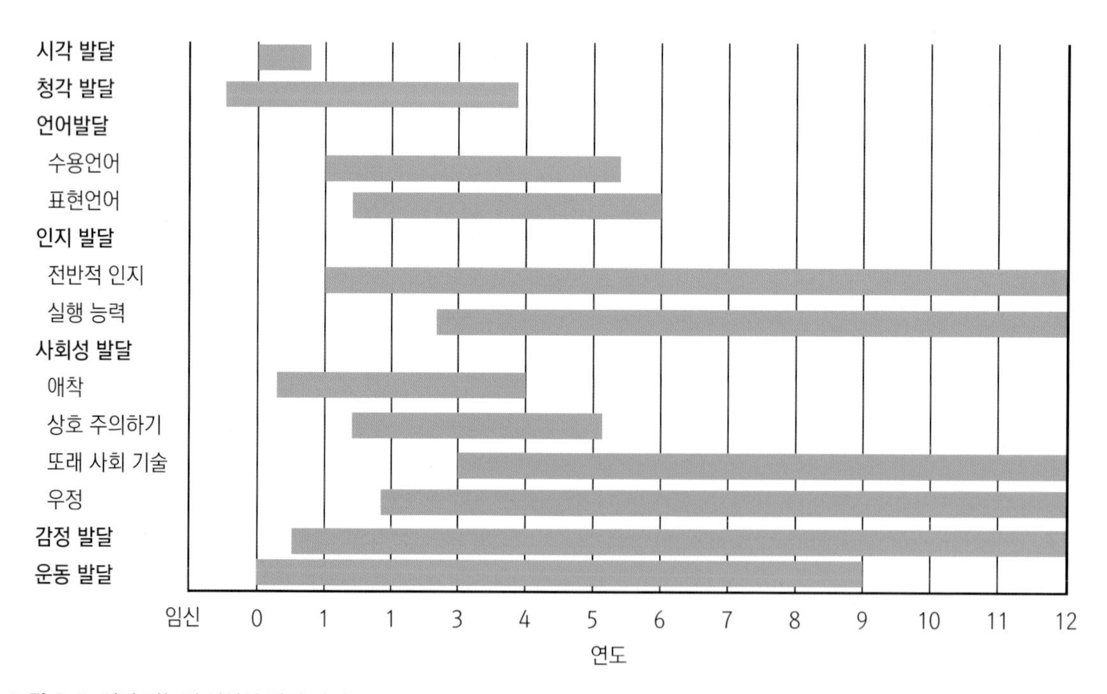

그림 2-5 여러 기능적 영역의 발달 과정

Adapted from Volpe's Neurology of the Newborn Neurodevelopmental Follow-Up

2) 발달의 척도

발달은 고정된 것이 아니라 연속된 일련의 과정이고 영유아의 발달에는 개인차가 있다. 그러므로 발달과정을 설명하는 절대적인 이론은 존재하지 않고 발달평가 역시 한두 가지 계통적 설명만으로는 완벽하게 이루어질 수 없다. 정상발달과 발달지연을 통합적으로 알기 위해서는 몇 가지 선제적인 이해가 필요한데, 첫째는 발달의 각 영역은 상호 밀접한 관련이 있으나 한 영역이 다른 영역의 발달을 예측하지는 못한다는 것이고, 둘째는 영유아가 초기에는 발달장애 증상 및 징후가 분명치 않고 전반적 발달지연을 보이므로 진단이 쉽지 않다는 것이다. 그러므로 아동이 성장하면서 모든 발달영역에 대한 폭넓은 평가를 주기적으로 시행하는 것이 중요하다.

일반적으로 발달에서 정상은 건강함을 의미하고 정상이라는 말은 통계적으로 정규 분포를 하고 있음을 뜻한다. 정규 분포를 하는 경우, 키나 체중, 지능지수 같은 양의 척도는 x축으로, 빈도를 y축으로 하는 히스토그램이 종 모양의 분포를 한다. 이상적으로는 가장 뾰족한 부분이 표본의 평균이면서 중앙값이 된다. 그리고 종 모양의 중심에 얼마나 값들이 가까이 있는 지를 수학적으로 나타내는 값이 표준편차(standard deviation, SD)이다. 이상적인 정규분포에서 ±2SD는 95%의 값을 포함하고 ±1SD는 68%를 포함한다. 지능지수 같은 경우 평균에서 2표준편차 이하인 경우 심각한 지적능력의 저하를 보인다고 하는데, 지능지수의 경우에는 평균이 100, 표준편차가 15이므로 지능지수 70 미만이면 대개 지적장애를 진단한다. 또, 다른 방법으로 백분위수(percentile, %ile)는 특정 기준을 얼마나 많은 사람들이 가능한지를 백분율로 나타낸 것이다. 계측한 값들의 경우에는 백분위수의 5%ile, 10%ile, 25%ile의 절단점을 각각 -1.65SD, -1.3SD, -0.7SD로 각각 나타낼 수 있다.

발달지표(developmental milestones)는 성장기 아동을 추적 관찰 및 관리 감독하기 위한 틀을 제공한다. 아동을 진찰할 때 아동이 자라온 내력, 성장 계측과 신체 검사 소견을 포함한 맥락에서 발달지표를 분석하는 것이 중요하다. 아동의 모든 발달영역(대근육운동, 소근육운동, 수용 및 표현언어, 인지 및 문제해결, 사회심리)에서 정상 또는 전형적인 발달 순서를 철저하게 이해하면 아동의 발달 상태에 대한 정확한 이해와 발달지연 위험군을 선별하는 데 큰 도움이 된다. 그러나 발달지연을 식별하기 위해 발달지표에 관한 지식에만 의존하는 것은 위험할 수 있다. 발달지연을 조기에 발견하기 위해서는 아동에 대한 세심한 진찰과 함께 주기적으로 검증되고 표준화된 평가도구를 이용한 선별검사가 필요함을 잊지 말아야 한다.

신경발달은 예측 가능한 과정을 거치지만, 발달에 영향을 줄 수 있는 내적 요소와 외적 요소에 의해 각 아동마다 고유한 발달 경로를 따르게 된다는 것을 이해하는 것이 중요하다. 내적 요소로는 유전적으로 결정된 속성(예: 신체적 특징, 기질)뿐만 아니라 아이의 전반적인 건강 상태가 포함된다. 유아기와 유년기의 외적 영향은 주로 가족에서 비롯되는데 부모와 형제간의 성격, 주 양육인이 취하는 양육 방법, 문화 환경의 영향과 함께 가족의 사회경제적 지위가 모두 자녀 발달에 일정 부분 역할을 한다. 발달이론은 연구자들 사이에서 어떤 영향력이 더 지배적인가를 놓고 치열하게 토론하고 논쟁하는 과정 속에서 그 자체로 발전해왔다.

발달지표는 발달평가에 있어 매우 중요한 부분으로, 임상적으로 측정 가능한 것이 기준이 되어야 하며, 발달기전보다는 발달의 성취 시기에 중점을 둔다. 본 장(章)에는 대근육운동, 소근육운동, 언어, 인지, 개인-사회성 등 정상적인 발달지표에 대해서 알아보고자 한다. 그리고 아래 서술한 내용의 초점은 발달 이상을 강조하기 위해서라기보다는 의료진이 정상아동의 발달 흐름에 따른 일반적인 발달개념을 이해할 수 있도록 돕는 것이다. 표 2-1에 인용된 발달지표는 평균연령대의 50번째 백분위수(50 %ile)이다. '정상' 또는 전형적인 패턴을 이해함으로써 의료진은 발달의 비정상적 패턴이나 발달지연에 관해 더욱 예리하게 평가할 수 있다.

3) 영역별 발달

(1) 대근육운동 발달

대근육운동 발달은 몸의 자세 및 균형 유지, 팔과 손의 사용 그리고 필요한 신체 동작 수행 시 우리 몸을 어떻게 움직이고 사용해야 하는지를 체득하는 과정으로, 결국 궁극적인 목표는 독립적이고 수의적인 움직임을 얻는 것이다. 태아는 특정 운동 기

표 2-1 연령 별 주요 발달 이정표

연령	사회성 감정	언어/의사소통	인지	대근육운동	소근육운동
2개월	• 사회적 미소 • 부모 쳐다보기	• 옹알이 • 소리 나는 방향 쳐다보기	• 얼굴에 집중하기 • 물체나 사람을 따라 쳐다보기 • 지루하면 울거나 짜증내기	• 엎드린 자세에서 고개 잠깐 들기 • 팔다리의 움직임이 부드러워짐	
4개월	• 사람을 보고 웃기 • 놀아주면 좋아함 • 웃거나 찡그리는 등 표정 모방	• 옹알이에 감정이 실리기도 함 • 우는 이유에따라 다양한 양상의 울기가 가능함	• 물체에 손 뻗기 • 친밀한 사람을 알아보기	• 고개 가누기 • 바닥에 발이 닿으면 발바닥으로 밀기 • 뒤집기 시작 • 엎드려서 팔꿈치로 지지	• 손을 입에 가져가기 • 물체를 쥐고 있기
6개월	• 낯가림 • 다른 사람과 노는 것을 좋아함. • 거울에 비친 자기에 관심	• 소리 내서 감정을 표현 • 자음 소리내기가 시작됨(ㅁ, ㅂ)	• 주위를 살핌 • 사물을 입으로 가져가기 • 사물에 호기심을 갖고 잡으려고 함	• 뒤집기, 되집기가 가능 • 붙잡고 세워주면 양다리로 지지하며 반동을 줌	• 한 손에서 다른 손으로 물건 옮겨 쥐기
9개월	• 친숙한 사람에게만 붙어있으려고 함 • 애착 물건이 생김	• 부정어 인지 • '마마마', '바바바'와 같은 옹알이 • 동작 모방	• 물체를 집어서 입에 넣기 • 까꿍놀이 • 숨긴 물체 찾기	• 지지 없이 앉아 있기 • 붙잡고 서기 • 네발기기	• 손가락을 사용하여 과자 쥐기
12개월	• 분리불안 • 낯선 사람 앞에서 쑥스러워하거나 불안해함	• 간단한 지시이해 • 바이바이나 끄덕끄덕 같은 간단한 몸짓 가능 • '엄마' 혹은 '우와' 같은 감탄사 표현	• 다양한 사물 탐색: 던지기, 흔들기 등 • 두 가지 사물 부딪히기 • 용도에 맞게 물건 사용: 빗으로 머리빗기 등	• 스스로 앉기 • 가구 잡고 걷기 • 잡지 않고 서 있기	• 검지로 누르기

연령	사회성 감정	언어/의사소통	인지	대근육운동	소근육운동
18개월	• 친밀한 사람에게 애착 표현 • 성질 부림을 보이기도 함 (temper tantrum) • 새로운 상황에서 주 양육자에게 붙어 있음	• 몸짓이 수반되지 않는 1단계 구두 지시 이해 • 싫다(No) 표현 (말로 혹은 고갯짓으로) • 원하는 것 가리키기	• 신체 부위 지적 • 일상용품(컵, 수저 등)의 용도를 이해 • 간단한 역할놀이 (인형 먹이기, 재우기)	• 스스로 걷기	• 수저나 컵을 이용 • 낙서하기
2세	• 어른들의 행동 모방 • 또래와 어울리며 좋아함 • 스스로 하려고 함 • 반항적인 행동 (하지 말라고 해도 함)	• 친밀한 사람들의 이름 인지 • 신체 부위 이름 인지 • 두 단어 연결 • 이름을 말하면 그림이나 사물을 지적하기	• 색깔, 모양 구별 • 두 단계 지시 따르기 가능 • 그림을 보고 개, 고양이 등과 같은 명칭 말하기	• 공차기 • 달리기 • 두발뛰기 • 가구에 스스로 기어 오르고 내려오기 • 붙잡고 계단 오르내리기	• 우세손 • 블록 4개 이상 쌓기 • 공 던지기 • 직선 긋기
3세	• 놀이 시 차례 지키기 • 우는 친구에게 위로하기 • 소유 개념 이해 (내 것) • 부모와 분리 가능 • 착탈의 가능	• 2-3단계의 지시 이해 • 친밀한 것들 의 명칭 말하기 • 이름, 나이, 성별 말하기 • 친구 이름 부르기 • 2-3단어 연결하여 의사소통 가능	• 3~4조각 퍼즐 가능 • 수개념(1, 2) • 역할놀이 (병원놀이 등) • 두 개 사물 비교 가능	• 사다리 오르기 • 세발 자전거 타기 • 교대로 계단 오르내리기	• 블록 6개 이상 쌓기 • 원, 십자모양 그리기 • 병뚜껑 열고 닫기
4세	• 혼자놀이보다 친구들과의 놀이 선호 • 새로운 것을 좋아함 • 협동 가능 • 좋아하는 것 말하기 가능	• 이야기 말하기 • 노래 부르기 • 간단한 문법 인지 (나, 너 구분 등) • 과거 시제 사용	• 색 이름, 숫자 말하기 • 이야기 기억하기 • 같다/다르다 개념 이해 • 보드게임, 카드게임 가능 •	• 한발 서기(2초 간) • 한발 뛰기 • 튕기는 공 잡기	• 가위 사용 • 사람 그리기 (2-4 부위) • 사각형 그리기 • 단추 채우기
5세	• 독립성 증가(스스로 화장실 가기 등) • 규칙 지키기 • 춤추기, 연기하기	• 완성된 문장을 이용하여 간단한 이야기 말하기 • 미래 시제 사용 • 농담 가능	• 10까지 정확하게 수 세기 • 주소 말하기 • 일부 글자 읽기	• 한발 서기 (10초 이상) • 건너 뛰기 (skipping) • 그네타기 • 구르기	• 사람 그리기 (6부위 이상) • 숫자, 문자 쓰기 • 삼각형 그리기

술을 습득할 수 있도록 원시반사가 발달하고 출생 후 몇 달 동안 지속된다. 이러한 뇌간 및 척수 반사는 특정 감각 자극에 반응하여 나타나는 정형화된 움직임(stereotypic movements)이다. 예를 들면 모로반사, 비대칭성긴장성목반사(asymmetric tonic neck reflex, ATNR) 및 양성지지반응 등이다. 중추신경계가 성숙함에 따라 원시반사가 억제되어 영아가 의도적으로 움직일 수 있게 된다. 영아는 비대칭성긴장성목반사가 지속되는 동안에는 몸통을 굴리거나 손을 몸 중심으로 가져오거나 물체를 향해 뻗을 수 없다. 이는 생후 4~6개월 사이에 사라지며 앞에서 언급한 움직임들이 등장하기 시작한다. 모로반사는 머리 조절 및 앉은 자세 균형을 방해한다. 이 반사 역시 생후 6개월이 되면 소실되고 유아는 앉은 자세에서 점진적인 안정성을 얻는다.

원시반사 이외에 정위(righting) 및 보호반응과 같은 자세반응도 출생 후부터 발달하기 시작한다. 중뇌 수준에서 매개되는 이러한 반응은 서로 상호작용하고 공간에서 정상적인 머리와 몸의 관계를 형성하기 위해 노력한다. 예를 들어, 보호신전반응(protective extension)을 사용하면 영아가 앞, 옆 또는 뒤로 넘어 질 때 몸을 바로 잡을 수 있다. 이러한 반응은 6~9개월 사이에 발생하며, 눕거나 엎드린 자세에서 앉은 자세로 이동한 다음 손과 무릎으로 움직이는 것을 배우는 것과 동시에 발생한다. 대뇌 피질 센터는 평형반응(equilibrium response)의 발달을 중재하고 아동이 9개월이 지나서 12개월 때 걷기가 가능하게 된다. 이후에도 추가적으로 평형반응이 발달하여 뒤로 걷기, 달리기, 두발뛰기(jump)와 같은 보다 복잡한 양발 운동이 가능해진다.

출생 후 첫 해에, 영아는 엎드린 자세에서 뒤집기를 시도하고, 배밀이로 이행하고, 점차 혼자 앉기와 붙잡고 서기, 선 자세 유지로 발달한다. 이때 연령에 맞는 적절한 '터미 타임(tummy time)은 복와위 발달(prone-specific milestones)에 중요하다. 무릎기기(crawling)는 걷기의 전세 조건이 아니라는 점에 유의해야 하며, 붙잡고 서기(pulling to stand)는 아동이 첫 발을 내딛기 전에 습득해야 하는 기술이다. 이 기간의 궁극적인 목표는 양손을 사용하여 주변을 탐색하고 조작하며 주변 환경으로부터 배울 수 있는 독립적이고 자유로운 움직임을 얻는 것이다.

생후 2세 이후 대근육운동 발달은 균형(baance), 협응력(coordination), 속도(speed) 및 강도(strength)의 개선으로 구성된다. 12개월 된 아이의 보폭이 넓고 약간 웅크린 듯한 스타카토 걸음걸이(staccato movements)는 점차 보폭이 좁아지고 등은 바로 서는 매끄러운 보행 양상으로 진화한다. 양팔은 균형 유지를 위해 약간 외전 상태에서 위로 들고 걷기 시작해서, 3세경이 되면 자연스럽게 팔을 흔드는 성인 보행 패턴에 도달한다. 마찬가지로 달리기는 걷자마자 발달하며, 달릴 때 처음에는 다리가 뻣뻣한 모습이다가 18개월 정도가 되면 빨리 방향을 전환하거나 달리는 속도를 높일 수 있는 조화로운 모습의 달리기로 발전한다.

양팔이나 양다리를 동시에 사용하는 것은 각 팔다리를 독립적으로 잘 사용할 수 있게 된 후에 가능하다. 2살이 되면, 아이는 공을 차고, 바닥에서 두 발로 점프하고, 큰 공을 머리 위로 던질 수 있다. 이후 연령에 따른 이정표에는 행위 시간과 반복 횟수의 진전, 그리고 각 행동이 성공적으로 수행될 수 있는 거리의 증가가 반영된다. 아이가 학교에 입학할 때쯤에는 여러 가지 복잡한 운동 과제(페달링, 균형 유지, 자전거 타는 동안 조향 등)를 동시에 수행할 수 있게 된다.

대근육운동 발달에서는 4개월 때 머리가누기가 어렵거나, 9개월에 앉지 못하거나, 18개월에 걷기가 어렵다면 이는 위험 신호(red flags)로 판단되며, 전문가의 면밀한 진찰과 체계적인 발달평가가 필요하다.

(2) 소근육운동 발달

소근육운동 발달과 관련한 섬세한 운동기량은 상지를 사용하여 사물을 조작하고 주변 환경에 대응하는 것과 관련이 있다. 이는 사람이 자조작업(self-help tasks)을 수행하고, 놀이에 참여하고, 일을 성취하는 데 필요하다. 모든 발달의 흐름과 마찬가지로 소근육운동 발달지표는 독자적으로 진행되지 않고 대근육운동, 인지 및 시지각 능력을 포함한 다른 발달 영역에 의존한다. 처음에는 상지가 균형과 이동에 중요한 역할을 한다. 손은 엎드린 자세에서 체간 지지를 위해 사용되고 그리고 나서 앉을 때 몸을 지탱하기 위해 사용된다. 팔은 몸을 굴리고(rolling over), 기어다니고(crawling), 붙잡고 서는(pulling to stand) 것을 돕는다. 영아들은 반듯이 누운 자세에서도 손으로 탐색을 시작한다. 대근육운동능력이 발달하여 아동이 직립 자세에서 더 안정적이고 쉽게 움직일 수 있게 되었을 때, 보다 목적적인 탐구를 위해 손을 자유롭게 사용할 수 있다.

출생 시, 신생아가 손을 자발적으로 사용하는 지에 대해서는 명확하지 않다. 신생아는 촉각과 다른 자극에 반응하여 손을 쥐었다 폈다 하지만, 그렇지 않은 경우에 손의 움직임은 주로 원시적인 파악반사(grasp reflex)에 의해 나타난다. 이 때문에 생후 첫 3개월 동안에는 손보다는 눈으로 물체를 접하며, 얼굴과 물체에 고정시키고 시각적으로 물체를 추적한다. 차츰 어설프게 손을 뻗기 시작하고 양손을 모은다. 원시반사가 감소함에 따라 영유아들은 자발적으로 물건을 잡기 시작하는데, 처음에는 손바닥 전체를 척골쪽으로 사용(5개월)한 다음에는 점차 손바닥의 요골쪽 측면(7개월)을 주로 사용한다. 동시에 영아들은 자발적으로 물체를 손에서 놓는 법을 배운다. 파악반사가 강한 시기에는, 손에서 물체를 강제로 제거하거나 아동이 무의식적으로 손을 펴면서 물체를 떨어뜨리게 된다. 한 손에서 다른 손으로 물체를 옮기는 법을 배우면서 자발적인 손펴기가 나타나는데, 5개월경에는 입으로 물체를 옮기다가 6개월경에는 손에서 손으로 직접 전할 수 있게 된다.

생후 6~12개월 사이에 쥐기(grasp, grip)가 진화하여 모양과 크기가 다양한 물체를 잡을 수 있게 된다. 엄지는 물체를 잡는 데 좀더 많이 사용하게 되는데, 8개월에는 나머지 네 손가락을 모두 엄지손가락에 대고(scissors grasp) 잡을 수 있고, 9개월에는 엄지와 두 손가락으로 잡게(radial digital grasp) 된다. 손바닥을 위로 향하게 손목을 살짝 뻗으면 척골측 손가락이 억제되면서 핀셋 잡기(pincer grasp)가 나타난다. 자발적인 손 펴기는, 처음에는 모든 손가락이 뻗는 양상으로 나타나 어색하게 보인다. 생후 10개월이 되면 아동들은 큐브(cube)를 용기에 넣거나 바닥에 떨어뜨릴 수 있다. 이 기술은 특정 사물이 관찰되지 않아도 계속 존재함을 뜻하는 대상 영속성(object permanence)이 형성되는 영아기에 반복해서 수행하게 된다. 손의 내재근(intrinsic muscle) 조절이 발달하면서 검지를 분리할 수 있게 되고, 유아는 탐색하기 위해 작은 구멍들에 손가락을 찔러 넣는다. 생후 12개월이 되면 대부분의 아동들은 용기에 물건을 넣고 또 꺼내 던져버리는 것을 반복해서 즐긴다. 그들은 또한 엄지와 검지 끝으로 잡는 성숙한 형태의 핀셋 잡기로 작은 음식 조각들을 집어 입으로 가져갈 수 있다.

소근육운동 발달은 인지 및 적응 발달과 더욱 밀접하게 연관되어, 유아는 자신이 무엇을 하고 싶은지, 그리고 어떻게 그것을 성취할 수 있는지 둘 다 알게 된다. 수부 내재근의 움직임이 정교해지면서 크래커(crackers)와 같은 평평한 물체를 잡을 수 있다. 생후 15개월이 되면 자발적인 손펴기가 더욱 발달하여 3~4개의 블록을 쌓고 작은 물체를 용기 안에 넣을 수가 있다. 이후 아동은 물체를 잡고 그것을 목적에 맞게 제대로 사용하기 위해 적절하게 물체를 조절하기 시작하는데, 크레용을 집어서 자연스럽게 낙서할 수 있고(생후 18개월), 일관되게 숟가락을 이용하여 식사할 수 있는 것(생후 24개월) 등이 그 예이다.

그 다음 해에는 세밀한 운동기술을 더욱 다듬어 자기계발과제(self-help tasks)를 도출, 탐구, 문제해결, 생성, 수행하게 된다. 2세가 되면서, 팔을 뻗어 닿고, 손에 쥐고 펴는 것에 숙달하면서 도구를 사용하기 시작한다. 2세경 아이들은 숟가락과 포크로 스스로 밥을 먹고, 크레용을 쥐고 직선을 모방하고, 옷을 벗고, 문고리를 잡고 돌릴 수 있다. 또한, 퍼즐 조각을 제자리에 놓기 전에 방향을 바꾸는 것과 같은 물체를 회전시키는 것이 가능하며, 손을 씻고 말릴 수 있다. 3세가 되면 원과 십자무늬를 그리고 신발을 신고 블록을 6개 이상 쌓을 수 있으며, 손으로 작은 병마개를 돌려 따는 게 가능하다. 또한, 손에 뭔가를 쥐고 손 안에서 조작하는 기술(in-hand manipulation)이 가능해져 작은 구슬을 실에 꿰고 옷의 단추를 풀 수 있다. 4세에는 아직까지는 미숙하지만 손바닥삼각잡기(palmar tripod grasp)로 연필의 움직임을 이전보다 세밀하게 제어할 수 있으며, 사각형, 일부 문자와 숫자를 그릴 수 있고, 사람의 모습(머리 및 기타 신체의 일부분)을 그릴 수 있다. 가위질이 발달하여 손가락을 완전히 펴고 접으며 가위질을 할 수 있다. 5세가 되면 독립적으로 옷을 입고 벗을 수 있고, 이를 잘 닦으며, 나이프로 잼을 펴서 바를 수 있다. 보다 정밀한 손 안에서의 조작기술(in-hand manipulation)을 통해 독립적인 손가락 사용이 가능한 성숙한 가위질이 가능하고 사각형 모양으로 자를 수 있다. 정자체(正字體)로 자신의 이름을 또박또박 쓸 수 있고, 숙련된 삼각연필잡기(mature tripod pencil grasp, 팔뚝과 손목보다는 엄지 · 검지 · 중지 세 손가락을 사용하여 연필을 쥐는 것)를 이용하여 삼각형을 베껴 그릴 수 있다.

(3) 개인-사회성 발달

사회성의 발달은 출생 후 수개월 내에 영아와 양육자 간의 애착 관계가 형성되면서 시작된다. 생후 1달 경에는 미소를 지을 수 있게 되고, 6개월 경에는 친밀한 사람과 그렇지 않은 사람을 구분할 수 있게 된다. 사회적 미소가 늦게 나타나는 것은 애착의 문제를 시사하거나 양육의 문제(방임 등)를 의심해 볼 수 있으며, 시각 및 인지발달장애와 관련되기도 한다. 12개월경이 되면 자기 자신을 인식하게 되고 공감할 수 있는 능력을 갖게 되며 공감 능력은 관계 형성에 매우 중요하다. 그 이후에는 나누는 법(share)을 알아야 하는데 이는 관계 유지를 위해 필수적이다. 24개월 정도가 되면 사회화가 시작되며 감정을 표현할 수 있게 된다. 또한, 타인에 대한 감정이나 타인이 본인에게 어떻게 대하는 지를 생각할 수 있다.

사회성 발달의 지연이 언어발달의 이상과 상동행동이 동반될 경우 자폐증을 의심해 볼 수 있다. 아동의 기질(temperament)은 사회적 관계에 영향을 미치는데 이는 다양한 상황에서 아동이 보이는 감정적, 행동적인 반응을 의미한다. 흔히 수월한(easy) 아동과 까다로운(difficult), 혹은 새로운 환경에 적응하는 데 시간이 오래 걸리는(slow-to-warm-up) 기질로 분류하며, 20~60% 정도는 유전적으로 결정되지만, 그 외에는 아동이 처한 환경에 의해 영향을 받는다. 취학 전 연령이 되면 감정을 표현할 수 있고 동료나 어른과의 상호관계 형성이 가능하게 된다. 순서를 지킨다거나, 도움을 줄 수 있는 등의 사회적인 기술도 이 시기에는 습득이 가능한데 스스로를 조절하고 적응하고 집중하는 등의 기능은 교실과 가정에서 더욱 향상 될 수 있다. 또한, 학령 전기의 이러한 사회 감정 조절 기능은 인지 기능이나 가족의 특징보다 초기의 학업능력에 더 영향을 많이 미친다고 알려져 있다.

(4) 인지 발달

인지는 문제해결 능력과 수용 및 표현언어, 미세한 조작 능력의 발달과 더불어 이루어지는데 인지 발달과 더불어 여러 사물이 다양한 특성(색, 모양, 크기, 수, 시공간 개념)을 갖고 있음을 인지하게 되고 특성에 따라 구별 지을 수 있게 되고 스스로 문제해결을 할 수 있게 된다. 인지의 발달은 피아제(Piaget)의 이론에서 잘 이해되는데 환경과 끊임없는 상호 작용을 통해 이루어지는 적응 과정인 동화와 조절(assimilation, accommodation), 새로운 상황에서 일관성과 안전성을 이루려는 평형(equilibrium)을 통해 인지가 발달되며, 이는 양적으로만이 아닌 질적으로의 변화가 동반된다. 감각 조작기(~2세) 동안 유아는 즉각적인 감각과 사물의 조작 능력에 생각이 맞춰져 있다. 예를 들어, 통 안에 블럭을 넣으면서 '안(in)' 이라는 개념을 체득하는 것이다. 이후 언어발달과 함께 아동의 생각 능력이 함께 발달하게 된다.

첫 2년 동안 형성되는 중요한 개념은 인과성을 알게 되는 것이다. 처음에 우연한 행동으로 유발된 결과를 발견하게 되고, 이를 반복함으로써 같은 결과가 유발된다는 것을 깨닫고, 이는 이후의 사회성의 발달과도 연결되어 보호자에게 원하는 반응을 얻기 위해 울거나 웃는 반응을 보이기도 한다. 인지는 색의 이름을 알고, 수를 세는 것뿐만 아니라, 자연적, 논리-수학적 지식, 사회적-상식적인 지식을 포함한다. 자연적 지식은 공의 크기나 무게를 인지하고 경사로에서 굴러가는 것을 아는 것과 같이 어떤 사물이 갖고 있는 자연적 성격을 인지하는 것이고, 논리-수학적 지식은 두 사물이 색이나 크기와 같은 특징이 다름을 인지하는 것이고, 문제 해결을 위해 복잡한 관계를 인지하는 것이다. 사회적-상식적인 지식은 수 대를 걸쳐 사실로 배워온 것에 대한 인지이다. 속한 문화에 따라 약간씩 다를 수 있지만, 낮 시간의 하늘을 파랗게 표현한다거나, 1년이 12달로 이루어져 있다는 것 등이 이에 포함된다. 또한, 학령전기 연령이 되면 글자를 인지하고 소리와 표상의 연관관계를 인지하게 된다. 학령기가 되면 피아제의 전조작기를 거쳐 구체적(논리적) 조작기에 이르며 이전에 보이던 직관적이고 자기중심적인 태도에서 벗어나 사물간의 관계를 관찰하고 순서화하는 능력이 생기고 상대방의 관점을 이해하기 시작한다.

(5) 의사소통 및 언어발달

의사소통은 개인이 개인의 욕구나 원하는 바, 인식, 지식, 또는 기분 등을 전달하거나 전달받는 모든 행위를 말하며 의도적인 것과 비의도적인 것, 언어적인 것과 언어적이지 않은 것, 전통적인 것과 전통적이지 않은 것을 모두 포함하며, 생각이나 원하는 바를 다른 사람과 공유하는 역동적인 과정이다.

의사소통 및 언어의 발달은 사회성과 감정의 발달과 인지적인 발달 등과 함께 유기적으로 진행된다. 언어발달은 기본 의사소통뿐만 아니라 새롭게 습득한 정보를 저장하고 이를 이용하는 데에도 중요하다. 따라서, 개념의 정립이나 인과관계 등의 논리를 위해서도 필수적이며, 언어의 발달은 전통적인 학업 성취와 강한 연관 관계가 있다. 수용언어는 말을 이해하는 기능을 반영하고, 표현언어는 생각이나 원하는 바를 다른 사람에게 표현할 수 있는 능력이다. 영유아의 언어발달은 0~10개월까지의 본격적인 말 표현이 나오기 전과 10~18개월의 단어 사용이 시작되는 시기, 18~24개월의 문장 표현의 시기로 나누기도 한다. 이후 2~5세 사이에는 사용하는 단어가 50~100개에서 2,000개 이상으로 폭발적으로 증가하며, 문장도 길어지게 된다.

4세 정도가 되면 대략 4까지 수를 셀 수 있으며 과거 시제를 사용할 수 있으며 약 5세 정도에는 미래 시제를 사용할 수 있다. 언어발달의 지연은 지적장애, 자폐스펙트럼장애, 아동학대의 첫번째 징후일 수 있으며, 아동의 전반적 상태를 고려해야 하지만 일반적으로 9개월까지 옹알이가 나타나지 않거나, 15개월까지 의미있는 첫 단어를 표현하지 못하거나, 24개월에 두 단어의 연결이 어려운 경우에는 정밀한 평가가 필요하다. 또한, 영유아에서 아동의 선생님이나 부모 등 보호자의 우려가 있거나, 빨고 씹고 삼키는 등의 기능에 어려움이 있거나, 입술, 혀, 턱의 조절 능력의 어려움이 있는 경우에 말 언어발달에 대해 상세한 평가를 하는 것을 고려해야 한다.

(6) 개인자조 및 적응능력 발달

적응능력은 개개인이 일상생활을 하는 데 필요한 기술을 일컬으며 언어, 읽고 쓰는 능력, 수개념 등과 같은 개념적 기능(conceptual skill), 자존감과 대인관계, 규칙 지키기 등과 같은 사회적 기능(social skill), 옷 입고 벗기, 식사하기, 장보기, 전화기 사용 등과 같은 실용적 기능(practical skill)으로 나눠볼 수 있다. 적응능력의 발달은 아동의 사회성의 발달과 운동 및 인지기능의 습득의 영향을 받는다. 또한, 가정에서의 양육 방식이나 사회적 기대, 환경적으로 아동에게 얼마나 기회가 주어졌는지 등도 매우 큰 영향을 준다.

출생 후에는 빨기 외의 개인 자조를 수행하기는 어려우나, 생후 6~8개월경 되면 음식을 집어서 입에 넣을 수 있게 되고 12개월경이 되면 옷을 입힐 때 아동이 협조해주는 것이 가능해진다. 18개월경에는 조금 흘리더라도 수저를 사용할 수 있고, 24개월경이 되면 빨대 사용도 가능하고 손잡이를 이용하여 문을 열 수도 있으며, 바지를 내릴 수 있다. 30개월경에는 손을 씻거나 양치질(약간의 도움은 필요로 함)이 가능해진다. 일반적으로 식사나 개인 위생같은 실용적 기능을 향상시키는 것이 지능지수 점수를 높이는 것보다 여러 치료에 더 잘 반응하는 것으로 알려져 있다. 놀이의 양상도 3세 이전에는 조작이나 단순 모방만 가능하나, 3세경에는 협동하여 블록을 쌓는 것과 같은 놀이가 가능해지고, 역할 놀이도 할 수 있게 된다. 4~5세가 되면 상상 놀이도 가능해지고, 5세가 되면 규칙을 인지하기 시작한다. 대소변을 가리는 것은 개인별, 문화별 편차가 매우 크며, 여아에서 대체로 남아에서보다 더 빨리 이루어지며, 약 5세 정도까지는 실수가 흔하다.

(7) 감각 발달

시각, 청각, 촉각 등의 감각은 출생 전에 상당한 발달이 이루어지나, 출생 이후에 환경의 노출과 인지, 운동 발달과 함께 지속적으로 발달한다. 여러 감각을 경험하면서 아동의 신경 경로가 새로 형성되기도 하고, 기존의 경로가 강화되기도 한다. 시각계의 발달은 재태연령 20주경부터 생후 2~3년까지가 중요한 시기인데 특히 시각계의 가장 중요한 요소들은 첫 1년 내에 거의 완성된다.[10] 시각의 발달을 위해서는 재태연령 40주까지는 다른 자극을 특별히 줄 필요가 없으며, 오히려 미숙아 시기에는 특히, 직접적인 빛이나 강한 빛 등의 자극을 최대한 주지 않도록 해야한다. 재태연령 36주 경에 눈꺼풀이 조금 두꺼워져 빛 자극을 약간 제한할 수 있게 되고, 이 시기에도 빛수용기(photoreceptor)와 신경절(ganglion)의 연결망이 미숙하기 때문이다. 40주 이후에는 렘(REM, rapid eye movement)

수면이 중요하므로 수면시간을 확보하고, 깨어있는 중에는 규칙적이고 의미있는 시각 자극이 주어지는 것이 중요하다. 출생 후에는 아동의 눈에 직접 빛을 비추지는 않도록 하고, 초기에는 엄마 얼굴을 20~30 cm 정도 떨어져서 보여주는 것만으로도 충분하고, 이는 가장 중요한 자극이다. 영아에서는 대략 6주 정도가 되었을 때 눈을 맞추고 따라보는 반응이 가능해지며, 15~30 cm 정도에서 초점을 맞출 수 있고 크면서 초점을 맞추는 능력도 좋아진다. 안구 조절 능력도 미숙하여 약 2~4개월경에 내사시가 있는 것처럼 보이기도 하나 특별한 문제가 없다면 저절로 나아진다. 점차적으로 시공간 관계나 사물의 특징을 식별할 수 있게 되고, 눈을 감고도 사물을 식별할 수 있게 되는 등 시지각 능력도 인지, 감각의 발달과 함께 성장한다.

귀는 재태연령 20주경에 형성되고 25주경이 되면 기능적으로 된다. 청각계의 신경감각 발달에 재태연령 25주에서 생후 5~6개월까지가 매우 중요한 시기이다.[11] 아동의 청각 발달을 위해 소아중환자실의 배경 소음을 50 dB 이하로 유지하고 70 dB을 초과하는 소리는 1초도 노출하지 않도록 권고하고 있다. 시력과 달리 청각은 발달을 위해 재태연령 28주부터 출생 후 수년간 목소리, 음악, 의미있는 소리 등의 청각적 자극이 필수적인데 이를 통해 털세포(hair cells)와 신경세포(neuron)의 연결망이 조율(tuning)되기 때문이다.

▶ 참고문헌

1. Hüppi. Petra Susan. Neurodevelopmental followup In: Volpe, J.J. Volpe's Neurology of the Newborn. Philadelphia: Elsevier. 2018, p. 255-272.
2. Lundy-Ekman L. Neuroscience: Fundamentals for rehabilitation 4th edition. Elsevier; 2013.
3. Susan Feigelman LHF. Assessment of Fetal Growth and Development. In: Kliegman R. Nelson Textbook of Pediatrics. Elsevier; 2-2-;126-8.
4. Society for Neuroscience (SfN). The Developing Brain In: Brain Facts A primer on the brain and nervous system. Eighth edition. Washington DC. 2018.
5. van Dommelen P. de Gunst M. van der Vaart A. et al. Growth references for height, weight and body mass index of twins aged 0-2.5 years. Acta Paediatr 2008; 97:1099-104.
6. Estourgie-van Burk GF. Bartels M. Boomsma DI. et al. Body size of twins compared with siblings and the general population: from birth to late adolescence. J Pediatr 2010;156:586-91.
7. Johnson CP. Blasco PA. Infant growth and development. Pediatr Rev 1997;18:224-42.
8. Fox SE. Levitt P. Nelson CA, 3rd. How the timing and quality of early experiences influence the development of brain architecture. Child Dev 2010; 81:28-40.
9. Boyle CA. Boulet S. Schieve LA. et al. Trends in the prevalence of developmental disabilities in US children, 1997-2008. Pediatrics 2011;127:1034-42.
10. Browne SNGaJV. Visual Development in the Human Fetus, Infant, and Young Child. Newborn and Infant Nursing Reviews 2008;8:194-201.
11. Browne SNGaJV. Auditory Development in the Fetus and Infant. Newborn and Infant Nursing Reviews 2008;8:187-93.

SECTION 2

평가

Evaluation

CHAPTER 3 소아 신경학적 진찰(Pediatric Neurologic Examination)
CHAPTER 4 발달 및 기능 평가(Developmental and Functional Assessment)
CHAPTER 5 영상의학적 평가(Pediatric Imaging)
CHAPTER 6 전기진단검사(Electrodiagnosis)
CHAPTER 7 유전학적 평가(Genetic Evaluation)

CHAPTER

3 소아 신경학적 진찰

Pediatric Neurologic Examination

김성우, 한승훈, 김수아

I. 병력청취

영유아 환아의 신경계 질환에서 병력 청취는 진단과 치료에 매우 중요하다. 심지어 이학적 진찰이나 특수 검사 소견보다 더 중요한 경우가 있으며 병력만으로 진단을 확정짓기도 한다. 소아에서 병력 청취가 성인과 다른 차이점은 병력에 발달력이 포함된다는 점이다.

1. 주소

주소를 기술 시 주의할 점은 환아나 보호자가 말하는 증상의 본질을 정확히 이해한 뒤 기술해야 한다.

2. 현병력

관련 증상을 모두 기록하며 이때 검사자는 환아의 연령을 고려하여야 한다. 병력에서 질병의 발병양상과 시간경과에 따른 질병의 진행 과정을 조사하면 질환의 원인을 찾아내는 데 중요한 단서를 알아낼 수 있다. 특히 현병력 문진 시 아래 4가지 항목은 꼭 필요한 사항이다.[1]

1) 발병방식이 급성인가 또는 서서히 진행되는가

수분 내지 하루 사이 갑자기 발병하는 것은 대개 혈관성(cerebral hemorrhage or embolism)이거나 외상성 원인에 의하며 수일에 거쳐 질병이 서서히 진행되는 것으로 감염, 독성, 전해질 불균형 등이 원인이 될 수 있다. 수일에서 수주, 수개월에 걸쳐 진행되는 경우는 종양성, 선천성 대사이상, 뇌변성 이상과 관련이 있다.

2) 병변이 국소성인가 또는 미만성인가

국소 병변은 대개 혈관성, 종양성, 외상성 원인에 기인하며 미만성인 경우 중독성, 감염성, 변성 질환, 대사장애 원인과 관련이 있다.

3) 병의 경과가 정체성인가 또는 진행성인가

4) 어느 연령에 증세가 시작되었는가

3. 발달력 및 기왕력

임신 중 약물투여 여부, 산모의 건강 및 출산력, 출산 후 장애 여부 등 자세한 병력 확인이 필요하다. 또한 환아의 발달지표(developmental milestone)의 획득시기를 청취하여 전 영역에서 지연되는지 어느 한 영역에서만 지연되는지 확인해야 한다. 임신 중, 출생 시, 신생아기 기왕력은 발달장애의 위험인자로 고려해 볼 수 있다. 산전 기왕력으로 toxoplasmosis, cytomegalovirus, rubella, herpes, varicella, syphilis, HIV (human immunodeficiency virus)의 선천성 감염으로 인한 선천성 기형이나 신경발달의 이상을 고려해 볼 수 있으며 알코올이나 약물, 흡연, 납 노출과 같은 독성물질에 대한 노출이 있다. 또한 임신 중독증과 같은 모체 질병, 임신 중 태아의 움직임을 들 수 있다. 근긴장저하증 영아는 임신 20주가 지나 늦게 태동을 시작하거나 태동이 미약하고 비정상적 태위를 갖는 경우가 많다. 주산기 체중, 키, 두위와 같은 자궁 내 발육지표를 측정하는 것도 중요하다. 재태 연령에 비해 작은 경우 태반으로부터 영양 공급이 원활하지 않거나 선천성 감염, 발달이상의 문제를 의심할 수 있다. 특히 소두증(microcephaly)의 경우 산전 문제가 있음을 시사한다. 저산소성 허혈성 뇌증의 임상 증상, 징후 역시 중요하며 경련, 의식수준 저하, 근긴장저하증은 좋지 않은 예후를 시사한다. 청력 소실을 동반한 환아는 청력에 기반한 소리 발달에서 또래에 비해 6~8개월 정도 뒤쳐지게 되며 부모는 적절한 연령에 자발적인 소리나 옹알이가 적은 것으로 감지하게 된다.[2]

4. 가족력

가족력은 유전질환을 알아내는 데 중요하며 특히 환자의 질환이 가족성임을 암시하는 경우 지적장애, 난청, 뇌성마비, 경련, 시각장애, 운동장애, 근력저하, 운동실조 등에 대한 자세한 조사가 필요하다. 환아의 가족 내에 운동장애, 보행장애, 근위축 같은 질환이 있다면 가계조사가 필요하다.[3]

5. 검사방법

1) 관찰

영아나 소아의 경우 친숙한 환경에서 진찰을 진행해야 하며 환아가 낯선 환경에 대해 두려워하는 경우 보호자의 무릎에 앉힌 상태에서 검사를 진행한다. 3세 이전 환아에서는 신장과 체중, 두위계측은 방문 때마다 측정이 필요하며 수두증이나 소두증은 뇌성장 결손을 반영하므로 정기적인 모니터링이 필요하다.

2) 시진

비전형적인 얼굴, 몽고주름(epicanthal fold), 눈과 눈 사이 거리, 외이 기형, 손가락이나 발가락 기형은 산전이상으로 유전적, 기형발생(teratogenic), 때때로 식별 가능한 증후군을 시사할 수 있다. 비대칭 안면 및 눈꺼풀, 동공은 안면마비 또는 호너증후군을 시사하는 반면 두개안면 비대칭과 사시는 사경으로 발전할 수 있다. 피부병변이나 café-au-lait spot 등이 관찰되는지, 둔부에 딤플이 관찰되면 척추이분증(spina bifida)도 의심해 볼 수 있다. 보행양상의 이상이나 발의 변형, 외반 또는 내반변형 동반되어 있는지 확인하고 비대칭 골격근이 흉부에서 보이면 흉근이 없거나 상완신경추 손상에 의한 근위축을 의심해 볼 수 있다. 선천성 내반족의 경우 이분척수증, 관절만곡증(arthrogryposis), 근이영양증에 의한 산전 근위약으로 발생할 수 있으며 종아리 근육 비대는 뒤셴 근육병의 초기 증세로 볼 수 있다. 종 모양의 흉곽은 운동단위 질환 또는 고위 척수기능 저하에서 늑간근기능 저하로 나타날 수 있다.[4]

3) 촉진

영아에서는 아이가 앉아 있거나 울지 않을 때 fontanelle을 촉지하여 tense한지 확인해 볼 수 있으며 근육을 촉지 시 하위운동신경원 마비에서는 근긴장도 및 근육 부피가 감소하고 장기간의 신경 손상시 근조직이 섬유화되어 있고 탄성이 감소된 것을 느낄 수 있다. 흉쇄유돌근에서 섬유결절이 촉지되면 사경을 의심할 수 있고 감각신경 기능이 손상된 말초신경계 질환의 경우 골다공증성 골절이 발생시 부종은 보이나 통증을 호소하지 않는다. 근약화, 피로, 피부발진을 동반한 다양한 부위에서의 압통은 결체조직질환 또는 바이러스성 감염에 의한 근염을 의심해 볼 수 있다.[4]

4) 신경근육계

4~5세 연령에는 기본적인 검사가 적용 가능하다. 영아에서 반사반응 평가는 연령에 따른 중추신경계 성숙정도를 예측할 수 있다. 출생 후 몇 달간은 굴전 근긴장도가 우세하며 근긴장저하도나 고긴장도는 신경학적 이상을 의미한다. 근긴장도 증가는 피질척수로 또는 기저핵 손상과 관련 있다. 근육병, 소뇌 기능이상, 전각질환(anterior horn disease), 신경손상, 척추이분증의 경우 근긴장저하도를 보인다.[4]

II. 신경학적 진찰

신생아나 영유아기에 신경학적 진찰은 아기가 잘 먹지 못하거나 신생아 경련이 있을 때, 근긴장도나 자세의 이상이 나타날 때, 자발적 운동이 비정상적일 때, 양측의 비대칭이 뚜렷할 때 뇌 손상을 의심하여 시행하게 된다. 특히 산모의 과거력이나 출산력에 위험인자가 있는 아기의 경우는 신경학적 진찰을 반드시 시행하도록 한다. 영아 및 소아에서의 신경학적 진찰은 성인과 같은 원칙을 적용하지만 다음과 같은 특징이 있다. 첫째 진찰방법의 차이이다. 영유아는 아이의 협조 정도 및 주의집중 정도에 따라 진찰의 진행순서가 바꾸어질 수 있다. 특히 아이가 비협조적이거나 지적장애가 있을 경우 단지 관찰만으로 진찰을 시행하는 것이 좋다. 또한 나이가 어릴 경우 진찰 항목 중 불편한 항목은 나중으로 미루어서 시행한다. 특히 통각검사나 감각검사는 맨 마지막으로 미루는 게 좋다. 둘째, 이상소견의 해석에 있어서 연령, 즉 신경학적 성숙도에 따라 정상치 해석에 차이가 있다. 셋째, 신경증상 발현의 차이이다. 소아는 신경성숙 발달과정에 있어 해부학적, 기능적으로 미숙하므로 신경손상이 있어도 손상된 부위가 발달하여 기능을 발휘할 때까지 증상이 나타나지 않을 수 있다.

신경학적 진찰에 영향을 주는 요인도 고려하여야 한다. 외부 환경적 요인 중 빛은 너무 밝아 영아를 자극하지 않도록 조절하고 방의 온도는 다소 높은 정도가 좋다. 진찰 시 영유아의 상태는 가장 중요한 요인인데, 자거나 깨어있거나 울거나 하는 행동에 따라 신경계 반응이 다르게 나타나기 때문이다. 수면 중이거나 우는 상태에서는 신경학적 진찰을 시행할 수 없고 깨우거나 달래야 한다. 또한 진찰 시 검사자가 영아의 신체를 조작하는 것을 최소화하기 위하여 같은 자세에서 시행할 수 있는 모든 진찰을 묶어서 하는 것이 바람직하다.

1. 근긴장도

긴장도는 수동적으로 신장시킬 때 반응하는 근육의 저항으로 정의된다. 발달과정에 있는 운동신경, 즉 대뇌피질, 기저핵, 시상, 소뇌, 뇌간, 뇌백질, 척수에 손상이나 이형성증이 있을 때 근긴장도의 이상이 나타난다. 영유아를 진찰할 때 근긴장도를 가장 먼저 평가하게 되는데, 이때가 가장 이완되어 있는 시기이기 때문이다.[5]

근긴장도를 평가할 때는 우선 영아가 쉬는 상태에서 검사자가 직접 근수축의 정도를 촉지해서 기초적 정보로 삼은 다음, 이후 영아를 수동적으로 움직여서 반응하는 근육의 저항 정도를 평가하게 된다. 영아가 자발적으로 움직일 때는 근육의 긴장도를 정확히 평가할 수 없다. 그러나 근긴장도는 영아의 정적인 자세, 반사나 자동 반응 및 자발적으로 움직일 때의 근력, 협응과 직접적으로 연결되므로 이러한 자세와 움직임을 관찰하는 것이 평가에 도움이 된다.[6] 건강한 만삭아에서는 사지가 90도 이하의 굴곡 상태에 있는 굴곡근의 과긴장과 고관절의 내전을 보이는 '생리적 굴곡(physiological flexion)' 이 나타난다. 또한 일시적으로 굴곡근이 이완되거나 사지가 신전되기도 하지만 오래 지속되지 않고 바로 굴곡 상태로 되돌아간다. 이 시기 동안 굴곡의 정도가 과도한 경우 근긴장항진, 굴곡이 감소되어 있는 경우 근긴장저하를 의심할 수 있다. 미숙아의 경우 분만예정일에 해당하는 월령이라도 만삭아에 비하여 굴곡의 정도가 덜하며, 엎드린 자세에서 만삭아에 비하여 굴곡근의 긴장도가 감소되어 나타난다. 위험인자를 가지고 있는 영아의 대다수에서 첫 6개월 동안 근긴장도의 비정상 소견이 나타났다가 9개월이 되면서 점차 정상화되어 12개월에는 없어지는 경우가 있다. 이러한 일시적 근긴장 이상은 고위험영아의 35.2~82%에서 나타난다고 여러 연구에서 보고되고 있다. 그러므로 고위험영아의 신경학적 진찰 시 근긴장도 이상이 6개월 이전에 관찰된다고 섣부르게 뇌성마비를 진단할 수 없으며 추적 관찰이 반드시 필요하다.[7]

1) 근긴장항진(hypertonia)

근긴장항진은 관절이 움직이도록 힘을 가했을 때 정상보다 증가된 저항을 느끼는 것으로 정의할 수 있다.[8] 근긴장항진은 경직(spastcity), 경축(rigidity), 근긴장이상증(dystonia)으로 분류되며 각각 서로 다른 원인으로 발생하며 치료 방향도 달라진다.[9]

(1) 경직(spasticity)

경직은 "근육이 신장되는 속도에 의존적인 저항" 으로 정의되며, 저항의 정도는 근육이 신장되는 속도가 빠를수록 증가하고, 일정 속도나 관절각도 이상에서 급격히 증가하는 특징을 가진다(clasp-knife). 신경학적 진찰에서 과반사상태, 족관절 간대(ankle clonus), 바빈스키 반사(Babinski reflex) 같은 상부운동신경 징후가 함께 관찰될 수 있다. 경직은 환아가 불안하거나 통증이 있거나 신체에 촉각적 자극이 올 때도 증가하며 해당 근육을 움직일 때나 항중력을 유지해야 할 때 더 나빠질 수도 있다. 경직은 뇌성마비 아동에서 가장 흔한 형태이지만 근긴장도가 증가된 근육이 다 경직성인 것은 아니다. 미숙아로 태어나 뇌실주위백질연화증이 발생한 뇌성마비 아동의 경우는 피질척수로와 주변 뇌-척수 신경의 손상으로 인하여 경직이 나타나는 경우가 전형적이다.

(2) 경축(rigidity)

경축은 굴근과 신근 모두가 긴장이 항진되어 있으며 근육의 저항이 매우 낮은 신장속도에도 일정하게 나타나는 특징을 가진다. 특정한 자세나 관절각도로 고정되어 나타나지도 않으며 수의적 움직임이 불수의적 움직임을 유발하지도 않는다. 성인에서는 흔히 진단되지만 소아 연령에서 경축은 드물게 나타나는 편이다.

(3) 근긴장이상증(dystonia)

근긴장이상증은 "지속적으로 또는 간헐적으로 근육의 불수의 수축이 발생하여 뒤틀리거나 반복적인 움직임 또는 비정상적인 자세가 나타나는 움직임 장애"로 정의된다. 근긴장이상증은 주로 기저핵이나 기저핵과 연결된 신경 통로의 손상으로 발생하며 길항근이 동시수축하며 수의적으로 움직이면 움직이는 근육과 관련 없는 근육으로의 전기신호의 과다유출, 불수의적 근육 수축이 생긴다. 따라서 아동이 이완되어 있을 때도 관찰되고, 수의적 움직임에 의해서도 유도된다. 근긴장이상증 자체는 근긴장항진을 일으키지만 움직이지 않을 때는 오히려 근긴장저하가 관찰되는 경우도 있다. 근긴장이상증을 진단할 때는 이완이 되지 않는 특별한 자세(dystonic posture)가 관찰되어야 한다.

근긴장이상증은 수동적으로 움직일 때 속도에 의존하지 않는 근 저항, 주동근과 길항근이 동시 수축하며, 상하지가 고착된 불수의적 자세를 취하는 경향, 움직이려고 할 때나 어떤 자세를 취하려고 할 때 유발되고, 각성 상태나 불안할 때, 촉각 자극이나 특별한 운동 과제 수행 시 영향을 많이 받는 특성을 지닌다. 일반적으로 핵황달(kernicterus)이나 저산소성 허혈성 뇌증(hypoxic ischemic encephalopathy)과 관련하여 나타나며, 상지와 하지를 비슷하게 침범하고 몸통 조절이 어려운 양상을 보인다. 환아를 자세히 관찰하다 보면, 생각보다 많은 수의 경직성 뇌성마비에서 근긴장이상증이 함께 관찰되는 경우가 종종 있다. 경직성 뇌성마비 아동에서 선택적 후근 절제술(selective posterior rhizotomy)로 경직을 없앤 후 근긴장이상증이 더 잘 관찰된다든지, 표준적 경직 치료 후에도 근긴장이상증 때문에 치료 효과가 뚜렷하지 않은 경우가 있다. 또한 한 상지나 하지에 경직과 근긴장이상증이 같이 동반되어 있어 진찰상 명확하게 구별하기 힘든 경우도 많다.

2) 근긴장저하(hypotonia)

운동발달지연 환아 중 많은 수에서 근긴장저하가 관찰된다. 근긴장저하는 저긴장 영아 증후군(floppy infant syndrome)처럼 심한 정도부터 몸통이나 하지 근육에서 경미하게 관찰되는 정도까지 다양한 스펙트럼으로 나타난다. 현재까지 다양한 진단 기술, 즉 전기진단학적, 영상의학적, 분자 유전학적 검사들이 개발되어 있으나 근긴장저하를 나타내는 영유아에서 원인을 밝혀내는 것은 쉽지 않다. 모든 영유아에서 침습적인 검사나 고가의 검사를 시행할 수는 없으며, 발달력과 함께 자세한 과거력과 출산력, 가족력과 세심한 신경학적 진찰, 이학적 소견이 선행되어야 할 것이다.

근긴장항진은 여러 가지 측정 도구가 개발되어 사용되고 있으나, 근긴장저하를 측정하는 검사도구는 현재까지 없다. 진찰을 할 때 영아의 손을 잡고 일으켜 앉혀보는 방법(pull to sit)(그림 3-1), 엎드린 상태에서 들어 올려보는 방법(ventral suspension)(그림 3-2), 겨드랑이를 양손으로 잡고 들어 올려보는 방법(shoulder suspension), 한쪽 손을 잡아 가슴을 지나 반대쪽으로 저항 없이 얼마나 가는지 보는 방법(scarf sign) 등을 이용해서 근긴장저하를 알 수 있으며, 이러한 방법은 검사자의 경험에 의존할 수 밖에 없다.[10] 영유아에서 근긴장

그림 3-1 영아의 두 손을 잡고 일으켜 앉히면서 근긴장도를 관찰함

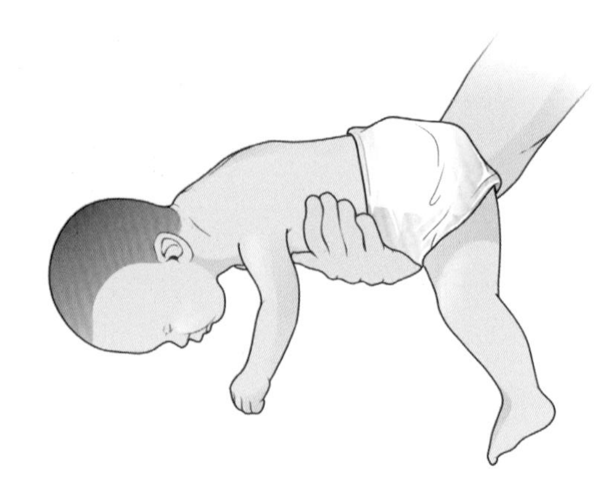

그림 3-2 엎드린 상태에서 배를 들고 들어올려 근긴장도를 관찰함

저하를 나타내는 병리는 네 가지로 분류할 수 있으며 중추신경계와 말초신경계(운동 및 감각신경), 신경근 접합부, 그리고 근육에서 문제가 발생한다.[11] 이 중 중추신경계 병리가 전체 66~88%로 가장 많은 부분을 차지한다.[12] 중추성과 말초성 원인의 진단은 어렵지만, 임상적 감별점이 도움이 된다(표 3-1). 이중 가장 민감도와 특이도가 높은 항목은 '항중력 움직임'으로 말초성 문제의 경우 항중력 움직임이 거의 나타나지 않는다.

검사자는 대상 영유아가 근긴장저하와 함께 근력소실이 있는지, 근긴장저하는 있으나 근력자체는 정상적인지를 구분해야 한다. 성인에서는 이러한 구분이 비교적 쉬우나, 소아, 특히 영유아 시기에는 협조를 구할 수 없으므로 능동적, 수동적 움직임과 자세를 관찰하면서 판단할 수밖에 없다. 근긴장저하를 나타내는 선천성 질환 중 일부는 중추신경계와 말초신경계 병변이 함께 존재하기도 하는데 선천성 근육성디스트로피(congenital muscular dystrophy)나 선천성 당화(glycosylation)와 같은 질환이 이에 속한다. 미숙아나 산전에 약물에 노출된 경우 혹은 급성기 감염성 질환에 있을 때도 일시적으로 근긴장저하를 나타낼 수 있으므로 주의가 필요하다.

중추성 근긴장저하를 일으킬 수 있는 원인질환은 다운증후군을 포함하여 수많은 염색체 이상 증후군 및 유전자 질환이 있다. 모든 질환을 다 알 수는 없으나, 발생률이 비교적 흔한 질환의 특징적인 안면 이형성증, 동반 기형은 숙지하고 진찰 시 고려하는 것이 좋겠다. 이외에 경미한 정도의 뇌 발달이상(cerebral dysgenesis)이 있을 때도 중추성 근긴장저하가 발생할 수 있다. 그러나 대다수의 원인 불명의 근긴장저하와 운동발달지연이 있는 환아는 MRI 등 영상검사에서 특별한 이상이 발견되지 않는다. 뇌의 구조적 이상은 없으나 뇌신경 수초화 지연이 있는 경우 영유아기에 운동발달지연이 있다가 학령기 즈음에는 또래와 비슷한 수준이 되지만 협응 능력의 장애가 있을 수 있는 군과, 운동 뿐 아니라 언어와 인지발달의 지연이 동반된 전반적 발달지연(global developmental delay)이 있어 학령기에도 인지 문제가 남는 군으로 나눌 수 있다.[10] 그러나 수초화 지연이 없어도 근긴장저하와 운동발달지연이 있는 경우도 임상에서 흔히 관찰되는데, 이들 또한 후에 지적장애로 진단되는 경우와 점점 또래의 운동 발달을 쫓아가면서 근긴

표 3-1 선천성 근긴장저하에서 중추성과 말초성 원인의 감별점

특징	중추성	말초성
근력 약화	경도~중등도	뚜렷함(마비성)
심부건반사	저하 혹은 항진	무반응
두기 반사	활발하지 못하거나 느린 반응	무반응
운동발달지연	유	유
항중력 움직임(antigravity movement)	정상보다는 덜 함	결여
견인 반응	정상보다 고개가 늘어짐	뚜렷하게 고개가 늘어짐
인지 기능/정서 반응	지연	정상적
근긴장을 항진시킬 수 있는 능력	유	무

장도가 호전되는 경우로 나눌 수 있다.

후자의 경우는 이전에 양성 선천성 근긴장저하(benign congenital hypotonia)로 명명하였으나 최근 들어 좋은 예후를 갖는 선천성 근긴장저하(congenital hypotonia with favorable outcome)로 불리는 범주로 분류된다.[12] 근긴장저하가 동반된 발달지연 영유아는 특히 몸통과 근위부 근육의 긴장도저하가 더 심하기 때문에 자세를 유지하거나 움직일 때 이에 대한 보상으로 발가락에 힘을 주는 등 원위부 근육을 과도하게 수축하는 경우가 종종 관찰된다. 이러한 일련의 연합반응(associated reaction)을 경직으로 잘못 판단하는 경우가 있으므로 주의하여야 한다. 또한 레트증후군(Rett syndrome)이나 엔젤만 증후군(Angelman syndrome)의 경우도 초기에 뇌성마비로 오진하는 경우가 종종 있다.

이런 범주의 아동들은 대부분 진정한 의미의 경직은 아니지만 발에 힘을 많이 주고, 발끝으로 걸으면서 무릎을 사용하지 않는 특징적 보행을 하기 때문에 혼돈을 일으킬 수 있으나, 세심한 신경학적 진찰을 통하여 구분이 가능하다. 또한 뇌병변이 동반된 환아의 경우 근긴장항진은 신생아 시기부터 나타날 수도 있고, 출생 초기에는 근긴장저하로 나타나다가 월령이 증가하면서 근긴장항진이 발현될 수도 있다. 그래서 고위험 영아에서 근긴장도와 자세의 이상 유무를 판정할 때는 정기적인 진찰을 통해 추적 관찰하는 것이 매우 중요하다. 또한 근긴장저하와 항진이 다른 신체부위에 각각 나타나기도 한다. 가장 흔히 볼 수 있는 사례는 출생 시 저산소성 허혈성 뇌증이 발생하였고 비정상 운동 발달을 보이는 3~4개월 무렵의 영아를 진찰할 때이다. 목과 몸통을 잘 가누지 못 하고 근긴장저하를 보이지만, 상하지는 반대로 근긴장항진이 나타나기 시작하는 모습을 관찰할 수 있다.[13]

3) 운동과다 움직임 (hyperkinetic movements)

운동과다 움직임은 근긴장도의 이상은 아니지만 아동기 신경계 질환에서 흔히 관찰되는 증상이다. 무도증(chorea), 불수의운동(athetosis), 진전(tremor), 틱(tic), 상동증(stereotype), 간대성 근경련증(myoclonus)이 여기에 해당한다.[14] 무도증은 불수의적, 불규칙적이며 목적이 없고, 갑자기 빠른 속도로, 유지되지 않는 움직임이 신체의 일부분에서 다른 부분으로 무작위로 흐르듯이 나타난다. 불수의운동은 천천히, 연속적으로, 불수의적으로 뒤틀리는 움직임으로 자세를 안정되게 유지하는 것을 방해하는 동작이다. 간대성 근경련증은 근육의 갑작스런 불수의적 수축 혹은 이완이 반복적이고, 율동적이지 않으며, 짧은 순간의 경련(jerk)처럼 나타나는 것을 말한다.

2. 원시반사(Primitive reflex)

원시반사는 태아 시기부터 서서히 나타나서 만삭아 출생 시 전형적으로 관찰되는 복합적이며 자동적인 움직임으로 뇌간에서 중개하는 반사이다. 이후 중추신경계의 성숙과 더불어 수의적 운동 발달이 일어나는 생후 6개월이 지나면서 점차 소실되며 이를 이용하여 운동 발달 문제를 감별할 수 있는 유용한 신경학적 진찰 방법으로 오래 전부터 사용되어 왔다. 중추신경계가 성숙하면서 원시반사가 완전히 없어지는 게 아니라 반응이 억제되면서 수의적인 운동에 보완적으로 나타날 수 있다고 보는 견해가 있어 '소실(disappearance)' 보다는 '통합(integration)' 이라는 용어를 선호하기도 한다. 원시반사는 정상 태아에서 재태 기간 25주가 되면 보이기 시작하여 생후 3~6개월 동안 나타난다. 6개월이 지나면 대부분의 원시반사는 나타나지 않고 자세 반응(postural reaction)이 나타나게 된다(그림 3-3).[15]

원시반사는 상동적인 형태를 가지며 특이한 감각 자극에 의하여 유발된다.[16] 이러한 원시반사의 발달은 근긴장도의 발달과 함께 나타나며 근긴장도의 발달 양상과 마찬가지로 하지로부터 두부로, 원위부에서 근위부로 발달하게 된다. 각 반사는 특정한 감각 자극으로 인하여 상동적 운동 반응과 이로 인한 자세가 유발되므로 정상 영유아에서는 이러한 반사로 인한 자세가 일관성 없이 일시적으로 나타나지만, 신경학적 손상이 있을 때는 보다 강하게 또 지속적으로 이러한 자세가 관찰된

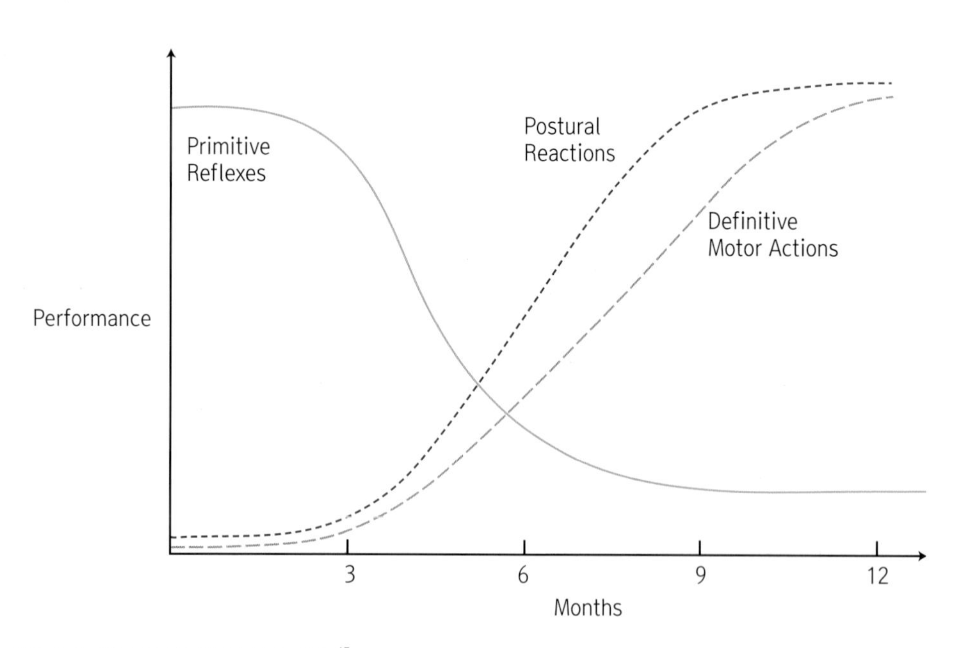

그림 3-3 원시반사와 자세 반응의 발달[15]

다. 원시반사를 진찰할 때 염두에 두어야 할 개념은 출생 후 첫 3개월까지는 나타나야 하며, 3~6개월 동안에는 점차 사라져야 하고, 6개월 이후에는 대부분 나타나지 않아야 한다. 조기에 원시반사가 관찰되지 않는 것도 부적절하며 소실 시기 이후에 지속적으로 나타나는 것도 부적절하다.

자극이 주어지기 시작할 때부터 지속적으로 고착된 반응이나 자세를 보이는 경우(obligatory reaction) 또한 언제든 병리적으로 봐야 한다.[15] 알려진 원시반사는 그 종류가 매우 많으며, 연구자들이 임상적 의의를 두는 반사는 각 연구마다 다르게 나타난다. 그러나 임상적으로 가장 흔히 사용하는 반사는 모로(Moro), 손의 파악(palmar grasp), 발의 파악(plantar grasp), 먹이찾기(rooting), 빨기(sucking), 보행(stepping), 두기(placing), 갈란트(Galant), 긴장성 미로(tonic labyrithine), 비대칭성 긴장성 목(asymmetrical tonic neck), 대칭성 긴장성 목(symmetric tonic neck), 교차 신전(crossed extension) 반사, 양성 지지(positive supporting) 반응 등이 있다.

다음은 임상에서 흔히 사용되는 원시반사에 대하여 알아보고자 한다.

1) 손의 파악반사(palmar grasp reflex)

영아를 눕힌 자세에서 손바닥에 검사자의 검지를 갖다 대면 손가락을 굴곡시키면서 주먹을 쥐며 6개월 경 사라진다.

2) 발의 파악반사(plantar grasp reflex)

영아를 눕힌 자세에서 발가락 바로 아래의 발바닥 부위를 누르면 발가락이 굴곡되며 15개월 경 사라진다.

3) 모로 반사(moro reflex)

모로 반사는 여러 가지 방법으로 검사가 가능한데 아이를 손으로 들다가 갑자기 내려놓거나 크게 소리를 내거나 또는 보육기를 갑자기 치는 방법으로 검사할 수 있다. 가장 선호하는 방법은 아이의 머리를 약간 들어 올렸다가 뒤로 떨어뜨리는 방법으로 신전이 일어나면서 상지의 외전이 나타나고 이후 내전과 굴곡이 발생한다. 점차 목을 가누면서 소실되며 6개월이 되면 더 이상 나타나지 않는다. 모로 반사가 한쪽 상지에서만 유발되지 않으면 상완 신경총 손상이나 편마비를 의심할 수 있다. 모로 반사가 소실되면서 놀람(startle) 반사가 나타나는데 이는 큰 자극에 반응하여 상지의 외전 없이 내전과 굴곡이 일어나는 반사로 평생 지속된다.

4) 보행 반사(stepping reflex)

영아의 겨드랑이 밑을 잡고 정립 방향으로 들어올린 다음 몸통을 좌우로 기울이면 양 하지가 교대로 굴곡 신전하여 걷는 것처럼 보이는 것으로 출생 후 2개월까지 관찰된다. 이 반사는 중추신경계 성숙뿐 아니라 체중에도 영향을 받아, 체중이 빨리 증가하는 영아에서 근력이 하지의 무게를 이기지 못하여 더 빨리 소실되는 경향이 있다고 알려져 있다.[17]

5) 갈란트 반사(galant reflex)

영아를 엎드린 상태에서 들어올린 후 척추 극돌기의 외측 2~3 cm 피부를 하위 흉추부에서 천추부까지 검사자의 손으로 부드럽게 그으면, 자극을 준 쪽으로 체간이 굴곡하며 때때로 둔부가 위로 들리는 양상이 관찰되는데 생후 첫 4개월 이내에 없거

나 이후 너무 강하게 나타나면 비정상적 소견으로 본다.[2]

6) 두기 반응(placing reaction)

하지의 두기 반응은 영아의 종아리와 발등을 침대나 탁자의 가장자리에 닿게 하면서 영아를 살짝 들어 올리면 다리가 굴곡한 후 신전해서 탁자 위에 발을 올려놓으려고 하는 모습을 보이며 만삭아에서 주로 관찰된다. 상지의 두기 반응은 상지를 전완부에서 손등 쪽을 탁자에 닿게 하며 영아를 들어 올리면 굴곡-신전-손바닥 대기의 반응이 나타나고, 생후 3개월부터 관찰된다. 뇌성마비 경직성 양하지마비의 경우 하지 두기 반응이 자주 관찰되지 않고 편마비는 한쪽 상지의 두기 반응이 관찰되지 않는다.[17]

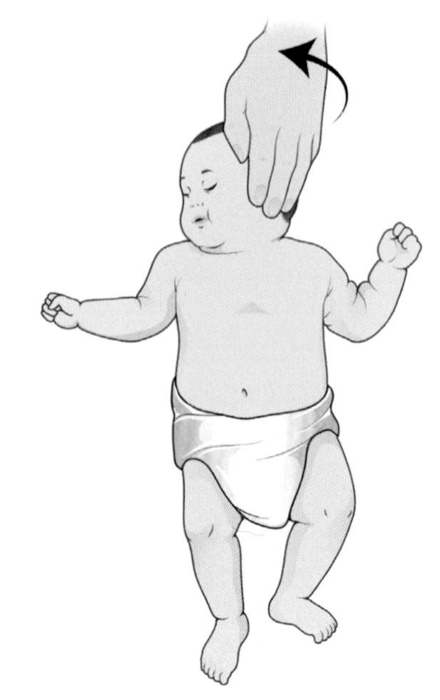

그림 3-4 비대칭성 긴장성 목반사

7) 대칭성 긴장성 목반사 (symmetric tonic neck reflex)

목을 신전시키면 상지는 신전되고 하지는 굴곡하며, 목을 굴곡시키면 상지는 굴곡되고 하지는 신전한다. 생후 20주에 나타나기 시작하여 8개월 전에는 사라진다. 이 반사가 뚜렷이 나타나면 운동장애가 있을 가능성이 매우 높다.

8) 비대칭성 긴장성 목반사 (asymmetric tonic neck reflex)

영아를 바로 눕힌 상태에서 고개를 한쪽으로 돌리면 얼굴 측 상하지는 신전되고 반대 측 상하지는 굴곡되는 반응으로 생후 3개월 경 사라진다(그림 3-4). 그러나 이 반사가 강하게 나타나며 그 자세에서 아이가 울거나 다른 동작을 취하지 못하면 언제든 비정상이라고 판단해야 한다.[5]

9) 긴장성 미로반사 (tonic labyrinthine reflex)

목을 신전시키면 어깨는 뒤로 젖혀지고 팔꿈치 이하는 굴곡되고 양하지는 신전되는 반응이 나타나고, 목을 굴곡시키면 어깨관절은 앞으로 굴곡되고 하지도 굴곡되는 반응을 보이며 생후 3개월까지 나타난다(그림 3-5). 이런 긴장성 미로반사는 만삭아에서는 쉽게 관찰이 어렵지만 미숙아나 경부 신전근 과긴장증 환아에서는 매우 뚜렷하게 나타난다.

10) 양성 지지반응 (positive supporting reaction)

영아의 몸통을 잡고 발을 디딘 상태로 세운 다음 발꿈치가 지면에 닿도록 몇 번 반동을 주면서 하지의 반응을 관찰하는 것으로 월령에 따라 두

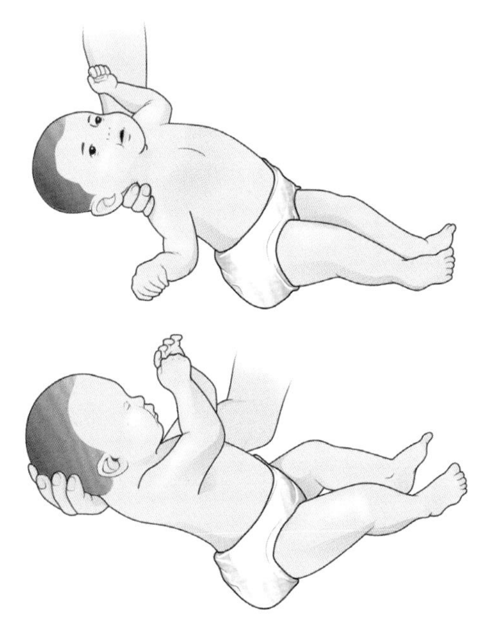

그림 3-5 긴장성 미로반사

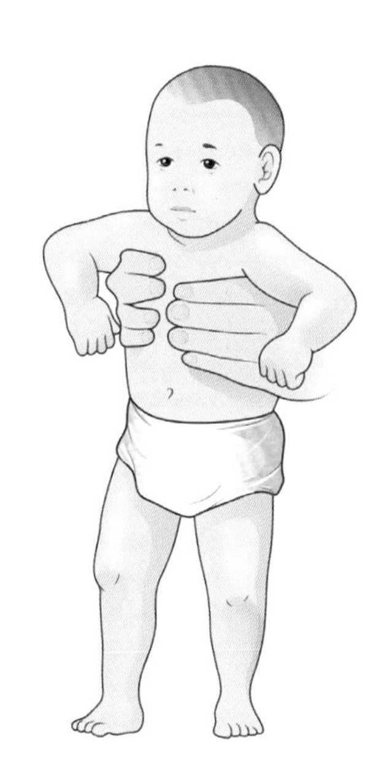

그림 3-6 양성 지지반응

가지 양상을 보인다. 첫 번째 반응기는 공기 중에 앉아있는 것처럼 양측 하지를 몸통 쪽으로 끌어올리는 반응으로 3개월 경 사라진다. 두 번째 반응기는 3개월 이후부터 나타나는데 하지의 지속적 신전이 나타나 체중을 지탱하는 반응을 보인다(그림 3-6). 이 때 신전의 정도가 너무 심하던지, 발목을 첨족으로 오랫동안 유지하는 경우는 운동장애가 있을 가능성이 높다. 원시반사와 소실시기는 다음과 같다(표 3-2).

경직형 뇌성마비 아동의 경우 발달 초기의 원시반사 중 교차 신전반사(crossed extensor reflex), 치골상 신전반사(suprapubic extensor reflex) 등이 강하게 나타나고 불수의운동형 뇌성마비 아동은 갈란트 반사, 비대칭성 긴장성 목반사, 발의 파악반사가 강하게 나타난다고 하였다. 지적장애의 경우도 정상에 비하여 원시반사가 사라지는 월령이 지연된다고 조사된 바 있다.[18] 원시반사는 영아의 의식이 명료한 상태인지 졸리거나 짜증이 났는지 등에 따라 반응이 매우 다르게 나타날 수 있다. 따라서 일회성 진찰에 의한 원시반사 소견으로 정상과 비정상을 구별하는 것은 오진의 가능성이 있으므로 다른 신경학적 진찰 소견과 관련지어서 판단하여야 한다.

표 3-2 원시반사와 소실시기[2]

원시반사	소실시기
손 파악반사	5~6개월
발 파악반사	12~14개월
모로 반사	4~6개월
보행 반사	3~4개월
갈란트 반사	4~6개월
두기 반응	10~12개월
대칭성 긴장성 목반사	6~7개월
비대칭성 긴장성 목반사	6~7개월
긴장성 미로반사	4~6개월
양성 지지반응	3~5개월

3. 자세 반응(Postural reaction)

자세 반응은 생후 첫 해에 발달하는 성숙된 운동기술로 기능적인 움직임을 할 수 있는 기본이 된다. 원시반사는 상동적으로 나타나며 특정 감각 자극에 의해 유발되는 진정한 의미의 반사로 피질하 뇌간의 기능이 필요한 반면 자세 반응은 반응을 나타내기 위하여 복합적 자극(고유수용성 감각, 시각, 전정감각)이 함께 작용하며, 완전한 뇌피질의 작용이 요구된다는 점이 다르다.

보이타(Vojta)는 7가지 자세 반응을 통해 발달 정도를 평가하였다. 보이타의 7가지 자세반응은 견인반응(traction), 란다우반응(Landau), 보이타 반응, 피퍼(Peiper)의 거꾸로 매달기 반응, 콜리스(Collis)의 거꾸로 매달기 반응, 콜리스의 수평반응, 겨드랑이 걸치기 반응으로 영유아의 월령에 따라 다르게 나타나는 각 항목의 반응을 평가하여 중추신경계의 성숙을 알 수 있다고 하였다.

자세 반응은 신생아 시기에 관찰되지 않으며 원시반사의 점진적 감소와 함께 나타나기 시작한다.[16, 19] 자세 반응은 만삭아에서 2~3개월 후 고개의 정위반응이 나타나기 시작하면서 그 기능이 시작된다. 정상아에서는 쉽게 자세 반응이 유발되지만 뇌병변이 있을 때는 자세 반응이 늦게 출현하거나 효율적이지 않게 나타나며, 뇌성마비는 침범 부위와 종류 별로 다르게 나타난다. 자세 반응은 정위(righting), 평형(equilibrium), 그리고 보호(protection) 반응으로 구별되며 운동 기술발달의 기본이 된다. 이러한 자세 기전은 반사적 움직임과 달리 위치감각, 시각, 전정감각 등 다양한 감각자극이 동시에 관여하며 대뇌와 소뇌 피질의 복잡한 적응 작용에 의해 일어난다(그림 3-7).

1) 정위반응(righting reaction)

머리 정위반응 (head righting reaction)은 출생 직후 나타나며 영아를 바닥에 엎드려 눕히면 고개를 들어 올리려는 반응이다(그림 3-8). 란다우 반응은 영아를 엎드린 상태에서 들어 올리면 몸통이 신전되는 반응으로 생후 3개월에는 모든 영아에서 관찰된다(그림 3-9). Derotative righting reaction은 뒤집기할 때 필요한 자세 반응으로 생후 4개월부터 나타나기 시작하며 머리를 한쪽으로 돌리면 어깨, 몸통, 골반, 다리가 그 방향으로 돌아가는 head on body righting reaction과 다리를 먼저 한쪽으로 꼬아 옆으로 돌리면 골반, 몸통, 어깨, 상지가

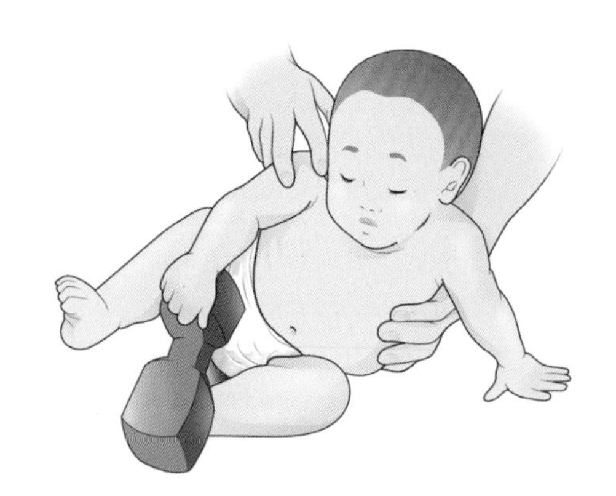

그림 3-7 자세 반응
검사자가 앉아있는 아이를 한쪽으로 기울이는 자극을 주었을 때 고개의 정위반사와 넘어지는 쪽 상지의 보호반응, 반대 쪽 상하지의 평형 반응이 나타남.

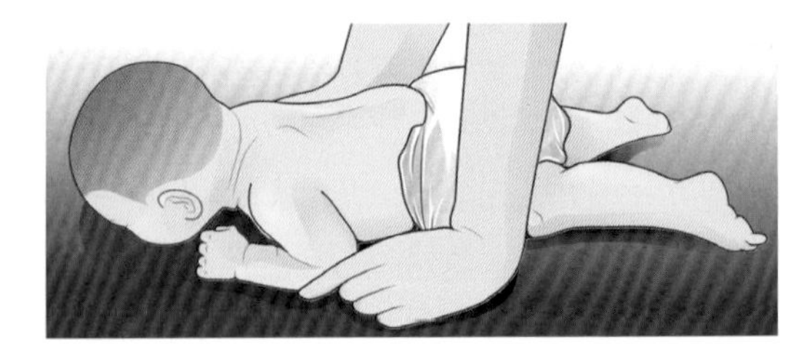

그림 3-8 머리 정위반응 양성

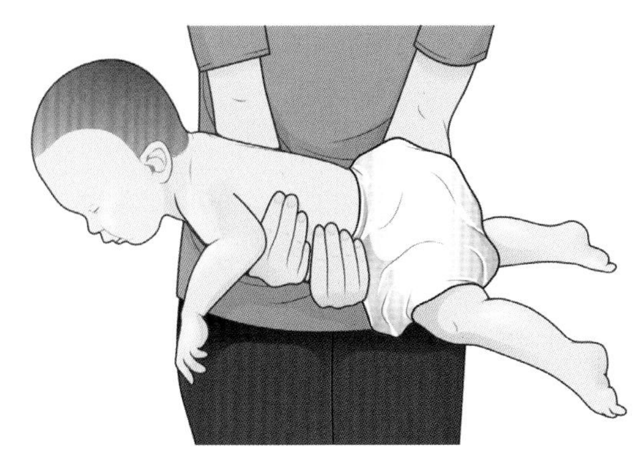

그림 3-9 Landau 반응

꼬인 몸을 푸는 방향으로 회전하는 body on body righting reaction이 있다. 시각 정위반응(optical righting reaction)은 몸을 한쪽으로 기울였을 때 눈으로 보고 고개를 똑바로 바로잡는 반응으로 생후 2개월부터 나타난다. 미로 정위반응(labyrinthine righting reaction)은 시각의 도움 없이도 고개를 똑바로 바로잡는 반응으로 출생 직후부터 지속되는 반응이다.[17]

2) 평형반응(equilibrium reaction)

평형반응은 무게 중심이 몸의 중심에서 벗어났을 때 몸통과 사지의 보상성 움직임을 통하여 지지면의 중앙으로 무게 중심이 다시 오게 하여 넘어지지 않게 하는 반응이다. 평형반응은 근방추의 감마 신경계를 통한 정적 미로반사(static labyrinthine reflex)와 신장 자극에 따른 고유수용성 반응의 결과물이다. 평형반응은 자세를 변화시키는 자극이 천천히 일어날 때만 관찰되는데, 자극의 속도가 빠르면 동적 미로 반사가 자극이 되어 보호 신전반응이 나타나기 때문이다.[20] 영아에서는 생후 5개월 경 엎드리거나 바로 누운 자세에서 양쪽으로 체중의 이동이 가능하게 될 때부터 발달하게 된다.

3) 보호반응(protective reaction)

보호 반응은 무게 중심의 이동이 빠른 속도로 일어나서 무게 중심을 유지할 수 없을 때 나타나며 낙하산 반응(parachute reaction)이 이에 속한다. 전방 낙하산 반응은 영아를 들어올려 몸을 앞으로 살짝 기울여서 머리를 탁자나 침대 위를 향하여 빨리 움직이면 영아의 팔이 앞으로 신전되며 뻗는 반응으로 생후 6개월 이후에서 관찰된다. 측방 낙하산 반응은 생후 8개월 경, 후방 낙하산 반응은 10개월 정도에 나타난다.

4. 뇌신경(Cranial nerve)의 진찰[1, 3, 21]

1) 후각신경(olfactory nerve, CN I)

초코렛, 바닐라, 페퍼민트 등 아이가 좋아하는 향을 사용하여 검사를 할 수 있다. 무후각증은 심한 상기도 감염 또는 두부 손상, 드물게 전두엽 종양이 체판(cribriform plate)을 침범하는 경우 발생할 수 있다.

2) 시신경(optic nerve, CN II)

(1) 시각(vision)

가장 손쉬운 방법으로 불빛이나 작은 물체를 움직여 눈이 이를 따라 움직이는 것을 관찰하는 것이다.

(2) 시력(visual acuity)

4세 이상의 소아는 Snellen 시력표를 사용하여 검사할 수 있으나 4세 이하 소아는 주사위나 동전 같은 익숙한 작은 물체를 이용하여 여러 거리에서 보게 한 후 이름을 말하게 하거나 수를 세도록 하여 정확하지는 않지만 대략적인 시각을 검사할 수 있다.

(3) 시야(visual field)

소아의 시선을 검사자의 코에 집중케 한 후 3 mm 정도의 하얀색 또는 빨간색 작은 물체나 장난감 또는 손가락을 이용하여 시야의 주변에서 중심으로 이동하여 검사한다. 또한 검사물체나 손가락을 수평면에서 동시에 노출시켜 검사하고 다음 상하부에 동시에 노출시킨다. 이때 어느 물체가 더 뚜렷하게 보이는지 또는 2개의 펜라이트를 사용한 경우에는 어느 광선이 더 밝게 보이는지를 물어본다.

3) 동안신경, 활차신경, 외전신경 (oculomotor, trochlear, abducens nerve, CN III, IV, VI)

(1) 동공(pupil)

동공반사에는 직접대광반사(direct light reflex)와 동감성 대광반사(consensual light reflex)가 있으며 동안신경에 손상이 있으면 손상부위 동공에서 직접 및 동감성 대광반사는 소실되며 반대측 대광반사는 정상이다.

(2) 안구운동(ocular movement)

외안근 마비(extraocular muscle paralysis)를 확인할 수 있다. 동안신경은 상직근(superior rectus muscle), 하직근, 내직근, 하사근, 안검거근(levator palpebrae superioris)를 지배하며 활차 및 외전신경은 상사근 및 외직근을 지배한다.

(3) 동명성운동(conjugate movement)

잠복사시(heterophoria)와 사시(heterotropia)로 구분되는데 잠복사시는 먼거리를 보거나 가까운 사물을 볼 때 눈을 고정한 상태에서 주시하면 양안을 똑바로 보지만 한 쪽 눈을 가릴 때는 눈이 편위 되는 현상이다.

(4) 안구진탕(nystagmus)

안구진탕은 안구가 수평, 수직, 또는 회전성(rotatory)으로 불수의적으로 움직이는 것을 말하며 세 가지 형태가 동시에 나타나는 경우도 있다. 이 중 느리게 움직이다 빠르게 돌아오는 안구진탕을 반사성 안구진탕(jerk nystagmus)이라고 하며 움직임이 일정하고 진폭이 같은 경우 진자성(pendular) 안구진탕이라고 한다. 수직안구진탕은 약물이나 뇌교 기능이상과 관련이 있으며 지속적인 수평 안구진탕은 소뇌 및 뇌교의 전정기관 이상과 연관이 있다.

4) 삼차신경(trigeminal nerve, CN V)

삼차신경은 운동신경과 감각신경 기능을 가지고 있으며 운동영역은 주로 저작근과 관련이 있으며 한쪽 삼차신경 손상으로 저작근의 마비가 있으면 입을 벌릴 때 하악이 마비측을 향하여 편위된다. 턱반사(jaw jerk)은 환아의 입을 약간 벌리게 한 후 턱에 손가락을 대고 가볍게 치면 입이 다물어지면서 신속하게 근육이 수축하는 것을 볼 수 있다. 기대하는 반사반응이 나오지 않으면 삼차신경손상을 의심할 수 있으며 반대로 반사가 과민하게 나타나면 핵상병변(supranuclear lesion) 손상 가능성이 있다. 드물게 이때 턱경련(jaw clonus)이 나타날 수 있다. 각막반사(corneal reflex)는 탈지면의 끝을 가늘게 한 후 각막을 가볍게 자극하여 검사하며 이 때 양안을 즉시 감는 깜박임 반사(blink reflex)가 나타난다. 각막반사의 소실은 뇌교종양에서 발견되며 혼수상태 환아에서는 중뇌기능장애를 시사한다.

5) 안면신경(facial nerve, CN VII)

아이가 웃거나 울 때 검사자는 안면근의 강도와 좌우비대칭을 관찰할 기회를 갖게 되며, 안면마비가 중추성인지 또는 말초성인지를 알 수 있게 된다. 중추성 안면신경마비는 안면의 아래 손상을 동반하여 입꼬리가 내려가고 침을 흘리며 코입술주름(nasal labial fold)이 사라지나 이마는 양측 안면신경의 지배를 받기 때문에 주름을 만드는게 가능하다. 반면 말초성 안면신경 마비에서는 이마의 주름도 사라진다. 미각검사는 영유아에서 검사가 쉽지 않으나 환아의 혀를 잡고 소량의 설탕, 소금, 식초 등을 면봉에 묻혀 발라준 다음 혀의 앞 2/3에서 실시하고 양측을 비교한다.

6) 청각신경 (vestibulocochlear nerve, CN VIII)

(1) 청력검사(cochlear component)

연령이 있는 소아에서는 청력검사에 잘 반응하나 영유아에서는 검사가 쉽지 않다. 따라서 청력에 대한 정보는 청력 뇌간 유발전위 검사를 통해 신경계 이상의 정보를 확인해 볼 수 있다.

(2) 전정기능검사(vestibular function test)

① 웨버검사(Weber test): 음차를 진동시켜 이마의 중앙에 대고 진동이 좌우의 귀 어느 쪽이 강하게 들리는지를 확인한다. 중이나 외이도 장애가 동반되어 있는 경우 이상이 있는 쪽이 크게 들리며 미로 및 구심성의 신경계 장애의 경우 건강한 쪽에서 크게 들린다.

② 린네검사(Rinne test): 음차를 진동시켜 유양돌기(mastoid process)위에 대고 뼈에서 진동음이 사라진 후 음차를 떼어 외이공 4~5 cm 지점에 위치하여 진동이 더 들리는 지 여부를 검사한다. 기도(air conduction)에 의한 청력은 골전도보다 길게 계속되기 때문에 이 방법으로 들을 수 있으며 이를 Rinne(+)라고 하며 정상을 의미한다. 중이의 장애나 외이도의 폐색이 있을 경우에는 기도 쪽이 짧아지기 때문에 음은 들리지 않으며 이를 Rinne(-)라고 한다.

③ 칼로리검사(caloric test): 아이를 눕힌 상태에서 냉수 10 mL를 외이도로 천천히 주입하면 안구의 편위는 없지만 수평 안구진탕이 나타난다. 환아가 혼수상태인 경우는 안구의 편위가 나타나고 안구진탕은 보이지 않는다. 혼수상태가 심하거나 뇌사상태인 경우는 안구의 변화가 없고 안구진탕도 보이지 않는다.[22]

7) 설인신경 및 미주신경(glossopharyngeal and vagus nerve, CN IX, X)

이 두 신경은 해부학적으로나 기능면에서 밀접한 관련이 있어 동시에 손상되는 경우가 많아 검사를 같이 시행한다. 구역반사(gag reflex)는 설인신경과 관련이 있으며 설압자로 후인두를 자극하면 유발된다. 연구개와 목젖은 설인신경을 통해 감각을 감지하고 미주신경을 통해 운동기능이 나타난다. 따라서 한쪽이 손상되면 목젖이 손상부위에서 반대쪽으로 편위되며 이는 설하신경손상에서 손상부위로 혀가 편위되는 것과 반대 현상이다. 즉 환아에게 입을 벌리게 한 후 "아~" 소리를 내게 할 때 목젖이 정상측으로 심하게 편위된다.

8) 척수부신경(spinal accessory nerve, CN XI)

순수한 운동신경으로 흉쇄유돌근과 승모근의 신경을 지배한다. 흉쇄유돌근 검사시 환아로 하여금 머리를 저항에 반대하여 회전하도록 하여 검사하며 승모근은 어깨를 저항에 반대하여 올리도록 하여 검사한다.

9) 설하신경(hypoglossal nerve, CN XII)

순수한 운동신경으로 설근을 지배한다. 자연스럽게 입을 벌린 채 혀의 위치를 관찰해야 하는데 이 때 설하신경 마비가 있으면 혀의 위축이나 속상수축(fasciculation)이 관찰된다. 이 신경의 마비가 한쪽에 있을 경우 혀를 앞으로 쑥 내밀게 하면 혀는 마비 측으로 치우쳐진다. 양측의 핵병변(bilateral nuclear lesion;연수)이 있을 경우 위축과 속상수축을 보이면서 혀를 치아바깥으로 내밀 수 없다. 한쪽만 병변이 있을 경우에는 먹고, 씹고, 삼키는데 약간의 장애가 있으나 양측마비가 있을 경우에는 심한 장애가 나타낸다. 핵상병변(supranuclear lesion)이 있을 경우에는 언어와 섭식에 장애를 나타내지만 혀의 위축이나 속상수축은 없다.

5. 근력평가[1, 3]

영유아에서의 근력평가는 직접적으로 시행하기 어려우며 병력 청취하는 동안 아이의 움직임을 주의깊게 관찰하고 손이나 발을 간지럽힌 후 손가락, 발가락, 팔다리의 움직임을 통해 대략적으로 평가할 수 있다. 소아의 경우에는 놀이를 하며 전반적인 근력을 평가할 수 있다.

6. 반사의 진찰[1, 3]

영유아에서 반사를 검사할 경우에는 최소한으로 환아가 고통을 느끼지 않게 검사의 순서나 형식에 상관없이 시행할 필요가 있다. 아이가 울거나 깊은 수면상태에 있을 때는 생리적으로 존재하는 반사가 소실되기도 하고 반사운동이 정상과 차이를 나타내기 때문에 반사를 검사하기에 부적당하다. 그러나 반사의 검사는 의식장애, 주의력저하, 지능장애로 인해 환아의 협력을 얻을 수 없는 경우 가장 중요한 신경학적 진찰이다. 임상적으로 추체로장해가 동반되어 있으면 심건반사는 항진되고 표재성 반사(superficial reflex)는 사라지며 병적반사가 나타난다.

1) 심건반사(deep tendon reflex, DTR)

기본적인 심건반사에는 이두박근반사(C5-6), 삼두박근반사(C7-8), 무릎반사 (L2, 3, 4), 발목반사(S1)가 있다. 반사의 정상은 대뇌피질과 근육사이에 운동계 기능이 정상임을 의미한다. 심건반사는 반사궁이 비교적 간단하기 때문에 국소진단을 하는 데 매우 편리하다.

2) 족간대성 경련(ankle clonus)

신생아에서는 정상적으로 관찰되나 생후 2개월이 지나서 심건반사 항진과 바빈스키 반사와 함께 관찰되면 상부운동신경원(upper motor neuron, UMN) 손상을 고려하여야 한다.

3) 표재반사(superficial reflex)

(1) 복벽반사(abdominal reflex, T7-12 roots)

배꼽을 중심으로 상부, 중앙부, 하부에서 외측에서 내측으로 자극을 주면 복근이 수축한다. 복벽반사의 소실과 함께 심건반사 항진이 관찰되면 추체로 징후를 의심해야 한다.

(2) 거고근반사(cremasteric reflex, L1-2 roots)

허벅지의 내측을 가볍게 치면 검사측 고환과 음낭이 올라간다.

(3) 족저반사(plantar reflex, L5, S1 roots)

발뒷꿈치에서 발가락쪽으로 발바닥 외측을 뭉툭한 것으로 자극하면 엄지발가락이 족굴되는 반사이다.

(4) 항문반사(anocutaneous reflex, S4-5 roots)

항문주위를 날카로운 핀으로 자극하면 항문괄약근이 수축한다.

4) 추체로 징후(pyramidal signs)

(1) 바빈스키반사(Babinski), 샤독반사(Chaddock), 오펜하임반사(Oppenheim), 골던반사(Gordon reflex)

생후 1세까지는 정상적으로 나타날 수 있으며 바빈스키 반사의 경우 영아의 발뒤꿈치에서 발가락 쪽으로 설압자나 열쇠와 같은 물체로 가볍게 그으면 엄지발가락은 신전되면서 나머지 발가락이 벌어지는 것을 관찰할 수 있다. 검사할 때 발가락 뒤 도톰한 부위까지 그으면 발 파악반사가 유발될 수 있으므로 주의하여야 한다. 샤독반사 역시 바빈스키 반사와 유사하게 발목 외과(lateral malleolus)에서 발의 외측을 따라 발가락까지 자극을 주면 엄지발가락은 신전되고 나머지 발가락은 벌어지는 양상이 관찰된다. 오펜하임반사(Oppenheim reflex)는 무릎부터 정강이를 따라 경골의 내측에 압력을 주어 아래로 그으면 엄지발가락이 신전되며 바빈스키 반사와 유사한 양상으로 관찰된다. 골던반사(Gordon reflex)는 영아의 비복근을 쥐면 엄지발가락이 위로 신전되고 나머지 발가락은 벌어진다.

(2) 호프먼징후(Hoffmann sign)

검사자의 손톱으로 환아의 2번째나 3번째 손톱을 누르면 엄지손가락이 굴곡하는데 반응이 나타나지 않아야 정상이며 비정상적으로 굴곡시 뇌척수로 손상을 의심할 수 있다.

7. 감각기능의 진찰

감각에 대한 평가는 특히 환아의 협조가 중요하며 주관적 표현으로 인해 정확한 검사가 어려운 경우가 많다.

1) 표재감각(superficial sensation)

(1) 촉각(touch sense)

눈을 감게 한 후 부드러운 헝겊이나 티슈로 얼굴, 손, 발을 다양하게 자극하여 관찰한다.

(2) 통각(pain sense)

부드럽게 재빨리 바늘통각 검사를 시행하여 환아가 통증을 인지하지 않도록 주의한다

2) 심부감각 또는 고유수용성감각 (deep or proprioceptive sensation)

(1) 위치각(sense of position)

눈을 감게 한 후 아이의 손가락이나 발가락을 “위” 또는 “아래”로 움직여 어느 방향으로 움직였는지를 묻는다.

(2) 진동각(vibration sense)

음차를 진동시켜 엄지발가락에 올리고 환아가 그 감각을 느낄 수 있는지 확인한다.

(3) 심부통각(deep pain sense)

아킬레스건, 장딴지, 고환 등을 강하게 압박하여 어느 정도의 압박에서 통증을 나타나는지 확인한다.

3) 피질성 감각기능 (cortical sensory function)

(1) 입체인지(stereognosis)

눈을 감게 한 후 아이에게 친숙한 단추, 동전, 안전핀 또는 열쇠와 같은 물체를 손에 쥐어 준 뒤 물체의 이름, 크기, 형태, 촉감 등을 설명하도록 한다. 표재감각이 정상인데도 물체를 식별할 수 없는 것을 입체인지불능(astereognosis)이라고 하며 두정엽 손상과 관련이 있다.

(2) 서화감각(graphesthesia)

눈을 감은 상태에서 숫자나 글자, 아이가 인식할 수 있는 상징(○, △, ×)을 피부에 적어서 아이가 알아맞히도록 한다. 상징을 인식하는 데 어려움이 있으면 서화감각인지곤란(dysgraphestheia)이라고 하며 역시 두정엽 손상과 관련이 있다.

(3) 2점 식별감각 (two-point discrimination sensation)

피부에 닿는 2개의 물체가 실제로 2개로 구별되는 점이라는 것을 식별하는 능력으로 주로 자극하는 부위는 손가락 끝이다.

(4) 2점 동시자극 식별감각 (double simultaneous stimulation)

좌우 대칭적인 두 부위를 동시에 자극하거나 만져서 검사하며 양측의 같은 부위를 자극하면 한쪽밖에 알지 못하고 반대측의 감각은 전혀 모르는 경우 2점 동시자극 식별감각장애라고 한다. 역시 두정엽 손상과 관련이 있으며 감각이 무시되어버리는 것을 소거현상(extinction phenomenon)이라고 한다.

8. 연령에 따른 진찰

1) 신생아의 신경학적 진찰

근긴장도, 원시반사, 심부건반사, 감각검사 등을 시행하며 특히 신생아에서는 여러 번 반복이 필요하다. 두위(head circumference)는 모든 신생아기나 영아기에 꼭 측정이 필요하며 표준편차의 2배 이상 차이가 나거나 백분위에서 벗어나면 정밀한 검사가 필요하다. 시각검사는 시운동성안진(optokinetic nystagmus)으로 알 수 있고 청각검사는 생후 6~19일부터 소리가 났을 때 깜짝 놀라는 것으로 알 수가 있다. 중추신경계 이상을 시사하는 소견으로 빛이나 소리에 대한 반응에 눈을 깜박거리지 않거나 동공부동(unequal pupil)이나 동공고정(fixed pupil), 울 때 안면 불균형, 빨기 혹은 삼킴에 어려움이 있는 경우, 안저검사 이상 등이 있다.

2) 영아의 신경학적 진찰

영아는 협조가 힘들기 때문에 인내심을 가지고 관찰하여야 한다. 우선 아이를 부모 무릎위에 앉히고 옷을 벗긴 상태에서 머리크기, 모양, 두위측정, 운동 및 감각기능, 피부소견, 잡음 청진 등이 가능하다. 또한 바닥에서 공을 잡으려고 걷거나 뛰는 모습에서 보행이상, 운동실조, 근력저하 검사가 가능하며 근긴장도를 평가할 수 있다. 다음단계로 고무젖꼭지를 물리게 하고 아이를 눕힌 상태에서 안저, 구강구조, 외이도 및 고막 등을 검사할 수 있다.

3) 4세 이상의 소아의 신경학적 진찰

성인에서와 같이 평가가 가능하나 환아를 공포스러운 분위기에서 검사하지 않도록 한다.

9. General movements 평가[23]

앞서 기술한 근긴장도, 원시반사, 자세 반응 등은 전통적인 신경학적 평가로 미숙아나 만삭아를 포함한 신생아시기에 이상 유무를 확인하기가 쉽지 않다. 이 시기에는 아주 심한 근긴장도 저하나 항진이 아니면 검사자 간 일치율도 낮으며, 감각자극에 의한 반사 행동도 영아의 상태나 환경에 영향을 많이 받기 때문에, 초기 발달 단계에서 진단적 가치가 높지 않다. 그래서 검사자의 자극에 의해 나타나는 운동 행태를 분석하기보다 자극을 주지 않은 상태에서 나타나는 자발적인 움직임을 관찰하여, 아주 이른 발달 시기에 뇌기능 이상을 예측할 수 있는 분석 방법이 제시되었다. General movement (GMs)은 영아의 자발적인 움직임을 통해 신경계 기능을 평가하는 것으로 뇌의 장애와 기능저하를 초기에 판단하는 좋은 수단이다. GMs는 생후 9주에서 5~6개월까지 관찰이 가능하며 신경네트워크 즉 central pattern generators (CPGs)에 의해 발생하며 대부분 뇌간에 위치한다. 이는 감각 피드백을 통해 central pattern generator (CPG) activity를 조절하여 운동영역의 다양성을 보여준다. 미숙아, 만삭아, 영아시기에 나타나는 GMs를 평가하는 Prechtl 방법은, 미숙아 시기(preterm)에 나타나는 'fetal 혹은 preterm GMs'와 만기(term)부터 만기 후(postterm) 6~9 주까지의 'writhing movements'를 관찰하여 정상과 비정상 운동을 구분한다.

그 이후 GMs는 차차 없어지게 되며 fidgety movements가 나타나는데 이는 의도적이고 항중력 움직임이 나타나기 시작하는 생후 6개월 무렵까지 관찰된다(그림 3-10). GMs 평가는 4단계로 나뉘는데 preterm GM은 진폭이 크고 빠른 움직임을 보이며 writhing movement는 만삭에서 생후 2개월까지 관찰되며 느리거나 중등도 진폭과 속도를 보인다.

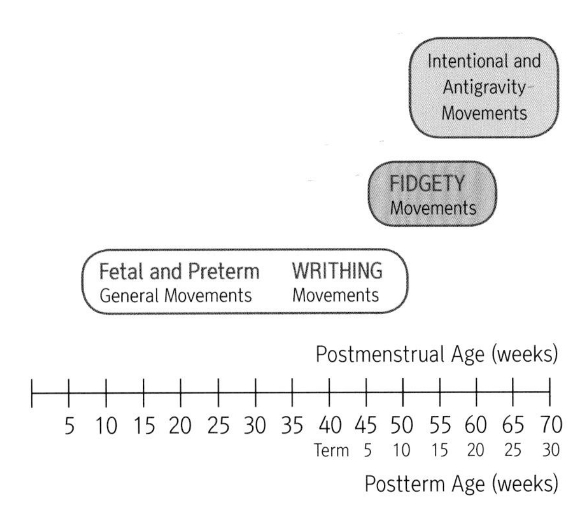

그림 3-10 Developmental course of general movements

fidgety movement는 중등도 속도와 다양한 움직임을 보이며 생후 6주에서 20주까지 관찰되며 이를 좀 더 세분화하면 continual fidgety, intermittent fidgety, sporadic fidgety로 나눌 수 있다. GMs은 신경계 손상 정도에 따라 다양한 양상을 보일 수 있다. 4가지 단계의 이상소견을 아래와 같이 나타낼 수 있다.

1) Poor repertoire GM

Poor repertoire GM이란 정상아에서 보이는 복잡한 운동이 아닌 운동요소들이 단순(monotonous)해지고 획일적으로 되는 것이며 획일적인 운동양상으로 나타나는 것이다.

2) Cramped-synchronized GM

Cramped-synchronized GM은 경직되어 정상적인 부드럽고 유창한 움직임이 결핍되며 모든 상지와 몸통 근육들이 동시에 수축하거나 이완하는 모습을 보이며 경직성 뇌성마비의 높은 예측인자가 된다.

3) Chaotic GM

Chaotic GM은 모든 사지가 높은 진폭으로 움직이며 미숙아, 만삭아, 만삭아 초기단계에 일정한 패턴이 아닌 혼돈스런 순서로 갑자기 나타나며 cramped-synchronized GM 발생 수주 내에 나타난다.

4) Abnormal or absence of fidgety movement

Fidgety movement는 목, 몸통, 어깨, 손목, 고관절, 발목을 포함한 전신에서 나타나며 환아가 깨어있을 때 평가가 가능하며 외부의 간섭에 영향을 받지 않는다. 나이에 따른 고유감각기능의 미세한 움직임이라고 말할 수 있다. Fidgety movement가 소실되면 추후 신경학적 손상, 특히 경직성, 무도위성(dyskinetic) 뇌성마비에 대한 강한 예측인자로 생각할 수 있다. 만일 fidgety movement 소실과 cramped-synchronized GMs가 같이 보인다면 경직성 뇌성마비를 예상할 수 있다(표 3-3). 2011년 보고된 체계적 고찰에 의하면 Prechtl의 GMs 평가 방법 중 생후 12주에 시행하는 fidgety movement의 비정상 유무가 writhing movement의 비정상 유무보다 예후를 예측하는 데 도움이 된다고 하였다. 또한 이 방법은 영아기에 시행할 수 있는 저비용, 비침습적 검사라는 장점이 있으나, 향후 기능적 예후와 관련되어, 연구방법을 보다 엄격히 한 조사가 더 필요하다고 분석하였다.[24]

III. 신경학적 진찰의 유용성

신경 및 발달의 이상이 있는 아동의 질병원인 규명, 치료 프로그램 선택, 예후 판정 등을 위해서는 본 장에서 기술한 신경 발달 평가 이외에도 구체적인 문진, 기능 평가, 혈액검사, 전기생리학적 평가, 유전학적 평가, 영상의학적 평가 등 추가적인 검사 및 평가를 시행하는 것이 반드시 필요하다. 하지만, 이와 같은 제한점에도 불구하고, 신경 발달 평가는 아동의 발달 및 기능에 기초하여 아동의 현재 상태를 평가하고, 이에 신경 및 발달 이상이 있는 고위험군을 조기발견하고 치료를 가능하게 한다는 점에서 매우 유용하다. 그러므로, 신경 발달 평가법을 정확하게 숙지하고 이의 결과를 정확하게 해석하는 것은 소아재활 및 발달장애 전문가들에게 필수적이라고 하겠다.

표 3-3 Predictive values of GM assessment and neurological examination

		Sensitivity		Specificity	
		GM assessment	Neurological examination	GM assessment	Neurological examination
Writhing movements	Term age	94%	88%	59%	59%
	1 and 2 months	94%	88%	86%	68%
Fidgety movements	3 and 4 months	94%	89%	83%	73%

Touwen 1976, Prechtl 1977, Amiel-Tison and Grenier 1983 with respect to the neurological outcome at 2 years in 58 term-born infants (Cioni et al 1997c)

▶ 참고문헌

1. Swaniman KF. Ashwal S. Ferriero DM. et al. Pediatric Neurology, Principles and practice. 6th ed. ELSEVIER 2018;1-13.
2. 대한소아재활의학회. 소아재활의학, 서울: 군자출판사. 2006;23-25.
3. 대한소아신경학회. 소아신경학, 서울: 군자출판사. 2008;1-19.
4. Alexander MA. Matthews DJ. Pediatric Rehabilitation Principles and practice. 4th ed. New York. Demons Medical 2010;1-12.
5. Scherzer AL. Tscharnuter I. Early diagnosis and therapy in cerebral palsy, New York: Marcel Dekker, Inc. 1986.
6. Connolly BH. Neonatal assessment: an overview. Phys Ther 1985;65:1505-1513.
7. Chaudhari S. Bhalerao M. Chitale A. et al. Transient tone abnormalities in "igh risk" infants and cognitive outcome at five years. Indian Pediatr 2010; 47:931-935.
8. Deon LL. Gaebler-Spira D. Assessment and treatment of movement disorders in children with cerebral palsy. Orthop Clin N Am 2010;41:507-517.
9. Sanger TD. Delgado MR. Gaebler-Spira D. et al. Classification and definition of disorders causing hypertonia in childhood. Pediatrics 2003;111:e89-97.
10. Bodensteiner JB. The evaluation of the hypotonic infant. Semin Pediatr Neurol 2008;15:10-20.
11. Harris SR. Congenital hypotonia: clinical and developmental assessment. Dev Med Child Neurol 2008;50:889-892.
12. Carboni P. Pisani F. Crescenzi A. et al. Congenital hypotonia with favorable outcome. Pediatr Neurol 2002;26:383-386.
13. Majnemer A. Mazer B. Neurologic evaluation of newborn infant: definition and psychometric properties. Dev Med Child Neurol 1998;40:708-715.
14. Sanger TD. Chen D. Fehlings DF. et al. Definition and classification of hyperkinetic movements in childhood. Mov Disord 2010;25:1538-1549.
15. Capute AJ. Identifying cerebral palsy in infancy through study of primitive-reflex profiles. Pediatri Ann 1979;8:589-595.
16. Blasco PA. Primitive reflexes. Their contribution to the early detection of cerebral palsy. Clinical Pediatrics 1994;388-396.
17. 문재호, 박창일. 재활의학, 한미의학 2007; 536-546.
18. Futagi Y. Tagawa T. Otani K. Primitive reflex profiles in infants: Differences based on categories of neurological abnormality. Brain Dev 1992;14: 294-298.
19. Zafeiriou D. Primitive reflexes and postural reactions in the neurodevelopmental examination. Pediatr Neurol 2004;31:1-8.
20. Krusen FH. Kottke FJ. Sillwell GK. Lehmann JF. Krusen's Handbook of Physical Medicine and Rehabilitation. New York: Saunders, 1982;257-259.
21. 피터 두스. 신경국소진단학, 서울: 과학서적센터, 1993; 75-130.
22. Fife TD. Tusa RJ. Furman JM. et al. Assessment: Vestibular testing techniques in adults and children. Neurology 2000; 55:1431-1441.
23. Einspieler C. Prechtl HFR. Bos A et al. Prechtl ' method on the qualitative assessment of general movements in preterm, term and young infants. Clinics in Developmental Medicine No. 167. London, Mac Keith Press, 2004.
24. Darsaklis V. Snider LM. Majnemer A. et al. Predictive validity of Prechtl' method on the qualitative assessment of general movements: a systematic review of the evidence. Dev Med Child Neurol 2011; 53:896-906.

CHAPTER

4 발달 및 기능 평가

Developmental and Functional Assessment

정한영, 류주석, 김수연

I. 소아발달이란?

소아발달(development in children)이란 모든 것을 타인에게 의지하는 유아기에서 독립적인 생활이 가능한 아동으로 성장하는 과정을 말한다. 소아기 발달은 출생부터 시작하여 청소년에 이르기까지 연속적이고, 예측 가능한 생물학적, 심리학적, 그리고 정서적인 일련의 변화 과정이다. 태아 뇌는 임신 4주부터 발달하기 시작하며, 그 후 엄마의 자궁 내에서 그리고 분만 후 어린 유년기에 급속히 성장한다.[1] 이런 아동의 발달은 신경학적 발달을 중심으로 평가하는 발달평가(developmental assessment)와 아동이 타인이나 환경과의 교감을 통해 일상생활에서 어떤 행위를 수행할 수 있는가를 평가하는 기능평가(functional assessment)로 대별할 수 있다.

1. 소아발달평가

소아발달평가(pediatric developmental assessment)는 대부분의 아동에서 비슷한 나이 또래 연령대에서 일정한 형태의 발달을 성취하며 이를 "발달이정표(developmental milestone)"라고 부른다. 발달이정표는 통상적으로 다섯 가지 영역으로 나누어 설명한다. 이들 다섯 가지 영역의 발달이정표들은 서로 다른 속도로 발달하는데, 여러 가지 환경적인 요소와 유전적인 요소가 복잡하게 상호작용하며 진행된다.[2]

- 대근육운동 기술발달 (gross motor skill development)
- 소근육운동 기술발달 (fine motor skill development)
- 인지발달(cognitive development)
- 말과 언어발달 (speech and language development)
- 사회/정서발달 (social and emotional development)

소아발달의 평가는 비슷한 나이 연령대 아동들과 비교하여 해당 아동의 행동을 점수화하는 과정으로 표현할 수 있다. 표준/비교군의 자료는 평가아동과 동일한 나이와 동일한 환경의 인구집단에서 선발된 아동들로부터 추출된 표준화된 자료로 이루어진다. 그러나 발달이정표를 획득하는 데 동원되는 아동들의 연령대는 약간의 편차가 있을 수 있으며, 이들의 자료를 활용하기 위해서는 각각의 발달이정표를 획득한 연령의 중앙값(동일한 연령대 아동의 50%가 해당 발달이정표를 획득하는 연령)과 최대값(동일한 연령아동이 해당 발달이정표를 거의 모두 획득하는 연령) 등의 통계적인 연구가 필요하다.[3] 그러나 최근에는 국내외에서도 다문화적 가정이 늘어나면서 인종, 문화, 부모의 교육 및 경제력 등을 바탕으로 하는 다양한 발달기 아동의 표준화 자료를 얻는 것이 한층 어려워지고 있다.

소아기의 발달검사는 발달감시 및 선별검사(developmental surveillance and screening test), 그리고 발달진단검사(developmental diagnostic test)로 나눌 수 있다. 영유아기의 발달감시 및 선별검사는 뇌발달, 혹은 신경학적 성숙을 추적하고 평가하는 데 활용된다. 발달선별검사는 정부와 아동의 부모나 양육자들에게는 아동의 발달 상태를 설명하고 추가적인 정밀검사 실시 계획을 세우거나 추적 관찰하는 근거를 제공해 준다.[3] 이런 소아 발달감시 및 선별검사에는 한국영유아발달선별검사(K-DST), 한국판 덴버발달선별검사(DDST-II), 한국판 자폐선별검사(CARS) 등이 있다. 우리나라에서도 모자보건사업의 일환으로 영유아 건강검진사업이 생후 4개월부터 만 6세까지 성장단계별로 지역 의료기관에서 무료로 발달선별검사를 받을 수 있다. 발달선별검사는 생후 9~12개월, 생후 18~24개월, 생후 30~36개월, 생후 42~48개월, 생후 54~60개월, 그리고 생후 66~71개월에 시행된다.

이런 검사는 의학적으로 검증되고 표준화된 발달선별검사를 통해 시행되어야 하며, 이를 통해 발달기 아동의 발달지연을 조기에 발견하고 이들에게 적절한 치료와 교육/훈련 기회를 제공함으로써 최적의 발달 상태로 성취하도록 돕고자 하는 것이다. 또한 진단적 발달검사(developmental diagnostic tests)는 의사들에게는 의학적인 정밀 검사실행 여부에 대한 정보를 제공해 주며, 치료사나 교사에게는 치료과정에 대한 평가, 발달치료의 목표, 또한 교육서비스의 지침으로 활용되기도 한다. 대표적인 소아발달진단검사로는 한국판 베일리영유아발달검사(BSID-III), 한국판 소아지능검사(WPPSI/WISC-V) 등이 있다.

2. 소아기능평가

소아기능평가(pediatric functional assessment)란 아동들이 일상생활을 살아갈 때 아동의 기능수행 능력과 한계를 측정하고 기술하는 체계적인 노력이라고 말한다.[4] 신경학적인 질병이나 손상을 가지고 있는 대부분의 아동은 기능적인 기술 습득에 문제가 있기 때문에 이런 아동들에 대한 기본적인 기능평가(운동, 자조 등)가 중요하다. 발달평가는 손상중심(deficit oriented)이 아니라 성과중심(outcome oriented)의 평가이다. 즉 아동이 어느 정도의 기능을 수행하고 있는가를 평가하고, 어떤 기능을 도와주어야 하는가 하는 것이 평가의 목표가 되기 때문에 최근 재활과학 영역에서 많은 관심과 연구가 진행되고 있다. 그러나 기능평가는 어떤 행위를 수행할 수 있는지 없는지를 평가할 뿐이고 이런 기능을 수행하지 못하는 원인을 제공해 주는 평가는 아니다. 그러므로 발달평가와 기능평가는 서로 추구하는 목적이 다르다고 할 수 있다. 발달지연이나 발달장애를 가지고 있는 아동은 기능장애를 갖고 있을 가능성이 높다고 알려져 있으며, 연구 보고에 의하면 7세 이하의 어린이에서 다양한 의학적 질병들, 운동, 인지 그리고 의사소통 발달평가의 중증도와 기능평가결과는 중간 이상의 상관관계(r=0.42-0.92)를 갖고 있다고 보고된 바 있다.[5, 6] 따라서 아동을 평가할 때에는 기능평가와 아울러 발달평가를 같이 시행하는 것이 좋다. 대표적인 소아기능평가로는 소아기능적독립성측정(WeeFIM), 소아장애평가목록(PEDI), 대근육운동 기능평가법(GMFM) 등이 있다(표 4-1).

3. 발달지연과 발달장애의 정의

보통 발달지연(delayed development, DD) 아동이란 또래 아동에 비해 발달이 더디게 진행하거나 이미 발달이 좀 늦은 아동을 말하며, 대개는 위 다섯 가지 발달 영역 중 한 가지에서 발달이 늦는 경우이다. 이런 아동들은 성장하면서 적정한 시기에 또래 아동의 발달이정표 수준에 도달할 수 있는 아동들을 지칭한다. 예를 들면, 미숙아동, 신체적으로 허약한 아동, 장기간 병원에 입원하였던 아동, 부모나 양육자로부터 스트레스를 받았던 아동 혹은 학습의 기회가 적었던 아동들에서 관찰할 수 있다.

발달지연은 전반적 발달지연(global developmental delay, GDD)이란 용어와 종종 혼동되어 사용되는 경우가 있지만, 이들은 엄격하게 구분하여 사용하는 것이 좋다. 전반적 발달지연은 위에서 언급한 발달지연과는 달리 발달의 지연이 오래 지속되거나 영구적으로 발달지연 상태가 남아서 결국 발달장애(developmental disability)로 진행할 가능성이 높은 경우를 말한다. 전반적 발달지연은 5세 이하의 아동으로서, 위 다섯 가지의 발달 영역 중 두 가지 혹은 그 이상의 영역에서 통계적으로 의미있는 발달지연을 갖고 있는 아동으로 정의하고 있으며, 5세 이후에도 전반적 발달지연이 지속된다면 이들은 의학적 진단검사 및 정밀 발달평가를 통해 다양한 발달장애 아동으로 분류되어야 한다.[1]

표 4-1 소아발달평가와 소아기능평가의 비교[4]

	장점	단점
소아발달평가	평가영역중심	손상중심
	동년배와 비교	문화적 편차 큼
	이론중심	개인화 미비
	타인에게 이해시키기 쉬움	성과 중심이 아님
소아기능평가	술기의 부분적 성취 수용	평가문항이 제한적임
	문화적 편차 적음	평가방법에 익숙하지 않음
	성과중심	각각의 술기 평가해야 함
	생애 주기별 평가 가능	어린 아동은 평가하기 어려움

II. 소아발달평가(Pediatric developmental assessment)

1. 신생아, 영아 발달평가법

뇌성마비의 진단은 일반적으로 12~24개월 사이에 이루어진다.[7,8] 2017년 Novak 등이 발표한 진료지침에 의하면, 뇌성마비의 임상적 진단은 가능한 조기에 이루어져야 하고, 조기 진단을 통해 진단명에 따른 조기 치료와 감시(diagnostic specific early intervention and surveillance)를 시행하여, 최적의 신경가소성(neuroplasticity)을 유도하고 합병증을 줄일 수 있다.[9]

신생아 및 영아 시기의 조기진단은 의학적 병력, 뇌 자기공명영상 등과 같은 영상의학적 검사와 프레틀 전반적운동평가(Prechtl's general movement assessment, GMA), 해머스미스 영유아 신경학적 검사(Hammersmith infant neurologic examination, HINE) 또는 해머스미스 신생아 신경학적검사(Hammersmith neonatal neurologic examination, HNNE) 등의 표준화된 신경학적 및 표준화된 운동평가방법과 병행되어 이루어져야 한다.

1) 프레틀 전반적운동평가(GMA)

프레틀 전반적운동평가(Prechtl's general movements assessment, GMA)는 신생아의 일반적인 움직임의 질을 직접 관찰하여 운동신경계의 이상 유무와 위험도 등을 평가하기 위해 개발된 표준화된 평가방법이다. 이 검사는 출생 직후부터 교정연령 20주 이내에 평가를 완료할 수 있고, 비침습적, 저비용 검사이며, 뇌성마비와 그 외 발달지연을 나타내는 다양한 신경학적 질환을 확인한다.

출생 후부터 20주 이내 시기의 신생아는 전형적이고, 명확한, 자발적, 일반적 움직임(typical and distinct spontaneous general movements)을 나타내고, 이 시기에 이러한 움직임이 없거나 이상 움직임을 보이는 경우 뇌성마비 등의 위험이 높아진다. GMA 검사에서 이상을 보이면 조기 진단과 조기 치료를 시작할 수 있으므로, 잠재적으로 더 좋은 예후를 유도할 수도 있다. GMA의 평가 방법은 http://general-movements-trust.info에 잘 나와 있어서 참고할 수 있다.

(1) 방법

GMA는 환아가 누운 자세에서 깨어 있을 때, 조용한 환경에서 시행한다. 평가 시 장난감이나 고무젖꼭지(pacifier)를 제거해야 하고, 보호자 등이 옆에서 볼 수는 있으나 환아를 자극하거나 상호작용을 해서는 안된다. 환아의 움직임은 2~5분 간 동영상으로 저장하여 동영상을 보면서 점수화한다.[10]

(2) 평가 지표

GMA에서 평가하는 항목으로는 목, 팔, 체간, 하지의 다양한 움직임과 변화의 순서를 관찰한다. 초기 태아시기(early fetal life, 24.1주 이후)부터 나타나는 움직임인 꼬임 움직임(writhing movement)과 교정연령 3~4개월 이후 지속적이고, 보통 속도의 작은 움직임이 전신에서 다방면으로 나타나는 미세 움직임(fidgety movements)으로의 이행 양상 등을 평가한다.[11] 정상적인 움직임이 나타나지 않을 때 레퍼토리 부족(poor repertoire)이라고 판단하고, 비정상적인 움직임으로 동기화된 경련 움직임(cramped synchronized movement)의 유무를 통해 진단한다. 움직임의 다양성이 부족할 때를 부르는 레퍼토리 부족(poor repertoire)은 추후 약한 운동기능 이상(mild motor deficit)을 보이는 환자가 주로 포함되고, 동기화된 경련 움직임이 지속적으로, 대부분 나타날 때는 예후가 나쁠 가능성이

높다(그림 4-1).[12, 13]

(3) 진단

미세 움직임이 나오는 시기에는 진단율이 높아지므로, 일반적으로 3~4개월에 진단이 이루어진다. 교정연령으로 출생 후 비정상적인 움직임인 동기화된 경련 움직임이 나오거나, 정상적인 움직임인 미세 움직임이 없을 경우 뇌성마비 등의 신경학적 이상으로 예측하게 된다. 최신 개정판에서는 5개의 하위범주의 점수를 합친 운동최적점수(motor optimal score)를 계산하여 이상여부를 판단하기도 한다. 총 28점 중 25~28점을 정상범위로 판단하고, 25점 미만은 이상으로 진단한다.[10]

GMA의 연구 결과를 분석한 종설연구를 보면, 꼬임 움직임 시기(writhing period)의 민감도는 93%, 특이도는 59%이고, 미세 움직임 시기(fidgety period)에서는 민감도가 97%, 특이도는 89%로 높아진다. 동기화된 경련 움직임이 나올 경우는 꼬임 움직임 시기일지라도 특이도가 97%까지 높아진다.[14] 그러므로 미세 움직임 시기의 진단의 정확도가 가장 높지만, 가양성이 있을 수 있으므로, 독립적으로 사용하기 보다는 MRI나 HINE 등과 함께 평가할 때 정확도를 가장 높일 수 있겠다.

2) 해머스미스 신생아 신경학적검사(HNNE)

해머스미스 신생아 신경학적검사(Hammersmith neonatal neurological examination, HNNE)는 신생아 시기에 미숙아와 만삭아를 평가하기 위해 개발되었다.[15] HNNE는 근긴장도, 긴장도의 양상, 반사, 자발적 움직임, 비정상적 신경학적 징후, 행동 등의 6개의 세부항목과 34개의 평가문항으로 이루어져 있다. 각 항목은 최대 1점이며, 점수를 합산한 총체적 최적 점수(overall optimality score)와 6개의 부척도 점수(subscale scores)로 표현된다.[15, 16] 저위험 미숙아와 만삭 신생아에 대한 최적 점수의 유용성에 대한 연구는 시행되었다.[15, 17] 2017년 Spittle AJ 등에 의해 HNNE에서 10 percentile 아래

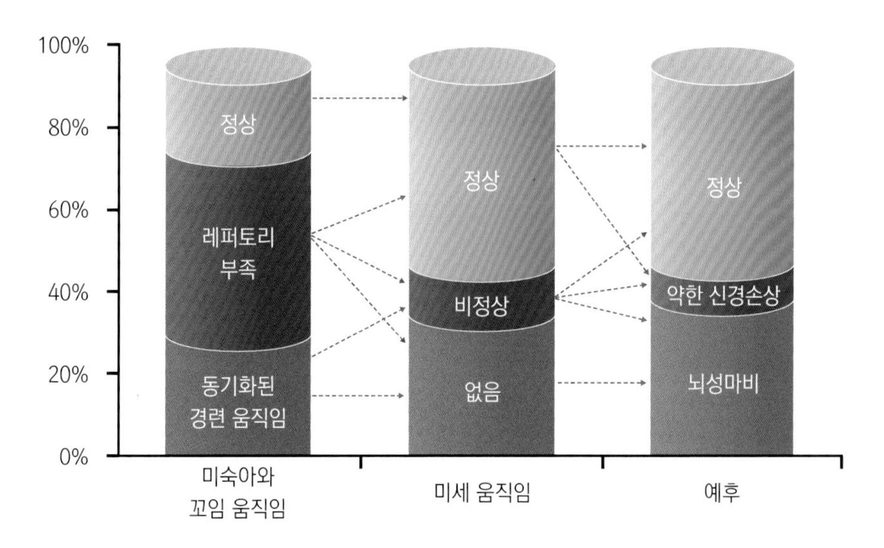

그림 4-1 이 그림은 조기에 시행한 GMA의 이상 소견들이 추후 어떤 예후를 나타내게 되는지를 보여주고 있다. 레퍼토리 부족은 상당수에서 정상으로 회복하지만, 경미한 신경학적 이상이나 뇌성마비를 남기게 되고, 동기화된 경련 움직임이 나타날 때는 뇌성마비로 진단될 가능성이 높다.[13]

의 환자들이 2세 이후의 인지발달지연과 관련이 있다는 보고는 있으나, 고위험 환아에 대한 HNNE의 연구자료는 상대적으로 부족한 상태이다.[18]

3) 해머스미스 영유아 신경학적검사(HINE)

해머스미스 영유아 신경학적검사(Hammersmith infant neurological examination, HINE)는 3~24개월 사이의 소아에 적용할 수 있는 표준화된, 점수화가 가능한 신경학적 검사 방법이다. HINE는 26개의 항목으로 이루어져 있어서, 뇌신경 기능, 자세, 움직임의 양적, 질적 평가, 긴장도, 반사, 반응(reaction) 등을 평가한다. 각각의 항목은 (0, 1, 2, 3)으로 기록되어 전체점수(global score)는 0~78점으로 나타나고, 항목 중 비대칭적 평가가 포함된 항목을 모아서 비대칭점수(asymmetric scores)를 추가로 산정하며, 이 점수는 뇌성마비 중 편마비의 진단에 사용된다.

HINE 점수는 환아가 성장함에 따라 전형적 패턴을 따라서 증가하게 되므로, 환아의 이상 유무를 판단하기 위해서는 나이에 따른 절단점(cut-off scores)을 이용한다. 임상적으로는 3개월 시점에 시행한 검사에서 57점 미만, 또는 6~12개월 시점에서 63점 미만을 뇌성마비 등의 이상 유무를 판단하기 위한 기준으로 사용한다.[19] 또 다른 연구에서는 9개월 이후에 측정한 HINE 점수가 40점 미만이면 2세에 앉기 힘들 것을 예측하고, 60~67점보다 높으면 2세에 보행이 가능하거나 또는 뇌성마비가 아님을 예측하게 된다.[16, 20] 또한 편마비 환자의 진단을 위해서는 9개월 이후에 시행한 비대칭점수를 전체 점수(global score)와 비교하여 적용한다.[16, 20]

그러므로, 검사 시기와 검사 목적 등에 따라 다양한 절단점과 비대칭 점수 등을 사용하게 되며, 장기적인 예후의 예측에도 사용될 수 있다.[21] 그러나 주의할 점은, HINE는 진단을 위한 검사가 아니고, 예후와 관련성이 있을 수는 있으나, 예후를 직접적으로 설명하지 않으며, 운동치료 등의 결과를 평가하는 목적으로는 사용되지 않는다.[16] 향후 HINE를 이용한 다양한 연구결과가 추가된다면 더 많은 목적으로 사용될 수 있을 것이라 생각한다.

2. 소아발달 판별검사

1) 한국판 덴버발달선별검사-II (DDST-II)

덴버발달선별검사(Denver developmental screening test, DDST)는 1967년 Frankenburg 등에 의해 개발되었고, 이후 부족했던 항목을 추가하고 보완하여 1992년 DDST-II가 발표되었다. DDST-II는 발달장애를 진단하기 위한 검사가 아니라, 이상 발달 여부를 판별하기 위한 검사로서 가치가 있으며, 이전 연구에서 신뢰도 및 타당도가 입증된 객관적 검사이다.[16] DDST-II는 개인-사회성, 소근육운동, 대근육운동, 언어 등의 4개의 소항목으로 나뉘어져 있고, 125개의 검사 항목으로 구성된다. 각 소 항목의 검사항목들은 각 연령별로 표준 집단이 수행할 수 있는 평균연령에 대한 25%, 50%, 75%, 90%의 성취도를 표시하고 있으며, 표준 연령의 90% 이상을 통과하지 못하면 의미 있다고 해석한다.

2) 한국형 부모 작성형 유아 모니터링 체계 (K-ASQ)

부모 작성형 유아 모니터링 체계(ages & stages questionnaires, ASQ)는 부모들의 관찰 결과를 이용하여 영유아기 아동의 발달지연 여부를 판별하는 검사 방법이다. 1979년 4개월 간격의 6개의 질문지 세트로 개발되었으며, 1999년에는 출생 후부터 생후 60개월까지의 아동을 평가할 수 있는 설문지 형태로 개선되었다.

한국형 부모 작성형 유아 모니터링 체계(Korean ages & stages questionnaires, K-ASQ)는 서울장애인복지관이 중심이 되어 제2판 부모 작성형 유아 모니터링 체계를 한국어로 표준화하여 개발하였다. 2014년에는 임상적 변별도와 타당도에 대한 연구가 시행되어서 전반적으로 양호한 결과를 보였다.[22]

한국형 부모 작성형 유아 모니터링 체계는 출생 4개월부터 60개월까지 19개의 연령대 아동을 평가할 수 있고, 의사소통, 대근육운동, 소근육운동, 문제해결, 개인-사회성 등의 5개의 영역 별로 6개의 질문으로 구성된다. 각 질문에는 예, 가끔, 아니오 중 한 가지를 선택하여 각각 10점, 5점, 0점으로 환산한다. 각 영역별 점수는 평균점수와 2표준편차 점수(절선점수)를 비교하여 전문적인 검사를 의뢰할지 여부를 결정한다. 아동의 점수가 절단점수보다 낮게 나오면 발달전문가에게 의뢰하여 정밀한 발달진단검사를 받도록 한다. 만약 질문에 답을 선택하지 않은 문항이 있다면, 비율점수(이미 선택한 문항의 합산점수를 이미 선택한 항목 점수로 나눈 점수)로 계산하여 적용한다. 또한 특정 영역의 점수가 절단점수와 일치하는 경우나 유아의 점수가 해당 절단점수보다 위에 있으나, 질문지의 종합 란에 부모가 염려하는 점이 있는 유아는 추후 재검사를 실시한다. 만약 질문지의 연령 간격이 2개월 이상 차이가 난다면 아동 나이의 위, 아래 평가지를 모두 사용하는 것이 유용하다. 이 검사방법은 영리적인 목적으로 사용하지 않는다면 서식이나 질문지 등을 복사하여 사용할 수 있다.

3) 한국 영유아 발달선별검사 도구(K-DST)

한국형 연령-단계별 부모 작성형 유아 모니터링체계는 미국에서 개발된 부모 작성형 유아 모니터링 체계를 국내 환경에 맞게 한글화한 것이어서 문화적 차이로 인해 우리나라 영유아에게 적용하기에는 부정확하고, 60개월부터 71개월까지 연령은 적용할 수 없다는 한계가 있다. 그래서 우리나라 영유아를 대상으로 가장 적합하게 개발된 선별검사 도구가 한국영유아발달선별검사(korean developmental screening test for infants & children, K-DST)이다. K-DST는 영유아 건강검진 사업의 일환으로 보건복지부와 질병관리본부의 지원 하에 국내의 관련 분야 전문가들이 함께 우리나라 영유아의 특성에 맞게 개발되었다.

한국영유아발달선별검사에서는 대근육운동, 소근육운동, 인지, 언어, 사회성, 자조 등 총 6개의 발달영역을 8개의 문항으로 평가하도록 구성되어 있다. 이중 자조영역은 특정 시기 이후 계발되고, 평가가 가능하여, 18개월 이후의 연령에서만 평가가 이루어진다. 한국영유아발달선별검사 문항에 대한 응답은 대상 영유아의 발달과정을 지속적으로 관찰하여 신뢰할 수 있는 부모 혹은 보호자가 작성해야 하고, 검진의는 작성된 결과지를 통해 발달상태를 종합적으로 평가하게 된다.

이 도구는 영유아 건강검진에서 사용할 수 있을 뿐 아니라, 의료기관이나 영유아 보육기관 등에서도 영유아의 발달을 스크리닝 하려는 목적으로 사용할 수 있다. 한국 영유아 발달선별검사는 우리나라 문화와 언어 환경에 적합하고 쉬운 언어로 문항이 구성되어 있고, 발달 속도가 나이에 따라 다른 영유아 발달의 특성을 반영하여 월령 집단의 간격을 2~6개월로 차이를 두었고, 정서 및 행동문제를 검사하는 질문이 추가되었다. 또 온라인(Web)에서 사용이 가능하고, 부모작성형으로 개발되어 시간적, 공간적 접근성을 향상시켰고, 응답항목을 4점 척도로 세분화하여 정확성의 향상을 도모하였다.

한국영유아발달선별검사에 대한 신뢰도 연구도 진행이 되었다. 연구 결과 대부분의 연령대와 영역에서 높은 신뢰도를 보였으며, 한국판 베일리영유아발달검사, 웩슬러 유아지능검사법 등과 높은 관련성을 보여서, 한국의 발달장애 영유아에 대한 판별검사로 이용될 수 있다고 생각한다(표 4-2).[23]

4) 한국판 자폐선별검사(CARS)

자폐선별검사(childhood autism rating scale, CARS)는 1980년 Schopler 등에 의해 자폐의 선별검사를 위해 개발한 평가방법이다. 만 2세 이상의 소아와 성인을 대상으로 시행될 수 있고, 총 15개의 문항으로 구성되며, 척도는 1점(정상)~4점(심함) 사이에서 0.5점의 간격으로 측정되어 총 60점으로 이루어진다. 의료진의 직접적인 관찰과 함께 보호자의 의견 등을 기반으로 평가한다. 고위험의 범위는 37~60점, 중등도의 위험은 30~36.5점이며, 30점 미만은 저 위험으로 분류한다.[24]

한국판 자폐선별검사(Korean childhood autism rating scale, K-CARS)도 개발되어 이용되고 있으며, 1998년 발표된 연구에서 평가자간 상관계수가 0.87로, 검사 시점 간 상관계수가 0.91로 측정되어 매우 높은 신뢰도를 보였다.[25] 2017년에는 K-CARS의 분할점에 대한 연구 결과가 발표되었다. 가장 특이한 점은 미국판과는 달리, K-CARS는 28점을 기준으로 자폐와 비자폐를 구분하는 것이 가장 정확한 판단을 내리는 것으로 나타나서, 절단점 사용 시 주의를 기울여야 한다.[26]

5) 한국어판 부모, 교수 주의력결핍 과잉행동장애 평가척도(ADHD-RS)

부모, 교수 주의력결핍 과잉행동장애 평가척도(attention deficit hyperactivity disorder rating scale, ADHD-RS)는 규범-참조 체크리스트(norm-

표 4-2 DST와 기존 검사도구의 비교

구분	한국형 덴버발달선별검사 (DDST-II)	한국형 부모 작성형 유아 모니터링 체계(K-ASQ)	한국 영유아 발달선별검사 (K-DST)
대상아동	0~6세	4~60개월	4~71개월
평가영역	4개 영역: 전체운동, 소근육운동-적응, 언어, 개인-사회성	5개 영역: 의사소통, 대근육운동, 소근육운동, 문제해결, 개인-사회성	6개 영역: 대근육운동, 소근육운동, 인지, 언어, 사회성, 자조
문항수	소근육운동 및 적응 발달: 27문항 운동발달 영역: 27문항 언어발달 영역: 34문항 개인사회 발달 영역: 22문항	영역별 6개 문항으로 구성	영역별 8개 문항으로 구성
응답법	① 예(유아가 행동을 수행할 때) ② 아니오(아직 행동을 수행하지 못할때)	① 예(유아가 행동을 수행할 때) ② 가끔(행동을 보이기 시작할 때) ② 아니오(아직 행동을 수행하지 못할때)	① 전혀 할 수 없다. ② 하지 못하는 편이다. ③ 할 수 있는 편이다. ④ 잘 할 수 있다.

출처: 보건복지부 보도자료(2014. 5. 28)

referenced checklist)이며, ADHD의 증상의 심한 정도를 평가하기 위해 개발되었다. 초기에는 Diagnostic and Statistical Manual of Mental Disorders, Third Edition (DSM-III)의 진단기준에 바탕을 두고 14개의 항목으로 개발되었고, DSM-IV가 출간된 뒤에는 18개의 항목으로 개정되었다. 한국어판 ADHD-RS는 2002년에 타당도에 대한 검증이 이루어졌고, 이후 다양한 연구에서 사용되고 있다.[27, 28]

3. 소아발달 진단검사

1) 한국판 베일리영유아발달검사-III (BSID-III)

베일리영유아발달검사(Bayley scales of infant and toddler development, BSID)는 1969년 제1판이 제작된 이후 1993년 II판이 발표되었고, 이후 새롭게 재구성되어 2006년 3판(BSID-III)이 발표되었다.

베일리영유아발달검사 III판은 교정연령 16일부터 42개월 15일까지의 영유아에 대해 평가가 가능하다. 2판에서는 인지영역과 운동영역 2가지로만 나눈데 반해, 3판에서는 인지, 언어, 운동, 정서 · 사회성, 적응 · 행동 영역으로 평가를 세분화하였고, 추가로 언어영역은 수용언어와 표현언어로, 운동영역은 대근육운동과 소근육운동으로 나누어 평가하여, 더 세분화된 평가가 가능하다. 베일리영유아발달검사는 객관적 평가와 주관적 평가가 병행되어 이루어진다. 평가 영역 중 인지, 언어, 운동 영역은 치료사가 직접 정해진 과제를 수행하면서 평가가 이루어지고, 정서 · 사회성영역과 적응 · 행동영역은 보호자의 설문에 의해 평가가 이루어진다. 3판 베일리영유아발달검사를 피바디운동발달평가 2판과 비교한 연구에서는 검사 대상 전 연령대에서 중등도 이상의 높은 상관관계를 보였고 특히 12~26개월의 대근육운동, 소근육운동은 매우 높은 상관관계를 보였다.[29] 반면 베일리영유아발달검사 3판과 2판을 비교한 연구에 의하면, 2판에 비해 3판의 인지영역이 과대평가될 수 있고, 운동발달의 점수 범위도 넓게 나타날 수 있다. 2세경 베일리영유아발달검사 3판을 측정한 환아를 대상으로 4세에 소아용 운동평가종합검사, 2판(movement assessment battery for children - second edition, MABC-2)을 측정하였을 때, 2세에는 운동발달지연 의심환자가 9%, 명확한 발달지연 환자가 4%에서 나타났으나, 4세에는 22%, 19%로 증가한 것을 볼 때, 베일리영유아발달검사 3판에서는 신경발달의 손상을 구별하지 못하는 환아가 있을 가능성이 있다.[30, 31] 베일리영유아발달검사 3판의 뇌성마비에 대한 특이도는 94~100%로 높게 나타났으나, 민감도는 67~83%로 상대적으로 낮게 측정되었다.[32] 이상과 같은 연구 결과를 볼 때 한두 개의 특징적 영역 만을 검사하기보다는 전 영역을 검사하고, 주기적으로 검사하여 결과를 비교하여야 가음성을 낮출 수 있을 것으로 생각된다.

2) 피바디운동발달평가(PDMS-I, II)

제1판 피바디운동발달평가(Peabody developmental motor scales, PDMS-I)는 1983년에 발표되었고, 2000년에 2판이 발표되었다. 피바디운동발달평가는 운동발달지연을 보이는 환아를 확인하고, 성장이나 치료에 대한 반응을 평가할 때 도움을 주기위해 개발되었고, 출생 후부터 83개월까지의 연령에 대해 평가가 가능하다. 피바디운동발달평가 2판은 249개의 운동발달평가항목으로 구성되고, 3점(0, 1, 2점) 척도로 점수화한다. 이 평가방법은 신뢰도와 타당도가 높은 연구로 증명되어 있고, 다양한 언어로 번역, 개발되어 지속적으로 이용되고 있다.[33-35]

3) 알버타영아운동척도(AIMS)

알버타영아운동척도(Alberta infant motor scale, AIMS)는 1994년 Piper와 Darrah 등에 의해 영아의 발달지연의 진단과 운동기능 평가를 위해 개발된 평가도구이다. 평가영역은 엎드린 자세, 누운 자세, 앉는 자세, 서는 자세 등 총 4가지 자세에서 58개의 평가항목으로 구성되어 있고, 10~20분 이내에 평가를 마칠 수 있다. 평가자 간 신뢰도는 0.96~0.99로 측정되었고, 피바디운동발달평가 및 베일리영유아발달검사와 비교한 타당도는 0.97~0.99로 신뢰도 및 타당도가 높은 평가도구이다.[36, 37] 절단점에 대한 연구에 의하면, 출생 후 4개월에 평가 시에는 10th percentile을 절단점으로 정할 때 민감도가 77.3%, 특이도가 81.7%로 측정되었고, 8개월 측정시에는 5th percentile을 절단점으로 정했을 때 민감도 86.4%, 특이도 93.0%로 가장 적절한 민감도와 특이도를 보였다.[37] 2009년 발표된 한글판 알버타영아운동척도의 신뢰도 연구에 의하면, 영역별 측정자간 신뢰도 계수는 0.976~0.993 범위에 있었고, 전체 점수의 신뢰도 계수는 0.997로 매우 높은 상관계수를 보였다.[38]

4) 한국판 소아 지능검사 (WPPSI-IV / WISC-V)

웩슬러 유아지능검사(Wechsler preschool and primary scale of intelligence, WPPSI)은 1967년 David Wechsler에 의해 소아의 인지평가를 위해 개발된 표준화된 검사방법이다.

WPPSI는 1989, 2002, 2012년 등 총 3번의 개정 작업을 거쳐서 현재는 2012년에 발표된 WPPSI-IV판이 이용되고 있다. WPPSI 1판은 4~6세를 대상으로 개발되었으나, WPPSI-R에서는 대상 연령이 3~7세 3개월로 늘어났고, 3판에서는 2세 6개월로 평가대상연령이 낮아졌고, 연령을 기준으로 하여 2세 6개월~3세 11개월, 4~7세 3개월로 2개 형태로 나뉘었다. WPPSI IV판은 총 15개의 하위검사(subtests)로 구성되어, 언어성(verbal), 동작성(performance)과 전체 지능점수(Full Scale Intelligence quotient, FSIQ)를 제공한다(표 4-3).

웩슬러 아동지능검사(Wechsler intelligence scale for children, WISC)는 David Wechsler에 의해 1949년에 처음 개발된 후 2014년 5판(WISC-V)이 발표되었다. WISC-V는 6~16세의 소아를 평가할 수 있고, 21개의 소검사로 구성되고, 언어성(verbal), 동작성(performance)과 전체 지능점수(FSIQ)를 제공한다. 한국판 웩슬러 아동지능검사 5판(K-WISC-V)은 2016년부터 표준화 작업을 시작해서 2019년 발표되었다. K-WISC 5판은 4판의 13개의 소검사가 유지되었지만, 소검사의 실시 및 채점 방법이 수정되었고, 3개의 검사가 추가되어 16개의 소검사로 이루어져 있다.

WISC와 WIPPSI 등의 평가도구는 신체장애를 동반하지 않은, 전형적인 발달을 하는 정상아동을 대상으로 개발되었으므로, 뇌성마비 등의 장애아동

표 4-3 지능점수의 체계는 아래와 같다.

전체지능 점수	〈 70	70~79	80~89	90~109	110~119	120~129	〉130
분류	매우 낮음	경계선	평균이하	평균	평균이상	우수	매우 우수

웩슬러 유아지능검사 4판은 2015년 한국어판으로도 발표되었다. 한국 규준 자료는 2013년~2014년 사이에 수집되었고, 내용과 방법 등에는 영문판과 차이가 없다.

에게 적용할 때는 주의를 요한다. 또 이전의 연구에서 장애아동의 42%가 표준화된 지능평가 검사를 완전히 마칠 수 없었으므로, 평가방법을 적용할 때는 환아의 상태를 고려해야 한다. 또한 환아에게 인지장애가 있다고 잘못 진단하면, 환아에 대한 시선이나 기대, 교육의 제공 등에 악영향을 줄 수 있어서, 더욱 주의를 요한다.[39]

5) 시각운동통합발달평가(VMI)

시각운동통합기능(visual motor integration, VMI)이란 대근육, 소근육 등의 운동과 시지각 간의 협응을 통해 시각적으로 입력된 정보를 운동으로 나타내는 능력을 말한다.[40] 시지각(visual perception)은 눈으로 보는 능력 외에 대뇌에서 해석하는 기능이 추가된 매우 고차원적인 과정을 말하고, 시지각운동협응을 위해서는 정상적인 시지각 능력과 손가락 등의 운동능력과 함께 이 둘을 협응하는 능력이 필요하다.

현재 시각운동통합기능을 측정하기 위해서 다양한 도구들이 사용되고 있는데, 국내에서 이용되는 도구로는 벤더게슈탈트검사(Bender Gestalt test, BGT), 시각-운동 발달검사(developmental test of visual-motor integration, VMI), 한국판 시지각발달검사(Korean developmental test of visual perception, K-DTVP-2) 등이 이용되고 있다.[41, 42]

그러나 현재 많이 사용되는 VMI는 1981년 개정되어 출판된 Berry-Buktenica Development test of Visual-Motor Integration (Berry VMI) 2판을 표준화 작업없이 국내에 도입하여 사용된 문제가 있었다. 이후 Berry VMI는 2010년 6판이 개발되었고, 0세부터 99세까지 전 연령층에 적용이 가능하다. 이 검사도구는 한글화된 후 2016년 발표된 연구에서 높은 신뢰도 및 타당도를 보여서, 시각운동통합기능 평가의 판별검사로 적용하기에 매우 적합한 도구임이 증명되었다.[43] Berry VMI 6판은 시각-운동 통합 검사와 함께 시지각 보충검사, 운동협응 보충검사를 포함하고 있는데, 보충검사는 선택지에서 찾는 형태로 구성되어 있어서, 검사 수행 시 운동 기능의 영향을 최소화하였다.[43]

6) 벤더게슈탈트검사(BGT)[38]

벤더게슈탈트검사(visual-motor Bender Gestalt test, BGT)는 수치화되거나 표준화된 검사방법은 아니지만, 임상심리학에서 학습장애 등의 환자에게 지속적으로 사용되는 검사도구이다. 벤더게슈탈트검사는 시각적 자극을 통합하는 쓰기언어기술(graphomotor skill)과 소근육을 조절해서 사용하는 운동 기능, 그리고 이 두 기능의 통합능력을 평가한다. 벤더게슈탈트검사는 9개의 기하학적 디자인으로 이루어져 있고, 각각은 3×5인치 카드에 인쇄되어 있다. 이 카드를 아동에게 순차적으로 보여주고, 아이가 8×11 인치 종이에 그리도록 한다. 이 검사는 객관적인 점수 시스템이나 병리학적 징후(pathognomonic sign) 또는 주관적 느낌으로 기록한다. 해석에서 주의할 점은, 뇌손상이 없는 아동의 24%까지도 그림을 그릴 때 어려움을 보일 수 있어서, 이 검사를 적용할 때는 반드시 적절한 검사자의 자격이 필요할 것으로 생각된다.

7) 사회성숙도검사(SMS)

사회성숙도검사(social maturity scale, SMS)는 Vineland 사회성숙도 척도를 바탕으로 1985년에 한국인들에 맞게 표준화한 검사이다. 이 검사는 0세부터 성인까지 전 연령대에 시행할 수 있고, 유아를 대상으로 평가할 때는 해당 연령에 적합한 일부 문항에 대해서만 응답하도록 한다. 검사 내용은 6개의 하위검사로 이루어져 있으며, 총 117개

문항으로 구성된다.

2014년에는 K-Vineland-II가 개정판으로 발표되었다. 이 검사는 의사소통, 생활기술, 사회화, 운동기술 등의 4개의 주 영역과 선택적으로 시행하는 부적응 행동 영역으로 구성되고, 4개의 주 영역은 11개의 하위영역으로 구성된다. K-Vineland-II는 한글로 번역된 후 표준화 작업을 거쳤으며, 연구 결과 높은 신뢰도와 타당도를 보였다.[45, 46]

이 검사는 개인의 성장이나 변화와 개인차를 측정하는 도구로 사용할 수 있고, 치료나 훈련 후의 향상 정도를 평가하는 도구로서 사용될 수 있다. 또한 생활지도와 아동 훈련의 기초 자료를 수집하는 도구로서도 활용할 수 있고, 환경 및 문화적 수준 또는 장애의 영향을 평가하는 도구로서도 사용될 수 있다.[45, 47]

8) 자폐증 진단 관찰 척도(ADOS)

자폐스펙트럼의 진단은 DSM-5 기준에 따라 사회적 의사소통 이상(social communication deficits)과 반복적, 비정상적 감각-운동 행동(repetitive and unusual sensory-motor behavior) 등의 두 가지 영역에서 이루어진다.[48] 자폐스펙트럼의 표준화된 대표적 진단도구로는 유소아 자폐증의 선별검사(screening tool for autism in toddlers and young children, STAT)와 자폐증 진단 관찰 척도(autism diagnostic observation Schedule, ADOS) 등이 있다.

ADOS는 임상가와 환자의 보호자에게 자폐스펙트럼을 의심할 수 있는 특이한 증상들을 관찰해서 찾아내도록 해준다. 숙련된 전문가가 45분 동안의 관찰을 통해서 진단을 하게 되고, 12개월부터 성인까지의 넓은 연령에서 적용할 수 있다. 또한 ADOS는 인지 수준과 연령대에 따른 자폐 심각도 점수의 일관성을 보장하기 위해 개인의 언어 수준과 연령에 맞는 다양한 모듈이 있어서, 전세계적인 종단적 연구에 이용될 수도 있다.[49] 2018년 발표된 Cochrane review에 따르면 ADOS의 민감도는 0.95(95% 신뢰구간: 0.89 ~0.97), 특이도는 0.80 (0.68~0.88)로 측정된 반면, 개정판 자폐증 진단 면담지(Autism Diagnostic Interview-Revised, ADI-R)은 민감도가 0.52 (0.32~0.71), 특이도가 0.84 (0.61~0.95)로 나타났고, CARS는 민감도가 0.80 (0.61~0.91), 특이도가 0.88 (0.64~0.96)로 나타나서, ADOS는 민감도가 매우 높고, 특이도는 적절한 검사인 것을 알 수 있다.[50] 현재의 연구를 종합해보면, ADOS는 전세계에서 이용되는 표준 검사로 간주할 수 있겠다.

III. 소아기능평가(Pediatric functional assessment)

1. 소아의 전반적인 기능평가

1) 소아용 기능적 독립성측정(WeeFIM)

소아용 기능적 독립성측정(functional independence measure for children, WeeFIM)은 1991년 Granger 등에 의해 발표된 성인용 기능적 독립성측정법(FIM)을 소아용으로 수정하여 개발되었다. 생후 6개월에서 7세 아동의 기능적 독립성을 평가하는 데 유용하고 지적수준이 7세 미만인 경우에는 21세까지 사용할 수 있으며 높은 신뢰도(ICC=0.74~0.99)와 타당도를 가지고 있다.[51]

이 검사는 손상(impairment)을 평가하는 것이 아니라 장애(disability)를 평가하여 독립적인 일상생활의 정도를 평가하는 것이 목적이다. 여섯 개의 주 평가항목인 자조(self-care), 괄약근

조절(sphincter control), 옮기기(transfer), 이동(locomotion), 의사소통(communication), 사회적 인지(social cognition)에 속하는 총 18개의 평가항목들로 이루어져 있으며, 아동의 능력을 검사자가 직접 관찰을 통해 평가하거나 보호자의 설명에 의해 평가할 수 있다. 각 항목들은 7점 척도(도움이 필요 없음 6~7; 도움이 필요함 3~5; 전적으로 의지 1~2)를 기준으로 평가되므로 최저점은 18점, 최고점은 126점이다. 검사 시행에는 20분 이내가 소요되며 성인용 기능적 독립성측정과 마찬가지로 저작권자에게 사용료를 지불해야 하고 일정 기간 교육을 이수해야 한다.

생후 6개월부터 3세 사이의 아동은 상태 변화를 반영하는 데 상대적으로 둔감한 것으로 나타나기 때문에 초기운동기술(16문항), 인지(13문항), 행동지각(7문항)으로 36개 항목으로 확장된 WeeFIM 0-3모듈이 추가로 개발되었고 최근 연구에서는 대상자의 89%에서 장애 상태를 정확하게 예측하였다.[52] WeeFIM 0-3모듈 목적은 치료의 전반적인 효과를 측정하는 것이므로 척도의 반응성에 대해서는 추가적인 연구가 필요하다.

2) 소아장애평가목록(PEDI)

소아장애평가목록(pediatric evaluation of disability inventory, PEDI)은 1992년에 Haley 등이 개발하였고 자조(self-care), 이동(movement), 사회적 기능(social function)의 3가지 영역에서 아동의 기능적 능력과 수행정도를 평가하는 도구이다.[53] 평가대상 연령은 생후 6개월에서 7세 6개월이지만 기능 수준이 낮은 7세 6개월 이상의 아동에게도 사용이 가능하다. 구르거나 기어서 이동하기, 유아 변기에 앉고 일어서기, 젖병 잡고 마시기, 기저귀가 젖었을 때 표현하기 등과 같은 일상생활이 포함되어 영유아 평가에도 적합하다. 각 문항들은 연령에 맞는 규준 표준화 점수(normative standard scores)를 제공하고 있기 때문에 해당 연령대가 가지고 있는 기능 수준과 비교하여 독립성이 어느 정도인지를 파악할 수 있다.[54]

평가방법은 부모의 보고, 보호자 면접 또는 아동을 직접 관찰하는 방법으로 수행할 수 있다. 자조, 이동, 사회적 기능에서 기능적 기술 부분은 일상생활과 관련된 아동의 기능적 능력을 평가하고, 보호자의 도움 부분과 조정/변경 부분은 아동의 수행 정도를 평가한다. 197개 문항들로 구성된 기능적 기술은 독립적 수행능력에 따라 1~0점으로 측정하고, 20개의 문항들로 구성된 보호자의 도움항목에서는 도움정도에 따라 5~0점으로 서열척도로 측정한다.[53]

검사 결과는 규준 표준화 점수와 표준 점수로 제시되며 규준 표준화 점수의 평균은 50이고, 표준편차(standard deviation, SD) 10으로 ±2SD 범위인 30~70이 정상발달을 의미한다. 표준 점수는 0~100으로 제시되고, 점수가 높을수록 아동의 기술 항목의 수행 능력이 높음을 의미한다. 높은 신뢰도(ICC=0.96~0.99)와 타당도(0.77~0.91)를 갖춘 평가 도구이며 치료과정의 점검, 기능적 호전여부의 기록, 그리고 치료여부에 대한 임상적 판단의 기준을 제공해 줄 수 있다.[55]

소아장애평가목록은 다양한 국가에서 해당 언어로 표준화가 진행되어 신뢰도와 타당도가 검증되고 있고 우리나라에서는 2009년도에 한글판 소아장애평가목록으로 번역되어 높은 타당도가 검증되었다.[56] 최근 국내 연구에서는 뇌성마비인 영유아의 일상생활동작수행을 평가하는 데 있어서 수정바델지수에 비해 소아장애평가목록이 더 높은 변별력을 보인다고 보고하였다.[57]

3) 소아청소년의 삶의 질 측정도구(PedsQL™)

주관적인 개념인 삶의 질은 일반화하기가 어렵고, 특히 성장발달 과정이 다른 소아에서는 발달수준에 맞는 접근과 이해가 필요하다. 1990년대 초부터 국외에서는 장기간 생존하는 소아암 환자를 대상으로 삶의 질에 대한 연구가 진행되어 이를 바탕으로 1998년도에 Varni 등에 의해 소아 삶의 질 측정도구(pediatric quality of life inventory, PedsQL) 1.0이 개발되었다.[58] 이후 개정작업을 거쳐 PedsQL™ 3.0에서는 질병별로 나누어져 뇌성마비 모듈이 개발되었고, 2001년에는 소아 삶의 질 일반 핵심 측정도구 4.0 (PedsQL™ version 4.0 generic core scale)이 발표되어 국외 여러 나라에서 신뢰도, 타당도가 검증되어 소아의 삶의 질 측정연구에서 사용되고 있다.[59, 60] PedsQL™은 2세에서 18세까지 소아를 대상으로 하며 연령군으로 나누어 각 연령군에 따라 보호자의 대리보고지와 자가보고지로 구성되어 있다.

소아의 삶의 질 조사도구는 다양한 측면 중 신체적, 정신적, 사회적 영역을 필수적으로 포함해야 하는데 PedsQL™은 필수적인 영역과 더불어 학업 기능도 포함하고 있다. PedsQL™ 3.0 뇌성마비 모듈은 일상활동, 학교활동, 움직임과 균형, 통증과 상처, 피로, 식사활동, 말하기 및 의사소통 항목으로 구성되어 있다. PedsQL™ 4.0은 신체적 기능(8문항), 정서적 기능(5문항), 사회적 기능(5문항), 그리고 학업 기능(5문항)을 포함하여 총 23문항으로 구성되어 있다. 2~4세의 유아기(toddler)는 설문작성을 하기에 발달단계상 제한이 있으므로 부모의 대리보고지만 있으며, 학교생활 기능은 3항목만 포함시켜 총 21문항으로 이루어져 있고 점수가 높을수록 삶의 질이 높음을 의미한다.

국내에서는 PedsQL™ 3.0 뇌성마비 모듈과 PedsQL™ 4.0이 한글로 번역되어 신뢰도가 0.61~0.90으로 보고되었으나 연령별로 추가적인 연구가 필요하다.[61, 62]

2. 소아의 영역별 기능평가

1) 대근육운동 기능분류체계(GMFCS)

대근육운동 기능분류체계(gross motor function classification system, GMFCS)는 2000년도에 Palisano 등에 의해 개발되어 뇌성마비 아동의 운동장애를 기능적 수준에서 측정할 수 있는 표준화된 도구이다.[63] 대근육운동 수행능력을 스스로 앉기, 걷기, 휠체어를 사용하여 이동하기 등으로 평가하여 5단계로 분류하며 각 단계는 아동의 기능적인 능력, 보조 장비(수동장치 혹은 전동장치, 보행기, 지팡이 등)의 필요성, 일부는 움직임의 질적 상태를 나타난다. 대근육운동 기능분류체계는 아동이 자발적으로 시작하는 동작을 평가하는 것으로 한계보다는 능력에 중점을 두며 집이나 학교, 지역사회에서 수행할 수 있는 기능 수준을 기준으로 판단한다.

소아는 나이에 따라 운동능력이 서로 다르기 때문에 대근육운동 기능분류체계에서 사용하는 5단계분류체계는 나이를 기준으로 2세 이하, 2~4세, 4~6세, 6~12세, 12~18세로 구분하여 사용하고 있는데, 12~18세 분류는 2007년도 개정판에서 추가된 것이다.[64] 세계보건기구에서 제정한 국제기능분류(International Classification of Functioning, Disability, and Health- ICF)에서 강조하는 장애와 환경, 장애와 개인적 요인을 반영하기 위해 6~12세, 12~18세에서는 환경요인(집과 학교 사이의 거리), 개인적 요인(활력, 사회적 선호도) 등이 포함되어 있다. 2007년도에 개정된 대근육운동 기능분류체계 확장 개정판은 한글로 번역되어 정의와 각 단계에 대한 자세한 설명을 제공하고 있다(표 4-4).

표 4-4 대근육운동 기능분류체계(gross motor function classification system, GMFCS) 단계

단계	기능수준
1단계	제한 없이 독립보행이 가능하다.
2단계	독립보행은 가능하지만 장거리 보행은 제한이 있으며, 달리기, 제자리 뛰기는 어렵다.
3단계	스스로 앉을 수 있으며, 실내에서 지팡이를 이용하여 보행이 가능하며, 실외이동을 위해서는 수동휠체어를 사용하기도 한다.
4단계	보통 지지대에 의지하여 앉으며 스스로의 움직임이 제한되어 있으며 대부분의 이동에서 수동 혹은 전동휠체어를 사용한다.
5단계	목과 체간 조절에 상당한 제한이 있으며 주로 수동휠체어로 다른 사람이 옮겨줘야 하며 전동휠체어 사용법을 배울 수 있다면 스스로 이동이 가능하기도 한다.

이 분류 기준은 단계 간 격차가 동일하지는 않으며 인접한 두 단계 간 구분을 위한 설명을 참고하여 현재 아동이 보이는 기능 수준과 가장 가까운 단계로 결정한다. 1단계와 2단계 간 구분은 3, 4, 5단계만큼 명확하지는 않으며, 특히 2세 미만 유아인 경우에는 단계가 명확하지 않을 수 있다.

(1) 1단계와 2단계의 구분

1단계의 아동에 비해, 2단계의 아동은 장거리를 걷거나 균형을 잡는 데 제한적이다. 2단계의 아이는 처음 걸음을 배울 때 손으로 잡는 보행 보조기구가 필요할 수도 있다. 실외나 지역 사회에서 장거리를 갈 때 바퀴 달린 이동장비를 쓰는 수도 있다. 계단을 오르내릴 때 난간을 잡아야 한다. 달리기나 점프는 하지 못할 수도 있다.

(2) 2단계와 3단계의 구분

2단계의 아이는 4세 이후에는 손으로 잡는 보행 보조 기구 없이도 걸을 수 있다. 3단계의 아이는 실내에서 걸으려면 손으로 잡는 보행 보조기구가 필요하고 실외나 지역 사회에서 휠체어를 사용한다.

(3) 3단계와 4단계의 구분

3단계의 아이는 혼자서 앉거나 약간 잡아주거나 받쳐 주면 앉을 수 있고, 4단계에 비해 더 독립적으로 일어설 수 있으며, 손으로 잡는 보행 보조기구가 있으면 걷는다. 4단계의 아이는 잡아 주었을 때 앉을 수는 있지만 독립적인 이동은 제한적이며 수동휠체어에 태워 다른 사람이 옮겨줘야 하거나 전동 이동 장비를 사용할 가능성이 더 높다.

(4) 4단계와 5단계의 구분

5단계의 아이는 목과 몸통을 가누는 것이 매우 제한적이며 상당한 정도의 보조 기술과 신체적 보조가 필요하다. 아동/청소년이 전동휠체어 작동법을 배워야만 스스로 이동할 수 있다.

뇌성마비 아동에서 대근육운동 기능분류체계와 대근육운동 기능평가법을 이용한 운동발달 수준을 기준으로 각 나이에서 운동과 보행능력이 어느 정도 수준인가를 논의하는 데 사용되며 운동발달도표를 활용하여 재활치료, 약물치료, 보조기구 사용 여부, 수술시기 등에 대한 권고지표로 이용되고 있다(그림 4-2).[65]

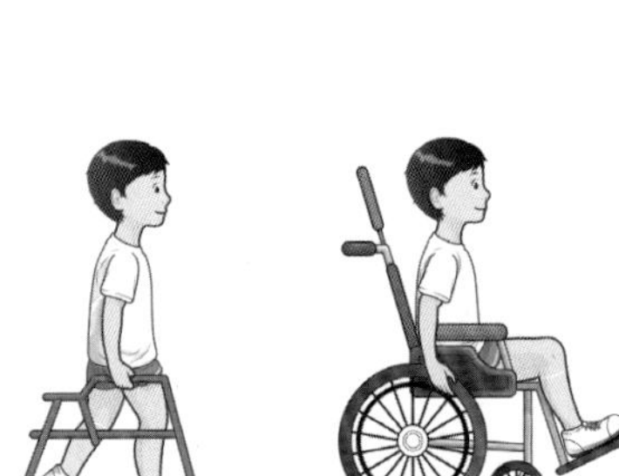

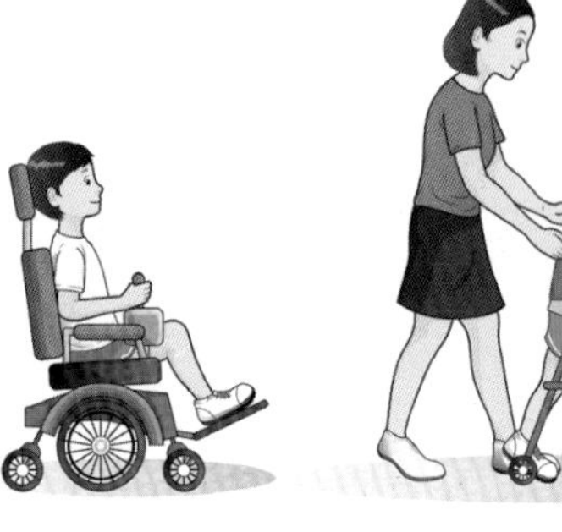

그림 4-2 6~12세 나이 뇌성마비아동을 위한 대근육운동 기능분류체계[66]

2) 대동작기능평가(GMFM)

대동작기능평가(gross motor function measure, GMFM)는 1989년 Russell 등에 의해 생후 5개월에서 16세까지의 뇌성마비 아동에서 성장에 따른 운동발달수준의 변화를 평가하기 위해 개발되었다.[67] 뇌성마비 환아에서 높은 신뢰도(0.87~0.99)가 검증되었고 뇌성마비뿐만 아니라 발달지연을 동반하는 다운증후군 등에서도 대근육운동 기능평가법의 타당도가 검증되어 국내외에서 가장 보편적으로 사용되고 있는 대근육운동 기능 평가도구이다.[68, 69]

대동작기능평가는 나이에 따라 표준화되지 않았지만, 모든 항목들은 정상적인 운동 기능을 가진 5세 아동들을 기준으로 만들어졌다. 대근육운동 기능평가는 운동 발달을 5단계의 기본 모형으로 평가하며 GMFM-88은 총 88개의 문항들로 구성되어 있다. 즉, (A) 누운 자세에서의 움직임과 뒤집기(17문항), (B) 앉기(20문항), (C) 무릎서기와 네발기기(14문항), (D) 서기(13문항), 그리고 (E) 걷기, 뛰기와 제자리 뛰기 등(24문항)이며 각 항목은 0~3점으로 점수화된다. 평가된 각 5단계의 항목은 각 단계별 총점에 대한 백분율로 표시되어 %로 표기되며, 또한 5단계를 모두 합한 총점에 대한 백분율, 그리고 목표 백분율 등으로 표현된다.

GMFM-88은 서열척도로 구성되어 있어서 총점을 해석하는 데 있어서 서로 다른 수준의 운동 기능을 보인다고 해도 이론적으로는 동일한 점수를 보일 수 있는 등의 측정상의 제한점이 있다. 이러한 제한점을 보완하고자 Russell 등은 부적합한 22개 항목을 제외한 GMFM-66을 제안하였다.[70] GMFM-66은 항목을 줄여서 평가에 소요되는 시간을 줄일 수 있고, 등간척도로 변환되어서 GMFM-88에 비해 뇌성마비 아동의 대동작 기능의 변화를 보다 정확하게 반영할 수 있다고 알려져 있다.

3) 소아상지기능평가: 사물조작능력 분류체계 (MACS)

사물조작능력 분류체계(manual ability classification system, MACS)는 4세부터 18세까지의 뇌성마비 아동을 대상으로 일상생활동작 수행능력을 평가하는 도구로서 각각의 손 기능을 따로 평가하는 것이 아니라 전체적인 아동의 사물조작능력을 평가한다.[71] 4세 이전의 영유아에서는 Mini-MACS를 적용할 수 있다. 사물이란 아동이 식사하기, 옷 입기, 그림 그리기, 글씨 쓰기 및 놀이 같은 동작을 수행할 때 사용하는 것들로 아동의 연령에 적합하고 생활영역 이내의 것을 기준으로 한다.

표 4-5 사물조작능력 분류체계(manual ability classification system, MACS) 단계

단계	기능수준
1단계	사물을 쉽고 성공적으로 조작한다.
2단계	대부분의 사물을 조작할 수 있으나 조작하는 속도가 떨어지며 자연스럽게 조작하지는 못한다.
3단계	사물을 조작하는 데 어려움이 있어 활동을 준비해 주거나 조정해 주는 도움이 필요하다.
4단계	미리 적응된 상태에서 쉽게 다룰 수 있는 일부 사물만 조작한다.
5단계	사물을 조작하지 못하며 단순한 동작을 수행하는 데에도 심한 제한을 갖는다.

대근육운동 기능분류체계(gross motor function classification system, GMFCS)와 같이 뇌성마비 아동이 사물을 조작할 때 스스로 수행하는 부분과 도움을 받거나 수정이 필요한 정도를 기준으로 수행 수준을 연령별로 5단계로 분류한다(표 4-5).

사물조작능력 분류체계 단계는 어떤 특수 상황에서 아동이 수행할 수 있는 최대 능력을 평가하는 것이 아니라, 평소의 상태를 기준으로 단계를 분류하는 것이므로 다양한 일상생활동작에서 손을 어느 정도로 사용하는지 파악하는 것이 중요하다.

4) 아동균형척도(PBS)

성인의 균형능력을 평가하기 위해 1992년에 Berg 등에 의해 개발된 버그균형척도(Berg balance scale, BBS)를 소아에 적합하도록 수정하여 2003년에 Franjoine 등이 아동균형척도(pediatric balance scale, PBS)를 개발하였다.[72] 경증과 중증의 운동손상을 가진 아동에서 사용할 수 있는 소아균형검사도구로서 신뢰도(ICC 0.998)가 높은 검사이다.

아동균형척도는 버그균형척도의 14개 항목을 수정하여 앉은 자세 유지하기, 선 자세와 두발 붙이고 선 자세를 30초 유지하는 것으로 버그균형척도에서의 유지시간보다 감소시켰다. 각 항목의 점수는 독립적인 수행정도에 따라 0점에서 4점까지 부여된다. 학교, 집과 지역사회에서 독립적이고 안정적인 기능을 수행하기 위한 균형 반응을 평가하기 위해 앉기와 서기의 균형, 손 뻗기, 회전하기, 계단 오르내리기 등으로 구성되어 있다. 평가 시 간단한 도구가 필요하고, 10분 정도의 검사시간이 소요된다. 2008년도에 한글로 번역되어 뇌성마비, 전반적 발달장애, 지적장애 아동에서 높은 신뢰도가 검증되어 임상에서 아동의 균형평가도구로 널리 사용되고 있다.[73]

5) 신생아 구강운동 평가척도(NOMAS)

신생아에서 수유곤란은 재태 37주 이전에 출생한 신생아의 10.5%에서 보고되며 출생 시 체중1,500 g 이하인 극저체중아에서는 24.5%로 보고된다.[74] 소아의 구강기능평가 방법 중 1983년 Palmar 에 의해 개발된 신생아 구강운동 평가척도(neonatal oromotor assessment scale, NOMAS)는 미숙아와 만삭아에서 반사적 빨기(reflexive sucking) 기능을 평가하는 도구이다.[75] 반사적 빨기는 대부분 교정 1개월까지 존재하지만 6개월까지 지속되는 경우도 있으며 반사적 빨기가 존재하지 않으면 신생아 구강운동 평가척도(NOMAS)를 적용할 수 없다. 신생아 구강운동 평가척도는 28개의 항목으로 구성되어 있으며 그중 14개는 턱의 움직임과 관련되어 있고 나머지 14개는 혀의 움직임과 관련된 항목이다. 2분간 영양적 빨기(nutritive sucking)를 기준으로 빨기 기능을 관찰하면서 정상 혹은 비체계적인 양상(disorganized pattern)이나 기능장애(dysfunction)를 구분한다. 비체계적인 양상은 리듬이 일정하지 않고 부조화로운 턱과 혀의 움직임과 빨고 삼키는 동안 호흡조절에 어려움을 보이는 경우를 의미한다. 기능장애는 턱의 움직임이 너무 과하거나 미미하고 혀에 힘이 없거나 뒤로 당겨져 있어 빨기가 진행되지 않는 경우이다. 비체계적인 양상과 기능장애는 잘 먹지 못하는 신생아에서 관찰될 수 있지만 기능장애를 보이는 경우는 대체로 예후가 좋지 않다. 최근 연구에서 신생아시기에 빨기 기능이 비체계적인 양상을 보였던 70명의 아동에서 24개월까지의 발달평가 항목 중 인지영역의 발달지연 위험성이 높게 보고되었다.[76] 이 검사는 높은 신뢰도(ICC=0.90)가 검증되었고 검사자의 숙련도가 검사에 영향을 미칠 수 있기 때문에 교육과정 이수가 권장되고 있다.

▶ 참고문헌

1. Bellman M. Byrne O. Sege R. Developmental assessment of children. BMJ 2013;346:e8687.
2. Champagne FA. Early adversity and developmental outcomes: Interaction between genetics, epigenetics, and social experiences across the life span. Perspect Psychol Sci 2010;5:564-74.
3. Choo YY. Yeleswarapu SP. How CH. et al. Developmental assessment: practice tips for primary care physicians. Singapore Med J 2019;60:57-62.
4. Long C. Blackman J. Farrell W. et al. A comparison of developmental versus functional assessment in the rehabilitation of young children. Pediatr Rehabil 2005;8:156-61.
5. Haley SM. Hallenborg SC. Gans BM. Functional assessment in young children with neurological impairments. TECSE 1989;9:106-26.
6. Ottenbacher KJ. Msall ME. Lyon N. et al. Measuring developmental and functional status in children with disabilities. Dev Med Child Neurol 1999;41:186-94.
7. Hubermann L. Boychuck Z. Shevell M. et al. Age at Referral of Children for Initial Diagnosis of Cerebral Palsy and Rehabilitation: Current Practices. J Child Neurol 2016;31:364-9.
8. Granild-Jensen JB. Rackauskaite G. Flachs EM. et al. Predictors for early diagnosis of cerebral palsy from national registry data. Dev Med Child Neurol 2015;57:931-5.
9. Novak I. Morgan C. Adde L. et al. Early, Accurate Diagnosis and Early Intervention in Cerebral Palsy: Advances in Diagnosis and Treatment. JAMA Pediatr 2017;171:897-907.
10. Einspieler C. Bos AF. Krieber-Tomantschger M. et al. Cerebral Palsy: Early Markers of Clinical Phenotype and Functional Outcome. J Clin Med 2019;8:1616.
11. Prechtl HF. State of the art of a new functional assessment of the young nervous system. An early predictor of cerebral palsy. Early Hum Dev 1997; 50:1-11.
12. Ferrari F. Cioni G. Einspieler C. et al. Cramped synchronized general movements in preterm infants as an early marker for cerebral palsy. Arch Pediatr Adolesc Med 2002;156:460-7.
13. Einspieler C. Prechtl HF. Prechtl's assessment of general movements: a diagnostic tool for the functional assessment of the young nervous system. Ment Retard Dev Disabil Res Rev 2005;11:61-7.
14. Kwong AKL. Fitzgerald TL. Doyle LW. et al. Predictive validity of spontaneous early infant movement for later cerebral palsy: a systematic review. Dev Med Child Neurol 2018;60:480-9.
15. Dubowitz L. Mercuri E. Dubowitz V. An optimality score for the neurologic examination of the term newborn. J Pediatr 1998;133:406-16.
16. Romeo DM. Ricci D. Brogna C. et al. Use of the Hammersmith Infant Neurological Examination in infants with cerebral palsy: a critical review of the literature. Dev Med Child Neurol 2016;58:240-5.
17. Spittle AJ. Walsh J. Olsen JE. et al. Neurobehaviour and neurological development in the first month after birth for infants born between 32-42 weeks' gestation. Early Hum Dev 2016;96:7-14.
18. Spittle AJ. Walsh JM. Potter C. et al. Neurobehaviour at term-equivalent age and neurodevelopmental outcomes at 2 years in infants born moderate-to-late preterm. Dev Med Child Neurol 2017;59:207-15.
19. Maitre NL. Chorna O. Romeo DM. et al. Implementation of the Hammersmith Infant Neurological Examination in a High-Risk Infant Follow-Up Program. Pediatr Neurol 2016;65:31-8.
20. Romeo DM. Cioni M. Scoto M. et al. Neuromotor development in infants with cerebral palsy investigated by the Hammersmith Infant Neurological Examination during the first year of age. Eur J Paediatr Neurol 2008;12:24-31.
21. Setänen S. Lehtonen L. Parkkola R. et al. Prediction of neuromotor outcome in infants born preterm at 11 years of age using volumetric neonatal magnetic resonance imaging and neurological examinations. Dev Med Child Neurol 2016;58:721-7.
22. 정희정, 은백린, 김현식 외. 한국형 부모 작성형 유아 모

니터링체계(Korean Ages and Stages Questionnaires: K-ASQ)의 타당도 평가. 대한소아신경학회 2014;22: 1-11.

23. Chung HJ. Yang D. Kim GH. et al. Development of the Korean Developmental Screening Test for Infants and Children (K-DST). Clin Exp Pediatr 2020;63:438-46.
24. Schopler E. Reichler RJ. DeVellis RF. et al. Toward objective classification of childhood autism: Childhood Autism Rating Scale (CARS). J Autism Dev Disord 1980;10:91-103.
25. Shin M. Kim Y. Standardization study for the Korean version of Childhood Autism Rating Scale: reliability, validity and cut-off score. Korean J Clin Psychol 1998;17:1-15.
26. Kwon HJ. Yoo HJ. Kim JH. et al. Re-adjusting the cut-off score of the Korean version of the Childhood Autism Rating Scale for high-functioning individuals with autism spectrum disorder. Psychiatry Clin Neurosci 2017;71:725-32.
27. Kim MJ. Park I. Lim MH. et al. Prevalence of Attention-Deficit/Hyperactivity Disorder and its Comorbidity among Korean Children in a Community Population. J Korean Med Sci 2017;32:401-6.
28. YK S. JS N. YS K. et al. The Reliability and Validity of Korean Parent and Teacher ADHD Rating Scale. J Korean Neuropsychiatr Assoc 2002;41:283-9.
29. Connolly BH. McClune NO. Gatlin R. Concurrent validity of the Bayley-III and the Peabody Developmental Motor Scale-2. Pediatr Phys Ther 2012;24:345-52.
30. Vohr BR. Stephens BE. Higgins RD. et al. Are outcomes of extremely preterm infants improving? Impact of Bayley assessment on outcomes. J Pediatr 2012;161:222-8.e3.
31. Reuner G. Fields AC. Wittke A. et al. Comparison of the developmental tests Bayley-III and Bayley- II in 7-month-old infants born preterm. Eur J Pediatr 2013;172:393-400.
32. Spittle AJ. Spencer-Smith MM. Eeles AL. et al. Does the Bayley-III Motor Scale at 2 years predict motor outcome at 4 years in very preterm children? Dev Med Child Neurol 2013;55:448-52.
33. Griffiths A. Toovey R. Morgan PE. et al. Psychometric properties of gross motor assessment tools for children: a systematic review. BMJ Open 2018;8: e021734.
34. Tavasoli A. Azimi P. Montazari A. Reliability and validity of the Peabody Developmental Motor Scalessecond edition for assessing motor development of low birth weight preterm infants. Pediatr Neurol 2014;51:522-6.
35. Wang HH. Liao HF. Hsieh CL. Reliability, sensitivity to change, and responsiveness of the peabody developmental motor scales-second edition for children with cerebral palsy. Phys Ther 2006;86:1351-9.
36. Spittle AJ. Doyle LW. Boyd RN. A systematic review of the clinimetric properties of neuromotor assessments for preterm infants during the first year of life. Dev Med Child Neurol 2008;50:254-66.
37. Darrah J. Piper M. Watt MJ. Assessment of gross motor skills of at-risk infants: predictive validity of the Alberta Infant Motor Scale. Dev Med Child Neurol 1998;40:485-91.
38. 김미선, 서정의, 이혜진. 알버타 영아 운동척도의 측정자간 신뢰도. 대한신경치료학회지 2009;14:23-8.
39. Yin Foo R. Guppy M. Johnston LM. Intelligence assessments for children with cerebral palsy: a systematic review. Dev Med Child Neurol 2013;55: 911-8.
40. Maslow P. Frostig M. Lefever DW. et al. The Marianne Frostig development test of visual perception, 1963 standardization. Percept Mot Skills 1964;19:463-99.
41. 문수백, 여광응, 조용태. 한국판 시지각 발달검사 (Korean Developmental Test of Visual Perception). 서울: 학지사, 2003.
42. 박화문, 구본근. 시각-운동 통합 발달 검사(Developmental Test of Visual-Motor Integration). 서울: 특수교육 1990.
43. Doran B. Soon-Taeg H. Ji-Hae K. et al. Standardization of the VMI-6: Reliability and Validity. Korean Journal of Clinical Psychology 2016;35:21-44.
44. Louick D. Boland TB. Psychologic tests: a guide for pediatricians. Pediatr Ann 1978;7:86-101.

45. 정다원, 황순택. 바인랜드 적응행동척도 2판(K-Vineland-II)의 타당도 연구: 지적장애군을 대상으로. Journal of Intellectual Disabilities 2016;18:1-14.

46. 이현아, 황순택, 조성우 외. 개정판 사회성숙도검사의 한국 표준화 예비연구 = 대상자 변인을 중심으로. Korean Journal of Clinical Psychology 2014;33:815-35.

47. 김승국, 김옥준. 사회성숙도검사. 서울: 중앙적성출판사, 1995.

48. Lord C. Elsabbagh M. Baird G. et al. Autism spectrum disorder. Lancet 2018;392:508-20.

49. Bieleninik Ł. Posserud MB. Geretsegger M. et al. Tracing the temporal stability of autism spectrum diagnosis and severity as measured by the Autism Diagnostic Observation Schedule: A systematic review and meta-analysis. PLoS One 2017;12:e0183160.

50. Randall M. Egberts KJ. Samtani A. et al. Diagnostic tests for autism spectrum disorder (ASD) in preschool children. Cochrane Database Syst Rev 2018;7:Cd009044.

51. Msall ME. DiGaudio K. Rogers BT. et al. The Functional Independence Measure for Children (WeeFIM) conceptual basis and pilot use in children with developmental disabilities. Clin Pediatr 1994;33:421-30.

52. Niewczyk PM. Granger CV. Measuring function in young children with impairments. Pediatr Phys Ther 2010;22:42-51.

53. Haley SM. Pediatric Evaluation of Disability Inventory (PEDI): Development, standardization and administration manual. Therapy Skill Builders; 1992.

54. Stahlhut M. Gard G. Aadahl M. et al. Discriminative validity of the Danish version of the Pediatric Evaluation of Disability Inventory (PEDI). Phys Occup Ther Pediatr 2011;31:78-89.

55. Feldman AB. Haley SM. Coryell J. Concurrent and construct validity of the Pediatric Evaluation of Disability Inventory. Phys Ther 1990;70:602-10.

56. 정병록, 유은영, 정민예 외. Pediatric Evaluation of Disability Inventory (PEDI) 평가도구의 국내 적용 을 위한 번역 및 문화간 비교 연구: 예비연구. 대한작 업치료학회지 2009;17:121-32.

57. 신원호, 권정이, 박흥석 외. 영유아 뇌성마비의 일상생활 평가에 있어서 K-MBI 와 한글 PEDI 의 적합성 비교. 대한작업치료학회지 2013;21:125-37.

58. Varni JW. Katz ER. Seid M. et al. The Pediatric Cancer Quality of Life Inventory (PCQL). I. Instrument development, descriptive statistics, and cross-informant variance. J Behav Med 1998;21:179-204.

59. Varni JW. Seid M. Kurtin PS. PedsQL™4.0: Reliability and validity of the Pediatric Quality of Life Inventory™Version 4.0 Generic Core Scales in healthy and patient populations. Med Care 2001:800-12.

60. Varni JW. Burwinkle TM. Berrin SJ. et al. The PedsQL in pediatric cerebral palsy: reliability, validity, and sensitivity of the Generic Core Scales and Cerebral Palsy Module. Dev Med Child Neurol 2006;48:442-9.

61. Yun Y-J. Shin Y-B. Kim S-Y. et al. A study of the development of the Korean version of PedsQLTM 3.0 cerebral palsy module and reliability and validity. J Phys Ther Sci 2016;28:2132-9.

62. Kook SH. Varni JW. Validation of the Korean version of the pediatric quality of life inventory™4.0 (PedsQL™ generic core scales in school children and adolescents using the Rasch model. Health Qual Life Outcomes 2008;6:41.

63. Palisano RJ. Hanna SE. Rosenbaum PL. et al. Validation of a model of gross motor function for children with cerebral palsy. Phys Ther 2000;80:974-85.

64. Palisano RJ. Rosenbaum P. Bartlett D. et al. Content validity of the expanded and revised Gross Motor Function Classification System. Dev Med Child Neurol 2008;50:744-50.

65. Hanna SE. Rosenbaum PL. Bartlett DJ. et al. Stability and decline in gross motor function among children and youth with cerebral palsy aged 2 to 21 years. Dev Med Child Neurol 2009;51:295-302.

66. Graham HK. Classifying cerebral palsy. J Pediatr Orthop 2005;25:127-8.

67. Russell DJ. Rosenbaum PL. Cadman DT. et al. The gross motor function measure: a means to evaluate

the effects of physical therapy. Dev Med Child Neurol 1989;31:341-52.

68. Nordmark E. Hägglund G. Jarnlo GJ. Reliability of the gross motor function measure in cerebral palsy. Scand J Rehabil Med 1997;29:25-8.

69. Palisano RJ. Walter SD. Russell DJ. et al. Gross motor function of children with Down syndrome: creation of motor growth curves. Arch Phys Med Rehabil 2001;82:494-500.

70. Russell DJ. Avery LM. Rosenbaum PL. et al. Improved scaling of the gross motor function measure for children with cerebral palsy: evidence of reliability and validity. Phys Ther 2000;80:873-85.

71. Eliasson AC. Krumlinde-Sundholm L. Rösblad B. et al. The Manual Ability Classification System (MACS) for children with cerebral palsy: scale development and evidence of validity and reliability. Dev Med Child Neurol 2006;48:549-54.

72. Franjoine MR. Gunther JS. Taylor MJ. Pediatric balance scale: a modified version of the berg balance scale for the school-age child with mild to moderate motor impairment. Pediatr Phys Ther 2003;15:114-28.

73. Ko M-S. Lee N-H. Lee J-A. et al. Inter-examiner reliability of the Korean version of the pediatric balance scale. Physical Therapy Korea 2008;15:86-95.

74. Jadcherla SR. Advances with neonatal aerodigestive science in the pursuit of safe swallowing in infants: invited review. Dysphagia 2017;32:15-26.

75. Palmer MM. Crawley K. Blanco IA. Neonatal Oral-Motor Assessment scale: a reliability study. J Perinatol 1993;13:28-35.

76. Yi YG. Oh B-M. Shin SH. et al. Association of uncoordinated sucking pattern with developmental outcome in premature infants: a retrospective analysis. BMC Pediatr 2019;19:440.

CHAPTER

5

영상의학적 평가

Pediatric Imaging

정아영, 천정은, 손수민

I. 뇌신경계 질환의 영상검사

1. 서론

1) 영상기법

(1) 소아 영상의 특수성

소아에서 뇌의 이상을 확인하기 위해 사용되는 대표적인 검사방법은 초음파, CT, MRI이다. 신생아의 경우 초음파가 가장 널리 사용되는 screening 검사이다. 특히 CT나 MRI 촬영을 위해 이동하기가 어려운 불안정한 미숙아의 경우 인큐베이터안에서 실시간으로 진정없이 검사를 진행할 수 있다는 장점이 있다. 뇌초음파는 수두증, 뇌출혈의 진단에 예민하나, 비출혈성 병변의 경우 비특이적인 양상을 보일 수 있어 진단의 민감도가 높지 않은 단점이 있다. 초음파는 대천문을 통해 시행하게 되며 성장에 따라 대천문의 크기가 작아지면 음창(sonic window)이 나빠져 제한적이다(그림 5-1). CT는 급성 출혈과 석회화를 확인하는 데 유용하며 두부 외상 시에 주로 사용된다. 하지만 방사선 피폭에 대한 우려가 있고, 수초화가 완전히 진행되지 않은 신생아 및 영아의 백질은 CT에서 저음영으로 보여 병변과 구별이 쉽지 않아 선호되지 않는다. 대부분의 경우 초음파에서 이상이 발견되면 해상도가 높은 MRI가 추가적인 검사로 시행된다. 일반적으로 T1, T2 강조영상을 통해 기본적인 해부학적 구조 및 병변을 확인하며, 출혈이나 석회화를 확인하기 위한 GRE나 SWI sequence가 추가된다. 급성 증상이 있는 경우 DWI를 추가하는것이 급성 뇌경색등의 이상을 확인하는 데 도움이 된다. 염증성 질환, 뇌 손상 및 일부 대사성 질환에서는 조영제를 사용한 검사를 시행하는 것이 권장된다.

소아의 척추 영상도 뇌 영상과 마찬가지로 초음파가 신생아와 어린 영아들에서 선천성 이상을 발견하기 위한 가장 기본적인 검사방법으로 사용된다. 초음파로 척수 원추(conus medullaris)의 위치, 동반된 종괴의 유무를 확인할 수 있다(그림 5-2). 척추 CT는 소아에서 매우 제한적으로 사용된

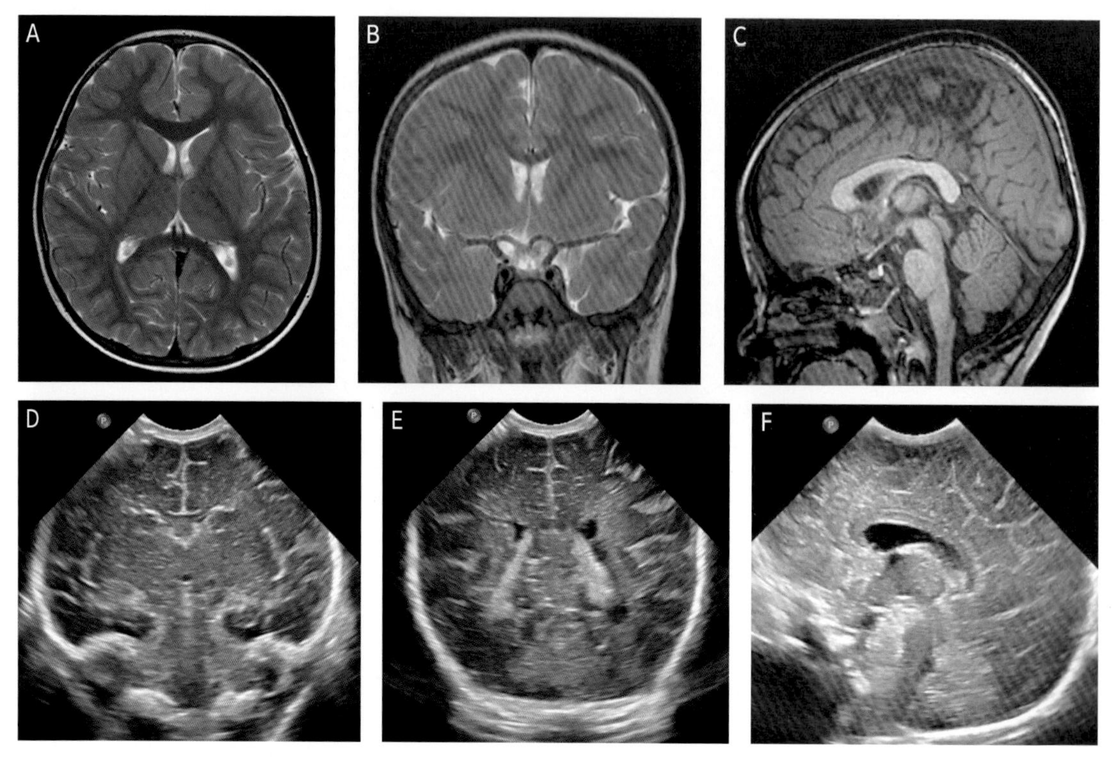

그림 5-1 정상 소아 뇌 MRI 및 초음파영상

A. 2세 여아의 정상 brain MRI Axial T2 강조영상, B. Coronal T2 강조영상, C. Sagittal T1 강조영상이다.

D, E. 만삭 신생아의 coronal 초음파 영상, F. Sagittal 초음파 영상. 뇌 초음파는 대천문을 통해 검사를 시행하게 되며 axial영상을 얻을 수 없기 때문에 coronal과 sagittal이 주된 영상 단면이다.

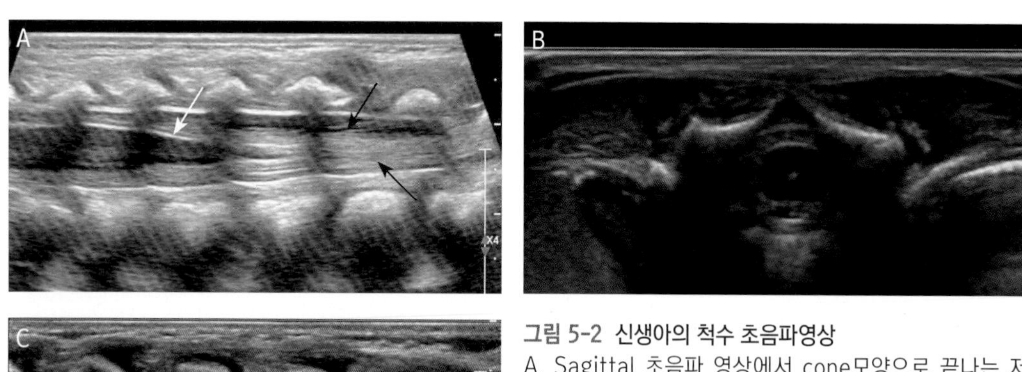

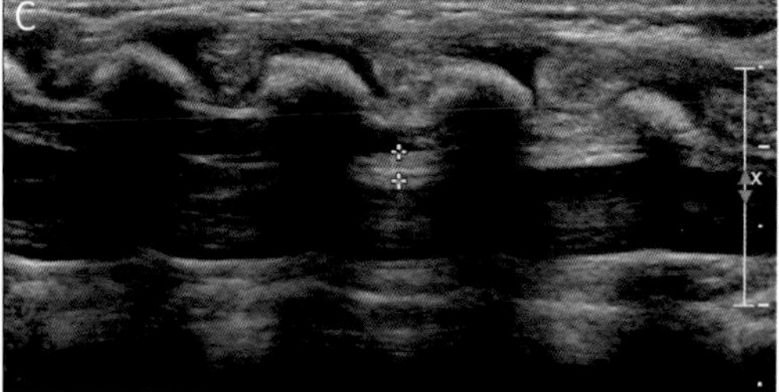

그림 5-2 신생아의 척수 초음파영상

A. Sagittal 초음파 영상에서 cone모양으로 끝나는 저에코의 conus medullaris (arrow)와 linear hyperechoic line들로 보이는 cauda equina nerve root (black arrows)들을 확인할 수 있다.

B. Axial 초음파영상에서 round하게 보이는 cord의 단면이 보인다.

C. 딤플이 발견되어 내원한 1개월 된 신생아의 척수초음파에서 filum terminale가 0.2 cm으로 두꺼워져 있으며 에코가 증가되어 있다. 이후 촬영한 spine MRI에서 filum terminale fibrolipoma로 확인되었다(not shown).

다. 초음파 screening에서 이상이 발견되어 추가적인 확인이 필요한 경우나 골화의 진행으로 초음파로 척추강 내의 평가가 제한적일 경우 MRI가 가장 좋은 검사방법이다. 선천성 피부동(dorsal dermal sinus)이 의심될 때는 조영제를 사용한 검사가 도움이 된다.

2) 수초화(myelination)

뇌의 구조적인 발달은 재태기간동안 대부분 완성되나 출생 이후에도 기질화(organization)와 수초화(myelination) 과정이 지속된다. MRI에서 간접적으로 수초화의 정도를 확인할 수 있으며 출생 이후 백질의 수초화가 뇌의 성숙도를 판단하는 중요한 지표가 된다.[1] 일반적으로 수초화는 일정한 순서를 따라서 진행되며 위치적으로는 꼬리 쪽에서 머리 쪽으로, 중심부에서 주변부, 뒤쪽에서 앞쪽 방향으로 진행된다. 기능적으로는 생존에 필수적인 감각신경, 이후 운동신경의 수초화가 진행되며 이후 더 고차원적인 기능을 담당하는 연합 신경의 순서로 진행된다.[2] 수초화가 이루어진 구조물들은 환아의 신경발달 이정표(neurodevelopmental milestone)를 반영한다.[3] 수초화가 진행됨에 따라 지방성분이 증가하고 수분이 감소하며 수초화가 이루어진 부위들이 MRI에서 T1 강조영상에서 고신호강도, T2 강조영상에서는 저신호강도로 보이게 되며 T2 강조영상에서 약간 더 늦게 반영된다(그림 5-3). 수초화 이상을 진단하기 위해서는 시간차를 두고 시행한 2개의 MRI 간의 비교가 필요하며 일반적으로 1세 이상의 환자에서 최소 6개월 간격을 두고 시행한 뇌 MRI에서 수초화의 진행이 없다면 저수초화(hypomyelination), 진행이 있으나 예상되는 나이에 비해 느린 경우 수초화 지연을 고려해 볼 수 있다.

2. 뇌의 선천이상

1) 키아리 2형 기형(Chiari 2 malformation)

Chiari 2형 기형은 복합적인 능형뇌(hindbrain)의 기형으로 거의 대부분에서 척수수막류(myelomeningocele)가 동반된다. 대표적인 신경관 형성의 이상에 의한 기형으로 태생기에 후신경구멍(posterior neuropore)이 닫히지 않아 발생한다고 생각된다. 신경관 결손(neural tube defect)을 통해 뇌척수액이 양막강(amniotic cavity)으로 유출됨에 따라 충분한 뇌실의 팽창이 이루어지지 못하고 후두와(posterior fossa)가 제대로 형성되지 않는다. 작은 후두와 내의 신경구조물들이 눌리고 대공(foramen magnum) 하방으로 밀려 내려가게 되며 제4뇌실이 작고 길어지며 덮개의 부리 모양 변형(tectal beaking)이 동반될 수 있다. 수두증이 동반되는 경우 뇌실복막강션트(ventriculo-peritoneal shunt)를 필요로 하게 된다. 다양한 천막상부의 기형이 동반될 수 있으며 뇌실주위 회색질 이소증(gray matter heterotopia), 뇌량의 형성 저하가 흔하게 보인다(그림 5-4). 자궁 내에서 척수수막류에 대한 수술을 시행한 경우 후두와와 능형뇌의 크기가 정상에 가깝게 복원되며, 뇌실복막강션트의 필요성이 감소한다.[4] 출생 직후 수술을 하는 것이 원칙이며 수술 이후에 신경학적인 장애가 진행하지 않는 경우가 대부분이며, 진행될 경우 수두증의 진행이나 다른 동반된 척추 기형 등이 있는지 확인이 필요하다.

2) 전전뇌증(holoprosencephaly)

전전뇌증은 임신 나이 22~24일경 형성된 전뇌소포(prosencephalic vesicle)의 분화와 분열 과정이 제대로 이루어지지 않아 발생하는 기형이다. 무엽

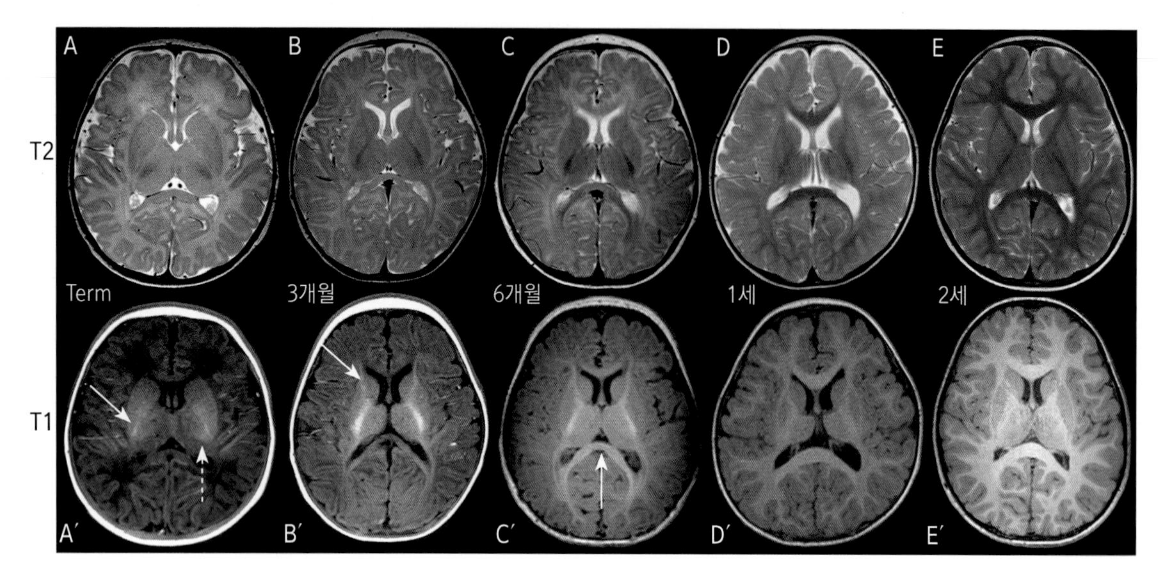

그림 5-3 정상 수초화의 진행

상단이 T2 강조영상, 하단이 T1 강조영상이다. 수초화가 진행된 white matter는 수초 내에 지방 성분의 증가와 수분 감소 등의 효과로 T2 강조영상에서 저신호상도, T1 강조영상에서 고신호강도를 보인다.

A, A′. 만삭 신생아의 경우 수초화가 진행되지 않아 대부분의 white matter가 T2 hyperintense, T1 hypointense하게 보인다. 만삭 신생아의 경우 정상적으로 internal capsule의 posterior limb의 후방(arrow), ventrolateral thalamus (dotted arrow)가 수초화되어 T1 hyperintensity를 보인다.

B, B′. 3개월 영아에서는 수초화가 진행하여 T1 영상에서 internal capsule의 posterior및 anterior limb (arrow)의 hyperintensity를 보인다.

C, C′. 6개월 영아의 T1 영상에서 추가적으로 corpus callosum의 splenium (arrow)의 고신호강도를 확인할 수 있다.

D, D′. 1세경에는 T1 영상에서 corpus callosum의 genu를 포함한 대부분의 white matter에서 수초화가 진행되어 고신호강도를 보여 거의 성인과 유사한 모양을 보인다.

E, E′. 2세경에는 T1 영상에서는 큰 변화는 없으나 T2 영상에서도 수초화가 진행되어 전반적인 white matter의 T2 hypointensity를 확인할 수 있으며 T2에서도 성인과 유사한 모양을 보이게 된다.

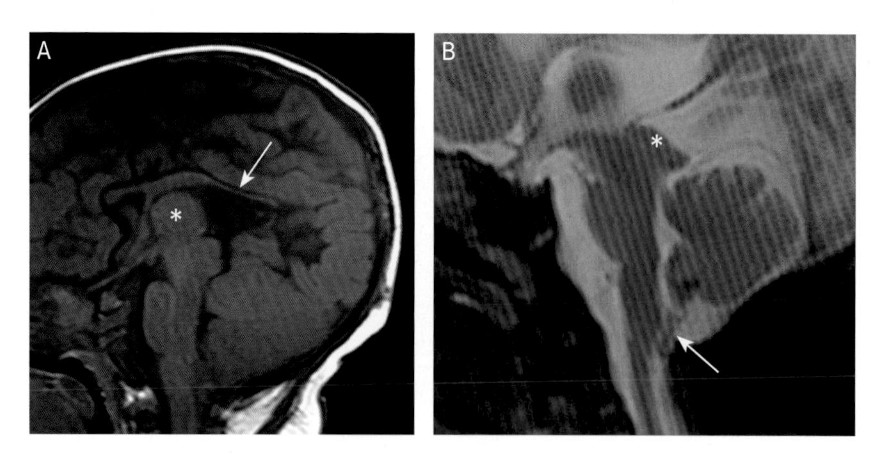

그림 5-4 Chiari II malformation

Myelomeningocele로 수술을 받은 3개월 남아의 brain MRI이다.

A. Sagittal T1 영상에서 corpus callosum의 thinning (arrow)이 보이며 뒤쪽에서 더 두드러진다. Massa intermedia (*)가 커져 있다.

B. Myelomeningocele로 수술을 받은 다른 환자의 brain MRI sagittal T2 영상에서 posterior fossa의 크기가 작고 cerebellar tonsil (arrow)이 foramen magnum 하방으로 내려와 있다. Tectum (*)이 beaking된 모양을 보인다.

성, 반엽성, 엽성으로 분류되나 하나의 연속선상에 있는 발달이상이다. 가장 심한 형태는 무엽성 전전뇌증(alobar holoprosencephaly)으로 팬케익 모양의 한 덩어리로 이루어진 뇌와 한 개로 이루어진 전뇌실(holoventricle)이 보인다. 가장 경미한 형태인 엽성 전전뇌증(lobar holoprosencephaly)에서는 대부분의 반구간열(interhemispheric fissure)이 형성되어 있고 전두엽의 일부만 가운데에서 연결되어 있다. 그 중간 형태가 대뇌겸(falx cerebri)과 반구간열의 일부가 형성되어 있는 반엽성 전전뇌증(semilobar holoprosencephaly)이나 마지막 두 개의 정확한 구분은 어려울 수 있다(그림 5-5). 심한 형태일수록 심한 안면부 정중앙의 기형 및 양안격리(hypertelorism)가 동반된다.[5] 경미한 엽성 전전뇌증 환자의 경우 뇌성마비로 처음 발견되기도 한다.[6]

3) 격막-안 이형성증(septo-optic dysplasia)

전형적으로 시신경의 저형성, 시상하부-뇌하수체(hypothalamic-pituitary)축의 기능장애, 투명격막(septum pellucidum)의 소실 3가지 중, 2가지 이상을 만족시킬 경우 임상적으로 진단이 가능하다. 하지만 3가지 모두를 만족시키는 경우는 30% 정도이다. 임상적으로는 시각장애, 뇌하수체 저하증, 발달지연 등으로 발현한다. 대부분에서 성장 호르몬 결핍이 동반된다. 유전적인 이상은 1% 미만에서 확인되며 아직 대부분의 환자에서 원인은 불분명하다.[7] 영상에서는 투명격막이 보이지 않으며 뇌하수체 전엽의 위축, 이소성 신경뇌하수체(ectopic posterior pituitary), 경우에 따라서 시신경의 저형성을 확인할 수 있다(그림 5-6).[8] 뇌갈림증(schizencephaly), 회색질 이소증(gray matter heterotopia), 다소뇌회증(polymicrogyria) 등의 다른 뇌의 발달 기형들이 흔히 동반된다.

4) 소두증(microcephaly)

머리 둘레가 나이와 성별의 평균에 비해 2 표준편차 이상 낮을 때를 소두증이라고 한다. 신경원의 증식이 줄어들거나 세포자멸사(apoptosis)가 정상보다 증가되어 발생한다.[9] 원발성 소두증은 유전

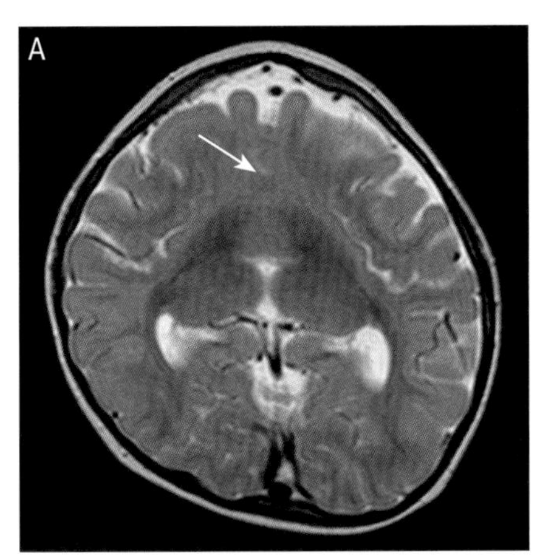

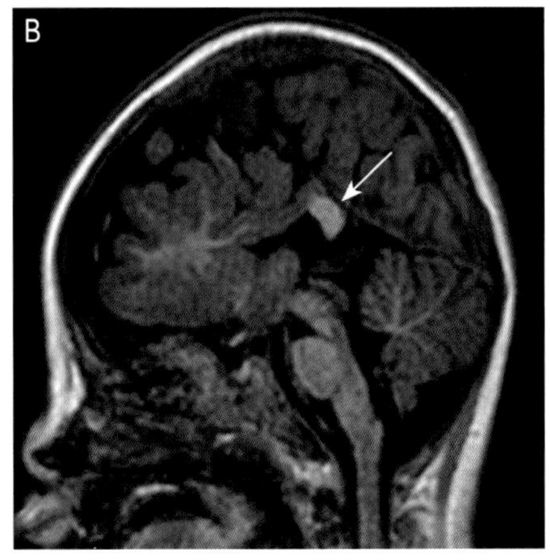

그림 5-5 Holoprosencephaly
A. Axial T2 영상에서 frontal lobe이 작고 anterior interhemispheric fissure가 제대로 발달되어 있지 않다. 양측 frontal lobe 및 basal ganglia가 fusion되어 있다(arrow). Posterior interhemispheric fissure는 정상적으로 보인다.
B. Sagittal T1 영상에서 corpus callosum의 뒤쪽(arrow)만 일부 형성되어 있다.

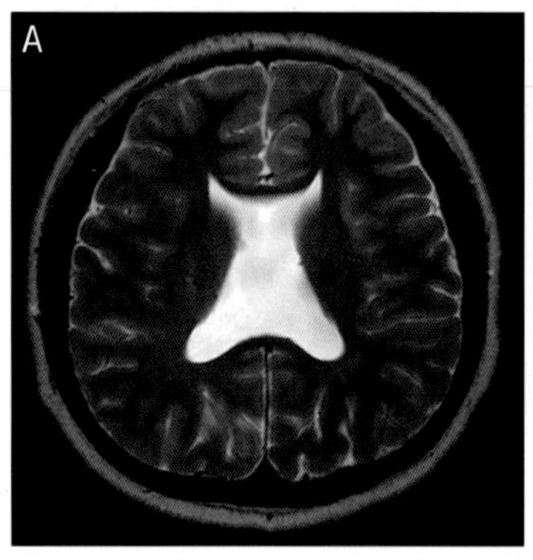

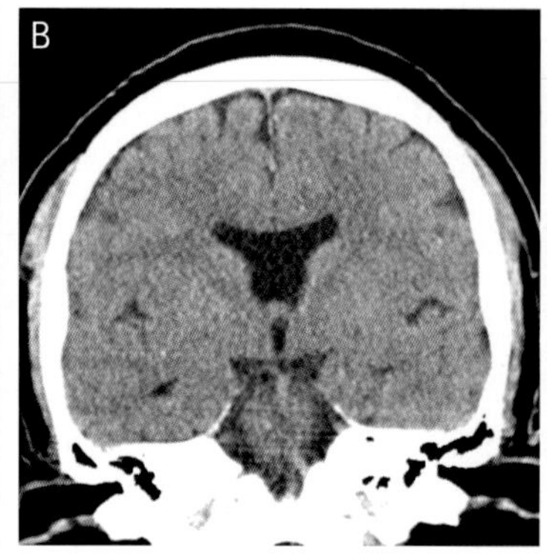

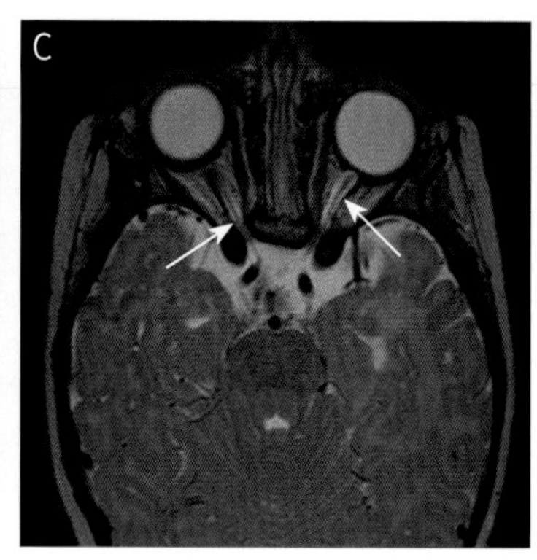

그림 5-6 Septooptic dysplasia
A. Axial T2 영상에서 정상적으로 midline에 양측 lateral ventricle사이에 위치해야 할 septum pellucidum이 보이지 않는다.
B. Coronal CT 영상에서 septum pellucidum이 보이지 않으며 frontal horn의 상방이 flat한 형태를 보인다.
C. Axial T2 영상에서 양측 optic nerve (arrows)가 전반적으로 얇아져 있다.

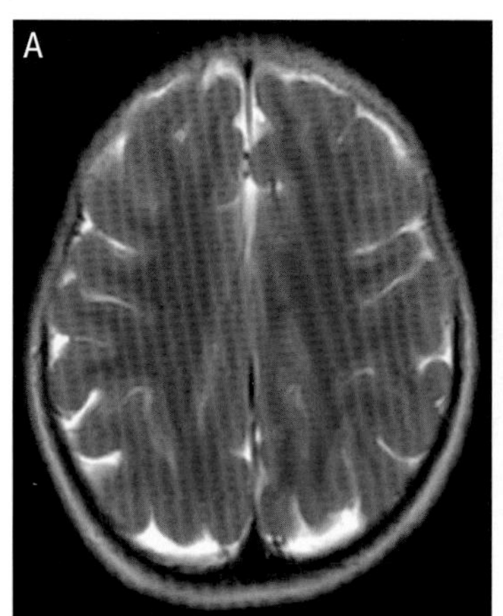

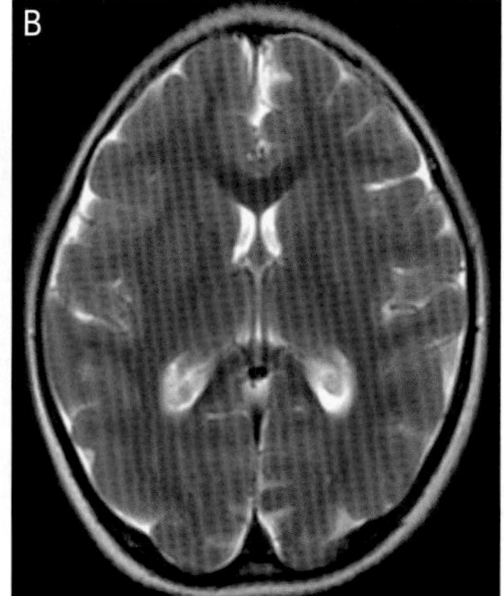

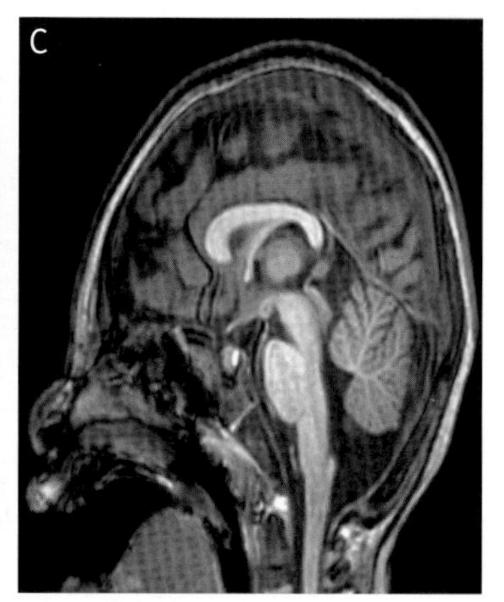

그림 5-7 Microcephaly in a 2-year-old female
A, B. Axial T2 영상에서 전체 brain의 gyrus의 수가 감소되어 있으며 sulcus가 얕게 보인다.
C. Sagittal T1 영상에서 craniofacial ratio가 감소되어 있다.

적인 요인에 의한 경우를 말하며 현재 다양한 원인이 되는 유전자들이 밝혀져 있다. 이 외에도 저산소성 뇌손상, 선천성 감염, 태아 알코올 증후군 등 자궁내 손상에 의한 이차적인 소두증도 발생한다. 영상에서는 다양하게 보일 수 있으며 단순 이랑을 동반한 소두증(microcephaly with simplified gyral pattern)에서는 뇌이랑의 수가 감소하고 뇌고랑이 정상보다 얕게 보인다(그림 5-7).

5) 대뇌피질 발달기형(malformations of the cortical development)

대뇌피질 발달기형은 다양한 원인에 의하여 생기며 상당히 넓은 스펙트럼 및 신경학적인 예후를 보인다. 대뇌피질 발달기형은 뇌전증, 발달지연, 뇌성마비의 중요한 원인이며 치료에 저항이 있는 발작 환자의 약 40%에서 대뇌피질 발달기형을 보인다. 영상검사는 대뇌피질 발달기형의 진단에 필수적이며 MRI 기술의 발달로 대뇌피질 발달기형의 발견이 증가되고 있다.[10] 임신나이 8주경부터 신경세포가 형성되는 측뇌실의 원시조직인 배아기질(germinal matrix)로부터 신경원 세포들이 종착지인 피질판으로 이동을 하는데 이런 신경원의 이동 및 피질의 형성과정이 감염, 허혈, 대사성 질환, 유전적인 요인으로 인해 방해를 받게 되면 다양한 스펙트럼의 대뇌피질의 발달기형이 발생한다.

(1) 회색질 이소증(gray matter heterotopia)

정상 신경원이 배아기질(germinal matrix)로부터 뇌피질로 이동하는 과정의 장애에 의해 비정상적인 위치에 보이는 기형이다. 모든 MRI 영상 sequence에서 정상 피질과 동일한 신호 강도를 보이는 것이 특징이며 조영증강이 되지 않는다. 위치에 따라 뇌실 주변(periventricular), 피질하(subcortical), 뇌실부터 대뇌의 전층에 걸쳐 있는 트랜스맨틀(transmantle) 이소증으로 나뉘며 국소적인 경우부터 클러스터를 이루어 모여있는 경우까지 다양한 형태로 보인다. 가장 흔한 형태는 뇌실 주변의 결절형 이소증으로, 미만성으로 전체 뇌실에 걸쳐 발생할 경우 유전적인 요인에 의한 경우가 많다(그림 5-8).

(2) 평평뇌증(lissencephaly)

평평뇌증은 뇌 표면이 평평하게 보여 붙여진 이름으로 신경원의 이동의 장애에 의해 발생한다. 전형적인 뇌이랑없음증(agyria)에서는 뇌이랑과 뇌고랑 형성이 되지 않아 뇌 표면이 MRI axial 영상에서 평평하게 숫자 8의 모양으로 보이고 실비안열이 비정상적으로 수직으로 주행한다. 이 외에도 뇌이랑의 숫자가 감소하며 간격이 넓어지고, 뇌고랑이 얕아지며 피질이 두꺼워지는 큰뇌이랑(pachygyria), 대뇌 피질은 거의 정상이거나 뇌고랑이 경미하게 얕아지는 피질하띠이소증(subcorti-

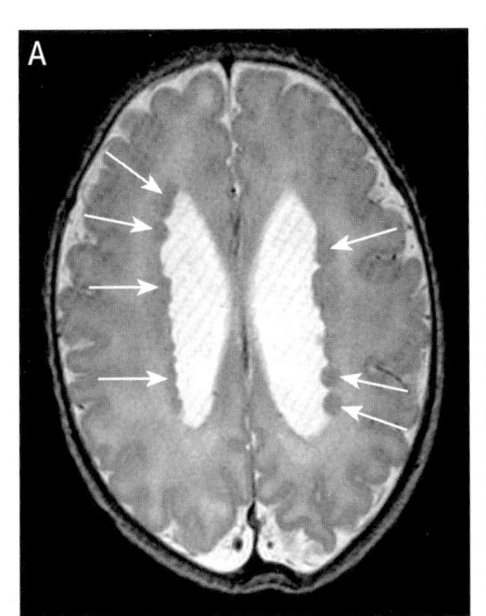

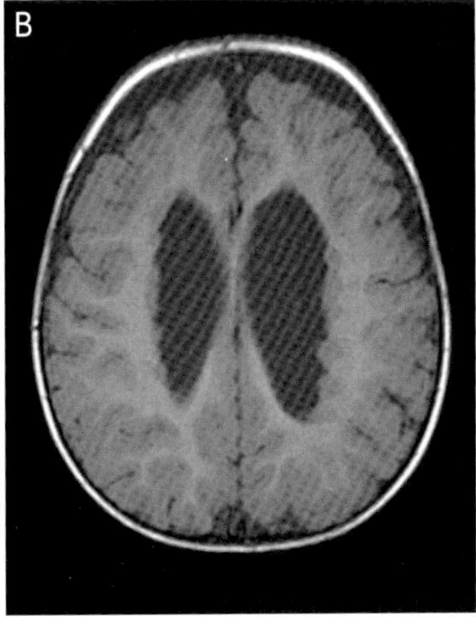

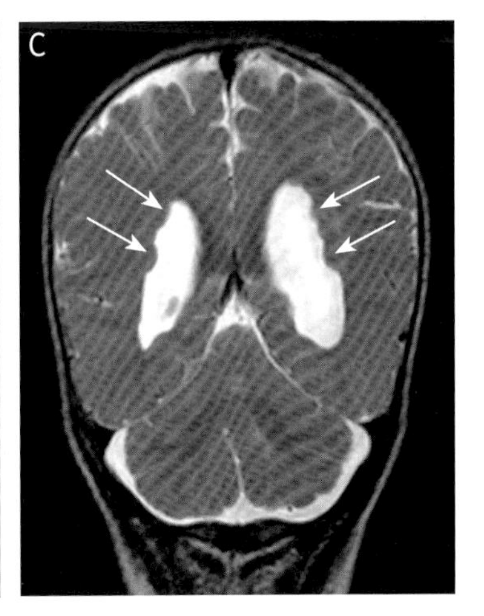

그림 5-8 Periventricular nodular heterotopia

A. Fetal ventriculomegaly로 내원한 신생아의 axial T2 영상에서 양측 lateral ventricle이 늘어나 있으며 ventricle wall을 따라 cortex와 isosignal intensity를 보이는 nodular 병변들(arrows)이 보인다.

B. 1세 때 FU으로 시행한 brain MRI axial T1 영상에서 cortex와 isosignal intensity를 보이는 nodule들의 extent는 변화가 없다.

C. Coronal T2 영상에서 lateral ventricle wall을 따라 isosignal nodule들(arrows)이 확인된다. FLNA mutation이 confirm되었다.

cal band heterotopia)까지 다양한 스펙트럼을 보인다. 피질하띠이소증에서는 이동에 실패한 신경원으로 생각되는 이소성 회색질로 이루어진 밴드 형태의 띠가 특징적이다. 한 환자에서 다양한 형태가 혼재되어 나타날 수 있으며 LIS1, DCX, TUBA1A 등 여러 관련 유전자들이 알려져 있다(그림 5-9).

(3) 조약돌 기형(cobblestone malformation)

조약돌 기형은 MRI에서 뇌 표면이 조약돌모양처럼 보이는 질환들을 통칭하며 과거에는 평평뇌증 제2형으로 분류되었다. 신경원이 과도하게 이동하여 발생한다고 생각되며 세포의 이동과 연관된 관련 유전자들이 알려져 있다. 가장 심한 형태는 Walker-Warburg 증후군이며 근육-눈-뇌병(muscle-eye-brain disease), 그리고 Fukuyama 선천성 근이영양증 등이 여기에 속한다. MRI에서 조약돌 모양의 울퉁불퉁한 대뇌피질이 보이며, 백색질의 비정상 고신호 강도가 동반된다. 뇌줄기 및 소뇌의 이상, 특히 소뇌의 작은 물혹들이 있을 경우 진단에 도움이 된다(그림 5-10).

(4) 다소뇌회증(polymicrogyria)

흔한 선천성 뇌발달기형중의 하나인 다소뇌회증은 후기 신경원의 이동 단계 및 피질의 기질화 단계에서 발생하는 기형으로 생각된다. 신경원이 피질까지는 도달하나 비정상적으로 분포하며 작고 얕은 뇌이랑의 숫자가 과도하게 많아진다. 상당히 다양한 영상소견을 보이며 다발성 선천성 기형 증후군과 동반되기도 한다.[11] 다양한 유전적 원인 및 선천성 감염, 허혈성 손상 등 비 유전적인 원인이 알려져 있다. 가장 대표적인 예가 선천성 CMV 감염이다. 영상에서는 작고 과도한 뇌이랑에 의해 뇌 표면이 미세하게 울퉁불퉁한 모양을 보이며 대뇌피질과 백질간의 접합부가 불규칙하고 경계가 불분명해진다. 가장 흔한 위치는 양측 실비안열 주위이며, 양측성 또는 편측성, 부분적, 다발성, 미만성으로 나타날 수 있다. MRI의 해상도에 따라서 피질이 두꺼워진 것처럼 보일 수도 있다(그림 5-11).

(5) 뇌갈림증(schizencephaly)

비교적 드문 선천성 뇌기형으로 특징적으로 측뇌실막에서 뇌표면의 연질막(pial surface)까지 가

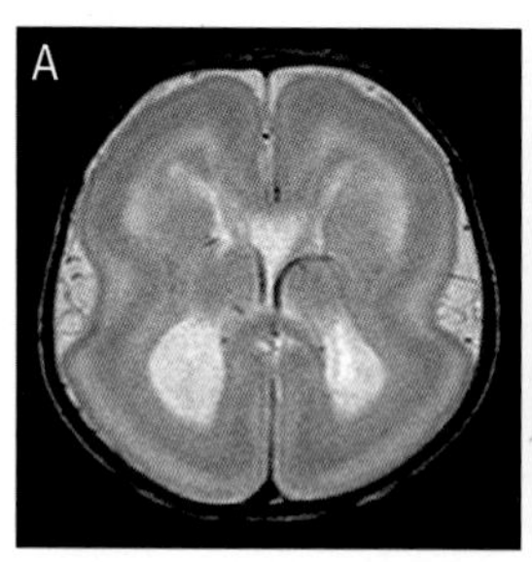

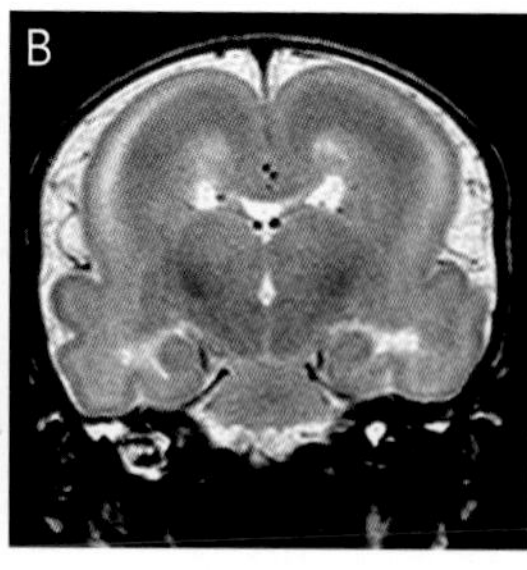

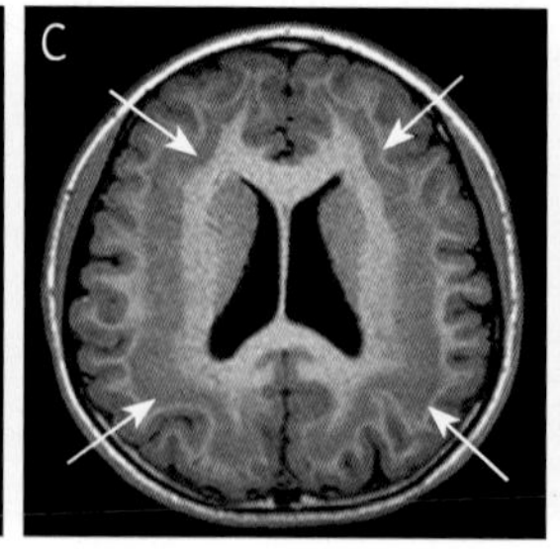

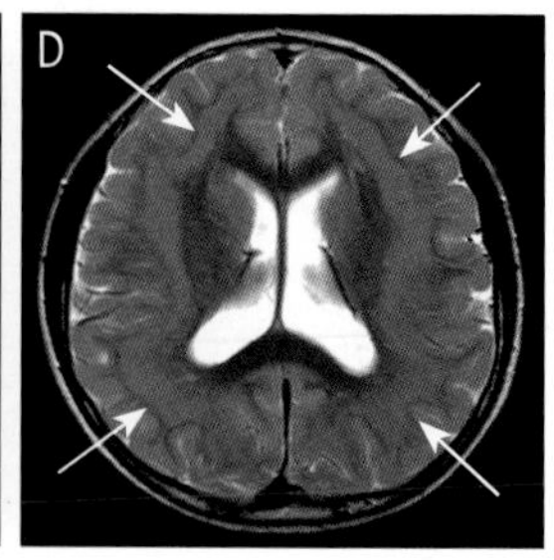

그림 5-9 Lissencephaly Spectrum

A, B. **Classic lissencephaly.** Fetal ventriculomegaly와 심장 이상이 동반되었던 신생아의 brain MRI T2 axial 영상이다. Full term이나 gyration및 sulcation이 거의 없으며 brain의 surface가 smooth하게 보여 'figure of eight' 모양을 보인다. Miller-Dieker syndrome으로 confirm되었다.

C, D. **Band heterotopia.** Seizure와 IQ저하로 내원한 9세 여아 환자의 axial T1영상(C)과 axial T2 영상(D)이다. Cortex는 거의 정상에 가까우며 안쪽으로 두꺼운 비정상적인 gray matter로 이루어진 band (arrows)가 양측에 symmetric하게 보인다.

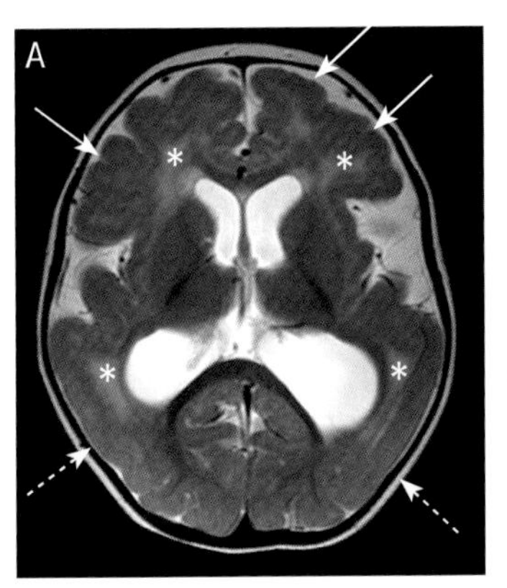

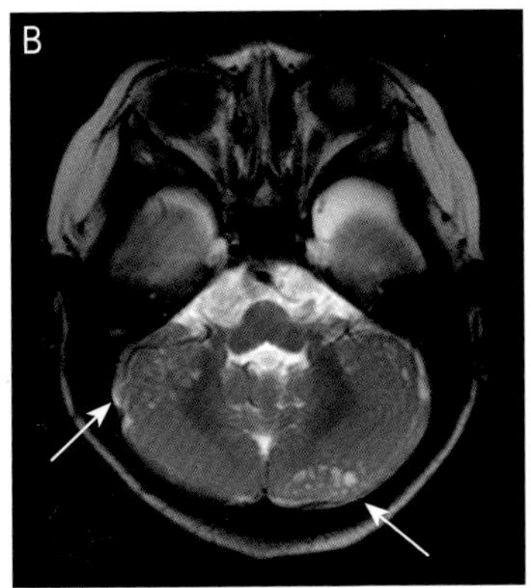

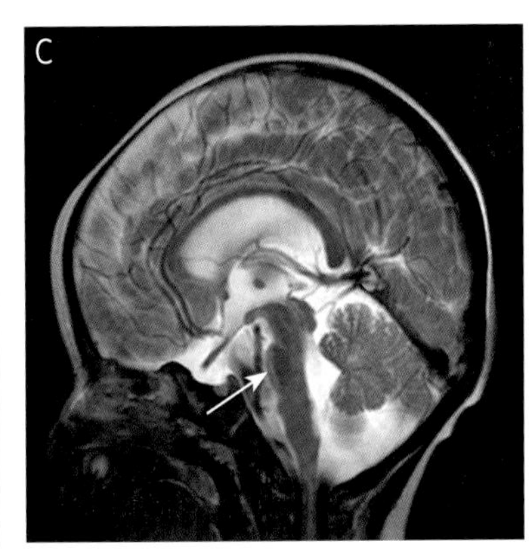

그림 5-10 Congenital muscular dystrophy

A. Hypotonia로 내원한 1세 여자 환자의 axial T2 영상에서 frontal lobe의 polymicrogyria (arrows)와 parietooccipital lobe의 pachygyria (dotted arrow), white matter에 증가된 hyperintensity (*)가 보인다.

B. Axial T2 영상에서 cerebellum의 작은 cyst들(arrows)이 관찰된다.

C. Sagittal T2 영상에서 brainstem의 hypoplasia가 보이며 특히 pons (arrow)가 작아져 있다. Fukuyama congenital muscular dystrophy로 진단받았다.

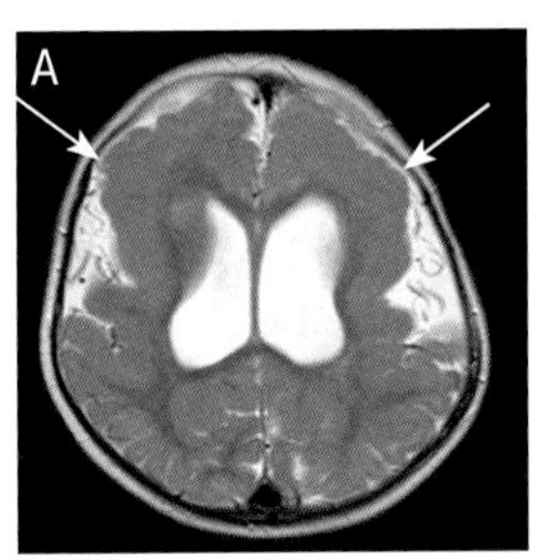

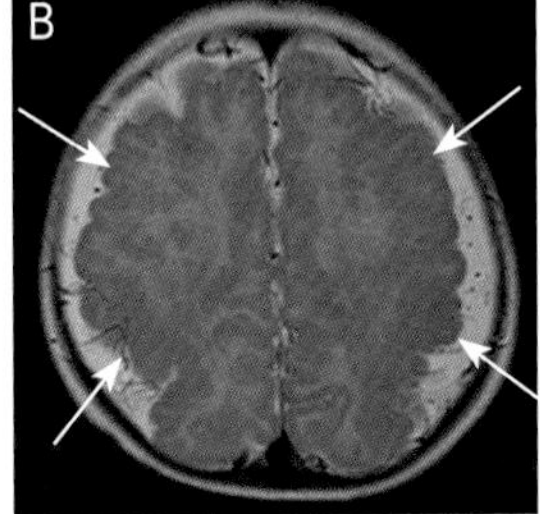

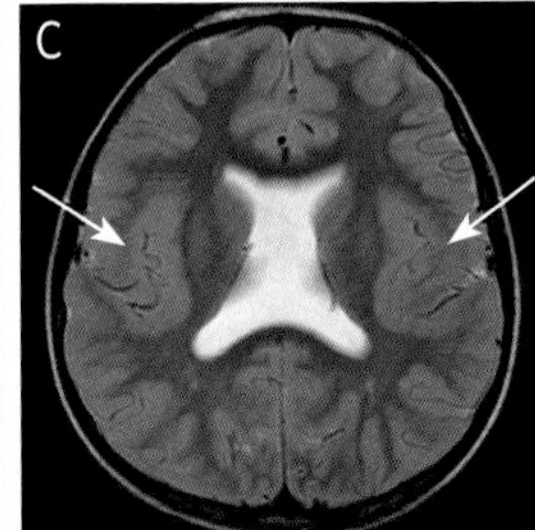

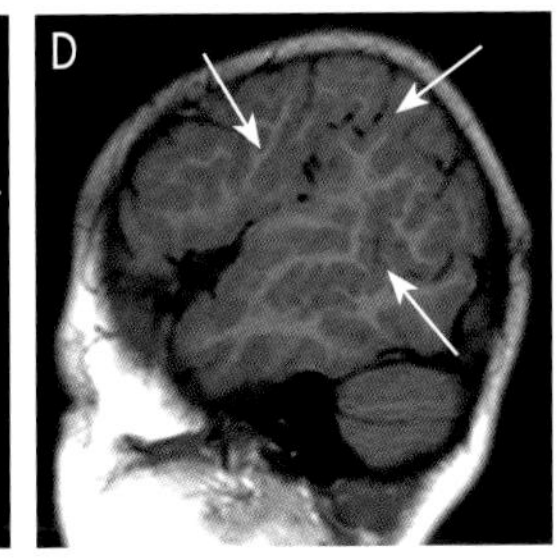

그림 5-11 Polymicrogyria

A, B. Axial T2 영상에서 양측 frontoparietal lobe을 symmetric하게 involve한 polymicrogyria (arrows)가 있으며 뇌 표면을 따라 작고 울퉁불퉁한 gyri가 보인다. 주변 subarachnoid space에 abnormal한 vein들이 관찰된다.

C. 다른 환자의 axial T2영상에서 temporal lobe의 gyrus들이 두꺼워져 보인다(arrows). Septum pellucidum이 보이지 않는다.

D. Sagittal T1 영상에서 axial T2에서 두꺼워진 gyrus로 보였던 부분들이 perisylvian polymicrogyria (arrows)임을 확인할 수 있다.

로지르는 틈새에 의해 뇌가 전층에 걸쳐 갈라져 있는 기형이다. 자궁 내에서 허혈성, 혈관성, 선천성감염 등에 의한 임신초기때 배아기질의 손상과 관련이 있을 것으로 추정되며 약 1/3에서 허혈성 원인으로 생각되는 복벽파열증(gastroschisis), 소장폐쇄증등의 비 중추신경계 이상과 동반되었다는 보고도 있다.[12] 양측성 또는 편측성으로 발생하며 연결된 갈림 틈새가 뇌척수액으로 넓어져 있는 경우를 열린형(open lip type)이라고 하며 갈린 틈새의 벽이 서로 맞닿아 있는 경우 닫힌형(closed lip type)으로 분류한다. 갈라진 틈새 가장자리를 따라서 비정상적인 회색질, 대부분은 다소뇌회증이 분포하는 것이 특징이며 뇌손상에 의한 뇌구멍증(porencephaly)과의 감별점이 된다. 닫힌형의 경우 틈새와 뇌실벽이 만나는 위치에 작은 오목이 진단에 도움이 된다(그림 5-12). 편측성의 경우

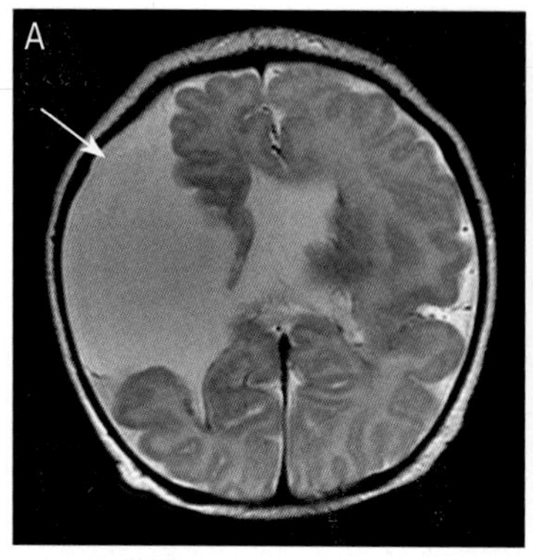

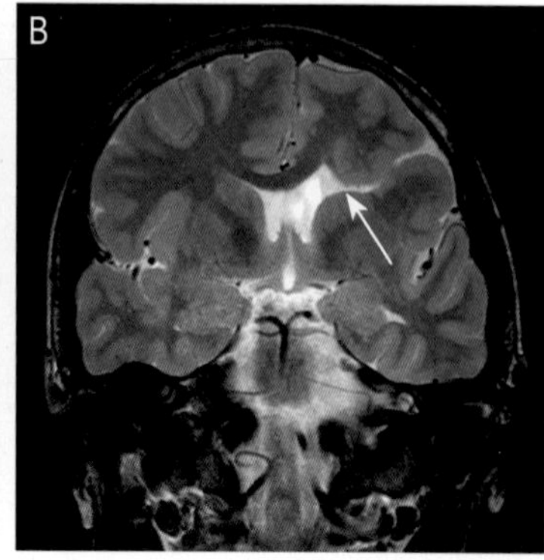

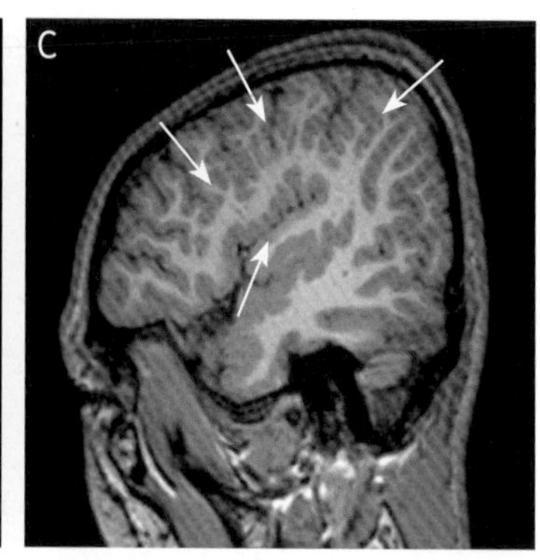

그림 5-12 Schizencephaly

A. **Open lip schizencephaly** Axial T2 영상에서 right hemisphere가 large CSF cleft (arrow)에 의해 나뉘어져 있다.

B. **Closed lip schizencephaly** Coronal T2 영상에서 left lateral ventricle frontal horn의 lateral에 CSF가 뾰족하게 튀어 나온 부분(arrow)이 보이며 cortical mantle전장을 가로지르는 cleft와 연결되어 있다. 이 CSF cleft는 abnormal한 gray matter로 lining되어 있다.

C. Sagittal T1 영상에서 closed lip schizencephaly의 반대측 hemisphere에 polymicrogyria (arrows)가 동반되어 있다.

반대측 반구에 비슷한 위치에 다소뇌회증이 흔히 발견되며 격막-안 이형성증이 많은 수에서 동반된다.

6) 뇌량의 형성이상(callosal dysgenesis)

뇌량의 형성이상은 가장 흔한 선천성 뇌기형중의 하나이다. 뇌량은 각 대뇌반구의 비슷한 피질부위를 중앙을 가로질러 연결해주는 구조물이다. 대뇌반구를 연결시켜주는 맞교차(commissure) 중 가장 큰 구조물로 부리(rostrum), 무릎(genu), 체부(body) 및 팽대부(splenium)의 네 부분으로 이루어져 있다. 뇌량의 형성이상은 전체가 만들어지지 않은 뇌량 무형성(agenesis)과 일부분이 형성되지 않은 뇌량 부분무형성(partial agenesis), 뇌량의 부분들은 다 존재하지만 크기가 작은 저형성(hypoplasia)까지 다양한 스펙트럼을 보인다. 전형적인 뇌량 무형성의 경우 양측 대뇌반구의 신경다발이 반대편 대뇌반구로 건너가지 못하고 반구간열(interhemispheric fissure)과 평행하게 앞뒤로 주행하며 Probst 다발을 형성한다. MRI에서 특징적인 소견을 보이는데 정중앙 sagittal영상에서 뇌량, 띠고랑(cingulate sulcus)이 보이지 않고 뇌고랑들이 높게 위치한 제3뇌실을 향해 수레바퀴 모양으로 모이는 모습을 보인다. Axial영상에서 양측 뇌실이 평행하게 주행하며 뒤쪽이 늘어나 있는 모양(colpocephaly)을 보이고 Probst다발이 측뇌실의 내측에서 반구간열과 평행하게 양측에서 주행한다. Coronal영상에서는 양측 측뇌실의 전두각이 바이킹헬멧모양을 보인다(그림 5-13). 부분무형성의 경우는 다양한 모습을 보일 수 있으며 앞쪽 뇌량은 보이나 뒤쪽 뇌량이 보이지 않는 경우가 많다. 뇌량의 형성이상은 단독으로 나타나기도 하지만 대부분 다른 뇌발달기형이 동반되어 나타나며 다양한 증후군들과 연관되는 경우가 많다. 뇌량의 형성 부전과 동반되어 반구간열을 따라 다양한 크기와 숫자의 뇌반구간 낭종(interhemispheric cyst)이나 지방종이 동반될 수 있는데 원시수막이 비정상적으로 분화하여 생긴다고 추정된다(그림 5-14).[13]

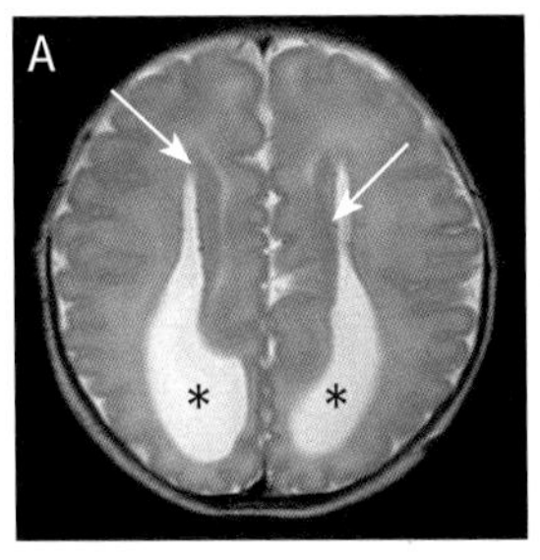

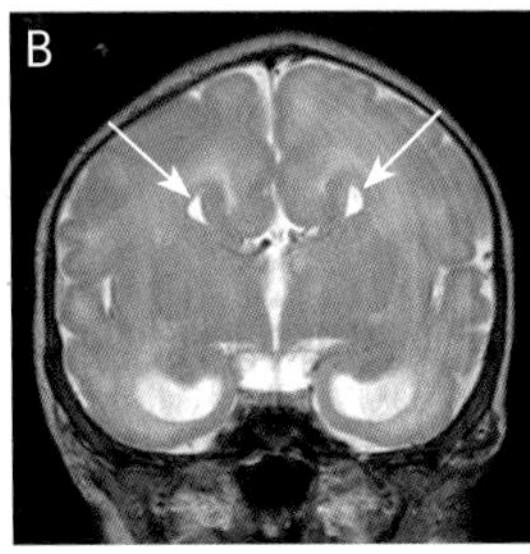

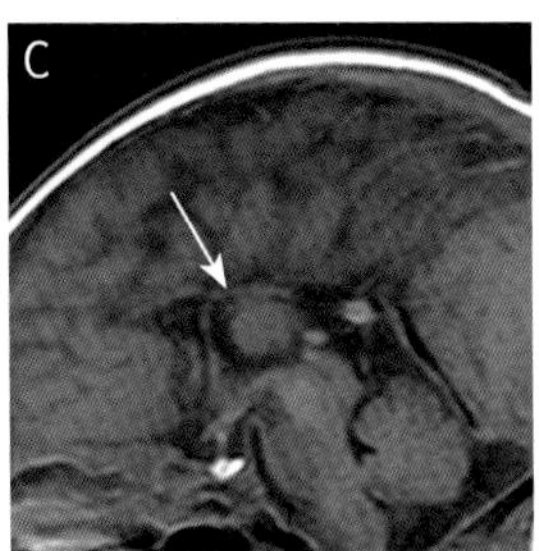

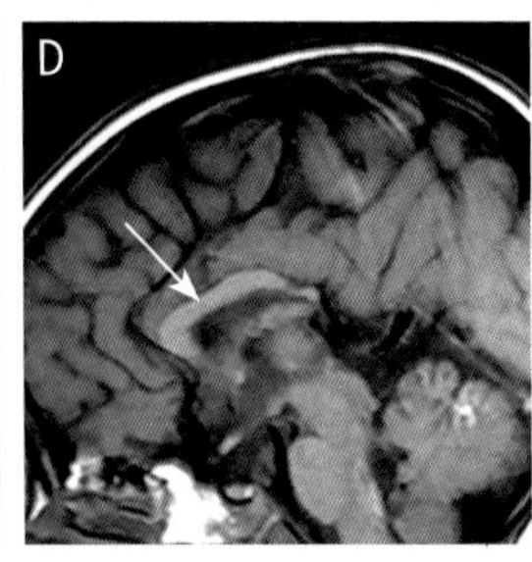

그림 5-13 Corpus callosum dysgenesis

A. Fetal US이상으로 시행한 신생아의 brain MRI axial T2 영상에서 양측 lateral ventricle이 비정상적으로 parallel하게 주행하며 colpocephaly (*)가 동반되어 있다. Lateral ventricle의 medial aspect로 linear하게 주행하는 Probst bundle (arrows)이 확인된다.
B. Coronal T2 영상에서 양측 lateral ventricle의 anterior horn이 Viking's helmet (arrows)모양을 보인다.
C. Sagittal T1 영상에서 전체 corpus callosum및 cingulate gyrus가 보이지 않으며(arrow) sulcus들이 부채살모양으로 3rd ventricle로 모이는 양상이다.
D. 다른 환자의 sagittal T1 영상에서 corpus callosum의 앞쪽(arrow)은 형성되었으나 뒤쪽이 부분적으로 형성이 되지 않은 partial corpus callosum agenesis이다.

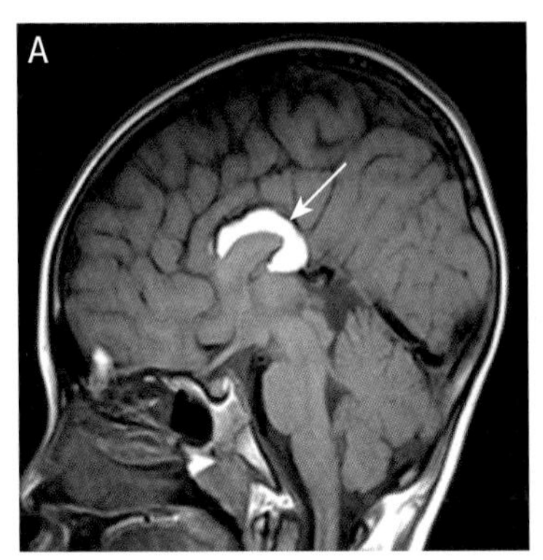

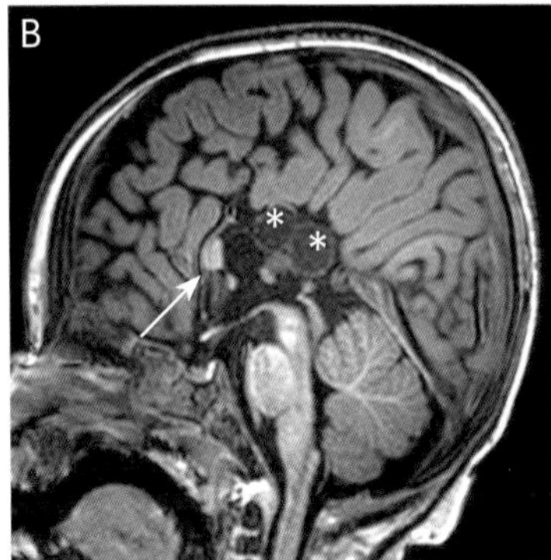

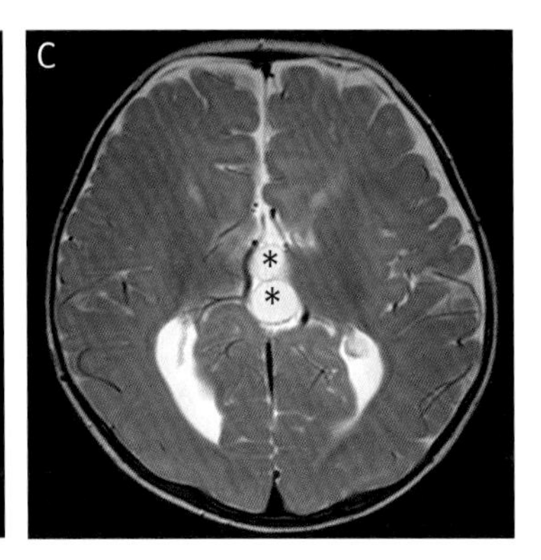

그림 5-14 Pericallosal lipoma와 interhemispheric cyst

A. Sagittal T1 영상에서 corpus callosum의 제대로 형성되어 있지 않으며 T1 hyperintensity의 lipoma (arrow)가 동반되어 있다.
B. Callosal dysgenesis와 동반된 interhemispheric cyst가 있는 환자로 sagittal T1 영상에서 corpus callosum의 앞쪽 일부(arrow)만 형성되어 있으며 뒤쪽에 작은 cyst들(*)이 동반되어 있다.
C. Axial T2 영상에서 midline에 cyst들(*)이 확인된다.

7) 후두와 기형(posterior fossa malformation)

(1) 댄디-워커 기형 (dandy-walker malformation)

댄디-워커 기형은 대표적인 후두와의 낭성기형으로 다양한 스펙트럼을 보인다. 전형적인 classic 댄디-워커 기형의 특징은 제4뇌실의 낭성 확장, 후두와의 크기 증가, 천막의 상승, 소뇌충부(cerebellar vermis)의 형성저하이다. 임상적으로 환아는 대두증을 보이며 수두증이 동반된다. 중추신경계나 다른 부위의 기형이 동반되는 경우가 많다. 거대대수조증(mega cisterna magna)의 경우 소뇌충부의 크기와 모양이 정상이며 수두증이 동반되지 않는다(그림 5-15).

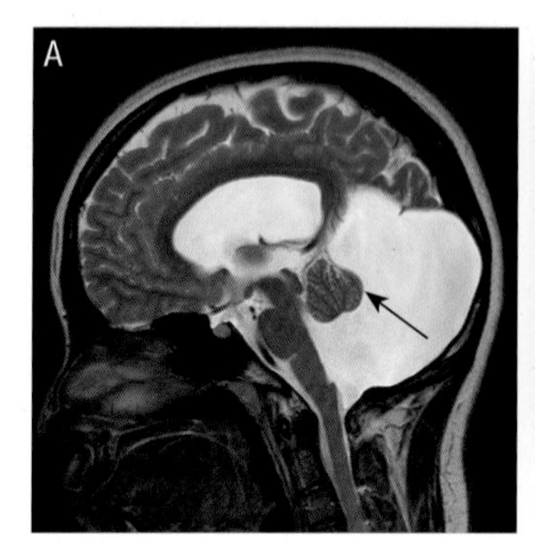

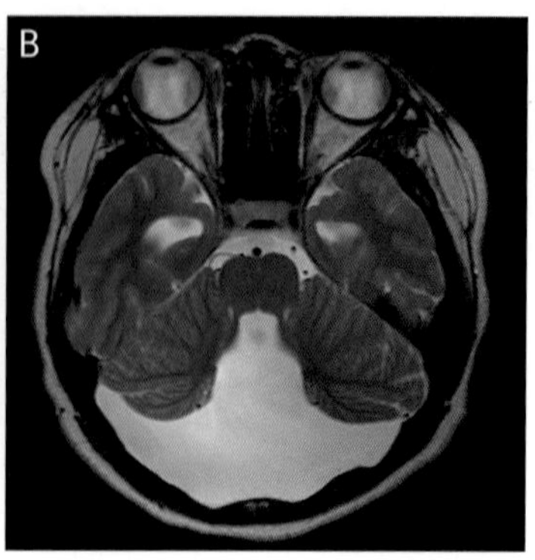

그림 5-15 Dandy Walker malformation

A. Sagittal T2 영상에서 posterior fossa가 비정상적으로 커져 있으며 tentorium이 elevation되어 있다. Vermis (arrow)는 hypoplastic하며 rotation되어 있다. 4th ventricle이 늘어나 cystic한 posterior fossa cyst를 형성한다.

B. Axial T2 영상에서 늘어나 있는 4th ventricle에 의해 cerebellar hemisphere가 벌어져 있다.

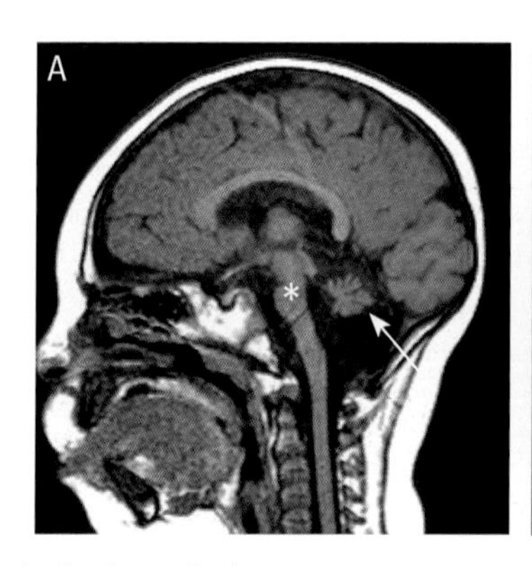

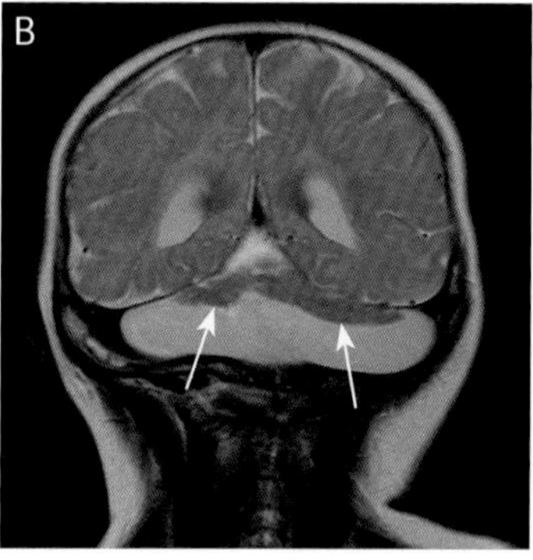

그림 5-16 Pontocerebellar hypoplasia

A. Developmental delay와 microcephaly로 내원한 환자의 sagittal T1 영상에서 cerebellar vermis (arrow) 및 pons (*)의 hypoplasia가 보인다.

B. Coronal T2 영상에서 양측 cerebellar hemisphere의 hypoplasia (arrows)도 확인된다. CASK mutation이 확인되었다. Destructive한 원인에 의해서도 pontocerebellar hypoplasia가 발생할 수 있다(그림 5-27 참고).

(2) 교뇌-소뇌 형성저하증 (pontocerebellar hypoplasia)

교뇌-소뇌 형성저하증은 다양한 표현형을 가지는 질환으로 대부분 유전적 원인에 의하며 현재까지 약 11개 정도의 아형이 알려져 있다.[14] 하지만 원인 유전자가 확인이 어려운 경우도 많다(그림 5-16). 대사질환 및 천막상부의 이상이 동반된 유전질환에서도 다양한 교뇌-소뇌 형성이 저하된 모양을 보일 수 있다. 소뇌 형성저하는 미숙아의 배아기질출혈에 의한 소뇌의 손상 때문에 발생되기도 하며 교뇌의 부피 감소도 동반되어 교뇌-소뇌 형성저하증과 유사하게 보일 수 있다. 파괴적인 원인에 의한 이차적인 소뇌의 형성 저하는 편측성인 경우가 많다.

(3) 주버트 증후군(Joubert syndrome)

주버트 증후군과 관련된 질환군(Joubert syndrome and related disorders)은 원발 섬모 운동

(primary cilia)과 관련된 유전자 변이와 연관이 있어 ciliopathy라고도 불리운다. 현재까지 35개의 관련 유전자변이가 밝혀져 있다.[15] MR Sagittal 영상에서 소뇌 충부(cerebellar vermis)가 이형성되어 있으며 제 4뇌실꼭지(fastigium)가 상방으로 전위되어 있다. Axial 영상에서 상부소뇌다리(superior cerebellar peduncle)가 두꺼워지고 길어져서 제 4 뇌실주변으로 어금니와 비슷하게 보이는 'Molar tooth sign' 이 특징적이다. 제 4뇌실의 상부에서는 'batwing' 모양을 보이며 소뇌충부의 틈새(vermian cleft)가 보인다(그림 5-17). 원발 섬모와 관련된 다른 여러 장기들을 같이 침범할 수 있어 다른 동반 이상의 확인이 필요한다.

8) 신경피부증(neurocutaneous disease)

신경피부증은 모반증(phakomatosis)이라고도 불리우며 신경계, 피부, 망막, 안구 등의 외배엽 기원 구조물들의 발생 이상에 의해 다양한 장기에 과오종(hamartoma)을 보이는 것이 특징이다. 대표적인 질환이 신경섬유종, 결절성경화증, 스터지-웨버 질환이다.

(1) 결절성경화증(tuberous sclerosis)

신경계, 피부, 심장, 콩팥, 폐 등의 여러 장기의 과오종이 특징이며 원인으로 종양억제유전자인 TSC1과 TSC2 유전자가 알려져 있다. TSC1-TSC2단백질은 mTOR 경로를 조절하는 것에 관여하는데 이들 유전자에 변이가 발생되면 비정상적으로 세포의 성장과 증식이 일어나는 것이 기전으로 알려져 있다. 대표적인 뇌 내의 병변은 결절(tuber), 뇌실막밑 결절(subependymal nodule), 방사성 이주선(radial migration line), 뇌실막밑 거대세포 별아교세포종(subependymal giant cell astrocytoma)이다. 결절은 결절성 경화증 환자의 80~100%에서 발견되며 대부분은 천막상부에서 보이나 천막하부에서도 약 35% 까지 보이는 것으로 알려져 있다.[16] MRI에서 피질하부위에 T2 및 FLAIR 영상에서 고신호강도로 보이며 뇌이랑의 확장을 흔하게 동반한다. 백질의 수초화가 다 진행되지 않은 신생아나 영아에서는 T2강조영상에서 저신호강도로 보인다. 연령이 증가함에 따라 결절들의 석회화가 증가될 수 있다. 방사성 이주선은 뇌실부터 피질까지 백질을 가로질러 방사성으로 주행하는 선들로 FLAIR 영상에서 잘 보인다. 뇌실막밑 결절들은

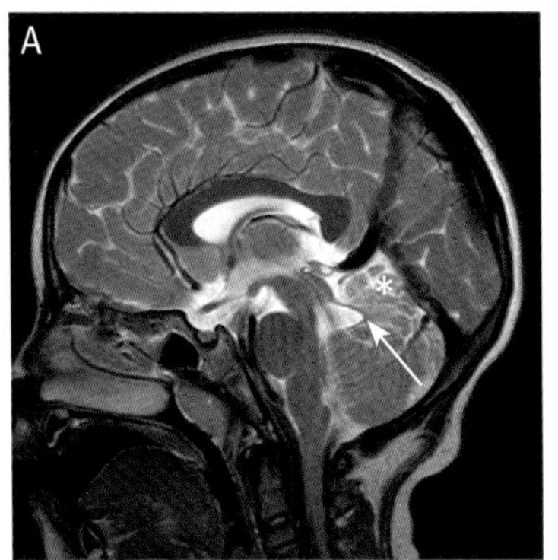

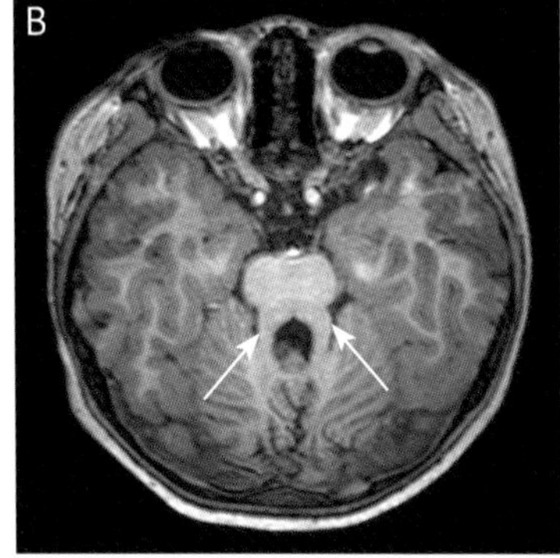

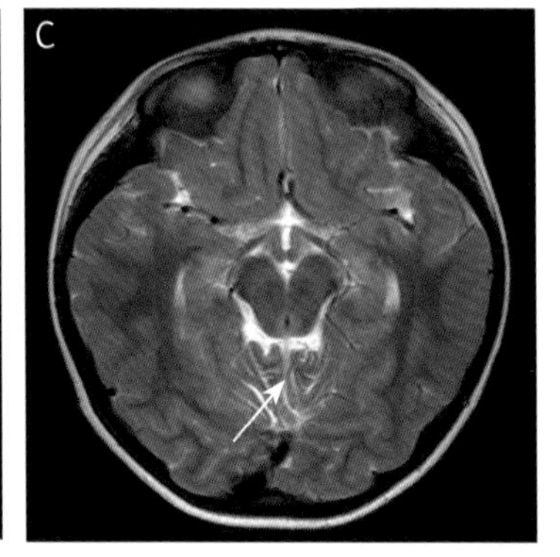

그림 5-17 Joubert syndrome
A. Sagittal T2 영상에서 cerebellar vermis (*)의 모양이 dysmorphic하며 fastigium (arrow)이 elevation되어 있다.
B. Axial T1 영상에서 4th ventricle 주변으로 양측 superior cerebellar peduncle (arrows)이 두꺼워져 있어 'molar tooth' 모양을 보인다.
C. Axial T2 영상에서 cerebellar vermis의 cleft (arrow)가 보인다.

90% 이상에서 보이는데 뇌실벽을 따라 작은 결절들로 보이며 시간이 지남에 따라 석회화가 증가된다(그림 5-18). 뇌실막밑 거대세포 별아교세포종은 결절성경화증 환자의 약 10~20%에서 발생되는 뇌종양으로 주로 몬로공(foramen of Monro) 근처에 위치한다. 조영증강이 잘 되는 종괴로 보이며 천천히 자라는 편이나 몬로공을 막게 되면 수두증을 초래한다. 과거에는 수술적 치료를 하였으나 최근에는 mTOR 억제제가 효과적인 수술의 대안이 되고 있다.[17]

(2) 스터지-웨버 증후군 (Sturge-Weber syndrome)

3차신경의 분포를 따르는 안면부의 화염상모반(nevus flammeus), 동측 뇌의 연수막 혈관종(pial angiomatosis), 눈의 혈관종(choroidal hemangioma)을 특징으로 한다. 염색체 19q21에 위치한 GNAQ유전자의 체세포돌연변이가 스터지-웨버 증후군의 원인 중에 하나로 알려져 있다.[17] 원시 혈관이 제대로 발달을 하지 못하여 표재성 정맥이 형성되지 않으며 대체 경로로 연수막 혈관종

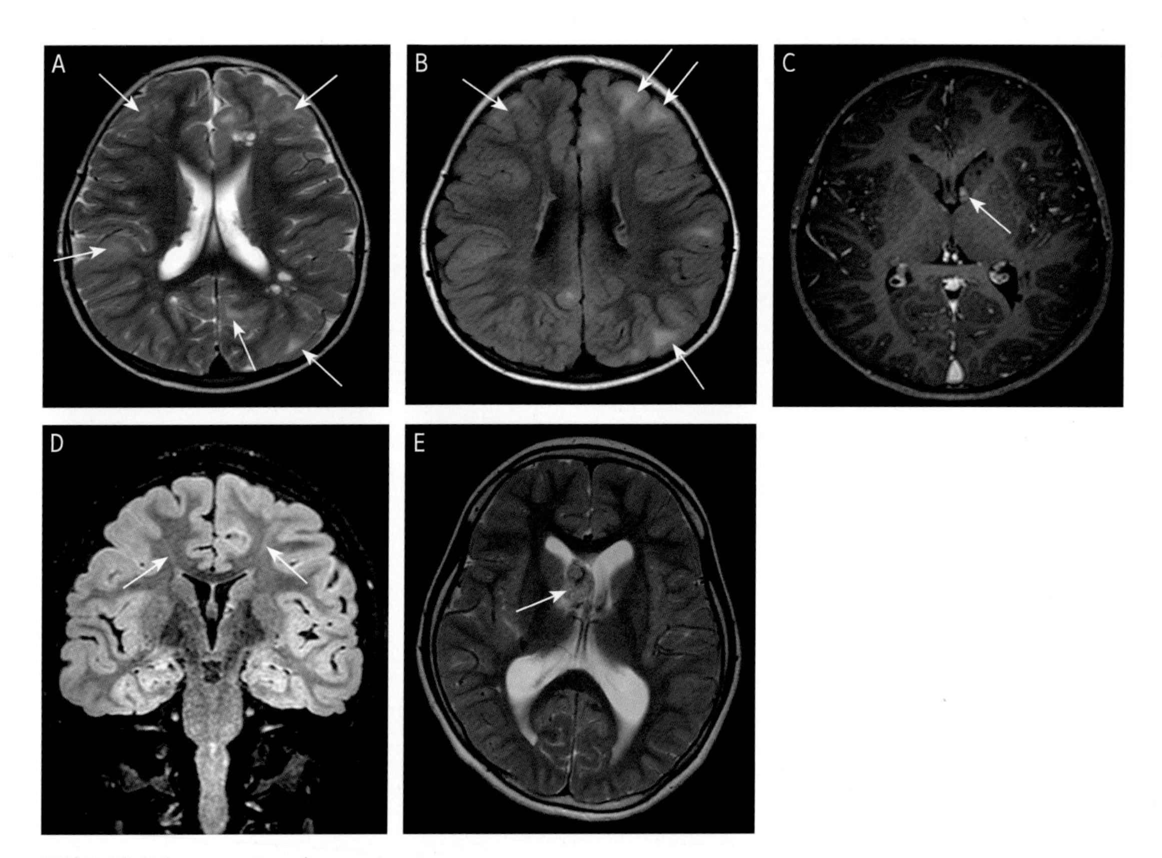

그림 5-18 Tuberous sclerosis complex

A. Axial T2와 B. axial FLAIR 영상에서 여러 개의 tuber들이 subcortical white matter의 hyperintensity와 gyral expansion (arrows)으로 보인다. 양측 lateral ventricle의 wall을 따라 여러 개의 subependymal nodule들이 확인된다.
C. Enhanced axial T1 영상에서 일부 subependymal nodule (arrow)들이 enhancement를 보인다.
D. Coronal FLAIR 영상에서 양측 frontal lobe white matter에 ventricle로부터 cortex까지 이르는 thin FLAIR hyperintense radial migration line들(arrows)이 보인다.
E. 다른 환자에서 right foramen Monro부위에 heterogeneous한 tumor (arrow)가 있으며 동반되어 양측 lateral ventricle이 늘어나 있다. Subependymal giant cell astrocytoma로 confirm되었다.

(pial angioma)이 발생하게 되고 지속적인 정맥 울혈과 만성허혈로 인해 뇌실질의 손상이 발생된다. MRI에서 침범된 부위의 지주막하 공간과 뇌이랑을 따라서 강하게 조영증강되는 연수막 혈관종과 심부수질정맥(deep medullary vein)의 확장, 동측 맥락막총(choroid plexus)의 강한 조영증강을 보이는 것이 특징적이다(그림 5-19). 진단에 조영 증강 검사가 매우 중요하며. 시간이 지남에 따라 동측 반구의 위축이 오며 피질을 따라 석회화가 진행된다. 약 15% 에서 양측성으로 발생한다.

(3) 신경섬유종증 제1형 (neurofibromatosis type 1)

상염색체 우성으로 유전하는 유전질환으로 neurofibromin을 만드는 종양억제유전자인 NF1 염색체의 변이에 의해 발생된다. 피부, 중추신경, 말초신경, 혈관, 뼈, 근육 등 여러 장기를 침범하며 다양한 임상양상을 보인다. 가장 흔한 유전질환 중의 하나로 3,000명 중 한 명꼴로 발생한다.[17, 18] 영상에서 확인할 수 있는 중추신경계의 대표적 이상소견은 국소적 비정상 신호변화(focal abnormal signal intensity), 시각경로의 신경교종(optic pathway glioma), 접형골 이형성(sphenoid dysplasia), 혈관의 이형성, 경막 이형성, 두개골과 안와의 이형성이다(그림 5-20).

국소적 비정상 신호변화는 주로 소아에서 볼 수 있는 MRI소견으로 기저핵(basal ganglia), 시상(thalamus), 내포(internal capsule), 뇌줄기(brainstem), 소뇌의 백질 등 특징적인 부위에 T2고신호강도로 나타난다. 2세 이전에는 드물며 12세 정도까지 주로 보인다. 종양과의 감별점은 다발성 병변들이 특징적인 위치에 보이며, 종괴 효과가 없고 조영 증강이 되지 않는다는 점이다.

시각경로의 신경교종은 신경섬유종증에서 가장 흔하게 발생하는 종양으로 약 15~20%에서 발생한다. 대부분 저등급 교종이며 조직검사까지 시행하지 않는 경우가 많다. 시신경에 국한되어 손가락 모양의 두꺼워진 종양으로 나타나기도 하지만 시신경교차, 시각부챗살, 시상하부까지 침범할 수 있으며 경계가 불분명하게 보일 수 있다(그림 5-21). 시각경로외에도 뇌줄기, 소뇌, 뇌량, 대내반구에도 종양이 발생할 수 있으면 낮은 등급의 별아교세포종이 대부분을 차지한다[19]. 협착, 폐쇄, 동맥류 등의 혈관이형성이 약 6%에서 동반될 수 있다고 알

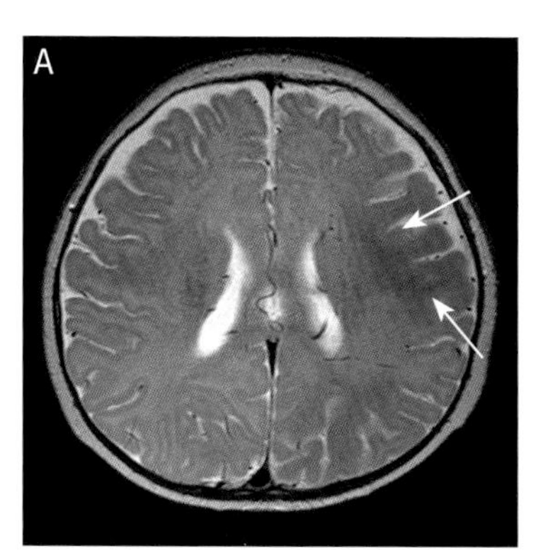

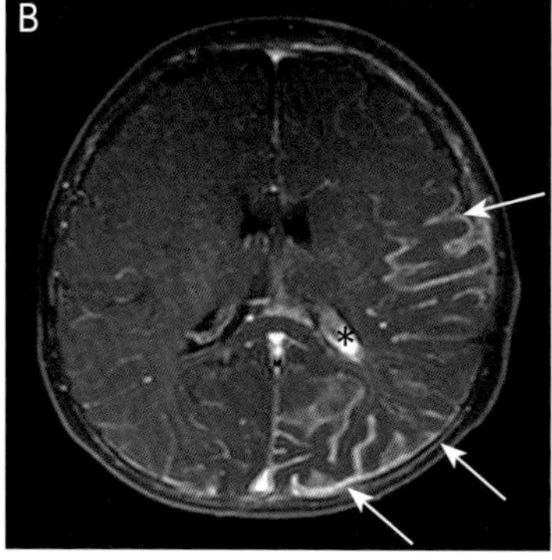

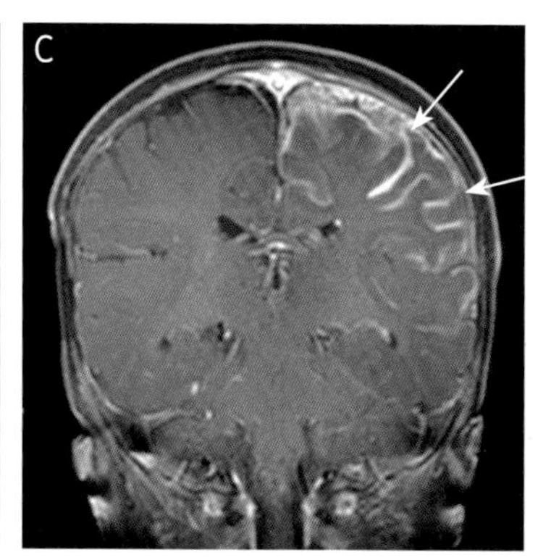

그림 5-19 Sturge-Weber syndrome
A. Axial T2 영상에서 left hemisphere의 white matter signal이 right side에 비해 hypointensity (arrows)로 보인다.
B. Enhanced axial T1과 C. Enhanced coronal T1 영상에서 이 부위에 extensive한 leptomeningeal enhancement (arrows)가 보이며 왼쪽 choroid plexus (*)가 커져 있고 enhance가 잘 된다.

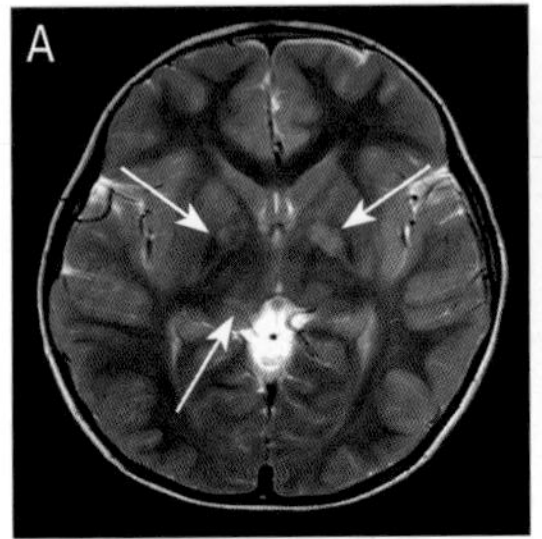

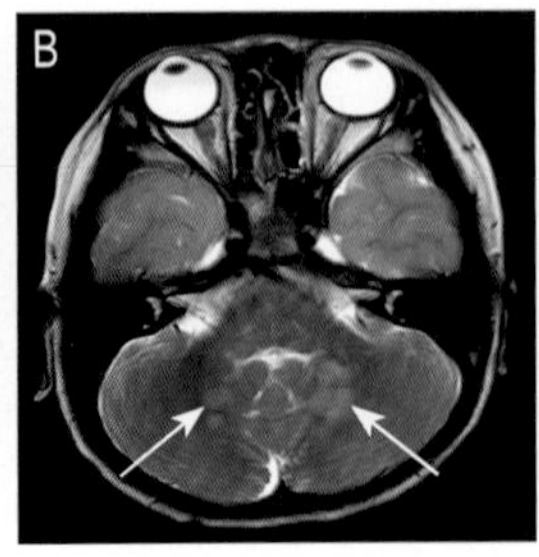

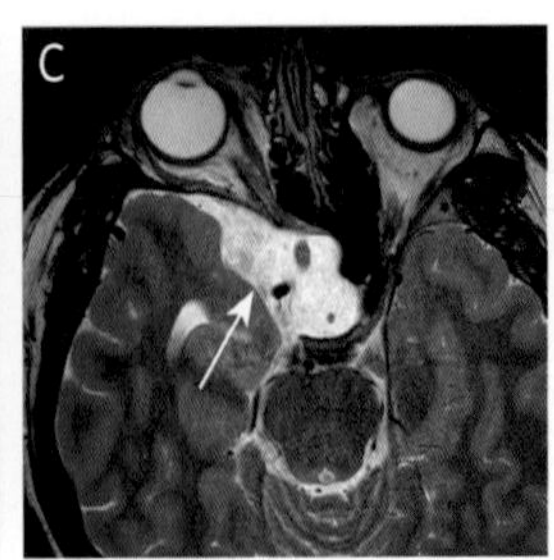

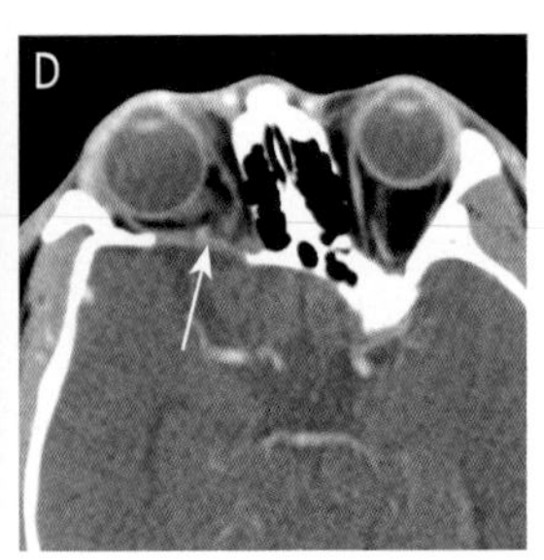

그림 5-20 Neurofibromatosis type 1
A, B. Axial T2 영상에서 양측 globus pallidus, thalamus 그리고 cerebellar white matter에 focal increased signal intensity로 생각되는 multifocal T2 hyperintensity (arrows)가 보인다.
C. Axial T2 및 D. axial CT 영상에서 right sphenoid dysplasia에 의한 right sphenoid greater wing의 bony defect (arrows)가 보이며 동반되어 middle cranial fossa의 확장과 mild proptosis가 보인다.

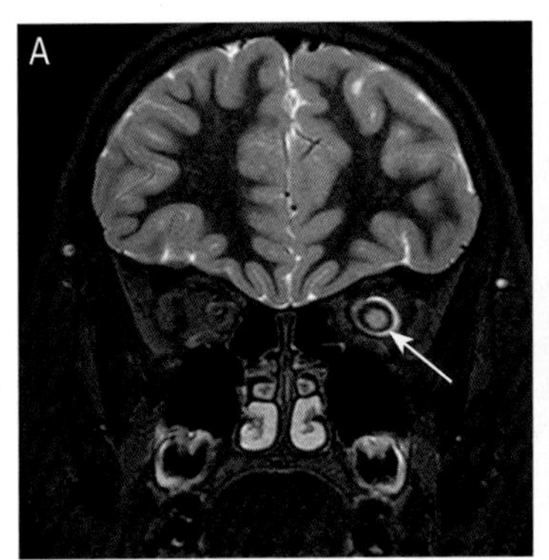

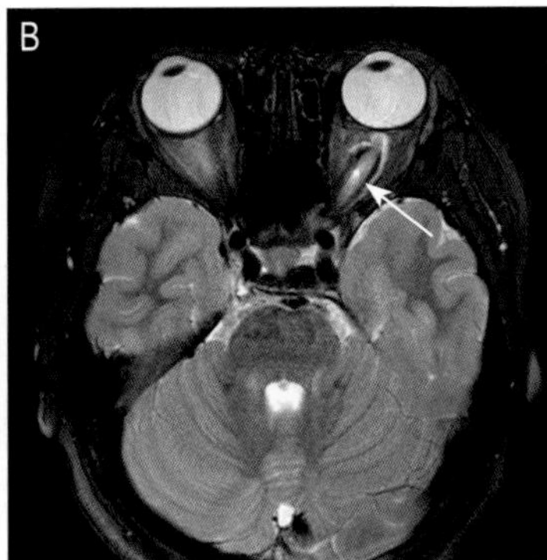

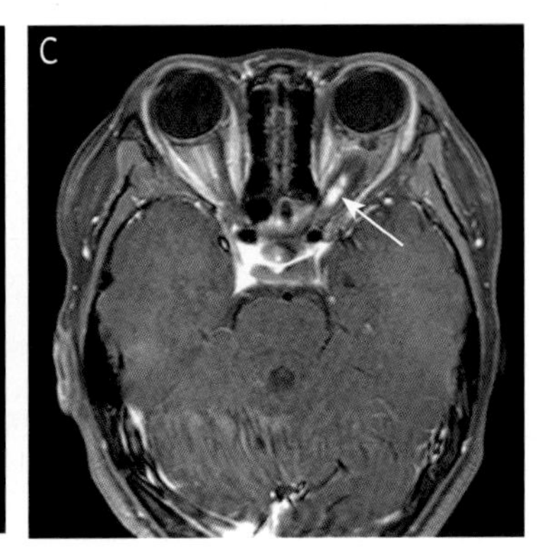

그림 5-21 Optic glioma in neurofibromatosis type 1
A. Coronal STIR 영상에서 left optic nerve (arrow)가 두꺼워져 있으며
B. Axial STIR, C. Enhanced axial T1 영상에서 fusiform하게 늘어난 left optic nerve와 동반된 enhancement (arrows)가 확인된다.

려져 있다. 모야모야병과 유사하게 내경동맥의 말단부가 좁아져 뇌허혈에 의한 증상을 일으킬 수 있으며 모야모야증후군에 해당된다.

4. 주산기, 신생아기의 뇌 손상

1) 무뇌수두증(hydranencephaly)

대뇌반구 뇌피질의 대부분이 소실되고 그 공간이 뇌척수액낭으로 대체되어 있다. 시상, 뇌줄기, 소뇌는 유지되어 있다(그림 5-22). 아마도 자궁내 손상에 인한 전순환계(anterior circulation)의 손상이 원인으로 추정된다. 대두증이 가장 흔한 임상 양상이며 수두증의 진행으로 뇌실복막강션트(ventriculo-peritoneal shunt)를 필요로 하게 된다. 대뇌겸(falx cerebri)이 있다는 점에서 전전뇌증(holoprosencephaly)과 구별할 수 있으며 심한 수두증의 경우, 얇아진 피질이 남아 있게 된다는 점이 감별점이다.

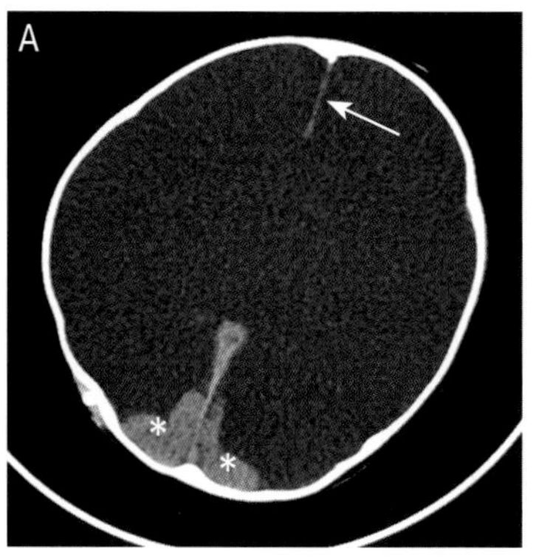

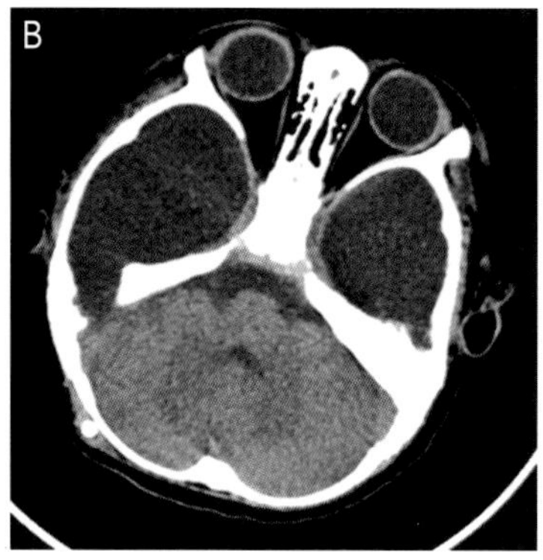

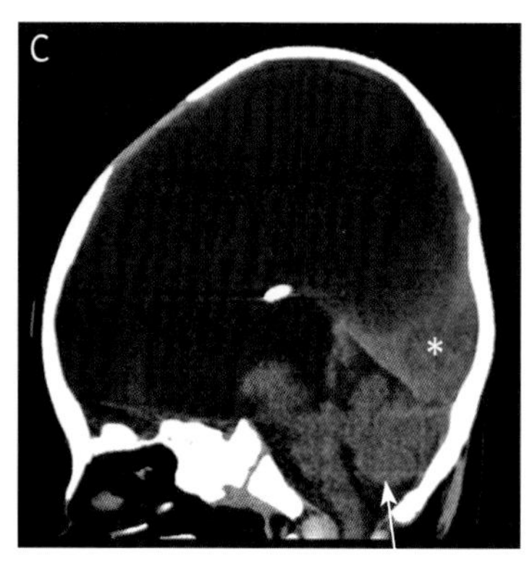

그림 5-22 Hydranencephaly
A. Unenhanced brain CT에서 대부분의 brain parenchyme은 보이지 않으며 falx (arrow)는 확인된다. 양측 occipital convexity에 인접하여 occipital lobe의 remnant (*)로 생각되는 brain tissue가 보인다.
B. Axial CT와 C. Sagittal CT 영상에서 cerebellum (arrow)와 brainstem은 유지되어 있으며 axial CT에서 보였던 occipital lobe의 일부 remnant (*)가 보인다.

2) 저산소성 허혈성 뇌병증

신생아의 뇌손상은 복잡한 모체와 주산기 요인에 의하며 미숙아들과 난산이 있었던 만삭아들에서 흔히 발견된다. 혈류의 감소, 임신 후기의 감염이나 응고이상 등의 혈액학적 장애와 연관이 있다고 알려져 있다. 신생아의 뇌를 검사하기 위한 일차적인 검사로 뇌초음파가 사용되며 뇌실의 확장, 출혈의 진단에 예민하다. 하지만 병변의 크기가 작거나 비출혈성 병변들의 진단에는 MRI가 더 예민하며 MRI에서의 이상소견들은 장기적 예후를 예측하는 데 유용하다.[20] 저산소성 허혈성 뇌손상은 다양한 인자에 의해 영향을 받으며 뇌혈류 감소, 저산소증의 정도, 지속시간, 손상 당시 뇌의 발달 상태, 검사하는 시기에 따라 다른 분포 양상을 보인다. 여러가지 손상의 양상이 동시에 존재할 수 있나. 느물시반 비케톤성 고글라이신혈증(non-ketotic hyperglycinemia), 몰리브덴 조효소결핍증(molybdenum cofactor deficiency), 아황산염 산화효소 결핍증(sulfide oxidase deficiency) 등의 선천성 대사이상질환(inborn errors of metabolism)도 신생아뇌병증을 일으킬 수 있어 저산소성 허혈증 뇌병증과 감별이 필요하다.

(1) 만삭아 뇌 손상

만삭아에서 경미하거나 중등도의 뇌혈류 감소 시 뇌혈류가 재분포되어 기저핵, 뇌줄기, 소뇌 등으로 주로 가게 된다. 따라서 이러한 심부조직들은 손상에서 보존되는 반면 혈액 공급에 취약한 뇌동맥의 경계부(intervascular boundary zone)가 주로 손상을 받게 된다.[21] MRI에서 주로 대뇌피질과 피질하백질 부위에 방시상(parasagittal) 분포의 손상이 분포한다 (그림 5-23). 이 부위는 뇌의 주변부로 초음파로 확인하기 어려운 경우가 많으며 MRI가 가장 좋은 검사 방법이다. 급성기에는 확산강조영상에서 DWI에서 고신호강도, ADC map에서 저신호강도로 확산억제(restricted diffusion)를 확인할 수 있으며 시간이 지나서 검사하게 되면 손상된 부위에 신경교증(gliosis) 및 뇌연화증 소견이 보인다.

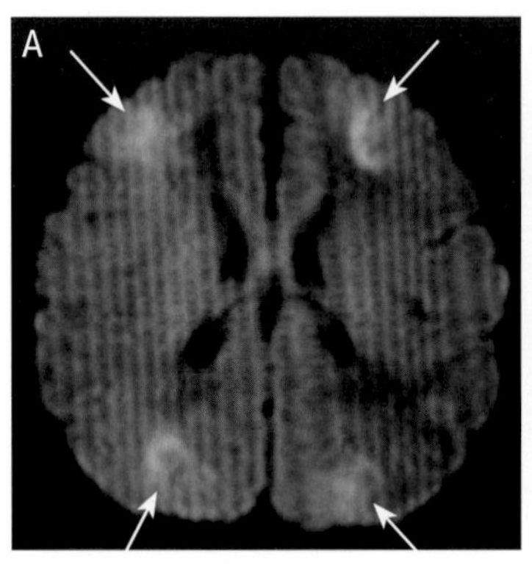

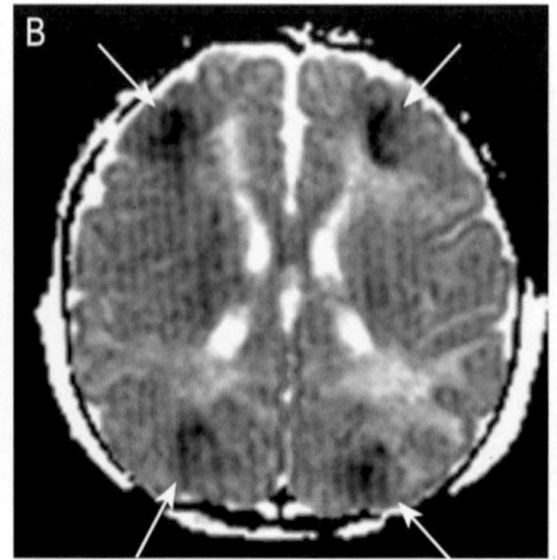

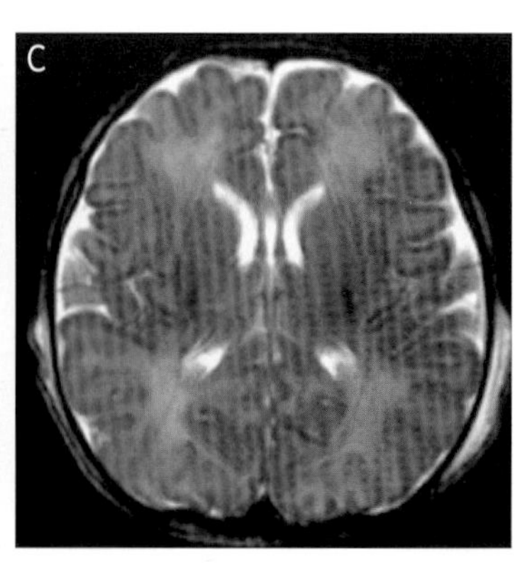

그림 5-23 Peripheral type injury in term neonate
A. Axial DWI, B. axial ADC 영상에서 vascular borderzone을 따라 parasagittal area에 diffusion restriction (arrows)이 보이며 cytotoxic edema를 시사한다.
C. Axial T2 영상에서는 대부분의 white matter가 myelination이 되지 않아 T2 signal이 높아 병변이 잘 그려지지 않는다. Acute injury의 빠른 진단에는 DWI 가 중요하다.

만삭아에서 심한 저산소성 허혈성 손상이 있을 경우 대사 활동이 활발하게 진행되고 높은 에너지 요구량이 있는 심부조직들이 주로 손상을 받게 된다. 중심부 구조물들인 외측 시상(ventrolateral thalamus), 내포의 후각(posterior limb of internal capsule), 피각의 후방(posterior putamen) 및 중심고랑주변피질의 손상이 특징적이며 더 심한 손상 시 전체 시상, 기저핵, 뇌줄기, 해마(hippocampus), 피질척수로(corticospinal tract)에도 손상이 분포한다(그림 5-24).[22] 심하고 지속적인 뇌허혈이나 저산소혈증이 있을 경우 심부회색질, 백질, 피질을 포함한 뇌전체가 손상을 받게 된다(그림 5-25).

(2) 미숙아 뇌손상

미숙아에서는 다양한 뇌손상 양상이 나타나며 경미하거나 중등도의 손상 시 미숙아 뇌출혈과 미숙아 백질 손상의 형태를 보인다. 만삭아와 마찬가지로 심한 저산소성 허혈성 손상이 있을 경우 주로 중심부에 손상이 오며 시상, 기저핵, 뇌줄기 등에 손상이 분포한다. 여러 형태의 손상이 동시다발적으로 생길 수 있으며 자궁내에서도 같은 형태의 손상이 발생할 수 있다.

미숙아 뇌출혈(germinal matrix hemorrhage-intraventricular hemorrhage, GMH-IVH)은 미숙아에서 가장 흔한 출혈의 형태로 미숙아에서 보이는 중요한 뇌손상의 형태이다. 뇌실주변의 배아기질(germinal matrix)은 신경원이 형성되는 원시조직으로 임신 중기 후반부터 퇴화하기 시작하고 미상핵과 시상의 사이(caudothalamic notch)와 소뇌의 외과립층(external granular layer)에 남아 있다가 만삭아 시기에는 대부분 보이지 않는다. 배아기질은 혈관이 풍부하고 벽이 약하여 출혈이 쉽게 일어난다.[23] GMH-IVH는 정도에 따라 영상에서 4개의 단계로 분류된다(그림 5-26). Grade 1은 배아기질에 국한된 출혈, grade 2는 배아기질 출혈이 뇌실까지 파급되었으나 뇌실 확장은 동반되지 않은 경우, grade 3은 배아기질 출혈이 뇌실까지 파급되고 뇌실 확장이 동반된 경우, grade 4는 뇌실주위백질에 뇌실 출혈에 의한 정맥성 경색이 동반될 경우에 해당된다.

초음파는 GMH-IVH의 진단에 예민하며 혈종은

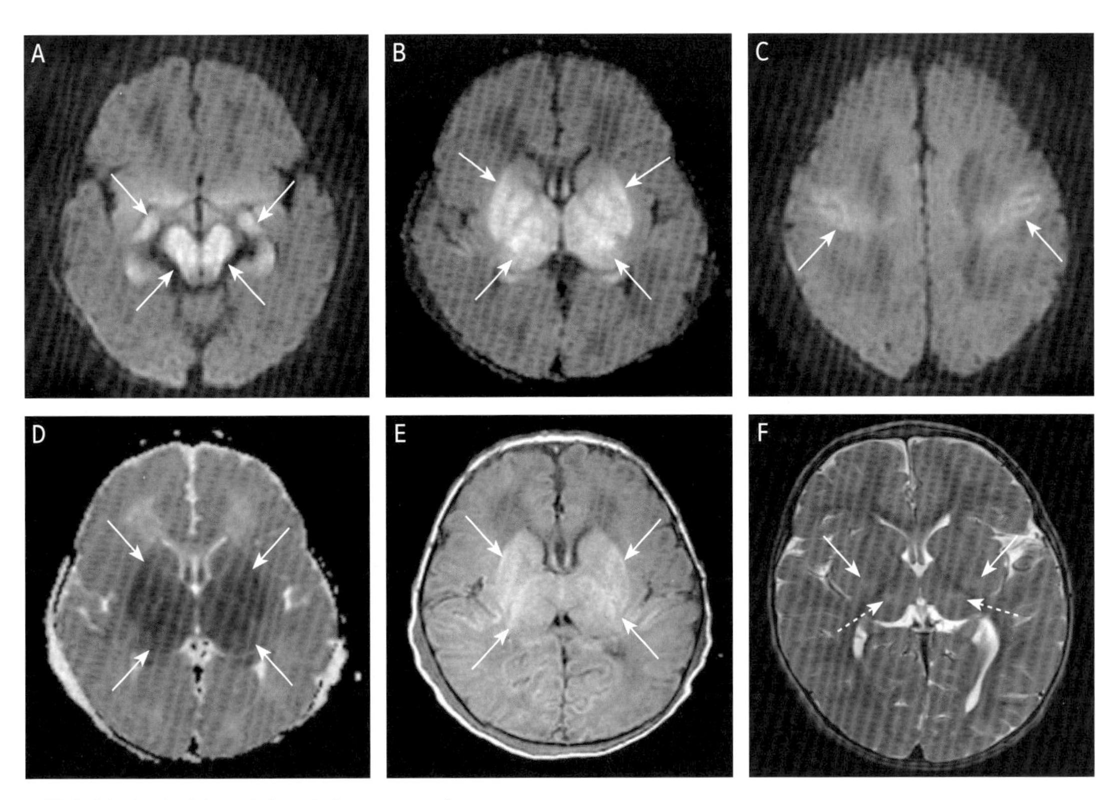

그림 5-24 Central type injury in term neonate

A, B, C. Axial DWI 영상에서 양측 hippocampus, brainstem, 양측 basal ganglia, thalamus 및 perirolandic cortex에 symmetric한 diffusion hyperintensity (arrows)가 보인다.

D. Axial ADC 영상에서 hypointensity를 보여 diffusion restriction에 합당하다. E. Axial T1에서 해당부위의 signal이 약간 증가되어 있다. F. History가 명확하지 않은 cerebral palsy로 내원한 환자의 T2 axial 영상에서 양측 thalamus (dotted arrows)와 dorsal putamen (arrows)의 hyperintensity가 있으며 central type의 hypoxic insult의 과거력을 의심해 볼 수 있다.

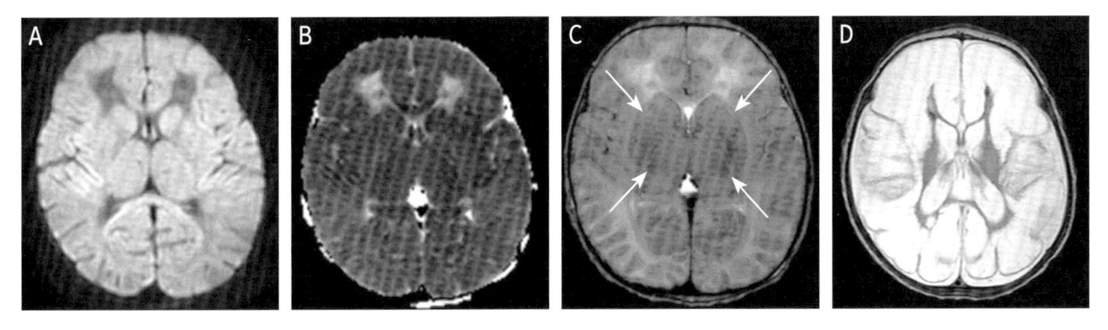

그림 5-25 Global injury in term neonate

A, B. Emergency C-section으로 태어난 full term neonate로 출생 직후 자발 호흡 및 심장박동이 없었다. A. Axial DWI, B. axial ADC map 에서 cortex, subcortical white matter및 deep gray nucleus를 diffuse하게 involve하는 diffusion restriction이 보인다.

C. Axial T2 영상에서 전체적인 brain을 involve하는 swelling과 symmetric한 deep gray nucleus (arrows)의 신호 증가가 보인다.

D. Global injury를 받았던 다른 환자의 추적 MRI의 T2 axial 영상에서 거의 전체 뇌를 involve하는 cystic encephalomalacia가 보인다.

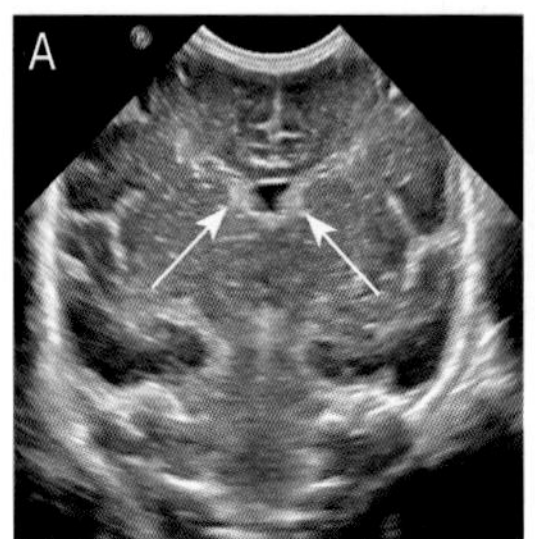

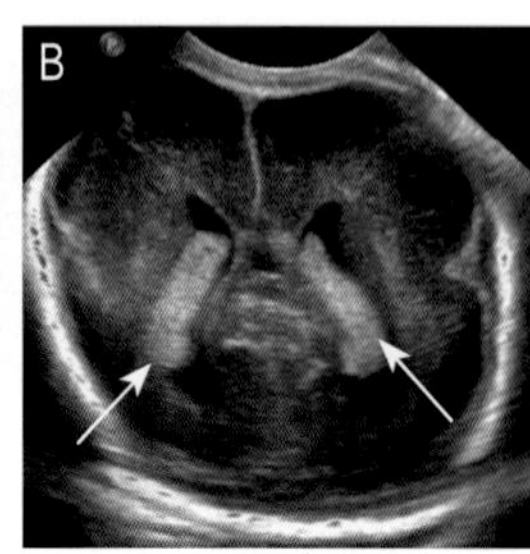

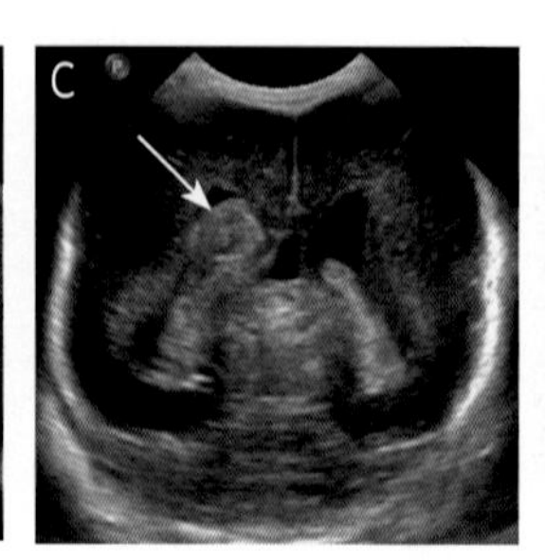

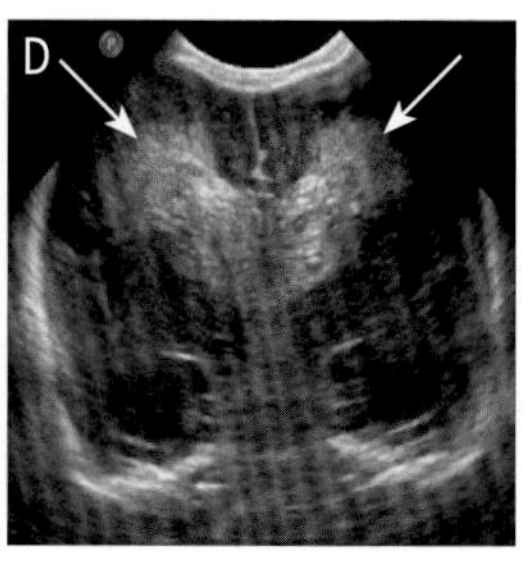

그림 5-26 Germinal Matrix Hemorrhage의 초음파 소견
A. Grade 1: Germinal matrix hemorrhage가 양측 caudothalamic groove (arrows)에 국한되어 보인다.
B. Grade 2: 양측 lateral ventricle에 intraventricular hemorrhage (arrows)가 보이나 ventricle은 늘어나지 않았다.
C. Grade 3: Right lateral ventricle에 intraventricular hemorrhage (arrow)가 보이며 ventriculomegaly가 동반되었다.
D. Grade 4: 양측 lateral ventricle내부를 intraventricular hemorrhage가 가득 채우고 있으며 periventricular venous hemorrhagic infarction이 발생하여 양측 frontal lobe에 fan shape의 hyperechoic병변(arrows)으로 보인다.

초기에는 고에코로 보이고 시간이 지남에 따라 저에코로 변한다. 뇌실 내 출혈이 있을 경우 뇌실벽을 따라 에코가 증가되는 양상이 동반될 수 있다. Grade 4의 경우 뇌실주위백질에 부채꼴 모양의 고에코의 병변으로 보이다가 낭성 변화를 보이게 되고 뇌실과 연결되기도 된다. Grade 1, 2의 경우는 예후가 좋은 편이나 grade가 높은 경우 및 출혈 후 발생된 수두증이 제대로 치료되지 못하면 장기 예후가 좋지 않다. Grade 4의 경우 뇌실주위 백질 손상이 피질척수로를 침범하여 운동 손상이 나타난다.

소뇌의 손상도 미숙아에서 흔하게 보이며 출혈의 형태가 가장 흔하다. GMH-IVH 손상과 동시에 나타나는 경우가 많으며 MRI가 진단에 더 예민하다. 대량 출혈이 있는 경우 예후가 좋지 않으며 소뇌의 위축이 초래되기도 한다(그림 5-27).[24, 25]

미숙아 백질 손상(white matter injury of prematurity)은 백질연화증(periventricular leukomalacia)으로도 불리운다. 미숙아가 주로 뇌손상을 받게 되는 임신 중기 이후의 백질은 발달단계에 있는 pre-oligodendrocyte (pre-OL)들로 주로 구성되어 있는데 미만성 백질 손상의 경우 pre-OL들이 선택적으로 손상받게 되고 이후 수초화에 장애가 발생하는 것이 주 기전으로 알려져 있다. 미숙아 백질 손상에 의해 영향을 받는 뇌의 부위를 운동 및 시각로가 지나가기 때문에 운동 및 시각장애가 흔하게 동반된다. 피질척수로에서 하지를 지배하는 축삭들이 상지를 지배하는 축삭보다 안쪽으로 주행하기 때문에 하지가 더 영향을 많이 받는다. 재태연령이 어릴수록 증가되며 미만성 병변, 국소적 병변, 공동성 변화를 보이는 병변까지 다양한 양상을 모양을 보인다. 미숙아 치료기술의 발달로 초음파에서 동공성 병변으로 보이는 백질 손상은 감소하였다.

전형적인 동공성 백질 손상은 주로 초음파에서 처음 진단이 되는데 뇌실주위 백질에 여러 개의 작은 동공들로 발견된다. 시간이 지남에 따라 크기가 줄거나 합쳐지며 뇌실주위백질의 부피 감소가 진행됨에 따라 뇌실이 커지고 불규칙한 모양을 보이게 된다. MRI에서는 불규칙한 뇌실의 모양과 함께 뇌실주위 백질의 고신호강도 병변이 확인되며 전형적인 말기 백질연화증의 영상이다. 이차적으로 양측 반구를 가로지르는 백질이 감소함에 따라 교량이 얇아지는 모양이 시상면 영상에서 잘 보이게 되며 특히 체부의 뒤쪽(posterior body)과 팽대부(splenium)가 영향을 받는다(그림 5-28).

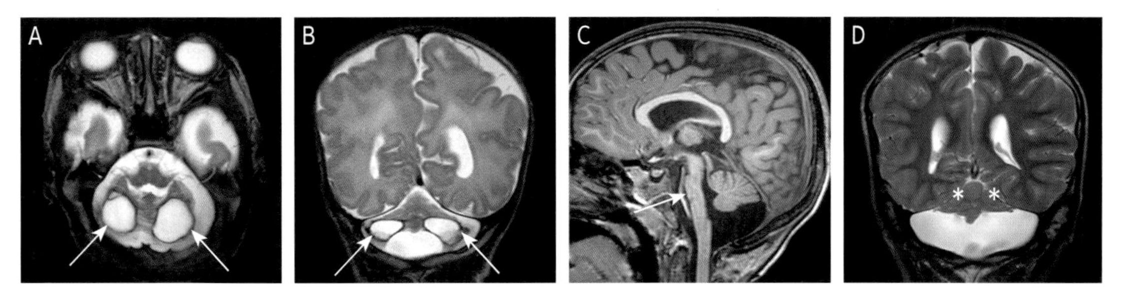

그림 5-27 Cerebellar hemorrhage in premature neonate

A, B. GA 24+5에 출생한 preterm neonate의 term equivalent age에 촬영한 MRI A. Axial T2 및 B. coronal T2 영상에서 양측 cerebellar hemisphere의 hemorrhagic cavity (arrows)가 보인다.

C, D. 추적 검사로 7년 뒤에 촬영한 C. Sagittal T1과 D. coronal T2 영상에서 이전에 보이던 hemorrhagic cavity는 소실되었으며 양측 cerebellar hemisphere (*)와 pons (arrow)의 심한 hypoplasia가 보인다. Destructive한 원인에 의한 이차적인 pontocerebellar hypoplasia이다.

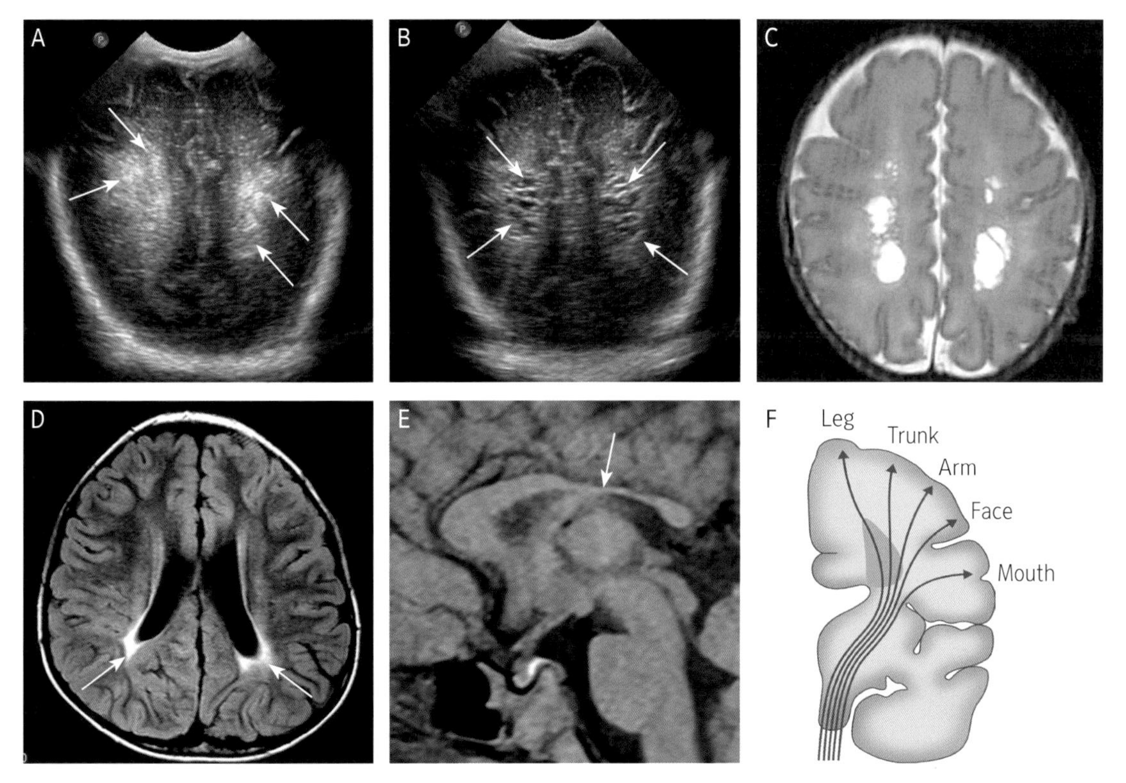

그림 5-28 Chronological change of cystic white matter injury of prematurity

A. GA 28+5 로 태어난 미숙아의 뇌초음파에서 white matter의 echogenicity가 heterogeneous하게 증가(arrows)되어 있으며, B. FU 초음파에서 cystic change (arrows)가 새로 보인다.

C. 1달 뒤 시행한 MRI T2 axial 영상에서 white matter의 cyst들의 크기와 숫자가 증가되었다.

D. 추적 검사로 시행한 MRI axial FLAIR 영상에서 양측 lateral ventricle이 irregular하게 보이며 periventricular white matter의 volume감소, periventricular FLAIR hyperintensity (arrows)가 보이는 전형적인 chronic periventricular leukomalacia의 소견이다.

E. Sagittal T1 영상에서 corpus callosum의 posterior body와 splenium의 thinning (arrow)이 보인다.

F. 피질척수로에서 하지를 지배하는 축삭들이 상지를 지배하는 축삭들보다 안쪽으로 주행하기 때문에 injury 시 하지가 더 영향을 많이 받는다.

비공동성 백질 손상(noncavitary white matter injury)은 초음파에서는 확인이 어려우며 MRI가 더 예민하다. T1에서 고신호강도, T2에서 저신호강도의 점들로 보인다. 뇌실 주위의 백질손상은 미숙아 백질손상에 특징적인 소견은 아니며 뇌실염, 감염, 대사질환, 수두증, 자궁내 손상에 의해서도 발생할 수 있다.[26]

3) 주산기 뇌졸증(perinatal/prenatal stroke)

주산기 뇌졸증은 초기 발달 단계의 뇌손상에 의한 다양한 형태의 뇌혈관질환으로 생존 출생 1,600~ 2,300명당 한 명 정도 발생한다고 알려져 있다. 이중 신생아 동맥성 허혈성 뇌졸증(neonatal arterial ischemic stroke)이 약 80~90% 정도를 차지한다.[27] 왼쪽 중뇌대동맥영역이 가장 흔하게 침범된다(그림 5-29). MRI가 가장 예민한 검사방법으로 확산강조영상 등을 통해 급성기때 뇌경색을 확인할 수 있는 경우도 있으나, 신생아기 이후에 우세손, 편마비 등의 비대칭적인 신경학적 증상으로 늦게 진단되기도 한다. 동맥성 원인 외에도 신생아 출혈성 뇌졸증 및 정맥성 뇌경색도 아형으로 알려져 있다.

5. 대사성 및 유전질환

다양한 대사성질환 및 유전질환을 포함한 신경질환에서 영아기에 비정상적인 근긴장저하를 포함한 운동발달이상을 보일 수 있어 뇌성마비로 오인될 수 있다. 이 중 일부는 진행할 수 있으며 치료가 가능하기 때문에 의심과 빠른 진단이 중요하다.[28-30] 이 중 특징적인 영상 소견을 보이는 몇 가지 질환들에 대해서 살펴보겠다.

1) 이염색백질이영양증 (metachromatic leukodystrophy)

리소좀 축적질환(Lysosomal storage disorder)으로 주로 백질을 침범하는 대표적인 대사성질환이다. MRI에서 초기에는 두정후두부(parietooccipital)의 뇌실주위 백질과 교량의 팽대부에서 대칭적인 T2 신호강도의 증가가 보이며 진행하게 되면 광범위한 뇌백질의 신호강도 이상을 보인다.

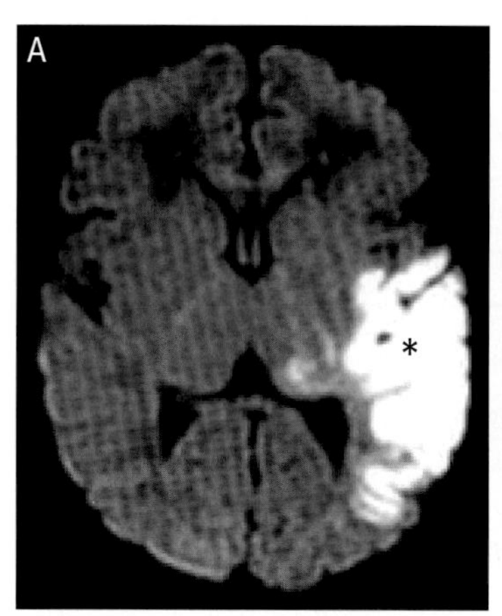

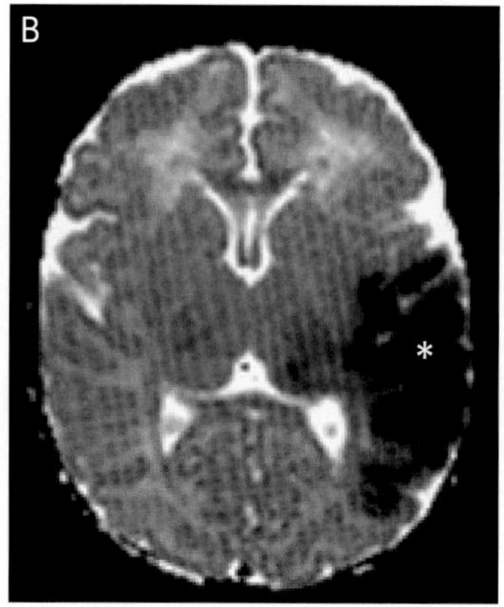

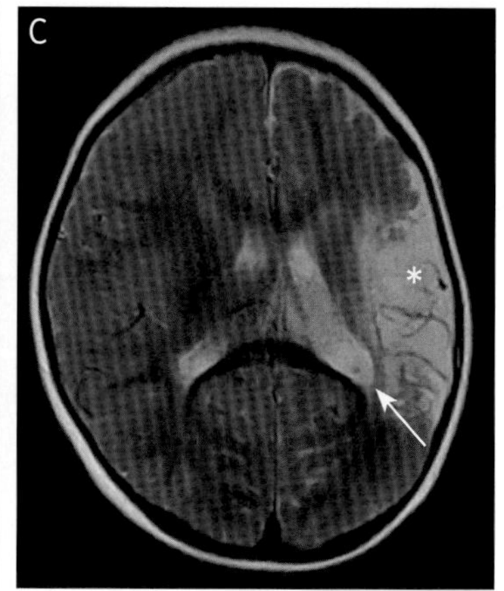

그림 5-29 Chronological change of perinatal stroke

A, B. Seizure로 출생 후 5일에 촬영한 A. DWI B. ADC map에서 left MCA territory의 diffusion restriction (*)이 보인다.

C. 추적 검사로 시행한 T2 axial 영상에서 left MCA territory의 encephalomalacia (*)와 동반된 left lateral ventricle의 dilatation (arrow)이 보인다.

침범된 수초와 침범되지 않은 수초가 섞여 얼룩덜룩하게 보여 호랑이무늬(tigroid) 양상으로 보인다. 조영증강은 보이지 않는다(그림 5-30).

2) 성염색체열성 부신 백질이영양증 (X-linked adrenoleukodystrophy)

성염색체 열성으로 유전되는 질환으로 과산화소체(peroxisome) 내의 지방산 분해 효소 결핍으로 긴사슬지방산(very long chain fatty acid)이 비정상적으로 증가되어 탈수초화가 발생한다. MRI에서 대칭적인 T2 신호강도의 증가가 두정후두부(parietooccipital) 뇌실주위 백질과, 교량의 팽대부에서 시작되며 피질척수로를 비롯한 다른 백질신경로를 침범한다. T2에서 고신호강도를 보이는 부위가 여러 개의 층을 형성하며 조영증강을 시행하였을 때 탈수초화가 활발하게 진행되는 중간층이 강하게 조영증강되는 것이 특징이다(그림 5-31).

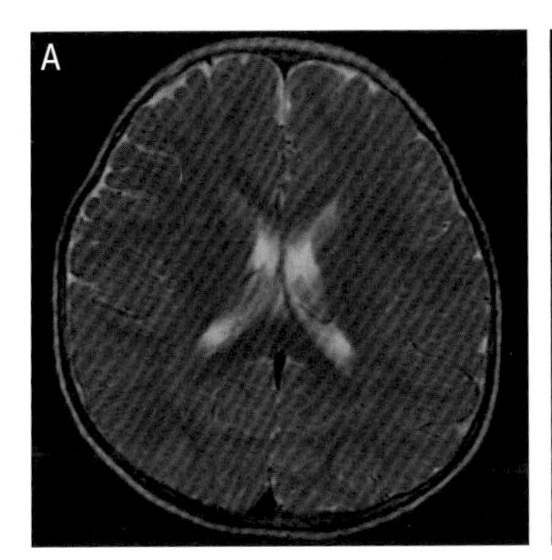

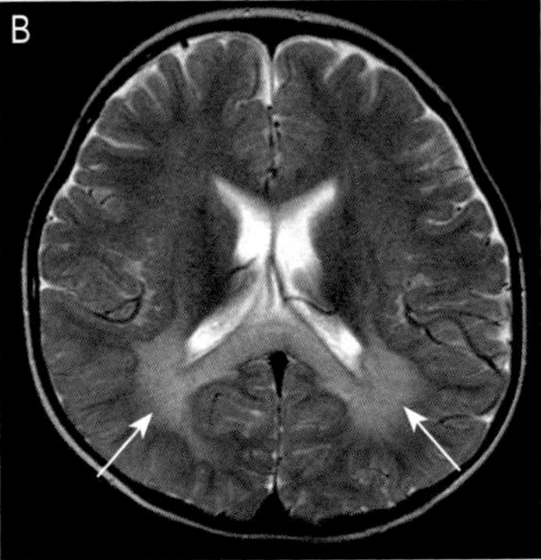

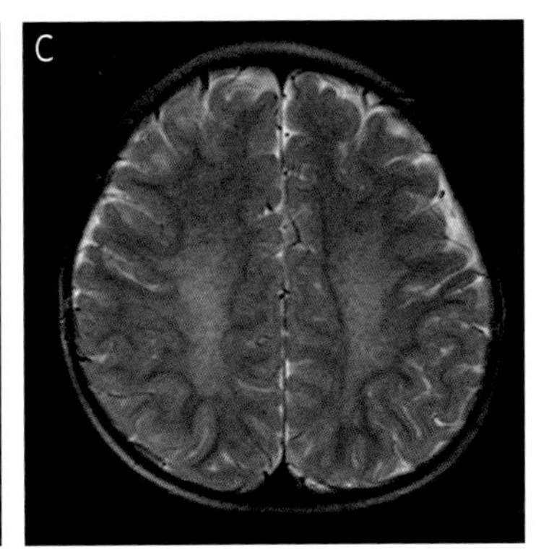

그림 5-30 Metachromatic leukodystrophy
A. Spastic diplegia를 주소로 내원한 21개월 남아의 axial T2 영상에서 뚜렷한 이상 소견이 보이지 않는다.
B. C. 1년 뒤 FU으로 시행한 axial T2 영상에서 양측 periventricular white matter 및 deep white matter를 involve하는 confluent T2 hyperintensity (arrows)가 보인다. 증가된 T2 hyperintensity부위 내부에 작은 T2 hypointensity들이 보이는 'tigroid' pattern을 보인다.

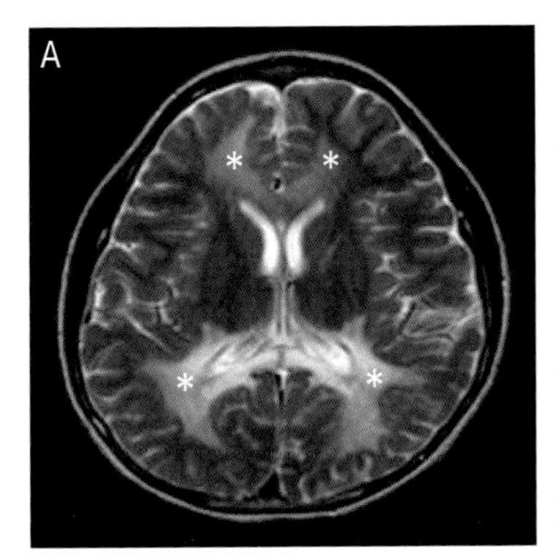

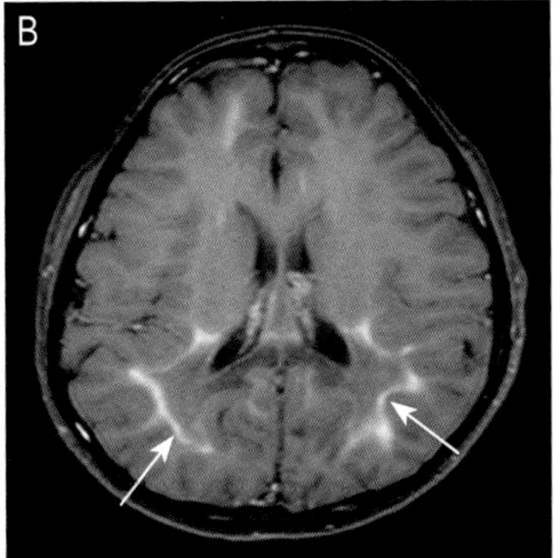

그림 5-31 X-linked adrenoleukodystrophy
A. Axial T2 영상에서 confluent한 T2 hyperintensity가 frontal과 peritrigonal white matter (*)에 보인다.
B. Enhanced axial T1 영상에서 active demyelination되는 intermediate zone이 강하게 enhancement (arrows)를 보인다.

3) 미토콘드리아성 질환

다양한 미토콘드리아성 질환들 중 특징적인 영상 소견을 보이는 대표적인 질환이 MELAS (myopathy, encephalopathy, lactic acidosis and stroke-like episode)이다. MELAS는 급성기때 급성뇌경색과 비슷한 양상의 T2 고신호강도와 부종이 생기며 추적검사에서 이 부위는 위축이 생기고 다른 부위의 비슷한 병변이 생기며 호전과 악화를 반복할 때 의심해 볼 수 있다. 뇌경색과 유사한 양상을 보이나 병변이 혈관 영역에 맞지 않는 것이 특징이다(그림 5-32).

리증후군(Leigh syndrome)은 가장 흔하게 보이는 미토콘드리아성 질환의 소견으로 다양한 질환에 의해서 생기는데 영상 소견들은 겹치는 부분이 많다. 전형적인 모양은 양측 피각(putamen)과 수도관주위(periaqueductal) 회색질의 대칭적인 T2 고신호강도이다(그림 5-33).

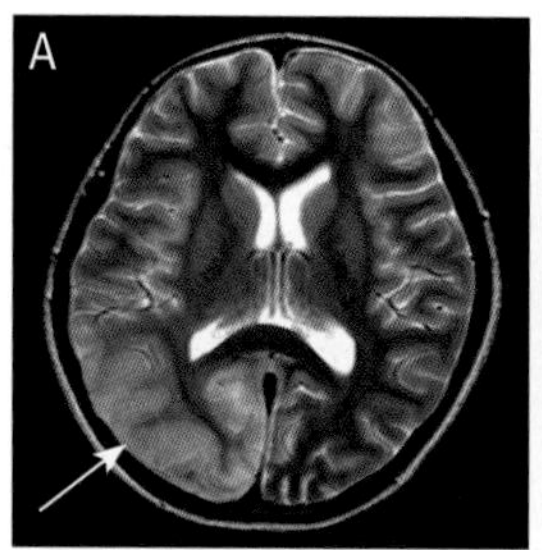

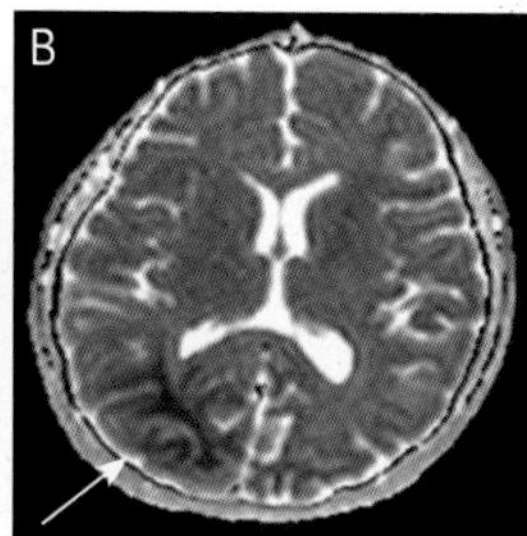

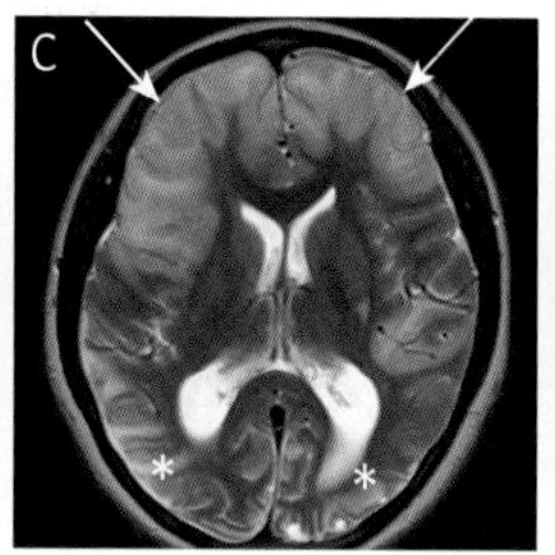

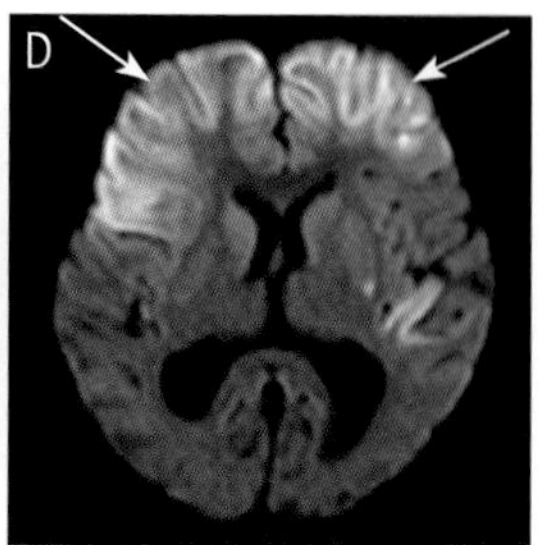

그림 5-32 MELAS (Mitochondrial Encephalomyopathy, Lactic Acidosis, and Stroke-like episodes)
A. Headache로 내원한 10세 여아의 axial T2 영상에서 right parietooccipital lobe의 gyral swelling (arrow)과
B. diffusion restriction (arrow)이 보인다.
C, D. 4년 뒤 headache와 disorientation으로 시행한 FU MRI axial T2(C) 영상에서 양측 frontal lobe의 새로운 gyral swelling (arrows)이 보이며 (D) diffusion restriction (arrows)이 확인된다. 이전 gyral swelling을 보였던 right parietooccipital lobe와 left occipital lobe는 atrophic change (*)를 보인다.

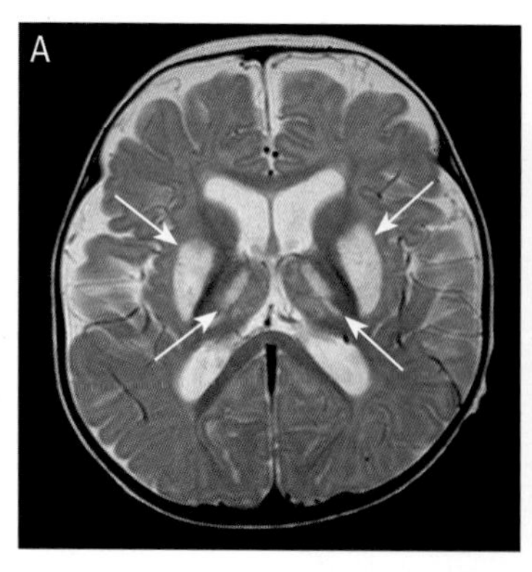

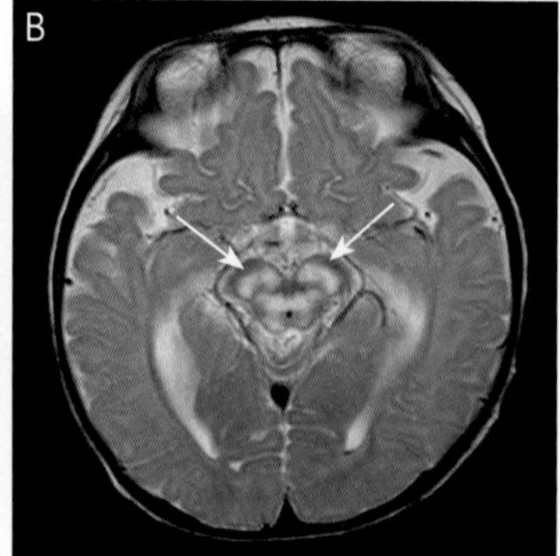

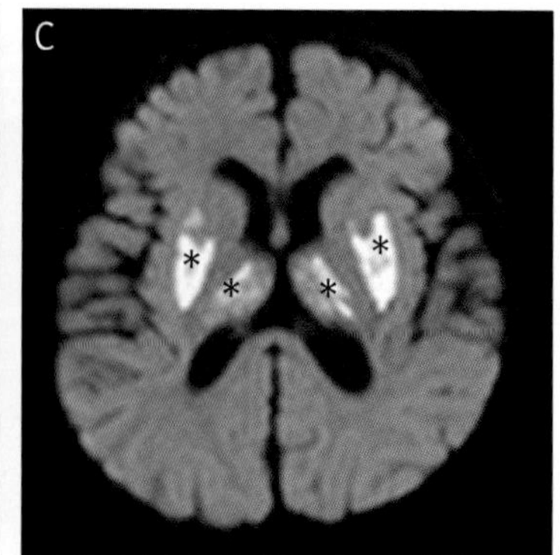

그림 5-33 Leigh disease
A, B. Developmental delay를 주소로 내원한 9개월 남아에서 양측 putamen, thalamus와 midbrain을 involve하는 symmetric T2 hyperintensity (arrows)가 보인다.
C. Diffusion 영상에서 해당부위에 diffusion restriction (*)이 확인되었다.

4) 펠리제우스-메르츠바허 병 (Pelizaeus-Merzbacher disease)

저수초화(hypomyelination)를 보이는 대표적 질환으로 수초를 구성하는 대표적 단백질과 관련된 PLP1 유전자의 변이에 의해 발생한다. MRI에서 대칭적이고 전반적인 뇌백질의 수초화가 저하된 소견을 보인다. 뇌백질의 파괴는 보이지 않으며 마치 신생아나 영아기의 뇌 MRI와 유사하게 보인다(그림 5-34).

5) 알렉산더 병(Alexander disease)

백질과 회색질을 모두 침범하는 질환으로 가장 전형적인 유아형의 경우 영상에서 대칭적이고 광범위한 T2고신호강도가 전두엽에서 시작하여 뒤쪽으로 진행된다. 기저핵과 시상의 신호 이상도 동반되며 대두증과 비정상적인 조영 증강이 특징이다.

6. 소아중추신경계 감염 및 염증성 질환

1) 선천성 감염

선천성 감염은 태반을 통과하여 태아에게 영향을 주거나 분만 시 발생할 수 있으며 대표적 원인으로 TORCH (toxoplasma, rubella, cytomegalovirus, herpes simplex, and human immunodeficiency virus)가 알려져 있다. 이 중 CMV가 가장 흔하고 심각한 선천성 감염의 원인 중의 하나로 배아기질(germinal matrix)의 신경원세포(neuroblast)를 주로 침범하며 임신 중 어느 시기에 감염이 되었는지에 따라 다양한 양상을 보일 수 있다. 초기 감염의 경우 더 심한 후유증과 관련이 있으며 다소뇌회증, 분열뇌증과 같은 신경원 이주이상 등이 동반될 수 있다. 중기 및 후기 감염의 경우 뇌실주위 백질의 고신호강도, 뇌실 주위의 석회화, 뇌실주변에 낭종이 보일 수 있으며 특히 측두엽 앞쪽에 호발한다(그림 5-35).[31]

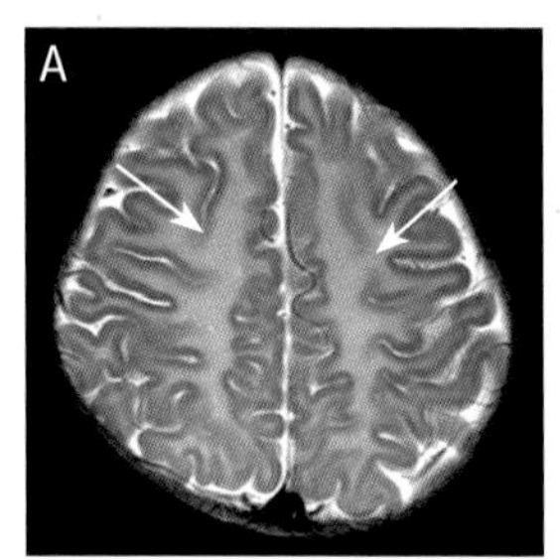

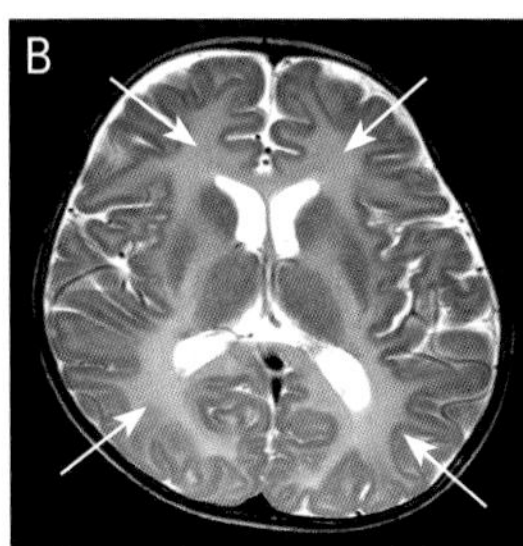

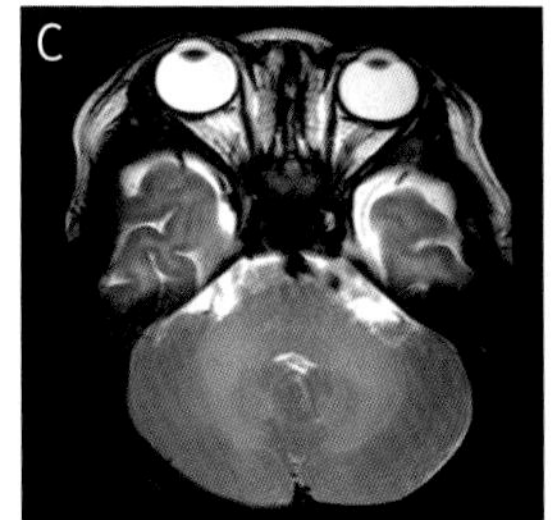

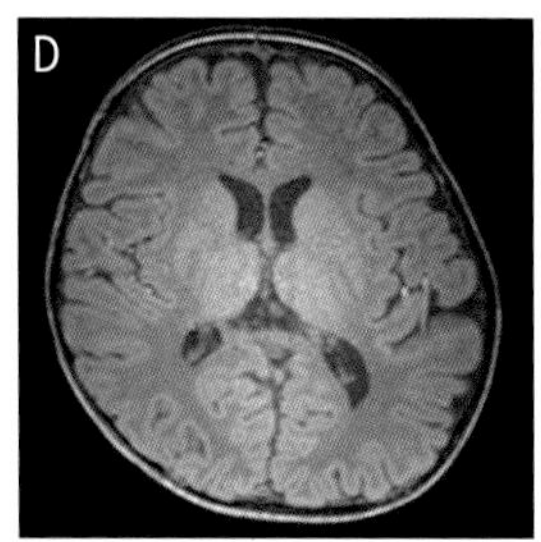

그림 5-34 Pelizaeus-Merzbacher disease
A, B, C. Developmental delay로 내원한 1세 남아의 T2 영상이다. 정상적으로 myelination된 white matter는 T2에서 hypointense하게 보이는 데 반해 white matter (arrows)의 signal이 전체적으로 T2 hyperintense하게 보여 newborn brain와 유사하게 보인다.
D. T1 axial 영상에서 정상적으로 myelination이 된 T1 hyperintense한 white matter가 보이지 않는다.

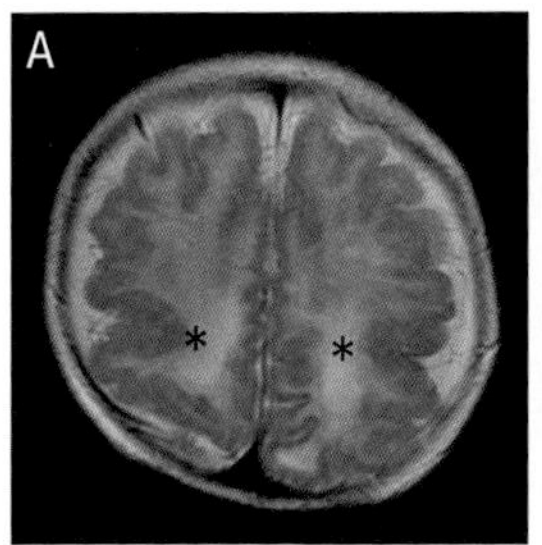

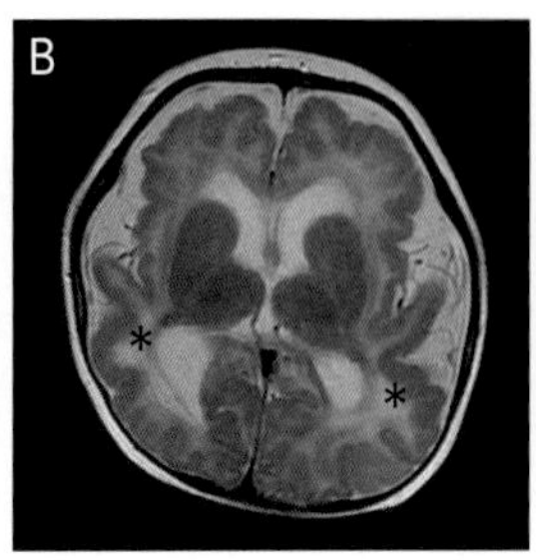

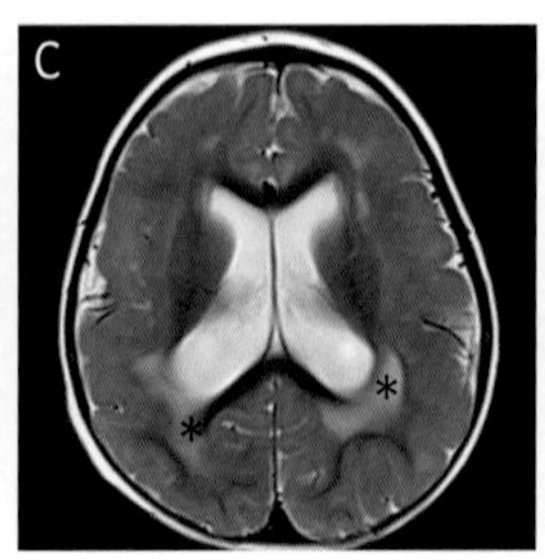

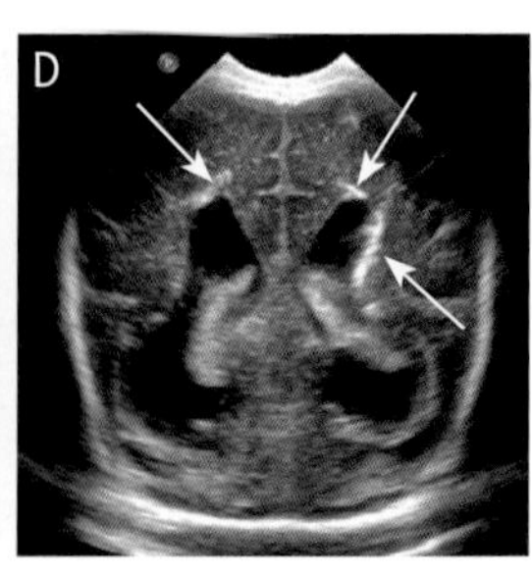

그림 5-35 다양한 congenital CMV의 영상 소견

A, B. T2 axial 영상에서 diffuse polymicrogyria와 diffuse한 white matter의 abnormal T2 hyperintensity (*)가 보인다.

C. Congenital CMV로 confirm된 다른 환자의 Axial T2영상에서 periventricular white matter의 patchy한 hyperintensity가 보인다.

D. Brain US에서 irregular하게 늘어난 ventricle 주변에 multiple hyperechoic 병변(arrows)들이 보이며 periventricular calcification에 해당한다.

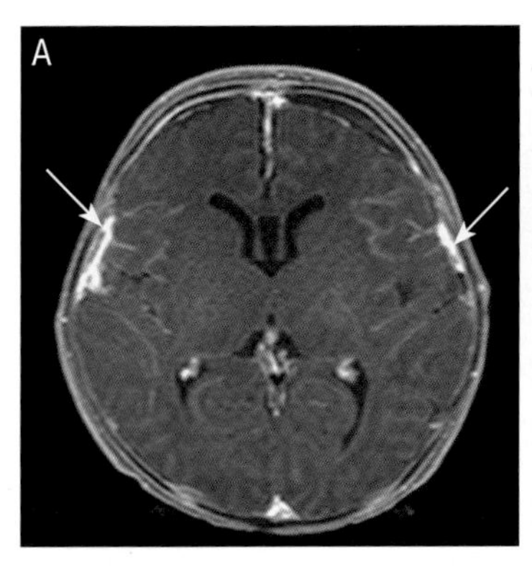

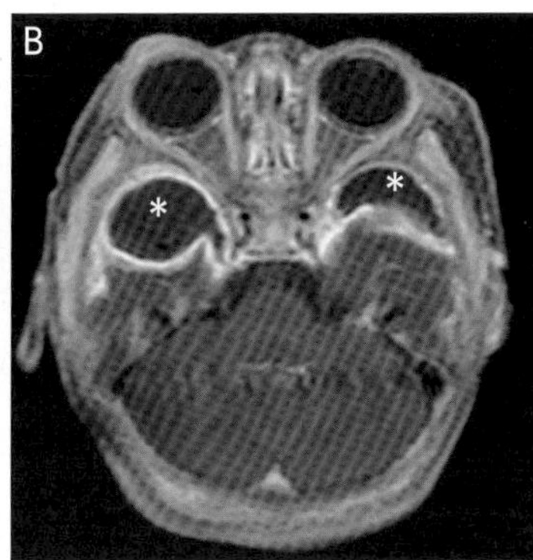

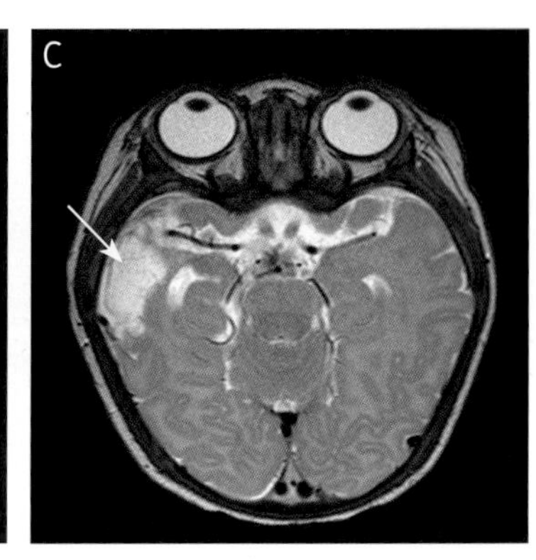

그림 5-36 Meningitis의 complication

A. Group B Streptococcal meningitis가 확인된 신생아의 enhanced axial T1 영상에서 양측 temporal convexity에 irregular cortical enhancement (arrows)가 보인다.

B. FU MRI enhanced axial T1 영상에서 thick wall enhancement를 보이는 subdural empyema (*)가 anterior middle cranial fossa에서 확인되었다.

C. FU MRI axial T2 영상에서 right temporal lobe의 infarction (arrow)이 확인되었다.

2) 중추신경계 감염

세균성 뇌수막염은 소아에서 가장 흔한 중추신경계의 감염 형태이다. 나이에 따라 원인균이 달라지는데 신생아에서 가장 흔한 세균성 뇌막염의 원인균은 Group B Streptococcus, Escheria Coli, Enterobacter 등이다. 신생아기 이후에는 Streptococcus pneumonia, Neisseria meningitides, Haemophilus influenza 등이 주요 원인균이다. 신생아 화농성 수막염은 초기에 광범위한 뇌부종을 보이며, 이후 다발성 뇌경색, 뇌 위축 및 뇌의 연화증으로 급속하게 진행될 수 있다. 소아의 뇌수막염은 영아보다 경한 경과를 보이며 경한 수두증을 흔하게 보인다. 합병증이 없는 초기 세균성 수막염에서 영상소견은 거의 정상이거나 비특이적인 연수막의 조영증강을 보일 수 있다. 영상검사는 합병증을 확인하기 위해 시행되며 MRI가 가장 유용하다(그림 5-36). 뇌염, 뇌농양, 뇌실염, 수두증, 급성 뇌경색, 경막하축농(subdural empyema) 등의 합병증이 발생할 수 있다.[32]

3) 급성파종뇌척수염(Acute disseminate encephaomyelitis)

면역 매개에 의한 염증성 탈수초화로 바이러스성 감염이나 예방접종 이후에 발생한다. MRI에서는 피질, 백색질, 심부 회백질 모두 침범될 수 있으며 양측성이나 비대칭적인 T2 고신호강도들로 보이며 다양한 정도의 조영증강을 보인다(그림 5-37). 척수도 침범할 수 있다.

6. 척수의 병변

1) 선천성 척수기형

선천성 척수기형은 척추이분증(spinal dysraphism)이라고도 불리우며 다양한 스펙트럼의 발달 기형을 통칭한다. 피부로 덮여 있지 않은 개방성 척추유합부전(open spinal dysraphism)과 피부로 덮여 있는 잠재성 척추유합부전(closed spinal dysraphism)으로 크게 분류된다. 개방성 척추유합부전에서는 척추강 내의 내용물이 척추후궁의 결손을 통해 탈출된다. 피부 결손을 보이기 때문에 출생 직후 임상적으로 진단이 어렵지 않다. 잠재성 척추유합부전은 상당히 다양한 스펙트럼을 보이며 피하종괴가 있는 경우와 없는 경우로 나눠지게 된다. 피하종괴를 동반하는 대표적인 예가 경막결손을 동반하는 지방종에 해당되는 지방척수류/지방척수수막류(lipomyelocele/lipomyelomeningocele), 뇌척수액낭이 척추후궁의 결손을 통해 빠져나오는 단순수막류(meningocele), 중심관이 늘어나 있는 척수가 단순수막류내로 빠져나가는 척수낭류(myelocystocele)이다.

피하종괴를 동반하지 않는 병변으로는 복잡기형인 미측퇴행증후군(caudal regression syndrome), 상피세포로 피막되어 있는 관이 피부표면부터 안쪽으로 연결되어 있는 기형으로 척수나 수막까지 이르게 되면 감염의 위험이 있는 선천성 피부동(dorsal dermal sinus), 경막결손이 동반되지 않는 경막내 지방종(intradural lipoma), 종말끈을 따라 지방 침착이 보이는 종말끈의 섬유지방종(fibrolipoma of the filum terminale), 드문 기형으로 척수가 두 개로 분할되는 척수이분증(diastematomyelia) 등이 여기에 속한다.[33]

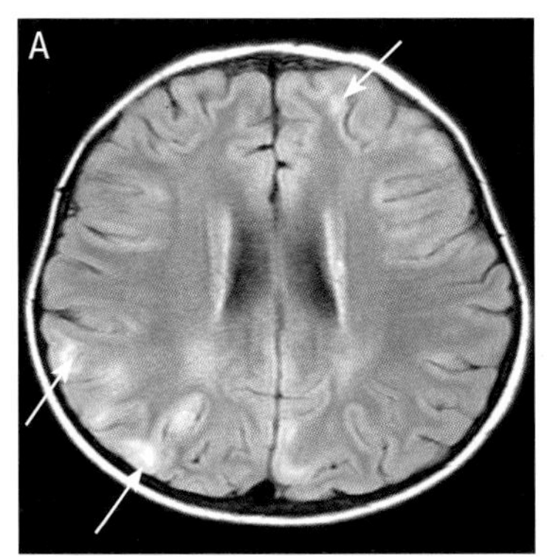

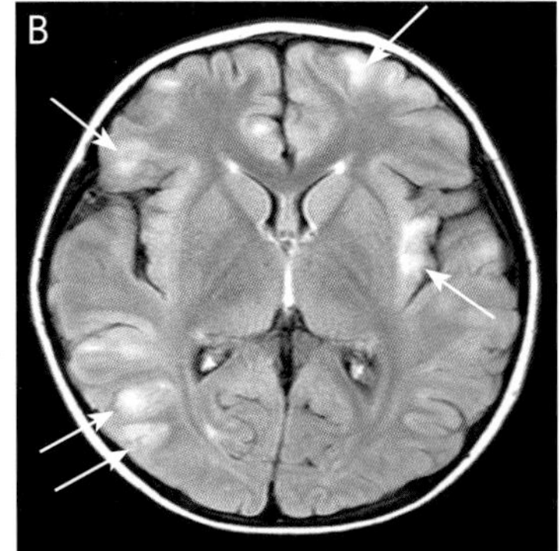

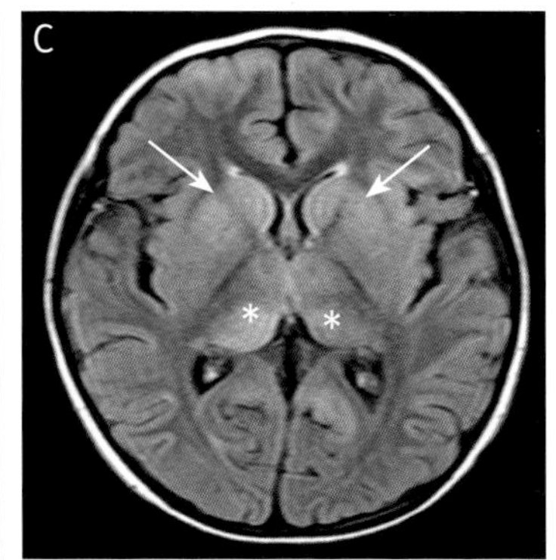

그림 5-37 Acute disseminated encephalomyelitis
A, B. Seizure와 fever로 내원한 4세 여아의 axial FLAIR 영상에서 multifocal한 juxtacortical white matter의 hyperintensity (arrows)가 보이며
C. 양측 basal ganglia (arrows)와 thalamus (*)에도 asymmetric한 hyperintensity가 보인다.

(1) 척수수막류(myelomeningocele)와 척수류(myelocele)

대표적인 개방성 척추유합부전으로 일차 신경관 형성과정에서 신경 주름이 정중앙에서 제대로 닫히지 못하여 발생한다고 생각된다. 신경기원판(neural placode)이 척추후궁의 골 결손을 통해 공기 중에 노출되어 있으며 피부 결손을 동반한다. 지주막하 공간이 확장되어 신경기원판이 척추강 밖으로 돌출되어 있는 경우를 척수수막류(myelomeningocele), 피부와 같은 선상이나 척추강 안쪽에 위치하는 경우를 척수류(myelocele)로 부른다. 거의 모든 경우에서 앞서 기술된 Chiari 2형 기형과 동반된다(그림 5-38). 수술 전 영상검사를 시행하지 않는 경우들이 많으며 수술 이후 신경학적 증상이 악화될 때 원인을 찾기 위해 MRI 검사를 시행하게 된다.

(2) 선천성 척수지방종(spinal lipoma)

척수지방종(spinal lipoma)은 잠재성 척추유합부전의 가장 많은 부분을 차지한다. 지방종의 위치와 경막결손의 유무 등에 따라 다양하게 분류할 수 있으며 분류체계는 통일되어 있지 않아 용어의 혼선이 있다.[34, 35] 지방종과 척수가 단단하게 붙어서 척수견인이 발생하는 경우 신경학적 증상이 진행할 수 있어 수술적 치료가 필요하다.[36] 척수견인을 일으키는 대표적인 척추지방종이 지방척수류/지방척수수막류(lipomyelocele, lipomyelomeningocele)로 신경기원판와 다양한 크기의 지방종이 붙어 있으며 경막결손을 통해 피하지방과 연결되어 있다. 신경기원판과 지방종의 접촉 부위가 척추강내에 있는 경우 지방척수류(lipomyelocele), 지주막하 공간의 확장으로 접촉 부위가 척추후궁의 결손을 통해 탈출되어 척추강 밖에 위치하는 경우 지방척수수막류(lipomyelomeningocele)로 분류한다(그림 5-39). 경막결손을 동반하지 않는 지방종으로는 경막내 지방종, 종말끈의 섬유지방종이 대표적이다. 경막내 지방종은 경추, 흉추 부위에서는 주로 척수의 뒤쪽에 위치하며 척수를 눌러 발견되거나, 요천추부위에서는 천수견인을 유발하여 발견된다. 종말끈의 섬유지방종은 신생아 딤플(dimple)로 시행한 초음파 검사에서 우연히 발견되는 경우가 많으며 4~11.9%까지도 보고된다.[37] 초음파상에서는 종말끈이 두꺼워지며 고에코로 보이며, MR에서는 종말끈을 따라 T1에서 고신

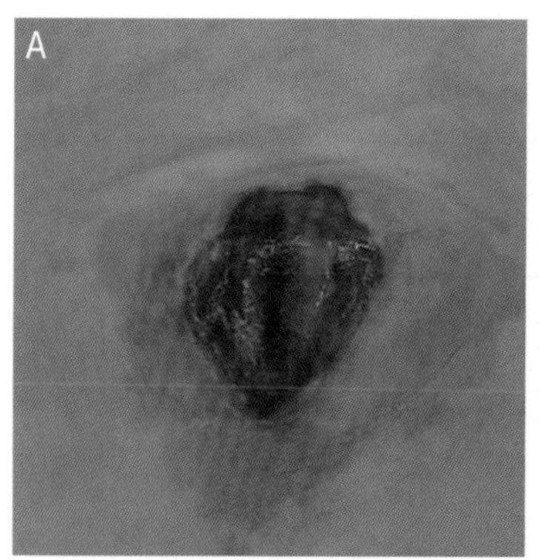

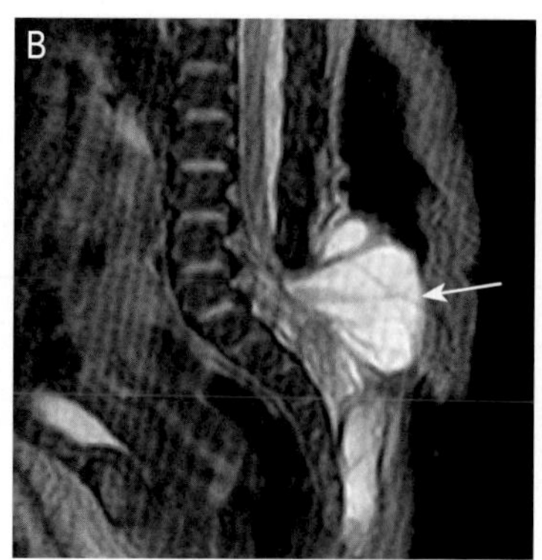

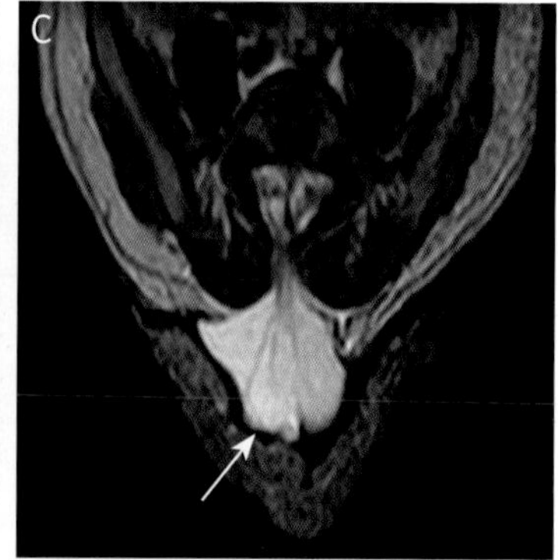

그림 5-38 Myelomeningocele
A. Clinical photo에서 skin defect를 통해 neural placode가 노출되어 있다.
B. Sagittal 및 C. Axial T2 영상에서 posterior spinal defect를 통해 neural placode와 myelomeningocele sac (arrows)이 bulging되어 있다.

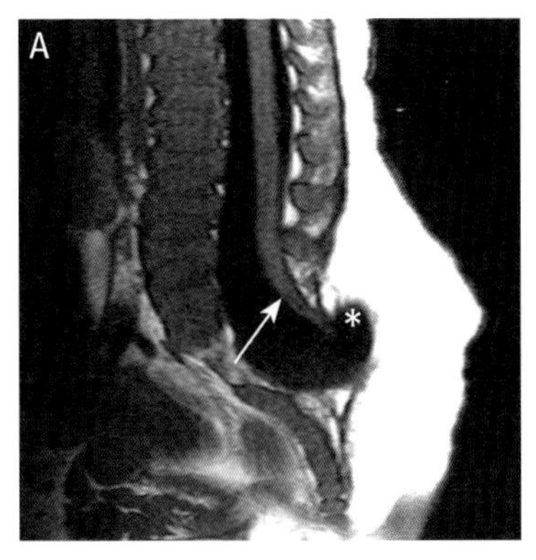

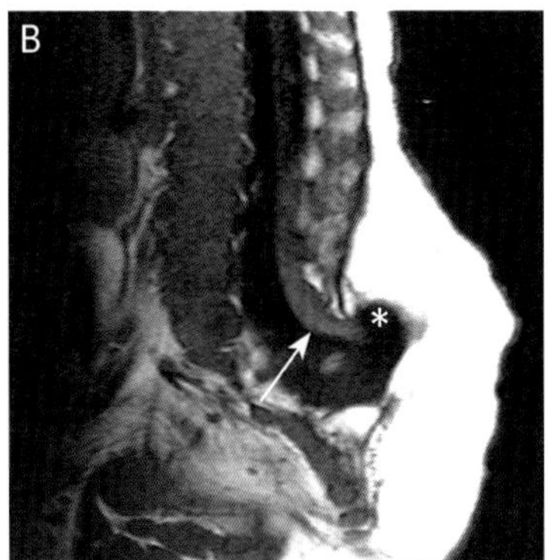

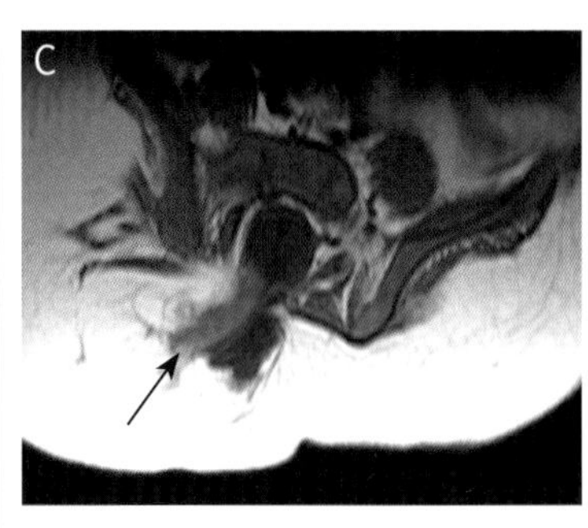

그림 5-39 Lipomyelomeningocele
A, B. Sagittal T1 영상에서 cord (arrows)가 비정상적으로 아래쪽까지 내려오며 늘어난 CSF (*)와 함께 posterior spinal defect를 통해 spinal canal 밖으로 나와 등의 lipomatous mass에 붙어있다.
C. Axial T1 영상에서 placode와 lipoma의 interface (arrow)가 spinal canal밖에 위치하는 것을 확인할 수 있다.

호강도를 보이게 된다(그림 5-40). 지방종이 피하 종괴를 동반하는 경우 대부분 비대칭적이며 크기가 큰 경우 태어난 직후 진단이 가능하지만 크기가 작은 경우 뒤늦게 발견되기도 한다. 종괴를 동반하지 않는 경우에도 혈관종, 털모양반과 같은 피부 표징이 동반될 수 있다.

(3) 미측퇴행증후군 (caudal regression syndrome)

미측퇴행 증후군은 미부의 척주(spinal column)가 제대로 형성되지 않는 복합기형으로 다양한 정도의 척수미부와 천골(sacrum) 형성 저하를 보인다. 경미하게는 꼬리뼈만 보이지 않는 경우부터 하지가 붙어 있는 인어체기형(sirenomelia)까지 다양한 스펙트럼을 보인다. 척수원추의 모양과 끝나는 위치에 따라 2가지 아형으로 분류된다. 제1형의 경우 척수원추가 정상보다 상방에서 끝나며 뭉툭하거나 비스듬한 모양을 보인다. 심한 천골의 형성부전이 동반된다(그림 5-41). 제2형의 경우 척수원추가 정상보다 하방에서 끝나며 지방종, 지방척수수막류나 척수낭류등에 의해 견인되어 있다. 천골의 저형성의 정도는 제1형에 비해 약하다.[38]

미측부는 발생학적으로 인접한 총배설강(cloaca)과 같은 시기에 발생하기 때문에 항문직장 기형, 하부 비뇨생식기 이상이 흔히 동반된다. 큐라리노 증후군(Currarino syndrome) 및 OEIS (omphalocele, exstrophy bladder, imperforate anus, spinal anomalies) complex와 연관될 수 있다.

2) 염증성 척수 질환

(1) 길랑 바레 증후군(Guillain-Barré syndrome)

소아의 급성 이완성 마비의 흔한 원인 중의 하나이다. 급성 염증성 탈수초화에 의해 마미의 신경근(cauda equina nerve root)들이 강하게 조영증강을 보이는 것이 특징이다. 전형적으로 빠르게 하지에서 시작하여 상지로 진행하는 근력저하 등의 임상 양상과 특징적인 영상 소견이 동반될 때 진단이 가능하다(그림 5-42).

(2) 급성 횡단성 척수염 (acute transverse myelitis)

소아에서 척수내 병변은 상당히 드물다. 급성 척수기능이상을 보인 환자들에서 MRI상 상당히

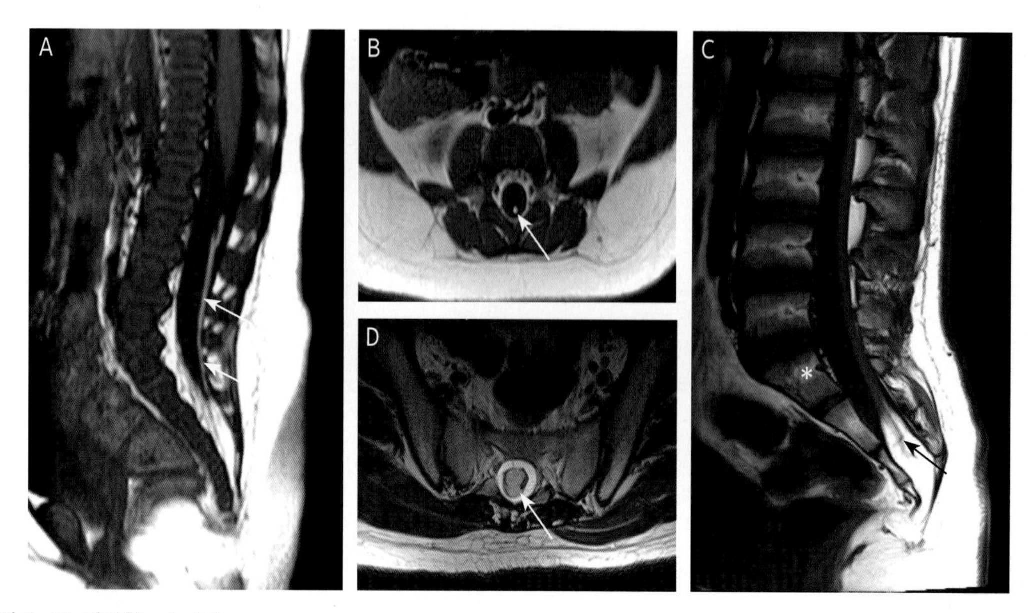

그림 5-40 다양한 spinal lipoma

A. Sagittal T1 영상에서 filum terminale를 따라 thin linear T1 hyperintensity의 fat (arrows)을 확인할 수 있다.
B. Axial T1 영상에서 filum terminale에 T1 hyperintense fat signal (arrow)이 보인다.
C. Sagittal 및 D. axial T1 영상에서 conus가 정상보다 아래쪽으로 주행하여 low termination하며 T1 hyperintense한 lipoma (arrows)에 의해 tethering되어 있다. Sacrum의 hypoplasia (*)가 동반되었다.

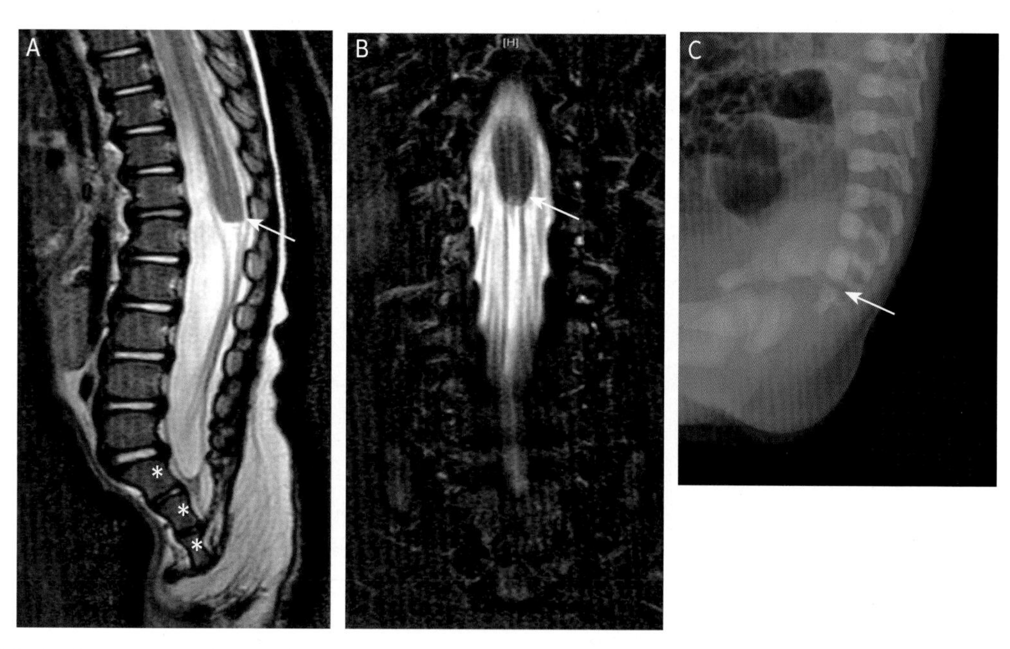

그림 5-41 Caudal regression syndrome

A. Sagittal T2 영상에서 conus medullaris (arrow)가 정상보다 높은 위치인 T12/L1 level에서 abrupt하게 끝나며 blunting 되어 있는 모양이다. Sacrum은 hypoplastic하며 S1-3 (*)까지 존재한다.
B. Coronal T2 영상에서 conus medullaris (arrow)가 cone 모양으로 끝나지 않고 abrupt하게 끝난다.
C. 다른 caudal regression syndrome 환자의 X-ray에서 심한 sacrum의 hypoplasia (arrow)가 확인된다.

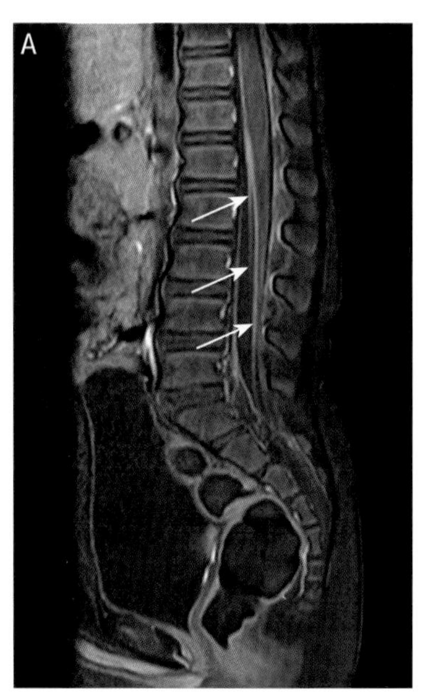

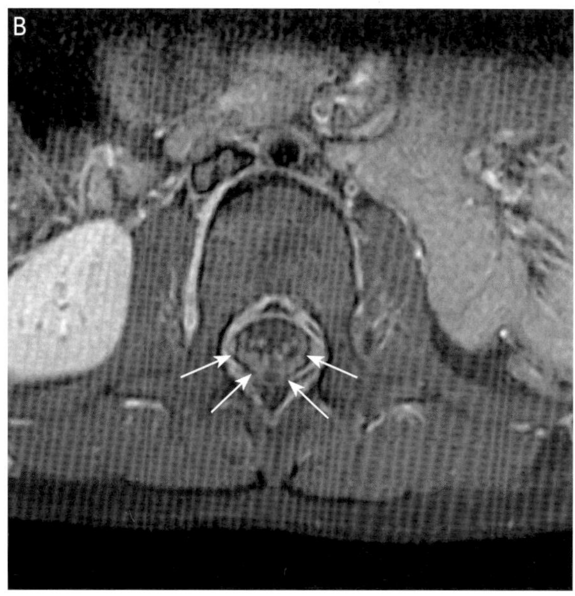

그림 5-42 Guillain-Barré syndrome
A. Enhanced fat saturated T1 sagittal 영상에서 cauda equina nerve root들(arrows)의 enhancement가 보인다.
B. Enhanced fat saturated T1 axial 영상에서 두꺼워진 cauda equina nerve root들(arrows)의 diffuse enhancement가 더 잘 보인다.

긴 구간(대개 척추체 3개 이상)에 걸친 척수 중심부의 신호 이상을 보일 때 의심해 볼 수 있다. 흉추부위에서 가장 흔하게 보인다. 조영증강은 다양하게 보일 수 있다. 영상소견들은 다른 척수를 침범하는 염증성 질환인 다발성 경화증, 시신경척수염, 급성 파종형 뇌척수염 등과 겹치는 부분들이 많아 뇌 MRI 및 다른 검사들을 통해 다른 질환들을 배제한 후에 진단이 가능하다.[39] 추적검사에서 척수의 위축이 보일 수 있다(그림 5-43).

7. 기능적 뇌 영상의학적 검사 기법들

기존의 뇌 자기공명영상(magnetic resonance imaging, MRI) 검사가 주로 뇌의 구조적인 문제, 즉 뇌의 이랑과 고랑 등 거시적 단위의 평가에 용이하다면, 기능적 뇌 영상검사 기법들은 신경회로나 뇌의 활동성 등 보다 미세한 수준의 뇌 손상 확인이 가능하고 치료 경과에 따른 변화 등을 민감하게 반영할 수 있어 뇌의 기능에 대한 평가가 가능하다는 장점이 있다. 이러한 방법들은 각각의 원리에 따라 뇌 상태를 측정하게 되며, 그 특성에 따라 서로 다른 시간적, 공간적 분해능과 장단점을 가진다(그림 5-44). 따라서 평가의 목적에 따라 적절한 기법들을 선택적으로 사용할 수 있으며, 최근에는 검사의 목적을 극대화하기 위해 여러 기법들을 함께 사용하는 다기법 뇌기능영상 지도화(multimodal functional brain imaging mapping)가 이용되기도 한다. 이러한 기능적 뇌 영상 검사 기법의 개발로 소아재활 분야에 있어서도 환아에 대한 보다 자세한 정량적, 정성적 평가뿐 아니라 치료 효과의 입증, 예후 예측 등 다양한 시도들이 이루어지고 있다.

이 장에서는 소아재활영역에 있어 주로 이용되는 영상학적 검사기법 중 확산텐서영상(diffusion tensor imaging, DTI)과 기능적자기공명영상(functional MRI, fMRI)에 대해 소개하고자 한다.

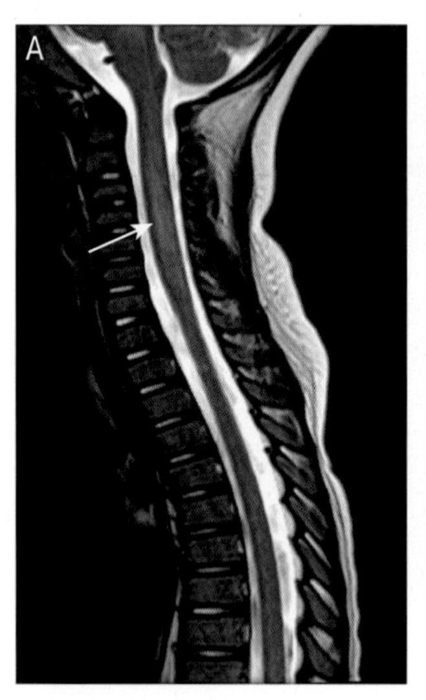

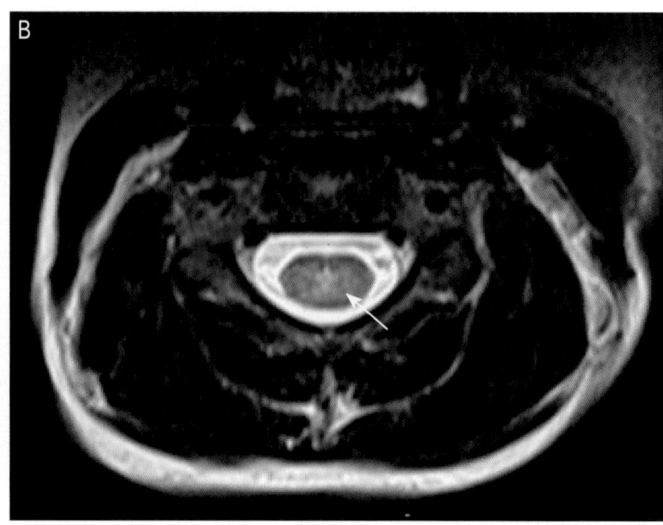

그림 5-43 Transverse myelitis

A. Paraparesis로 내원한 3세 남아의 sagittal T2 영상에서 cervical cord의 long segmental expansion과 동반된 T2 hyperintensity (arrow)를 확인할 수 있다.

B. Axial T2 영상에서 cord의 중앙부에 hyperintensity (arrow)가 보인다.

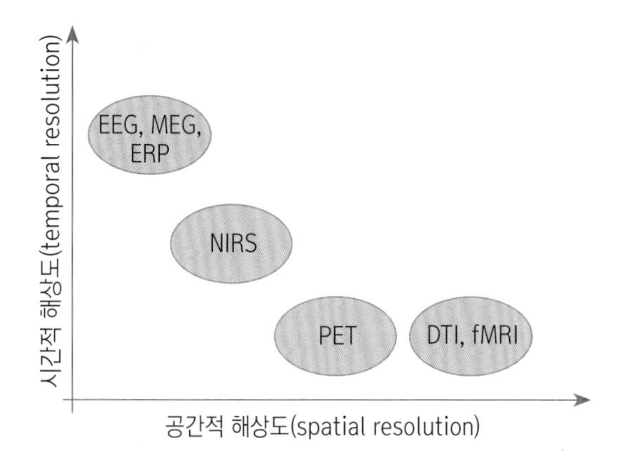

그림 5-44 EEG: electroencephalography; MEG: magnetoencephalography; NIRS: near infrared spectroscopy; PET: positron emission tomography; DTI: diffusion tensor imaging; fMRI: functional magnetic resonance imaging

1) 확산텐서영상(diffusion tensor imaging)

(1) 확산텐서영상의 원리

자기공명영상검사는 소아 신경계의 평가에 있어 기존의 영상 검사기법 중 가장 세밀한 평가가 가능하여 널리 이용되고 있다. 하지만 기존의 고식적인 MRI는 뇌 용적의 평가나, 뇌 고랑(sulcus)이나 뇌이랑(gyrus)같은 거시적인(macroscopic) 수준의 검사에 국한되어 있어, 선천성 뇌기형이나 뇌실주위 백질연화증(peiventricular leukomalacia) 등과 같은 현저한 뇌병변이 없는 경우, 임상적으로는 뇌성마비로 확진된 환자라 할지라도 뇌병변을 확인하기 어려운 경우가 많다. 이에 반해, 확산텐서영상(diffusion tensor imaging)은 생체내에서 백질 신경로의 방향성(orientation)과 구조적 완성도(integrity)를 확인할 수 있으며, 확산텐서 신경섬유로(diffusion tensor tractography, DTT)분석을 통해 뇌 신경회로를 3차원적인 입체 영상으로 시각화할 수도 있다는 장점이 있다. 이러한 확산텐서영상은 조직내 물분자의 확산운동의 특징을 이용한다. 즉, 뇌 조직내 가상의 공간(voxel)을 설정하고, 그 voxel내에 아무런 구조물이 없다면 적어도 그 voxel내에서 물의 확산운동은 특정 방향으로의 선호도가 없이 모든 방향으로 똑같은 속도, 똑같은 움직임을 보이는 구(sphere)의 모양을 가질 것이다. 이런 성질을 등방성(isotropy)이라고 한다. 하지만, 그 voxel 안에 축삭(axon)의 세포막이라든가 수초(myelination), 신경회로(neural tract) 등과 같은 구조물들이 주행하고 있다면, 그 voxel내에서의 물의 확산운동은 신경로 같은 구조물의 주행과 동일한 방향으로는 더 빨리 흐르고, 구조물의 주행에 수직인 방향으로는 물분자의 확산성이 제한되어 속도가 떨어지게 될 것이다. 즉, 특정 방향으로 더 빨리 흐르는, 비등방성(anisotropy)을 가지게 되고, 확산운동은 타원형(ellipsoid)의 모양이 될 것이다. 이런 식으로 각 voxel내에서 확산운동의 방향성을 계산해 내어 전체 뇌에서의 백질 신경로의 상태를 시각적으로 가시화한 것이 확산텐서영상이다.[40-44]

뇌기능저하가 의심되는 환자에서 확산텐서영상의 강점은, 첫째, 기존 MRI에서 발견하기 어려운 미세구조물의 병변도 확인이 용이하다는 점이다. 즉, 신경회로가 완전히 손상이 되었거나, 부분 손상이라도 있다면, 그 구조물 주변에서는 손상이 없는 부분(특정방향으로 확산성을 가지는 부분)에 비해 상대적으로 물분자의 확산성은 커지고 특정 방향으로의 방향성은 감소하게 되어 신경회로가 손상되지 않은 부위에 비해 등방성이 커지게 된다. 확산텐서영상의 이러한 특성은 뇌를 열어보지 않고도 신경회로의 손상정도, 손상이후 뇌가소성(brain plasticity)에 따른 신경재생과 Wallerian degeneration(월러 변성) 등의 경과 확인을 가능케 한다. 둘째, 기존의 자기공명영상검사에 비해 뇌 손상에 대한 보다 다양한 평가값들을 이용해 정량적인 평가가 가능하다. 즉, 물분자의 확산성에 대해 분할비등방도(fractional anisotropy, FA), 현성확산계수(apparent diffusion coefficient, ADC), 섬유로 수(fiber number), 섬유로 길이(fiber length) 등을 이용해 손상의 정도와 양상을 수치화할 수 있다는 것은 확산텐서영상의 큰 장점이 아닐 수 없다. 셋째, 확산텐서신경섬유로(DTT)의 분석을 통해 다른 기능적 영상에서 확인이 어려운 심부백질 등 피질하 영역의 백질 신경회로 등을 입체적으로 시각화할 수 있다. 즉, 뇌출혈 등의 뇌손상이 발생한 경우, 해부학적인 병변위치상 특정 신경회로의 손상이 의심되는 경우, 실지로 신경회로의 손상이 발생했는지, 어떤 신경회로가 손상되었는지, 그리고 신경회로 손상정도가 완전손상으로 연결성이 끊어졌는지, 아니면 신경회로가 눌려서 주행방향만 바뀐 것인지 감별해 낼 수 있다. 이러한 특성은, 신경외과적인 수술이 필요한 경우, 뇌병변 주위의 신경회로의 보전성이나 바뀐 주행위치 등에 대한 정보를 제공할 수 있어 수술적 접근 방향을 결정하는 데 도움을 줄 수 있으며, 보다 정확한 예후 예측의 근거로 활용될 수 있다. 넷째, 인간의 뇌 발달에 있어 신경의 수초화(myelination)가 완성되기 이전 연령에서도 자세한 평가가 가능하다.[45] 이로써, 뇌 발달이 완성되기 전의 영유아뿐 아니라, 낮은 인지 수준과 기능적인 제한으로 인해 다양한 임상적인 평가에 제한이 많은 중증 뇌성마비 환자들에서도 뇌손상에 대한 조기 진단과 조기 치료를 가능하게 하며 나아가 재활치료의 전략을 세우는 데 중요한 정보를 제공할 수 있다는 장점이 있다.[46]

하지만, 확산텐서영상검사는 물분자의 확산성을 이용하는 영상기법이므로, 촬영 시 머리방향이 일정해야 하며, 기존의 자기공명영상검사에 비해 흔들림에 더 민감하다는 단점이 있다. 따라서, 협조가 어려운 유아의 경우, 귀마개나 머리고정장치 등을 이용해 흔들림을 최소화하는 것이 검사실패율을 줄이는 데 도움이 될 수 있다. 또한, 뇌간이나 경부 척수처럼 구조물 자체가 밀집되어 있고 신경회로 주위에 경동맥의 맥박이나, 식도의 움직임이 있어 물분자의 확산성에 영향을 줄 수 있는 경우는 그로 인해 검사 결과에 영향을 줄 수 있음을 감안해야 한다.

(2) 확산텐서지표

확산텐서영상의 장점 중 하나는 정량적인 결과값을 얻을 수 있다는 것이다. 확산 정도에 따라 얻어진 현성확산계수지도는 복잡한 과정을 거쳐 3×3 행렬로 바뀌고 이는, 행렬 대각선화(matrix diagonalization)를 통해 eigenvalue와 eigenvector를 계산해 낼 수 있게 된다. eigenvalue는, voxel 내에서의 확산운동의 주된 모양을 결정하는 수치이다. 이 중, λ_1은, major eigenvalue라 할 수 있으며, 축색과 평행한 방향(확산이 가장 잘 일어나는 방향)으로의 확산을 대표하는 값이다. 이를, 축 확산성(axial diffusivity)이라고도 부른다. λ_2와 λ_3는 축색의 장축에 대한 수직방향의 확산성을 의미하며, 이 두 값의 평균($\lambda_2 + \lambda_3 /2$)은 방사 확산성(radial diffusivity)이라고 부른다. 이 3가지 eigenvalue의 평균($\lambda_1 + \lambda_2 + \lambda_3 / 3$)이 ADC (apparent diffusion coefficient) 값이며, 평균 확산성(mean diffusivity)이라고 불리기도 한다. 이에 반해 eigenvector (V1, V2, V3)는 최대 확산성의 방향을 결정하여 voxel내 신경로의 방향을 보여주는 지수로서, major eigenvector라 불리는 V1은 가장 큰 eigenvalue를 가지는 eigenvector를 의미한다.

확산텐서영상의 결과를 나타내는 확산 지수는 이외에도 상대비등방도(relative anisotropy, RA)와 분할비등방도(fractional anisotropy, FA)가 있다. 확산텐서영상의 연구에 있어 가장 널리 활용되는 있는지표가 바로 이 FA이다. FA는 3 eigenvalue의 표준편차이며, 비등방성이 없으면 FA값은 0이고, 극단적으로 비등방성을 가지면 FA값은 1이 된다. 즉, FA값은 0에서 1사이의 값을 보이게 되며, 신경회로의 연결성을 반영하는 지수이다. FA값은 뇌회백질과 백질의 구분이 쉬우며 확산텐서영상의 제한점으로 여겨지는 noise에 상대적으로 강하다는 장점이 있다. 하지만, 비등방도가 증가함에 따라 FA값이 비선형성(nonlinearity)을 보인다는 단점이 있다. 이에 비해 상대적으로 잘 쓰이지 않는 RA값은, 확산텐서의 등방성을 보이는 부분에 대한 비등방도를 보이는 부분의 비율로서, 역시 0에서 1까지의 값을 가진다. FA값과는 달리, 비등방도와 RA값이 선형성(linearity)을 가진다는 장점이 있지만 상대적으로 noise에 민감하다는 단점이 크다 하겠다. 이 외에 신경회로의 volume을 나타내는 fiber volume도 최근 많이 사용되고 있으나 분석기법에 따라 차이가 많아 환자와 대조군간의 비교, 병변측 신경회로와 정상신경회로, 치료 전후 비교나 정상발달에 따른 변화 등 비교를 위한 지표로 주로 사용되고 있다.

(3) 확산텐서영상 분석 기법

확산텐서영상을 분석하는 방법에 몇 가지가 있지만 일반적으로 쉽게 분석할 수 있는 방법은 관심영역(region of interest, ROI) 설정을 통해 뇌의 특정 영역에 대한 정보를 얻는 diffusion tensor imaging이다. 확산텐서영상은, 분석을 위한 기본지도(road map)로 color map을 주로 사용하는데, color map은 입체적인 신경회로의 주행방향을 2차원적인 화면에 표시하기 위해 각기 다른 색깔로 구분해 놓은 것이다. 즉, 확산성이 제일 큰 방향을 x,y,z의 좌표에 따라 상-하 연결성이 큰 신경로는 푸른 색, 좌-우 연결성이 큰 신경로는 붉은 색, 전-

후 연결성이 큰 신경로는 초록색으로 나타낸 것이다. 이때 색깔의 밝기(brightness)는 상대적인 FA값을 대변한다 할 수 있다. ROI분석은 color map에서 분석자가 직접 다양한 모양으로 ROI를 그려서 FA나 ADC값과 같은, 그 관심영역에 대한 정보를 분석하는 방법이다. 그러므로 이 방법은 분석자가 어느 정도 뇌의 해부학적 지식이 있어야 올바른 결과를 얻을 수 있다. 또한 분석자에 의존하는 방법이므로 분석자간에 결과의 차이가 있을 수 있으나, 확산텐서영상검사의 타당성(validity)이나 신뢰도(reliability)는 이미 여러 연구들을 통해 입증되었다. 이는, 확산텐서영상의 ROI 분석법이 분석자 의존도가 높긴 하지만, 기본적으로는 해부학적 영역에 대한 동일한 지식을 기반으로 하기 때문인 것으로 사료된다.

이 외에, 특정한 여러 관심영역들을 통과하는 신경로 자체를 분석해 내는 diffusion tensor tractography (DTT)도 있다. 이러한 분석을 하기 위해서는 분석하고자 하는 신경회로의 특징을 알고 그에 맞는 조건값을 설정해야 올바른 결과를 얻을 수 있다. 확산텐서영상 분석은 주로 angle과 threshold의 조건값을 설정하여 진행된다. 이 조건값은 각각 분석하고자 하는 신경로 궤적의 각도와 신경로 voxel FA값의 역치이다(그림 5-45). 예를 들면, 뇌피질척수로(corticospinal tract)는 뇌에서 아래위로 주행하고 중간에 급하게 꺾이는 부분이 없지만 언어신경인 arcuate fasciculus나 시각기능을 담당하는 optic radiation의 경우, 상대적으로 뇌피질척수로에 비해 꺾이는 부분이 있으므로 조건값이 달라지는 식이다. 이렇게 각 신경로의 특징을 잘 알고 그에 맞는 조건값을 입력해야 원하는 결과를 얻을 수 있는 것이다. 이렇게 신경로를 분석해 내

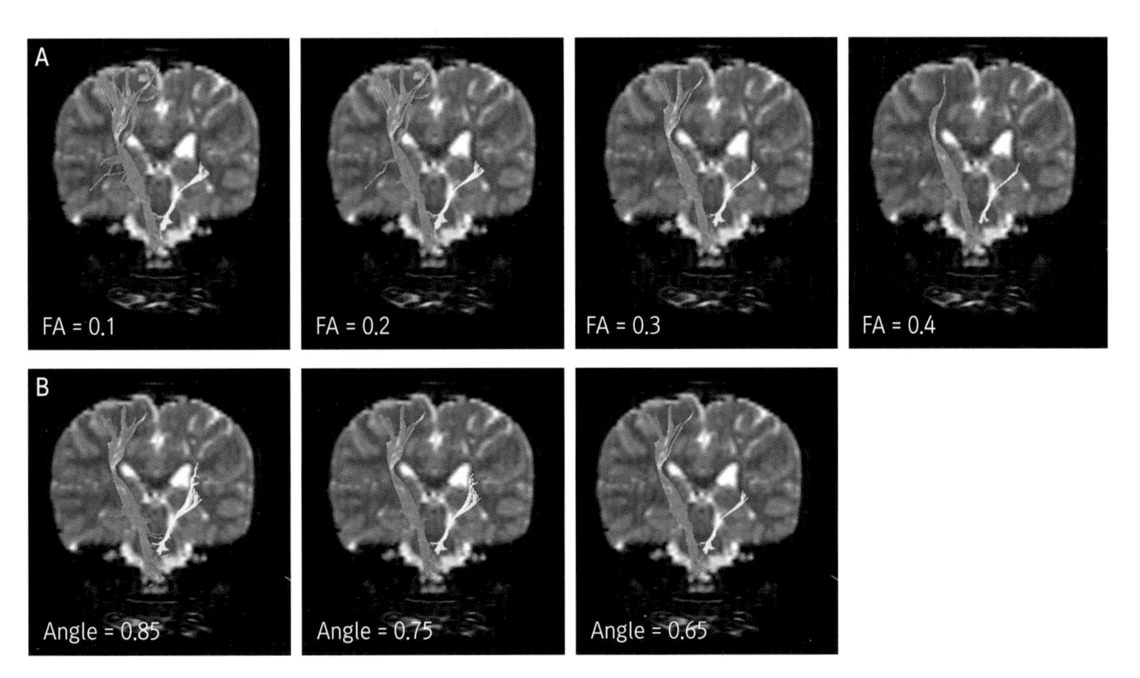

그림 5-45

A. FA threshold에 따른 뇌피질척수로(corticospinal tract)의 차이. angle threshold는 0.85로 동일하나 FA 조건값에 따라 fiber volume의 차이가 큰 것을 볼 수 있으며 FA 0.1이나 0.2의 경우, branching fiber도 분석되는 것을 확인할 수 있다.

B. Angle theresheld에 따른 뇌피질척수로(corticospinal tract)의 차이. FA threshold는 0.3으로 동일하다. 뇌피질척수로의 정상주행경로에서 Angle의 변화가 크지 않으므로, angle 조건이 달라져도 분석결과의 큰 차이는 없는 것을 확인할 수 있다.

는 방법도 크게 2가지로 나뉠 수 있다. 그 중 하나는, 관심영역과 관심영역을 연결하는 신경로간의 궤적을 선으로 잇는 것과 같은 분석법이라 하여 streamline method로 불리는 방법(single model approach)이고, 또 하나는 ROI 간 뇌백질 연결성을 확률적으로 계산해내는 probabilistic method (multi model approach)이다(그림 5-46). 상대적으로 streamline method가 분석시간은 더 짧으나 신경로 간의 branching fiber나 crossing fiber가 존재할 경우, 잘 구현해 내지 못하는 단점이 있다. 이에 반해, probabilistic method는 분석 전단계의 데이터처리 시간이 오래 걸리지만 streamline method에서 구현되기 어려웠던 crossing fiber나 branching fiber도 잘 구현할 수 있다는 장점이 있어 신경손상 후 회복과정에서 신경재생의 유무확인이나 bypass tract의 존재확인을 위해 사용되기도 한다. 이 외에도, 분석자의 숙련도에 무관하게 뇌 전체영역에 대한 분석을 동시에 할 수 있는 tract based spatial statistics (TBSS)방법(그림 5-47) 또한 활용되고 있다. 확산텐서영상분석에 있어 최고의 방법이란 없다. 따라서, 뇌손상의 종류와 분석하고자 하는 신경로의 종류에 따라 적절한 분석법을 선택

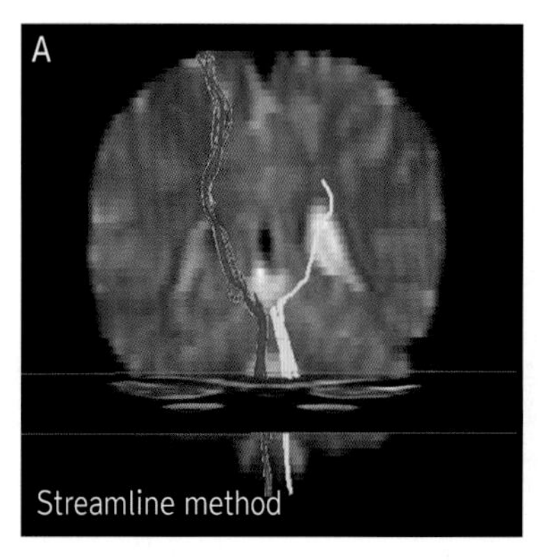

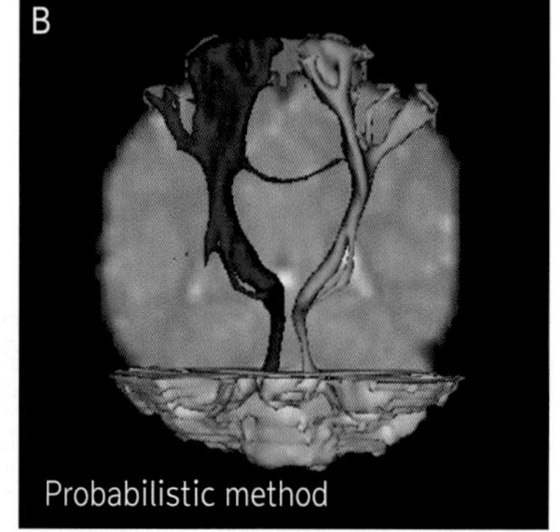

그림 5-46
동일한 환자의 corticoreticiulospinal tract을 streamline method로 분석한 결과와 probabilistic method로 분석한 결과 Streamline method에 비해 probabilistic method로 분석한 결과가 fiber volume도 많고 branching fiber, crossing fiber 가 더 잘 구현되는 것을 확인할 수 있다.

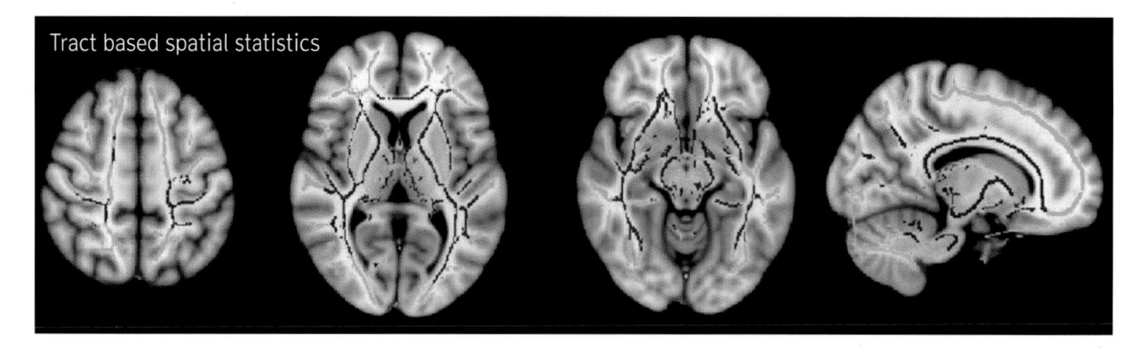

그림 5-47 TBSS (tract based spatial statistics)
미숙아와 만삭아간의 백질성숙도의 차이를 그룹 간 비교하여 가시화 하였다(붉은색: 미숙아에서 만삭아에 비해 의미있게 감소된 영역).
(reference. Radiologic differences in white matter maturation between preterm and full-term infants: TBSS study. Lee et al. Pediatr Radiol. 2013 Mar;43(5):612-9)

하는 것이 중요하다.

하지만, 어떤 분석법을 택하느냐와 상관없이 확산텐서영상분석에 있어 반드시 수행해야 하는 단계가 있다. 바로 eddi current 교정단계인데, 이는 서로 다른 성질의 뇌 구조물끼리 만나는 지점에서 확산계수가 급격하게 바뀌면서 자기공명scanner 안에서 형성되는 일시적인 와류로 인해 영상이 왜곡되는 것을 막기 위함이다.

(4) 임상적 적용

확산텐서영상은 FA와 ADC와 같은 확산 지수를 이용하여 손상과 회복의 정도에 대한 정량적인 측정이 가능하여 임상연구에서 객관적인 비교를 가능하게 한다. 또한 기존의 뇌 자기공명영상에서 확인하기 어려운 미세구조 단위의 뇌 손상을 확인하고 병변의 변화를 민감하게 반영할 수 있으며, 정상적인 뇌 성숙과정(그림 5-48)이나 뇌손상 후 신

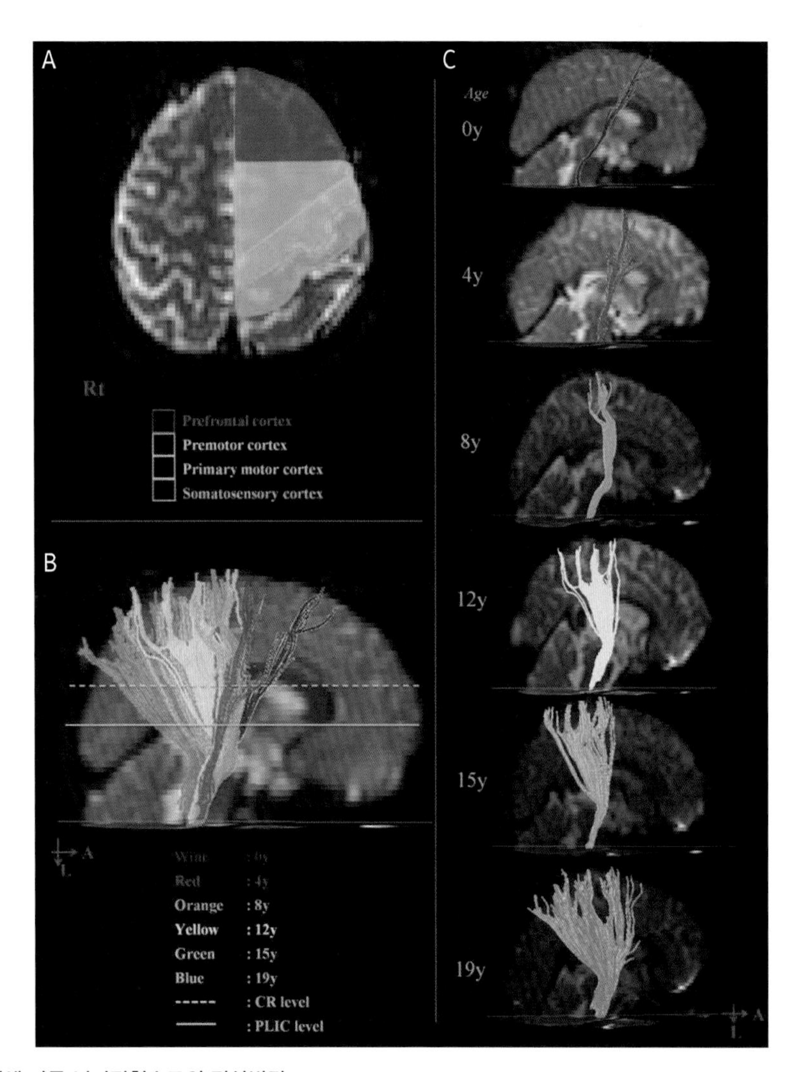

그림 5-48 연령에 따른 뇌피질척수로의 정상발달
연령이 증가함에 따라 피질기준 앞쪽에서 뒤쪽으로 발달하여 사춘기경이 되어야 성인과 비슷하게 primary motor cortex와 somatosensory cortex 로 주행하는 것을 확인할 수 있다. (reference. The Change of intra-cerebral CST Location during Childhood and Adolescence; Diffusion Tensor Tractography Study. Kwon et al. Front Hum Neurosci. 2016 Dec 20;10:638)

경회로의 회복과정을 시간의 흐름에 따라 확인할 수 있다는 장점이 있다(그림 5-49).[47, 48] 그 외에도, 기존의 뇌자기공명영상검사에서 확인이 어려운 신경회로의 상태를 확인할 수 있어 기존의 뇌자기공명영상에서 자세한 병변 확인에 제한점이 있는 외상성 뇌손상 환자나, 임상증상과 병변이 일치하지 않는 소아 뇌성마비 환자에서 유용하게 사용되고 있다(그림 5-50).

병변발생이후 퇴화(degeneration)의 정도를 보거나, 재활치료 효과의 검증을 위한 목적으로 사용되기도 한다. 또한, 뇌성마비 외에도 뇌졸중 환자의 자세한 진단과 예후 예측을 위해서도 광범위하게 사용되고 있다(그림 5-51).[49]

2) 기능적 자기공명영상 (functional MRI, fMRI)

(1) 기능적 자기공명영상의 원리

기능적 자기공명영상은 특정 과제를 수행할 때 증가되는 혈류량이나 산소농도와 관련한 뇌 활성의 변화를 시각적으로 영상화하여 보여주는 방법이다.[50] 어떤 특정한 과제를 할 때, 그와 관련된 뇌의 국소 영역에서 신경의 활성도가 증가하게 되면 혈류량과 더불어 산소를 포함하는 헤모글로빈의 농도가 증가하게 된다. 헤모글로빈은 산소와 결합하는 경우에 반자성(diamagnetic)의 성질을 나타내게 되고 탈 산소 헤모글로빈의 경우 자성(paramagnetic)의 성질을 띄게 되는데, 이러한 차이는 혈액의 산소화 정도에 따른 BOLD (Blood Oxygenation Level Dependent) 자기 신호의 차이를 나타낸다. 뇌 신경의 활성화에 따라 탈산소 헤모글로빈과 산소헤모글로빈의 정도에 따라 생기는 자기 신호의 차이를, 과제를 수행하지 않는 기저상태(resting state)의 뇌활성화 영상과 비교하여 특정 과제와 관련되어 활성화되는 뇌영역이 어느 부위인가를 확인할 수 있다(그림 5-52). 따라서 fMRI 검사 시에는 보고자 하는 뇌의 기능만 선택적으로 활성화시키고 그 외의 다른 뇌 기능은 엄격히 통제되어야 하며, 따라서 선택적인 활성화 과제를 잘 선택하는 것이 매우 중요하다 하겠다. 하지만 나이가 어린 소아의 경우에는, 특정 과제 수행 시 관련된 과제와만 관련된 선택적인 뇌활성을 통제하기 어렵다. 이 부분이 소아환자에서 기능적 자기공명영상검사를 손쉽게 이용하기 어려운 단점이라 하겠다. 기능적 자기공명영상은 다른 기능적인 뇌영상검사에 비해 공간분해능이 뛰어나 뇌기능

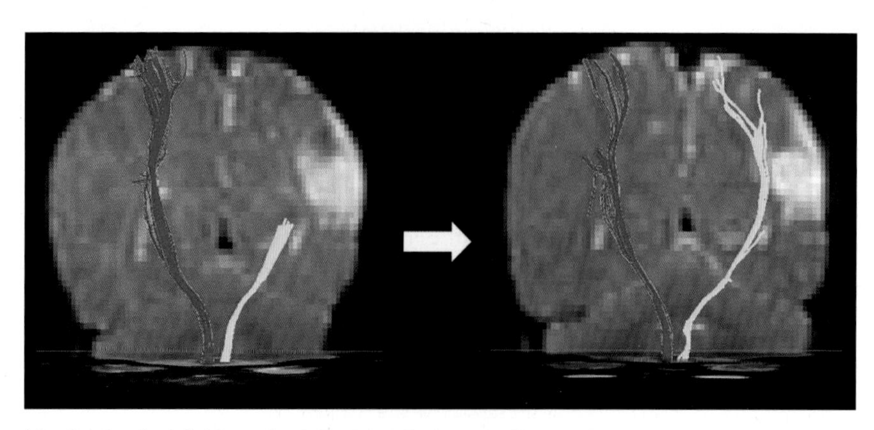

그림 5-49 좌측 대뇌반구에 뇌병변을 보이는 우측 편마비 환아에서 좌측 뇌피질척수로의 손상이 현저하다가 치료 12개월 후 좌측 뇌 피질척수로의 호전소견을 확산텐서영상을 통해 확인할 수 있다.

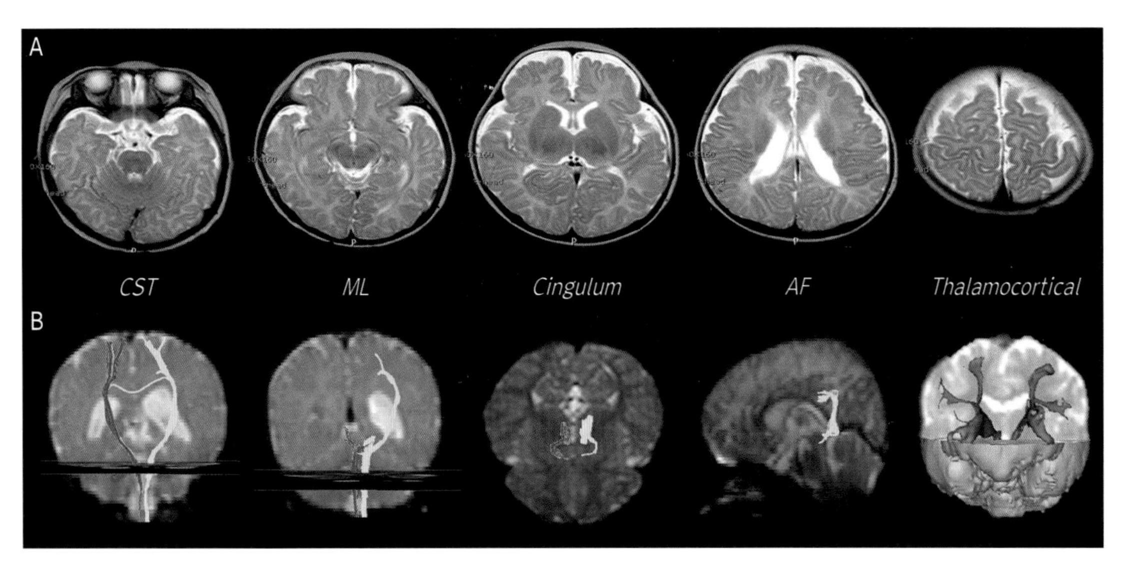

그림 5-50 GA 28+3week로 출생한 15개월 남아의 뇌자기공명영상검사 T2 weighted image (A row)와 Diffusion tensor tractography (B) 환자는 Left hemiplegic pattern을 보이나 conventional brain MRI상 symmetric PVL 소견으로 Left hemiplegia에 부합되는 소견이 없다. Diffusion tensor tractography상 CST는 양쪽 다 잘 발달되어 있으나 ML의 경우 Rt side의 손상소견이 확인되며, 환자의 Lt. hemiplegic pattern에 부합되는 것을 확인할 수 있다. Diffusion tensor tractography로는 Cingulum, AF, thalamocortical pathway 등 임상양상에 부합되는 다양한 신경의 분석이 가능하다. CST: corticospinal tract; ML: medial lemniscus; AF: arcuate fasciculus; Thalamocortical: thalamocortical pathway (prefrontal pathway)

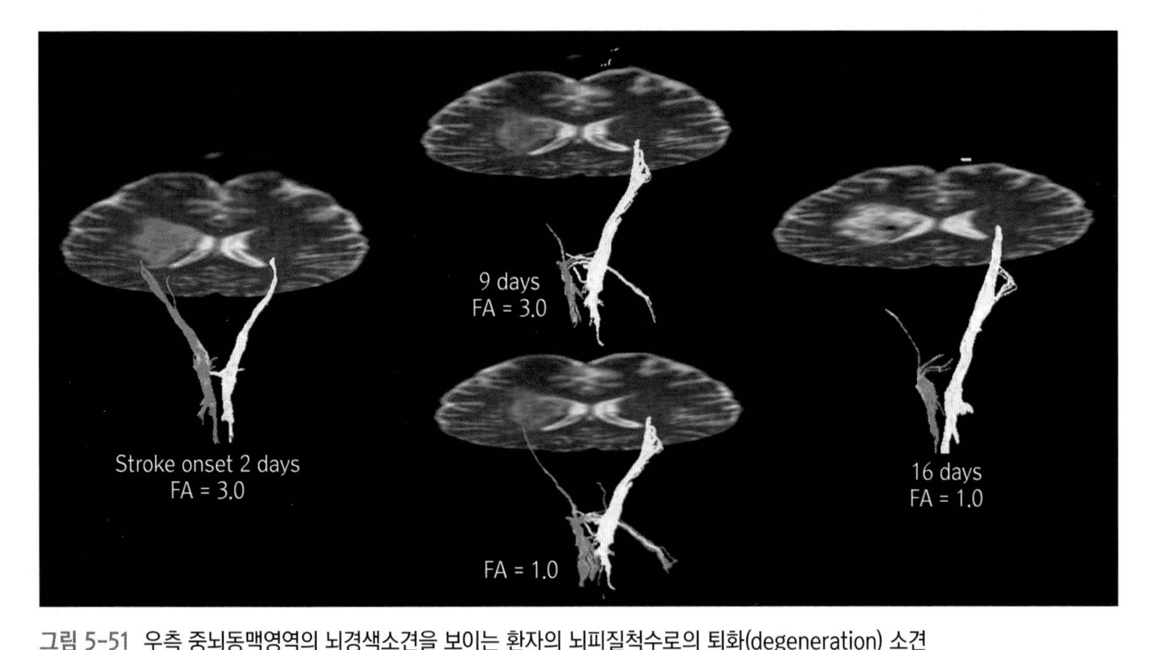

그림 5-51 우측 중뇌동맥영역의 뇌경색소견을 보이는 환자의 뇌피질척수로의 퇴화(degeneration) 소견
뇌경색 발병 2일째 환자는 좌측의 심한 마비증상을 보이나 Diffusion tensor tractogrphy 상 병변쪽 뇌피질척수로는 잘 유지되고 있는 것을 확인할 수 있다. 하지만 9일째에는 FA 조건값을 3.0으로 할 경우 병변쪽 뇌피질척수로의 퇴화소견으로 연결성이 끊어지는 손상소견을 보이나 FA 조건값을 1.0으로 할 경우 fiber volume은 감소했으나 피질(cortex)까지 연결성이 유지되는 것을 볼 수 있다. 하지만 16일째는 FA 조건값을 1.0으로 해도 병변쪽 뇌피질척수로는 피질까지 주행하지 못하는 퇴행(degeneration) 소견을 보인다.

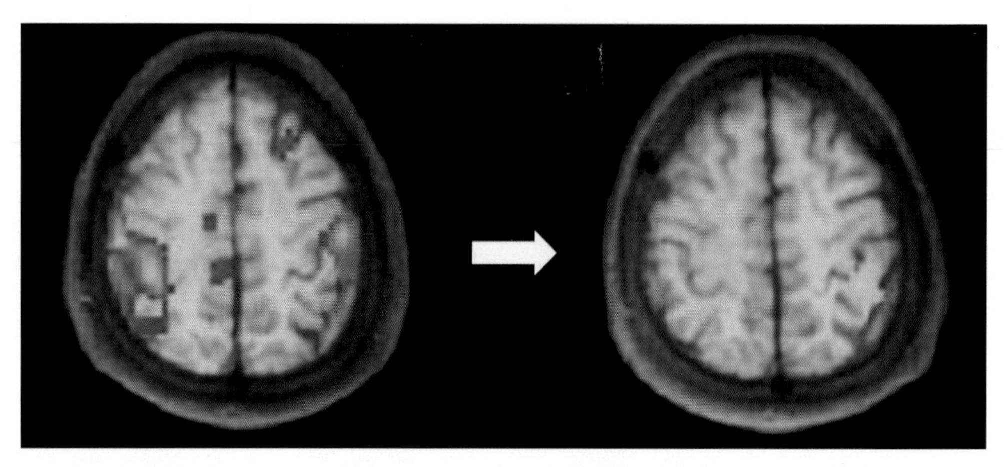

그림 5-52 6세 우측 편마비 뇌성마비 환자가 우측 손의 쥐기-펴기 동작과제 시 시행한 기능적 자기공명영상검사에서 치료초기에는 활성화영역이 양쪽 대뇌반구에 다 보이다가 치료 6개월 후 정상적으로 좌측 1차 운동감각영역에서만 활성화가 되는 양상을 볼 수 있다

지도를 영역별로 확인할 수 있다는 장점을 가지고 있으나 시간적인 해상도가 다소 떨어진다는 단점이 있다.

(2) 소아 환자에서 기능적 자기공명영상검사의 방법

확산텐서영상검사(DTI)나, 기존의 뇌 자기공명영상검사(MRI)와 마찬가지로, 소아에서 시행하는 fMRI도 환자의 협조가 어려운 부분이 가장 큰 제한점이다. 검사도중 일어나는 피검자의 움직임은 artifact의 가장 큰 원인이 된다. 일반적으로, MRI 검사 시 허용 가능한 피검자의 움직임은 1~3 mm 내로 알려져 있다. 소아 환자의 검사에서도 DTI나 일반적인 뇌 MRI 검사는 자연수면이나, 진정(sedation) 상태에서 시행할 수 있으나, 일반적인 fMRI 검사는 특정 과제 수행을 위해 깨어 있어야 하므로, 나이가 어린 영유아에서는 머리 움직임으로 인한 artifact로 인해 원하는 결과를 얻기가 어렵다. 따라서, MRI 촬영 중 생기는 소음을 줄이기 위해 귀마개를 한다든가, 베게, 머리와 턱을 고정하는 밴드 등을 이용해 머리나 몸통을 고정하는 것이 필요하다. 때에 따라서는 피검자가 좋아할 만한 영상을 보여 준다든가, 움직이면 안된다고 검사 중에 상기시켜 주는 것이 도움이 될 수 있다. 또한, 소아환자의 경우, 특정 과제 수행을 할 때 정서적인 불안감이나 익숙하지 않은 환경으로 인해 검사의 목적에 맞는 선택적인 뇌활성만 되기 어려운 경우가 많다. 따라서 MRI 검사실의 환경을 보다 편안하게 만들어 주고, MRI를 찍기 전에 사전 simulation을 해 본다거나, 검사절차에 대해 충분한 설명을 미리 해 주는 것이 도움이 될 수 있다.

(3) 임상적 적용

소아 환자에서 fMRI의 적용은 1995년 Hertz-Pannier 등에 의해 시작되었다.[53] 이후 fMRI는 주로 언어나 인지와 관련된 뇌 발달과 관련되어 많은 연구가 진행되어 왔으며. 최근에는 특정 과제 수행 시 뇌 활성화 영역을 보여주는 방법 외에도 활성화된 영역 사이의 기능적 연결성을 측정하거나 활성화 과제를 주지 않은 휴지기 상태(resting state)의 신경망 분석을 통해 neural network의 연결성을 보는 resting fMRI기법이 활발하게 이용되고 있다.[51, 52] 이러한 resting fMRI는 검사 협조에 제한이 많은 어린 소아 환자 또는 과제 수행이 불가능할 정도의 기능제한이 심한 환자에서도 검사가 가능하다는 장점이 있다. 또한 뇌파(electroencephalography, EEG)나 확산텐서영상(DTI), 경두개자기자극(transcranial stimulation)과 같은 다른 검사법과의 병합 검사를 통해 각 검사법의 장점을 극대화할 수도 있다.

II. 근골격계 질환의 영상검사

1. 근골격계의 발생과 성장

1) 골의 형성 과정

골은 중간엽 조직이 연골 모형(cartilage model)으로 전환된 후 골화되는 연골내 골화(endochondral ossification)와 중간엽세포가 골모세포로 분화 후 연골 모형 없이 직접 골 형성을 하는 막내 골화(intramembranous ossification)의 두 가지 방법에 의해 형성된다.[54, 55]

(1) 연골내 골화

발생 6주가 되면 치밀해진 중간엽에서 세포들이 분화하여 연골세포를 형성하고 이들 연골세포가 유리 연골 모형(hyaline cartilage model)을 형성한다. 발생 8주가 되면 연골 모형의 중앙에 있는 연골 세포가 선택적으로 비대해지고 성숙되면서 주변 연골 기질에 석회화가 일어난다. 연골 모형 간부 주변의 연골막 내에서 막내 골화를 통해 골 조직이 형성되는데 이를 골 테두리(bone collar)라고 한다. 골 테두리에 의하여 연골 기질로 영양분이 확산되지 못하기 때문에 연골 모델을 형성하는 연골 세포가 퇴화하면서 연골 내 공간이 형성된다.

파골 세포에 의해 골 테두리에 구멍이 만들어지고 이 구멍을 통해 골조상세포와 모세혈관으로 구성되어 있는 골 발생싹(osteogenic bud)은 연골 내 형성된 공간으로 자라 들어온다. 여기에서 골조상세포는 골모세포로 분화하여 남아있는 석회화된 연골 기질 위에 골 기질을 생산, 분비하여 일차 골화 중심(primary ossification center)을 형성한다. 발생 12주가 되면 거의 모든 상하지 장골에서 일차 골화 중심을 볼 수 있다. 일차 골화 중심에서 연골 모형의 양쪽 끝으로 연골내 골화가 진행되어 골의 길이 성장이 이뤄진다. 이와 같은 일련의 과정을 연골내 골화라고 한다(그림 5-53).

(2) 막내 골화

중간엽세포 또는 머리뼈를 형성하는 신경능기원 세포들이 연골 원기(cartilage anlage)를 형성하지 않고 골모세포(osteoblast)로 분화하여 골 조직을 생성한다. 머리뼈, 쇄골의 간부, 견갑골의 체부, 장골익의 중앙부 등에서 막내골화에 의해 골을 형성한다. 그러나 쇄골단, 견갑골의 다른 부분, 장골능(iliac crest) 또는 비구(acetabulum) 등은 연골내 골화에 의해서 형성된다. 장관골의 골막에서 직접 골 조직이 형성되어 장관골의 외경이 증가하는 과정도 일종의 막내 골화이다.

(3) 이차 골화 중심과 성장판

각 장관골 양쪽 끝의 연골 모형 부분에서는 다시 몇 개의 골화 중심이 나타나는데 이를 이차 골화 중심(secondary ossification center)이라 하며 장관골의 골단(epiphysis)에 해당한다. 이러한 이차 골화 중심은 대퇴골 원위부와 경골 근위부에서는 출생 전에 나타나며, 나머지는 출생 후 발달 과정에 따라 순서대로 출현한다. 이차 골화 중심과 일차 골화 중심에 의해 형성된 골 사이에 연골로 남

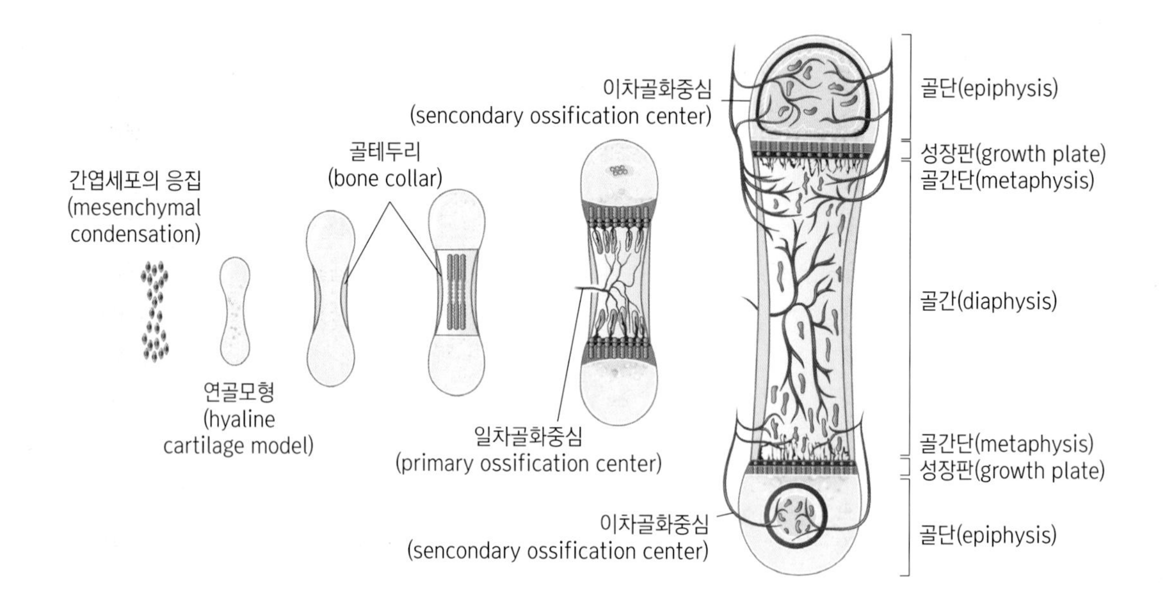

그림 5-53 연골내 골화
태생 6주에 연골발생과정을 거쳐 첫 번째 유리 연골 모형(hyaline cartilage model)이 만들어진다. 연골 모형의 중앙에 있는 연골 세포는 선택적으로 비대해지고 성숙되면서 주변 연골 기질에 석회화를 일으킨다. 연골 모형 간부 주변의 연골막 내에서 막내 골화를 통해 골 테두리(bone collar)가 형성되고, 골 테두리에 있는 파골 세포에 의해 만들어진 구멍을 통해 골 발생싹(osteogenic bud)이 안으로 자라 들어온다. 골 발생싹은 골모세포로 분화하여 석회화된 연골 기질 위에 골 기질을 생산, 분비하여 일차 골화 중심(primary ossification center)을 형성한다. 이러한 골 형성과정을 연골내 골화(endochondral ossification)라고 한다.

아 있는 부분은 성장판(growth plate) 또는 골단판(physis)이라 불린다. 이곳에서 지속적인 연골 조직이 증식과 성장이 이뤄지며 한편에서는 연골내 골화 과정을 통해 골 조직으로 대치된다. 이차 골화 중심이 출현하고 해당 골단판이 닫히는 시기는 부위마다 다르다. 따라서 여러 이차 골화 중심의 출현, 성장, 골단판의 폐쇄 정도를 평가하여 골 연령(bone age) 평가의 척도로 사용한다(그림 5-54).[56]

2) 골격계의 구조

(1) 골

골은 거시적 형태에 의해 대퇴골과 같은 장관골(long tubular bone), 수근 및 족근 골과 같은 단 골(short bone), 견갑골이나 두개골과 같은 편평 골(flat bone) 및 척추와 같은 불규칙 골(irregular bone)로 구분될 수 있다.[55]

장관골은 골간(diaphysis), 골단(epiphysis) 그리고 골간단(metaphysis)의 세 부위로 나누어 진다(그림 5-53). 골간은 장관골의 중간 부위로서 일차 골화 중심에 의해 만들어지며 해면골을 거의 가지고 있지 않은 부분이다. 골간단은 골간과 성장판 사이의 부위로 해면골을 비교적 많이 가지고 있고 가로로 넓어지는 부분이다. 골단은 장관골의 끝 부분으로 이차 골화 중심에 의해 만들어졌으며, 속 부분이 해면골로 되어 있고 표면은 얇은 피질골로 덮혀 있다. 단골과 편평골은 얇은 피질골이 중심부의 해면골을 감싸고 있다.[54]

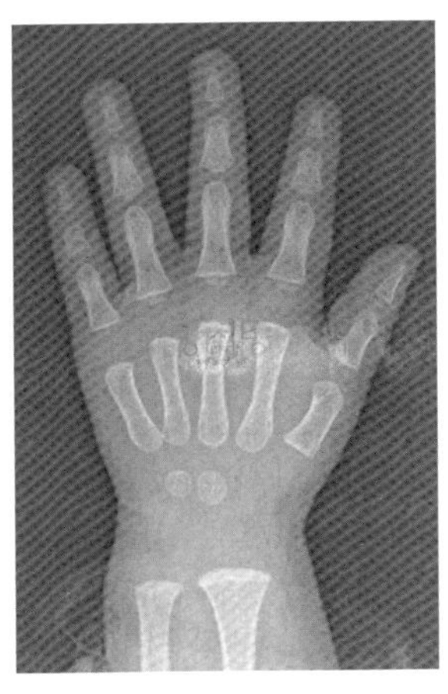
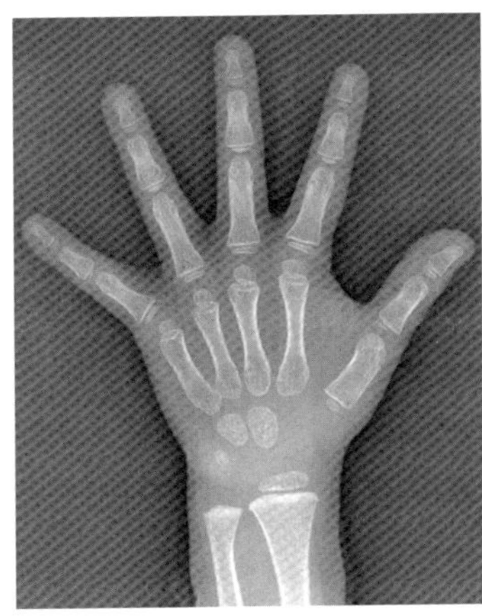
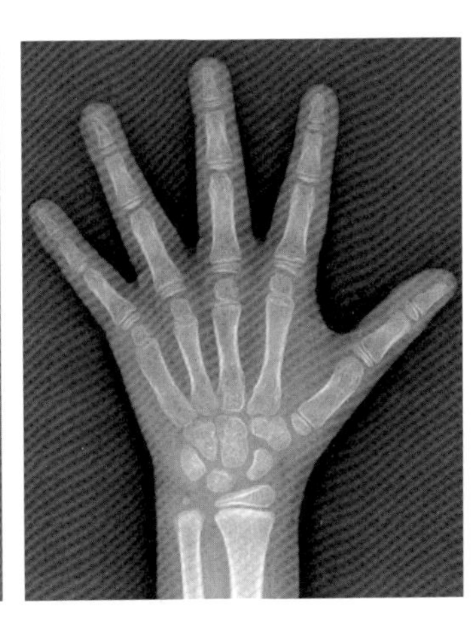

그림 5-54 골 연령의 평가
손과 손목뼈의 골화는 일정한 순서에 따라 진행된다. 2세(왼쪽), 5세(중앙), 8세(오른쪽)의 손 X-선 사진을 비교해 보면, 수근골(carpal bone), 중수골(metacarpal bone)과 지골(phalangeal bone)의 이차골화중심이 순차적으로 나타나는 것을 볼 수 있다.

(2) 골수

골수는 혈액 세포를 생산하는 조혈 조직으로, 조혈 기능을 갖는 골수는 적색이기 때문에 적색 골수(red marrow)라고 불린다. 나이가 들면 골수의 조혈 기능이 저하하여 지방 조직으로 바뀌어 가는데, 지방 조직이 된 골수를 황색 골수(yellow marrow)라고 한다. 장관골의 골수는 사춘기가 지나면 대부분 황색 골수이지만, 복장뼈, 척추뼈, 볼기뼈 등의 단골이나 편평골에는 성인기에도 적색 골수가 남아있다. 적색 골수는 조혈 기능이 왕성한 골수로 물, 지방, 단백질이 각각 40%, 40%, 20%로 구성되는 반면, 조혈 기능이 감소된 황색골수는 물, 지방, 단백질이 각각 15%, 80%, 5%로 구성된다. 황색 골수는 지방의 비율이 압도적으로 많아 지방 골수라 불리기도 한다.

신생아 때는 대부분의 골수가 적색 골수의 형태이나 성장과 발달이 진행됨에 따라 점차 황색 골수로 전환된다. 황색 골수로의 전환은 순차적으로 정해진 순서에 따라 이루어지는데 손과 발의 말단 지골에서 가장 먼저 나타나며, 원위부에서 근위부로 진행된다. 장관골에서는 골단이 가장 먼저 골수 전환을 보이는데, 이 후 골간에서 골수변이가 일어나고 골간으로부터 양측 골간단 방향으로 진행된다. 따라서 성인이 되어서도 가장 끝까지 비교적 많은 적색골수가 남아 있는 부위는 근위부 골간단이 된다(그림 5-55).[57]

(3) 연골

연골은 연골 세포(cartilage cell)와 연골 기질(cartilage matrix)로 구성되며, 연골 기질의 성질과 모양에 따라, 초자 연골, 탄성 연골 및 섬유 연골로 나뉜다.[1]

① 초자 연골(hyaline cartilage)

신체에 가장 널리 분포하는 연골로서, 관절 연골(articular cartilage)이 대표적이다. 장관골의 발생 과정에서 연골내 골화가 일어나는 연골모형(cartilage anlage)도 초자 연골로 되어 있다.

② 탄성 연골

탄성 연골은 외이(external ear), 이관(eustachian tube), 후두개(epiglottis) 등에서 볼 수 있으며, 세포

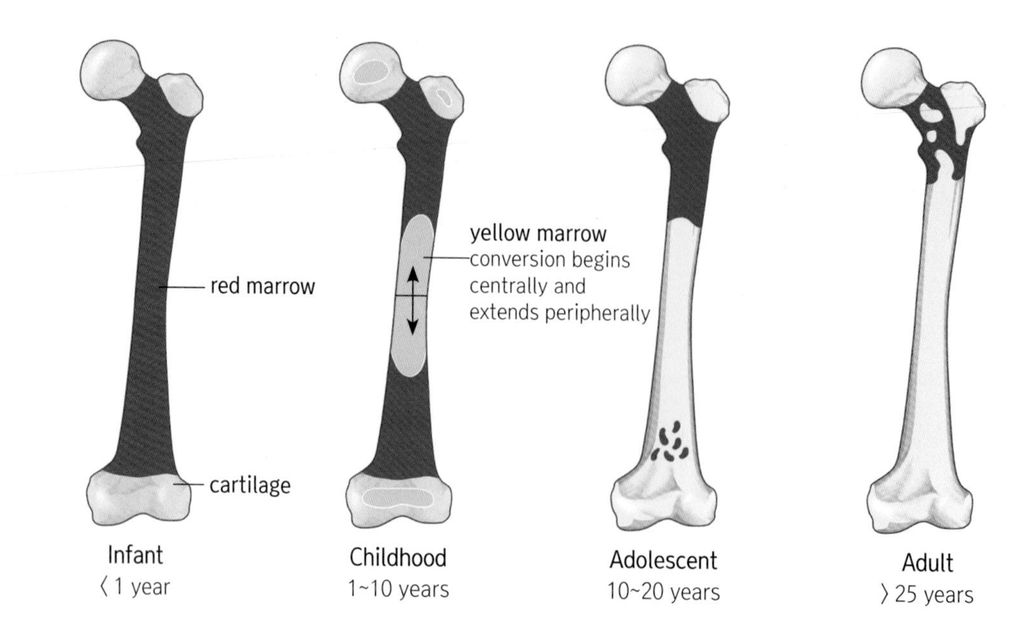

그림 5-55 골수전환의 모식도
장관골에서는 골단이 가장 먼저 골수 전환을 보인다. 이 후 골간에서 골수변이가 일어나고 골간으로부터 양측 골간단 방향으로 골수전환이 진행된다. 원위부에서 근위부로 골수전환이 이뤄지므로 성인이 되어서도 가장 끝까지 비교적 많은 적색골수가 남아 있는 부위는 근위부 골간단이 된다.

간질 내에 많은 탄성망(elastic network)을 이루는 탄성 섬유를 포함하고 있다. 초자 연골보다 황색을 띠며, 불투명하고, 탄성력이 더 크다.

③ 섬유 연골

섬유 연골은 인대나 건이 관절 인접부에 부착하는 부위, 추간판(intervertebral disc), 치골결합부, 원형 인대(ligamentum teres) 등에서 볼 수 있다. 간질이 밀집한 I형 교원질로 구성되어 있는 것이 초자 연골과 다른 점이다.

(4) 성장판(growth plate, epiphyseal plate, physis)

성장판은 골단판(epiphyseal plate, physis)이라고도 하며, 성장이 완료되면 소실되어 골단과 골간단이 골기질로 연결된다. 성장판은 이차 골화 중심에 의해 형성된 골단과 일차 골화 중심에 의해 형성된 골간단 사이에 위치하는 연골이며, 장관골의 길이 및 직경을 성장시키는 중요한 역할을 한다. 성장판은 새로운 기질을 합성하고 세포를 증식시키는 데 조직화된 기질의 구조와 주변의 결합조직에 의해 골의 길이를 성장시킨다. 성장판은 조직학적으로 정지대(resting zone), 증식대(proliferating zone), 비후대(hypertrophic zone), 잠정석회화대(provisional calcification zone)의 네 층으로 나뉜다(그림 5-56).[58]

2. 근골격계 질환의 영상기법

1) 단순 X-선 촬영

단순 X-선 촬영은 근골격계 질환의 일차적인 검사로서 가장 중요한 역할을 한다. 단순 X-선 촬영은 골절의 진단이나 골종양의 감별진단, Legg-

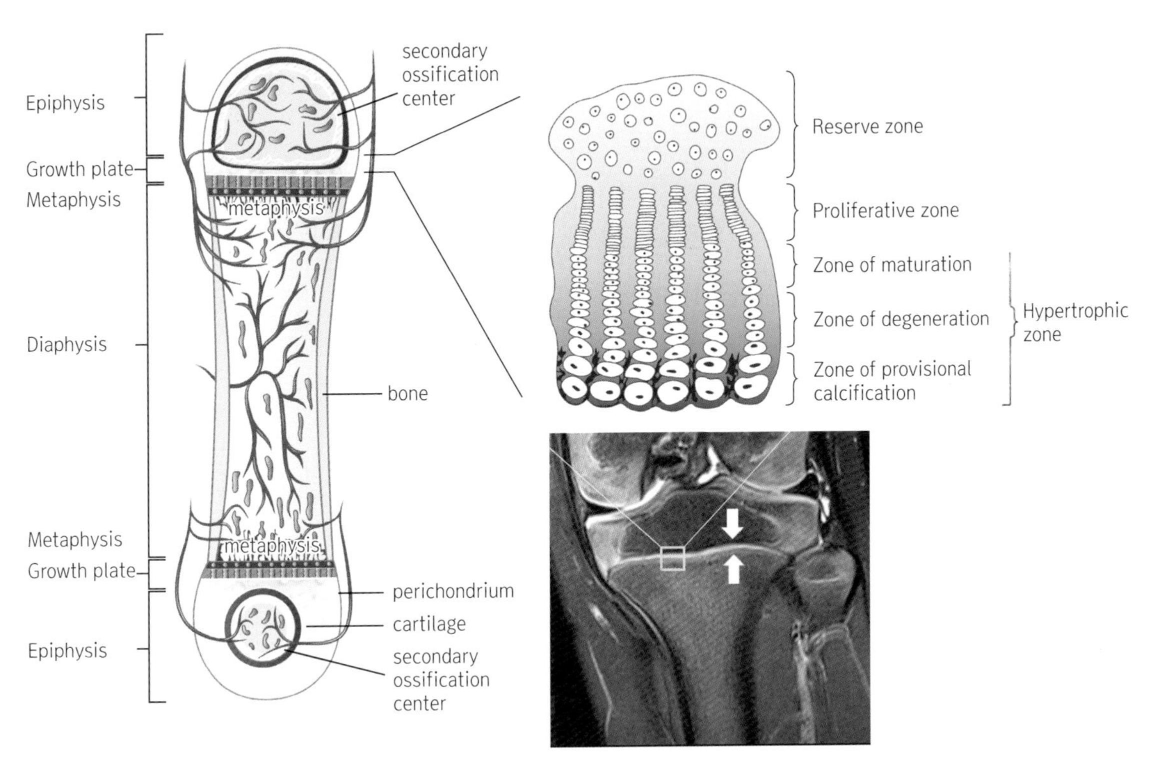

그림 5-56 성장판의 구조
성장판은 조직학적으로 정지대(reserve zone), 증식대(proliferating zone), 비후대(hypertrophic zone), 잠정석회화대(provisional calcification zone)의 네 층으로 나뉜다. 지방억제 T2강조영상에서 성장판은 고신호강도의 띠 음영으로 보인다(화살표)

Calve-Perthes 병과 같은 골연골증의 진단과 경과 추적에서 유용하게 사용되나, 골수염의 조기 진단이나 고관절 삼출(effusion)의 유무, 골종양의 골수 내 침범 혹은 연부조직으로의 파급 정도를 평가하기는 어렵다. 외상성 손상에서는 적어도 두 개의 직각방향영상(orthogonal view)을 촬영하여야 하고, 병변 반대편의 비교영상이 필요한 경우가 있다. 아동학대, 랑게르한스세포조직구증(Langerhans cell histiocytosis), 또는 골이형성증(bone dysplasia)이 의심되는 경우에는 전신 골격 촬영(skeletal survey)이 필요하다.[59]

2) 초음파검사

근골격계 초음파 검사는 방사선 피폭에 대한 우려가 없으며, 비교적 검사가 간편하고 마취나 진정이 필요가 없다는 일반적인 장점과 함께, 환자의 움직임에 따른 역동적 정보를 제공할 수 있는 장점도 가지고 있다. 색도플러 검사를 사용하면 조직의 혈류변화에 대한 정보를 동시에 얻을 수 있으나, 협조가 되지 않는 어린 아기들의 경우는 움직임에 의해 조직의 혈류변화나 도플러 스펙트럼을 평가하기 어려운 경우가 있다. 소아 근골격계 초음파 검사의 흔한 적응증은 발달성 고관절 이형성증의 선별검사, 관절 삼출, 표재성 연부종괴이다(그림 5-57).[60, 61]

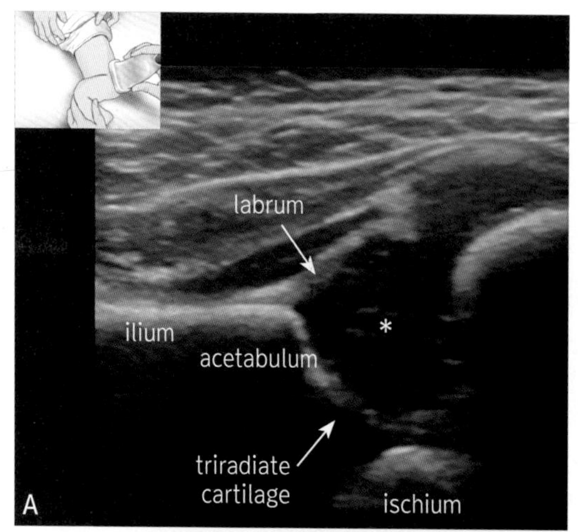

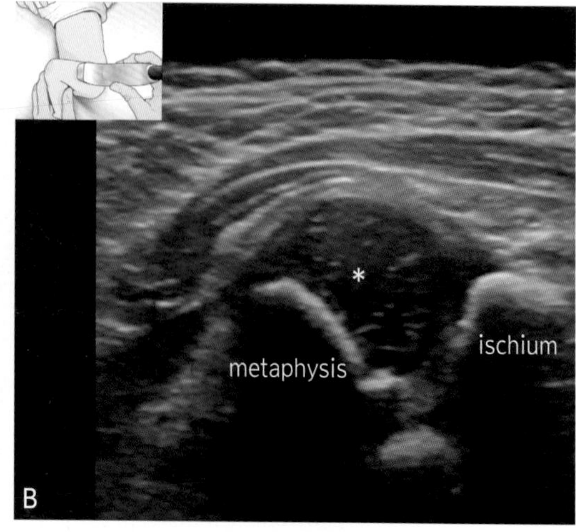

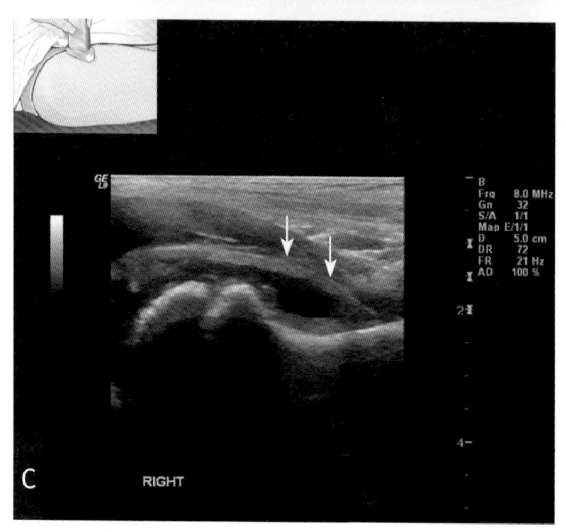

그림 5-57 고관절 초음파 검사 방법

A. 관상면 영상: 초음파 탐촉자를 고관절의 측면에 장축으로 위치시킨다. 장골(ilium), 대퇴골두(*), 비구개(acetabular roof)와 좌골(ischium)사이 triradiate cartilage가 보이는 관상면을 얻는다. 초음파 영상에서 골화되지 않은 대퇴골두(*)는 저에코로 보인다.

B. 축상면 영상: 관상면 영상에서 초음파 탐촉자를 반시계 방향으로 90도 회전시켜 대퇴골의 장축에 평행하도록 한다. 대퇴골두(*)는 대퇴 골간단과 좌골사이에 형성된 V자형 골짜기 안에 위치한다

C. 시상면 영상: 고관절의 전면에서 대퇴골 경부에 나란하게 탐촉자를 위치시킨다. 대퇴 경부에 부착되는 두 겹의 활액막에 의해 전방오목(anterior recess)이 형성되는데, 고관절 삼출액이 있으면 활액막(화살표)이 앞으로 볼록해지면서, 전방오목 내에 무에코의 관절삼출을 볼 수 있다.

3) CT

최근 CT영상기법의 발전으로 인해 고화질의 다면상 또는 3차원적 입체영상을 얻을 수 있어, 단순촬영에서 불확실한 골절의 진단 또는 골절편의 전위방향을 평가하는 데 유용하게 사용된다. 이외 CT영상은 족근골 유합(tarsal coalition)의 진단, 발목부위 복잡골절의 수술 전 평가, 골반의 복잡 절골술의 수술 전 평가, 골유골종(osteoid osteoma)의 진단 및 CT 유도하 고주파 소작술 등에서 유용하게 사용된다(그림 5-58).[62, 63] 상대적으로 방사선 피폭에 민감한 소아환자에서 CT검사를 시행할 때에는 성인과 동일한 방사선량으로 검사를 시행해서는 안되며 방사선 조사량을 감소시킨 CT 프로토콜을 사용해야 하며, 필요한 부위만 제한적으로 포함시켜 스캔을 시행하도록 한다.

4) 자기공명영상

자기공명영상은 공간해상력이 좋고 대조도가 높은 영상검사로 여러 평면의 영상을 얻을 수 있다. 특히 소아환자에서는 골화가 되지 않은 연골성 구

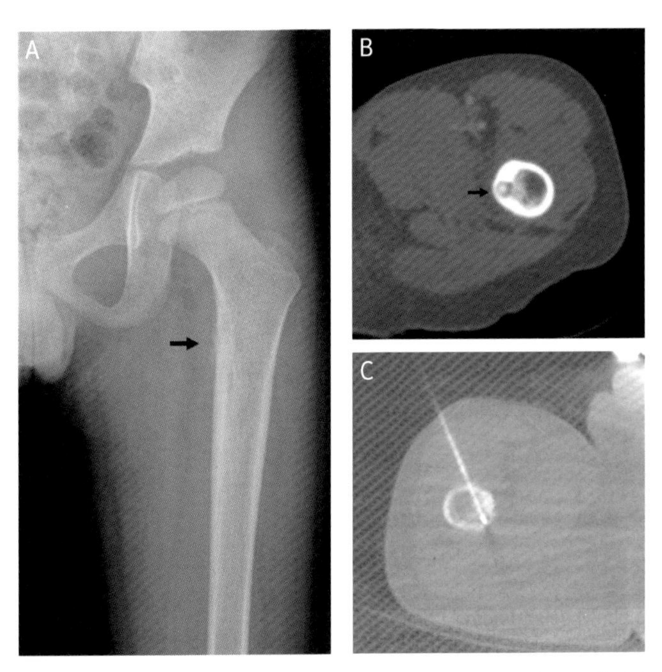

그림 5-58 유골 골종(osteoid osteoma) 6세 남아. 야간에 심해지는 왼쪽 대퇴부 동통을 호소하였다.
A. 단순 X-선 촬영에서 왼쪽 대퇴골 근위부에 피질골의 비후와 골막반응(화살표)이 보인다.
B, C. CT영상에서 두꺼워진 피질골 내 원형의 핵(B, 화살표)을 찾아내고, CT 유도하 고주파소작술(radiofrequency ablation)(C)로 치료하였다.

조와 골단 및 성장판을 정확히 영상화할 수 있다는 장점이 있다. 또한 자기공명영상은 골수질환이나 골 및 연부조직 질환의 진단 및 치료에 따른 해부병리학적 평가가 가능하다는 장점이 있다. 그러나 검사비용이 비싸고, 협조가 어려운 소아에서는 진정이 필요한 단점이 있다.

(1) 골수 전환(bone marrow conversion)

MR영상은 골수의 세포 조성 변화를 간접적으로 보여줄 수 있는데 황색 골수의 경우 대부분이 지방 조직으로 이루어져 있어 T1 강조 영상에서 지방 조직에 의한 고신호 강도를 보이는 반면, 적색 골수는 황색 골수에 비해 물성분이 많아서 T1 강조영상에서 저신호 강도, T2 강조영상에서 중등도 신호강도를 보이며, 지방억제 T2 영상에서 황색골수에 비해 고신호 강도를 보인다. 10세 이전의 척추체 내의 적색골수는 T1강조영상에서 인접한 추간판이나 근육에 비해 저신호 강도를 보인다. 그러나 10세 이후에는 T1 강조영상에서 인접한 추간판이나 근육에 비해 고신호 강도를 보인다(그림 5-59). 신생아 때는 대부분의 골수가 적색 골수의 형태이나 성장과 발달이 진행됨에 따라 점차 황색골수로 전환된다. 황색 골수로의 전환은 순차적으로 정해진 순서에 따라 이루어지는데 손과 발의 말단지골에서 가장 먼저 나타나며, 원위부에서 근위부로 진행된다. 장관골에서는 골단이 가장 먼저 골수 전환을 보이는데, 이후 골간에서 골수변이가 일어나고 골간으로부터 양측 골간단 방향으로 진행되는데 원위부에서 더 빨리 진행되므로, 성인이 되었을 때까지 비교적 많은 적색골수가 남아있는 곳은 근위부 골간단이 된다. T1강조영상에서 정상적인 지방골수의 고신호강도가 소실되고, 주변 근

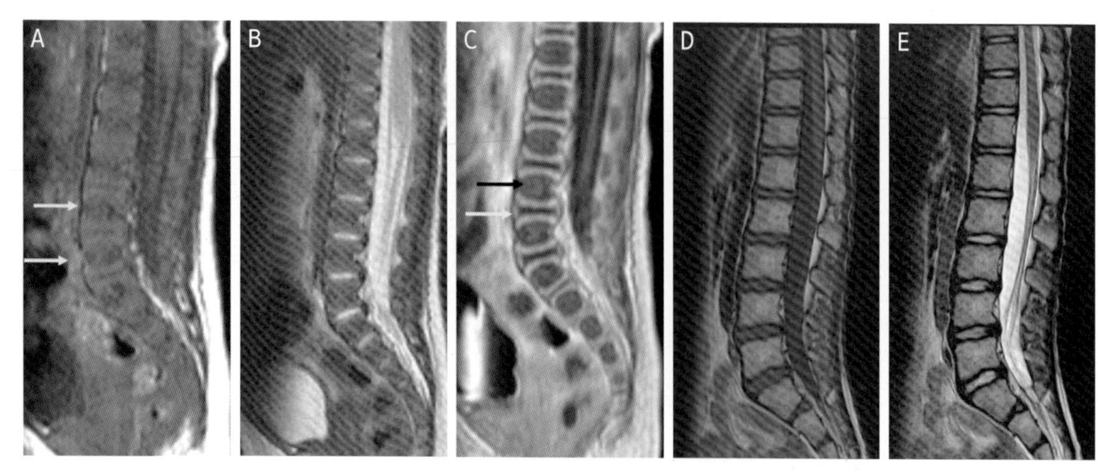

그림 5-59 연령에 따른 골수의 MRI 신호강도의 변화
A-C. 신생아의 척추 MRI 시상면 T1강조영상(A)에서 척추체(화살표)는 인접한 추간판과 척추체연골단에 비해 저신호강도를 보인다. T2 강조영상(B)에서 추간판의 고신호강도가 뚜렷하게 나타난다. 조영증강시 척추체 연골단이 조영증강이 되고 척추체(검은색 화살표)과 추간판(흰색 화살표)은 저신호강도를 보인다(C).
D, E. 12세 소아의 척추 MRI. 시상면 T1강조영상(D)에서 척추체내 적색골수에 의한 저신호 강도부분이 남아있지만, 전반적인 신호강도는 추간판에 비해 고신호강도이다. 척추체의 중앙부분은 지방성분에 의한 신호강도 증가가 뚜렷하다. T2강조영상(E)의 척추체와 추간판의 신호강도는 성인과 비슷하다.

육의 신호강도보다 저신호강도를 보일 경우 골수를 침범하는 혈액암이나 전이암을 의심하여야 한다(그림 5-60).[64-67]

(2) 성장판(growth plate)

MRI는 소아 성장판 손상을 3차원 영상을 이용하여 정확히 평가할 수 있어 골교(bone bridge)의 진단과 크기를 평가하는 데 유용하다. 지방억제 3D 경사에코 영상기법을 사용하면 고신호강도를 보이는 성장판 띠 음영을 끊어버리는 저신호강도의 골교를 정확하게 평가할 수 있다(그림 5-61).[68, 69]

3. 근골격계 질환의 영상소견

1) 척추의 병변

(1) 척추측만증(scoliosis)

척추측만증은 원인과 나이에 따라 다음과 같이 분류한다. 특발성 척추측만증이 가장 흔하며 선천성 척추측만증이 두 번째로 흔하다. 전 척추의 기립 후전 방향 단순 X-선 촬영이 표준검사이며 Cobb angle이 10 이상이면 진단한다.[70, 71] Cobb angle은 superior end vertebra의 superior endplate와 inferior end vertebra의 inferior endplate에서 접선을 그린 후 이 두 접선이 이루는 각으로 정의한다(그림 5-62).

선천성 척추측만증은 척추 기형의 종류에 따라 크게 형성 부전(defects of formation)과 분절 부전(defects of segmentation)으로 분류된다. 전방 형성 부전(anterior failure of formation)에서는 척추체의 후측부만 정상적으로 형성되어 후만증이 발생한다. 외측형성부전(lateral failure of formation)은 매우 흔한 기형으로, 편측의 척추경(pedicle)과 후관절이 형성되지 않는다. 완전한 외측형성부전인 경우 반척추(hemivertebra)라고 불리고, 부분형인 경우 설상척추(wedge vertebra)라고 불린다. 반

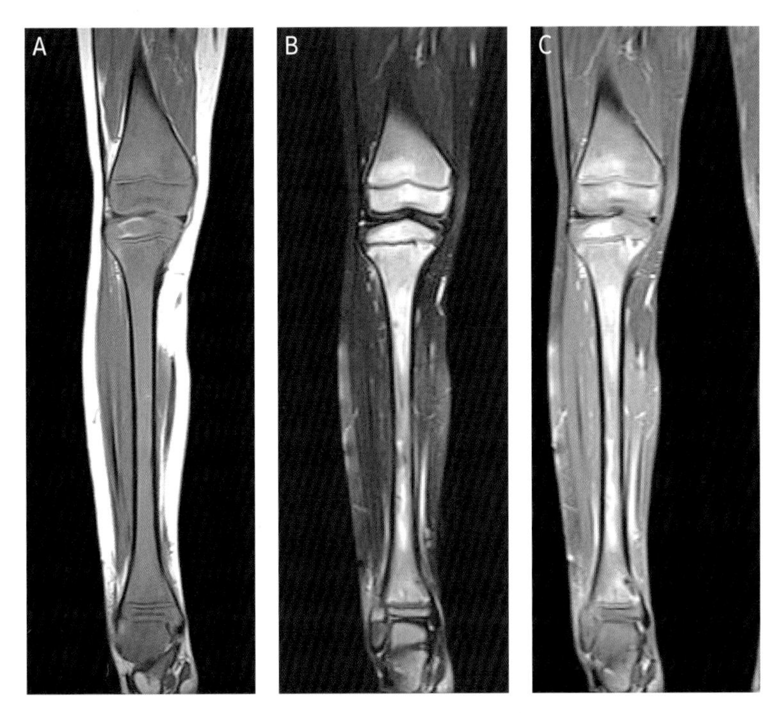

그림 5-60 8세 여아 림프종의 골수 침범

A-C. T1강조영상 (A)에서 근위부 경골 골단의 일부를 제외한 원위부 대퇴골과 경골의 골수 신호강도가 주위 근육과 비슷하거나 저신호강도로 보인다. 지방억제기법을 사용한 T2강조영상(B)에서 골수에 전반적인 신호강도가 증가되어 있다. 조영증강 T1강조영상(C)에서 골수에 비균질한 조영증강이 보인다.

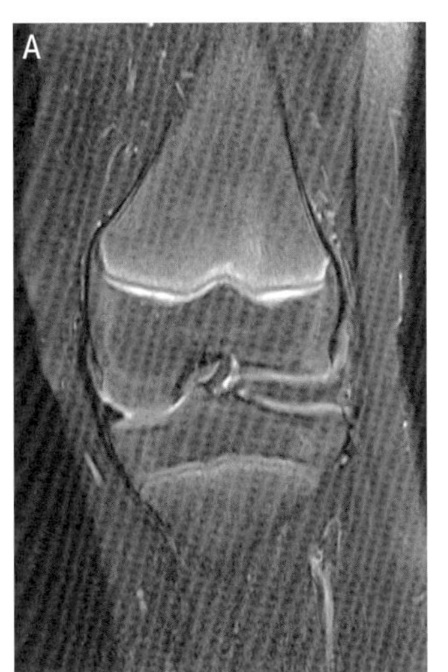

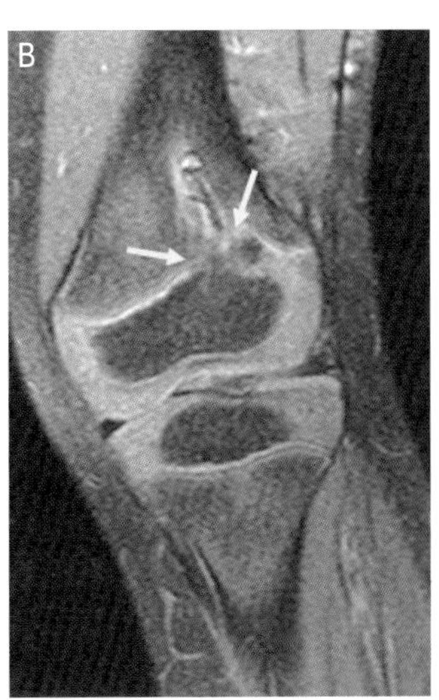

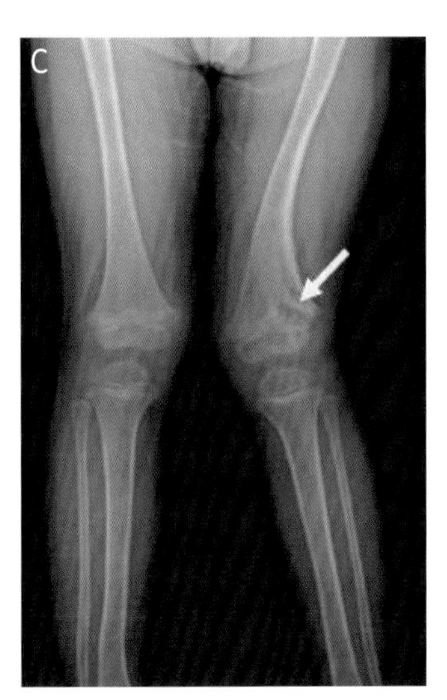

그림 5-61 성장판 손상

A. 관상면 지방억제 T2강조영상에서 성장판은 고신호강도의 띠음영으로 보인다.

B. 화농성 관절염 이후 발생한 왼쪽 슬관절의 외반슬(genu valgum) 변형이 있는 4세 남아. 관상면 지방억제 T2강조영상에서 고신호강도의 성장판 띠음영(화살촉)이 부분적으로 소실되고 골간단과 골단을 잇는 골교(화살표)가 형성되어있다.

C. 슬관절 전후면 X-선 촬영에서 성장판에 인접한 원위부 대퇴골 골간단에 골음영 감소(화살표)가 있고 외반슬 변형이 보인다.

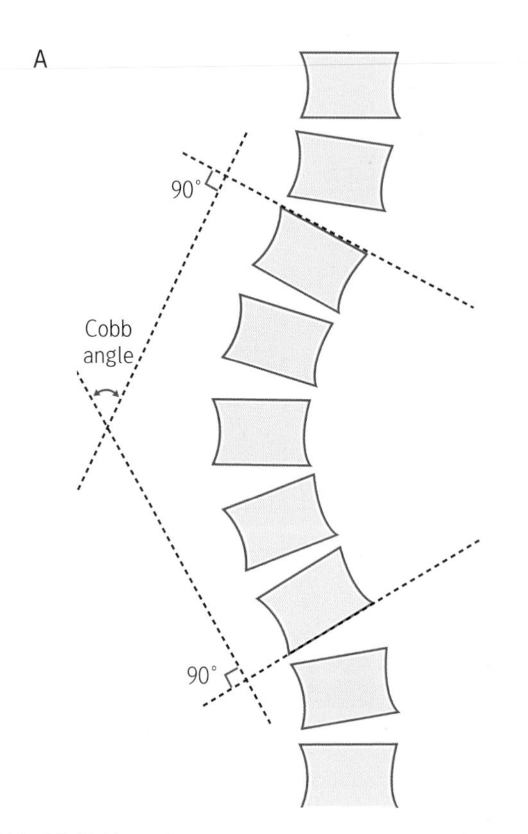

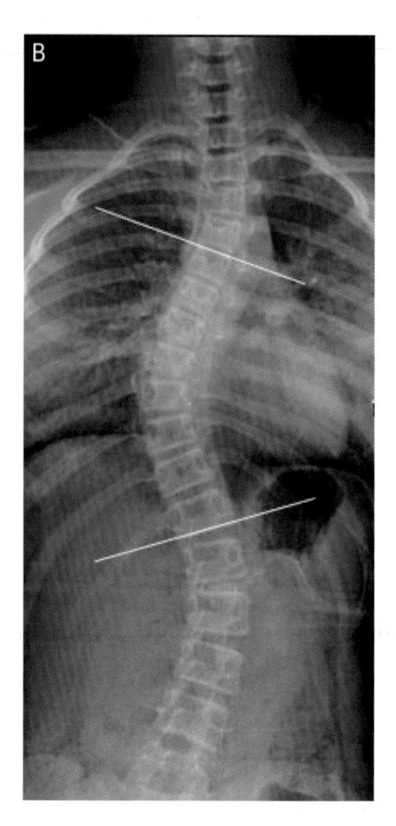

그림 5-62 Cobb angle
A-B. 척추만곡의 크기를 재기 위하여 척추 전장 단순 방사선 사진에서 가장 기울어져 있는 상하의 끝 척추를 택한 후, 각기 상단 및 하단에 선을 그은 뒤 이와 직각이 되는 선을 그어 서로 교차되는 각을 구한다.

척추는 인접한 추체와의 분절 여부에 따라서 다시 세 가지로 분류할 수 있다.

인접한 한 개의 추체로부터 추간판에 의해 분리된 경우 반분절반척추(semisegmented hemivertebra)라고 하며, 두 개의 인접 척추와 융합된 경우 비분절반척추(nonsegmented hemivertebra)라고 하고, 두 개의 인접 추체에서 분리된 경우 완전분절반척추(fully segmented hemivertebra)라고 한다. 반척추가 있다고 하더라도 인근 척추에 이에 상응하는 기형이 발생하였을 경우 만곡을 유발하지 않을 수 있는데 이를 감돈반척추(incarcerated hemivertebra)라고 한다. 중심성전방 형성은 양측에서 형성된 추체의 중심부 유합(midline fusion)이 이루어지지 않은 경우로 흔히 나비형척추(butterfly vertebra)라고 한다. 비교적 빈도가 높은 외측분절부전(lateral failure of segmentation)은 흔히 편측미분절 척추봉(unilateral unsegmented bar)이라고 하며 심한 측만증을 유발한다. 완전분절 부전(total failure of segmentation)은 흔히 척추 융합(block vertebra)이라고 불리며, 척추만곡을 유발하지는 않으나 척추의 분절 운동(segmental motion)과 길이 성장 장애를 일으킨다(그림 5-63).[71]

(2) Scheuermann 병

청소년기 흉추부 중간 또는 그 이하 부위의 후만곡(kyphosis)이 발생하는 질환이다. 단순 X-선 측면영상에서 불규칙한 척추 종판(endplate), 추간판 공간의 두께 감소, 하나 이상의 척추 분절이

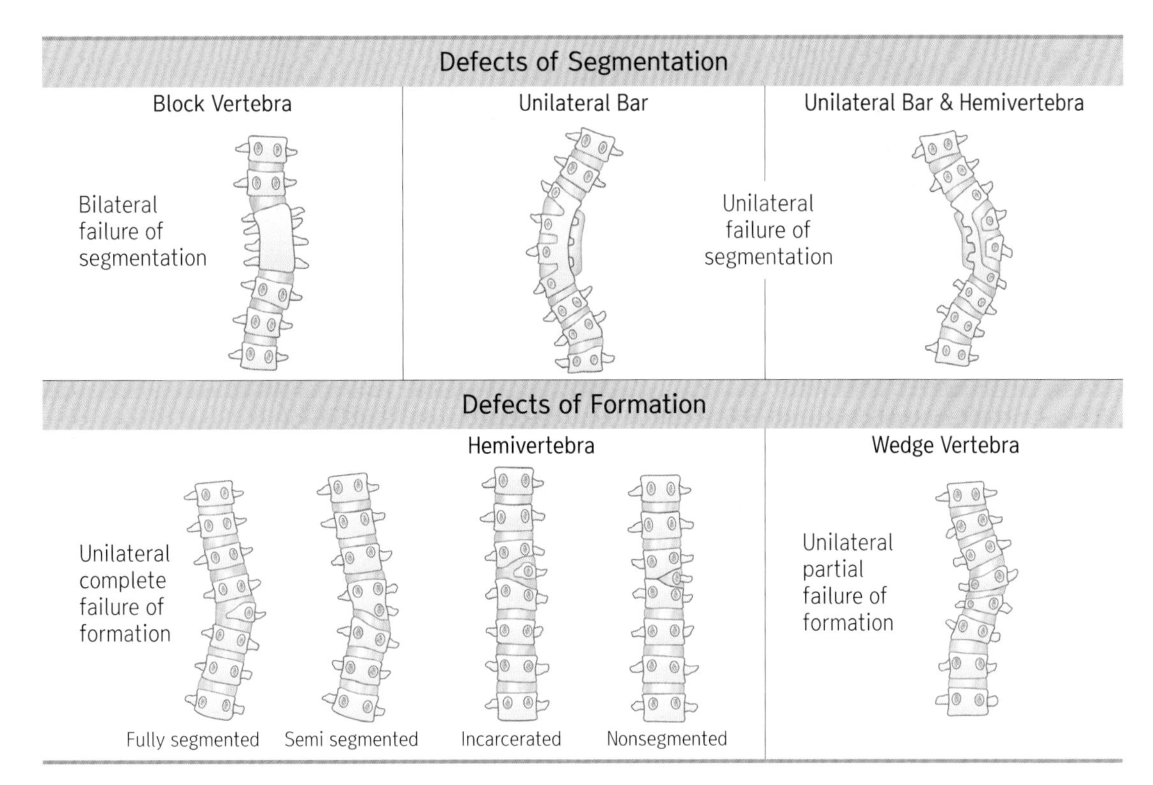

그림 5-63 선천성 척추측만의 모식도
척추 기형의 종류에 따라 크게 형성 부전(defects of formation)과 분절 부전(defects of segmentation)으로 분류된다.
(reference. McMaster M. Congenital scoliosis. In Weinstein S, ed. The Pediatric Spine: Principles and Practice, 2nd ed.; Lippincott Williams and Wilkins Publishers, Inc)

설상변형, 흉추 후만이 45° 이상 증가하면 진단할 수 있다(그림 5-64). 척추종판의 함요(depression)에 의한 Schmorl's nodes가 흔히 관찰되며 limbus vertebra를 형성할 수 있다[72].

(3) 근육성 사경

흉쇄유돌근(sternocleidomastoid muscle)의 종축 섬유형태를 밀고 있는 양상의 근육 내 비균질한 고에코 음영의 종괴가 보이면 근육성 사경으로 진단한다(그림 5-65). 간혹 흉골(sternum)에 부착되는 흉쇄유돌근에만 국한된 종괴를 초음파검사에서 놓칠 수 있으므로 양쪽 흉쇄유돌근의 전장을 비교하여 관찰해야 한다.[60]

2) 상지의 병변

(1) 주관절 손상

주관절 골절은 소아에서 가장 흔한 골절이며, 5~10세 사이에 흔히 발생한다. 주관절 골절은 주관절의 복잡한 발생해부학으로 인해 진단이 어려운 경우가 있어, 단순 X-선 촬영에서 반드시 두 개면 이상의 관절면 영상과 반대편 관절의 비교영상을 시행한다. 단순 X-선 촬영에서는 주관절 이차골화중심의 출현 순서와 지방패드징후(fat pad sign)와 같은 연부조직소견, 주관절의 정상 골 정렬을 평가한다(그림 5-66, 67).[73]

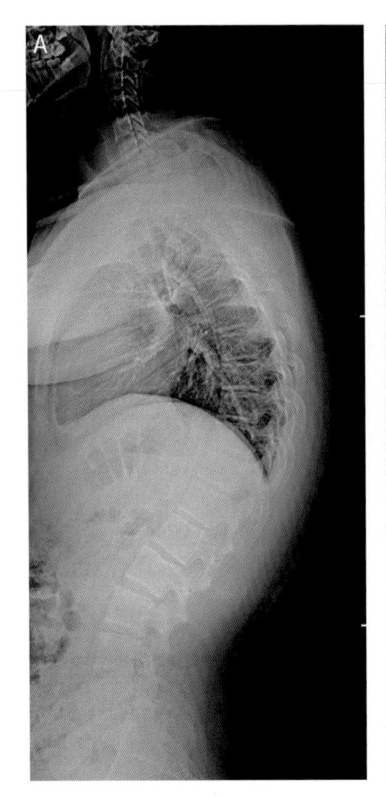

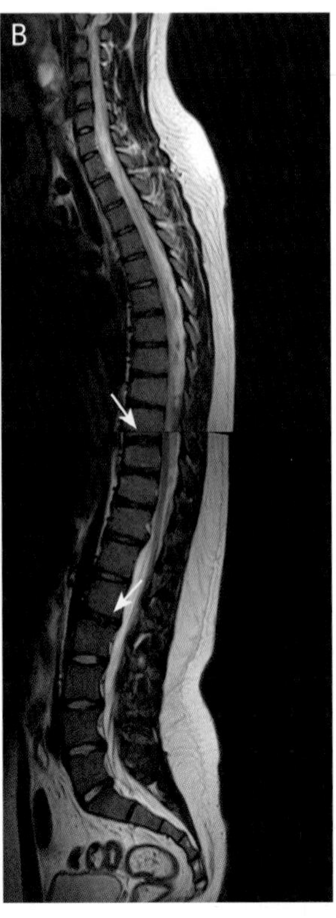

그림 5-64 Scheuermann 병

A. 척추후만증을 보이는 15세 남아. 척추 측면 X-선 촬영에서 하부 흉추와 상부 요추 척추체들에 쐐기 모양의 변형과 불규칙한 척추체 상하종판이 관찰된다.

B. T2강조 시상영상에서 쐐기모양의 척추체 변형과 여러 개의 연골결절(cartilaginous node, Schmorl's node, 화살표)이 보인다.

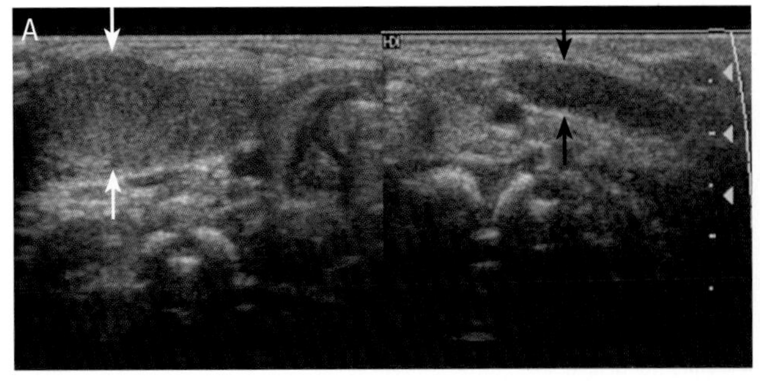

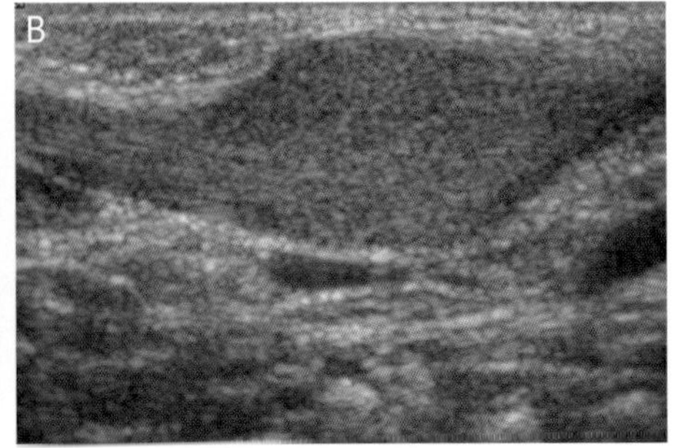

그림 5-65 근육성 사경의 초음파 소견

A. 양쪽 흉쇄유돌근(sternocleidomastoid muscle)을 횡단면 영상에서 비교하였을 때, 오른쪽 근육(흰색 화살표)이 왼쪽 근육(검은색 화살표)에 비해 두껍고, 고에코를 보인다.

B. 오른쪽 흉쇄유돌근의 종축영상을 얻었을 때 근육 내 비균질한 고에코 음영의 종괴가 보인다.

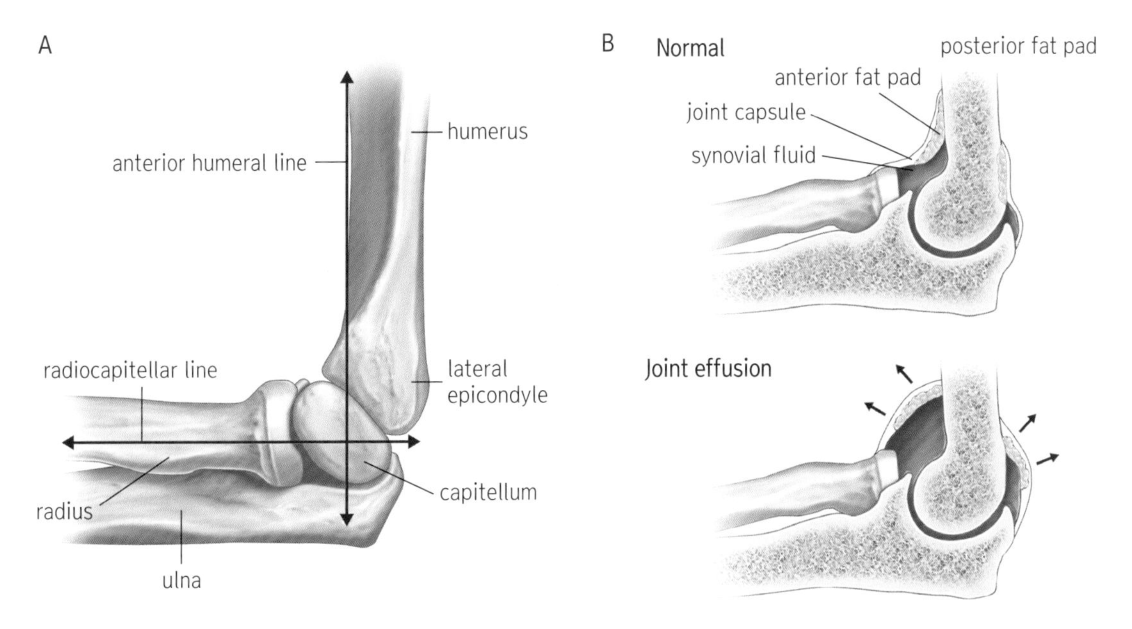

그림 5-66 소아주관절의 정상 측면 골 정렬과 지방체 음영 징후의 모식도

A. 측면 X-선 사진에서 상완골 전방 피질골을 따라 그은 선(전방 상완선, anterior humeral line)은 소두(capitellum)의 중앙 1/3을 지나는 것이 정상이다. 요골-소두선(radiocapitellar line)은 근위 요골의 종축을 지나는 선으로 주관절의 전후면, 측면, 사위면 등 다양한 방향으로 촬영하여도 소두의 중앙을 지나야 정상이다. 요골두의 아탈구 또는 탈구를 진단하는데 이용한다.

B. 주관절 주위의 지방체(fat pad): 관절내 출혈이나 부종에 의해 관절막이 팽윤되면서 지방체가 이동하여 지방체 음영 징후를 나타낸다.

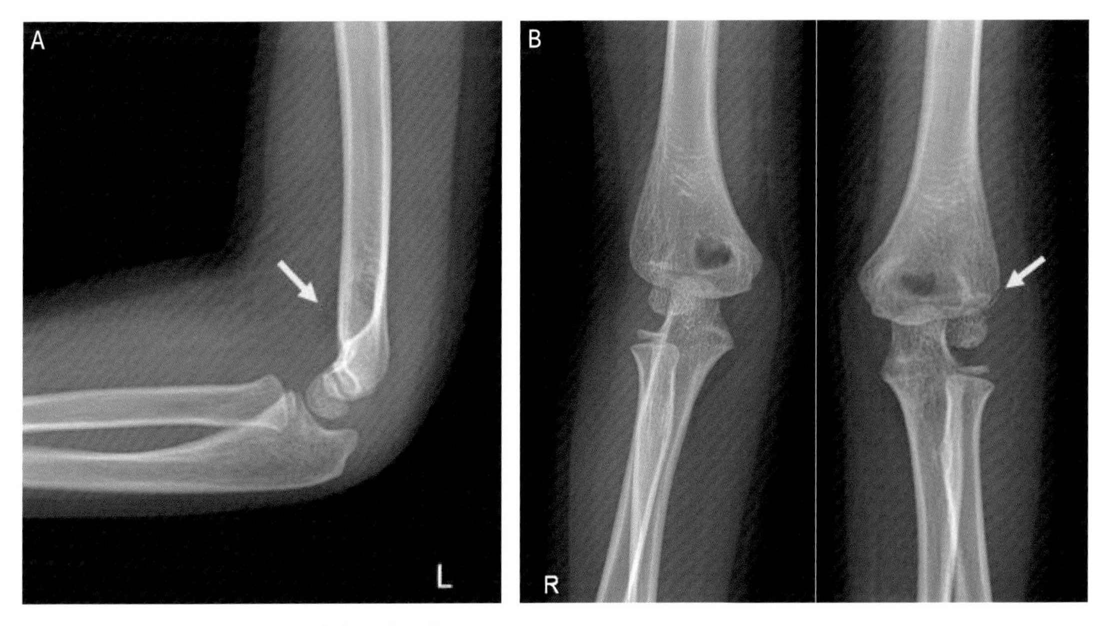

그림 5-67 소아 상완골 원위부 골절의 X-선 소견

A. 7세 남아의 주관절 사진으로 측면 X-선 사진에서 전방 지방체 음영 징후 양성이다.

B. 전후면 X-선 사진에서 외과(lateral condyle)에 골절선(화살표)이 관찰된다.

(2) 소아기 류마티스관절염

소아기 류마티스관절염은 소아에서 발생하는 전신적 염증성 질환으로 다양한 형태의 만성 염증성 관절염을 일으킨다. 소아기 류마티스관절염의 X-선 촬영소견에서 성인의 류마티스관절염과의 차이점은 연골의 파괴를 반영하는 관절간격협착이나 골미란이 상대적으로 늦게 나타나는 것이다. 또한 성인에 비해 관절강직으로 이행하는 경우가 많고, 특히 손, 발, 경추의 돌기사이관절에서 강직이 흔하다. 현저한 골막반응과 성장장애에 의한 성장판 조기폐쇄, 골단의 모양이 커지고 골간단과 골간은 가늘어지는 경우도 흔하며, 골단에 압박골절이 발생할 수 있다(그림 5-68).[74]

3) 하지의 병변

(1) 발달성 고관절이형성증

정확한 원인은 미상이나, 유전적, 내분비성 및 기계적 원인 등을 들 수 있다. 이러한 원인들로 인하여 관절이완(laxity) 및 불안정성(instability)이 생기고, 이에 의한 고관절 탈구가 발생하는 것으로 알려져 있다. 여아 대 남아의 비율이 7:3 정도로 여아에 호발하며, 왼쪽이 더 많이 발생한다. 고관절 탈구의 발생 가능성이 높은 위험군은 고관절 탈구의 가족력, 태반 내의 둔위(breech presentation), 사경(torticollis), 족부의 내전 중족골(metatarsus adductus)이나 종외반족(calcaneovalgus) 변형 등을 들 수 있다.[75]

대퇴 골두의 골화중심이 나타나는 시기인 생후 4~6개월 이전에는 X-선 검사가 진단에 큰 도움을 주지 못한다. 초음파 검사는 생후 6개월 미만의 영유아에서 고관절 이형성증이 의심될 때 가장 먼저 사용되는 영상검사이다. 초음파검사는 고관절 비구(acetabulum)와 대퇴골두의 형태 및 위치관계를 확인하고, 역동적 검사를 통해 고관절의 안정성을 평가할 수 있다[76].

① 초음파 검사

7~12 MHz의 선형 탐촉자를 사용한다. 정적인 영상에서 고관절 구조를 평가하고 동적검사를 시

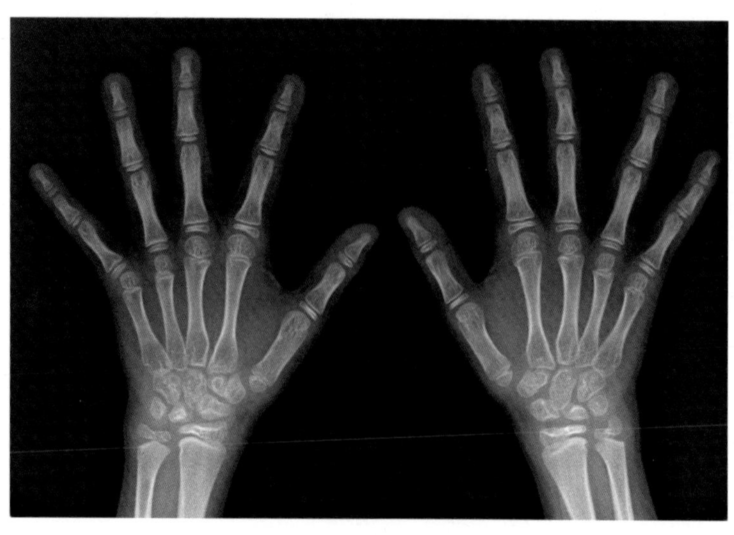

그림 5-68 소아기 류마티스관절염의 손목관절 침범
6세 여아. 양쪽 수근골의 골미란으로 수근골의 윤곽이 톱니모양으로 불규칙하게 보인다.
원위부 요골과 척골의 관절면도 불규칙하게 보인다.

행하여 불안정성을 평가한다. 초음파 영상에서 골화되지 않은 대퇴골두는 저에코음영으로 나타나고, 내부에 작은 고에코 점상음영을 갖는다. 골성비구는 고에코의 선상 음영으로 보이며, 비구순(acetabular labrum)은 저에코음영으로 보이는데 섬유성 연골 형태의 비구순 끝부분은 고에코 음영으로 보인다. 영상면에 나란한 장골(ilium), 대퇴골두, 비구개(acetabular roof)와 좌골(ischium)사이 triradiate cartilage가 보이는 관상면을 얻는다(그림 5-57A).

축상면 영상에서 대퇴골두는 대퇴 골간단과 좌골(ischium)사이에 형성된 V자형 골짜기 안에 위치한다. 역동적 검사는 축상면 영상에서 시행하는데 검사 중에 고관절을 탈구시키는 방향으로 스트레스를 주면서 비구 내에서 대퇴골두의 비정상적인 전위 유무를 확인한다(그림 5-57B).[60, 77, 78]

객관적인 평가를 위해 다음과 같은 측정 지표를 사용할 수 있다(그림 5-69).

가. α 각: 관상면 영상에서 장골의 외연과 골성 비구가 이루는 각으로 비구의 오목한 정도를 평가한다. 정상에서는 60° 이상으로 측정된다.

나. β 각: 관상면 영상에서 장골의 외연과 섬유성 연골로 구성된 비구순이 이루는 각도이다. 정상에서는 55° 미만이다.

다. 대퇴골두 피복지수(정상 〉50%)

초음파소견과 측정된 지표에 따라 고관절 탈구, 아탈구, 불안정성 고관절 등으로 분류한다(표 5-1)(그림 5-70).

② 단순 X-선 촬영

생후 4~6개월 이후 시기에는 X-선 검사가 진단이나 치료에 가장 유용하다. 단순 X-선 사진에서 Hilgenreiner선, Perkins 선, Shenton선, 비구지수(acetabular index)를 이용하여 평가한다. 단순 X-선영상에서 대퇴골두의 상외측 전위, 비구지수의 증가, 대퇴골두의 골화중심의 성장 지연을 볼 수 있는데 이를 Putti triad이라고 한다(그림 5-71A).

표 5-1 발달성고관절이형성증의 초음파분류기준(수정된 Graft법)

Type	Age	Bony roof	Bony promontory	Cartilage roof
I	At any age	α ≥ 60°	Angular/slightly rounded	Cover femoral head Ia β〈 55° Ib β〉 55°
IIa	0-12 weeks	α = 50-59°	Rounded	Covers femoral head Physiologic immaturity
IIb	〉12 weeks	α = 50-59°	Rounded	Covers femoral head
IIc	At any age	α = 43-49°	Rounded to flattened	Covers femoral head β〉77°
IId	At any age	α = 43-49°	Rounded to flattened	Decentered hip with a displaced cartilage roof, β〉77°
III	At any age	Poor, α〈 43°	Flattened	Labrum pressed upward
IV	At any age	Poor, α〈 43°	Flattened	Eccentric hip with inverted labrum (labrum pressed downward)

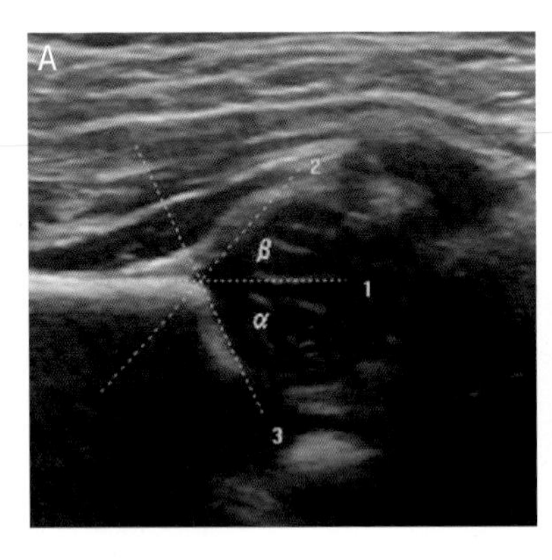

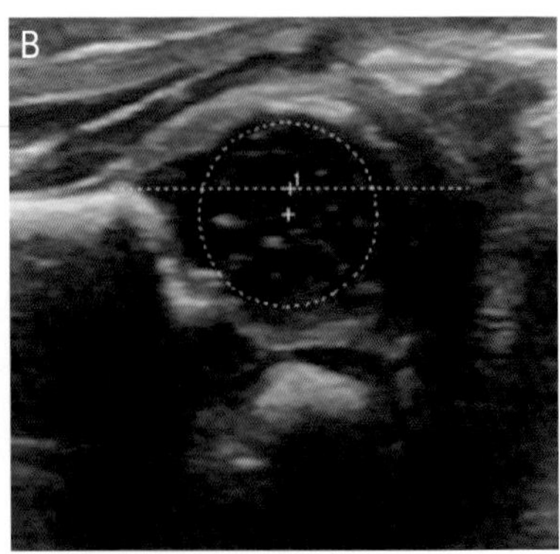

그림 5-69 고관절 이형성증의 초음파 검사 지표

A. 초음파검사 지표 측정의 예. 관상면 표준영상에서 장골에 나란한 선(line 1)을 기준으로 α 각, β 각과 대퇴골두피복지수를 측정한다.

B. 고관절이형성증에 의한 아탈구가 있는 경우 대퇴골두 피복지수는 50% 미만이 된다.

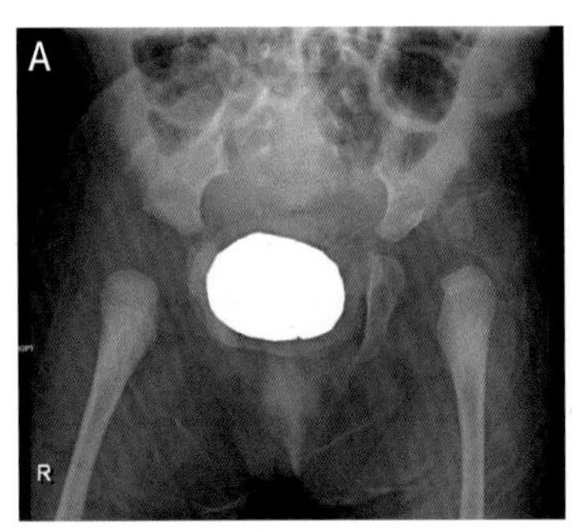

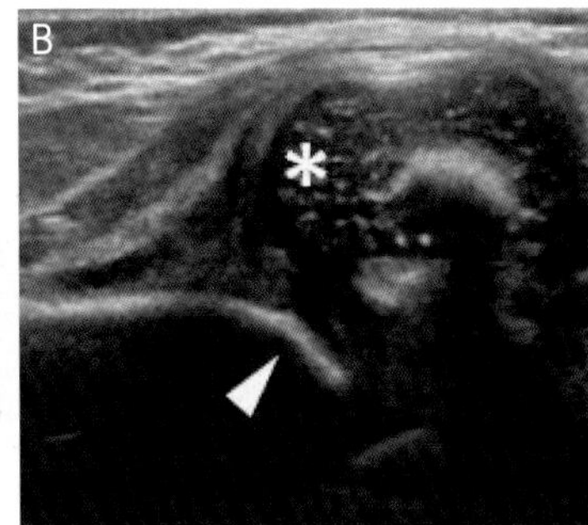

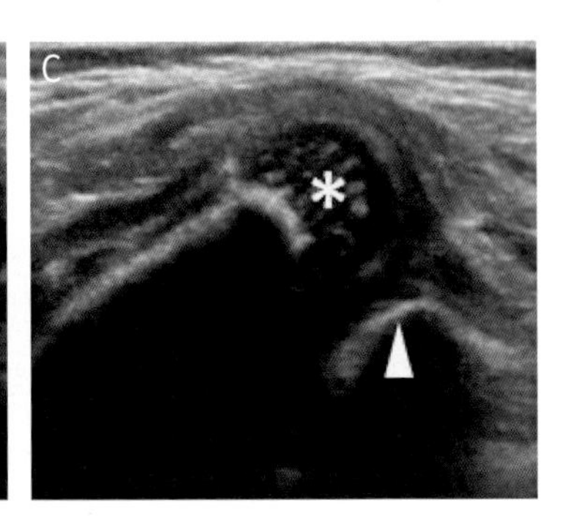

그림 5-70 고관절 이형성증의 초음파소견

A. 3개월 여아. 전후면 X-선에서 대퇴골두의 골화중심이 나타나지 않아 고관절의 탈구를 평가하기 어렵다.

B. 초음파검사의 관상면 영상에서 비구의 저형성으로 비구가 얕고(화살촉) 대퇴골두(*)는 외측으로 탈구되어 있다.

C. 초음파검사의 축상면 영상에서 대퇴골두(*)는 뒤쪽으로 빠져 좌골(화살촉)위에 위치한다.

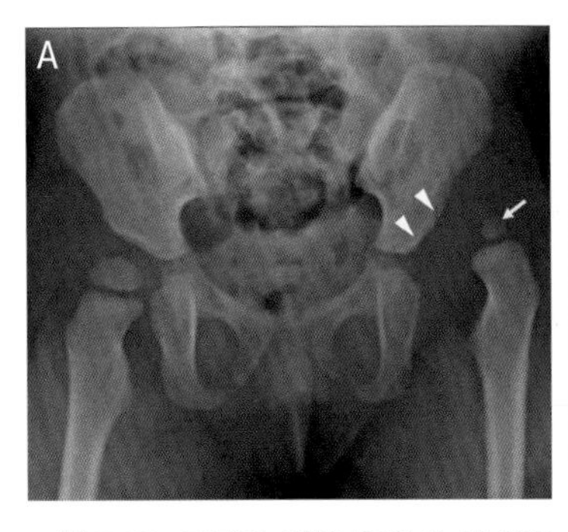

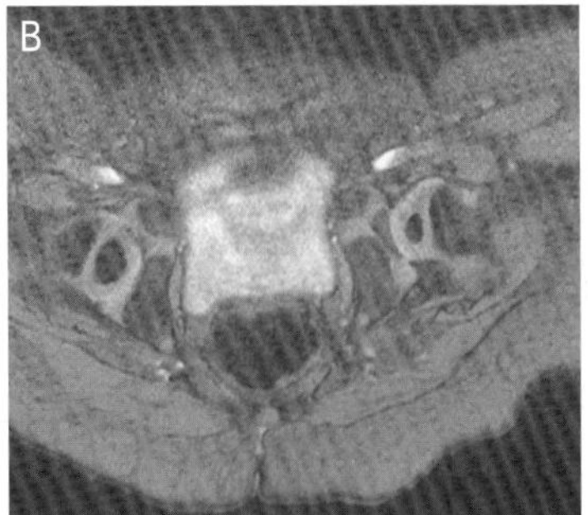

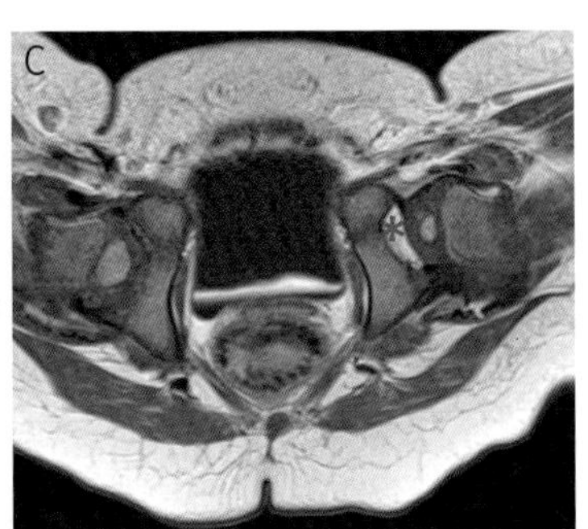

그림 5-71 고관절 이형성증의 X-선 촬영 소견과 도수정복 후 MRI 영상

A. 16개월 여아. 왼쪽 비구(화살촉)의 경사가 급하여 비구지수 acetabular index가 증가되었다. 대퇴골두(화살표)의 크기가 작고 외상방으로 전위되어 있다.

B. 고관절이형성증을 도수정복 후 시행한 축상면 gradient echo 영상에서 탈구되어 있던 대퇴골두가 비구내 위치한 것을 볼 수 있다. 왼쪽 대퇴골두는 오른쪽에 비해 크기가 작다.

C. 조영증강 T1강조영상에서 대퇴골두와 비구사이에 끼어 있는 섬유성 지방조직(*)이 관찰된다.

③ MRI

MRI는 연골로 이루어진 대퇴골두의 위치와 모양, 정복을 방해하는 요인이나 비구의 변화를 볼 수 있어 대퇴골두 정복술 후 고관절 정복을 평가하는데 유용하다. 정복을 방해하는 구조적 이상으로는 비구순(acetabular labrum)이나 관절낭이 안으로 말려들어가는 경우, 섬유성지방조직인 pulvinar가 있는 경우, 대퇴골두 인대(ligamentum teres)의 비후 등이 있다(그림 5-71B. C).[79]

(2) 급성 일과성 활액막염

2~10세 소아의 가장 흔한 비특이성 고관절 염증 질환이다. 원인 미상으로 수 주 내에 저절로 치유되기 때문에 화농성 골관절염과 같은 다른 질환과의 감별이 중요하다. 관절 내 삼출액이 생길 수 있는데, 초음파 검사는 소량의 고관절 삼출도 쉽게 진단할 수 있다. 고관절 삼출액을 평가하려면 초음파 탐촉자를 대퇴경부와 나란하게 놓고 고관절의 시상면 영상을 얻는다. 저에코음영의 장요근(iliopsoas muscle)이 대퇴골두, 성장판, 대퇴경부를 따라 관절막의 외연에 보인다. 대퇴 경부에 부착되는 관절막은 두 겹의 활액막에 의해 전방오목(anterior recess)을 형성하는데, 고관절 삼출액이 있으며 관절막이 앞으로 볼록해지면서, 전방오목 내에 무에코의 액체를 볼 수 있다(그림 5-57C). 초음파 소견만으로는 화농성 관절염과 감별할 수 없어 화농성 과절염의 징후가 보일 경우 초음파유도하 고관절 천자를 통해 삼출액의 성상을 확인하여야 한다.[77]

(3) Legg-Calvé-Perthes 병

소아에서 발생하는 특발성 대퇴골두 무혈성 괴사로서, 4~8세 소아에게서 주로 발생하며, 남아에서 여아보다 3~5배 이상 높은 빈도로 나타난다. 대부분 일측성이나 약 10%에서는 양측성으로 발생하기도 한다. LCP 병과 성인의 무혈성 괴사와의 차이점은 반복적인 혈류장애로 인해 괴사되었던 대퇴골두가 재혈관화로 신생골을 형성하면서 재골화된다는 것이다. 그러나 재골화 과정에서 대퇴골두에 변형이 생길 수 있고, 이로 인하여 나중에 퇴행성 관절염이 속발할 수 있다.

단순 X-선 검사 소견에 따라 흔히 초기 혹은 무혈성괴사기(initial stage or avascular stage), 분절기(fragmentation stage), 재골화기(reossification stage), 잔여기(residual stage)의 4단계로 분류한다. 무혈성 괴사기(avascular stage)의 단순 X-선 촬영 소견은 대퇴골두의 음영이 증가하고, 연골하 골절(subchondral fracture)에 의한 crescent sign이 보인다. 골 음영이 증가되었던 괴사 부위에 혈관이 풍부한 조직(fibrovascular tissue)이 자라 들어 오면서 괴사부위가 흡수되어 대퇴골두에 수직방향의 균열이 발생하는데 이를 분절기라고 한다. 이후 괴사부위가 흡수되고 신생골로 대치되는 재골화기를 거쳐, 대퇴골두의 재생이 완료되었으나 변형이 잔존하는 시기인 잔여기에 도달한다(그림 5-72).

대퇴골두의 이환 범위는 치료와 예후에 중요한 지침이 되는데 Herring 등은 분절기의 전후면 X-선 사진에서 골두를 외측, 중간, 내측으로 3등분하여 외측 골두의 높이가 정상인 경우 A군, 정상의 50% 이상은 유지된 경우 B군, 정상의 50% 미만만 유지된 경우를 C군으로 나누는 lateral pillar 분류를 제시하였다(그림 5-73).[27] MRI는 단순 X-선 촬영에서 분명하지 않은 LCP병의 진단과 대퇴골두의 이환범위, 대퇴골두의 아탈구(subluxation)와 골두의 유치(femora head containment)를 평가하는 데 유용하다(그림 5-72).[81]

(4) 대퇴골두골단분리증 (slipped capital femoral epiphysis)

대퇴경부에 대해 대퇴골두가 성장판의 면을 따

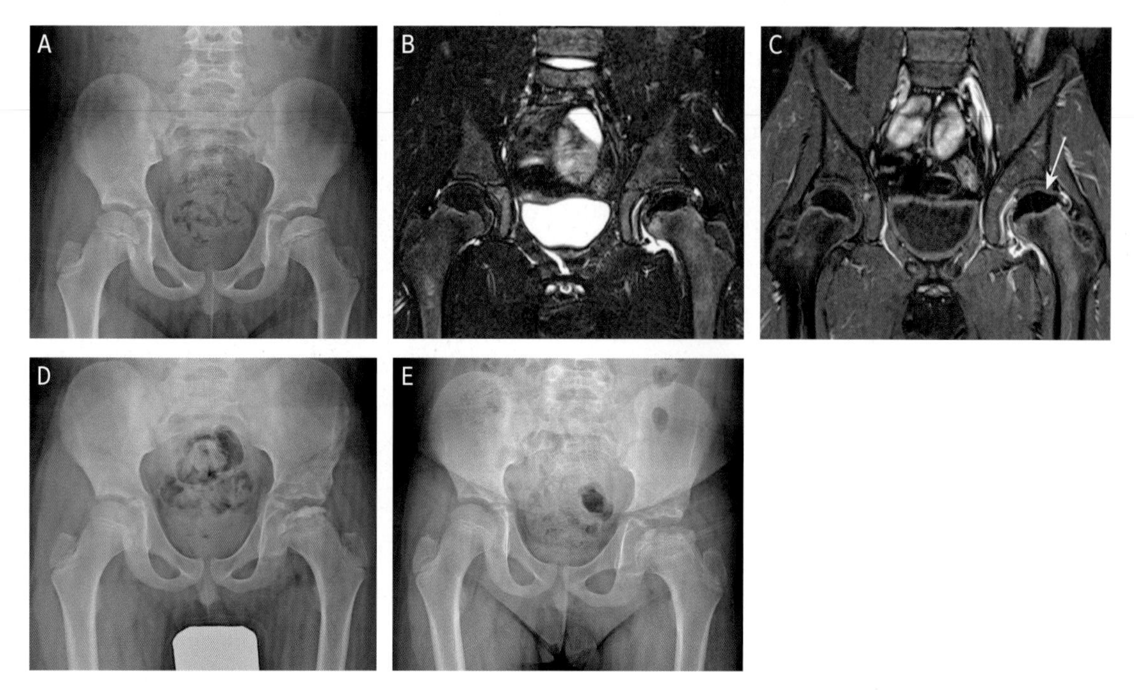

그림 5-72 LCP병의 영상소견

A. 7세 남아. 단순 X-선 촬영에서 왼쪽 대퇴골두의 높이가 감소되어 있고 골경화가 동반되었다.
B. T2강조영상에서 왼쪽 대퇴골두가 편평하고 비균질한 신호강도를 보인다. 고관절 삼출이 관찰된다.
C. 조영증강 T1강조영상에서 대퇴골두에 조영증강되지 않는 괴사부분(화살표)가 관찰된다.
D. 장골골절술 후 1년 추적관찰하였을 때 대퇴골두의 함몰과 분절이 진행되었으나 고관절 골두는 비구 내 위치하고 있다.
E. 10세에 추적관찰한 X-선 소견에서 대퇴골두의 재골화가 진행되었다.

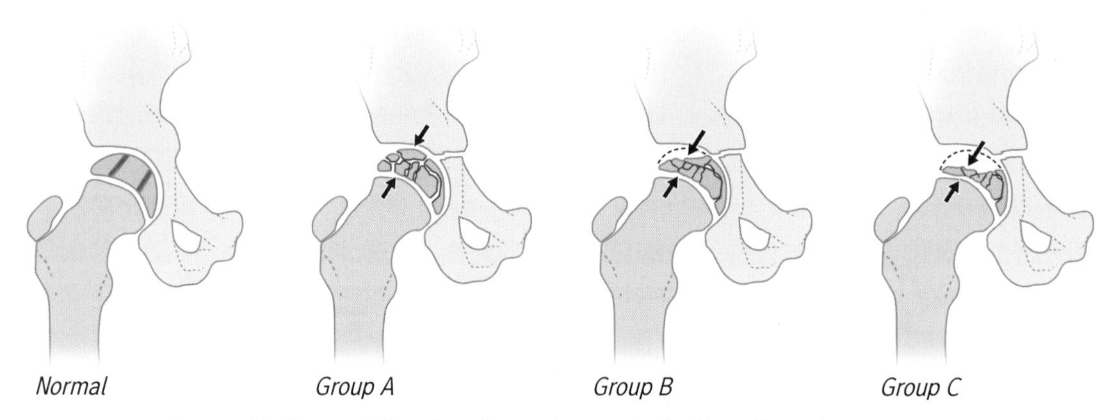

그림 5-73 LCP병의 Lateral pillar분류

라서 분리되어 전위되는 질환이다. 성장기에 접어드는 10~15세 사이에 발생하는데 여자보다 남자에 많으며 약 25%에서는 양측성으로 발생한다. 단순 X-선 촬영이 일차적인 진단방법이다. 전후면과 측면 촬영이 필요하다. X-선 촬영에서 골단판이 넓어지고, 골단 높이가 감소하며, 측면사진에서 골단의 후방전위를 관찰할 수 있다. 골단판 바로 아래의 골간단 부분에 후방전위된 골두가 겹쳐서 골 음영이 증가하는 현상(metaphyseal blanch sign)이 나타날 수 있다. 대퇴 경부 상연의 연장선(Klein line)이 정상에서는 골단의 골화부위를 통과하나, 대퇴골두 골단이 분리되어 전위되면 이 연장선이 대퇴골두를 지나지 않고, 대퇴골두의 위쪽을 지난다(그림 5-74). 성장판에 인접한 골간단 부분의 음영이 증가하고, 만성화되면 골간단의 재형성이 일어나 골극을 형성하기도 한다. 골단의 골단 분리부가 안정된 유형(stable slip)과 불안정한 유형(unstable slip)으로 나뉘기도 하는데, 안정성 골단분리증은 환측에 체중부하가 가능하고 보행이 가능한 경우이고 불안정성 골단분리증은 목발을 짚어도 동통으로 인하여 보행이 불가능하다. MRI를 통해 넓어진 성장판과 주변 골의 부종, 동반된 활액막염 소견을 볼 수 있고, 불안정성 대퇴골두골단분리증에서 나타날 수 있는 대퇴골두 무혈성괴사(avascular necrosis)를 확인할 수 있다(그림 5-74).[82]

(5) 성장판 손상

소아의 성장판은 관절막이나 인대보다 약한 구조로 외부 충격에 취약하다. 성장판 손상은 소아 골절의 15~30%를 차지한다. 성장판 골절은 골절의 위치에 따라 분류하는 Salter-Harris 분류법을 사용하는데, 이는 치료방법 결정과 예후에 밀접한 연관을 갖는다.

I형은 골절선이 성장판을 통과하여 골단과 골간단이 분리되는 형태이다. II형은 가장 흔한 형태로 골절선이 성장판을 따라 진행하다 골간단 쪽으로 연장된다. III형은 골절선이 골단 쪽으로 연장되는 형태이고, IV형은 골절선이 관절면에 수직으로 골단과 성장판을 통과하여 골간단까지 연장된 형태이다. V형은 성장판이 압박되어 crushing injury가 초래되는 경우이다(그림 5-75).

성장판 손상의 중요한 합병증은 골교(bone

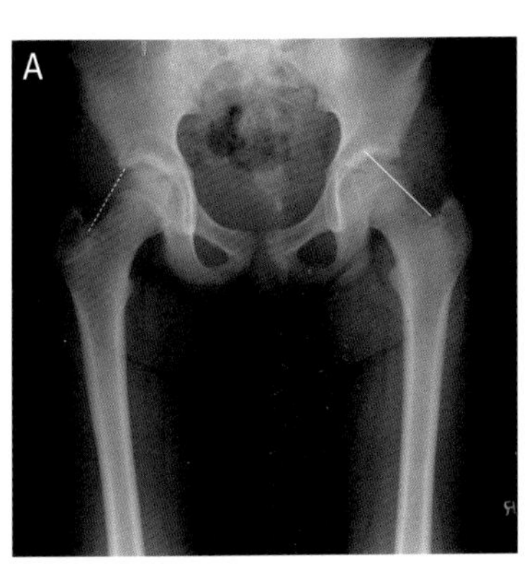

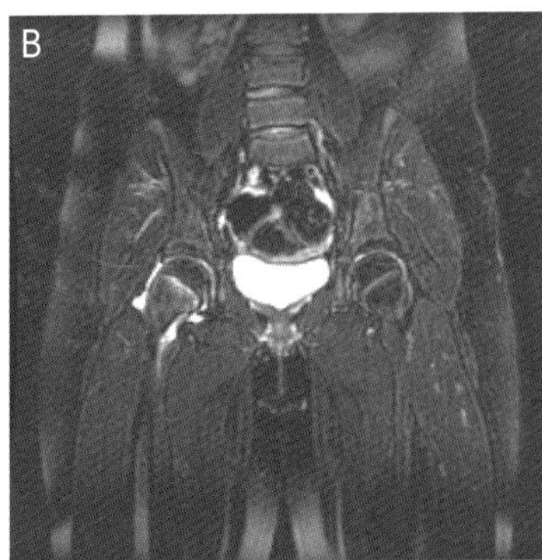

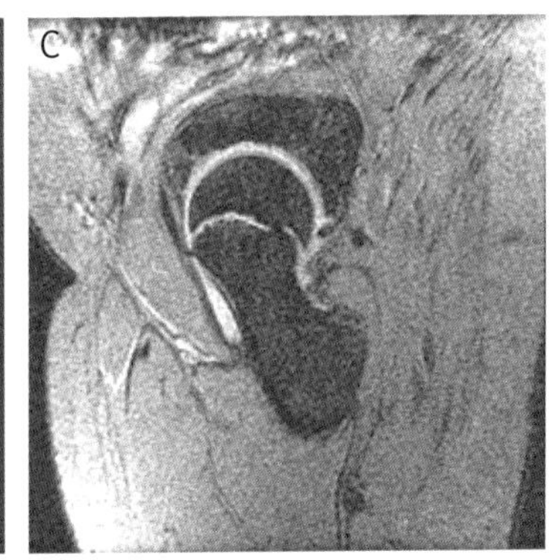

그림 5-74 대퇴골두골단분리증의 영상소견

A. 11세 여아. 단순 X-선 전후면 촬영에서 오른쪽 대퇴경부 상단을 지나는 선(점선)이 오른쪽 골두를 지나가지 않는다. 왼쪽 대퇴경부 상단을 지나는 선(실선)은 왼쪽 대퇴골두를 관통하는 정상소견이다.

B. 관상면 지방억제 T2강조영상에서 오른쪽 근위부 성장판이 넓어져 있고 대퇴골 골간단에 부종이 있다. 고관절 삼출도 동반되었다.

C. 시상면 T2강조영상에서 오른쪽 대퇴골두가 뒤쪽으로 이동되어 있는 것을 볼 수 있다.

bridge) 형성에 의한 성장장애이다. 성장판의 증식 연골세포가 손상된 후 골조직으로 대치되어 골단과 골간단을 잇는 골교가 형성된다. 성장판의 중심부에 골교가 형성되면 X-선 촬영에서 성장판이 ball-in-cup 모양을 보인다. 골교가 성장판의 가쪽에 형성되면 손상되지 않은 부분의 성장판에서는 지속적인 성장이 일어나므로 각형성 변형을 보이게 된다. 골교의 진단과 크기를 평가하는 데 MRI가 유용하다. MRI에서 골교는 성장판을 건너 골간단과 골단을 연결하는 지방골수의 형태로 보인다(그림 5-61).

원위 경골 성장판이 완전히 폐쇄되기 전 12~14세 사이에는 부분적으로만 폐쇄되어 있어서 특이한 골절 양상을 보일 수 있다. 골절면이 시상면, 관상면, 수평면에 걸쳐서 있는 삼면골절(triplane fracture)이 대표적인 예이며(그림 5-76), 원위골단의 전외측 부분이 전방 원위 경비인대에 의해서 견인 골절된 것을 Tillaux 골절이라고 한다.

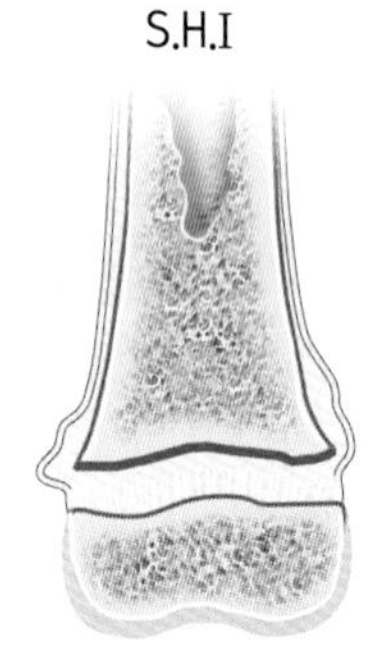

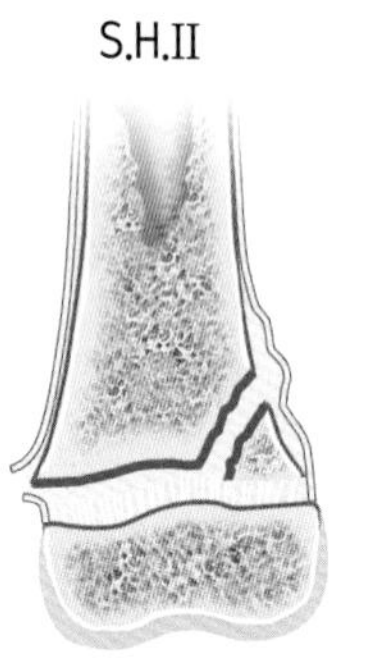

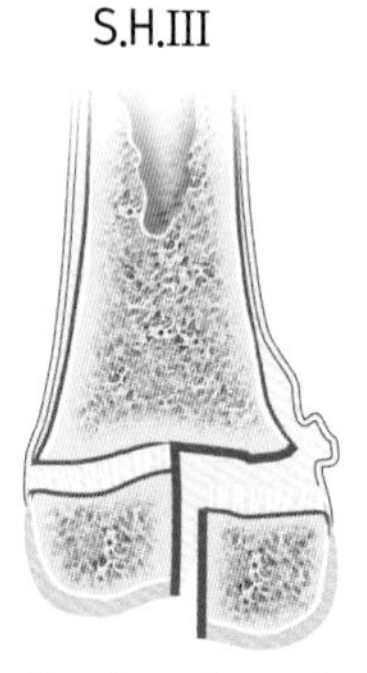

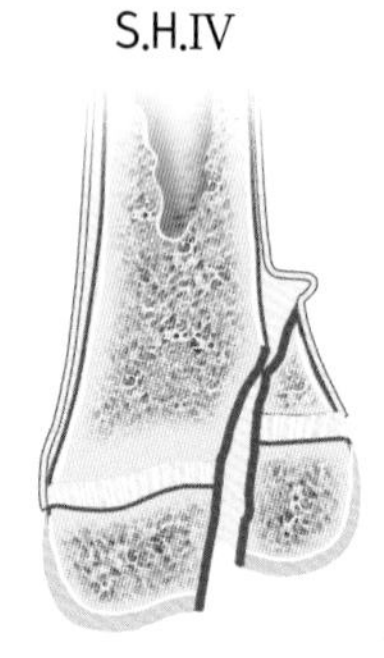

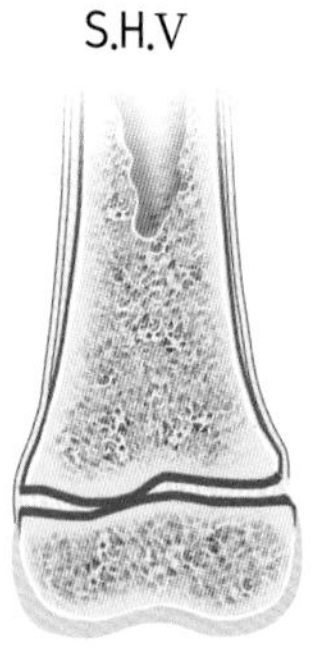

그림 5-75 성장판 손상의 분류: Salter-Harris 분류

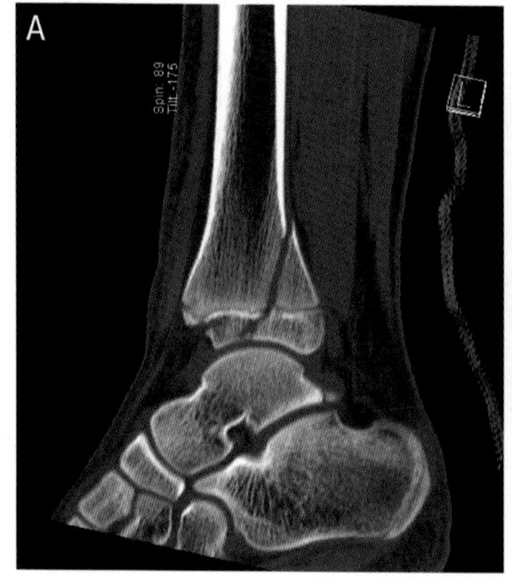

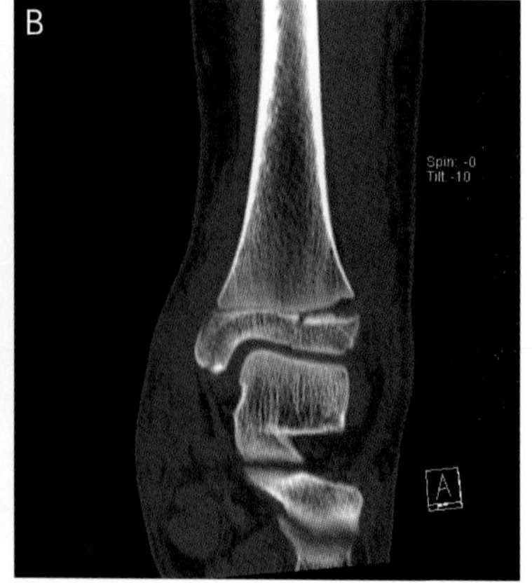

그림 5-76 Triplane fracture

A, B. 13세 남자. CT시상면(가)와 관상면(나)영상에서 경골 원위부의 골절면이 횡단면, 시상면, 관상면의 세 방향으로 진행하여 triplane fracture로 불린다.

▶ 참고문헌

1. Barkovich AJ. Magnetic resonance techniques in the assessment of myelin and myelination. J Inherit Metab Dis 2005;28:311-43.
2. Barkovich MJ. Barkovich AJ. MR Imaging of Normal Brain Development. Neuroimaging Clinics of North America 2019;29:325-37.
3. Branson HM. Normal Myelination. Neuroimaging Clinics of North America 2013;23:183-95.
4. Moldenhauer JS. Adzick NS. Fetal surgery for myelomeningocele: After the Management of Myelomeningocele Study (MOMS). Semin Fetal Neonatal Med 2017;22:360-6.
5. Calloni SF. Caschera L. Triulzi FM. Disorders of Ventral Induction/Spectrum of Holoprosencephaly. Neuroimaging Clin N Am 2019;29:411-21.
6. Kułłak W. Sobaniec W. Gośścik M. et al. Clinical and neuroimaging profile of congenital brain malformations in children with spastic cerebral palsy. Adv Med Sci 2008;53:42-8.
7. Webb EA. Dattani MT. Septo-optic dysplasia. Eur J Hum Genet 2010;18:393-7.
8. Barkovich AJ. Fram EK. Norman D. Septo-optic dysplasia: MR imaging. Radiology 1989;171:189-92.
9. Severino M. Geraldo AF. Utz N. et al. Definitions and classification of malformations of cortical development: practical guidelines. Brain 2020.
10. Barkovich AJ. Raybaud C. Pediatric neuroimaging. 2019.
11. Stutterd CA. Leventer RJ. Polymicrogyria: a common and heterogeneous malformation of cortical development. Am J Med Genet C Semin Med Genet 2014;166c:227-39.
12. Curry CJ. Lammer EJ. Nelson V. et al. Schizencephaly: heterogeneous etiologies in a population of 4 million California births. Am J Med Genet A 2005;137:181-9.
13. Raybaud C. The corpus callosum, the other great forebrain commissures, and the septum pellucidum: anatomy, development, and malformation. 2010;52:447-77.
14. Van Dijk T. Baas F. Barth PG. et al. What"s new in pontocerebellar hypoplasia? An update on genes and subtypes. Orphanet Journal of Rare Diseases 2018;13.
15. Radha Rama Devi A. Naushad SM. Lingappa L. Clinical and Molecular Diagnosis of Joubert Syndrome and Related Disorders. Pediatric Neurology 2020;106:43-9.
16. Daghistani R. Rutka J. Widjaja E. MRI characteristics of cerebellar tubers and their longitudinal changes in children with tuberous sclerosis complex. Child's Nervous System 2015;31:109-13.
17. Roth J. Roach ES. Bartels U. et al. Subependymal Giant Cell Astrocytoma: Diagnosis, Screening, and Treatment. Recommendations From the International Tuberous Sclerosis Complex Consensus Conference 2012. 2013;49:439-44.
18. Kang E. Kim Y-M. Seo GH. et al. Phenotype categorization of neurofibromatosis type I and correlation to NF1 mutation types. Journal of Human Genetics 2020;65:79-89.
19. Mentzel H-J. Seidel JR. Fitzek C. et al. Pediatric brain MRI in neurofibromatosis type I. European Radiology 2005;15:814-22.
20. Barkovich AJ. Imaging of the Newborn Brain. Semin Pediatr Neurol 2019;32:100766.
21. Shroff MM. Soares-Fernandes JP. Whyte H. et al. MR imaging for diagnostic evaluation of encephalopathy in the newborn. Radiographics 2010;30:763-80.
22. Krishnan P. Shroff M. Neuroimaging in Neonatal Hypoxic Ischemic Encephalopathy. 2016;83:995-1002.
23. Brouwer AJ. Groenendaal F. Benders MJNL. et al. Early and Late Complications of Germinal Matrix-Intraventricular Haemorrhage in the Preterm Infant: What Is New? Neonatology 2014;106:296-303.
24. Hortensius LM. Dijkshoorn ABC. Ecury-Goossen GM. et al. Neurodevelopmental Consequences of Preterm Isolated Cerebellar Hemorrhage: A Systematic Review. Pediatrics 2018;142:e20180609.
25. Boswinkel V. Steggerda SJ. Fumagalli M. et al.

TheCHOPIn Study: a Multicenter Study on Cerebellar Hemorrhage and Outcome in Preterm Infants. The Cerebellum 2019;18:989-98.

26. Amarnath C. Helen Mary T. Periakarupan A. et al. Neonatal parechovirus leucoencephalitis- radiological pattern mimicking hypoxic-ischemic encephalopathy. Eur J Radiol 2016;85:428-34.
27. Dunbar M. Kirton A. Perinatal Stroke. Semin Pediatr Neurol 2019;32:100767.
28. Pearson TS. Pons R. Ghaoui R. et al. Genetic mimics of cerebral palsy. Movement Disorders 2019;34: 625-36.
29. Lee RW. Poretti A. Cohen JS. et al. A Diagnostic Approach for Cerebral Palsy in the Genomic Era. NeuroMolecular Medicine 2014;16:821-44.
30. Appleton RE. Gupta R. Cerebral palsy: not always what it seems. Archives of Disease in Childhood 2019;104:809-14.
31. Fink KR. Thapa MM. Ishak GE. et al. Neuroimaging of pediatric central nervous system cytomegalovirus infection. Radiographics 2010;30:1779-96. 32. Parmar H. Ibrahim M. Pediatric Intracranial Infections. Neuroimaging Clinics of North America 2012;22:707-25.
33. Schwartz ES. Rossi A. Congenital spine anomalies: the closed spinal dysraphisms. Pediatric Radiology 2015;45:413-9.
34. Balani A. Chatur C. Biswas A. et al. Spinal dysraphisms: highlighting discrepancies in the current literature and emphasizing on the need for a consensus. Quantitative Imaging in Medicine and Surgery 2020;10:549-53.
35. Morota N. Ihara S. Ogiwara H. New classification of spinal lipomas based on embryonic stage. Journal of Neurosurgery: Pediatrics 2017;19:428-39.
36. Morioka T. Murakami N. Shimogawa T. et al. Neurosurgical management and pathology of lumbosacral lipomas with tethered cord. Neuropathology 2017;37:385-92.
37. Oh JE. Lim GY. Kim HW. et al. Filum terminale lipoma revealed by screening spinal ultrasonography in infants with simple sacral dimple. Childs Nerv Syst 2020;36:1037-42.
38. Warner T. Scullen TA. Iwanaga J. et al. Caudal Regression Syndrome-A Review Focusing on Genetic Associations. World Neurosurg 2020;138:461-7.
39. Sorte DE. Poretti A. Newsome SD. et al. Longitudinally extensive myelopathy in children. Pediatr Radiol 2015;45:244-57; quiz 1-3.
40. Burgel U. Amunts K. Hoemke L. et al. White matter fiber tracts of the human brain:threedimensional mapping at microscopic resolution, topography and intersubject variability, Neuroimage 2006;29: 1092-1105.
41. Ciccarellia O. Parkerb GJM. Toosya AT. et al. From diffusion tractography to quantitative white matter tract measures: a reproducibility study, Neuroimage 2003;18:348-359.
42. Gossl C. Fahrmeir L. Putz B. et al. Fiber tracking from DTI using linear state space models: detectability of the pyramidal tract, Neuroimage 2002;16:378-388.
43. Mori S. Crain BJ. Chacko VP. et al. Three dimentional tracking of axonal projections in the brain by magnetic resonance imaging, Ann Neurol 1999;45: 265-269.
44. Nguyen TH. YHoshida M. Stievenart JL. et al. MR tractography with diffusion tensor imaging in clinical routine, Neuroradiology 2005;47:334-343.
45. Mukherjee P. McKinstry RC. Diffusion tensor imaging and tractography of human brain development, Neuroimag Clin N Am 2006;16:19-43.
46. Son SM. Park SH. Moon HK. et al. Diffusion tensor tractography can predict hemiparesis in infants with high risk factors. Neurosci Lett 2009;451:94-97.
47. Kwon YM. Kwon HG. Rose J. et al. The Change of intra-cerebral CST Location during Childhood and Adolescence; Diffusion Tensor Tractography Study. Kwon et al. Front Hum Neurosci. 2016 Dec 20;10:638.
48. Baek SO. Jang SH. Lee E. et al. CST recovery in pediatric hemipelgic patients: Diffusion tensor tractography study. Neurosci Lett. 2013 Dec 17:557 Pt B:79-83.
49. Jang SH. Bai D. Son SM. et al. Motor outcome prediction using diffusion tensor tractography in pontine infarct. Ann Neurol. 2008;64:460-465.

50. Macdonell RA. Jackson GD. Curatolo JM. et al. Motor cortex localization using funcitonal MRI and transcranial magnetic stimulation. Neurology 1999;53:1462-1467.
51. Saunders J. Carlsn HL. Cortese F. et al. Imaging functioanl motor connectivity in hemiparetic children with perinatal stroke. Hum Brain Mapp. 2019 Apr 1;40(5):1632-1642.
52. Qin Y. Li Y. Sun B. et al. Functioanl connectivity alteration in children with spastic and dyskinetic cerebral palsy. Neural Plast. 2018 Aug 15;2018.
53. Hertz-Pannier L. Gaillard WD. Mott S. et al. Funtioanl MRI of language tasks: Frontal diffuse activation patterns in children(abstract) Hum. Brain Mapping 1995;1:S231.
54. Resnick D. Manolagas S. Niwayama G, Fallon MDJDob, Company jdtePWS. Histogenesis, anatomy and physiology of bone. 2002:648-54.
55. Sadler TW. Langman's medical embryology: Lippincott Williams & Wilkins; 2018.
56. Greulich WW. Pyle SI. Radiographic atlas of skeletal development of the hand and wrist: Stanford university press; 1959.
57. Chan BY. Gill KG. Rebsamen SL. Nguyen JC. MR Imaging of Pediatric Bone Marrow. Radiographics. 2016;36(6):1911-30. Epub 2016/10/12. doi: 10.1148/rg.2016160056. PubMed PMID: 27726743.
58. Brighton CT. Morphology and biochemistry of the growth plate. Rheum Dis Clin North Am. 1987;13(1):75-100. Epub 1987/04/01. PubMed PMID: 3306826.
59. Kellenberger CJ. Pitfalls in paediatric musculoskeletal imaging. Pediatr Radiol. 2009;39 Suppl 3:372-81. Epub 2009/05/19. doi: 10.1007/s00247-009-1220-y. PubMed PMID: 19440756.
60. DiPietro MA. Leschied JR. Pediatric musculoskeletal ultrasound. Pediatr Radiol. 2017;47(9):1144-54. Epub 2017/08/06. doi: 10.1007/s00247-017-3919-5. PubMed PMID: 28779196.
61. Bansal AG. Rosenberg HK. Sonography of pediatric superficial lumps and bumps: illustrative examples from head to toe. Pediatr Radiol. 2017;47(9):1171-83. Epub 2017/08/06. doi: 10.1007/s00247-017-3859-0. PubMed PMID: 28779193.
62. Silva MS. Fernandes ARC. Cardoso FN. Longo CH. Aihara AY. Radiography, CT, and MRI of Hip and Lower Limb Disorders in Children and Adolescents. Radiographics. 2019;39(3):779-94. Epub 2019/05/07. doi: 10.1148/rg.2019180101. PubMed PMID: 31059403.
63. Salamipour H. Jimenez RM. Brec SL. Chapman VM. Kalra MK. Jaramillo D. Multidetector row CT in pediatric musculoskeletal imaging. Pediatr Radiol. 2005;35(6):555-64. Epub 2005/03/19. doi: 10.1007/s00247-005-1410-1. PubMed PMID: 15776228.
64. Boavida P. Muller LS. Rosendahl K. Magnetic resonance imaging of the immature skeleton. Acta Radiol. 2013;54(9):1007-14. Epub 2013/11/02. doi: 10.1177/0284185113501945. PubMed PMID: 24179233.
65. Laor T. Jaramillo D. MR imaging insights into skeletal maturation: what is normal? Radiology. 2009;250(1):28-38. Epub 2008/12/19. doi: 10.1148/radiol.2501071322. PubMed PMID: 19092089.
66. Darge K. Jaramillo D. Siegel MJ. Whole-body MRI in children: current status and future applications. Eur J Radiol. 2008;68(2):289-98. Epub 2008/09/19. doi: 10.1016/j.ejrad.2008.05.018. PubMed PMID: 18799279.
67. Kanal E. Burk DL. Jr. Brunberg JA. Johnson ND. Wood BP. Flom L. Pediatric musculoskeletal magnetic resonance imaging. Radiol Clin North Am. 1988;26(2):211-39. Epub 1988/03/01. PubMed PMID: 3277221.
68. Brossmann J. Biederer J. Heller M. MR imaging of musculoskeletal trauma to the pelvis and the lower limb. Eur Radiol. 1999;9(2):183-91. Epub 1999/04/02. doi: 10.1007/s003300050653. PubMed PMID: 10101636.
69. Sanchez TR. Jadhav SP. Swischuk LE. MR imaging of pediatric trauma. Magn Reson Imaging Clin N Am. 2009;17(3):439-50, v. Epub 2009/06/16. doi: 10.1016/j.mric.2009.03.007. PubMed PMID: 19524195.
70. Morrissy R. Goldsmith G. Hall E. Kehl D. Cowie GJJBJSA. Measurement of the Cobb angle on radiographs of patients who have. 1990;72(3):320-7.

71. Hedequist D. Emans JJJ-JotAAoOS. Congenital scoliosis. 2004;12(4):266-75.
72. Palazzo C. Sailhan F. Revel MJJBS. Scheuermann's disease: an update. 2014;81(3):209-14.
73. Jaramillo D. Shapiro F. Musculoskeletal trauma in children. Magn Reson Imaging Clin N Am. 1998;6(3):521-36. Epub 1998/07/09. PubMed PMID: 9654583.
74. Babyn P. Doria ASJRDCoNA. Radiologic investigation of rheumatic diseases. 2007;33(3): 403-40.
75. Dezateux C. Rosendahl KJTL. Developmental dysplasia of the hip. 2007;369(9572):1541-52.
76. Karmazyn BK. Gunderman RB. Coley BD. Blatt ER. Bulas D. Fordham L. et al. ACR Appropriateness Criteria® on developmental dysplasia of the hip—child. 2009;6(8):551-7.
77. Callahan MJ. Musculoskeletal ultrasonography of the lower extremities in infants and children. Pediatr Radiol. 2013;43 Suppl 1:S8-22. Epub 2013/03/27. doi: 10.1007/s00247-012-2589-6. PubMed PMID: 23478916.
78. Rosendahl K. Toma PJEr. Ultrasound in the diagnosis of developmental dysplasia of the hip in newborns. The European approach. A review of methods. accuracy and clinical validity. 2007;17(8):1960-7.
79. Dillon JE. Connolly SA. Connolly LP. Kim Y-J. Jaramillo DJMRIC. MR imaging of congenital/developmental and acquired disorders of the pediatric hip and pelvis. 2005;13(4):783-97.
80. Herring JA. Neustadt JB. Williams JJ. Early JS. Browne RHJJoPO. The lateral pillar classification of Legg-Calvé-Perthes disease. 1992;12(2):143-50.
81. Dillman JR. Hernandez RJJAJoR. MRI of Legg-Calve-Perthes disease. 2009;193(5):1394-407.
82. Umans H. Liebling MS. Moy L. Haramati N. Macy NJ. Pritzker HAJSr. Slipped capital femoral epiphysis: a physeal lesion diagnosed by MRI, with radiographic and CT correlation. 1998;27(3):139-44.

CHAPTER

6 전기진단검사

Electrodiagnosis

방문석

신경전도검사, 침근전도 검사, 유발전위 검사를 포함한 전기진단검사는 하위운동신경원 병변 및 중추 신경계의 특정 영역의 평가에 도움이 되는 정보를 제공하는 검사이다. 소아에서의 근전도 검사는 성인에서와는 다소 차이가 있어, 검사를 성공적으로 수행하는 데 보호자의 도움이 필요한 경우가 많고, 아이의 협조 여부에 따라서 검사의 유용성이 좌우되기도 한다.

하위운동신경원 병변의 경우 전기진단검사를 통해 이후의 진단검사 계획(근육 및 신경 생검, 뇌척수액 검사, 자기공명영상, 유전자 검사 등)을 수립하는 데 도움을 줄 수 있으며, 중증 근무력증 또는 길랑 바레 증후군 등의 면역성 질환의 경우 전기진단검사를 통해 치료방향을 결정할 수 있다.[1, 2]

소아에서는 성인에서처럼 모든 검사를 수행할 수 없는 경우가 많기 때문에, 검사 순서를 계획하고 꼭 필요한 검사를 성공적으로 시행하는 것이 중요하다. 임상양상이 대칭적이라면, 일측에서만 검사를 수행하는 것이 합리적인 방법이다.[3] 영아에서는 근긴장도 저하, 출생 시 상완신경총 병변 등으로 주로 검사를 시행한다. 척수근위축증, 근육병, 근이영양증, 유전성 다발신경병, 후천성 다발신경병, 신경근 접합부 질환 등을 진단을 위해서도 전기진단검사가 도움이 된다.

소아의 경우 검사결과를 해석하는 데 있어서 성인과 달리 성숙(maturation) 에 영향을 주는 다양한 인자를 고려해야 한다. 수초화(myelination), 신체 성장(body growh), 세포 분화(cell differentiation) 및 시냅스 발달(synaptic growth) 등에 의해서 성인과 다른 전기진단검사 정상수치를 가지므로, 이에 대한 폭넓은 이해가 필요하다.[4]

I. 소아에서의 전기진단검사

1. 소아의 신경전도검사

1) 소아의 신경전도검사 방법

소아 신경전도검사에서 가장 중요한 것은 숙련된 검사자에 의해 빠르고 정확하게 검사가 이루어지도록 하는 것이다. 이때 한 명의 보조자나 부모가 검사 받는 환아의 팔이나 다리를 고정하도록 하는 것이 검사를 효율적으로 시행하는데 도움이 된다. 또한 소아의 두려움을 줄이고 협조를 이끌어내기 위해서는 부모가 검사실에 함께 있도록 하거나 필요에 따라서는 소아의 손을 잡게 한다거나 보호자의 무릎에 아이를 올려놓고 검사하는 것도 좋은 방법이다(그림 6-1).

신경전도검사 중 상하지의 온도는 성인과 마찬가지로 어린이에게도 중요하다. 제1 배측 골간근(first dorsal interosseous)에서 측정한 상지 피부온도는 최소 32℃ 이상이어야 한며, 하지 비복근에서 측정한 하지 피부 온도는 최소 30℃ 이상이어야 한다.[3]

대부분의 소아에서 신경전도검사는 큰 문제없이 끝낼 수 있으며, 침근전도에 앞서 신경전도검사를 시행하는 것이 좋다. 진행상완신경총 병변 등의 특정 말초신경의 병변을 의심하는 경우가 아니라면, 상하지에서 꼭 필요한 운동 및 감각신경전도검사를 수행하는 것이 일반적이며, 운동신경전도검사보다는 자극강도가 더 낮은 감각신경 전도검사를 먼저 수행하는 것이 검사에 용이하다[3]. 신경전도검사를 할 때 2~6세 연령의 소아는 검사협조가 가장 힘든 연령이기 때문에 chloral hydrate 50~100 mg/kg를 검사 약 30분 전에 투여하면 적절한 진정효과를 얻을 수 있다.[4] 경우에 따라서는 midazolam 유도후 질소가스로 마취하여 검사를 하기도 한다. 그러나 halothane은 신경근육계 질환이 있을 때 malignat hyperthermia의 염려가 있으므로 써서는 안된다. 검사가 전기적인 자극으로 통증을 유발하므로 보호자 입회하에 충분한 설명을 한 후 하는 것이 원칙이다.

전기자극기(stimulator)는 양극과 음극의 직경도 조금 작고 거리도 1.5~2 cm 정도의 작은 자극기를 쓰기도 한다(그림 6-2).[5] 표면에 부착하는 활성(active) 및 기준(reference) 전극은 아이에게 부착하기 위해서 크기에 맞게 잘라서 사용하기도 한다(그림 6-3). 접지(ground) 전극의 경우에는 부착 위치가 제한적이지 않으므로, 완전한 크기를 부착해야 하며, 상지 검사의 경우 손등 쪽에 부착하는 것이 용이하다. 초기 자극은 10 mA 미만으로 시작하여 첫 번째 자극이 아이에게 거의 감지되지 않게 하면 아이에게 안정감을 줄 수 있다. 일반적으로 소아의 원위운동부위에서 초최대자극(supramaximal stimulation)은 20 mA 이하(duration 0.2 ms 이하)의 자극으로 얻을 수 있고,

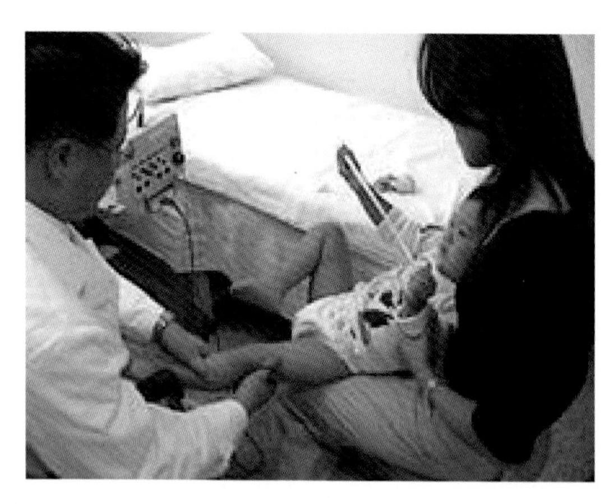

그림 6-1 협조가 잘 되는 경우의 신경전도검사

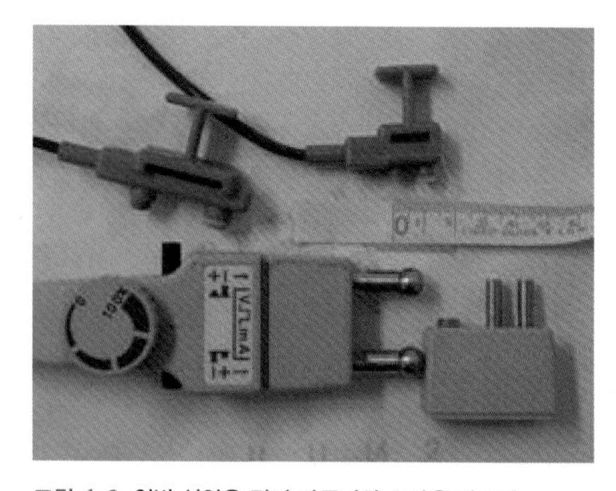

그림 6-2 일반 성인용 전기 자극기와 소아용 자극기

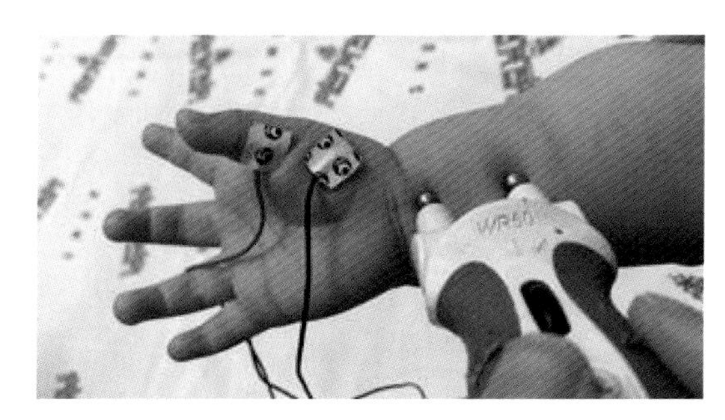

그림 6-3 아이의 크기에 맞게 자른 활성전극 및 기준전극

3~4회 정도 반복해서 시행해볼 수 있다.[6] 슬와 및 겨드랑이와 같은 더 근접한 부위는 경우에 따라 더 높은 자극 강도 및 기간이 필요하다. 대부분의 감각신경의 경우, 초최대자극은 10~20 mA의 자극 강도에서 달성되지만, 신경 부위 및 나이, 신경병리 존재여부에 따라 달라질 수 있고, 근위부의 경우도 20~30 mA를 초과하는 경우는 드물다.[7] 소아의 경우 신경자극점과 기록전극 사이의 거리가 너무 짧아서 자극 작위파(artifact) 가 발생하기 쉽다. 이러한 경우 피부를 건조하게 하여 피부의 임피던스를 줄여주면 작위파를 최소화할 수 있다. 이 외에도 자극할 때 전도용 겔의 사용량을 최소화하고 자극기의 양극을 회전(anodal rotation)시키는 것도 유용한 방법이다.[8, 9]

성인에서는 자극점과 기록전극 사이의 거리를 일정하게 고정하여 검사하는 것이 일반적이나, 소아에서는 이 거리를 적절하게 유지하기 어려운 경우가 많다. 따라서 신경이 지나가는 해부학적 자극점을 찾아 자극하는 것이 필요하다. 또한 영아의 경우 상지 감각신경전도검사시에 손가락 길이가 짧아서 활성 전극과 기준 전극을 배치하는 것이 어려운 경우가 많다. 이러한 경우, 활성 전극은 두 번째 손가락에 부착하고, 기준전극은 세 번째 손가락에 부착하거나, 전극을 반으로 자르고 둘 다 두 번째 또는 세 번째 손가락에 부착할 수 있다.[3] 실패하는 경우에는 링(ring) 전극을 대신 사용할 수 있다. 신생아와 일부 영아의 경우에는 높은 피부 임피던스 및 짧은 전극 간 거리로 인해 감각신경 유발전위가 가려질 수 있다. 소아는 신체의 크기가 성인에 비해 매우 작기 때문에 측정 오류에 의해서 신경전도속도가 민감하게 변화하여, 영유아에서 피부표면에서 측정한 거리가 1 cm 차이가 나면 신경전도속도는 약 15% 정도 변하게 된다. 따라서 거리 측정에 특별히 주의를 기울여야 한다.[4,9]

2) 소아의 발달과 신경전도속도

소아의 신경전도검사는 연령과 직접적인 연관이 있다. 신경 전도 속도는 수초화(myelination), 섬유(fiber)의 직경 및 결절사이의 거리(internodal length)에 의해 결정되는데, 말초신경의 수초화(myelination)는 제태 15주경부터 약 3~5세까지 지속된다. 전도 속도는 성장하는 동안 섬유 직경의 증가에 정비례하여 증가한다. 축삭은 약 5세 경이 되면 직경이 최대에 도달하여 성인수준과 동일하게 되며, 출생 시에는 약 1/2 정도의 직경을 가진다.

일반적으로 전도속도는 신경의 종류와 위치에 따라 차이가 있지만, 3~5세에 성인정상치에 근접한다(표 6-1).[3, 10] 1세 미만의 영아의 운동신경전도속도는 성인 값의 약 절반 수준으로, 영아의 경우에도 20 m/s 이상이어야 한다. 28주 미만의 미숙아 시기에는 운동신경전도속도가 약 10m/s 이며, 시간이 지나면서 점차 운동신경전도속도가 빨라져 40주가 되면 정상 신생아와 동일한 수준에 도달하게 된다. 출생 시에 정중, 척골, 비골신경의 운동신경전도속도는 약 27 m/s이며, 신경에 따라서 성숙 정도에 차이가 있어 정중신경은 척골신경과 비골신경에 비해 전도속도의 성숙이 지연될 수 있다.

표 6-1 소아의 연령에 따른 운동신경(위)과 감각신경(아래) 전도검사의 참고치[3]

Age (N)	Median Motor Nerve				Peroneal Motor Nerve			
	DML, ms	CV, ms	F, ms	AMP, mv	DML, ms	CV, ms	F, ms	AMP, mv
7 day~1 mo(20)	2.23 (0.29)	25.43 (3.84)	16.12 (1.5)	3.00 (0.31)	2.43 (0.48)	22.43 (1.22)	22.07 (1.46)	3.06 (1.26)
1~6 mo(23)	2.21 (0.34)	34.35 (6.61)	16.89 (1.65)	7.37 (3.24)	2.25 (0.48)	35.18 (3.96)	23.11 (1.89)	5.23 (2.37)
6~12 mo(25)	2.13 (0.19)	43.57 (4.78)	17.31 (1.77)	7.67 (4.45)	2.31 (0.62)	43.55 (3.77)	25.86 (1.35)	5.41 (2.01)
1~2 yr(24)	2.04 (0.18)	48.23 (4.58)	17.44 (1.29)	8.90 (3.61)	2.29 (0.43)	51.42 (3.02)	25.98 (1.95)	5.80 (2.48)
2~4 yr(22)	2.18 (0.43)	53.59 (5.29)	17.91 (1.11)	9.55 (4.34)	2.62 (0.75)	55.73 (4.45)	29.52 (2.15)	6.10 (2.99)
4~6 yr(20)	2.27 (0.45)	56.26 (6.61)	19.44 (1.51)	10.37 (3.66)	3.01 (0.43)	56.14 (4.96)	29.98 (2.68)	7.10 (4.76)
6~14 yr(21)	2.73 (0.44)	57.32 (3.35)	23.23 (2.57)	12.37 (4.79)	3.25 (0.51)	57.05 (4.54)	34.27 (2.29)	8.15 (4.19)

Age (N)	Median Sensory Nerve		Peroneal Sensory Nerve	
	CV, ms	AMP, μV	CV, ms	AMP, μV
7 day~1 mo(20)	22.31(2.16)*	6.22(1.30)	20.26(1.55)	9.12(3.02)
1~6 mo(23)	35.52(6.59)	15.86(5.18)	34.63(5.43)	11.66(3.57)
6~12 mo(25)	40.31(5.23)	16.00(5.18)	38.18(5.00)	15.10(8.22)
1~2 yr(24)	46.93(5.03)	24.00(7.36)	49.73(5.53)	15.41(9.98)
2~4 yr(22)	49.51(3.34)	24.28(5.49)	52.63(2.96)	23.27(6.84)
4~6 yr(20)	51.71(5.16)	25.12(5.22)	53.83(4.34)	22.66(5.42)
6~14 yr(21)	53.84(3.26)	26.72(9.43)	53.85(4.19)	26.75(6.59)

* Mean (SD)

CV, conduction velocity; AMP, amplitude. DML, distal motor latency

From Parano E, Uncini A, DeVivo DC, Lovelace RE : Electrophysiologic correlates of peripheral nervous system maturation in infancy and childhood. J Child Neurol 1993;8:336-338, In: Dumitru D, Amato AA, Zwartz MJ, editors. Electrodiagnostic medicine. 2nd ed. Philladelphia: Hanley & Belfus, Inc.; 2002:1433-1447

각 신경에 따라 성숙정도에 차이는 있으나, 약 5세 경에는 신경전도속도가 성인 기준치의 하한값에 이르게 된다.

감각신경 전도속도와 감각신경활동전위는 아이의 나이에 따라 크게 영향을 받는다. 감각신경 전도속도는 생후 6개월 이내에 특히 급격한 증가가 이루어지며 출생 시에 비하여 1~2세에 두 배에 도달한다. 2세 이후부터는 성인 속도에 도달할 때까지 약간의 증가가 있다. 감각신경활동전위 또한 유사한 성숙 과정을 거친다.

3) 후기 반응(late responses)

후기 반응(late reponse)에는 H 반사와 F 반응검사가 널리 사용된다. 하지만 후기 반응을 얻으려면 아동에게 상당한 불편함이 생길 수 있으므로, F 반응에 이상이 있는 특정 질환을 의심하는 경우(예: 길랑 바레 증후군)가 아니면 무리해서 시행하지 않는 것이 좋다.[3] F 반응의 잠시는 만삭아에서 대부분 기록이 가능하며, 신체의 길이성장과 연령의 증가에 따라 변화한다. 아이들은 키가 작기 때문에 불완전한 수초화에도 불구하고 더 짧은 F 반응 잠시를 보인다. 따라서, 연령 일치 정상값을 사용해야 한다. 만삭으로 출생한 신생아에서 F 반응의 잠시는 정중신경에서 20 ms 이하, 척골신경에서 17 ms 이하, 비골신경에서 26 ms 이하를 보이는 것이 일반적이며, 성인이 되면서 점차 증가하게 된다.[3]

H 반사는 생후 첫해에 하지뿐 아니라 상지에서도 얻을 수 있지만, 소아에서 검사가 필요한 경우는 드물다. H 반사는 영유아기에 대부분의 근육에서 유발시킬 수 있으며 점차 중추신경계의 억제력이 증가하면서 생후 1세경이 되면 장딴지 근육에서만 일관되게 기록할 수 있다.

4) 신경 반복 자극 검사 (repetitive nerve stimulation studies)

신경 반복 자극 검사는 신경근 접합부(neuromuscular junction)의 병변인 중증 근무력증(myasthenia gravis), 근무력 증후군(myasthenic syndrome), 보툴리즘(botulism) 등이 의심될 경우 시행하게 된다.[11] 신경 반복 자극 검사 시에는 소아 크기에 맞는 고정대를 사용하여 자극할 팔 또는 다리를 고정해야 안정적으로 검사를 수행할 수 있다. 손으로 쥐는 자극기를 사용하는 것보다 표면 양극 및 음극 전극을 신경주행경로에 부착하여 자극하는 것이 자극 작위파를 줄이는 데 도움이 된다. 신생아에서는 자극 작위파를 최소화하기 위해서 척골신경이나 정중신경을 평가할 때 팔목에서 자극하는 방법을 택하기도 한다. 근위부 근육에서 시행할 경우에 진단의 위음성률이 낮기 때문에, 승모근은 어린이에게 권장되고 있으나, 움직임 때문에 검사가 힘들 수 있다.[12]

신경 반복 자극 검사는 운동 신경전도검사를 반복하여 시행하는 것으로, 전극을 부착하는 위치와 자극 위치는 운동신경전도검사와 같다. 일반적으로 10 Hz 이상으로 자극하는 경우 고빈도(high frequency) 자극, 5 Hz 미만으로 자극하는 경우 저빈도(low frequency) 자극이라고 한다. 정상인에서 신경탈분극이 발생하면, 세포외의 Ca^{++}이 세포 내로 들어오게 되고, 이것이 다시 세포 밖으로 나오는 데 100~200 ms이 걸린다. 따라서, 1초에 5회 이상의 자극을 가하면 세포 내에 Ca^{++}이 쌓이게 된다. 따라서 10 Hz 이상의 자극을 고빈도 자극, 5 Hz 미만의 자극을 저빈도 자극으로 분류한다.

신경을 2~3 Hz 정도로 저빈도 자극하여 복합근활동 전위를 연속적으로 기록하면 정상인 경우 진폭에 변화가 나타나지 않지만, 중증 근무력증과 같이 시냅스 후막(postsynaptic membrane)의 병변이 있을 때에는 첫째 자극으로 유발된 전위에 비해 이후에 유발된 전위에서 진폭이 점차 감소하게 된다(그림 6-4). 또한, 이러한 현상은 고빈도 반복 자극 검사 혹은 자발적 운동 후 2~4분 후에 저빈도 반복 자극 검사를 다시 시행하는 경우 더 뚜렷한 감소를 보인다. 저빈도 반복 자극 검사 시에 첫째 전위에 비해 4~5번째 유발된 전위의 진폭이 10% 이상 감소하게 되면 이상소견으로 간주한다.

고빈도 반복 자극 검사는 특히 시냅스 전막(presynaptic membrane)의 병변을 진단하는 데 유용하게 사용된다. 대표적으로 Lambert-Eaton 근무력증과 영아 보툴리즘이 있다. 고빈도(20~50 Hz) 자극을 시행하면 세포 내의 Ca^{++}이 세포 외로 미처 빠져나가지 못하게 되어, 세포 내의 Ca++ 농도가 증가한다. 시냅스 전막 병변의 경우, 기존에는 action potential을 유발하지 못했던 종판전위(end plate potential)가 action potential을 만들게 되어 아세틸콜린 방출이 증가된다. 따라서 복합근활동전위의 진폭이 현저히 증가하게 되며, 2배 이상으로 증가하는 경우에 시냅스 전막 병변을 의심하게 된다.[5, 13] 영아 보툴리즘의 경우 고빈도 반복 자극 검사 시 평균 73% (23~313%)의 진폭 증가 소견을 보인다.[14] 이러한 증가 소견은 약 4~20분 가량 지속되므로, 반드시 처음에 측정한 복합근 활동전위와 고빈도 반복 자극 검사 후 측정한 복합근 활동전위를 비교해야 한다.

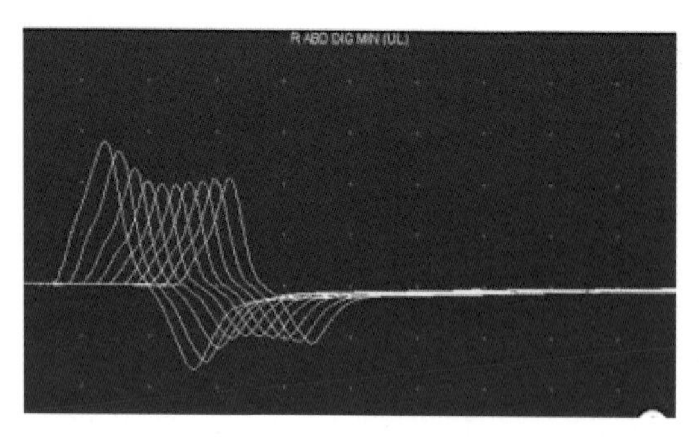

그림 6-4 중증 근무력증으로 진단된 소아의 저속반복자극검사

반복신경자극검사는 영유아에서 성인과 다소 다른 결과를 보일 수 있어 검사결과 해석에 유의해야 한다. 고빈도 자극 시에 영유아에서 오히려 복합근 활동전위의 진폭이 감소되었다는 보고가 있다.

5) 그 외 특수한 반응 검사

(1) 순목 반사(blink reflex)

안면신경 마비나 Miller Fisher 증후군 등이 의심될 경우 순목반사가 도움이 된다.[15] 순목 반사는 안와상공(supraorbital foramen)에서 삼차신경을 자극하여 얻게 되며, 이 자극은 뇌간을 향해 전달되고, 안면신경으로 진행되어 안면신경을 통해 양쪽 눈의 안륜근(orbicularis oculi)이 수축된다. 순목반사를 통하여 삼차신경, 안면신경, 뇌간 기능의 이상여부를 검사할 수 있다.

(2) 구해면체 반사 (bulbocavernous reflex, BCR)

구해면체 반사는 척수의 천수분절(sacral segment) 기능에 이상이 의심되는 경우 시행해볼 수 있다. 척수이형성증이 의심되는 소아에서 대소변 기능에 장애가 의심되는 경우, 구해면체 반사를 통해서 천추신경의 결박(tethering) 또는 손상 여부를 평가하기 위해 구해면체 반사를 시행한다.[16] 귀두(glans penis)나 음핵(clitoris)을 자극하고 항문의 괄약근에 바늘을 꽂아서 기록하게 되며, 잠시의 유발 여부 및 기시 잠시(onset latency)를 종합적으로 평가한다(그림 6-5).

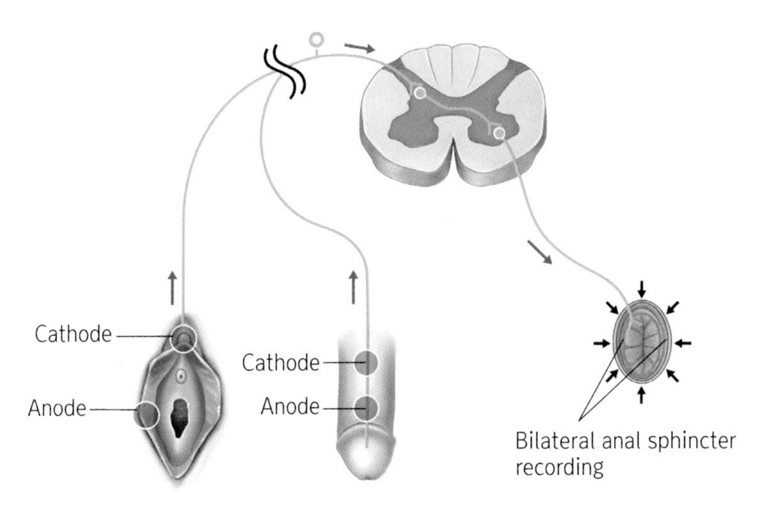

그림 6-5 구해면체 반사의 자극 및 기록 방법에 대한 모식도. 척수의 천수분절(위), 남자와 여자의 해부학적 자극위치(좌측 아래), 항문괄약근의 기록위치(우측 아래)[16]

2. 침근전도 검사

1) 소아의 침근전도 검사방법

침근전도는 환자의 자발적 근수축 등 환자의 협력이 필수적인 검사인 동시에 2.5 cm 정도 길이로 성인용에 비해서는 짧고 가늘지만(그림 6-6), 침으로 근육을 찔러서 검사하기 때문에 통증이 수반되는 검사이다. 따라서 소아 환자의 검사는 성인에 비해 검사과정에 환자의 협조를 구하는 것이 무척 어렵다. 일반적으로 환자들에게 침이나 바늘이라는 용어를 써서 설명하기보다는 가느다란 전선 혹은 핀을 이용한다고 말하고 모기가 무는 정도로 따끔한 검사라고 설명하고 출혈이 있을 때는 환아가 보지 않게 하는 것이 요령이다. 경우에 따라 국소 마취연고인 EMLA크림을 검사 1시간 전에 도포하여 검사를 하기도 한다.[17] 이 때 한달 미만의 영아에게는 피부 도포만으로도 많은 양의 약물이 흡수될 수 있으므로 주의하여야한다.

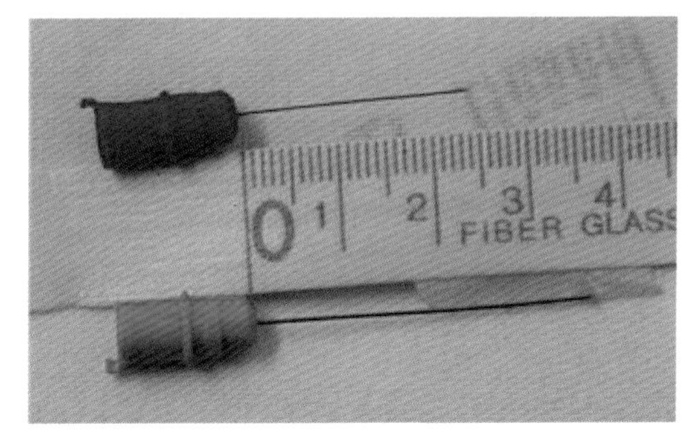

그림 6-6 소아의 침근전도 검사에서 사용하는 근전도 바늘(빨간색), 성인에서 사용하는 근전도 바늘 (초록색)

전반적인 신경근육질환이 의심되는 경우 상하지의 근위부와 원위부 근육을 모두 포함시켜 검사해야 한다. 검사를 받는 소아가 협조가 잘 되는 경우에는 삽입전위와 자발전위를 먼저 관찰할 수 있지만, 협조가 잘 안되는 경우에는 운동단위 활동전위를 먼저 관찰하는 것이 좋다. 운동단위 활동전위는 침전극을 삽입하면 통증으로 소아가 움직이면서 최대 수축을 보이는 경우가 많아서 이때 나타나는 운동단위 활동전위를 보고 점증양상 등을 평가할 수 있다. 그 외에도 사탕이나 인형을 보여주면서 소아가 팔을 뻗게 한다거나 피부에 통증 자극을 주거나 모로 반사 등의 원시반사를 이용해서 운동단위 활동전위를 관찰하는 노력이 필요하다. 일반적으로 소아는 신체를 굴곡한 자세를 많이 취하고 있기 때문에 운동단위 활동전위를 검사할 때에는 굴근(flexor muscle)을 검사하는 것이 좋다. 상지에서는 이두박근, 표재족지굴근(flexor digitorum superficialis)이 영아에서 반사적으로 활성화되는 경우가 많기 때문에 이러한 근육을 선택할 수 있다. 하지에서는 전경골근, 장요근 등이 운동단위 활동전위를 관찰하기에 유용하며, 이러한 근육은 발바닥을 간지럽히거나 꼬집음으로써 움츠림 반응(withdrawal response)을 유도할 수 있다.[3, 4]

삽입전위와 자발전위는 영아의 경우 제1 배부골간근(first dorsal interossei)과 발의 내재근이 비교적 움직임이 적기 때문에 평가가 용이하다. 또한 외측 광근(vastus lateralis), 비복근(gastrocnemius), 상지의 삼두박근(triceps) 등의 신근(extensor muscle)도 삽입 및 자발전위를 검사하기 유용한 부위이다.[3, 4]

2) 소아 침근전도의 해석

소아는 근섬유의 크기가 작고 근섬유 밀도가 낮기 때문에 성인에 비하여 운동단위 활동전위의 진폭이 작고 지속시간이 짧은 특징을 보인다. 영아에서 일반적으로 운동단위 활동전위의 진폭은 약 150~2,000 uV이며, 3세 미만의 소아에서 대체로 2 mV를 넘지 않는다. 성장하면서 근섬유의 직경이 증가함에 따라, 운동단위 활동전위의 진폭도 증가하게 된다. 영아의 운동단위 활동전위는 지속시간(duration)이 더 짧으며 보통 5 ms 미만인 경우가 많다. 따라서 근육병에서 보이는 운동단위 활동전위와의 구분이 어려운 경우가 많다.

영유아에서 세동전위는 손과 발에서 정상적으로도 관찰되는 것으로 생각해왔지만, 이러한 이론은 최근에는 널리 받아들여지지 않고 있으며, 안정상태에서의 삽입전위와 자발전위의 양상, 운동단위 활동전위의 모양, 점증양상은 소아와 성인에서 큰 차이가 없다는 주장이 더 설득력을 얻고 있다. 다만, 신생아에서 손 및 발의 내재근육에서는 상대적으로 더 큰 종판잡음(endplate noise)을 보이며, 이는 세동전위와 혼동될 수 있다.[4] 소아에서는 점진적으로 힘을 주게 하기 어려워 불규칙한 수축양상을 보이는 경우가 많기 때문에 근육병에서 보이는 조기 점증양상과 구별하는 것이 어려운 경우가 많아 검사자의 숙련도가 중요한 요소이다.

3. 소아에서 유발전위검사

소아에서 체성감각, 운동, 청각, 그리고 시각유발전위 검사는 중추신경계의 이상 유무를 평가할 때 주로 사용하는 검사이다. 유발전위 검사는 뇌의 신경 경로의 기능적 이상 여부 및 그 부위를 추정하는 데 도움이 된다. 출생 전 발생한 허혈성 뇌손상에서는 체성감각, 청각, 그리고 시각 경로가 영향을 받기 때문에 이들 검사들은 오래 전부터 사용되어 왔다. 유발전위 검사는 연령에 따라 다르게 나타나는데, 이는 신경계가 출생 후에도 지속적으로 성숙기간을 가지기 때문이다.[18, 19]

체성감각유발전위는 약 6세경에 성인과 비슷한 파형을 보인다. 반면, 청각유발전위는 12~24개월, 시각유발전위는 1세경에 성인과 유사한 파형을 보인다.[19, 20] 또한 교정연령 3개월 이상의 영아에서 적절한 자극 프로토콜을 통하여 경두개 자극에 의한 운동유발전위를 얻는 것이 가능함이 보고되어 있으며, 대천문이 닫히지 않은 경우나 뇌실복강 단락(ventriculoperitoneal shunt)이 있는 경우 주의를 요한다.

유발전위 검사는 숙련된 검사자가 시행할 경우 객관적인 결과를 얻을 수 있는 장점이 있다. 하지만 소아에서는 검사결과를 얻기 위하여 진정제를 사용해야 하는 경우가 빈번하고 기술적인 어려움이 많아 자주 활용되는 데 제한이 있다.

1) 체성감각유발전위 (somatosensory evoked potential)

체성감각유발전위는 배 척주(dorsal column) 및 내측섬유경로(medial lemniscus pathway)의 신경생리학적 활동을 반영한다. 따라서 체성감각유발전위는 통증이나 온도 감각보다는 고유 감각 및 진동 검사와 더 연관성이 높다. 중추신경계의 수초화 과정이 말초신경계보다 늦게 완성되는 것으로 알려져 있는데, 체성감각유발전위는 중추신경계 및 말초신경계의 수초화(myelination) 과정을 모두 반영하므로, 다소 늦은 시기에 성인과 유사한 파형을 가지게 된다.[5]

검사 시 진정을 위하여 사용하는 Chloral hydrate와 수면은 감각신경유발전위의 잠시를 지연시키고 진폭을 감소시키기 때문에 검사 해석에 유의해야 한다. 체성감각유발전위의 잠시는 나이에 따라 정상치가 다르며, 신체의 성장과 신경계의 성숙의 영향을 받는다. 정중신경에서 자극하여 두피에서 측정한 체성감각유발전위의 N1 잠시는 2~3세까지 감소한 후, 성인이 될 때까지 신체 성장에 따라 증가한다.[5]

중심 경로를 따른 전도속도는 3~8세까지 점차 증가하며, 10~49세 사이에 유지되며 그 이후로는 감소된다. 소아의 체성감각유발전위는 성인에 비하여 진폭이 작고 파형이 옆으로 퍼진 모양이며 출생 후 1개월 동안 가장 큰 파형의 변화가 나타난다. 검사는 약 5~15 mA의 자극강도로 4~5 Hz의 빈도로 250회 정도 자극하는 것이 일반적이다.

2) 운동유발전위(motor evoked potential)

경두개 자극을 통한 운동유발전위는 피질척수경로를 평가하는 데 사용할 수 있다. 영아는 운동경로의 미성숙과 피질척수경로의 불완전한 수초화로 인하여 전도속도가 느리다. 척수의 운동경로는 20세까지 성숙 기간을 거치며, 이 기간에 피질척수경로의 수초발생 및 시냅스형성이 이루어진다. 출생 시에 척수의 중심운동섬유는 성인에서 50~70 m/s를 보이는 것과는 대조적으로 10 m/s의 낮은 전도속도를 가진다. 영아는 활동전위 지속시간이 길고 탈분극 역치가 증가되어 있으며, 입력 저항이 성인보다 4배 정도 높기 때문에 운동유발전위를 유발하는 것이 다소 어려울 수 있다.[21]

3) 청각유발전위 (auditory evoked potential)

청각유발전위는 제태연령 30주 정도부터 얻을 수 있으며, 이후 지속적으로 파형의 변화가 이루어진다. 신생아에서 얻어진 청각유발전위는 성인과는 다르며, 생후 약 2년 정도에 비슷해진다. 청각유발전위는 말초성 및 중추성 청각장애에 모두 사용하며, 8번 신경(청신경) 및 뇌간의 기능을 평가한다.[5] 청각유발전위는 청신경(cochlear nerve), 청신경핵(cochlear nucleus), 상 올리브 복합체(superior olivary complex) 및 하부둔덕(inferior colliculus) 등의 구조에 이상이 있을 경우 이상소견을 보이게 된다.

청각유발전위는 크게 5개의 파형으로 얻어지는데, 일반적으로 제 I, III, V 파형을 결과 해석에 사용한다.[22] 소아에서 제 I파형은 대부분 1.4 ms보다 늦게 출현하며, 제 V파형은 5.5 ms 이후에 가장 뚜렷하게 나타나며, 제 III파형은 I 파형과 V파형의 중간정도 지점에 나타난다. 소아에서 청각유발전위는 성인보다 진폭이 작은 특징을 보인다. 이러한 전위는 매우 약한 진폭이므로, 배경 잡음과 구분할 수 있도록 1,000~2,000회 정도의 많은 자극 횟수가 필요하다. 파형의 진폭이 작은 경우에는 자극 강도를 올리고, 파형이 너무 많이 나오면 자극강도를 낮출 수 있다. 검사 시에 신생아의 경우 움직임이 많아, 근육의 수축 등에 의한 잡음이 섞이는 것을 방지하기 위해 chloral hydrate를 사용할 수 있는데, 각성상태는 청각유발전위의 초기 파형에는 거의 영향을 미치지 않으나, 후기반응에는 일부 영향을 줄 수 있다. Halothane, ketamine, pentobarbital 등의 약물 사용은 청각유발전위에 큰 영향을 주지 않는 것으로 보고되어 있다.

임상적으로는 이뇨제(furosemide, lasix) 또는 이독성 약제(gemtamycin, tobramycin 등의 aminoglycosode계 약물)를 사용한 과거력이 있는 영아에서 청신경 손상을 평가하기 위하여 청각유발전위를 시행하기도 한다. 감각신경성 난청이나 전음성 난청을 포함하는 증후군의 소견, 세균성 또는 바이러스성 뇌막염을 포함한 산후 감염, 이개와 외이도 기형을 동반한 두개안면부 기형, 유전성 소아난청의 가족력이 있을 경우에도 청각유발전위를 시행하여 청신경 및 뇌간의 기능을 평가할 수 있다.

4) 시각유발전위(visual evoked potential)

시각유발전위는 재태 24주 정도부터 N300, 즉 300 ms경에 음성 피크를 가지는 파형이 출현한다. 출생 무렵에는 200 ms경에 양성 피크를 가지는 P200 파형을 기록할 수 있다. 출생 후 1개월 정도가 되면 P200 파형은 두개로 나뉘고, 출생 후 6개월 무렵에는 P100 파형으로 관찰되며, 생후 12개월까지 비슷한 파형을 보인다. 일반적으로 섬광(flash light) 또는 체크보드(checkerboard)로 시각유발전위를 얻게 되며, 소아에서는 섬광(flash light)을 사용하는 것이 검사에 용이하다. 시각유발전위는 검사실의 조도와 명암에 영향을 받으며, 검사실이 밝을수록 잠시가 짧고 파형이 커진다.

4. 수술 중 전기생리학적 모니터링

중추신경계와 말초신경계에 침습적인 수술을 할 때 신경계 손상을 피하고 최소화하기 위하여 여러 가지 신경생리학적 검사를 사용한다. 이는 체성감각유발전위, 뇌간청각유발전위, 시각유발전위, 경두개 전기 운동자극(transcranial electric motor stimulation), 뇌파(electroencephalography) 등을 포함하며, 수술 종류와 그 수술에서 손상 위험이 있는 구조물에 따라 어떤 모니터링을 할지 결정한다.[24, 25]

수술 중 신경생리학적 모니터링(intraoperative electrophysiologic monitoring)은 20세기 초반에 뇌수술 시 대뇌피질에 직접 전기자극을 하거나 전기신호를 피질로부터 기록한 데서부터 시작되었다. 이후 경동맥 내막절제술(carotid endarterectomy) 중 뇌허혈 발생을 모니터링 하기 위하여 뇌파를 기록하기 시작하였고, 1970년대에는 척수 수술에 체성감각 유발전위 모니터링이 사용되기 시작하였다.[26]

수술 중 신경생리학적 모니터링의 목적은 크게 두 가지이다. 첫째는 기저치에 비하여 수술 중 변화를 보며 유의한 변화가 있다면 이를 유발한 술기에 더 주의하기 위한 것이며, 둘째는 수술 중 신경계 구조물의 정확한 위치를 찾아(mapping) 절제 등으로 인한 손상을 최소화하기 위한 것이다.[25, 26]

소아에서는 중추 및 말초신경계의 수초화가 완전하지 않으므로 파형과 잠시가 성인과는 다름을 주지해야 한다. 또한 수술 중 신경생리학적 모니터링 중에는 마취제의 종류와 용량, 주입속도, 술중 투여 약물, 수술 술기 등을 상세히 기록하여 검사 상의 변화 해석에 참고해야 한다. 특히 할로겐화 흡입 마취제는 유발전위를 저하시키며, 3세 이하 소아에서는 더욱 뚜렷하게 나타난다고 알려져 있다.[27, 28]

1) 체성감각유발전위 모니터링

체성감각유발전위는 척추측만증의 수술 중 모니터링에 최초로 사용되었고, 현재까지도 가장 많이 사용되는 검사법이다. 하지 체성감각 자극에는 후경골신경(posterior tibial nerve)을 가장 많이 사용하며, 비골신경을 사용할 수도 있다. 마취 유도 후 얻은 기저치에 비하여 수술 중 진폭이 50% 이상 감소하거나 잠시에 10%이상의 변화가 있으면 배척주(dorsal column) 침범이 발생한 유의한 변화라고 본다.[25]

2) 운동유발전위 모니터링

운동유발전위는 또한 운동 경로(motor pathway)를 모니터링하기 위하여 점차 사용이 증가하고 있다. 경막외 자극이 초기에 사용되었으나 정확하게 운동 경로를 자극하지 못한다고 생각되고 있다. 대신 후궁절제술 후 운동 피질을 직접 자극하는 방법이 뇌간이나 척수의 운동경로를 포함하는 수술에서 사용되고 있고, 이렇게 직접 운동 피질을 자극해 얻은 파형을 직접파 반응(direct wave (D-wave) response)이라 한다.

현재 가장 많이 사용하는 자극 방법은 경두개 전기자극(transcranial electric stimulation)으로, 두피의 전극을 통해 연속적인 전기 자극을 전달하는 것이다. 대천문이 닫히지 않은 경우나 뇌실복강단락(ventriculoperitoneal shunt)이 있는 경우 주의를 요한다. 3세 미만의 어린이에서 운동경로의 미성숙으로 인하여 경두개 전기 자극의 경우 적절한 운동유발전위를 얻기 위해서는 약 300 V 이상의 전압이 필요한 것으로 보고되고 있다.[29] 수술 중 운동유발전위가 5분 이상 사라지면 운동경로의 손상이 있으리라 추정할 수 있다.[30] 운동유발전위는 수술 중 모니터링에 유용한 검사이나 소아에서는 반응이 다양하고 마취제의 영향을 더 크게 받는다고 알려져 있으므로 해석에 주의가 필요하다. 특히 소아에서 전위를 유발하는 보다 높은 전압, 긴 자극이 필요하다는 연구가 있다[31]. 소아에서 척추 수술 시에 운동유발전위를 얻기 위해 하지에서 모니터링하는 근육들은 그림 6-7과 같다.[32]

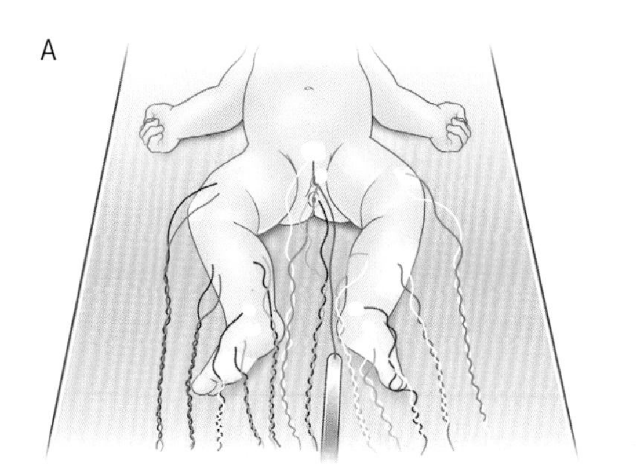

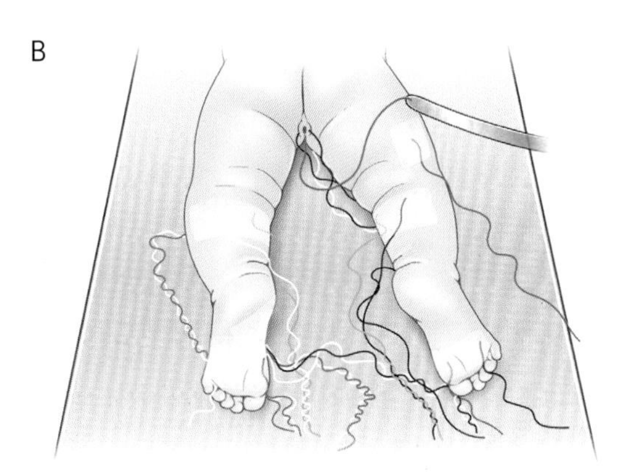

그림 6-7 수술 중 전기생리학적 모니터링시에 하지 운동유발전위를 얻기 위해 모니터링하는 근육들
A. 정면 사진, B. 후면 사진. 내측광근, 전경골근, 비복근, 무지외전근, 외항문괄약근에 피하 바늘 전극을 삽입함.

3) 침근전도 모니터링

침근전도 모니터링은 말초신경이나 신경총, 신경근에 손상을 초래할 수 있는 수술에서 사용된다. 대표적으로 척수이형성증(spinal dysraphism) 수술, 선택적 후근 절제술(selective dorsal rhizotomy, SDR), 척추변형 교정 수술, 말초신경이나 신경 주위의 종양 절제술이다. 전극을 부착하는 근육은 근육분절(myotome) 별로 장내전근(adductor longus), 외측광근(vastus lateralis), 전경골근(tibialis anterior), 장비골근(peroneus longus), 뒤넙다리근(hamstring muscle), 비복근(gastrocnemius)으로, 이들 근육에 대하여 다채널 근전도 검사를 한다(그림 6-8).[33] 1초 동안 50 Hz의 반사역치(reflex threshold)로 자극하여 rootlet의 반응을 관찰하되, 표 6-2의 기준에 따라 판정한다. 선택적 후근 절제술에서 grade 3+ 또는 grade 4+의 지속적인 근전도 활성을 보인 신경근을 대부분 절제하였을 때, 수술 1개월 후 경직감소와 이에 따른 보행 호전이 관찰된 바 있다.

II. 각 병변에서의 전기진단 검사 소견

소아에서 가장 흔히 의뢰되는 질환은 근긴장저하의 감별이다. 근긴장저하의 원인 질환은 대뇌, 척수, 전각세포, 말초신경, 근육 질환, 전신질환 등 여러 가지 질환이 있다. 대뇌의 문제가 아닌 말초 신경 근육계의 병변이 원인인 경우가 10~20%

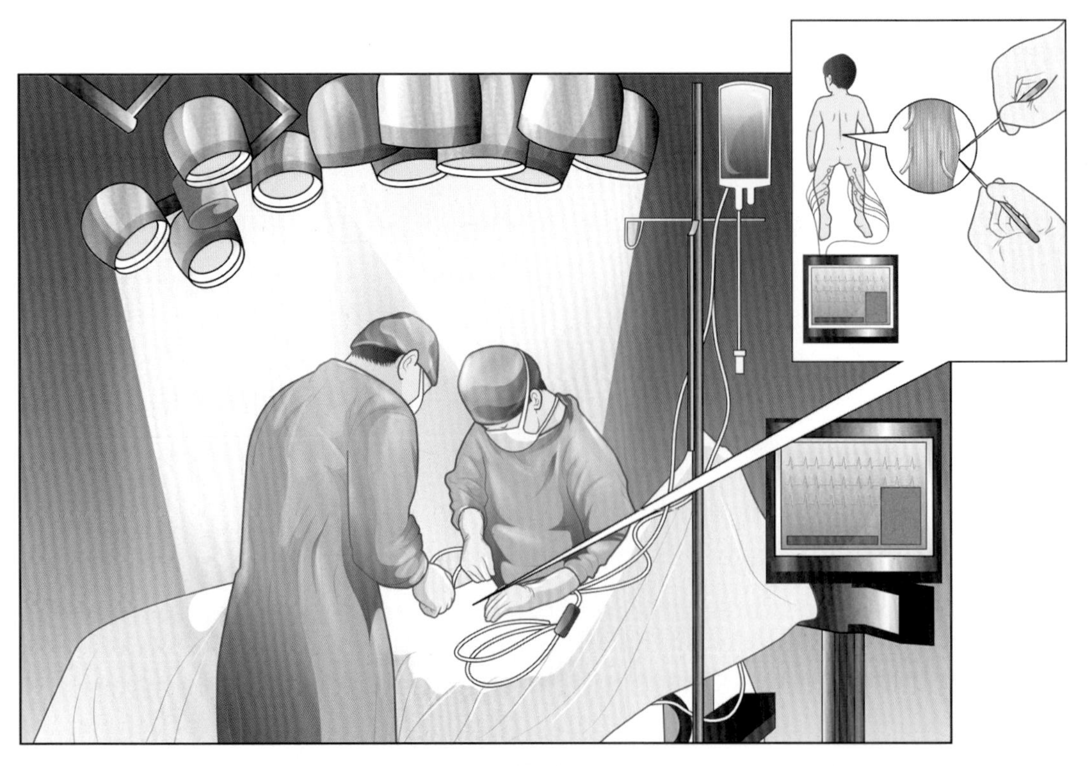

그림 6-8 선택적 후방 신경근 수술 중 신경생리학적 모니터링 도식도

표 6-2 수술중 근전도 모니터링에서 반응 등급

Grade 0	unsustained or single discharge to a train of stimuli동기술
Grade 1+	sustained discharges from muscles innervated through the segment in the ipsilateral lower extremities
Grade 2+	sustained discharges from muscles through the stimulated segment and immediately adjacent segments
Grade 3+	sustained discharges from segmentally innervated muscles and from muscles through distant segments
Grade 4+	sustained discharges from contralateral muscles

정도 된다.

일반적으로 감각신경전도검사, 운동신경전도검사, 침근전도를 하고 신경접합부 질환을 의심할 때 반복적 자극 검사를 하고, 척수 질환 등 중추질환이 의심될 때 체성감각유발전위 등의 검사를 추가로 할 수 있다. 감각신경전도검사는 보통 상하지 각각 1개 이상의 신경에서 시행한다. 이상이 있을 때는 추가적인 검사를 시행하며, 유전성 운동감각신경병증이나 말초 신경병증을 의심할 수 있다. 운동신경전도검사도 보통 상하지에서 각각 1개 이상의 근육을 선택하여 시행한다. 반복신경자극 검사는 산모가 중증 근무력증의 병력이 있는 경우나 환아가 안검하수증을 보이는 경우에 시행한다. 체성감각유발전위는 척수손상 여부를 감별할 때 할 수 있다. 이전에는 듀센형 근디스트로피, 척수성 근위축증 환자의 진단에 필수적인 검사였으나 분자유전학적 진단검사의 발전으로 진단 자체의 중요성은 전에 비해 감소한 편이다. 하지만, 분자유전학적 진단의 종류가 방대해짐에 따라 이러한 진단검사의 범위를 좁혀서 수행하기 위하여 분자유전학적 진단과 동시에 전기진단검사를 시행하는 것이 임상적으로 중요성을 가지게 되었다.

1. 척수 근위축증 (Spinal muscular atrophy)

전기진단으로 진단할 수 있는 근긴장저하증 중 가장 흔한 질환이다. 분류는 임상적 증상이 발생하는 시기에 따라 유형을 나눌 수 있다. 상염색체 열성의 유전형태를 보이며 출생 시부터 증상이 보이는 경우를 type I이라 하며 Werdnig-Hoffmann병으로도 부른다. 다른 치료를 하지 않는다면, 대개 수명이 2~4세를 넘기기 힘들다. II형의 경우 2~6세에 증세를 보이기 시작해 생존 기간도 훨씬 길다. III형의 길이는 발병 시기도 늦고 수명도 훨씬 길며 Kugelberg-Welander병이라 한다. 전기진단소견은 다른 운동신경원 질환과 비슷하여, 신경전도검사상 복합근 활동전위 진폭의 감소를 보일 수 있고 신경전도 속도가 대개는 정상이지만 조금 느려질 수 있다. 감각신경전도검사는 정상이다. 침근전도상 자발전위인 양성 예각파와 세동전위가 보일 수 있다. 3세 이전에 세동전위가 많이 보이면 예후가 좋지 않은 것으로 되어 있다. 운동단위활동전위는 큰 진폭을 보이고 지속시간이 증가된 양식을 보이고 동원 양식은 감소되어 있다. 어른의 운동신경원 질환에서처럼 큰 진폭의 거대전위(giant potential)가 보일 수도 있으나 다상성 전위만 보이는 경우가 더 많다(그림 6-9).

최근에는 진행성 근디스트로피에서처럼 분자 유전학적 검사로 SMN (surviving motor neuron) 유전자 결손 여부로 진단하는 방법이 많이 보급되어 전기진단의 상대적 중요성이 감소하였으나 검사의 위음성의 문제가 있고, 임상유형, 예후 등의 판단에 있어서는 아직도 전기진단의 의미가 있다.[34]

2. 근육병(Myopathy)

전체 근긴장저하 영아 증후군 중에 근육병의 비율은 척수성 근위축증에 비하면 낮은 편이다. 전기진단 소견은 감각신경전도검사는 정상이고 질병이 진행함에 따라 복합근 활동전위 진폭의 감소를 보일 수 있다. 침근전도상 휴식기에 양성 예각파와 세동전위가 보이고 작은 진폭과 짧은 지속시간의 다상성 운동단위 활동전위가 특징적으로 나타나고(그림 6-10), 조기 완전 동원 양식(early complete recruitment pattern)을 보인다. 질병이 경과할수록 근육의 퇴행 및 섬유화가 진행되어 활동전위가 자체가 감소하게 된다. 기타 근육질환에서도 비슷한 소견을 보인다. 보고에 의하면 침근전 소견상 위음성의 비율이 60%에 달한다 하여 검사자의 임상적 경험이 무엇보다 중요하다.

진행성 근디스트로피의 경우처럼 진행성을 보이는 경우도 있으나 선천성 근육병(congenital myopathy)인 centronuclear myopathy, nemailne myopathy처럼 진행이 늦거나 별로 진행을 하지 않는 경우도 많다. 선천성 근육병 중 비정상 자발전위가 잘 나타나는 경우는 myotubular (centronuclear) myopathy가 유일하다. 선천성 근디스토피는 질병 분류 자체에 아직 논란이 있으나 출생 시 다발성 관절 구축을 보이는 경우도 있다.

최근에는 분자유전학적 검사가 많이 개발되어 진행성 근디스트로피에 대한 검사는 보편화되어

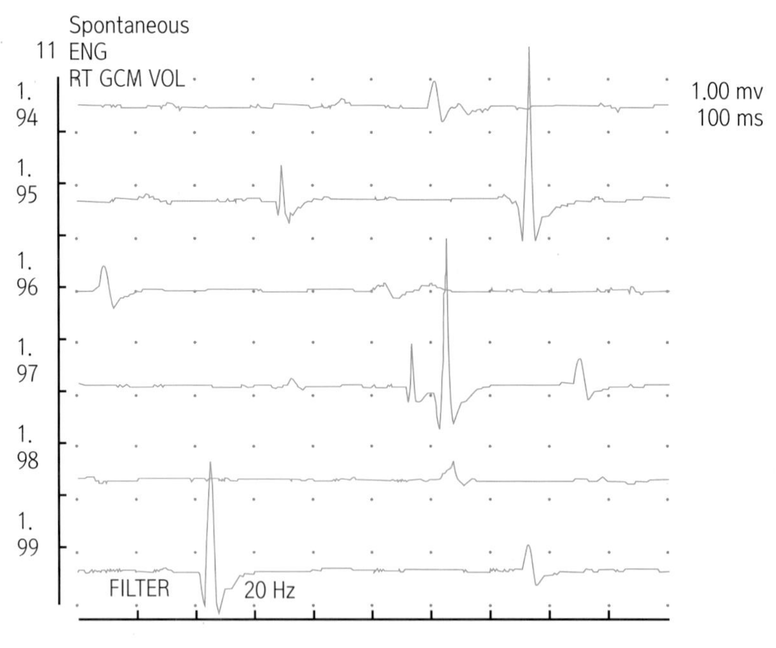

그림 6-9 척수성 근위축증 환자에서의 큰 진폭의 운동단위활동전위

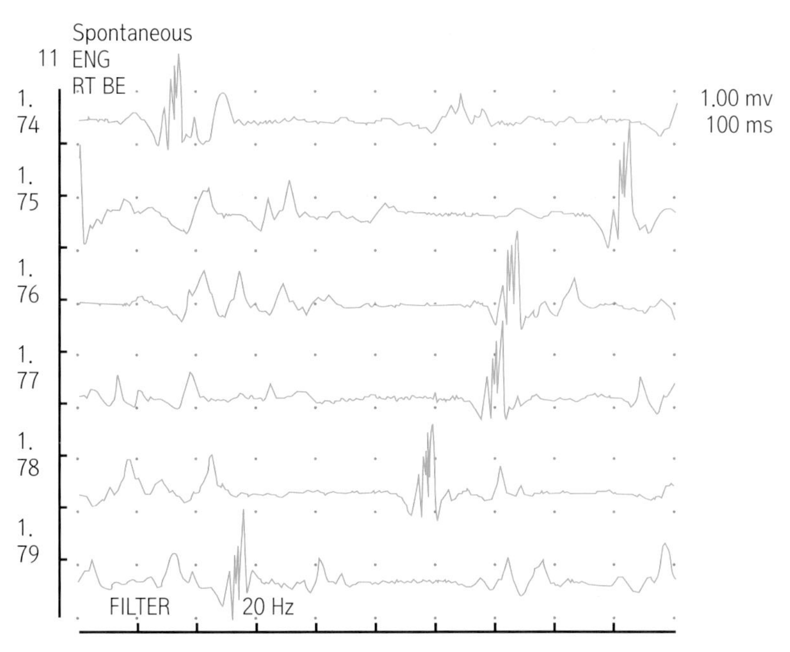

그림 6-10 진행성 근디스트로피 환자의 삼각근에서 기록한 작은 진폭의 다상성 운동단위 활성전위

상대적으로 전기진단검사의 중요성이 많이 낮아졌다. 그러나 점 돌연변이(point mutation) 등에 의한 경우 유전자 검사결과의 위음성 가능성이 있어 이런 경우 침습적인 근생검을 할지 여부에는 아직도 전기 진단이 도움이 된다(그림 6-11).

근긴장성 근디스트로피는 어려서는 근긴장보다는 근위약의 소견을 보이며 부모가 진단을 받을 때 같이 받는 경우도 종종 있다. 침근전도에서 휴식기에 자발적인 양성 예각파와 세동전위가 관찰될 수 있으며 다발성 전위가 증가할 수 있으며 활동 전위가 연속적으로 나타나지만 진폭과 발생빈도가 변화하며 특징적인 'dive bomber sound'를 내는 근긴장성 전위(myotonic discharges)가 관찰된다.

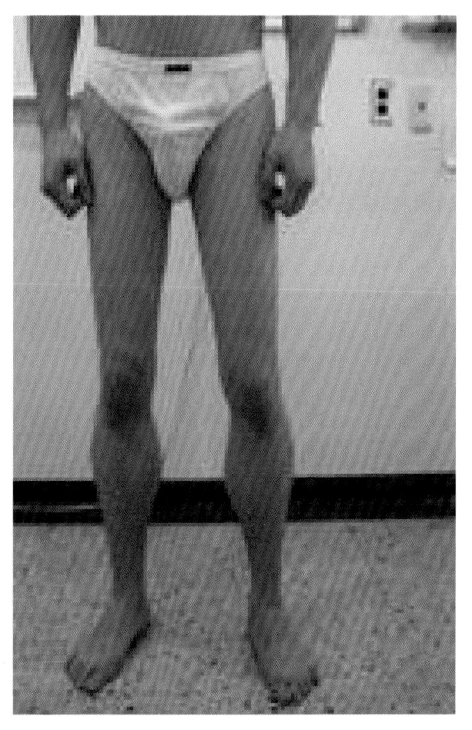

그림 6-11 진행성 근디스트로피 환아들에서 특징적으로 관찰되는 종아리 근육의 가성근비대(pseudohypertrophy)

3. 유전성 운동 감각신경병증 (Hereditary motor and sensory neuropathy)

신경전도검사상 운동신경전도검사와 감각신경전도검사에서 모두 이상을 보이며, 유형에 따라 축삭과 수초 침범에 따라 특징적인 소견을 보인다. 근긴장저하 증상을 보이는 영아의 경우는 III형인 Dejerine-Sottas병이며 잠시가 느려지고 신경전도 속도가 2~6 m/s로 느려지는 것이 특징이다. 근긴장저하를 보이지 않으나 가장 빈도가 높은 I형의 경우는 신경전도속도가 느려도 전도차단(conduction block)을 보이지 않는데 이는 신경섬유의 정형성 탈수초화(uniform demyelination) 때문이다(그림 6-12).

4. 말초 신경의 병변

길랑 바레 증후군, 출생 시 상완신경총 손상 등의 질환에서는 침범된 신경의 분포 정도에 따라 신경전도검사에서 이상 소견을 보이게 된다(그림 6-13). 길랑 바레 증후군에서는 신경전도속도의 감소, 복합근활동전위의 진폭 감소, F파가 없거나 지연되고, 침근전도시 비정상 자발전위를 보일 수 있다.

상완신경총 손상은 대부분 분만 시 손상에 의하며 C5, 6 혹은 상부경추체(upper trunk) 부위의 손상인 Erb's 마비(palsy)가 C8, T1혹은 하부경추체(lower trunk)의 손상인 Klumpke's 마비(palsy) 보다 더 흔히 발생한다. 발생 후 검사는 3, 4주는 지나야 탈신경으로 인한 비정상 자발전위를 관찰할 수 있고 축삭의 손상도 반영되므로 즉시 검사하지 말고 그간을 기다려서 시행한다. 신경전도검사에

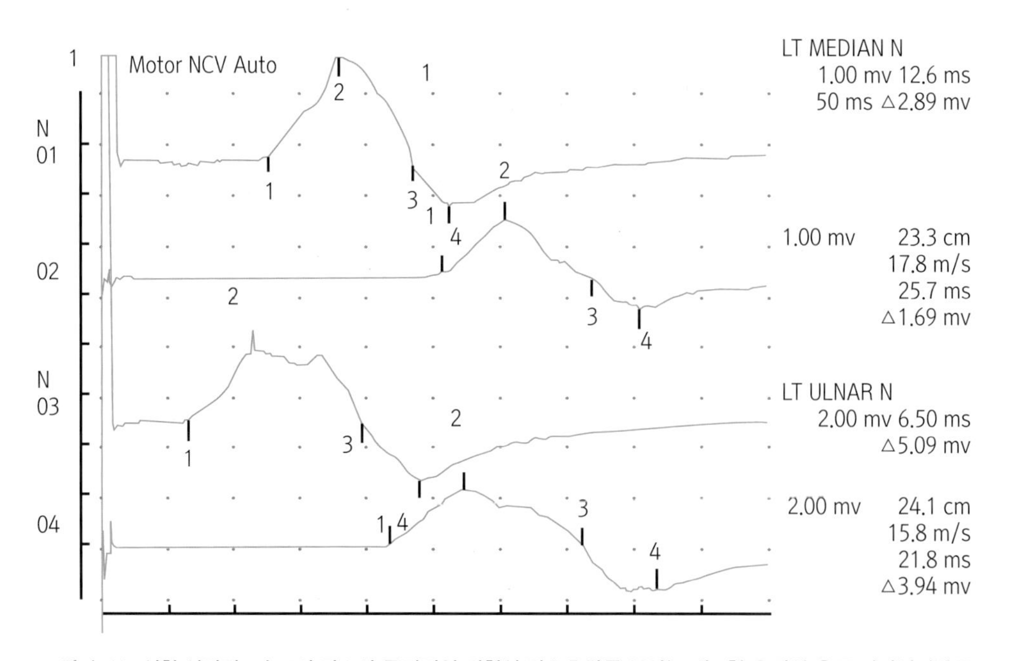

그림 6-12 심한 신경전도속도의 감소와 특징적인 정형성 탈수초화를 보이는 제 1형 유전성 운동 감각신경병증

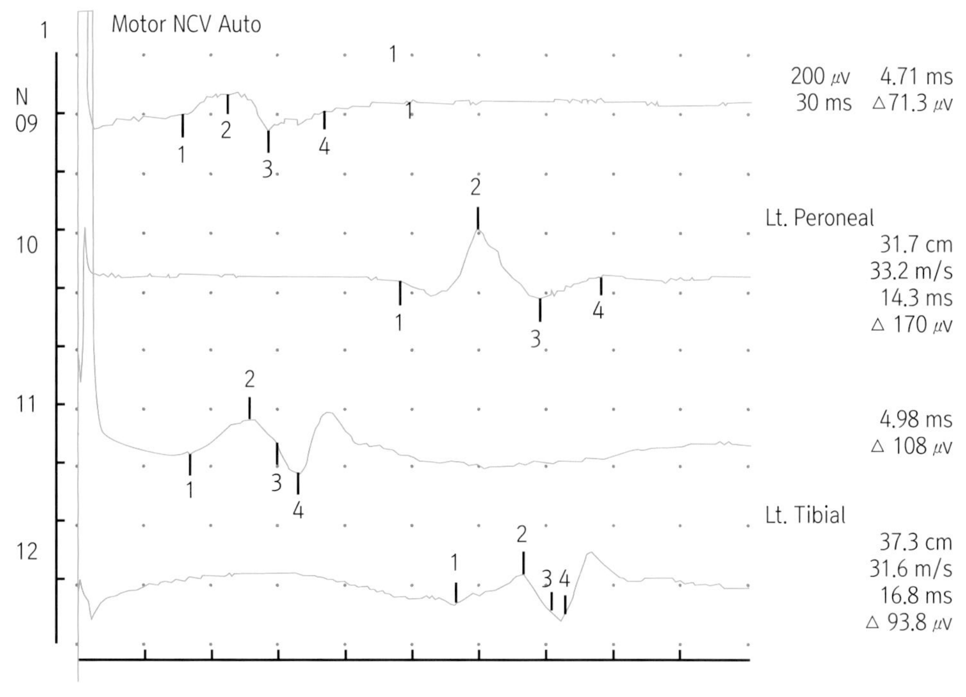

그림 6-13 길랑 바레 증후군에서 보이는 운동신경전도검사 소견

서 감각신경손상의 유무가 신경근 손상인지 말초신경의 손상인지 감별할 수 있는 정보를 준다. 신경절에 따라 C5, 6를 대변하는 근위부 신경인 액와신경(axillary nerve), 근피신경(musculcutaneous nerve)의 운동신경전도검사가 중요한 의미를 갖는다. 또한 생리적 신경차단(neurapraxia)인지 축삭절단(axonotmesis)인지의 여부도 신경전도검사로 판단할 수 있다. 예를 들어 10일 이상이 지나서도 복합근 활동전위가 보이는 경우는 임상적으로 마비가 되어 있어도 생리적 신경차단에 의한 경우로 생각할 수 있으므로 좋은 예후를 기대할 수 있다.

만일 생후 2개월째의 검사에서 완전 손상이거나 신경근 발인 손상(root avulsion)이 동반되어 있다면 조기 수술을 고려해야 한다. 부분손상인 경우에는 3~9개월까지 회복을 기다릴 수 있다.[35] 신경재생의 판단을 위해서는 3~6개월 간격의 추적 검사가 중요하다. 이때 다발성 전위의 출현, 비정상 자발전위의 감소, 운동전위의 진폭 증가 등이 신경재생의 지표가 된다. 출생 후 3~9개월의 검사가 예후 예측에 중요하다고 알려져 있다.[36]

침근전도시는 척수주변근이나 승모근(trapezius), 능형근(rhomboid), 거근(serratus) 등의 근육은 갑작스러운 움직임으로 폐를 찌르게 될 염려가 있으므로 피하고, 근위부 근육의 검사가 필요하면, 극상근(supraspinatus), 극하근(infraspinatus) 같은 근육을 검사한다. 안면 신경마비때 말초 신경과 중추의 손상을 감별하는 데는 청각유발전위나 blink reflex가 도움이 된다. 안면 신경 마비시는 항상 좌우측의 운동신경전도검사 측정치를 비교하는 것이 중요하다.

5. 신경 근육 접합부 질환

중증 근무력증과 근무력 증후군이 신경 근육 접합부 질환의 대표적인 질환이다. 중증 근무력증은 5 Hz 미만의 저속자극 시 특징적인 활동전위의 감소를 보이고 근무력 증후군은 고속 자극시 초기에 작았던 활동 전위의 진폭이 오히려 증가를 보이는 것이 특징이다. 단섬유근전도(single fiber electromyography)를 성인에서는 하는 경우도 있으나 소아에서는 통증도 심하고 협조가 안되어 거의 시행하지 않는다.

6. 척수이형성증

척수형성 이상이 있는 아이에서 말초신경의 기능 상태를 평가하기 위하여 근전도 검사를 시행한다. 척수형성 이상이 있는 아이에서는 말초신경을 동반한 척수의 결박(tethering) 또는 재결박(retethering)이 의심되거나, 다리 근육에 힘이 빠지거나 배변 및 배뇨 증상이 명확히 나타나기 전에 조기에 말초신경의 문제를 발견하기 위해 주로 시행한다.[37] 척수수막류의 경우 출생 직후 신경근 손상범위에 대한 정보를 주며 수술 후 변화나, 척수 공동증이나 척수 결박 등에 의한 신경근 침범 정도의 변화에 대한 정보를 정확히 알 수 있다.

근전도 검사 시에는 천추신경을 함께 평가하기 위하여 발가락의 내재근 및 외항문괄약근을 포함하여 검사하는 것이 좋다. 감각신경활동전위를 통하여 병변이 후근신경절(dorsal root ganglion) 부위를 함께 침범했는지 확인할 수 있다. 운동신경 활동전위를 추적관찰하여 지난 검사에 비해 감소하는 경우 결박 혹은 재결박 소견을 의심해 볼 수 있으며, 침근전도 검사 시에 비정상자발전위가 새로이 관찰되는 경우, 이전에 비하여 운동단위 활동전위의 간섭 양상이 감소된 경우 재결박을 의심하게 된다.

기타 소아에서는 척수손상 등의 척수 질환, 다발성 근염, 주사에 의한 좌골 신경손상 등 말초 신경 손상, 청소년기의 요천추 신경근병증, 바이러스에 의한 전각세포질환 등 다양한 신경계 및 근육 질환에 대해 전기진단검사를 하게 된다.

➤ 참고문헌

1. Eng GD. Electrodiagnosis. In: Molnar GE. editor. Pediatric rehabilitation. 2nd ed. Baltimore: Williams & Wilkins; 1992;143-165.
2. Hellmann M. von Kleist-Retzow JC. Haupt WF. Herkenrath P. Schauseil-Zipf U. Diagnostic value of electromyogrphy in children and adolescents. J Clin Neurophysiol. 2005;22(1):43-48.
3. Peter B. Kang. Chapter 22. Pediatric Nerve Conduction Studies and EMG. The Clinical Neurophysiology Primer. Edited by: A. S. Blum and S. B. Rutkove © Humana Press Inc. Totowa. NJ. 2007; 369-389.
4. McDonald. Craig M. Electrodiagnosis in Pediatrics. In: Pediatric rehabilitation: principles and practice. Michael A. Alexander. Dennis J. Matthews New York : Demos Medical, c2015;pp.127-163.
5. Nelson MR. Electrodiagnostic medicine evaluation of children. In: Dumitru D. Amato AA. Zwartz MJ. editors. Electrodiagnostic medicine. 2nd ed. Philladelphia: Hanley & Belfus, Inc. 2002;1433-1447.
6. John C. McHugh. Motor Nerve Conduction Studies. In: H.J. McMillan, P.B. Kang. Pediatric Electromyography, Springer International Publishing AG 2017. DOI 10.1007/978-3-319-61361-1_5
7. John C. McHugh. Sensory Studies. In: H.J. McMillan. P.B. Kang. Pediatric Electromyography. Springer International Publishing AG 2017. DOI 10.1007/978-3-319-61361-1_4
8. Oh SJ. Pediatric nerve conduction studies. In: Oh SJ. Clinical electromyography: nerve conduc tion studies. 3rd ed. Philadelph1a: Lippincott Williams & Wilkins; 2003;107-135.
9. Stempien LM. Special considerations in pediatric electromyography. Phys Med Rehabil Clin N Am 1998;9(4):897-906.
10. Jones HR Jr. Bolton CF. Harper CM Jr. Pediatric clinical electromyography. 1st ed. Philadelphia: Lippincott-Raven Publishers; 1996.
11. Susana Quijano-Roy and Cyril Gitiaux. Repetitive Nerve Stimulation, Short and Long Exercise Tests. In: H.J. McMillan, P.B. Kang. Pediatric Electromyography. Springer International Publishing AG 2017. DOI 10.1007/978-3-319-61361-1_6
12. Matthew Pitt. Techniques used to test the neuromuscular junction in children. Paediatric Electromyography. Publisher: Oxford University Press Print Publication Date: Oct 2017. DOI: 10.1093/ med/ 9780198754596. 001.0001
13. Zambelis T. Foutsitzi A. Giannakopoulou A. Poulopoulou K. Karandreas N. Lambert-Eaton myasthenic syndrome. Clinical and electrophysiological findings in seven cases. Electromyogr Clin Neurophysiol. 2004; 44(5):289-92.
14. Pickett J. Berg B. Chaplin E.. et al: Syndrome of botulism in infancy: Clinical and electrophysiological study. N Engl J Med. 1976;295:770.
15. Matthew. Pitt Pathophysiological correlations in neuropathies. In: Paediatric Electromyography. Oxford University Press. Oct 2017. DOI: 10.1093/ med/ 9780198754596.001.0001
16. Hwang et al. Optimal stimulation parameters for intraoperative bulbocavernosus reflex in infants. J Neurosurg Pediatr 2017;20:464–470.
17. Peter B. Kang. Approach to Electrodiagnostic Testing in Children. In: H.J. McMillan. P.B. Kang. Pediatric Electromyography. Springer International Publishing AG 2017. DOI 10.1007/978-3-319-61361-1_3
18. Majnemer A., Rosenblatt B. Evoked potentials as predictors of outcome in neonatal intensive care unit survivors: review of the literature. Pediatr Neurol. 1996;14(3):189-195.
19. Chiappa KH. Evoked potentials in clinical medicine. 3rd ed. Philadelphia: Lippincott-Raven Publishers;
20. Chiozza ML. Suppiej A. Zacchello F. Evoked potentials in pediatrics: economic audit. Childs Nerv Syst. 1997;13:166-70.
21. Olivier E. Edgley SA. Armand J. Lemon RN: An electro- physiological study of the postnatal development of the corticospinal system in the macaque monkey. J Neurosci. 1997;17:267–276.
22. Pasman JW et al. Neonatal risk factors and risk scores including auditory evoked responses. Eur J Pediatr

1998;157:230-235.

23. Pike AA. Marlow N. Reber C. Maturation of the flash visual evoked potential in preterm infants. Ear Hum Dev 1999;54:215-222.
24. Taylor MJ. Evoked potentials in paediatrics. In: Halliday AM, editor. Evoked potentials in clinical testing. 2nd ed. Edinburgh: Chruchil Livingstone; 1993;489-522.
25. American Association of Neuromuscular and Electrodiagnostic Medicine. Role of the intraoperative monitoring team. Practice parameter. 2008.
26. Nuwer M. Dawson E. Carlson L. Kanim L. Sherman J. Somatosensory evoked potential spinal cord monitoring reduces neurologic deficits after scoliosis surgery: Results of a large multicenter survey. Elecroenphalogr Clin Neurophysiol 1995;96:6-11.
27. Nuwer MR. Emerson RG. Galloway G et al. Evidence-based guideline update: Intraoperative spinal monitoring with somatosensory and transcranial electrical motor evoked potentials. Neurology 2012;78:585.
28. Lieberman JA. Lyon R. Feiner J. Diab M. Gregory GA. The effect of age on motor evoked potentials in children under propofol/isoflurane anesthesia. Anesth Analg 2006;130:316-321.
29. Yi YG. Kim K. Shin HI. Bang MS. Kim HS. Choi J. Wang KC. Kim SK. Lee JY. Phi JH. Seo HG. Feasibility of intraoperative monitoring of motor evoked potentials obtained through transcranial electrical stimulation in infants younger than 3 months. J Neurosurg Pediatr. 2019 Mar 15:1-9. doi: 10.3171/2019.1.PEDS18674. Online ahead of print.
30. MacDonald DB. Safety of intraoperative transcranial electrical stimulation motor evoked potential monitoring. J Clin Neurophysiol 2002;19:416-429.
31. Kim KW. Intraoperative Neurophysiology Monitoring for Spinal Dysraphism. J Korean Neurosurg Soc 2020 Sep 10. [Epub ahead of Print] https://doi.org/10.3340/jkns. 2020.0124
32. Galloway GM and Zamel K. Neurophysiologic intraoperative monitoring in pediatrics, Pediatr Neurol 2011;44:161-170.
33. Kim JM. Wank KC. Bang MS. Chung CY. Lee KW. Selective dorsal rhizotomy for spastic cerebral palsy using intraoperative electromyography monitoring. Journal of the Korean Society for Clinical Neurophysiology 1999;1:19-25.
34. 방문석, 박진우, 박일찬. 척수성 근위축증의 임상적 분류. 대한재활의학회지 2003;27:38-42.
35. Marcus JR. Clarke HM: Management of obstetrical brachial plexus palsy-evaluation, prognosis, and primary surgical treatment. Clin Plast Surg 2003; 30: 289-306.
36. Bahm J. Ocampo-Pavez C, Disselhorst-Klug C, Sellhaus B, Weis J.Obstetric brachial plexus palsy: treatment strategy, long-term results, and prognosis. Dtsch Arztebl Int. 2009;106(6):83-90.
37. 신형익, 이유경. 근전도 검사 등 전기생리학적 검사에 대한 문답. In: 서울대학교 소아청소년병원 척수이형성증 클리닉(공저), 척수이형성증관리. 에듀팩토리 2020;139-141.

CHAPTER

7

유전학적 평가

Genetic Evaluation

임신영, 장대현

아동의 발달은 유전적 요인과 환경적 요인에 의하여 결정되는데, 중도 발달지연의 약 50%가 유전적 원인에 의한 것으로 보고되고 있다. 열이 났을 때 열이 나는 원인은 상기도 감염에서 폐혈증, 자가면역질환 등에 이르기까지 다양할 것이며 원인에 대한 정확한 진단은 효과적 치료를 위한 필요조건이다. 진단기술의 발달로 원인 불명으로만 생각하였던 발달지연에 대한 원인적 진단이 보다 가능해지고 있다. 유전질환에 대한 치료는 극히 일부 질환에서 가능하며, 많은 질환에서는 아직 연구수준에 머물고 있어 임상적으로는 상용화되고 있지 않으나 그럼에도 병적 발달지연의 원인을 규명하는 것은 발달지연의 기전에 대한 생물학적 이해와 이를 바탕으로 한 재활치료의 시행, 예후에 대한 전망, 재발위험에 대한 예측 등을 위하여 필수과정이며, 향후 보다 근본적인 치료를 위한 필수조건이라 할 수 있다. 이에 본 장에서는 소아 재활의학 영역에서 흔히 경험하는 발달지연에 대한 유전학적 평가를 소개하고자 하며 개별 질환에 대한 내용은 해당 장 및 참고문헌을 참고하시기 바란다. 유전학 용어에 대한 국문번역은 대한의학유전학회의 역서인 의학유전학의 용어해설을 참조하였다.

I. 유전학적 질환을 의심하게 하는 소견

염색체질환은 신생아의 1/200에서, 단일유전자 질환은 신생아의 1/100에서 발생하며 이러한 유전학적 질환은 병적 발달지연을 유발할 수 있다. 원인을 알 수 없는 중도의 발달장애 및 지적장애의 경우 유전적 원인을 반드시 고려하여야 하는 바, 자세한 신체검사, 가족력을 포함한 병력청취가 진단을 위한 첫 단계이다. 부모에게 불임이 있거나 유산이 반복될 때, 원인불명의 사산과 신생아 사망 등의 과거력은 발달지연의 유전적 요인을 시사할 수 있는 사항이다. 또한 발달장애 및 지적장애의 가족력이 있는 경우에 유전 양상을 파악하는 것은 유전적 원인에 대한 진단에 유용한 정보가 된다. 발달검사를 통하여 병적 발달지연이 있음을 확인한 이후 아동에게 선천성기형(congenital anomaly)이 있는지를 확인한다(표 7-1). 선천성기형을 유발하는 많은 원인이 존재하는 바, 염색체 불균형이 25%를 차지하며, 그중 21, 18, 13번 염색체의 삼염색체증이 가장 흔하다. 선천성 기형의 20%는 단일 유전자질환에 의하여 발생하며, 5%는 약물, 감염, 화학물질, 방사선 등의 기형유발물질(teratogen)에 대한 노출과 관련된다. 50%는 유전적 요인과 환경적 요인의 상호작용에 의하여 발생하는 다인자성(multifactorial) 또는 복합성(complex) 질환으로 유발된다.[1-6]

선천성기형은 주요 기형(major anomaly)과 경미한 기형(minor anomaly)으로 구분할 수 있는데 주요 기형은 개인의 기능과 사회활동에 부정적 결과를 초래하는 기형으로서 50%가 유전적 원인에 의한 것이다. 경미한 기형이 두 개 이상 있을 경우 10~20%에서 주요 기형을 동반하는 것으로 알려져 있다. 특히 남녀의 구분이 불분명한 생식기를 갖는 경우는 유전적 원인을 의심하여야 하며, 다발성 기형을 보일 때 이러한 기형이 단순병발 인지 혹은 유전적 변이에 의한 현상인지를 감별하여야 한다.[1,7-10]

표 7-1 선천성기형의 예[1]

주요 선천성기형	경한 선천성기형
심혈관계기형	귀바퀴 앞 함몰 및 부속기
심실중격결손	안쪽 눈구석주름
심방중격결손	눈물관협착
동맥관개존증	홍채의 Brushfield 점
팔로사징후	입술 함몰
중추신경계기형	단일 손바닥주름
무뇌증	제 5 손가락 측만지증
수두증	제 2,3 발가락 합지증
소두증	과다 유두
요천골 이분증	배꼽 탈장
위장관계	음낭수류
구순구개열	천추부 함몰
횡격막탈장	
식도폐쇄증	
폐쇄성항문	
사지	
횡단성 절단	
비뇨생식계	
양측 신장무발생	
영아 다낭성 신장	
방광외반증	

II. 유전체, 염색체, DNA 및 세포분열

1. 유전학의 역사

오스트리아의 과학자인 멘델(Gregor Mendel; 1822~1884)의 완두콩교배 실험이 1865년에 발표되었으나 당시에는 주목받지 못하였지만 1900년에 이르러 멘델의 실험은 유럽 식물학자들에 의하여 그 중요성이 재인식되었으며 이것이 근대 유전학의 시작이라 할 수 있다. 이후 1953년 영국의 Francis Crick과 미국의 James Watson에 의해 DNA의 이중나선구조가 발표되면서 DNA의 암호화된 정보가 유전현상의 근본임이 알려졌으며 1962년 두 과학자는 Maurice Wilkins와 함께 노벨의학상을 수상하였다. 사람 염색체의 수가 46개라는 사실은 1956년에 이르러 확정되었고, 1959년 프랑스의 Jerome Lejeune에 의하여 다운증후군이 21번 염색체의 삼염색체증에 의한 것임이 밝혀졌다. 1990년에 미국의 인간유전체사업(human genomic project)이 시작되어 2003년에 완료되어 전체 인간 유전체의 DNA 서열에 대한 결과가 보고되었고 이후 정보기술의 발달과 더불어 유전학의 지식은 기하급수적으로 증가하였다.[11]

2. 사람의 유전체

인체는 75~100조개의 세포로 구성되어 있는 바, 각 세포에 포함되어 있는 유전물질을 통틀어 유전체라고 한다. 인간의 배형성, 발생, 성장, 대사작용, 생식 등의 모든 특성을 나타내는데 필요한 유전정보는 유전체에 포함되어 있으며 이는 염색체에 포함된 DNA에 암호화되어 있다. 배선세포(germline cell)을 제외한 사람 세포의 유전체는 핵에 존재하는 23쌍의 염색체와 세포질에 위치하는 미토콘드리아 염색체로 구성된다. 사람의 유전체(genome)에는 약 25,000개의 유전자가 존재하며 유전자는 염색체에 일렬로 위치하는 바, 각 유전자의 염색체 내 특정 위치를 좌위(locus)라 한다. 각 염색체에는 연속된 DNA가 존재하며, 전체 DNA는 30억 염기 쌍으로 구성되어 있다.[1-5]

3. 염색체

염색체는 특정 염료에 대한 친화력을 보여 염색체(chromosome; chroma=color, soma=body)로 명명되었다. 세포유전학(cytogenetics)은 염색체의 구조 및 염색체의 유전 현상을 연구하는 학문으로, 다양한 염색체 이상질환과 이에 대한 진단법을 연구하는 분야이다. 사람세포의 핵에는 46개, 23쌍의 염색체가 존재한다. 23쌍 중 22쌍의 염색체는 남성과 여성에 모두 존재하여 이를 상염색체(autosome)라고 한다. 나머지 한 쌍은 성염색체(sex chromosome)로 여성은 XX, 남성은 XY이다. 각 염색체 쌍 중 하나는 아버지로부터, 다른 하나는 어머니로부터 유전된 것이며 이들 염색체를 상동염색체(homologous chromosome)라고 한다. 사람 유전체의 일부는 미토콘드리아에 존재하는 바, 사람의 세포질에는 수백만 개의 미토콘드리아가 있으며, 각 미토콘드리아에는 16.6 Kb의 원형 이중 염색체(circular, double-stranded DNA)가 있다. 이 염색체에는 37개의 유전자가 위치하여 2개의 리보솜 RNA (ribosomal RNA)와 22개 전달 RNA (transfer RNA) 그리고 13개의 단백질을 합성한다.[1, 2, 12]

1) 염색체 검사방법

다운증후군과 같은 질환들은 염색체 수와 구조의 변화를 현미경으로 확인하여 진단할 수 있으므로, 염색체 분석의 방법과 염색체 분석 보고서 등에 대한 이해는 발달장애 아동의 진료를 담당하는 의사들에게 필수적인 사항이다. 개인의 염색체 구성을 핵형(karyotype)이라 하며 동시에 염색체의 현미경사진을 제작하고 이를 체계적으로 배열하는 과정을 뜻하기도 한다. 23쌍의 염색체는 다양한 세포유전학 및 분자적 기법으로 분류할 수 있다.

(1) 표준염색체검사법

생체 세포 내 염색체는 액체상태이나, 일련의 처리과정 후 현미경 관찰을 통해 염색체의 이상 유무를 검사한다. 염색체는 세포 분열 중기(metaphase)나 전중기(prometaphase)에 가장 잘 관찰되는 바, 이 단계의 염색체는 두 개의 염색분체(chromatid)로 이루어져 있다. 염색체 검사를 위하여 다양한 세포가 사용될 수 있으나 백혈구 세포, 특히 T-림프구가 널리 시용된다. 정맥혈을 채취한 후 T-림프구의 분열을 촉진시키는 phytohemagglutinin을 포함하는 배양액에서 세포분열을 유도한다. 이후 방추사(mitotic spindle) 억제물질인 콜히신(colchicines)을 첨가하여 배양된 세포를 세포분열 중기에 머무르게 한 후, 저장 식염수(hypotonic saline)를 첨가하고 세포를 고정하여 슬라이드에 올린다. 염색체 구성 단백질의 분리를 위하여 단백질 분해효소인 트립신으로 처리한 후 염색하여 염색체의 현미경사진을 제작하고 이를 체계적으로 배열하여 염색체 이상 유무를 분석한다. 김사 분염법(Giemsa banding)이 가장 흔히 사용된다.

염색체 분류에 대한 국제적인 분류체계가 있어 염색체 이상을 정확하고 혼돈 없이 기술할 수 있다. 염색체는 길이에 따라 가장 긴 것부터 가장 짧은 순서로 번호를 붙인다. 또한 염색체는 동원체(centromere)를 중심으로 단완인 P (petit)와 장완 q로 구분하며, 동원체의 위치에 따라 다음의 세 가지 형태로 분류된다(그림 7-1).

① 중부(metacentric) 염색체

동원체로부터 양쪽 팔의 말단까지 거리가 거의 같은 염색체

② 아중부(submetacentric) 염색체

동원체가 중심에서 벗어나 있어 양쪽 팔의 길이가 분명하게 차이가 나는 염색체.

③ 선단(acrocentric) 염색체

동원체가 거의 한쪽 끝에 치우쳐있는 염색체로 13, 14, 15, 21, 22번 염색체가 이에 해당한다.

개별 염색체는 밝고 어두운 띠로 구성된 특징적인 패턴으로 갖게 되는데, 이는 DNA 서열, 염기조성, 반복적인 DNA 서열 등과 관련된다. 표준 중기 염색체는 약 400~550개의 띠를 보이며, 정상인의 중기 염색체의 분염 형태의 도식도를 idiogram이라고 한다. 전중기 염색체는 중기 염색체에 비하여 덜 응축되어 길이가 더 길기 때문에, 고해상도분염법(high resolution banding)을 이용하면 약 800개의 띠를 관찰할 수 있으므로 염색체의 미세한 구조적 이상이 의심되는 경우에 고해상도분염법을 사용한다.

(2) 형광동소교잡법

형광물질이 부착된 특정 탐색자를 슬라이드 위에 고정된 염색체의 DNA와 교잡시킬 수 있다. 슬라이드에 고정되어있는 세포분열 간기 혹은 중기 염색체를 열변성하여 두 가닥의 DNA로 만들어 준 후 형광물질이 표지된 탐색자와 교잡시킨다. 염색체 위에 형광물질을 띤 탐색자와 교잡시키므로 형광동소교잡법(Fluorescent in situ hybridization;

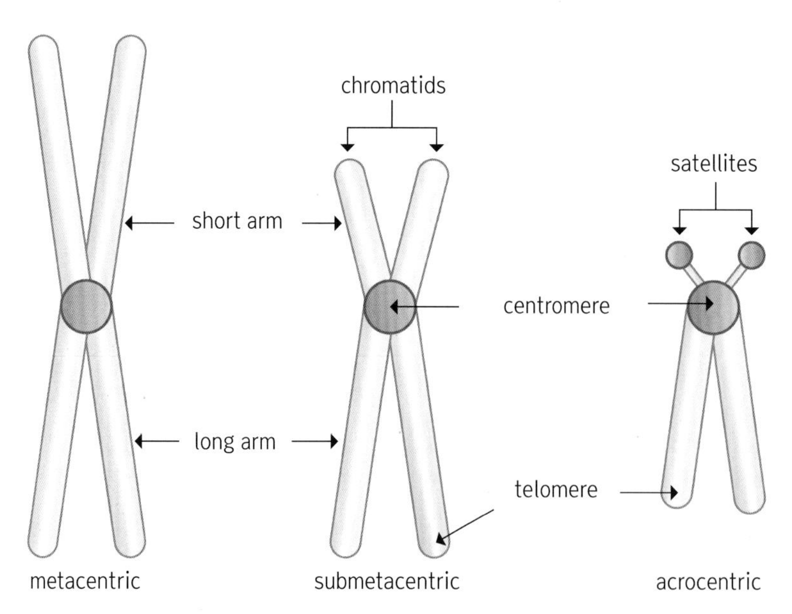

그림 7-1 염색체의 분류

FISH)으로 명명되었으며 탐색자가 형광을 띠어 염색체가 가시화되며 현미경으로 관찰한다. 탐색자의 종류에 따라 염색체 일부 혹은 전부의 이상을 검사할 수 있다. 표준 중기 염색체 분석법의 해상도보다 크기가 작은 미세 결손과 중복 등을 형광동소교잡법으로 진단할 수 있다.

(3) Comparative genomic hybridization (CGH)

CGH는 염색체 특정 부위의 증폭과 결실을 측정하는데 널리 이용되고 있는 바, 이는 서로 다른 형광물질로 표시된 시료를 교잡한 후에 그 형광 신호의 비율을 비교하므로 CGH로 명명되었다. 교잡의 대상으로 중기 염색체나 microarray가 사용되며 후자를 array CGH라고 한다(그림 7-2).

array CGH의 개요는 비교하고자 하는 대조군과 실험군의 시료를 두 종류의 형광물질로 각각 염색한 후 동일 량을 섞은 후 마이크로어레이에 교잡반응을 통해 상보적으로 결합시킨다. 따라서 마이크로어레이에 심겨져 있는 탐색자에 대하여 두 색깔로 염색된 해당 표적 유전자(target gene)는 경쟁적으로 반응하며 결과적으로 이와 같은 동일조건의 경쟁반응에서는 시료 내 표적 유전자의 양에 의하여 반응 정도의 우위가 결정된다. 반응이 끝난 후 상보적으로 결합하지 못한 것들은 적절한 세척과정을 통해 제거하고 스캔너를 통해 이미지화 작업을 거친다. 대조군과 실험군의 표적 DNA가 마이크로어레이에 있는 탐색자에 대하여 동일하게 결합하면 형광신호의 비율은 1:1이 될 것이다. 그러나 미세 결손이나 미세 중복을 보이는 실험군에서는 결손 부위는 0.5:1을 보일 것이고 중복 부위에서는 1.5:1의 비율을 보이게 된다. Array CGH는 선천성 기형이나 지적장애 등이 있으나 1~2 Mb 이하의 미세 결손이나 미세 중복 등이 있어 일반적 세포유전학검사 방법에서 정상 핵형을 보이는 경우 염색체 상의 결실이나 중복을 진단하는데 이용되며, 특히 염색체 이상이 의심되나 해당

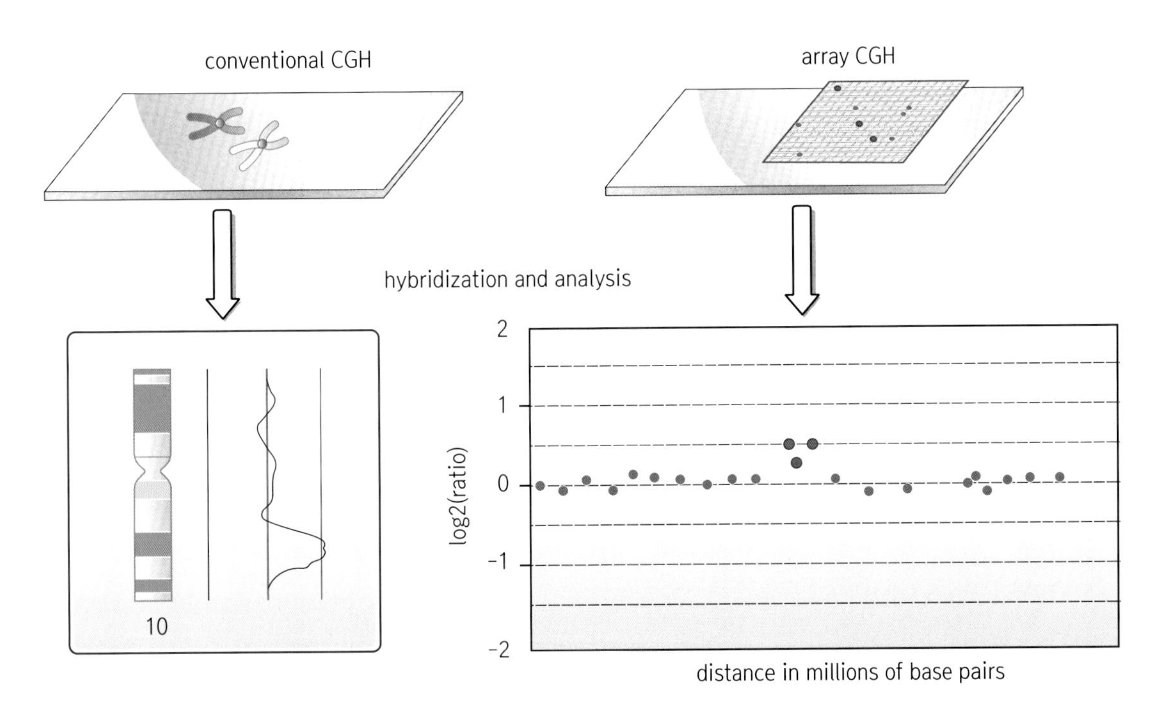

그림 7-2 Comparative genomic hybridization (CGH)

부위를 알 수 없어 특정 위치에 대한 형광동소교잡법을 이용하기 어려운 경우 유용하게 사용된다.

4. DNA

사람 염색체의 중심 구성 요소는 이중나선 구조의 DNA 분자로서 각 염색체마다 하나의 연속적인 DNA가 존재한다. DNA는 히스톤 단백질군과 결합하여 염색질(chromatin)의 기본단위인 뉴클레오솜(nucleosome)을 형성하며 뉴클레오솜은 자체적으로 더욱 응축되어 나선형태의 이차적인 염색질 구조를 갖는다. DNA는 오탄당인 데옥시리보오스(deoxyribose), 인산, 그리고 질소 함유 염기의 세 가지 성분으로 구성된 뉴클레오티드(nucleotide)로 구성된 핵산 복합체이다. 뉴클레오티드의 염기로는 퓨린(purine)과 피리미딘(pyrimidine)의 두 종류가 있는 바, 퓨린 염기에는 아데닌(adenine)과 구아닌(guanine), 그리고 피리미딘 염기에는 티민(thymine)과 시토신(cytosine)이 이용된다. 자연상태의 DNA는 이중나선 구조로서 나선구조는 오른쪽으로 회전하고 그들의 염기쌍은 수소결합을 이루고 있다. 한 사슬의 아데닌은 다른 사슬의 티민과 결합하고 구아닌은 시토신과 결합한다. DNA의 복제 시 이중나선구조의 DNA는 두 가닥으로 분리되고 주형사슬의 서열에 따라 새로운 두 개의 상보적인 가닥이 합성되어 유전정보가 본 세포에서 딸세포로, 그리고 한 세대에서 다음 세대로 정확히 전달된다.

DNA에 암호화되어 있는 유전 정보는 단백질을 합성하여 이들 단백질을 통하여 생체 내 작용을 한다. DNA 암호는 전사(transcription)과정을 통하여 RNA로 핵 안에서 전사되고, 이때 형성된 전령 RNA (messenger RNA)가 세포질로 이동하면 전령 RNA의 암호는 아미노산의 서열로 번역(translation)되어 단백질이 형성되는 바, 이 번역과정은 세포질 내 소기관인 리보좀(ribosome)에서 일어난다. 이러한 정보의 흐름은 분자생물학의 중심가설(central dogma)로 불린다. 유전자는 single copy DNA 서열의 특징적인 구조(그림 7-3)를 갖고 있는 바, 아미노산 서열로 번역되는 엑손(exon)과 전사는 되지만 번역과정에는 포함되지 않는 인트론(intron)이 포함되어 있다.

25,000개에 달하는 유전자의 DNA서열은 전체 유전체에 해당하는 30억 쌍의 DNA 서열의 약 25%에 해당하는 바, 엑손은 약1%에, 인트론은 24%에 해당한다(그림 7-4).[1-5]

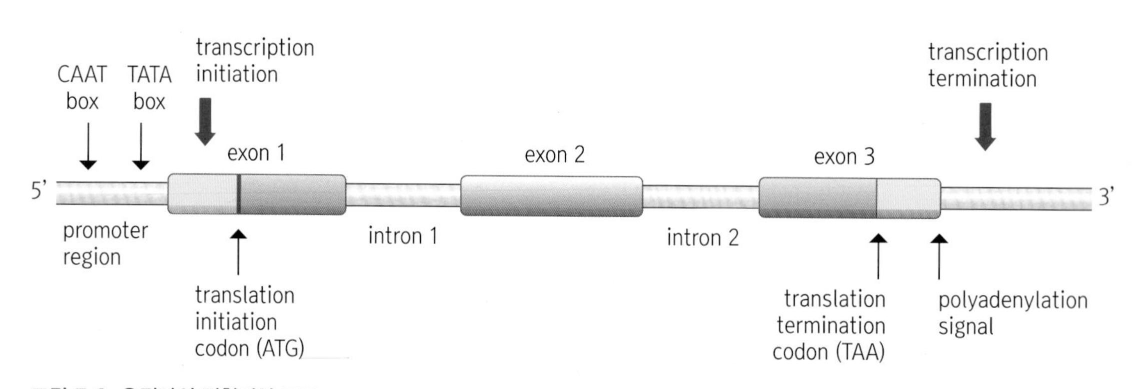

그림 7-3 유전자의 전형적인 구조

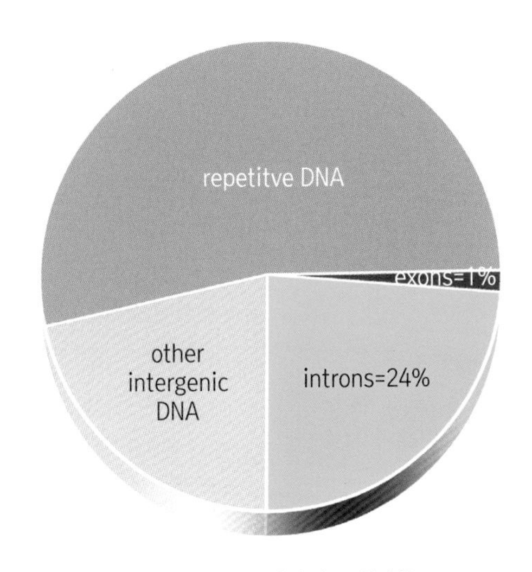

그림 7-4 사람 유전체 중 유전자의 구성비율

1) DNA 검사 방법

유전자 변이 검사를 하고자 하면 확인하고자 하는 DNA 조각을 대량으로 분리, 확보하여야 하는데 이러한 과정을 DNA 클로닝(cloning)이라고 한다. DNA 클로닝에는 생체세포 클로닝(in-vivo cell based cloning)과 중합효소연쇄반응법(polymerase chain reaction, PCR)이 사용된다. DNA와 RNA를 분석하는 기법 중 서던블롯팅(Southern blotting)과 노던블롯팅(Northern blotting)은 탐침자를 이용한 핵산교잡반응(nucleic acid hybridization)을 이용한다. 서던블롯팅은 제한효소 등에 의하여 형성된 수백만 개의 DNA 절편들로부터 연구하고자 하는 DNA 절편을 찾아내는 방법이나, 한 개의 변이, 결실, 삽입 등은 서던블롯팅 기법으로 발견할 수 없다. 노던블롯팅은 RNA 시료로부터 특정 유전자에서 유래된 전령 RNA의 크기와 양을 결정하는 방법이다. DNA의 염기서열 분석기법으로는 생거염기서열법(Sanger sequencing)이 널리 사용되고 있으며, 최근 차세대염기서열분석법(next-generation sequencing)의 도입으로 전체 유전체의 변이를 신속하고 체계적으로 분석할 수 있다.[1-5, 13]

5. 세포분열

세포분열에는 유사분열(mitosis)과 감수분열(meiosis)로 구별된다. 유사분열은 체세포 분열로서 신체의 성장과 분화 및 조직재생과 관련된다. 유사분열 결과 두 개의 딸세포가 만들어지고 각 딸세포는 부모세포와 동일한 염색체와 유전자를 포함한다. 체세포는 수십에서 수백 번의 유사분열을 한다(그림 7-5).

감수분열은 생식세포를 만들기 위한 과정이다(그림 7-6). 감수분열은 두 번의 연속적인 분열을 하여 이를 제1감수분열과 제2감수분열이라 한다. 제1감수분열 전기에 상동염색체들이 짝을 이루고 후기에 각기 다른 세포들로 분리됨으로써 염색체의 수가 이배체(diploid)에서 반수체(haploid)로 감소된다. X와 Y 염색체는 엄격한 의미에서 상동염색체는 아니지만 그들의 장완과 단완의 말단 부위에 상동적인 부위를 가지고 있어 그 부분이 서로 짝을 이루게 된다. 또한 제1감수 분열 동안 유전적 재조합(recombination)이 일어나는 바, 이는 쌍을 이루는 상동염색체의 비자매 염색분체(non-sister chromatid)의 상동적 분절(homologous segment) 간의 조합을 통하여 DNA의 분절이 교환되는 상동재조합(homologous recombination)이 일어나서 생식세포 유전정보의 다양화를 초래하며, 이는 종의 다양성을 가능하게 하는 생물학적 기전 중의 하나이다. 부모에게서 각각 유전된 23쌍의 염색체가 감수분열 시 독립적으로 분리되어 반수체의 생식세포에 포함될 염색체의 종류는 2의 23승 즉 800만개가 되며 더욱이 제1감수분열 시의 상동염색체 간의 유전적 재조합에 의하여 생식세포의 유전정보는 더욱 다양하게 된다. 또한 상동재조합은 제1감수분열의 적정시점까지 두 개의 상동염색체를 물리적으로 붙어있게 하여 염색체 분리가 적절하게 되도록 하는 데 중요한 역할을 하게

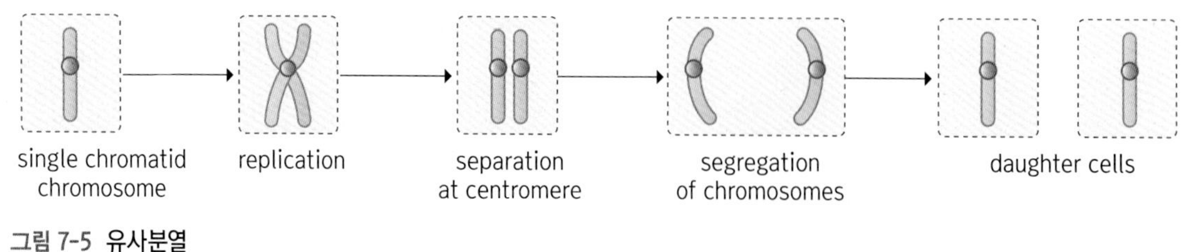

그림 7-5 유사분열

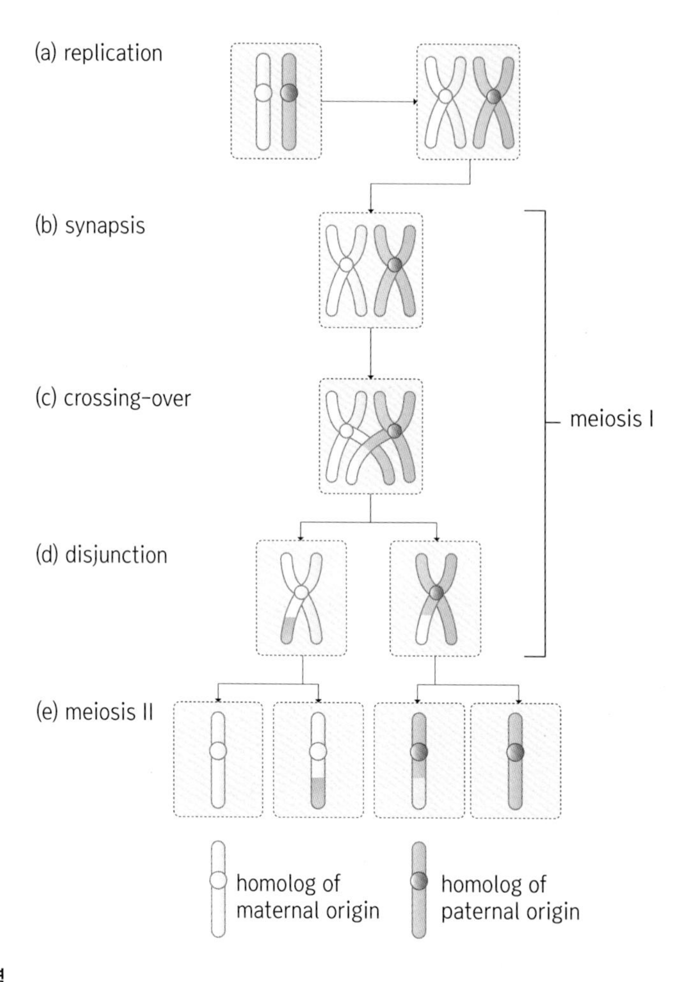

그림 7-6 감수분열

된다. 이러한 유전적 재조합 과정에서 비상동재조합(non-homologous recombination)이 발생할 수 있으며 이는 염색체 결손과 중복의 기전이 된다(그림 7-7).

세포분열 과정에서 상동염색체가 각기 양극으로 이동하지 않고 한쪽 극으로 이동하는 오류를 비분리(nondisjunction)이라 한다. 제1감수분열과 제2감수분열 모두에서 염색체 비분리가 발생할 수 있으며 이는 다운증후군과 같은 염색체의 수 이상의 원인이 된다(그림 7-8). 수정 이후 수정란의 유사

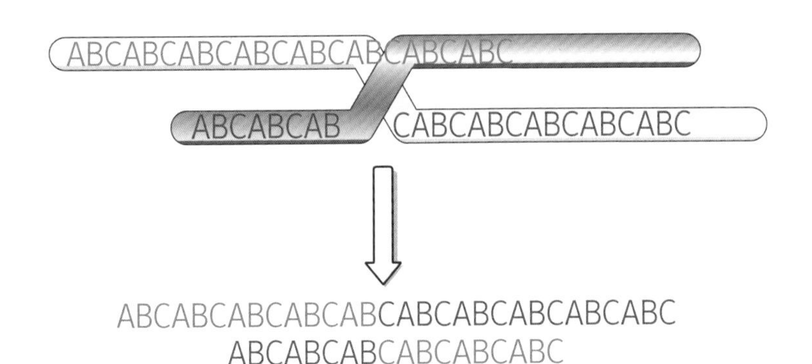

그림 7-7 염색체의 비상동재조합

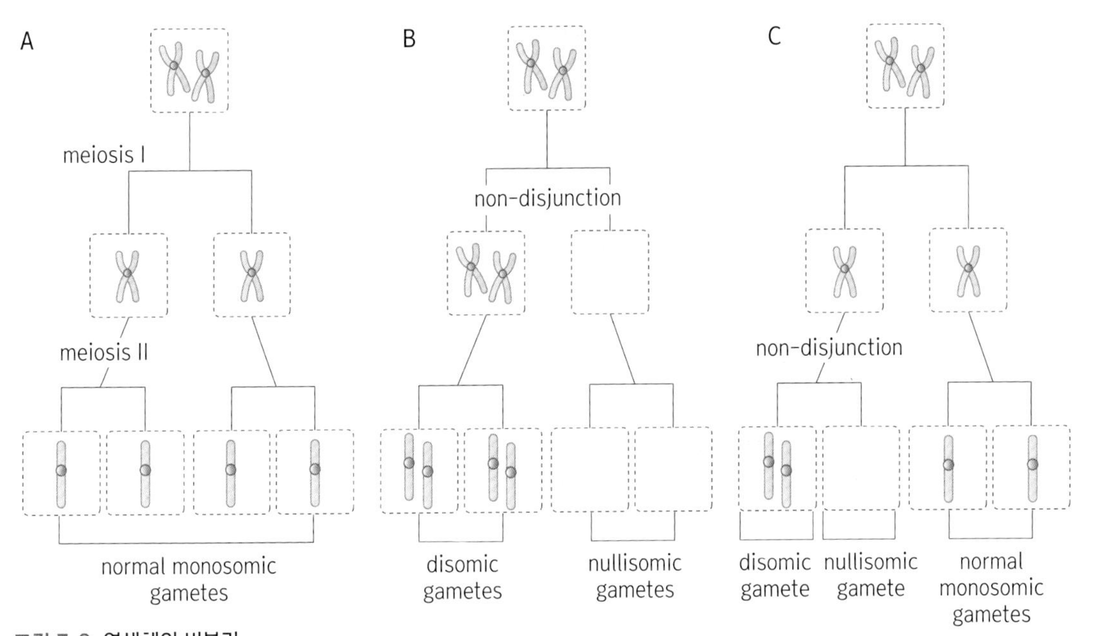

그림 7-8 염색체의 비분리

분열 과정에도 비분리가 발생할 수 있으며, 이는 염색체의 섞임증(mosaicism)의 기전이 된다.[1-3]

1) 난자형성

사춘기가 되어야 시작되는 정자 형성 과정과는 달리, 난자형성 과정(그림 7-9)은 산전의 태아 발생시기에 이미 시작된다. 원시생식세포(primodial germ cell)에서 유래한 난조세포(oorgonia)는 임신 3개월경에 제1난모세포(primary oocyte)로 분화하여 출생 당시 모든 제1난모세포는 제1감수분열 전기 상태에 정지된 상태에 있게 된다. 사춘기가 되면 제1감수분열 전기 상태에 정지되어 있던 제1난모세포가 제1감수분열을 종료하여 1개의 제2난모세포(secondary oocyte)와 하나의 제1극체(first polar body)가 형성되고 제2난모세포인 난자(ovum)

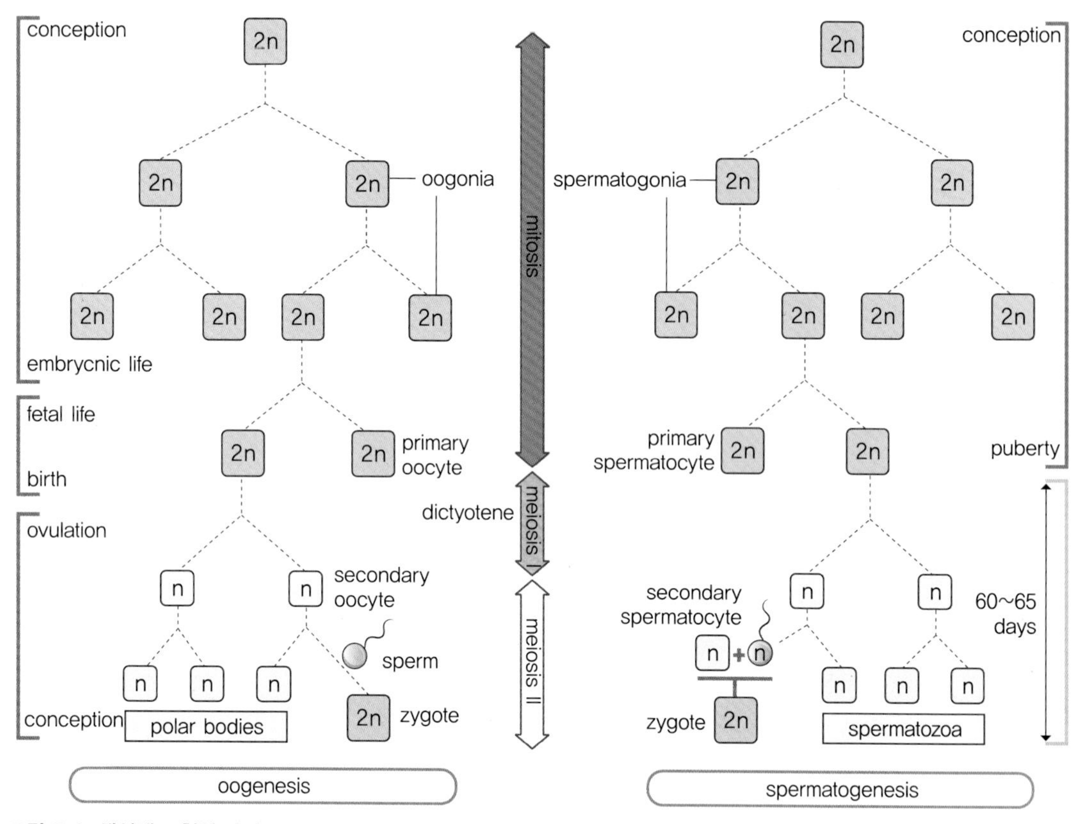

그림 7-9 생식세포 형성 과정

는 연이어 제2감수분열을 시작하며 여성의 생리주기에 따라 배란되게 되며, 정자와 수정되면 제2감수분열이 종료된다. 출생 시 난소에는 많은 제1난모세포가 있으나 대부분 퇴화하여 약 400개 정도의 제1난모세포가 제2난모세포인 난자로 성숙하여 배란된다. 따라서 제1난모세포는 길게는 50년까지 제1감수분열 전기에 정지하여 있는 매우 긴 감수분열을 하게 된다. 따라서 노화과정의 반복자극(wear and tear)에 의하여 고령산모에서 비분리가 증가하는 것으로 알려져 있다.

2) 정자형성

정세관은 정조세포(spermatogonia)로 구성되어 있는데 이는 원시생식세포의 연속적인 유사분열에 의해 발생한다. 사춘기가 되면 정조세포가 제1정모세포로 되어 감수분열을 시작하여 제2정모세포가 되고 제2정모세포는 정자세포(spermatid)가 되어 정자를 형성하는 바, 제1정모세포에서 정자가 형성되는 과정에 약 64일이 소요되며 이 과정에서 수많은 정자가 생성되며, 한번 사정 시 약 2억 개의 정자가 방출된다(그림 7-9).

III. 유전체 돌연변이

유전체 돌연변이(genomic mutation)는 염색체 질환과 단일유전자질환을 유발한다. 유전체의 돌연변이는 단백질의 기능소실(loss of function)이나 기능획득(gain of function)에 의한 단백질의 기능 이상을 초래하여 질병을 유발한다. 기능소실 돌연변이는 단백질을 합성하는 유전자의 기능을 억제한다. 기능획득 돌연변이를 통해 정상 기능을 수행하던 단백질의 기능이 증가하거나 단백질의 합성을 증가하게 되어 질병이 초래된다.[1, 2]

1. 염색체 변이

염색체 변이(chromosomal mutation)는 유전질환의 중요한 부분을 차지하는 바, 선천성 기형, 지적장애와 발달지연 및 생식 이상을 유발하는 원인 중의 하나이며 악성종양 형성에 있어서도 중요한 역할을 한다. 염색체 변이는 단일 유전자질환보다 흔하게 발생하는데, 염색체 수의 이상과 염색체 재배열에 의해 초래되며, 이는 체세포나 배선세포의 세포분열 과정의 오류에 의하여 발생한다. 감수분열 중에 상동염색체 간의 비분류는 염색체 수의 이상(그림 7-8)과 한어버이이체성(uniparental disomy)을 초래한다(그림 7-10). 제1감수분열 과정의 유전적 재조합 과정에서 비상동재조합이 발생할 수 있으며 이는 염색체 결손과 중복을 초래한다(그림 7-7).[1, 2, 12]

1) 염색체 수의 이상

염색체의 수가 반수체인 23의 배수가 되지 않는 경우를 이수배수체(aneuploid)라고 하며 이는 사람의 염색체 이상 가운데 가장 흔한 형태로서 47개의 염색체를 갖는 삼염색체증(trisomy)과 45개의 염색체를 갖는 단염색체증(monosomy) 등이 있다. 또한 염색체가 69개, 92개와 같이 46이 아닌 23의 배수로 존재하는 것을 다배수체(polyploid)라 한다.

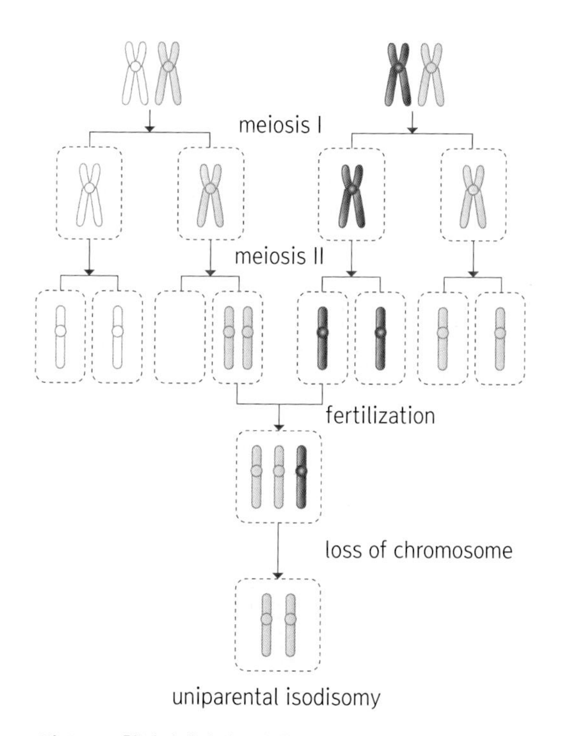

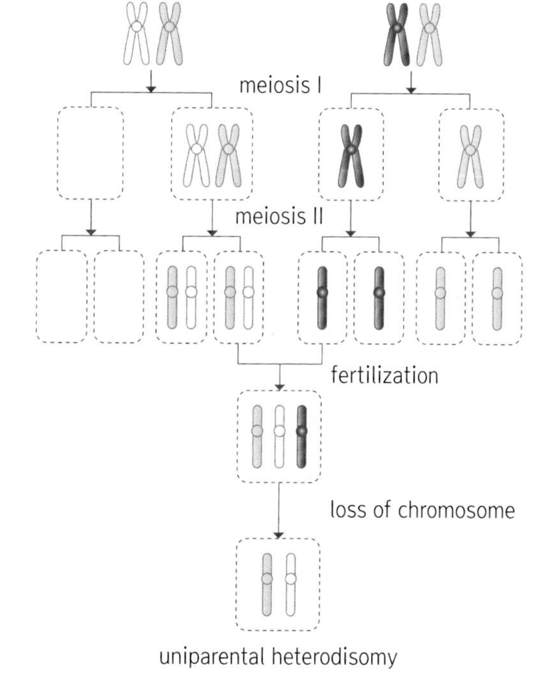

그림 7-10 한어버이이체성의 형성기전

(1) 이수배수체

삼염색체증은 어느 염색체에서나 발생할 수 있으나 대부분 자연 유산된다. 가장 흔한 상염색체의 삼염색체증은 21번 염색체의 삼염색체증으로 다운증후군의 95%가 이에 해당한다. 신생아에서 발견되는 다른 삼염색체증으로는 18번 염색체의 삼염색체증(Edward 증후군)과 13번 염색체의 삼염색체증(Patau 증후군)이 있다. 한 염색체의 전체 결손에 의한 홑염색체증(monosomy)은 항상 사산되나, X 염색체의 홑염색체증(45, X)인 터너증후군은 생존할 수 있다. 47, XXY, 48, XXXY 등의 핵형을 갖는 Kleinefelter 증후군과 triple X(47, XXX) 증후군 등은 성염색체 이수배수체의 또 다른 예이다.

(2) 다배수체

삼배수체(triploidy)와 사배수체(tetraploidy)는 각각 정상 체세포 반수체인 23의 삼배수인 69개 염색체와 사배수인 92개의 염색체를 갖는 경우이다. 삼배수체와 사배수체 모두 태아에서 발견되며, 삼배수체의 경우는 출생할 수 있으나 오래 생존하지 못한다.

2) 염색체의 재배열

염색체의 재배열(chromosomal rearrangement)은 염색체가 절단된 후 재결합하는 과정에 발생하는 비정상적인 조합의 결과로 나타난다. 염색체 재배열은 염색체 수의 이상에 비하여 드물게 발생하며, 이는 자연적으로 발생하거나 방사선, 바이러스 감염, 특정 화학물질 등에 의하여 유발된다. 염색체 수의 이상과 마찬가지로 재배열도 섞임증의 형태로 나타날 수 있다. 재배열의 결과 세포 내 유전체 양의 변화가 없다면 이를 균형(balanced) 재배열이라고 하며 염색체 일부분의 결손이나 삽입 등으로 유전체 양의 변화가 초래되었다면 이를 불균형(unbalanced) 재배열이라고 한다.

(1) 균형 재배열

① 역위(inversion)

역위는 하나의 염색체에 두개의 절단이 생기고 절단된 분절이 뒤집어진 상태로 재결합되어 발생한다. 역위는 일반적으로 균형재배열이므로 보인자가 비정상적 표현형을 나타내지 않으나, 역위 보인자의 일부는 비정상 핵형을 가진 아이를 출생할 가능성이 증가한다.

② 상호전좌(reciprocal translocation)

비상동 염색체들의 절단 후 절단된 분절의 상호교환에 의해 만들어진다. 일반적으로 두 개의 염색체만 관여하며 상호 교환이 일어나므로 전체 염색체의 수에는 변화가 없다. 상호전좌 보인자 역시 비정상 핵형을 가진 아이를 출생할 가능성이 증가한다.

③ 로벗소니안 전좌(Robersonian translocation)

두 개의 선단염색체(염색체 13, 14, 15, 21, 22)가 동원체 부위에서 결합하는 것으로, 양선단염색체의 단완 부위는 소실된다. 결과적으로 핵형은 두 염색체의 장완 만으로 구성된 전좌염색체를 포함한 45개의 염색체로 구성된다. 그림 7-11은 14번과 21번 유전자의 로벗소니안 전좌인 경우 생식세포 형성과정에서 다운증후군 아기가 발생하는 기전을 보여준다.

(2) 불균형 재배열

① 결손(deletion)

결손은 불균형 재배열의 한 형태로 DNA의 일부 염기서열이 상실되는 것을 말하며 고양이 울음 증후군 등이 결손에 의한 대표적인 질환이다. 일부 증후군들은 염색체 특정 분절의 미세 결손(표 7-2)

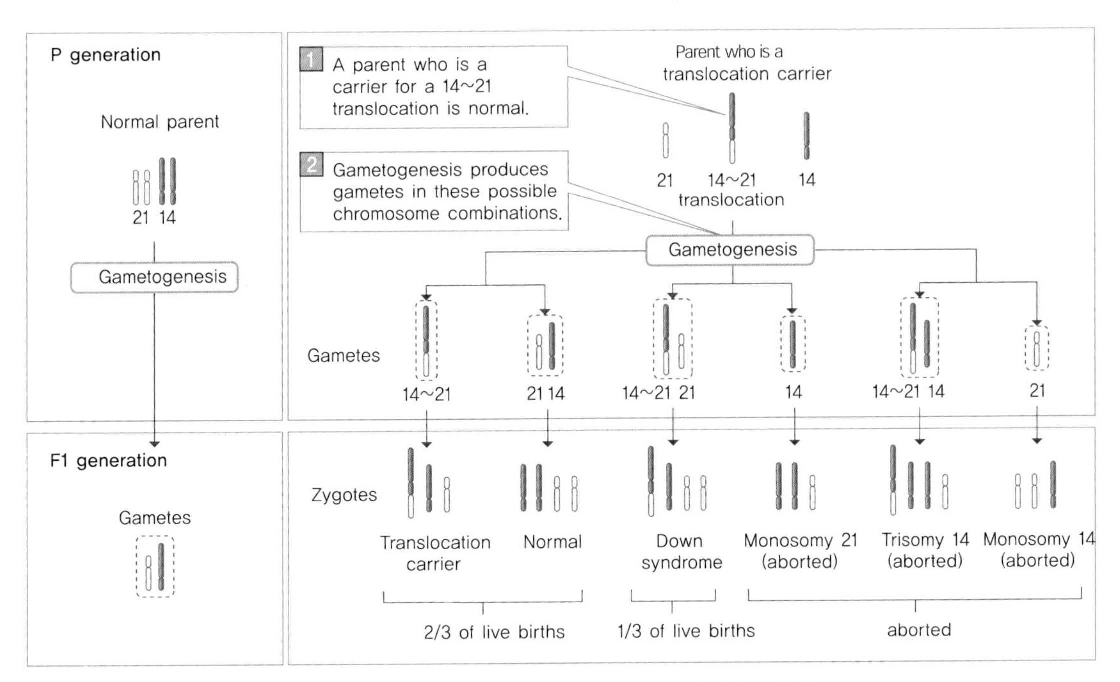

그림 7-11 14번과 21번 유전자간의 균형전좌를 가진 경우 다운증후군 아기가 발생하는 기전[4]

표 7-2 미세결손 증후군[1]

Syndrome	Chromosome
Deletion 1p36	1
Williams	7
Langer-Giedion	8
WAGR	11
Angelman	15
Prader-Willi	15
Rubinstein-Taybi	16
Miller-Dieker	17
Smith-Magenis	17
Digeorge/Velocardiofacial	22

이나 중복에 의한 유전적인 불균형에 의하여 초래된다. 인접 유전자들의 결손이나 혹은 중복이 발생하므로 인접유전자증후군(contiguous gene syndrome)이라는 용어가 사용되기도 한다.

② 중복(duplication)

불균형 재배열의 한 형태로 DNA의 일부 염기서열이 중복되어 있는 것을 말한다.

③ 등완염색체(isochoromsome)

염색체의 한쪽 팔이 소실되고 다른 쪽 팔이 거울 상으로 복제된 염색체이다. X염색체 장완의 등완염색체가 터너증후군 환자의 일부에서 발견되며, 18번 염색체 단완, 12번 염색체 단완을 포함한 많은 상염색체의 등완염색체가 보고되고 있다 Marker 염색체와 고리염색체(ring chromosome) 등도 불균형 재배열에 해당한다.

2. 단일유전자질환

단일유전자질환(single gene disorder)은 단일유전자의 변이에 의하여 유발되며, 멘델의 완두콩 실험과 같이 다음 세대에 비교적 고정된 비율로 나타나는 유전양상을 보이므로 멘델성(Mendelian) 질환이라고도 명명된다. 따라서 특정 유전양상을 보이는 경우 단일유전자질환을 의심할 수 있다(표 7-3).

단일유전자질환의 대부분은 소아에서 발병하며 약 10%가 사춘기 이후에 발생한다. 단일유전자 질환은 개별적으로는 희귀하지만 질환그룹으로는 아동기 발달지연 및 질환의 원인의 상당 비율을 차지한다. 미국 의사인 Victor McKusick (1921~2008)의 Online Mendelian Inheritance in Man (OMIM) 2020년 통계에 따르면 25,000개의 단일유전자질환이 등재되어 있다.[1-6]

표 7-3 단일유전자질환의 유전양식[1]

상염색체 우성유전
남녀가 동일비율로 이환
여러 세대에서 발생
남녀 모두에 의하여 유전
상염색체 열성유전
남녀가 동일비율로 이환
단일 세대에서 발생
부모의 근친 결혼 등과 연관될 수 있음
X연관 열성유전
남성만 이환
이환되지 않은 여성을 통해 유전
남성은 아들에게 유전할 수 없음
X연관 우성유전
남녀 모두 이환 되지만 여성에서 흔함
남성에 비교하여 여성은 경하게 이환됨
이환된 남성의 딸에게 유전되며 아들에게는 유전되지 않음
Y연관 열성유전
남성만 이환됨
이환된 남성의 아들에게 유전됨

1) 유전자 돌연변이의 기전

유전자 돌연변이(gene mutation)는 다음의 두 가지 기전에 의하여 발생하는 바 DNA의 복제 중에 발생하는 오류(DNA replication error)와 DNA 손상 복구(repair of DNA damage) 오류가 그것이다.

(1) DNA 복제오류

DNA 복제는 매우 정확한 과정이어야 하는데 그렇지 않다면 우리 종은 돌연변이로 인하여 더 이상 존재할 수 없을 것이다. DNA의 복제는 엄격한 염기쌍 형성 규칙에 의하여 진행되어 딸가닥에 한 개의 부정확한 염기가 도입될 확률은 천만 염기쌍 중 한 개의 비율로 알려져 있다. DNA 복제과정에 발생하는 대부분의 복제오류는 일련의 DNA 복구효소에 의하여 신속하게 제거되고 교정된다. 새로이 합성된 이중나선이 옳지 않은 염기를 포함하고 있는 것을 DNA 복구효소가 인지하면 올바른 염기로 대처함으로써 DNA 복제 오류의 99.9% 이상이 교정된다.

(2) DNA 손상 복구 오류

생물학적인 DNA 복제오류 이외에 환경 속에 있는 화학적 제재, 적외선, 혹은 방사선 노출 등의 돌연변이원(mutagen)에 의하여 사람은 하루에 10,000~1,000,000개의 염기가 손상 받는 것으로 알려져 있다. 복구 기전에 의하여 손상이 인식되었으나 잘못된 염기 삽입 등에 의하여 유전자 변이가 발생할 수 있다.

2) 유전자 돌연변이의 종류

이상의 기전에 의하여 유전자 내의 염기 결손, 삽입 혹은 염기치환(base substitution) 등의 돌연변이가 발생하며 돌연변이는 단백질 합성에 미치는 변화에 따라 다음과 같이 분류한다.

(1) 과오 돌연변이

DNA의 염기서열의 변환이 유전인자의 암호가닥(coding strand)의 의미를 변화시켜 결과적으로 아미노산의 종류가 변화되는 것을 말한다.

(2) 무의미 돌연변이

DNA 염기서열의 변화가 종결 코돈으로 바뀌는 돌연변이로서 단백질의 합성이 조기 종결된다.

(3) 침묵 돌연변이

DNA 염기 서열이 변화하여도 동일한 아미노산이 합성되는 변이이다.

(4) 중립 돌연변이

DNA 염기서열이 변화가 아미노산의 변화를 초래하지만 이러한 아미노산의 변화가 단백질의 기능에는 영향을 주지 않는 변이이다.

3. 불안정 반복서열 확장에 의한 질환

일부 유전자 내에는 서로 인접한 3 또는 그 이상의 뉴클레오티드 반복으로 구성된 DNA 염기서열이 존재하는 바, 글루타민 코돈인 CAG 반복서열의 확장은 헌팅톤병, 수소뇌성조화운동못함증(spinocerebellar ataxia) 등의 질환에 관여하며, 비코돈 반복서열인 취약X증후군의 CGG, 근육긴장퇴행위축증(myotonic dystrophy)의 CTG반복서열 확장이 대표적인 경우이다. 일반적으로 유전자 돌연변이가 발생하여 그 돌연변이가 세대를 거쳐 전달될 때 동일한 돌연변이가 전달된다. 그러나 불안정 반복서열 확장(unstable repeat expansion)에 의한 질환은 침범된 유전자가 세대를 거쳐 전달될 때 반복서열의 수가 더욱 확장되는 바, 이를 불안정 반복서열 확장에 의한 질환이라고 한다. 이러한 세대간 반복서열 확장으로 예기발현(anticipation) 현상을 설명할 수 있는데, 이것은 유전질환이 세대를 통해 유전됨에 따라 보다 어린 나이에 발병하는 것을 말한다. 불안정 반복서열 확장의 기전은 미끄러진 잘못 짝짓기(miss pairing)모델로 설명할 수 있다(그림 7-12).[1-4]

4. 유전체 각인질환

상동염색체가 동일하게 표현되지 않고 일부 유전자는 부모의 어느 쪽으로부터 유래되었는지에 따라서 그 발현이 결정되는 현상을 유전체 각인(genomic imprinting) 현상으로 설명한다. 각인의 대표적인 기전은 DNA의 염기 중의 하나인 시토신의 메틸화로 5-methyl cytosine을 형성하는 것이며, 따라서 DNA 염기서열의 변화 없이 유전자의 발현에 영향을 주므로 이는 후생유전(epigentics)의 한 예이다. 현재까지 약 80개의 유전자가 사람에서 각인되어 있는 것으로 알려져 있으며, 이들 각인 유전자들은 서로 다른 메칠화를 보이는 부위 즉 differentially methylated region (DMR)을 갖고 있으며 DMR에는 각인을 조정하는 부위 즉 imprinting control region (ICR)이 있어 각인된 유전자의 표현을 조절한다. 각인은 수정 전에 생식세포 형성 과정 중에 일어나며, 출생 후에 성인에 이르기까지 수백 번의 세포분열을 거치는 동안 각인생태는 유지된다. 15번 염색체 장완에 위치하는 DMR의 변이에 의한 프라더윌리 증후군과 엥겔만 증후군, 11번 염색체 단완에 위치하는 DMR의 변이에

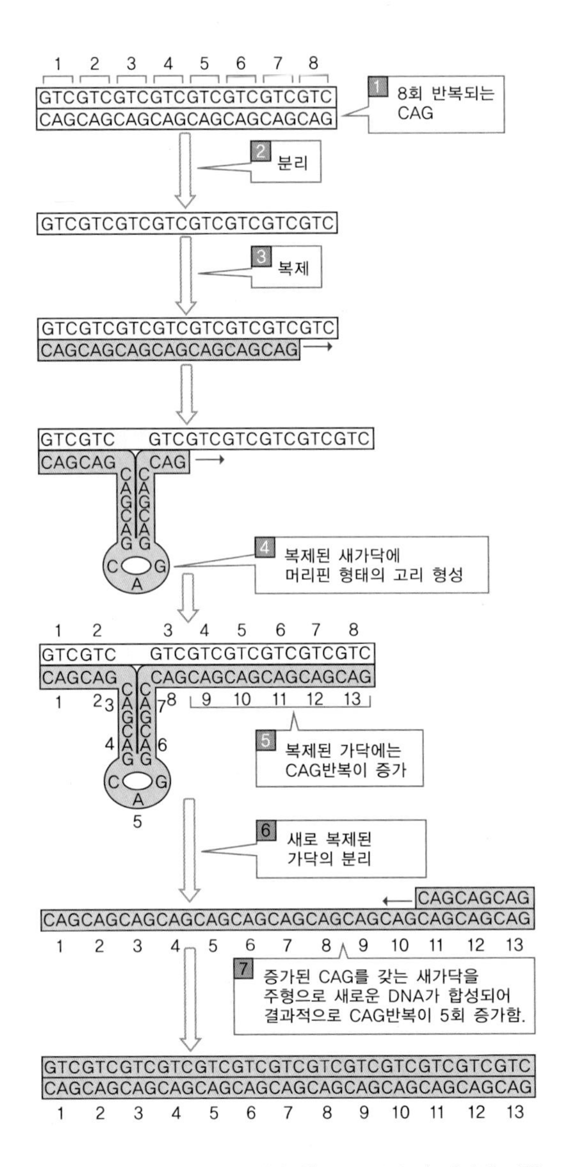

그림 7-12 미끄러진 잘못짝짓기(miss pairing) 기전에 의한 불안정 반복서열의 확장의 기전 모델[4]

의한 Beckwith-Wiedemann 증후군과 Russel-Silver 증후군 등은 대표적인 유전체 각인질환(genomic imprinting disorder)이다. 상동염색체 1쌍은 부모로부터 각기 유전된 것이나, 감수분열과정에서 특정 염색체의 비분리로 인하여 이체성이 된 생식세포가 수정되어 삼염색체증이 되었을 때 이를 교정하는 과정에서 한어버이이체성이 발생할 수 있는데(그림 7-10), 이러한 한어버이이체성이 각인된유전자를 포함한 염색체에 발생한 경우 유전자각인 질환이 발생할 수 있다.[1-4, 14]

IV. 발전하는 유전학적 평가 기법

1. 염색체 마이크로어레이 검사 (Chromosomal microarray test, CMA)

1) 배경

표준염색체 검사법(conventional karyotyping)은 염색체의 수적, 구조적 변이를 전장 유전체(genome)에서 분석할 수 있다는 점에서 유전의학 분야에서 획기적인 도약을 가지고 온 기술이며 현재도 다운증후군 같은 염색체의 수적 이상 변이 및 균형재배열의 검사를 위해 이용되고 있다. 하지만 표준염색체 검사법은 세포를 배양해야 하는 시간적 소요와 해상도가 5~10 Mb로 제한되는 문제를 가지고 있다. 이를 해결하기 위해 앞서 설명한 형광동소교잡법(FISH) 및 다중결찰의존프로브증폭(multiplex ligation-dependent probe amplification, MLPA) 등이 개발되어 현재도 이용되고 있지만, 이러한 검사들은 전장 유전체를 검사하지 못하고 특정위치에서만 결과를 볼 수 있다는 제한점이 있다. 이러한 해상도, 세포배양 소요시간, 특정부위만 제한된 검사의 문제를 molecular karyotyping 이라고 불리는 CMA 검사가 해결할 수 있다는 점에서 의학유전검사에 의의가 높은 검사법이다. CMA 검사는 기본적으로 유전자 수변이(copy number variation, CNV)를 검출하는 검사법이다.

CNV는 통상적으로 2n의 형태로 존재하는 일반적인 서열들과는 달리 결실(0n, 1n 상태), 증폭(3n 이상의 상태)되는 변이로서 임상에서는 1 kb 이상의 DNA 복제수 변이가 있는 것을 의미한다.

2) 검사기법의 종류

CMA 검사는 크게 2가지 형태의 플랫폼으로 상용되고 있다.

(1) 배열비교유전체보합(array comparative genomic hybridization, aCGH)

Array CGH는 환자 DNA와 정상(control 또는 reference) DNA를 상호보합시켜 비교함으로써 환자의 유전체에서 DNA의 양적 변이를 검출하는 방법이다. Array chip에는 대략 25~80 bp의 수십내지 수백만 개의 DNA (oligonucleotide) 탐색자가 포함되어 있다. 간략히 검사방법을 기술하면, 환자 DNA와 정상 DNA를 효소를 이용하여 자른 후 서로 다른 형광색을 표지(labelling) (주로는 초록색과 빨간색)하여 경쟁적 교잡반응을 시킨다. 그 다음 결과적으로 검출된 상대적 반응의 양 차이를 형광신호로 측정하게 되며, 이후 소프트웨어를 이용하여 환자의 DNA가 증가되어 있는지, 감소되어 있는지 판별한다. 실제 보고서에는 아래의 그림 같은 그래프를 얻어 기술을 한다(그림 7-13, 14).

(2) 단일염기다형성 어레이(single nucleotide polymorphism array, SNP array)

SNP array는 인구의 1% 이상의 흔한 변이를 검사하기 위해 고안된 방법으로 초기에는 주로 당뇨 같은 다인성질환의 genome-wide association studies (GWAS)에 사용되었다.[15, 16] 하지만 이러한 SNP typing 이외에 환자의 target signal intensity와 reference signal intensity를 비교하여 CNV를 검출할 수 있는 방법이 고안되어 CMA에서도 이용되고 있다. 또한 allele 'B' 와 'A' 의 검출로 B-allele frequency (BAF)라는 계산을 이용하여 copy neutral loss of heterozygosity (copy neutral LOH, 복제수에 변화가 없는 이형접합성 손실) 즉, 선천성 질환의 경우에는 uniparental disomy(한어버이이체성, 한 부모로부터만 한 쌍의 상동염색체를 모두 받는 현상)를 진단하는 데도 이용할 수 있다. 아래 그림 7-15처럼 homozygous sites(동형접합 부위)는 AA (B allele frequency = 0) 또는 BB (B allele frequency = 1)이고, heterozygous sites(이형접합 부위는) AB (BAF = 0.5)이다. 따라서 AA, AB,

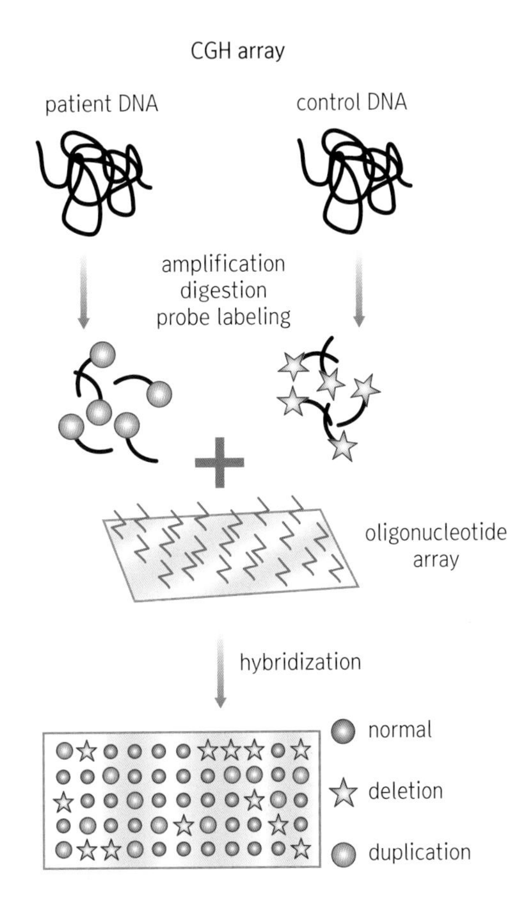

그림 7-13 Array comparative genomic hybridization (CGH)의 간략 모식도

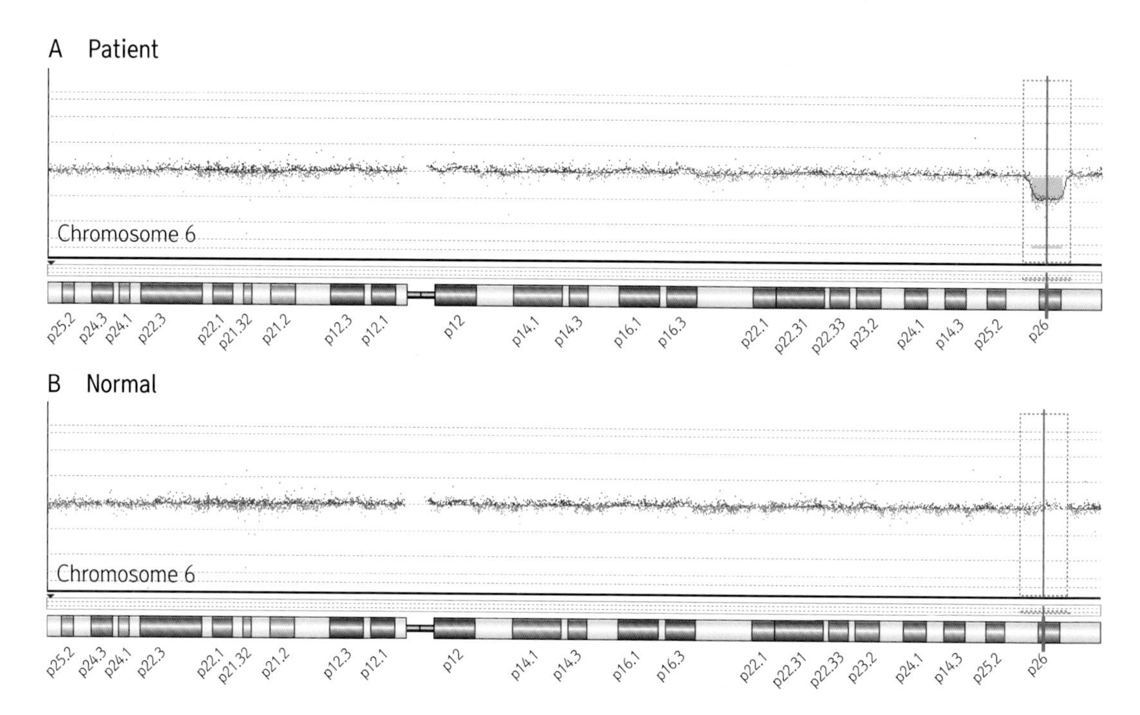

그림 7-14 6q25.3q27 5.9MB deletion이 있는 CMA 결과이며 정상과 비교할 때 log ratio가 감소된 것을 확인할 수 있다.

BB의 패턴으로 검출되어야 정상인 반면에 "A"와 "B" allele만 검출되는 경우는 결손(deletion) 또는 copy neutral LOH의 경우이고, AAA, AAB, ABB, BBB의 경우에는 중복(duplication)을 의미한다(그림 7-15).

CMA는 탐색자의 개수, 분포 패턴, 플랫폼의 종류, 부합반응의 효율, signal to noise ratio 등 다양한 요소에 영향을 받고 이러한 기술은 점진적으로 발전하고 있다. 최근 국내 임상에서는 대략 70만 개의 SNP marker 및 200만 개의 non-polymorphic marker를 이용하여 전장 유전체를 충분히 탐색할 수 있으며, copy neutral LOH/uniparental disomy 도 구별할 수 있도록 고안된 플랫폼을 이용하고 있다.

3) 적응증

최근에는 customized CMA를 검사자나 연구자의 목적에 맞게 제작을 할 수 있기 때문에 다양한 질환 또는 연구의 유전의학에서 이용될 수 있으나, 일반적인 적응증은 크게 3가지이다.

① 산전진단, 착상전 유전검사
② 원인불명의 발달지연/지적장애, 자폐스펙트럼장애, 다발성 선천성기형
③ 종양유전

특히 소아재활 분야에서는 2010년에 International Standard Cytogenomic Array (ISCA) Consortium 및 American College of Medical Genetics (ACMG) Practice guideline에서 설명되지 않는 발달지연/지적장애, 자폐스펙트럼장애, 다발성 선천

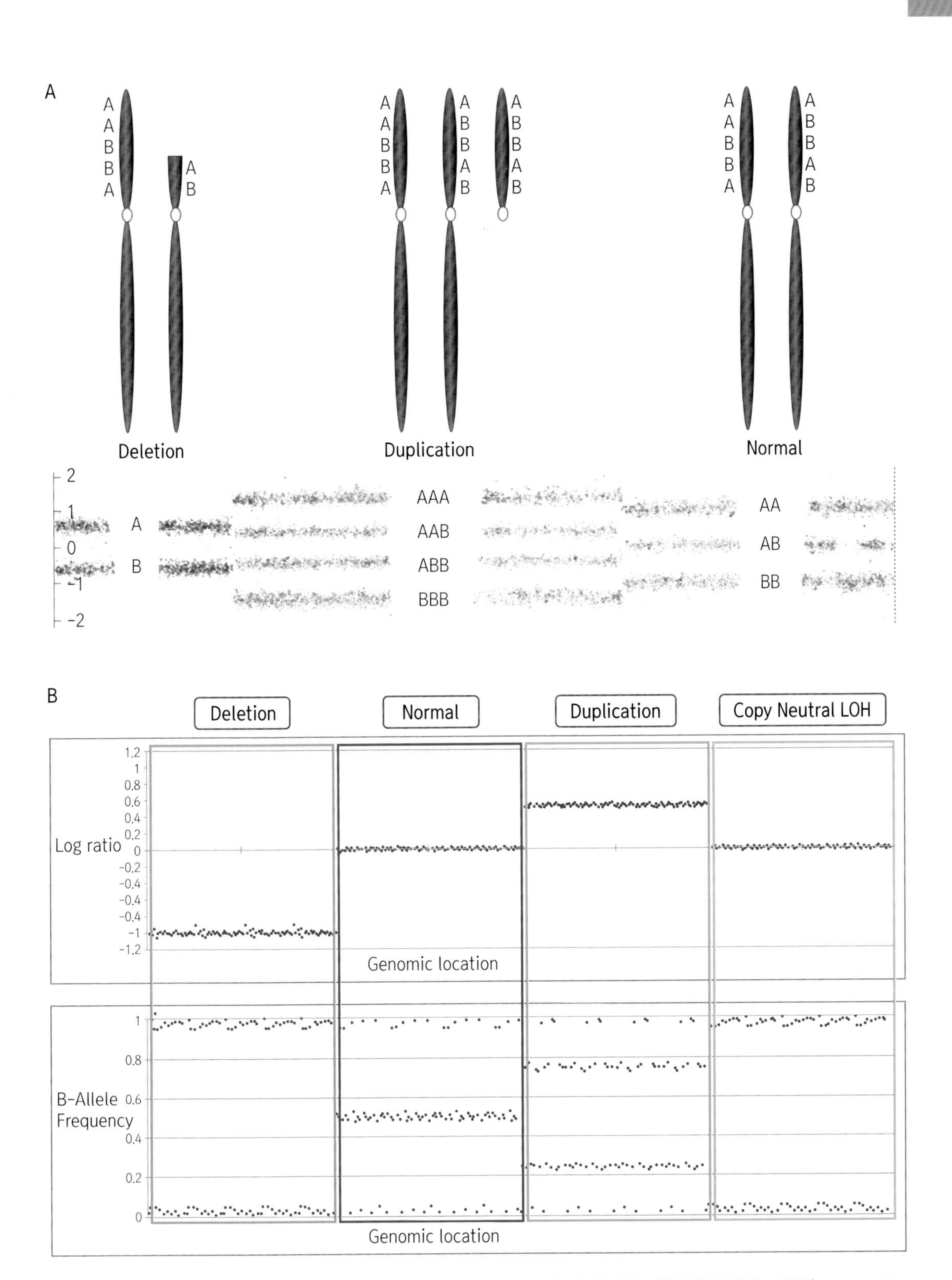

그림 7-15 A. 단일염기다형성 어레이(SNP array)의 간략 모식도, allele' B'와' A'를 이용하여 유전자 수변이(copy number variation, CNV)를 확인한다. B. SNP array를 이용하여 copy neutral loss of heterozygosity를 확인할 수 있다.

성기형을 가진 환자에서는 일차검사로 CMA가 제안된다는 연구가 발표된 이후 급속도로 검사가 늘었다.[17, 18] 연구에 따르면 기존 표준염색체 검사법에 따른 3%의 진단율에 비해 CMA는 15~20%의 높은 진단율을 나타내고 있고, 최근 출판된 국내 다기관 연구에서도 19.8% (122/619명)의 비슷한 진단율이 보고되었다.[19] 국내에서도 2019년 보험고시가 발표되어 병원 내 검사가 이루어지고 있다.

4) 해석

앞서 설명하였듯이 최근 세포분자 유전학적 분석 기술의 발전을 통해 이전에는 진단하지 못했던 5~10 Mb 미만의 염색체 변이를 진단할 수 있게 되었고, 임상에서도 CNV를 검출하기 위해 CMA 처방이 늘고 있다. 하지만, 이러한 CNV는 실제 이 부분이 병적 변이(pathogenetic variant)인지 또는 단순히 양성 변이(benign variant)인지의 해석의 문제가 남아 있다. 이러한 근거는 normal population에서의 인간 유전체에는 수많은 CNV region들이 있다는 것이 알려졌고, 이것은 오히려 physiogenetic 하다고 할 수 있기 때문이다. 이에 따라 CNV의 정확한 해석을 위해서는 genotype(유전형)-phenotype(표현형)의 correlation 및 clinical geneticists(임상유전의학자)와 molecular cytogeneticists(분자-세포 유전의학자)의 협조가 중요하다. 2011년 ACMG에서는 CNV에 대한 해석에 대해 가이드라인을 발표하였고 최근까지 이를 기반으로 각 검사실에서 병적 변이에 대한 보고를 하였다.[20]

간략히 살펴보면, CNV는 Pathogenic, Uncertain clinical significance, Benign으로 3가지로 크게 분류하고, Uncertain clinical significance를 다시 세분하여 Uncertain clinical significance; likely pathogenic, Uncertain clinical significance; likely benign, Uncertain clinical significance (no subclassification)로 구분한다. 이러한 구분은 기존에 알려진 증후군인지, CNV의 크기, CNV 내의 유전자의 기존 분류 및 중요도, 데이터 베이스의 비교 등을 근거로 하여 시행하고 가족 검사를 통해 근거 수준을 높일 수 있다. 이러한 2011년 가이드라인은 검사실에 따른 해석의 불일치 등의 문제로 2020년 업데이트 되었다.[21]

업데이트된 주요 내용을 보면, 2015년에 발표된 sequence 변이 분석 가이드라인[22]과 동일하게 CNV를 Pathogenic, Likely pathogenic, Uncertain significance, Likely benign, Benign으로 구분하고 근거의 내용은 이전 가이드라인과 비슷하나 가중치를 두는 등 더 명확하게 규정하고 있으며, CNV에 대한 보고서는 위치, 크기, CNV의 내용(결실 및 중복 등)의 순서로 기술하게 되어 있다. 특이할 점은 uncoupling variant classification from clinical significance의 기술, 즉 임상양상과 별개로 병적 변이를 기술하도록 권고되어 있어서 임상의사는 환자의 표현형과 임상양상을 비교해서 해석에 주의를 해야 한다.

5) 국내 보험 기준(고시 제2019-166)

CMA는 다양한 의생명분야에서 활용 및 연구되고 있지만 최근 국내 임상에서 보험고시가 되어 보험급여로 처방이 이루어지고 있는 바 간략히 보험고시를 소개한다.

나600가(3)(가) 염색체검사-선천성이상의 염색체검사-염색체 마이크로어레이검사-고해상도는 '생명윤리 및 안전에 관한 법률'을 준수한 가운데 시행하여야 하며, 다음의 조건에 모두 해당되는 경우에 요양급여를 인정함. 또한, 동 검사를 위탁하고자 하는 요양기관은 다음의 가.와 다.를, 수탁기관은 나.를 수탁일 현재 충족하여야 함.

- 다 음 -

가. 적응증

(1) 지적장애(intellectual disability)

(2) 발달장애(developmental disorders)

(3) 자폐스펙트럼 장애(autism spectrum disorder)

(4) 다발성 선천성 기형(multiple congenital malformations)

나. 시설, 인력, 장비 기준

(1) 시설(생략)

(2) 인력(생략)

(3) 장비검사 장비 및 Biochip (DNA Chip)의 해상도는 400 kb 이상으로 함

다. 수가 산정 방법

(1) 인정횟수: 진단 시 1회 인정

(2) 나600가(1)(나) 염색체검사-선천성이상의 염색체검사-핵형검사[배양검사 포함]-고해상도와 중복 산정할 수 없음

(시행일 2019.8.1.)

6) CMA 증례

(1) 주증상

언어발달지연, 인지발달지연

(2) 현병력

36개월 여아로 표현언어발달지연 및 인지발달저하로 내원하였다. 과거력, 이학적 검사 및 평가상 독립보행이 16개월에 가능하였고 근긴장저하증을 보였다. 귀와 아래턱이 작고 구개가 높은 등의 경미한 안면이상형태증이 관찰되었다. 베일리 발달평가상 모든 발달영역에서 중등도의 저하를 보였다.

(3) 경과

2년간 언어치료, 인지치료 등을 진행하였으나 인지기능, 언어기능의 저하가 지속되었다.

(4) 유전의학적 검사

58개월에 시행한 표준염색체 검사에서는 특이소견이 없었으나, CMA에서 7q11.23 (72, 718, 277 – 74, 142, 256) × 3으로 1.4MB 중복이 관찰되었다. 검출된 변이는 기 보고된 병적 염색체 구조이상질환으로서 이에 환아는 7q11.23 중복증후군으로 진단하였다.

(5) 유전분석의 의의

표준염색체 검사법에서는 관찰될 수 없는 1.4 MB 중복의 CNV를 비교적 쉽게 검출할 수 있었고 7q11.23 중복증후군은 대동맥의 진행성 병변 보고가 많아 이에 대해 검사를 진행할 수 있었다(그림 7-16).

2. 차세대염기서열분석법(Next generation sequencing test, NGS)

1) 배경

DNA 염기서열을 분석하는 기술은 전통적 기법인 생거염기서열법(sanger sequencing)과 2000년대 초부터 이용되기 시작한 차세대염기서열분석법이 있다. 생거염기서열법은 DNA 중합효소를 이용하여 DNA를 합성하면서 동시에 형광염료가 결합된 DNA 합성 종결 시약을 사용한 후 모세관전기영동을 실시하여 염기서열정보를 분석하는 방법이다. 기술이 개발된 지 30년이 지났지만 현재까지도 염기서열분석의 gold standard로 상용되고 있다. 하지만 300~1,000 bp 수준의 짧은 DNA 서열만 분석할 수 있다는 최대의 단점이 있고 이를 극복

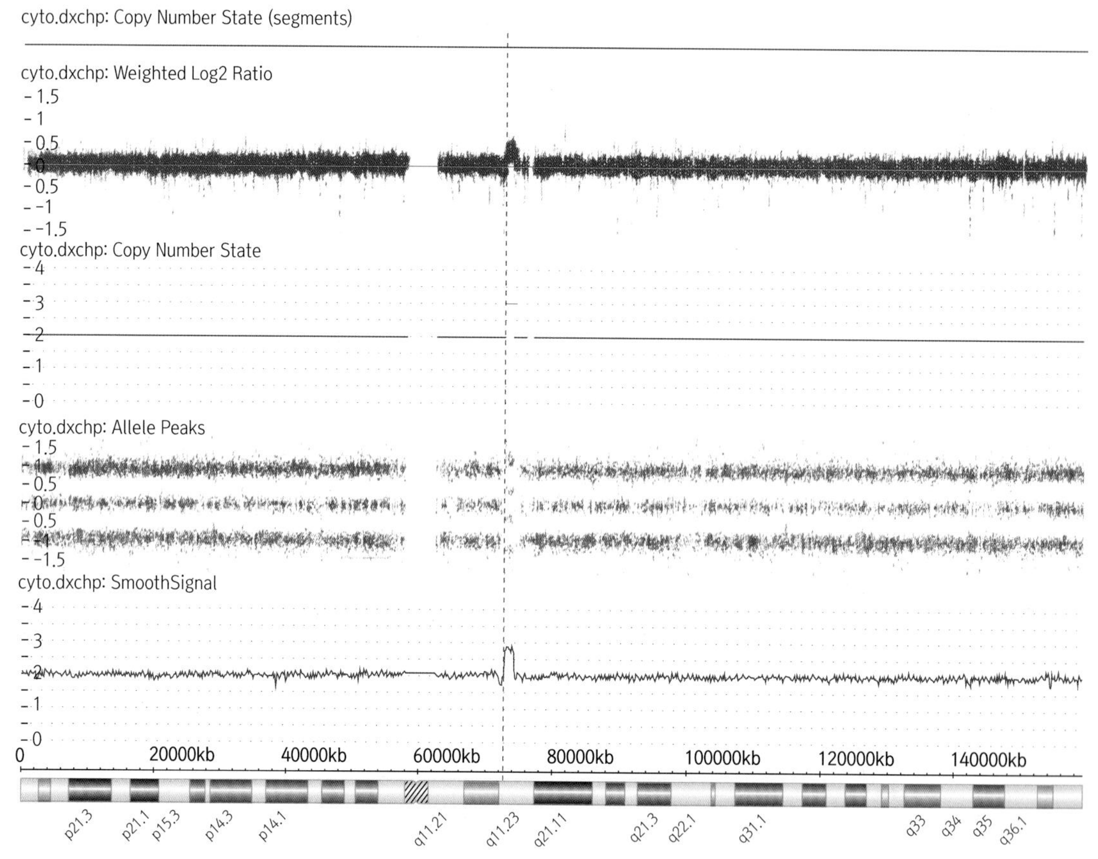

그림 7-16 발달지연을 주증상으로 내원하여 시행한 CMA 검사에서 7q11.23위치에서 1.4MB 중복의 CNV를 확인함.

한 기술이 NGS다. NGS는 초병렬시퀀싱(massively parallel sequencing) 및 생물정보학적 기술을 바탕으로 염기서열을 분석하는 방법으로 대량의 유전체 분석을 획기적으로 단축된 시간과 비용으로 가능하게 하여 의생명분야에서 새로운 시대를 열었다고 할 수 있다.

2) 검사기법 원리

NGS는 shotgun 방식이라고도 불리며, DNA를 잘게 토막 내어 수많은 조각으로 만든 후, 증폭과정을 통하여 짧은 서열 자료(reads)를 생성하여 생물학적정보 분석을 통해 서로 겹치는 부분을 찾아내어 순서를 짜맞춰 완성시키는 방식이다. 중요 핵심 기술로 클론 증폭, 대용량 병렬 염기서열, 시퀀싱 기법 등이 있으며 NGS 제조회사마다 조금씩 다른 방법을 사용한다. 자세한 내용은 각 회사의 매뉴얼(Roche사, Illumina사, QIAGEN사, Ion Torrent사)을 통해 알 수 있으며 본문에서는 임상적 내용을 위주로 기술하여 생략한다.

3) NGS 검사의 종류

임상에서 사용할 수 있는 NGS는 크게 3가지로 구분된다(그림 7-17).

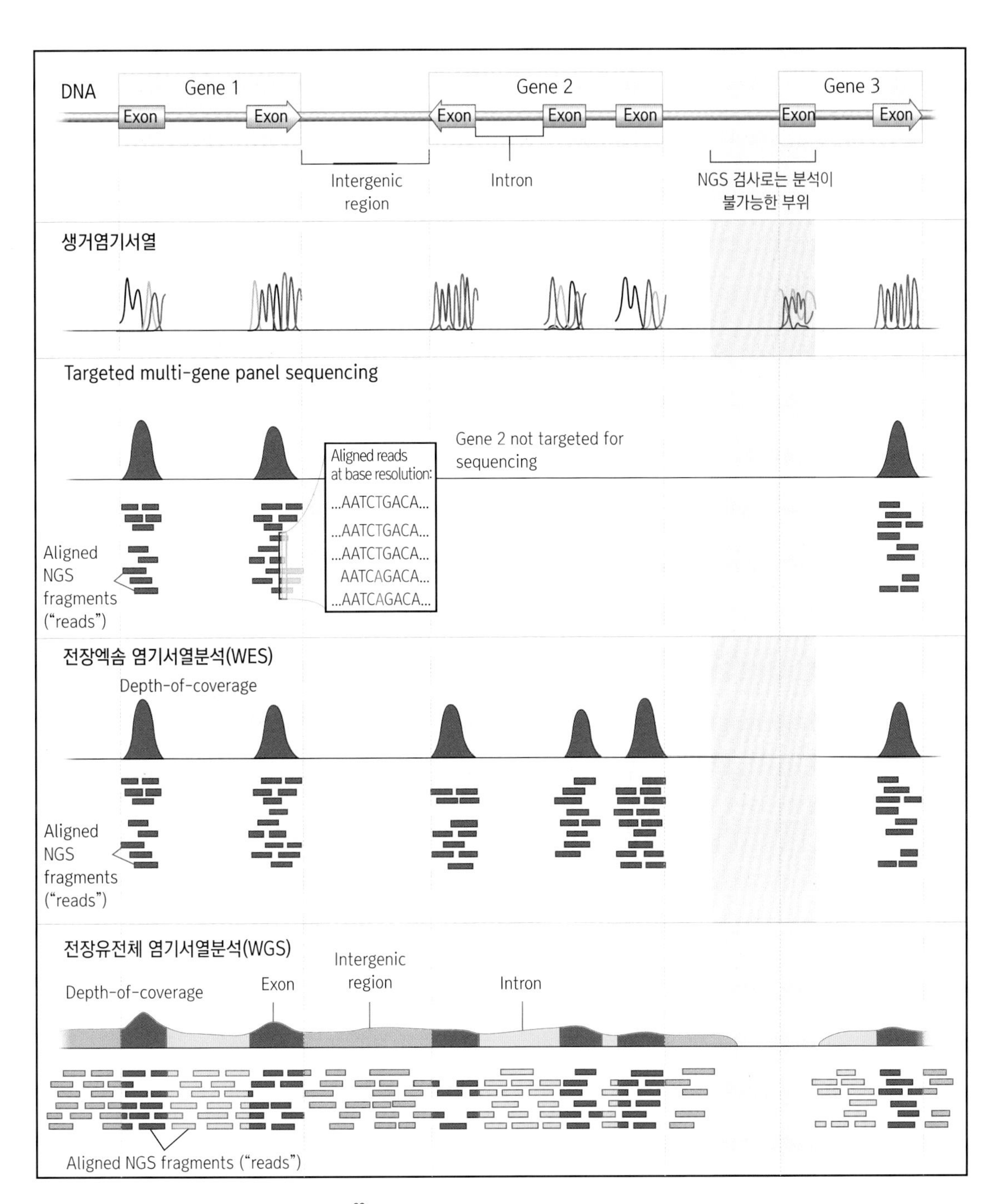

그림 7-17 DNA 염기서열방법에 따른 특징[23]

(1) 전장유전체 염기서열분석 (whole-genome sequencing, WGS)

유전체의 모든 염기서열을 분석한다. 현재 임상현장에서 상용화되기 보다는 연구용으로 주로 이루어지고 있다.

(2) 전장엑솜 염기서열분석 (whole-exome sequencing, WES)

유전체 중에서 exon과 인접부위 즉, 단백질을 생성에 주로 관여하는 부위만 분석한다(대략 전체 유전체의 1.5~2% 정도).

(3) Targeted multi-gene panel sequencing

특정 표현형 또는 질환 군에 관련된 개별 유전자를 조합하여 패널을 구성하여 패널에 포함된 유전자만 분석한다.

3가지 방법에는 각각의 장단점이 있다.

Targeted multi-gene panel sequencing의 경우 임상적으로 의심되는 질환군의 유전자만 선택해서 검사하는 방법이며 높은 depth of coverage를 갖는 장점이 있다. Depth of coverage는 하나의 염기를 얼마나 중복되어서 서열하는 지를 평가하는 것으로서 높을수록 정확도가 높기 때문에 targeted multi-gene panel sequencing은 염기분석을 비교적 정확하게 검사할 수 있다. 또한 원하는 유전자에서만 검사가 이루어지기 때문에 의미가 불분명한 변이 또는 우연히 발견되는 검사목적 이외의 변이가 적은 장점이 있다. 하지만 패널에 포함되지 않는 유전자는 검사되지 않는 단점이 있다. 이에 반해 WES는 모든 유전자(대략 20,000~25,000여개)에서 검사할 수 있는 장점이 있으나, depth of coverage가 패널 검사에 비해 낮고, 의미가 불분명한 변이 또는 예상하지 못했던 즉, 우연히 발견되는 질환 관련 변이, 예를 들면 종양관련 병적 변이 등의 보고 가능성, 높은 비용 등의 문제가 있다. WES은 기본적으로 exon 영역만 검사를 하기 때문에 deep intron(인트론) 변이 등을 놓치는 단점이 있으나, WGS은 전장 유전체의 모든 영역을 검사하기 때문에 유전체의 대부분 변이를 찾을 수 있다. 하지만 상대적으로 WES에 비해 많은 수의 변이가 검출되기 때문에 이에 대한 해석의 어려움이 있다.

4) NGS 임상 적응

다양한 의생명분야에서 NGS는 활용되고 있지만, 의료분야에서는 대표적으로 아래의 내용에서 적용하고 있다. 소아재활의 경우에는 주로 희귀질환 진단에 검사를 적용하고 있다.

① 희귀질환 환자의 진단 및 질병 원인 규명
② 종양성 질환의 유전학적 이해 및 치료 적용
③ 보인자 검사
④ 약물유전체학

5) NGS 해석

2015년 ACMG 및 Association for Molecular Pathology (AMP)에서 변이의 해석에 대한 가이드라인을 발표하였다.[22] 이후 약간의 변형과 질환 군별 업데이트가 있지만 현재 임상에서는 이를 근거로 리포트 작성을 하고 있다. 중요 내용은 변이를 Pathogenic, Likely pathogenic, Uncertain significance, Likely benign, Benign 5가지로 구분하고, 판단의 근거는 population data (표본 인구 데이터, case-control study), computational and predictive data, functional data(조직검사, 대사검사, 동물실험 등), segregation data(가계도 유전), De novo data(부모 검사), allelic data, previous report를 종합하여 중요도에 따라 가중치를 정하여 선정하는 것이다. 임상의사는 변이에 대한 해석을 정확하게 할 수 있어야 환자에게 정확한 진단 및 유전 상담이 가능하기 때문에 이 근거자료는 매우 중요한 부분이며 임상에서 익숙해지도록 노력이 필요하다. 최근에는 변이의 해석에 도움을 주는 많은 database이 유료/무료로 사용되고 있다. 대표적인 데이터베이스인 Clinvar는 질환과 변이의 관계에 대해 근거중심의 정보를 무료로 제공하고 있으므로 관련분야의 종사자들이 비교적 쉽게 접근할 수 있다 (https://www.ncbi.nlm.nih.gov/clinvar/).

6) NGS의 진단율 및 한계

NGS의 도입으로 대용량의 유전체분석이 적은 비용으로 빠르게 가능해지면서 다양한 희귀유전질환의 진단율이 높아졌다. 하지만 그 진단율은 질환 군에 따라 차이가 있으나 많은 연구를 통해 대략 50% 내외로 한계가 있는 것이 알려졌다. 이러한 이유는 현재 NGS의 기술적 한계, 유전의학의 한계, 질환에 대한 이해의 한계 등이 복합적으로 작용할 것이다. 대표적으로 현재 NGS는 일부 플랫폼의 한계로 일부 exon 변이가 검출되지 않을 수 있고, WES 및 targeted multi-gene panel sequencing의 경우 intronic/non-coding 변이를 검출하지 못한다. 또한 CNV나 염기의 반복서열 확장과 관련된 질환(예: 여린 X 증후군, 헌팅톤병 등), 미토콘드리아 변이 또한 검사의 한계로 검출할 수 없다. 더불어 새로운 질환 관련 유전자의 발굴이 계속 이어지고 있는 바, NGS 데이터의 재분석을 통해서 진단율을 높이는 보고도 이어지고 있다.[24]

7) NGS 미래전망

초기 NGS의 도입으로 빠르게 모든 유전질환이 정복될 것이라 생각했지만 아직까지 여러 가지 한계가 있고 이를 해결하고자 하는 기술 또한 계속 발전하고 있다. 최근에는 "Genotype first approach" 및 "One test fists all"이라는 개념으로 많은 나라에서 전장 유전체의 데이터를 수집하고 있으며, RNA sequencing, long read sequencing 등 기술적 한계를 극복하고자 하는 연구가 지속되고 있다

8) NGS 증례

다음 증례는 NGS와 CMA 기술을 같이 이용해서 진단한 희귀질환 증례이다.

(1) 주증상

양하지 감각저하 및 보행이상

(2) 현병력

23세 여자환자로 10세경부터 시작된 양하지 감각저하, 족부궤양, 보행이상으로 내원했다.

(3) 이학적 검사 및 진단검사

양하지에서 모든 감각저하 및 원위부 근력저하(근력등급 3) 관찰되었고, 전기진단검사에서 양측 상하지에 감각신경을 주로 침범하는 다발성 말초신경병증(sensory dominant polyneuropathy)의 소견을 보였다.

(4) 유전학적 검사

다발성신경병증 관련 targeted multi-gene panel sequencing 검사를 시행하였고 *RETREG1* 유전

자에서 homozygous c.765dupT/p.Gly256 Trpf-sTer7 변이를 발견하였다. 이 변이는 hereditary sensory and autonomic neuropathy type IIB의 질환 유전자로 알려져 있었고 상염색체 열성유전이다. 발견된 변이가 novel 변이로 질환 관련 근거를 명확하게 하기 위해 부모검사를 시행하였으나 아버지에서만 보인자로 확인이 되어 한 어버이이체성(uniparental disomy)의 가능성을 확인하기 위해 SNP array 검사를 추가로 시행하였고 *RETREG1* 유전자가 위치한 5번 염색체가 모두 아버지에게서만 유래된 것을 확인하여 환자를 최종 진단했던 증례이다.

(5) 유전분석의 의의

상기 환자는 NGS, CMA, SNP typing의 분석법을 모두 활용하여 진단했던 증례로 발전하는 유전학적 기법을 다각도로 활용할 수 있는 임상기술의 습득이 필요함을 보여주는 경우이다(표 7-4, 그림 7-18).

표 7-4

Gene	DNA change	Predicted AA change	Zygosity	Disease	Inherit	Class
RETREG1	c. 765dup T	p. (Gly256TrpfsTer7)	hom	HSAN28	AR	LPV

Reference sequence: NM_001034850.2(FAM134B)

Abbreviation: Hom= Homozygote: HSAN2B= Neuropathy, hereditary sensory and autonomic, type 11B: AR= Autosomal recessive: LPV= Likely pathogenic variant

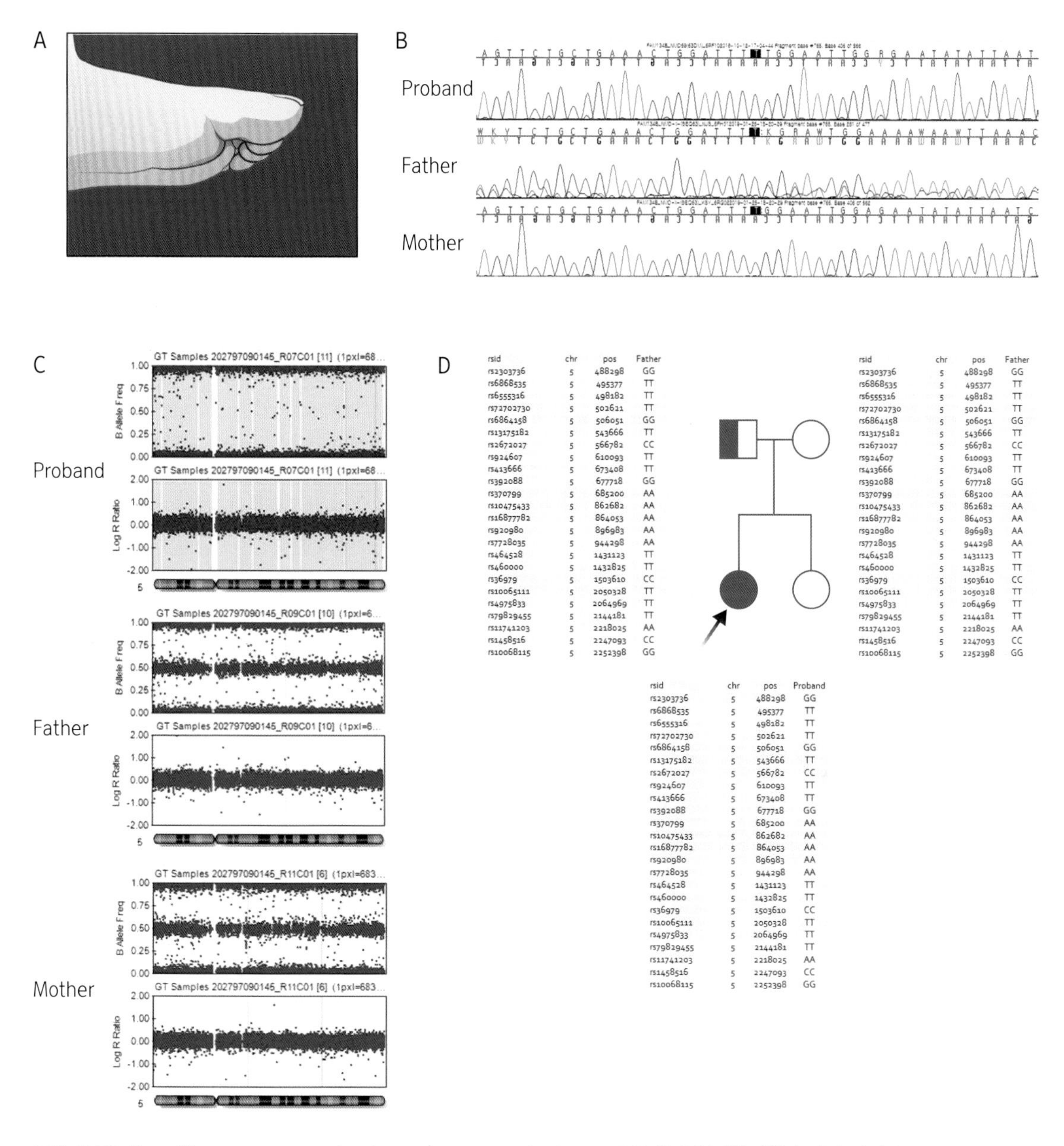

rsid	chr	pos	Father
rs2303736	5	488298	GG
rs6868535	5	495377	TT
rs6555316	5	498182	TT
rs72702730	5	502621	TT
rs6864158	5	506051	GG
rs13175182	5	543666	TT
rs2672027	5	566782	CC
rs924607	5	610093	TT
rs413666	5	673408	TT
rs392088	5	677718	GG
rs370799	5	685200	AA
rs10475433	5	862682	AA
rs16877782	5	864053	AA
rs920980	5	896983	AA
rs7728035	5	944298	AA
rs464528	5	1431123	TT
rs460000	5	1432825	TT
rs36979	5	1503610	CC
rs10065111	5	2050328	TT
rs4975833	5	2064969	TT
rs79829455	5	2144181	TT
rs11741203	5	2218025	AA
rs1458516	5	2247093	CC
rs10068115	5	2252398	GG

rsid	chr	pos	Father
rs2303736	5	488298	GG
rs6868535	5	495377	TT
rs6555316	5	498182	TT
rs72702730	5	502621	TT
rs6864158	5	506051	GG
rs13175182	5	543666	TT
rs2672027	5	566782	CC
rs924607	5	610093	TT
rs413666	5	673408	TT
rs392088	5	677718	GG
rs370799	5	685200	AA
rs10475433	5	862682	AA
rs16877782	5	864053	AA
rs920980	5	896983	AA
rs7728035	5	944298	AA
rs464528	5	1431123	TT
rs460000	5	1432825	TT
rs36979	5	1503610	CC
rs10065111	5	2050328	TT
rs4975833	5	2064969	TT
rs79829455	5	2144181	TT
rs11741203	5	2218025	AA
rs1458516	5	2247093	CC
rs10068115	5	2252398	GG

rsid	chr	pos	Proband
rs2303736	5	488298	GG
rs6868535	5	495377	TT
rs6555316	5	498182	TT
rs72702730	5	502621	TT
rs6864158	5	506051	GG
rs13175182	5	543666	TT
rs2672027	5	566782	CC
rs924607	5	610093	TT
rs413666	5	673408	TT
rs392088	5	677718	GG
rs370799	5	685200	AA
rs10475433	5	862682	AA
rs16877782	5	864053	AA
rs920980	5	896983	AA
rs7728035	5	944298	AA
rs464528	5	1431123	TT
rs460000	5	1432825	TT
rs36979	5	1503610	CC
rs10065111	5	2050328	TT
rs4975833	5	2064969	TT
rs79829455	5	2144181	TT
rs11741203	5	2218025	AA
rs1458516	5	2247093	CC
rs10068115	5	2252398	GG

그림 7-18 Hereditary sensory and autonomic neuropathy type IIB의 환자 분자유전학적 진단 과정. NGS, CMA, SNP typing을 복합적으로 이용해 진단이 가능한 증례를 보여줌.

▶ 참고문헌

1. Turnpenny P Ellard S. Emery' elements of medical genetics, 14th ed, Philadelphia: Elsevier Churchill Livingstone, 2011.
2. Korean Society of Medical Genetics. Genetics in medicine, Seoul: E-public, 2008.
3. Krebs J. Goldstein E. Kilpatrick S. Lewin' genes X, 10th ed, Sudbury: Jones & Bartlett Publishers, 2009
4. Pierce B. Genetics: a conceptual approach, 4th ed, New York: W. H. Freeman and company, 2010.
5. Weaver R. Molecular biology, 5th ed, New York: The McGraw-Hill Companies, 2012.
6. Firth H. Hurst J. Hall J. Oxford desk reference clinical genetics. New York: Oxford University Press, 2005.
7. Jones K. Smith' recognizable patterns of human malformation,6th ed, Philadelphia: W.B. Saunders Company, 2005.
8. Hennekam R. Krantz I. Allanson J. Gorlin' syndromes of the head and neck, 5th ed, New York: Oxford University Press, 2010.
9. Hall J. Allanson J. Gripp K. Slavotinek A. Handbook of physical measurements, 2nd ed, New York: Oxford University Press, 2006.
10. Aase J. Diagnostic dysmorphology, New York: Plenum Medical Book Company, 1992.
11. Harper P. A short history of medical genetics, New York: Oxford University Press, 2008.
12. Gardner R. Sutherland G. Shaffer L. Chromosome abnormalities and genetic counseling, 4th ed, New York: Oxford University Press, 2012.
13. Kwon Y. Ricke S. High-throughput next generation sequencing: methods and applications, New York: Humana Press, 2011.
14. Francis R. Epigenetics: The ultimate mystery of inheritance, New York: W. W. Norton & Company, 2011.
15. Klein RJ. Zeiss C. Chew EY. et al. Complement factor H polymorphism in age-related macular degeneration. Science 2005;308:385-9.
16. Sladek R. Rocheleau G. Rung J. et al. A genome-wide association study identifies novel risk loci for type 2 diabetes. Nature 2007;445:881-5.
17. Miller DT. Adam MP. Aradhya S. et al. Consensus statement: chromosomal microarray is a firsttier clinical diagnostic test for individuals with developmental disabilities or congenital anomalies. Am J Hum Genet 2010;86:749-64.
18. Manning M. Hudgins L. Array-based technology and recommendations for utilization in medical genetics practice for detection of chromosomal abnormalities. Genet Med 2010;12:742-5.
19. Jang W. Kim Y. Han E. et al. Chromosomal Microarray Analysis as a First-Tier Clinical Diagnostic Test in Patients With Developmental Delay/Intellectual Disability, Autism Spectrum Disorders, and Multiple Congenital Anomalies: A Prospective Multicenter Study in Korea. Ann Lab Med 2019;39:299-310.
20. Kearney HM. Thorland EC. Brown KK. et al. American College of Medical Genetics standards and guidelines for interpretation and reporting of postnatal constitutional copy number variants. Genet Med 2011;13:680-5.
21. Riggs ER. Andersen EF. Cherry AM. et al. Technical standards for the interpretation and reporting of constitutional copy-number variants: a joint consensus recommendation of the American College of Medical Genetics and Genomics (ACMG) and the Clinical Genome Resource (ClinGen). Genet Med 2020;22:245-57.
22. Richards S. Aziz N. Bale S. et al. Standards and guidelines for the interpretation of sequence variants: a joint consensus recommendation of the American College of Medical Genetics and Genomics and the Association for Molecular Pathology. Genet Med 2015;17:405-24.
23. Adams DR. Eng CM. Next-Generation Sequencing to Diagnose Suspected Genetic Disorders. N Engl J Med 2018;379:1353-62.
24. Liu P. Meng L. Normand EA. et al. Reanalysis of Clinical Exome Sequencing Data. N Engl J Med 2019;380:2478-80.

SECTION 3

흔한 임상적 문제

Major problems

CHAPTER 8 근긴장도 이상(Tone Abnormalities)
CHAPTER 9 연하장애(Dysphagia)
CHAPTER 10 이상보행(Abnormal Gait)
CHAPTER 11 배뇨배변장애(Bladder and Bowel Dysfunction)
CHAPTER 12 언어발달장애(Developmental Language Disorder)
CHAPTER 13 전반적 발달지연 및 지적장애(Global Developmental Delay and Intellectual Disability)

CHAPTER

8

근긴장도 이상

Tone Abnormalities

박은숙, 권범선, 이지연

I. 경직

1. 정의

경직은 다음의 두 요소 중 하나 이상이 있을 때로 정의되는데 1) 관절을 움직일 때 느껴지는 저항감이 관절을 움직이는 속도의 증가에 따라 증가하며, 그 저항감은 관절을 특정 방향으로 움직일 때에 증가되며, 2) 그 저항감이 어느 순간 갑자기 증가하는 "경직성 잡힘(spastic catch)"이 있다. 또한 경직의 정도는 자각, 흥분 및 활동의 정도 및 통증 등의 다양한 요소에 따라 영향을 받는다. 경직을 근긴장이상이나 강직(rigidity)과 같은 다른 근긴장도 증가와 구별되는 가장 큰 특징으로는 관절을 움직이는 속도에 따라 경직이 증가되며, 그 증가는 방향성이 있다는 것인데, 즉 팔꿈치 관절의 경우, 굴곡근에서 경직이 나타나지만 신전근에서는 경직이 관찰되지 않는다. 경직과 근긴장도 증가는 종종 혼동되어 사용되지만, 이 두 요소를 구별할 필요가 있다. 경직은 위의 정의에서 보는 바와 같이 신경학적 요인(neural component)을 주로 반영하며, 근긴장도 증가는 경직의 신경학적 요인과 함께 근육 및 관절의 연부조직의 수동적 변화(changes in passive muscle and joint soft tissue properties)로 인한 비신경학적인 요인(non-neural component)의 두 가지 요인에 의하여 결정이 된다. 경직이 관절을 움직이는 속도에 따라 변하는 반면에 비신경학적 요인은 관절의 움직이는 속도에 따른 영향을 거의 받지 않는다.[1] 아동에서의 경직은 성장함에 따라 근육 및 관절 연부 조직의 수동적 변화에 따른 영향이 커지게 되어 차츰 관절 구축이 발생하게 된다.

2. 경직의 병태 생리

경직의 병태 생리는 아직 확실히 밝혀지지는 않았지만 다음은 경직의 병태 생리로 일반적으로 거론되고 있는 이론이다.[2]

1) 신장 반사가 항진되는 신경 기전의 변화 (increase in velocity dependent stretch reflex)

이는 1) 운동신경원 자체의 흥분도가 증가한 경우 2) 근육신장으로 발생한 구심성 자극을 운동신경원으로 전달해주는 경로에서 시냅스 흥분도가 높아진 경우(increased stretch-evoked synaptic excitation of motor neuron)로 대별할 수 있다.

운동신경원 자체의 흥분도가 증가된 요인으로는 분절성 구심성 신경(segmental afferent), 지역성 흥분성 중간신경원(regional excitatory interneuron) 및 외측 전정 척수로(lateral vestiu-lospinal tract)와 같은 흥분성 시냅스에서 운동신경원으로의 입력이 증가되거나, 렌쇼 세포(Ren-shaw cell)의 역행성 억제나 Ia 억제성 중간 신경원 및 Ib 구심성 섬유 등 억제성 시냅스의 입력이 감소된 경우가 있다. 또한 신경원의 내재적인 전기적 요인(intrinsic membrane electrical properties)이 변화하여 운동신경원의 흥분도가 증가하기도 한다. 반면에 운동신경원의 시냅스 흥분도가 증가하게 되는 기전은 측부 발아(collateral sprouting), 탈 신경 과민감도(denervation hypersensitivity), 시냅스전 억제의 감소 등으로 설명할 수 있다

2) 척수 상위 신경 조절 기전의 변화 (supraspinal mechanism for alteration in the balance of descending path way activity)

척수 상위 수준에서의 조절은 1) 뇌척수로(corticospinal tract)와 같이 직접적으로 운동신경원의 흥분도를 조절하는 기전과 2) 그물척수로(reticulospinal tract)와 같이 척수 반사 경로 안에 있는 중간신경원(interneuron)에 작용하여 간접적으로 조절하는 기전으로 나눌 수 있다. 뇌의 병변은 척수의 운동신경원으로 가는 단시냅스 흥분성 입력(monosynaptic excitatory projection)을 증가시켜 운동신경원의 흥분도를 높이는데, 운동신경원 자체의 전기적 성질을 변화시키기 보다는 탈분극의 수준을 낮추어 운동신경원의 흥분도를 높인다. 척수나 뇌간에 병변이 있으면 중간 신경원에서의 억제성 조절이 없어지거나 척수 상위에서의 억제성 조절이 없어져 근육의 과긴장도를 유발한다.

3. 평가

1) 임상적 평가

(1) Ashworth 척도(Ashworth scales)

수동적 관절 운동에 따른 저항의 정도를 검사자가 주관적인 평가에 따라 경직의 등급을 매기는 방법이다. 1964년 Ashworth[3]가 다발성 경화증 환자에서 약물의 효과 판정을 위해 처음 고안하였으며 근긴장도가 증가되지 않은 0단계에서부터 굴곡과 신전에 강직을 보이는 4단계까지 구분하였다. 1987년 Bohannon과 Smith[4]는 기존의 Ashworth 척도를 세분화하여 변형된 Ashworth 척도(modified Ashworth scale, MAS)를 만들었다(표 8-1). 변형된 Ashworth 척도는 주관적인 평가 방법이지만 검사자 간 차이가 적어서 준 정량적인(semi-quantitative) 평가 방법으로 알려져 있고 평가 방법이 편리하여 현재 가장 널리 사용되고 있는 경직의 평가 방법이다. 그러나 이 방법으로는 수동적 관절 운동 시 발생하는 전체 저항을 신경 반사에 관련된 저항과 근육 등 연부조직 변형에 의한 저항으로 구분해내지 못하는 단점이 있다.

표 8-1 변형된 Ashworth 척도

등급	특징
0	근긴장도 증가가 없음
1	약간 증가된 근긴장도가 있고, 관절을 굴곡 혹은 신전할 때 잡힘과 노침(catch and release) 현상이 있거나 운동범위의 끝부분에서 약간의 저항이 느껴짐
1+	약간 증가된 근긴장도가 있고, 관절을 굴곡 혹은 신전할 때 잡힘 현상이 있고 이후 나머지 운동범위에서 약간의 저항이 느껴짐
2	대부분의 운동범위에서 더 많이 증가된 근긴장도를 보이지만 관절을 쉽게 움직일 수 있음
3	상당히 많이 증가된 근긴장도를 보이고, 관절을 수동적으로 움직이기에 어려움
4	관절이 강직(rigid)되어 굴곡 혹은 신전할 수 없음

(2) Tardieu 척도(Tardieu scale)

Tardieu 척도는 3가지 속도(V1: 가능한 천천히 움직이는 속도, V2: 중력에 따라 떨어뜨리는 속도, V3: 가능한 빨리 움직이는 속도)에 따라 관절을 움직이면서 느껴지는 저항의 정도를 0~4의 등급으로 나누어 점수를 매기게 된다. 이 방법은 측정하기가 번거로워 쉽게 사용하기 어렵기 때문에 수정보완되었다. 최근 임상에서 주로 사용되는 수정된 Tardieu 척도(modified Tardieu scale)는 가능한 느린 속도로 관절을 움직이면서 최대로 움직임이 일어나는 관절의 각도(R2, 관절의 수동적 관절 운동범위를 뜻함)와 가능한 빠른 속도로 움직일 때 '잡힘'이 나타나는 각도(R1)를 측정하는 방법으로 두 각도의 차이(R2-R1)는 역동적 경직(dynamic spasticity)의 정도를 대표하며 경직 정도를 반영하는 지표로 사용된다.[5]

2) 생역학적 평가

경직을 평가하는 생역학적 방법은 정해진 속도와 방향으로 관절을 수동적으로 움직이면서 각도에 따라 기계 장치에 발생하는 힘을 객관적으로 측정하는 방법이다.[6, 7] 기본적인 원리는 Ashworth 등의 주관적인 평가 방법과 차이가 없으나 기계의 움직임에 대항하여 발생되는 힘의 정도를 각각의 각도와 관절 움직임의 속도에 따라 객관적으로 수치화 할 수 있는 장점이 있지만 기계를 사용해야 하는 불편함이 따른다. 경직의 정도를 알기 위해서 기계의 움직임에 저항하는 힘을 측정할 때 환자가 충분히 이완된 상태에서 일정한 자세로 검사해야 한다. 그러나 소아 환자의 경우 힘을 완전히 빼지 못하고 검사의 순응도가 나쁘거나, 기계의 크기에 비하여 신장이 작아서 경직을 측정하지 못하는 경우가 흔히 있다. 기계를 이용하여 측정된 힘만으로 이것이 신장 반사에 의한 것인지 근육의 수동적 저항에 의한 것인지를 구분할 수 없다. 이 경우 근육의 활동도(EMG activity)를 측정하여 평가할 수 있다. 근육의 활동도를 측정하면 반사의 역치(reflex threshold)를 보다 정확히 평가 할 수 있고 기계의 속도를 변화시키면서 반사의 변화(reflex gain)를 측정할 수 있다. 반사의 역치는 신장의 속도와 관절 각도에 따라 달라지므로 속도

역치와 각도 역치로 나누어 나타낼 수 있다. 이 중 각도 역치는 주관적 평가에서 잡힘 현상이 나타나는 각도에 해당된다. 이러한 생역학적 평가 방법은 검사 환경에 따라 결과가 달라지기도 하고, 같은 환경에서도 검사 시간에 따라 결과가 달라지는 등 일정한 결과를 얻기가 쉽지 않고, 고가의 장비가 필요하다는 단점이 있다.

3) 전기 생리학적 평가

경직을 평가하고 경직의 병태 생리를 알아보기 위한 다양한 방법의 전기 생리학적 평가 방법이 알려져 있다. 이 중 대표적인 평가 방법으로 H 반사와 F 파를 이용한 방법이 널리 사용되고 있다.[6,7]

H 반사는 근육에서 기원하는 Ia 구심성 감각신경을 전기 자극하였을 경우, 그 자극이 척수 후각의 단일 시냅스를 통하여 운동신경원에 전달되고, 알파 운동신경을 통하여 근육에 전달되어 기록되는 복합근 활동전위이다. 경직이 있는 경우 이러한 단일 시냅스 반사의 활동도가 증가되어 근육에서 기록된 H 반사 활동전위의 진폭이 커지게 되므로 H 반사와 M 파와의 진폭비(H/M ratio)로 경직을 평가할 수 있다. F 파는 운동신경을 초 최대 자극하여 운동신경원으로 올라간 자극이 일단의 운동신경세포 집단을 흥분시키고 여기서 방전된 자극이 알파 운동신경을 통해 근육으로 되돌아오는 것을 기록하는 것으로서 경직이 있는 경우 F 파와 M 파의 진폭비(F/M ratio)가 증가한다. 이밖에도 전자 햄머를 사용하여 기계적으로 근육 신장 반사를 유도하거나(T 반사), 근 수축과 미세진동 등을 이용하여 H 반사를 억제시키거나, 쌍을 이룬 전기 자극으로 충돌 현상을 유발하여 경직의 생리학적 상태를 알아보는 등 다양한 방법이 알려져 있다. 이러한 전기 생리학적 평가 방법은 측정하기 쉽고 병태 생리를 설명하는 데 장점이 있으나, 모두 정적인 상태에서 이루어지므로 실제 일상에서 문제가 되는 경직의 상태와 다르고 임상적인 평가와 차이가 있다는 단점이 있다.

4. 경직의 비수술적 치료

1) 운동 치료

신전운동(stretching exercise)은 경직이 있거나 관절의 운동범위 제한이 있을 경우에 시행한다. 특히 경직이 있거나 근긴장도가 증가되어 있어 관절에 충분한 운동이 일어나지 않게 되면 경직이 있는 근육의 길이 성장이 저하된다. 따라서 아동이 성장함에 따라 첨족 변형 등과 같은 관절 변형이나 탈구가 발생할 수 있기 때문에, 성장기의 아동에 있어 관절의 신전운동은 관절 변형이나 탈구의 발생을 예방하고 지연시키는 역할을 한다. 이러한 신전운동은 관절운동범위 개선 및 근긴장도를 완화시키는 데 도움을 줄 수 있기 때문에 지속적으로 자주 수행하는 것이 필요하며, 비교적 쉽게 수행할 수 있는 운동치료법이므로 보호자 교육을 통하여 가정에서 지속적으로 수행하는 것을 권유하게 된다. 하지만 기본적으로 운동치료는 여러 방법을 통하여 경직을 조절하면서 보다 더 바람직한 자세나 운동패턴을 유도하여 기능적인 향상을 도모하는 것이 주된 목적이라고 할 수 있다.[8,9] 일반적으로 운동치료는 경미한 경직이 있는 경우에는 경직의 감소 효과를 볼 수 있지만 중등도 및 심한 경직의 경우에는 그 치료 효과가 미미한 편이다. 하지만 운동치료는 경직을 감소시키는 여러 시술을 시행한 후에 기능의 향상을 위하여는 가장 중요한 역할을 하게 된다.

2) 석고고정 및 부목

경직이 장기간 지속되면 경직이 있는 근육의 길이가 짧아지게 되며 이로 인하여 수동적 운동범위의 제한이 온다. 근육은 상당히 적응이 빠른 조직으로 관절을 고정하게 되면 긴장성 신전 상태에 있는 근육은 근섬유의 횡문근형질막(sarcorelemma)의 수가 늘어나며, 그 반대쪽의 근육은 반대로 횡문근형질막의 수가 감소하게 되는데 이는 각각의 근육이 가장 적합한 액틴-미오신 짝지음(actin-myosin coupling)을 유지할려고 하는 적응현상이다.[10] 이를 이용하여 경직이 있는 근육의 경우 최대한도로 그 근육을 신전시키면 횡문근형질막의 수가 늘어나서 근육의 관절운동범위를 증가시키며 이로 인하여 경직 감소 효과를 얻을 수 있다. 가장 흔히 사용하고 있는 방법은 까치발 보행을 하는 뇌성마비 환자에게 시행하는 단하지 석고고정 요법이다. 이는 한번에 최대한 관절을 신전시킨 상태로 석고고정을 하여 유지시키는 방법으로 1회 시행하는 석고고정술과 관절 운동범위 제한의 정도에 따라 5~7일 간격으로 족관절의 신전 각도를 점차 증진시켜 석고고정을 반복하는 연속적 석고고정술이 있다. 합병증으로는 욕창, 통증, 부종, 근력약화, 위축 등이 있다.[11]

3) 생체 되먹임 치료(biofeedback)

근전도 기기를 이용한 생체 되먹임 장치를 경직의 치료에 사용할 수 있다. 생체 되먹임 장치를 사용하면 경직된 사지를 이완시키고 능동적 동작 수행을 쉽게 하여 기능을 향상시킬 수 있다. 6~19세의 뇌성마비 아동에서 시행하여 효과적으로 경직을 감소 시켰다는 보고가 있지만,[12] 아주 어린 아동의 경우에는 협조가 힘들어 임상적으로는 널리 사용되고 있지는 못하다.

4) 전기 치료

경직을 감소하기 위한 목적으로 시행하는 전기자극치료는 경직근을 직접 자극하는 방법과 경직근의 대항근을 자극하는 방법, 경직과 관련된 피부분절(dermatome)을 자극하는 방법으로 대별할 수 있다. 경직근에 직접 자극하는 방법은 근육의 피로도의 증가와 골지건기관(Golgi tendon organ)의 자가 억제(self-inhibition), 근방추(muscle spindle)의 습성화(habituration) 등의 기전으로 이차적인 근육의 이완을 초래하는 것으로 설명된다. 경직근의 대항근을 자극하는 방법은 대항근의 수축을 통한 상호 억제(reciprocal inhibition)에 의하여 경직근에서의 경직이 감소하게 된다고 하며, 피부 위에서 시행하는 경피적 전기 자극은 저강도의 피부의 자극을 통하여 구심성 감각신경의 활성화로 인한 시냅스전 억제기전에 의하여 경직성이 완화되는 것으로 생각하고 있다. 그러나 문헌보고에 의하면 그 효과에 대한 서로 상반되게 보고하고 있다.[13, 14] 반면에 보툴리눔 독소 주사 요법후에 시행하는 전기 치료는 독소의 흡수를 증가시킴으로써 경직완화가 증진되었다는 보고가 있으며 주사후 경직근과 그 대항근에 동시에 전기치료를 할 경우 보행패턴의 향상과 같은 기능적인 향상을 보고하였다.[14, 15]

5) 한냉 치료

한냉 치료는 얼음, 냉 수포, 차가운 공기 등으로 피부 표층에 적용하는 치료 방법으로 말초신경이 한냉에 노출되면 신경전도속도가 감소하고, 근방추와 골지건 기관의 흥분성 방전의 발사 빈도가 감소하고, 근육의 위상성 신장 반사와 간대성 경련이 감소하고, 피부 수용체의 감각성이 떨어지며, 근육 섬유의 활동 전위의 전도가 느려져서 경직이

완화되는 효과가 있다.[16] 치료 효과를 높이기 위해서는 약 20분 이상 계속하는 것이 필요하다. 뇌성마비의 경우 교근(masseter)의 경직성 때문에 입이 잘 벌어지지 않은 경우 이 근육에 한냉 치료를 한 후에 경직성이 의미있게 감소하여 입이 더 잘 벌어졌다는 연구가 있다.[17]

6) 수치료

물속에서 움직이는 수치료는 물의 지지효과로 인하여 체중의 부하를 줄여서 보다 움직임을 촉진하기 쉽다는 장점과 물속에 경직성이 있는 부위를 담그는 두 가지 요소에 의하여 효과를 보인다. 문헌에 의하면 따뜻한 물속에서의 수치료는 근방추의 예민도와 피부의 예민도를 감소함으로써 감마섬유의 활성도를 저하시켜 경직을 감소시키는 것으로 알려져 있으며 차가운 물에서의 수치료는 피부의 예민도를 감소시킴으로써 알파와 감마 운동신경원의 활성도에 영향을 미쳐서 경직을 감소시키는 것으로 알려져 있다.[18]

7) 전신 진동치료 (whole body vibration therapy)

최근에 전신 진동 치료가 재활치료에 도입되어 점차 널리 사용되고 있다. 이 치료법은 진동의 빈도(초당 한 사이클의 수, Hz), 진폭[이동하는 거리(mm)], 방향[수직(vertical) 또는 좌우(side to side)]을 조절한 진동 자극을 주게 된다. 연구들마다 위의 3 요소 및 전체 치료 시간들에서 상이한 점을 보이며, 진동판위에서의 자세도, 서 있거나, 앉아 있거나, 쭈그려 앉아 있는 자세 등 다양한 자세에서 진동자극을 주기도 하며, 진동판위에서 다양한 동작을 수행하는 동안 진동자극을 주기도 하는 등 아직 이 치료법의 표준화된 프로토콜은 없는 실정이다. 전신진동 치료법은 뇌성마비 아동의 경직의 감소 효과가 있다고 보고가 있지만 확실한 근거를 위해서는 더 많은 연구가 필요한 실정이다.[19]

8) 약물 치료

아동에서 경직성 감소를 위해 주로 사용되는 약제로는 바클로펜, 단트롤렌, 디아제팜, 티자니딘등이 있으며, 이러한 약제는 그 사용기전에 따라 병합하여 사용할 수 있다. 그러나 아동에서 이러한 약물의 경직 완화에 대한 효과를 연구 보고한 논문들이 많지 않으며, 그 효과면에서도 연구마다 차이를 보인다. 따라서 대부분의 약제에서 경직 감소 효과를 입증할 만한 충분한 근거는 아직 부족한 상태이다.[9, 20, 21] 아동에서의 약물치료는 그 치료 효과를 예측하기 어렵고, 중추신경계 부작용인 인지기능 저하를 초래하여 재활치료 및 학습에 방해가 될 수 있다는 우려가 있고, 혈중 치료 영역(therapeutic window)이 좁고, 약물 순응도가 떨어지며, 전신적인 부작용이 우려되기 때문에 어려움이 있다. 따라서 국소적인 경직은 주사나 수술을 우선적으로 생각할 수 있으며, 심한 전신적인 경직이 있는 경우 부작용에 주의하면서 다음의 약물을 시도해 볼 수 있다.[20, 21]

(1) 바클로펜(baclofen)

바클로펜은 GABA 작용제(agonist)로서 GABA B 수용체와 결합하여 신경말단에서 흥분성 신경전달물질인 글루탐산염의 분비를 감소시키는 시냅스전 억제(presynaptic inhibition) 기전으로 경직을 감소시킨다. 바클로펜은 아동에서 경직의 감소 목적으로 가장 널리 사용되는 약제이다. 소아에서의 사용용량은 하루에 2.5~5 mg로 시작하여 2~7세 소아에게는 최대 30 mg, 8세 이후에는 최대 60 mg까지 사용할 수 있으며,[22] 반감기는 3~4시간으로 짧은 편이어서 하루 3회로 나누어 복용한다. 부작용으로는 어지러움, 졸림, 기억장애, 기면 등의 중추신경계 부작용이 있으며 기침 반사 감소, 기관지 수축의 증가 등의 호흡기계 부작용이 있다.[8, 20]

(2) 단트롤렌(dantrolene)

단트롤렌은 하이단토닌 유도체로서, 근소포체(sarcoplasmic reticulum)로부터 칼슘 분비를 억제하여 근육이 수축하지 못하게 함으로써 경직을 감소시키는 제제이다. 신경계에 작용하는 다른 경직 치료를 위한 약제와 달리 단트롤렌은 근육에 직접 작용하는 약제이다. 소아에서의 사용용량은 1~3 mg/kg을 하루 2~4회 투여한다.[8] 최대용량은 12 mg/kg까지이다.[20] 이중 맹검 연구들에 의하면 이 약제는 뇌성마비 환자에서 경직을 유의하게 감소시켰다고 한다.[22] 부작용으로는 진정과 전신적인 근 위약, 기면(lethargy), 졸림(drowsiness), 위약(malaise), 오심(nausea), 구토(vomiting), 말 흐림(slurred speech), 어지러움(dizziness), 설사(diarrhea), 이상감각(paresthesia) 등이 있다.[8] 치명적인 부작용으로 간독성(hepatotoxicity)이 있기 때문에 활동성 간병변이 있는 아동에게는 사용할 수 없으며, 정상적인 간기능을 가진 경우에도 단트롤렌 사용 후 정기적인 간기능 검사가 필요하다.[20]

(3) 디아제팜(diazepam)

벤조디아제팜 계열(benzodiazepam family)의 약물로서 가장 오래된 항경직성 약물이다. 기전은 척수나 상위 척수부위에서 양쪽에서 작용을 하며, GABA A 수용체의 친화력을 높임으로써 시냅스전 억제를 시켜 경직을 완화하는 작용을 한다. 디아제팜의 하루 용량은 0.12~0.8 mg/kg로서 하루 최대 3~4회까지 분할하여 사용한다.[20] 우선적으로 경직으로 인하여 수면 중 자주 깨는 아동에게 밤에 수면을 돕기 위하여 주로 사용한다. 부작용으로는 진정작용이 가장 흔한 부작용으로 약물의 증량을 어렵게 하는 주된 요인이다. 그 이외에 운동실조, 변비, 배뇨장애, 전신위약, 기면, 침의 과다 분비가 있다.[20] 이 약물의 장기간의 복용은 의존성 및 내성이 높아져서 같은 효과를 보기 위해서는 증량을 해야 한다는 단점이 있다. 무도형 뇌성마비나 경직형 뇌성마비 아동에서 임상적 호전과 연관된 전신적인 이완 효과를 보고한 바 있다.

(4) 티자니딘(tizanidine)

티자니딘은 이미졸 변형체(imidazole derivative)로서 알파 2 아드레날린성(adrenergic) 작용제이며 중간 뉴론의 흥분성을 높여서 시냅스 전 억제 작용을 하고, Ia 상호적(reciprocal) 혹은 IIb 반상호적(non-reciprocal) 시냅스 후 억제성 신경 전달물질인 글리신 등의 활성도를 높여 글루탐산와 같은 흥분성 신경전달 물질의 유리를 억제하는 작용을 한다.[8, 9, 20] 디아제팜과 바클로펜과 같이 근긴장도의 저하 효과가 있으며 또한 척수에서 substance P의 분비에 의하여 항통각(antinociceptive) 효과도 있어서 통증과 연관된 경직이 있을 때 통증을 감소시키면서 근긴장도의 완화효과를 볼 수 있다. 이 약제는 자기 전에 복용하면 수면 중 발생하는 경련과 통증에 효과적으로 사용할 수 있으며 처음에는 밤에 잠을 자기 전에 복용하는 것으로부터 시작하여 점차 낮에 사용하는 용량을 첨가하게 된다.[20] 소아에서의 용량은 10세 미만의 아동은 1 mg을 자기 전에 복용하는 것을 시작으로 하여 일주일 간격으로 증량하여 0.3~0.5 mg/kg을 하루 네 번으로 나누어 복용한다. 10세 이상의 아동은 2 mg을 자기 전에 복용하는 것으로 시작하여 부작용이 심하지 않는 범위 내에서 용량을 조절한다. 티자니딘은 반감기가 2.5시간으로 짧고 복용 후 최대 혈중 농도가 1시간만에 도달하므로 하루 네 번 복용해야 하는 불편함이 있다. 부작용으로는 입이 마르고, 졸리고, 무력감을 호소하기도 하고 어지러움, 두통 및 불면증을 호소하기도 한다. 드물게 간기능 저하를 호소하기도 하므로 간기능 검사가 필요한 경우가 있다.[20]

9) 화학적 신경 차단술(chemoneurolysis)

화학적 신경차단술에는 보툴리눔 독소 주사요법과 페놀이나 알코올을 이용하는 신경이나 운동점을 차단하는 요법으로 대변할 수 있다. 이는 전신적으로 작용하는 약물요법과는 달리 경직이 있는 부위에 국한하여 경직을 감소시킬 수 있다는 장점이 있다. 보툴리눔 독소 주사 요법이나 페놀/ 알코올 주사 요법은 작용기전은 다르지만 궁극적으로는 화학적 탈신경을 일으켜 경직을 야기하는 근육의 수축을 억제함으로써 경직을 완화시킨다. 최근의 한 논문에서 보행이 가능한 뇌성마비 아동에서, 보툴리눔 독소 주사 요법과 페놀 주사 요법의 효과를 비교하였으며 그 결과 보툴리눔 독소 주사 요법이 페놀 주사에 비하여 경직 감소 효과가 더 크며, 경직 감소 지속 기간도 더 길었다고 보고하였다.[23]

(1) 페놀/알코올 신경차단술 (phenol/alcohol neurolysis)

페놀(benzyl alcohol 또는 carbolic acid)은 벤젠의 주된 산화 대사물로, 1971년부터 뇌성마비 경직성의 치료를 위해 사용된 약제로 비교적 오래된 치료 중재법이라고 할 수 있다. 작용기전은 3% 농도 이상의 페놀은 단백질을 변성시켜 신경의 축삭변성(axonal degeneration)을 일으켜 경직을 감소시킨다. 5% 페놀이 가장 널리 사용되고 있으며, 성인의 경우 하루에 최대 1 g (20 cc)까지 사용할 수 있다. 에틸 알코올은 페놀과 마찬가지로 단백질 변성에 의하여, 신경, 신경근 접합부, 근섬유, 간질성 조직(interstitial tissue)을 파괴시켜 경직 감소의 효과를 낸다. 처음에는 45% 이하의 농도에서 근육내에 주입(intramuscualr wash)하여 경직을 감소시키는 방법이 주로 사용되었으나 최근에는 45~100%의 알코올을 사용하고 있다.

최근의 한 보고에서 페놀이나 알코올 주사 요법 둘다 경직의 감소면에서는 비슷한 효과를 보였다고 하며, 알코올 주사 요법이 페놀 주사 요법보다 경직감소의 지속 효과가 더 길었다는 보고가 있을 뿐,[24)] 두 약제의 경직 감소 효과에 대한 비교 연구는 많지 않은 실정이다. 두 약제 모두 소아의 경우 적절한 용량에 대하여는 알려진 바가 없다. 시술 방법은 보툴리눔 독소주사법보다는 까다롭다. 일반적으로는 전기 자극기를 이용하여 원하는 신경이나 운동점을 찾아내어 주사하게 되며, 최근에는 초음파 하에서 시도되기도 한다. 아동의 경우 협조가 잘 안되기 때문에 종종 전신 마취가 필요하다. 신경 차단 후 생긴 심한 통증은 삼환계 항 우울제나 카바마제핀과 가바펜틴 등의 항경련제 및 스테로이드 등으로 치료할 수 있고 같은 부위에 페놀 주사를 다시 시행하는 경우 통증이 사라지기도 한다. 부작용으로는 신경 차단 후 원하지 않은 부위의 근위약이 발생할 수 있고 페놀이 혈관을 따라 전신적으로 퍼질 경우 약물 독성으로 인한 경련(convulsion), 중추신경계 기능 감소(CNS depression) 및 심장혈관계 쇠약(cardiovascular collapse) 등이 부작용으로 있을 수 있다. 드물게 정맥 혈전이 발생하기도 한다.

(2) 보툴리눔 독소 주사요법 (botulinum toxin injection)

경직형 뇌성마비 아동에서 경직의 감소를 위하여 가장 효과적이면서 안전한 방법으로서 가장 널리 사용되는 치료중재 요법이다. 보툴리눔 독소는 클로스트리디움 보툴리눔(clostridium botlinum)에서 생성되는 신경독소(neurotoxin)로서 면역학적으로 서로 다른 일곱 가지 형태의 독소들(A, B, C, D, E, F, G)이 밝혀져 있으며 이중 보툴리눔 독소 A 형이 가장 효과가 강력하고 안전하여 가장 먼저 임상적으로 사용하게 되었다. 최근에는 보툴리눔 독소 B 형도 임상적으로 사용되고 있다.[25] 보툴리눔 독소는 분자량이 150 kDa인 하나의 폴리펩타이드로서 100 kDa의 중사슬(heavy-chain)과 50 kDa의 경사슬(light-chain)이 이황화결합(single disulfide bond)된 사슬 복합체이다. 보툴리눔 독소를 근육 내에 주입하면, 신경근육접합부에서 중사슬이 신경축삭 말단분의 콜린성 수용체에 결합하게 되면서 세포내로 이동하게 되며, 세포내에서 이황화결합이 풀리면서 중사슬과 경사슬이 분리된다. 세포내에서 아세틸콜린이 분비되기 위해서는 세포내의 아세틸콜린 소낭과 신경말단부의 여러 도킹 단백질과의 결합이 필요한데, 보툴리눔 독소의 경사슬이 이러한 도킹 단백질의 작용을 억제함으로써 신경말단부에서의 아세틸콜린이 분비되지 못하게 되어 근육을 마비시킨다.[26]

보툴리눔 주사의 효과는 빠르게는 24시간 후에 나타나며 늦게는 주사 후 몇일 후에 효과를 보이게 되며, 약 3~6개월 정도 치료 효과가 지속된다. 그 이후에 경직이 되돌아오는데 그 기전은 아직 확실히 밝혀지지 않았으나, 아마도 차단된 신경 주위로 신경의 측부 발아(collateral sprouting)로 인하여 경직이 다시 생기는 것으로 간주되고 있다. 금기증으로는 근무력증과 같은 신경근육접합부의 질환이 있는 경우, 혈액 응고의 문제가 있는 경우, 독소에 알러지가 있는 경우가 있으며 아미노글리코사이드와 같은 신경 근육접합부에 작용하는 약물의 복용하는 경우에는 주사하지 않는 것이 권장된다.

II. 근긴장항진증

1. 분류

근육의 긴장도는 평가자가 환자의 관절을 움직일 때 느끼는 근육의 저항으로서 환자의 주관적 증상이 아니라 평가자의 이학적 소견이다. 근육의 긴장도를 평가할 때는 환자를 최대한 이완시켜서 관절과 인대 및 연조직에 의한 저항을 배제해야 하므로 협조가 안되는 아동의 경우 평가에 어려움이 있다. 근육 긴장도가 증가한 근긴장항진증은 운동신경계 이상을 반영하는 대표적인 증상으로 대뇌피질, 기저핵, 시상, 소뇌, 뇌백질 및 척수신경 등의 병변에 의하여 발생한다. 근긴장항진증이 있으면 움직일 때 관절운동이 제한되고 관절구축과 자세이상이 발생될 수 있으며, 임상적 특징에 따라 '경직(spasticity)', '근긴장이상증(dystonia)', '경축(rigidity)' 등으로 구분된다.[27]

경직은 속도에 비례하여 증가하는 저항이 특징이고, 잡힘과 노침 현상으로 평가된다. 운동신경이 과민하여 관절운동이 발생하자마자 신장반사가 유발되면 잡힘을 느끼지 못하는 경우도 있다. 근긴장이상증은 불수의적인 지속적 혹은 간헐적 근수축으로 자세이상과 비정상적인 움직임을 유발하는 운동이상이며 뇌의 기저핵 병변으로 발생한다. 근긴장이상증은 근육의 긴장도가 항상 증가된 상태는 아니지만 자세이상과 비정상적인 움직임을 유발하기 때문에 근긴장이상성 근긴장항진증(dystonic hypertonia)이라고 한다. 뇌성마비와 같은 비진행성 뇌병변의 경우 경직은 조기에 발현하지만 근긴장이상증은 수년이 경과 된 후에 발현하기도 하고, 초기에 근긴장저하성 뇌성마비로 진단된 아동이 점차 근긴장이상성 뇌성마비로 진행되는 경우가 있어서 근긴장이상증은 뇌성숙과 더불어 증상이 변화하며 뇌수초화와 관련된 것으로 알려져 있다.

일반적으로 근긴장이상증은 뇌성마비에서 주로 관찰되며 척추가 신전되어 활모양으로 휘는 후궁반장(opisthotonus)은 임상에서 흔히 만날 수 있는 대표적인 근긴장이상증이다. 근긴장이상증은 국소적으로 나타나기도 하는데 writer's cramp는 손의 미세한 운동이나 글을 쓸 때 발생하는 손과 손가락의 근긴장이상증이고, blepharospam은 눈꺼풀의 근긴장이상증으로 반복적인 깜박임을 유발하고, cervical torticollis는 목 주변의 '근긴장이상증으로 사경을 유발한다.' 근긴장이상증은 자발적인 움직임에 따라 발생하기도 하고, 행동 양식이나 감정 상태에 따라 증상이 심해지기도 한다.

경축은 수동적 관절운동 시 지속적으로 느껴지는 저항(constant resistance)을 의미하며, 느린 움직임을 유발하고 떨림 및 보행 불안정성과 함께 소아 파킨슨병에서 주로 관찰된다. 경축은 작용근과 길항근이 동시에 수축하여 발생하므로 경직과 달리 관절운동 속도에 영향을 받지 않는다. 경축은 근긴장이상증과 달리 일정한 패턴의 자세이상이나 비정상 움직임을 유발하지 않으며 수동적으로 관절위치를 바꾸어도 특정한 자세나 움직임으로 되돌아가지 않는다. 경축은 자발적인 움직임이나 감정 상태에 따라 변화하기도 하지만 근긴장이상증처럼 변화가 심하지 않다. 경직, 근긴장이상증 및 경축은 뇌병변에 따른 근긴장항진증으로서 뇌성마비에서 흔히 관찰되지만, 척수의 병변이나 근육긴장증(myotonia)과 근육잔떨림(myokymia) 등의 근육의 질환에 의하여 나타날 수도 있다.

2. 평가

근긴장항진증을 평가하기 위하여 아동의 자세와 움직임을 세밀히 관찰하고, 보호자에게 비정상적인 자세와 움직임이 어떤 행동을 할 때 유발되는지 혹은 안정 시에도 나타나는지를 물어보아야 한다. 근긴장항진증이 있는 경우 경직, 근긴장이상증, 경축 각각의 정의와 임상적 특징에 따라 구별하여야 하고, 보행 및 일상동작에 기능장애를 초래하고 있는지와 통증과 관절구축 등의 합병증을 동반하고 있는지를 평가하여야 한다.

Hypertonia Assessment Tool (HAT)은 근긴장항진증을 경직, 근긴장이상증 및 경축으로 구분하는 데 유용한 평가 도구이다.[28] HAT는 7개 항목으로 구성되며 1, 2, 6번 항목은 근긴장이상증을 평가하고 3, 4번 항목은 경직을 평가하며 5, 7번 항목은 경축을 평가한다. 적어도 한 가지 이상의 항목에서 1점을 받으면 경직, 근긴장이상증 및 경축이 있다고 할 수 있다. 뇌성마비 아동의 근긴장항진증을 평가할 때 HAT 경직 평가는 높은 신뢰도를 보이나 근긴장이상증과 경축에 대하여 중등도 신뢰도를 보인다(표 8-2).[29]

3. 치료

근긴장항진증의 약물치료에 있어서 경직과 근긴장이상증을 구분하여야 한다. 경직의 경우 바클로펜, 디아제팜 등과 같이 GABA 수용체에 작용하는 약물과 단트롤렌과 같이 근육에 작용하는 약물을 사용하는 반면, 근긴장이상증의 경우 레보도파, 트리헥시페닐 등 도파민 수용체에 작용하는 약물을 사용한다.

Dopa-Responsive Dystonia는 현저한 일중 변동을 보이는 유전성 진행형 근긴장이상증(hereditary progressive dystonia with marked diurnal fluctuation)으로 Segawa 병으로 알려져 있다.[30] 염색체 우성 유전되며 14q22.1-q22.2에 위치한 GTP-cyclohydrolase I (GCH-I) 유전자 결함으로 도파민 합성

표 8-2 근긴장항진증 평가 도구(hypertonia assessment tool, HAT)

번호	검사 항목	점수	근긴장 형태
1	팔다리 등 신체의 원위부를 자극할 때 해당 신체 부위에서 비수의적인 움직임이나 자세이상이 증가하는가?	0점: 비수의적 움직임이나 자세이상이 관찰되지 않는다. 1점: 비수의적 움직임과 자세이상이 관찰된다.	근긴장이상증
2	신체 일부를 스스로 움직일 때 움직이는 부위와 떨어져 있는 신체 부위에서 비수의적인 움직임이나 자세이상이 증가하는가?	0점: 비수의적 움직임이나 자세이상이 관찰되지 않는다. 1점: 비수의적 움직임과 자세이상이 관찰된다.	근긴장이상증
3	관절을 신장시킬 때 속도에 비례하여 관절운동의 저항이 증가하는가?	0점: 빨리 움직이거나 천천히 움직일 때 느껴지는 저항에 차이가 없다. 1점: 빨리 움직일 때 느껴지는 저항이 천천히 움직일 때보다 크다.	경직
4	관절을 신장시킬 때 잡힘 현상이 관찰되는가?	0점: 잡힘 현상이 없다. 1점: 잡힘 현상이 있다.	경직
5	관절을 수동적으로 양방향(신전/굴곡 등) 운동을 시킬 때 느끼는 관절운동의 저항이 일정한가?	0점: 양방향 운동 시 저항이 일정하지 않다. 1점: 양방향 운동 시 저항이 일정하다.	경축
6	팔다리 등 신체의 원위부를 의도적으로 움직일 때 근육의 긴장도가 증가하는가?	0점: 의도적으로 움직일 때 근육의 긴장도가 증가하지 않는다. 1점: 의도적으로 움직일 때 근육의 긴장도가 증가한다.	근긴장이상증
7	팔다리 관절 위치를 수동적으로 움직여서 변경시키면 그 위치를 유지하는가?	0점: 팔다리 관절 위치가 전부 혹은 일부에서 원위치로 되돌아온다. 1점: 팔다리 관절 위치가 수동적으로 움직여 준 마지막 위치에 남아있다.	경축

이 감소되어 증상이 발생한다. 일반적으로 5~8세에 만곡족과 까치발 보행으로 증상이 발현하지만, 더 어린 나이에 증상이 시작하기도 하고 발달지연을 보이며 성장에 따라 증상이 변하다가 어느 수준에서 멈추기 때문에 뇌성마비로 잘못 진단되기도 한다. 그러나 자고 일어나면 증상이 호전되고 아침에 보행 기능이 좋다가 저녁에 보행이 어려워지고, 저용량의 레보도파 투여로 증상이 호전되는 특징이 있어서 뇌성마비와 구별할 수 있다.

III. 근긴장저하증

1. 정의

근긴장도는 수동적으로 관절을 움직였을 때 느껴지는 저항감으로 정의되며, 이는 근육을 신전시켰을 때 야기되는 신전 반사(stretch reflex)에 의한 신경학적 요인(neural component)과, 근육 자체 및 근육주변의 결체조직 및 관절의 인대등의 요인과 같은 비신경학적 요인(non-neural component)에 의하여 결정된다. 따라서 근긴장도 저하는 이러한 두 요인에 의한 근긴장도가 정상에 비하여 저하된 상태로 정의할 수 있다.

2. 분류

영아에서의 근긴장도 저하는 그 기능 장애의 부위별로 1) 중추신경계(central nervous system), 2) 말초신경(peripheral nerves), 3) 신경근 접합부(neuromuscular junction), 4) 근육(muscle), 5) 관절 인대의 과운동성(joint hypermobility)과 같이 병변이 있는 부위별로 나누어 볼 수 있으며 각 부위별로 다양한 질환이 있을 수 있다.[31, 32] 이는 임상적으로 크게 중추성 및 말초성으로 대별할 수 있는데, 중추성으로는 뇌손상, 염색체 이상, 뇌기형, 대사성 질환 등이 속하며 말초성 근긴장도 저하를 일으키는 질환으로는 중추성을 제외한 모든 질환이 속하게 되며, 척수근위축증과 같은 운동신경원 손상, 다발성 신경손상, 선천성 근육병 및 관절의 과운동성 등이 모두 말초성 근긴장저하증으로 분류할 수 있다. 연구에 의하면 근긴장저하증 중 중추 신경계의 문제로 인한 야기된 근긴장도 저하가 66~88%로 가장 큰 비중을 차지한다고 하였으며, 말초성은 12~34%를 차지한다.[32-34] 중추성과 말초성이 혼합되어 나타나는 질환으로는 이염성 백질 디스트로피(metachromatic leukodystoraphy), 거대 축삭신경변성(giant axonal neuropathy), 사립체 뇌근육병증(mitochondrial encephalomyopahty), 선천성 근디스트로피(congenital muscular dystrophy) 및 선천성 근긴장 디스트로피(congenital myotonic dystrophy) 및 선천성 당화 질환(congential glycosylation disorder) 등이 있다.[35]

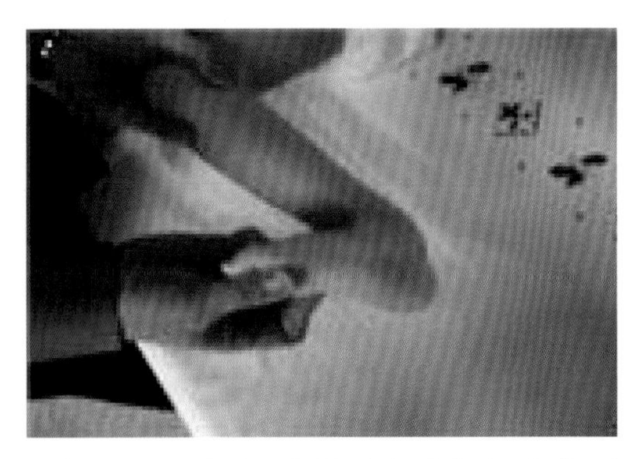

그림 8-1 족관절을 배굴 시켰을 때 과도하게 배굴이 되는 것을 볼 수 있다.

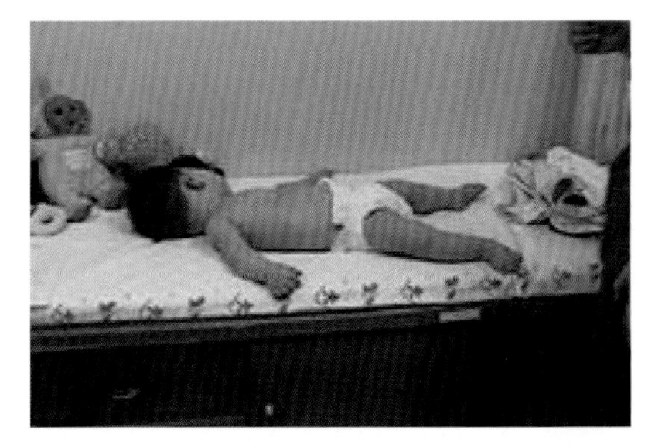

그림 8-2 온 몸이 바닥에 닿은 채 사지의 항중력 움직임이 거의 없다.

3. 임상 양상

근긴장도 저하는 임상적으로 관절을 움직였을 때 느껴지는 저항감이 감소하여 그림 8-1과 같이 족관절을 배굴시키면 관절이 과도하게 배굴되는 모습처럼 관절이 정상적인 운동범위보다 더 과도하게 움직이는 양상을 보인다. 또한 아동을 침상에 눕혔을 때는 항중력 움직임이 거의 없이 축 쳐진 자세로 온몸이 거의 바닥에 밀착된 자세로 보이게 된다(그림 8-2). 근긴장도 저하는 중력에 반한 자세 유지를 어렵게함으로, 란다우 반응 시 고개나 몸통이 축져진 자세로 있게 되며(그림 8-3A), 견인 반응시에도 상지 및 하지의 근육의 수축이 없이 축 처진 상태로 목이 뒤로 힘없이 쳐진 양상을 볼 수 있다(그림 8-3B). 또한 아동의 몸통을 잡고 세우면서 양 발이 바닥면에 닿게하면, 양하지가 탄탄하게 체중을 받치고 있다는 느낌이 없이, 힘없이 축 늘어지는 양상을 보이게 된다(그림 8-3C). 이와 같이 근긴장도 저하는 자세유지반응과 더불어 운동발달에도 부정적인 영향을 미치게 된다. 또한 어떤 특정한 운동발달 단계의 동작을 수행할 수 있게 되어도, 종종 정상과는 다른 형태로 그 운동발달단계를 수행하는 것을 관찰할 수 있다. 즉 골반의 근육의 근긴장도 저하는 네발기기 자세보다는 포복 자세로 기는 동작을 수행하고, 일어나 앉는 동작을 수행 시 아주 과도하게 고관절을 외회전시킨 상태로 양팔을 지탱하고 앉는 양상을 볼 수 있다(그림 8-4).

4. 평가

영아에서의 근긴장도 저하는 그 원인이 매우 다양하므로 그 원인에 대한 평가를 위해서는 아래와 같은 다양한 평가들이 필요하다.[32]

1) 가족력

가족들 중에 근긴장저하증, 근육병, 유전질환, 근친결혼등이 있었는지에 대한 조사가 필요하며, 부모나 아동의 형제나 자매 중, 발달의 지연이 있었는지에 대한 조사도 필요한다. Birdie 등[36]에 의하면 89명의 근긴장저하증 신생아중에서 약 46%

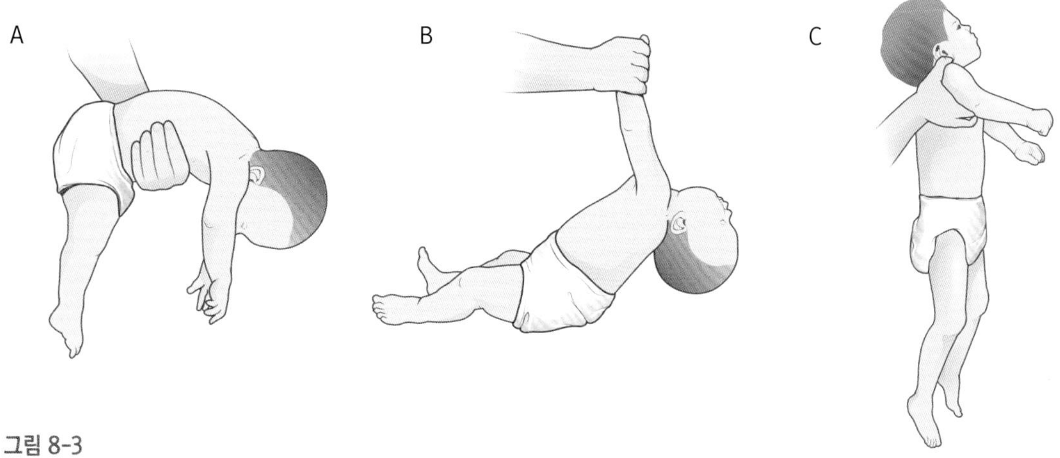

그림 8-3
A. Landau 반응검사 시 목이나 몸통의 근긴장도 저하로 축 쳐진 양상을 보임
B. 견인 반응(traction reaction)시 상지나 하지가 축 쳐져 있으며 목이 뒤로 힘없이 젖혀지는 양상을 보임
C. 아이의 몸통을 잡고 세우면 양하지가 힘없이 축 늘어지는 모습을 보임

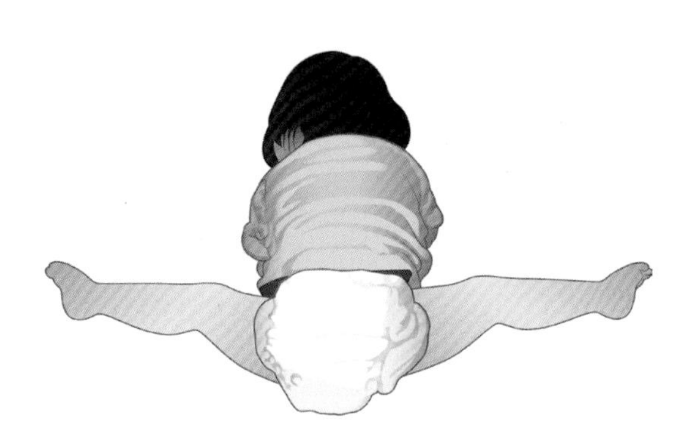

그림 8-4 앉기 동작을 수행하면 먼저 양쪽 다리를 거의 180°로 벌린 다음에, 양팔을 지탱하여 일어나 앉기를 수행한다.

에서 신경근접합부 및 신경학적 질환에 대한 가족력이 있었다고 한다.

2) 임신 및 출생 시의 병력

임신중에 태동이상, 양수과다 및 과소, 임산중 감염이나, 약물 복용, 음주 등에 대한 조사와 출생 시의 Apgar 점수나 호흡곤란 및 섭식곤란, 경기 등에 대한 면밀한 조사 및 기형적 외모나 내부장기의 기형이 있었는지에 대한 조사도 필요하다.

3) 운동발달력에 대한 조사

근긴장저하는 자세조절반응의 이상을 초래하므로 목가누기 및 뒤집기 등의 대근육운동 발달에 장애를 초래하게 되는데 질환에 따라서 그 운동발달 시기가 달라질 수 있다. 따라서 운동발달력에 대한 조사 시, 처음부터 운동발달의 지연이 있었는지 혹은 신생아나 아주 초기에는 운동발달을 잘 하다가 차츰 운동발달이 정체되었는지, 퇴행되었는지 등의 여부를 잘 판별할 필요가 있다.

4) 이학적 검사

근긴장도 및 원시반사검사, 심부건 반사, 자세반응 검사 및 누워 있을 때나 엎드려 있었을 때 자세 및 항중력 움직임에 대한 관찰, 눈맞춤 및 눈동자가 어떤 사물을 주시하고 잘 따라오는지에 대한 검사가 필요하다. 선천성 근디스트로피, 척수근위축증 또는 선천성 근무력증후군과 같은 질환에서 관절 구축이 있을 수 있으므로 이에 대한 검사도 필요하다. 특히 척수근위축증의 경우 체간이나 근위부 근육에 심한 근력 약화가 있지만 얼굴 표정이 상황에 맞게 잘 나타나며, 아주 영리하다는 인상을 받게 되는 특징이 있으므로 이런 특징이 진단하는 데 있어 중요한 단서가 된다. 또한 목가누기, 기기, 아동을 앉혔을 때의 자세 및 일어나 앉기 동작 및 물건을 잡을려고 할 때 수행하는 동작의 패턴을 잘 관찰하는 것이 중요하다.

이와 같은 이학적 검사는 중추성인지 말초성인지 감별 시 중요한 단서를 파악하는 데 도움이 되며, 운동양상의 이상은 운동이상형 뇌성마비나 운동실조증을 파악하는 데 중요한 단서를 제공한다. 또한 머리 둘레의 측정도 중요한 단서를 제공할 수 있다. 즉 머리 둘레가 처음부터 작았을 때는 소두증 및 뇌병변에 의한 중추성 근긴장저하증을 의심할 수 있으며 혹은 머리둘레의 증가가 어느 시점에서 멈췄는지에 따라 레트 증후군 및 다른 대사성 질환 등에 의한 가능성이 있을 수 있다.

5) 신경영상학적 검사

중추성에 의한 근긴장도 저하가 의심이 될 때 뇌자기공명영상검사가 그 원인을 알아내는 데 도움이 될 수 있다. 즉, 저산소성 뇌병증이나 뇌이랑 없음증(lissencephaly), 댄디워커증후군(Dandy-Walker syndrome), 쥬버트 증후군(Joubert syndomre) 등과 같은 질환은 뇌자기공명영상검사로 감별해 낼 수 있다.

6) 이상형태학(dysmorphalogy) 및 신경유전학적(neurogenetics)검사

중추성으로 인한 근긴장저하증 중 어떤 증후군은 특정한 형태학적 특징을 갖는데 이는 원인질환을 밝혀 내는 데 중요한 단서가 된다. 이러한 이상형태학적 소견을 보일 때는 이상형택학 테이터 베이스로 접근하게 되면 좀 더 쉽게 증후군을 파악하는데 도움이 된다.

7) 염색체 및 유전자 검사

말초성 근긴장저하증에서 척수근위축증 및 근긴장 디스트로피와 같이 각 질환에 특정한 유전자 검사들이 있으므로 이런 경우에 유전자 검사를 시행하게 되며, 중추성 근긴장저하증에서 다운증후군이나 엔젤만 증후군 등과 같은 어느 특정한 유전질환이 의심이 될 때 시행하는 염색체 검사 및 유전자 검사가 있으며, 원인 불명의 중추성 근긴장저하증에서 원인질환을 밝혀내기 위한 유전자 검사 등이 시행되어 진다.

8) 생화학적 검사

대사성 질환이 의심이 될 때 아미노산 젖산염(lactate), 지방산 등의 검사를 시행한다.

9) 근육 신경 검사, 근조직 검사, 신경근 접합부질환에 대한 약물검사

다발성 말초신경 병변 및 근육병 및 신경근접합부 질환이 의심이 될 때 시행할 수 있다.

5. 중추성 및 말초성 근긴장도 저하 감별 진단

신생아나 영아에서 보여지는 근긴장도 저하에는 상당히 다양한 원인이 있지만 가장 기본적인 감별진단은 중추성인지 말초성인지를 감별해내는 것이다. 임상적 양상으로 이 두 원인을 감별하는 것이 중요한데, 중추성 원인에 의한 근긴장도 저하는 항중력 움직임의 존재, 정상적이거나 증가된 원위부의 근긴장도, 눈맞춤의 저하, 경기 및 심부건반사의 존재 등이 있을 수 있으며 신경 및 근 또한 신경근 접합부의 이상에 의한 말초성 근긴장도 저하는 근력 약화가 아주 뚜렷하여 아동이 흐느적거리거나 축 늘어진 느낌을 받게 되며, 항중력 움직임의 거의 없거나 미미하며, 심부건 반사의 저하, 울때 울음 소리가 약하며, 젖이나 우유를 먹을 때 빠는 힘이 약한 특징을 보이는 반면에 보호자나 외부에 대한 상호작용 등이 비교적 양호하다는 특징을 보인다.[34] 임상적으로 중추성 원인이 의심이 될 때에는 뇌자기공명영상검사나 뇌파 검사 등이 필요하며, 다운증후군이나 프레더 윌리 증후군과 같이 형태 이상 양상(dysmorphic feature)이 보일 때에는 염색체 검사 및 유전자 검사 등이 필요하며, 경우에 따라서 대사이상 검사 등이 필요하게 된다. 임상적으로 말초성이라는 의심이 될 때에는 신경근육질환에 대한 감별진단이 필요하다. 이는 신경근육질환에서 자세히 다룰 것이므로 여기에서는 생략하도록 하겠다.

Paro-Panjan 및 Neubauer 의 연구[32]에 의하면 6단계 즉 1) 가족력, 임신력 및 출생력 및 신경학적 검사 2) 신경영상학적 검사 3) 이상형태(dysmorphism)에 대한 증후군에 대한 Oxford 의학 데이터베이스 검사 4)염색체 및 유전자 검사 5) 대사 이상 증후군을 위한 생화학적 검사 6) 신경 및 근에 대한 전기진단 검사 및 근 조직 검사 및 척수근위축증 및 근긴장디스트로피에 대한 유전자 검사로 대부분에서 원인이 확인되었으며, 6.5%에서는 추적 관찰에서 그 원인 질환이 밝혀졌으며 3% 에서는 원인 질환을 밝힐 수 없었다고 한다. 원인이 밝혀지지 않은 근긴장저하증은 대개는 중추성일 가능성이 높으며, 이 경우에는 그 예후를 다음과 같이 대별하여 보는 것이 임상적으로 도움이 된다. Strubhar 등의 연구[37]에 따르면, 영아기에 근긴장저하증이 있었으며 그 원인질환이 밝혀지지 않았으며 3년 이상 추적 관찰이 이루어진 환아들을 대상으로 1) 대동작 및 상지 기능, 언어 및 인지 등에서 아무런 문제 없이 정상적으로 발달한 일시적 근긴장저하증 2) 상지 협응동작의 제한, 언어 및 학습장애가 있는 경미한 장애 3) 지속적인 운동발달의 지연 및 인지 및 모든 발달영역에서 현저한 지체를 보인 경우 4) 뇌성마비 및 다양한 증후군을 보이는 경우로 대별할 수 있다고 하였다.

대개 10.5%에서 일시적인 근긴장저하증이 있었으며 32.5%에서 경미한 장애, 40.9%에서 지적장애와 같은 전반적 발달장애, 16.2%에서 뇌성마비나 다른 질환에 의한 것이라고 하였다. 임상적으로 일시적인 근긴장저하증 및 경미한 장애는 전반적 발달장애 및 뇌성마비 및 증후군에서보다 운동발달의 지연의 정도가 경하다는 특징이 있었다고 한다. 일시적 장애 및 경미한 장애는 영아기에 근긴장저하로 인하여 대동작 발달의 지연이 있으나 그 정도가 경하여 약간의 치료적 중재로 쉬이 독립적 보행이 가능하게 되었다고 한다. 이와 같이 대동작 발달이 순조로이 진행된 경우에도 추적 관찰이 필요한데 이는 상당수 아동에서 운동협응동작의 발달, 언어 및 학습장애와 같은 경미한 장애가 나타날 가능성이 있으므로, 추적 관찰을 통하여 일시적인 근긴장저하증인지 혹은 경미한 장애인지를 감별해 내야 하며, 경미한 장애일 경우에는 조기에 적절한 치료적 중재가 필요하기 때문이다.

6. 치료

근긴장저하증은 그 원인 질환을 감별하여 그 원인 질환에 적합한 치료법을 수행하는 것이 가장 중요하다. 말초성 질환에 의한 근긴장저하증에 대한 것은 신경근육질환 장에서 자세히 기술되어 질 것이므로, 여기에서는 중추성 근긴장저하증에 대한 치료에 국한하여 기술하고자 한다. 중추성 근긴장저하증의 경우 그 질환에 따라 호흡장애, 섭식장애, 진행성 장애 등 다양한 임상적 양상을 보이므로 그 임상적 양상에 따라 다양한 지지 요법(supportive therapy)이 필요하다.

아동에서의 중추성 근긴장저하증은 중력에 반하는 자세를 유지하기 어렵게 하여 운동발달을 저해하게 되며, 체중을 지지하는 족부에서 외반족 변형 등을 야기하기 쉽다. Paleg 등의 연구[38]에 의하면 중추성 근긴장저하증 아동에게 주어진 임상적인 치료는 1) 아델리 같은 압박성 의류 착용 2) 마사지 3) 신경발달치료 및 하지 하중 부하 같은 물리치료적 방법 4) 앉는 자세 보조용구 및 서기 및 보행기와 같은 이동성 증진 요법 5) 족과상 보조기(supramalleolar orthoses) 및 족부 보조기(foot orthoses) 6) 트레드밀 훈련 7) 전정감각 자극 및 감각자극을 통한 치료로 대별할 수 있었다고 한다. 이중 다운증후군 환자에서 트레드밀 훈련과 마사지가 효과가 있었으며 족부 보조장구는 보행하는 환아에서 족부관절의 배열을 증진시키는 효과를 보였다고 한다.

근긴장저하증 아동에서 시행하는 물리치료와 작업치료와 같은 치료적 운동요법은 자세를 만들거나 유지하는 데 있어서 안정성 증진, 항중력 움직임의 안정적 수행을 통한 운동발달 및 기능의 증진 목적으로 시행하게 된다. 근긴장저하증 아동을 치료하고 있는 물리치료사와 작업치료사들을 대상으로 한 연구[39]에서 물리치료와 작업치료는 근력의 증가(41.4%), 운동발달의 증진(22%), 지구력 증진(18.3%) 및 기능의 향상(16.8%)에서 효과를 보였다고 한다. 그러나 소아에서의 근긴장저하증은 그 원인이 매우 다양하므로 원인에 따라 예후에 있어 상당한 차이를 보일 수 있으며 따라서 그 치료 효과를 입증하기 어려우며 연구가 많지 않아 단일 질환을 대상으로 한 더 많은 연구가 필요한 실정이다.

III. 근긴장도 이상에 대한 신경외과적 수술

경직에 대한 수술적 치료는 대개 다분절(multisegmental), 전신(generalized)경직에 대해서 진행하게 된다. 대표적인 치료 방법으로 선택적 후근 절제술(Selective dorsal rhizotomy, SDR)이 있고, 일부 환자에서 척수강내 바클로펜 펌프(intrathecal baclofen pump, IBP)가 도움이 되기도 한다. 그 외 이상운동에서 뇌심부자극술(Deep Brain Stimulation, DBS)을 시행하기도 한다.

본 장에서는 SDR에 대해 상세히 설명하고, IBP와 DBS는 간략하게 소개하기로 한다.

1. 선택적 후근 절제술(Selective dorsal rhizotomy, SDR)

1) 치료 원리 및 목표

뇌성마비 환자에서 경직은 중추신경계의 흥분성/억제성 신호의 불균형에 의한 반사궁(reflex arc)의 항진으로 인해 발생하는 것으로 추정되고 있다. SDR은 신경절제술(neuroablative procedure)로서 환자의 감각신경의 절제를 통해 항진된 반사궁이 저하되어 경직이 감소되는 것으로 보고 있으나 보다 명확한 기전에 대한 연구가 필요하다.

SDR을 통해 기대할 수 있는 효과는 하지의 여러 근육의 근긴장도 감소를 통해 관절 움직임의 범위(range of motion, ROM)가 증가되고, 구축이 일부 완화되면서 통증 및 근연축(muscle spasm)이 감소되고 자세가 호전되어 보행이 개선되는 것이다. 보행이나 직립, 기어가기 등의 기동성이 개선되면 일상 생활에서의 기능이 좋아지고 재활 치료가 더욱 편해지는 등 환자 삶의 전반에 긍정적인 영향을 줄 수 있다. 또한 심한 경직으로 인해 자세잡기, 기저귀 갈기 등의 일상 생활에서의 극심한 어려움을 겪는 환자들의 경우 SDR을 통해 상당한 효과를 경험할 수 있으며 구축에 대한 정형외과 수술의 빈도를 감소시킬 수 있다. 다만 환자의 수술 전 상태에 따라 결과가 매우 다를 수 있어 수술 전 면밀한 평가와 예측을 기반으로 보호자와 충분한 상의를 통해 수술의 목표를 명확히 하는 것이 중요하다. 필요한 경우 보툴리눔 독소 시험주사(botulinum toxin injection trial)를 하여 대략적인 결과를 예상해 볼 수도 있다.

2) 적응증

SDR의 최상의 결과를 위해서는 수술 전 자세한 문진과 신체 검진을 통해서 적응증을 잘 파악하는 것이 필수적이다. 뇌성마비의 유형과 경직의 정도, 뇌 MRI 소견, 상하지 근력 및 구축 여부 등의 근골격계 상태, 과거 치료 병력, 정형외과 수술 병력, 아이와 가족의 상태 등의 요인을 고려해야 한다. 일반적으로 인지 기능이 좋고 재활을 하려는 의지가 강하며 상지의 움직임이 자유로운 경직성 양측마비 환자에서 수술을 통해 가장 효과적인 기능적 개선을 기대해 볼 수 있다.

환자의 상태에 따라서 효과적인 보행을 위해 수술을 받게 되는 환자를 group I으로, 경직으로 인해 환자 간호에 어려움이 심한 환자를 group II로 구별하여 적응증을 정하고 있다. Group I은 경직 외 다른 요소가 없는 경직성(spastic type) 뇌성마비 환자 중에 적당한 하지 근력이 있으면서 체간 균형을 유지할 수 있고 인지기능이 좋아서 수술 후 재활 치료에 협조할 수 있는 환자이다. 그러나 정형외과에서 근육 혹은 인대 신전의 수술 병력이 있거나 지나치게 심한 구축 혹은 변형이 있는 경우 적극적으로 추천하기 어렵다.

Group II는 심한 구축이나 변형, 척추측만증이 있는 경우가 많고, 보행 등의 기능적인 개선을 목표로 하지 않는다. 환자의 이동이나 일상 생활에서의 간호에 경직이 큰 방해가 되거나 환자에게 고통을 주는 경우와 고관절 탈구나 척추측만증의 진행에 대해 정형외과에서 뼈에 대한 수술을 하기 전에 시행하는 경우가 있다.

제한적이지만, 전형적인 group I이나 II에 해당하지 않는 환자 중에도 구축이나 관절의 탈구에 대한 정형외과 수술 전에 SDR을 먼저 시행하는 경우도 있다. 또한 보행이 가능하지 않은 환자 일부에서 앉거나 기어다니는 것을 용이하게 하기 위한 목적으로 SDR을 시행하기도 한다.

적절한 연령에 대해서는 우선 2세 이전에는 자연적으로 경직이 좋아지는 경우도 있어 2세 이후에 수술을 결정하는 것이 추천된다. 또한 MRI에서 뇌기저핵에 손상이 있는 뇌성마비 환자 중 5세까지는 근긴장이상(dystonia) 혹은 실조(ataxia)가 점점 나빠지는 경우가 있어 이런 환자에서는 뇌성마비의 유형에 대한 평가가 어려울 수 있기 때문에 주의가 필요하다. 또한 적절한 근력을 위한 어느 정도의 체격이 필요하므로 4~8세 정도를 좋은 적응증으로 평가하고 있다.

3) 수술 방법

수술 전 흉요추부위의 단순방사선검사를 시행한다. 고관절 단순방사선검사도 수술 전에 해놓는 것이 추천된다. 뇌나 척수 MRI에 대한 확인도 도움이 될 수 있다.

수술 과정은 전신마취 · 후근 절제술 위치 결정 · 경막 절개 후 운동신경과 감각신경의 분리(척수원뿔(conus medullaris) 확인) · S3 이하 신경근 보호 · 감각신경의 부분 절제로 요약할 수 있다. 좁은 수술 시야에서 운동신경의 손상 없이 감각신경의 절제를 충분히 하는 것이 수술의 핵심이다. 또한 수술 후 배뇨 기능에 이상이 생기지 않도록 S3 이하의 신경을 잘 보호하는 것도 중요하다.

전신마취 하에 엎드린 자세로 수술이 진행되는데, 마취는 수술 중 신경감시를 위해 total intravenous anesthesia (TIVA)를 시행한다. 근이완제나 propofol은 근전도에 영향을 미치므로 피해야 한다. 마취 유도 후 근전도를 위한 바늘 전극을 하지 근육에 삽입한다.

1990년대 초반까지는 다분절(multilevel) 후근 절제술을 통해 척수를 노출하였으나 그 이후에는 단분절(single level) 후근 절제술을 시행하고 있다. 전자에 비해 후자는 각각 신경근의 정확한 위치를 알 수 없다는 단점이 있으나, 뇌성마비 환자에서는 감각신경근의 분포에 교차혼합(cross-over)이 심하여 정확한 식별이 중요하지 않아 수술 결과에는 영향을 미치지 않는다. 그에 비해 후궁 절제를 최소화함으로써 환자의 통증을 완화하고 수술 후 회복을 더 빨리 할 수 있고, 무엇보다 척추측만증 등의 척추 변형의 가능성이 감소된다는 장점이 있다. 그러나 척수원뿔의 위치를 찾는 작업을 보다 세심하게 진행하는 것이 중요하다. 수술 전 시행한 MRI와 단순방사선검사에서 정확한 위치를 척추체를 기준으로 확인하고, 수술 중에는 이동식

X-선(portable x-ray)을 통해 척추체의 상대적인 위치를 확인하고 피부를 절개한다. 다음으로는 척추옆 근육을 박리하고 초음파를 이용하여 척수원뿔의 위치를 파악한다. 초음파에서는 축영상(axial view)을 통해 줄어드는 척수의 단면을 보고, 시상면영상(sagittal view)에서는 세모의 모양으로 끝이 뾰족해진 척수원뿔의 모습을 확인하여 후근 절제술의 가장 적절한 위치를 정한다. 가장 이상적인 위치는 척수원뿔이 수술 시야의 상위 1/3 부분에 위치하는 것이다. 대개의 경우 요추 1번의 후궁을 절제하게 되어 요추 1번 신경이 척추신경공(neural foramen)을 통과하는 것을 확인할 수 있게 된다.

경막을 열기 전에는 뇌척수액의 유출을 최소화하기 위해 트렌델렌버그(Trendelenburg)자세를 취하도록 수술대를 조절한다. 경막을 열고 나면 우선 척수원뿔을 확인하고(그림 8-5), 척추신경공(neural foramen)으로 나가는 감각신경과 운동신경 한 쌍을 확인하는데(그림 8-6) 대개의 경우 요추 1번 신경이다. 이 신경에서 감각/운동신경을 구별하면서 박리기구 등을 이용하여 내측으로 접근하면서 감각신경다발과 운동신경다발 사이에 존재하는 자연적인 분할면(cleavage plane)을 찾아 이를 따라 운동신경을 보다 배쪽으로 밀어주면서 가장 내측에서 척수원뿔의 측면을 확인하여(그림 8-7) 운동신경다발과 감각신경다발을 나눠주게 된다. 운동신경과 감각신경 사이에 큰 실솜(cottonoid)을 끼워둔다. 다음으로는 천추 3번 이하 신경을 보호하기 위해 척수원뿔의 내측에서 후근유입부(dorsal root entry zone, DREZ)를 확인한다.

신경 범위의 교차혼합으로 인해 신경 자극으로는 천추 2번과 천추 3번을 구별할 수 없으나, 대개 특징적으로 천추 3번 이하부터 신경의 직경이 확연하게 줄어들고 꼬불꼬불한 모습을(그림 8-8) 하여 가늠할 수 있다. 하지만 수술 후 배뇨 기능에 이상이 생기는 것을 막기 위해 천추 2번 일부를 같이 남기는 것이 안전하다. 천추 3번 이하를 분리하여 절제 범위에 해당하는 감각신경다발을 확보하면 이를 silastic sheet로 분리한다(그림 8-9).

선택적 제거를 시행하기 전에 단극 자극기(monopolar stimulator)와 신경근절단 자극기(rhizotomy stimulator)를 이용하여 제거하려는 신경 다발에 운동신경이 포함되지 않은 것을 다시 한번 확인한다. 이후에 적당한 굵기로 신경을 나누어 요추 2번부터 천추 2번까지 신경을 나누고, 26게이지

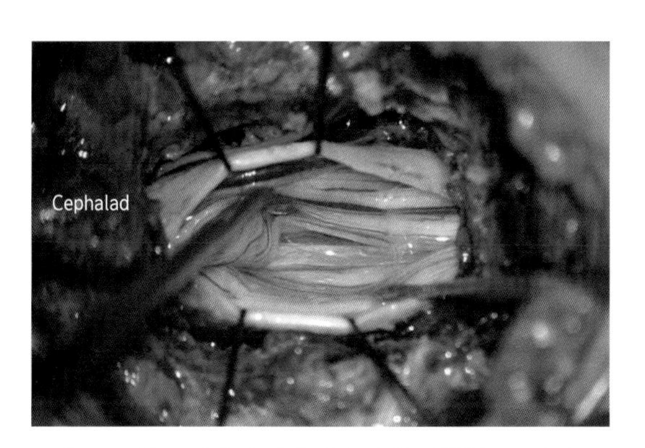

그림 8-5 후궁 절제 및 경막 절개 후 척수원뿔(conus)이 노출됨

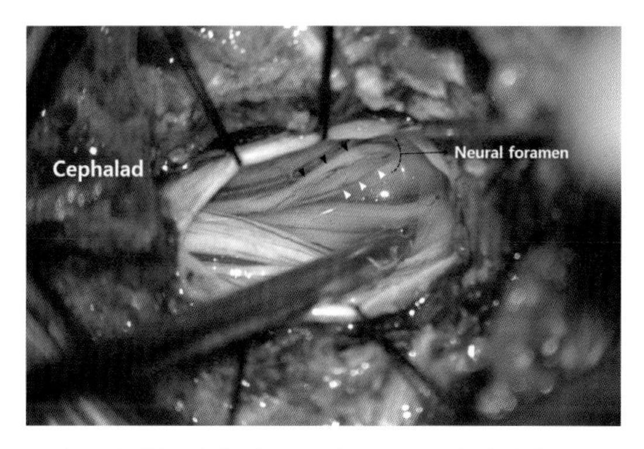

그림 8-6 척수신경공(neural foramen, 긴 화살표)으로 감각신경(흑색 arrowhead)과 운동신경(흰색 arrowhead)이 나가고 있음(중간에 얇은 점선은 두 가닥의 신경을 구별하기 위해 인위적으로 넣은 표시임)

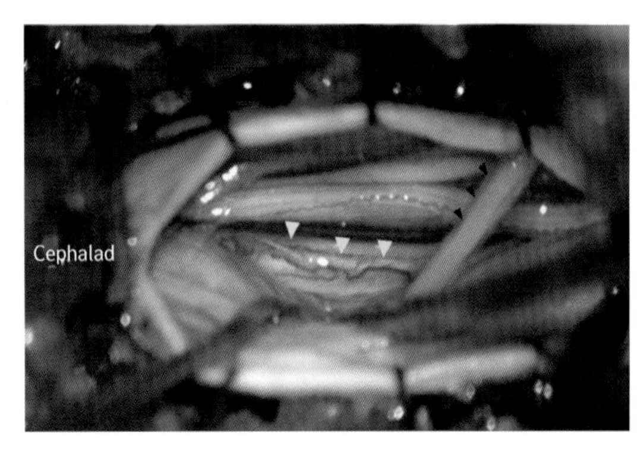

그림 8-7 감각신경(흑색 arrowhead)을 기준으로 나머지 감각신경 다발을 내측으로 밀어서 척수원뿔의 외측 경계(노란색 arrowhead)가 노출됨

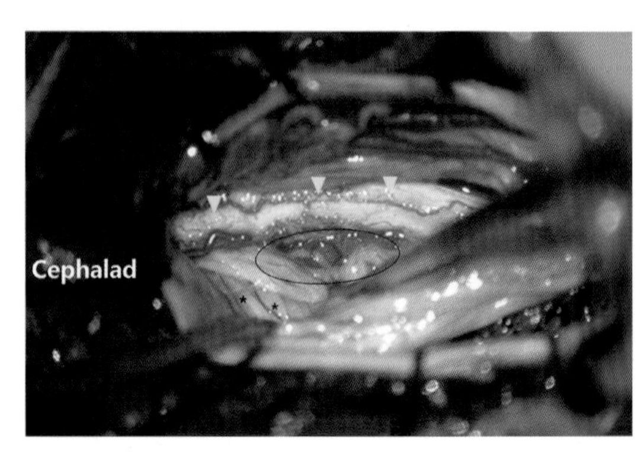

그림 8-8 척수원뿔(노란색 arrowhead)에 붙어있는 천추 3번 이하 신경근(동그라미 안). 나머지 신경근(asterisk)과 달리 더 구불구불하고 얇은 것을 볼 수 있음

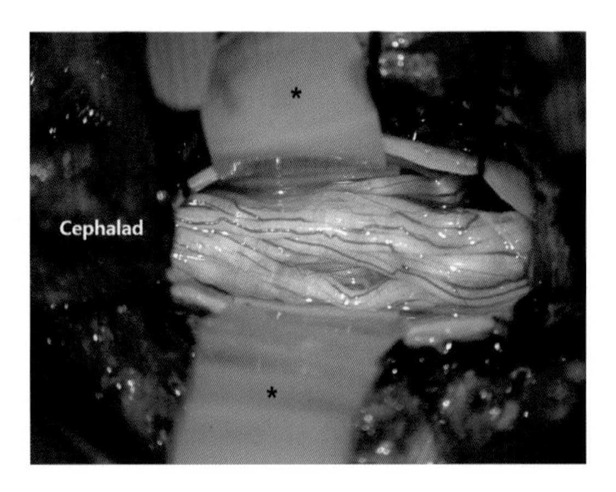

그림 8-9 Silastic sheet (asterisk)로 절제할 감각신경 다발을 모음

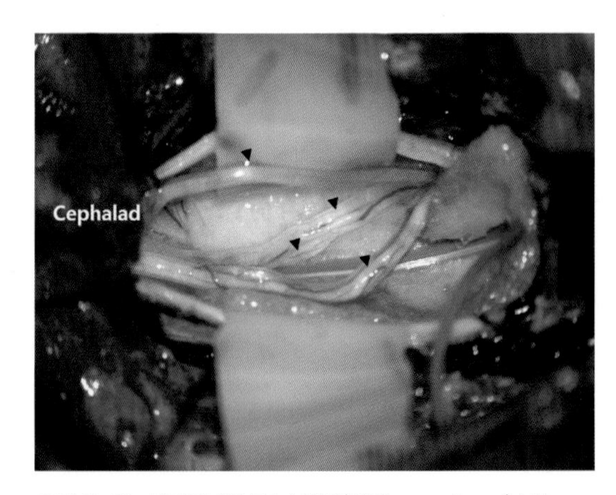

그림 8-10 신경근 하나를 4개로(각각 arrowhead) 나눈 사진

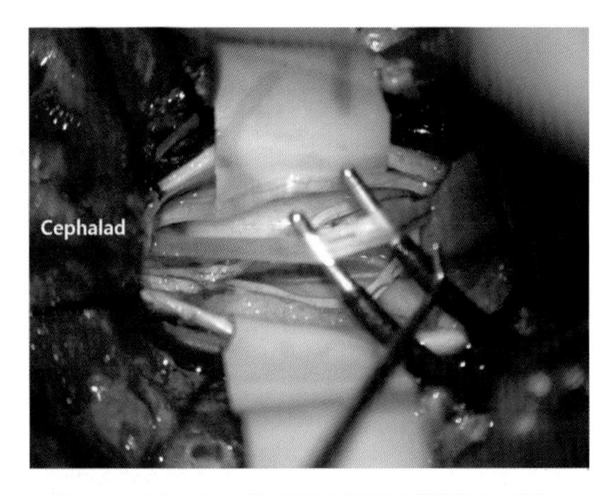

그림 8-11 Stimulator로 신경근 하나를 확인하는 사진

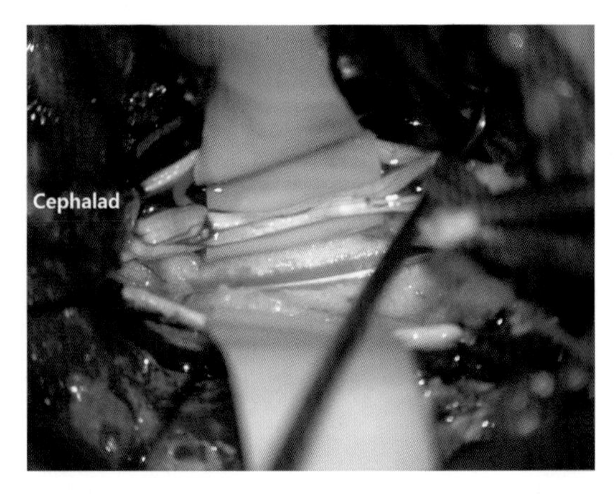

그림 8-12 절개된 신경근의 위쪽 끝(caudal end of the cut rootlet)

바늘과 박리기구를 이용하여 신경을 다시 나눈 후에(그림 8-10) 각각 근전도검사(EMG stimulation)를 시행하여 등급(grading)을 확인하고(그림 8-11) 높은 순서로 2/3에서 3/4 비율로 잘라준다(그림 8-12). 모두 자른 후에는 배쪽(ventral)으로 밀어 둔 운동신경다발에 감각신경이 남아있지 않은지 근전도 검사(EMG stimulation)를 통해 확인한다. 단분절(Single level) 후근 절제술을 통한 매우 좁은 공간에서 수술을 하고, 운동신경/감각신경을 나눌 때 두 신경다발 사이의 자연적인 틈새(fissure)를 기준으로 공간적인 분리를 하기 때문에 이러한 이중점검(double check)은 반드시 필요하다. 간혹 운동신경이 뒤쪽 다발로, 감각신경이 앞쪽 다발로 들어가는 경우도 있어 절제군에서 제외하거나 추가적인 절제를 해야 할 수 있다. 동일한 작업을 반대 쪽에서도 진행하고, 경막 및 피부를 봉합한다.

참고로, 중 근전도 등급 매기기(EMG grading)의 유용성에 대해서는 이견이 있으나 대다수의 센터에서 정례적으로 시행하고 있다.

4) 수술 결과 및 예후

경직은 수술 직후에 매우 완화된 것을 확인할 수 있는데, 하지의 근긴장도 감소 및 무릎과 발목의 반사(jerk)감소 그리고 발목 간대경련(ankle clonus)이 소멸된다. 경직의 '재발'과 관련해서는 전형적인 경직성 반신마비에서는 거의 볼 수 없는 것으로 알려져 있어 1,700명 이상의 환자에 대해 최소 5년 이상 추적 관찰한 보고에서 단 한 건도 없었다고 한다. 그러나 경직성 사지마비에서는 시간이 지나면서 다소 경직이 다시 심해지는 경향이 있는데 그 기전에 대해서는 아직 알려진 바 없다. 다만 수술 전 수준으로 나빠지는 경우는 경직성 사지마비 중에도 정도가 가장 심한 환자의 경우였고, 보조보행(assisted gait)이 가능한 환자에서는 악화 정도가 수술 전보다는 좋은 것으로 보여, 질환의 중증도(severity)와 관련이 있을 것으로 추정하고 있다.

근력의 경우 직접적으로 SDR 수술이 영향을 주지 않지만 경직이 완화되면서 보다 효과적인 재활치료와 근력 운동이 가능해져 수술 후 근력이 향상되는 환자들이 많다. 간혹 수술 후 근력이 저하되었다는 의견이 있으나 이는 수술 전부터 근력이 약했으나 경직으로 인해 드러나지 않았던 것이 경직이 없어지면서 확인되는 것으로 보인다.

보행의 경우 수술 전 상태에 따라 결정이 되는데, 단적으로 양측 발목 후방굽힘(ankle dorsiflexion)이 한쪽씩 각각 가능한 아이들은 거의 대부분 수술 후 독립 보행(with or without assistive device)을 이루었다는 보고가 있었다.

경직이 근육의 구축과 변형의 원인인 만큼 SDR 수술을 한 환자들에서 정형외과적 수술의 빈도 줄어드는 것으로 알려져 있다. 경직이 감소되고 재활 치료를 적극적으로 하여 구축이 호전되어 정형외과 수술을 받지 않게 되는 환자를 드물지 않게 경험할 수 있다. 하지만 경직성 사지마비 환자나, 나이가 많아 구축이 장기간 지속되었던 경직성 반신마비 환자들은 특히 수술 후에도 정형외과적인 추적이 매우 중요하다. 고관절 아탈구 혹은 탈구도 역시 SDR 수술을 받은 환자들에서 재활치료만 받은 환자에 비해 그 빈도가 낮은 것으로 알려져 있다.

SDR의 '초분절효과(suprasegmental effect)'에 의한 현상일 것으로 추측되는 두 가지 결과로 인지/언어 기능의 향상과 상지 기능의 개선이 있다. 경직으로 인한 통증이나 불편이 해소되어 나타나는 효과라는 설명도 가능하나, 인지/언어 기능은 신경심리검사 배터리(neuropsychological testing batteries)를 이용한 평가에서도 반복적인 결과가 확인되었다. 상지 기능의 경우 미세한 움직임이 호전되어 움켜쥐기나 손과 눈의 협응(hand-eye coordination) 등이 수술 후 5년 이상까지도 유지되는 것이 보고되었다. 하지만 이러한 결과는 대개 정도가 아주 심하지 않은 경직성 반신마비환자에서 주로 확인이 된다. 마지막으로 방광 기능도 호전이 되는 경우가 있다. 뇌성마비 환자 중에 방광의 압력이 높고 요실금이 있는 경우에 SDR 후에 간혹 이런 현상이 호전되기도 하는 것으로 알려져 있다.

5) 수술 후 부작용

조산으로 인한 심폐기의 기형이나 미숙으로 인해 마취 합병증이 의심되는 경우 중환자실 입원치료가 필요할 수 있다. 외국에서는 수술 후 통증으로 인해 수술 후 하루 이틀간 진정을 하는 경우가 흔한 것으로 알려져 있으나 국내 센터에서는 수술 후 통증 자가조절기(patient controlled analgesics, PCA) 수준에서 통증 조절이 가능하여 진정은 하지 않는다.

수술 직후 급성기에 가능한 합병증으로는 통증과 뇌척수액 유출, 뇌수막염, 방광기능 저하, 폐렴, 요로 감염 등이 있는 것으로 알려져 있다. 특히 방광기능 저하는 심각한 합병증으로서 일부 보고에 의하면 1%에서 24%까지 발생 가능하나 큰 규모의 센터에서는 그 발생빈도가 매우 낮다. 급성기 이후의 합병증으로 감각저하, 이상감각, 근긴장도의 감소, 성기능 이상과 척추 변형이 있다. 감각 저하는 예상보다 적고, 영구적인 경우는 극히 드물다. 이상감각 역시 늦어도 수개월 이후 대부분 회복된다. 성기능 이상은 앞서 언급한 방광기능 저하와 유사하게 실제 관찰되는 경우는 매우 드물다. 척추변형은 단일분절(single level) 후근 절제술을 시행한 이후에는 거의 없는 것으로 보고되었다.

2. 척수강내 바클로펜 펌프 (Intrathecal Baclofen Pump, IBP)

경직에 대한 수술적 치료법으로 척수강내 바클로펜(intrathecal baclofen, ITB) 투여도 있다. 바클로펜은 GABA (gamma-aminobutyric acid) 작용제(agonist)로서 원래 항경련제(anticonvulsant) 용도였으나 그 효과는 미미하였던 반면 투여 시 경직이 감소된 것이 발견되어 뇌성마비 환자에서는 1990년대 초반부터 사용되었다. 전형적인 ITB의 적응증은 경직성 사지불완전마비 환자로 경직이 상당히 증가되어 있고 GMFCS level IV 이상인 경우이다. 대개 경직으로 인해 구축이 진행하고 통증을 유발하며 보호자들이 환자를 돌보는 데 상당한 어려움을 겪는 경우 시행된다. 그러므로 보행의 개선을 수술의 목표로 하는 환자에서는 거의 쓰이지 않아 이런 환자군에서 ITB를 SDR의 대체로 고려하는 것은 바람직하지 않을 수 있다. 전형적인 경직성 사지마비 환자가 아닌 경우에는 펌프삽입을 결정하기 전에 선별검사가 도움이 될 수 있지만 요추천자가 뇌척수액 누출이나 두통 등의 부작용이 있어 주의를 요한다.

수술은 전신마취하에 진행되고 프로그래머블 펌프(programmable pump)가 사용되는데 대개 복벽에 이식을 한다. 펌프와 연결된 도관(catheter)은 피하로 터널링(tunneling)이 되어 Tuohy 바늘을 이용하여 경막 내로 삽입되고 보다 머리 쪽으로 진입시켜 경직성 반신마비 환자는 10~11번 흉추 위치, 경직성 사지마비는 경추 7번~흉추 4번 사이를 표적(target)으로 하지만 상지의 경직 완화를 위해서는 도관의 위치가 더 높아야 한다는 수장도 있다. 펌프의 크기로 인해 4세 이상, 체중 15 kg 이상에서만 수술이 가능하였지만 이후 작은 사이즈의 펌프가 개발된 이후에 이러한 제한이 다소 완화되었다. 수술 후에는 투약 용량 결정이 필요한

데 경직 환자에서는 대개 100 ug/day로 시작하여 10~20% 정도로 매우 신중하게 증량을 해야 한다.

근육긴장이상(Dystonia)도 ITB의 적응증이 되는데, 작용 부위가 뇌의 겉질(cortical level)로서 척수 수준에서 작용하는 경직과는 다르다. 이러한 차이로 인해 펌프의 도관위치가 더 경추에 가까운 것이 바람직하고 경직에 비해 초기에 효과가 나타나기까지 시간이 더 오래 걸린다. 뇌실내 바클로펜 주입법도 일부 그룹에서 시도하고 있다.

뇌성마비나 외상 등에 의한 이차성 근육긴장이상(secondary dystonia) 환자에서 ITB의 효과는 상당히 좋아서 90% 이상의 보호자들이 수술 후 근육긴장이상 점수(dystonia score)가 25% 이상 감소되었다는 보고가 있었다. 근육긴장이상의 감소로 인해 환자 간호가 용이해지고 삶의 질이 향상될 뿐 아니라 1/3 정도의 환자에서는 말하기나 실제 상하지의 기능도 좋아질 수 있는 것으로 보인다.

ITB의 부작용은 흔한 것으로 알려져 있어 30% 정도의 확률로 보고되기도 하였다. 뇌척수액 누출, 감염, 도관의 고장 등 수술 혹은 기기와 관련된 것들이 가장 흔하다. 도관 문제의 경우 과거에는 25% 정도로 매우 높았으나 기술의 발전으로 최근에는 10% 이하로 감소되는 추세이다. 이외에도 빈도는 낮지만 바클로펜의 용량과 관련된 부작용이 있는데 응급 조치가 필요한 심각한 상황이 발생할 수 있어 의료진과 보호자 모두 이에 대한 주의가 필요하다. 약물 주입이나 농도 변화시 과량투여(overdose)가 발생할 수 있다. 심한 과량 투여시에는 의식 저하, 근육긴장저하(hypotonia), 심박수 저하 및 호흡곤란, 사망까지 발생 할 수 있다. 금단(withdrawal)은 기계의 고장으로 인해 발생할 수 있는데 경미한 경우에는 수개월 동안 감지되지 않을 수 있지만 심각한 경우에는 발열, 근해리(rhabdomyolysis), 다발성장기부전(multi organ failure, MOF) 및 사망에 이를 수 있다.

3. 뇌심부 자극술 (Deep brain stimulation, DBS)

원발성 근육긴장이상(primary dystonia)환자 중 약물 치료에 반응하지 않는 경우 뇌심부자극술(deep brain stimulation, DBS)을 시행할 수 있다. 창백핵 내측부(globus pallidus interna, GPi)를 표적으로 전극을 삽입하고 임상 경과를 관찰하면서 stimulation parameter를 조절한다. 4세 이하의 소아에서 시행된 보고가 있으나 일반적으로 11세 이하는 매우 드물다. 이차성 근육긴장이상에서는 효과가 높지 않은 것으로 알려져 있다.

▶ 참고문헌

1. O'Dwyer NJ. Ada L. Reflex hyperexcitability and muscle contracture in relation to spastic hypertonia. Curr Opin Neurol. 1996;9(6):451-5.
2. Trompetto C. Marinelli L. Mori L. et al. Pathophysiology of spasticity: implications for neurorehabilitation. Biomed Res Int. 2014;354906.
3. Ashworth B. Preliminary Trial of Carisoprodol in Multiple Sclerosis. Practitioner. 1964;192:540-2.
4. Bohannon RW. Smith MB. Interrater reliability of a modified Ashworth scale of muscle spasticity. Phys Ther. 1987;67(2):206-7.
5. Morris SL. Williams G. A historical review of the evolution of the Tardieu Scale. Brain Inj. 2018;32(5):665-9.
6. Nance PW. Meythaler JM. Spasticity Management, IN ; Braddom RL, editor, Physical medicine and rehabilitation,3rd ed, Philadelphia, Sauders, 2007; 651-665.
7. Gelber DA. Jeffry DR. In; Clinical evaluation and management of spasticity .Gelber & Jeffery(Eds) . Human Press, Totowa, 2002 pp125-130.
8. Goldstein EM. Spasticity management: an overview. J Child Neurol. 2001;16(1):16-23.
9. Tilton A. Management of spasticity in children with cerebral palsy. Semin Pediatr Neurol. 2009; 16(2):82-9.
10. Gajdosik RL. Passive extensibility of skeletal muscle: review of the literature with clinical implications. Clin Biomech (Bristol, Avon). 2001;16(2):87-101.
11. Blackmore AM. Boettcher-Hunt E. Jordan M et al. A systematic review of the effects of casting on equinus in children with cerebral palsy: an evidence report of the AACPDM. Dev Med Child Neurol. 2007;49(10):781-90.
12. O'Dwyer N. Neilson P. Nash J. Reduction of spasticity in cerebral palsy using feedback of the tonic stretch reflex: a controlled study. Dev Med Child Neurol. 1994;36(9):770-86.
13. King TI. II. The effect of neuromuscular electrical stimulation in reducing tone. Am J Occup Ther. 1996; 50(1):62-4.
14. Wr ight PA. Durham S. Ewins DJ et al . . Neuromuscular electrical stimulation for children with cerebral palsy: a review. Arch Dis Child. 2012;97(4): 364-71.
15. Seifart A. Unger M. Burger M. Functional electrical stimulation to lower limb muscles after botox in children with cerebral palsy. Pediatr Phys Ther. 2010; 22(2):199-206.
16. Katz RT. Management of spasticity. Am J Phys Med Rehabil. 1988;67(3):108-16.
17. dos Santos MT. de Oliveira LM. Use of cryotherapy to enhance mouth opening in patients with cerebral palsy. Spec Care Dentist. 2004;24(4):232-4.
18. Kesiktas N. Paker N. Erdogan N et al. The use of hydrotherapy for the management of spasticity. Neurorehabil Neural Repair. 2004;18(4):268-73.
19. Duquette SA. Guiliano AM. Starmer DJ. Whole body vibration and cerebral palsy: a systematic review. J Can Chiropr Assoc. 2015;59(3):245-52.
20. Chung CY. Chen CL. Wong AM. Pharmacotherapy of spasticity in children with cerebral palsy. J Formos Med Assoc. 2011;110(4):215-22.
21. Matthews DJ. Balaban B. [Management of spasticity in children with cerebral palsy]. Acta Orthop Traumatol Turc. 2009;43(2):81-6.
22. Ronan S. Gold JT. Nonoperative management of spasticity in children. Childs Nerv Syst. 2007; 23(9): 943-56.
23. Gonnade N. Lokhande V. Ajij M et al.. Phenol Versus Botulinum Toxin A Injection in Ambulatory Cerebral Palsy Spastic Diplegia: A Comparative Study. J Pediatr Neurosci. 2017;12(4):338-43.
24. Kocabas H. Salli A. Demir AH. et al. Comparison of phenol and alcohol neurolysis of tibial nerve motor branches to the gastrocnemius muscle for treatment of spastic foot after stroke: a randomized controlled pilot study. Eur J Phys Rehabil Med. 2010;46(1):5-10.
25. Verrotti A. Greco R. Spalice A et al. Pharmacotherapy of spasticity in children with cerebral palsy. Pediatr Neurol. 2006;34(1):1-6.
26. Multani I. Manji J. Hastings-Ison T et al. Botulinum

Toxin in the Management of Children with Cerebral Palsy. Paediatr Drugs. 2019;21(4):261-81.

27. Sanger TD. Delgado MR. Gaebler-Spira D. Hallett M. Mink JW. Task Force on Childhood Motor Disorders. Classification and definition of disorders causing hypertonia in childhood. Pediatrics. 2003;111:89-97.
28. Jethwa A. Mink J. Macarthur C. Knights S. Fehlings T. Fehlings D. Development of the Hypertonia Assessment Tool (HAT): a discriminative tool for hypertonia in children. Dev Med Child Neurol. 2010; 52:83-7.
29. Marsico P. Frontzek-Weps V. Balzer J. van Hedel HJ. Hypertonia Assessment Tool. J Child Neurol. 2017; 32:132-8.
30. Segawa M. Nomura Y. Nishiyama M. Autosomal dominant guanosine triphosphate cyclohydrolase I deficiency (Segawa disease). Ann Neurol. 2003; 54:S32-45.
31. Carboni P. Pisani F. Crescenzi A. Villani C. Congenital hypotonia with favorable outcome. Pediatr Neurol. 2002;26(5):383-6.
32. Paro-Panjan D. Neubauer D. Congenital hypotonia: is there an algorithm? J Child Neurol. 2004;19(6): 439-42.
33. Richer LP. Shevell MI. Miller SP. Diagnostic profile of neonatal hypotonia: an 11-year study. Pediatr Neurol. 2001;25(1):32-7.
34. Harris SR. Congenital hypotonia: clinical and developmental assessment. Dev Med Child Neurol. 2008; 50(12):889-92.
35. Igarashi M. Floppy infant syndrome. J Clin Neuromuscul Dis. 2004;6(2):69-90.
36. Birdi K. Prasad AN. Prasad C. Chodirker B. Chudley AE. The floppy infant: retrospective analysis of clinical experience (1990-2000) in a tertiary care facility. J Child Neurol. 2005;20(10):803-8.
37. Strubhar AJ. Meranda K. Morgan A. Outcomes of infants with idiopathic hypotonia. Pediatr Phys Ther. 2007;19(3):227-35.
38. Paleg G. Romness M. Livingstone R. Interventions to improve sensory and motor outcomes for young children with central hypotonia: A systematic review. J Pediatr Rehabil Med. 2018;11(1):57-70.
39. Martin K. Kaltenmark T. Lewallen A. Smith C. Yoshida A. Clinical characteristics of hypotonia: a survey of pediatric physical and occupational therapists. Pediatr Phys Ther. 2007;19(3):217-26.
40. Winn HR. Youmans Neurological Surgery. 6th ed. Pennsylvania: Elsevier Saunders; 2011;2345 –2358.
41. Park TS. Johnston JM. Surgical techniques of selective dorsal rhizotomy for spastic cerebral palsy. Neurosurg Focus 2006;21(2):e7
42. McLaughlin J. Bjornson K. Temkin N et al. Selective dorsal rhizotomy: meta-analysis of three randomized controlled trials. Dev Med Child Neurol 2002; 44(1):17-25.
43. Buckon CE. Thomas SS. Piatt J et al. Selective dorsal rhizotomy versus orthopedic surgery: a multidimensional assessment of outcome efficacy. Arch Phys Med Rehabil. 2004 Mar;85(3):457-65
44. Grunt S. Fieggen GA. Vermeulen JR et al. Selection criteria for selective dorsal rhizotomy in children with spastic cerebral palsy: a systematic review of the literature. Dev Med Child Neurol. 2014 Apr; 56(4):302-12.
45. Langerak NG. Lamberts RP. Fieggen GA et al. A prospective gait analysis study in patients with diplegic cerebral palsy 20 years after selective dorsal rhizotomy. J Neurosurg Pediatr. 2008 Mar;1(3):180-6.

CHAPTER

9 연하장애

Dysphagia

최경효, 임선, 홍보영

I. 서론

음식을 먹는 것은 생활하는 데 필요한 영양분을 섭취하는 것이 가장 중요한 목적이지만 사회생활을 하는 데 있어서도 필수 불가결한 것으로, 인간이 인간다움을 유지하기 위한 가장 기본적인 요소라고 할 수 있다. 특히 성장과정에 있는 소아에서 연하기능은 섭식을 통한 신체적인 성장뿐만 아니라 정상발달, 의사소통능력, 심리정신적인 면에서도 매우 중요한 역할을 한다.

연하(swallowing)란 구강 내 음식물을 위장관까지 전달하는 일련의 기능이라고 할 수 있다. 일견해서는 매우 간단하고 단순한 작용일 것으로 생각하기 쉽지만, 한 번의 연하 작용이 일어나기 위해서는 중추 및 말초 신경들에 의해 혀 근육과 식도괄약근을 비롯한 많은 두경부 근육들과 골격 및 기타 연부 조직들이 동원되는 매우 복잡한 경로를 밟아야 한다. 이런 연하 작용 경로 중 어느 하나 혹은 여러 단계에서 이상이 생긴 경우 연하장애라고 하며, 삼킴장애, 연하곤란 등으로도 불리게 된다. 특별한 질환이 없이도 약 25~40%의 아이들이 소아기 중 한 번은 연하장애 증상을 보이고, 미국에서 매년 50만 명 이상의 소아들이 연하장애 진단을 받으며 이중 10만 명은 입원치료를 받는다는 보고도 있다.[1, 2] 특히 근래 들어 미숙아, 저체중출생아와 선천성 중증 질환을 가진 신생아들의 생존율이 높아지면서 연하장애 문제를 갖고 있는 소아 환자수가 크게 증가하고 있는 추세이다.[3] 섭식은 의료진뿐 아니라 보호자들에게도 매우 관심이 많은 문제여서 연하장애 재활은 소아재활 영역에서 점차 중요한 분야로 자리 잡고 있다.

II. 정상 소아에서의 연하

1. 정상 연하 단계

정상 성인에서는 하루에 약 2,400회 정도 삼킴 반응이 일어나는데, 식사 중에 가장 빈도가 높지만 수면 중에도 일어난다. 소아에서는 그보다 빈도가 낮아서 하루에 약 600에서 1,000회 정도이다. 삼키는 대상은 음식물뿐만 아니라 구강에 고인 침이나 구강 혹은 비강 내 점막에서 분비되는 분비물이기도 하고 때로는 위장에서 역류된 음식물을 다시 삼켜야할 경우도 있다.

연하 작용은 크게 구강 준비기, 구강기, 인두기, 식도기의 4단계로 나눌 수 있는데 혹자는 구강 준비기와 구강기를 구강기로 합해서 3단계로 구분하기도 한다.[4] 신생아에서 초기 유아기까지는 이 네 가지 단계 모두 무의식적인 반사작용에 의해서 일어나지만, 유아기 후반이 되면 구강기에서 의식적인 조절이 나타난다.

1) 구강 준비기

음식물은 구강 내에서 음식물 덩어리, 즉 식괴(bolus)의 형태로 삼키게 되는데, 구강 내에서 식괴를 가장 삼키기 좋은 상태로 만드는 시기이다. 구체적으로는 음식물을 입에 넣은 후 구강 앞쪽에서부터 뒤쪽으로 운반하는 즉 본격적인 연하 작용이 시작하는 시점까지를 말한다. 음식물을 자르거나 저작할 때 양 볼 근육의 적당한 긴장도와 혀 근육의 작용으로 음식물을 구강 내 혀 위에 위치시켜 잇몸 쪽으로 흐르지 않게 한다. 혀 뒷쪽은 상승하고 연구개는 앞쪽으로 당겨지면서 식괴가 만들어질 때까지 음식물을 구강 내에서 보관하여 너무 이른 시기에 인두기로 넘어가는 것을 방지한다. 전방에서는 입술 근육의 작용으로 음식물이 입 바깥으로 흘러나오는 것을 막게 되며, 턱과 혀의 조화로운 좌우 회전운동을 통하여 저작과정을 거치며 식괴를 형성하게 된다. 음식의 맛, 촉감, 온도, 위치감각은 구강내의 감각 수용체에 지속적으로 작용하여 온도, 크기, 모양, 점도 면에서 삼키기 좋은 상태로 만든다.

2) 구강기

식괴가 구강 뒤쪽으로 이동하는 시점에서부터 연하 반사가 유도되는 전 구협부(anterior faucial pouch)에 닿는 순간까지를 일컬으며, 이 기간 동안에는 구강 준비기 동안 형성된 식괴를 혀의 앞쪽에서부터 뒷쪽으로 진행되는 상승운동을 통하여 인두 쪽으로 밀어낸다. 이 기간을 구강 전달시간이라고 하며 정상인의 경우 1초 미만이다. 이 과정에서 감각은 제 5번, 7번 뇌신경을 통해 중추 신경으로 전달되며, 입술과 볼의 근육 운동은 제 7번 뇌신경, 저작근의 운동은 제 5번 뇌신경, 혀 운동은 주로 제 12번 뇌신경의 조절을 받게 된다.

3) 인두기

식괴가 전 구협부에 닿는 순간부터 상부 식도 괄약근을 완전히 통과하는 순간까지를 말하며 주로 불수의적 조절을 받는 시기이다. 정상인의 경우 1초가 채 걸리지 않으며, 이 기간을 인두 전달시간이라 부르기도 한다. 식괴가 전 구협부에 닿을 때 연하 반사가 유발되며 이를 기점으로 기도의 폐쇄 및 식괴를 밀어내는 데 필요한 일련의 과정이 진행되게 된다. 즉 호흡이 중지되고, 혀의 전반부는 상승하여 식괴가 다시 구강 내로 역류하는 것을 방지하며, 동시에 연구개도 후방으로 상승하여 인두 벽과 만나 음식물이 콧속으로 들어가는 것을 막는다. 이러한 구강과 비강으로의 폐쇄 작용은 한편으로는 인두내의 압력을 증가시켜서 식괴가 인두를 통과하여 식도로 나가는 것을 돕게 된다. 또한 인두 근육의 연동운동으로 음식물이 인두를 통과하여 상부 식도 괄약근을 통과하게 되는데, 이때 후두개가 후방으로 기울어지면서 기도의 입구를 폐쇄하며, 후두와 설골이 전상방으로 상승하고 성대가 닫히는 과정이 거의 동시에 일어난다. 이 과정은 음식물이 흘러가는 통로인 인두의 축에 대해 공기의 통로인 후두 입구의 각도를 변경시키고 후두 입구를 폐쇄하여 음식물이 기도로 들어가는 것을 방지하고, 인두의 내경 및 식도 상부 괄약근을 넓혀주며 인두 근육이 효과적으로 수축하게 하여 음식물이 식도로 진행하는 것을 도와준다. 이로 인해 음식물이 식도의 입구에 도달하였을 때 상부 식도 괄약근이 이완되어 식도 내로 음식물이 통과하게 된다. 이 과정에서 감각은 주로 제 9번, 10번 뇌신경을 통하여 중추 신경으로 전달되며 인두와 혀의 운동은 제 9번, 10번, 12번 뇌신경을 통하여 조절을 받는다.

4) 식도기

상승되었던 후두가 다시 제자리로 돌아오며 인두기에 중지되었던 호흡이 재개되는데 이때 상부 식도 괄약근이 수축하여 음식물이 인두 및 기도로 역류되는 것을 막는다. 중력의 작용과 더불어 식도근육의 연동운동으로 음식물이 식도를 통과하여 위장으로 들어가면서 이 시기가 종료되는데, 정상인에서 약 6~10초 정도가 소요된다.

2. 성인과 비교한 해부학적 차이

신생아 시기의 연하 작용은 성인에서의 그것과 비교하여 여러 가지 차이점이 있어서 이에 대한 충분한 이해가 있어야 연하기능에 대해 정확히 평가할 수 있다(그림 9-1).[5] 우선 구강 내 용적 중에서 혀가 차지하는 비율이 매우 높아 거의 대부분이 혀가 차지하고 있다 해도 과언이 아니다. 신생아는 턱이 작고 발달되지 않아 구강 내 부피가 작은데다가, 구강 내 볼 안쪽이 지방으로 두텁게 되어 있어 구강 내 빈 공간을 더 줄이는데, 이로 인해 빨기 작용을 할 때 훨씬 적은 힘으로도 음압이 걸려 수월하게 젖을 빨 수 있다. 혀는 대개 앞으로 나와 입술 사이에 위치하게 된다. 인두부는 성인에서 비인두, 구인두, 하인두부의 세 부분으로 구분할 수 있으나 유아기에서는 후두개와 연구개, 혀가 거의 맞닿아 있어 구인두부를 따로 구분하기가 어렵다. 또 비인두부가 두개골 기저부와 이루는 각도가 신생아에서는 비교적 완만한 각을 이루고 있지만 성장함에 따라 각도가 점차 줄어들어 거의 90°에 이르게 된다. 후두가 성인보다 상대적으로 높은 위치에 있어 혀 바로 아래까지 올라와 음식물이 기도흡인되지 않도록 방어역할을 한다. 또한 이로 인해 혀에 걸리는 긴장도가 줄어들어 혀가 전후방으로 부드럽게 움직일 수 있게 되어 효과적으로 모유를 빨고 삼키는 데 도움이 된다. 후두개가 성인에 비해 매우 좁고 수평이 아닌 종으로 위치한다.

3. 정상 연하 발달

연하 작용은 산모의 태내에서부터 시작된다. 대개 태생 10~11주에 시작하는데 태생 12.5주에 태어난 신생아에서 인두 연하가 관찰된 것이 보고된 바 있다. 젖먹이(suckling) 반응이 이 무렵부터 시작되기는 하지만 정상적인 빨기(sucking) 기능은 약 18 내지 24주에 걸쳐 발달되며, 태생 34주에 빨기와 삼킴, 호흡 3가지 기능들의 협조 운동이 완성된다. 따라서 태생 34주 이전에 태어난 미숙아의 경우, 연하장애와 성장 문제를 보일 위험이 높다. 태내 빨기 반응 정도가 저하된 경우 소화기 폐쇄나 신경계 이상을 의심할 수 있고, 이는 태내 발육부진으로 이어질 수 있다. 태아는 체중 1 kg 당 1시간에 약 5 mL씩 양수를 삼켜, 출산이 가까운 태아의 경우 하루에 만들어지는 양수 약 850 mL 중 절반이 넘는 450 mL까지 삼키게 된다.

영유아가 음식물을 먹는 것은 빨기와 삼킴 작

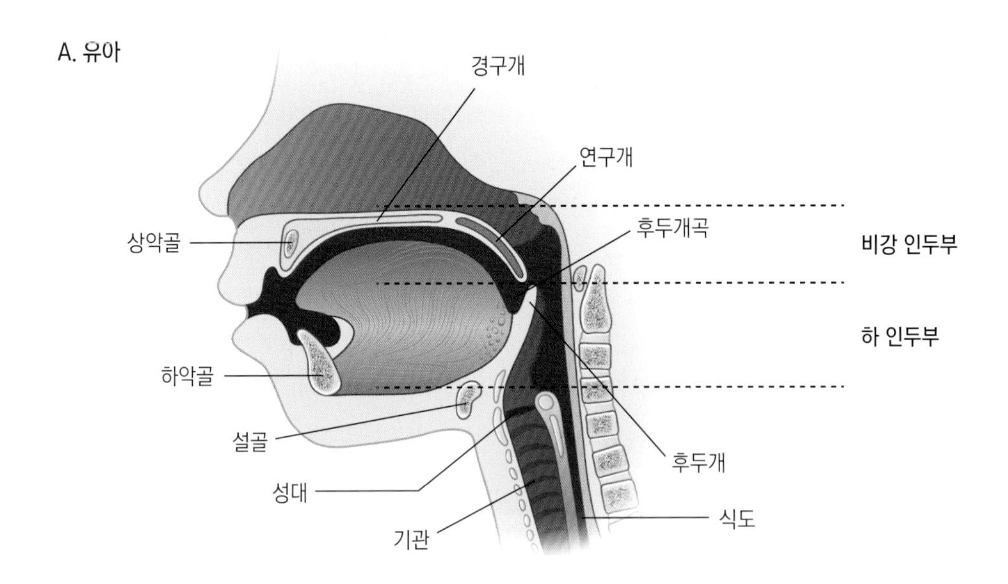

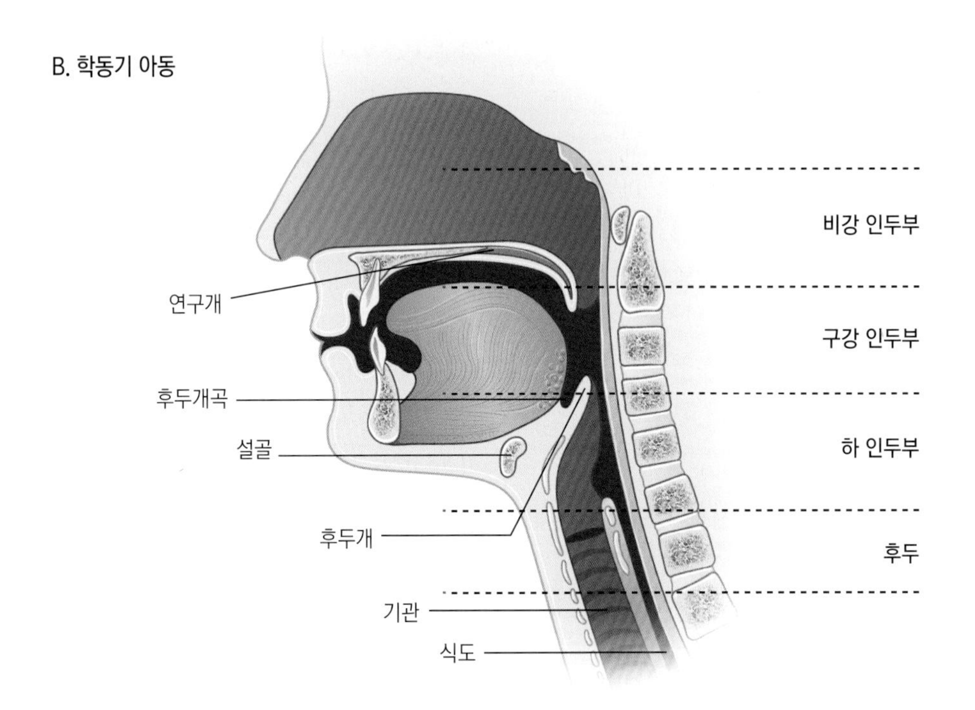

그림 9-1 구강 및 인후부의 해부학적 구조(측면)
A. 유아, B. 학동기 아동

용으로 나눌 수 있는데, 이 두 작용은 특히 신생아에 있어서 필수적인 기능이 된다. 먼저 빨기 작용은 상악과 하악, 잇몸, 입술, 입천장 즉 구개부, 볼의 안쪽 부분들에 의해서 구강 내 음압이 만들어지고 이로 인해 유두에서 모유가 빨려 나오게 된다. 신생아 시기의 젖먹이(suckling) 작용은 후에 나타나는 완전한 빨기(sucking)보다는 원시적인 형태의 반응으로, 혀는 주로 단순한 반사 기능에 의해서 전후 방향으로만 움직이게 된다. 주로 뇌간에 위치하는 운동패턴 발생중추(central pattern generator)에 의해 조절되며, 성장하면서 대뇌피질의 조절에 의해 좀 더 복잡하고 조화로운 운동이 일어난다. 초기에는 구강의 기능이 모유를 빨거나 유두가 있는 방향으로 방향을 잡고 유두를 찾는 등의 매우 단순한 수준에 머물지만, 성장하면서 점차 보다 복잡하고 높은 수준의 기능들이 단계적으로 이루어지게 된다. 즉, 생후 3개월이 되기 전까지는 아기들은 액체와 고체 음식물들에 대해 구별을 하지 못하고 같은 방식으로 빨려고 하지만 점차 혀와 입술, 턱의 기능이 발달하고 이들의 조절체계가 고급화함에 따라 씹기, 깨물기, 음식물을 입안에서 옮기기, 삼키기 좋은 상태로 음식물을 만들기 등의 기능을 습득하게 된다.

생후 약 4개월 내지 6개월이 되면 음식물을 전방으로 밀어내는 혀의 반사 작용이 사라지게 되고, 원시적인 빨기 작용과 달리 혀와 구강 내 근육의 조절을 통해 혀의 상하 운동이 가능하게 되어 숟가락으로 음식물을 받아먹는다든지 고형체의 음식물을 먹을 수 있는 준비를 하게 된다. 또 한 가지의 중요한 변화는 초기에 거의 반사적으로 일어나는 빨기 등의 구강 작용들이 자르기, 씹기 등의 새로운 구강 기능의 습득과 함께 점차적으로 의식적인 조절 작용으로 바뀌게 된다. 대부분의 영유아들은 생후 9개월이 되기 전까지 원시적인 빨기 반응이 발달된 빨기 반응으로 이행하게 되어, 보다 점도가 높은 음식물을 숟가락으로 받아먹을 수 있게 된다. 그리고 생후 12개월이 되면 컵을 통해 물을 마실 수 있고 더 이상 원시적인 빨기 반응을 보이지 않게 된다. 연하와 관련된 소아의 정상 발달 이정표는 표 9-1과 같다.[6]

정상 아동에서 빨기 반응은 음식물이 없는 상태에서도 일어난다. 이때는 리듬이 불규칙적이고, 특히 미숙아에서 빨기 반응의 속도가 정상 분만아에 비해 의미 있게 느리다. 유아기에 음식물이 없는 상태에서의 빨기 경험이 아이의 향후 발달에 중요한 영향을 미칠 수 있다. 따라서 미숙아에서 이런 자극이 적다거나 없는 경우, 즉 경관식이법이나 정맥 주사로만 영양을 유지해야 할 때, 적절한 자극이 주어지지 않는다면 아동의 연하 발달뿐만 아니라 전반적인 신체 발달과 심리, 정신적인 면에서 좋지 않은 영향을 줄 수 있다. 또한 미각 및 삼킴 기능의 발달에는 결정적으로 중요한 시기가 있는데 이 시기에 적절한 맛 또는 음식물의 촉각을 경험하지 않을 경우, 향후 편식이나 행동학적 문제로 이어질 수 있다. 따라서 이 특정 시기에 영유아 발달 과정에 필요한 구강 자극 및 미각 감각을 제공하고 경험하도록 하는 것이 중요하다. 만일 연하장애로 인해 영유아가 이유식으로 이행하는 시기가 늦어져 이 결정적 시기에 많은 감각을 경험하지 못하게 될 경우, 치료를 통해서 다양한 맛과 음식의 촉각을 제공해야한다. 미각의 결정적 시기는 생후 4~6개월, 촉각은 생후 10개월이다.[7]

음식물을 씹는 동작은 생후 5개월 이전에 나오게 되는데 이 역시 처음에는 반사 작용으로만 나타나며, 주로 잇몸 자극을 통해 유도된다. 제대로 된 씹기 작용은 혀와 볼 근육, 턱 등이 조화롭게 기능을 할 때 나타나며, 치아가 나기 시작하는 6개월에서 24개월 사이에 특히 발달한다. 치아 표면을 통해 실제 접촉 부위가 형성되고 감각 자극을 통해 씹기 작용을 촉진한다. 그에 덧붙여 턱의 회

표 9-1 연령에 따른 삼킴과 미세, 구강 대근육운동 관련 발달지표

평균 나이(개월)	운동기술
2주-2	입술을 다물고, 규칙적이고 강한 빨기 운동 발달
4-5	보호자의 무릎에 앉음 배고플 때 스스로 수저를 손으로 쥔다. 수저를 입 가까이 대거나 닿으면 입을 벌리면서 음식을 빤다. 음식이 입에 들어가면 혀가 자연스럽게 앞뒤로 움직임 삼키기 위해 음식을 입의 끝으로 옮기는데 혀를 사용함
6-8	장남감과 음식을 한 손에서 다른 손으로 옮김 크래커 또는 쿠키를 깨물고 혼자서 씹음 혀를 좌우로 움직임, 턱의 운동이 발달 혼자 앉음
8-10	손과 무릎으로 기어감 앉은 자세에서 기어가기 위해 상체를 돌림 작은 크기의 음식을 구역질 없이 먹기 가능 음식을 자기 몸을 향해 가져오기 위해 손가락 사용함 음식을 옮기기 위해 그리고 입안에 음식을 유지하기 위해 손가락을 사용함 작은 덩어리로 음식을 분쇄하면서 소량씩 먹음
10-12	혼자서 걸음 집게손가락으로 음식을 잡을 수 있음 고형식을 입 바깥으로 흘리지 않으면서 먹음
12-15	음식물을 구강 안에서 회전하면서 씹기 운동 발달 빨대로 물 마시기 시작
24	상지 미세 근육의 발달, 수저 도구 사용

Adapted from Carruth and Skinner, 2002.

전 운동, 혀의 측방으로의 움직임이 가능해지면 좀 더 효과적으로 음식물을 잘게 부수고 갈아서 삼키기 좋은 상태로 만들 수 있는데, 이 기능을 원활하게 수행하기까지는 수많은 시행착오가 필요하게 된다.

아동이 성공적으로 연하기능을 수행하기 위해서는 구강내의 연하에 관여하는 감각이나 운동기관들이 정상적으로 기능해야 하고, 충분한 영양공급이 이루어져야 하며, 정상적인 중추신경계와 근골격계 기관들이 필요할 뿐 아니라 신체 전반적인 건강, 즉 호흡기계, 소화기계, 신경계 기능에서 이상이 없어야 한다. 이와 더불어 강조되는 것은 언어기능이다. 이것은 소아가 식사 시 의사소통을 어떻게 하는가가 연하기능의 발달에 있어 중요하고, 여러 가지 긴급 상황에서 이를 전달할 수 있는 역할을 하게 될 뿐만 아니라 대부분의 언어기능 관련 구조물들이 연하기능도 함께 담당하기 때문이다.

III. 원인 질환

뇌성마비나 뇌손상 등에서 연하장애가 매우 흔하게 발생하지만, 특별한 위험요소가 없는 소아에서도 이유를 잘 모르는 호흡기 문제들이 발생했을 때 약 60%에서 기도흡인이 있고 이들 대부분이 무증상 흡인소견을 보인다는 발표가 있다.[8] 소아에서 연하장애를 보일 수 있는 질환들은 신경-정신계 이상과 선천성 혹은 후천성의 해부학적 구조물들의 이상, 유전질환, 빨기-삼킴-호흡 조절이상 및 기타 질환으로 나눌 수 있다(표 9-2).[9] 이들 중 비교적 흔하고 임상적으로 중요한 몇 개의 질환들에 대해서 살펴보기로 한다.

1. 뇌성마비

소아 연하장애의 가장 중요한 원인이지만 유병률이 몇 개의 연구기관에서 단편적으로 조사된 바가 있을 뿐 아직 확실하지 않으며, 구강 감각 및 운동 등 세부적인 기능의 이상이 얼마나 되는지 제대로 조사된 연구도 부족하다. Reilly 등의 조사에서 뇌성마비아의 57%에서 빨기 기능에 이상이 있고, 연하기능 이상은 38%, 영양결핍은 33%에서 있었다.[10] Stallings 등은 뇌성마비아의 장애정도가 심할수록 구강 감각운동기능 이상이 심해서, 경직성 사지마비형 뇌성마비의 경우 90%에서 연하장애가 있다고 보고하였다.[11]

표 9-2 소아 연하장애 원인 질환

종류	대표 질환
신경학적 질환	중추신경계질환(뇌성마비, 아놀드-키아리 기형, 뇌종양, 외상성 뇌손상, 뇌혈관 질환) 신경근육접합부 질환(중증근육무력증) 신경근육계 질환(척수근육위축증, 근육퇴행위축, 길랑-바레 증후군)
호흡, 소화관의 해부학적 이상	선천적 또는 후천적 기형(구개열, 성대마비, 기관식도루, 후두 연화증, 기관연화증) 의인성(기관절개술)
유전적 질환	증후군(다운 증후군, Prader willi syndrome, Di George syndrome 등) 머리얼굴기형(피에르로뱅 증후군, CHARGE 증후군) 전신성 퇴행성질환
빨기-삼킴-호흡의 조절과 관련된 질환	후비공 폐쇄증 기관지폐형성장애 심장관련 질환 호흡기세포융합바이러스(Respiratory syncytial virus, RSV) 감염증
기타 질환	미숙아 위식도 역류질환 전반적 발달장애 근육병

Adopted from Logemann et al. 1988.[8]

뇌성마비 아동에서의 연하장애 증상은 매우 다양하여 음식물에 대한 혀의 거부 반응, 과도한 깨물기 반사, 과도한 또는 지나치게 저하된 구역 반사, 감각에 대한 과도한 반응, 심한 침 흘리기 등의 증상이 관찰되며 구강기, 인두기의 거의 모든 증상이 관찰될 수 있다. 또한, 많은 뇌성마비 환아들이 기도로 흡인이 되는데도 불구하고 기침 등 관련 증상이 나타나지 않기 때문에, 특별한 원인 없이 폐렴이나 상기도 감염이 반복되는 경우 연하 장애와 관련되지 않은지 의심해야 한다.

2. 해부학적 문제

소아에서 구강이나 비강, 후두 및 인두부 등 여러 선천적 혹은 후천적인 해부학적인 문제들이 연하장애를 초래할 수 있다. 구강 및 인두 배아병증은 태생기의 구강과 인두 형성 시기 이상으로 인해 기능 저하가 나타난다. 하지만 혀의 형성 부전이 심한 환아의 경우라도 하악 근육, 인두부, 구개, 얼굴 근육의 보상작용으로 어느 정도의 정상적인 연하 작용이 가능할 수 있다. 구개열(cleft palate) 환아는 삼킬 때 구개 기능의 저하로 비강으로 음식물이 역류되거나, 식괴를 식도 쪽으로 밀어주는 압력의 저하로 삼킨 후 음식물의 저류가 발생할 수 있다. 후두연화증(laryngomalacia)은 성대 상부 연골이 발달되지 않아 흡기할 때 기도가 좁아져 천명이 나타나면서 호흡장애가 있고, 연하-호흡 리듬을 잃어 연하장애가 흔히 동반된다. 하지만 대개 성장하면서 증상이 호전된다.

3. 위식도 역류

가장 흔한 위장관 운동성 관련 질환이며, 소아 소화기 질환 중 가장 많은 비율을 차지한다. 연하장애와 관련하여 임상적으로 가장 문제가 되는 것은 소위 '식도 외 역류(extra- esophageal reflux)'인데 이는 위상에 있던 음식물이 식도를 거쳐 인두나 구강, 비강 혹은 후두로 역류가 되는 것을 말한다. 특히 후두를 통해 기도로 역류되는 경우 소량의 역류 음식물이라도 매우 심각한 결과를 초래할 수 있으므로 각별한 주의가 필요하다. 위식도 역류와 다른 원인에서의 구토를 구분하는 것이 중요한데, 구강 과민증이나 근긴장도 항진증이 있는 일부 아동에서 위식도 역류와 관계없이 구토가 나타날 수 있다.

정상적으로 상부 및 하부 식도 괄약근의 압력은 20 mmHg 가량이며 10 mmHg 이하일 때 이상으로 간주한다. 하부 식도 괄약근의 압력은 부교감 신경 자극에 의하여 증가되며 마취나 몰핀 등 여러 약물들에 의하여 낮아진다. 생리적으로는 연하 과정 중 식도기의 2차 연동 운동 시 낮아지게 되어 식괴가 식도에서 위장으로 진행할 수 있도록 한다.

위-식도 역류는 식도염 및 운동 장애를 야기하며 이는 다시 역류를 심하게 하는 악순환을 반복하게 된다. 또한 기도로의 식도외 역류는 호흡기 질환을 일으키기도 하며, 이는 비정상적인 흉-복부 압력 관계를 유발하여 이 역시 역류를 악화시킬 수 있다. 임상적으로 소아 위-식도 역류는 영아형과 성인형으로 나눌 수 있는데, 전자는 생후 수개월 이내에 증상이 나타나며, 1~2년 내에 80%에서 증상이 소실된다. 비특이적이기는 하지만 영아기에 다른 원인 없이 지속적으로 보채고 우는 경우 이를 의심할 수 있다. 후자는 영아기를 지난 후 소아기에 증상이 시작하여 지속하면서 악화, 완화를 반복하는 경과를 보인다.

4. 진행성 뇌병증

대체적으로 뇌병변이 있다하더라도 연수 부위가 이환되지 않았다면 연하 기능이 유지되는 경우가 많지만 경련이 동반된다면 연하장애가 일어날 수 있으므로 주의해야 한다. 부분적인 경련이 상·하지에만 나타나면 대체로 식이 섭취는 정상적으로 유지되나, 얼굴 근육에 나타나거나 호흡중지와 같이 나타나면 식이 섭취가 어렵게 된다. 특히 인두기의 이상이 있는 환아에서 식이 섭취 중 경련을 하게 되면 인두기에서 음식물이 후두로 들어가면서 후두 경련이 유발되며 결과적으로 대발작이 나타날 수도 있다.

5. 근육병

근육병의 여러 가지 종류 중 주로 인후부 근육에 이환된 환아의 경우 인두기의 장애를 동반한 연하 장애가 발생할 수 있다. 진행성 근육병의 경우 얼굴, 턱, 혀, 인두, 후두의 근육 장애가 발생하는 양상이 불규칙하므로 환아의 식이 섭취 양상의 변화가 있을 때마다 주기적으로 평가가 필요하다.

6. 말초 신경병증

유전성 자율신경병증이 대표적으로 근긴장도와 빨기 반사의 저하가 나타날 수 있다. 주로 영아 후기에 침 분비의 장애와 인두, 식도기의 운동 조화 장애가 동반된다. 혀의 형성 장애와 함께 구강 감각 저하, 치아 결손, 치아 주변 염증, 지속적인 구강 호흡을 동반하기도 한다.

IV. 연하기능의 평가

1. 임상 평가

연하장애의 진단 중 가장 기본적이고 중요한 것은 환아의 증상과 진찰 소견을 토대로 한 임상평가이다. 식사 중이나 식사 후에 쌕쌕거림, 기침, 가래, 사레 걸림, 목소리 변화 등이 있는지 알아보아야 하고, 최근 중이염이나 자주 목소리가 쉬는지 확인해야 한다. 연하장애가 있는 환아의 경우 반복적인 기도흡인이 호흡곤란 증상으로 나타나는 경우가 많다. 특히 호흡의 쌕쌕거림이나 만성기침이 기존의 약물 치료로 효과를 보이지 않으면서 반복적인 폐렴, 서맥 및 무호흡을 보일 경우 연하장애를 의심해야 한다. 특징적으로, 영유아에서는 물이나 위산이 후두점막과 접촉을 하게 될 경우, 성인과 달리 기침반사보다는, 장시간의 무호흡 반응을 보이는 경우가 많다. 또한 최근 식사 도중에 행동의 변화가 있는지, 즉 지나치게 울거나 보채거나 섭취를 거부하려는 몸짓이 있었는지 살펴야 하며 밤중에 갑자기 깨는 증상이 없는지도 알아보아야 한다. 그밖에 환아의 발달 상황에 대한 평가가 이루어져야 하는데, 환아의 신체에 대한 것 외에도 인지 능력, 정신 사회적 상태까지 포함해야 한다. 하지만 소아 환자에서도 기도흡인 시점에 기침 반응 없이 무증상 흡인(silent aspiration)을 나타낼 수 있어 특징적인 임상 증상과 징후들에만 의존하여 연하장애 유무를 확진하기 어렵다.

신체검사로는 두경부 신경과 근육, 식이 섭취시 자세 유지, 호흡 등에 대한 진찰이 이루어져야 한다. 특히 근긴장도에 대해 잘 관찰해야 하는데 근긴장도의 변화가 연하 장애의 양상과 연관이 될 수 있기 때문이다. 항진된 근긴장도를 보이는 환아는 턱을 뒤로 당기는 자세를 한다든지 음식물을 혀로 밀어내는 동작을 하고, 목과 몸통을 뒤로 젖히기도 한다. 또한 팔다리가 부자연스럽게 행동하며 목을 굽히는 자세를 잘 취하지 못하여 혀, 턱, 입술, 구강 근육이 연하 과정에 필요한 적절한 위치에 있지 않는다. 이에 반해 근긴장저하증을 보이는 환아는 구강 근육의 근력이 약하여 입술 모으기가 잘 되지 않아 음식물을 흘리고, 혀와 구개 사이의 접촉이 되지 않아 음식물이 연하 반사가 일어나기 전에 인두로 흘러 들어가게 되고 인두로 들어간 음식물이 식도로 진행하는데 어려움을 겪을 수 있다. 또한 자발적으로 입을 잘 열지 못하여 숟가락에 있는 음식물을 입으로 옮기거나 모유를 빠는 능력도 저하된다. 불수의형의 환아들처럼 근긴장도가 변화하는 경우, 식이 섭취에 필요한 안정적인 자세를 취하기 어려워 식이 섭취에 가장 큰 장애가 되며 특히 근위부의 근육일수록 증상이 심하다. 소아에서 연하기능을 보다 체계적으로 평가하기 위한 목적으로 Dysphagia Disorder Survey 등의 임상선별검사들이 개발되어 소개되고 있다.[12]

2. 비디오투시연하조영검사

연하 장애에 대한 검사장비를 이용한 진단방법으로 가장 정확하고 널리 사용되는 것이 비디오투시연하조영검사(Videofluoroscopic swallowing study, VFSS)이다. 방사선이 투과되지 않는 조영제를 혼합한 여러 가지 음식물들을 먹게 한 상태에서 방사선 투시 검사를 하고 이 결과를 비디오테이프나 기타 저장 매체에 저장한 후 정밀 분석하는 방법이다. 검사 결과는 음식물의 종류, 점도나 음식 섭취 시 적절한 자세를 선택하는 데 중요한 정보가 된다. 또한 환아에게 어떤 치료가 가장 도움이 될지 결정해주고, 치료 중인 환아에서는 그 동안의 치료 효과를 판정할 수도 있다. 구강을 통한 음식물의 섭취가 가능한지 정확하게 판정할 수 있어서 불필요하게 구강 섭취를 제한하는 것을 막을 수도 있다. 뇌성마비 환아들을 대상으로 VFSS를 이용한 여러 연구에 의하면 대부분의 환아에서 구강기 또는 인두기의 장애 소견이 관찰되었으며, 특히 기도 흡인이 38%에서 있었고 이들 기도흡인 환아 중 97%에서는 임상적으로 가장 문제가 되는 '무증상 흡인' 양상을 보이는 것으로 조사되었다.

1) 검사 시행 방법

가능하면 환아가 평소 주로 사용하여 익숙한 의자나 휠체어에 앉혀서 검사를 진행하지만, 특별한 의자(Tumble Form Feeder Seat)를 준비해서 검사를 진행할 수도 있다(그림 9-2). 검사실 바깥에서 보호자가 직접 아이를 검사 의자에 앉힌 이후 검사실로 데려오게 하는 것이 환아의 불안감을 줄이는데 도움이 된다. 환아가 검사 의자에 앉은 상태에서 부모가 직접 음식을 먹이면서 진행하는 것이 권장되는데 그 이유는 보호자가 직접 먹이는 것이 환아로부터 협조를 얻는 데 도움이 되고, 부모들이 평상시에 환아에게 어떻게 먹이는지 직접 검사자가 확인할 수 있기 때문이기도 하다. 그러나 실제로는 환아가 검사 의자에 앉을 수 있는 신체적 조건이 안 되거나 협조가 안 되고 불안해하므로 환아 부모가 아동을 뒤에서 안고 있는 상태에서 검사를 시행하는 경우가 많다. 이때는 부모가 현재 가임기인지 확인이 필요하며, 방사선 차폐 복장을 하고 방사선 노출이 최소화하도록 주의해야 한다. 환아의 근육 경직을 최소화할 수 있도록 검사자세

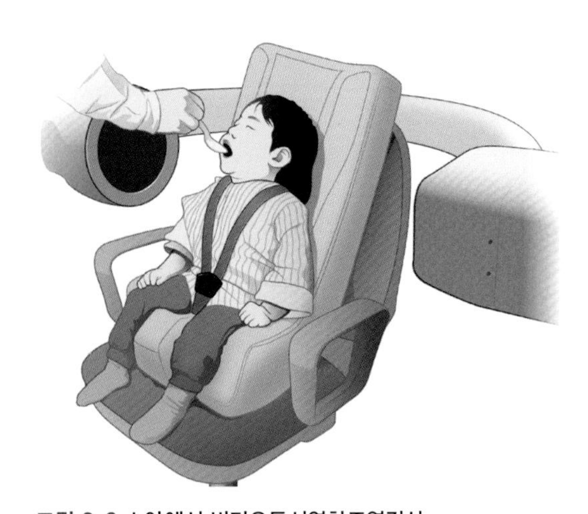

그림 9-2 소아에서 비디오투시연하조영검사

를 잡아주는 것도 중요하다.

이유식을 시작하지 않은 환아의 경우 평소 사용하던 젖병을 직접 가져오게 한다. 분유와 바륨 액을 혼합해서 검사를 하는데 이 때 바륨과 분유의 비율을 1:2로 유지하는 것이 방사선학적으로 투시가 잘 되면서 분유의 맛을 유지할 수 있다. 이유식이나 밥을 먹는 환아는 평상시 좋아하는 음식물을 준비하여 검사할 수도 있다.

2) 검사 주의 사항

소아에서 연하조영검사 시에 투시되는 방사선 양은 크게 문제가 되지 않는 것으로 보고되긴 하지만 가능하면 방사선 노출을 2분 이내로 할 것을 권장하고 있다.[13] 내과적으로 불안정하거나 기면상태일 경우, 혹은 구강방어가 심하거나 환아의 검사 협조가 안 되어 심하게 거부하거나 검사 중에 보채거나 운다면, 연하 생리기전을 바꾸어 정확한 평가가 어려우므로 검사를 중단해야 한다. 따라서 검사 전에 협조가 될지 환아를 잘 평가하고 안정이 되도록 해주는 것이 중요하다. 만일 검사 시에 식이용 경관을 삽입하고 있는 경우라면, 경관을 유지한 채로 검사를 해도 연하 기능에 크게 영향을 주지 않는 것으로 보고되고 있다. 주로 구강 및 인구기를 중심으로 검사하지만 가능하면 식도기의 문제도 확인하도록 한다.[14, 15]

3. 연하 내시경 검사

연하조영검사와 함께 많이 이용되는 평가방법 중 하나가 광섬유 내시경 연하검사법(fiberoptic endoscopic evaluation of swallowing, FEES)이다. 내시경을 통해서 기도흡인 여부나 정도를 확인할 수 있고, 특히 종양이나 이물질 존재 유무, 폐색 등의 이상에 대해서 가장 정확하게 판정을 할 수 있다. 조영제가 필요 없고, 방사선 노출 위험도 없으며 검사실로 내려오지 않아도 침상이나 외래 진료실에서 검사가 가능하다는 장점이 있다. 대개는 음식물에 색소를 섞어 내시경 검사 시 쉽게 표시나도록 하며, 보다 객관적인 평가를 위해 정형화된 검사 기준을 적용한다. 후두부 감각 기능을 포함한 평가를 하는 경우도 있다. 하지만 내시경 시야에만 국한된 평가가 가능하고 구강기, 식도기 이상 여부는 확인이 되지 않으며, 무엇보다 내시경으로 인하여 환아들이 불편감을 느낀다는 단점이 있다.

4. 기타 검사

아이가 자주 토하거나, 행동 방식이 변화하여 지나치게 울거나 보채며 먹기를 싫어하고 음식 섭취 중 섭취를 거부하고 밤에 자주 깨는 등의 증상을 보이는 경우에는 위식도 역류에 의한 식도염도 의심해야 한다. 이때는 위식도 내시경이나 식도 내압 측정(manometer), 24시간 Ph 측정 등으로 진단할 수 있는데, 이런 검사를 하기 힘든 환아의 경우 약물을 투여한 후 증상 호전 유무를 관찰하여 간접적으로 진단하는 방법을 사용하기도 한다.

기도흡인이 의심되나 다른 검사에서 흡인이 증명되지 않고 호흡기 증상이 심할 경우 핵의학적 방법으로 방사선 동위원소가 포함된 음식물을 먹게 하고 일정 시간이 지난 후 기도에 방사능이 검출되는지 확인할 수 있고, 기관지 내시경을 시행하여 기관지 세척액에서 지질함유 대식세포(lipid laden macrophage)나 기관지 염증 소견을 관찰하여 흡인 여부를 진단하기도 한다. 그 밖에도 연하 과정 중 호흡음과 연하관련 구조물에서 발생하는 소리들을 경부 청진기로 분석하여 연하기능을 평가하거나,[16] 근전도 검사, 음성분석, 초음파 검사 등을 이용하여 보조적으로 진단에 도움을 받기도 한다.

V. 영양 평가

성장 중인 모든 아동에서 적절한 영양 공급은 중요하나 재활의학과에서 접하는 아동들의 경우에는 특히, 신체적으로, 정신적으로 취약한 경우가 많아 더욱 중요하다 하겠다. 아동의 성장에 대해 염려가 있거나 잘 먹지 못하여 내원한 경우에는, 현재 키와 체중을 포함한 신체 계측, 먹고 마시는 능력, 과거의 성장력, 생화학적, 혈액학적 검사 소견, 과거의 병력과 현재 질병, 현재 복용 중인 약제나 비타민 등의 영양 보충제 섭취 여부, 출생력, 사춘기 진행 여부(Tanner stage) 등을 종합적으로 평가하는 것이 필요하다.

1. 영양과 성장

출생 후 1000일 즉, 첫 3년은 뇌가 매우 급격하게 발달을 하는 시기이며, 이 시기에 백질과 겉질의 수초화(myelination)가 활발하게 일어나고 이는 인지의 발달과 뇌가소성에 매우 중요하다.[17] 수초화가 잘 이루어지기 위해서는 지방, 지방산, 단백질, 미네랄과 그 밖의 여러 미량영양소(micronutrient)들이 모두 조화롭게 공급되어야 한다. 그 중에서도 긴 사슬 고도불포화 지방산(long-chain polyunsaturated fatty acids), 콜린(choline), 철, 아연, 콜레스테롤, 인지질(phospholipid), 스핑고미엘린(sphingomyelin)이 매우 중요한 역할을 하므로 영아 시기에 이들이 결핍이 될 경우에는 수초화에도 문제가 생기게 되며, 정상적인 뇌 기능과 인지 기능에 영향을 미치게 된다.[18-20] 오메가-3 지방산을 수유부 혹은 영아에게 충분히 제공하였을 때 신경보호 효과(neuroprotective effects)가 있다는 보고도 있다.[21] 또한, 영양 결핍은 성장의 저하와 근감소증의 원인이 되며, 운동 발달의 지연을 일으키기도 하고, 다른 질환에 더 취약해지게 한다. 영양 결핍과 근감소증은 입원기간을 늘리고, 이환율과 사망률을 늘리고 건강 관련 합병증을 증가시킨다. 최근에는 장애 아동에서 과체중이나 비만이 문제가 되기도 하지만, 대체로 만성질환이 있는 아동에서 영양 결핍의 유병률은 상당히 높으며 기저 질환의 중증도에 따라 그 정도는 다르다. 뇌성마비 아동에서는 운동장애의 정도와 연하장애가 관련이 있다고 알려져 있다. 걷지 못하거나 걷는 데 도움이 필요한 아동에서 고형식 식이에 어려움을 가질 위험이 더 높아서, 음식을 으깨거나 묽게 하는 등의 조정이 필요하며, 구강 식이가 아닌 관(tube)으로 식이를 하는 경우도 더 많다.[22] 이에 뇌성마비 아동에서는 영양결핍(malnutrition)이 일반 아동에서보다 흔하며, 불충분한 영양공급으로 인한 성장저하(growth failure)가 보다 빈번하게 나타난다. 장애아동에서 지방제외체중(fat-free body mass)이 일반 아동에 비해 유의하게 적으며,[23] 뇌성마비 아동에서 체내 지방의 양이 더 적다. Krick 등은 미국 뇌성마비 아동의 50thpercentile의 성장이 미국 표준 성장 곡선의 10thpercentile 보다 낮았다고 보고한 바 있다.[24] 특정 질환에서의 성장 곡선에 대한 자료는 몇몇 문헌에서 보고되었으나, 국내의 자료는 없으며, 참고문헌은 다음과 같다.

- 미숙아(Fenton charts): Fenton. BMC Pediatr. 2003;3:13-22
- 다운증후군: Zemel. Pediatrics. 2015;136:e1204-e1211.
- 뇌성마비: Day. Dev Med Child Neurol. 2007;49:167-171.
- 프래더윌리증후군: Butler. Pediatrics. 2011;127:687-695.
- 터너증후군: Lyon. Arch Dis Child. 1985;60:932-935.
- 윌리엄스증후군: Martin. Arch Dis Child. 2007;

92:598-601.
· 누난증후군: Witt. Clin Genet. 1986;30:150-153.

2. 신체계측

성장을 파악하기 위해서는 키와 체중을 주기적으로 확인하여야 하며, 36개월 미만의 아동에서는 머리둘레 또한 측정하는 것이 필요하다. 세계보건기구에서는 아동의 성장 표준을 홈페이지에 게시하여 누구나 참고할 수 있도록 하였다(https://www.who.int/childgrowth/standards/en/). 또한, 국내 자료는 질병관리본부 홈페이지에 대한민국 소아청소년의 성장 도표 자료가 게시되어 있어 다운로드 받을 수 있다(https://knhanes.cdc.go.kr/knhanes/sub08/sub08_01.do). 측정한 내용은 성장 차트에 표시하여 적절한 곡선을 보이는 지를 확인하여야 한다.

1) 체중

신경학적 장애가 있는 경우에는 적절하게 체중을 측정하는 것에 어려움이 있으며, 보호자가 안고 무게를 측정한 후에 보호자의 무게를 빼거나, 휠체어 체중계를 이용하여 휠체어 무게를 제하는 방법이 있으며, 어느 방법이 더 정확한지를 비교한 연구는 없다.[25] 침상에서 침대 체중계를 사용하는 방법도 있으며, 측정 전에 0점 보정을 반드시 해야 하고 정확하게 측정을 하기 위해서는 검사자의 경험이 필요하다.

2) 키

키는 만 24개월 이하 연령에서는 측정기에 눕혀서 발바닥을 발판에 직각으로 대고 발가락이 천장을 향하도록 눕혀서 측정을 하며, 정확한 측정을 위해서는 한 명이 머리를 잡고 다른 한 명이 발과 다리를 잡고 측정하여야 한다.[26] 만 2세가 초과하는 경우에는 서서 키를 측정하는데, 서지 못하거나 관절 구축, 척추 변형, 근긴장의 이상으로 정확한 키의 측정이 어려운 경우에는 무릎 높이(knee height)나 경골의 길이(tibial length)를 측정하여 키를 예측하기도 한다(그림 9-3). 무릎의 높이는 환자가 앉은 자세에서 무릎과 발목을 90°로 한 자세에서 지름자(calipers)를 이용하여 발뒤꿈치에서부터 허벅지까지의 길이를 측정한다. 경골의 길이는 정확하게 측정하기 위해서는 약간의 훈련이 필요하며, 환자가 앉은 자세에서 내측 과(medial malleolus)의 아래 부분에서 경골의 상방까지의 길이를 줄자를 이용하여 측정한다.[27] 팔 길이를 측정하는 방법도 있으나, 무릎 높이 등을 이용한 방법에 비해 정확도가 떨어진다. 키와 신체 길이의 측정은 0.1 cm 단위까지 측정을 한다. 키의 예측은 다음 식을 토대로 한다.

(1) 무릎 높이
· 12세 이하(Stevenson 방법[27])
키 = (2.69 × 무릎 높이) + 24.2
· 12세 이상(Chumlea 방법[28])
남성〉 키 = 64.19 − (0.04 × 나이) + (2.02× 무릎 높이)
여성〉 키 = 84.88 − (0.24 × 나이) + (1.83 × 무릎 높이)

(2) 경골 길이[27]
키 = (3.26 × 경골 길이) + 30.8

3. 임상 평가

실제 임상에서의 평가는 아동이 실제 식사시간

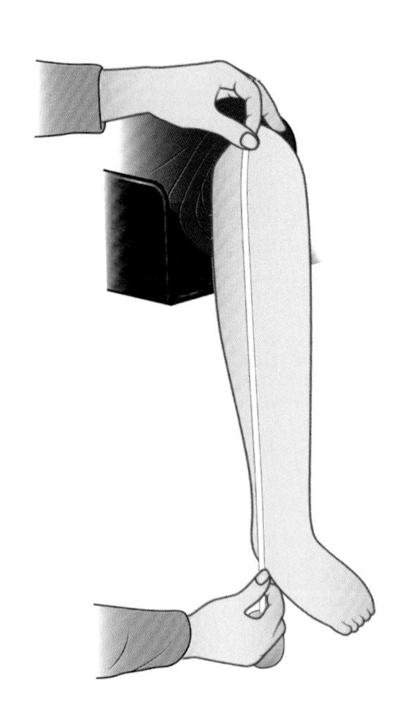
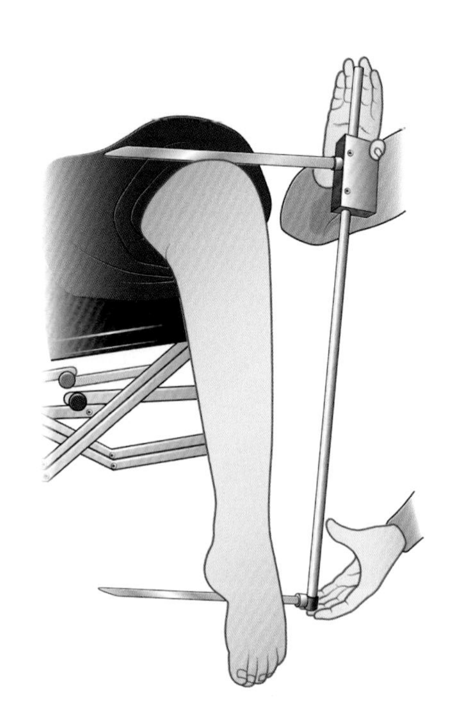

그림 9-3 경골 길이 및 무릎 높이의 측정 방법

에 섭식을 어느 정도 할 수 있는지와 잠재적인 위험성, 아동의 현재 영양상태, 주 양육자의 식이 방법 등을 종합적으로 평가하여야 한다. 또한, 아동의 운동 기능의 정도가 아동의 섭식 능력에 영향을 미치므로, 고개 가누기, 자세 조절 능력, 근긴장도, 안정성, 독립적인 움직임의 정도, 병적 반사 등으로 인하여 대칭적인 자세나 움직임이 방해를 받지 않는지 등에 대하여 잘 파악하여야 한다. 특히, 고개 가누는 능력은 음식물 섭취의 안정성에 매우 중요하며, 고개를 중앙에 잘 유지할 수 없어 과도하게 뒤로 젖혀지게 되면 기도가 보호받지 못하여 흡인의 위험이 높아지고, 과도하게 굴곡 되면 식이가 더욱 어려워진다. 가정이나 기관(학교, 어린이집 등)에서 어떤 자세로 어떻게 식사를 하는 지 점검하여야 하며, 구강 운동 능력, 입과 혀의 기능, 삼키는 반응, 흡인 여부 등을 확인하여야 한다. 턱(jaw)의 움직임은 안정적인지, 턱을 밀어 올리는 양상(jaw thrust)은 없는 지, 수저 등을 입에 넣었을 때 씹는 반응(tonic biting)으로 아동이나 보호자가 힘들지는 않은지 등의 구강 운동 능력을 확인한다. 근긴장저하를 보이는 아동은 입술을 잘 다물지를 못하여 효율적으로 구강 내의 음압을 만들기 어려울 수가 있으며, 혀를 아랫입술 위에 내밀고 있는 모습을 보이기도 한다. 반대로, 긴장도가 높거나 혀를 밀어올리거나 내미는 양상이 강하여 혀의 움직임이 자유롭지 않아 식괴의 형성이나 씹기를 위한 음식물의 조절이 어려울 수 있다. 또한, 음식물 섭취 시 흡인이 되는지의 여부 등을 통해 안전하고 효율적인 식이가 되고 있는 지 등을 확인한다.

4. 식이력

식사에 소요되는 시간, 침흘림의 정도, 저작의 어려움, 사레들림과 같은 흡인 증상, 반복적인 하기도 감염 등은 모두 연하장애와 영양부족과 관련이 있으며 이에 대하여 면밀히 확인하는 것이 필요하다. 또한, 음식을 잘게 다진다거나, 죽 성상의 식이, 보조제의 섭취 등이 필요한지 등 아동의 연령에 적절한 식이가 아닌 특별한 식사를 준비해야 하는지의 여부를 확인하여야 한다.

VI. 정상 및 위험군에서의 영양공급

1. 필요 영양

에너지 필요량은 나이, 성별, 신체 크기, 신체활동 정도, 성장 속도 등에 따라 결정되며, 만삭 영아의 경우에는 체중에 비교했을 때 어른보다 2~3배 더 많은 열량을 필요로 한다. 70 kg 성인에서 하루 권장 열량이 35~40 kcal/kg/일인데 반해, 출생 후부터 6개월까지는 108 kcal/kg/일의 열량이 권장되며, 6~12개월 유아에서는 98 kcal/kg/일의 열량이 권장된다. 이 중 50%는 생명 유지에 사용되고, 25%는 활동하는 데 사용되고, 25%는 영유아 시기에 성장하는 데 사용된다. 따라서, 이 세 가지 상황에 변동이 생긴다면, 필요한 열량도 달라질 수 있다. 일차적으로는 탄수화물과 지방이 각각 50% 정도씩 사용되고, 열량이 부족한 경우에는 단백질도 사용되기도 한다. 일반적으로 분유는 모유와 비슷한 67~70 kcal/dl의 열량으로 제조되며, 하루 150~200 mL/kg 정도 섭취한다. 이렇게 공급된 분유는 하루 100~135 kcal/kg의 열량을 제공하여 영아의 체중이 초기에 하루 20~30 g씩 늘게 되며 하루 체중 증가량은 점진적으로 15~25 g으로 줄게 된다. 모유 수유를 하는 아동에서는 일일 400 IU 용량의 비타민 D의 보충이 추천된다[29].

2. 미숙아

임신 후반기에는 태아의 성장이 급속도로 일어나 체중이 두 배가 되는 시기이므로, 이 시기 전에 태어난 아동의 경우에는 특히 더 적절한 영양을 공급해주는 것이 미숙아에서는 특히 더 중요하다. 위장관과 신장의 발달도 미숙하여 적절한 영양 공급에 더 어려움이 있고, 체내에 저장된 지방의 양도 적어서 만삭아에서 체중의 16%인데 반해 미숙아에서는 1%밖에 되지 않는다. 미숙아이거나 만삭아더라도 자궁 내 성장지연으로 부당 경량아(small for gestational age)인 경우에는 따라잡기 성장(catch-up growth)을 위해 추가적인 열량 공급이 필요할 수 있다. 이에 미숙아나 저체중아를 위한 특수분유를 제공하고 적절한 체온 유지가 될 수 있도록 하여 열량이 소모되지 않고 성장하는 데 사용되도록 한다. 미숙아에서의 에너지 요구량은 일반적으로 125~140 kcal/kg/일이다. 일부 업체에서 미숙아 혹은 저체중아용 분유를 제조, 판매하고 있으며, 미숙아 분유는 제조사마다 성분에 약간씩 차이는 있으나, 유청단백질(whey)이 카제인(casein)보다 위에서 더 작고 부드러운 덩어리를 형성하므로 이 두 가지 단백질 함량이 일반 분유와 차이가 있다. 일반 분유는 카제인의 비율이 80%, 유청단백질의 비율이 20%인데 반해 미숙아용 분유는 유청단백질 : 카제인의 비율을 60% : 40%로 단백질을 제공한다. 출생 후에 하루 15~20 g/kg의 체중 증가가 적절하며, 최근에는 아동의 상태가 허락하는 범위에서 조기에 최소 장관 영양(minimal enteral feeding or trophic feeding)을 시작하는 것을 추천하고 있다. 심한 영양 결핍이 있는 아동에서는 추가적으로 30~50%의 열량을 보충하여 적절한 체중을 따라갈 수 있도록 한다.[29]

3. 장애아

신경학적 장애가 있는 아동에서 에너지 필요량이 부족한 경우가 상당히 있으며, 미량영양소(micronutrient)가 부족할 위험도 높다. 여러 연구에서 철, 구리, 아연, 셀레늄, 엽산(folate), 니아신(niacin), 비타민 C, D, E의 결핍이 보고된 바 있으며, 단백질의 섭취는 대체로 부족하지 않았다.[30] 항경련제를 장기간 복용하는 경우에는 비타민 D와 칼슘 대사에 이상이 올 수 있고, 장애아동에서 보행을 하지 못하거나 햇볕에 노출이 적은 경우 골밀도가 낮아질 수 있다. 이에, 칼슘과 비타민 D의 보충이 뼈의 건강과 발달에 도움이 될 수 있다. 장애가 있는 아동에서 필요한 에너지 요구량을 구하는 방법은 몇 가지 방법들이 있는데, 이는 표 9-3과 같다. 장애아동에서도 더위로 인한 과도한 땀 배출, 질병 등의 탈수가 되는 상황이 아닌 경우에는 일반적인 영아(~3개월)에서와 마찬가지로 별도로 물을 보충해 줄 필요는 없다. 탈수를 의심해볼 수 있는 징후로는, 소변의 색이 많이 노랗거나, 기저귀의 냄새가 심하거나, 기저귀를 갈아주는 횟수가 줄거나(영아에서는 6~8개, 조금 더 큰 아동에서는 4~5개), 입술이나 피부가 마르는 경우, 요로감염이 반복되거나 변비가 생기거나 하는 경우이다.

VII. 치료

연하장애가 있는 아동을 치료할 때 무엇보다 중요한 전제 조건은 충분한 영양공급과 위장관 기능의 유지, 호흡기능, 적절한 신경 발달 등을 들 수 있다. 또 보다 적절한 치료를 위해서는 모든 관련 전문가들이 포함된 팀 구성이 필요한데 여기에는

표 9-3 장애 아동에서 일일 영양 요구량 결정 방법[49]

기초대사량(basal energy expenditure, BEE)에 근거한 일일영양요구량	
에너지 섭취량(kcal/일) = BEE×1.1	
BEE 계산법	
남 66.5 + (13.75×체중(kg)) + (5.003×키(cm)) − (6.775×나이)	
여 665.1 + (9.56×체중(kg)) + (1.850×키(cm)) − (4.676×나이)	
간접 열량계(indirect calrorimetry)[50]	
Energy intake (kcal/일) = 기초대사량(basal metabolic rate, BMR) × 근긴장도 × 활동량) + 성장	
BMR (kcal/일) = 체표면적(m^2) × 표주대사율(kcal/m^2/h) × 24h	
근긴장도 = 감소된 경우 0.9, 정상인 경우 1.0, 증가된 경우 1.1	
활동량 = 침상안정의 경우 1.1, 휠체어 이동이나 기어다니는 경우 1.2, 보행 가능한 경우 1.3	
성장 = 목표 체중 증가량 1g당 5 kcal	
키[51]	
운동 기능 장애가 없는 경우	15 kcal/cm
운동 기능 장애가 있지만 보행 가능한 경우	14 kcal/cm
보행 불가능한 경우	11 kcal/cm

소아청소년과, 재활의학과, 이비인후과 등의 전문 의사와 언어치료사, 작업치료사, 물리치료사, 영양사, 사회사업가, 심리치료사, 보장구 제작사, 재활 간호사 등이 포함되어야 한다.

1. 식이방법

1) 비경구 식이

(1) 튜브영양법(tube feeding)

구강을 통한 식이가 흡인 등으로 인하여 위험하거나 충분한 영양 섭취가 어렵거나, 과도하게 영양분이 소실되는 경우에는 튜브영양법을 고려한다. 튜브의 끝을 어디에 두는지에 따라 크게 위와 위 이후로 나눌 수 있는데 선천적인 위장관 기형이나 위 운동장애, 성장을 저해하는 심한 구토 등이 있을 경우에는 유문을 지나서(transpyloric) 관을 위치하도록 한다(nasoduodenal, naso-jejunal, gastrojejunostomy or jejunostomy). 그러나, 위로 식이를 하는 방법이 소화 반응과 호르몬 반응에 가장 생리적이므로 일반적으로 우선 고려되는 방법이다. 실리콘 혹은 폴리우레탄 소재의 관을 코 혹은 입을 통해 위에 위치하도록 하고 이를 통해 식이를 하는 것이 단기간의 장관영양(enteral feeding)에 추천된다. 그러나, 장관영양을 4~6주 이상 지속할 것이 예견되는 경우에는 자주 관이 빠지면서 겪는 불편감 등으로 인하여 위루관도 고려해야 한다. 소아에서도 일반적으로 내시경을 통하여 위루술을 시행하며 약 2.5 kg 가 넘으면 시술이 가능하다. 위루술은 아동의 체중증가, 보호자와 아동의 삶의 질 향상, 식이 시간의 감소, 건강상태 증진에 도움이 되는 것으로 알려져 있다.[31] 장관식으로는 시판되고 있는 제형을 사용하기도 하고, 영아에서는 분유를 사용하기도 한다. 아동의 소화기능, 체중 상태(과체중, 저체중), 에너지 요구도, 변비 등에 따라 제공하는 열량과 주는 속도, 농도 등을 결정하여야 한다.

(2) 튜브영양 중의 식이훈련

약 2~3주 이내의 튜브영양 후 구강 식이를 하는 데에는 대개는 큰 어려움이 없으나, 6주 이상의 튜브영양식 이후에 갑자기 경구 식이를 하려고 할 때에는 아동이 구강 자극을 거부하거나 과도한 구역반사가 유발되는 등 아동과 보호자에게 모두 굉장히 어려운 일이 될 수 있다. 이에 장관 영양 중에도 꾸준한 구강 자극을 통해 아동이 준비가 되었을 때 음식을 받아들일 수 있도록 해주는 것은 매우 중요하다.

비경구 식이 단계에서 젖병 훈련을 시작하게 될 경우, 환아의 제한된 구강 운동 기능을 보완하기 위해 다음과 같은 사항들을 고려한다. 첫 번째는 유량조절이다. 호흡과 빨기 운동의 조화에 문제가 있는 환아나, 선천성 심장 질환이 있는 경우 또는 빈맥을 동반하는 경우에는 젖병 꼭지에서 나오는 유량의 속도를 천천히 나오게 하는 유량조절용 젖병을 사용하는 것이 도움이 된다. 두 번째는 훈련 시의 자세이다. 빨거나 삼킴 운동이 호흡근에 부담이 되는 경우 체위 변경을 고려해야 하는데, 예를 들어, 옆으로 눕힌 자세에서 젖병 훈련이 삼킴에 도움이 될 수 있다. 구강 단계에서 인두기 단계로 이동하기 위한 유량 이동의 속도는 중력에 따라 좌우가 되는데, 옆으로 눕힌 자세는 이런 이동 시간을 천천히 조절하는 데 도움이 된다. 이와 다르게 안면 및 구강 선천성 기형이 있는 환아에서는 엎드린 자세가 적절한 수유 또는 젖병 훈련의 자세가 될 수 있으며, 이 자세는 높은 구강 긴장도, 불완전한 혀 내밀기 운동을 보이거나 소악증이 있는 Pierre Robin 증후군 환아에게 도움이 된다. 젖병 훈련 시에 성인에서 흔히 적용되는 턱 아래로 당기기 자세는 미숙아에서 서맥이나 무호흡을 일으킬 수 있어 주의가 필요하다. 환아에게 적절한 수유 자세 또는 젖병 훈련 자세는 비디오투시연하조영검사를 통해서 확인할 수 있다.

(3) 튜브영양법의 종료

튜브영양법의 시작의 결정도 어렵지만, 종료의 결정도 매우 중요하고 어렵다. 아동의 의학적인 상태와 적절한 성장과 식이양, 안전한 섭식 기능 등을 모두 고려해야 하겠지만, 성공적인 경구 식이를 위해서는 우선적으로, 보호자가 준비가 되어 있어야 한다. 아동의 반응에 민감하게 잘 반응해주고 식이를 잘 해줄 수 있어야 하고, 아동과 보호자의 관계 형성이 잘 되어 있어야만 구강 식이는 성공할 수 있다. 아동의 구강운동 능력과 기도의 안전성 확보 등을 충분히 확인하고, 식사 시의 아동이 보이는 행동 양상, 보호자의 상태를 면밀하게 평가하고, 점차적으로 경관 식이의 양을 줄여가면서 허기-포만감의 느낌을 주도록 한다. 이러한 과정에는 주치의, 보호자, 영양사, 작업치료사, 언어재활사 등의 다학제 간 협력이 잘 이루어지는 것이 크게 도움이 되며, 수주간 구강식이만으로 영양섭취가 적절하게 이루어진다면 위루관을 제거할 수 있다.

2) 경구 식이훈련

경구 식이훈련은 소아재활전문의, 언어 또는 작업치료사와 영양사의 임상적인 평가와 더불어 객관적인 비디오투시촬영 검사 결과를 토대로 결정된다. 훈련 시에는 환아의 신체적인 조건에 맞는 적절한 자세 또는 체위 변경 방법, 경구 식이의 양과 속도를 결정해야 하며, 식사 시에 안전한 컵 사용법이나 연령에 적절한 식사도구 사용법도 훈련해야 한다.

경구 식이는 환아가 필요한 영양분과 에너지 섭취를 효율적이면서 안전하게 먹고 마실 수 있는 삼킴기능을 보일 때에 시작할 수 있다. 또한 보호자 도움 없이 혼자 먹기 위해서는 음식에 대한 두려움이나 불안감이 없어야 하며 먹고자 하는 식욕을 느끼기 위해서 복부 팽만감과 배고픔을 주기적으로 경험하는 것이 필요하다. 중간에 제공하는 간식의 양을 줄여 식사시간에 맞춰 배고픔을 유도하고 아이가 먹고 싶은 기회를 제공하는 것도 경구 식이 훈련 시에 고려되어야 한다.

인두부 장애로 인하여 물이 폐로 흡인이 되는 경우 경구 식이훈련 과정에 점도 증진제를 사용할 수 있다. 액체의 점도가 증가되면 물의 응집력이 강하여 더 쉽게 물의 삼킴을 조절할 수 있어 흡인 위험을 감소시키기 때문에 점도 증진제는 호흡기 증상과 관련된 입원율을 예방하는 데 도움이 된다. 그러나 잔탐검 점도정진제(xantham gum thickeners) 사용은 미숙아에서 괴사 장염에 대한 위험도를 올릴 수 있어,[32] 미국 식약청에서는 교정된 연령 12개월 미만의 영유아에서의 사용을 금지하고 있다.

2. 재활치료

치료 목적에 따라 식이 섭취 시 자세의 교정과 같은 보상 방법 훈련과 연하 기능 향진을 위한 재활 운동으로 구분할 수 있고, 치료 방법에 따라 직접 및 간접 치료로도 구분할 수 있다. 어떤 치료이든지 치료 효과를 높이기 위해서는 연하치료팀과 환아, 부모가 모두 치료에 적극적으로 참여하여야 한다.

1) 보상 방법

주위 환경의 변화나 자세를 교정하는 등의 방법을 이용하여 현재 환아가 가지고 있는 능력 범위

내에서 가장 안전하고 효과적으로 섭식을 할 수 있도록 해주는 치료방법이다. 편마비 환아에서의 식사 자세를 예로 들면 근긴장도가 정상인 방향으로 음식물이 통과할 수 있도록 하는 것이 기본적인 원리로서, 마비측으로의 흡인을 막기 위해 정상측으로 머리를 기울이면서 마비측으로 머리를 약간 회전하는 것이 안전하다. 영유아인 경우 스스로 보상자세를 취하기 어려워 보호자가 안전한 보상 자세를 잡도록 한다. 입안의 우유 흐름을 조절하기 위해 옆으로 눕히거나 반올림(semi-elevated, side-lying position) 위치에서 환아 자세를 잡아주는 것이 용이하다(그림 9-4). 생후 12개월 미만의 모든 유아는 역류의 위험이 있어 취침 시에는 누운 자세를 취하도록 한다. 엎드린 자세가 역류를 감소하는 효과는 있으나 갑작스러운 유아 사망 증후군(sudden infant death syndrome)에 대한 위험도를 올려 식사 후나 취침 시에 권장되지 않는다.[33]

대개 신경계 이상 환아에서는 식사 시의 바른 자세가 안전하고 효과적인 연하 기능에 중요한 역할을 할 수 있다. 머리를 직립 자세로 유지하고 체간의 회전을 방지하면서 양측 어깨가 대칭이 되도록 하며, 무릎을 굽힌 채로 대퇴부위가 의자 바닥에 충분히 지지될 수 있도록 하고 발이 바닥에 닿을 수 있도록 한다. 혼자서 할 수 없을 경우에는 지지할 수 있는 피더시트(feeder seat)나 자세보조용구를 이용하도록 한다. 이런 자세 유지는 특히 고체 음식을 삼킬 경우 필요하여 환아의 신체적인 제한으로 자세 유지가 어렵다면 체간의 안정성을 제공하기 위해 맞춤식 적응형 좌석을 맞출 수 있다(그림 9-5). 이는 식사 시에 환아가 안전한 자세를 유지하고 경구 식이나 치료 시에 구강 운동에 집중할 수 있도록 도와준다.

2) 재활 운동 방법

현재 환아가 가지고 있는 연하 기능상의 장애를 최대한 정상 범위에 가깝도록 향상시키기 위한 방법들을 말한다. 후두 거상을 보다 원활하고 충분하게 하는 운동이나 성대 내전, 인두 괄약근 이완 및 수축 등의 기능을 담당하는 각 근육의 능력을 최대화하기 위한 방법들이 여기에 속하게 된다. 물론 적절한 치료를 위해서는 각 환아에서 어떤 능력이 가장 문제가 되는지 정확하게 평가하는 것이 무엇보다 중요하다.

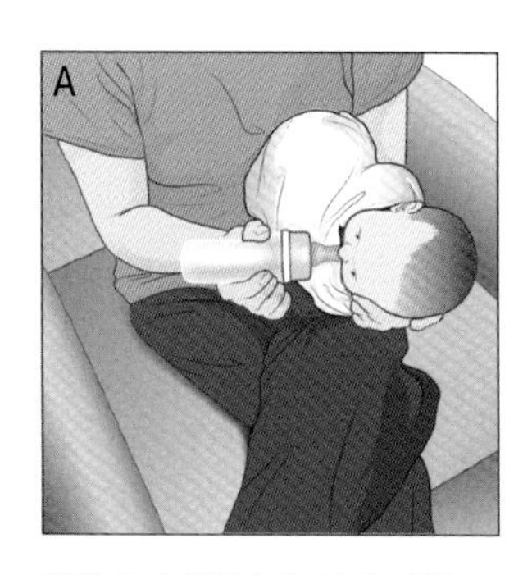

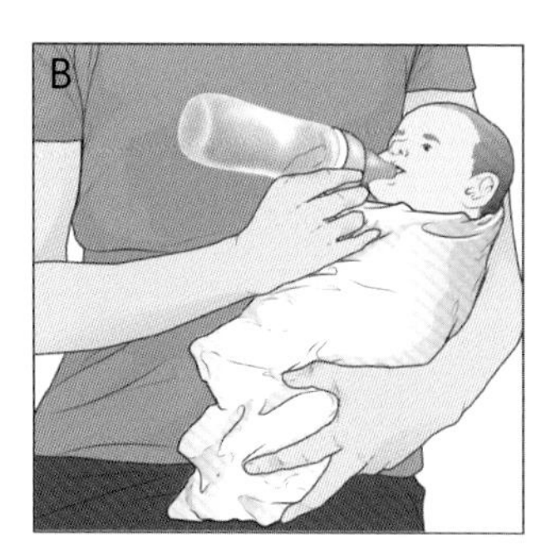

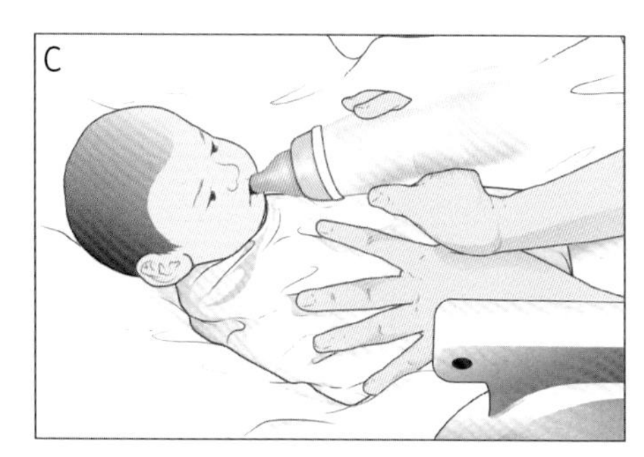

그림 9-4 젖병수유 시의 자세

A. 옆으로 고개 돌린 자세에서 젖병 먹이기: 상체가 들린 상태에서 옆으로 고개를 돌려서 보호자의 무릎이나 손의 지지를 받으며 먹는 자세

B. 바로 누운 자세에서 젖병 먹이기: 상체가 들려 있으면서 누운 자세에서 보호자의 팔과 몸의 지지를 받으며 먹는 자세

C. 전용 의자에서 젖병 먹이기: 아기 전용 의자에서 상체가 들려 있는 상태로 누워 먹는 자세

그림 9-5 맞춤식 적응형 좌석

3) 직접 치료법

직접 구강 운동법은 연하 기능을 수행하는 구강 내 구조물을 직접 자극하거나 움직여주는 것인데, 이 치료법의 문제점은 치료 중 분비물이 증가되고 환아에게 좋지 않은 자극이 주어질 수 있다는 것이다. 따라서 치료 자극으로 인해 원하지 않게 근긴장도가 증가되거나 신체 다른 부위의 불필요한 움직임이 일어나지나 않는지 항상 주의하여 관찰하면서 치료를 진행하여야 한다.

구강 자극 치료는 미숙아에서 구강 운동을 향상하기 위해서 사용할 수 있다. 기존 구강 자극 치료는 구강 안이나 그 주변 구조를 부드러운 촉각이나 압력 자극을 주는 것으로 구성되어 있다면, 영유아에게 구강 자극을 줄 경우 더 세분화된 횟수와 시간을 정하여 치료에 적용할 수 있다. 예를 들어, Fucile 등이 권장한 영유아의 구강 자극 치료 방법은 수유 전에 구강의 기능을 향상시키기 위해 미숙아를 위해 고안된 치료 프로그램으로 다음과 같은 순서로 구성되어 있다.[34] 수유 전에 볼, 입술, 잇몸, 혀에 12분 동안 순차적으로 손가락으로 자극을 제공한 후, 이어서 3분 동안 빨기 운동을 하도록 한다. 총 치료 시간은 하루 15분으로 이루어져 있으며, 식사 10분 전에 실시하도록 한다. 구강 촉진 및 자극 치료에 대한 효과는 영유아의 입원 기간 단축과 이유식 전환의 시간 단축 및 정맥주사를 통한 비경구 영양 공급에 의존하는 기간을 최소화하는데 효과적인 것으로 나타났다.

이 외에도 다양한 구강치료 방법을 치료에 적용할 수 있는데, 예를 들어 혀와 구강 운동 장애가 있는 소아의 경우 혀의 후방이나 혀 표면의 다양한 지점에 촉각 제공이 효과적이다.[35] 근긴장도가 떨어진 환아에서 침흘림이 관찰되거나 입술 당김의 기능 저하가 보일 경우 구강 마사지를 제공하는 것이 도움이 되고, 씹기 운동이 약할 경우 턱근육 주변으로 압력이나 진동을 약하게 가해 구강 및 씹기 기능 향상에 도움이 될 수 있다. 원시적 구강 반사가 심한 경우 혀나 입술 주변의 약한 진동으로 구강 자극을 하는 것이 효과적이다. 각 신체 부위별 치료법은 다음의 표를 참고하기 바란다(표 9-4).

4) 간접 치료법

주로 몇 가지 방법들을 사용하는데, 먼저 주위 환경의 변화를 통해 주의가 산만해질 만한 요인을 제거하여 식사에 집중할 수 있도록 하고, 둘째로 올바른 자세를 취하도록 해서 식사 시보다 나은 지지를 할 수 있게 하고 머리와 몸통의 조절하는 능력을 키우도록 유도한다. 셋째는 의사소통을 위한 신호를 이용하는 것으로 시각 장애가 있는 아동에게는 접촉이나 말로써 유도하고, 청각 장애가 있을 때는 접촉이나 시각적인 신호를 이용할 수 있다. 마지막으로는 음식물을 바꾸어 보는 것인데 음식의 점도나 맛, 온도, 크기 등을 달리하여 환아가 가장 안전하고 먹기 좋은 것이 무엇인지 찾아주는 것도 매우 중요하다. 또한 언제 식사를 할 것인지, 식사 시간은 어느 정도로 할 것인지의 계획도 효과적인 식사에 영향을 줄 수 있다.

5) 전기자극치료법(neuromuscular electrical stimulation, NMES)

재활 치료 중 NMES은 연하와 관련된 뇌신경들을 자극하여 삼킴과 관련된 근육들을 수축하게 하는 효과를 갖게 되는데 이것은 궁극적으로 근육들을 강화하고 운동을 조절하는 데 도움이 되는 것으로 보고되고 있으나 그 기전에 대해서는 아직도 명확하게 밝혀져 있지 않다.[36]

Humbert 등의 보고에 의하면 NMSE가 연하 장애 치료에 효과적이나 표면 자극을 어느 위치에 부착하느냐에 따라 유도하고자 하는 후두의 상승이 아닌 하강을 초래할 수 있으며, 정확하게 표면 전극을 부착하지 않을 경우 잠재적인 손상을 일으킬 수 있다고 강조하였다.[37]

특히 한 연구 결과에 따르면, NMES는 선천성 심폐 또는 신경계 질환으로 인한 이차적 연하장애가 있는 군에서는 연하곤란이 의미 있게 개선되었으나, 다운 증후군이나, 프래더-윌리증후군과 같이 선천적인 질환을 동반하고 있는 환아의 경우, NMES가 기존의 연하재활치료에 비해 더 월등한 치료 효과를 기대하기 어렵다.[38]

환아의 연하곤란 중증도에 따라서 NMES 치료 방법이나 전기 자극 강도는 환아의 개인적인 연하장애 특징에 따라서 결정될 수 있으나 뇌성마비 환아들에게는 감각신경 역치 수준의 전기 자극 강도로 치료할 경우, 치료 전후로 의미있는 흡인의 개선 및 연하곤란 호전이 보고되고 있다. 대부분 발달장애 환아들에게 효과적이고 안전한 치료 방법으로 알려져 있으나 후천성 또는 선천성 질환의 환아에서 NMES의 구체적인 효과를 조사하기 위해서는 앞으로 더 많은 연구가 필요한 실정이다. 다만 영유아에서 NMES 적용은 신경 근육 발달에 필수적인 신경 세포 부착 분자의 발현이나, 근섬유 또는 신경근육접합 발달에 지장을 줄 수 있으며, 아세틸콜린수용체 합성에 영향을 줄 있다는 논란이 있어 신생아 또는 어린 영유아에서는 주의가 필요하다.[39]

6) 빨기발달치료법

앞에서도 언급한 바와 같이 빨기는 음식물을 먹을 때의 빨기(nutritive suck)와 고무 젖꼭지 등 음식이 아닌 것의 빨기(non-nutritive suck, NNS)로 나눌 수 있는데, 후자의 경우 미숙아에서 정상 분만아에 비해 운동 반응 속도가 느린 것으로 알려져 있다. 최근 연구들에 의하면 자동전산화 프로그램으로 강도와 횟수가 조절되는 고무 젖꼭지를 치료로 사용하게 되면 이런 빨기 기능을 자극 받으면서 빨기의 협동 운동 발달에 도움이 된다고 한다.[40] 실제로 신생아실에서부터 경관식이에만 의존하고 빨기 기능이 전혀 나타나지 않았던 미숙아군에서 이러한 빨기발달치료를 적용하였을 때 이유식으로 이행하는 과정과 시간을 의미 있게 단축시킬 수 있다고 한다.[41] 이런 다양한 주파수로 자극하는 빨기 치료는 발달장애 영유아뿐만 아니라 신생아중환자실에서 만성폐질환이나 호흡곤란을 겪는 미숙아에서도 효과적인 것으로 나타났다.[42] 따라서 빨기 기능이 떨어진 미숙아들에게 이런 조기 빨기발달치료는 신생아실에서부터 시행되어야 할 것이다. 그 외에 볼과 턱을 포함한 구강 지지 운동치료는 유아의 젖먹이 촉진에 효과적인 기술로 보고되었다.[43]

표 9-4 부위와 증상 별 재활치료법

구조/문제	치료
턱 내밀기	• 손가락이나 장난감으로 구강 주위 자극 • 보조적인 칫솔질 • 치아사이에 부드러운 것을 넣어 턱을 닫도록 유도
턱 뒤로 당기기	• 복와위 자세 • 턱 아래를 앞으로 견인
입을 악물기	• 입을 점차 벌릴 수 있도록 구강 주위 자극 • 안면 부위를 기분 좋게 자극
턱이 불안정할 때	• 턱을 닫을 수 있도록 격려하는 활동
긴장성 입 악물기 반사	• 악관절에 압력 • 감각 자극 • 치아를 보호하기 위해 특수 숟가락 사용
입술 움츠림	• 볼 안쪽이나 입술에 손가락으로 두드리거나 진동 • 턱을 안정시키는 치료들
윗입술 움직임의 제한	• 여러 가지 구성이나 온도의 음식 준비 • 가볍게 두드려주기 • 빨대로 마시는 연습
볼 근긴장도의 저하	• 볼을 가볍게 두드려주기
감각 인식의 저하	• 여러 가지 구성이나 온도의 음식 준비 • 입술 가장자리에 음료 떨어뜨리기
혀 내밀기	• 턱을 안정 • 입술에 고점도 액상식 • 어금니 부위로 음식 넣기 • 양 측방으로 혀를 움직이는 운동 • 숟가락으로 혀를 아래로 누르는 동작
혀 뒤로 당기기	• 복와위 자세 • 혀를 뒤에서 앞으로 쓰다듬기 • 턱 아래로 숙이는 동작 • 턱 밑을 두드리는 동작
혀 긴장도의 저하	• 감각을 자극하기 위해 여러 가지 구성이나 맛의 음식 준비 • 점차적으로 음식 추가
혀가 한 쪽으로 치우침	• 머리를 중앙으로 유지 • 손가락이나 장남가, 칫솔 등으로 혀의 밀린 쪽을 자극
혀의 움직임이 제한	• 여러가지 구성이나 온도, 맛의 음식 • 진동 자극
연구개: 비강-인두 반사	• 직립 혹은 복와위 자세 • 볼이나 혀 기능 조절 동작 • 고농도 액상식

Note: Modified from 'Pediatric swallowing and feeding.' by Arvedson JC, Brodsky L. 2nd Edition (2002)

7) 감각 이상에 따른 치료법

(1) 감각 저하

구강 감각에 대한 반응이 저하된 아동은 일반적으로 잘 빨거나 씹지를 못한다. 또한, 입안에 음식물이 차 있거나 음식을 잘 흘리게 된다. 이것은 구강내 음식물에 대한 위치 감각이 떨어져서인데 이런 아동들에 대해서는 적절한 주위 환경을 조성해줌으로써 도움이 될 수 있다. 즉 식사 시간에 보다 집중할 수 있도록 유도하는 방법으로, 방의 구조를 바꾸거나 가구나 식기를 밝은 색으로 해주고, 가능하면 보다 강한 향의 음식으로 음식에 대한 되먹임 효과를 올릴 수 있다. 또는 음식의 온도를 달리하고, 음식의 질감을 이용할 수도 있는데 보다 바삭거리는 음식이 도움이 되기도 한다. 다른 방법으로 턱이나 입술, 뺨 등의 감각을 유도하기 위해서 손가락이나 기구를 이용하여 가볍게 두드리거나 쓸어주고 혹은 눌러주는 등의 자극을 통해 치료 효과를 기대할 수도 있다.

(2) 과잉 감각

구강 자극에 대해서 과도한 반응을 보이는 경우로 구강 자극에 대해서 이상 반사 반응을 보이거나 몸의 근긴장도가 증가되기도 한다. 이들에 대해서는 자극에 대한 억제 기제가 도움이 될 수 있는데, 주위 환경을 감각 자극을 줄일 수 있도록 조절해주는 방법이 여기에 속한다. 즉, 실내조명을 은은하게 해주고, 벽지나 가구 색을 무채색 계통으로 하며, 실내 온도를 적절히 조절한다. 또한, 보호자가 동작을 가급적 천천히 하고, 조용히 말하고, 식사 자세나 위치를 편안하게 하는 등의 배려를 하는 것이 과잉 감각이 있는 환아에게 도움이 될 수 있다.

(3) 방어적 구강 감각

구강 감각 자극에 대해서 감정적으로 과도한 반응을 보이는 경우로, 환아들은 자극을 위협적으로 느끼게 된다. 이들은 몇몇 한정된 맛이나 모양의 음식들만 먹으려고 하고 그 외는 혀로 밀어내는 등의 거부 표현을 하게 된다. 이 경우에는 보호자나 치료자가 모든 치료에 앞서 환아와 개인적으로 친밀해지도록 노력해야 한다. 대개의 경우 다른 신체부위보다 구강 주위가 매우 민감해져 있으므로 섣불리 구강 주위를 먼저 치료하려고 하기보다는 다른 신체 부위부터 시작해서 아동이 견딜 수 있는 한도 내에서 점차 민감한 쪽으로 부위를 달리하고 강도도 증가시키는 것이 좋다.

3. 내과적 치료

1) 약물치료

(1) 역류성 식도염

뇌성마비 환아들에서 인두기 문제 외에 식도 운동 장애로 인하여 기도 흡인이 발생할 수 있어 필요한 경우 식도염에 대한 치료가 필요하다. 한 연구에 따르면 52%의 연하장애가 있는 소아 환자들은 식도염을 동반하고 있는데 특히 뇌성마비나 발달장애 환아에서 15%에서 많게는 75%까지의 높은 발병률을 보인다. 특히 발달장애가 있는 환아의 전신 근육 경직, 측만증, 뇌전증으로 인한 복압 상승이 역류의 원인이 될 수 있으나 가장 중요한 원인은 중추신경계 장애로 인한 식도운동 장애라고 볼 수 있다. 역류가 있을 때는 음식물을 보다 점도가 높은 것으로 하고, 식사 시의 자세를 바꾼 후 증상 개선 여부를 판단한다. 그러나 점도가 지나치게 높은 음식물의 경우 위장 내에서 체류하는 기간이 연장됨으로 인해 위식도 역류에 부정적으로 작용한다는 보고도 있어서 주의가 필요하다.

보존적인 치료에도 증상의 개선이 없다면 약물 치료를 고려할 수 있으며, 프로톤 펌프 억제세(proton pump inhibitor, PPI)나, 위산 억제제, 위장관 운동 촉진제를 시도하게 된다. 단 성인과 다르게 소아에서, 특히 영유아의 약물 처방은 특정 적응증에 해당되는 경우에만 고려한다. 미국 식약청에서 영유아의 식도염치료제로 승인 받은 PPI로는 오메프라졸(omeprazole), 에소메프라졸(esomeprazole)이 있으나 소아에서 장기간 사용시에 장염이나 감염의 위험도를 올리거나 골대사에 영향을 줄 수 있어 일차 치료약제로 권장하지는 않는다.[44] 따라서 영유아에서 보존적 요법에 반응이 없을 경우 제산제를 첫 치료 약제로 고려할 수 있으며 내시경 생검에 경미한 식도염이 확인되었거나, 삼킴 거부, 저성장의 지속 등 역류성 식도염이 의심되는 영유아에서 PPI를 단기간(예: 2주) 처방할 수 있다. 증상 개선이 뚜렷하게 보일 경우 추가적으로 3~6개월 동안 처방할 수 있다. 중증도의 식도염이 내시경 생검으로 확진될 경우 3개월에서 6개월의 제산제를 처방할 수 있다. 이와 반대로 위장운동촉진제는 소아의 역류성 식도염에 대한 치료 효과가 미미한 것으로 보고되었다. 역류성 식도염은 인후두부의 감각 민감도를 감소시켜 소아 연하장애의 원인이 될 수 있고 식도염 치료 후 삼킴 기능과 인후두부 감각기능이 개선되었다는 문헌 보고가 있어 재활치료 시에 중요하게 고려되어야 한다.[45]

(2) 침흘림

소아에서 침흘림은 대부분 침샘의 기능 이상으로 인해 침이 과다하게 생성되어 나타나는 것이 아니라 혀와 삼킴의 기능이 떨어져서 침을 삼키지 못하여 발생한다. 침흘림은 크게 전방 및 후방 침흘림으로 나눠서 설명을 할 수 있다. 전자의 경우 입술, 안면 근육 및 혀의 움직임이 원활하지 않아, 침이 입 바깥으로 나오게 되는 경우를 말하고, 후자의 경우, 입안에 고여 있던 침이 목 뒤로 흘러내려 가는 경우를 말한다. 후자의 경우 이런 침을 제대로 삼키지 못하면 이것이 기도로 흡인되어 반복적으로 폐렴을 일으키는 원인이 되며, 전자의 경우 침을 계속 흘리게 되어 위생이나 외관상 문제가 되며 심리적 위축을 일으킬 수도 있다. 침흘림이 문제가 될 경우 침의 분비를 감소시키는 약제를 사용할 수 있다. 약제로는 항콜린제를 사용할 수 있고, 이 중에서 글리코피롤레이트(glycopyrrolate)는 발달장애가 있는 환아에서 미국 식약청에서 승인된 유일한 약물이며 그 외에 스코폴라민이라는 멀미약을 사용하기도 한다. 대부분의 항콜린제는 행동학적인 문제, 구강건조 및 소변의 잔뇨, 구토 또는 설사 등의 부작용이 나타날 수 있어 주의가 필요하다. 붙이는 멀미약은 7세 이하의 소아에게는 사용할 수 없고 7세 이상인 경우 전문의의 처방전 발행이 필요하다. 부작용을 최소화하기 위해서 다른 방법으로 아트로핀 안약 약제를 한두 방울 정도 혀 표면 위에 투약하는 방법도 있다. 약물 지속 시간은 투약 이후 최소 15분, 최대 6시간까지이다. 전신 흡수가 낮아 전신성 콜린성 부작용이 적은 것으로 보고되고 있다.

4. 중재적 치료

침흘림의 치료 방법으로 보툴리눔 독소를 턱밑샘이나 귀밑샘에 주사 방법을 고려할 수 있으며, 한 연구 결과에 따르면 시술 환아의 88%에서 효과가 나타나는 것으로 보고되었다. 보툴리눔 독소를 사용하여 침흘림을 치료하게 될 경우 폐렴으로 인한 입원 횟수와 항콜린제 약물 복용을 줄여도 된다는 이점이 있지만, 침샘에 주입해야 하는 독소의 정확한 농도에 대해서는 아직도 이견이 많으며, 연하와 관련 근육들로 독소가 퍼지게 될 경우, 연하

장애 증상 악화를 초래하거나 턱의 관절탈구를 초래할 수 있어 주의가 필요하다.

주사방법은 직접 주사하는 방법과 초음파 유도하 주사하는 방법이 있는데, 후자의 경우 실시간 침샘의 위치를 확인하면서 정확하게 주사 위치를 확인할 수 있어 보툴리눔 독소의 효능을 향상시키고 부작용을 감소하는데 도움이 되는 것으로 알려져 있다. 침샘당 1 U/kg (Onabotulinumtoxin A 기준)의 용량을 주입하며 최대 20 U까지 투약 가능하며 효과 지속 기간은 평균 22주로 반복 주사 간격은 7주에서 65주 사이로 보고되고 있다.[46-48] 그 외에 소아 연하장애 중재술로 위저부 주름술, 위루술이나 장루술, 또는 하부 인두 괄약근의 보톡스 주사나 괄약근 부분 절개술을 시행하기도 한다. 하지만 다른 질병이나 이상에서와 마찬가지로 연하 장애에 대한 중재적 치료에 대해서는 이로 인한 합병증이나 부작용, 수술 후 관리 등의 문제점이 있고 대부분의 치료가 아직까지는 완전한 해결책이 되지 못하므로 그 필요성에 대하여 충분한 검토 후 결정하는 것이 좋다.

5. 사회, 심리적 치료

식사시간은 장애 유무나 연령에 관계없이 모든 참가자에 의해 이루어지는 매우 사회적인 시간이라고 할 수 있다. 따라서 이 시간에 보이는 이상 행동들로 인해서 환아와 보호자, 치료자간의 관계가 나빠질 수 있고 이로 인해 연하재활 진행에 큰 장애 요인으로 작용하기도 한다. 식사할 때 보이는 이상 행동들은 구강 감각이나 운동 기관 문제, 신경학적, 소화기적, 기도 문제 등 여러 가지 신체적인 문제들로 인해 발생할 수도 있지만 신체적인 문제가 아닌 비신체적, 행동 심리적 문제에 기인할 수도 있으므로 어떤 문제로 인해 생기는지 면밀한 검토가 필요하다. 뇌성마비 환아에서 연하 장애가 있을 때 증상이 뚜렷하지 않으면 가족이 잘 받아들이지 않으려는 경향이 있다. 이로 인해 환아의 음식물 섭취에 관한 교육을 부모에게 하기 어렵고, 특히 비위관을 삽입한다든지 위루술과 같은 수술적 치료가 필요할 때 환아 보호자의 동의나 협조를 얻기가 힘든 경우가 많다. 이에 대해 치료진은 환아의 상태에 대한 자세한 설명을 통해 이해를 돕도록 하며, 아울러 임상 심리치료사의 가족 상담이 필요할 수 있다.

또 사회사업가는 환아나 보호자에게 필요한 사회 시설, 복지 제도, 치료 시설, 경제적인 지원 등에 대한 정보를 제공해 줄 수 있다. 특히 연하 장애가 있는 아동은 그 장애가 단기간에 해결되지 않는 문제일 경우가 많으므로 사회사업가의 조언이 매우 도움이 될 수 있다. 최근 복지 시설이나 장애 정책에 대한 일반 국민이나 정책 기관 등 사회 전반의 인식이 과거에 비해 개선되고 있어서 이들의 역할이 더욱 더 강조되고 있다.

연하장애 치료 시에 뇌신경학적 및 병리학적 면에서 장애원인을 파악하고 치료를 적용한 이후에도 음식에 대한 심리적인 거부반응을 보일 수 있어 경구식이훈련에 장애가 될 수 있다. 따라서 심리적 거부가 심한 환아들에게 재활치료 시에 이 부분에 대한 치료 전략 수립이 필요하다. 특히, 치료를 받고 있음에도 불구하고 지속적인 음식 거부, 식사를 방해하는 과잉 행동, 과도한 편식, 또는 성장 나이에 필요한 식사 도구들을 사용하지 않는 경우에는 심리적 섭식 거부를 고려해야 한다. 이런 심리적인 요인은 환아에게 저성장(최종 성인 키) 및 인지발달장애(낮은 지능지수 및 교육성과), 행동발달에도 영향을 주며 환아 및 보호자의 삶의 질에 부정적인 영향을 줄 수 있다.

심리적 섭식 거부는 정신장애진단 및 통계 편람 진단(Diagnostic and Statistical Manual of Mental Disorder) 5판에서 소아 음식 섭취 거부 장애(avoidant/restrictive food intake disorder)로 소개되고 있다. 전체 소아에서의 발병률은 25~45%이나 발달지연을 보이는 소아의 80%까지 보일 수 있다. 연하 재활 치료를 통하여 근본적인 연하장애를 치료한 이후에도 심리적인 섭식 거부가 지속된다면 적절한 환경 개입을 통하여 다각도의 치료 접근이 중요하다. 치료 접근은 탈감작 치료, 긍정적 강화(positive reinforcement), 및 환경 제한 등의 방법으로 구성할 수 있다. 탈감작 치료는 새로운 음식에 대한 질감을 반복적으로 치료 시에 노출시켜 익숙하지 않은 맛과 식감을 점차적으로 적응하고 이를 식단에 천천히 적용하도록 하는 방법이다. 또한, 식사 시 과잉행동을 방지하고 집중도를 올리기 위해서 긍정적 강화와 일정한 훈련 및 섭식 환경의 조성을 필요로 한다. 규칙적이면서 사전에 계획된 식사 시간 안에서만 식사하도록 유도하는 것도 치료 전략으로 고려할 수 있다.

▶ 참고문헌

1. Lefton-Greif MA. Arvedson JC. Pediatric Feeding/Swallowing: Yesterday, Today, and Tomorrow. Semin Speech Lang 2016;37:298-309.
2. Lefton-Greif MA. Carroll JL. Loughlin GM. Longterm follow-up of oropharyngeal dysphagia in children without apparent risk factors. Pediatr Pulmonol 2006;41:1040-8.
3. Horton J. Atwood C. Gnagi S. et al. Temporal Trends of Pediatric Dysphagia in Hospitalized Patients. Dysphagia 2018;33:655-61.
4. Solomon B BC. Brodsky MB. Palmer JB. Ryder J. Speech, language swallowing and auditory rehabilitation. In: WR F, ed. Delisa's physical medicine and rehabilitation. second edition ed: Philadelphia: Saunders; 2010;413-44.
5. Arvedson JC BL. Pediatric swallowing and feeding. second edition ed. New York: Singular Publishing Group; 2002.
6. Carruth BR. Skinner JD. Feeding behaviors and other motor development in healthy children (2-24 months). J Am Coll Nutr 2002;21:88-96.
7. Northstone K. Emmett P. Nethersole F. et al. The effect of age of introduction to lumpy solids on foods eaten and reported feeding difficulties at 6 and 15 months. J Hum Nutr Diet 2001;14:43-54.
8. Bhattacharyya N. The prevalence of pediatric voice and swallowing problems in the United States. Laryngoscope 2015;125:746-50.
9. JA L. Evaluation and treatment of swallowing disorders. second edition ed. Texas: Pro Ed; 1998.
10. Reilly S. Skuse D. Poblete X. Prevalence of feeding problems and oral motor dysfunction in children with cerebral palsy: a community survey. J Pediatr 1996;129:877-82.
11. Stallings VA. Charney EB. Davies JC. et al. Nutrition-related growth failure of children with quadriplegic cerebral palsy. Dev Med Child Neurol 1993;35:126-38.
12. Sheppard JJ. Hochman R. Baer C. The dysphagia disorder survey: validation of an assessment for swallowing and feeding function in developmental disability. Res Dev Disabil 2014;35:929-42.
13. JA L. Manual for the videofluorographic study of swallowing. second edition ed: Pro-Ed; 1986.
14. Hiorns MP. Ryan MM. Current practice in paediatric videofluoroscopy. Pediatr Radiol 2006;36:911-9.
15. Weir KA. McMahon SM. Long G. et al. Radiation doses to children during modified barium swallow studies. Pediatr Radiol 2007;37:283-90.
16. Frakking TT. Chang AB. O'Grady KA. et al. Cervical auscultation in the diagnosis of oropharyngeal aspiration in children: a study protocol for a randomised controlled trial. Trials 2013;14:377.

17. Fox SE. Levitt P. Nelson CA. 3rd. How the timing and quality of early experiences influence the development of brain architecture. Child Dev 2010; 81:28-40.
18. Chang CY. Ke DS. Chen JY. Essential fatty acids and human brain. Acta Neurol Taiwan 2009;18:231-41.
19. Oshida K. Shimizu T. Takase M. et al. Effects of dietary sphingomyelin on central nervous system myelination in developing rats. Pediatr Res 2003;53: 589-93.
20. Saher G. Brugger B. Lappe-Siefke C. et al. High cholesterol level is essential for myelin membrane growth. Nat Neurosci 2005;8:468-75.
21. Genuis SJ. Schwalfenberg GK. Time for an oil check: the role of essential omega-3 fatty acids in maternal and pediatric health. J Perinatol 2006;26:359-65.
22. Sullivan PB. Lambert B. Rose M. et al. Prevalence and severity of feeding and nutritional problems in children with neurological impairment: Oxford Feeding Study. Dev Med Child Neurol 2000;42: 674-80.
23. Sung WJ. Kim WJ. Hwang Y. et al. Body composition of school-aged children with disabilities. Pediatr Int 2020.
24. Krick J. Murphy-Miller P. Zeger S. et al. Pattern of growth in children with cerebral palsy. J Am Diet Assoc 1996;96:680-5.
25. Sullivan PB. Feeding and Nutrition in Children with Neurodevelopmental Disability. London: Mac Keith Press; 2009;22-3.
26. Green Corkins K. Teague EE. Pediatric Nutrition Assessment: Anthropometrics to Zinc. Nutr Clin Pract 2017;32:40-51.
27. Stevenson RD. Use of segmental measures to estimate stature in children with cerebral palsy. Arch Pediatr Adolesc Med 1995;149:658-62.
28. Chumlea WC. Guo SS. Steinbaugh ML. Prediction of stature from knee height for black and white adults and children with application to mobility-impaired or handicapped persons. J Am Diet Assoc 1994;94: 1385-8, 91; quiz 9-90.
29. Joan C. Arvedson LB. Pediatric Swallowing and Feeding: Assessment and Management. second edition ed: Delmar cengage learning; 2002;252-69.
30. Hals J. Ek J. Svalastog AG. et al. Studies on nutrition in severely neurologically disabled children in an institution. Acta Paediatr 1996;85:1469-75.
31. Gottrand F. Sullivan PB. Gastrostomy tube feeding: when to start, what to feed and how to stop. Eur J Clin Nutr 2010;64 Suppl 1:S17-21.
32. Beal J. Silverman B. Bellant J. et al. Late onset necrotizing enterocolitis in infants following use of a xanthan gum-containing thickening agent. J Pediatr 2012;161:354-6.
33. Vandenplas Y. Rudolph CD. Di Lorenzo C. et al. Pediatric gastroesophageal reflux clinical practice guidelines: joint recommendations of the North American Society for Pediatric Gastroenterology, Hepatology, and Nutrition (NASPGHAN) and the European Society for Pediatric Gastroenterology, Hepatology, and Nutrition (ESPGHAN). J Pediatr Gastroenterol Nutr 2009;49:498-547.
34. Fucile S. Gisel E. Lau C. Oral stimulation accelerates the transition from tube to oral feeding in preterm infants. J Pediatr 2002;141:230-6.
35. Lamm NC. De Felice A. Cargan A. Effect of tactile stimulation on lingual motor function in pediatric lingual dysphagia. Dysphagia 2005;20:311-24.
36. Clark H. Lazarus C. Arvedson J. et al. Evidence-based systematic review: effects of neuromuscular electrical stimulation on swallowing and neural activation. Am J Speech Lang Pathol 2009;18:361-75.
37. Humbert IA. Poletto CJ. Saxon KG. et al. The effect of surface electrical stimulation on hyolaryngeal movement in normal individuals at rest and during swallowing. J Appl Physiol (1985) 2006; 101:1657-63.
38. Christiaanse ME. Mabe B. Russell G. et al. Neuromuscular electrical stimulation is no more effective than usual care for the treatment of primary dysphagia in children. Pediatr Pulmonol 2011;46: 559-65.
39. Epperson HE. Sandage MJ. Neuromuscular Development in Neonates and Postnatal Infants: Implications for Neuromuscular Electrical Stimulation Therapy for Dysphagia. J Speech Lang Hear Res

2019;62: 2575-83.

40. Barlow SM. Finan DS. Lee J. et al. Synthetic orocutaneous stimulation entrains preterm infants withfeeding difficulties to suck. J Perinatol 2008;28:541-8.
41. Poore M. Zimmerman E. Barlow SM. et al. Patterned orocutaneous therapy improves sucking and oral feeding in preterm infants. Acta Paediatr 2008;97: 920-7.
42. Barlow SM. Lee J. Wang J. et al. Frequency-modulated orocutaneous stimulation promotes non-nutritive suck development in preterm infants with respiratory distress syndrome or chronic lung disease. J Perinatol 2014;34:136-42.
43. Hwang YS. Lin CH. Coster WJ. et al. Effectiveness of cheek and jaw support to improve feeding performance of preterm infants. Am J Occup Ther 2010;64:886-94.
44. Duncan DR. Mitchell PD. Larson K. et al. Association of proton pump inhibitors with hospitalization risk in children with oropharyngeal dysphagia. JAMA Otolaryngol Head Neck Surg 2018;144:1116-24.
45. Asgarshirazi M. Farokhzadeh-Soltani M. Keihanidost Z. et al. Evaluation of Feeding Disorders Including Gastro-Esophageal Reflux and Oropharyngeal Dysfunction in Children With Cerebral Palsy. J Family Reprod Health 2017;11:197-201.
46. Jongerius PH. Rotteveel JJ. van Limbeek J. et al. Botulinum toxin effect on salivary flow rate in children with cerebral palsy. Neurology 2004;63: 1371-5.
47. Lungren MP. Halula S. Coyne S. et al. Ultrasound-Guided Botulinum Toxin Type A Salivary Gland Injection in Children for Refractory Sialorrhea: 10-Year Experience at a Large Tertiary Children's Hospital. Pediatr Neurol 2016;54:70-5.
48. Rodwell K. Edwards P. Ware RS. et al. Salivary gland botulinum toxin injections for drooling in children with cerebral palsy and neurodevelopmental disability: a systematic review. Dev Med Child Neurol 2012;54: 977-87.
49. Marchand V. Motil KJ. Nutrition NCo. Nutrition support for neurologically impaired children: a clinical report of the North American Society for Pediatric Gastroenterology, Hepatology, and Nutrition. J Pediatr Gastroenterol Nutr 2006;43:123-35.
50. Krick J. Murphy PE. Markham JF. et al. A proposed formula for calculating energy needs of children with cerebral palsy. Dev Med Child Neurol 1992;34:481-7.
51. Culley WJ. Middleton TO. Caloric requirements of mentally retarded children with and without motor dysfunction. J Pediatr 1969;75:380-4.

CHAPTER

10 이상보행

Abnormal Gait

나동욱, 김수연

I. 정상보행

1. 정상보행의 발달

보행(gait)은 하지를 교대로 이용하여 몸을 이동(locomotion)하는 행위를 말한다. 태아에서 재태 10~12주경에 이동동작과 유사한 움직임이 처음 관찰되며 출생 직후 신생아에서는 척수에서 기원하는 보행 반사(stepping reflex)가 관찰되지만 생후 2~4개월경 체중이 증가하고 척수신경회로의 흥분성의 변화로 보행반사는 소실된다. 생후 8~10개월에는 물체를 잡고 일어서고 보조 하에 보행(cruising)을 하며 생후 11~18개월 사이에 독립보행이 가능하게 된다.[1] 이 과정에서는 중추 및 말초 신경계의 성숙뿐만 아니라 근골격계의 발육, 신체 조성비율의 변화, 신체 무게중심의 변화, 운동학습 능력과 집중력에 관련하는 인지능력, 보행의 기회 부여와 관련한 환경적 요인 등이 영향을 미친다.[2]

보행을 시작하고 초기 3~6개월 동안 보행속도, 활보장, 관절움직임 등에 많은 변화를 겪게 되고 3~4세까지 보행의 안정성이 향상되며 이후 7~8세까지 성인과 같은 성숙된 보행 패턴으로 점차 발전하게 된다.[3] 걸음마 시기의 아이들은 두 발 사이를 벌려 넓은 보행기저(walking base)를 보이며 뒤축 접지(heel strike)가 없이 발바닥 전체로 접지하고 부하반응기(loading response phase) 동안 슬관절 굴곡이 없다. 입각기 동안에 고관절과 슬관절의 굴곡이 증가되어 있고 고관절은 외회전되어 다리를 바깥쪽으로 돌리면서 걷는 휘돌림(circumduction) 보행을 하고 보장(step length)은 짧고 불규칙하다. 성숙된 보행에서는 입각기에 지지하는 다리에 의해 체간이 앞쪽으로 이동하지만 미성숙한 초기 보행 시에는 유각기 하지의 휘돌림을 통해 체간을 앞쪽으로 이동시키게 된다. 처음 보행을 할 때는 균형유지를 위해 팔을 어깨높이로 외전하고 팔꿈치가 굴곡된 자세(high guard)를 보이며 팔의 상호교대 흔들기(arm swing)는 보이지 않는다. 몸이 앞으로 이동하는 동안 기립자세와 균형을 유지하기 위해 작용근과 길항근의 동시 수축을 보이며, 내외측에 비해 전후방의 안정성이 부족하여 걸을 때 쉽게 넘어지게 된다.[4] 보행을 시작한 유아가 하루에 걷는 시간은 평균 6시간 이상으로 이런 반복적인 보행의 경험은 균형과 자세 조절 발달에 매우 중요한 역할을 한다.[5]

첫 보행을 시작하고 6개월 정도 경과하는 시점인 생후 18개월경이 되면 부하반응기 동안에 슬관절 굴곡움직임(knee flexion wave)이 나타나기 시작한다. 다리 길이가 빠르게 성장하면서 질량중심이 점차 아래로 이동하여 안정성과 보행의 효율성이 향상된다. 기립자세에서 신체의 질량중심은 발바닥에서부터 전체 키의 55%정도 지점으로 생각되는데, 만 1세 유아에서는 흉추11번 앞에 위치하고 성인에서는 천추2번 앞에 위치하게 된다.

뒤축 접지는 1세 반에는 나타나고 2세 이후에는 일관되게 관찰이 된다. 2세경에는 보행 시 작용근과 길항근의 동시수축이 감소하며 이는 안정성과 자세조절이 호전되었음을 의미한다. 균형과 평형감각의 발달과 운동학습으로 자세조절이 호전되면서 점차 보행기저도 감소하고 머리와 체간이 분리되지 않은 움직임(en bloc movement)과 팔을 높이 든(high guard) 자세도 호전을 보이게 되어 걷는 동작이 부드러워진다.

팔의 상호교대 흔들기는 1세 반에 65%에서 나타나고 2세경 92%에서 나타나게 되며, 4세가 되면 모든 아동에서 나타난다. 3세에서 3세 반이 되면 보행 시 관절각의 움직임이 성인과 같은 양상으로 성숙되고 균형감각이 발달하여 7세가 되면 완전히 성숙한 형태의 보행을 보인다.[3]

소아보행발달 과정에 대해 많은 연구를 수행한 Sutherland는 3세 정도의 유아에서는 입각기 초반에 뒤축 접지, 시상면에서 슬관절 굴곡 움직임, 팔의 상호교대 흔들기 그리고 성인과 유사한 관절각을 보인다고 하였다. Sutherland는 대부분 만 4세 정도가 되면 보이는 성숙한 보행 양상으로 다음의 다섯가지 요소로 제시하였다.

1) 한다리딛기(single limb support) 시간의 증가, 2) 보행 속도(walking speed) 증가, 3) 분속수(cadence) 감소, 4) 보장(step length) 증가, 5) 골반 넓이(pelvic span)와 양 발목 사이 거리(ankle spread)의 비율 즉 보행기저의 감소이다. 한다리딛기 시간은 근골격계의 안정성, 협동운동, 중추신경계의 성숙을 반영하는 것으로 1세경에는 보행주기의 약 32%를 차지하며, 4세까지 빠르게 증가하고 만 7세 정도가 되면 성인 보행과 비슷한 38% 정도로 증가한다. 나이가 들면서 분속수는 감소하지만 성장에 따라 키가 커지고 다리가 길어지면서 보장이 증가하기 때문에 보행속도는 증가하며, 평형감각의 발달로 보행기저가 감소한다.[6]

2. 보행주기(Gait cycle)

과거에는 보행주기를 뒤축 접지(heel strike), 발편평기(foot flat), 뒤축 들림(heel rise), 발가락 들림(toe off) 등의 시점을 기준으로 나누었으나, 이는 정상보행에서만 적용될 수 있는 구분 방법이며 병적보행의 경우 각 시점의 구분이 어렵다. 최근에는 보행의 가장 근본이 되는 개념으로 양 다리의 상호 작용에 대한 정보를 포함하기 위해 양측 다리가 각각 땅에 닿아 있는가 아닌가를 기준으로 보행주기를 세분화한다.

보행주기는 한쪽 발이 지면에 접촉하는 초기접지(initial contact)에서 시작하여 같은 발을 다시 접촉하는 때까지이며 이것을 한걸음(활보, stride)이라고 한다. 정상적인 한걸음은 주기적이고 대칭적인 패턴을 보이지만 정상적인 소아에서도 10% 이하의 좌우비대칭은 보일 수 있다고 알려져 있다.[7] 보행주기는 발 떼기(foot off)를 기준으로 전체 보행주기의 약 60% 정도를 차지하는 입각기와 나머지 40% 정도를 차지하는 유각기로 나뉜다.

입각기는 초기접지(initial contact), 부하반응기(loading response), 중간입각기(mid-stance), 말기

입각기(terminal stance), 전유각기(preswing)로 나눌 수 있으며 유각기는 초기유각기(initial swing), 중간유각기(mid-swing), 말기유각기(terminal swing)로 나눌 수 있다. 입각기는 두번의 양다리딛기(double limb support)를 포함하는데, 입각기와 유각기의 사이에 초기 양다리딛기와 말기 양다리딛기가 나타나고 이는 전형적인 보행속도로 걸을 때 각각 보행주기의 10~12%를 차지하게 되는데 보행속도가 빨라질수록 감소되어 달리기 시 양다리딛기는 사라진다. 초기 양다리딛기와 말기 양다리딛기 사이는 한다리딛기 시기로서 이는 반대쪽 다리의 유각기에 해당한다(그림 10-1).

3. 보행의 기능적 요소

정량적 보행 분석이 제대로 정립되기 전인 1950년대 초기 임상 보행분석 연구에서는 보행 시 골반회전(pelvic rotation), 골반 경사(pelvic obliquity), 입각기 슬관절 굴곡(stance phase knee flexion), 발과 발목관절의 움직임(foot and ankle mechanisms), 경골과 대퇴골의 외반각도(tibiofemoral valgus angle)의 6가지 결정요소에 의해 무게중심이 수직 이동 진폭을 최소화하면서 에너지 소비를 줄이고 효율적인 보행을 할 수 있게 한다고 보고하였지만[8] 이후 연구에서 골반 경사와 슬관절 굴곡 등에 대한 반론이 제기되어 보정되었다. 1990년대 이후 현재까지는 세가지 라커(rocker) 즉, 뒤축, 발목, 전족부 라커 작용을 바탕으로 하여 위치에너지와 운동에너지의 총합은 일정하게 유지되는 역진자운동(inverted pendulum movement)모델로 보행 시 무게 중심점의 이동이 설명되고 있다(그림 10-2).[3]

Perry (1985년)는 보행주기 중 초기접지와 부하반응기 동안에 발이 지면에 닿을 때 충격을 흡수

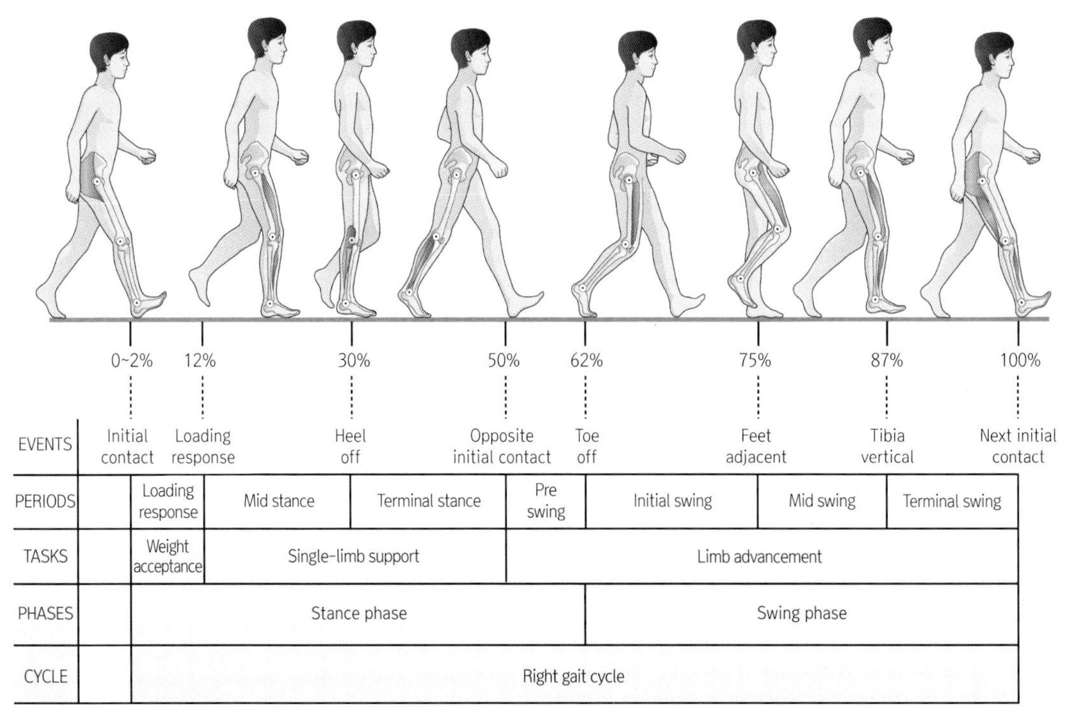

그림 10-1 정상보행주기

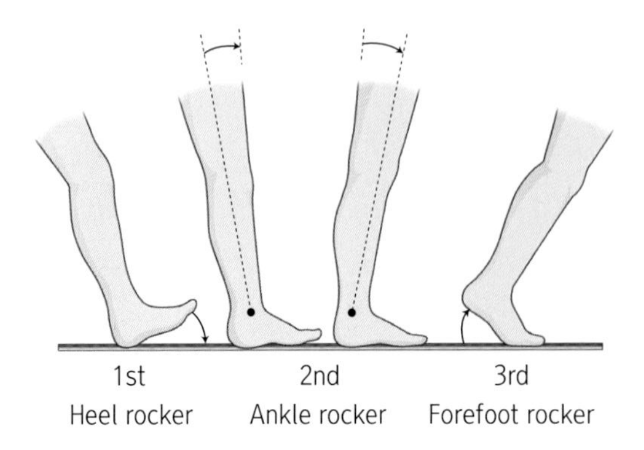

그림 10-2 입각기의 세가지 라커 작용

하는 체중수용(weight acceptance), 중각입각기와 말기입각기 동안에 체간과 하지의 안정성을 유지하는 한다리딛기(single limb support), 전유각기와 유각기 전 과정을 통한 다리의 전방이동(swing limb advancement)의 세가지 기능적 과제수행을 강조하였다.[9] 이 개념을 바탕으로 하여 Gage (1991년)는 정상보행의 필요조건으로 1) 입각기의 안정성(stability in stance), 2) 유각기의 충분한 발들림(foot clearance), 3) 초기접지를 위한 발 위치 잡기(pre-positioning of the foot for initial contact), 4) 적절한 보장(adequate step length), 5) 에너지 보존(energy conservation)을 제시하였다. 입각기의 안정성을 위해서는 평형감각이 정상적으로 발달되어 있어야 하며 하지에 심한 변형이 없고, 근육이 정상적인 근력을 가지고 길항근 사이의 조화가 이루어져야 한다. 유각기의 발들림을 위해서는 족관절부의 심한 첨족변형이 없어야 하며, 전경골근의 적절한 수축으로 족관절의 족배굴곡이 이루어져야 한다. 이외에도 슬관절이나 고관절에서의 굴곡운동이 일어나야 하는데 뻗정다리(stiff knee)와 같이 슬관절 굴곡이 이루어지지 않을 경우에는 첨족변형이 없어도 발들림에 문제가 발생하고, 휘돌림보행과 같은 보상성 운동이 발생한다. 초기접지를 위한 발 위치 잡기에서는 입각기에서 뒤축이 지면에 먼저 닿아서 안정성을 확보하고 부하반응기 동안의 충격흡수의 기능을 해야 한다. 적절한 보장은 보행속도를 조절하는데 중요한데 보장이 충분하지 못하면 분속수를 높여서 속도를 높여야 하기 때문에 많은 에너지를 소모하게 된다. 보행 시에는 근육의 활성을 최소화하여 에너지를 보존하는 것이 중요하다. 그 외에도 정상적이고 효율적인 보행을 위해서는 적절한 인지기능 발달이 뒷받침되어야 한다.[10]

4. 보행주기별 정상보행

보행주기에서 Perry가 강조한 체중수용, 한다리딛기, 다리의 전방이동을 효율적으로 수행하기 위해서는 각 시기마다 필수적인 관절의 움직임이 이루어져야 한다(표 10-1).

1) 초기접지기(initial contact, 보행주기의 0~2%)

뒤축이 지면에 닿는 시기로 보행주기의 0~2%에 해당한다. 족관절은 중립이며 슬관절은 신전, 고관절은 약 30° 굴곡되어 슬관절의 안정성을 유지하며 지면 반발력은 뒤축을 지나서 슬관절과 고관절의 앞으로 지나간다. 고관절 신전근과 대퇴사두근, 족배굴근, 족지신전근이 모두 활성화되어 지면의 충격을 흡수한다.

2) 부하반응기(loading response phase, 보행주기의 0~12%)

부하반응기는 가장 많은 근육이 수축하게 되는 시기로 일측 하지가 접지를 시작한 시점부터 반대측 하지가 발 떼기로 유각기를 시작할 때까지이다. 접지 직후 슬관절 신전근과 족관절 배굴근이

표 10-1 보행주기별 수행과제[4]

	입각기				유각기			
수행과제	체중수용		한다리딛기		다리의 전방이동			
시기	초기접지기 (0~2%)	부하반응기 (0~12%)	중간입각기 (12~30%)	말기입각기 (30~50%)	전유각기 (50~62%)	초기유각기 (62~75%)	중간유각기 (75~87%)	말기유각기 (87~100%)
설명	초기접지	B: 초기접지 E: 반대측 발떼기	B: 반대측 발떼기 E: 뒤축 들기	B: 뒤축 들기 E: 반대측 초기접지	B: 반대측 초기접지 E: 발떼기	B: 발떼기 E: 무릎펴기	B: 무릎펴기 E: 경골의 수직위	B: 경골의 수직위 E: 초기접지
필수적인 관절움직임	• 뒤꿈치로 초기접지	• 고관절의 안정성 • 충격흡수를 위한 슬관절 굴곡 • 족관절 굴곡의 조절	• 경골 전방이동의 조절	• 뒤축 들림과 족관절 신전의 조절	• 수동적 슬관절 굴곡 (40°)	• 슬관절의 최대 굴곡 (>60°)	• 고관절의 최대 굴곡 (25°) • 족관절을 신전에서 중립으로 위치	• 슬관절을 중립까지 신전

B: beginning, E: end

편심성 수축(eccentric contrac-tion)을 하면서 슬관절을 약간 굴곡하고 족관절을 굴곡하여 접지로 인한 충격을 흡수한다. 부하반응기는 초기접지에서 시작하여 발 전체가 바닥에 닿을 때까지로 이는 첫번째 라커(뒤축 라커, heel rocker)에 해당하며 하지가 전방으로 부드럽게 진행되도록 한다. 무릎에서는 대퇴사두근이 편심성으로 수축하여 슬관절 신전 모멘트를 형성하여 과도하게 굴곡되지 않게 함으로써 부하반응기 동안의 충격을 흡수한다. 넙다리 뒤근육을 포함한 고관절 신전근들에 의한 고관절 신전력이 보행의 추진력이 된다.

3) 중간입각기(midstance phase, 보행주기의 12~30%)

한다리딛기 시기로서 반대쪽 다리의 발 떼기에서 시작하여 동측 다리의 뒤축 들기까지의 기간으로, 이 때 반대측 다리는 중간유각기에 해당한다. 중간입각기 시기는 체간과 하지의 안정성을 유지하면서 디디고 있는 발 위로 부드럽게 전진하도록 하는 것이 목적이며 두번째 라커(발목 라커, ankle rocker)에 해당한다. 이 때 라커의 지렛목이 뒤축에서 발목관절 중심으로 이동하게 된다. 이 과정에서 족저굴근 중 주로 가자미근(soleus)의 편심성 수축으로 인하여 경골의 전방 움직임을 지연시키게 된다. 이로 인해 지면 반발력이 슬관절 앞으로 이동하여 신전 모멘트를 제공하는 족관절 굴곡-슬관절 신전 커플(plantarflexion-knee extension couple)이 일어나게 된다(그림 10-3). 또한 체간이 발 앞쪽으로 이동하면 지면 반발력이 고관절의 뒤쪽으로 이동하여 고관절은 전방 관절낭과 장골대퇴인대(iliofemoral ligament)에 의해 수동적으로 지지된다.

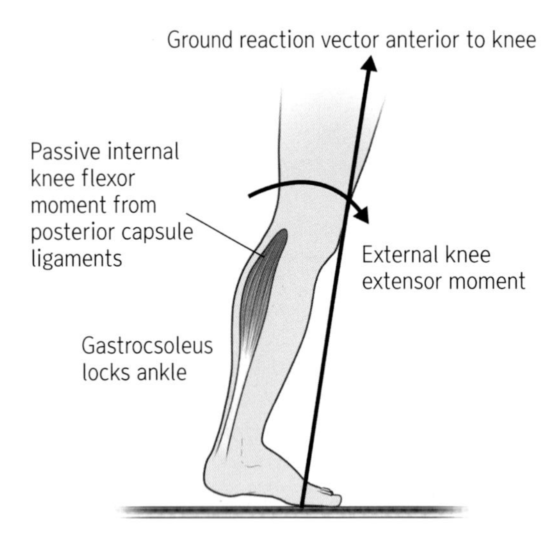

그림 10-3 족관절 골곡-슬관절 신전 커플(plantarflexion-knee extension couple)

Reprinted from Clinical gait analysis: theory and practice by Chris Kirtley, 2006.

4) 말기입각기(terminal stance, 보행주기의 30~50%)

세번째 라커(전족부 라커, forefoot rocker)의 시기로 장딴지근(gastrocnemius)과 장족지굴근(flexor digitorum longus)이 가자미근의 활성에 더해져 능동적인 발목의 굴곡이 일어나고 라커의 지렛목이 발목 관절에서 중족골두(metatarsal heads)로 이동하면서 뒤축이 지면에서 들리게 된다. 이때는 족저굴근의 활성이 편심성에서 동심성(concentric)으로 변화되고 전방전진에 필요한 발목의 추진력을 제공하게 된다.

5) 전유각기(preswing phase, 보행주기의 50~62%)

다리를 유각기로 진행하는 시기로 말기입각기 이후 발 떼기까지 시기를 말한다. 발목 관절의 능동적 굴곡에 의해 슬관절의 수동적 굴곡이 일어나는데, 발 떼기할 때 40°의 슬관절 굴곡이 되어야 발 끌림이 발생하지 않는다.

6) 초기유각기(initial swing phase, 보행주기의 62~75%)

발들림과 다리의 전진이 일어나는 시기로 약 60°의 최대 슬관절 굴곡이 필요하다. 전유각기 및 초기유각기의 하퇴 삼두근에 의한 족저굴곡력 및 고관절 굴곡근에 의한 고관절 굴곡력이 다리 전방이동의 추진력이 된다.

7) 중간유각기(midswing phase, 보행주기의 75~87%)

유각기의 하지가 더욱 가속되는 시기로 하퇴의 전방 이동을 위한 근육의 작용은 거의 없으며 고관절은 약 30°의 굴곡이 일어나고 발목은 발들림을 위한 전경골근의 수축에 의해 중립위로 신전된다.

8) 말기유각기(terminal swing phase, 보행주기의 87~100%)

초기접지를 준비하기 위해 유각기의 하지가 감속되는 시기로 골반은 안쪽으로 회전하여 보장을 조절하고 발도 외회전 되어 있던 자세에서 착지에 적합한 위치가 되도록 내회전 한다. 넙다리 뒤근육이 편심성 수축을 하면서 고관절 신전 모멘트를 발생시키고, 슬관절 굴곡 모멘트를 생성하여 슬관절 신전을 감속시킨다. 족배굴근의 편심성 수축으로 뒤축 접지 시 발바닥이 지면에 너무 빨리 닿지 않도록 조절한다.

관상면에서는 입각기에 초기접지시 골반은 수평을 유지하다가 부하반응기때 고관절 신전근과 넙다리 뒤근육에 의해 입각기 골반이 약 5° 상승하고

하지가 내전된다. 중간입각기에 중둔근과 같은 고관절 외전근에 의해 유각기 골반의 하강을 조절하여 유각하는 발이 끌리지 않도록 돕는다. 소아에서는 만 2세 정도에는 보행 시 성인과 같은 골반경사를 보이게 된다.

발은 초기접지 시 뒤축의 외측이 바닥에 먼저 닿게 되고 부하반응기 동안 거골하 관절이 외반되면서 충격을 흡수하게 된다. 한다리딛기를 시작할 때 최대로 외반되었다가 말기 입각기로 진행하면서 다시 내반되면서 족근골간관절의 움직임이 고정된다. 이를 통해 전족부에 체중부하 시 발의 안정성을 증가시키고 유각을 위한 추진력을 형성한다.

횡단면 움직임의 목적은 활보장의 증가이다. 이는 골반 회전에 의해 이루어지며 전체 회전각도는 8~10° 정도이고 주로 고관절 내전근에 의해 조절된다.

일반적으로 평상시 걸음에서는 에너지 소모를 가장 적게 하는 보행 속도로 걷게 된다. 보행속도를 높이기 위해서는 활보장과 분속수를 높이게 되는데 소아는 성인에 비해 전반적으로 보행에서 에너지 소모가 많고 어리고 키가 작을수록 보행속도를 높이기 위한 에너지 소모가 더 많다.[11]

5. 보행분석

보행분석은 눈에 의한 관찰, 이차원 비디오 촬영 등을 통해 시행할 수 있으나 이를 통해서는 자료를 객관화하기가 어렵다. 컴퓨터 장비를 이용한 삼차원 보행분석으로 객관적, 정량적 평가가 가능하며 광학적 추적을 이용하여 관절의 운동형상학(kinematic) 분석, 힘판(force plate)으로 측정한 지면 반발력과 운동형상학 데이터를 결합하여 계산하는 운동역학(kinetic) 분석, 그리고 각 근육의 활동도를 측정하는 동적 근전도(dynamic EMG)가 가장 흔히 사용되는 측정 방법이다.

1) 시공간 지표(temporal-spatial parameters)

분속수, 보장, 활보장, 보폭, 보행속도 등의 시공간 지표들은 대상자의 평상 시 보행양상으로 자연스럽고 편안하게 걷게 하여 평가한다.

(1) 분속수(cadence)

분당 걸음의 수(steps/minute)로서 1세경 약 176인데 키가 커지면서 빠르게 감소하여 7세경에는 약 143으로 감소한다. 이후 키 성장에 따라 점차 감소하여 정상 성인의 보행에서는 약 100~110 정도이다.[6]

(2) 보장(step length)

보행 시 두 발 사이의 거리를 말한다. 초기 걸음마 시기 보행 시에는 보장이 짧고 불규칙하며 보행의 성숙과 골격 성장에 따라 보장이 일정해지고 길어진다.

(3) 활보장(stride length)

한쪽 발의 초기접지기로부터 같은 발의 다음 번 초기접지기까지의 거리를 말하는 것으로 연속된 좌측 보장과 우측 보장의 합과 같다. 보행 성숙과 골격 성장에 따라 길어진다.

(4) 보폭(step width)

보행 시 두 발 사이의 넓이(보행 진행 방향의 수직 방향으로의 거리)를 뜻한다. 초기 걸음마 시기에는 보폭이 넓고 이후 점차 감소하여 정상 성인에서 약 5~8 cm 정도이다. 보장과 보폭은 뒤축의 중심점을 기준으로 측정하게 된다.

(5) 보행속도(meters/second)

신체의 이동거리를 이동시간으로 나누어 계산하기도 하고 평균 보장과 평균 초당 걸음수를 곱하거나 평균 활보장과 평균 초당 활보수를 곱하여 계산하기도 한다. 분속수와 보장을 곱한 값을 60으로 나누어 계산할 수 있다. 4세 정도에는 성인과 유사해지고 5~6세 이후에는 일정해진다.

2) 운동형상학적 분석(kinematic analysis)

관절의 운동각도, 분절의 전이, 운동속도 및 가속도 등과 같은 지표를 분석하며 시간의 함수로 나타낼 수 있다. 근위부에 대한 원위부의 상대적인 움직임으로 관절각을 측정한다. 시상면에서 골반경사와 고관절, 슬관절, 족관절의 굴곡 및 신전 각도를 측정하고, 관상면에서 골반측방경사, 고관절 외전 및 내전각도, 슬관절의 내반 및 외반 각도를 측정한다. 횡단면에서 골반회전각, 고관절 회전각, 발의 회전각을 측정한다.

3) 운동역학적 분석(kinetic analysis)

각 관절에서 발생하는 힘을 측정하는 것으로 지면 반발력(ground reaction force), 근육 및 인대의 힘, 관절 모멘트(joint moment)와 관절 일률(joint power)등의 지표를 포함한다.

(1) 지면 반발력(ground reaction force, GRF)

보행하는 사람의 몸무게, 근육의 작용 등에 의해 생성되는 힘이 힘판(force plate)에 의해 기록된 것이다. 방향성을 가지고 있는 벡터 값이며, 이 값을 이용해서 각 관절의 모멘트를 측정할 수 있다.

(2) 관절 모멘트(joint moment)

모멘트는 힘이 물체의 회전 중심으로부터 일정 거리를 두고 작용함으로써 그 물체가 회전하도록 하는 회전력을 말하며 힘과 거리의 곱(moment= force × distance)으로 구할 수 있다. 관절 모멘트는 외적 모멘트(external moment)에서 내적 모멘트(internal moment)를 뺀 값이다. 외적 모멘트는 지면 반발력의 합과 체중에 의한 중력, 관성을 더한 값이다. 내적 모멘트는 해당 관절을 통과하는 근육과 인대, 관절막에 의해 생성된 값으로 그 순간 작용하는 근육의 기능에 따라서 명명한다. 일반적으로 컴퓨터를 이용한 삼차원 동작분석검사에서는 내적 모멘트를 제시하여 관절의 운동을 설명한다.

(3) 관절 일률(joint power)

정해진 시간동안 한 일의 양으로 관절 모멘트와 관절 각속도를 곱한 값(joint moment × joint angular velocity)이다. Watt 단위를 사용하며 정상과 비교하기 위해 아이의 몸무게로 나누어 보통 몸무게 1kg 당 watt로 표현한다.

- 관절 일률의 형성(power generation): 근육이 동심성 수축을 할 경우
- 관절 일률의 흡수(power absorption): 근육이 편심성 수축을 할 경우

4) 동적 근전도(dynamic EMG)

보행주기에서 각 근육의 활동전위를 측정하는 방법으로 표면전극을 이용하는 방법과 미세 전선 전극(fine wire electrode)를 이용하는 방법이 있으나 임상에서는 주로 비침습적인 표면전극을 이용하여 측정한다. 표면전극을 주로 대퇴직근, 내측 넙다리 뒤근육, 장딴지근, 족배굴근, 내측 또는 외측 대퇴광근 등에 부착하여 보행 중 근전도 신호를 측정함으로써 근육의 수축여부를 확인한다. 이는 기계적 활동이 아니라 전기적 활동을 측정하는 것이기 때문에 편심성, 등척성, 동심성 수축을 구분하지 못하며 근전도의 활동도가 수축력을 반영하지는 못한다. 각 근육의 수축여부를 대략적

으로 알 수 있는 반정량적 방법(semiquantitative technique)이므로 수치에 의미를 부여하기보다는 보행주기의 각 시기에 근육이 수축하거나 이완되는 양상을 정상보행 양상과 비교하여 분석하는데 의의가 있다.

II. 이상 보행

1. 병적보행 양상에 따른 원인

인간의 보행은 정교한 작용기전에 의해 조절되기 때문에 이를 방해할 수 있는 다양한 병인들에 의해 이상보행이 유발된다. 일차적인 생역학적 병인(primary biomechanical pathologies)과 이에 의해 유발되는 이차적인 보행이상(secondary gait deviations), 그리고 이를 극복하기 위한 인체의 보상기전(tertiary compensatory mechanism)이 함께 작용하여 최종적인 이상보행 양상을 만들어내게 된다.[12] 따라서 이상보행 양상에서 일차적인 병인을 구별해내는 것은 불필요한 치료를 막고, 치료효과를 향상시키는 데 매우 중요하다.[13, 14]

관절별로 대표적인 생역학적 병인과 이로 인해 유발되는 이차적 보행이상 및 보상기전은 다음과 같다.[12]

1) 발과 발목관절의 이상

(1) 족저굴근의 약화 (plantarflexor weakness)

족저굴근은 입각기에 편심성수축을 통해 하퇴부의 전진을 조절하여 무릎과 고관절의 신전을 유도하는데 이 근육이 약화되면 입각기 무릎과 고관절 굴곡이 증가하기 때문에 무릎과 고관절 신전근이 과도하게 작용하는 보상기전을 보인다. 또한 전유각기(preswing phase)에 발뒤꿈치밀기(push off)가 저하되어 유각기 하지 전진이 어려워지고 무릎 및 고관절 굴곡이 감소되기 때문에 고관절 굴곡근이 과도하게 수축하는 보상기전을 보이게 된다.

(2) 첨족변형(pes equinus)

첨족변형은 골반의 전방기울기 증가, 골반의 외회전과 고관절의 내회전 증가, 무릎이 과신전하는 이차적 보행이상을 유발한다.

(3) 발들림(foot clearance)의 저하

족저굴근의 경직, 발목관절의 구축, 족배굴곡근의 약화 등으로 발들림이 저하되면 유각기에서 다리의 전진이 방해를 받아 발이 적절한 위치에 접지하지 못하게 된다. 따라서 측면의 체간근을 이용하여 환측 골반을 들어올리는 pelvic hike, 휘돌림(circumduction) 보행, 과도한 고관절 외전과 외회전, 과도한 고관절 및 무릎관절 굴곡, 건측 족저굴곡을 증가시키는 vaulting 등의 보상기전을 보이게 된다.

(4) 내족지변형(in-toeing)

내족지변형이 있는 경우 발의 전방전진을 위하여 고관절을 외회전시키는 보상기전을 보이게 된다.

2) 슬관절의 이상

(1) 무릎신전근의 약화

무릎신전근의 약화가 있는 경우 입각기의 체중지지를 위하여 고관절 신전근이 과도한 수축을 보이고, 몸의 질량중심(center of mass)을 무릎 관절 앞쪽에 위치하기 위하여 과도한 족저굴근의 수축, 무릎의 과신전, 고관절의 굴곡, 골반의 전방경사 증가 등의 보상기전을 보이게 된다.

(2) 무릎신전근의 경직

무릎신전근의 경직은 유각기 무릎굴곡을 제한하여 뻗정다리 보행(stiff knee gait)을 유발한다.

3) 고관절과 골반의 이상

(1) 고관절굴곡근의 단축

고관절굴곡근의 단축으로 인하여 고관절신전이 제한되면 요추의 전만이 증가하고 무릎이 굴곡되는 보상기전을 보이게 된다.

(2) 고관절신전근의 약화

고관절신전근의 약화로 고관절 굴곡이 증가되면 몸통을 뒤로 과도하게 신전시키는 보상기전을 보이게 된다.

(3) 고관절외전근의 약화

고관절외전근이 약화되면 단하지 지지기(single limb support phase)에서 골반이 반대편으로 기울어지고 이를 보상하기 위하여 체간을 환측으로 기울이는 Trendelenburg gait를 보이게 된다.

2. 뇌성마비 환자의 이상보행

1) 개요

뇌성마비는 발달과정에 있는 뇌의 비진행성 병변으로 인하여 자세와 운동에 이상이 발생한 질환으로 정의된다. 특히 중추신경계 손상으로 인한 심부건반사의 증가 및 근긴장도의 증가를 보이는 경직성 뇌성마비 환자에서는 나이가 들면서 근육의 변형 및 관절의 구축이 흔히 발생하게 되는데, 성장하면서 근육의 길이가 뼈의 성장만큼 충분히 성장하지 못하기 때문에 근육의 단축이 발생하는 것으로 알려져 있다.[15] 근육의 구조적 변화는 환자의 기능적 수준에 따라, 또한 각 근육마다 다르게 나타나지만, 일반적으로 정상발달 소아에 비해 근육이 위축(hypotrophy)되며 이는 근위부보다는 원위부 근육에, 단관절(monoarticular) 근육보다는 이관절(biarticular) 근육에서 더 뚜렷하다.[16] 이외에도 부조화된 운동조절(incoordination), 분리된 움직임(selective movement)의 장애, 근육 이외의 연부조직 구축 등으로 인하여 대부분의 뇌성마비 환자는 비정상적인 보행양상을 보이게 된다. 따라서 뇌성마비 환아에서 관찰되는 비정상적 보행양상을 이해하고 보행이상을 유발하는 원인을 파악하는 것은 그에 따른 치료계획을 수립하고 시행하며 치료의 효과를 평가하는 데 매우 중요하다.

2) 보행분석과 이상보행의 분류

컴퓨터를 이용한 3차원 보행 분석이 시행되면서 뇌성마비 환자의 각 보행단계에서 관절별로 관찰되는 보행 이상의 원인을 보다 과학적으로 연구할 수 있게 되었다. 뇌성마비 환아에서 보행의 이상을 유발하는 원인이 복합적이고 다양한 만큼 병적 보행의 양상도 각 환자들마다 매우 다양하게 나타난다. 하지만 실제 임상적으로는 몇 가지 특징적인 병적보행 양상이 주를 이룬다는 것을 알게 되었고, 보행이상의 공통된 특징을 찾아내어 단순하고 체계적인 분류법을 만들고자 하는 연구들이 있어왔다. 그 결과로 경직성 뇌성마비 환자의 보행이상을 몇 가지 특징적인 병적보행 양상으로 정의하고 분류할 수 있게 되었다. 이러한 분류를 이용하여 경직 치료가 필요한 근육을 선정하고, 연장술이 필요한 단축된 근육을 선정하며, 교정을 위한 적절한 보조기를 선택하는 등의 치료 방향을 설정하는데 유용한 정보를 얻을 수 있기 때문에 치료과정(care pathway)을 표준화할 수 있게 도와주었다. 현재 경직성 뇌성마비 환아에서 널리 사용되고 있는 병적보행 양상의 분류들은 Sutherland와 Davids의 연구[17]에 뿌리를 두고 있다. Sutherland와 Davids는 588명이 넘는 뇌성마비 환아의 보행분석 결과를 연구하여 보행 시에 무릎관절의 시상면에서 흔히 관찰되는 4가지 병적보행 양상을 jump knee, crouch knee, recurvatum knee, stiff knee로 정의하였다. 이러한 정의를 바탕으로 Winters TF와 Gage JR 등[18]은 경직성 편마비를 보이는 뇌성마비 환아들의 보행을 시상면에서 분석하여 흔히 관찰되는 4가지 유형으로 분류하였으며 이를 보완하여, Rodda JM와 Graham KR 등[19]이 각 유형의 특징을 기술하고 유형에 따른 치료방침에 대하여 정리하였다(그림 10-4a).

(1) 제1형(drop foot)

유각기에서 발목배굴(dorsiflexion) 제한으로 족하수(drop foot)가 관찰되고 하퇴삼두근(triceps surae)의 단축이 없기 때문에 입각기에서는 발목의 발등굽힘이 비교적 정상범위로 관찰된다. 자연적으로는 관찰되는 경우는 드물고 장딴지 근육 연장술을 시행한 환자에서 관찰될 수 있다. 보조기는 leaf spring AFO를 적용할 수 있다.

(2) 제2형(true equinus)

하퇴삼두근의 구축 또는 경직으로 입각기에서 첨족(equinus)이 관찰되며 유각기에서도 족하수가 동반된다. 증가된 발목저굴-무릎신전 기전(ankle plantarflexion-knee extension couple)에 의해 전반슬(knee recurvatum)이 관찰되는 경우를 제2B형이라고 한다. 치료는 입각기에 적절한 발목배굴이 가능하도록 해야 하므로 하퇴삼두근의 경직이 원인인 경우에는 보툴리눔 독소 주사치료, 연속적 석고고정(serial cast) 등을 적용할 수 있고, 하퇴삼두근의 구축이 원인인 경우에는 수술적 근건연장술이 필요하다. 보조기는 과도한 발목저굴을 제한해 줄 수 있는 hinged AFO를 흔히 적용한다.

(3) 제3형(true equinus/jump knee)

제2형과 같은 하퇴삼두근의 구축 또는 경직으로 인한 첨족과 함께 입각기에서 넙다리뒤근육과 고관절 굽힘근의 구축 또는 경직으로 인한 jump knee양상이 동반되며, 유각기에서 넙다리뒤근육과 대퇴직근의 동시수축(cocontraction)으로 인한 stiff knee양상이 동반된다. 경직이 원인인 경우에는 해당근육에 보툴리눔 독소 주사치료, 신경차단 등을 적용할 수 있으며, 구축이 원인인 경우에는 하퇴삼두근과 함께 넙다리뒤근육의 근건연장술, 대퇴직근의 건이전술(rectus femoris tendon transfer to sartorius or semitendinosus) 등을 시행한다. 보조기는 보행 시 발목저굴-무릎신전 기전이 보존되는 정도를 고려하여 solid AFO 나 hinged AFO를 적용한다.

(4) 제4형(true equinus/ jump knee/pelvic and hip rotation)

근위부의 이상이 발생하여 시상면에서는 첨족, jump knee 또는 stiff knee와 함께 고관절의 굴곡, 골반의 전방경사가 관찰되며, 관상면에서는 고관절의 내전(adduction)이, 횡단면에서는 고관절의 내회전이 동반된다. 원위부 치료는 제2형과 제3형의 치료와 동일하며 고관절 내전에 대하여는 내전근의 보툴리눔 독소 주사, 폐쇄신경차단, 근건연장술을 시행할 수 있고, 내회전에 대하여는 대퇴골의 외회전 절골술(external derotation osteotomy)를 시행할 수 있다. 보조기는 제3형과 같이 보행 시 발목저굴-무릎신전 기전이 보존되는 정도를 고려하여 solid AFO 나 hinged AFO를 적용한다.

Rodda JM와 Graham KR 등[19]은 경직성 양지마비를 보이는 뇌성마비 환아들의 보행도 분석하여 흔히 관찰되는 4가지 유형으로 분류하였다(그림 10-4b, 5).

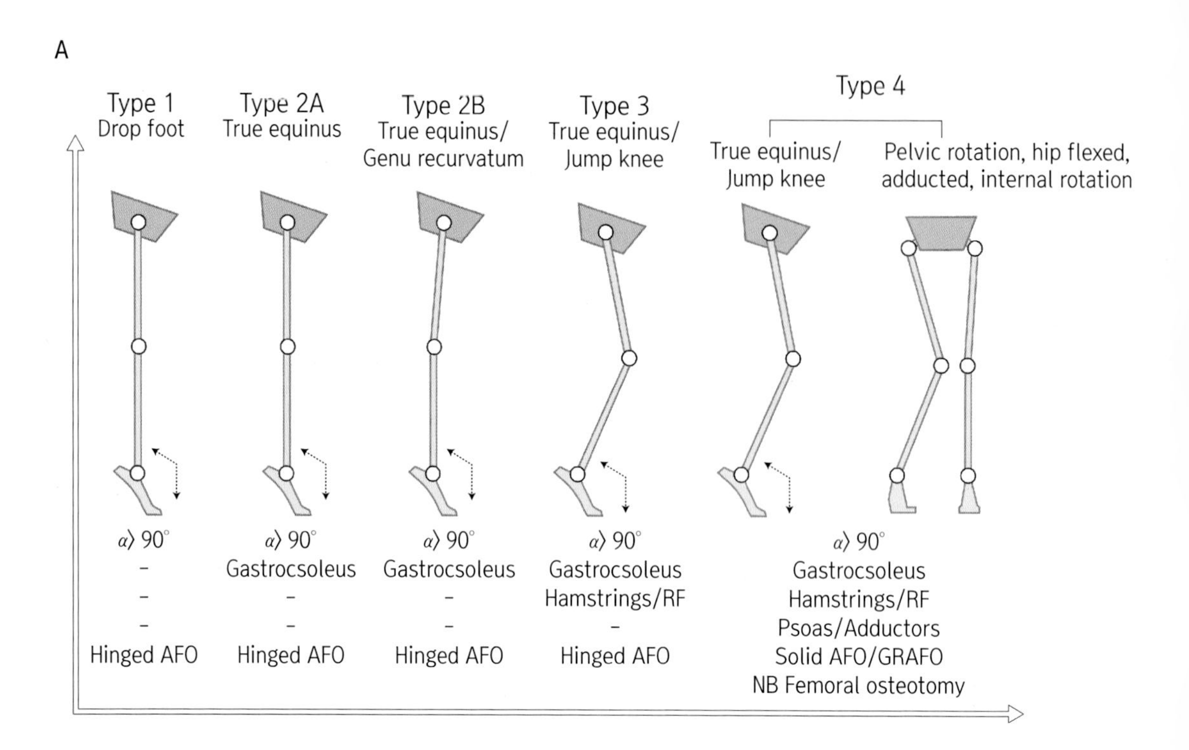

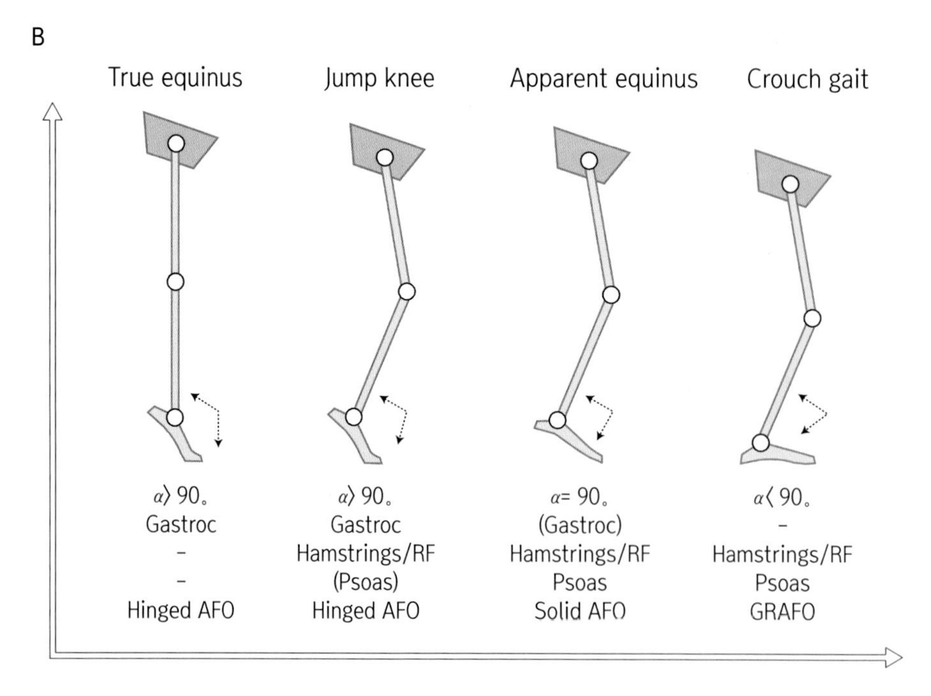

그림 10-4 경직성 편마비 환자(a)와 경직성 양지마비 환자(b)의 시상면상의 보행분류
Reprinted from Eur J Neurol 2001;8(Suppl 5):98-108 by Rodda JM and Graham HK.[19]

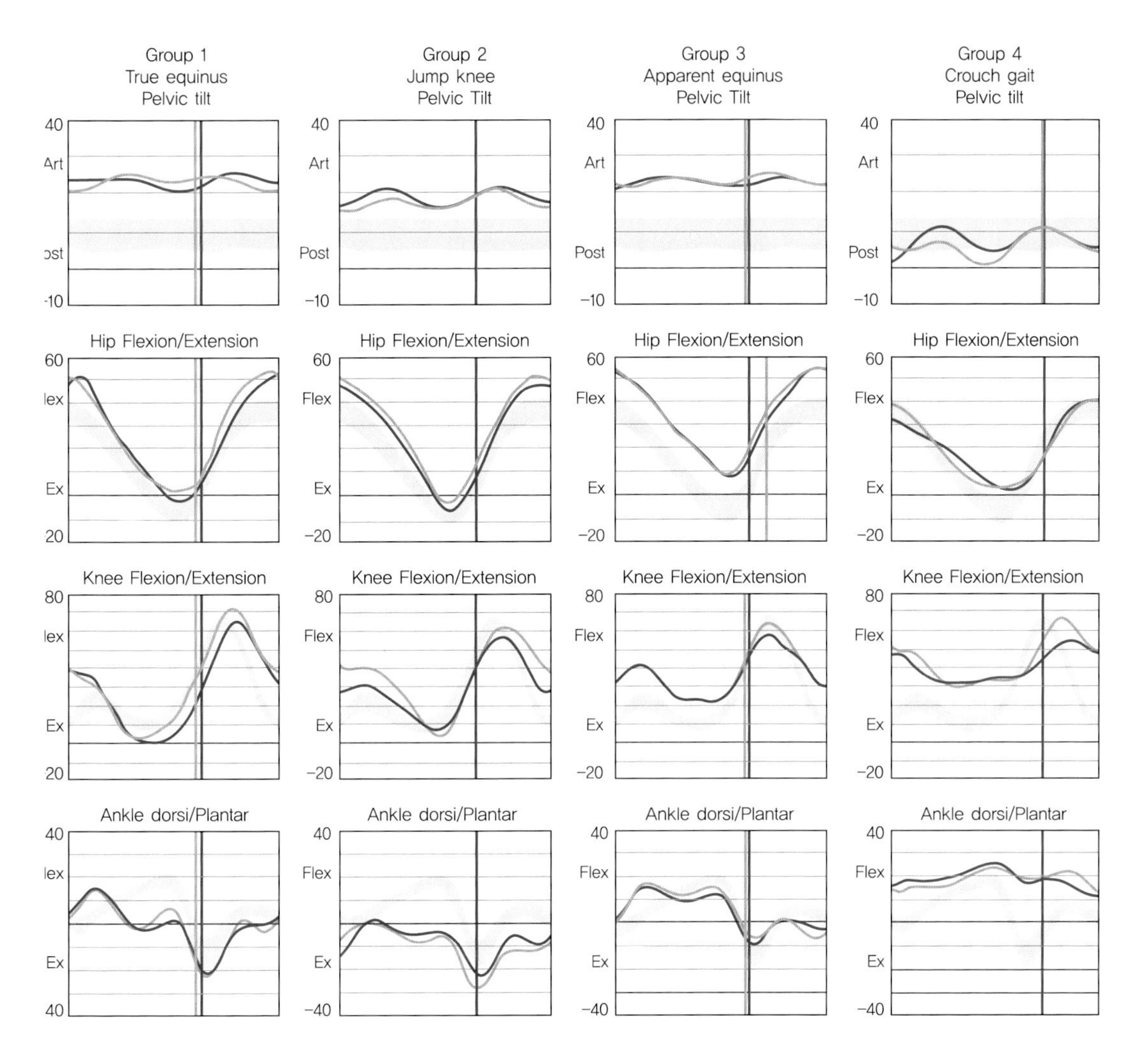

그림 10-5 경직성 양지마비 환자의 시상면상의 보행분류별 운동형상학적 지표
Reprinted from Ann Rehabil Med 2011;35(3):354-360 by Kim DJ et al.[20]

(1) 제1형(true equinus)

하퇴삼두근의 구축 또는 경직으로 입각기에서 첨족이 관찰된다. 하퇴삼두근의 단축 또는 경직으로 인하여 증가된 발목저굴-무릎신전으로 전반슬이 동반되는 경우에는 입각기에서 뒷꿈치가 닿으면서 첨족이 감추어지는 경우가 있으므로 주의해야 한다. 하퇴삼두근의 경직이 원인인 경우에는 보툴리눔 독소 주사치료, 연속적 석고고정 등을 적용할 수 있으며, 하퇴삼두근의 구축이 원인인 경우에는 수술적 근건연장술이 필요하다. 보조기는 과도한 발목저굴을 제한해 줄 수 있는 hinged AFO를 흔히 적용한다.

(2) 제2형(jump knee)

하퇴삼두근의 구축 또는 경직으로 인한 첨족과 함께 넙다리뒤근육과 고관절 굽힘근의 구축 또는 경직으로 인한 무릎과 고관절의 굴곡, 골반의 전방경사 증가 등이 동반된다. 대퇴직근의 경직, 단축이 있는 경우에는 유각기에 stiff knee양상이 동반되기도 한다. 경직이 원인인 경우에는 해당근육에 보툴리눔 독소 주사치료, 신경차단, 선택적 후근 절제술(selective posterior rhizotomy, SPR) 등을 적용할 수 있는데, SPR의 경우 경직이 심하지만 근육의 구축이 없고 하지의 근력이 비교적 잘 보존된 경우에 좋은 결과를 기대할 수 있다. 구축이 원인인 경우에는 하퇴삼두근과 함께 넙다리뒤근육, 고관절굽힘근의 근건연장술, 대퇴직근의 건이전술 등을 시행한다. 보조기는 보행 시 발목저굴-무릎신전 기전이 보존되는 정도를 고려하여 solid AFO나 hinged AFO를 적용한다.

(3) 제3형(apparent equinus)

환아의 체중이 증가함에 따라 첨족이 감소하지만 근위부의 무릎과 고관절의 굴곡은 증가하여 전 입각기 동안 증가된 굴곡이 관찰되기 때문에 발끝으로 걷는 모습을 보인다. 하지만 보행분석에서는 비교적 정상적인 발목의 발목배굴이 관찰된다. 하퇴삼두근의 경직에 대한 보툴리눔 독소 주사치료나 구축에 대한 근건연장술은 보행 시 발목저굴-무릎신전 기전을 약화시키기 때문에 근위부의 무릎 및 고관절 굴곡에 대한 치료에 중점을 두어야 한다. 보조기는 solid AFO나 ground reaction AFO가 보행 시 지면반발력의 벡터를 무릎 전방에 위치하게 해주어 발목저굴-무릎신전 기전을 정상화하는데 도움이 된다.

(4) 제4형(crouch gait)

과도한 발목의 발목배굴과 동반된 무릎, 고관절의 증가된 굴곡을 특징으로 한다. 심한 양측 마비 환아에서 흔히 관찰되지만 하퇴삼두근의 과도한 연장술 후의 합병증으로도 발생한다. 에너지 소모가 큰 보행양상일 뿐 아니라 무릎통증, 고위슬개골(patella alta) 등의 합병증이 발생할 수 있다. 대개 관상면과 횡단면 상의 골격 변형이 동반된 경우가 많이 때문에 넙다리뒤근육과 고관절 굽힘근의 연장술과 함께 골격 변형에 대한 수술이 함께 시행되어야 한다. 보조기는 ground reaction AFO가 도움이 된다.

상기의 분류법들은 타당도와 신뢰도 등에 여러 문제점을 지적받고 있지만 경직성 뇌성마비 환자의 다양한 보행양상을 몇 가지 패턴으로 단순하고 명확하게 분류함으로써 임상의사들이 보다 쉽게 합리적인 치료계획을 세우는 데 많은 도움을 주고 있기 때문에 실제 임상에서 매우 유용하게 사용되고 있다.[20]

3) 이상보행 유병률과 자연경과

뇌성마비 환자를 치료하는 의사나 치료사들은 보호자들로부터 아이가 걸을 수 있는지, 걷는다면 언제 걸을 수 있는지, 어느 정도 비정상적인 보행을 보일 것인지 등에 대한 질문을 항상 받게 된다. 그만큼 보행에 관한 문제는 뇌성마비 환자 자신이나 보호자, 그리고 치료진에게도 매우 중요하다. 연구에 따르면 5세까지 54%의 뇌성마비 환아가 도움없이 혼자 걸을 수 있으며, 16%는 보행보조도구의 도움을 받아 걸을 수 있고, 30%는 독립적 보행이 불가능하다고 알려져 있다.[21] 이상긴장증이 있거나 지능지수 50이하의 인지장애가 있는 경우, 심한 시력저하나 경련성 질환이 동반된 경우 보행의 예후가 나쁘며, 출생 18개월 이내에 뒤집기가 가능하고 24개월 이내에 도움없이 혼자 앉을 수 있는 경우에 추후 보행의 예후가 좋다고 보고되고 있다.[22]

뇌성마비 환아에서 관찰되는 이상보행 패턴은, 발 및 발목관절에서는 발가락 내향보행이 가장 흔하게 관찰되며 무릎에서는 양지마비 및 편마비는 도약보행(jump knee)이, 사지마비는 웅크림 보행이 가장 많았다. 고관절에서는 과도한 굴곡이 가장 흔히 관찰되었고, 사지마비에서는 특히 회전 변형(rotational deformity)과 가위변형(scissoring)이 많이 관찰되었다(표 10-2).[23] 발가락 내향 보행을 유발하는 원인은 골반, 고관절 내회전, 경골염전, 내반족 등이 있는데, 양지마비에서는 고관절 내회전과 경골염전이 주된 원인이고 편마비에서는 이와 더불어 내반족이 중요한 원인이 된다.[24]

일반적으로 뇌성마비는 비진행성 뇌병변으로 인하여 발생한 비진행성의 질환으로 간주되지만, 환아가 성장하고 연령이 증가함에 따라 보행기능이 점차 감소할 수 있다.[25] 그 원인으로는 환아의 체중증가로 인한 상대적인 근력 부족, 그리고 경직이 있는 근육의 성장이 뼈의 성장을 따라가지 못하여 발생하는 관절 가동범위의 제한 등이 제시되고 있다. 또한 근골격계 통증문제를 간과하면 안 되는데, 뇌성마비 환자는 70% 이상에서 경도에서 중증의 통증을 호소하고 있으며 이러한 통증은 경직을 더 증가시킬 수 있으며 환자의 육체적 활동량을 감소시켜 컨디션 악화(deconditioning)로 인한 보행기능 저하를 유발하는 악순환을 가져온다.[26].

보행기능의 저하뿐 아니라 특징적인 병적보행

표 10-2 경직성 뇌성마비환자환자에서 흔하게 관찰되는 하지의 보행이상

	Total patients	Diplegia	Hemiplegia	Quadriplegia
Foot & ankle	Intoeing(63.8%) Planovalgus(30.3%) Equinovalgus(19.7%) Out-toeing(17.8%) Equinovanus(16.9%) Equinus(14.1%) Normal(10.9%) Calcaneus(5.3%)	Intoeing(63.3%) Planovalgus(31.9%) Equinovalgus(22.1%) Out-toeing(18.1%) Equinus(13.3%) Normal foot(11.1%) Equinovarus(10.6%) Calcaneus(6.6%)	Intoeing(65.8%) Equinovanus(35.6%) Planovalgus(20.5%) Equinus(17.8%) Out-toeing(16.4%) Equinovalgus(13.7%) Normal foot(12.3%) Calcaneus(1.4%)	Intoeing(61.9%) Planovalgus(47.6%) Out-toeing(19.0%) Equinovarus(19.0%) Equinovalgus(14.3%) Equinus(9.5%) Normal foot(4.8%) Calcaneus(4.8%)
Knee	Jump knee(32.8%) Crouch(28.8%) Recurvatum(18.8%) Stiff knee(16.9%) Excessive hip flexion(60.6%)	Jump knee(30.5%) Crouch(29.2%) Recurvatum(19.9%) Stiff knee(18.1%) Excessive hip flexion(65.0%)	Jum knee(42.5%) Crouch(21.9%) Recuvatum(15.1%) Stiff knee(13.7%) Excessive hip flexion(46.8%)	Crouch(47.6%) Jump knee(23.8%) Recurvatum(19.0%) Stiff knee(14.3%) Excessive hip flexion(61.9%)
Hip	Excessice hip adduction(18.4%) Excessive hip internal rotation(15.6%) Rotational malalignment(15.3%) Scissoring(6.9%)	Excessive hip adduction(17.7%) Excessive hip internal rotation(14.6%) Rotational malalignment(14.6%) Scissoring(8.0%)	Excessive hip adduction(17.8%) Excessive hip internal rotation(12.3%) Rotational malalignment(9.6%) Scissoing(1.4%)	Excessive hip internal rotation(38.1%) Rotational alignment(28.6%) Excessive hip adduction(28.6%) Scissoring(14.3%)

Reprinted from JKARM 2009;33(1):64-71 by Park ES and Rha DW et al.[23]

양상에도 변화를 보이게 되는데, 연령의 증가에 따라 시공간적 지표상의 보행속도, 발걸음 수가 감소될 뿐 아니라 고관절, 무릎관절, 발목관절의 운동범위가 감소하고 그 굴곡 정도가 증가되어 웅크림 보행에 가까워진다.[23,27]

3. 척수수막류 환아의 이상보행

1) 개요

척수수막류(myelomeningocele)는 경추에서부터 천추까지 다양한 위치에서 발생할 수 있기 때문에 그 발생위치에 따라 다양한 보행능력을 보인다. 해부학적 발생위치가 같은 경우에도 신경학적 손상레벨은 서로 다를 수 있기 때문에 일반적으로 혼란을 피하기 위해 환자의 근육기능을 바탕으로 손상위치를 기술하게 된다. 척수수막류 환자의 보행 가능 여부는 인지기능, 근골격계 변형, 비만 정도 등 다양한 요인에 의해 결정되지만 무엇보다도 손상위치가 중요하다. 독립적 보행이 가능하려면 무릎 신전근의 근력이 체중을 지지할 수 있어야 하며, 흉추부 이상의 손상일 경우에는 25% 정도에서만 보행이 가능하며, 요추부 손상 환자에서는 손상부위가 하위 요추부일수록 보행의 예후가 좋고, 천추부 손상은 대개 모두 독립적 보행이 가능하지만, 하지 근육의 근력약화 정도에 따라 다양한 이상보행 양상을 보인다.[28]

2) 보행분석

척수수막류 환자 중 community ambulator는 하위 요추부나 천추부 손상인 경우가 대부분이기 때문에 요추 4, 5번과 천추 1, 2번의 신경학적 손상이 주로 관찰되며 이로 인해 족저굴근(ankle plantarflexor)과 족배굴근(ankle dorsiflexor), 고관절 외전근(hip abductor)과 신전근(hip extensor)의 약화가 흔히 발생한다. 이 근육들의 근력약화 정도에 따라 다양한 보상작용이 일어나게 되고 보행전략의 변화가 발생하게 된다. Gutierrez 등[29]은 고관절 굴곡근 및 내전근, 슬관절 신전근의 근력이 유지되어 독립적 보행이 가능한 30명의 척수수막류 환자를 5개의 군으로 분류하여 운동형상학적 분석을 시행하고 그 특징을 기술하였다(표 10-3).

제1군은 족저굴근, 족배굴근의 근력약화만 약간 있는 경우, 제2군은 족저굴근의 근력이 없고 고관절 신전근과 외전근의 근력 약화가 약간 동반되는

표 10-3 하지 주요 관절의 도수근력검사 결과에 따른 척수수막류 환자의 분류

Group	1	2	3	4	5
Knee flexion	4	4	4	2-4	2-3
Hip extension	4	3-4	3-4	2-4	0-1
Hip abduction	4	3-4	3-4	0-2	0-1
Ankle dorsiflexion	3-4	3-4	0-2	0-1	0
Ankle plantarflexion	2-4	0	0	0-1	0

Reprinted from Gait Posture 2003;18(2):37-46 by Gutierrez EM et al.[30]

경우, 제3군은 제2군에 더해 족배굴근의 근력도 거의 없는 경우, 제4군은 제3군에 더해 고관절 외전근의 근력도 거의 없는 경우, 제5군은 제4군에 더해 고관절 신전근의 근력도 거의 없는 경우이다. 이 연구에서 척수수막류 환자들은 공통적으로 대조군과 비교하여 시상면 상에서 골반의 전방경사가 증가하고 고관절의 신전이 감소하며 슬관절의 굴곡과 족배굴곡이 증가하는 공통적이 특징을 보였는데 이는 족저굴근의 근력약화가 원인이다. 하지만 고관절 외전근의 근력약화가 동반되는지 여부에 따라 제4~5군과 제1~3군 사이에는 확연히 다른 보행양상이 관찰되었다. 고관절 외전근 약화가 있는 제4~5군에서는 관상면 상에서 몸통과 골반의 흔들림(sway)이 증가하였고, 입각기에는 몸

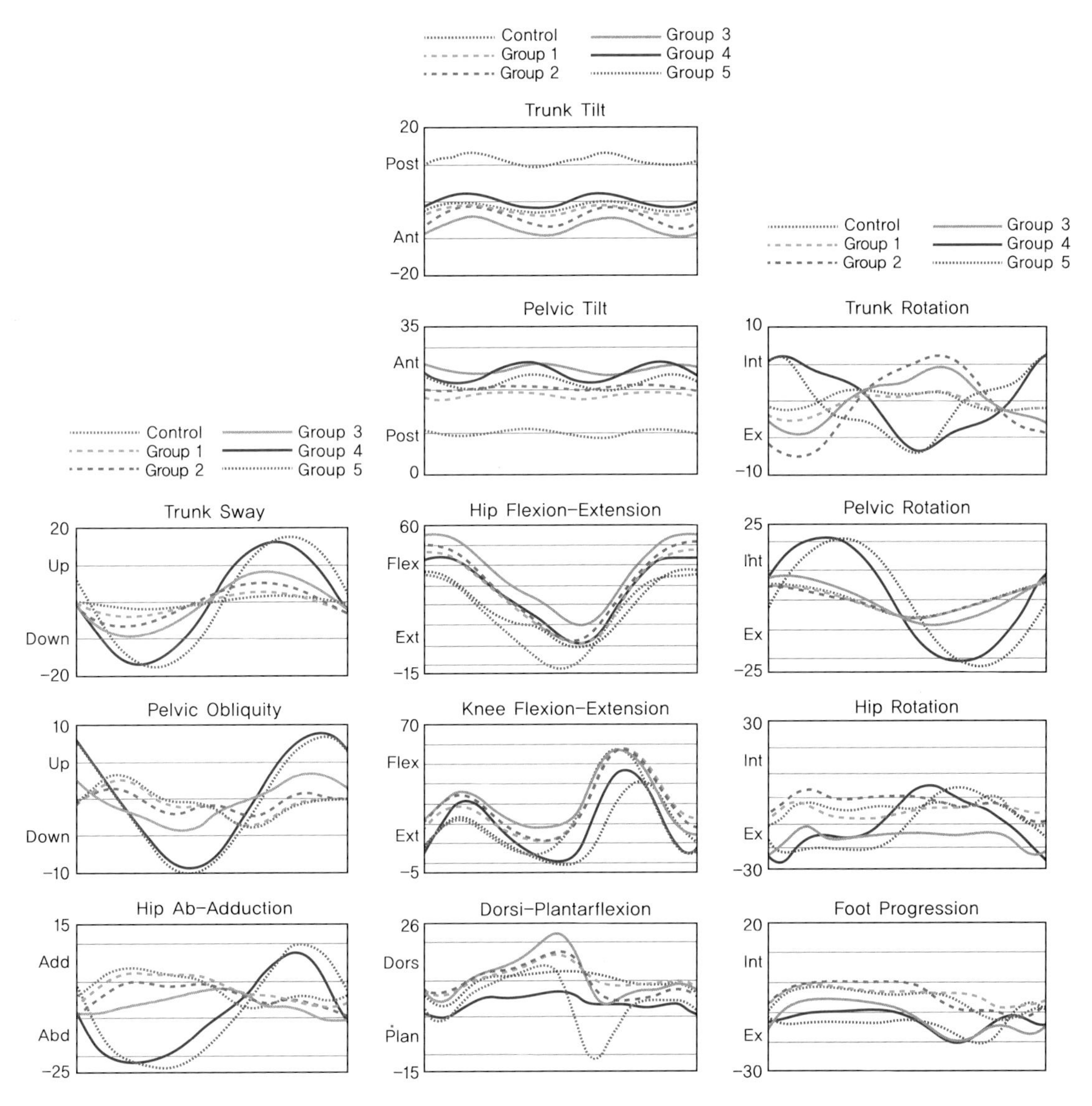

그림 10-6 척수수막류 환자의 관상면, 시상면, 횡단면에서의 보행양상
Reprinted from Gait Posture 2003;18(3):170-177 by Gutierrez EM et al.[29]

의 무게 중심을 고관절 위에 최대한 가깝게 위치하려는 보상기전인 compensated Trendelenburg gait 양상을 보였고, 유각기에는 족배굴근 약화로 인한 발들림(foot clearance) 감소를 보상하기 위한 pelvic hike의 증가가 나타나면서 제1~3군과는 반대로 입각기에서 골반의 하방경사가 증가하고 고관절의 외전이 증가하였다. 또한 횡단면 상에서도 제1~3군과는 반대의 특징을 보였는데, 운동형상학적 분석 상 입각기 초기에 몸통과 골반의 내회전이 증가하였다가 외회전되는 움직임이 관찰되었고(그림 10-6), 운동역학적 분석 상 고관절의 외회전 모멘트가 관찰되었다. 이는 모두 고관절 신전근과 외전근의 약화를 몸통의 회전으로 보상하기 때문에 일어나는 현상이다.[31]

경직성 뇌성마비 환자의 보행양상이 주로 근육의 단축이나 경직에 의해 많은 영향을 받는 것에 반해 척수수막류 환자는 근력약화가 보행이상의 주 원인이기 때문에 이에 대한 교정이나 치료가 쉽지 않다. 제1군 환자를 제외한 대부분의 척수수막류 환자는 보조기를 많이 사용하는데, 족저굴근의 약화를 보상하기 위하여 solid AFO나 ground reaction AFO를 가장 흔히 착용하게 된다. 족배굴곡을 제한하는 AFO를 착용하면 입각기 동안 경골이 족부 위에서 과도하게 전진하는 것(excessive tibial advancement during ankle rocker)을 막아주어 무릎관절의 과도한 굴곡을 교정하는 효과가 있다. 또한 고관절 외전근의 근력이 없어 입각기에 몸통의 외측굴곡이 심한 환자에서는 Knee-Ankle-Foot orthosis (KAFO)의 착용이 관상면상에서 무릎관절에 가해지는 외반 모멘트(valgus moment)를 감소시켜준다(그림 10-6).[32,33]

▶ 참고문헌

1. WHO Multicentre Growth Reference Study Group. WHO Motor Development Study: windows of achievement for six gross motor development milestones. 2006;95:86-95.
2. Tecklin JS. Pediatric physical therapy: Lippincott Williams & Wilkins; 2008.
3. Rose J. Gamble J. Human Walking, 3rd Edn Philadelphia. 2005.
4. Alexander MA. Matthews DJ. Murphy KP. Pediatric rehabilitation: principles and practice: Demos Medical Publishing; 2015.
5. Adolph KE. Vereijken B. Shrout PE. What changes in infant walking and why. 2003;74:475-97.
6. Sutherland DH. Olshen R. Cooper L. et al. The development of mature gait. 1980;62:336-53.
7. Wheelwright E. Minns R. Law H. et al. Temporal and spatial parameters of gait in children. I: Normal control data. 1993;35:102-13.
8. Saunders JB. Inman VT. Eberhart HD. The major determinants in normal and pathological gait. 1953; 35:543-58.
9. Perry J. Burnfield JM. Gait Analysis: Normal and Pathological Function Second Edition. SLACK incorporated; 2010.
10. Gage JR. Schwartz MH. Koop SE. et al. The identification and treatment of gait problems in cerebral palsy: John Wiley & Sons; 2009.
11. DeJaeger D. Willems PA. Heglund NCJPA. The energy cost of walking in children. 2001;441:538-43.
12. Schmid S. Schweizer K. Romkes J. et al. Secondary gait deviations in patients with and without neurological involvement: a systematic review. Gait Posture 2013;37:480-93.
13. Goodman MJ. Menown JL. West JM. Jr. et al. Secondary gait compensations in individuals without neuromuscular involvement following a

unilateralimposed equinus constraint. Gait Posture 2004;20:238-44.

14. Stebbins J. Harrington M. Thompson N. et al. Gait compensations caused by foot deformity in cerebral palsy. Gait Posture 2010;32:226-30.
15. Ziv I. Blackburn N. Rang M. et al. Muscle growth in normal and spastic mice. Dev Med Child Neurol 1984;26:94-9.
16. Gage JR. Schwartz MH. Koop SE. et al. The identification and treatment of gait problems in cerebral palsy. 2nd ed. Wolverhampton: Mac Keith Press; 2009.
17. Sutherland DH. Davids JR. Common gait abnormalities of the knee in cerebral palsy. Clin Orthop Relat Res 1993:139-47.
18. Winters TF. Jr. Gage JR. Hicks R. Gait patterns in spastic hemiplegia in children and young adults. J Bone Joint Surg Am 1987;69:437-41.
19. Rodda J. Graham HK. Classification of gait patterns in spastic hemiplegia and spastic diplegia: a basis for a management algorithm. Eur J Neurol 2001;8 Suppl 5:98-108.
20. Kim DJ. Park ES. Sim EG. et al. Reliability of Visual Classification of Sagittal Gait Patterns in Patients with Bilateral Spastic Cerebral Palsy. Ann Rehabil Med 2011;35:354-60.
21. Prevalence and characteristics of children with cerebral palsy in Europe. Dev Med Child Neurol 2002;44:633-40.
22. Fedrizzi E. Facchin P. Marzaroli M. et al. Predictors of independent walking in children with spastic diplegia. J Child Neurol 2000;15:228-34.
23. Park ES. Rha DW. Kim HB. et al. Common Gait Abnormalities of Each Joint in Children with Spastic Cerebral Palsy. J Korean Acad Rehabil Med 2009;33:64-71.
24. Rethlefsen SA. Healy BS. Wren TA. et al. Causes of intoeing gait in children with cerebral palsy. J Bone Joint Surg Am 2006;88:2175-80.
25. Gannotti M. Gorton GE. Nahorniak MT. et al. Changes in gait velocity, mean knee flexion in stance, body mass index, and popliteal angle with age in ambulatory children with cerebral palsy. J Pediatr Orthop 2008;28:103-11.
26. Jahnsen R. Villien L. Aamodt G. et al. Musculoskeletal pain in adults with cerebral palsy compared with the general population. J Rehabil Med 2004;36: 78-84.
27. Bell KJ. Ounpuu S. DeLuca PA. et al. Natural progression of gait in children with cerebral palsy. J Pediatr Orthop 2002;22:677-82.
28. Williams EN. Broughton NS. Menelaus MB. Agerelated walking in children with spina bifida. Dev Med Child Neurol 1999;41:446-9.
29. Gutierrez EM. Bartonek A. Haglund-Akerlind Y. et al. Characteristic gait kinematics in persons with lumbosacral myelomeningocele. Gait Posture 2003; 18:170-7.
30. Gutierrez EM. Bartonek A. Haglund-Akerlind Y. et al. Centre of mass motion during gait in persons with myelomeningocele. Gait Posture 2003;18:37-46.
31. Gutierrez EM. Bartonek A. Haglund-Akerlind Y. et al. Kinetics of compensatory gait in persons with myelomeningocele. Gait Posture 2005;21:12-23.
32. Duffy CM. Graham HK. Cosgrove AP. The influence of ankle-foot orthoses on gait and energy expenditure in spina bifida. J Pediatr Orthop 2000;20:356-61.
33. Hullin MG. Robb JE. Loudon IR. Ankle-foot orthosis function in low-level myelomeningocele. J Pediatr Orthop 1992;12:518-21.

CHAPTER 11

배뇨배변장애

Bladder and Bowel Dysfunction

김명옥, 류주석

I. 배뇨장애

일반적인 배뇨과정은 방광, 방광 경부, 요도가 유기적으로 서로 움직여져야 정상적으로 일어날 수 있다. 뇌의 배뇨중추는 소변의 저장과 배출에 관련된 정보를 척수를 통하여 방광에 전달하는데 이러한 전달 체계에 문제가 생기는 경우 정상적인 방광 기능을 유지할 수 없게 되고 이를 신경인성 방광(neurogenic bladder)이라고 한다.

소아에서 배뇨장애가 지속되면 학교 생활에 어려움이 있고 장기적으로 볼 때 요로 합병증 발생이 발생할 가능성이 높으므로 발병 초기에 조절하여야 한다.

1. 배뇨와 관련된 해부생리

정상적인 방광의 기능은 소변의 저장 및 배출과 관련하여 두 가지로 나눌 수 있다. 소변이 모이는 저장기(storage phase)에는 방광 내 압력이 낮게 유지되면서 비정상적인 방광 수축이 없어야 한다. 소변을 배출하는 배뇨기(voiding phase)에는 방광의 수축과 함께 유기적으로 외요도괄약근의 이완이 잘 이루어져야 한다. 배뇨과정은 일반적으로 제2~4천수신경과 제12흉수신경에서 나오는 교감신경(sympathetic nerve), 부교감신경(parasympathetic nerve), 그리고 체신경(somatic nerve)에 의하여 조절된다. 이들은 서로 반사궁으로 연결되어 방광이 일정량 충만하면 방광경부와 요도 괄약근이 열리는 반사 배뇨를 하게 된다.[1]

먼저 하부요로계의 원심성 신경계는 골반신경(pelvic nerve), 하복신경(hypogastric nerve), 체 음부신경(somatic pudendal nerve)의 3개 신경이 관여한다. 골반신경은 제2~4천수신경에서 나오는 부교감신경으로 말초신경 전달물질인 아세틸콜린을 유리하여 배뇨근의 M2, M3 수용체와 결합하여 배뇨근을 수축한다. M3 수용체가 더 우세하여 큰 기여를 하는 것으로 알려져 있다. 하복신경은 제10흉수에서 제2요수신경에 있는 교감신경 체인으로 말단에서 노아드레날린이 유리되어 β2, β3 아드레날린 수용체의 자극으로 방광 체부 평활근의 이완을 일으키는데 β3 아드레날린 수용체가 주된 역할을 한다. 또한 교감신경 말단에서 유리된 노아드레날린은 α1 아드레날린 수용체의 자극으로 방광 경부 내괄약근과 요도 평활근의 긴장도를 증가시킨다. 체 음부신경은 제2~4천수신경에서 나오는 부교감신경으로 아세틸콜린이 유리되어 요도 외괄약근 섬유에 있는 니코틴 수용체를 활성화시켜 횡문 요도 괄약근을 수축시킨다(그림 11-1).[2,3]

하부요로계의 구심성 신경계는 골반신경이 관여한다. 골반신경의 구심신경은 작은 유수 Aδ 섬유(small myelinated Aδ fiber), 무수 C 섬유(unmyelinated C fiber)로 구성되는데, Aδ 섬유는 정상 배뇨에 필수적이며 수동적 확장과 능동적 수축에 대해 반응한다. C 섬유는 정상 배뇨에 필수적이지는 않으며, 생리적 조건 하의 방광 뇨 충만에는 민감하지 않고 다만 화학적 자극이나 저온 자극과 같은 유해 자극에 주로 반응한다.[2,3]

저장단계에서는 방광의 신장 수용기로부터의 구심성 자극이 척수로 전달되면, 뇌간의 교에 있는 교 저장센터(pontine storage center)의 활성으로 교감신경의 원심성 자극이 배뇨근을 이완시키며 체 음부신경의 원심성 자극이 요도 외괄약근을 수축시켜 만들어진 소변을 저장하게 된다.[2,3]

배뇨단계에서는 방광의 신장 수용기로부터 소변이 찼다는 신호를 뇌간의 교로 보내면, 교 배뇨센터(pontine micturition center)가 활성화되어 부교감신경의 원심성 자극이 배뇨근을 수축시키고 요도 외괄약근을 이완시키며, 교감신경의 원심성 자극이 억제되어 배뇨근의 이완을 막게 된다. 또한 체신경의 원심성 자극이 억제되어 요도 외괄약근이 이완됨으로써 배뇨가 이루어지게 된다(그림 11-2).[2,3]

2. 소아배뇨기계의 특성

소아에서의 정상적 배뇨 양상은 명확하게 규명되어 있지는 않다. 소아에서 정상적 하부요로계는

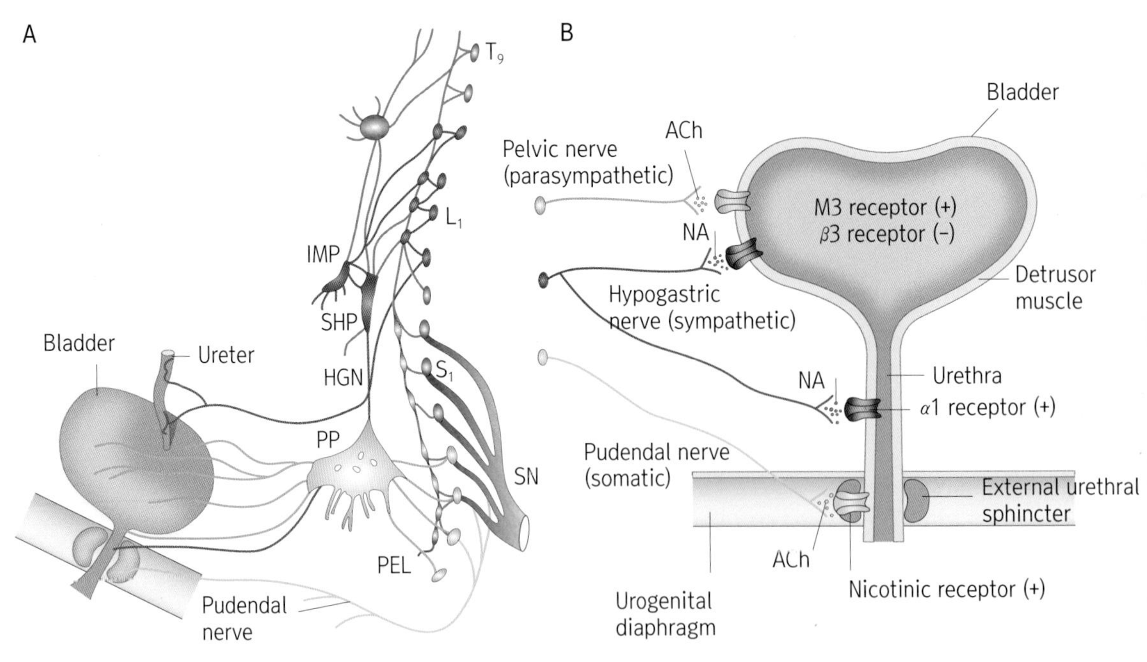

그림 11-1 하부요로계의 원심성 신경계

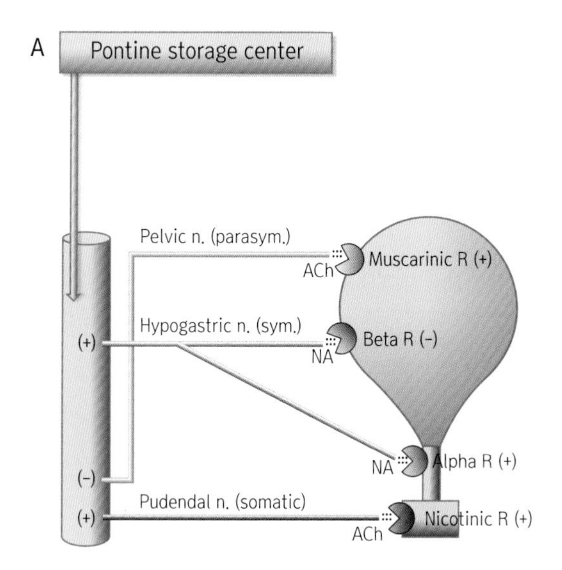

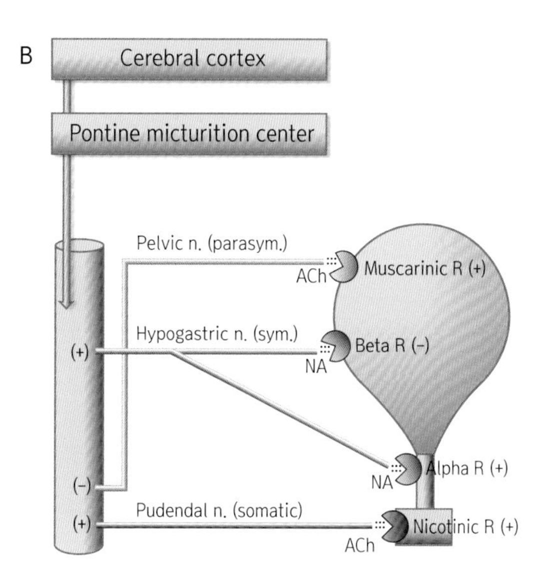

그림 11-2 하부요로계의 저장 단계(a) 및 배뇨 단계(b)

낮은 압력으로 충분히 방광에 소변을 채운 후 신생아기에는 불수의적으로 내보내고 아동이 성장하면서 자발적 배출로 발전한다. 이와 더불어 요도 횡문괄약근은 소변의 방광 충만 동안 요실금을 막기 위하여 수축되며 배뇨 시기에는 방광을 비우기 위하여 배뇨근의 수축을 통한 방광내압 증가와 괄약근 이완이 조화롭게 발전해 가게 된다. 전에는 소아에서의 배뇨과정이 자발적으로 이루어지며 뇌피질의 영향을 받지 않고 척수반사로만 작용한다고 생각하였다. 그러나 최근 연구들에서는 피질센터가 건강한 소아의 배뇨반사와 연관된 각성반응에 책임이 있다고 보고 있다. 반면 미숙아 배뇨의 2/3 가량은 수면 중에 일어나고 있어 영유아 배뇨에 관여하는 기전은 아직도 명확히 밝혀지지 않았다.

태아기에는 24시간 동안 30회의 배뇨를 한다. 방광 기능의 첫번째 의식적 인지는 생후 1~2세경에 나타나는 것으로 알려져 있다. 그러나 생후 1~2세경에는 아직 방광이 성숙되지 않아서 반사 배뇨에 의해 소변을 조금씩 자주 본다. 생후 3~4세 이후에는 방광 용적이 늘어나고 방광과 요도괄약근의 조절이 가능하게 되어 소변을 참고 볼 수 있는 기능이 형성되기 시작한다. 대체로 만 5세 이후에는 배뇨 훈련이 충분히 이루어져서 정상적으로 하루 5~7회 정도 소변을 보는 성인의 배뇨 형태가 나타나지만, 개인차가 있으며 늦어도 12세까지는 성인 수준에 도달한다.

방광의 용적은 신생아 시기에 약 30 mL 미만, 대개 10~15 mL이며, 만 5세경이 되면 약 200 mL로 늘어난다. 배뇨 훈련이 성공적으로 이루어져 성인의 방광과 유사한 기능으로 발전하기 위해서는 세 가지 조건을 갖추어야 하는데, 첫째 배뇨량의 증가, 둘째 요도 횡문괄약근의 조절, 마지막으로 척수반사를 넘어 직접적 자발적 조절이 가능해져야 가능하다. 평균적으로 낮 동안의 배뇨 조절은 3.5세, 밤 동안은 4세에 가능하다. 남녀 아동 간에 유의한 차이는 없는 것으로 알려져 있다.[4]

영유아기의 방광용량(mL)은 Holmdahl's formula에 의해 38+2.5×Age (mo)로 계산하고, 5세 이상이 되면 Koff's formula로 [Age(yr)+2]×

30(mL)로 추정한다. 2세 이하에서는 [2+Age(yr)×2]×30(mL)로, 2세 이상은 Keaffer's formula로 [6+Age(yr)/2]×30(mL)로 계산하기도 한다.[5]

3. 소아 배뇨질환의 종류

소아의 배뇨장애는 소변을 저장하고 배출하는 데 문제가 있는 경우를 포괄적으로 의미하며 대부분의 경우 만 5세 이후에 평가한다. 소아 배뇨질환은 방광과 요도에 분포하는 신경에 이상이 있어서 나타날 수 있고 배뇨 습관과 배뇨 환경이 잘못되어 나타날 수도 있으며, 방광과 요도의 형태 이상이 원인인 경우도 있다.

소아의 척수손상은 성인에 비교하여 매우 드물며 그 빈도는 백만명 중에 2.6명 정도 발생하는 것으로 알려져 있다. 따라서 척수손상 발생률이 낮은 만큼 소아에서 척수손상에 의해 신경인성 방광이 발생하는 빈도 역시 성인과 비교하여 높지 않다. 오히려 척수수막류(meningomyelocele)나 지방척수수막류(lipomeningomyelocele)와 같은 선천성 질환에 의해 신경인성 방광이 발생하는 경우가 더 빈번하다. 그 외에 신경 이상과 무관한 비신경인성 배뇨기능 장애도 나타날 수 있는데 주로 야뇨증과 같은 불안정 배뇨 형태를 보인다. 척수손상 또는 선천적 질환에 의해 배뇨장애가 나타났을 때 진단과 치료 원칙이 크게 다르지 않다.[6-8]

4. 진단

1) 문진 및 이학적 검사

(1) 문진

배뇨장애를 일으킬 수 있는 선천성, 외상성, 대사성 질환 여부, 요로감염의 과거력, 뇌, 척추, 비뇨기계 수술병력 등에 대한 문진이 필요하다. 하부 요로의 기능에 영향을 줄 수 있는 약물 복용 여부도 중요하다. 배뇨에 영향을 줄 수 있는 당뇨병, 신장질환 등 과거 병력도 확인하여야 한다. 혈뇨, 혼탁 뇨, 냄새나는 소변 등의 여부도 확인이 필요하다. 생리 상태 및 장 기능에 대한 내용도 포함되어야 한다. 불안, 강박 증상 등 심리 상태와 인지, 사회성, 상호작용, 언어발달지연 등의 발달지연 여부에 대해서도 파악하는 것이 필요하다.

소아에서 배뇨장애의 증상은 아래와 같으며, 대부분의 경우 만 5세 이후 평가하는 것이 정확하다.[9] 정확한 배뇨 증상의 확인 및 감별진단을 위해서는 48시간 이상의 배뇨일지를 기록하는 것이 중요하다. 배뇨일지 내에는 일일 수분 섭취량 및 소변량, 배뇨 양상, 야간 다뇨 증상 여부, 배뇨 시간 및 횟수 등이 포함되며, 자세하게 기록하는 것이 좋다.[10]

- 빈뇨: 3세에서 8세 소아 연령에서 하루 낮 시간 동안 배뇨 횟수가 10에서 30회인 경우
- 요실금: 아동이 스스로 조절하지 못하고 소변을 배출하는 경우
- 요절박: 예기치 않게 갑자기 심한 요의를 느끼는 경우
- 야간뇨: 수면 중 소변을 보기 위하여 잠을 깨는 경우
- 복압배뇨: 배에 힘을 주어 배뇨하는 경우
- 세뇨: 소변 줄기가 가늘어진 경우
- 배뇨지연행동: 요절박이나 요실금을 억제하기 위하여 아동이 소변을 참으려는 행동
- 야뇨증: 5세 이상 아동에서 비뇨기계에 뚜렷한 이상이 없고 낮 동안에는 소변을 잘 가리다가 밤에만 배뇨 실수를 하는 경우

(2) 이학적 검사

소아 배뇨장애가 있을 때 이학적 검사로 방광의 상태를 평가하는 것이 필요하다. 복부 진찰을

통해 방광 팽창 여부를 확인하고 요로감염에 대해 늑골척추각(CVA) 압통 여부도 확인하여야 한다. 특히 소아 척수손상에서도 성인과 마찬가지로 ISNCSCI (International standards for neurological classification of spinal cord injury)를 통해 척수손상의 정도를 평가하게 되지만, 성인에 비해 평가 신뢰도가 매우 떨어지기 마련이다. 특히 4세 이하 아동에서는 정확한 신체 평가를 수행하기 어려우며, 제4~5천추신경절의 감각검사, 항문 괄약근의 수축이나 심부 항문압력 감각 등을 충분히 이해하고 수행하려면 만 10세는 되어야 한다. 이에 따라 소아에서는 완전/불완전 손상 정도의 판단, ASIA 손상척도의 판단에 어려움이 있다.[5]

2) 임상병리검사

요로감염 여부의 확인을 위해 혈액검사, 일반뇨검사, 요 배양검사 등을 시행하고 혈중 요질소(BUN), 크레아티닌(Cr) 농도 측정, 추정사구체여과율(eGFR) 등을 평가한다.[10]

3) 영상검사

배뇨장애를 진단하기 위한 영상검사로는 단순 방사선 검사, 초음파 검사, 복부 전산화 단층촬영(CT) 검사, 척추 MRI 검사 등이 있다. 단순 방사선 검사는 주로 KUB를 촬영하며, 척추병변에서 기인한 배뇨장애 여부를 확인하기 위해 전체 척추 촬영을 시행하기도 한다. 단순 방사선 검사만으로도 방광 팽창, 요관과 상부 요로계의 이상을 확인할 수 있으며, 요로결석을 조기 진단하기도 한다. 방사선 노출 위험에 예민한 소아기 아동들에 대해 복부 CT나 신장 스캔검사보다 초음파 검사를 통한 진단이 더 보편적으로 이용된다. 초음파 영상을 통해 수신증 여부, 신장 발육부전 등을 확인할 수 있으며 도뇨관 삽입 없이 잔뇨측정을 할 수 있다. 배뇨 중 방광요도조형술이나 정맥신우조형술 등은 방광의 상태나 방광요관역류(vesicoureteral reflux)를 확인할 수 있으나 방사선 노출과 요로감염 유발, 상대적으로 침습적 진단방법이라는 점 등으로 인해 아동에서 잘 사용되지 않는다. 선천성 척수수막류 아동의 경우 배뇨장애 증상의 변화에 따라 척추 MRI 검사를 시행하기도 한다.[10]

4) 요역동학검사

소변 충만기와 배뇨기에 방광과 요도괄약근의 기능 상태 등 하부 요로계 이상을 객관적으로 평가하고, 방광 유순도(bladder compliance), 방광요관역류 여부, 방광근-외요도괄약근 부조화(detrusor-external sphincter dyssynergia, DESD) 등을 확인하기 위해 요역동학검사가 이용된다. 소아의 요역동학검사를 위한 분당 주입 속도는 공식에 의해 계산된 예측 방광 용량의 1/10로 한다. 주입 속도가 높으면 순응도가 지나치게 낮게 표현되는 오류를 범하기 쉽다. 요역동학검사에는 요류속도검사(uroflowmetry), 충만기 방광내압측정(filling cystometry), 괄약근 근전도(sphincter EMG), 요도내압곡선(urethral pressure profile) 등이 포함된다. 요류속도검사는 배뇨량이 150 cc 이상일 때 측정하므로 소아 시기에는 잘 활용하기 어려우나 비정상적인 배뇨를 발견하는데 도움을 준다. 정상 최대 요속은 남자 20~25 mL/sec, 여자 25~30 mL/sec로서 나이에 따라 줄어들어 가는데, 최대 요속이 10 mL/sec 이하이면 하부요로 폐색으로 진단한다. 방광 유순도는 방광 용적의 변화와 방광 내압의 변화의 비율(△ intravesical pressure/△ bladder volume)로 정의하며, 충만기 방광내압측정(filling cystometry)으로 평가한다. 정상적으로 소변이 차는 동안 방광의 압력이 낮게 유지되어야 하므로 방광이 비어 있을 때와 가득 찼을 때의 방광 내압이 변화 없이 유지되는 경우 방광 유순도가 좋다고 하며 방광이 비어 있을 때와 비교하여 가득 찼을 때의 빙광 내압이 크게 상승하는 경우 방광 유순도가 나쁘다고 한다. 소아에서는 통상적으로 방광이 가득 찼을 때의 방광 내압이 10 cmH_2O 이하면 유순도가 좋다고 하고 20 cmH_2O 이상이면 유순도가 좋지 않다고 판단한다. 유순도가 나쁜 경우 방광의 압력이 지속적으로 신장에 가해지게 되므로 신장 손상을 유발하게 된다. 요도내압곡선은 방광부터 배출구까지 요도의 각 부위를 가로축, 요도 압력(cmH_2O)을 세로축으로 표시하여 요도괄약근의 폐쇄 기능을 검토하는 그래프이다. 정상에서 배뇨시의 최대 요도폐쇄압 또는 최대 배뇨근압은 남자 60~80 cmH_2O, 여자 40~60 cmH_2O이다. 남자 아동의 요도가 여자 아동에 비해 길고 요도공이 작으며 외요도괄약근의 특성이 달라서 요도저항이 높기 때문이다. 요역동학검사를 통해 확인할 수 있는 신경인성 방광의 종류로는 과반사성 신경인성 방광, 무수축성 신경인성 방광, 방광근-외요도괄약근 부조화 등이 있다. 저장기에 발생하는 방광의 비정상적인 수축을 불수의적 방광수축이라고 하며 이러한 수축이 있는 경우를 과반사성 신경인성 방광이라고 한다. 무수축성 신경인성 방광은 배뇨기에도 방광 근육의 수축이 없어 소변이 나오지 않는 경우를 말하며 방광에 소변이 가득차서 외요도괄약근의 압력을 넘어서야 요도 밖으로 흐르게 되는데 이 때의 압력을 배뇨근 요 유출점압(detrusor leak point pressure)이라고 부른다.

진단을 위한 요역동학검사는 척수의 부종이 줄어들고 척수 쇽으로부터 벗어나는 시기인 수상 8-12주 이후에 시행하는 것을 권장하고 6~9개월 후 추적검사하는 것이 좋다. 신생아나 소아의 요역동학검사로부터 얻은 초기 검사 결과는 향후 나이가 들면서 상부 요로계 손상을 예측하는 자료가 된다.[5, 11, 12]

5) 전기진단검사

배뇨와 관련된 중추, 말초신경계 이상을 감별하기 위해 사용된다. 구해면체반사검사, 음부신경 운동신경전도검사, 음부신경 자극을 통한 체성감각유발전위검사, 항문괄약근과 구해면체 근육에 대한 침근전도검사 등이 이에 해당한다. 소아에서 전기진단검사를 시행하는 것은 협조가 잘 이루어지지 않고 신경의 성숙도에 따라 정상 범위를 판단하기 어려우며, 신체적 미성숙에 따른 검사 시행 도구의 제한 등으로 성인에 비해 검사 시행이 쉽지 않다.[10]

5. 재활의학적 방광 관리

척수손상에 의해 신경인성 방광이 발생한 경우 초기에 척수 쇽에 따른 근긴장저하성 방광 형태를 나타내지만 쇽으로부터 벗어나면서 방광은 경직성 방광으로 변해간다. 마미증후군이나 척수 원추손상은 이완성, 근긴장저하성 방광을 초래하게 된다. 급성기에 방광내 도뇨 카테터 삽입을 통해 방광과 신장을 보호하고 체내 수분 상태 조절을 용이하게 해야 한다. 그러나 도뇨 카테터를 오래 삽입하게 되면 요로감염의 위험성을 높이고 방광 용적을 줄이며 요도 괄약근을 신장시킴으로써 요도 손상을 유발하기 쉽다.

방광 관리의 주된 목적은 방광의 배뇨 능력을 회복하고 독립성을 촉진하며, 요로감염을 최소화하고 신장을 보호하는 것이다. 배뇨근 충만압을 30~40 cmH_2O 이하로 유지하여 방광요관역류의 위험성을 최소화해야 한다. 급성기에 신장과 요로계의 기능에 대한 기본적 평가들이 수행되어야 한다. 이에는 혈중 요질소, 크레아티닌, 일반 뇨검사,

요 배양검사 등과 신장 초음파 등이 포함된다. 아동이 척수 속으로부터 벗어나면 요역동학검사를 시행하여야 한다. 성인과 달리 소아는 자신의 증상을 적절하게 표현하지 못하고 간헐적 도뇨를 스스로 하기 어려워 하는 등 치료에 제한이 있으므로 더욱 세심한 주의를 기울여야 한다.

1) 배뇨법

신경인성 방광의 배뇨 관리법 가운데 가장 흔히 사용되고 가장 중요한 방법은 간헐적 청결 도뇨법(intermittent clean catheterization)이다. 간헐적 도뇨법은 일반적으로 남성에서 더 활용하기 좋다. 여성의 경우 미러를 이용하여 요도 출구를 잘 확인하는 것이 필요하나 소아의 경우 어려움이 있다. 너무 어린 소아는 스스로 간헐적 도뇨법을 시행하기 어려우나, 3세경에 시작하고 5~7세가 되면 스스로 하도록 교육한다. 상부 경수 손상으로 손을 사용하지 못하거나 적절한 자세를 취하기 어려운 경우 보호자의 도움이 필요하다. 그러나 가능한 한 빨리 시작하는 것이 나이가 들면서 가족이나 본인이 간헐적 도뇨에 쉽게 적응하게 된다. 또한 간헐적 도뇨를 빨리 시행할수록 나중에 방광확장술을 받게 되는 빈도가 낮다.

이완성 방광의 경우 너무 어려서 간헐적 도뇨법을 수행하기 어려운 아동에게는 크레드(Crede) 방법을 이용하기도 하나 가능한 한 빨리 간헐적 도뇨법으로 바꾸어 주는 것이 안전하다. 특히 배뇨근-괄약근 부조화가 있는 경우 잔뇨로 인한 요로감염 발생이 잦으므로 크레드 방법보다 간헐적 청결 도뇨법이 안전하다. 간헐적 도뇨법이 불가능한 경우에는 Foley 도뇨 카테터나 치골 상부 방광루(suprapubic cystometry) 도뇨관을 거치하여 1개월 간격으로 교환하는 방법이 있다.

소아에서 간헐적 도뇨에 사용되는 도뇨관의 굵기는 유아기에 5F로 시작하여 점차 굵은 관을 사용하게 된다. 학동 전기 6-8F, 학동기 8-12F, 청소년기 12-16F를 사용한다.[5]

2) 약물치료

배뇨 관리를 위해 사용되는 약물은 다양하다. 방광의 평활근에 작용하여 배뇨근을 이완시키는 항콜린제, 항콜린성 작용을 갖는 삼환제 항우울제, 하부 요로의 저항을 낮추기 위한 알파 1차단제, 요도 외괄약근의 이완을 유도하는 근이완제 등이 사용된다. 불수의적 방광 수축이 있거나 방광 유순도가 낮으면 방광 내압을 낮추기 위해 일차적으로 항콜린제(주로 M3 수용체 작용)를 투여한다. 성인에서 사용하는 항콜린제는 대부분 소아에서도 안전하게 적용할 수 있다. 다만 현재까지 소아에서 사용이 허가된 항콜린제는 oxybutynine (미국 허가), propiverine (유럽 허가) 뿐이다. Telerodine은 12세 이상에서만 사용이 허가되어 있다. Oxybutynine은 소아에 사용할 때 0.3~0.6 mg/kg/day를 세차례 나누어 복용한다.

항콜린제는 일반적으로 구강 복용하는 약제를 많이 사용하나 구강건조, 변비 등 항콜린 부작용이 심한 경우 효과를 극대화시키기 위해 방광 내 주입하기도 한다. 항콜린제의 사용에도 불구하고 지속적으로 방광 내압이 상승된다면 배뇨근 내 보툴리눔 독소(Botulinum toxin) 주사를 고려할 수 있으며 300 U의 용량이 추천된다. 또한 치골 상부 방광루나 방광내 Foley 카테터를 삽입한 경우라도 항콜린제를 함께 사용하는 것이 방관요관역류나 요로감염을 줄일 수 있다.[5, 14-16]

이완성 방광에서 방광 수축을 촉진할 목적으로 부교감신경계 약물을 사용할 수 있으나 방광요관역류를 주의하여야 하므로 보통 고 용량의 알파 1차단제와 함께 사용된다.[10]

3) 행동치료

수분 섭취를 제한하고 자극적 음식물의 섭취를 줄이는 등의 식이 습관의 변화를 주는 것이 방광요관역류나 상부 요로계 손상을 예방하는데 도움을 준다. 시간을 맞춘 배뇨나 방광 훈련, 바이오 피드백 등의 방법들이 이에 해당된다.[10]

6. 수술적 치료

일반적으로 소아에서의 신경인성 방광에서 수술의 결정은 5세 이후에 시도하는 것이 좋다. 척수손상에서 배뇨근-괄약근 부조화가 있어 자가 도뇨가 어려운 경우 외요도괄약근절제술을 고려할 수 있으나 소아 환자에서는 성장하면서 요실금이 발생할 가능성이 높으므로 추천하지 않는다. 방광요관역류로 인해 신우신염을 빈번하게 유발하거나 신장 손상을 초래하는 경우 항역류 수술을 고려해야 한다. 소아기에 항콜린제 사용에도 불구하고 지속적으로 방광 내압이 상승되어 신장 손상을 유발할 가능성이 높다면 방광확대술 등 수술을 고려하여야 한다.[5, 10, 14-16]

7. 합병증

요로감염은 신경인성 방광에서 가장 흔한 합병증이다. 방광의 과도한 팽창, 방광요관역류, 고압 배뇨, 과도한 잔뇨량, 방광 결석, 수분 섭취의 부족, 도뇨 카테터의 사용 등이 요로감염의 유발 요인이 될 수 있다. 소아에서 선천적인 척수형성이상(myelodysplasia)을 가진 경우 신생아에서 3~5%, 5세에는 30~40%에서 방광요관역류가 발생하며 이 경우 잦은 요로감염이 합병증으로 나타난다. 요로감염이 의심되는 경우 우선 수분을 충분히 공급하고 수액요법에도 불구하고 고열이 지속되거나 요 검사에서 농뇨 소견을 보이며, 요실금, 빈뇨, 혼탁뇨, 배뇨곤란 등이 나타나면 항생제 투여를 고려하여야 한다. 유증상의 요로감염이 의심되면 균배양검사 결과가 나오기 전이라도 광범위 항생제를 사용한다. 2세 이상 아동에서의 항생제 사용은 3~5일의 단기간 사용이 적절하며 그 이상의 항생제 복용은 의미가 없다. 유아와 소아기에서는 E. Coli 균주가 가장 흔한 요로감염의 원인이다. 무증상 세균뇨에서 항생제 치료는 아직 논란이 많으나 요역동학검사 시행 전이나 수신증 등 위험 요인이 있는 경우, 선천성 요로계 기형이 동반된 경우에는 항생제 치료를 시행하는 것이 권장된다. 항생제 투여에도 불구하고 요로감염이 지속되면 신우신염이나 신 농양 등의 전신 감염을 확인하기 위해 복부 CT 촬영을 시행하는 것이 필요하다.[5, 10]

방광요관역류가 있는 상태에서 Crede 방법으로 배뇨를 유발하면 방광요관역류가 더 늘어나고 악화되는 양상을 보이게 된다. 방광요관역류가 빈번하고 잘 조절되지 않으면 수신증으로 진행하게 되어 결국 신장 기능에 비가역적인 손상을 초래하게 된다. 방광 내압 상승에 따른 과반사성 신경인성 방광 상태가 지속되고 배뇨근-괄약근 부조화가 나타나면 수신증의 발생 위험이 증가하므로 정기적인 신장 초음파 검사나 요역동학검사 등으로 조기 발견되는 것이 중요하다. 특히 요로 결석의 발견이 늦어지는 경우 요관 팽창이나 수신증 등의 합병증으로 진행할 수 있으므로 주의하여야 한다. 신장, 요로 결석이나 방광 종양은 소아에서 상대적으로 발생 빈도가 낮지만 늦게 발견되는 경우 치명적인 문제를 일으키므로 만성 척수손상의 경우 소아 시기 이후에도 정기적 검진이 필요하다.[5,10]

8. 추적검사

소아의 신경인성 방광 추적관리는 3세까지 1년에 3회, 학령기까지 1년 2회, 성인이 되면 연 1회를 원칙으로 한다. 선천적 원인으로 신경인성 방광이 발생한 경우 요역동학검사를 진단 초기에는 3~4개월에 한번씩 시행하고 그 이후 연 1회 추적 실시하는 것이 필요하다.[5]

II. 배변장애

배변은 정상적인 신경조절에 의해 위장관이 기능하여 변을 형성해서 배출하는 현상을 말한다. 신경인성 장은 다양한 신경학적 손상에 의해 대장, 항문, 골반바닥(pelvic floor)의 기능에 이상이 발생한 때를 말하게 된다.[17] 신경인성 장은 자발적으로 배변을 하지 못하거나, 실변 등을 일으켜서 정상적인 사회 생활을 방해하고, 삶의 질을 저하시키므로 매우 중요하다.[18] 특히 소아는 학교 생활이 어려울 수 있으므로, 입학 전에 배변장애를 조절하는 것이 필요하겠다.

1. 배변과 관련된 해부생리

배변에 관여하는 해부학적 구조물은 대장, 직장, 항문 괄약근 등이 있다. 대장은 소장에서 직장 까지를 연결시켜주는 부분을 말하고, 주요기능으로는 대변을 이동시키고 저장하며, 물과 전해질을 흡수하는 것이다. 대장이 대변을 이동시키기 위해서는 대장벽을 수축시키는 작용과 적절한 신경조절이 필요하다.

1) 항문

항문은 실변을 막는 최종 단계이자 배변 시 최종 통과하는 단계이므로 임상적 중요성이 크다. 항문의 중요한 해부학적 구조물로는 내측 항문괄약근(Internal anal sphincter), 외측 항문괄약근(external anal sphincter), 치골직장근(puborectalis muscle) 등이 있다. 내측 항문괄약근은 직장 내에서 돌림평활근층(circular smooth muscle layer)이 특별히 두꺼워진 부분을 말하며, 연속적으로 최대수축 상태를 유지하여 안정 긴장도(resting tone)가 결정된다.[19] 내측 항문괄약근의 안정 압력은 50~100 cmH_2O이며, 척수손상이 발생하더라도 안정 압력은 변하지 않는다.

외측 항문괄약근은 골반바닥과 연장된 가로무늬근(striated muscle)이고, 양측 음부신경(pudendal nerve)의 신경지배를 받는다. 외측 항문괄약근은 수의적 조절이 가능하여, 실변의 위험이 있을 때 이를 막는 중요한 작용을 한다.[17]

치골직장근은 치골결합(pubic symphysis)의 뒷부분에서 기원하여 항문의 근위부에 부착하며, 직장을 앞으로 당기게 되어, 직장과 항문관(anal canal) 사이에 항문직장각도(anorectal angle)를 형성한다.[20] 이러한 해부학적 구조로 인해서 치골직장근이 적절히 이완되지 못하면 항문직장각도가 커져서 배변을 방해한다. 이와 같이 내측 및 외측 항문괄약근과 치골직장근은 함께 협동작용을 해서 항문조절 기전을 유지한다.[17]

2) 직장

직장의 근위부 끝부분과 직장항문 인접부(anorectal junction)에는 감각수용체가 풍부하다. 이 감각수용체들은 액체, 고체, 가스 등과 배변의 단계를 구별할 수 있어서, 실변을 막고, 사회생활을 가능하게 유지해준다. 직장에서 나타나는 반사로는 직장항문억제반사(rectoanal inhibitory reflex, sampling reflex)가 있다. 직장항문억제반사는 직장의 압력이 올라갈 때 배변을 위해 내측 항문괄약근이 일시적으로 이완되어 배변이 유도되는 반사를 말하고, 이때 외측 항문괄약근의 긴장도는 증가하여 실변을 막아주는 보호반사(guarding reflex)가 발생한다.[17]

3) 결장(colon)

결장은 소장과 직장 사이의 부위를 말하고, 상행, 가로방향, 하행 결장으로 나뉜다. 결장에서 나타나는 반사로는 위결장반사(gastrocolic reflex), 항문결장반사(anocolic reflex), 결장결장반사(colocolic reflex) 등이 있다. 위결장반사는 음식물 등에 의해 위가 늘어날 때 대장의 운동이 증가하는 반사를 말하고, 항문결장반사는 대변이 항문을 통과할 때 대장의 수축을 유도하는 반사를 말하며, 결장결장반사는 다른 말로 연동운동으로도 불리며, 대변을 항문 쪽으로 이동시키는 반사를 말한다.

4) 위장기관의 신경조절

위장기관의 신경조절은 교감신경과 부교감신경 등에 의한 외인성 신경조절(extrinsic neural control)과 장내신경 조절에 의해 이루어진다.

장내신경 중 메이스너신경얼기(Meissner's plexus)는 점막하층(submucosa)에 분포하고, 아우어바흐신경얼기(Auerbach's plexus)는 세로돌림근육층(longitudinal, circular muscle layer) 사이에 위치하여 감각과 운동신경을 전달하게 된다. 이와 같은 장내신경계(cnteric nervous system)는 장의 수축을 억제하는 작용을 담당한다.[17]

감각의 자극은 척추앞 교감신경절(prevertebral sympathetic ganglia)과 장내신경을 통해 중추신경계로 전달된다. 교감신경은 위장운동과 분비활동을 억제하는 작용을 한다. 그래서 교감신경을 자극하면 무력성장폐색증(adynamic ileus)이나 대장운동기능의 감소가 나타나게 된다. 반면 부교감신경은 위장관의 활동을 증가시키는 방향으로 작용한다.[17, 21]

위장기관은 장내의 대변(fecal mass)의 특징, 박테리아의 기능, 점막 수용체에 작용하는 효과 등에 의해서도 조절된다. 특히 대변이 물리적으로 마르고, 단단하면 장에 의해 압박이 되지 않아서 배변에 어려움이 발생하고, 식이에 섬유가 더해져서 변의 양과 습도가 증가하면 대장통과시간이 감소하게 된다.[17] 이 과정에 관여하는 반사로는 항문결장반사가 있다. 항문결장반사는 항문에 대변이 있을 때 장운동이 증가하는 반사를 말하며, 이 반사에서 대변의 물리적 특징이 더 중요할 수 있다.

5) 배변 과정

정상인은 직장에 압력을 감지하면서 배변의 과정이 시작한다. 약 10 mL 정도의 적은 양의 대변도 직장 벽, 치골직장근, 골반바닥 등의 신장 수용체를 자극할 수 있고, 지속적으로 이 수용체를 자극하게 되면 직장의 수축을 촉발시켜서, 직장항문억제반사를 일으켜서 배변이 유도된다. 배변을 가장 용이하게 하는 자세는 앉은 자세이다. 이 자세에서는 직장과 항문관 사이의 각도를 완화시켜서 배변이 쉬워진다. 또 숨을 들이마시면 횡경막이 아래로 내려가고, 이 상태에서 복압을 증가시키면 배변이 쉽게 이루어진다. 정상인은 발살바조작(Valsalva maneuver)에 의해 복압을 100 cmH_2O까지 증가시킬 수 있다.

6) 배변 장애의 병태생리

배변의 성공 유무는 배변을 일으키는 복압, 대장의 수축력, 중력 등의 배변 배출력과 이를 막는 항문직장각도, 괄약근의 긴장도, 마찰력 등의 저항력 등의 균형에 의해 결정된다.[1] 배변을 못하는 가장 흔한 원인은 이완기 괄약근의 압력을 이겨낼 충분한 배변 배출력을 만들지 못하는 것과 항문직장 협동장애(anorectal dyssynergia) 등이 있다.[22]

불충분한 배변 배출력은 경수손상 환자에서 흔히 발견된다. 항문대장 협동장애는 직장이 팽창할 때 외측 항문괄약근의 긴장도가 지속적으로 높아지는 병적 상태를 말하고, 대변배출력이 저항력보다 낮아져서 배변에 실패하게 된다. 이 외에 가끔은 큰결장증(megacolon), 큰직장증(megarectum)과 관련이 있을 수도 있다. 정상적으로는 직장 내에 100~150 mL 정도의 용적이면 충분히 직장을 압박해서 괄약근 기전을 유도할 수 있지만, 큰직장증 등이 동반된 경우에는 직장을 신장시키기 위해 500 mL 이상의 용적이 필요하기도 하다.[17]

2. 소아 배변기계의 특성

소아에서 배변장애를 일으키는 가장 흔한 질환으로는 이분척추(spina bifida), 척수손상, 외상성 뇌손상 등이 있다.[18] 855명의 소아 신경인성 장 환자에 대한 종설 연구 결과 비수술적 배변훈련으로 78%에서 배변 조절이 가능해지고, 65%에서는 변비를 개선됨을 보고하였다. 항콜린작용제와의 관련성을 보면, 항콜린작용제를 복용하는 환자의 88%에서, 반면 복용하지 않는 환자의 64%에서 변비가 발생하여, 항콜린작용제가 변비와 관련이 높음을 알 수 있다.[18]

3. 진단

1) 문진 및 이학적 검사

모든 환자에게 문진과 이학적 검사를 시행한다. 문진을 통해 다양한 증상과 악화 완화 요소를 파악할 수 있고, 이를 통해 원인을 유추할 수 있다. 이 외에도 기저질환, 생활 자세, 식사 습관, 배변 양상(횟수, 양, 배변에 소요되는 시간, 현재의 배변 조절 방법), 병전 배변 습관, 투약력(배변 완화제의 종류 및 양, 식이 섬유 복용 유무, 항콜린작용제 복용 유무), 소변 기능, 현재 체중 및 체중의 변화, 자율신경계 반사이상(autonomic dysreflexia) 유무 등을 자세히 물어야 하겠다. 특히 병전 배변 습관은 향후의 배변 방법과 목표를 결정할 때 도움이 된다.

이학적 검사는 감각, 운동신경의 손상 유무를 평가하는 신경학적 평가를 포함해야 한다. 복부의 평가는 감각기능, 운동기능과 촉진 시 대변이 만져지는지 여부, 증상의 재현 여부 등을 평가한다. 골반바닥의 감각, 수의적 항문 수축이 가능한지 등의 감각 및 운동기능도 평가해야 한다. 이외에 항문피부반사(anocutaneous reflex)와 망울해면체근반사(bulbocavernous reflex)가 도움이 될 수 있다. 항문피부반사는 항문자극 시 외측 항문괄약근이 수축하는 반사를 말하고, 망울해면체근반사는 성기를 눌렀을 때 항문 괄약근이 수축하는 반사를 말한다. 이 두가지 반사가 정상인 때는 S3-4 부위의 감각신경과 S2로의 운동신경으로의 반사궁(reflex arch)이 정상임을 시사한다.

2) 영상검사

(1) 대장통과시간측정법 (colon transit time study, CTTS)

임상적으로 대장 기능을 전반적으로 평가하는 방법으로는 대장통과시간측정법이 있다. 임상적으로 흔히 이용되는 방법은 방사선비투과표지자(radio-opaque marker)를 삼킨 뒤 수일에 걸쳐서 연속적으로 복부 방사선영상을 촬영하는 것이다. 복부 영상에서 보이는 표지자의 숫자를 세어서 대장통과시간과 전반적 기능을 평가하게 된다.[23] 이 방법도 물론 제한점이 있으나, 대변이 대장을 통과하는 것은 대장의 운동성에 의존하므로, 임상적 유용성이 있을 것으로 생각된다.[13]

(2) 직장역동검사(rectodynamics)

직장역동검사는 요역동검사와 비슷한 개념을 대장의 평가에 적용한 검사이다. 3개의 내강이 있는 카테터를 항문으로 넣어서, 두개의 내강은 직장과 항문괄약근의 압력을 측정하고, 남은 한개의 내강은 풍선을 팽창시켜서 고정하는 역할을 한다. 근전도 바늘은 외측 항문괄약근에 꽂아서 근수축을 평가하다. 안정상태, 수지 자극(rectal stimulation), 발살바조작(Valsalva maneuver), 급격히 공기나 식염수 등으로 직장을 팽창시킬 때 등의 상태에서 평가를 시행한다. 중추성 척수손상 환자에서는 직장의 압력이 지속적으로 증가하면 항문의 압력이 감소하게 되고, 특히 직장의 압력이 20~30 cmH_2O의 역치를 넘어가면 외측 항문괄약근은 완전히 이완되어 압력이 0 cmH_2O에 근접하게 된다. 직장에 150~300 mL 정도의 식염수를 주입하게 되면 직장 압력이 가파르게 증가하여 괄약근의 압력을 넘어서게 되며, 자발적으로 풍선이 배출되는 배변현상이 이루어진다.[17]

3) 전기진단검사

전기진단검사는 감각 및 운동신경검사, 침근전도검사, 유발전위검사 등으로 이루어진다. 근전도검사를 통해서 대장이나 괄약근의 수축은 측정이 가능하지만, 이와 같은 단편적인 검사로 대장의 전반적 기능을 평가하지는 못한다. 그렇지만 전기진단검사를 통해 신경인성 장이 발생하게 된 기저질환과 신경인성 장의 기전, 병태생리를 이해할 때 도움을 줄 수 있다.

4. 재활의학적 치료

1) 식이요법

식이요법은 1차적으로 적용하는 방법이며, 이를 통해서 대변의 물리적 특성과 양 등을 조절한다. 식이요법은 음식의 변경, 식이 섬유, 수분 공급, 행동요법 등으로 이루어진다.

밀겨(wheat bran)와 차전자(psyllium) 등은 식이 섬유로 흔히 이용되고 있다. 식이 섬유를 충분히 섭취하여 충분한 대변의 양과 적절한 수분 함량을 유지하는 것은 배변 조절을 위해 반드시 선행되어야 한다.

2) 약물치료(표 11-1)

도큐세이트(docusate, 상품명: 비사코딜)의 성분은 다이옥틸설포산나트륨(Sodium dioctyl sulfosuccinate)이며, 대변 내에 계면활성제로 작용하여 세척효과를 나타내고, 수분 축적 효과를 통해 대변을 부드럽게 만든다. 센나(senna)는 허브의 한 종류이고, 세노사이드(sennosides)라는 성분이 들어 있어서 대장을 자극하는 효과가 있어서, 완하제(laxatives)로 사용된다. 센나나 비사코딜 등

표 11-1 배변 프로그램에서 일반적으로 사용되는 약물의 종류[13]

약의 기전	종류	기능	부작용
장확장성 약물 (bulk-forming agents)	실리움 (psyllium)	대변의 양을 증가시키고, 수분을 흡수함.	복부 불편감, 위가스팽만음
대변 연하제 (stool softeners)	도큐세이트 (docusate)	장내 수분 함량 증가	설사, 쓴 맛으로 먹기가 어려움.
	미네랄오일 (mineral oil)	윤활제로 작용	지용성 비타민의 흡수를 방해함. 흡인 시 폐렴 위험
자극제 (stimulants)	센나(senna) 비사코딜(bisacodyl)	대장의 운동성 증가	설사, 장 경련
식염수 완하제 (saline laxatives)	마그네시아 유제 (milk of magnesia)	대장운동을 증가시키기 위해 수분을 장으로 끌어옴. 대장의 운동성 증가	설사, 전해질 이상, 맛이 없어서 먹기가 어려움, 복통, 장 경련
마그네슘	시트르산 마그네슘 (magnesium citrate)		
	식염수 관장 (saline enema)		
고삼투압성 (hyperosmolar)	락툴로오스(lactulose), 소르비톨(sorbitol), 폴리에틸렌글리콜 (polyethylene glycol), 글라이세린 좌약 (glycerin suppositories)	장으로 수분을 당겨 옴. 대장을 완전히 비울 때 사용 자극제	설사, 복통, 장 경련, 위가스팽만음
위장운동촉진제 (prokinetic agents)	메토클로프라미드 (Metoclopramide)	위장관의 운동성 증가 구토 방지	다양한 약제와 상호작용 심장 부정맥
대장 약제 (rectal agents)	소-관장 (Mini-enemas)	대장의 연동운동 증가	행동문제
	이산화탄소좌약 (carbon dioxide suppositories)	직장의 팽창 유도	

을 배변 6~12시간 전에 경구로 복용하여, 배변을 유도할 수 있다. 아우어바흐신경얼기(Auerbach's plexus)를 자극하는 것으로 생각된다.[24]

글리세린(glycerine) 좌약은 비사코딜 좌약에서 수지직장자극법으로 이행시기에 사용되기도 한다. 글리세린은 대변 내에 수분을 증가시키고, 약한 자극제로서 배변을 유도하며, 윤활제로도 작용하여 대변이 통과할 때 저항을 낮추는 작용을 한다. 일반적으로는 좌약이나 소-관장(mini-enema)을 직장의 가능한 깊은 곳의 점막 위에 삽입한다. 약물은 감각신경을 자극하여 연동운동을 증가시키며, 일반적으로 15~60분 후 방귀가 나오고, 이어서 대변이 나오게 된다.[24]

3) 배변훈련

(1) 배변훈련에서 고려해야할 점

재활의학과 의사와 치료 팀은 환자, 보호자에게 배변 훈련프로그램(scheduled toilet training program)에 대해 충분히 정보를 제공해야 한다. 이 프로그램은 환자의 기저질환, 발달, 신경인성 장의 상태, 아동의 생활 패턴 등 모든 요소를 고려해서 개별화되어야 하고, 최대한의 배변 수행을 얻을 수 있어야 한다. 아동의 생활 패턴으로는 수상 전의 대변 습관, 시간, 횟수, 변의 상태와 양 등의 정보도 도움이 될 수 있으며, 가능하면 이전 생활패턴과 비슷한 배변 프로그램이 성공할 가능성이 높다.

척수손상 환자에서도 위결장반사는 유지되는 것으로 알려져 있다.[24] 그러므로 위결장반사를 이용하기 위해 다량의 식사 후 바로 배변을 시도해야 한다. 소아는 일반적으로 학교에 가므로, 저녁 시간에 집에 있을 가능성이 높고, 배변 과정에 많은 시간이 소요될 수 있으므로, 저녁시간에 배변을 시행하는 것을 고려하는 것이 좋다. 대장이 지나치게 팽창하게 되면, 연동운동 등에 의한 변의 이동 기능이 손상될 수 있다. 그러므로 1~2일마다 1번씩은 배변을 해서, 대장과 결장 등의 과팽창을 막아야 한다.

(2) 배변 훈련의 방법(그림 11-3)

소아 환자의 신경인성 장의 재활의학적 치료는 성인에게 적용되는 치료법을 대부분 이용하고 있으며, 일반적으로 단계별 접근법이 적용된다. 단계별 접근법에서는 초기 단계에서는 비용과 부작용이 적은 식이 요법, 배변 훈련, 경구 배변완화제 등을 먼저 시작하고, 이후에도 조절이 안되는 경우에는 좌약이나 역방향 관장(rectrograde enema) 등의 방법을 적용한다.[18] 아래의 그림은 성인 신경인성 장의 단계별 접근법을 소아 환자에게 적용한 예를 보여주고 있다.[18, 25, 26]

단계별 접근법 중 1단계로는 식이 및 수분 조절 등을 통해 대변의 수분 함량과 물리적 특징을 적절히 만들어준다. 이후에도 조절이 안되면 경구약제, 직장을 통한 직장수지자극법(distal rectal stimulation), 약물 투약 등을 시행한다. 직장수지자극법 단독으로 효과가 없을 때는 소량의 식염수 관장(saline enema)을 시행하여 직장 내에 윤활작용과 신장 감각(stretch sensory)을 자극하도록 직장을 늘려준다. 이렇게 해도 실패할 경우에는 소량의 비사코딜 관장이 대장직장 연동운동을 자극할 때 도움이 될 수 있다. 그 다음 단계로는 역방향 관장을 시도하며, 최종 수술적 치료를 통한 앞방향 관장으로 이행한다. 환자가 항콜린작용제를 복용하고 있다면 가능한 끊어준다. 소아는 직장수지자극법 만으로도 완전한 배변이 가능할 수 있어서, 반드시 앞서 제시한 단계별 접근법을 반드시 따를 필요는 없고, 단지 참고사항일 뿐이다.[13, 25]

직장수지자극법을 시행하는 방법은 다음과 같다. 먼저 손가락에 윤활제를 바른 후 직장까지 손가락을 삽입한 후 원형깔데기패턴으로 움직여서 원위부 직장을 넓혀준다. 이렇게 하면 괄약근의 수축 기전을 막아서 치골직장근을 이완시키고, 연동운동을 자극해준다. 직장수지자극법은 항문의 안정 긴장도(resting anal tone)를 75% 낮추고, 항문직장각도를 완화시켜주며, 이에 더해 발살바조작과 복부 압박 등으로 배변의 배출을 도울 수 있다.[17]

만약 상부 척수손상 환자에게 항문직장 협동장애가 있다면, 2% 리도케인 젤리를 사용하여 항문을 더 오랜 시간 동안 넓혀준다. 만약 큰직장증이

보존적 치료: 대변의 물리적 특성과 양의 조절

식이 변경	섬유/장확장성 약물
수분 최적화	행동 조절

↓

경구 완하제: 대변의 이동을 조절

윤활제: 미네랄 오일 - 실변을 증가

삼투압 조절: 경피적장관위조루술(PEG), 락툴로스(실변을 악화시킬 수도 있음)

자극제: 센나, 비사코딜 - 경구로 선호하는 약제

↓

직장 치료: 직장 - 구불결장 비우기

수지배변제거	소량 관장
좌약	비사코딜
글라이세린	글라이세린
비사코딜	도큐세이트

신장 질환이 있는 소아에게는 인산염 나트륨(sodium phosphate)은 피함.

↓

항문경유관장: 고용량 관장을 통한 직장 - 구불결장 비우기(아래의 형태 이용)

원뿔 끝 형태(cone tip)

독립적 자제 관장 카테터[continence Enema catheter (independence)]

↓

앞방향 자제 관장(antegrade continence Enema): 독립적 결장 비우기와 아래의 형태의 고용량 관장(아래의 형태 이용)

카테터 삽입형 통로(catheterizable conduit)

단추형 통로(button conduit)

그림 11-3 소아 신경인성 장의 치료를 위해 적용한 단계별 접근법.

있다면, 다량 관장(large-volume enema, 300~500 cc)를 시행하여, 충분히 직장을 늘려서 항문괄약근 수축을 억제한다. 이런 방법이 모두 안될 경우에는 수술적 방법을 고려하여야 한다.

반사성 신경인성 장(reflexic neurogenic bowel)의 배변 방법은 아래와 같다.[17]

i) 손을 씻고, 방광을 비운 후 준비한다.
ii) 환자가 앉을 수 있으면 변기나 이동좌변기(commode)로 옮기고, 만약 앉을 수 없다면 옆으로 눕힌다.
iii) 좌약이나 소-관장(mini-enema)을 넣을 때 방해가 되는 대변은 손가락으로 제거한다.
iv) 손에 글러브를 끼고, 윤활제를 손가락 또는 보조기구에 바른 후 알약을 직장 벽에 위치시킨다.
v) 설사제가 작용하도록 5~15분간 기다린다.
vi) 직장수지자극법을 5~10분마다 시행하며, 배변이 완전히 나올 때까지 반복한다.
vii) 배변이 종료된 것은 ① 10분 동안 1번 이상 직장수지자극법을 시행해도 대변이 나오지 않을 때, ② 점액이 대변없이 나올 때, ③ 손가락 주위로 대장이 완전히 닫힐 때 등의 소견을 보일 때로 알 수 있다.
viii) 항문 주위를 씻고 말린다.

(3) 하위운동신경원병 환자의 배변관리

이분척추나 원추(conus)와 말총(cauda equina)에 손상을 받은 척수손상 환자들은 하위운동신경원병(lower motor neuron disease) 양상을 나타낸다. 이때는 골반바닥이 처지게 되고, 항문괄약근의 긴장도가 감소하거나 열려 있을 수도 있고, 항문피부반사 등의 반사기능도 손상되어 정상적인 신경전달이 안될 수 있다. 또한 대장의 운동성에도 문제가 있을 수 있다.[13]

이와 같은 환자에서도 일반적인 식이요법, 약물요법 등을 시행한다. 심한 경우 위결장반사가 효과가 없을 수도 있지만, 아침 또는 저녁 식사 후 직장수지자극법과 수지배변제거법(manual evacuation)을 시행하도록 한다.[13, 25]

4) 그 밖의 치료방법

신경조절치료(neuromodulation)는 경피(transcutaneous), 경직장(transrectal), 경방광(transvesical) 등의 방법으로 연구되고 있다.[18] 대조군이 없는 연구결과에서는 배변조절이 50~71%에서 호전되었고, 변비는 47~73% 에서 호전을 보였다.[27,28] 그러나 무작위 대조연구에서는 유의성을 보이지 않았고, 보존적 치료에서도 78%에서 호전을 보이므로, 신경조절치료가 효과가 있는지는 명확하지 않다.[29]

5. 수술적 치료

배변 조절이 비수술적 방법으로 안되는 경우도 있다. 변비나 대변 막힘이 매우 심하고, 지속되면, 수술적 치료가 필요할 수 있다. 수술적 치료는 배변의 통로(conduit)를 만들어서 앞방향 관장 시행에 이용된다. 전형적으로는 충수맹장문합술(appendicocecostomy)을 통해 맹장을 하부 복벽이나 배꼽에 옮겨 구멍(stoma)을 만드는 수술을 말한다.[18] 다른 방법으로는 맹장에 특별히 고안된 플라스틱 관(chait tube)을 피하로 삽입하는 방법을 사용하기도 한다. 이 구멍을 통해서 100~500 cc의 식염수를 세척하여 배변을 유도할 수 있다. 이 수술방법은 이분척추 환자에게 가장 유용하며,[24] 전반적인 성공률은 76%로 보고하고 있다.[18] 이 방법은 척수손상 후 환자에게 배변 자제(continence)를 효과적으로 향상시켰다는 보고도 있다.[30]

결장창냄술(colostomy)은 배변관리와 삶의 질을 독립적으로 향상시킬 수 있는 선택적 수술방법이다. 그러나 만성 척수손상 성인 환자에게 흔히 사용되는 방법이고, 소아에서의 적용 빈도와 효과 등에 대해서는 아직 연구가 부족하다.[13]

6. 합병증

외상성 표피점막미란(superficial mucosal erosion)은 신경인성 방광 환자에서 가장 흔한 출혈의 원인이다. 보통 글러브나 대변에 선홍색 피가 묻는 양상으로 나타난다. 치질에 의한 출혈은 이동좌변기(commode)에 피가 흐르거나 피덩이가 보이기도 하므로 구별할 수 있다. 외상성 표피점막미란은 일반적으로 보전적치료로 호전되는 반면, 치질은 출혈을 일으키거나 위생 유지에 문제가 될 수 있어서 치료를 요한다. 치질은 용액으로 닦아서 청결히 유지해야 하고, 방석을 사용해주는 것이 도움이 된다. 만약 치질이 3단계 이상이라면 수술적 치료를 고려한다. 중추성 척수손상 환자는 자율신경계반사 이상도 발생이 가능하므로 주의를 요한다.

수술과 관련된 합병증은 전반적으로 52%에서 발생하고, 이중 재수술은 23%에서 필요하였다. 합병증으로는 구멍(stoma)의 협착이나 막힘, 구멍 누출(stomal leakage), 수술부위 감염 등이 발생할 수 있다. 그러므로 수술적 치료의 시행여부는 환자의 신경학적 상태, 증상의 심각도, 수술의 합병증 등을 포괄적으로 고려해서 시행되어야 하겠다.[18]

▶ 참고문헌

1. Bradley WE, Timm GW, Scott FB. Innervation of the detrusor muscle and urethra. Urol Clin North Am 1974;1(1):3-27.
2. Linsenmyer TA, Stone JM, Steins SA. Neurogenic bladder and bowel. In: Frontera WR, DeLisa JA. DeLisa's Physical medicine & rehabilitation: principles and practice. 5th ed. Philadelphia: LWW; 2010;1345-50.
3. Cardenas DD, Chiodo A, Samson D. Management of bladder dysfunction. In: Braddom RL. Physical medicine & rehabilitation. 4th ed. Philadelphia: Elsevier; 2011;601-4.
4. Fernandes ET, Reinberg Y, Vernier R, Gonzales R. Neurogenic bladder dysfunction in children: review of pathophysiology and current management. J Rediat 1994;124(1):1-7
5. 고현윤. 재활의학과 의사를 위한 척수의학 매뉴얼. 파주: 군자출판사. 2016;374-9, 490-1.
6. Cass AS, Luxenberg M, Johnson CF, Gleich P. Management of neurogenic bladder in 413 children. J Urol 1984;132(3):521-5.
7. Decter RM, Bauer SB. Urologic management of spinal cord injury in children. Urol Clin North Am 1993;20(3):475-83.
8. Cirak B, Ziegfeld S, Knight VM, Chang D, Avellino AM, Paidas CN. Spinal injuries in children. J Pediatr Surg 2004;39(4):607-12.
9. Bass LW. Pollakiura, extraordinary daytime urinary frequency: experience in a pediatric practice. Pediatrics 1991;87(5):735-7.
10. 방문석, 이은신, 한재영. 척수질환 및 배뇨배변장애. In: 대한소아재활.발달의학회. 소아재활의학. 제2판. 서울: 군자출판사; 2013;466-468.
11. Bauer SB. Neurogenic bladder: etiology and assessment. Pediatr Nephrol 2008;23(4):541-55.
12. Joseph DN, Hery G, Haddad M, Borrionne C. Neurogenic bladder in children with spinal bifida. Curr Urol Rep 2008;9(2):151-7.

13. Nelson VS, Hornyak JE. Spinal cord injuries. In. Alexander MA, Matthews DJ. Pediatric Rehabilitation. 4th ed. New York: Demos Medical; 2010; 269-270.
14. Guys JM, Hery G, Haddad M, Borrionne C. Neurogenic bladder in children: basic principles, new therapeutic trends. Scand J Surg 2011;100(4):256-63.
15. Verpoorten C, Buyse GM. The neurologic bladder: medical treatment. Pediatr Nephrol 2008;23(5): 717-25.
16. MacLellan DL. Management of pediatric neurogenic bladder. Curr Opin Urol 2009;19(4):407-11.
17. Rodriguez G, King JC, Stiense SA. Neurogenic bowel: dysfunction and rehabilitation. In: Frontera WR, DeLisa JA, DeLisa JA. DeLisa's Physical medicine & rehabilitation : principles and practice. 5th ed. Philadelphia: LWW; 2010;619-40.
18. Johnston AW, Wiener JS, Todd Purves J. Pediatric Neurogenic Bladder and Bowel Dysfunction: Will My Child Ever Be out of Diapers? Eur Urol Focus 2020;6:838-67.
19. Harari D, Minaker KL. Megacolon in patients with chronic spinal cord injury. Spinal Cord. 2000;38: 331-9.
20. Madoff RD, Williams JG, Caushaj PF. Fecal incontinence. N Engl J Med 1992;326:1002-7.
21. Holmes GM, Blanke EN. Gastrointestinal dysfunction after spinal cord injury. Exp Neurol. 2019;320:1130-9.
22. Stiens SA, Bergman SB, Goetz LL. Neurogenic bowel dysfunction after spinal cord injury: clinical. evaluation and rehabilitative management. Arch Phys Med Rehabil 1997;78:S86-102.
23. Arhan P, Devroede G, Jehannin B, et al. Segmental colonic transit time. Dis Colon Rectum. 1981;24:625 -9.
24. Walter SA, Morren GL, Ryn AK, et al. Rectal pressure response to a meal in patients with high. spinal cord injury. Arch Phys Med Rehabil 2003;84: 108-11.
25. Ambartsumyan L, Rodriguez L. Bowel management in children with spina bifida. J Pediatr Rehabil. Med 2018;11:293-301.
26. Krogh K, Christensen P. Neurogenic colorectal and pelvic floor dysfunction. Best Pract Res Clin. Gastroenterol 2009;23:531-43.
27. Han SW, Kim MJ, Kim JH, et al. Intravesical electrical stimulation improves neurogenic bowel. dysfunction in children with spina bifida. J Urol 2004; 171:2648-50.
28. Palmer LS, Richards I, Kaplan WE. Transrectal electrostimulation therapy for neuropathic bowel. dysfunction in children with myelomeningocele. J Urol 1997;157:1449-52.
29. Marshall DF, Boston VE. Altered bladder and bowel function following cutaneous electrical field. stimulation in children with spina bifida--interim results of a randomized double-blind placebo-controlled trial. Eur J Pediatr Surg 1997;7 Suppl 1:41-3.
30. Herndon CD, Rink RC, Cain MP, et al. In situ Malone antegrade continence enema in 127 patients: a 6-year experience. J Urol 2004;172:1689-91.

CHAPTER

12 언어발달장애

Developmental Language Disorder

김명옥, 유승돈

I. 영유아 언어발달 과정

언어는 인간이 가진 여러 가지 특성 중 다른 생명체와 인간을 구분하는 가장 큰 차이 중 하나이다. 그리고 언어는 사회적 도구이며 사실 언어만큼 사회적 상호작용에 의하여 학습되는 것도 없다. 특히 영유아기에 가장 빠른 속도로 언어발달이 이루어지므로 이 시기에 발달에 필요한 지원과 상호작용을 경험하지 못하면 되돌릴 수 없는 결과를 낳게 된다. 이와 같은 이유로 발달 초기에 언어능력이 최대한 획득될 수 있도록 하기 위해서는 우선 정상 영유아의 언어발달 과정을 잘 숙지해야 하며 적절한 시기에 발현되지 않는 언어능력에 대한 의심 증상(red flag)에 대해서도 알고 있어야 한다.

1. 정상 언어발달 과정의 개괄[1, 2, 3]

- 생후 2~4개월경 출현하는 쿠잉(Coos)은 울음이 아닌 발성이다. 우연히 산출되는 목울림 소리이며 만족스러울 때 미소를 지으면서 주로 모음으로 구성된 "우우", "어어" 등 소리를 낸다. 소리 나는 쪽으로 고개를 돌리는 등 음성에 반응을 보이며 울음으로 의사 전달을 한다.
- 5~6개월 아기는 '어' 와 같은 모음 위주로 목젖소리를 내고 뒷 목젓을 사용하여 자음 소리를 낸다. 자음과 모음이 연합된 '마', '타' ,'다' 로 옹알이를 한다. 생후 6개월이 넘어서 발성하는 옹알이는 집에서 듣는 말과 비슷하다. 옹알이는 생후 5개월에서 12개월까지 하며 자음으로는 순음이 가장 먼저 발달한다. 일반적으로 "ㅁ" 옹알이에 주의 반응이 없으면 하지 않게 되며 모국어 습득하는 중요한 기제이다.[1, 2]
- 생후 7개월 경에는 자기소리 모방을 한다. 혀와 입술이 발달되기 시작하면서 여러 음을 모방하여 반복을 즐기고 자기가 낸 소리를 듣고 만족을 느낀다.
- 생후 9개월 경 어른의 말소리를 의식적으로 모방하여 반향언어증(echolalia)이 나타난다. 의미 없이 "엄마, 아빠" 와 비슷한 소리를 낸다. 제스처를 사용하며, "안돼" 라는 말을 이해하고 행동을 하지 않는다.

- 10개월에는 대부분 "까꿍", "짝자꿍", "빠이빠이" 등의 동작을 어른이 하면 그것을 흉내 내는 동작을 한다.
- 11개월 아기는 '마', '바', '타' 와 같은 음절을 서로 연결하여 마치 단어로 말하는 듯하다. 이 소리는 언어처럼 들리지만 사실 실제 단어를 말하는 것은 아니다.[1, 2]
- 생후 12개월에 무의미한 횡설수설(jargon) 소리를 낸다. 일련의 발음을 이용하며 음조 변화도 있고 리듬을 가진 문장처럼 들리지만 실제 단어는 아니고 무의미하다. 한 단어 시기로 분명히 이해할 수 있는 단어를 사용하기 시작한다. 한 단어로 아이디어를 표현하는 시기라서 한단어기(holophrase)라고 한다. 몇 개의 친숙한 단어를 이해하고, 5~6개의 단어를 말할 수 있다.
- 13~15개월에는 대략 10개의 단어를 발화한다. 사물뿐만 아니라 '위', '안녕' 처럼 동작에 관한 단어도 있고 혹은 놀이 때 '까꿍' 처럼 사회적 놀이에 관계된 것들도 포함된다. 또한 '나쁜', '예쁜' 처럼 묘사어도 사용할 수 있고 '뭐야' 처럼 정보를 얻는 데 사용하는 표현도 할 수 있다.
- 18개월이 되면 훨씬 더 많은 언어를 이해하고, 50~100단어의 어휘와 2~3개의 단어로 된 문장을 만들기 시작하며, 말의 억양과 리듬이 실제 대화에서 일어나는 형태와 유사해지는 등 언어의 획득이 갑자기 진전된다. 아동과 성인이 같이 제3의 물체에 주의를 기울이는 상태를 말하는 공동주의(joint attention)가 획득된다(생후 6개월부터 사물을 가리키면 쳐다보는 공동주의 초기 형태가 시작된다).
- 20개월에는 "저게 뭐야?" 하고 끊임없이 묻고 간단한 이야기를 즐겨 듣는다.[1, 2]
- 20~24개월 경 2단어 조합하여 문법 형태소가 결여된 전보식 말(telegraphic speech)을 사용하며 핵심 낱말만 나열한다. 어휘 수가 늘어 약 200개 정도 된다.
- 3세아동은 아동은 세개의 단어를 조합하기 시작하면서 문법 형태소를 사용하기 시작한다. '왜냐하면', '또' 와 같은 단어를 많이 사용하며 '누가?', '뭔데?', '왜' 로 시작하는 질문을 많이 한다. 말이 많아지고 상대방이 자신의 말을 알아들을 수 있는지 관심이 많다. 500~1,000개의 단어를 알고 익숙하지 않은 성인과 대화하는 능력이 향상된다.[2, 3]
- 4세에는 발음이 정확해지고 문법적 표현도 향상된다. 상대가 자신을 잘 이해하지 못하면 새로운 정보를 추가하거나 다른 표현을 사용하여 이해시키려는 노력을 한다. 또래와 갈등은 말로 해결할 수 있고 놀이에 초대하는 것으로도 해결된다. 추상적 단어 사용에 대한 관심이 증가하고 자신보다 어린 유아에게 말할 때는 단순하게 말하는 등 상대방 수준에 따라 대화방식을 조절한다. 아동이 4세가 되면 복문을 산출할 수 있고 이 시점에서 모국어 문법을 습득했다고 말할 수 있다.[2, 3]
- 5~6세에는 완전하고 복잡한 문장을 사용할 수 있고 차례를 지켜 대화할 수 있다. 대명사, 과거, 현재, 미래 등의 표현이 가능하며 평균 문장에 약 6.8개의 단어를 사용한다.

출생부터 6세까지 언어발달의 특징을 기술하였다. 이런 자료를 볼 때 주의할 점은 이것을 연령별 언어발달의 표준적 기준으로 삼아서는 안 된다는 것이다. 유아의 연령은 특정 유아의 언어발달을 이해하는 데 있어 하나의 정보이지 모든 정보는 아니라는 것을 기억해야 한다(표 12-1, 2).

표 12-1 정상 언어발달표[4]

단계	이해	표현
0~6개월	소리나는 곳을 향해 눈동자나 고개를 돌린다(3개월); 다른 사람의 말을 듣고 미소로 반응한다; 따뜻한 목소리, 화난 목소리를 구별한다; 자신의 이름을 듣고 반응한다(5개월).	배고프거나 아플 때의 울음소리가 다르다; 쿠잉(Coos) '꾸욱', '꺼억', '이이' 같은 목젖소리가 난다(2개월) 소리를 내서 기쁨을 표현한다; 소리 내며 논다(2개월); 소리를 반복하며 옹알이를 한다; '마', '다', '파' 처럼 자음과 모음을 연결하여 옹알이(babbling)한다(3~6개월).
7~11개월 언어에 주의를 기울이는 시기	선택적으로 듣는다; "안돼"라는 말을 알아듣는다(9개월). "뜨거워", 자신의 이름을 인식한다; 다른 소리에 방해 받지 않고 상대의 말을 듣는다.	이름을 부르면 소리 내서 반응한다; 발성을 흉내 낸다; 뜻을 알 수 없는 말을 한다(7개월); 기쁠 때 소리를 지른다; 까꿍 식의 말로 하는 놀이를 즐긴다 소리를 의지적으로 따라 하고 말 소리를 따라 하는 옹알이가 많이 나타난다(9~11개월).
12~18개월 한 단어 시기	소리를 구별할 수 있다(엄마와 아빠 목소리); 기본적인 신체부위와 자주 접하는 사물의 이름을 이해한다; 여러 그림이나 사물 중에서 단순한 것(아가, 공은 식별할 수 있다; 18개월이 되면 150개의 단어까지를 이해한다.	첫 단어를 말하는 평균적 시기는 11개월이며, 18개월에는 50단어 사용한다; 뜻을 알 수 없는 자신만의 말을 쓰거나 가끔 단어를 사용해서 장난감, 자신, 그리고 남에게 말한다; 말하는 의미의 25% 정도를 주변사람이 알아들을 수 있다; 모음의 대부분을 정확하게 소리 낸다.
18~24개월 두단어메시지 시기	"공 줘" 등의 간단한 지시에 반응한다; "이리 와", "앉아" 등의 명령에 반응한다; '나', '너' 등의 인칭대명사를 이해한다; 복잡한 문장을 이해하기 시작한다(24개월).	두 단어를 연결하여 말한다. 표현 어휘 수는 50~200단어 사용한다(24개월); 이름으로 자신을 지칭하며 대명사를 사용하기 시작한다; 말하는 의미의 26~50% 정도를 주변사람이 알아들을 수 있다; 필요한 것을 말로 요청한다.
24~36개월 문법 형성시기	작은 신체부위(팔꿈치, 턱, 눈썹)를 이해한다; 가족 호칭(할머니, 아가)의 개념을 이해한다; 크기(큰 것, 작은 것)를 이해한다; 형용사를 이해한다; 기능(왜 먹는지, 왜 자는지)을 이해한다.	문법에 맞는 문장을 사용한다; 어휘력이 늘어난다(만2세에 270단어, 3~4세에 약 1,000단어); 말하는 의미의 50~80% 정도를 주변사람이 알아들을 수 있다; 자음을 정확하게 발음하기 시작한다.
36~54개월 문법 발달시기	왜 의문문에 대한 사용과 이해가 된다. 위, 아래, 사이 등의 개념을 이해한다; 상당수의 단어를 이해한다(만 3세에 약 3,500단어, 만 4세에 약 5,500 단어까지); 원인과 결과를 이해한다; 유추(밥은 먹는 것, 우유는 마시는 것)를 이해한다.	자음의 대부분을 명확하게 발음한다; 과거형, 부정문, 의문문 등 다양한 문법 형태를 사용한다; 말 자체를 가지고 논다; 말하는 의미의 80% 정도를 주변사람이 알아들을 수 있으나, 가끔 단어의 순서에 오류가 있다; 단어를 정의할 수 있다; 긴 문장을 따라 할 수 있다.
55개월 이후 진정한 의사소통기	숫자, 속도, 시간과 공간의 개념을 이해한다; 좌-우의 개념을 이해한다; 추상적인 용어를 이해한다; 분류의 개념이 생긴다.	이야기를 들려주고, 생각을 나누며, 토론을 하는데 언어를 사용한다; 다양한 문법을 사용하며, 문법상의 오류를 스스로 고친다; 말하는 의미의 100%를 주변사람이 알아들을 수 있다.

표 12-2 영유아 정상 언어발달의 key Milestone 및 언어발달지연 의심 증상[5, 6]

연령	정상 언어발달	연령	언어발달지연 의심(Red Flag)
3개월	울기, Coos	출생~3개월	웃지 않거나 다른 사람과 놀지 않을 때
6개월	옹알이, 모음발성	4~7개월	옹알이를 하지 않을 때
9개월	제스처를 사용한다. "안돼" 이해한다.	7~12개월	제한된 소리만 낼 때 "바이바이"나 가리키는 제스처 하지 않음
12개월	의미있는 엄마/아빠 2개 단어 사용, 이름에 반응한다.	7개월~2세	다른 사람이 말하는 것을 이해하지 못할 때
18개월	4개에서 20개 단어 간단한 명령을 따른다. 신체부위 가리킨다.	12~18개월	몇 단어만 말하는 경우
24개월	2 단어 조합, 200단어 신체부위 말한다.	1.5~2세	2 단어 조합하지 못하는 경우
3세	성과 이름 댄다. 나이와 성별을 말한다. 3단어 조합하여 문장형태로 구사 3가지 물건 이름 나열	2세	50단어 미만 구사
4세	4개나 5개 단어로 문장 발화 4개 물건 이름 나열 색깔을 말한다.	2~3세	또래 아이들과 놀거나 말하는데 어려움이 있는 경우
5세	10개 이상의 물건을 센다. 6~8 단어 문장 발화 동전/돈을 안다. 주소를 말한다.	2.5~3세	책 읽기나 그림 그리기를 좋아하지 않거나 읽거나 쓰기에 문제가 있는 경우

II. 학령기 아동의 언어발달

학교에서 장애를 지닌 아동들의 80% 이상이 다음과 같이 진단된다. 학습장애(learning disabilities, 46%), 말/언어장애(20%), 지적장애(9%), 그리고 정서장애(8%)가 주를 이루며 그밖에 자폐증, 간질, 외상성 뇌손상, 시각과 청각 장애 등과 같은 장애를 지닌 아동들이 포함된다. 이러한 데이터는 학령기 아동에서 언어재활치료를 받는 사례의 2/3 이상이 언어장애나 언어학습장애를 가질 것임을 시사해 준다. 학령기 아동들이 직면하는 말과 구어의 장애에 대처하거나 읽기 및 쓰기 장애가 있는 아동들을 발견하여 계획을 세우고 학습 목표를 달성할 수 있도록 하는 것이 학령기 아동의 언어장애의 주요 목적이다. 이를 위해 아래에 학령전기와 청소년기까지의 언어 특성을 알아보고 학령기 아동언어검사의 항목을 제시하여 평가내용을 숙지하도록 하였다. 마지막에 화용, 의미, 구문, 음성학적 분야로 나누어 학령기의 의사소통발달에 대하여 도표로 정리하였다(표 12-3, 4).

- 학령전기(25개월~6세)
  - 두 낱말 조합 등 문장구조 형성
  - 담화구조 이해(읽기/쓰기/철자)
  - 의사소통수단: 주로 대화
- 학령기(6~12세)
  - 담화구조 학습
  - 수업관련 담화 이해, 사용

표 12-3 학령기 아동 언어검사(LSSC: Language Scale for School-aged Children) 하위 검사 구성

하위검사	정상 언어발달
상위개념 이해·상위어 표현	각 문항의 그림이나 낱말을 듣고 같은 상위개념에 포함되는 두 개의 낱말을 고르고 상위개념어를 표현한다.
반의어 표현	낱말을 듣고 반대되는 낱말을 표현한다.
동의어 표현	낱말을 듣고 비슷한 낱말을 표현한다.
구문 이해	문장을 듣고 해당되는 그림의 번호를 말하거나 가리킨다.
비유문장 이해	문장을 듣고 해당되는 그림의 번호를 말하거나 가리킨다.
문법 오류 판단·수정	문장을 듣고 문장의 맞고 틀림을 판단한 후 틀린 문장은 수정한다.
복문 산출	2~4개의 짧은 문장을 듣고 하나의 문장으로 말한다.
단락 이해	단락을 듣고 관련된 질문에 답한다.
따라 말하기	문장을 듣고 따라말한다.

표 12-4 학령기(후기) 의사소통발달(later communication development)[7]

	화용	의미	구문	음성
5~7세	•담화(narration) 양상은 핵심, 주안점, 문제해결을 포함	•평균 표현 어휘는 3,000~5,000 단어 •통사론(syntagmatic)에서 의미론(paradigmatic) 네트워크 어휘 지식의 재편성	•수동태 문장의 사용과 이해 •기본 문법 규칙에서 예외사항 익히기	•마지막 남은 구어 오류 극복 •음소에서 단어를 분절하기 위한 능력 출현 •지시하는 것으로부터 분리된 단어의 개념이해
7~9세	•이야기 구성은 내적 목표, 동기부여가 포함 •언어는 사회적 지위를 확립 및 유지 하기 위해 •언어는 사회적 지위를 확립 및 유지하기 사용 •용어를 정의하거나 배경 정보에 의한 대화 수정	•앞에서 나온 명사에 대하여 대명사 사용 •동의어(synonyms)와 범주어(categories)를 포함하여 단어의 정의를 내림 •일부 단어는 여러 의미로 이해함 •비유 언어 산출 능력 증가	•학교 활동에 필요한 문해 언어 구문(literate syntax) 능력이 생김 •명사구에서 오류가 지속됨	•조음오류가 거의 없음 •복잡한 단어 구사에 어려움은 지속됨(예, 알루미늄) •철자법에서 음운 지식이 사용됨. •아이들의 말장난(pig latin)이 나타남

	화용	의미	구문	음성
9~12세	• 이야기는 복잡해 지고 상호 작용하는 사건을 포함 • 농담과 수수께끼를 이해함	• 학교 교과서에서 사용하는 어휘는 말할 때보다 더 추상적이고 특별함 • 책으로부터 새로운 정보를 습득함 • 여러 의미를 가진 단어의 의미를 설명함 • 흔히 사용되는 관용어구(Idioms)를 이해함	• 학교 교과서에서 사용된 구문은 대화에서 사용하는 것보다 더 복잡함 • 글쓰기에서 단어 배열 순서의 변화가 증가함	• 형태음운학적 지식(morphophonological knowledge)이 철자법(spelling)에 적용됨 • 상위인지(metacognitive) 기술이 나타남

III. 아동의 언어 획득과 기능적 신경 영상

1. 뇌 발달과 언어 획득

아동은 문법에 구애받지 않고 수년 이내에 언어를 습득한다. 말하기와 언어 이해력은 타고 나며 생물학적으로 결정이 되어 있는 일차적인 특성인 반면 읽기와 쓰기는 이차적인 능력이라 할 수 있다. 실제로 모국어 또는 일차 언어(L1)는 언어의 일차적 특성과 관련하여 태어난 지 수년 동안 획득되며 아동으로 성장하면서 언어에 관련된 이차적인 지식이 급격히 증가한다. 반면에 읽기와 쓰기는 학교에서 반복과 의식적인 노력에 의해 학습된다. 이러한 능력은 생물학적 요인보다는 문화 및 환경에 영향을 받는 것 같다. 그러나 발달성 읽기 장애는 고유한 신경 기전이 있으며 이해하는 능력이 저하된 것과 관련이 있을 수도 있다.

그림 12-1은 전형적인 모국어(일차언어)의 발달에 관하여 보여 준다. 그림에서 첫 수년 동안 뇌의 양적 증가와 더불어 언어발달도 현저하게 증가함이 관찰된다. 유아에서 6~8개월에 옹알이(babbling)를 하며 10~12개월에 한 단어를 말하고 2세 경에 두 단어를 말한다. 난청 유아나 들을 수 있는 유아 모두에서 말이 없이 조용한 옹알이를 시작하고 비슷한 발달의 경과가 관찰된다.[8] 이러한 명백한 발달의 변화는 언어 발화와 관련된 것이다. 언어 수용 또는 언어 지각은 더 쉽게 발달하여 생후 수개월 내에 획득할 수 있다.[9]

2. 유아의 언어 지각과 언어 획득

인간은 태어난 지 수개월 이내에 고유 언어를 획득하기 시작하므로 발달의 과정에서 뇌의 성숙과 환경의 영향을 통해 언어의 획득이 어떻게 일어나는지 알 필요가 있다. 유아에서는 음성, 음운, 단어 분절 영역에서 생후 1년 안에 상당한 언어 획득이 이미 일어난다. 이에 대하여 Dehaene-Lambertz 등[10]은 20명의 건강한 2~3개월의 유아를 대상으로 유아의 모국어(프랑스어)로 책을 읽어서 녹음한 후 전향적으로 들려 주거나(forward speech), 녹음 내용을 반대로 돌려서 들려주는(backward speech) 연구를 하였다. 유아는 거꾸로 읽는 것에 반응을 하는데 이는 음성학적으로 잘못된 것에 민감하게 반응하는 것이다. 예로 4일 된 신생아와 2개월 된 유아가 자신들의 모국어 문장과 외국어로 된 문장을 구분해 내지만 반대로 읽

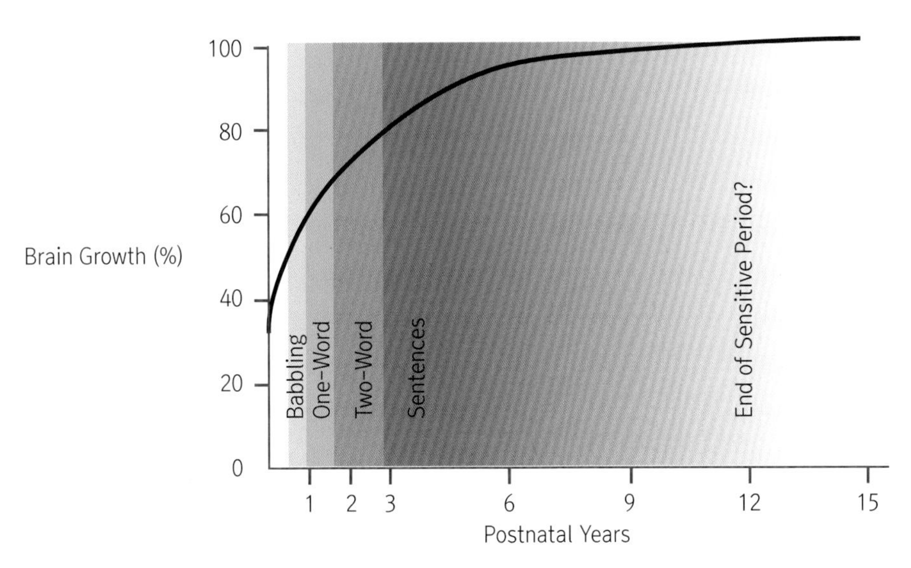

그림 12-1 뇌발달과 언어발달

으면 구분해 내지 못한다. 정상 어순 언어가 반대 어순 언어보다 뇌의 영역이 더 강하게 활성화 되지만 일시적으로 양측 음소(phonemes)에 음성학적 정보를 가지게 되므로 두 가지 상태에서 모두 활성화될 수 있다. 좌측 측두엽의 큰 영역에서 언어 자극으로 인한 활성화가 관찰되었는데 그 범위는 Heschl 이랑(gyrus)을 포함하는 상측두 이랑에서부터 측두 극 부위에 걸쳐 있다. 우측 측두엽의 대칭 부위에도 작은 활성화가 관찰되었으며 특히 측두평면(planum temporal) 위치에서 우측보다 좌측에서 의미있는 활성화가 있다(그림 12-2B). 이후 전향 언어 청취와 후향 언어 청취의 차이점을 분석하였는데 좌측 모이랑(angular gyrus)과 좌측 내측 두정엽(precuneus)에서 전향 언어 청취의 경우 더 의미 있게 활성화 되었다(그림 12-2C).

유아에서 어절 구분 과제를 실시하면 어른처럼 측두엽의 여러 부위가 활성화되며 좌측에서 더 활성화 된다. 또한 측두평면(planum temporal)에서 발견되는 해부학적 비대칭성은 태아 31주에 벌써 관찰된다.[11] Dehaene-Lambertz 등의 연구와 해부학적 비대칭성을 바탕으로 유아의 뇌 피질은 이미 기능적으로 구조화 되어 있으며 양측 대뇌반구의 언어 관련 기능과 관련하여 조기에 비대칭성이 있다고 할 수 있다.

언어 획득에 대하여 인간의 뇌는 유전학적으로 조기에 언어 획득이 가능하도록 태어난다는 이론과 유아의 뇌는 초기에 미숙하고 가소성이 있는데 언어 자극에 지속적으로 노출되어 학습과 가소성을 통하여 조직화된다는 이론이 있다. 이런 언어 획득에 대한 이론에는 다양한 반론이 있지만 유아의 뇌 활성화 양상은 생후 몇 개월 일지라도 일차 청각 피질에 국한되지 않으며 어른과 유사한 부위에서 관찰되고 전두엽 피질은 주의 집중의 영향하에 좌측 편향된 측두-두정엽의 활성화가 함께 일어난다고 할 수 있다.

3. 보행 시기 아동의 언어지각

종종 걸음마 하는 시기(Toddler period, 2세)에는 인지 기능이 현저하게 증가한다. 이 때 아동의

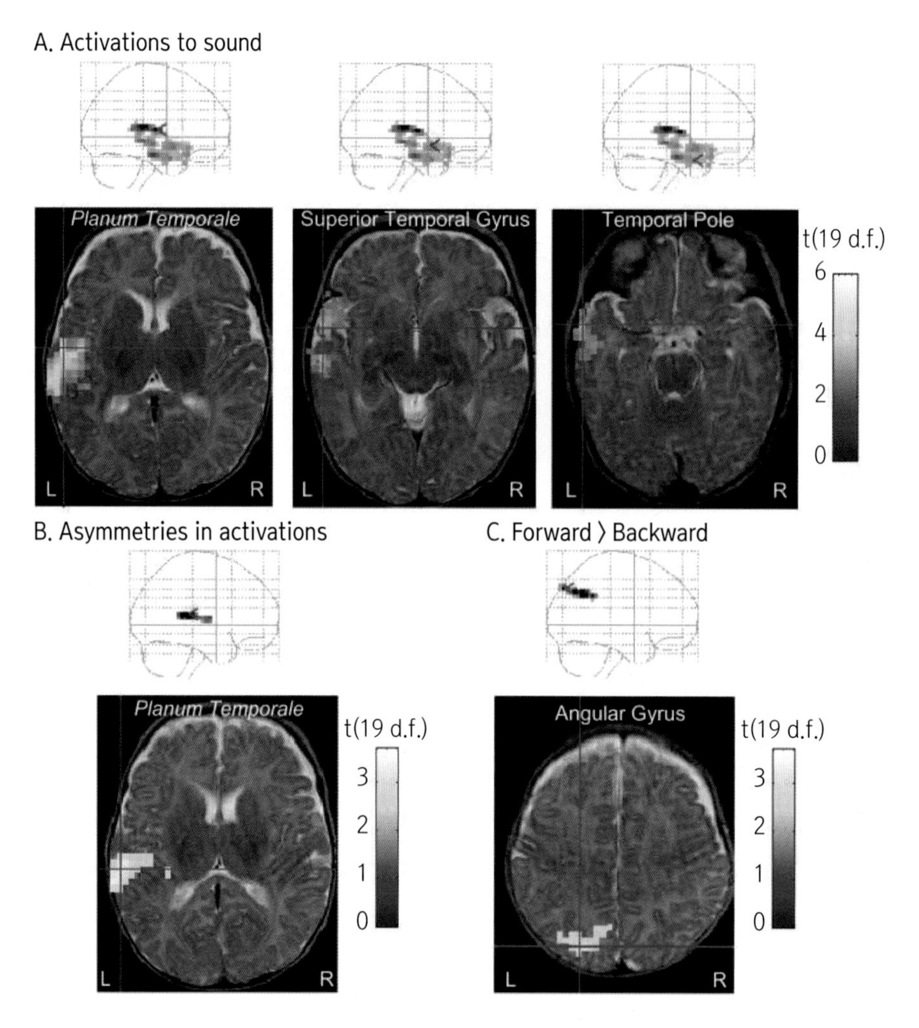

그림 12-2 언어 청취 뇌활성화 분석[3]

A. 전향 언어 청취와 후향 언어 청취 시의 뇌활성화.
B. 청각 자극 시에 측두평면(planum temporal)에서 관찰되는 뇌활성화의 비대칭성(좌측대뇌반구가 우측보다 의미있는 활성 관찰됨).
C. 전향 언어 청취에서 후향 언어 청취와 비교하여 좌측 모이랑(angular gyrus)의 활성화가 관찰됨.

언어발달이 특히 현저하게 일어난다. 예로 24개월이 되면 16개월 아동보다 단어를 10배 가량 더 이해하고 8개월 된 아동과 비교하면 200배 정도 많이 이해한다.[12] 그 이유로 다른 인지 기능이 이 시기에 현저하게 증가함에 따라 언어 기능의 현저한 증가가 일어나며 그 영역은 어른과 비슷하다고 설명한다.[13] 다른 설명으로 이 시기의 언어발달은 신경계의 더 폭넓은 신경망에 의해 영향을 받으며 사회성, 인지 기능, 새로운 것을 습득하는 기능 등을 통하여 일어나는 것으로 언어 그자체 보다는 명명(사물을 보고 이름을 부르는 것, naming)하기 위해 집중, 지각, 모방, 상징체계의 조합이라고 보는 것이다.[14] 즉, 언어 중추가 인지 기능이 증가하는 시기에 다른 뇌 영역(전두엽, 우측 뇌)의 상호 영향으로 특수화되는 과정이 이루어 진다고 보는 견해이다.[15] 이에 대하여 Redcay 등[16]은 10명의 2세 아동과 10명의 약 39개월 된 아동에서 언어 이해 과제를 시행하였을 때 2세의 아동에서는 전두엽, 후두엽, 소뇌에서 39개월 된 아동과 비교하여 fMRI 활성화가 더 큰 것을 관찰하였다.

4. 이차 언어(제2언어, L2) 획득

모국어와 제2언어(second language, L2) 사이에는 명백한 차이가 있다. L2 능력은 발달의 어떤 특정한 과정을 거치는 것 같지는 않으며 상당히 개인적인 차이가 많다. L2는 유아기부터 사춘기(12세)까지 언어에 민감한 시기를 지나서도 습득된다고 가정하면 L1과 비교하여 일생 가운데 어느 시기에도 습득될 수 있을 것이다. 언어 습득에 관한 민감한 시기에 대한 개념은 사춘기 이후 후천적 실어증으로 인한 뇌 재조직화(reorganization)의 유연성(flexibility) 저하로부터 비롯되었다. 이 시기에 대한 예로 7세 이후에 미국으로 이민 온 한국인 등에서 영어 획득 능력이 그 이전 나이와 비교하여 저하된다는 사실을 들을 수 있다.[17] 이차 언어는 단어 수준에서 음성학과 의미론, 그리고 문장 수준에서 문장의 이해와 구문(syntax)으로 구분하여 설명할 수 있다(그림 12-3A)

1) 음성 정보 처리와 어휘사전-의미 정보처리 (phonology and lexico-semantics)

최근의 fMRI와 PET 등의 연구 결과를 보면 청각 음성학적 정보 처리를 할 때 후상 측두 이랑(superior temporal gyrus, STG, 브로드만 영역 22)에서 활성이 일어나는 반면 단어-의미 정보 처리 시에는 전형적으로 좌측 모이랑(angular gyrus), 모서리위이랑(supramarginal gyrus)에서 활성이 일어난다(그림 12-3A). 그러나 음성처리와 의미처리에 대한 연구들에서 하 전두 부위에서도 추가로 활성을 관찰할 수 있다. 특히 음성학적 정보 판단 과제와 목소리 음조 비교 과제에서 구문이나 의미 판단 과제에 비하여 양측성 상측두 활성이 관찰된다.[18]

2) 문장 이해

문장은 각 단어에서 어휘사전-의미 정보를 포함할 뿐만 아니라 구문 구조에 따른 문장의 의미를 가지고 있다. 문장에서의 의미 정보 처리는 각 단어가 가지는 의미의 집합체가 아니다. 예로 "나는 사촌이 그의 아들을 기쁘게 해 준다고 생각한다."와 "나는 그의 아들이 사촌을 기쁘게 해 준다고 생각한다."는 단어의 구성은 비슷하나 문장 내에서 그 의미가 다르다. 따라서 문장의 의미를 판단할 때는 어휘사전-의미 영역의 정보 이외에 선택적으로 통합하는 역할이 정보 처리에 필요하다. Triangular part(브로드만 영역 45)와 orbital part(브로드만 영역 47)에 이르는 좌측 하방 전두엽(inferior frontal gyrus, IFG)이 의미 정보의 통합과 선택에 관련된 부위이다(그림 12-3B, 녹색). 이 영역들은 문장의 이해 과제에서 시각 및 청각 자극 과제로 제시하였을 때 활성화가 관찰되며 좌측 중심앞고랑(precentral sulcus)과의 기능적 연결도(connectivity)가 형성되어 있다.

3) 구문: 문법 중추 (syntax: The grammar center)

구문과제에서 뇌의 opercular, triangular 부분(브로드만 영역 44, 45)과 좌측 외측 전운동 피질(lateral premotor cortex, 브로드만 6, 8, 9)이 선택적으로 문법 처리 과정과 관련하여 활성화된다(그림 12-3B 빨간색). 이 곳을 문법 중추(grammar

A

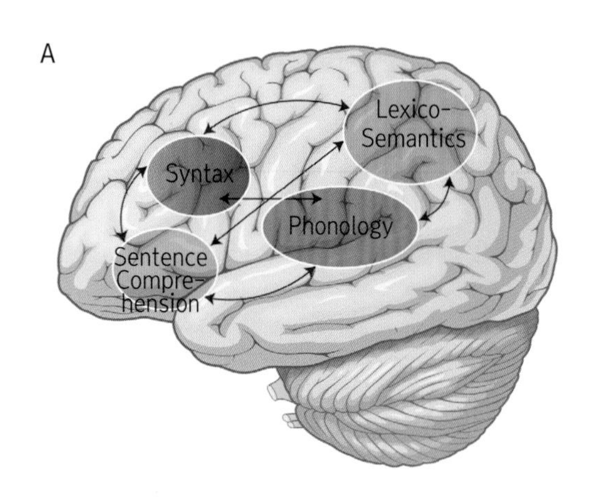

B

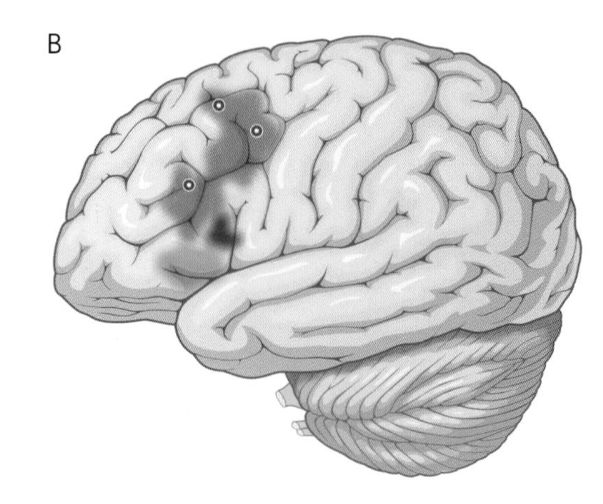

그림 12-3 언어 청취 뇌활성화 분석
A. 뇌에서 기본적인 언어 기능과 관련된 신경망
B. 좌측 문법 중추와 좌측 전두 영역이 문장 처리 과정에서 의미있는 활성화가 관찰됨.
(녹색: 문장이해 과정에서 활성화, 적색: 구문처리 과정에서 활성화)

center)라고 하며 언어 단기 기억 과제와 비교하여 구문 선택 과제를 실시했을 때 구문을 분석하는 것과 관련하여 선택적으로 활성화되는 부위이다. 또한 이 곳은 정상적인 문장과 비정상적인 문장을 제시하였을 때 언어적인 결정을 내리는 곳이라 알려져 있다.

4) 이차 언어 획득하는 동안 문법 중추의 기능적 변화

문법 중추의 기능이 새로운 언어를 획득하면 어떻게 변화가 되겠는가? 대뇌 피질의 변화에 영향을 미치는 두 가지 요인으로 L2의 숙련도와 언어 획득의 나이를 들 수 있다. 언어 획득의 나이는 6세 이전(고유언어 획득)과 7세 이후(이차 언어 획득)에 서로 다른 활성화 양상이 관찰되었으며,[19] 문법 중추가 7세 이후에 이차 언어 획득을 할 때 더욱 활성화가 많이 관찰된다. 물론 나이가 같으면 언어에 노출된 정도(숙련도)가 영향을 미친다. 13세 된 쌍둥이에서 동사 과거 시제 과제와 동사 맞추기 과제를 실시하여 얻은 fMRI에서 외국어(이차 언어)를 제시하였을 때 모국어(일차언어)에서보다 문법 중추의 활성화가 더 많았다. 이차 언어에서는 문법 중추 외에 좌측 등쪽 아래 전두이랑(dorsal IFG)에서도 활성화가 증가 된다. 그리고 이차 언어에 노출되는 정도에 따라 언어 획득 초기에는 대뇌활성화가 급격히 증가하며 이후 활성화가 유지되다가 경화가 일어나면서 뇌의 활성화가 감소된다(그림 12-4). 이러한 결과는 이차 언어 획득을 위해 대뇌 피질의 가소성이 일차 언어 영역

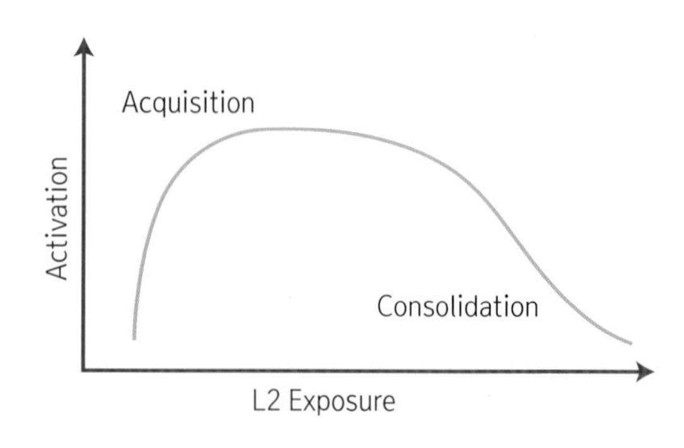

그림 12-4 이차 언어 획득과 경화(consolidation)가 일어날 때의 뇌영역 활성화 변화

으로 향한다는 것과 각각의 쌍둥이에서 같은 결과가 나타나는 것으로 보아 유전적 환경적인 요인이 함께 작용한다고 할 수 있다.

IV. 소아 언어장애

구어(spoken language)를 이해하거나 표현하는 대뇌생리과정에서의 결함으로 인하여 언어습득이 지체되며, 그 습득 과정이 정상적인 과정과 유의한 편차를 보이는 의사소통장애의 유형을 통칭하여 언어장애라고 부른다. 소아 언어장애의 범주에는 아동 사이의 의사교환 과정의 결함, 다른 사람의 말을 이해하고 표현하는데 필요한 대뇌 중추신경계를 통한 과정의 결함, 그리고 언어를 실제 말로 실행하는 생리적 과정의 결함 등이 모두 포함될 수 있다. 여기서 의사소통이란 사람 사이에 생각이나 의견, 감정 등의 의사를 교환할 수 있는 모든 수단, 즉 구어, 문어(written language), 몸짓어(gestured language) 등 언어학적인 것은 물론, 의사소통의 공간, 단순한 소리 등 비언어학적인 것도 있다.[20]

그렇다면, 언어는 무엇이고 말은 무엇인가? 언어(language)는 사람과 사람이 의사소통을 하는 일차적인 수단으로 여기에는 말뿐만 아니라, 문자, 몸짓 등 사람이 사물, 사건, 생각 등을 표현하기 위해 사용하는 임의적 기호들이 모두 포함된다. 이 가운데 말(speech)은 가장 중요한 의사소통 수단으로서 의사소통에 필요한 근육 활동을 통해 언어학적인 기호를 조음 및 음향학적으로 만들어내는 것을 의미한다. 따라서 우리가 언어장애라 말하는 것은 넓은 의미에서는 말은 물론, 글로 쓰거나 몸짓을 통해 주고 받을 수 있는 모든 의사소통의 장애를 이야기할 수 있으나, 좁은 의미로는 단순히 말을 통한 의사소통이 제한되는 것만을 언어장애라고 할 수도 있다. 아이의 언어장애를 이유로 재활의학과를 찾아오는 많은 부모들이 주로 말의 문제를 갖고 상담하기를 원한다. 그러나 실제로 아동은 말의 문제뿐만 아니라 언어적 측면의 음운, 형태, 구문, 의미, 화용론적 이상을 갖고 있다고 보면 된다. 우리가 아동의 언어발달 이상을 단순히 말 장애로 국한하지 않고 언어장애라고 부르는 것도 이 같은 배경을 둔 것이다.

1. 언어장애의 분류

DSM-5에서는 의사소통장애(communication disorder)를 네 개의 항목으로 분류하였는데, 이에는 언어장애(language disorder), 조음 · 음운장애(phonological disorder), 아동기 발병 유창성장애(childhood-onset fluency disorder) 및 화용적 의사소통장애(persistent difficulties in the social uses of verbal and non-verbal communication)가 포함된다. 이 가운데 언어장애는 DSM-IV에서의 표현언어장애(expressive language disorder)와 혼재된 수용-표현 언어장애(mixed receptive-expressive language disorder) 모두를 대체한 것이며, 조음 · 음운장애는 DSM-4에서의 음운장애(phonological disorder)를 대체한 것이다. 아동기 발병 유창성장애는 기존의 말더듬장애(stuttering)를 대체한 것이며, 화용적 의사소통장애는 새로 추가된 항목으로 언어-비언어성 의사소통의 사회적 사용에 지속적인 어려움이 있을 때 진단된다.[21] 또한 ICD-10에서는 말과 언어의 발달장애(developmental disorders of speech and language)라 하며, 조음장애, 표현언어장애, 수용언어장애, 뇌전증을 동반한 후천성 실어증, 기타 발달장애로 분류하고 있다.[22]

1) 발달성 언어장애

언어장애에 대한 DSM-5 진단기준은 다음과 같다.[21]

A. 다음과 같은 증상을 포함하여 이해나 생성의 결함에 기인하여 여러 양상(구어, 문어, 수화 등)에 따른 언어 습득과 사용이 지속적으로 곤란하다.

① 한정된 어휘(단어 지식과 사용)

② 제한된 문장 구조(문법 규칙과 형태론에 기초하여 문장을 형성하기 위하여 단어 및 단어 마무리를 하는 능력)

③ 화법(어떤 주제나 일련의 사건이나 대화를 기술하거나 설명하기 위하여 단어를 사용하여 문장을 만드는 능력)의 손상

B. 효과적인 의사소통, 사회 참여, 학업수행, 작업수행 등에 기능적 제한을 가져와 언어능력이 연령에 따른 기대치보다 실제적이고 양적으로 떨어진다.

C. 이런 증상들이 초기 발달기에 나타난다.

D. 이러한 곤란이 청각이나 다른 감각 손상, 운동 기능장애 혹은 다른 의학적 신경학적 상태에 기인하지 않아야 하고, 지적장애나 광범위한 발달지연으로 설명되지 않는다.

언어능력과 관련된 지능, 청력, 신경학적 손상 없이 언어발달에만 문제가 있는 경우를 지칭하여 단순언어장애(specific language impairment, SLI)라고 부른다. 단순언어장애의 진단기준은 DSM-5에서 제시된 바와 같으나 언어발달이 어느 정도 늦어야 발달성 언어장애로 진단하는가에 대한 의견은 연구자마다 조금씩 다르다. Leonard는 표준화된 언어검사에서 -1.25 표준편차 이하를 제시하였고 비언어성 지능이 85 이상이어야 한다고 제시하였다.[23] Rita는 의미있게 낮다는 것은 지능에 비해 발달지수가 15점 이상 낮다는 기준을 제시한다.[24] 참고로 미국 정신과 자료를 보면 언어표현의 어려움이 있는 아동을 5%, 언어 이해와 표현 모두에서 장애가 있는 아동이 3%로 보고 있다. 남아와 여아의 비율은 3:1이었다. 진단기준으로만 보면 언어 이외의 영역에서는 두드러진 문제가 없다고 생각되지만 종적인 연구들을 보면 아동기에 여러 문제가 동반되는 것이 알려져 있다. 한 종적인 연구를 보면 언어장애 아동의 약 1/5에서 인지장애 및 신체적인 문제가 있었으며 청소년기에 들어서는 읽기 및 쓰기 장애와 학습장애의 위험을 이야기하고 있다.

발달성 언어장애 아동의 언어 특성을 살펴보면 초기 낱말 산출이 늦어 2세가 되어서야 첫 낱말을 말하는 경우가 많다. 말의 발달은 늦으나 발달하는 순서는 일반 아동들과 같다. 동사의 습득에 보다 어려움을 느끼고 새로 학습한 낱말을 새로운 사물에 확장해서 사용하는 것을 어려워한다. 또 적절한 상황에 맞는 낱말을 찾는 데 어려움을 느낀다. 평균 37개월이 되어서야 낱말을 조합한 구문이 나온다고 한다. 그 외에 과거형의 사용을 어려워한다든가 조동사의 사용이 올바르지 않다는 보고가 있으며 화용론적인 측면에서는 별로 문제가 없다는 보고와 화용능력의 결함으로 또래관계의 어려움이 있다는 상반된 보고가 있다.[22, 25, 26]

2) 조음 · 음운장애(말-소리장애)

조음 · 음운장애에 대한 DSM-5 진단기준은 다음과 같다.[21]

A. 말 명료성을 저해하거나 언어적 의사소통을 방해하는 말 소리 생성이 지속적으로 곤란하다.

B. 이런 문제가 사회참여, 학업수행, 작업수행 등을 방해하여 효과적인 의사소통에 제한을

가져온다.

C. 이런 증상들이 초기 발달기에 나타난다.

D. 이런 곤란이 뇌성마비, 구개 파열, 농아나 청각상실, 외상성 뇌손상, 기타 의학적/신경학적 상태 등과 같은 획득된 상태에 기인하지 않아야 한다.

일반적으로 혀, 입술, 치아, 입천장 등의 조음기관을 통하여 말소리를 만드는 데 이상이 생겨 발음이 제대로 되지 않는 경우를 조음장애라고 한다. 조음장애는 성인에게도 나타날 수 있지만 주로 아동에게 문제가 된다. 아동이 모든 말소리를 완벽하게 발음할 수 있게 되기까지는 대략 7~8년 정도의 시간이 걸린다. 그러므로 나이 어린 아동이 말소리를 습득하는 과정에서 나타내는 잘못된 발음들은 매우 자연스럽고 정상적인 현상이라 할 수 있다. 그러나 어느 정도 나이가 들어서까지 또래들과 달리 많은 잘못된 발음을 나타내어 다른 사람과의 의사소통에 방해가 된다면 이는 조음장애라 할 수 있다.[24]

조음장애가 생기는 경우로는 여러 가지가 있다. 조음기관의 결함에 의해서 생기기도 하지만 마비 조음장애나 말실행증(verbal apraxia)에서와 같이 신경운동성 결함이 있는 경우, 청각장애 등 여러 요인이 작용하며, 연령, 지능, 성, 형제간 서열, 언어발달상태 등 인자들에 의해서도 영향을 받게 된다. 그 중 하나는 다른 언어장애 없이 단순히 발음만 이상한 경우이다. 이러한 경우에 조음장애는 아동의 연령을 기준으로 특정 말소리들을 올바르게 발음할 수 있는지의 기준으로 진단한다. 일반적으로 /ㅍ, ㅁ, ㅇ/은 만 2세경, /ㅂ, ㅃ, ㄸ, ㅌ/는 만 3세경, /ㄴ, ㄲ, ㄷ/은 만 4세경, /ㄱ, ㅋ, ㅈ, ㅉ/는 만 5세경, 그리고 /ㅅ, ㄹ/는 이보다 더 늦게 완전히 습득된다고 한다. 그러므로 아동이 어느 정도의 연령이 되었음에도 불구하고 특정한 말소리를 정확히 발음하고 있지 않다면 조음장애를 의심해 볼 수 있다. 대부분 조음장애에서 음소를 첨가 또는 생략, 다른 음으로 대치, 왜곡시키기도 하며, 종성생략 또는 대치현상이 일어나기도 한다. 이 때문에 말의 명료도 역시 감소되게 된다.[27, 28]

발음이 이상하면 대부분 구강 내 구조적 결함이 있을 것이라 생각하지만, 실제 결함이 있는 경우는 드물다. 특히 조음장애를 주소로 내원한 아동에서 대개 혀가 짧은 경우(설소대 단축)만 생각하기 쉬우나, 그 외에도 치열 배열의 이상, 언어발달지체, 구개열, 뇌성마비, 실어증, 청각장애 등 다른 장애와 함께 나타나기도 한다. 이러한 기질적인 원인으로 조음장애가 생긴 아동의 경우에는 우선 기질적인 원인부터 치료적 접근을 해야 할 경우가 많다. 특히 비음(코맹맹이 소리)을 심하게 내는 경우 점막하 구개 파열(submucous cleft palate)을 의심해 볼 수 있으므로 주의해서 관찰하여야 한다.[24]

3) 유창성장애

왜 말을 더듬는가에 관해서는 아직까지 누구도 단 하나의 이론으로 설명하고 있지 못하다. 그만큼 말더듬은 밝혀지지 않은 부분이 많고 치료도 쉽지 않은 언어장애이다. 예전에는 말더듬이 긴장이나 내성적 성격에서 나타난다고 하여 심리적 요인이 강하게 작용하는 것으로 알려져 왔으나 최근 들어서는 말더듬은 생리적, 기질적, 유전적, 심리적, 환경적, 학습적인 요인들이 복합적으로 상호작용하여 발생한다는 이론이 지배적이다. 다만 심리적 요인은 말더듬의 지배적 원인이라기보다 악화 요인일 것으로 생각되고 있다. 최근 발표되고 있는 논문들에서 보면 말더듬을 환경, 심리적 요인에서 보는 관점보다 뇌의 언어중추의 변화에 더 무게를 두고 있다. 이는 말더듬이 심리치료를 통해 회복되는 경우가 거의 없으며, 최근 기능적 MRI

등 연구장비들이 개발되면서 말더듬 환아에서의 기질적 원인의 비중이 크게 부각되고 있다.[29]

말더듬은 통상적으로 만 4세 전후와 6, 7세경 등 두차례의 높은 빈도를 보이는 것으로 알려져 있다. 보통 2~6세 사이의 아이들에게는 말-언어발달 과정에서 유래되는 발달상의 말더듬이 종종 나타난다. 이 기간에 시작된 말더듬은 몇 주일 혹은 몇 달 동안 나타나다가 대부분의 경우에는 자발적으로 없어진다. 그러나 일부 아동들은 말더듬이 점차 지속적이면서 심각한 상태로 발전해 나가 성인이 되어서까지 지속되기도 한다.[29, 30]

말을 더듬는 사람은 말소리나 음절을 반복하거나 연장하며 때로는 첫마디가 막혀 말을 시작하지 못하는 경우도 있다. 말더듬의 정도는 항상 일정하지 않고 상황에 따라 심해지기도 하고 약해지기도 한다. 자신의 말더듬을 인식하게 되면서 말더듬 형태는 보다 복잡해지고 만성적이게 된다. 따라서 말더듬에서 빠져 나오려는 행동 혹은 말더듬을 회피하려는 행동이 나타나거나 자신이 자주 더듬는 낱말이나 사람, 상황을 두려워하는 현상까지도 초래하게 된다. 이를 연관반응(associated reaction)이라고 부른다.[30]

유창성장애에 대한 DSM-5 진단기준은 다음과 같다.[21]

A. 개인의 연령과 언어기술에 부적절한 말을 만드는 정상적인 유창성과 시간상의 방해가 시간이 경과해도 지속되고, 다음과 같은 증상이 자주 뚜렷하게 발생한다.
  ① 소리와 음절 반복
  ② 모음뿐 아니라 자음의 긴 소리
  ③ 분절된 단어(예: 한 단어내에서 멈춤)
  ④ 청각적 혹은 무성 방해(말에서의 길거나 혹은 짧은 멈춤)
  ⑤ 단어 대치(문제 단어를 회피하기 위해 단어 대치)
  ⑥ 과도한 신체 긴장과 함께 단어 생성
  ⑦ 단음절의 전체단어 반복(나, 나, 나는 그를 안다)

B. 이런 문제가 말하기에 불안을 일으키거나 효과적인 의사소통, 사회참여, 학업 혹은 작업 수행 등을 방해한다.

C. 이런 증상들이 초기 발달기에 나타난다.

D. 이런 곤란이 말-운동 결함, 신경학적 손상(뇌졸중, 종양, 외상 등)을 수반한 유창성장애나 다른 의학적 상태에 기인하지 않아야 하며 또 다른 정신장애로 설명 되지 않는다.

4) 음성장애

음성장애는 소아에서 그리 큰 비중을 차지하지는 않는 언어장애이다. 목소리가 이상한 경우는 성대구조의 이상이나 성대기능의 이상으로 인해 생기며, 이를 음성장애라고 한다. 음성장애는 목소리의 높낮이인 음도, 목소리의 크기인 강도, 목소리의 질인 음질의 장애로 나눌 수 있으며 재활의학 영역보다는 주로 이비인후과나 기초 음성학 분야에서 흔히 다루고 있다.[31]

개인에게 적합한 최적의 음도를 사용하지 않는 경우를 음도장애라고 한다. 예를 들어, 남성이 여성처럼 높은 음도로 발성하거나, 여성이 남성과 같이 저음으로 발성하는 경우, 음도나 억양이 지나치게 단조로운 경우, 음도가 갑작스럽게 변하는 경우, 가성을 사용하는 경우 등이 그것이다. 이는 성대의 이상에서 주로 발생하나 구개열과 같은 연인두폐쇄부전증에서도 저음장애를 보이는 경우가 있다. 강도장애는 편안한 음성의 크기에 훨씬 못 미치는 너무 작은 목소리를 내는 경우, 과다하게 큰 소리로 발성하는 경우, 소리를 전혀 내지 못하거나, 아니면 때때로 내지 못하는 경우, 정서적인 스트레스로 인해 목소리를 상실한 경우 등을 말한다. 음질장애란 명쾌한 목소리가 아닌 증상들, 예를 들어 목쉰 소리, 거친 소리, 허스키한 소리, 긴장되거나 쥐어짜는 소리, 콧소리가 지나치게 많이 나거나 적게 나는 소리 등을 통합적으로 칭한다.

큰소리를 많이 내는 사람에게 주로 오는 후두결절(singer's nodule)이 가장 대표적인 음질장애이다. 그밖에 후두 근긴장증(laryngeal dysphonia)의 경우 떠는 듯한 목소리를 보이며, 대개 성대의 긴장 때문에 첫음을 구사하기 힘들어 한다. 이러한 여러 가지 음성장애 중에는 기질적으로 이상이 있는 경우와 기능적으로 이상이 있는 경우가 있다. 기질적인 이상이 있는 경우는 이비인후과의 진단과 치료를 먼저 받아 기질적인 이상이 조절된 후 언어치료를 하는 것이 좋으며, 목소리를 지나치게 많이 사용하거나 잘못 사용하여 음성장애가 발생하였을 때는 음성치료를 통해 문제의 원인을 제거해야 재발을 막을 수 있다.[32]

5) 읽기장애

읽기장애란 책을 읽을 때 정확도와 속도, 또는 이해력이 자신의 생활연령, 지능, 교육정도에 비해 현저하게 떨어지는 경우를 말한다. 읽기장애는 우선 아동들이 철자를 이해하고 발음할 수 있어야 하므로 그 특성상 학령기 전에 진단되는 경우는 거의 없으며 학령기 이후에야 비로소 발견되는 경우가 많다. 읽기에서 철자의 왜곡, 대치, 생략, 읽는 속도가 느리거나, 내용을 잘 이해하지 못한다든지 하는 오류 현상이 나타나게 된다. 간혹 지능이 높은 읽기장애 아동의 경우 저학년에서는 발견되지 못하고 고학년이 되어서야 진단을 받는 경우도 있다. 조기에 발견하여 치료하는 경우 예후가 좋은 편이기 때문에 세심한 관찰이 필요하다. 특히 말-언어발달 지체 혹은 읽기와 쓰기에 문제가 있는 가족이 있거나(유전력), 어휘 발달이 느렸다거나, 말과 글의 이해에 어려움이 있다거나 하는 언어발달에 문제가 있었던 경우에는 읽기 장애의 가능성을 의심해 볼 수 있다. 읽기 장애는 특히 남자 아이들에게 호발(60~80%)하는 것으로 알려져 있다.[33, 34]

2. 언어장애를 동반하는 질환

1) 청각장애

청각장애로 소리를 잘 못 듣게 되면 말을 하는 기관에 아무 이상이 없는 사람도 말을 잘 못하게 된다. 이는 소리를 통한 언어적 되먹이기 과정에 문제가 생기기 때문이다. 특히 가장 심각한 경우는 말을 배우기 전부터 청력 손실이 있는 선천성 청각장애 아동들이다. 이들은 청력 손실의 정도에 따라 차이가 있기는 하지만 대부분 정상적인 언어발달이 어렵게 된다. 청각장애로 진단을 받고 보청기를 했다고 해도 언어치료를 받지 않으면 언어에 문제가 있게 된다. 보청기를 통해 듣게 되는 소리는 청력이 정상인 사람이 듣는 소리와 차이가 있는 왜곡된 소리이기 때문에 보청기를 착용한 후에는 새로운 소리에 적응하는 연습부터 시작해야 한다. 이를 청능 훈련이라고 한다. 청능훈련에는 음의 분별력을 키우는 연습과 음의 크기를 감지하는 훈련이 포함된다. 청능 훈련이 어느 정도 이루어진 다음에야 비로소 정확한 발음, 어휘, 문법적 규칙, 적절한 용도에 따라 말하기 등 말과 언어에 관련된 부분을 배워야 한다.

청각장애 아동이 얼마나 말을 잘하게 될지 예후를 결정짓는 인자에는 여러 가지가 있으나, 가장 중요한 것은 청각 손실의 정도이며 그 다음으로 중요한 것은 소리를 못 듣고 지내는 시간을 가능한 한 줄여주는 것이다. 그러므로 청각장애를 조기에 발견하여 조기에 보청기나 인공 와우 등을 통해 아동에게 가장 적합한 소리를 들려주면서 언어교육을 하는 것이 매우 중요하다. 임상에서 만 3세가 넘어서 처음 내원하는 청각장애아들이 가끔씩 있다는 점은 매우 안타까운 일이며 조기 진단의 중요성은 백번 강조해도 지나치지 않는다. 후천적으로 청력 손실이 생긴 경우는 시간이 경과하면서 차츰 발음과 목소리의 왜곡이 생기게 되는데 이는 자신의 목소리를 자기가 듣고 조절하지 못하는, 즉 되먹이기 과정이 시간이 가면서 점점 왜곡되기 때문으로 생각된다.[26]

2) 지적장애

지능의 지체가 심할수록 의사소통의 문제도 심각해지는데 일반적으로 말소리의 학습이 느리고 학습이 된 후에도 조음 오류를 많이 보인다. 지적장애아의 언어에서는 어휘력, 언어의 의미, 형태소의 사용, 화용적 사용 등에 있어 모두 불완전하다. 정상 발달에 비해 첫 발화가 늦어지고 적은 수의 단어를 계속해서 사용한다. 한 단어를 배우면 매우 제한적인 의미로 사용하는데, 예를 들면 '차가운' 을 '날씨가 차갑다' 의 의미로 이해하면 '차가운 성격' 에서의 '차가운' 은 그 의미를 모르는 것이다. 문법은 단순한 구조의 형태로 머물고 대화내용은 극히 제한된다. 언어의 발달은 느리기는 하지만 일반아동의 습득 순서를 따른다. 인지능력에 따라 의사소통의 능력도 다르지만 자신이 가진 지능에 비해 표현언어, 수용언어의 능력이 매우 낮은 경우도 있는데 이러한 아동은 지적장애와 또 다른 언어장애를 동시에 갖고 있는 것이다.[35]

Miller (1980)의 연구에 위하면 지적장애 아동의 약 50%가 자신의 인지와 맞는 언어발달을 보인다고 한다. 음운적 특성으로 일반 아동에 비해 자음 생략과 같은 조음 오류가 많으나 또한 일관적이지 않다. 중등도 이하의 지적장애아에서는 의사소통의 몸짓이 늦게 발현하는 등 일찍 언어발달의 장애를 의심해 볼 수 있으나 경도의 지적장애아인 경우 학령기에 이르기까지 발견하지 못하기도 한다. 같은 지능의 자폐아동보다는 언어이해도가 더 좋다고 한다.[35, 36]

3) 자폐증과 자폐스펙트럼장애

심각한 언어장애는 자폐증의 중요한 특성이다. 영아기 때 부모의 목소리나 말소리에 반응하지 않아 청각장애를 의심하기도 하나 전화 소리, 청소기 소리, 자동차 소리 같은 기계음이나 잡음에는 소리가 작아도 예민하게 반응하는 것을 볼 수 있다. 자폐아동의 언어 습득은 정상적인 속도로 학습하지 않으며 학습된 언어도 다른 이와 의사소통을 하기 위해 사용하지 않는다. 사람이나 관계를 표현하는 말보다 사물 명칭을 더 잘 배우며 동사보다 명사를 선호한다. 감정을 표현하는 단어를 학습하기 어려워한다. 특이하게도 몇몇 어려운 단어를 쉬운 단어보다 더 잘 습득하기도 한다. 학습된 단어는 제한된 의미로만 사용한다. 예를 들어 '공' 이라는 단어는 자기가 가진 작은 빨간 공이며 크기가 다른 파란 공은 아동이 이해하는 '공' 의 의미가 아니다. 자폐아동의 표현언어 중 특이한 것은 반향어의 사용이다. 이전에는 반향어를 무의미한 것으로 간주하였으나, 어떤 것은 모방이나 질문에 대한 답으로써 즉 의사소통의 도구로써 사용한다고 생각하기도 한다. 다른 한 가지 특징은 인칭 대명사를 혼동하여 사용하는 것이다. 계속하여 반향어를 사용하기 때문에 혼동이 지속될 수도 있다.[37]

4) 뇌성마비 및 뇌병변질환

뇌성마비 아동에서의 언어 양상은 단순하지 않으며 대개 다양한 언어장애 형태를 나타내게 된다. 그러나 운동기능의 장애 정도와 언어장애의 심한 정도가 반드시 일치하지는 않는 특징을 갖고 있다. 대체로 뇌성마비 아동에서의 언어장애의 동반율은 65~90%로 보고되고 있으며, '뇌성마비 언어' 라는 것이 규정되어 있기 보다는 손상된 부분에 따라 다양한 언어장애가 나타나는 것으로 설명된다. 이에는 언어발달의 지체, 소리의 이상, 유창성의 이상, 난청성 조음 이상 등이 있다. 뇌성마비 아동에서 언어장애가 조장되는 요인은 우선 신체적으로 구어 생산에 필요한 호흡운동, 발성기관, 조음기관 등의 운동기능 장애가 있으며, 지적장애의 동반율이 높고 청력장애나 시력장애 등의 동반율 또한 높기 때문이라고 할 수 있다. 특히 호흡기전의 이상은 뇌성마비 아동에서 중요한 조음장애 요인이 된다. 또한 주위 환경에 대한 적응력의 저하와 사회 인식의 문제도 뇌성마비 아동에게 심리적 요인으로 작용하게 된다. 일반 아동의 75%가 만 3세까지 구사할 수 있는 조음의 형태들을 뇌성마비아들은 평균적으로 만6세가 되어야 구사할 수 있게 되며, 시어기 또한 70% 이상의 뇌성마비아에서 3세 전후인 것으로 보고된다. 경한 경직성 양지마비나 편마비에서는 1~2세 사이에 시어기를 맞이하나 나머지 대부분의 형태에서 지연이 뚜렷하게 나타난다. 이 시기는 또한 지능에 따라 매우 좌우된다.[38]

뇌성마비 아동에서 언어치료의 목표는 완전히 정상을 만들고자 하는 게 아니라 어느 정도까지 정상에 근접하게 하느냐가 문제이다. 아동에게 주는 자극의 양과 난이도를 점차적으로 증가시키고 치료에 의한 물리적인 도움과 조절을 줄여나가는 것이 중요한 치료 개념이다. 뇌성마비 아동에게 말이 나오게 하는 신체적 준비 과정으로는 머리 조절의 개선, 호흡, 발성 기능의 개선, 구강 반사의 성숙 촉진, 섭식 패턴을 발달시키는 것, 옹알이를 발달시키는 것 등이 있다. 또한 부모가 치료에 중요한 역할을 맡고 있으므로 부모에게 아동을 다루는 방법, 즉 지각 경험 부여, 언어 환경 조성, 장애에 대한 이해 등을 가르쳐야 한다. 또한, 어떤 한가지 치료법에 얽매이지 말고 다양한 길을 열어두고 접근하는 것이 중요하다. 예를 들어 호흡에 문제가 있는 뇌성마비 아동에게 언어발달 촉진 치료만 해서는 효과를 볼 수 없는 것이다. 또한 심한 언어장애가 동반된 뇌성마비 아동에게는 언어판(communication board)의 사용을 고려해 보는 것도 좋은 방법이다.[38, 39]

5) 뇌전증

뇌전증은 후천적 언어장애를 만드는 주요 원인들 중 하나이다. 뇌전증과 연관하여 나타나는 언어장애를 통칭하여 소아기 실어증(childhood aphasia)이라고 부른다. 소아기 실어증이 오는 가장 흔한 원인은 두부 외상이나, 뇌혈관질환, 뇌종양, 뇌염, 뇌전증 등도 원인 인자로 보고된다. 뇌전증과 연관되어 나타나는 실어증은 다양한 임상 양상을 갖게 되나, 주로 음성-청각 인식불능증(verbal-auditory agnosia)의 형태를 보이는 것이 특징적이다. 청각장애나 함구증(mutism) 등으로 오인하여 진단이 늦어지는 경우도 있다. 또한 언어발달 과정에 있으므로 단순언어장애로 오인되는 경우도 발생한다. 뇌전증성 실어증은 뇌파에서 측두엽 부위의 다초점성 극파 또는 극서파가 나타나는 것으로 보고되고 있다. 이와 같은 전기적 불안정성은 흔히 2년 이상 지속되는 경우가 많다. 항경련제를 사용하여도 실어증의 치료에 아무런 영향을 미치지 못하는 경우가 많다는 점이 문제이며, 뇌전증이 조절된 이후에도 언어장애가 지속되는 빈도가 많다는 특징이 있다.[26]

V. 말과 언어 유전학

언어를 이용하여 복잡하고 매우 풍부한 의사소통을 하는 것이 인간의 특징이다. 인간의 의사소통은 말과 언어의 두 가지로 분류하여 설명할 수 있다. 말은 의사소통의 기계적인 측인 반면 언어는 고위 중추 기능이다. 아동기의 말 장애는 구음장애, 말더듬, 협응장애로 나눌 수 있으며 언어 장애는 단순언어장애(specific language impairment)와 읽기장애(dyslexia)가 있다. 이들 질환은 유전 연구의 대상으로 일부 가족력이 있다는 사실과 그 질환의 발생과 치료를 더 잘 이해하기 위해 유전적인 접근을 사용할 필요가 있다.

1. 말더듬(Stuttering)에 대한 유전연구

1) 말더듬에 대한 유전학적 증거

말더듬은 말의 흐름에 영향을 미치는 흔한 말장애이다. 특징적으로 조절되지 않는 반복이 나타나거나 단어 또는 어절의 지연, 말의 차단이 나타난다. 이는 종종 2~4세의 어린아이들에서 발생되며 평생 동안 대략 인구의 5%에서 발생된다.[40] 이들 중 75~80%는 발병한지 수년 이내에 회복되고 남자보다 여자에서 회복이 빠르다. 따라서 지속되는 말더듬의 유병률은 인구의 약 1%이며 남자와 여자의 비율은 4:1이다.

말더듬의 원인에 대하여 잘 알려져 있지 않지만 오랫동안 유전적인 영향에 대한 증거가 제시되었다. 1939년 Nelson 등은 말더듬의 가족 발생에 대하여 정상 가계보다 말더듬 가계에서 가족 간 발생 수가 4~6배나 높다고 보고하였다.[41] 가족 발생은 공통 유전자, 공통 환경 또는 두 가지 모두에 의해 발생될 수 있다. 특히 쌍둥이 연구는 유전 관련 연구를 해결하는 데 도움이 되고 있다. 이러한 연구는 대상 환자수, 진단 방법 등에 따라 다르지만 일란성 쌍둥이가 이란성 쌍둥이보다 말더듬 일치율이 높다. 일란성 쌍둥이의 말더듬 일치율은 20~63%나 되지만 이란성 쌍둥이의 말더듬 일치율은 3~19%로 다양하다. 이러한 결과는 말더듬에 대한 잠재적인 유전가능성이 65%에서 83%의 범위에 있음을 시사한다.

쌍둥이 연구 외에 양자 연구(adoption study)도 진행되었다. 이러한 연구는 일반적으로 표본 숫자가 너무 적어서 통계학적인 유의성을 갖기가 어렵지만 말더듬 부모에게 입양된 아이들에서 일반 인구와 비교하여 발생률이 더 높지 않다. 이는 그들의 부모에게 더듬는 말을 들음으로써 말 더듬는 증상을 배운다는 견해에 대하여 반대되는 예로 이러한 면에서 말더듬은 학습에 의한 행동장애가 아닐 수도 있다. 유전 소인은 확실히 말더듬의 원인이 되지만 어떤 유전 방식인지에 대한 일치되는 의견이 적고 말더듬에 대한 주요 영향을 미치는 단일 대립유전자(allele)의 존재에 대해서 공통의 의견이 없다.

2) 말더듬의 유전자 연관(genetic linkage) 연구

말더듬 유전학에 대한 불확실성에도 불구하고 말더듬이 많이 발생하는 여러 가족 관계를 밝히는 연관 연구가 시작되었다. 말더듬 프로젝트를 위한 일리노이 국제 유전학 팀은 유럽 후손의 100 가계에서 유전체 연관성 검사를 실시하여 한 가계 안에서 적어도 두 구성원이 발생한다고 보고하였다.[42] 성별과 관련된 특이적 연관성이 남자에서는 염색체 7번에서 있었고 여자에서는 21번 염색체에서 발견되었다. 이는 말더듬 유전인자의 표현형이 개인의 성별에 따라 다양하게 발생된다는 것을 의미한다. 추가적으로 지속성 및 회복성 말더듬이 모두 있는 경우에는 9번 염색체와 관련이 있으며 지속성 말더듬만 있는 경우는 15번 염색체만 관련성이 관찰되었다.

혈족은 비교적 가까운 조상으로부터 유래된 후손의 동질성 때문에 유전적 비균질성(heterogeneity)을 줄일 수 있다. Riaz 등[43]은 파키스탄의 지속성 말더듬이 있는 혈족에 대한 연구를 하였다. 연관 분석에서 염색체 1번, 5번, 7번 상에서 연관의 증거가 관찰되었지만 가장 의미있는 연관은 염색체 12번의 PKST72에서 관찰되었다.

Kang 등[44]은 PKST72 가계의 개인에서 연관 부위를 폭넓게 연구한 결과 87개의 유전자와 45개의 변형을 발견하였다. 말더듬의 이러한 변형은 GNPTAB 유전자에서 1,200번째 정상적인 아미노산인 glutamic acid가 lysine으로 대체되어 변이가 나타나며 GlcNAc-1-phosphotransferase 소단위를 생산한다. 이 유전자는 기능적으로 용해소체(lysosome) 효소 대사 과정의 주요 물질을 생산한다. 따라서 이 질환이 세포 내의 용해소체 기능의 유전적인 결손의 결과일지도 모르나, 이 변이는 확실하게 자손에게 전달되지 않기도 하고 이러한 변이가 없는 개인도 있다. 말더듬의 대부분은 특히 여성의 경우 자연적으로 치유되는데 유전학적으로 이는 발현되지 않는 변이 보인자(carrier)일 수도 있다.

2. FOXP2와 언어실행증(Verbal dyspraxia, apraxia of speech)

1) 언어실행증에서 FOXP2의 변이

1987년에 KE 가계에서 의사소통 질환의 유전학에 대한 중요한 이정표를 발견하였다. 3세대의 37명이나 되는 매우 큰 집안에 15명이 심한 발달성 언어실행증이 발견되었는데 이 15명은 문법에도 문제가 있었다.[45] 상염색체 우성의 유전 경향을 보이며 유전체 연관 검사에서 염색체 7번(7q31) 위에 있는 부위에 질병발생 위험도가 6.62배나 의미있는 연관이 관찰되었다. 염색체 전위 연구에서 FOXP2 라는 유전자가 침범되어 있고 이 유전자의 정상적인 arginine이 histidine으로 대치되면 언어실행증이 이형(heterozygous) 형태로 나타난다.

FOXP2는 forkhead DNA 접합 도메인을 포함하는 전이 인자(transcription factor)이다. 이것은 목표로 하는 유전자의 조절 부위에 직접 붙어 전이를 억제하는 역할을 하는 것으로 알려져 있다.[46] FOXP2는 말을 생성하는 조직의 신경세포에 대한 성장과 분화를 조절하는 발달 전이 조절인자 단백질을 코딩하여 주로 신경돌기의 성장과 신경 가소성에 관여하는 단백질을 생산해 낸다.

2) FOXP2의 변이의 동물 모델

인간의 말과 언어는 복잡하고 많은 운동기능과 문법 규칙의 사용을 요구한다. 이러한 이유로 동물모델에서 얻어진 결과가 인간의 말과 언어에 대하여 얼마나 잘 반영하는지는 불확실하다. 어린 새끼 쥐(mice)가 둥지에서 분리되거나 성장한 수컷 쥐가 암컷을 만날 때 초음파 발성을 하는 데 30 kHz 에서 110 kHz 사이의 주파수를 가지며 어절 양상의 조직화 된 것도 있다. 이러한 발성이 인간의 복잡한 의사소통과 비슷하지는 않지만 FOXP2 유전자의 생물학적인 기능을 관찰하는 동물 모델을 제시 해 줄 수는 있을 것이다.

몇몇 knock out (FOXP2-KO, FOXP2-flox)과 knock-in 쥐 모델은 FOXP2 유전자에 이상을 야기 시킨다. 동형(homozygous)의 FOXP2 유전자 이상을 가지고 있는 쥐는 출생 후 3~4주면 발달지연과 심한 운동 장애가 관찰된다. 이러한 결과로

FOXP2의 발달 과정의 신경세포 조절인자로서의 역할이 있다는 것을 알게 되었지만 목표 신경세포의 발견과 이러한 신경 세포가 어떻게 말을 발생 시키는 지에 대한 것은 향후 연구가 지속되어야 한다.

3. 단순언어장애(Specific language impairment)의 유전 연구

단순언어장애는 말장애, 청력 장애, 신경질환, 뇌손상, 인지장애, 자폐증이 증상이 없이 언어의 발달에 지연이 있는 질환이다. 단순언어장애의 전체적인 유병률은 학령 전기 아동에서 5~8%에 이르지만 흔히 자폐증이나 운동 기능 저하, 주의력결핍 과잉행동장애와 함께 지칭하기도 한다. 따라서 증후군이 아닌 단순언어장애의 빈도는 전체의 빈도보다 낮다. 쌍둥이 연구에서 일란성 쌍둥이의 단순언어장애의 일치율은 100%인 반면 이란성 쌍둥이의 경우 50%인 것을 보면 단순언어장애의 분자학적 기전은 잘 모르지만 유전 인자와 잠재적으로 관련이 있다.[47]

1) CNTNAP2

Vernes 등[48]은 FOXP2에 의해 조절되는 유전자가 단순언어장애의 후보 유전자일 것이라는 가설을 세웠다. 이러한 가설을 검증하기 위해 염색체 면역 침전 검사를 시행하여 CNTNAP2의 인트론 1내에 있는 흥미로운 DNA 부분을 발견하였다. 이 유전자는 발달 과정에 있는 인간의 뇌피질에서 발현되는 contactin associated protein-like 2 (CASPR2)를 만들어 내며 FOXP2의 결합에 의하여 CNTNAP2의 발현을 조절한다. 이 유전자는 단순언어장애 진단에 유용한 증상인 의미 없는 단어의 반복과 관련 있으며 표현 및 수용 언어 능력과도 관련성이 있다.

2) 단순언어장애에 대한 유전체 연관성

Bartlett 등[49]은 다섯 가정의 캐나다 단순언어장애 환자를 대상으로 유전체 연관성 분석을 실시하였다. 3가지 표현형 즉, 임상 진단, 언어 장애, 읽기 장애를 가지고 우성과 열성 유전 모델방식을 이용하여 분석하였다. 읽기 장애에 따라 염색체 13q21 위치(SLI3)에 3.92배의 발생 연관 위험율이 관찰되며 더 많은 가계의 연구에서 비언어 반복과 수용 및 표현 언어와 관련하여 2개의 위치 즉 염색체 16q (SLI1)와 19q (SLI2)에서 연관성이 있다고 하였다.

3) CMIP와 ATP2C2

Newbury 등[50]은 관련성 검사를 시행한 결과 비언어를 반복하는 정도와 CMIP 유전자에 있는 7개의 단일뉴클레오티드다형태 사이에 관련성을 발견하였다. CMIP 유전자는 c-Maf-inducing 단백질을 생성하며 뇌에서 잘 발현되지만 기능적 정보는 많이 알려져 있지 않다. 다른 연관성 검사에서는 ATP2C2 유전자에서 6개의 단일뉴클레오티드다형태가 관찰되었으며 이 유전자는 Ca, Mn transporting ATPase의 분비 과정에 관여하며 뇌와 고환에서 현저하게 발현된다. 이 유전자의 이상은 Golgi 복합체 내에서 Mn의 전달의 장애로 용해소체를 포함한 전달 장애를 발생시킨다.

4) FOXP1

FOXP는 forkhead domain 전이 인자 종류로 FOXP2가 발현되는 곳에서는 FOXP1이 발현되며 FOXP1 유전자는 발달성 언어실행증에 대한 가능성 있는 후보 유전자이다.[51] Hamdan 등[52]은 특발성 지적장애 30명과 자폐증 80명 환자의 연관성 연구에서 특발성 지적장애에서 FOXP1의 결손을 관찰하였다. 대규모의 추가 연구에서 특발성 지적장애와 자폐증을 모두 가진 환자에서 FOXP1의 변이가 있었으나 아직 FOXP1 변이가 SLI 발생시킨다는 말하기는 어렵다.

4. 읽기장애(Dyslexia)의 유전 연구

읽기장애는 정상적인 교육기회와 지능을 가지고 있으며 정신증상이나 신경 질환이 없으나 읽기에 어려움을 특징으로 하는 흔한 소아기 질환이다. 말소리를 듣고 이해하는 음성학적 정보 처리 과정(phonological processing) 문제가 읽기 장애의 현저한 특징이다. 그러나 읽기장애는 흔히 집중 장애(과행동 장애)와 단순언어장애가 동반된다.

가계에서 발생하는 읽기장애 연구에서 이란성 쌍둥이는 일치율이 38%인 반면 일란성에서는 68%이다. 염색체 다형태(polymorphism) 분석의 결과 연관 위험률이 염색체 15번 상의 DYX1에서 3.2배로 관찰되었다.[53]

핀란드에서 21명의 읽기장애 환자에서 염색체 3번의 DYX5 유전자에서 유전체 연관성 위험률이 3.84배 라고 하였다. 염색체 3번의 연관 연구와 전위연구에서 axon guidance receptor 유전자인 ROBO1을 DYX5 원인 유전자로 제안하였다. ROBO1의 발현이 없거나 매우 감소된 개체에서는 읽기 장애가 발생할 수 있을 지도 모른다.

Smith 등[54]은 읽기장애에 대한 유전자 위치로 염색체 6번의 DYX2 유전자를 제안했으며 여러 연구에서 지속적으로 반복하여 검증되었다. 이 위치에는 두 개의 후보 유전자가 있으며 두 개는 각각 독립적으로 읽기 장애와 관련이 있다고 보고하였다.

VI. 언어발달장애와 유전질환

1. 다운증후군(Down syndrome)

다운증후군은 700명의 생존출생아(live births) 중 1명이 발생하는 지적장애(intellectual disability)로 유전적 원인 가운데 가장 흔하다.[55] 21번 염색체가 하나 더 생기는 질환(trisomy 21)으로 경증에서 중등도 지적장애, 근긴장도 저하(hypotonia), 저신장, 특징적인 얼굴형태(턱이 작고 둥근 얼굴과 혀가 큼)를 가진다. 논란이 있으나 다운증훈군 환자의 10%에서 자폐증후군을 동반하며 다른 지적장애 성인과 달리 여명이 길어서 알츠하이머병이 조기에 발병할 수 있는 위험 요인을 가진다.[56]

다운증후군의 언어적 특징은 수용언어 기능보다 표현언어 기능이 더 떨어지는 것으로 알려져 있다.[57] 첫 단어를 익히는데도 오래 걸리며 표현어휘 습득도 느리다. 단어 습득이 어려운 아이들에게 단서(cue)를 제공하거나 제스쳐를 사용하며 새로운 단어 습득이 효율적이다.[58]

말명료도(speech intelligibility)는 인지 장애와 상관관계가 적으며 특히 연결발화에서 명료도가 현저하게 떨어진다.[59] 대부분의 말 소리 오류는 자음군 축소(cluster reduction)와 자음 생략이지만 모음 오류와 발음 이상이 나타날 수도 있다. 명료도의 감소는 발화 구조물의 선천적 이상에 의해 발생할 수 있지만 반복되는 중이염과 청각장애의 합병증으로 야기될 수도 있다. 언어지연 아동들과 마찬가지로 구문(syntax)을 습득하고 사용하는 데 어려움을 겪으며 문장 구사가 짧고 단순하며 질문이나 요구가 적은 대화 양상이 관찰된다.

화용적인 측면에서 조기 의사소통 방식인 상호 눈맞춤, 음성모방, 상호 작용 등이 늦거나 잘 이루어지지 않는다. 그러나 2세경에는 윌리엄 증후군과 같이 다운증후군보다 어휘수가 많고 비언어적인 IQ가 높은 아이들보다도 사회적 상호작용이 더 많이 일어난다.

언어치료는 조기치료가 매우 중요하다. 비록 다운증후군의 아이가 2~3년까지 말을 못 한다 하여도, 말하기 전의 언어치료 역시 중요하며 치료는 모방능력, 울림소리를 습득하는 능력, 보는 능력(말하는 사람과 물체를 보는 능력), 촉각 능력(촉각을 느끼고 입으로 표현하는 능력), 혀와 입술을 이용한 구강 운동 능력, 물체의 개념을 이해하는 능력을 포함한다. 특히 반복되는 감염으로 청력에 대한 지속적인 모니터링이 필요하며 구강구조와 기능 평가를 통한 치료 계획이 요구된다.

2. 윌리엄 증후군(Williams syndrome)

윌리엄 증후군은 7번 염색체 장완(7q11.23)에 위치한 25개 이상 단백유전자의 결실(deletion)에 의해 발생하는 신경발달장애이다. 결실되는 유전자는 *CLIP2, ELN, GTF2I, GTF2IRD 1, LIMK1* y으로 ELN 유전자의 결실은 elastin이라는 단백질을 만들지 못하여 결체조직(connective tissue) 질환과 심장질환의 원인이 된다. *GTF2I, GTF2IRD1, LIMK1* y 유전자의 결실은 윌리엄 증후군의 시지각-공간 장애와 관련이 있으며 *CLIP2*의 결실은 특징적 행동장애, 학습장애, 인지장애와 관련이 있다. 약 7,500명에서 20,000명의 생존출생아(live births) 중 1명의 유병률을 가지는 비교적 드문 질환으로 다양한 운동발달지연, 지적장애, 행동장애를 특징으로 한다. 이마가 넓고, 작고 위로 올라간 코, 두꺼운 입술과 치아 사이가 넓으며 턱이 작은 얼굴 모양을 보인다.[60]

발달지체(developmental delay)로는 내근육운동과 소근육운동, 초기 언어발달이 늦어진다. 인지적인 특징과 사회적응력의 문제로 지적기능, 추론(reasoning), 사회성(social behavior), 자조능력(self-help)이 떨어진다. 집중력 부족이 공통적으로 나타나는 문제이며 소근육운동과 공간지각 능력이 많이 부족하다. 사교성이 좋으며, 외향적이고 나이든 사람과 친하게 지내고, 처음 보는 사람도 두려워하지 않는 성격적 특징이 있다. 말이 많고 특정한 주제에 대해서는 호기심을 보이고 과행동증과 불안해 하는 경향도 보인다.

윌리엄 증후군 아이들의 옹알이는 현저하게 느리고 단어 산출시기도 지연되지만 발음이나 말 명료도의 저하는 없다.[61] 비언어 인지 능력에 비해 문법 발달은 좋은 편이며 같은 수준의 IQ를 가진 다운증후군 아이와 비교하여 문법 문제가 적다. 어휘 수도 어렸을 때는 비교적 유지되나 학령기에는 현저하게 줄어든다. 윌리엄 증후군은 사회적 관계 형성을 매우 하고 싶어하고 외향적이지만 언어의 화용적인 측면에서 현저하게 저하되어 있으며 눈맞춤과 반응은 좋으나 주제에서 벗어나거나 대화와 상관없는 말을 한다. Law 등[62]은 children' s communication checklist-2 (CCC-2)로 평가했을 때 윌리엄 증후군의 79%에서 화용 문제를 가지고 있다고 보고하기도 하였다. 윌리엄 증후군의 언어치료는 주로 학령기에 학습 문제와 사회적으로 의미있는 행동 습득을 목표로 이루어지며 사회적 관계 형성 기술 습득을 위한 치료가 필요하다. 특히 사회적으로 적절한 소통이 이루어지도록 교육과 치료가 필요하다.

3. 여린 X 증후군 (Fragile X Syndrome, FXS)

FXS 증후군은 X 염색체에 위치한 fragile X mental retardation 1 gene (FMR1)에 자주 CGG (trinucleotide)가 반복하여 발생하는 단일 유전자 질환이다. CGG nucleotide의 반복이 200 이상되면

FMR1 유전자의 발현이 안되어 FMRP라는 단백질이 생성이 안되거나 적게 생성된다. 이 FMRP는 신경발달 특히 시냅스 성숙과 발달 중인 뇌의 시냅스 pruning에 중요한 역할을 담당한다. FXS는 남자 아이에게서 두 배 정도 많으며(남자는 4,000명 중 1명, 여자는 8,000명 중 1명) 형태학적인 특징이 두드러지지 않아서 3세 전에는 발견되지 않을 수 있다. 나이가 들어감에 따라 얼굴이 길고 좁으며 귀가 크고 입천장이 높고(high arched palate), 근긴장도 저하(hypotonia), 평발 등의 모습이 두드러진다.

FXS은 자폐스펙트럼장애(ASD)의 동반이 흔하여 언어발달에 영향을 미친다. FXS 영아의 약 53%에서 ASD의 증상이 관찰되고 소년기에는 50%에서 74%에서 ASD 진단 기준에 부합된다. 또한 FXS은 44%에서 93%에서 학령전기에 주의력결핍 과잉행동장애(ADHD)가 동반된다.[63] 언어적 특징은 FMR1 발현 정도, ASD 동반여부에 따라 다양하며 수용어휘(receptive vocabulary)의 습득은 느린 편이나 표현어휘는 더 현저하게 습득이 느리고 그 발화하는 수가 저하되어 있다. 화용적 측면에서 이야기(담화)를 한다거나 스스로 대화하는데 어려움이 많고 보속증(perseveration)이나 말을 반복하는 증상이 나타난다. 이러한 질적인 변화는 대화를 주고 받는 것이 어려우며 새로운 주제로 옮겨가거나 주제를 유지하면서 대화하기 어렵게 만든다. 따라서 FXS의 치료에는 담화 생성하기(narrative production), 담화 회상하기, 듣는 사람에게 목표 정하고 이야기 하기 등 인지 행동 및 언어 과제를 포함해야 한다.

VII. 진찰실 평가

처음 진찰실에 들어오는 아동들은 대개 심하게 긴장하여 입을 다물고 있거나 또는 반대로 매우 산만하여 진찰실 여기저기를 돌아다니는 경우를 많이 보게 된다. 단순히 조음장애만을 갖고 있는 경우를 제외하면 처음부터 아이들의 입을 열게 하는 것은 매우 어려운 일이다. 아이를 데리고 온 많은 부모들이 집에서는 지금보다 조금 더 잘한다고 이야기한다. 아동을 진찰할 때 진찰실의 분위기를 보다 친근감 있게 꾸밀 필요가 있으며, 장난감이나 인형, 소리 나는 도구, 아이들의 관심을 끌 만한 모형, 사탕 등을 갖추어 둘 필요가 있고, 의사나 배석 전공의 또는 치료사도 흰 가운에 대한 공포심을 주지 않기 위해 가운보다는 가능한 밝은 분위기의 사복을 착용하는 것이 좋다. 주어진 짧은 진찰 시간 내에 아동의 모든 상태를 파악하기 어렵기 때문에, 협조가 잘 안되는 아동의 경우에는 언어 평가를 위해 다음에 치료실을 방문할 때 집에서의 언어 구사를 담은 동영상을 준비해 오도록 부모에게 부탁하는 것도 좋은 방법이다. 또한 말을 안 하면 주사를 놓겠다고 한다든지 부모를 진찰실 밖으로 나가게 한다든지 하는 등 불필요하게 겁을 주는 것은 아동으로 하여금 더욱 공포심을 초래하기 때문에 지양하는 것이 좋다.

진찰실에서 가장 먼저 관찰하여야 할 것은 아동의 주된 문제가 단순언어장애(specific language impairment, SLI)인지 자폐증이나 지적장애, 청각장애 등을 동반하는 복합장애인지 구분하는 것이다. 지적장애나 자폐증, 뇌성마비, 청각장애 등과 같이 아동기에 관찰되는 발달장애로 인해 언어 이해나 표현에 문제를 보이는 경우 단순언어장애라 할 수 없다. Leonard (1998)가 제시한 단순언어장애의 조건을 보면, 첫째 언어능력이 정상보다 지체되어 있을 때, 둘째 지능이 정상 범주에 속하여야 하며(비언어성 지능지수가 85 이상), 셋째 청력에 이상이 없어야 하고, 넷째 간질이나 뇌성마비, 뇌손상과 같은 신경학적 이상을 보이지 않아야 하며 간질이나 신경학적 문제로 인해 약물을 복용한 경험이 없어야 하고, 다섯째 말 산출과 관련된 구강구조나 기능에 이상이 없어야 하며, 마지막으로 사회적 상호작용 능력에 심각한 이상이나 장애가 없어야 한다. 이처럼 언어를 제외한 다른 영역에서 두드러진 문제를 나타내지 않는 단순언어장애의 경우 재활의학 영역의 좋은 치료 대상이 되므로 관심을 갖고 구분하는 것이 필요하다.[22-26, 64]

언어장애를 주소로 내원한 아동의 경우, 출생시 병력이나 성장과정에서 특이한 병력이 있었는지 물어보아야 하며, 특히 가족력의 유무를 알아보아야 한다. 일반적으로 언어발달이나 조음발달의 경우 부모의 언어구사 능력에 따른 영향을 다소 받게 된다. 또한 첫째 아이가 언어발달지연이 있는 경우 아동의 형제 또는 자매에서도 발생위험도가 다소 높다고 알려져 있으나 정확한 유전 정보는 아직 밝혀지지 않고 있으며 현재 이에 대한 연구가 원활하게 진행되고 있다. 조기의 부모-아동간 관계성, 친밀성 등이 언어발달에 영향을 미치는 것은 사실이나 영구적으로 언어장애가 남은 아동들을 대상으로 한 연구에서 부모와 아동의 상호관계가 중요한 원인이라는 근거 또한 정확히 밝혀지지 않고 있다. 최근 들어 다문화가정이 급격히 늘고 있고 다문화 가정 아동에서의 언어발달지연 발생이 더 많다는 보고가 발표되고 있어 이에 대한 정보를 잘 파악하여야 한다. 또한 맞벌이 부부의 증가로 조부모에 의해 양육되는 아이가 늘고 있고, 부모의 이혼으로 어린 나이에 결손가정이 된 경우도 많으므로, 아이의 주된 보호자가 누구인지, 특히 주로 낮 활동시간 동안 누구에 의해 돌보아지는지 알아보는 것도 중요하다. 또한, 아이가 부모 또는 보호자와 지내는 시간 외에 어린이집, 미술학원 또는 유치원 등에 다니고 있는지, 다른 아동들과 잘 적응하고 있는지에 대한 정보를 갖고 있는 것이 좋다. 또한 생후 1세 이전의 조기 멀티미디어 노출이 언어발달에 미치는 악영향에 대한 보고가 많으므로 이에 대한 병력도 청취하는 것이 필요하다.

진찰실에서 아동을 대할 때 이학적 진찰은 아이의 외관, 악안면 구조, 구강운동 및 구강 구조, 호흡 양상 등에 대한 관찰에서 시작된다. 이와 같은 호흡기관, 발성기관 및 조음기관들은 주로 말소리의 산출에 영향을 미친다. 이러한 장애를 조음·음운장애라고 부르기도 한다. 이러한 조음·음운장애에는 구개열(cleft palate)로 인해 입천장을 통하여 구강(oral cavity)과 비강(nasal cavity) 사이가 뚫려서 콧소리(hypernasality)가 많이 나는 형상도 포함된다. 이를 연인두폐쇄부전증(velopharyngeal incompetency)이라고 부른다. 조음·음운장애와 관련되는 조음기관이란 음소를 산출할 때 관여하는 안면의 여러 가지 구조들을 말하며, 혀, 입술, 연구개(soft palate) 등과 같이 움직일 수 있는 구조와 치아, 경구개(hard palate)와 같이 움직일 수 없는 구조들을 포함한다. 이러한 구조들에 결함이 있으면 공기의 흐름을 조절하는데 어려움을 겪게 되므로 자세히 관찰하여야 한다.[64]

우선 입술은 구강의 입구 역할을 하는 곳으로 얼굴표정을 짓거나 조음을 하는데 중요한 기능을 한다. 여러 가지 모음들은 입술의 모양에 따라 음소가 구별되며, 자음 가운데 양순음은 입술이 닫혀야만 발음할 수 있다. 입술에 관련되는 근육 가운데 구륜근(orbicularis oris)은 입술을 다물거나 오므라들게 하여 양순자음이나 /u/와 같은 원순모음을 발음하는 데 중요하다. 또한 윗입술올림근(levator anguli oris)이나 아랫입술내림근(depressor anguli oris) 등은 입술을 여는 데 관계하며 소근

(risorius)은 입술의 모서리를 잡아당겨 미소를 짓거나 /i/ 소리를 낼 때 중요한 역할을 한다. 윗입술이나 아랫입술을 잘 다물지 못하는 경우를 제외하고는 입술 형태의 결함이 조음장애에 직접적인 영향을 미치는 경우는 드물다.

혀의 결함으로 가장 흔한 것은 설소대(lingual frenulum)의 단축으로 인한 설구착증(ankyloglossia)이다. 소위 '혀가 짧다' 고 알려져 있는 구강 구조의 장애로서 조음장애를 유발하는 대표적 문제로 일반인들에게 알려져 있어 병원을 찾아오는 많은 부모들이 아이의 혀가 짧은 것이 아닌지 물어보고 있다. 그러나 실제 설소대 단축을 보이는 경우는 드물며 설소대 단축이 있다 하더라도 혀끝을 내밀었을 때 입술 바깥으로 돌출시킬 수 있거나 혀의 끝이나 혀 등 부위가 치조, 경구개, 연구개에 닿을 수 있는 정도라면 조음장애의 유의한 요인으로 간주되지는 않는다. 특히 설소대 단축이 언어발달과 직접적인 관련성이 희박하므로 무분별한 설소대 절단술이나 연장술 등에 대해 주의하여야 하며, 수술에도 불구하고 언어발달지연이 지속될 수 있음을 주지시키는 것이 중요하다. 혀가 너무 큰 대설증(macroglossia)이나 너무 작은 소설증(microglossia) 등은 조음과 직접적 관계에 대한 연구가 미흡하나, 입술을 열고 있는 상태에서 혀를 늘 입 밖으로 내밀고 있는 경우 지적장애나 염색체 이상 등과의 관련성에 대해 추가 검사가 필요하다. 또한, 많은 조음장애 또는 언어발달지연 아동에서 구조적 결함 없이도 혀끝을 입천장으로 올리지 못하는 기능적 약화를 흔히 보이므로 이에 대한 관찰이 필요하다.

치아, 턱의 비대칭이나 결함도 조음장애의 원인이 될 수 있으므로 세심하게 관찰할 필요가 있다. 앞니가 빠졌거나 치열이 비정상적인 경우 순치음(/f/, /v/)이나 치찰음에 오류를 나타낼 수 있다. 치열이 비정상적인 경우는 턱의 구조에 결함이 있는 경우(원심교합, 근심교합, 이개교합 등)와, 위, 아래 치아의 위치가 잘못된 경우(상치돌출, 하치돌출 등)가 있다.[64]

입천장(경구개, 연구개, 연인두)의 형태와 조음능력의 결함 사이에 직접적인 연관이 보고되지는 않았으나, 구개열의 경우 위에서 기술한 것처럼 콧소리나 비강을 통한 공기방사(nasal emission) 등이 동반될 수 있다. 또한 구개열의 크기와 비음 간에는 유의한 상관관계가 없고 구개열에 대한 성형술을 시행하여 해부학적인 천공을 개선시킨 경우에도 기능적으로 비음이 지속되거나 조음장애가 남는 경우가 흔히 있다. 입천장이 정상에 비해 너무 높은 경우에도 정확한 폐쇄음(/ㄱ/, /ㅂ/, /ㄷ/)이나 /ㄹ/ 발음을 구사하는데 어려움을 초래할 수 있다. 실제로 구순열(cleft lip)은 출생 시 대부분 발견되는 데 비해 구개열은 뒤늦게 발견되는 경우가 더 흔하며, 특히 점막하 구개열(submucous type)의 경우 과비음이나 조음장애를 주소로 내원한 환아에서 우연히 진단되므로 처음 구강내 진찰시 관심을 갖고 관찰하여야 한다. 특히 구개열이 있는 경우 비강을 통해 음식물이 역류되는 현상이 동반되기도 하므로 비디오 투시 연하 조영술(videofluoroscopic swallowing study)을 시행해 보아야 하는 경우도 있다.

청력 이상이 심한 경우 언어발달의 지연이나 조음장애를 초래하는 것은 당연하나 의외로 늦게 발견되는 경우가 있다. 아동의 조음 습득이 청각적인 자극이나 피드백에 의존하여 이루어지므로 청각장애 아동들은 음향학적 에너지가 낮거나 음도가 높은 음소(예: 마찰음)들을 왜곡하거나 생략시키는 경향이 많다. 양쪽 귀가 전혀 들리지 않는 경우는 비교적 쉽게 찾아낼 수 있으나, 청력이 심하지 않게 저하되어 있는 경우 경미한 조음장애만을 나타낼 수 있으므로 주의 깊게 관찰할 필요가 있다. 순음청력측정기(pure tone audiometry)를 사용하거나 더 어린 아동의 경우 뇌간청각유발전위(Brain Stem auditory Evoked Potential, BAEP, BERA)를 검사할 수 있으나, 진찰실에서는 아이가 보지 않는 곳에서 소리 자극을 주어 어떤 반응을 보이는지 검사하는 방법도 있고, 부모를 통해 집에서 소리에 대한 민감 반응을 알아보기도 한다.

예약된 환자가 계속 대기하고 있는 진찰실에서 자세한 언어평가를 시행하기 어려우므로 대부분 언어치료사에게 평가를 맡기고 있으나, 가능한 많은 시간 동안 상담을 함으로써 시어(始語)를 시작한 시기 및 언어발달 과정, 구사할 수 있는 어휘의 수, 두 단어 연결이 가능한지 여부, 표현력과 이해력의 습득 정도를 통해 아이의 언어발달지연의 유형을 파악하고 언어평가의 시기가 적당한지 등을 보호자에게 설명하는 것이 좋다. 또한, 가능하다면 조음장애의 경우 간단한 그림조음검사나 단어 모방력 검사 등을 통해 많은 정보를 파악하는 것이 중요하다.

VIII. 소아 언어평가의 실재

소아 언어발달장애에 대한 평가는 크게, 순수한 언어발달장애에 대한 평가와 복합장애에 대한 평가로 나눠진다. 복합장애가 있는 아동의 경우, 언어평가 외에 아동의 발달 상황을 확인하기 위해 Denver 영유아발달선별검사(Denver II)나 Bayley 영유아발달검사(Bayley Scale of Infant Development II 또는 III), Capute 발달검사, 사회성숙도검사, 한국웩슬러유아지능검사 4판, 한국웩슬러아동지능검사 5판 등을 시행할 수 있다.[65-67]

1. 언어평가의 적응증

발달장애 아동의 초기 언어평가는 다른 심리평가와 마찬가지로 우선 결함이 있는지를 알아보는 선별검사(screening test)와 그 결함의 성격을 규명하는 진단검사로 나누어진다. 언어평가는 초기 평가만으로 그쳐서는 안 되는데, 이는 언어치료를 시작한 후에도 계속되는 평가를 함으로써 아동의 변화에 민감하게 치료적 중재를 적용할 수 있어야 하기 때문이다.

언어평가보고서에는 일반적으로 1) 아동의 출생 및 성장 배경, 질병의 내역, 교육 및 가정환경 등에 대한 배경 정보 및 언어발달과 관련된 요인에 대한 정보가 있어야 한다. 이에는 장애를 유발시킨 출생 전, 중, 후의 문제, 즉 임신 중 약물복용, 출생 시 산소결핍증, 저체중아, 구순-구개열 등이 이에 포함된다. 2) 인지 및 신체발달, 즉 감각운동기의 인지발달, 운동 발달력(기기, 서기, 걷기 등) 등의 정보가 포함되어야 한다. 3) 언어 및 의사소통의 평가, 즉 눈 맞춤, 착석, 엄마와의 분리 불안 여부, 주의력 문제, 엄마와의 상호작용 참여 여부, 과다행동(hyperactivity) 등의 행동문제를 관찰하여야 하며, 말소리를 통한 의사소통의 발달 과정을 자세히 기술하여야 한다. 4) 구어(호흡, 발성, 조음) 및 청력평가에 대한 견해를 기술하여야 한다. 5) 언어평가 결과를 요약하고, 권고사항 등을 기재하여야 한다.

일반적으로 아동에게 언어장애가 있음을 걱정하고 내원하는 시기는 보통 생후 2세가 지나고 나서부터이다. 그 이전의 아동의 경우 말이 늦된다고 해도 대부분 관찰하는 경우가 많다. 일반적인 언어치료 지침에 따르면, 만 2세까지 단어의 구사가 시작되지 않거나(시어가 2세까지 나타나지 않을 경우), 만 3세가 넘도록 두 단어를 이용한 문장형성(two word sentence)이 이루어지지 않는 경우 언어평가를 해 보도록 권하고 있다. 정상 아동발달에서 시어의 경우, 빠르면 생후 10개월, 평균적으로 12개월에 나타나며, 두 단어 연결의 경우 생후 18개월 무렵에 나타나게 된다. 즉, 정상적인 발현 시기보다 두 배 이상 늦어지도록 나타나지 않으면 일차 평가를 권하는 것이다. 이는 이 시기가 언어치료를 시작하기에 적기라는 것보다 조기에 선천적 기형을 찾아낸다든지 중복된 복합장애를 발견할 기회를 가능한 일찍 제공할 수 있기 때문이다. 실제로 조기 언어 및 아동발달평가를 통해 구개열, 설소대의 심한 단축, 자폐증, 지적장애, 또는 청각장애 등의 중복장애를 일찍 발견하는 경우가 흔히 있다. 최근에는 이보다 더 빨리, 즉 단어 발현이 18개월까지 나타나지 않거나 두 단어 연결이 24개월까지 나타나지 않으면 병원을 방문하도록 권유하는 식으로 적극적인 평가를 권하는 경우도 있다.

언어장애 프로그램의 대상자 선정은 선별검사에서 대개 2년 이상의 언어지체가 나타나는 경우, 또는 언어결함이 학습 진전에 영향을 미치고 있거나 미칠 가능성이 있는 경우로 설정하고 있으며, 치료적 중재는 어휘력이나 이해 능력이 폭발적으로 증가되기 시작하는 시기인 3세를 넘지 않는 것이 좋다고 본다. 최근에는 가능한 한 조기진단 조기치료를 원칙으로 진단 즉시 치료를 시행하도록 독려하는 것이 추세이다. 특히 구개열의 경우나 청각장애의 경우는 발견 즉시 언어적 중재가 반드시 필요하며 그 밖의 언어발달장애의 경우 일반적으로 아동과의 rappot(라포르) 형성이나 치료 효율성 면에서 만 3세 전후가 효율적인 시기로 간주된다.

2. 언어평가의 종류

1) 조음 · 음운론적 능력 평가

음운은 언어에서 사용되는 말소리 그 자체를 의미할 뿐 아니라 낱말들 속에서 이루어지는 말소리의 배열 규칙이나 첨가, 삭제 또는 대치시키는 모든 변화과정을 의미한다. 따라서 아동이 음운을 제대로 습득하기 위해서는 개개 말소리를 정확하게 산출해야 함은 물론 낱말 산출시 말소리를 적절한 규칙에 기초하여 연결할 수 있어야 한다. 또한 조음 역시 일련의 발달 과정에 따라 연령의 증가와 함께 성숙해져 가게 된다. 조음 · 음운장애가 나타나는 경우, 음소에서는 생략, 대치, 왜곡, 첨가 등의 조음오류 형태를 보이며 음운과정에서는 생략 및 첨가 음운과정과 대치 음운과정, 동화에 따른 대치, 기식도나 긴장도에 따른 대치 등의 오류가 이에 속한다.

검사도구로는 그림자음검사(김영태, 1996)와 한국어발음검사(이현복, 김선희, 1991)가 먼저 개발되어 쓰이고 있다가, 우리말 조음 · 음운평가(U-TAP, 김영태, 신문자, 2004), 우리말조음 · 음운검사2(UTAP2, 김영태, 신문자, 김수진, 하지완, 2020), APAC 아동용 발음평가(김민정, 배소영, 박창일, 2007) 등이 발표되어 흔히 사용되고 있다.[68-71]

그림자음검사는 조음의 발달정도가 만 2세에서 만 6세 정도 되는 장애아동 또는 정상 아동들을 대상으로 실시할 수 있으며, 22개의 그림을 통한 목표발음과 아동의 발음을 비교하여 그 오류를 어두-초성, 어중-초성, 종성으로 구분하여 총 43개의 항목으로 검사한다. 이 검사를 실시하기 위해서는 아동이 그림을 보고 이름을 말하거나 모방할 수 있어야 한다. 이 검사는 자음정확도 만을 산출할 수 있으며 단모음이나 이중모음, 그리고 문장 수준에서의 자음 오류를 검사하는 데 제한점이 있다.

그림자음검사는 진찰실에서도 짧은 시간 내에 비교적 쉽게 이용할 수 있는 반면, 연령별 백분위지수(age matched percentile)를 구할 수 없다는 단점이 있다.[68]

우리말 조음 · 음운평가(U-TAP)는 그림자음검사의 개정판에 해당한다. 이 평가서는 조음 · 음운장애를 갖는 아동 및 청소년의 자음 및 단모음의 조음 · 음운상태를 평가하며, 지속적인 진단/평가에 사용하기 위해 제작되었다. 이 검사는 그림 제시를 통한 검사로 낱말 수준뿐 아니라 자발어와의 차이를 최소화하기 위해 문장 수준 검사를 첨가하였다. 그림낱말검사는 아동들이 목표 단어를 쉽게 산출할 수 있는 그림들로 구성되어 있으며, 각 단어는 자음 검사 부분과 모음 검사 부분으로 구성되어 자음 19개와 단모음 10개의 조음을 유도할 수 있다. 그림문장검사는 하나의 그림에서 1~3개의 문장을 유도할 수 있으며, 그림 내의 각 사물을 보면서 문장을 산출할 수 있도록 구성되어 있다. 아동이 그림을 보면서 하나의 이야기로 말하거나, 검사자가 그림을 보여주면서 목표 문장을 들려주면 아동이 이를 재구성해서 말하게 하여 조음을 평가한다. 이를 통해 그림자음검사가 갖고 있던 문제점인 자발어와 문장수준에서의 자음정확도의 심한 차이를 개선할 수 있게 되었다. 여기서 얻어진 자료는 아동이 습득한 개별 음소를 분석하여 정상 아동과 비교하고, 음소정확도를 통해 정상 발달수준과 얼마나 차이나는지 볼 수 있으며, 아동의 음운오류패턴을 분석하여 음운변동 출현율을 정상 발달과 비교할 수 있다. 이렇게 정상 아동 수준과 비교한 결과들을 통해 조음치료의 필요여부를 결정하고, 여기서 정리된 음소목록과 분석 자료들은 조음치료 시 계획을 세울 수 있게 한다. 또한 조음장애의 치료가 필요할 때, 2002년 출판된 『우리말 조음 · 음운 학습(U-WAP)』 자료를 사용할 수 있다.[69]

2020년 우리말조음 · 음운검사2 (UTAP2)가 출판되었으며, 만 2세 6개월에서 만 7세까지 사용 가능하다. 단어와 문장 수준에서 대상자들의 반응을 기록한 후 자음정확도, 모음정확도, 단어단위음운지표(단어단위정확률, PWC), 평균음운길이(PMLU), 단어단위근접률(PWP)를 산출하여 정상 조음발달과 비교한다. 또한 음소목록파악, 음운오류패턴 분석, 모음 문맥 분석, 비일관성 검사 등이 가능하다. 제1판은 1년 단위의 표준화 자료를 제공한데 비해 제2판은 6개월 단위의 표준점수를 제공하여 말소리 발달단계를 세분화하였다. 또한 서울, 부산 등 대도시 위주의 제한적 표준범위로 구축된 제1판에 비해 전국 단위의 대규모 규준을 구축하였다. 표준화 역시 단어 수준뿐만 아니라 다음절 단어와 문장 수준의 표준화를 추가하였다. 다양한 말소리장애 지표(단어단위정확률, 평균음운길이, 단어단위근접률)들의 분석을 통해 실질적 중재계획을 세우는 데 도움을 줄 수 있다. 분석/채점 프로그램을 제공하여 분석을 더 용이하게 하였으며, 동일 단어를 여러차례 검사하는 비일관성 검사를 추가하여 비일관적 오류를 보이는 조음장애 아동을 선별할 수 있도록 하였다.[70]

아동용 발음평가(APAC: Assessment of Phonology and Articulation for Children)는 만 3세 이상의 취학전 아동이나 취학전 아동 수준의 조음 · 음운 능력을 보이는 취학 아동들에게 조음 · 음운 능력을 체계적으로 평가하기 위해 고안되었다. 본 검사는 단어(word) 검사와 연결발화(connected speech) 검사로 나뉘어 있고 틀리게 발음한 말소리의 수, 종류, 그리고 오류 패턴을 분석하도록 구성되어 있다. 검사는 언어치료사가 아동으로 하여금 그림을 보고 단어나 연결 발화를 표현하게 하면서 단어나 연결 발화에 포함된 말소리가 어떻게 발음되는지를 관찰하여 기록하는 방식으로 진행된다. 서울에 거주하는 2~6세 아동 220명을 대상으로 단어 검사에서의 다양한 종류의 점수와 오류 패턴에 대한 규준이 제공되어 있다. 표준화 검사를 위해 대상이 된 아동 수가 적고 서울 지역에 국한되었다는 점은 이 검사의 제한점으로 작용될 수 있어 전국 표준화가 숙제로 제시된다. 그림판, 기록지, 매뉴얼이 한 세트로 구성되어 있다. 이 검사의 특징은 우리나라에서 많이 시행되는 조음검사 가운데 유일하게 백분위수(%ile)와 등가연령을 제시하였다는 점이다. 또한 기존의 다른 조음검사들에 비해 어린 아동들이 자발적으로 표현할 수 있는 단어로 구성되어 있고 37개의 단어로 우리말 자음을 다양한 음운환경에서 검사할 수 있으며, 어두초성, 어중초성, 어중종성, 어말종성의 4가지 단어 내 위치에서 자음을 검사할 수 있고 자음계열마다 뒤에 오는 모음이나 자음이 다양하다는 점이다. 또한 틀리게 산출한 말소리에 대해 주된 오류 패턴이 무엇이고 연령에 적절한 것인지를 또래 아동과 비교할 수 있다.[71]

한국어발음검사는 그림자음검사와 문장발음검사로 구성되어 있어, 그림발음검사는 음소의 위치를 고려한 자음(19개), 단모음(9개), 이중모음(12개), 길이음소 1개 등 총 41개의 기본 음소를 검사하는 80개의 그림으로 구성되어 있고, 문장발음검사는 그림을 보며 단 단어를 발음하게 하는 대신 12개의 문장을 읽게 하는 검사이다. 글을 읽을 수 있는 학령기 아동들에게만 실시할 수 있는 단점이 있다.[72]

2) 형태론 및 구문론적 능력 평가

구문은 언어의 형식과 관련되는 것으로, 아동이 구문 능력을 갖추기 위해서는 형태소가 어떻게 결합하여 낱말을 이루고, 낱말이 어떻게 배열되어 구나 문장을 이루며, 구나 문장이 어떻게 연결되어 좀 더 복잡한 발화를 형성하는가에 대한 규칙을 습득해야 한다. 이를 평가하기 위해서는 평균발화길이 분석, 문법형태소 및 구문 분석 등의 측면을 진단하여야 한다.

한국에서 표준화된 구문능력검사에는 한국-노스웨스턴 구문선별검사(권도식, 이규식, 1985)가 있으며, 문장이해력검사(장혜성, 임선숙, 백현정, 1994)나 구문의미 이해력검사(배소영, 임선숙, 이지희, 장혜성, 2004) 등도 구문의 의미나 문장의 이해력을 평가하기 위해 만들어진 것이다.[73-75]

이 가운데 한국-노스웨스턴 구문선별검사는 Laura Lee (1977)가 언어장애 아동의 구문력을 선별하기 위해서 개발한 Northwestern Syntax Screening Test (NSST) 검사 도구를 바탕으로 만들어진 것으로서, 3~6세까지의 한국 아동 213명을 대상으로 표준화한 검사도구이다. 검사는 아동의 구문이해력과 구문표현력을 판별하기 위하여 이해력 부분과 표현력 부분으로 나누어져 있으며 각각 20개의 문항에서 40개의 문장을 평가하도록 되어 있다. 이해력 부분은 각 페이지마다 4개의 그림으로 구성되어 있고, 표현력 부분은 각 2개의 그림으로 구성되어 있다. 이는 선별검사로서 아동의 언어장애 유무를 진단하는 목적으로 사용하는 것은 바람직하지 않다.[73]

문장이해력검사(1994년)와 이 검사의 개정판에 해당되는 구문의미 이해력검사는 구문이해력 장애를 판별하기 위해 만들어진 도구들이다. 문장이해력검사는[74] 학령 전(만 4~6세) 아동들의 문장이해능력을 평가하기 위한 검사도구로서, 미국의 Test of Language Development (TOLD, 1988) 중에서 문법이해력 하위검사를 한국 아동들에게 표준화한 것이다. 총 36문항으로 구성되어 있으며 검사자가 읽어준 문장을 듣고 아동이 그에 해당하는 그림을 지적하는 형식으로 되어있다. 맞은 항목의 원점수를 통해 주어진 표를 참조하여 백분위 점수(%ile)와 등가연령을 산출한다. 흑백 그림에 대한 아동들의 흥미도가 떨어지기 쉽고, 등가연령이 1년 간격으로 너무 넓게 되어 있어 정밀한 진단을 하기에 다소 어려운 점이 있다. 구문의미 이해력검사는[75] 문장이해력 검사를 수정, 보완한 검사도구이다. 이 검사도구는 만 4~9세(또는 초등학교 3학년) 수준의 구문의미 이해력을 측정하는 표준화 언어검사 도구이다. 이 도구는 이해 언어에서의 언어발달장애를 판별하는 데 사용할 수 있으며, 단순언어장애(SLI) 아동의 하위유형을 판별하거나 상대적인 강 · 약점을 파악하고자 할 때 사용할 수 있는 표준화 검사이다. 이 검사에서의 결과는 이해와 표현, 그리고 의미 · 문법 · 화용 · 음운을 평가하는 포괄적 언어평가 과정의 하나로 이용할 수 있다. 검사자가 57개 문항의 문장을 들려주고 그에 맞는 그림을 아동이 지적하는 형식으로 되어 있으며, 문장이해력검사와 마찬가지로 원점수와 백분위수(%ile), 등가연령을 산출한다. 이 도구는 문장이해력검사에 비해 더 넓은 범위의 아동들을 대상으로 할 수 있는 장점을 갖고 있다.[75]

3) 의미론적 능력 평가

의미는 언어의 내용과 관계되는 것으로 아동의 의미론적 능력은 개별 낱말의 의미를 습득하는 것이나 낱말과 낱말 간의 의미적인 조합을 인식하고 표현하는 측면, 또한 문장 속에 내포된 숨은 의미를 이해하고 표현하는 능력을 말한다. 이를 평가하기 위해서는 낱말의 의미, 문장의 의미, 숨은 의미 등의 측면을 진단하여야 한다.

대표적인 의미론적 능력 평가 방법으로는 언어이해-인지력검사(장혜성, 임선숙, 백현정, 1992)가 있으며, 이는 학령 전 아동들의 언어이해력 및 인지력을 측정하는 검사도구로서, 미국 Bangs Receptive Checklist (1990)를 기초로 표준화한 것이다.[76] 대상 연령은 3~5세 11개월까지이다. 이 검사는 유아의 인지력에 기초한 개념의 이해능력(수용 의미론적 측면)을 측정하기 위하여 고안된 것으로서, 총 40개의 문항으로 구성되어 있다. 검사방법은 유아가 검사자의 지시에 따라 수행하거나 자료(그림 또는 사물)를 지적하도록 되어 있으며, 결과는 백분위 점수(%ile)와 등가연령으로 제시하였다. 이 검사 결과는 아동의 언어이해력 및 인지력을 측정할 수 있을 뿐만 아니라 검사결과에 따라 아동의 언어 영역에 대한 개별학습프로그램을 작성할 때에도 기초 자료로 사용될 수 있으며, 따라서 언어장애 아동은 물론 지적장애, 청각장애, 뇌손상, 자폐, 행동장애 또는 뇌성마비 아동들에게도 실시할 수 있다. 문장이해력검사와 마찬가지로 등가연령이 1년 단위로 제시되어 있어 세밀한 진단을 내리기 어려운 단점이 있다.[76]

4) 화용론적 능력 평가

화용은 언어의 사용과 관계되는 것으로 아동의 화용능력을 평가하기 위해서는 의사소통적 의도와 대화능력에 대한 측면을 진단하여야 한다. 여기서 의사소통적 의도에는 물건이나 행동 요구, 정보 전달(대답하기)이나 정보 요구(질문하기), 태도나 감정의 표현(거부하기), 사회적 상호작용의 통제(명령하기) 등이 포함되며, 대화능력에는 차례 지키기나 주제 유지하기 등이 포함된다. 화용론적 능력 평가를 위한 검사로는 언어문제해결력검사가 대표적이다.[77]

언어문제해결력검사(배소영, 임선숙, 이지희, 2000)는 논리적인 사고 과정을 언어화하는 상위언어기술을 측정하기 위한 검사도구로서, 17개 장면의 그림판을 이용한 50개의 질문 항목으로 이루어져 있다. 검사방법은 아동에게 문제 상황이 표현된 그림판을 보여주고 그 그림과 관련된 검사자의 질문을 듣고 대답을 하게 하여, 각 문항별 채점 기준에 의거하여 0, 1, 2점 중 하나로 평가하게 된다. 총 점수는 원인 이유, 해결 추론, 그리고 단서 추측의 세 범주로 나누어 볼 수 있으며, 총점과 각각 세 범주에 대한 원점수를 토대로 아동이 속한 연령집단을 비교 기준으로 하여 백분위 점수대(%ile)를 제공하여 준다. 이 검사는 만 5세부터 12세 아동들을 대상으로 특정 상황에서 대답하는 능력을 평가함으로써 언어를 통한 문제해결 능력을 측정하는 데 목적이 있다. 검사 결과는 학령기 아동들의 언어장애 유무를 판단하는 데 사용하는 것은 물론 상황이나 사건에 대한 이해 능력을 증진시키고 상황에 적절한 언어 사용 능력을 증가시키는 화용론적 언어훈련의 기초 자료로 활용될 수 있다. 그러나, 채점 기준에 제시되지 않은 대답을 하는 경우 검사자의 주관적 판단에 따라 점수를 부여해야 하기 때문에 검사자에 따른 점수차가 나타날 수 있는 단점이 있다.[77]

5) 어휘력 검사

어휘력 검사는 의미론적 능력 가운데 낱말의 의미 항목에 포함될 수 있다. 대표적인 어휘력 검사 도구로는 그림어휘력검사(김영태, 장혜성, 임선숙, 백현정, 1995)와 MCDI-K (MacArthur Communicative Development Inventory-Korean, 배소영, 1985), 수용 · 표현 어휘력검사(Receptive Expressive Vocabulary test, REVT, 김영태, 홍경훈, 김경희, 장혜성, 이주연, 2009) 등이 있다.[78-80]

그림어휘력검사(PPVT-K)는 어휘이해력을 평가하는 검사도구로서 미국 Peabody Picture Vocabulary Test-Revised (PPVT-R, 1981)의 저자 Dunn & Dunn의 허락 하에 2~8세까지만 표준화한 것이다. PPVT-R과 한국의 다른 문헌들로부터 발췌한 178개의 예비 문항을 대상으로 변별도, 난이도, 도시-농촌 차이 및 성별 등을 고려하여 총 112개의 문항으로 최종 구성되었으며 그 가운데 PPVT-R에서 인용한 문항은 59개(53%)가 포함되어 있다. 나머지는 한국의 다른 문헌들을 참고하여 만들어졌다. 결과의 해석은 백분위 산출표와 등가연령을 제시하였다. 이 검사는 4개의 그림 중에서 검사자가 지시하는 그림을 손으로 가리키기만 하면 되기 때문에 검사의 실시가 용이하고 우리나라 아동들의 기준에 맞추어 수용언어발달 연령을 산출할 수 있다는 장점이 있다. 그러나 흑백 그림에 대한 아동들의 흥미도가 떨어지기 쉽고 등가연령이 6개월 간격으로 되어 있어 세밀한 진단을 하기에 다소 어렵다는 문제점이 있다.[78]

그림어휘력검사가 절판되면서 새로 나온 어휘력검사 도구가 수용, 표현어휘력검사(REVT)이다. REVT의 장점은 아동과 성인 모두를 대상으로 수용 및 표현 언어를 검사할 수 있는 표준화 도구로 나왔다는 점이다. REVT는 만 2세 6개월부터 사용할 수 있으며 16세 이상의 성인에서도 사용이 가능하다. 검사 대상자의 어휘능력에 대한 전반적인 정보를 제공하고, 검사 대상자의 어휘발달 수준을 백분위 점수로 제공하여 같은 생활연령대의 대상자들에 대한 상대적인 어휘발달 수준을 제시하며, 품사별, 의미범주별 수행분석을 통하여 치료 진행 시 목표어휘의 선정과 치료효과를 점검하는 데 활용할 수 있다. 이를 통해 특정집단 간 어휘능력의 비교 등의 연구에도 활용할 수 있다. REVT는 수용어휘검사(REVT-R)와 표현어휘검사(REVT-E)로 나누어져 있으며, 수용어휘검사는 명사 98개, 동사 68개, 형용사 및 부사 19개로 구성되어 있으며, 표현어휘검사는 명사 106개, 동사 58개, 형용사 및 부사 21개로 구성되어 있다.[79]

MCDI-K (2000)는 MacArthur Communicative Development Inventory: Toddlers (MCDI, Fenson et al, 1991)의 어휘 부분을 한글판으로 번안하여 만든 도구로서, MCDI 어휘 목록 중 한국어에서 잘

사용하지 않는 어휘들은 삭제하고 빈번하게 사용되는 73개 어휘와 문법형태소를 첨가하여 표현어휘력과 이해어휘력 각각 641개씩의 MCDI-K 어휘목록을 구성하였다. 부모가 체크리스트 식으로 평가하게 되어 있으며, 특히 30개월 미만의 어린 아동들의 초기 어휘력 진단을 위해 유용하게 사용될 수 있다. 아이의 어휘 수준은 물론 어휘이해 능력과 어휘표현 능력 간의 격차를 가늠해 볼 수 있으며, 아동의 어휘능력을 명사와 동사 각각의 품사별로 평가할 수 있고 조사와 어미 등의 영역을 통해 구문 사용 능력을 평가할 수도 있다. MCDI-K는 다른 표준화된 검사들보다 더 많은 양의 어휘발달 자료를 제공한다는 장점이 있으나 문항 수가 많아서 평가자(부모)가 피로를 느낄 수 있기 때문에 뒤쪽의 문항으로 갈수록 신뢰도가 떨어진다는 단점이 있다.[80]

6) 유창성 검사

유창성 검사는 주로 말더듬의 평가에 이용되고 있다. 많이 사용되고 있는 유창성 검사로는 말더듬 인터뷰(SI) 양식과, 말더듬의 심한 정도 평가(Stuttering Severity Instrument, SSI), 파라다이스-유창성 검사 II (Paradise-Fluency Assessment, P-FA-II, 심현섭, 신문자, 이은주, 2004)가 있다.

SI는 취학전, 초등학교용(양식 A)과 초등상급학생, 중학교, 고등학교, 성인용(양식 B) 등 두 개의 인터뷰를 하기 위한 양식을 제공하며, 양식 A는 21개의 항목, 양식 B는 14개 항목에 걸쳐 총 시간(분)동안 말더듬의 발현 개수(SW)를 계산하여 말더듬의 정도(총 SW/M)를 나타내게 된다. 총점을 기준으로 말더듬의 중증도 정도를 0점부터 3점까지 평가한다. 이 검사는 치료 프로그램의 효과에 관한 사전 및 사후 측정으로 사용되어지며 자동적 구어에서부터 자연스런 대화까지 검사되어진다. 또한 이 검사는 말더듬 비율뿐만 아니라 말더듬 형태분석도 가능한 검사도구이다.

SSI는 말더듬의 빈도를 측정하며, 말이 막히는(blocking) 시간과 신체적인 수반행동 등을 고려하여 심한 정도를 5단계로 분류하여 나타낸 검사도구이다. 말더듬의 빈도는 읽을 수 있는 사람과 읽을 수 없는 사람으로 나누어 읽을 수 있는 사람은 Job 과업과 읽기 과업항목에 각각 2에서 9점까지의 점수를 부여하고, 읽지 못하는 사람은 4에서 18점까지의 점수를 부여한다. 머무는 시간(말이 막히는 시간) 평가는 머무른 시간을 측정하여 1에서 7점을 준다. 신체적 수반 행동은 0에서 5점의 평가척도를 사용하여 0점은 수반 행동은 없을 때, 1점은 그 행동을 자세히 보지 않으면 몰라볼 때, 2점은 낯선 사람이 보아서 간신히 알아볼 때, 3점은 혼란을 줄 때, 4점은 매우 혼란을 줄 때, 5점은 고통스러워 보일 때로 점수를 부여한다. 수반 행동의 종류로는 혼란을 주는 소리, 얼굴을 찡그림, 머리 동작, 사지의 동작 등이 있다. 아동들의 심한 정도 대조표와 어른들의 심한 정도 대조표가 각각 마련되어 사용된다. 빈도점수와 수반행동점수, 막힘지속시간 등의 점수들을 합산하여 총점 0부터 45점까지의 9단계의 중증도를 분류하며, 가장 심한 단계는 총점 38점에서 45점까지에 해당하는 97%ile 이상의 매우 심한 정도를 말한다.

P-FA-II는 취학 전 아동용, 초등학생용, 중학생 이상용 등으로 나누어져 있으며, 유창성장애의 여부나 정도를 파악할 수 있도록 개발되었다. 이 검사 도구를 사용하여 유창성문제를 평가, 진단함은 물론 의사소통 태도 평가를 함께 실시함으로써 유창성문제의 전반적인 평가를 가능하게 하였다. 본 검사는 크게 구어 평가와 의사소통태도 평가의 두 가지 영역으로 이루어져 있다. 구어 평가는 취학 전 아동, 초등학생, 중학생 이상과 같이 연령에 따라 검사과제세트가 나누어져 있다. 검사과제는 낱

말그림, 따라 말하기, 문장그림, 읽기, 이야기그림, 말하기그림, 대화 등의 7가지이며, 필수과제와 선택과제로 나누어져 있고, 다양한 언어반응을 요구함으로써 유창성문제에 관여하는 요인들을 파악할 수 있도록 하였다. 의사소통태도 평가는 초등학생과 중학생 이상의 두 종류의 평가문항이 마련되어 있으며, 말하기 또는 말더듬에 대한 생각과 그로 인한 심리적 부담감, 실제생활에서의 어려움 등을 평가할 수 있는 문항들이 포함되어 있다.[81] 가장 심한 단계는 91~99%ile의 범위에 해당되며, 필수과제,선택과제, 의사소통태도 평가 모두 중증도의 %ile 범위가 산출된다.

7) 전반적 언어발달검사

가장 널리 이용되고 있는 언어발달검사 도구는 취학전 아동의 수용언어 및 표현언어발달 척도(Preschool Receptive-Expressive Language Scale, PRES, 김영태, 2001)와 영유아 언어발달선별검사(Sequenced Language Scale for Infants, SELSI, 김영태, 김경희, 윤혜련, 김화수, 2003)이다.[82-83] 두 검사는 각각 PLS (Preschool Language Scale, 1992)와 REEL (Receptive-Expressive Emergent Language Scale, 1971)을 대체하여 개발된 국산 검사라는 데 의의가 있다. 두 검사 모두 수용언어 및 표현언어의 1) 인지능력과 관련되는 의미론적 언어능력, 2) 언어학적인 지식과 관련되는 구문론적 언어능력, 3) 사회적 상호작용능력과 관련되는 화용적인 언어능력을 두루 평가할 수 있도록 고안되었다는 점에서 공통점이 있다.

PRES는[82] 수용언어, 표현언어 각각을 19개월부터 21개월까지의 가장 낮은 연령단계로부터 73~78개월까지의 가장 높은 연령단계까지 나누어 검사하며, 수용언어부터 검사를 시작하여 표현언어로 마친다. 이 검사는 수용언어영역과 표현언어영역의 문항이 각각 45개씩, 총 90개의 문항으로 이루어져 있다. 두 영역 모두 15개의 언어발달 단계로 구성되어 있으며, 각 단계는 1세 7개월에서 4세까지는 3개월 간격으로, 4세 1개월에서 6세 6개월까지는 6개월 간격으로 나뉘어져 있다. 이러한 구별은 4세 이전에는 기본적인 어휘와 간단한 문장구조의 습득이 빠르게 이루어지는 반면, 그 이후에는 이미 습득된 어휘 및 문장구조가 좀 더 복잡해지고 정교화 되면서 다소 느린 속도로 습득되는 데 기초한 것이다. 검사 전반적으로 보면, 의미론 관련 문항이 41개로 가장 많고, 음운 및 구문론 관련 문항은 37개, 그리고 화용론 관련 문항은 14개를 차지한다. 아동의 생활연령에 해당하는 연령단계에서 한 단계 낮은 연령단계의 첫 번째 문항부터 검사를 시작한다. 아동이 세 문제를 모두 맞힌 연령단계가 기초선이 되며 기초선이 확립된 후에는 처음 시작한 문항의 다음 문항부터 높은 번호 문항으로 계속 올라간다.

한 연령단계의 세 문항을 모두 틀리면 그 연령단계를 최고한계선으로 설정한다. 언어발달연령의 산출은 각 검사별로 기초선이 확립된 이후 처음으로 두개 이상의 문항을 틀린 연령단계의 평균연령으로 산출한다. 이 때 소수점은 반올림한다. 획득점수에 기초하여서도 언어발달연령을 산출할 수 있는데, 이는 아동의 연령단계와 상관없이 아동이 기초선 이후 최고한계선까지 획득한 총 점수를 기초로 언어발달연령을 산출한다. 언어지수는 각 영역의 언어발달연령을 생활연령으로 나누어 준 다음 100을 곱하여 산출한다. 또한 백분위 점수는 아동이 획득한 점수를 %ile로 표현하여 동 연령대 아동들 중에서 어느 정도에 해당하는지 상대적인 위치를 제시해 준다. 이 검사는 언어의 의미론, 구문론, 화용론 측면을 모두 포함하고 있어 포괄적인 언어 영역들에 대한 평가가 가능하다는 장점이 있으나 실시해야 하는 문항 수가 많고 검사 방법이

다소 복잡한 문항들이 포함되어 있어 검사 실시 시간이 오래 걸린다는 단점이 있다.[82]

SELSI는[83] PRES에 비해 좀 더 어린 영유아기 아동들에게 시행하는 선별검사로서 대표적인 영유아기 선별검사였던 REEL과 맥락을 같이 하지만, 영유아의 전반적인 언어능력을 제시해준다. 또한 수용언어능력과 표현언어능력 중에 어느 능력이 더 지체되었는지 파악할 수 있게 해주며, 수용언어 및 표현언어의 보다 포괄적인 영역, 즉 의미-인지능력, 음운능력, 구문능력, 화용능력 등을 모두 포함하고 있어 어느 영역에서 더 지체되었는지도 분석하게 해준다. 그러나 이 검사는 수용언어나 표현언어의 발달지체를 선별하는 검사로서, 이 검사결과만으로 아동의 언어능력을 평가하는 것은 바람직하지 않다. 이 검사는 주양육자와의 면담을 통해 문항을 기록하거나 또는 주양육자가 직접 기록하도록 하여 실시하게 되며, 수용언어 56개, 표현언어 56개 문항을 대상으로 한다.

이 검사는 PRES, PLS, REEL 등의 기존 검사들은 물론 여러 언어발달 문헌들을 참고하여 문항을 개발한 것이다. 검사결과는 수용언어 및 표현언어 평가 점수로 산출되나 선별검사인 만큼 각각의 언어발달지수 및 구체적인 발달연령을 제공해 주지는 않으며, 검사결과를 '정상발달', '약간 지체' 및 '언어발달지체' 등으로 크게 나누어 판정한다. 이 검사는 생후 5개월부터 36개월 사이에 있는 영유아를 대상으로 하는 만큼, 언어장애의 조기 선별이 목적이다. 검사는 수용언어영역부터 시작하여 아동의 생활연령에 해당되는 연령단계보다 두 단계 낮은 연령단계의 첫 번째 문항부터 시작한다. 기초선은 "예"라는 응답이 연속해서 8번 나오는 것을 기준으로 한다. 만일 시작문항에서 연속해서 8번의 '예' 응답이 나오지 않았을 경우에는 시작문항이 속한 단계에서 한 단계 낮은 단계로 내려가 응답한다. 기초선이 설정되며 최고한계선에 다다를 때까지 상위 항목으로 계속 올라가면서 문제를 풀게 되며, 최고한계선은 '아니오'의 대답이 연속적으로 8번 나오는 것을 기준으로 구한다. 각 문항에 대해 '예'인 경우에만 1점씩을 부여하여 검사가 모두 끝난 후 기초선으로부터 최고한계선까지의 모든 점수를 합산하여 총점을 평가기록지의 하단에 기록한다. 수용 및 표현언어점수가 해당 생활연령대의 평균점수로부터 -1 표준편차 이내에 해당하는 경우를 '정상발달'로 보며, 평균점수로부터 -1 표준편차와 -2 표준편차 사이에 해당하는 경우를 '약간 지체' 또는 '유의 요망'으로 판정한다. 수용 및 표현언어점수가 해당 생활연령대의 평균점수로부터 -2 표준편차 이하에 해당할 경우에는 '언어발달지체'로 판정한다. 검사결과가 '약간 지체' 또는 '언어발달지체'로 판정된 경우에는 의미-인지, 음운, 구문, 화용의 각 영역별 결과를 참고할 필요가 있다. SELSI는 일반인과 전문가의 차별적인 활용을 가능케 만들어 일반인에게는 선별검사적인 의미만을 부여하지만 전문가에게는 질적 분석이 가능하도록 한 특성을 갖고 있다.[83]

학령기 아동의 경우, PRES나 SELSI의 검사 연령이 아니므로 시행할 수 없으므로 학령기 아동 언어검사(Language scale for school-aged children, LSSC)가 적합하다. 이 검사는 만 7~12세까지 가능하며, 표현력 및 이해력, 문법오류 판단 및 수정, 복문 산출, 문장 따라말하기 검사항목들이 포함된다.[84]

8) 음성검사

음성검사는 주로 이비인후과 의사들에 의해 이루어지는 경우가 많으나, 재활의학과 의사들도 음성장애를 흔히 보게 되므로 이에 대한 평가에 대한 이해가 있어야 한다. 음성장애에서 객관적 장애 평가 도구의 개발이 매우 어렵다. 첫째 해부학적 결손이나 변형에 따라 평가하는 방법은 객관적이고 평가가 쉬우나 실제 기능과 비례하는 것은 아니며, 둘째 기능에 의해 평가하는 방법은 피검자의 적극적인 참여가 필요한데 피검자가 안 하는지 못하는지 구별이 어렵다는 점이다. 셋째 진단이나 병명에 따른 포괄적인 평가하는 방법(DRE: Diagnostic related estimate)은 같은 진단 또는 병명에도 다양한 정도의 장애가 존재하기 때문에 어렵다.[31]

장애 평가는 발성의 세 개 구성 요소인 강도(비정상 음량), 음도(비정상 조절), 음질(비정상 음질)별로 이루어 질 수 있다. 음성장애와 구어장애는 분리하여 평가하며 장애 정도가 높은 장애의 장애등급으로 평가한다. 필수(기본) 검사 항목은 ① 신체검사, ② 내시경 검사 (구강, 인두, 후두), ③ 후두 스트로보스코피, ④ 음성언어치료사에 의한 듣기 평가 등이 있으며, 측정 항목은 GRBAS 척도, 최대발성시간(maximal phonation time, MPT), 문장 읽기(산책 또는 가을 문장) 등이다. 필요시 보완 검사 항목은 ① 후두 근전도 검사(성대 마비 진단 시 권장 항목), ② 컴퓨터 음성 분석 검사, ③ 공기역학적 검사, ④ 전기성문파형 검사, ⑤ 영상 검사(예: CT, MRI) 등이다.

근접 대화 능력은 기본적인 생활을 유지하기 위해 가족 및 보호자와 의사소통이 가능한 능력으로 평가 방법은 피검자의 1.5미터 이내에서 검사자가 산책문장이나 가을 문장을 이용한 문장 읽기로 다음의 항목을 이용하여 평가한다. 질문 항목은 당신은 어디에 사십니까? 당신은 무슨 일을 합니까? 혹은 당신은 어느 학교에 다닙니까? 당신의 가족은 몇입니까? 가족에 대해서 이야기 해 주세요, 말하는데 어떤 어려움이 있습니까? 당신의 말에 대해 다른 사람의 반응은 어떻습니까? 등이다. 일상대화 능력은 일반적인 직업-사회생활을 충분히 영위할 수 있는 의사소통 능력을 말한다.

이 가운데, GRBAS 척도와 MPT는 흔히 임상에서 이용되는 평가검사들로, GRBAS는 Grade(음성), Roughness(거친정도), Breathiness(숨이 새나오는 정도), Asthenia(가냘픈 정도), Strain(쥐어짜는 정도) 등을 0점에서 3점까지 4등급으로 점수화한다. 즉 예를 들어 G2R1B2A0S0 식으로 표기한다. 아-에-이-오-우를 2초간 발성함으로써 측정하게 되는데, 신뢰도가 낮다는 단점이 있다. 또한 목소리 크기와 높이에 대한 평가가 어렵다는 문제점도 도출되고 있다. MPT는 깊이 숨을 들이마신 다음 '아' 소리를 내어 측정한다. 한번의 숨을 내쉬는 동안 쥐어짜지 않고 편안한 음높이(pitch)와 음크기(loudness)를 갖고 가능한 오랫동안 '아' 소리를 내게 한다. 스톱워치로 소리를 멈출 때까지 시간을 측정하게 되며, 3회 시도하여 가장 좋은 기록으로 결정하게 된다. 성인 남자는 25초에서 35초, 성인 여자는 15~25초의 평균 시간을 보이게 되나, 개인차가 꽤 심하므로 진단적 가치는 크지 않다. 부족한 성문 효율(poor glottic efficiency)이 있는 경우 7초 이하의 MPT를 보이게 되므로 이를 사용하고 있다.

9) 읽기 검사

읽기 장애의 진단을 위한 검사로는 한국어 읽기검사(Korean Language based Reading Assessment, KOLRA, 배소영, 김미배, 윤효진, 장승민)가 가장 흔히 사용된다. 한국어 읽기검사는[85] 초등학교 1~6학년 및 이에 해당하는 읽기 수준의 학생의 전반적인 언어 기반 읽기 평가, 읽기 하위 영역의 강, 약점 파악을 위한 검사이다. 검사 시행 시간은 60~90분이다. 핵심검사로서 해독, 읽기 이해, 문단글 읽기 유창성, 듣기 이해가 포함되며, 상세 검사에 음운처리능력과 쓰기, 선별 검사에 낱말 읽기 유창성, 읽기 설문지가 있다. 그 외에 종합학습능력검사(comprehensive learning test, CLT)에 난독증 검사(CLT-R)가 읽어 낱말읽기검사, 음운인식 검사, 음운작업기억검사, 단락읽기검사, 빠른자동 이름대기검사 등을 측정할 수 있다. 또한 읽기 성취도와 읽기 관련 인지 처리 능력, 읽기 이해 능력을 평가할 수 있는 읽기 성취 및 읽기 인지처리능력검사(Test of reading achievement and reading cognitive processes ability, RA-RCP)도 이에 포함된다. 대개 읽기 검사들이 초등학교 1~6학년 아동에서 시행되는 반면, 종합학습능력검사는 미취학 아동에서부터 중학교 3학년까지 검사를 시행할 수 있다.

IX. 소아 언어장애의 예후

어린 연령에 보이던 의사소통 장애의 자연적인 결과에 대해 별로 알려져 있지 않다. 나중에 늦게 말문이 트이는 아동(slow talker)도 발달의 한 변형이라고 간주된다. 그러나 언어장애가 학령기가 지나서도 계속되면 학습장애로 이어지기 쉽다. 50%의 아동에서 학습능력이 떨어진다는 보고가 있다.[62] 단순언어장애의 경우에서도 인지, 학습, 읽기 장애가 나타날 수 있다는 보고가 있다. 의사소통 장애 아동의 추적 관찰시 행동 문제가 보일 수 있으며 과잉행동, 주의력 결핍 및 불안장애가 나타나는 경우가 이에 해당된다. 예후 판단에 중요한 것은 발달평가이다. 가족력도 예후 인자로 적용할 수 있다 만일 가족력에서 부모 중 한 사람이라도 2세 전까지 말하지 못했다면 그것이 첫 단어인지, 첫 구문인지 구별해서 물어보아야 한다. 지능검사에서 동작지수가 정상이고, 수용언어가 정상, 비언어적 의사소통이 원활한 경우는 나중에 언어발달이 정상적으로 따라잡는 경우가 많다. 대체로 만 3세경에 언어발달지연으로 내원한 경우에 단순언어장애로 진단된다면 30% 가량에서 8세 이후까지 언어지연이 지속되며, 만 4세경에 단순언어장애로 내원한 경우는 약 40%에서 언어지연이 지속된다는 보고가 있다.[86]

한 연구에서 언어발달지연 아동을 조음장애 중심군과 구문의미이해장애 중심군으로 나누어 추적 관찰하여 학령기에 읽기 능력을 평가한 결과, 읽기 능력은 구문의미이해 능력의 발달과 유의한 관계가 있고 이 능력이 좋은 아동들은 예후가 좋은 것으로 나타났다.[87] 또한 포괄적인 발달 평가를 하면 진단 및 예후를 알 수 있다. 시간을 두고 여러 전문가가 관찰하면 발달의 과정 속도를 알 수 있어 정확도를 높일 수 있다. 언어장애를 극복하게 되는 아동은 2~3년 사이에 언어발달이 가속화 한다. 이 경우 오히려 정상보다 빠른 속도로 발달한다. 의사소통장애의 예후는 심한 지적 발달지연부터 정상 발달에 이르기까지 범위가 매우 다양하다. 가장 중요한 단일 예측 인자는 전반적인 인지기능의 발달과 언어능력이다. 또한 예후 측정 시 가장 중요한 것은 연속적인 발달평가이다. 즉 추적 관찰하면서 발달을 평가해 보는 것이다.[88, 89]

언어발달장애 아동에서의 언어치료 방법에 따른 치료적 효과와 예후에 대해서는 더 많은 종적 연구가 필요하다. 이를 위해 다국가, 다기관, 다인종의 협력 연구가 필요하며, 증거의학적 연구를 가능하게 하려면 평가 도구들의 표준화, 치료 도구들의 검증을 위한 더 폭넓은 전향적 연구가 요구된다.

▶ 참고문헌

1. Erika Hoff. Language development. 5th ed. Cengage Learning, 2013.
2. 김영태. 아동언어장애의 진단 및 치료. 2판. 학지사. 2014.
3. Mayes L, Gilliam WS, Sosinski LS. Normal Development: The Infant and Toddler, in Lewis' s Child and Adolescent Psychiatry, A Comprehensive Textbook. Philadelphia, Lippincott Williams & Wilkins. 2007. p.252-267.
4. Kaplan HI, Sadock BJ Syniopsis of Psychiatry, 8th ed. Williams & Wilkins. 1998. pp 33.
5. Braddom' s physical medicine and rehabilitation. 6th ed. Elsevier, 2020. p43.
6. ASHA. Sgns of Speech and Language Disorders. https://identifythesigns.org/signs-of-speech-and-language-disorders/
7. Chapman R (2000) children' s language learning: An interactionist perspective. J of child psychology and psychiatry 41 33-54.
8. Démonet JF, Chollet F, Ramsay S, Cardebat D, Nespoulous JL, Wise R, Rascol A, Frackowiak R. The anatomy of phonological and semantic processing in normal subjects. Brain. 1992;115: 1753-1768.
9. Sakai KL. Language Acquisition and Brain Development. Science 2005;310;815-819.
10. Dehaene-Lambertz G, Dehaene S, Hertz-Pannier L. Functional Neuroimaging of Speech Perception in Infants Science 2002; 298: 2013-2015.
11. Wada JA, Clarke R, Hamm A. Cerebral hemispheric asymmetry in humans. Cortical speech zones in 100 adults and 100 infant brains. Arch Neurol 1975; 32:239-246.
12. Fenson L, Dale PS, Reznick JS, Bates E, Thal DJ, Pethick S.J. Variability in early communicative development. Monogr Soc Res Child Dev. 1994; 59:1-173; discussion 174–185.
13. Dehaene-Lambertz G, Hertz-Pannier L, Dubois J. Nature and nurture in language acquisition: anatomical and functional brain-imaging studies in infants. Trends Neurosci 2006; 29: 367–373.
14. Bates E, Dick F. Language, gesture, and the developing brain. Dev Psychobiol 2002;40:293–310.
15. Johnson MH, Griffin R, Csibra G, Halit H, Farroni T, de Haan M, Baron-Cohen S, Richards J. The emergence of the social brain network: evidence from typical and atypical development. Dev Psychopathol 2005;17:599–619.
16. Redcay E, Haist F, Courchesne E. Functional neuroimaging of speech perception during a pivotal period in language acquisition Dev Sci 2008;11: 237–252.
17. Johnson JS, Newport EL. Critical period effects in second language learning: the influence of maturational state on the acquisition of English as a second language. Cogn Psychol 1989;21:60-99.
18. Suzuki K, Sakai KL. An event-related fMRI study of explicit syntactic processing of normal/anomalous sentences in contrast to implicit syntactic processing. Cereb Cortex 2003;13:517-526.
19. Kim KH, Relkin NR, Lee KM, Hirsch J. Distinct cortical areas associated with native and second languages. Nature 1997;388:171-174.
20. 김영태. 아동언어장애의 진단 및 치료. 서울: 학지사, 2002.
21. American psychiatric association. Diagnostic and statistical manual of mental disorders, 5th Ed. (DSM-5). 2013.
22. 김성우, 신정빈, 유성, 양은주, 이선경, 정희정. 언어발달이 지연된 환아들의 진단과 이에 따른 임상양상. 대한재활의학회지 2005;29:584-590.
23. Leonard LB, Sabbdini L, Leonard JS, Volterra V. Specific language impairment in children: a cross-linguistic study. Brain Lang 1987;32:233-252.
24. Rita N. The development and predictive relations of play and language across the second year. Scand J Psychol 1999;40:177-186.
25. 권정이, 김준성, 우아미, 김현진, 정명은, 김현숙. 말 장애 및 언어발달지연을 주소로 내원한 아동들의 진단. 대한재활의학회지, 2006;30:309-314.
26. Shevell MI, Majnemer A, Rosenbaum P, Abrahamowicz M. Etiologic determination of

childhood developmental delay. Brain Dev, 2001; 23:228-235.

27. Westerlund M. Relationship between a global rating of speech ability at the age of 3 yrs and a phonological screening 1 yr later: a prospective field study. Scand J Caring Sci, 2001;15:222-227.
28. Bernhardt B, Major E. Speech, language and literacy skills 3 years later: a follow-up study of early phonological and metaphonological intervention. Int J Lang Commun Disord, 2005;40:1-27.
29. Yaruss JS. Application of the ICF in fluency disorders. Semin Speech Lang, 2007;28:312-322.
30. 안용팔, 강세윤, 박경희, 한재순. Delayed Auditory Feedback을 사용한 말더듬 교정의 효과. 대한재활의학회지, 1985;9:72-76.
31. Roy N, Merrill RM, Gray SD, Smith EM. Voice disorders in the general population: prevalence, risk factors, and occupational impact. Laryngoscope, 2005;115:1988-1995.
32. Ma EP, Yiu EM, Abbott KV. Application of the ICF in voice disorders. Semin Speech Lang, 2007;28: 343-350.
33. Smith SD, Kimberling WJ, Pennington BF, Lubs HA. Specific reading disability: identification of an inherited form through linkage analysis. Science 1983;219:1345–1347.
34. Smith SD, Kimberling WJ, Pennington BF. Screening for multiple genes influencing dyslexia. Read Writ 1991;3:285–298.
35. 조성래, 박은숙, 박창일, 곽은희, 김미경, 민경훈. 말·언어 장애 아동에서 언어지수와 지능 및 사회지수의 관계. 대한재활의학회지, 2008;32:129-134.
36. Miller LG. Mental age and I.Q. of predominantly vegetarian children. J Am Diet Assoc 1980;76: 142-147.
37. 윤현숙, 조경자, 김수희. 비디오 피드백 부모 교육이 자폐장애아의 언어 및 상호작용에 미치는 효과. 대한재활의학회지, 2004;28:31-40.
38. 이지인, 오상호, 이양수, 김풍택. 불수의 운동형뇌성마비환자의 음성학적 특징. 대한재활의학회지, 2000; 24:678-683.
39. 김현숙, 권정이, 최정윤. 유아기 뇌성마비 환아들에서 언어발달지연 양상. 대한재활의학회지, 1998;22: 1198-1205.
40. Bloodstein O, Ratner N. A Handbook on Stuttering. Clifton Park, 6th ed, New York: Thomson Delmar Learn. 2008.
41. Nelson S. The role of heredity in stuttering. J Pediatr 1939;14:642–654.
42. Suresh R, Ambrose N, Roe C, Pluzhnikov A, Wittke-Thompson JK. New complexities in the genetics of stuttering: significant sex-specific linkage signals. Am J Hum Genet 2006;78:554–563.
43. Riaz N, Steinberg S, Ahmad J, Pluzhnikov A, Riazuddin S. Genomewide significant linkage to stuttering on chromosome 12. Am J Hum Genet 2005;76:647–651.
44. Kang C, Riazuddin S, Mundorff J, Krasnewich D, Friedman P. Mutations in the lysosomal enzyme-targeting pathway and persistent stuttering. N Engl J Med 2010;362:677–685.
45. Hurst JA, Baraitser M, Auger E, Graham F, Norell S. An extended family with a dominantly inherited speech disorder. Dev Med Child Neurol 1990;32: 352–355.
46. Vernes SC, Nicod J, Elahi FM, Coventry JA, Kenny. Functional genetic analysis of mutations implicated in a human speech and language disorder. Hum Mol Genet 2006;15:3154–3167.
47. Bishop DV, North T, Donlan C. Genetic basis of specific language impairment: evidence from a twin study. Dev Med Child Neurol 1995; 37: 56–71
48. Vernes SC, Newbury DF, Abrahams BS, Winchester L, Nicod J. A functional genetic link between distinct developmental language disorders. N Engl J Med 2008; 359: 2337–2345
49. Bartlett CW, Flax JF, Logue MW, Vieland VJ, Bassett AS. A major susceptibility locus for specific language impairment is located on 13q21. Am J Hum Genet 2002; 71: 45–55
50. Newbury DF, Winchester L, Addis L, Paracchini S, Buckingham LL. CMIP and ATP2C2 modulate phonological short-term memory in language impairment. Am J Hum Genet 2009; 85: 264–272
51. Teramitsu I, Kudo LC, London SE, Geschwind DH, White SA. Parallel FoxP1 and FoxP2 expression

in songbird and human brain predicts functional interaction. J Neurosci 2004; 24: 3152–3163

52. Hamdan FF, Daoud H, Rochefort D, Piton A, Gauthier J. De novo mutations in FOXP1 in cases with intellectual disability, autism, and language impairment. Am J Hum Genet 2010; 87: 671–678
53. Smith SD, Kimberling WJ, Pennington BF, Lubs HA. Specific reading disability: identification of an inherited form through linkage analysis. Science 1983; 219: 1345–1347
54. Smith SD, Kimberling WJ, Pennington BF. Screening for multiple genes influencing dyslexia. Read Writ 1991; 3: 285–298
55. Canfield MA, Honein MA, Yuskiv N, Xing J, Mai CT, Collins JS, Kirby RS. National estimates and race/ethnic-specific variation of selected birth defects in the United States, 1999–2001 Birth Defects Res 2006;76:747-756
56. Castro P, Zaman S, Holland A. Alzheimer' s disease in people with Down' s syndrome: the prospects for and the challenges of developing preventative treatments. J Neurol. 2017; 264: 804–813.
57. Martin GE, Klusek J, Estigarribia B, Roberts JE. Language Characteristics of Individuals with Down Syndrome. Top Lang Disord. 2009; 29: 112–132.
58. Zampini L, Salvi A, D'Odorico L. Joint attention behaviours and vocabulary development in children with Down syndrome. J Intellect Disabil Res 2015;59:891-901
59. Kent RD & Vorperian HK. Speech Impairment in Down Syndrome: A Review. J Speech Lang Hear Res. 2013; 56: 178–210.
60. "Williams syndrome – Genetics Home Reference" Archived 2010-01-22 at the Wayback Machine. The U.S. National Library of Medicine. 2010.
61. Krishnan S, Bergström L, Alcock KJ, Dick F, Karmiloff-Smith A. Williams syndrome: A surprising deficit in oromotor praxis in a population with proficient language production. Neuropsychologia. 2015; 67: 82–90.
62. Law J, Garrett Z, Nye C. The efficacy of treatment for children with developmental speech and language delay/disorder: A meta-analysis. J Speech Lang Hear Res. 2004; 47: 924-943.
63. Grefer M, Flory K, Cornish K, Hatton D, Roberts J. The emergence and stability of attention deficit hyperactivity disorder in boys with fragile X syndrome: Emergence and stability of ADHD in boys with FXS. J Intellect Disabil Res 2016; 60: 167-178.
64. 권도하. 언어치료학 개론. 대구: 한국언어치료학회, 1994
65. 베일리영유아발달검사 III. 학지사, 2018
66. 박혜원 등. 한국웩슬러유아지능검사 4판. 인싸이트 심리검사연구소, 2012
67. 곽금주, 장승민. 한국웩슬러아동지능검사 5판. 인싸이트 심리검사연구소, 2019
68. 김영태. 그림자음검사를 이용한 취학 전 아동의 자음정확도 연구. 말-언어장애연구, 1996; 10: 82-96
69. 김영태, 신문자. 우리말 조음-음운평가. 서울: 학지사, 2004
70. 김영태, 신문자, 김수진, 하지완. 우리말조음음운검사 2. 서울: 인싸이트 심리검사연구소, 2020
71. 김민정, 배소영, 박창일. APAC 아동용 발음검사. 인천: 휴브알엔씨, 2007
72. 이승환. 학령기아동의 말-언어장애 진단 및 치료교육. 서울: 한국언어병리학회, 1998
73. 권도하, 이규식. 한국-노스웨스턴 구문선별검사. 대구: 대구대학교출판부, 1985
74. 장혜성, 임선숙, 백현정. 문장이해력 검사. 서울: 서울장애인종합복지관, 1993
75. 배소영, 임선숙, 이지희, 장혜성. 구문의미 이해력검사. 서울: 서울장애인종합복지관, 2004
76. 장혜성, 임선숙, 백현정. 언어이해-인지력 검사. 서울: 서울장애인종합복지관, 1992
77. 배소영, 임선숙, 이지희. 언어문제해결력 검사. 서울: 서울장애인종합복지관, 2000
78. 김영태, 장혜성, 임선숙, 백현정. 그림어휘력 검사. 서울: 서울장애인종합복지관, 1995
79. 김영태, 홍경훈, 김경희, 장혜성, 이주연. 수용표현 어휘력검사. 서울: 서울장애인종합복지관, 2009
80. 최은희, 배소영. MCDI-K. 2000
81. 심현섭, 신문자, 이은주. 파라다이스 유창성 검사. 서울: 파라다이스 복지재단, 2004

82. 김영태, 성태제, 이윤경. 취학전 아동의 수용언어 및 표현언어발달 척도 (PRES). 서울: 서울장애인종합복지관, 2003
83. 김영태, 김경희, 윤혜련, 김화수. 영-유아 언어발달 검사 (SELSI). 서울: 도서출판특수교육, 2003
84. 이윤경, 허현숙, 장승민. 학령기 아동 언어감시, 인싸이트, 2014
85. 배소영, 김미배, 윤효진, 장승민. 한국어 읽기검사. 인싸이트, 2016
86. Silva PA. The prevalence, stability, and significance of developmental language delay in preschool children. Dev Med Child Neurol, 1980; 22: 768-777
87. Levi G, Fabrizi A, Sechi E. Language disorders and prognosis for reading disabilities in developmental age. Percept Mot Skills, 1982; 54: 1119-1122
88. Accardo PJ. The child who does not talk. In: Accardo PJ, Rogers BT, Capute AJ, editors. Disorders of language development, Baltimore: York Press Inc, 2002; 113-124
89. Beitchman JH, Brownlie EB, Inglis A, Wild J, Mathews R, Schachter D, Kroll R, Martin S, Ferguson B, Lancee W. Seven-year follow-up of speech/language impaired and control children: speech/language stability and outcome. J Am Acad Child Adolesc Psychiatry, 1994; 33: 1322-1330

CHAPTER

13

전반적 발달지연 및 지적장애

Global Developmental Delay and Intellectual Disability

권정이, 손수민

I. 지적장애의 정의, 진단 및 평가

1. 지적장애의 정의

지적장애(Intellectual disability)는 지적기능(지능)과 적응 행동의 심각한 제한을 특징으로 하는 신경발달장애로, 18세 이전에 발병하는 질환이다. 지능은 학습, 추론, 문제 해결 등과 같은 일반적인 정신 능력을 의미하며, 적응 행동은 일상생활에서 기능하기 위해 배우는 개념적, 사회적 및 실용적인 기술이다(https://www.aaidd.org/intellectual- disability/definition). 지적장애는 역사적으로 여러 가지 다른 용어로 사용되어 왔으며, 가장 최근에는 정신지체(mental retardation)라는 용어로 사용되었다. 우리나라에서는 2007년 10월 개정 장애인 복지법에서 정신지체라는 용어를 지적장애라는 용어로 변경하였다. 지능은 통상 지능검사(IQ 테스트)로 측정되는데, 일반적으로 IQ 70 또는 75는 지적기능의 한계로 여겨진다. 그러나 영유아에서는 지능검사를 정확히 시행하기 어렵기 때문에 지적장애의 공식적인 진단은 종종 5세경으로 미루어지고, 우리나라에서는 2세 이후에 지적장애 한시 장애로 등록할 수 있다. 많은 지적장애 환자들은 영유아기에 발달 영역 중 두 영역 이상에서 지연을 보이는 전반적 발달지연(Global developmental delay)을 보이며, 전반적 발달지연 환아 중, 약 3분의 2 정도가 5세 이후에 지적장애로 판정된다.[1] 지적장애로 진단받게 되는 대부분의 '전반적 발달지연' 아동들은 느리기는 하지만 전형적인 발달 곡선을 따르게 되므로, 종종 부모들은 5세가 되어 지능 검사에서 지적장애 수준으로 진단이 되더라도 아동이 성장하면서 정상 아동의 발달을 추격하게 될 것이라고 기대한다. 하지만 아동의 인지 발달이 어느 시점에서(통상 발달이 멈추는 16~18세) 정지하게 되므로 지적장애가 지속된다는 것을 적절한 시점에 부모에게 알려주는 과정이 필요하다.

2. 역학

지적장애 유병률은 전체 인구의 1~3%로 추정된다. 대부분은 경도의 지적장애에 속하며, 남아에서 여아에 비해 그 빈도가 높다. Maulik 등[2]이 시행한 메타 분석에서 지적장애의 유병률은 인구 1,000명당 10.37명이었다. 동 연구에서 지적장애 유병률은 저소득 국가에서 고소득 국가보다 높게 보고되었고, 성인을 대상으로 한 연구에 비해 아동 / 청소년을 대상으로 한 연구에서 더 높게 보고되었다.

3. 지적장애의 진단

1) 지적장애의 수준

지적장애는 심한 정도에 따라 네 단계로 구분하는데, 그 단계별로 궁극적인 학업 성취 정도의 차이를 보인다(표 13-1). 미국지적장애협회는 지적장애를 IQ 수준에 의해 분류하는 일차원적 접근 방식을 버리고, 지적장애인의 기능과 사회 통합을 위해 제공되어야 하는 가족과 사회의 지지 정도에 따른 다차원적 분류를 채택하였다. 즉, Dimension I: 지능, Dimension II: 적응 행동, Dimension III: 참여, 상호작용, 사회적 역할, Dimension IV: 신체 정신 건강 및 원인, Dimension V: 배경(환경과 문화)의 다섯 가지 요소를 통해 평가한다. 지지가 필요한 영역을 파악하여 지지의 정도를 간헐적(intermittent), 제한적(limited), 포괄적(extensive), 전반적(pervasive)의 네 단계로 표시한다. "중도 지적장애"와 같은 IQ에 기초한 진단 대신 "사회적 기술과 자기 관리 영역에 포괄적인 지원을 필요로 하는 지적장애인"이라고 진단하는 것이다. 미국지적장애협회의 지적장애 지원 체제 이해에 따르면 지적장애인 개인의 지원 요구는 양적, 질적으로 모두 다르기 때문에 표준화된 도구인 지원강도척도(supports intensity scale, SIS)를 사용해 개인이 필요로 하는 지원 욕구와 패턴의 강도(지원 형태)를 측정할 것을 권장한다. SIS는 지적장애가 있는 사람들이 정상적이고 독립적인 삶을 영위하는 데 필요한 실질적인 지원을 평가한다. SIS-C™ (Supports Intensity Scale-Children s Version™)는 5~16세 사이의 지적 및 발달장애가 있는 아동의 지원 요구의 상대적 강도를 측정하는 유효한 수단이다.

경도 지적장애 아동은 학교에 입학하기 전에는 약간 늦된 아이로 여겨지다가, 초등학교에 입학해서 읽기, 쓰기, 계산하기, 시간 등의 개념을 배우는 것이 어려워서 진단되기도 한다. 일반 교육 환경에서는 많은 어려움을 야기하지만 초등학교 5~6학년 수준의 지식은 습득할 수 있다. 복잡한 상황에서 간헐적인 도움이 필요하지만, 성인기에는 대부분 미숙련 직업을 갖고, 결혼 생활을 유지한다. 중등도 지적장애 아동은 미취학 연령에 학습 및 언어 장애가 발생한다. 교육은 초등학교 1학년과 2학년 수준을 넘어서기 어렵기 때문에 궁극적으로 사회적 지원이 필요하다. 신변 관리는 독립적으로 가능하지만, 이를 습득하는 데 많은 시간이 필요

표 13-1 지적장애의 수준

지적장애 수준(%)	지원 수준	추정 IQ	궁극적 학업 성취 정도
경도(85%)	간헐적	55~70	초등학교 6학년
중등도(10%)	제한적	40~55	초등학교 2학년
중도(3~4%)	포괄적	25~40	유치원
심도(1~2%)	전반적	〈 25	-

하다. 중등도 지적장애인들은 보호가 필요한 제한된 작업을 수행할 수 있으며, 감독이 필요하다. 중도 지적장애의 경우 유아기에 진단을 받고, 정신연령은 4~6세 수준으로 언어 능력, 수와 시간 개념을 이해하는 능력이 제한적이다. 적응 기능 수행에 포괄적 지원을 필요로 하는데, 가벼운 신변 처리는 어느 정도 수행이 가능하며, 집중 감시 하에 매우 간단한 직업 기술을 습득할 수 있다. 심도 지적장애의 경우 상징 언어를 이해하기 어렵기 때문에 의사소통이 제한된다. 신변 관리를 포함한 모든 일상생활에서 전반적인 지원이 필요하다.

지적장애의 중등도에 따라 과거에는 아래의 1~3급으로 분류하였었으나 근래에는 모두 심한장애로 분류되고 있다. 지적장애의 중증도는 지능지수뿐만 아니라 일상생활, 사회생활, 직업 재활을 동시에 고려하여 판별하도록 규정하고 있다. 2세 이상부터 장애판정을 하며, 유아가 너무 어려서 상기의 표준화된 검사가 불가능할 경우 사회성숙도검사, 바이랜드 적응행동척도, 또는 발달검사를 시행하여 산출된 적응지수나 발달지수를 지능지수와 동일하게 취급하여 판정한다.

(1) 제1급

지능지수와 사회성숙지수가 34이하인 사람으로 일상생활과 사회생활의 적응이 현저하게 곤란하여 일생동안 타인의 보호가 필요한 사람

(2) 제2급

지능지수와 사회성숙지수가 35이상 49이하인 사람으로 일상생활의 단순한 행동을 훈련시킬 수 있고, 어느 정도의 감독과 도움을 받으면 복잡하지 아니하고 특수기술을 요하지 아니하는 직업을 가질 수 있는 사람

(3) 제3급

지능지수와 사회성숙지수가 50이상 70이하인 사람으로 교육을 통한 사회적, 직업적 재활이 가능한 사람

2) 지능평가

국내에서 흔히 사용되는 표준화된 인지 검사 도구로 유아기에는 Bayley Scales of Infant Development (42개월 이하)와 한국 웩슬러 유아지능검사(K-WPPSI IV: K-Wechsler Preschool and Primary Scale of Intelligence) (2세 6개월~7세 7개월) 등이 있다. 아동용 지능검사로는 교육개발원 아동용웩슬러지능검사(KEDI-WISC)와 한국 웩슬러 아동 지능검사-4판(K-WISC-IV)이 혼용되어 사용되고 있는데, 최근 개정이 이루어진 K-WISC-IV (6세 0개월~16세 10개월)의 사용이 점차 증가하는 추세이다. 대상 연령이 겹치는 연령의 아동의 지능을 검사할 때, 의사소통이나 다른 능력이 평균 이상이라고 보이는 아동에서는 WISC를 사용하고 그런 능력이 평균 이하인 아동에게는 WPPSI를 사용하는 것이 좋다. 그러나 이러한 지능 평가 도구들은 5세 이후에 평가하는 것이 점수가 안정적이라는 점에 유의해야 하며, 추적 평가가 반드시 필요하다는 것을 부모들에게 인지시켜 주어야 한다.

3) 적응 행동 평가

적응 기능은 사회성숙도검사, 바이랜드 적응행동척도(K-Vineland-II) 등을 환자의 주양육자에게 시행하여 획득된 정보를 바탕으로 측정한다. K-Vineland-II는 기존 사회성숙도검사의 개정판으로서 의사소통영역, 일상생활기술영역, 사회화 영역, 운동 영역(별도: 부적응행동)을 평가하여, 적응행동조합 지수를 산출한다. 미국지적장애협회의

DABS (Diagnostic Adaptive Behavior Scale)는 적응 행동에 대한 포괄적인 표준화된 평가를 제공한다.

4. 지적장애의 병인과 검사

지적장애의 병인은 유전증후군, 환경, 중추신경계질환, 영양 결핍, 대사 이상 등으로 매우 다양하다(표 13-2).[1] 최근 새로운 진단 유전 검사로 다양한 유전자 변이가 계속 밝혀지고 있으며, 여러 나라에서 마이크로어레이를 일차검사로 시행하고자 하는 경향을 보인다.[3] 임상에서 진단을 위한 노력에도 불구하고 반 정도에서는 원인을 명확하게 밝힐 수 없는데, 중등도, 중도, 심도 지적장애에서 경도 지적장애보다 기질적 원인이 발견될 가능성이 높다. 과거에는 중도이상 지적장애는 기질적 요인(뇌병변, 유전적, 대상이상 등)이 원인이며, 경도의 지적장애는 사회문화적, 문화가족적 지체 또는 박탈에 의해 발생하는 것으로 여겨지기도 하였으나, 최근 지적장애의 여러 원인들이 밝혀지면서 두 군이 정도의 차이만 있을 뿐이지 연속선상에 존재한다는 것이 밝혀지게 되었다. 밝혀진 원인 중 예방 가능한 환경요인은 '태아알코올증후군' 이고, 가장 흔한 염색체 원인은 '다운증후군'이며, 가장 흔한 유전적 원인은 '여린 X 증후군'이다.

지적장애가 의심되면 자세한 병력 청취가 가장 먼저 선행되어야 하는데, 출생력을 포함한 과거력, 가족력, 어머니의 임신 중 감염, 약물 복용, 알코올 섭취 여부 등의 위험 인자를 자세히 물어보아야 한다. 지적장애의 가족력은 특히 여린 X 증후군, 대사 증후군의 단서를 제공한다. 이학적 검사 및 신경학적 검사를 시행하여 신체 질환의 동반 여부, 특히 이상 형태(dysmorphic feature)가 있는지 확인한다.[1,4,5] 지적장애의 원인 질환을 발견함으로써, 유전적 기여 여부를 밝혀, 아동의 부모가 지적장애나 발달지연 아동을 반복해서 갖는 위험을 예측하고 예방할 수 있고, 기질적 기여 여부를 규명하여, 예후를 예측하고, 내과적 합병증을 예방할 수 있으며, 진단 가능한 특정 질환들(대사이상)을 발견하여 중재함으로써, 진행을 막을 수 있다.

표 13-2 지적장애의 원인

분류	원인 질환
유전증후군	염색체 이상(Down syndrome 등) 미세결실(Williams syndrome, Prader-Willi syndrome, Angelman syndrome 등) 단일유전자결실(Rett syndrome, Fragile X syndrome)
환경 요인	알코올, 기형발생물질 산전 감염 중추신경계 감염 외상성 뇌손상
중추신경계질환/기형	
선천대사이상	
영양	중증 영양실조, 만성철결핍
원인 미상	

최윤정 등[6]이 시행한 '영유아 발달장애 정밀진단 및 사후관리 표준 프로토콜 개발' 연구에서는 미국신경과학회와 미국소아과학회의 보고서를 바탕으로 전반적 발달지연 환아들에 대한 원인정밀평가 임상지침을 그림 13-1과 같이 제안하였다. 전문가 평가(step 1)는 발달선별검사 유소견자로 의뢰된 환자에 대해 발달관련 전문 지식을 갖춘 전문가가 진료한 후 정밀평가 여부를 판단하는 단계로, 이 과정에서는 면담 및 환자의 행동관찰, 진찰소견, 신경학적 검사 등이 포함된다. 발달 정밀평

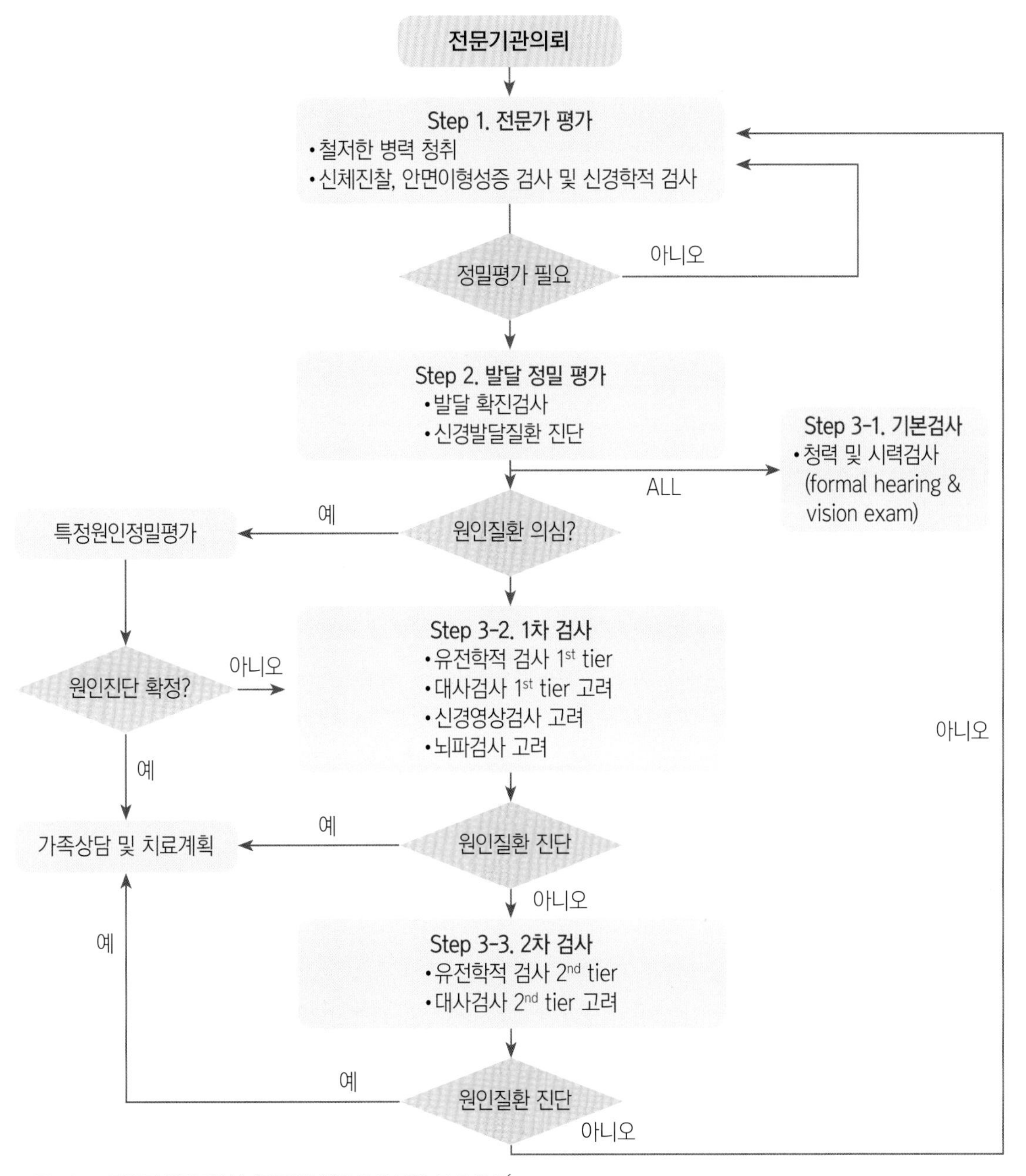

그림 13-1 전반적 발달지연/지적장애 환아들의 진단 프로세스[6]

가(step 2)는 발달 확진검사를 통해 전반적 발달지연, 운동발달지연, 발달성 언어지연, 자폐스펙트럼장애 등의 특정한 신경발달질환을 진단하는 단계이다. 원인 정밀평가(step 3)는 신경발달질환의 원인에 대한 정밀한 진단 평가를 하는 단계이다. 전반적 발달지연 환자의 경우 기본검사로 시력/청력 평가를 시행한 후, 특정한 원인 질환이 의심되는 경우 그 질환에 대한 특정 검사를 실시한다. 특정 원인질환이 의심되지 않은 경우 일차검사 항목으로 염색체 마이크로어레이, 치료 가능한 대사이상질환에 대한 선별검사, 뇌영상검사(두위이상, 발작, 국소신경학적징후, 상위운동신경원징후가 있는 경우)가 제안된다. 뇌영상검사는 검사의 진단율을 고려할 때 CT보다는 MRI를 시행할 것이 추천된다. 발작 및 언어퇴행 등의 증상이 있으면 뇌파검사를 일차검사로 고려할 수 있다. 이차선별검사에는 일차에서 특정 소견이 없어 뇌 MRI를 시행하지 않은 경우 시행해 볼 수 있으며, MECP2나 FMR1과 같은 특수 유전자검사, 기타 치료 가능한 대사이상검사 등을 고려할 수 있다. 이렇게 단계별로 발달지연의 정확한 원인을 찾는 것은 매우 중요하나 모든 검사를 프로토콜화해서 기계적으로 시행하기보다는 진료 상황에 맞게 유연하게 적용하는 것이 필요하며, 원인진단으로 시간이 지체되어 치료가 늦어져서는 안 된다.

5. 공존 장애 평가

시각장애인의 20~25%가 지적장애를 동반하며, 지적장애인의 약 10%에서 청각장애를 동반한다. 말-언어 장애는 지적장애에서 가장 빈번히 동반되는 장애이다. 뇌전증은 경도 지적장애에서 3~6%, 중등도에서 12~18%, 중도에서 33%까지 공존한다. 뇌성마비가 종종 지적장애와 동반되는데 중도 지적장애의 30~60%에서 뇌성마비가 공존하며, 경직형 사지마비와 양지마비에서 추체로외 유형보다 지적장애가 더 많이 동반된다. 한편 정서행동장애(주의력결핍 과잉행동장애, 불안장애, 우울장애, 강박장애 등), 자폐스펙트럼장애 등 사회성장애, 수면장애 등의 유병률이 높으므로 이를 조기에 발견하려는 노력이 필요하다.

II. 지적기능

1. 집중력(Attention)

인간의 집중력과 관련된 기능은 일반적으로 영유아시기에 급격하게 발달하는 것으로 알려져 있다. 출생 시의 영아는 주변의 큰 신체적인 움직임들에 주로 집중하거나 특정한 의도없이 집중하기도 하지만 출생 후부터 2세까지 각성과 관련 있는 집중력이 발달하기 시작하여 2세 말경에는 실행능력과 관련된 뇌의 집중력 체계가 기능하기 시작한다. 집중력과 관련된 뇌 발달은 유아기에 급격히 이루어지게 되는데, 이는 각각의 신경회로들이 서로 연결성을 가지기 시작하기 때문이다. 이 장에서는 집중력과 관련하여, 전반적인 '각성상태'와 관련된 각성 집중력(arousal attention)과, 특정 부분의 집중과 관련 있는 선택 집중력(specific attention)에 대해 정리하였다.

1) 각성 집중력(arousal attention)

각성과 관련된 집중력은, 각성이 인지적인 활동의 수행도를 높여주는 데서 그 중요성을 찾을 수 있다. 각성 자체는 특이적으로 인지 활동에 관여하진 않지만, 좋은 각성 상태로 인해 높아진 집중력이 과제 수행과 관련된 인지 기능을 더 활성화시켜 특정 과제 수행과 관련된, 목표를 찾아내는 과정이나, 반응 속도, 특정 활동에 집중하는 능력, 그리고 오랜 시간 과제수행을 지속할 수 있는 능력들을 향상시키는 데 기여한다. 즉, 이러한 좋은 각성 상태는 집중력과 관련된 뇌의 여러 영역들이 특정한 과제를 훌륭히 해낼 수 있도록 집중력을 돕는 조력자 역할을 하게 된다. 일반적으로, 다양한 사물 또는 현상에 반응하는 각성에 반해, 집중력은 특정한 인지 과제나 행동 수행에 특정하게 작동하기도 한다. 뿐만 아니라, 선택적인 집중력이 과제 수행에 필요하다고 생각되면 의도적으로 행동을 억제하는 기능으로 작동하기도 한다.

각성 집중력에 대한 뇌 기능 모델은 수많은 연구자들에 의해 연구되어 왔다. 그 중 하나가 망상체(reticular activating system)와 뇌 피질간의 신경해부학적인 연결 회로 모델이다.[7] 이 모델은 다양한 구심성 회로를 통한 자극신호들이 시상(thalamus)을 통해 피질(cortex)로 올라가고(ascending connection), 다시 중뇌로 내려오는(descending connection) 연결모델이다. 여기서 망상체를 통해 올라가는 신호들은 감각 체계를 자극하는 시상에 영향을 미치게 되고 직간접적으로 편도체(amygdala), 해마(hippocampus), 대상피질(cingulate cortex), 전전두엽(prefrontal area)과 같은 변연계(limbic system)와, 일종의 연합영역(association area)과 같은 posterior attention system에도 영향을 미치게 된다. 이외에도, 1차 감각영역(primary sensory area) 또한 활성화되어 과제 수행에 있어 자극에 보다 효율적으로 반응하도록 한다. 이 모델에서 가장 중요한 뇌 구조물은 시상으로, 시상은 구심성 자극회로와 피질을 연결하는 중요한 영역이다. 이 모델의 특징은 인지 수행과 관련된 이같은 다양하고 비특이적인 뇌 내 상호 연결성이다. 이러한 복잡하고 다양한 회로들을 통해 각성 집중력은 과제 수행의 효율성을 높이고 반응 시간을 짧게 하며, 긴 시간동안 과제를 잘 수행할 수 있도록 한다.

각성 집중력과 관련된 또 다른 기전은 신경 화학적 체계(neurochemical system)에 의한 것이다(그림 13-2). Robbins와 Everitt는 각성집중력과 관련된 4가지 체계, 즉 noradrenergic, cholinergic, dopaminergic, serotonergic 회로를 구분하였다.[8] 이 4가지 신경 화학적 회로는 망상체에 인접한 중뇌로부터 뇌의 각 영역으로 신호를 보내는데 이 중 noradrenergic과 cholinergic 회로가 피질 영역의 각성 기능과 가장 관련이 높은 것으로 알려져 있다. 이에 반해, dopaminergic 회로는 인지 과제 수행과 관련된 동기유발(motivation)이나 수행 시의 에너지, 활기에 영향을 미치고, serotonin 회로는 과제 수행에 대한 전반적인 통제 능력과 관련되는 것으로 보고하였다. 하지만 이러한 4가지 다른 회로는 서로 밀접하게 연결되어 있으면서 각성과 관련하여 한 가지 회로만이 활성화되는 것이 아니라, 두 가지 이상의 회로가 함께 기능하는 것으로 알려져 있다. 이러한 뇌 신경 회로 체계는 영유아기에 이미 시작되어 연령증가와 함께 점차 성숙되어 인지 과제 수행 시 보다 효율적으로 각성 집중력이 기능하도록 역할을 하게 된다.

2) 선택 집중력(specific attention system)

뇌 발달에 있어 특정한 과제수행과 관련한 선택 집중력의 발달은 매우 중요하다. 이러한 선택 집중력은, 각성 집중력에 비해 특정 과제와 연관된 뇌의 한두 가지 특정 영역만 활성화되게 된다. 이러한 선택 집중력의 발달에 있어 시각 인지(visual perception) 능력은 중요한 관련성을 가진다. 즉, 시야에 들어오는 시각 신호들 중 과제 수행과 관련이 있는 것에만 시각적으로 반응하고, 관련이 없는 것은 선택적으로 반응하지 않으며, 관련이 적

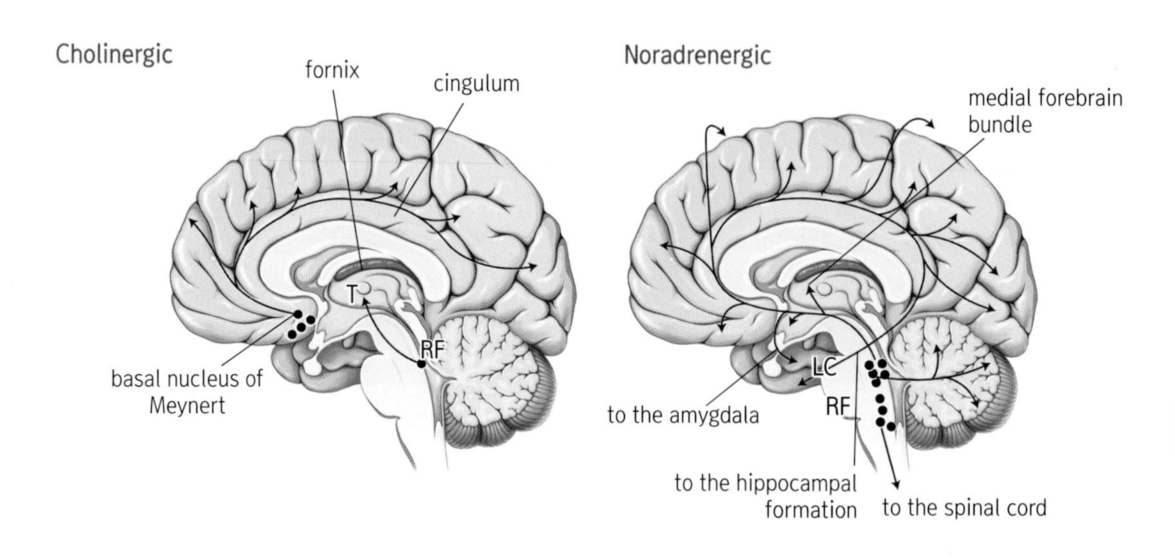

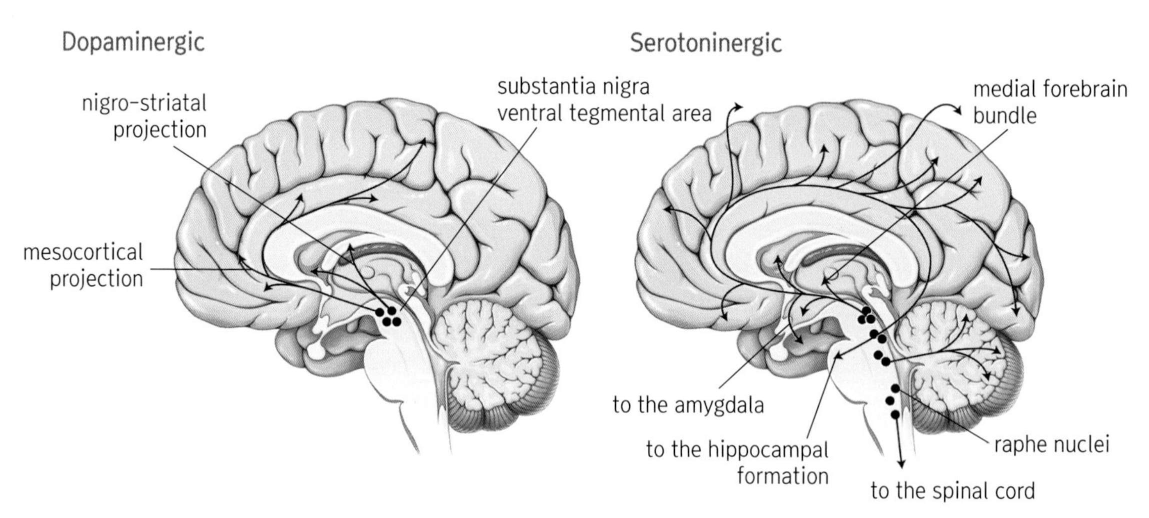

그림 13-2 신경 화학적 체계[49]
T: thalamus(시상), RF: reticular formation(망상체), LC: locus ceruleus(청반), C: caudate nucleus(미상핵), P: putamen(조가비핵)

은 것에는 조절된 반응을 가지게 된다. 이 외에, 선택 집중력에서 또 하나 중요한 것은 앞서 언급한 posterior attention system이다. 이 체계는 뇌의 여러 영역, 두정엽(parietal cortex), 시상침(pulvinar), 상구(superior colliculcus), 전 시각 영역(frontal eye field) 등이 연관된다. 이는 공간 안에서 집중력의 전환 또는 특정 공간적인 지각이 중요하며 특정 사물이나 공간 지각과 무관한 다른 자극에는 민감하게 반응하지 않는다(2. 시지각 기능 참조). 또한 각성 집중력과는 달리, 선택 집중력은 인지과정 수행에 영향을 미쳐서 과제 수행을 더 잘하도록 조절하는 기능은 없다. 하지만 이러한 선택적인 집중력 체계는 전반적으로 각성집중력의 영향을 받는다.

2. 시지각 기능 (Visuospatial processing)

시지각 기능이란, 물체를 주시하고, 물체의 움직임을 따라갈 수 있으며, 공간 안에서의 배열뿐 아니라 작은 부분들이 어떻게 전체를 이루고 있는지를 파악하고 지각하는 다양한 능력 모두를 포함한다. 시지각 기능에 대한 이해는 1982년, Ungerleider와 Mishkin이 이러한 복잡한 기능을 대뇌 피질의 기능적인 해부학 모델로 도식화하여 제안한 이후, 그들의 모델이 지금까지 계속 사용되어 지고 있는데, 바로 배측 회로(dorsal pathway)와 복측 회로(ventral pathway)이다.[9] 배측 회로는 색깔이나 모양보다는 움직임이나 위치 정보 등과 관련되며 집중력과 관련이 있다면, 복측 회로는 물체의 모양 자체라든가 색깔 등의 시각적인 정보를 주로 처리하는 것으로 알려져 있다.

배측 회로는 망막에서 시작되어 시상(thalamus)의 외측 슬상핵(lateral genucualte nucleus)을 거쳐 1차 시각영역(primary visual cortex), 즉 V1으로 주행한다. 여기서 다시 V2, V3를 거쳐 측두엽의 내측(medial)과 내상측(medial superior) 영역으로, 그 후 하두정엽(inferior parietal lobe)의 복측(ventral)으로 정보를 전달하게 된다. Rissolatti와 Matelli는 이 배측 회로가 시각 정보에 대한 인식과정에 관련되는 하측의 'where' 회로와, 감각정보에 따른 움직임에 연관된 상측의 'how' 회로로 나뉘어 진다고 제안하였다.[10] 복측 회로 역시 망막에서 시작하여 시상의 외측 슬상핵을 거쳐 일차 시각영역인 V1으로 주행한다. 여기서 V2와 V4를 거친 후, 복측으로 주행하여 하측두엽(inferior temporal lobe) 영역으로 시각 신호를 보내게 된다. 이 복측 회로는 주로 패턴과 같은 시각적인 정보 자체에 관련된 정보 처리를 담당하고 있어 'what' 회로로 불리기도 한다. 이 배측과 복측 회로는 둘다 전전두엽피질(prefrontal cortex) 인근 영역으로 주행하며, 성숙된 뇌의 시각 회로에서는 부분적으로는 서로 연결성을 가지며 중복되는 것으로 추측되고 있다.

1) 배측 회로(dorsal pathway)와 관련된 공간 지각기능의 발달

배측 시각회로와 관련된 공간지각 능력은 다양한 공간적인 정보처리와 관련이 있다. 즉, 공간 구역성, 공간 집중력, 심적 회전이 그것인데 사실 이 세 가지 처리 과정은 서로 독립되어 있다기보다는 동시에 이루어지는 경향이 있다. 예를 들면, 공간 안에서의 물체의 구역을 인지하는 것(spatial localization)은, 공간정보에 대한 집중력(spatial attention)도 필요하고, 이 두 가지 처리과정에 있어 물체에 대한 심적으로 옮아가는(mental translation) 과정이 반드시 필요하기 때문이다.

(1) 공간 구역성(spatial localization)

공간 구역성에 대한 정보 처리는 매우 복잡하며, 대뇌 피질과 피질하 영역이 복잡하게 관여되어 있다. 즉, 두정엽의 배측 회로가 공간적인 정보처리를 주로 담당하고 있기는 하지만 기저핵(basal ganglia) 부분도 공간 방향성에 대한 위치정보를 되받아 전달하고, 해마(hippocampus) 역시 공간 정보와 관련된 기억력 정보를 처리하여 뇌내에서 공간 정보에 대한 일종의 지도를 형성하는 활동을 하는 것으로 알려져 있다. 이렇게 공간 구역에 대한 정보는 시각 회로뿐 아니라 운동, 감각 정보 처리 과정에도 중요한 영향을 미치는 것으로 생각된다. 시각 자극에 대한 공간 구역성의 정보 처리 과정을 보자면, 후두엽 영역이 외부로부터의 시각정보를 처리한 후, 양쪽 후상 두정엽(posterior superior parietal area)이 활성화되고, 이후 앞쪽의 두정내구(intraparietal sulcus: Brodmann area 7)로 시각 정보가 전달되게 된다. 즉, 언급한 이 해부학적 영역들이 시각 정보 처리에 있어 중요한 역할을 하는 곳들이다. 하지만 이외에도, 하두정엽(inferior parietal lobe) 또한 공간정보 인식에 있어 중요한 역할을 하며, 상전두엽(superior frontal cortex)과 배외측 전전두엽(dorsolateral prefrontal cortex) 또한 공간 정보와 관련된 기억과 연관이 있는 것으로 알려져 있다.

이렇게, 인간이 물체를 보고, 그 물체를 향한 공간적 구역성에 대한 정보를 인식하고 팔을 뻗어 잡는 단순한 행위도 배측 회로에 포함된 여러 영역들이 함께 활성화됨으로써 완성되는 동작이며, 전전두엽 영역을 포함한 배측 두정엽-전두엽 네트워크는 눈의 움직임을 포함해, 위와 같은 시각정보에 의한 움직임의 제어에 매우 핵심적인 역할을 한다. 즉, 전전두엽은 시각정보가 들어오면, 실제 움직임에 앞서 구체적인 움직임을 계획하고 준비하는 역할을 하고, 상두정엽의 how 회로는 배측 전운동피질과 운동피질로 신호를 전달하며, 결국 전두엽과 상두정엽이 함께 활성화되어 공간정보를 통해 운동을 제어하는 내뇌 네트워크(공간-운동 네트워크)를 활성화시키게 되고, 시각정보에 의해 움직임이 시작되게 되는 것이다.

(2) 공간 집중력(spatial attention)

시지각 기능에 있어 공간 집중력은 전체 집중력 기능 중에서도 물체의 다른 위치에 대한 집중력 전환(attention shift)을 주로 의미한다.

인간의 뇌에서 공간 집중력과 주로 관련 있는 곳은 후두정엽(posterior parietal lobe)으로 알려져 있는데 이러한 공간 집중력에 대해서는 어느 정도 연구가 이루어져 있다. 그 중 Corbetta는 여러 가지 집중력과 관련된 과제들을 통해 아주 어린 나이부터도 인간과 동물 모두에서 후두정엽이 공간 집중력의 전환에 중요한 역할을 한다고 보고하였다.[11] 하지만, 우측과 좌측 시야자극에 대한 반응이 달랐는데, 좌측 시야에 자극물을 주었을 때는 좌측 대뇌 반구보다 우측 대뇌 반구가 더 현저하게 활성화되었다. 하지만 우측 시야영역에 자극물이 제시되었을 때는 우측과 좌측 대뇌영역 모두 의미 있게 활성화되었다. 또한, 우측 시야와 좌측 시야방향 각각의 원거리에서 자극물을 주었을 때 두 경우 모두에서 우측 두정엽이 활성화되어, 좌측 반구보다는 우측 반구가 공간 집중력과 관련된 시각 정보 처리에 보다 중요한 역할을 한다고 보고하였다.

공간 집중력은 나이 어린 영아에서도 나타나는 것으로 알려져 있다. 즉, 차이는 있으나 생후 3개월, 4개월, 심지어는 생후 1일째의 영아에서도 공간 집중력에 대한 기능을 가지고 있는 것이다. 하지만 소아의 경우, 주산기에 두정엽 부위 뇌손상을 입었다 하더라도 같은 부위의 병변을 가진 성인 환자들과는 달리, 공간 집중력 기능에 현저한 손상소견을 보이지 않는 경우도 많아, 공간 집중력과 관련된 뇌기능의 발달이 뇌손상 시기, 그리고 발달과정을 통해 달라질 수 있음을 알 수 있다.

(3) 심적 회전(mental rotation)

시지각 기능과 관련된 심적 회전은 모양에 대한 지각, 공간 정보에 대한 추리, 그와 관련된 문제 해결 등에 관여하는 기능이다. 그러므로, 심적 회전과 관련된 과제 수행 시에는 시지각 패턴 처리, 시공간 집중력, 시공간 작업 기억력(working memory)과 같은 기능을 모두 필요로 한다. 예를 들어 심적 회전을 평가하는 간단한 과제는, 어떤 물건을 바로 세운 모양, 뒤집어 엎어 놓은 모양 두 가지를 제시하고 이 두 가지가 똑같은 것인지 아니면 mirror 영상인지를 질문하는 방식이다. 이때 두 물체 사이의 차이를 인식해 내는 반응 시간(response time)이 심적 회전기능을 반영하는 자료가 된다.

심적 회전과 관련된 뇌 영역은 하나의 결정적인 영역이 있는게 아니라 아주 다양한 영역들이 서로 상호작용하는 것으로 알려져 있다. 하지만 이 중에서도 심적 회전과 관련해 가장 많이 보고되는 부분은 두정엽, 특히 상두정엽(superior parietal lobe), 중간 측두엽(middle temporal)과 같은 high order visual area, 그리고 전 운동 영역(premotor area)내지 보조운동영역(supplementary motor area)이다. 두정엽은 전체적으로 심적 회전과 관련된 과제 수행 시 공간정보의 처리에 관여하며, 상두정엽은 물체를 회전시키는 것과 같이 상상 속에서 실제같이 실행을 시키는 기능을 담당하고, 중간 측두엽은 우리가 상상을 하는 과정 중의 시각정보를 처리하는 데 관여한다. 또한 손으로 물체를 쥐고 돌리는 상상을 하는 심적 회전과정에서 상두정엽은 전 운동 영역과 보조 운동 영역과 긴밀한 상호연결성을 가지면서 심적 회전기능을 수행하게 된다.

2) 복측 회로(ventral pathway)와 관련된 시공간 지각 기능의 발달

복측 시각회로의 주된 기능은 패턴에 대한 정보인식에 있다. 이는, 하나의 물체 전체 형태에 대한 인식과, 그 물체를 이루는 부분들의 조합 방식에 대한 인식, 이렇게 두 가지로 크게 나눠 생각할 수 있다. 흥미로운 것은, 좌뇌와 우뇌가 이 두 가지에 대해 다른 우세성을 가진다는 것이다. 즉, 우측 후 측두엽(posterior temporal region)은 전체 정보처리(global processing)에, 좌측 후 측두엽은 부분 정보 처리(local processing)에 더 결정적인 역할을 한다. 예를 들어, 좌측 후측두엽의 뇌손상을 입은 환자에게 시계를 그리라고 했을 때, 시계 모양을 이루는 외곽선(global information)은 과장해서 크게 그리지만, 시계의 숫자(local information)는 빠뜨리고 그리는 식이다. 이런 환자들은 과제 수행 시 시공간 정보를 지각함에 있어 주로 전체 모양에 의존하고 세부적인 부분은 무시해 버리게 되는

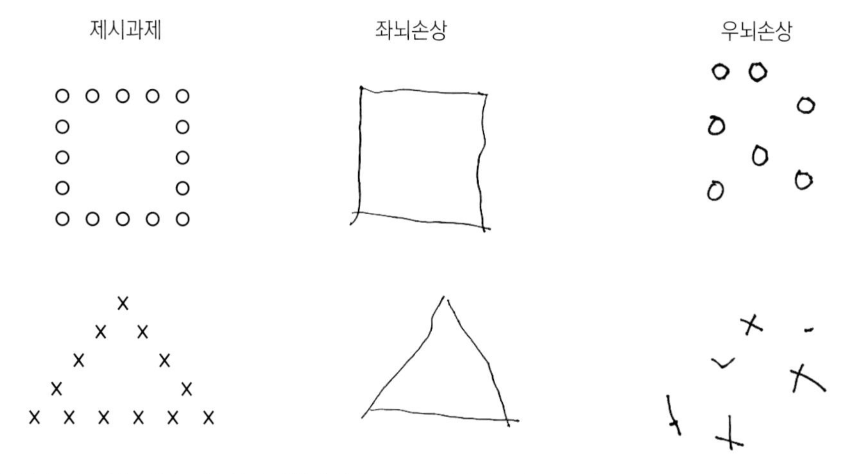

그림 13-2 좌뇌손상 소아환자와 우뇌손상 소아환자에서 시공간 지각기능 손상의 차이

것이다. 반대로 우측 후 측두엽손상 환자는 세부적인 패턴에 집중하고 부분이 이루는 전체 모양은 유지하지 못하는, 부분 정보 처리는 괜찮지만 전체 정보 처리는은 실패하는 경향을 보인다(그림 13-3). 이러한 복측 회로의 발달은, 영아들에서도 관찰된다. 출생 후 생후 1년을 지나면서 전체(global)와 부분(local)의 정보를 처리하는 능력이 점점 발달하게 되는데 좌, 우 반구에서 각각 우세성의 차이를 보이며 발달하게 된다.

3. 기억력(Memory development)

인간의 기억 기능을 설명할 때 크게 두 가지를 설명한다. 그 중, 해마(hippocampus)와 해마방회피질(parahippocampal cortx) 등의 내측두엽에서 중요한 역할을 하는 것으로 알려져 있는 서술 기억(declarative memory)은 사건이나 사물을 의식적으로 회상(recolleciton)해 내는 기억 기능이다. 이에 반해, 이전의 특정한 경험이나 학습의 결과로 습득된 기억력이 새로운 과제 수행을 할 때 반영되는 수행 기억(procedure memory)은 서술 기억에 비해 다양한 여러 영역들이 관련되는데, 소뇌(cerebellum), 뇌간(brain stem) 그리고 선조체(striatum) 등이 여기에 해당된다.

1) 서술 기억력(declarative memory)

여러 가지 행동학적인 평가를 이용한 선행 연구에서, 기초적인 서술 기억 기능은 의외로 이른 연령의 영아들에서도 보이기는 하지만, 기억 저장(encoding), 기억 유지(retention), 기억 회생(retrieval) 같은 서술 기억의 과정들은 나이가 들어가면서 비로소 완성되는 양상을 보인다. 즉, 나이가 많은 영아들이 나이 어린 영아들보다 정보의 encoding을 더 잘 한다. 또한 한 번 저장된 기억 정보를 유지하는 retention도 연령이 증가함에 따라 더 나은 것으로 밝혀졌다. 2004년 Hayne[12]가 발표한 연구에 의하면, 자극물 2개를 검사자에게 노출시킨 뒤, 일정 시간 이후 그 중 하나를 바꾸어 재노출 시키는 실험(visual paired - comparison task, VPC task)에서 1세 유아들은 검사 직후에만 바뀐 것을 알아차렸으나, 2세 유아들은 1일, 3세는 1주일, 4세 유아들은 1달 이후에도 바뀐 것을 알아차려 유아에서 서술 기억력은 연령에 따라 증가함을 보여주었다. 기억 회생 기능 또한 연령이 어린 경우, 기능적으로 작동하지 못하고 매우 구체적인 조건과 환경 안에서만 제한적으로 작동한다. 즉, 기억 저장을 한 똑같은 조건에서는 기억 회생을 할 수 있지만 색깔이나 모양 등 조건을 조금만 바꾸면 기억 회생에 실패하는 것이다. 이같은 기억 회생능력은 나이가 들어가면서 발달하긴 하지만, 24개월 정도가 되어서야 어느 정도 성숙된 기억회생 능력을 가지는 것으로 알려져 있다.

기억 회생뿐 아니라 전반적인 기억력은 적어도 만 2세정도에 기능적인 완성도를 보이는 것으로 알려져 있다. 이는, 기억 관련 영역들의 발달시기와 관련이 있는데 기억력에 있어 중요한 역할을 하는 해마는 출생 이전에 이미 대부분의 발달을 마치기는 하지만, 치상회(dentate gyrus)나 억제 중간 뉴런(inhibitory interneuron)들은 출생 후 1세 후반까지 천천히 발달한다. 따라서, 적어도 만 2세 정도가 되어서야 어느 정도 기억기능이 완성되는 이유를 이러한 뇌 발달시기의 차이에서 찾고 있다.

또한 해마에서 주로 이루어지는 기억 기능과, 해마 이외의 기억 관련 영역에서의 기억 기능은 조금 다른 특성을 보인다. 해마 이외의 다른 영역들의 기억 기능은 네트워크가 아닌, 각각의 정보만을 작동시킨다. 즉, 매우 구체적이어야 하는 것이다. 하지만, 해마는 기억 기능을 작동시킬 때, 정보와 관련된 인과관계나 논리성, 시간적인 관계성 등을 통합해 하나의 네트워크로 실행한다. 그러므로 어떤 정보가 맞지 않거나 익숙하지 않을 때 이러한 관계성을 이용해 추론을 해내는 방식이 가능하다. 이를테면, 기억기능을 아주 유연하게 작동시키는 것이다(flexiblity). 이렇게 네트워크로 작동하는 관계성이나 유연성은 기억력에 있어 매우 유용하다. 즉, 선행된 경험이나 사물인 경우, 환경이나 세부적인 일부가 바뀌더라도 관계가 있는 다른 정보를 이용해 기억회생을 할 수 있는 것이다. 하지만 앞서 언급한 대로, 치상회 등 기억력과 관련된 일부 구조물들의 발달이 출생 이후에 완성되기 때문에 2세 이전의 영아들의 경우, 기억과 관련된 여러 정보를 관계성 있게 재현한다기 보다는 하나의 이슈로 묶어 버리는 경향이 있고, 따라서 세부적인 것이 조금만 바뀌어도 다른 관련 있었던 정보로부터 추론해 낸다든가 하는 것이 어려운 것이다.

하지만, 나이가 어리다 하더라도, 이동능력이 있다면, 기억력을 유연하게 사용하는 데 도움이 된다는 보고가 있다. 2007년 Herbert, Gross, Hayne는 기어다니는 아기들이 그렇지 못한 아기들보다 보다 유연한 기억기능을 사용한다는 결과를 보고했다. 아마도 이런 결과는 독립이동으로 인해 아기들이 더 많은 경험을 가지게 되고, 그런 풍부하고 다양하고 경험이 그렇지 못한 아기의 경우에 비해 기억 네트워크를 보다 잘 발달시키게 하기 때문인 것으로 사료된다.[13]

2) 수행 기억(procedual memory)

수행 기억력은 다양한 학습을 통해 습득한 정보의 효율적인 정리, 여러 가지 조건이나 감각지각에 대한 반응, 기술, 습관으로 이루어진 기억 수행과정들을 수반한다.

수행 기억 중에서도 특정 조건에 대한 기억, 이를테면, 어떤 조건에서 엄마가 밥을 준다든가 하는 기억은 거의 출생 1, 2일만에 관찰할 수 있다. 또한, 특정 자극이나 조건을 구분해 내는 수행 기억의 경우에도 간단한 과제의 경우, 비교적 이른 나이인 생후 1세에서 1.5세경에 이미 관찰된다는 보고가 있다. 하지만 이런 수행 기억력은 전반적으로 서술 기억에 비해 일찍 발달되는 것으로 알려져 있다.

4. 실행 기능(Executive function)

인지적인 측면에서의 실행 기능은 전전두 피질(prefrontal cortex, PFC)의 발달과 관련이 많다. 실행 기능 수행에 있어 전전두엽은, 적절한 결정을 내리거나, 인지적으로 유연하게 사고하고 추론하는 것, 실행에 앞서 그에 대한 계획을 세우고, 과제 수행 시 필요에 따라 기존의 규칙이나 선호하는 바를 스스로 억제하도록 하는 데 도움을 준다. 이렇게, 실행 기능은 아주 다양한 여러 가지를 다 포함하는데, 대부분의 상황에서 4가지 정도의 단계를 거쳐 기능하게 된다. 즉, 특정 상황내지 특정 과제에 대해, 문제를 정의하고(problem representation), 이에 대한 수행 계획을 세운 뒤(planning), 본인의 의도나 규칙에 따라 실행하고(execution), 이후 평가를 통해(evaluation) 수행 과정의 오류를 발견하고(error detection) 수정(correction)하게 된다. 여기서 오류가 어느 단계에서 발생했냐에 따라 각 단계로 다시 피드백을 주어 수정 과정을 거치게 된다. 실행 기능에 있어 가장 기본적인 평가 도구로 쓰이는 위스콘신 카드 테스트(Wisconsin Card Sorting Test, WCST)를 예를 들어 설명해 보자면, 실험자는 모양, 색깔, 숫자라는 세 가지 규칙 중 어느 규칙에 따라 카드가 분류되는 지 알아내야 하고, 성공적으로 잘 해내고 나면 규칙이 다시 바뀌게 된다. 그러면 실험자는 다시 바뀐 규칙을 유추해 내고 그에 따라 적절한 수행을 해야 한다. 그런데 이 때 전전두엽의 손상이 있는 환자는, 규칙이 바뀌고 나서도 계속 이전 규칙에 따라 카드를 분류하는 경우가 있다. 평가자가 오답에 대한 피드백을 계속 주고 때로는 본인 스스로도 틀렸다는 것을 알면서도 기존의 규칙 말고 새 규칙을 따라야 한다는, 이를 테면 사고의 유연성과 억제 능력이 없어 실행 기능의 단계 중 교정 과정이 제대로 작동하지 않는 것이다.

실행 기능에 있어 감시기능의 중요성은 다음과 같은 예에서도 쉽게 확인할 수 있다. 일반적으로 나이가 어린 소아일수록 문제 해결과 관련해 실수는 더 많이 하지만 그 오류를 깨닫는 것은 더 적다. 즉, 잘못된 결과에 대한 감시기능이 덜 발달되어 있는 것이다. 또 다른 예로, 좀 더 복잡한 규칙을 적용하기 위해 조건을 만들어 실행하도록 하는 경우, 예를 들자면, '빨간색 불이 깜박거리면 버튼을 누르라' 는 지시를 내렸을 때, 2세 미만의 어린 유아의 경우, 조건을 생각하지 않고 불이 깜박이는 것과 상관없이 바로 버튼을 눌러 버리지만, 나이가 많은 아이들은 조건을 인식하고, 빨간 불이 깜빡거리는지를 신경 쓰는 것을 볼 수 있다. 이 또한 적절한 조건에 합당하게 반응했는지에 대한 감시기능의 발달과 연관이 있다 할 수 있겠다. 소아의 전반적인 실행 기능은, 1세 후반경부터 전전두엽이 기본적인 기능을 하기 시작해, 소아기와 청소년기까지 지속적으로 발달하는 것으로 알려져 있다.

실행 기능과 관련된 전전두 피질은 서로 다른 기능을 하는 여러 부위로 구성되어 있다. 안와 전두 피질(orbitofrontal cortex, OFC), 전 대상 피질(anterior cingulate cortex, ACC), 복외측 전전두피질(ventrolateral PFC, VL-PFC), 배외측 전전두피질(dorsolateral PFC, DL-PFC) 그리고 부리외측 전전두피질(rostrolateral PFC, RL-PFC)이 그것이다. 이런 실행기능의 수행의 초기에는 전전두 피질이 편도체(amygdala)와 시상으로 정보를 연결하면서 감정적인 반응을 가지게 된다. 이러한 감정적인 반응은 안와 전두 피질(OFC)로 전달되어 이전의 규칙을 그대로 적용할지 아니면 억제할 것인지를 결정하게 된다. 그 상황이 단순한 경우 안와 전두 피질 수준에서 적절한 반응을 이끌어 낼 수 있지만 복잡하거나 모호한 상황은 전 대상 피질(ACC)이 수행의 과정을 감시하며, 만약 적절한 결과가 나오지 않을 때(정반응이 아닐 때)에는 외측 전두 피질 쪽으로 신호를 보내, 보다 높은 수준의 규칙을 다시 적용할지의 과정을 거치게 된다. 이러한 외측 전두 피질영역은 단순한 규칙을 적용하는 경우보다 복잡한 규칙에서 선택해야 하는 과제 수행 시 더 많이 활성화되는 경향이 있다고 알려져 있다. 상대적으로 복외측 전전두 피질(VL-PFC)과 배외측 전전두 피질(DL-PFC)이 문제 파악과 규칙 유지에 주로 기능을 한다면, 부리외측 전전두 피질(RL-PFC)은 여러 규칙 사이에 어느 쪽으로 전환할지 우선 순위를 조절하는 역할을 한다.

이렇게 여러 영역들이 각기 다른 역할을 조율하며 하나의 과제를 수행해 내지만, 인간의 뇌 발달에 있어, 나이가 들어가면서 보다 높은 수준의 실행 기능을 가지게 되는 것은, 보다 앞쪽에 위치한 전전두 피질 영역의 발달과 연관이 있다고 알려져 있다. 이는, 실행 기능의 발달이 억제 기전의 발달과 연관이 많다는 기존의 보고를 뒷받침하는 것이다. 이 외에도, 보다 높은 수준의 실행 기능은 과제 수행에 있어 의도나 관점을 빨리 파악하는 개념적인 수준이 높은 것, 또한 다양한 규칙이 존재할 수 있음을 인지하고, 그 중 현재 적용할 규칙의 순위를 정해 유연하게 결정할 수 있는 능력과 관련이 있다.

III. 조기 개입

중증 지적장애 아동들은 영유아기에 '전반적 발달지연'을 보이므로 물리치료, 작업치료, 언어치료, 부모교육 등을 포함한 조기 개입이 필요하다. 조기 개입은 장애를 보이거나 지체를 야기할 수 있는 위험요인을 지닌 0~2세 신생아 및 영아와 그 가족에 대한 교육, 건강, 사회적 서비스 내에서의 목적들을 총괄하는 서비스의 집합체로 정의된다. 영유아기에 시행된 조기개입은 언어, 인지, 학업에 장기적으로 유익하며, 최소한 지적기능의 쇠퇴를 최소화할 수 있다. 전반적 발달지연이 의심되는 환아가 재활의학과에 의뢰되면, 정밀 발달 평가 시행 후 지체가 보이는 발달 영역에 대한 치료가 시행되어야 하는데, 연령에 따라 발달 단계별로 치료의 내용이 다르게 적용된다. 국내에서 시행되는 치료들을 표 13-3에 제시하였다.[19] 경도의 지적장애 아동은 일반 학급에서 특수교사의 지원 하에 교육을 받을 수 있으나, 나이가 들수록 또래 집단과의 차이가 더 커질 수 있고 이에 대해 부모와 소통하여야 한다. 중도이상 지적장애 아동의 경우에는 특별 학급에서 개별화된 수업이 필요하며, 개별적인 목표에 따라 직업훈련, 적응훈련 등이 포함된다.

표 13-3 전반적 발달지연 환아의 치료[14]

연령	물리치료	작업치료	감각통합 치료	컴퓨터 인지재활	연하재활	언어치료	놀이치료
18개월미만	0	0			필요시	0	
18개월이상 ~36개월미만	0	0	필요시		필요시	0	
36개월 이상 ~54개월미만	0	0	필요시	0		0	0
54개월 이상 ~72개월 미만	0	0	필요시	0		0	0

▶ 참고문헌

1. Purugganan O. Intellectual Disabilities. Pediatr Rev 2018;39:299-309.
2. Maulik PK, Mascarenhas MN, Mathers CD, et al. Prevalence of intellectual disability: a meta-analysis of population-based studies. Res Dev Disabil 2011;32:419-36.
3. Mithyantha R, Kneen R, McCann E, et al. Current evidence-based recommendations on investigating children with global developmental delay. Arch Dis Child 2017;102:1071-6.
4. Vasudevan P, Suri M. A clinical approach to developmental delay and intellectual disability. Clin Med (Lond) 2017;17:558-61.
5. Patel DR, Cabral MD, Ho A, et al. A clinical primer on intellectual disability. Transl Pediatr 2020;9:S23-S35.
6. 최윤정, 오신영, 김은영, 김영택, 정희정. 영유아 발달장애 정밀진단 및 사후관리 표준 프로토콜 소개. 주간 건강과 질병 2016;9:672-675
7. Heilman, KM., Watson TR., Vaenstein E, Goldnerg ME., Attention: Behavioral and neural mechanism. In .B. Mountcastle, F. Plum, and S.R. Geiger, eds., handbook of physology, Bethesda, MD: American Physiological Society, 1987, 461-481.
8. Robbins TW., Everitt BJ. Arousal systems and attetnion. In M.S. Gassaniga, ed., Cognitive Neuroscience, Cambridge, MA: MIT press, 1995, 703-720.
9. Ungerleider LG., and Mishkin M, Two cortical visual system. In D.J. Ingle, M.A. Goodale, and R.J.W. Mansfield, eds.,Analysis of Visual Behavior, Cambridge, MA: MIT Press, 1982, 549-586.
10. Rizzolatti G., and Matelli M. 2003. Two different streams form the dorsal visual system; Anatomy nad fucntions. Exp. Brain Res. 153:146-157.
11. Cobertta M. 1998. Frontoparietal cortical networks for directing attention and the eye to visual locations: Identical, independent or overlapping neural systems? Proc. Natl. Acad. Sci. USA 95: 831-838.
12. Hayne H. Infant memory development: Implications for childhood amnesia. Dev. Rev. 2004; 24: 33-73.
13. Herbert J, Gross J, Hayne H. Crawling is associated with more flexible retrieval by 9- month-old infants. Dev. Sci. 2007; 10: 183-189.
14. 질병관리본부. 2015. 영유아 발달장애 정밀 진단 및 사후관리 표준 프로토콜 개발.

SECTION 4

치료

Management

CHAPTER 14 운동치료(Therapeutic Exercise and Physical Modalities)
CHAPTER 15 작업치료(Occupational Therapy)
CHAPTER 16 언어치료(Speech Therapy)
CHAPTER 17 인지치료(Cognitive Therapy)
CHAPTER 18 보조기, 의지, 보조 기구(Orthoses, Prostheses and Assistive Devices)

CHAPTER

14 운동치료

Therapeutic Exercise and Physical Modalities

권범선, 이지인, 박상덕

운동치료는 장애아동의 재활치료에서 가장 널리 쓰이는 치료 도구이다. 일반적으로 운동치료는 아동의 발달단계에 맞추어 발달의 진행을 도와주고 장애로 인한 이차적 변형을 방지하는 역할을 한다. 또한 운동치료는 심폐기능 발달, 근력과 지구력 증가 및 신체발육과 성장에도 중요한 역할을 하므로 아동이 가지고 있는 신체적 장애에 대한 치료 뿐 만 아니라 건강 증진에도 필요하다.

뇌성마비와 같은 장애아동은 관절의 구축이 쉽게 오기 때문에 매일 규칙적이고 지속적인 관절운동이 필요하다. 전통적인 운동치료 방법인 관절운동은 근력과 지구력을 강화하고 구축된 관절의 운동범위를 늘릴 수 있다. 그러나 장애아동에게는 이러한 관절운동만으로 뒤 떨어진 운동기능을 향상시킬 수 없다. 따라서 오래전부터 비정상적인 반사를 줄이고 정상적인 운동 발달을 촉진시켜 기능을 향상시키는 다양한 운동치료법이 개발되었다. 대표적인 운동치료법으로 신경발달치료, 감각운동치료, 고유수용성 신경근 촉통 등이 있으며 현재 임상에서도 널리 사용되고 있다. 그러나 이들 치료법은 임상적 관찰에 의한 경험에 기초하여 개발되고 연구되었으므로 현대의학에서 중시하는 근거중심(evidence-base)의 과학적 접근법에 의한 치료효과가 입증되지 못한 단점이 있다. 그러나 수십 년간 임상에서 사용되었고 현재 뇌성마비 등 장애아동의 운동치료에 근간을 이루고 있다. 본 장에서는 장애아동의 치료에 사용되고 있는 운동치료를 기본 원리와 함께 질환별로 치료법을 소개한다.

I. 운동의 원리

1. 운동 단위의 이해

1) 근육의 분류

근육은 근섬유가 힘줄에 붙은 모양에 따라 방추형 근육(fusiform muscle)과 깃털형 근육(pennate muscle)으로 구분할 수 있다. 방추형 근육은 시작부위(origin)부터 부착부위(insertion)까지 근섬유가 평행으로 달리는 경우로서 근육이 수축한 정도와 운동이 일어난 정도가 일치하며 상완 이두근 등이 대표적이다. 깃털형 근육은 힘줄(tendon)에 대해 근섬유가 비스듬히 붙어 있어서 근육의 수축에 의한 움직임의 정도는 근육 수축의 정도와 함께 근육과 힘줄이 이루는 각도에 의해 결정된다. 깃털형 근육은 주어진 단면적 당 더 많은 근섬유를 포함하므로 더 강한 근력을 발휘한다.

근육은 근섬유의 산화효소(oxidative enzyme), 해당효소(glycolytic enzyme) 및 아데노신 삼인산 분해효소(ATPase)에 대한 염색의 정도로 제1형, 2A형, 2B형 등으로 구분할 수 있다. 제1형은 근섬유의 연축속도가 느리며, 피로가 잘 오지 않고, 산화대사를 하는 섬유이고(type1, slow, fatigue-resistance, oxidative), 제2A형은 연축속도가 빠르고, 피로가 잘 오지 않고, 산화해당대사를 하는 섬유이며(type2A, fast, fatigue-resistance, oxidative-glycolytic), 제2B형은 연축속도가 빠르고, 피로가 잘 오며, 해당대사를 하는 섬유이다(type2B, fast, fatigable, glycolytic). 한 근육 안에는 여러 종류의 근섬유가 존재하며 운동을 통해서 근섬유의 분포가 변할 수 있다.

2) 운동단위의 크기 원칙

작은 운동단위는 작은 근육섬유를 지배하고 운동단위활동전위(motor unit action potential)가 작고, 단면적이 작으며, 점증 역치(recruitment threshold)가 작다. 작은 운동단위는 큰 운동단위가 점증되기 이전에 동원되며, 반대로 큰 운동단위는 작은 운동단위가 점증되기 이전에 동원될 수 없다. 근육이 수축하면서 점차적으로 큰 힘을 내려면 우선적으로 작은 운동단위가 동원되고 점차 큰 힘을 낼 경우 큰 운동단위가 동원된다는 의미이다. 이를 운동단위의 크기원칙(size principle)이라고 한다.

운동의 효과는 특수성(specificity)을 갖는다. 운동 효과를 얻기 위해서 단거리 달리기 선수는 단거리 달리기 운동을 하여야 하고 장거리 달리기 선수는 장거리 달리기 운동을 하여야 한다. 그러나 근력이 약할 경우 운동 효과가 일반적일 수 있어서 근력강화 운동만으로도 달리기 능력이 좋아질 수 있다. 이처럼 운동 효과는 일반적일 수도 있으나 대부분의 경우 운동은 특수성을 갖기 때문에 운동치료는 목표하는 움직임에 해당하는 훈련 계획을 세워야 한다.

2. 근력과 지구력

근력은 주어진 상태에서 최대한으로 발휘될 수 있는 근육의 힘을 말한다. 근력은 근육의 단면적 크기에 비례한다. 일반적으로 근력은 1평방 센티미터의 단면적 당 3.6 kg으로 알려져 있다. 근력은 10회 반복의 최대무게(10 repetition maximum, 10RM)로 측정할 수 있다. 근력의 증가는 부하의 증가, 운동 횟수의 증가, 운동 속도의 증가 중 어느 하나만으로도 가능하다. 예를 들어 아령을 들어서 이두박근을 강화시킬 때 더 무거운 아령을 들거나, 더 많이 반복하여 아령을 들거나, 더 빨리 아령을 들면 이두박근의 근력이 강화된다. 나이가 어린 아동의 경우 기구를 사용하기보다는 치료자가 수기를 이용하여 적절한 저항을 제공하거나, 나이에 맞는 게임이나 놀이를 반복 시행하거나, 장난감을 이용하여 부하와 속도를 높이는 방법으로 근력 운동을 할 수 있다. 근력의 측정은 충분한 이해와 협조가 있어야 가능하므로 아동의 경우 정확한 근력의 측정이 어려운 경우가 많다. 도수근력검사는 아동의 협조를 구하기 어렵고 기계를 사용할 경우 몸에 맞추어 검사하기 어려운 경우가 많다. 또한 뇌성마비와 같이 경직이 동반되면 근력의 측정이 더욱 어렵기 때문에 장애아동의 경우 근력 측정을 기능적으로 평가하기도 한다.

지구력은 운동 과제를 지속할 수 있는 능력을 의미한다. 피로는 지속적으로 근육을 수축할 때 초기의 힘과 비교하여 일정비율(예를 들면, 초기 힘의 60%) 이하로 떨어질 때까지의 시간을 의미하거나, 운동선수가 이전 운동의 결과로 다음 운동 수행의 능력이 감소하는 것을 의미한다. 지구력은 큰 근육을 이용하여 장시간 운동을 지속하면 강화될 수 있다. 장애아동의 경우 운동에 더 많은 에너지가 소모되므로 지구력 강화를 위한 운동치료가 반드시 요구된다. 자전거 타기, 계단 오르내리기, 트레드밀 걷기 등이 운동치료 프로그램에 포함되어야 한다. 그러나 아동의 기능이 이에 미치지 못할 경우 에너지 소모를 줄일 수 있는 보조기구 와 기능을 높일 수 있는 도구가 지구력 향상 효과를 가져올 수 있으므로 일상동작 훈련에서 반드시 고려하여야 한다.

3. 운동치료에서 생애주기별로 고려해야 할 점

생애 주기에 따라 신체적, 환경적 특성은 변화하게 된다. 운동치료는 이러한 특성을 고려하여 개입되어야 한다. 영유아기의 발달, 청소년기의 급격한 성장, 성인기에서부터의 노화로 구분되는 신체적 특성을 고려하고, 가정, 학교, 사회 등 생애 주기에 따라 변화하는 환경에 참여하는 것을 고려하여 치료 계획을 세움으로써 생애주기에 적합한 운동치료를 제공할 수 있다.[1]

영유아기 운동치료는 아동을 다루는 법에서 출발하여야 한다. 두 손으로 안기, 수유하기, 목욕시키기 자세를 바르게 하여 정상적인 운동을 유발하여야 한다. 이는 반복적인 움직임으로 일정한 운동 양상을 유도할 수 있다는 개념에서 출발한 것으로 잘못된 자세의 반복은 비정상적인 운동을 유발하게 한다. 보행이 가능한 시기가 되면 아동은 낯을 가리게 되고 엄마와 떨어지지 않으려 하기 때문에 운동치료에 어려움을 겪는다. 치료진은 아동과 친해지기 위한 노력을 우선적으로 해야 하고 부모가 운동치료에 참여하는 것이 좋은 방법이며 이를 통하여 치료실에서의 운동치료가 가정으로 연결될 수 있도록 한다. 또한 장난감, 게임, 노래 등으로 아동의 움직임을 유도하는 방법을 사용한다. 치료실의 환경은 아동의 관심을 끌 수 있는 색깔과 물건을 사용하고 거울을 사용하면 흥미를 유발할 수 있을 뿐만 아니라 시각적 되먹임을 줄 수 있다. 또래 아이들과 집단 치료를 하는 것도 운동치료에 동기를 유발할 수 있는 좋은 방법이다. 그러나 과다행동이나 집중력 저하를 보이는 아동에서는 불필요한 움직임을 유발할 수 있으므로 주의하여야 한다. 학령기가 되면 교육과 운동치료가 적절히 조화되어야 한다. 이때 치료진은 아동의 자세유지나 보조도구 적용 등에 유의하여야 한다. 청소년기 급성장을 보이는 시기에는 관절구축과 자세이상이 많이 발생하므로 지속적인 운동치료와 적절한 시기에 약물치료 및 수술이 시행될 수 있도록 주기적인 진찰을 하여야 한다.

청소년기 및 성인기에는 활동의 양과 유형이 감소할 수 있으며 이는 이차적인 장애의 점진적 발달로 인하여 장애를 악화시킬 수 있고 이동을 더욱 어렵게 만든다. 규칙적인 신체활동은 이러한 쇠퇴를 예방하거나 회복시킬 수 있으며 기능을 유지하는 데 도움이 된다. 특히 성인기 이후에는 근력 감소로 인한 균형 및 이동 능력의 저하를 예방하기 위하여 근력 유지를 위한 운동치료 전략이 필요하다. 환자 개인의 삶에 필요한 신체활동을 통합하기 위한 효과적이고 지속 가능한 움직임을 돕고 운동 능력을 증가시킬 목적의 운동치료가 필요하다.

II. 운동치료의 종류

1. 관절범위 운동

근력을 최대한으로 사용하려면 관절운동범위가 정상적이어야 한다. 운동치료는 관절범위를 정상적으로 회복시키기 위한 관절범위 운동으로부터 시작한다. 관절운동이 가능한 범위 내에서 운동성을 유지하는 목적으로 유연성 운동을 하고, 관절범위가 단축된 경우에는 신장운동을 한다.

관절범위 운동은 능동적, 능동보조적, 수동적으로 할 수 있고, 스트레칭은 병적으로 짧아진 구조를 늘려주는 수동적 신장운동이다. 신경학적 이상이 없는 경우 하루 한 번의 관절운동으로도 정상적인 관절운동범위를 유지할 수 있으나, 경직이 있거나 마비가 있는 경우 관절강직이 빈번히 발생하므로 수시로 관절범위 운동을 하여야 한다. 신장운동 방법은 천천히, 부드럽게, 반복적으로 시행하며 최대 신장 위치에서 최소한 15~30초를 유지하여야 한다. 순간적으로 강한 힘을 가하면 신장반사를 증가시키므로 주의하여야 하고 빠르고 반복적인 신장운동은 근육 손상을 유발할 수 있으므로 피해야 한다. 열치료, 전신적 이완 및 생체 되먹이기 등을 함께 할 경우 신장운동이 더 효과적이다. 신장운동범위는 통증이 느껴지는 범위를 약간 지나서까지 시행하며 신장운동 후 휴식을 취하면 통증이 없어지는 정도가 알맞다. 한 번에 목표한 신장운동범위를 확보하지 못 할 경우 플라스틱 보조기 혹은 순차적 석고고정을 이용한 지속적 신장운동을 사용한다. 경직이 동반된 경우에는 경직을 줄여주는 주사나 수술과 함께 신장운동을 시행하기도 한다.

2. 근력강화 운동

근력강화 운동은 '과부하의 원리'에 따라 시행한다. 근육이 현재 적응되어있는 상태보다 과도한 부하를 피로에 빠질 때까지 가하면 근력이 증가한다. 근력강화 운동 방법으로는 관절을 움직이지 않고 근육의 긴장을 일으키는 등척성(isometric) 운동, 같은 무게를 주되 운동의 속도는 조절하지 않는 등장성(isotonic) 운동, 일정한 각속도로 운동을 수행하는 등속성(isokinetic) 운동 등이 있다. 등척성 운동은 휴지기의 근육 길이에서 가장 효율적이고 관절의 염증 등으로 관절 움직임이 금기일 경우 유용하다. 그러나 정적인 근력 강화가 동적인 활동에서 똑같이 사용되지 못하고 조절과 조화를 위한 운동에는 도움이 되지 않는다. 또한 운동이 단조롭기 때문에 아동의 경우 흥미를 유발할 수 있도록 시각 및 청각적 되먹임 방법을 사용하는 것이 좋다.

등장성 운동은 같은 무게로 운동하지만 관절각도에 따라 근육의 길이가 변화하기 때문에 같은 힘이 적용되지 않는다. 아동의 경우 관절각도에 따라 관절에 무리한 힘이 가해지지 않는지 유의하여야 하고, 기구를 사용할 때 떨어뜨리지 않도록 주의한다.

등속성 운동은 운동의 특수성이 적용되어 훈련할 때 수행한 각속도에서만 근력이 증가한다. 근력강화를 위해서는 낮은 각속도가 효과적이고 최대한으로 빨리 움직이도록 주문하여야 하며 설정된 속도보다 낮은 속도로 운동하면 회전저항이 발생하지 않아서 근력강화 운동이 되지 못한다. 등속성 운동기구가 고가이고 모든 근육에 적용하기 힘들며 아동의 경우 몸에 맞는 운동기구를 찾지 못하는 경우가 많다.

아동의 경우 기구를 사용하는 근력강화 운동보다는 치료자가 손으로 적절한 저항을 제공하는 수기적 근력강화 운동을 하는 경우가 많다. 적절한 저항이란 통증이 없는 최대한의 힘을 가할 때로서 아동의 흥미를 유발하는 자세와 방법을 찾아서 시행하여야 한다.

3. 조절을 위한 운동

1) 조절과 조화

조절은 하나의 운동 단위 혹은 하나의 근육을 수의적으로 움직이는 것을 의미하고 주로 추체로를 통하여 이루어진다. 성공적인 조절을 위해서는 주위의 다른 근육을 움직이지 않고 이루어져야 되지만 조절에는 원하지 않는 근육의 움직임을 억제하는 능력이 없기 때문에 이미 존재하는 기억 흔적(engram)을 선택하여 강한 근육의 수축에서도 다른 근육의 움직임 없이 프로그램화된 운동을 시작하고 지속시키며 끝마침을 조절할 수 있게 된다.

조화란 여러 운동 단위 혹은 여러 근육들이 수축과 이완을 협동적으로 조화롭게 하여 원하는 움직임을 매끄러운 동작으로 만들어내는 일련의 작용으로 무의식의 단계에서 추체외로의 상호 연관 신경들에 의한 기억 흔적을 통해 이루어지게 된다.

일반적으로 운동치료에서는 조절과 조화가 혼용되어 사용되기도 하고 주로 눈과 손을 동시에 사용하여 운동 능력을 향상시키는 협응 운동(coordination exercise)의 형태로 훈련되기도 한다. 그러나 환아의 운동치료에서는 모든 감각을 이용하여 특정 동작을 꾸준히 반복 하여 운동능력을 증진시키고 점차적으로 운동의 속도를 높이는 방법으로 시행하여야 한다. 예를 들어 고유수용성 감각이 떨어지거나 소뇌 이상이 있는 환아의 운동치료 방법인 Frenkel 운동은 느리고 단순한 하지 운동을 정확한 방법으로 시작해서 점점 빠르고 복잡한 동작으로 연습하여 조절 기능을 증가시키는 운동방법이다.

2) 운동조절 이론

역사적으로 신체장애의 재활을 위한 다양한 운동치료가 도입되었고 이러한 운동치료는 반사모형(reflex model), 계급모형(hierarchial model), 및 계통모형(system model) 등의 운동조절 이론에 기초하였다. 반사모형은 1900년대 초 영국의 Charles Sherrington에 의해 시작된 것으로 중추신경계를 블랙박스로 기술하고 특정 감각자극이 중추신경계를 통하여 상동운동반응, 즉 반사를 유발하고 감각되먹임이 또 다른 반사를 유발한다는 이론이다. 그림 14-1 모형은 폐쇄고리모형(closed-loop control system)으로 인간의 운동을 일련의 반사 혹은 여러 반사의 합으로 규정하고, 되먹임이 운동의 조절 및 교정에 중요한 역할을 하는 것으로 설명하였다. 그러나 반사모형은 되먹임이 허용되지 않는 빠른 운동의 기전을 설명하지 못하고 같은 자극으로도 다양한 운동이 이루어지는 현상을 설명하지 못하는 제한점이 있다.

그림 14-1 폐쇄고리모형의 반사 모형

1920~1930년대에 등장한 계급모형은 Hughlings Jackson의 이론에 기초한 것으로 중추신경계는 상위, 중위 및 하위 센터로 계급화되어 있으며, 상위 센터는 중위 센터를 조절하고 중위 센터는 하위 센터를 조절한다고 주장하였다. 대뇌의 연합피질(association cortex)이 운동의 계획, 선택 및 시작에 관여하는 상위 센터에 해당하고 기저핵, 뇌간, 소뇌 및 감각운동피질은 중위 센터에 해당하며 척수는 근육에 명령을 전달하는 하위 센터에 해당한다(그림 14-2). 반사모형과 달리 계급모형은 감각에 의한 되먹임의 수정 과정 없이 운동이 수행되는 개방고리모형(open-loop control system)으로 먹임 방식인 계획된 지시(pre-programmed instruction)와 예기 조절(anticipatory-control of movement)을 이용하여 운동 조절이 일어난다. 따라서 계급모형에서는 상위 센터인 대뇌가 손상되면 대뇌의 조절기능이 소실되어 그동안 억제되어 있던 하위 센터에 의한 반사가 나타난다는 것이다. 그러나 계급모형은 척수가 절단된 고양이가 상위센터의 조절 없이도 트레드밀 운동이 가능한 현상을 설명할 수 없고, 다양한 신체운동의 자유도(degree of freedom)를 설명할 수 없다는 제한점이 있다.

이후 반사모형과 계급모형이 결합된 형태로 Gesell과 Mcgraw가 아동의 성숙과 발달을 설명하는데 근거로 사용한 반사/계급모형이 등장하였다.

1960년대에 등장한 계통모형은 James Gibson의 생태심리학(ecological psychology)과 Nikolai Bemstein의 행동접근법(action approach)을 기초로 하는 것으로 운동과 행동은 환경으로부터의 정보에 의하여 시작되고 조절된다는 이론이다. 개인과 환경의 상호작용이 중요하여 개인의 환경에 대한 지각과 인식이 운동을 가능하게 하고 또한 과제의 특성과 환경에 반응하는 개인의 다양한 시스템적인 특성에 따라 과제 수행이 이루어지게 된다고 한다(그림 14-3). 계통모형은 계급모형과 달리 중추신경계가 계층이 없는 형태(heterarchial)로 상호작용을 통하여 운동을 조절한다고 설명한다.

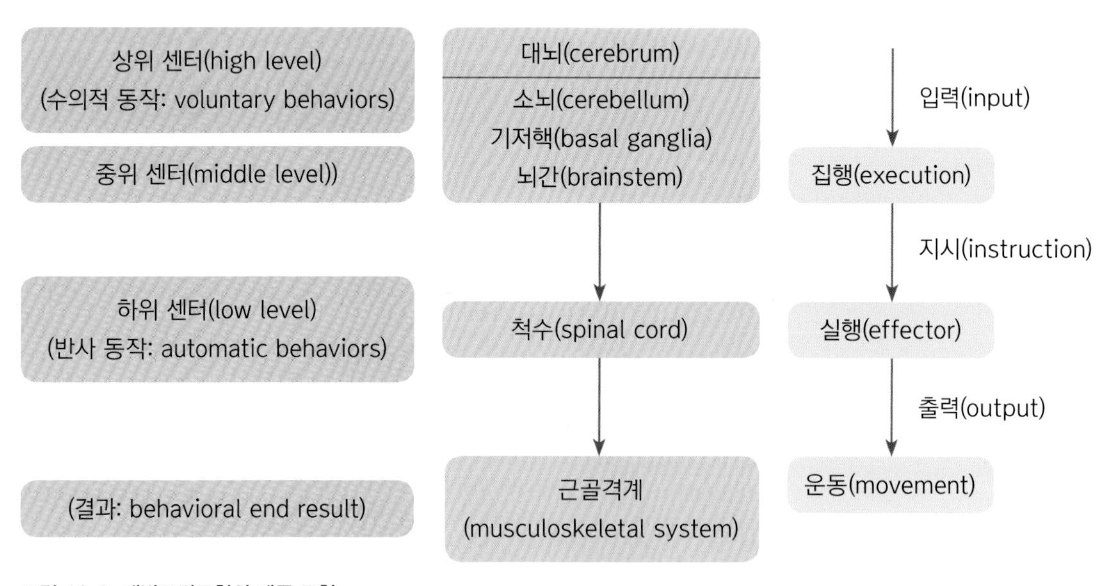

그림 14-2 개방고리모형의 계급 모형

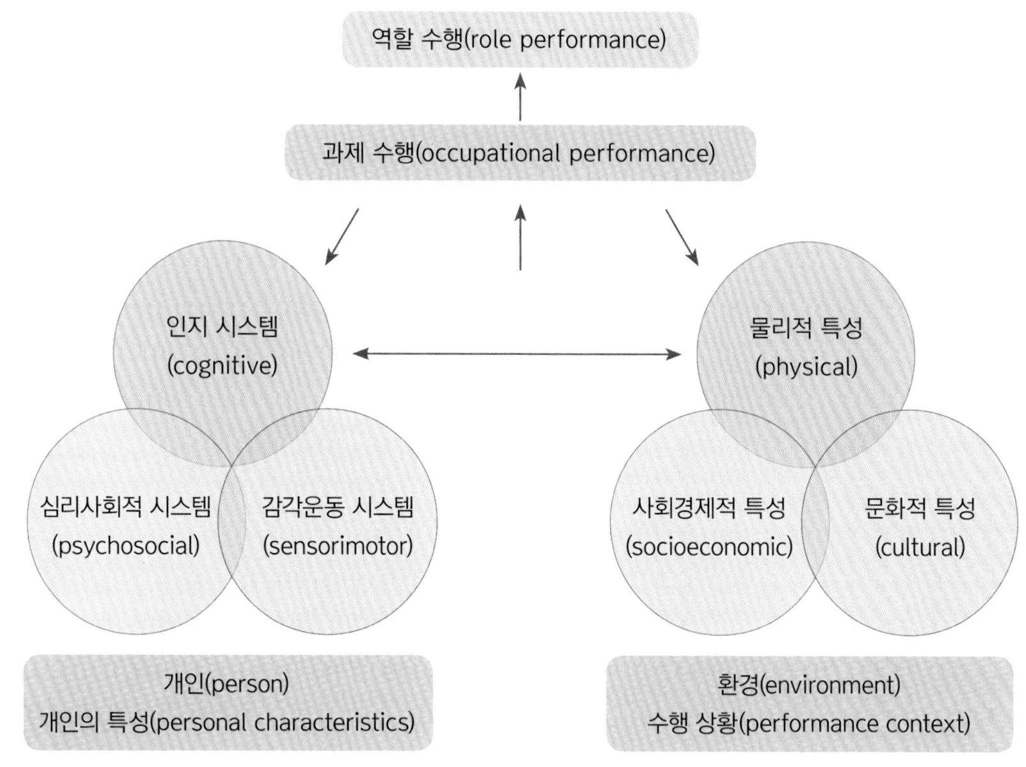

그림 14-3 계통 모형

3) 전통적 운동조절치료법

반사모형에 기초한 대표적인 치료법은 1950년대에 Margaret Rood가 고안한 신경생리법이다. 신경생리법은 감각 자극을 통하여 운동 양상을 정상적으로 재구성 할 수 있다는 원리로 특별한 자극은 운동 반응을 촉진시키기도 하고 억제시키기도 하므로 반복 자극을 통하여 정상 발달에서 보이는 운동 양상을 얻을 수 있다는 치료법이다. Rood는 작용근의 촉진과 길항근의 억제를 위하여 솔질(brushing), 압력, 및 타진(tapping) 등의 감각자극을 사용하였고 그 이후 다양한 운동치료법에 감각자극이 이용될 수 있는 기반을 제공하였다.

반사/계급모형의 대표적인 치료법은 1940년대초 Berta Bobath와 Karel Bobath에 의해 개발된 신경발달치료(neurodevelopmental treatment, NDT)이다. 신경발달치료는 반사억제를 위한 자세와 정상 운동을 촉진하는 조절점 자극을 이용하는 치료법으로 환아가 치료자에 비하여 상대적으로 수동적인 입장에 있고 또한 치료 경험이 일상생활동작으로 자동 전환되지 않는다는 점에 주목하게 되어 후기에는 계통모형의 대표적인 치료방법인 작업중심훈련법(task oriented approach)을 함께 이용하게 된다.

4) 현대적 운동조절치료법

현대적 운동조절치료법은 계급모델과 같은 전통적 운동조절이론을 거부하고 아동이 능동적으로 참여하여 기능적 과제를 수행하고 반복 훈련하여 운동기능을 회복하는 것으로 뇌 가소성에 입각하여 개발되었다.

1980년 Carr와 Shephard에 의해 개발된 운동재교육프로그램(motor relearning program)은 환아가 새로운 과제를 수행하기 위하여 어떻게 기능적으로 움직이고 어떻게 문제를 해결해야 할지를 교육한다. 상지 기능, 앉기, 앉기 균형, 일어서기, 보행 등의 몇 가지 기본 활동을 정하고 구두지시, 시각데모, 손으로 안내 등의 방법과 되먹임을 통하여 일관된 연습을 하도록 한다. 전통적 치료법에서 강조되는 구르기와 같은 특정한 운동을 훈련하기보다는 기본 활동 시 문제가 되는 동작을 해결하는 일반적 전략을 교육한다. 따라서 치료자는 환아에게서 관찰되는 문제점의 발생 원인을 찾고 이를 해결하여야 하며 환아가 힘들어하는 동작을 다양한 환경에서 반복 훈련하도록 한다. 훈련된 활동을 다양한 환경에서 수행할 수 있게 되면 성공적인 치료라고 할 수 있다.

1990년 Fay Horak은 기능훈련법(functional approach)을 개발하였다. 환아의 장애가 강조되지 않고 환아의 능동적인 참여가 강조되므로 심한 중추신경계 손상이나 인지기능이 저하된 경우에는 사용하기 어려운 단점이 있다. 최근에는 기능적 전기자극이나 로봇을 치료에 이용하기도 한다.

III. 질환별 운동치료

1. 뇌성마비

활동의 제약이 있는 뇌성마비 아동에게 운동치료는 환아의 움직임과 기능적인 능력의 적절한 사용을 위해 평생 동안 중요한 역할을 하게 된다. 영유아기에는 발달단계에 맞추어 더 바람직한 방향으로의 신경발달을 촉진함으로써 기능적 수준의 향상을 얻음과 동시에 장애로 인한 관절 변형이나 구축 등과 같은 이차적 합병증을 예방하고 최소화하며 가능한 현재의 기능을 오랫동안 유지 시키도록 하는 것이 운동치료의 목표이다. 역사적으로 다양한 이론과 운동치료방법이 소개되어왔고 효과를 검증하고자 하는 많은 연구들이 있었으나 최근까지도 운동치료방법들에 대한 명확한 과학적 근거를 제시하지는 못하였다. 강화운동은 보행속도나 걸음 거리(stride length)의 호전에는 효과가 없는 것으로 밝혀진 반면 대근육운동 기능의 호전에 대한 근거들은 서로 모순되는 것으로 밝혀졌다.[2] 그러나 상지운동치료와 구속유도운동치료의 효과에 대해서는 중등도의 과학적 근거가 있는 것으로 밝혀졌다.

그러므로 어느 한 가지 치료 방법을 고집하기보다는 환자 개인의 상태에 맞는 치료 방법을 찾고 때로는 여러 가지 방법을 조합하여 이를 환자에게 적용하는 것이 바람직할 것이다.

1) 신경발달치료

신경발달치료는 뇌성마비는 중추신경계 이상으로 중력에 대한 자세 조절 및 정상적인 운동 발달이 저해된다는 생각 하에 뇌성마비 아동의 정상 운동발달 및 기능 확립을 목표로 개발된 치료 방법으로 보바스 치료라고도 불린다. 초기에는 병적인 근육 긴장도를 정상화시키고 원시반사 및 병적 반사를 억제하기 위하여 반사-억제 자세(reflex-inhibiting postures)의 사용을 중요시 하였으나, 이러한 자세가 경직을 효과적으로 감소시키지 못할 뿐 아니라 잔효(carry-over effect)가 없음을 알게 되어 이후에는 조절점(key points of control) 원리를 이용하게 되었다. 조절을 위하여 치료사가 운동조절점을 자극함으로써 비정상적인 운동을 억제하고 정상 운동을 촉진시키고자 하였다. 또한 자동바로잡기반응(automatic righting reaction)의 발달도 강조하였다. 조절점 자극 및 자동바로잡기반응 촉진을 주장한 초기 이론에서 아동은 상대적으로 수동적인 입장을 취하였으나, 그 이후 보바스 부부가 아동 스스로의 운동 조절과 균형감 습득의 중요함을 인식하게 됨과 동시에 아동의 치료 경험이 일상생활동작으로 자동 전환되는 것이 아니라는 것을 알게 되어, 실제 상황에서의 훈련을 강조하는 등의 변화를 모색하게 되었다.[3] 이와 같이 신경발달치료의 핵심 개념은 계속적으로 변화하여 계통모형에 기초한 작업중심훈련법의 일면을 갖게 되면서 초기 개념과는 상당한 차이를 보이게 되었다.

2000년대 초 미국 뇌성마비 및 발달의학협회는 신경발달치료가 뇌성마비에 대한 다른 운동치료방법들과 비교 시 우월성을 증명하지는 못하였다고 보고하였다. 신경발달치료가 관절가동범위를 증가시키는 데는 상대적 우월성을 보였으나 경직 감소, 비정상적인 운동의 조절 및 관절구축의 감소 등에서는 우월성을 증명할 수 없었다. 그럼에도 불구하고 현재까지 신경 발달치료법은 국내 뿐 아니라 전 세계적으로 널리 사용되고 있다.

2) 보이타 치료

보이타 치료는 1960년대 초 체코의 소아신경학자 Vaclav Vojta가 특정자세에 놓여있는 환아에게 특정감각을 주면 전신의 운동반응이 유발된다는 경험을 바탕으로 이를 반사적 이동(reflex locomotion)의 기본으로 하여 개발한 뇌성마비 치료법 중의 하나이다. 신경계는 다양한 자극에 반응하고 이러한 자극이 신경계의 기능과 성숙에 영향을 줄 수 있다는 개념에 근거하며 근육의 고유수용성 감각을 주로 이용한다. 반사적 이동은 엎드린 자세, 바로 누운 자세, 혹은 옆으로 누운 자세 등의 특정자세에서 영역(zone)이라고 불리는 신체의 특정부위에 일정 압력을 가하여 일련의 운동반응을 유발하는 것으로 같은 조건에서는 같은 반응이 유발되고 이러한 반사적 이동이 쥐기(grasping), 구르기, 배밀이, 네발기기, 걷기 등의 기초가 된다는 이론이다.[4] 또한 7개의 자세반응을 이용하여 아동의 운동발달 이상 여부를 검사한다. 보이타 치료법에서는 주로 반사적 기기(reflex creeping)와 반사적 뒤집기(reflex rolling)의 두 가지 조정복합체를 사용하고 1세 이하 영유아의 치료에 많이 이용되고 있으며 약 20분의 치료를 하루 4회 반복 시행하는 것을 권장하고 있다. 현재도 우리나라와 유럽에서 사용되고 있으나 치료 과정이 힘들고 환아가 많이 울어서 제한적으로 사용되고 있으며 치료 효과에 대한 객관적 자료도 부족한 실정이다.

3) 고유감각수용성 신경근육촉진법

1950년대에 Herman Kabat과 Elizabeth Kenny가 소아마비 환자를 대상으로 근육 재교육법을 사용하는 것을 관찰하고 분석하여 이론적 근거가 부족함을 알게 된 후 신경생리학적 이론을 바탕으로 고유감각수용성 신경근육촉진법을 개발하였다. 고유감각수용체의 자극을 통하여 신경근육계의 반응을 촉진시키는 치료방법으로 압력과 촉각자극 등을 근육에 주어 근육 수축을 촉진시키는 도수 접촉(manual contact), 근육이 신장 이후에 보다 큰 힘으로 반응한다는 사실로부터 근육의 신장 혹은 신장반사를 이용하여 신경근육계를 촉진시키는 신장(stretch), 운동을 촉진시키고 자세를 유지하거나 안정성을 촉진시키기 위하여 관절 내의 수용체에 자극을 주는 견인과 접근(traction and approximation), 근육에 충분한 저항을 주어 근력을 향상시키는 최대 저항(maximal resistance), 그리고 조화로운 운동을 위한 일련의 근육 수축 순서를 말하는 타이밍(timing) 등의 방법을 이용하면서 대각선 및 나선형 운동을 학습하는 것이다.[5]

4) 감각통합치료

감각통합이란 우리 몸과 주위 환경에서 오는 여러 가지 감각 정보를 뇌에서 조절하는 과정으로 올바른 감각통합이 이루어져야 우리 몸이 그 환경 아래서 효과적으로 움직일 수 있다는 1979년 Jean Ayres에 의해 개발된 이론이다. 감각통합치료에서는 솔질, 그네 타기, 두꺼운 조끼, 혹은 경사로 등의 다양한 감각 자극으로 구성된 감각 식이를 통하여 발달 초기에 이루어지는 감각통합 과정을 다시 경험하게 하는 것으로 학동전기 및 학동기 아동의 학습장애, 주의력 집중장애 및 자폐증을 치료하기 위하여 고안되었으나 최근에는 뇌성마비 환아에서 보이는 발달지연과 자세이상도 감각통합장애로 해석하여 뇌성마비 치료에도 사용되고 있다. 그러나 현재까지 치료효과에 대한 과학적 근거는 미약한 실정이다.

5) 유도교육(conductive education)

1940년 헝가리의 Andreas Peto는 뇌성마비 아동들의 운동장애가 새로운 것을 학습하는데 어려움을 줄 것이라고 생각하여 운동장애를 갖는 아동들이 최대한 독립적으로 학교생활을 할 수 있도록 하고자 하는 유도교육을 개발하였다. 유도교육에는 장애 아동이 사회에 참여하고 활동하는 능력을 뜻하는 'orthofunction' 의 개념이 사용된다. 전통적인 유도교육에서는 특별 교육을 이수한 conductor에 의해 프로그램이 진행되는데 환아에 대한 개별적 치료방법이 아니고 그룹 단위로 진행되며 스스로 배울 수 있고 적응 할 수 있는 능력을 길러 주는 것을 목적으로 하므로 쉬운 과제에서 보다 어려운 과제로 진행하게 된다. 치료 시에 각운(rhyme)과 노래가 사용되며 치료라고 하기 보다는 교육에 가까운 특징이 있다.[6]

6) 구속유도운동치료(constraint-induced movement therapy, CIMT)

1980년대에 Edward Taub가 뇌졸중 환자에서 발병 초에 병변측 상지를 사용하려고 노력하였으나 움직임이 어둔함을 반복적으로 경험하게 되면 이후 일상생활동작 수행에서 병변측 상지의 사용을 회피하게 된다는 학습된 비사용이라는 개념을 밝힌 이후 Deluca는 편마비를 가진 환아에서 운동 기능의 발달 동안 병변측 상지의 사용을 배우지 못하게 된다는 발달성 무시(developmental disregard)라는 개념을 치료에 사용하였다.[7] 구속유도운동치료는 학습된 비사용을 극복하고 사용-의존적 피질 재조합을 유도하는 것을 주된 기전으로 하는 치료방법으로 건측 상지를 제한하고 적어도 2주간 하루에 3시간 이상 병변측 상지의 훈련을 시행하는 구속유도운동치료, 건측 상지를 제한하고 병변측 상지의 훈련을 하루에 3시간 이하 동안 시행하는 수정 구속유도운동치료, 그리고 건측 상지를 제한만하고 병변측 상지의 추가적 치료를 시행하지는 않는 강제 사용의 세 가지로 구별되고 이중 수정 구속유도운동치료의 경우에는 치료 효과에 대한 과학적 근거를 제시한 연구들이 있다.

7) 양손집중치료(hand-arm bimanual intensive training, HABIT)

양손집중치료는 편마비 뇌성마비환아의 상지 치료에 있어 최근 각광받고 있는 구속유도운동치료가 건측 상지의 구속이라는 침습적인 면이 있고 또한 일상생활에서 독립적인 기능 수행을 위해서는 양손 사용이 중요하나 이 치료는 한 손에 대한 치료방법이라는 제한점이 있는 것에 반하여 2006년 Charles와 Gordon이 양손 사용의 집중적인 치료를 통한 기능적 호전을 얻고자 새롭게 개발한 치료 방법이다.[8]

8) 아델리슈트치료(adeli suit therapy)

아델리슈트는 러시아에서 무중력 상태에 놓인 우주비행사들에게 심부압력을 제공하여 감각-운동 기능을 유지하고자 만들어진 펭귄슈트(Penguin Suit)에서 유래된 것으로 1990년대 초 Kozlovskaya와 Semenova가 처음으로 신경손상 환자들 특히 소아환자들의 치료에 시도하였다. 아델리슈트치료는 신체에 정상적인 힘의 구조가 생성되도록 디자인된 슈트를 착용하여 중추신경계에 이르는 구심성 흐름을 정상화함으로서 체간을 안정화시켜서 사지 근육의 올바르고 조화로운 움직임이 일어나도록 한다는 개념의 치료이다. 능동적 운동치료 방법으로 운동 조절의 효과는 집중적 치료에 의해 형성된다고 알려져 있다.

슈트는 조끼, 바지, 무릎보호대, 신발 그리고 간혹 머리 보호대로 구성되고 적당한 긴장을 가진 탄력 밴드(bungee)들과 도르레들이 연결된다. 슈트 부분들 사이의 연결은 몸통과 사지의 굴곡근, 신전근, 내전근 및 회전근 등의 근육들의 연결을 반사하고(mirror) 어깨, 몸통, 엉덩이, 무릎 및 발의 더욱 정확한 배열과 기능을 위하여 추가적인 연결 요소들이 사용될 수 있다. 아델리슈트 착용 후 여러 개의 번지들을 이용하여 처방된 상태로 신체의 바른 정렬을 만들어 비대칭적 움직임을 조절하고 보상 작용을 감소시키면 올바른 자극 정보를 수용하여 보행과 균형 감각을 자극하게 되고 전반적인 근력 향상이 이루어진다. 환아에게 능동적인 움직임을 위하여 노력을 요구하고 치료동안 이를 위하여 탄성을 줄이거나 늘이면서 조절할 수 있다. 고관절 아탈구가 50% 이상인 환아나 중증 척추측만증 환아에게는 금기이며, 심장 문제, 통제되지 않는 경련 발작, 수두증, 당뇨병, 신장 문제 및 고혈압 환자에게는 주의해서 사용해야한다.

9) 승마치료(hippotherapy)

승마는 말의 움직임에 적응하면서 신체적 적응 능력을 발전시켜 균형 감각을 발달시키고 몸의 유연성을 길러 올바른 신체발달을 돕는 전신운동으로 1900년초 장애인을 위한 승마치료의 개념이 도입된 이후 1960년대부터 전세계적으로 사용되고 있다. 말 위에 앉아있는 것만으로도 치료적 성과가 있다는 보고와 함께 아동이 말 위에서 균형을 유지하기 위하여 계속적으로 노력하게 되어 이러한 과정이 부가적인 치료 효과를 가져온다고 한다. 일반적으로 승마 치료는 치료사의 감독 하에 약 30~60분 간 지속된다.

2. 척수손상

척수손상 환아의 치료 계획은 병변의 위치 및 환아의 나이에 기준하여 세워지게 된다. 이미 존재하거나 혹은 잠재적인 근골격계 변형에 대한 보존적 처치는 병의 초기부터 시작되어 평생동안 지속되어야 하고 병변부위 이하 모든 관절의 수동적 관절 운동이 포함되어야 한다.

보행 훈련이 시작되면 어느 정도까지의 보행이 가능할 지를 환아와 부모들에게 분명히 알려 주어야하고 환아가 성장함에 따라 보행이 더 어려워질 수 있다는 것도 알려주어야 하며 현실적인 목표가 달성되고 더 이상 기능적으로 진전이 없을 것으로 예상되면 이에 대한 훈련은 끝내야 한다.

장기적인 기능적 예후와는 상관없이 하지근력약화가 심하여 기립보행이 단지 운동 목적 정도인 경우에도 훈련은 시행하여야 하고 이는 하지에 체중을 부하하는 것이 골다공증과 골절의 예방에도 도움이 되고 기립 자세와 보행의 경험이 성장기 아동에게 스스로의 이미지 개선에도 도움을 주기 때문이다. 목발을 짚고 걷기 위해서는 고개를 가누고 기립 자세를 유지하며 적당한 하지의 근력이 있어야 하고 어깨와 팔의 근육들의 조화가 이루어져야 한다. 전반적인 운동 신경 조절이 좋아지게 되면 앉아서 균형잡기도 좋아져서 체중의 분산을 대칭적으로 하게 되어 휠체어의 작동도 더 잘하게 되며 자기 돌보기의 기술도 좋아진다. 그러나 때로는 너무 많은 에너지가 필요하여 기립 보행보다는 휠체어가 더 적절한 환아들이 있고 이런 경우에는 휠체어를 사용함으로써 에너지 소비를 줄여서 교육을 받거나 직업 활동을 할 수 있도록 휠체어를 다루는 기술 훈련도 재활치료의 중요한 부분이다.

3. 진행형 신경근육질환

신경근육질환의 운동치료 시에는 환아의 질환 자체뿐만 아니라 환아의 발달과 성장 상태도 함께 고려되어야 한다. 가장 기본적인 문제는 근력약화로 시간이 지나면서 점차적으로 기능적인 근섬유의 소실을 보이게 되어 근력약화가 진행되고 내성이 감소하며 사지 구축과 척추변형이 발생하고 움직임이 감소하며 폐 기능 저하 및 심장 장애 등이 초래되게 된다.

1) 근력강화운동

디스트로피 근육병에서는 근섬유초막의 선천적인 불안정성으로 인하여 기계적인 부하에 쉽게 손상을 받게된다. 이론적으로는 신장성(eccentric) 수축이 구심성(concentric) 수축보다 근섬유에 좀 더 큰 기계적 압박을 준다고 하고 실제로도 듀센근디스트로피에서 초기에 신장성 활동의 대부분을 담당하는 고관절 신전근, 슬관절 신전근 및 족관절 배측굴곡근들에서 근력약화가 최대로 관찰되고 더불어 일반적으로 하지의 근력 약화가 상지보다 선행하게 된다.

진행형 신경근육질환 환자에서는 근력강화운동으로 인한 과로로 근력 약화가 증가할 수도 있다. 현재까지 운동치료에 대한 많은 연구들이 시행되어왔음에도 불구하고 제한점이 많아 강화운동이 근력강화의 경미한 개선을 보인다는 일부 연구 외에는 저항운동이 해로운 영향을 준다는 체계적인 연구 결과도 없는 상태이다. 일반적으로 급속하게 진행하는 디스트로피 질환에서는 과부하로 인한 근육의 피로를 막기 위해 최대 이하의 강도로 운동을 시행하고 근력 증가보다는 근 지구력의 증가가 더욱 중요하다. 한편 서서히 진행하는 신경근육질환에서는 감독 하에 근력강화운동 프로그램이 제안되어 왔고, 최근에 중간정도의 저항을 주도록 고안된 가정운동 프로그램 후 과로성 근력약화를 유발하지 않으면서 유사한 근력 증가를 보여서 최대 하 근력강화운동이 적절한 것으로 판단된다.

2) 유산소운동

수영이나 실내 자전거 타기와 같은 유산소 운동은 과도한 피로나 과로성 근력약화를 동반하지 않으면서 심폐기능을 향상시키고 근육의 효율성을 증가시키기 때문에 도움이 된다.

3) 관절범위운동과 신장운동

일반적으로 디스트로피 근육병은 고도의 섬유화와 지방 조직의 침윤을 보이며 환자는 구축의 위험도가 높다. 관절 구축의 예방을 위하여 신장운동은 필수적이며 보호자가 매일 가정에서 실시할 수 있도록 교육 시켜야 한다. 초기에 경미한 관절 구축이 동반된 보행이 가능한 환자에서는 수동적 신장이 적절한 반면 구축이 진행 되어 고착화되면 신장 프로그램에는 반응이 미미하다. 하지 구축 발생을 지연시키기 위하여 환자가 기능적으로 기립이 가능하다면 매일 규칙적으로 기립과 보행을 하도록 하고 족관절 구축의 예방과 지연을 위하여 보조기 착용이 도움이 된다. 특히 두 관절을 지나는 비복근, 대퇴 장근, 대퇴 직근, 슬와부 근육과 상지의 전완부 회내근과 손목과 손가락의 굴곡근 등의 구축이 쉽게 생기므로 이러한 근육의 신장이 더욱 강조된다. 일상생활에서 효과적으로 치료하기 위해서 사춘기 이전의 아동에서는 여가활동에 가입하거나 수중치료가 합리적인 접근법이 될 수 있다.

4. 선천성 사경

선천성 사경의 치료목표는 기능적인 면에서는 완전한 경부 가동성의 확보와 정상적인 발달과정의 유지이고 미용적인 면에서는 두개안면변형의 예방 또는 교정이다. 생후 6개월 이내에 보존적 치료를 시행한 경우 기능적인 면에서는 70~90%에서 높은 만족도를 얻을 수 있으나 미용적 만족도를 위해서는 조기에 특히 3개월 이내에 치료를 시작하는 것이 바람직 할 것이다. 그러므로 가능한 한 조기 진단과 함께 운동치료를 시작하는 것이 중요하다.[8, 9]

이환된 흉쇄유돌근의 수동적 신장운동 시에는 어깨를 고정시킨 상태로 이환된 흉쇄유돌근쪽으로 두부를 회전시키고 반대쪽으로 측면 기울이기를 하는데 각각 15초씩 하루에 여러 차례 반복한다. 신장운동 전에 마사지나 열치료를 시행하는 것도 도움이 된다. 근력강화운동도 필요하다. 3~4개월 경에는 목 바로잡기 반사를 이용하여 반대쪽으로의 측굴 근력강화를 유도할 수 있고 깨어있을 때 엎드린 자세로 두면 경부 신전근이 강화되며 이환된 쪽에 먹을 것과 장난감 등을 두어 이환된 쪽으로의 능동적 회전을 촉진시킬 수도 있다. 바른 자세를 유지하는 것도 중요한 치료이므로 중심선 수부 활동과 대칭적 체중 부하를 촉진시키는 방법도 사용할 수 있다.

5. 상완신경총마비

생후 2주까지는 상완신경총 손상으로 인한 불편감이 있을 수 있으므로 견관절의 적절한 자세 유지가 도움이 되고, 2주 후부터 관절범위운동을 시작한다. 견관절의 외전과 외회전에 중점을 두어야 하고 주관절의 굴곡과 신전도 시행한다. 회내전된 전완부의 과도한 회외전은 요골두의 탈구를 야기시킬 수 있으므로 부드러운 회외전 운동을 시키는 것이 필요하다. 강화운동은 초기에는 자세나 반사를 이용하여 할 수 있고 나중에는 놀이를 이용해서 할 수 있다. 보호자에게 환아가 손상된 상지의 존재를 알 수 있게 하도록 교육하고 또한 손상된 상지에 적절한 감각적 자극을 주도록 한다.[10, 11]

6. 척추측만증

척추측만증의 치료는 성장기 동안 만곡의 정도가 40° 미만으로 유지되도록 하는 것을 목표로 하고 방법으로는 경과관찰, 운동치료, 보조기, 및 수술 등이 있다. 치료 방법의 결정은 만곡 정도, 골격 성숙도, 환자 나이 및 성적 성숙도 등에 따라 만곡 진행의 가능성과 치료의 수용가능성을 고려하여 개인화되어야한다.

척추측만증에 대한 운동치료의 효과를 증명하

기 위한 많은 연구들이 시행되어왔고 그 결과 운동치료는 병의 진행속도를 감소시키고, 근육의 지구력, 호흡 기능 및 기능적 역량을 호전시키며 보조기 처방을 감소시키는 데도 효과가 있다는 근거를 제시하고 있다. 일반적으로 전통적인 운동치료는 등, 복부, 골반 및 어깨 관절 주위 근육의 강화운동, 만곡의 볼록한 쪽 근육의 강화운동, 만곡의 오목한 쪽 근육의 신전운동, 척추의 유연성 운동 및 호흡운동 등을 포함하고 이외에 슈로스(Schroth) 운동, 측면 전환(side shift) 운동, 도보메드(dobomed) 운동, scientific exercise approach to scoliosis (SEAS) 등의 척추측만증 특이적 운동치료(physiotherapeutic scoliosis-specific exercise, PSSE)가 이용되고 있다. 슈로스 운동은 1920년대 초 개발된 감각운동원리에 기초한 3차원적 운동으로 환자가 만곡, 통증 및 자기 이미지를 호전시키기 위하여 무의식적인 고유수용감각과 치료사의 손과 같은 외부 자극 그리고 거울을 이용해서 회전 호흡(rotational breathing)이라는 특정 호흡양상을 사용하여 비대칭적인 근육군의 강화와 연장을 통해서 변형된 척추 자세를 교정하는 것이다. 점차적으로 적은 양의 피드백으로 교정움직임을 반복함에 의해 자세의 운동조절을 개선하고 일상생활에서 올바른 자세를 지속적으로 유지하도록 교육하는 것이 목표이다. 척추측만증 특이적 운동치료(PSSE)는 삼차원적 자가교정, 일상생활동작에서 훈련, 교정된 자세의 안정화 및 환자 교육이 포함되어야 한다. 또한 최근에는 신경근육조절, 체간 안정화근육들의 근력, 척추주변자세근육들의 지구력, 그리고 골반과 척추 사이의 균형을 증가시킴에 의해 자세조절과 기능적 안정화를 개선하는 치료 방법인 코어 안정화 운동(필라테스)도 척추측만증 치료에 사용되고 있으나 그 효과에 대한 연구는 현재까지 제한적이다.

Ⅳ. 물리이학

물리이학(physical modalities)은 손상된 조직의 재생을 포함한 회복을 돕고, 통증을 줄여주며, 기능을 돕는 역할을 담당하고 있다. 아동에서 물리치료는 단독치료의 효과보다는 열치료나 전기치료 등이 스트레칭과 같은 운동치료와 병행되었을 때 운동치료의 효과를 증대시킨다는 연구들이 주로 시행되었다.[12, 13] 올바른 물리치료를 처방하기 위해서는 환자의 의식 상태와 인지기능, 환부의 해부학적인 구조와 주변 구조물, 손상이나 질병의 경과 기간, 적용할 부위의 혈액순환의 정도, 심혈관계의 상태, 환자의 인체 측정자료, 치료 대상 부위의 감각 등을 고려하여야 한다. 일반적으로 미성숙한 소아는 대부분의 물리치료에 있어 특별히 주의해야 하는 경우에 해당되므로 소아 환자에서 흔히 사용되는 전기 자극 치료에 대해서만 기술하도록 하겠다.

1. 탈신경화된 근육의 전기 자극

말초신경 손상에 의해서 부분적 혹은 완전 탈신경화된 근육에 대한 전기 자극은 근육의 위축을 최소화하거나 지연시키기 위해서 혹은 말초신경의 재생을 촉진시킬 목적으로 사용되고 있으나 그 효과와 자극 방법에 대해서는 논란이 많다. 전기 자극을 통하여 제1형과 제2형 근섬유의 위축이 감소하지만, 전기 자극으로 제1형 근섬유의 제2형 근섬유로의 전환이 일어나 탈신경화를 통한 제2형 근섬유에서의 선택적 근 위축으로부터 근섬유의 면적과 근육의 크기가 유지된다는 주장도 있다. 전기자극이 탈신경된 근육에서 신경 재생 및 신경 재지배를 촉진시키는지에 대해서도 아직까지 상반된 의견이 제시되고 있다. 일부 연구에서는 신경

영양 물질이 증가하고 축삭발아가 촉진된다고 하나 신경 재생에는 영향이 없거나 오히려 억제된다는 보고들도 있다.

치료 방법에 있어서도 아직까지 일치된 의견은 없으나 여러 연구에서 대개 탈신경화된 근육을 수축시키기 위해서는 신경 손상 후 조기에 비교적 긴 파장을 사용해야 하고, 큰 진폭은 근육의 수축을 유도할 수 있지만 화상 등의 합병증을 예방하기 위하여 가능한 낮은 강도가 좋고 파형은 대개 단위상의 파형을 사용하는 것이 효과적인 것으로 알려져 있다.

소아 재활 영역에서는 상완총 신경마비 환아에서 가장 흔히 시도되며 일부 연구에서는 전통적인 치료보다 효과적이라는 결과를 보이기도 했다. 능동적 움직임이 없고 탈전위의 소견이 있는 경우 매일 20분씩 최소 근 수축이 일어나는 정도의 강도로 시행할 수 있고 환아가 많이 불편해하면 즉시 그만두어야 한다.

2. 신경근육 전기자극

신경근육 전기자극은 말초 신경계가 유지되어있는 근육에 고강도의 전기 자극을 사용하여 가시적인 근수축을 유발하여 치료적 효과를 얻는 전기치료를 의미하며 근력강화, 근지구력 향상, 근육 재교육, 경직의 조절 등에 사용된다.[14, 15] 기능적 전기자극은 기능을 증진시키기 위해서 사용되는 치료로서 주동근 자극 시에는 수축성 단백질을 증가시키고 근 비후를 통해 근력을 강화하고, 길항근 자극 시에는 상호억제를 통해 주동근의 긴장도를 감소시킨다. 치료적 전기 자극은 저강도 전기 자극을 환아가 자는 동안에 적용하는 것으로 고농도의 영양 호르몬 분비 시간 동안 혈류를 증가시켜 근육 크기를 증가시킬 수 있을 것이라는 가정하에 적용되는 치료법이다. 능동적으로 근육을 수축시키면 크기가 작고 피로에 강한 제1형 근섬유가 먼저 동원되고 그 후에 크기가 크고 피로가 빨리 오는 제2형 근육이 동원되며, 근육 전체로는 부하의 정도에 따라 순차적으로 동원되거나 동원의 속도를 조절하여 근피로를 줄일 수 있다. 그러나 전기자극 시에는 이와는 반대로 근육의 크기가 큰 제2형 근섬유가 먼저 동원이 되며, 근육 전체가 동시에 수축을 하게 되어 자극과 자극 사이에 충분한 휴식을 주지 않으면 쉽게 피로에 빠지게 된다.

전기 자극이 수의적 수축에 의한 등척성 근력 강화 훈련보다 좋은 효과를 보이거나 전기 자극과 수의적 수축을 병행할 때 수의적 수축만 할 때보다 더 좋은 효과를 보인다는 증거는 아직까지 없다. 근력 강화를 위한 신경 근육 전기자극의 경우 대칭성 이상성 정방형 맥류(symmetric biphasic pulsed current)를 많이 사용하며, 중간 주파수의 돌발 교대전류(medium frequency burst alternating current)가 사용되기도 하나 비대칭성 이상성 전류는 화상이나 피부 자극의 가능성이 높아 임상적으로 널리 사용되지 않는다. 맥동 지속시간(pulse duration)은 0.2~0.7 ms로 다양하며 환자의 반응이나 통증 역치에 따라 조절할 수 있다. 강도는 100mA까지 환자의 반응과 역치에 따라 조절할 수 있고, 주파수는 30Hz를 전후로 하여 강직성 수축(tetanic contraction)을 유발할 수 있으며 낮은 주파수 일수록 불완전한 근수축의 가능성이 높지만, 높은 주파수는 피로가 빨리 오는 단점이 있다. 동작 주기(duty cycle)는 전체시간에 대한 자극시간의 비율로 25% 정도가 근육 강화, 재교육 등의 목적에서 추천된다. 한 번에 최소 10회의 수축을 유도하며 이러한 치료를 하루에 30분에서 1시간, 주 3~5회 실시한다.

V. 현황 및 미래

소아 환자의 치료에 다양한 운동치료 및 물리요법이 사용되고 있으나 현재까지는 이러한 치료 효과에 대한 과학적 근거를 제시할 만한 연구들이 충분하지 않기 때문에 향후 대규모의 환아를 대상으로 잘 계획된 연구를 시행하는 것이 필요할 것이다. 최근 가상 증강 현실을 이용한 재활치료와 로봇 혹은 디지털 치료제 등을 이용한 새로운 재활치료 방법들이 개발되고 있으며 이들 치료의 임상적용 및 안전성 유효성에 대한 연구들이 지속적으로 시행되어야 할 것이다.

▶ 참고문헌

1. 대한소아재활의학회. 소아재활의학, 서울: 군자출판사, 2006.
2. Anttila H. Autti-Rämö I. Suoranta J. Mäkelä M. Malmivaara A. Effectiveness of physical therapy interventions for children with cerebral palsy: A systemic review. BMC Pediatr 2008;8:14.
3. Butler C, Darrah J. Effects of neurodevelopmental treatment(NDT) for cerebral palsy: an AACPDM evidence report. Dev Med Child Neurol 2001;43: 778-790.
4. Bauer H, Appaji G, Mundt D. Vojta neurophysiologic therapy, Indian J Pediatr 1992; 59:37-51.
5. Voss DE, Ionta MK, Myers BJ. Proprioceptive neuromuscular facilitation; patterns and technique, 3rd ed, Philadelphia: Haper & Row, Publishers:1986.
6. Darrah J, Watkins B, Chen L, Bonin C. Conductive education intervention for children with cerebral palsy: an AACPDM evidence report. Dev Med Child Neurol 2004;46:187-203.
7. Hoare B, Imms C, Carey L, Wasiak J. Constraint-induced movement therapy in the treatment of the upper limb in children with hemiplegic CP: a Cochrane systemic review. Clinical rehabil 2007; 21(8):675-685.
8. Gordon AM, Schneider JA, Chinnan A, Charles JR. Efficacy of a hand-arm bimanual intensive therapy (HABIT) in children with hemiplegic cerebral palsy: a randomized control trial. Dev Med Child Neurol. 2007 Nov;49(11):830-8.
9. Park JH, Kang SY, Kim JK. Rehabilitation of Torticollis in Children. J. of Korean Acad. of Rehab. Med. 1998;22(2):261-268.
10. Mulloy EM, Ramos LE. Special rehabilitation considerations in the management of obstetrical brachial plexus injuries. Hand Clin 1995;11:619-622.
11. Nelson MR. Birth brachial plexus palsy. Physical medicine and rehabilitation. Ped rehabil 2000;14: 237-246.
12. Khalili MA, Hajihassanie A. Electrical stimulation in addition to passive stretch has a small effect on spasticity and contracture in children with cerebral palsy: a randomised within-participant controlled trial. Australian J of Physiotherapy 2008;54:185-189.
13. Lee GP, Ng GY. Effects of stretching and heat treatment on hamstring extensibility in children with severe mental retardation and hypertonia. Clin Rehabil 2008;22(9):771-779.
14. Cauraugh JH, Naik SK, Hsu WH, Coombes SA, Holt KG. Children with cerebral palsy: a systemic review and meta-analysis on gait and electrical stimulation. Clinical rehabilitation 2010;24:963-978.
15. Alexander MA. Matthews DJ. Pediatric rehabilitation. Principles and practice. 4th edition. New York: Demosmedical, 2009.

CHAPTER

15 작업치료

Occupational Therapy

박주현, 정세희, 육진숙

작업(occupation)이란, 일상적으로 수행하는 활동, 개개인의 정체성 확립에 기여하는 의미있는 활동 및 향후 수행할 것으로 예상되는 활동을 포괄한다. 작업치료의 영역은, 일상생활동작(activities of daily living, ADL), 도구적 일상생활동작(instrumental activities of daily living, IADL), 교육, 직업, 놀이, 여가활동, 사회적 참여 등의 항목으로 구성된다.[1]

소아 작업치료는 장애를 가진 아동이 일상생활에서 필요한 활동을 더 잘 수행할 수 있게 하여 아동의 사회적 참여를 증진시키는 것을 목표로 하며, 아동과 그 가족이 장애에 적절하게 대처하고 의미있는 활동을 잘 수행할 수 있게 한다.[1] 이를 위하여 아동과 그 가족이 치료의 중심이 되어 포괄적으로 평가하고, 효과적인 치료방법을 선택하는 것이 중요하다.[1] 이 장에서는 소아 작업치료의 기초 이론, 평가도구, 손기능과 일상생활동작에 대하여 설명하고 각 질환별 작업치료를 요약하였다.

I. 기초 이론

1. 발달 이론

아동의 발달에 대해 이해하는 것은 아동의 발달수준을 정확히 평가하고 적절한 치료를 제공하게 해 준다. 아동이 자신에게 필요한 기술을 발전시키고 의미있는 활동에 참여할 수 있도록 적절한 치료 도구(재료), 활동, 환경을 제공하기 위해 발달 이론을 이해하고 임상 환경에 적용해야 한다.[2]

1) 인지 발달 이론(cognitive development)

Piaget는 아동은 환경적 경험에 반응하여 발달적 적응(developmental adaptation)을 하게 된다고 주장하였다. 그의 이론에 따르면 아동은 내적 동기에 의해 환경으로부터 학습을 하고 능동적으로 환경에 반응한다.[3] 그는 아동이 물체, 사건, 관계를 이해하는 방식을 인지 구조(cognitive structure, schema)라고 정의하였는데, 이를 이용하여 아동은 경험을 조직화한다.[3] 작업치료 영역에서는 아동의 발달을 유도하기에 적합한 치료 계획을 세움에 있어, 환경으로부터 끊임없이 학습하는 아동과 상호작용하게 된다는 점을 고려하는 것이 중요하다.

2) 사회문화적 이론

Vygotsky는 인간의 발달은 역사적 문화적으로 결정된다고 보았으며, 아동은 그가 경험한 사회적 상호작용을 내재화함으로써 발달한다고 주장하였다.[3] 그는 사회적 상호작용에 의해 학습이 일어나는 방식을 근접발달영역(zone of proximal development)이라는 개념을 통해 정의하였는데, 근접발달영역은 아동이 혼자서 문제를 해결함으로써 발달하는 실제 수준과 성인의 지도나 유능한 또래와의 협업을 통해 문제를 해결함으로써 발달하는 잠재적인 수준 간의 차이를 말한다.[3] 따라서 이 이론에 따르면 아동은 사회적인 영향을 통해 발달 수준을 향상시킬 수 있게 된다. 사회문화적 이론에 근거하여 생각할 때, 작업치료가 바로 이러한 아동의 상호작용에 도움(scaffolding)을 주는 역할을 담당하게 된다.[3]

3) 욕구 계층 이론(hierarchy of basic needs)

Maslow는 생리적 욕구, 안전에 대한 욕구, 사회적 욕구, 자아 존중의 욕구, 자아실현의 욕구의 순으로 인간의 욕구는 위계질서를 형성하는 것으로 파악했다.[3] 그의 이론에 따르면 다음 단계의 욕구를 충족하기 이전에 그 하위단계의 욕구가 충족되어야 하며, 하위단계의 욕구는 다음 단계의 욕구 충족을 위한 동기부여로서 작용하게 된다.[3] 작업치료 영역에서는 욕구 계층 이론을 이용하여 아동의 욕구를 이해하고 기본적 욕구의 발달적 위계질서를 이해함으로써 치료 목표와 치료 방법을 결정할 수 있다.

2. 학습과 시스템 이론 (Learning and systems theory)

작업치료에 가장 중요한 이론은 인간, 환경, 작업과 관련된 개념을 통합하는 이론이다. 인간은 경험을 통하여 지식, 기술, 작업을 획득하게 되고 이는 행동과 수행에 지속적인 변화를 가져온다. 이러한 학습이 가능한 것은 바로 신경가소성(neuroplasticity) 때문인데, 작업치료에 중요한 근간이 된 학습 이론은 행동주의 이론(behavioral theory)과 사회적 인지 이론(social cognitive learning)이다. 또한 역동적 시스템 이론(dynamic system theory)은 아동의 발달 개념에 대한 포괄적인 이해 체계를 제공하였다.

1) 행동주의 이론

Skinner는 환경에서 자연적으로 발생하는 사건을 통해 아동의 적응행동이 강화되거나 지속되고 이외의 행동은 무시되거나 지속되지 않는다고 하였고, 행동수정의 강화를 이용하면 학습을 유발(operant learning)할 수 있다고 하였다.[3] 이러한 행동주의적 접근법을 사용함으로써 행동형성(shaping)이라고 부르는 과정을 통해 아동을 치료하면, 아동은 보다 우수한 수행 수준에 도달할 수 있다. 행동형성은 복잡한 행위를 부분적으로 나누어 각 부분 행위를 강화함으로써 목표한 행위에 도달하도록 하는 방법이며 또한 적절한 행동에 대한 보상을 제공하는 방법도 치료적으로 이용할 수 있다.[3] 그 외에도 적절한 장난감을 이용한 놀이를 통해 학습을 유도하는 우발적 가르침(incidental teaching)이나, 학습에 중요한 주요 반응을 훈련하고자 하는 중심축 반응 훈련(pivotal response training)은 자연주의적 학습법(naturalistic learning)의 예이다.[3]

2) 사회 인지 이론

Bandura는 사회적 맥락 속에서 학습이 일어난다고 설명하였다.[3] 행동주의 이론과는 달리, 사회 인지 이론에서는 학습은 행동적 변화 없이도 발생한다고 주장한다. 아동은 타인의 행동을 관찰함으로써 학습하게 되는데, 이 때 단순히 배우게 되는 것이 아니라 아동의 목적 지향적인 의도에 따라 학습이 일어난다는 것이다.[3] 이 이론에 따르면 아동은 단체 경험을 통해서 사회적 기술을 습득하게 된다. 따라서 사회적 기술 습득에 지연을 보이는 아동은 단체 활동과 또래와의 상호작용을 통해서 치료 효과를 얻을 수 있다.

3) 역동적 시스템 이론

신경계의 위계에 기반한 위계 이론(hierarchical model)과는 반대로, 시스템 이론 혹은 역동적 시스템 이론은 신경계가 여러 시스템의 한 요소로서 유연한 형태로 존재한다고 주장한다.[3] 따라서 역동적 시스템에서는 학습이 뇌에서만 발생하는 것이 아니며, 신체와 환경은 지속적으로 변하고 상호 영향을 준다는 점을 강조한다. 이 이론에 따르면 운동은 과제특이적인 맥락에서 여러 하부 시스템의 역동적인 협동의 결과물이며, 연관된 모든 요인이 그 결과에 중요하게 영향을 미치게 된다.[3]

작업치료적으로는 아동의 기능적 수행 수준이 아동의 내재적 기술, 과제의 특성, 과제가 수행되는 환경 간의 상호작용에 따라 결정된다고 보는 생태학적 접근법에 해당되며, 운동 발달 또한 역동적 시스템 이론을 통해 이해할 수 있다. 최근 제안되고 있는 여러 작업치료 이론은 역동적 시스템 이론과 상당한 유사점을 가지고 있다.

II. 작업치료의 원리와 근거

작업치료 환경에서 사용되는 실행 모델과 개념, 그리고 각 모델을 적용한 중재 접근 방법에 대해 설명하고자 한다.

1. 사람-환경-작업 모델

사람-환경-작업 모델(person-environment-occupation model)은 사회적, 문화적, 신체적 환경 속에서 아동의 참여를 이끌어 내는 작업치료 모델의 근간이 되는 이론이다.[7] 사람-환경-작업 모델에서는 작업 수행을 사람, 환경, 작업 간의 역동적인 상호 작용의 결과로 설명한다. 모델을 통해 개인이 선택한 작업의 수행을 촉진하거나 방해하는 요인들을 사람, 환경, 작업 요소 속에서 밝혀내고 분석하여 세 요소들을 잘 조화시키고 잘 맞추어 최선의 작업 수행을 이끌어 내게 한다. 일상 활동에서의 아동의 수행뿐 아니라 활동에 참여할 수 있도록 이끄는 환경에 대해서도 고려해야 한다. 가정, 학교, 지역사회에서 아동이 원하고 필요로 하는 활동에 참여할 때 건강이 유지된다는 것을 이해해야 한다. 따라서 작업치료는 작업 수행을 향상시키기 위한 사람, 작업(활동), 환경 요소의 변경을 촉진하는 데 초점을 맞추어 이루어지게 된다.[8]

2. 작업치료 실행체계와 기능, 장애, 건강의 국제적 분류(International classification of functioning, disability and health, ICF)

작업치료의 영역과 실행 과정을 정의해 놓은 작업치료 실행체계(Occupational Therapy Practice Framework)는 국제적으로 받아들여지는 작업치료의 이론적인 틀이다.[8] 작업치료의 영역을 작업, 수행자 요인, 수행 기술, 수행 패턴, 배경과 환경으로 나누고 작업치료의 실행 과정에서는 평가-중재-성과 목표에 따라 작업치료가 제공되어야 한다는 것을 명시하고 있다.[9] ICF는 인간의 기능을 세 가지 수준, 즉 신체(구조와 기능), 개인(활동), 사회(참여) 수준으로 나누고 모든 기능 수준에서 개인의 기능(개인요소)과 건강에 영향을 주는 환경요소의 상호 역동적인 작용에 대해 설명하고 있다.[8] 작업치료 실행체계와 ICF의 개념을 가지고 아동과 환경요소 속에서 아동의 활동과 수행 영역, 참여에 영향을 주는 요인들을 파악하고 문제를 해결하기 위한 치료 과정을 통해 아동을 지지하고 치료하며, 교육하고, 자원을 제공하게 된다.

3. 아동과 가족 중심 서비스

치료 대상이 치료의 중심이 되어야 한다는 개념은 작업치료 영역에서는 필수적이다.[8] 소아 작업치료 분야에서 치료 대상의 범위는 아동뿐 아니라 가족까지 확장된다. 아동에게 의미있는 활동, 아동과 가족의 목표와 우선 순위에 맞는 활동, 아동이 선택한 활동, 내적 동기를 일으키는 활동이 모두 중요하다.[8] 가족 중심의 작업치료에서 가족은 작업치료사와 함께 치료의 우선 순위를 정하고 치료 제공의 조력자가 될 수 있고 의료진은 가족이나 부모에게 아동의 문제에 대한 이해, 아동의 행동을 조정할 수 있는 전략의 훈련, 지역사회의 자원 정보 제공 등을 교육하고 훈련할 수 있다.[8]

4. 아동의 강점을 기반으로 하는 접근 방법

아동의 의욕, 태도, 자각은 새로운 기술을 시도하고 환경적 요구에 반응하도록 하는 데 시초가 되는 주요 요소들이다.[8] 아동의 자기효능감은 작업을 수행하고자 하는 의욕에 영향을 주기 때문에 아동이 학습하는 상황에서 성공을 경험할 수 있도록 하는 것은 중요하다. 아동이 할 수 있고 조절할 수 있다는 것, 의미있는 다른 사람에게 도움을 얻을 수 있다는 것을 느끼고 과제를 완수했을 때 기쁨을 경험하는 것은 아동이 새롭게 도전하고자 하는 의지를 갖게 할 것이다.

아동의 강점을 기반으로 하는 접근 방법에서는 아동과 가족의 강점이 파악되어야 하고 이러한 강점들은 아동이 기술을 발달시키고 최적의 참여를 가능하게 한다.[8] 아동의 강점을 인지하고 새로운 참여 수준으로 연결시켜야 하고, 아동에게 의미있는 선택을 할 수 있도록 해야 하며, 치료 목표 설정에 아동을 참여시켜야 한다. 그래서 아동의 결함이나 잃어버린 능력으로 인해 기회를 잃지 않도록 아동의 강점을 사용하여 기능 수행과 참여를 촉진해야 한다.[8] 아동의 강점과 성공 경험을 통해 아동의 학습 상황에서 도전을 시도하도록 지지할 수 있다.

5. 중재 접근 방법

1) 촉진적 접근

아동의 일상생활동작 수행을 저해하는 요인을 찾아 이를 수정하고 해결함으로써 정상 수행 수준을 회복시키는 것을 목표로 하는 치료법이다. 이에는 신경발달치료(neurodevelopmental therapy, NDT), 운동조절(motor control) 이론, 감각통합(sensory integration), 행동학적 접근(behavioral approach) 등이 있다.

신경발달치료는 아동이 일상생활동작을 수행하기 전에 근긴장도를 조절하기 위한 기술을 먼저 적용하고 이후 정상 운동 패턴을 촉진하기 위한 치료를 시행한다.[10]

운동조절 이론에 따르면 특정 과제를 수행하기 위해 다양한 활동을 다양한 환경 조건에서 연습하게 하며, 반복적인 연습 과정 중에 아동은 피드백을 받게 된다. M.O.V.E. (Mobility opportunities via education)도 운동 조절 이론에 기반한 치료법인데, 중등도 이상의 운동 기능 제한을 보이는 아동으로 하여금 16개의 기초 동작을 훈련하는 활동 위주의 교육 과정이다.[10]

행동학적 접근법으로는 역연쇄(backward chaining)기법과 연쇄(forward chaining)기법이 있다.[10] 역연쇄기법은 과제의 대부분을 치료사가 수행하고 아동으로 하여금 가장 마지막 단계의 행동만 수행하게 하는 것부터 시작하여 점차 치료사가 수행하는 부분을 줄이고 아동으로 하여금 점차 더 많은 부분을 수행하게끔 하는 방법으로 쉽게 좌절하거나 자아존중감이 낮은 아동에게 적합한 방법이다. 연쇄기법은 아동이 과제의 첫 번째 행동만 수행하고 치료사가 나머지를 수행하는 것부터 점차 아동이 수행하는 부분을 늘려나가는 방법으로, 치료사는 아동이 동작을 수행하기 전이나 수행하는 동안 다양한 힌트를 제공하거나 동작을 유발한다. 일상생활동작 수행이 가능해지면, 반드시 해당 동작을 일상적으로 수행하게 해야 한다.

2) 보상적 접근

대체 기술이나 대체 운동 패턴을 사용하여 활동을 수정함으로써 수행 수준을 향상할 수도 있다. 치료사는 과제를 분석하여 해당 과제를 수행하는데 필요한 일련의 단계를 이해하여야 한다.[10] 이 때에 치료사는 각 세부 과제의 난이도를 매기고 세부 과제의 난이도를 아동의 능력에 맞게 수정한다. 또한 이러한 분석에 기반하여 아동이 수행할 수 있는 단계는 수행하게끔 하고 나머지 단계는 치료사나 보호자가 도와주는 형태로 일상생활동작을 수행할 수도 있다. 다양한 보조 도구를 이용할 수도 있는데, 보조 도구를 선택할 때에는 아동과 가족, 치료사가 협조하여 아동의 필요나 수행 맥락, 수행 능력, 도구의 특성을 고려하여 결정하도록 한다.[10] 최근에는 컴퓨터나 인지보조도구 등도 이용하고 있다.

가구, 조명, 바닥 재질, 이동 구조 등의 환경 개선도 때때로 필요하다. 아동의 인지 기능이나 행동 패턴에 따라 주변 자극의 수준도 적절하게 조정해야 한다.[10] 또한 앉기 자세도 아동의 수행 수준에 영향을 주므로 아동의 특성을 고려한 적절한 앉기 자세 수정도 반드시 고려되어야 한다.[10]

III. 평가

1. 원칙

아동에게 어떠한 작업치료가 요구되는지 파악하는 데에는 아동에 대한 정확한 평가가 반드시 선행되어야 한다. 소아의 평가에는 아동의 신체적, 인지적, 사회적인 수행 능력과 수행 패턴을 포함하여야 하며, 아동의 기질과 특성, 중요한 환경적 요인, 아동 및 가족의 기대 수준 등도 포함하여야 한다.[11] 치료를 시작하기 전에는 해당 아동이 작업치료의 대상인지 결정하고 치료 계획 및 치료 목표를 수립하기 위해서 평가가 필요하며, 치료 과정 중에도 치료 효과를 파악하거나 추가적인 치료나 치료 목표 수정의 필요성을 파악하기 위하여 평가가 재 시행되어야 한다.[11]

2. 평가 도구

가장 기본적인 평가는 운동, 사회성, 언어, 적응 기술 등 여러 영역에 대한 전반적인 발달 수준에 대한 평가로서, 베일리영유아발달검사, 덴버발달선별검사 등이 이에 해당된다. 특정 영역의 기능 저하가 의심되는 경우에는 해당 영역에 대한 추가 정밀검사가 필요하다. 이러한 평가에는 단축형 Bruininks-Oseretsky 운동능력검사(BOT-2) 등이 있다. 전반적인 발달 수준에 대한 평가는 이전 장("4장 발달 및 기능 평가" 참고)에 자세히 기술되어 있다. 치료 계획을 수립할 경우 일상생활동작 수행, 놀이, 학교생활 등의 기능적 수행 수준을 평가하는 준거지향평가(criterion-referenced assessment)와 교과과정중심평가(curriculum-based assessment)가 유용하다.[11] 그 밖에 소아 작업치료 영역에서 흔히 쓰이는 기능적인 평가 도구는 다음과 같다.

상지기능 수준검사(quality of upper extremity skills test, QUEST)는 활동의 수행과 관련된 항목으로 구성된 장애에 기반한 평가로서, 8개월부터 8세까지의 뇌성마비 아동의 상지의 운동 패턴과 손 기능을 평가한다. 상지의 분리된 운동, 쥐기, 신체 보호를 위한 신전, 체중 지지의 4개의 영역을 평가한다. 평가-재평가 신뢰도 및 평가자간 신뢰도가 높은 평가법이다.[11]

Bruininks-Oseretsky 운동능력검사는 중등도의 운동 기능 장애를 보이는 4세부터 21세까지의 아동 및 성인을 대상으로 목적 지향적인 활동을 수행하기 위한 운동 기능을 평가하는 방법이다.[11] 미세 운동의 정밀성과, 통합능력, 손기능, 양측 협응, 균형, 달리기 및 민첩성, 상지협응, 근력의 8가지 영역을 평가한다. 단축형은 15~20분, 완전형은 45~60분 가량 소요된다.

사물조작능력 분류체계(manual ability classification system, MACS)는 4세부터 18세까지의 뇌성마비 아동을 대상으로 일상생활동작을 수행하는 과정에서 손의 조작 능력을 평가하는 도구이다. 대동작 기능분류체계(gross motor function classification system, GMFCS)와 같이 뇌성마비 아동이 일상생활동작을 수행할 때 스스로 수행하는 부분과 도움을 받거나 수정이 필요한 정도를 기준으로 수행 수준을 5가지로 분류한다.[11]

젭슨-테일러 손기능 평가(Jebsen-Taylor hand function test)는 일상생활에서 접하게 되는 활동에서 손 기능을 평가하는 도구로 아동과 성인 모두에게 사용되는 평가도구이다. 글씨쓰기, 카드 뒤집기, 작은 물건 집기, 먹기 흉내내기, 장기말 쌓기, 무거운/가벼운 큰 통 옮기기의 총 7개의 항목으로 구성되어 있고 비우세손과 우세손으로 나누어 각 항목의 소요 시간을 측정하게 된다.[12]

시지각 발달 검사(developmental test of visual perception, DTVP-2)는 4세부터 10세까지의 아동을 대상으로, 공간적 관계, 공간 내에서의 위치, 형태 항상성, 전경과 배경의 구분과 연관된 운동 능력에 덜 영향을 받는 운동감소 시지각영역(motor-reduced visual perception)과 따라 그리기, 시각 완성, 눈과 손의 협응, 시각-운동 속도의 시각-운동 협응능력(visual-motor integration)으로 나누어 평가한다. 그 밖에도 운동배제 시지각검사(motor-free visual perception test, MVPT-3)나 시지각 능력검사(test of visual-perceptual skills, TVPS-3)도 사용할 수 있다.

감각 프로파일(sensory profile)은 일상에서의 감각 경험에 대한 반응을 5점 척도로 평가하는 질문으로 이루어진 감각통합 검사도구로, 연령에 따라 영아용(6개월 미만), 토들러용(7~35개월), 아동용(3~14세)으로 나누어 감각처리, 감각 조절, 행동 및 감정 반응 영역을 평가한다. 또한 요인 분석을 통하여 아동의 수행 과정에서 감각 처리의 반응 정도, 기능적 수행을 방해하는 자극에 대한 정보를 제공해 주고 아동의 수행 반응이 또래 아이들과 비교하여 정상 수행 반응인지, 개연성이 있는 반응의 차이인지, 확연한 차이를 보이는지를 구분해 준다.[13] 감각통합 및 실행검사(sensory integration and praxis test, SIPT)는 4~9세까지의 아동을 대상으로, 아동이 주어진 감각 자극을 조직화하고 반응하는 것을 평가함으로써 학업이나 행동 문제와 관련된 감각통합 기능을 평가한다. 시지각, 시각-운동 협응, 체성감각 기능, 전정 기능, 촉각 기능, 실행, 운동 조절 등과 관련된 총 17개 항목으로 구성되고 약 2시간이 소요된다. 아동용 기능독립성평가(functional independence measure for children, WeeFIM)는 6개월부터 7세까지의 아동의 자조 활동, 배뇨/배변, 이동동작, 보행, 언어, 인지 기능과 관련된 18개의 항목을 7점 척도로 평가함으로써 해당 아동의 기능 수준을 평가하는 도구이다.

아동장애평가척도(pediatric evaluation of disability inventory, PEDI)는 6개월부터 7.5세 아동의 자기 관리, 운동성, 사회적 기능을 평가하는 일상생활동작 평가 도구이다. 197개의 기능적인 기술 항목에 대한 수행 여부를 보호자의 보고나 관찰을 통해 평가하는 것, 20개의 활동에 대해 보호자 도움의 수준을 평가하는 것과 요구되는 수정의 정도를 평가하는 것의 3개 세부척도로 나누어 검사할 수 있다.[14]

캐나다작업수행평가(Canadian occupational performance measure, COPM)는 아동과 가족에게 의미있는 변화를 포착하기 위해 개발된 평가법으로 각각의 아동에게 적용하기 좋은 가족 중심의 평가법이다.[11] 적절한 심리 측정 항목을 포함하고 있어 소아재활 분야에서 각 아동의 치료 결과를 평가하기 위해 매우 널리 사용된다.[11] 초기 평가 시에는, 자조 활동, 학업/입학 전 활동, 놀이 활동을 완수하는 데 있어 아동이 어려움을 보이는 영역을 표준적인 평가를 통하여 5개까지 선택할 수 있다. 이 5개의 영역이 치료의 우선순위가 된다. 부모는 5개의 영역에 대하여 각각 10점 척도를 사용하여 아동의 수행 수준과 수행 수준에 대한 만족도를 평가하게 된다. 치료 후에 재 평가를 시행함으로써 아동의 발달과 부모의 기대 수준의 변화 등을 반영한 치료 효과를 평가할 수 있다.

운동처리기술평가(assessment of motor and process skills, AMPS)는 관찰을 통해 일상생활동작 수행 기능을 평가하는 도구이다. 표준화된 100개 이상의 기본적인 일상생활동작과 도구적 일상생활동작 과제 중 아동이 수행할 수 있는 2개 이상의 과제를 수행하도록 하여, 해당 과제를 수행하는 모습을 관찰함으로써 16가지의 운동 기능과 20가지의 처리 기술을 평가한다. 2세 이상의 아동에게 적용이 가능하며, 30~40분이 소요된다.

학교기능평가(school function assessment, SFA)는 아동이 학교 활동에 참여하고 수행하는 능력을 평가하는 설문 도구로서, 참여, 과제 수행 시 지원, 활동 수행능력의 3가지 영역으로 구성된다.

3. 표준화된 검사의 활용

소아의 평가에는 일반적으로 표준화된 검사가 사용되는데, 표준화된 검사는 동일 연령의 정상 아동과 비교하였을 때의 발달 수준에 대한 정보를 표준 점수의 형태로 제공한다. 표준화된 검사 결과를 통해서 서로 다른 영역의 의료진이라 할지라도 아동의 발달 수준을 이해하는 것이 가능해지며, 동일 연령의 정상군과 비교할 수 있으며 해당 아동의 발달을 추적하거나 치료 효과를 평가하는 데 이용할 수 있다.[11]

표준화된 검사를 이용할 경우에는 다음과 같은 원칙을 준수하여야 한다.[11] 대부분의 표준화된 도구에는 검사 매뉴얼이 있으며, 검사 매뉴얼에는 평가 및 채점상 준수해야 할 세부 절차, 대상 연령, 대상 환자군, 정상군의 특징, 결과 해석 시 유의할 점 등의 검사 정보가 제시된다. 평가자는 검사에 대한 충분한 이해를 바탕으로 평가 시와 채점 시에 이러한 절차와 방법을 준수해야 한다. 또한 평가자는 특정 도구가 평가에 적합한지 그렇지 않은지를 판단할 수 있어야 한다. 아울러 결과를 해석할 때 평가도구가 개발된 원어와 한국어의 차이 또는 평가도구가 개발된 국가와 한국의 사회문화적 차이 등을 고려하여야 하며, 결과를 적절하게 보고할 수 있어야 한다. 적절한 평가 환경도 중요한데, 아동의 주의를 산만하게 하는 환경은 피하고 아동이 능력을 가장 잘 발휘할 수 있는 시간을 선택하는 것이 좋으며 아동에게 잘 맞는 가구나 장비를 이용한다.

또한 표준화된 검사만으로는 실제로 아동이 일상생활 중에 수행하는 동작을 반영하기 어려울 수 있음을 이해하고, 표준화된 검사의 평가 결과 이외에도 부모나 보호자로부터 아동이 평소 환경에서 어떤 수행 수준을 보이는지에 대하여 보호자 인터뷰 등을 통해 정보를 얻고 다양한 환경에서 다양한 발달 영역에 대한 수행 수준을 관찰하고(숙달된 관찰, skilled observations) 파악하여야 한다.[11]

IV. 소아 작업치료

1. 손 기능

손 기능은 물체를 잡거나 놓기 위해 팔을 펴서 움직이는 뻗기(reach), 쥐기(grasp), 옮기기(carry), 놓기(release), 쥔 물체를 손 안에서의 조작(in-hand manipulation), 양손 쓰기(bilateral hand use), 글씨 쓰기 등을 포함한다.

1) 손 기능의 발달

양손을 효율적으로 사용하기 위하여는 손의 기능 이외에도 자세 조절, 인지, 시지각 기능, 체성감각 등 다양한 기능이 필요하다. 손 기능은 출생 직후에는 반사적이고 목적 지향적이지 않은 형태로 나타나기 시작하여 이후 청소년기까지 지속적으로 발달한다. 상지의 근위부뿐 아니라 원위부에서도 조기부터 발달이 나타나며, 각 동작 별로는 표 15-1과 같은 시기별 발달을 보인다.[4-6]

생후 2~4개월 영아는 손을 사용하여 물체의 크기와 형태를 구분해낼 수 있다. 생후 4개월에는 손을 보면서 물체를 향해 뻗을 수 있고 6개월이 되면 손을 정확하게 뻗을 수 있을 정도로 시각-운동 협응력이 발달하고 공간 내 물체의 위치를 인지할 수 있다. 6개월경 체성감각 역시 발달하여 손을 사용하여 사물을 인식한 결과(haptic perception)와 시지각을 일치시킬 수 있고, 물체의 질감과 온도도 구별할 수 있다. 9개월경에는 시각과 체성감각을 통합할 수 있게 되어 운동을 예측하고 계획할 수 있게 되고 물체의 요철에 따라 손의 형태를 조절할 수 있다. 1세경에는 크기, 형태, 표면 질감과 같은 물체의 특징에 맞게 손의 운동을 조절할 수 있다. 30개월경에는 익숙한 물체는 손만을 이용하여

표 15-1 손 기능의 시기별 발달

	시기	발달
뻗기	수일 내	시야 내 물체를 보면서 팔을 움직임
	2~3개월	어깨를 외전한 채로 물체를 향해 공중에서 팔을 휘저음
	4~5.5개월	물체를 향해 팔을 뻗음
		우연히 물건을 쥐기도 함
		양손을 몸의 중앙으로 가져올 수 있음
		양손 뻗기 가능
	5개월	눈으로 보면서 뻗기 가능
	5~6개월	한 손 뻗기 가능
	9~13개월	뻗으면서 물체의 크기에 맞게 손의 모양을 조절함
쥐기	1개월	물체가 손바닥에 닿으면 반사적인 쥐기가 손바닥 쥐기의 형태로 나타남
	4.5~5개월	자발적인 쥐기(손바닥 쥐기, palmar grasp)가 나타나기 시작함
	6개월	대부분 요측 손바닥 쥐기(radial palmar grasp)를 사용
	7개월	엄지 대립(thumb opposition) 가능
		작은 물체를 갈퀴질하듯이 잡음
	8~9개월	다양한 쥐기 패턴 발달
	9~10개월	집게 쥐기 가능
	12~15개월	손 고유근육 조절 발달
	12~18개월	원반 쥐기, 원통형 쥐기, 공쥐기 가능
	2~3세	손가락 쥐기(digital grasp) 가능
	3.5~4세	변형된 삼각대 쥐기(modified tripod grasp) 가능
	4.5~7세	삼각대 쥐기(tripod grasp) 가능
놓기	1~2세	작은 블록 2-6개 쌓기 가능
	2세	던지기 가능
	2.5~3세	목표물을 향해 1미터 가량 앞으로 던지기 가능
	3.5세	목표물을 향해 2미터 가량 앞으로 던지기 가능
	5세	머리위로 던지기 가능
		어깨아래로 던지기 가능
	6세	작은 블록 10개 쌓기 가능
도구 사용	1.5세	숟가락 사용(숟가락 사용 시 우세 손 나타남)
	2세	가위로 자르기 가능
	2.5세	가위로 15cm가량의 종이 자르기 가능
		포크 사용

(계속)

표 15-1 손 기능의 시기별 발달(계속)

	시기	발달
도구 사용	3.5~4세	가위로 동그라미 자르기 가능
	4.5~5세	가위로 네모 자르기 가능
	6~7세	가위로 복잡한 모양 자르기 가능
		칼 사용
쓰기	10~12개월	낙서하기
	2세	수평선, 수직선 흉내내기
	3세	수직선, 수평선, 원을 따라 그리기
	4~5세	십자가, 사선, 사각형 따라 그리기, 일부 숫자나 문자 쓰기
	5~6세	삼각형 따라 그리기, 자기 이름 쓰기

알아맞힐 수 있고 5세경에는 익숙하지 않은 물체도 알아맞힐 수 있으며 이러한 능력은 청소년기에 성인 수준으로 발달한다.

점차 복잡한 손 동작을 수행하기 위하여 적절한 인지 기능, 균형 유지 기능, 근력 등의 발달도 필요하다.[4]

손 기능 발달에 문제가 있는 경우, 놀이, 일상생활동작의 수행, 학업 등에 모두 영향을 미치게 된다.[4] 체성감각에 문제가 있는 경우 손 동작에 따른 감각 피드백을 효과적으로 받지 못하게 되고 필요한 힘을 효과적으로 예측하거나 조절하지 못하게 된다. 주의력결핍 과잉행동장애(attention deficit hyperactivity disorder, ADHD) 아동은 복잡한 손 기능 수행이 의미있게 늦고 부정확하다.[4] 자폐스펙트럼장애(autism spectrum disorder, ASD)가 있는 경우, 흥미의 부족이나 감각 회피로 인하여 다양한 정도의 손 기능의 문제를 보이거나 시각-운동 협응력에 문제를 보이기도 한다.[4] 발달협응장애(developmental coordination disorder) 아동도 손 기능 수행의 속도가 느리고 부정확한 모습을 보인다.[4]

2) 쥐기의 다양한 형태

쥐기에는 그림 15-1과 같은 다양한 형태가 있다. 정밀 쥐기(precision grasp)는 엄지와 나머지 손가락이 대립하여 쥐는 형태로 대부분 작은 물체를 잡을 때 사용하고, 엄지의 대립이 일어나지 않는 쥐기에는 갈고리 쥐기(hook grasp), 힘있는 쥐기(power grasp), 열쇠 쥐기(lateral pinch, key pinch)가 있다.

갈고리 쥐기는 횡측 손바닥아치를 편평하게 하고 손가락은 내전한 채로 수지간 관절에서 구부리고 중수지절 관절은 구부리거나 펴서 가방 손잡이를 쥘 때와 같이 물체를 이동할 때 흔히 사용하는 쥐기이다. 힘있는 쥐기는 엄지는 구부리고 외전한 채로 손 전체를 사용하여 쥐는 형태로서 힘을 써야 할 때 사용하는 쥐기이다. 주로 척측 손가락을 구부려 물체를 고정하는 데 사용하고 요측 손가락은 상대적으로 덜 구부리게 되며 엄지는 펴서 내전하는 형태의 쥐기이다. 손 안에서 요측과 척측이 분리가 되어야만 힘있는 쥐기를 할 수 있다. 열쇠 쥐기는 작고 납작한 물체를 힘있게 쥘 때 주로

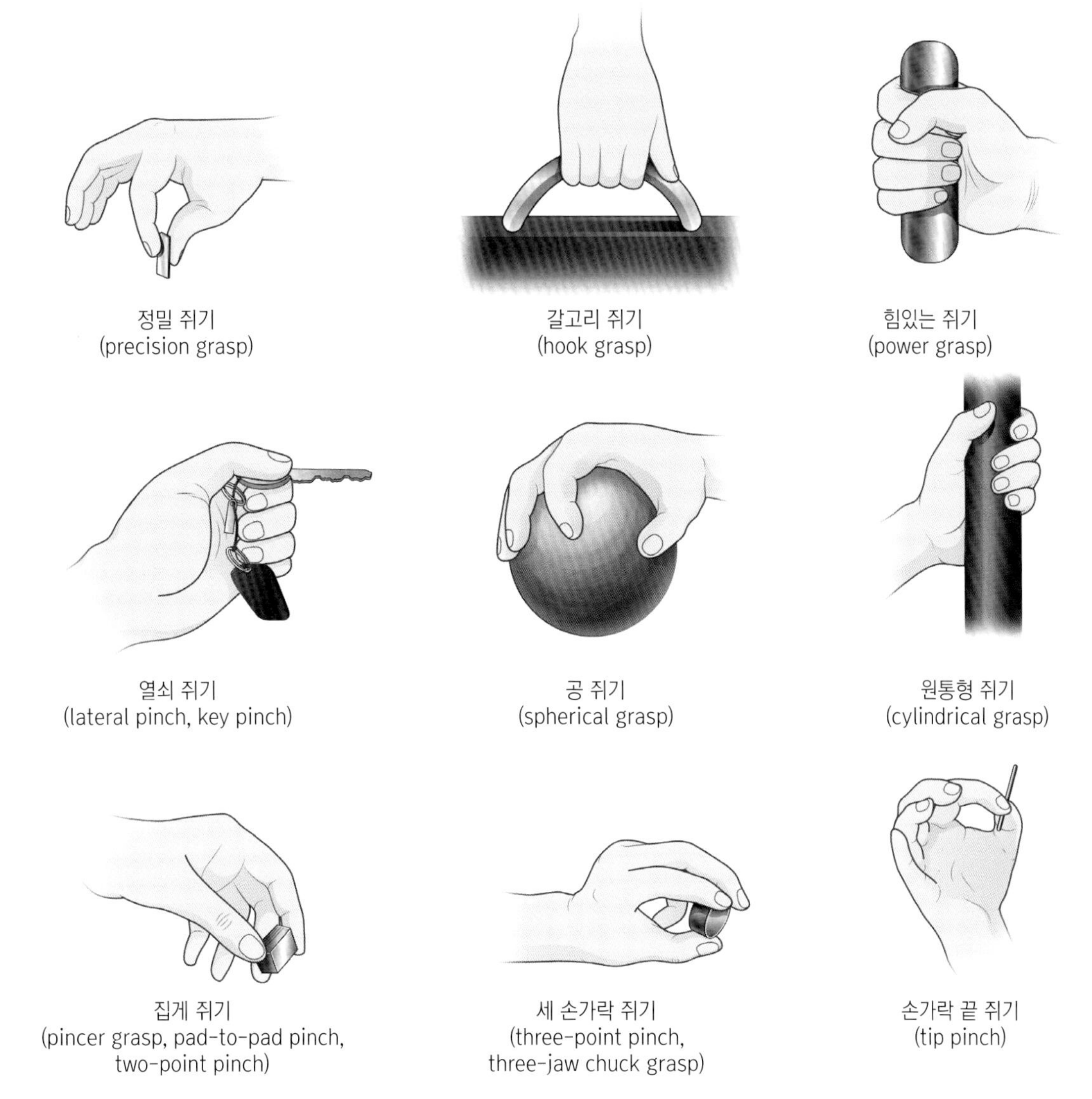

그림 15-1 쥐기의 다양한 형태

사용하게 된다. 엄지를 조금 내전하고 중수지절 관절을 구부리고 수지간 관절은 약간 구부려, 엄지의 패드를 검지의 원위부 수지간 관절의 요측에 붙인다.

공쥐기(spherical grasp)는 손목 신전, 손가락 외전, 중수지절 관절 굴곡, 수지간 관절 굴곡이 필요하므로 손 주의 근육과 손 고유 근육을 모두 잘 조절할 수 있어야 공쥐기가 가능하다. 원통형 쥐기(cylindrical grasp)는 원통을 쥘 때 흔히 사용하며, 횡측 손바닥아치가 편평해야 하고 손가락 약간 외전, 중수지절 관절 굴곡, 수지간 관절 굴곡이 필요하다. 원반 쥐기(disc grasp)는 큰 뚜껑을 잡을 때 흔히 사용하며, 손가락 외전, 중수지절 관절 과신전, 수지간 관절 굴곡이 필요하므로 굴곡과 신전

운동이 분리되어야 원반 쥐기가 가능하다.

손가락 집기에는 집게 쥐기(pincer grasp, pad-to-pad pinch, two-point pinch), 세 손가락 쥐기(three-point pinch, three-jaw chuck grasp), 손가락끝 쥐기(tip pinch)가 있다. 집게 쥐기는 엄지와 집게의 패드를 이용하여 쥐는 것이고, 세 손가락 쥐기는 엄지, 검지, 중지를 사용하여 쥐는 동작이며, 손가락끝 쥐기는 엄지와 검지의 끝을 맞닿게 하여 원형을 이루어 작은 물체를 쥐는 형태이다.

3) 손 안에서의 조작(in-hand manipulation)

손 안에서의 조작은 손 안에 한 개 이상의 물체를 쥐고 있을 때 사용하게 되며 한 개의 물체를 옮길 때, 한 개의 물체는 쥐고 있으면서 다른 물체를 옮길 때, 물체를 쥐고 있으면서 새로운 물체를 쥐려 할 때 사용한다.[4] 손가락에서 손바닥으로 옮기기(finger-to-palm translation), 손바닥에서 손가락으로 옮기기(palm-to-finger translation), 이동(shift), 간단한 회전(simple rotation), 복잡한 회전(complex rotation)의 5가지 형태가 있으며 손바닥 아치를 조절할 수 있어야 수행이 가능하다.

4) 쓰기

쓰기는 손의 운동 기능 외에도 다양한 인지 기능이 관여하므로 단순히 운동 기능이라 간주하기 어려운 측면이 있지만 학업 수행과 사회 참여에 매우 중요한 기능이다(표 15-1).[4, 5]

5) 손 기능에 대한 치료

(1) 준비 단계

감각 인식과 식별을 향상시키기 위하여 팔에 다양한 종류의 촉각과 고유감각 자극을 제공할 필요가 있다.[4, 15] 아울러 특정한 동작을 수행하기 위해 가장 적절한 자세를 잡도록 도와야 한다. 또한 특정 자세를 취함으로써 손 기능을 유발할 수도 있다.[4] 세밀한 손 기능을 수행하기 위해 보통 앉은 자세를 취하게 되는데, 몸에 맞는 책상과 의자를 사용하여 바른 자세로 앉기만 하여도 손 기능의 호전을 유도할 수 있다.[4] 과도하거나 저하된 근긴장도도 손 기능에 영향을 주는데, 상지를 사용하여 체중 지지를 하게 하면 견갑 상완골의 안정성이 향상되어 자세 조절을 호전시킬 수 있다.[4] 근력이 저하된 아동에게는 근력강화 프로그램이나 기능적전기자극 등을 통해 손 기능 향상을 유도할 수 있다.

(2) 손 기능에 대한 치료

뻗기 동작을 잘 수행하기 위해서는 안정된 자세 유지와 어깨관절과 팔꿈치관절 및 전완의 회내/회외 운동조절, 손 움직임의 조절 등이 필요하며 아래와 같은 순서로 진행하면서 관련된 관절운동을 적절하게 조절할 수 있도록 훈련한다.[15] 다리 옆에 물체를 놓은 다음 물체를 향해 손을 뻗게 한다.[4] 이후 점차 물체의 높이를 높여 훈련하고, 그 후에는 물체를 점차 신체의 중앙선 쪽으로 옮겨 가면서 훈련하고, 이후에는 중앙선을 가로질러 팔의 반대편으로 물체를 옮긴다. 이후에는 물체를 머리 위 높이로 이동시켜 같은 순서로 훈련한다.[4]

쥐기 동작을 잘 수행하기 위해서 관련된 손목관절과 전완의 운동조절과 손 근육의 세밀하고 다양한 운동조절 등이 필요하다. 뻗기 동작 훈련과 마찬가지로 자세 조정이 선행되어야 하며, 운동 기능 장애 정도에 따라 다양한 훈련을 적용할 수 있다.[4] 해당 동작을 훈련하기에 적절한 크기, 질감, 형태의 물체를 사용할 필요가 있으며, 이를 다양화함으로써 동작의 난이도나 복잡도를 조절할 수 있다. 쥐기 동작을 잘 수행하지 못하는 심한 장애 아동의 경우에는 개량한 손잡이(built-up handle)와

같이 도구를 개조하여 사용할 수도 있다.[4]

놓기 동작을 잘 수행하기 위해서는 힘의 조절과 여러 관절운동 간의 협응이 필요하다.[4,12] 따라서 저하되어 있는 관절의 움직임이나 과도한 근육의 힘 등을 정상화하도록 훈련하거나 특정 관절 자세를 이용하여 훈련하는 방법도 사용할 수 있다. 놓기 동작을 반복하여 연습함으로써 정확도를 향상시킬 수도 있다.[4]

손 안에서의 조작이 저하된 경우에는 그 정도에 따라 선행 동작들을 먼저 훈련한 후 손 안에서의 조작 훈련에 적절한 물체를 선택하여 점차 난이도와 복잡도를 높이면서 훈련하여 점차 실제 일상생활동작 수행에 필요한 손 안에서의 조작을 훈련한다.[4] 인지기능 저하, 편마비, 감각통합 문제 등이 있는 경우 양손을 효율적으로 쓰지 못한다. 양손 쓰기를 위하여 미끄럽지 않은 곳에서 두 손을 모두 가지고 물체를 쥐거나 한 손은 고정하고 다른 손으로 조작하는 훈련 등이 도움이 된다.[4, 15]

신경근육질환이 있거나 학습장애, 발달지연을 보이는 아동은 흔히 쓰기에 문제를 보인다. 쓰기 동작의 훈련에 선행하여 자세와 근위부관절의 안정화 및 근력 강화가 필요하고, 손 기능이 저하된 경우에는 특히 쥐기와 손 안에서의 조작동작의 훈련이 필요하다.[4, 5, 15] 실제 아동의 일상생활동작 수행 수준을 향상시키기 위해서는 아동이 수행할 만한 동작을 사용하여 손 기능 훈련을 해야 한다. 활동 지향적인 목표를 선택함으로써 아동의 일상생활동작 수행과 사회적 참여를 향상시키도록 해야 한다.[4]

2. 일상생활동작 치료

일상생활동작은 씻기, 개인 위생, 먹기, 옷 입기, 이동, 배설 등 일상생활에 필요한 제반 동작을 포함한다. 사회적으로 적절한 방식으로 일상생활동작을 수행하는 것은 교육, 놀이, 휴식, 사회 참여, 직업과 같은 다양한 작업 활동에 반드시 필요하다.[10] 정상적인 아동은 성장에 맞는 수준으로 일상생활동작을 수행할 것으로 기대되지만, 장애 아동의 경우 장애 수준에 맞게 그 기대 수준도 적절하게 수정되어야 한다. 아동의 수행 수준뿐만 아니라 환경 등 외적인 요인과 아동의 신체적 특성, 정신적 특성과 같은 내적인 요인도 일상생활동작의 수행에 영향을 미친다.[10]

1) 평가와 계획 수립

일상생활동작 수행은 면담, 관찰, 평가도구 등의 다양한 방법을 사용하여 평가한다.[10] 일상생활동작 평가도구에는 아동용 기능독립성평가, 아동장애평가척도, 운동처리기술평가, 캐나다작업수행평가 등이 있다. 이러한 평가 결과에 기반하여 적절한 치료 계획을 세워야 하는데, 계획 수립 시에는 활동의 요구도와 맥락에 관한 아동의 특징과 아동의 수행 수준 또는 수행 패턴을 고려하여야 한다.

2) 과제별 치료 기법

일상생활동작의 각 영역별로 치료/촉진적 접근법과 수정/보상적 접근법을 적절하게 조합하여 치료 기법을 제공하도록 한다.

(1) 배뇨/배변 관리

아동은 1세에 규칙적으로 배변하게 되고 2세에 규칙적으로 배뇨할 수 있게 된다. 3세경에 독립적으로 화장실에 가기 시작하여 4~5세가 되면 배뇨/배변 관리를 독립적으로 수행할 수 있게 된다. 이러한 배뇨/배변 관리를 위하여는 신체적 성장 이외에도 안정적 자세유지, 손 기능, 감각인지, 동작수행의 정확도, 인지기능 등과 같은 능력이 필요하다.[10]

아동이 지닌 기능적 문제에 따라 다양한 치료 기법을 적용해야 한다.[10] 배변 습관이 정립되지 않은 아동에게는 관장, 항문 자극법 등을 이용한 규칙적인 배변 훈련이 필요하다. 경직으로 인하여 고관절 외전이 제한된 아동에게는 경직을 줄일 수 있는 방법을 사용하여 기저귀를 교체하도록 한다. 인지기능이 저하된 아동에게는 과제 분석을 통하여 아동이 수행하기 어려운 세부 과제가 무엇인지를 찾아내어 이를 수정할 수 있다. 그 외에도 화장실 환경개선 등을 통해 기능적 독립을 향상시킬 수 있다.

(2) 옷 입기

아동은 1세에 양말이나 신발을 벗을 수 있고, 2세에는 외투 벗기가 가능하고 상의에 팔을 끼울 수 있다. 2.5세에는 앞 단추를 채울 수 있고 3세에는 양말 신기와 바지 벗기가 가능하다. 3.5세에는 옷의 앞뒤를 구분할 수 있고 혼자서 거의 옷을 입을 수 있다. 4세에는 신발을 신을 수 있고 5세가 되면 옷을 완벽하게 혼자서 입을 수 있다.

인지 기능의 저하가 있는 아동은 보통 옷의 앞뒤나 양말, 신발의 좌, 우를 잘 구분하지 못하고 과제의 순서를 이해하거나 수행하는 데 문제가 있다. 이 경우 행동학적 접근법이 유용하게 쓰일 수 있다.[10] 아동이 일부 동작만 수행하게 하거나 역연쇄, 연쇄기법을 이용하여 훈련할 수 있고 환경이나 과제를 수정할 수도 있다.[10] 신체적 문제나 운동 기능의 저하가 있는 아동은 근 위약, 조절기능의 저하, 통증 등의 이유로 옷입기를 잘 수행하지 못한다. 보조 도구를 사용하거나 앉기 자세를 도와줄 수도 있고, 옷의 구조를 고치거나 부속품을 바꾸어 입고 벗기 쉽게 할 수도 있다.[10]

(3) 목욕하기

아동은 4세에 스스로 목욕하기 시작하여 8세 경에 완벽하게 혼자서 목욕할 수 있다. 목욕 자세를 아동에 맞게 수정할 필요가 있으며, 목욕 보조 도구나 목욕에 필요한 운동기능에 대한 훈련도 유용하다.

(4) 위생 동작

2세부터 이닦기 동작을 수행할 수 있으며 6세에 독립적으로 수행하게 된다. 구강 과감작을 보이는 아동의 경우 칫솔을 적절한 것으로 바꾸는 것이 좋고, 손 기능이 저하된 경우는 칫솔의 손잡이를 잡기 쉬운 형태로 바꾸면 도움이 된다.[10] 세수하기와 손씻기도 보통 학령 전기에 독립적으로 수행하게 되며, 이들 동작을 잘 수행하지 못하는 경우 다양한 종류의 힌트와 동작 훈련을 적용할 수 있다.[10, 16]

3. 놀이와 오락

아동은 놀이를 통하여 자신과 주변 환경에 대하여 배우게 되므로 아동의 발달에 놀이는 매우 중요하다.[16] 또한 놀이는 아동이 환경과 어떠한 상호작용을 하는지를 이해할 수 있는 매우 중요한 도구가 되기도 한다.[16] 유아기에는 주로 탐색적 놀이를 통해 자신의 신체와 자신의 행위가 만드는 결과에 대해 이해하게 된다. 감각과 운동을 이용한 놀이를 통해 점차 새로운 운동 기술을 습득하게 되며 1세경에는 원인과 결과를 이행하기 시작하고 물체의 작동 원리에 대하여 흥미를 보인다. 2세경에는 물체와 그 의미를 조합하는 놀이가 중심이 되어 아동은 점차 물체를 분류할 수 있고 목적 지향적인 행위를 수행한다. 학령 전기 아동은 주로 무언가를 만드는 놀이(constructive play)를 한다. 소꿉놀이 같은 역할 놀이(symbolic play)는 1세 말에 나타나 5세에 가장 활발하게 하게 된다. 사회적 놀이(social play)는 엄마와 아이간의 상호작용과 같이 매우 일찍 나타나기 시작하여 3세에는 복잡한 사회적 놀이를 하게 된다. 규칙이 있는 사회적 놀이를 통해 아동은 사회적 상호작용을 익히게 되며 규칙은 소속된 사회의 문화나 관습에 영향을 받는다. 이러한 놀이 형태는 학령기에 매우 활발히 나타난다.

놀이는 내적 동기를 표출하고 자발적이며 외부 규칙으로부터 자유롭고, 결과보다는 과정이 중심이 되고, 유기적이며 상징적인 특성을 가지고, 적극적인 참여가 수반된다.[16] 이러한 특성에 따라 놀이를 통하여 아동은 여러 기능을 발달시키게 된다.[16] 따라서 작업 치료 영역에서도 놀이를 유용하게 사용할 수 있다.[16]

놀이는 감각통합, 신체활동, 인지기능, 언어기능, 사회적 기능을 발달시키기 위해 치료적으로 사용될 수 있다. 아동의 놀이를 평가하여 특정 영역의 기술, 발달 수준, 아동의 놀이스타일, 아동이 흥미를 보이는 활동 등에 대한 정보를 얻을 수 있다. 놀이는 아동의 수행 수준을 향상시키고 유용한 기술을 습득하게 하는 중요한 방법이 될 수 있다. 그러나 치료사나 부모가 수립한 목표를 위해 놀이를 사용할 경우, 놀이는 아동의 자발적인 것이 아닌 치료적 놀이가 되며 아동이 흥미를 잃을 위험이 있다.[16] 따라서 치료적 놀이가 성공하기 위해서는 아동이 자발적으로 선택하고 놀이의 방향을 설정하는 것처럼 느끼게 해야 한다.[16] 놀이는 작업치료 영역에서 치료방법의 한 가지로 사용될 수 있고, 그 자체가 치료 목표가 될 수 있으며, 치료를 재미있게 만드는 요소로 이용될 수도 있다.[16]

4. 사회 참여

일반적으로 장애를 가진 아동과 청소년은 장애가 없는 또래에 비해 사회 참여의 시기가 늦어진다. 자기 결정 능력은 사회 참여에 매우 중요한 요소인데, 문제 해결 능력을 개발하며 자신의 강점과 약점을 분석하고 다양한 가능성 중 선택을 할 기회가 주어질 때, 아동과 청소년은 자기 결정 능력을 획득할 수 있게 된다.[17]

아동과 청소년의 사회 참여를 위해서는 가족과 보호자가 아동/청소년의 긍정적 자아존중감을 강화하고 긍정적인 사회적 경험을 위한 자기 결정 능력을 향상시키는 데에 반드시 참여하여야 한다.[17] 그리고 치료 대상과 그가 속한 환경에 대한 포괄적인 평가를 통하여 사회 참여를 증진할 수 있는 치료적 여건을 제공해 주어야 한다.

성장함에 따라 사회적으로 아동과 청소년에게 기대되는 역할도 변하게 된다. 특히 아동에서 성인의 역할로 바뀌게 되는 전환기에는 작업치료의 초점이 독립적인 생활로 맞추어져야 하는데, 독립적인 생활은 집안 및 공동체에서의 활동에 참여하는 것을 포함하기 때문에 치료 서비스의 범위를 가정과 공동체로도 확장시켜야 한다.[17] 결국 사회 참여를 증진시키기 위한 작업치료는 아동/청소년과 그 가족이 중심이 되어야 하며, 개별적인 요구와 관심, 독립의 수준에 따라 개별적으로 적용되어야 한다.[17]

V. 질환별 작업치료

1. 고위험 영유아

1) 신생아집중치료실의 영아

조산이나 질병으로 인하여 특별한 치료가 필요한 영아들은 신생아집중치료실에 입원하게 된다. 신생아집중치료실에 입원한 영아는 발달지연의 가능성이 높은 고위험군이므로, 출생 직후부터 발달에 대한 치료의 대상이 된다.[18] 신생아집중치료실에서는 통증을 유발하는 처치를 최소화하고 소음이나 강한 빛자극 등 불필요한 스트레스요인을 최소화하여야 하고, 영아의 신경학적 안정을 유도하여야 한다. 발달을 촉진할 수 있도록 자궁 내 태아의 자세와 같은 적절한 자세를 제공하며, 영아와 가족간의 스킨쉽을 이용한 캥거루 케어(Kangaroo care)도 영아의 발달에 긍정적 영향을 미치는 것으로 알려져 있으므로 이를 포함한 가족의 참여를 유도하는 것 또한 매우 중요하다.[19] 그 밖에도 필요에 따라 감각자극, 연하치료, 부목 적용, 관절운동도 시행할 수 있다.

2) 조기 중재(early intervention)

발달지연의 고위험군이거나 유의한 발달지연이 있는 아동에 대하여 기능장애를 예방 또는 최소화할 목적으로 제공하는 출생 후 약 3년까지의 치료적인 개입을 '조기 중재' 라 한다.[20] 이러한 치료적 중재에 앞서 운동, 인지, 언어, 사회성, 적응기술, 놀이 등 여러 영역에 대한 평가가 선행되어야 한다. 앞에서 설명한 여러 종류의 평가 중 적절한 방법을 선택하여 영유아의 기능적 잠재력을 평가하도록 한다.

이 시기의 영유아는 놀이에 바탕을 둔 학습을 하게 되므로, 놀이는 좋은 중재적 기술이 될 수 있다.[20] 따라서 영유아로 하여금 다양한 장난감을 사용하거나 다채로운 놀이를 하게 함으로써 새로운 기술을 습득하도록 유도할 수 있다. 또한 양손을 사용하는 운동수행 능력을 향상시키거나 감각 정보처리 능력을 향상시키기 위한 치료 행위도 제공해야 하며, 먹기, 옷 입기와 같은 일상생활동작 수행에 대한 치료도 제공하도록 한다.[20] 필요 시 아동에게 필요한 적절한 장비에 대하여도 추천할 수 있다.

영유아는 가족에 의존할 수 밖에 없기 때문에 조기 중재는 반드시 가족이 중심이 되어야 한다.[20] 따라서 가족은 조기 중재의 치료에 참여하기도 하지만 조기 중재 치료의 수혜자가 될 수도 있다.[20] 즉, 치료자는 가족과의 긴밀한 협력 관계 안에서, 가족에게 치료에 대한 정보를 제공해야 하며 정서적 지지를 제공하고 가족의 필요에 맞는 전문적인 치료를 제공하여야 한다.[20]

2. 뇌성마비

편마비형 뇌성마비의 경우 하지에 비해 상지의 장애가 심하며, 이환된 상지에 경직, 감각 저하, 위약 등의 문제를 보인다. 이로 인하여 이환된 상지의 뻗기, 쥐기, 놓기, 손 안에서의 조작, 글씨 쓰기 등을 수행할 때 동작이 느리고 비효율적인 양상을 보인다. 따라서 대부분의 편마비형 뇌성마비 아동은 이환되지 않은 상지를 사용하여 일상생활동작을 수행하고 이환된 상지는 거의 사용하지 않으려는 모습을 보인다. 또한 일상생활동작 수행에 필요한 양손 쓰기 동작을 효율적으로 수행하지 못한다. 이러한 문제로 인하여 편마비형 뇌성마비 아동은 장난감을 이용한 놀이, 또래와의 놀이, 신변처리, 학업 수행, 여가 활동 등에 지장이 있다.

이러한 편마비형 뇌성마비의 상지기능 저하에 대하여 여러가지 치료 방법이 쓰이고 있다. 우선 상지의 문제를 최소화하고 정상적인 운동 패턴을 촉진함으로써 운동 기능을 호전시키고자 하는 신경발달치료는 전통적으로 널리 쓰이고 있다. 아울러 경직에 대하여 보툴리눔 독소 주입술 후 집중적인 상지기능 훈련을 결합하는 형태의 치료도 상지기능 훈련만을 단독으로 수행하는 경우에 비해 추가적인 효과가 있는 것으로 알려져 있다.[21]

1981년 Ostendorf와 Wolf가 제안한 억제유도 운동치료(constraint-induced movement therapy,

CIMT)는 주로 뇌졸중 후 편마비 환자의 상지 기능 재활에 쓰여온 치료법으로, 이환되지 않은 상지의 사용을 억제함으로써 이환된 상지의 훈련 기회를 증가시키고 그 사용을 늘리는 뇌가소성과 운동학습 이론(motor learning principle)에 기반을 둔 치료법이다.[22] 2000년대 중반부터 아동에게도 적용하기 시작하여 점차 널리 쓰이고 있다.[22] 억제유도운동치료 시 이환된 상지는 쉬운 동작부터 점차 어려운 동작으로 정밀도, 근력, 협응 능력, 능숙도 등을 점차 증가시키면서 새로운 기술을 습득하게끔 훈련하는 행동형성과 같은 형태로 집중적인 기능훈련을 받게 된다. 또한 과제에 기반한 훈련을 하거나 일상적인 환경에서 과제 수행을 훈련하기도 한다. 이환되지 않은 상지는 보조기나 석고붕대를 이용하여 보통 2~3주간, 일 2시간에서 6시간 구속하게 된다. 수정된 억제유도운동치료(modified CIMT, mCIMT)도 쓰이고 있는데, 이는 일 구속 시간은 줄이되 총 치료 기간을 약 8주간으로 늘려 기존 구속 치료에 비하여 아동이 적용하기 쉽도록 변형한 형태이다.[22, 23]

현재까지 이환된 상지에 대한 여러가지 치료법 중 어떤 방법이 가장 효과적인지 그 근거가 충분치 않다. 그러나 보툴리눔 독소 주사 후 집중적인 상지기능 훈련을 시행하거나 억제유도운동치료 등의 효과는 기대해 볼만 하다.[24, 25] 향후 대규모 연구를 통하여 이들 치료의 예후를 결정하는 요인과 치료의 구체적인 요건(방법, 빈도, 시간, 총 기간 등)에 대한 근거가 제시될 필요가 있다.[25] 편마비형 뇌성마비 외에도 양하지 경직형, 사지마비형, 이상운동형 뇌성마비에서 다양한 정도로 양측 상지기능 장애를 보이므로, 근력강화 운동, 일상생활동작을 위한 기능훈련 등을 시행하여야 한다. 또한 상지기능 향상을 위한 치료 외에도 시각장애, 청각장애, 구강운동장애, 학습장애, 상지 변형, 자세 교정 등도 고려되어야 한다.

3. 발달지연

발달지연은 또래 아동과 비교하여 적정 수준의 발달 단계에 도달하지 못한 경우로 유전적 질환이나 뇌의 이상 발육, 조산, 대사질환, 감염 등의 다양한 원인에 의해 발생한다.[26] 발달지연은 한 영역에서만 지연을 보이기도 하지만 여러 영역에서의 지연을 보이기도 하는데 두 개 이상의 영역에서 지연을 보이는 경우는 전반적 발달지연(global developmental delay)이라고 한다.[27-29] 자폐스펙트럼장애, 발달성협응장애도 이 부분에서 기술하고자 한다.

1) 자폐스펙트럼장애

자폐스펙트럼장애는 사회적인 의사소통의 문제를 보이고, 행동이나 관심, 활동에서 제한적이고 반복적인 행동이나 평범하지 않은 감각운동 행동의 장애를 보이는 질환이다.[28, 30] 자폐스펙트럼장애 아동은 사회관계나 의사소통을 위해 자신이 가진 언어능력을 사용하지 못하며,[26] 발달지연, 언어 및 운동수행의 어려움, 주의집중력 및 과잉행동의 문제, 감각통합의 문제를 동반하게 된다.[30] 자폐스펙트럼장애 아동이 가진 자폐 성향의 정도, 인지능력, 사회환경적 요인 간의 상호작용에 의해 그 증상이 아동마다 다양하게 나타나고 장애의 범주도 개인마다 매우 광범위하게 나타난다.[31]

자폐스펙트럼장애의 중재 방법에는 행동치료, 심리교육적인 접근방법, 언어치료, 사회기술훈련, 약물요법이 있다.[31] 1) 각성, 주의 집중력, 감각 조절 및 처리 기술 향상을 위한 감각통합치료, 2) 사회적 상호작용을 촉진할 수 있는 활동이나 게임에 참여 또는 환경을 조성하는 관계 기반의 훈련, 3) 놀이나 발달 기반의 사회 기술훈련, 4) 사회인지 기술훈련, 5) 아동의 사회기술 향상 및 문제행

동 감소를 위한 보호자 교육, 6) 행동치료 등을 제공할 수 있다.[32]

2) 발달성협응장애

발달성협응장애 아동은 자신의 연령에서 기대되는 운동협응 능력보다 낮은 수행을 보이기 때문에 어린 시기에는 운동발달의 지연을 보일 수 있다. 어둔함, 느린 움직임, 부정확한 운동기술 등이 특징이다.[33] 운동기능 측면뿐 아니라 감각, 인지기능, 감정/정서상 문제와도 연관된다. 그래서 학업(글쓰기, 읽기, 계산 능력 등)이나 일상생활동작 수행(옷 입기, 신발 끈 매기 등), 스포츠 활동(공 받기, 공 차기, 자전거 타기 등) 등에서 어려움을 보이고 사회 관계형성 및 참여, 자기효능감, 삶의 질 등의 심리사회적인 문제에도 영향을 주게 된다.[33, 34]

발달성협응장애의 작업치료에는 아동이 어려움을 보이는 특정 과제의 운동기술 습득이나 활동 수행, 참여를 촉진시키기 위한 과제지향훈련이 효과적인 것으로 보고 되고 있다.[33, 34, 35] 그 밖에 감각처리 및 조절, 실행의 문제에 초점을 둔 감각통합치료나 집중력 증진을 위한 약물치료가 적용되기도 한다.[35]

3) 감각통합의 문제

전정감각, 고유수용성감각, 촉각 정보를 효율적으로 처리하는 것은 아동의 발달에 매우 중요하다. 감각통합은 목표지향적인 행위를 성공적으로 수행하기 위해 필요한 감각을 능동적으로 선택하고 통합하는 것을 뜻한다.[36] 감각통합을 처음 제안한 Ayres는 생애 첫 7년 동안 감각통합이 급격하게 발달하는 시기라 하였다.[36] 따라서 7~8세 아동의 감각통합 능력은 성인의 수준에 거의 도달하게 된다. 감각통합에 문제가 있는 경우는 다음의 네 종류, 즉 1) 감각 처리의 문제, 2) 감각 판별과 인식의 문제, 3) 전정-고유수용성 감각기능의 문제, 4) 실행장애에 해당한다.[36]

감각 처리에 문제가 있으면 감각에 대하여 반응이 떨어져 있거나 과한 반응을 보인다.[36] 환경적 자극에 대하여 적절하게 주의를 기울이거나 수용하지 못하는 경우 저반응성을 보인다. 정상적인 자극에 비정상적이거나 과한 반응 또는 방어적인 반응을 보이는 과반응성의 경우 행동상의 문제가 있는 것으로 오해하기 쉽다.[36] 감각 판별과 인식의 문제는 촉각, 고유수용성감각, 시각 등의 감각 자극을 세밀하게 인식하거나 구분해내는 능력의 저하로 인하여 운동 발달이나 일상생활에 필요한 동작 기술을 습득하는 데 문제를 보인다. 전정-고유수용성 감각기능의 문제는 균형이나 평형반응에 영향을 미치게 되어 이동동작이 필요한 다양한 행위 수행에 지장을 준다. 실행장애는 운동 과제를 수행할 때 개념화하고 계획하며 수행하는 능력의 장애를 뜻한다. 따라서 운동 계획이 느리고 비효율적인 양상을 보인다.

이러한 감각통합의 문제를 보이는 아동에 대하여 Ayres는 다음의 6가지 치료 원칙을 제시하였다.[36] 1) 적절한 적응반응을 유발하기 위하여 감각자극을 체계적으로 사용하여야 한다. 2) 적응반응이 유발되기 위해서 의미있는 감각자극이 처리되어야 한다. 3) 적응반응은 감각통합의 발달에 기여한다. 4) 적응반응이 향상되면 아동의 전반적인 행동도 개선된다. 5) 원시적인 행동의 통합과 강화는 보다 성숙하고 복잡한 행동 패턴을 위해 필요하다. 6) 내적 동기에 의한 활동일수록 신경발달을 촉진할 가능성이 높다. 이 원칙에 따라 아동의 수준에 맞는 치료적 행위를 적용함으로써 아동의 내적 동기를 유발하도록 하는 것이 효과적이며, 적절한 전정-고유수용성 감각자극을 제공하고 아동이 자발적이고 능동적으로 관련 행위에 참여할 수 있는 치료 도구와 치료적 환경이 필요하다. 이에는 미끄럼틀, 그네, 시소, 트램폴린, 스쿠터 보드, 그물침대 등이 있다.

감각통합치료는 소아 작업치료 분야에서 유용하게 사용되고 있는 치료방법 중의 하나이지만 그 효과에 대한 근거는 논란이 되기도 한다.[37] 그 이유로는 근거 중심의 고찰 연구들에서 Ayres의 감각통합치료(Ayres Sensory Integration®, ASI)와 단순히 수동적으로 감각자극을 제공하는 감각기반의 치료와 구별되어 분석되지 못하였다는 것, 아동의 다양한 행동 특성만큼 다양한 치료가 적용되어 일관된 치료 방법이 기술되지 못하여 임상에서 적용하기 어렵다는 점, 평가도구가 Ayres의 감각통합치료를 측정하기에 민감하지 않다는 점 등이 있다.[37] 하지만 이러한 문제를 해결하기 위한 연구들이 진행되고 있고 그로 인해 감각통합치료의 효과에 대한 근거가 제시되고 있다.[37, 38]

Ayres의 감각통합치료는 자폐스펙트럼장애 아동의 기능이나 참여에 대한 개별적인 목적을 향상시키고, 읽기 및 그와 관련된 기술, 감각운동 기술, 운동 계획, 언어 및 사회 기술, 행동 기술, 집중력 등을 향상시킬 뿐 아니라 신변처리나 사회 기술에서 보호자의 도움을 감소시킨다는 근거를 제시하고 있다.[37, 38,]

4. 시각, 청각 장애

1) 시각장애

시각 정보를 적절하게 처리하는 것은 일상생활동작과 학업의 수행에 매우 중요하다. 시지각(visual perception)은 물체의 형태, 색채, 기타 특성을 판별하고, 공간 내에서 물체의 방향과 형태를 파악하고, 물체 사이 혹은 물체와 공간 사이의 관계를 이해하는 능력이다.[39] 일반적으로 시각 정보를 처리하는 데는 뇌에서 다음의 2가지 네트워크가 관여한다고 알려져 있다. 등쪽 경로(dorsal stream)는 후두엽과 두정엽을 연결하여 물체의 위치, 움직임, 속도 등을 즉각적이고 무의식적으로 판단하고 그에 반응하는 데 우선적으로 관여한다. 배쪽 경로(ventral stream)는 후두엽과 측두엽을 연결하여 물체가 무엇인지, 즉 물체의 색, 형태 등을 판단하는데 우선적으로 관여한다.

시각적 주의 집중력(visual attention), 시각적 기억력(visual memory), 시각적 판별력(visual discrimination)이 떨어지는 경우 도구를 사용하는 능력, 여러 물체간의 관계를 이해하는 능력, 시각-운동 협응력, 양손을 사용하는 기술 등에 영향을 미쳐 일상생활동작을 수행하는 데 어려움을 보인다.[39] 또한 읽기, 쓰기, 계산 등의 능력이 저하되는 등 학업을 수행하는 데 어려움을 보인다.[39]

시각장애를 보이는 학령 전기의 아동에게 형태, 글자, 숫자의 인식을 돕기 위해 촉각과 같이 시각 외의 다양한 감각자극을 이용하도록 한다.[39] 손을 사용하여 사물을 인식하도록 하고 점토, 구슬 등 다양한 재료를 사용하는 것도 좋은 방법이다. 학령기의 아동에게는 다음과 같은 치료를 적용할 수 있다. 먼저 아동으로 하여금 안정된 자세를 취하도록 하고 시각적 주의 집중을 방해하는 감각자극을 제한한다. 시각적 주의 집중력의 저하를 보이는 아동에게는 흥미를 보일만한 다양한 치료적 행위(그리기, 점토 놀이 등)를 제공하도록 한다. 시각적 기억력의 저하를 보이는 아동에게는 반복적인 학습이 중요하다.[39] 기억의 등록과 인출에 유용한 다양한 기억전략(memory strategy)도 사용할 수 있다. 기억 대상이 되는 자극이나 정보를 서로 의미있게 연결시키거나 묶는 방법을 사용하거나 정보를 반복하여 읽거나 연습, 혹은 이미 알고 있는 정보와 연결시키는 방법을 사용할 수 있다. 또 기억을 더 잘 할 수 있게 노래, 운과 같은 언어적 연상 힌트 등을 활용한 기억증진장치(mnemonic device)를 사용할 수도 있다. 시각적 판별력이 저하된 아동에게는 식별에 필요한 중요한 특징을 인지할 수 있도록 주의를 기울여 유심히 살피고 찾게끔 훈련한다.[39] 그리기, 색칠하기, 기타 미술 활동도 시각 형태를 탐색하고 조작하는 데 도움이 된다. 모든 치료적 행위는 쉬운 수준부터 시작하여 점차 난이도나 시간, 복잡도를 증가시켜 가면서 제공한다.[39]

2) 청각장애

언어의 중요성을 고려할 때 청각 장애가 있는 아동은 사회 참여에 지장이 있을 위험이 높다. 조산을 포함하여 청각 장애의 위험을 증가시키는 여러 질환이 있으며, 인공와우 이식술을 받는 아동도 점차 늘고 있다. 청각장애 아동에게는 다양한 감각자극을 이용한 활동을 통해 운동 감각, 촉각, 시각적 정보 처리 능력을 향상시키고 감각 조절 능력과 감각통합 능력을 향상시키도록 한다.[40] 또한 짐볼, 트램폴린 등을 이용한 전정계 활동을 통해 전정기능을 향상시킬 수 있다.[40] 청각 자극을 이용한 놀이나 게임, 구강운동 조절훈련, 시각적 정보처리 훈련도 유용하다.[40] 자조 능력과 사회 참여 향상을 위한 치료도 필요하다.

작업치료의 총괄적인 과정에서 아동 및 가족과 개방적인 의사소통을 나누고 치료와 관련된 의사결정에 아동 및 가족을 포함시키며 아동의 부모에게 권한을 제공함으로써, 의료진은 아동 및 가족과 우호적 관계를 맺고 신뢰를 형성할 수 있는데, 이는 치료에 긍정적 영향을 끼친다. 부모 면담, 표준화된 평가(standardized evaluation), 조직적인 관찰(structured observation) 등을 통하여 아동의 참여 수준과 수행 능력을 포괄적으로 평가함으로써, 아동의 수행 능력이 저하되는 이유를 이해하고 치료 목표를 설정하고 그에 도달하기 위한 적절한 치료 전략을 수립할 수 있다. 뿐만 아니라 아동의 치료 과정에 보호자를 참여시켜 교육하고 아동의 조력자로 역할을 하게하는 것 역시 매우 중요하다.

▶ 참고문헌

1. Case-Smith J. An overview of occupational therapy for children. In: Case-Smith J and O'Brien JC. Occupational Therapy for Children, 6th ed., Maryland Heights: Mosby, 2009, 1-5.
2. Case-Smith J. Development of Childhood Occupation. In: Case-Smith J and O'Brien JC. Occupational Therapy for Children, 6th ed., Maryland Heights: Mosby, 2009, 56-83.
3. Case-Smith J et al. Foundations for occupational therapy practice with children. In: Case-Smith J and O'Brien JC. Occupational Therapy for Children, 6th ed., Maryland Heights: Mosby, 2009, 22-34.
4. Exner CE. Evaluation and interventions to develop hand skills. In: Case-Smith J and O'Brien JC. Occupational Therapy for Children, 6th ed., Maryland Heights: Mosby, 2009, 275-313.
5. Schneck CM and Amundson SJ. Prewriting and handwriting skills. In: Case-Smith J and O'Brien JC. Occupational Therapy for Children, 6th ed., Maryland Heights: Mosby, 2009, 555-556, 567-570, 577.
6. Jones LA and Lederman SJ. Hand function across the lifespan. In: Human Hand Function, 1st ed., New York: Oxford University Press, 2006, 155-70.
7. Case-Smith J. An Overview of Occupational Therapy for Children. In: Case-Smith J and O'Brien JC. Occupational Therapy for Children and Adolescents, 7th ed., St. Louis: Elsevier, 2015, 1-26.
8. Case-Smith J. Foundation and Practice Models for Occupational Therapy for Children. In: Case-Smith J and O'Brien JC. Occupational Therapy for Children and Adolescents, 7th ed., St. Louis: Elsevier, 2015, 27-64.
9. American Occupational Therapy Association. Occupational Therapy Practice Framework: Domain and Process. Am J OccupTher, 2014; 68(Supp.1):S1-S48.
10. Shepherd J. Activities of daily living. In: Case-Smith J and O'Brien JC. Occupational Therapy for Children, 6th ed., Maryland Heights: Mosby, 2009, 474-517.
11. Stewart KB. Purposes, processes, and methods of evaluation. In: Case-Smith J and O'Brien JC. Occupational Therapy for Children, 6th ed., Maryland Heights: Mosby, 2009, 193-215.
12. Jebsen RH, Taylor N, Trieschmann RB et al. An objective and standardized test of hand function. Arch Phys Med Rehabil 1969; 50: 311-19.
13. Dunn W. Sensory Profile 2 Administration Manual. New York: The Psychological Corporation; 2014.
14. Haley SM, Coster WJ, Ludlow LH et al. Pediatric Evaluation of Disability Inventory: Development, Standardization and Administration Manual. Boston, MA: Trustees of Boston University; 1992.
15. Shumway-Cook A and Woollacott MH. Clinical management of the patient with reach, grasp, and manipulation disorders. In: Motor Control: Translating Research into Clinical Practice, 3rd ed., Philadelphia: Lippincott Williams & Wilkins, 2006, 518-31.
16. Knox SH. Play. In: Case-Smith J and O'Brien JC. Occupational Therapy for Children, 6th ed., Maryland Heights: Mosby, 2009, 540-54.
17. Loukas KM and Dunn ML. Instrumental activities of daily living and community participation. In: Case-Smith J and Clifford J. Occupational Therapy for Children, 6th ed., Maryland Heights: Mosby, 2009, 518-39.
18. Hunter JG. Neonatal intensive care unit. In: Case-Smith J and O'Brien JC. Occupational Therapy for Children, 6th ed., Maryland Heights: Mosby, 2009, 649-77.
19. Legendre V, Burtner PA, Martinez KL, Crowe TK. The evolving practice of developmental care in the neonatal unit: a systematic review. Phys Occup Ther Pediatr. 2011; 31: 315-38.
20. Myers CT, Stephens L, Tauber S. Early intervention. In: Case-Smith J and O'Brien JC. Occupational Therapy for Children, 6th ed., Maryland Heights: Mosby, 2009, 681-709.
21. Hoare BJ, Wallen MA, Imms C, Villanueva E, Rawicki HB, Carey L. Botulinum toxin A as an adjunct to treatment in the management of the upper limb in children with spastic cerebral palsy (UPDATE). Cochrane Database Syst Rev. 2010; 1:

CD003469.

22. Aarts PB, Jongerius PH, Geerdink YA, van Limbeek J, Geurts AC. Effectiveness of modified constraint-induced movement therapy in children with unilateral spastic cerebral palsy: a randomized controlled trial. Neurorehabil Neural Repair. 2010; 24: 509-18.
23. Wallen M, Ziviani J, Naylor O, Evans R, Novak I, Herbert RD. Modified constraint-induced therapy for children with hemiplegic cerebral palsy: a randomized trial. Dev Med Child Neurol. 2011; 53: 1091-9.
24. Case-Smith J, DeLuca SC, Stevenson R, Ramey SL. Multicenter randomized controlled trial of pediatric constraint-induced movement therapy: 6-month follow-up. Am J OccupTher. 2012; 66: 15-23.
25. Sakzewski L, Ziviani J, Boyd R. Systematic review and meta-analysis of therapeutic management of upper-limb dysfunction in children with congenital hemiplegia. Pediatrics. 2009; 123: e1111-22.
26. Choo YY, Agarwal P, How CH et al. Developmental delay: identification and management at primary care level. Singapore Med J 2019; 60(3): 119-23.
27. Srour M, Shevell M. Genetics and the investigation of developmentaldelay/intellectual disability. Arch Dis Child 2014;99:386–9.
28. American Psychiatric Association. Diagnostic and statistical manual of mental disorders. 5th. Washington, DC: Author; 2013.
29. Cacola P, Miller HL, Willianson PO. Behavioral comparisons in Autism Spectrum Disorder and Developmental Coordination Disorder: A systematic literature review. Res Autism SpectrDisord. 2017; 38: 6-18.
30. Lord C, Elsabbagh M, Baird G et al. Autism spectrum disorder. Lancet. 2018; 392(10146): 508-20.
31. Davidson DA. Psychosocial issues affecting social participation. In: Case-Smith J and O'Brien JC. Occupational Therapy for Children, 6th ed., Maryland Heights: Mosby, 2009, 404-33.
32. Case-Smith J, Arbesman M. Evidence-Based Review of Interventions for Autism Usedin or of Relevance to Occupational Therapy. Am J OccupTher, 2008; 62: 416–29.
33. Harris SR, Mickelson ECR, Zwicker JG. Diagnosis and management of developmental coordination disorder. Can Med Asso J. 2015; 187(9): 659-65.
34. Blank R, Barnett AL, Cairney J et al. International clinical practice recommendations on the definition, diagnosis, assessment, intervention, and psychosocial aspects of developmental coordination disorder. Dev Med Child Neurol. 2019;61(3):242-85.
35. Smits-Engelsman BCM, Blank R, Kaay AC et al. Efficacy of interventions to improve motor performance in children with developmental coordination disorder: a combined systematic review and meta-analysis. Dev Med Child Neurol. 2013;55(3):229-37.
36. Parham LD, Mailloux Z. Sennsoryinegration. In: Case-Smith J and O'Brien JC. Occupational Therapy for Children, 6th ed., Maryland Heights: Mosby, 2009, 325-72.
37. Schoen SA, Lane SJ, Mailloux Z et al. ASystematic Review of Ayres SensoryIntegration Interventionfor Children with Autism. Autism Research. 2019;12: 6–19.
38. Schaaf RC, Dumont RL, Arbesman M et al. Efficacy of Occupational Therapy Using Ayres SensoryIntegration®: A Systematic Review. Am J Occup Ther. 2018;72: 7201190010p1-10.
39. Schneck CM. Visual perception. In: Case-Smith J and O'Brien JC. Occupational Therapy for Children, 6th ed., Maryland Heights: Mosby, 2009, 373-403.
40. Russel E, Nagaishi PS. Service for children with visual or hearing impairments. In: Case-Smith J and Clifford J. Occupational Therapy for Children, 6th ed., Maryland Heights: Mosby, 2009, 765-72.

CHAPTER

16
언어치료
Speech Therapy

장현정, 양신승

I. 언어치료 접근법

1. 언어치료의 목표 선정 및 구조화

다양한 원인의 언어장애는 원인을 알 수 없거나, 난치질환을 가진 경우가 대부분이다. 언어치료는 언어장애를 가진 아동의 근위 발달 구역(zone of proximal development, ZPD)에 근접하여 다른 사람과 원활한 의사소통을 하거나 글을 읽고 쓰는 것을 목표로 한다. 근위 발달 구역(ZPD)이란 아동의 현재 독립적인 기능 수준과 최대한의 수행능력 사이의 공간을 의미하고 언어치료를 통해 이를 좁혀간다는 개념이다.[1] 언어치료가 더 이상의 중재가 필요 없는 상태를 보장하지는 않지만 아동이 더 효과적인 의사소통을 하게 한다는 것은 특정 언어적 행동뿐 아니라 보상 전략을 훈련하는 것일수도 있고, 아동의 처한 언어적 환경을 변화시키는 것일 수도 있다.[2]

언어장애를 가진 아동들은 대부분 화용적 측면, 인지적 측면, 조음적 측면 등 여러 형태의 언어적 결함을 동시에 보이기 때문에, 치료 목표를 기본(basic)목표, 중간(intermediate)목표, 특별(specific)목표와 같이 단계적으로 설정하고, 각각의 부분에 치료의 우선순위를 정한다.[3]

언어치료 구조는 활동의 선택 주체와 중재 환경에 따라 아동 중심 접근법, 치료사 중심 접근법, 절충법으로 나눌 수 있다.[4] 치료사 중심 접근법은 치료자가 활동 재료, 강화물의 종류와 사용빈도 및 활동 순서 등을 결정하여 치료를 진행하기 때문에 덜 자연스러운 활동이라고 할 수 있으며 훈련(drill), 훈련 놀이(drill play) 및 모방(modeling) 기법 등을 포함한다. 아동중심 접근법은 지나치게 수동적이거나 활동에 참여하기를 거부하는 아동에게 먼저 시도되는 기법으로, 일반적 의사소통 향상에 초점을 맞추어 치료사는 최대한 자연스러운 환경을 조성하고 아동이 자신의 흥미에 따라 놀이를 주도해 나가면서 놀이의 일부처럼 목표 반응과 다양한 언어적 모델을 제공하는 것이다. 치료사나 부모가 아동이 들을 수 있는 상황에서 소리 내어 말하는 혼자말 기법(self-talk)이나 병행말(parallel talk)기법, 아동이 발화한 구나 문장을 보다 발달된 구조로 모델을 제공하는 구문확장(expansion), 어휘확대(extension), 문장 만들기(build up), 나누기(breakdown), 바꾸기(recast sentences)기법 등이 있다.[5] 절충법은 아동의 활동 주도와 치료사의 치료 목표 설정과 방향성이 동시에 유지되도록 하는 방법이다. 이 방법은 치료사가 조금 더 구체적인 중재 목표를 가지고 활동과 주제를 조절하는 가운데 아동이 활동을 선택하게 하는데 집중된 자극(focused stimulation), 수직적 구조 만들기(vertical structuring), 환경 중재 (milieu teaching), 스크립트 치료(script therapy) 기법 등이 있다(그림 16-1).[5,6]

언어장애를 가진 아동은 일반 아동보다 언어 습득의 속도가 느려 언어발달을 촉진하기 위해서는 짧은 시간안에 집중적이고 많은 언어패턴을 경험해야 하기에 좀 더 자연적인 언어치료 형태를 선호하게 되었다.[7,8] 언어발달 촉진을 위해서는 아동이 불완전한 형태의 말로 표현하더라도 촉진자는 온전한 형태소를 갖춘 문장의 형태를 들려주고 어휘나 구문 확대의 기회를 삼는 것이 바람직하며,[9,10] 내용을 다양한 변형으로 재가공하여 표현하면 더욱 효과적으로 아동이 배울 수 있다(예; 아동이 "빠빵 가"라고 말했을 때, 촉진자는 "그래, 자동차가 가고 있어. 자동차가 빠르게 달려가고 있네. 자동차가 빵빵 소리도 내며 우리집으로 오고 있다." 등으로 다양하게 표현한다).[11]

다양한 언어치료 기법 중 근거가 확보된 근거중심 전략(evidence-based Practices)들은 대상자의 연령과 환경을 고려한 서비스 전달모델, 적절한 치료 빈도, 대상자의 적극적 참여 유도, 치료자의 피드백 제공, 긍정 행동을 촉진하는 강화물 전략, 다양한 환경과 조건에서의 반복, 특정 상황 연습(specificity), 기능 최대화를 위한 복잡성(complexity) 연습, 교정 피드백 제공으로 에러 반응 최소화, 잘알고 있는 개념(schema)내에서 새로운 형태에 대해 연습하기 등을 포함한다(표 16-1).[6]

2. 기능적 언어치료 (Functional approach)

인위적인 상황에서 의사소통의 의사와 상관없이 자극-반응-결과(강화)의 행동주의 모델을 사용하여 모방, 훈련, 연습 등을 강조하는 것이 전통적인 언어치료 기법이다. 이와는 반대되는 개념으로, 기능적 언어치료란 자연스러운 상황에서의 의사소통

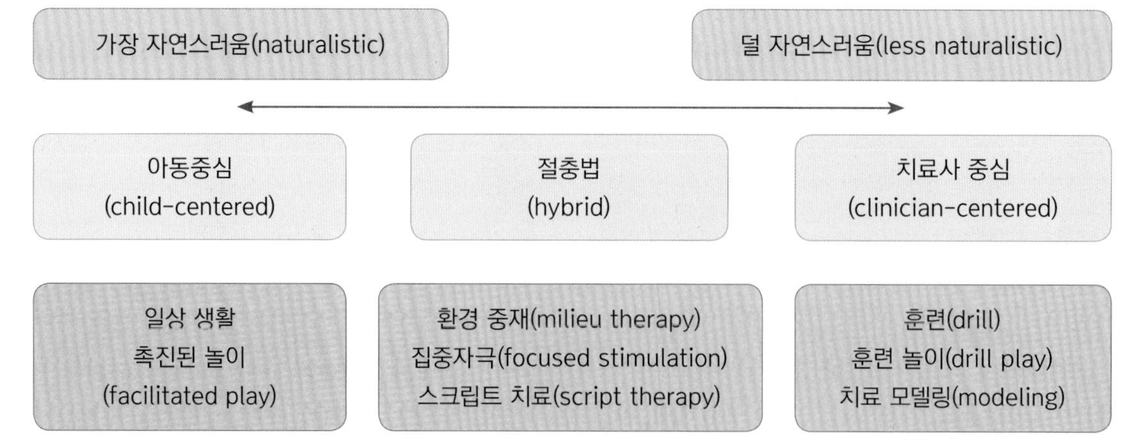

그림 16-1 언어치료 접근법의 분류(The continuum of naturalness)[4]

표 16-1 근거 중심적인 언어치료의 분류

	중요 사항	특징
접근 방식		
치료사 중심	치료사가 치료 형태, 목표, 강화물을 결정함	특정 목표를 반복적으로 연습함
아동 중심	치료사가 아동의 반응을 유도하는 자연스러운 기회를 제공, 아동의 주도를 따라감	협조적이지 않은 아동의 경우 효과적임
부모 중재	부모가 직접적 개별화된 중재를 제공하며 언어 입력의 기회가 높음	비용 절약, 조기 중재(Early intervention)의 근거가 높음
치료 방법		
행동 치료 (Behavioral therapy)	행동 학습 이론의 원리를 이용하여 선행 자극, 반응, 결과(보상)의 조합으로 적절한 행동을 증가, 부정행동은 감소시킴. 자폐스펙트럼 아동에 주로 사용	분리 시도 훈련(Discrete trial training) 중심 반응 훈련(Pivotal response training)
환경치료 (Mileu therapy)	자연스런 세팅에서 치료사는 목표된 반응을 유발하고 강화하나 아동이 상호작용을 시작하고 주제를 결정함	늦게 말하는 아이(late talker), 자폐스펙트럼장애, 지적장애, 고위험 아동군에서 근거가 높음
관계중심적 접근	부모와 아이 상호작용을 촉진하며 조기 중재 프로그램에 흔하게 쓰임	Greenspan/DIR/Floortime®과 같은 놀이를 통해 아동과 상호작용을 촉진함
중재 형태		
보완대체의사소통 (Augmentative and alternative communication)	구어를 대치하는 보조적 방법으로 도구적 상징(PECS, SGD)과 비도구적 상징으로 나눌 수 있음	지적장애, 자폐스펙트럼 장애에 근거가 높음
Computer-based instruction	컴퓨터 프로그램으로 읽기 등의 언어기술을 가르침	반복 연습을 할 수 있음
Video modeling	비디오로 적절한 행동을 보여보고 학습자를 비디오로 녹화한후 그 행동을 복습함	부모 중재의 예시: Hanen 프로그램

Abbreviations: DIR, Developmental Individual-difference Relationship; PECS, Picture Exchange Communication System; SGD, Speech Generating Devices

Data from American Speech-Language-Hearing Association. Spoken language disorders[12]

을 최우선 목표로 의사소통의 맥락에서 필요한 부분을 돕는 접근법이다. 이는 아동이 전통적 행동주의 방법을 적용, 치료실 상황에서는 의사소통을 수행했음에도 불구하고 다른 놀이 상황이나 집에서 발화를 일반화하지 못하는 한계에 대한 대체방법으로, 자연적인 의사소통 상황에서 자발적 대화에 참여하게 하고 사회적 상호작용을 통한 의사소통 기술을 폭넓게 경험하게 하게 한다.[13, 14]

1) 기능적 언어 중재의 원칙

언어촉진자(언어치료사, 부모, 교사, 보조자 등)는 아동의 자연스러운 언어학습을 위해 아동의 내적 동기를 중시하여야 하며, 아동이 대화하고 싶은 대상이 되어야 한다. 중재 전략은 전형적인 언어발달 순서에 따르기도 하지만, 맹목적으로 언어발달 순서에 맞추기보다 아동의 일상생활의 맥락에서 효과적인 사용을 이끌어 내고 아동의 주도적 행위 안에서 목표 어휘를 지도하며, 아동의 적극적 참여를 이끌어내는 것에 중점을 둔다.

2) 기능적 언어 중재의 방법

치료자는 아동과 환경에 적절한 언어치료 목표를 선택하고 목표한 언어형식을 정교화하도록 촉진하면서도, 아동에게 더 많은 주도권을 주는 방향으로 환경을 배치한고 아동의 의사소통 시도에 반응한다. 아동이 흥미를 보이는 대상에 함께 주의하며 발화시도를 강화해가고 훈련은 반드시 대화적 맥락 안에서 실질적인 사용을 통해 이루어져야 한다. 또한 일반화를 높이기 위해 부모를 포함하는 프로그램을 진행하여, 치료 환경으로 치료실, 가정, 학교나 단체와 같은 다양한 장소를 포함할 수 있고, 아동의 일상적 활동 안에서 훈련한다.

3) 언어 이전기의 중재

발화기 이전시기는 부모 중심적인 중재(family-centered practice)를 기본원칙으로 삼고 부모나 양육자가 아이의 신호를 읽고 반응하며 적절한 의사소통 환경을 조성하도록 부모를 교육하고 적절한 피드백을 제공하는 것이 가장 중요하다. 또한 식이와 발성 기술을 촉진하고 상징적인 언어활동으로 진입하도록 교육한다. 구체적인 적용 방법으로 유아가 관심있어 하는 장난감을 함께 주목하기(joint attention), 함께 활동하기, 지칭하기(naming), 아동과 부모가 일상적으로 하는 사회성 게임(짝짜꿍 등) 등이 있고, 아동의 낸 소리를 모방하여 자신이 낸 소리를 어른이 관심이 있어 한다는 사실 알게 해 발화를 촉진할 수도 있다. 놀이 관찰로 아동의 인지 및 상징 발달을 파악하고 현재의 발달보다 조금 더 높은 수준의 의사소통 행동을 모델링을 해주어 언어발달을 촉진할 수 있다.

4) 언어기의 중재

이 시기는 아동이 사용하고 있는 언어 능력을 아동의 생활연령이나 정신연령 수준으로 높이고, 수용언어와 표현언어 사이의 격차를 줄이는 것을 목표로 한다. 행동주의에 기초한 언어치료 기법으로 스티커와 간식 같은 물질적 강화, 칭찬과 같은 사회적 강화, 자신이 좋아하는 활동이나 장난감을 정할 수 있는 활동적 강화를 사용하며, 강화물은 실제생활에서 얻을 수 있는 것을 사용하는 것이 바람직하다. 정상적인 언어발달 속도에 따른 어휘, 구문을 접하게 하는 것이 바람직하나 습득 속도가 늦은 아동에게는 문법적 완벽함을 요구하지 않아야 한다. 또한 아동의 주도적인 활동과 주제 선택에 의한 중재 프로그램을 진행하더라도, 치료자가 구어적, 비구어적 훈련의 맥락을 잘 계획하여야 한다. 실생활에 가까운 상황과 소재로 시범이나 질문, 대치요청, 선반응요구-후시범, 오류반복후 재시도요청, 자기 교정 요청, 확장 및 반복, 주제 확대, 구문확장, 어휘 확대, 분리 및 합성, 문장 재구성하기 등의 다양한 자극 기법 등을 사용한다.[13, 14]

3. 놀이를 통한 언어치료

언어라는 상징 기호 체계를 구사하기 위해서는 아동이 상징을 이해하는 것이 가장 중요한 기초가 된다. 영유아는 놀이를 통해 주변을 탐색하고 사물의 개념을 이해하며 주변 사람들과 상호작용을 배우고 이 과정에서 상징을 자연스럽게 이해하는데, 이러한 놀이 발달 과정과 언어발달의 연관성을 보고한 연구가 많이 있다.[15-17] Mccunne-Nicolich 놀이 발달 모형은 아동의 놀이발달을 자신의 신체를 반복적으로 움직이는 전상기적 놀이(1단계~14개월), 사물을 관습적인 형태로 다루는 자동 상징 행동(2단계~14개월),다른 대상에게 간단한 가장 행동을 하는 단일 상징 행동(3단계~16개월), 다른 대상에게 여러 가지 가장행동을 적용하는 상징행동 조합(4단계~18개월), 계획된 상징행동(5단계; 20~24개월)으로 구분하였다.[18] Casby는 아동의 놀이 행동을 단일행동(12~18개월), 복합적 행동(18~24개월), 계획적 행동(30개월 이상)으로 구분하였고, 대행자 놀이(agent play)분석을 통해 자기 중심적 단계(12~18개월), 타인을 대상으로 하는 놀이단계(18~24개월), 다른 대상을 적극적으로 조작하는 놀이 단계(24~30개월)로 구분하였다.[19] 김영태 등은 상징행동과 놀이 발달 단계를 표 16-2와 같이 정리하였다.[20] 영유아 시기의 놀이 발달은 인지 발달, 사회성 발달 및 언어발달과 매우 밀접한 관련을 보이기에 치료자는 놀이 평가를 통해 아동의 상징과 언어발달을 이해하며 각 발달 단계에 맞는 놀이 환경을 조성하고, 놀이감을 매개로 상호작용과 발화, 언어 입력 및 산출을 촉진하는 중재 방법을 선택한다.

4. 특정 언어치료 프로그램

1) 보완-대체 의사소통 프로그램

보완 대체 의사소통(Augmentative and Alternative Communication: AAC)은 언어, 말, 읽기, 쓰기 등 구어적 의사소통에 심각한 장애가 있는 경우 사용하는 보완적이며 대체적인 방법으로, 자폐스펙트럼장애, 뇌성마비, 지적장애, 발달성 말실행증, 유전적 이상을 가진 선천적 장애를 가진 환자군과 신경퇴행성 질환, 외상성 뇌손상, 뇌졸중, 후두절제술이나 설절제술을 받은 환자군 등이 그 대상이다. AAC의 사용목적은 의사소통 촉진이라는 목적 이외에도 일상생활의 독립적 수행 능력을 높이고, 의사표현의 기회를 통해 말과 언어의 발달의 촉진시키며, 의사소통의 실패에 의한 문제 행동을 감소시키는 것이다. 보완 대체 의사소통 시스템은 도구 형태(aided or unaided), 어휘와 문장의 상징(symbols), 사용 기법(techniques; 예: 지적하기, 스캐닝하기)과 전략(strategies; 예: 문장예측, 부호화)으로 구성된다. 디자인은 사용자의 근력과 필요에 따라 고안되며 다양한 장치를 조합해서 사용할 수도 있고 청중에 따라 다르게 바뀔 수도 있다.[21]

(1) 도구 형태

도구 형태는 비도구형(unaided type)과 도구형(aided type)으로 나뉠 수 있다. 비도구형은 외부적인 장치가 필요하지 않는 방법으로 제스처, 얼굴 표현, 몸짓 언어 등을 의미한다. 도구형(aided type)은 외부 표현장치가 있는 것으로 비전기적 장치나 전기적 장치 모두를 포함한다. 비전기적 장

표 16-2 상징행동 검사표(김영태, Lombardino)

단계	세부분류	발달시기	상징행동 예시
초기 및 전환기	탐험적 놀이기 (Exploratory play)	9~10개월	물건에 대한 합당한 기능을 보여주지는 못하지만 탐험하는 자세를 보인다.
	전상징기적 행동 (Pre-symbolic play)	11~13개월	물건에 대한 전체적인 사용을 보여준다. (예: 전화기를 들어 귀에 가져간다, 빗자루로 마루를 쓴다)
	자동적 상징행동 (Auto symbolic play)	14~15개월	자신의 몸을 중심으로 한 상징놀이 (예: 빈 병을 들어 마시는 흉내를 낸다, 접시로부터 먹는 흉내를 낸다, 곰인형을 안고 뽀뽀한다)
상징행동기	단순 상징행동 (Single scheme)	16~17개월	자신의 신체에만 국한하지 않고 진정한 상징 행동을 다음 두 가지 중 한 가지로 보인다. (1) 인형이나 다른 대상에게 상징행동을 보인다. (예: 인형에게 우유 먹이는 흉내를 낸다, 곰 인형을 잠자리에 눕히는 흉내를 낸다) (2) 다른 사람이나 물체의 흉내를 낸다. (예: 신문 읽는 흉내를 낸다(아빠 흉내), 고양이 인형을 집어 들고 야옹 한다(고양이 흉내).
	단순 상징행동 조합 (Single scheme combination)	18~19개월	한가지 단순한 상징행동을 둘이나 그 이상의 대상에게 반복한다. (예: 인형에게 우유를 주는 흉내를 낸 후 자신에게도 우유 먹이는 흉내를 낸다. 마실 것을 엄마, 인형, 곰 인형에게 차례로 내는 흉내를 낸다)
	복합 상징행동 조합 (Multi-scheme combination)	20~23개월	연속적인 일련의 행동 속에서 두 가지 이상의 상징행동이 나타난다(예: 국자로 냄비를 젓는다 → 접시에 따른다 → 인형에게 떠 먹인다). (1) 두 상징행동의 조합 (2) 세 가지~다섯 가지 상징행동의 조합
계획적 상징행동기	물건대치 상동행동 (Object substitution)	24~35개월	관습적인 물건 대신에 다른 물건으로 대치하여 상징행동을 보일 수 있다. 세 가지 형태의 물건 대치행동이 보고됨. (1) 무의미 물건대치: 특정한 기능이 없는 물건으로 대치한다(예: 블록을 다리미로 사용한다). (2) 비관습적인 물건대치: 특정한 기능이 있는 물건으로 대치한다(예: 빗을 비누로 사용한다). (3) 상징적 물건 대치: 빈손으로 마치 물건이 있는 듯이 흉내 냄(예: 생일 케익 촛불을 끄는 시늉을 한다. 아무 것도 없을 때).

단계	세부분류	발달시기	상징행동 예시
	대행자 놀이 (Agent play)		인형이나 다른 사물을 움직이고 행위를 할 수 있는 행위자로 가장하거나 다른 사람의 역할을 가장한다. (1) 인형을 행위자로 사용: 인형을 살아있는 동체로서 가장한다(예: 우는 소리를 내며 인형이 우는 것처럼 가장한다, 인형이 스스로의 머리를 빗는 것처럼 가장한다, 인형이 걷거나 말하는 것처럼 가장한다). (2) 자신이 타인의 역할을 흉내: 아이 자신이 다른 사람인 것처럼 가장한다(예: 엄마의 구두를 신으며 "엄마 나갔다 올게"). (3) 상대방의 역할: 이야기나 행동을 하는 사람의 역할과 그에 반응하는 사람의 역할을 동시에 보인다(예; 한 인형이 다른 인형에게 말을 하면 다른 인형이 그에 맞게 반응한다). (4) 사회적인 역할: 한 사회적, 직업적인 역할을 여러 가지 행동을 통해 보인다(예: 의사 인형이 다른 인형의 체온도 재고 주사도 놓는다). (5) 무의미 물건으로 행위자 대치: 무의미 물건(블록)이 행위자인양 가장한다(예: 블록을 도깨비라고 부르며 도깨비가 곰 인형을 무섭게 하는 척한다).
사회적 역할놀이기	두가지 사회적 역할놀이 (Play with tow interaction roles)	36~47개월	한 인형이 사회적인 역할(예: 의사)을 보이고 또 다른 인형이 사회적인 역할(예: 환자)을 하도록 함.
	세가지 사회적 역할놀이 (Play with three interaction role)	48~59개월	세 인형 사이의 사회적인 역할을 보인다. (예; 의사는 환자를 진단하고 간호사는 의사의 말에 따라 환자를 대해 주며 그에 맞게 환자도 반응한다)
	복합적인 사회적 역할 놀이 (Play with intersection of agent roles)	60~72개월	한 인형(예: 의사)에 두 가지 이상의 사회적인 역할(예: 의사 및 아빠)을 할 수 있음을 보여준다. (예; 의사 인형이 병원에서 환자를 돌보고 집으로 퇴근해서는 아빠 역할을 한다)

* 아동언어장애의 진단 및 치료(김영태 저, 2012, 학지사) 상징행동검사표(p.419-422) 인용.

치를 로우테크(low-tech)로 표현하기도 하며, 전기적 장치를 하이테크(high-tech)로 표현하기도 한다(표 16-3).

(2) 상징(symbols)

상징은 대상이나, 행동, 개념, 감정 등을 표현하기 위해 사용되며, 그림, 사진, 대상물, 얼굴 표정, 제스처, 구어, 청각적 상징, 문자화된 상징으로 나뉠 수 있다. 문자화된 상징은 전통적인 철자법을 의미하며 단어나 구 예측과 같은 속도 향상 기법을 사용한다. 단일 의미 전달 상징은 사진이나 그림 같은 그래픽 상징을 이용, 한 그림이 한 가지의 의미 전달을 하게 된다(예: 사과 그림을 터치하는 것은 사과를 먹고 싶다는 의미). 다중 의미 축약(semantic compaction, Minspeak)기법은 다중적인 의미를 가지는 단순한 아이콘을 조합함으로 여러 의미를 표현하는 방법이다.

(3) 사용기법(techniques)

상대방에게 내용을 전달하는 방법으로 직접 선택과 스캐닝과 같은 간접 선택 방법이 있다. 직접 선택은 신체 접촉, 조이스틱, 안구 마우스 혹은 헤드 마우스, 인디케이터 등과 같은 사용자의 기능에 맞게 고안된 도구로 상징을 지적하거나 눌러서 선택하는 것이다. 간접선택은 청각, 시각, 촉각 스캐닝 방법을 쓸 수 있는데, 정해진 순서대로 대화 상대자가 의사소통판을 천천히 말해주거나 이동시켰을 때, 원하는 항목이 나오면 정해진 방법(눈 깜빡임, 찡그리기, 움직이기 등)으로 상징을 선택한다. 이런 방법을 상대방 조력 스캐닝(partner-assistant scanning)이라고 하며, 중증의 운동, 시각, 청각 장애와 의사소통 장애를 동시에 가지고 있는 경우 사용된다.

(4) 전략

사용자가 메시지 전달 속도를 향상시키거나 효율적으로 전달하기 위해 사용되는 과정이나 계획을 의미하며 주제에 따라 색깔 코딩을 하거나, 단어 혹은 구 예측 프로그램을 사용하는 기법 등이 있다.

이러한 AAC 중재를 위해서는 의사소통 능력(communicative competence)에 대한 평가가 필요하다. 의사소통 능력은 상징을 이해할 수 있는 언어적 능력, 페이지를 탐색하거나 움직임 등의

표 16-3 AAC의 분류체계

비도구형(Unaided)	도구형(Aided)	
로우테크 (No-tech)	로우하이테크 (Low-/Light-Tech)	하이테크 (High-Tech)
몸짓(Gestures)	그림(Pictures)	말생성기(Speech generating devices)
수어(Manual signs)	대상(Objects)	단일 의미 전달기(Single-message devices and recordable/digitized devices)
얼굴표정(Facial expressions)	사진(Photographs)	
음성(Vocalizations)	문자(Writing)	AAC 소프트웨어(컴퓨터, 태블릿, 스마트폰 탑재)
구어(Verbalizations)	의사소통판(Communication boards/books)	
신체어(Body language)		

시스템의 조작 능력, 메시지를 효과적으로 전달할 수 있는 전략적 능력, 화용적인 사용을 의미하는 사회적 능력, 마지막으로 타인과 사회에 적절하게 대응하여 의사소통 하려는 의지, AAC 사용에 대한 적극적인 태도를 의미하는 정신사회적 능력으로 나눌 수 있다. 우리나라에는 김영태 등이 개발한 한국 보완대체의사소통 평가(Korean AAC assessment)도구가 있다.[22] 평가를 토대로 적절한 AAC 시스템과 전략을 결정한 후 사용자 측면에서 기능적이면서도 개별화된 어휘 및 상징 선택이 필요하며 익숙해지면 점차 어휘를 늘려 나간다. 대화가 중단되었을 때 수정하거나 대화를 적절히 마무리하는 어휘도 포함되어야 하며, 연령에 맞는 대화용어를 선택한다. 교실, 가정, 지역사회, 직장 등 사용자의 일상의 환경에서 중재가 이루어졌을 때 스캐닝 기법이나 특정한 의사소통적 제스처, 발성 등을 해석할 수 있도록 대상자의 동료가 가족도 함께 교육받아야 한다. 많은 연구에서 AAC의 적용으로 장애 아동의 의사소통 능력, 문제 해결 능력, 학습 참여 기회 및 학습능력이 향상되었다고 보고하였고, AAC는 언어 중재의 최후 수단이 아니며, 구어의 발달을 방해하지 않고 오히려 촉진시킨다고 보고하였다.[23-25] 국내에도 다양한 형태의 AAC가 개발되어 있으며 정보통신보조기기 보급사업 등을 통해 지원을 받을 수 있다. 사용자의 의사소통의 욕구와 기능을 정확히 평가하여 다양하게 개발된 AAC 체계를 적극적으로 사용하고 훈련하는 것이 바람직하다(그림 16-2, 3).

2) 참조적 의사소통 능력(referential communication skill) 향상을 위한 언어치료

참조적 의사소통이란 실제 대상이 없는 상태에서 화자가 청자에게 환경이나 사건, 사물, 생각에 대한 정보를 제공하고 이를 이해하는 의사소통을 의미한다.[26] 이러한 능력은 화자의 역할과 청자의 역할로 구분할 수 있고 학습이 이루어지는 교실 상황에서 매우 중요하며, 학령기 동안 지속적으로 발달하여 8~9세에 성인에 근접한 능력에 이른다.[27] 신경발달장애를 가지는 아동은 질이 낮고 비효율적인 참조적 의사소통 능력을 가지기에, 화자(speaker)로서 구체적으로 참조물의 변별적인 특징을 구분하여 이야기하게 하고, 청자(listener)로서 시각적 정보 없이 언어적 지시로만 과제를 수행하고 이에 대한 지각적인 피드백(perceptual feedback)훈련을 제공하는 것이 효과적이다.[28]

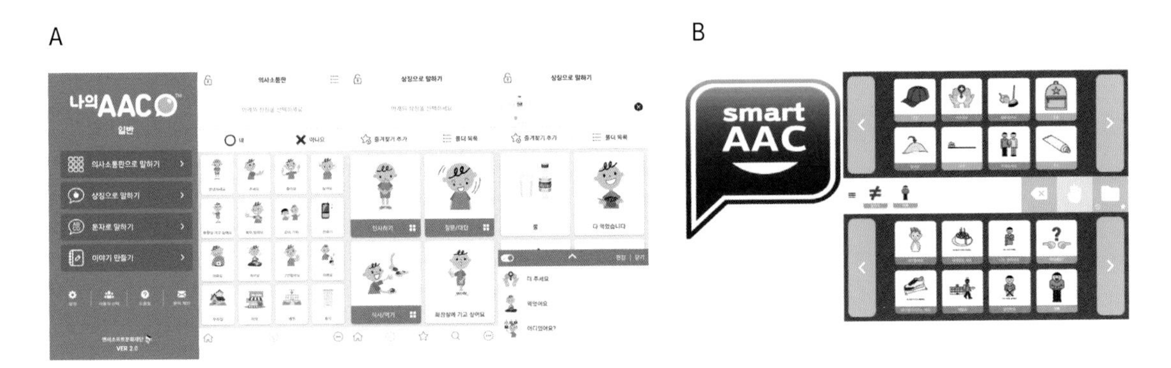

그림 16-2 대표적인 국내 AAC 스마트폰 어플리케이션
A. 나의 AAC, 엔씨문화재단, B. 스마트 AAC, 경기도보조기기센터

A

B

C

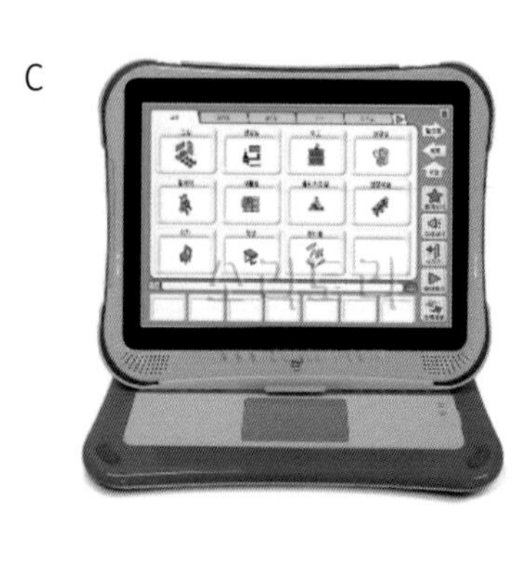

그림 16-3 국내 개발 말생성기
A. 마이토키 스마트(리드스피크 코리아사), B. 메시지스톤(터치스톤사), C. 키즈보이스 스마트((주)유비큐사)

3) 환경중심 언어치료 (mileu language intervention)

언어치료 기법을 치료실과 같은 구조화된 환경에서 이루어지는 구조화된 접근법과 교실이나 가정과 같은 자연적인 환경에서 중재하는 자연주의적 접근법으로 구분할 때, 표현된 언어의 일반화와 자연적인 강화를 위해 자연주의적 접근법의 중요성이 높아졌다. 자연주의적 접근법 중 하나인 환경중심 언어치료는 다양한 연구를 통해 근거가 입증되었는데,[29-31] 아동이 의사소통을 해야 하는 상황을 미리 조성한 뒤 아동의 흥미와 주도에 따라 중재자가 활동에 같이 참여하다가 적절한 모델링(시범)을 보이고 아동이 이에 반응하면 언어적 확장이나 강화물을 제공한다. 시간지연 기법(time-delay technique)이나 선반응요구-후 시범 기법(mand-model procedure)을 사용하기도 하며, 가장 핵심적인 부분인 우발 학습 기법(incidental teaching procedure)은 우연한 상황에서 아동이 먼저 의사표현을 실시할 때, 이를 더 확장 시키고 피드백을 제공해주는 방법이다.[32] 이러한 중재법은 특수교육의 현장에서 많이 이루어지며, 부모나 훈련자, 특수교사 등의 개입이 매우 중요하다.

II. 증상에 따른 치료

1. 언어발달장애

언어치료의 기본 원리는 간단한 것에서 복잡한 것, 아는 것에서 모르는 것, 구체적인 것에서 추상적인 것, 전체적인 것에서 세밀한 것으로 나아가는 것이다. 또한 아동의 현재 수준에 맞춰 치료 범위를 결정하고 실생활에서 적용 가능하도록 해야 해야 하며, 아동의 특성에 따라 치료 목표가 달라져야 한다.[33] 적극적으로 대화에 참여하는 아동은 비교적 효율적인 의사소통이 가능하므로 새로운 내용과 형식에 대하여 상호작용을 하는 훈련을 한다. 수동적으로 대화에 참여하는 아동은 대체로 상대방이 대화를 개시해야 반응하는 경우가 많으므로 다양한 상황에서 대화를 시도하거나 이미 할 수 있는 표현에 새 언어형식을 추가하는 훈련이 좋다. 의사소통이 전혀 되지 않는 아동의 경우 일반적인 의사소통 규칙을 알게 하고 의사소통 기능을 향상시키는데 초점을 맞춰야 한다.[5]

1) 언어학적 접근법

치료사가 언어 모델을 제공하면 아동이 단순히 따라 말하도록 하는 것이 아니라 단어와 구 등이 연결되는 방법 등 기본적인 패턴과 규칙을 발견하도록 하는 아동 중심의 간접적인 접근방법이다. 치료사는 아동이 주의 집중한 상황에서 언어를 들려주고 자발적으로 반응하도록 한다. 아동의 언어 수준과 특성에 따라 언어규칙을 이해하는 속도에 차이가 있다. 모델과 모방(예: 아동이 "공" 이라고 이야기하면 "공 없다", "공 어디 있지?" 등의 문장을 모델로 제시), 어휘 확대와 구문확장(예: 아동이 "자판기 주스 주" 라고 이야기하면 "자판기에서 주스 뽑아주세요" 라고 진보된 구조로 반복), 교정과 자기교정 모델링, 혼자 말(치료사나 부모가 경험하거나 생각하는 것을 아동이 들리도록 이야기)과 병행 말(아동의 행동이나 생각을 아동의 입장에서 이야기) 등의 방법이 여기에 속한다.[5]

2) 행동주의적 접근법

치료사가 언어 모델을 제시하면 아동이 치료사의 발화를 모방하도록 하는 치료사 중심의 직접적인 치료방법이다. 이러한 방법으로 습득된 말은 실생활에 일반화가 잘 되지 않는다는 단점이 있기 때문에 놀이 상황에서 습득된 말을 사용하도록 유도하는 일반화 훈련이 필요하다. 치료실에서 배운 언어를 집, 학교 등 실생활에서 사용하도록 하기 위해 부모가 치료실에서의 치료과정을 관찰하도록 권장한다.[5]

3) 인지적 접근법

언어능력은 인지적 성숙의 결과로 나타난다는 관점에서 제시된 방법이다. 치료사는 아동의 인지 능력을 평가하고 인지발달 단계를 고려하여 치료 목표를 세우며 소유, 위치, 회상, 부정, 보존개념, 상징놀이 등의 여러가지 내용을 지도한다.[5]

4) 화용적 접근법

의사소통에 치료의 초점을 두는 방법으로 실생활에서 목적에 맞게 언어를 사용할 수 있도록 지도한다. 따라서 치료사는 실제 언어를 사용해야 하는 환경 및 활동을 고안한다.

2. 조음 · 음운장애

조음 · 음운장애 치료는 치료의 관점 및 방향에 따라 여러가지로 분류될 수 있는데 접근 방법에 따라 음성적(운동적) 치료와 음운적(인지-언어학적) 치료로 나눌 수 있다. 음성적 치료접근법은 개별 음소를 정확하게 산출하도록 한 음소씩 조음을 치료하는 방법으로 대표적으로 전통적 치료기법이 있다. 음운적 치료접근법은 여러 음운 오류에 공통적으로 나타나는 음운 패턴을 치료하는 방법으로 독립적인 음소의 차이는 물리적으로 그리 큰 것이 아닐 수도 있으나, 낱말에 포함된 음소에 의해 낱말의 의미가 분화되고 이 의미의 차이는 물리적으로나 심리적으로 크다는 점을 치료에 이용하는 것이다. 변별자질 접근법, 음운변동 치료기법, 주기법 등이 있다.[34, 35]

1) 전통적 치료기법

대표적인 음성학적 치료접근법으로 목표 음소에 초점을 맞춘 체계적 치료법이다. 첫 단계인 감각 · 지각 훈련에서는 검사를 통해 목표 음소를 판별하여 대상 아동으로 하여금 목표 음소에 대한 표준음 인지하게 하고 오류음을 변별할 수 있도록 한다. 다음 단계인 확립 훈련에서는 아동이 목표 음소를 의식적으로 정확하게 산출하도록 하고 안정화 훈련을 통해 목표 음소를 쉽고 빠르고 정확하게 산출할 수 있도록 중재한다. 이후 전이훈련을 통해 새로 습득한 말소리 능력을 일상의 모든 상황에서 누구와도 자발적으로 정확하게 산출할 수 있도록 일반화시키고 마지막 유지훈련에서는 자기 말을 녹음하여 듣고 오류를 확인한 뒤 자발적으로 교정하는 자기 점검을 통해 새로 학습된 목표 음소를 유지할 수 있도록 하여 치료의 종결을 유도한다.[5]

2) 변별자질 접근법

변별자질은 의미를 구분하는 음소 성분으로 음소(음운) 간에 변별되어지는 음성자질을 말하며, 음성자질은 원음성 자질(조음위치, 조음방법, 유무성)과 운율적 자질(고저, 장단, 강약)로 나뉜다. 변별자질 접근법은 치료의 단위를 음소가 아닌 자질 단위로 하며, 하나의 자질 오류 교정이 그 자질을 가지고 있는 몇 개의 음운을 교정할 수 있다는 전제에서 개발된 치료법이다. 대조법 접근으로 이루어지는데 여기서 대조짝이란 동등한 분절 수로 이루어지면서, 한 위치만 다른 음으로 된 두 낱말 짝을 의미한다. 준비 단계에서는 오류 패턴(예: 치조음의 연구개음화)을 규명하여 학습시킬 자질의 범주(파열음 계열의 위치 자질 문제)를 정한 뒤 학습시킬 자질(조음 위치 전/후 자질) 및 자질 대조를 이루는 음소짝(예: /ㅌ/-/ㅋ/)을 고르고 그에 맞는 단어짝(예: 탈-칼, 긴탈-긴칼)을 선택한 후 단어 카드를 제작한다. 이후 진행되는 제시 단계에서 먼저 해당 단어의 개념을 아동이 이해하는지 검토하고, 두 단어를 분리하는 발음의 차이를 지각하는지 확인한 뒤 새로운 발음을 경험하고 그 조음을 하도록 훈련한다. 이후 습득된 자질을 더 긴 발음 속으로 통합시킨다.[35]

3. 유창성장애

말더듬에는 너무나 많은 복합적인 요인이 작용하기 때문에 한가지 치료방법이 모든 말더듬인에게 효과적일 수 없다. 나이, 성별, 발생 시기, 현재 말더듬 정도, 병식, 주변환경 등과 같은 다양한 요인이 치료 효과에 영향을 미칠 수 있다. 따라서 개개인마다 어떤 요인들이 중요하게 영향을 미치고 있는가를 파악하고 가장 효과적인 치료 방법으로 접근해야 한다. 말더듬 치료의 목표는 말더듬 빈도 감소, 말더듬 회피 또는 도피와 같은 비정상성 감소뿐 아니라 말더듬과 말하기에 대한 부정적 정서, 사고 및 태도 감소, 전반적 의사소통 능력 향상 및 유창성 촉진 환경 만들기 등이 포함된다.[5,36]

1) 부모 교육

말더듬 아동의 부모를 비롯한 주위 사람들의 행동을 변화시켜 치료에 참여하게 하는 것이 필요하다. 첫째, 아동이 자신의 말더듬에 집중하지 않도록 부모는 이에 대하여 걱정하거나 부정적으로 반응하지 않고 아동의 이야기에 긍정적으로 반응한다. 둘째, 아동에게 기대하는 유창성의 기준을 낮추고, 아이에게 모델이 되는 부모 역시 쉽고 느리고 부드럽게 말한다. 셋째, 의사소통 요구를 감소시켜야 한다. 넷째, 아동 스스로 계획하고 표현할 수 있는 시간적인 여유를 충분히 주어야 한다. 아동이 말이 막혔을 때, 하지못한 나머지 말을 대신해 주지 않아야 한다. 다섯째, 말하는 것이 재미있는 경험이 되게 하고 유창하게 말하는 경험을 많이 갖게 한다. 특히 말더듬 초기 단계에는 간헐적으로 말더듬이 나타나므로 말더듬이 심한 기간에는 가능한 적게 발화하도록 유도하고 유창하게 말을 할 때는 말을 많이 하도록 해야 하며, 혼잣말을 할 때 거의 더듬지 않는 아동에게는 혼잣말을 격려한다.[5]

2) 간접 치료

말을 더듬은 기간이 짧고, 자연회복될 가능성이 높으며 직접 치료에 대한 인지적 준비가 되어 있지 않은 학령 전 초기 아동(2~3.5세)에 대한 치료는 치료 환경을 변화시키는 것을 목표로 하는 간접 치료가 적절하다. 간접 치료의 목표는 아동과 상호 작용하는 가족들의 태도와 행동을 변화시키는 것이다. 우선 말더듬의 심한 정도를 평가하고 부모-아동 놀이를 통해 구어 치료선을 확립한 뒤 아동의 유창성을 촉진하기 위해 변화시킬 수 있는 가족 상호 유형을 확인한다. 예를 들어, 가족 구성원들의 말 속도가 빠르거나 쉼 없이 대화를 진행하는지, 아동의 말에 자주 끼어드는지, 개방형 질문이 잦은지, 비판적이거나 교정적인 충고가 많은지, 아동의 이야기를 잘 청취하지 않는지, 아동의 수준보다 높은 어휘를 사용하는지 등을 파악한다. 이후 가족에게 다음과 같은 고려해야 할 목록을 제공한다. 아동의 말을 들어주는 시간 갖기, 느리게 말하기, 대화 시 충분히 쉬면서 말하기, 아동의 말에 긍정적으로 반응하기, 의도적 질문 및 개방형 질문 줄이기 등으로 가족들이 아동의 유창성을 증가시킬 수 있다.[36]

3) 직접 치료

간접치료를 시행하였으나 안정된 유창성을 보이지 않는 학령 전 초기 아동, 초기 말더듬을 보이는 학령 전 후기 아동(3.5~6세) 및 중간급 말더듬의 학령기 아동(6~14세)의 경우 직접치료를 실시한다. 직접치료에는 매우 다양한 프로그램들이 제시되어 있다. 치료사가 아동에게 직접 유창성 모델을 제시하고, 느리게 말하기, 부드러운 조음접촉, 후두발성 및 지연 피드백 기법 등 다양한 방법을 통하여 아동의 유창성을 증진 시키는 데 초점을 두는 치료법이 유창성 형성법이다. 말더듬 수정법은 길고 긴장된 말더듬을 좀 더 간단하고 이완된 말더듬으로 바꾸고, 대상자의 도피 및 회피 행동 사용을 줄이기 위해 보상과 가벼운 벌을 사용하는 접근법이다. 인지행동 치료법은 대상자가 과거에 부정적인 정서나 생각을 갖게 해왔던 자신의 구어, 청자 및 상황을 좀 더 긍정적으로 생각하고 느끼도록 하는 데 도움을 주며 더 말을 더듬게 하는 근육 긴장과 같은 부적응적인 행동들을 자신이 어떻게 느끼고 생각하고 행동하는지 배울 수 있다.[36]

4. 음성장애

음성 장애의 원인과 증상에 따라 적용되는 음성 치료의 방법은 매우 다양하다. 음성장애의 치료는 수술, 보툴리눔 독소 주사 및 약물 치료와 같은 의학적 치료와 행동적 음성치료로 나눌 수 있지만 두가지를 동시에 필요로 하는 경우가 많으며 의사와 언어치료사의 긴밀한 협조가 필요하다. 음성장애 환자의 치료 목표는 정상적인 음성으로의 회복이 아닌 환자의 사회적 욕구와 직업적인 욕구를 충족시킬 수 있도록 가능한 최상의 음성으로 회복시키는데 있다. 치료 진행 후 환자의 음성이 향상됨과 동시에 성대의 기질적 문제 및 신체의 다른 증상이 감소되고 환자 스스로가 음성이 향상되었다고 느낄 때, 그리고 환자가 바람직한 음성 사용을 모든 상황에 적용할 때 음성치료를 종결할 수 있다.[5]

1) 행동적 음성치료

음성산출 행동을 바꾸어 줌으로써 음성을 개선시키는 것이다. 음성휴식 실시 및 음성위생(충분한 물 섭취, 마이크 이용해서 말하기, 충분한 휴식 취하기 및 흡연과 카페인 섭취 제한 등) 준수와 같은 간접적 음성치료와 음성효율성을 향상시키고 음질을 개선시켜 환자의 음성산출 방법을 바꾸는 직접적 음성치료가 여기 속한다. 일반적으로 치료실에서 25가지 음성촉진 기법(청각적 피드백, 강도 변경, 노래조로 말하기, 저작하기, 비밀스러운 음성, 상담, 손가락 조작법, 남용 제거, 새로운 음도 확립, 음성 배치, 성대 프라이, 머리 위치 변경, 계층적 분석, 흡기 발성, 후두 마사지, 차폐, 비음/유음 자극, 구강개방 접근법, 음도 억양, 발성 변경법, 이완, 호흡 훈련, 혀 전방화, 시각적 피드백, 하품-한숨)이 많이 사용된다.[5, 37]

2) 총체적 음성치료

음성산출과 관련된 호흡, 발성, 조음, 공명 등 음성산출의 전반적인 측면을 중재하는 것이다. 치료 시 리드미컬한 억양을 넣어 음성을 부드럽게 산출하도록 하는 액센트 기법, 후두근육 부피 증가, 근력 개선 및 협응능력 향상을 목적으로 하는 성대기능훈련, 최소한의 성문하압과 근력으로 공명음성을 산출하도록 하는 공명음성치료 등이 여기 속한다.[5]

5. 읽기장애

읽기장애 아동의 언어치료 시 아동이 보이는 어려움이 무엇인지 정확하게 파악하여 그 치료목표나 절차가 달라져야 한다.

음운처리 능력에서부터 어려움이 나타난다면, 음운인식 능력을 향상할 수 있는 치료목표에 초점을 맞추어 치료가 진행되어야 한다. 음운인식능력은 변별, 합성, 생략, 대치 과제 등을 음절 수준에서 음소 수준 범위까지 각 단계별로 치료를 실시할 수 있다. 아동에게 익숙한 고빈도 낱말에서 저빈도 낱말 또는 무의미 낱말까지 다양하게 실시하여야 하며, 처음에는 청각적 음운 인식으로 시작해서 이후 자소-음소를 대응하면서 스스로 소리와 글자를 변형할 수 있도록 훈련해야 한다. 이후 읽기유창성 증진을 위한 훈련을 실시한다. 아동이 1분내에 읽을 수 있는 음절 수를 확인하여 이를 해당 학년 수준에서 비교한 후 글을 읽으면서 나타나는 유창성 저해 요인을 파악하여 여기에 초점을 맞추어 중재를 진행하며 아동이 정확하게 읽을 수 있게 되면 읽기 속도를 높인다.

읽기장애 아동의 경우 경험부족으로 인해 낮은 어휘력을 갖는 경우가 흔하므로 해당 연령 또는 학년에 적합한 어휘 목록을 선정하여 이를 중심으로 아동에게 훈련을 시행하는 것이 효과적이다. 읽기 이해력에도 어려움을 보이게 되는데, 저학년의 경우 낱말재인에서의 어려움이 읽기 이해력에 영향을 미치지만, 고학년이 될수록 그 외의 언어능력 또는 배경지식 등의 외부 기능의 역할이 커지게 된다. 따라서 연령 및 능력에 따라 다른 치료방법이 적용되어야 한다.[38]

III. 원인에 따른 치료

1. 지적장애

지적장애 아동은 자신의 인지보다 더 낮은 수준의 언어발달을 보이는 경향이 있다.[39] 첫 낱말 발화 시기가 정상발달 아동보다 늦으며, 구체적 사물에 비해 추상적 개념은 늦게 습득된다. 또한 대화를 주도하지 못하고 새로운 형식의 구문을 습득하는데 오랜 시간이 걸린다. 복잡한 형태의 구문을 학습하더라도 자발적인 사용이 어려우며 언어규칙을 일반화하는데도 어려움이 있다.[5]

지적장애 아동의 인지 및 정보처리 능력은 정신연령이 동일한 정상발달 아동과 차이를 보이며 이것은 학습에 중요한 영향을 미친다.[40] 지적장애 아동은 학습 과정 중 주의집중, 변별, 조직화, 기억, 전이에 어려움을 보일 수 있음을 고려해야 한다. 주의집중을 유도하기 위해 시청각적으로 강조된 자극 단서를 사용하고, 변별을 돕기 위하여 유사점과 차이점을 강조하여 설명하는 방법을 사용할 수 있다. 정보를 저장하고 기억하기 위해 목록화하는 조직화 전략을 사용할 수 있도록 미리 정보를 구조화시켜서 연관 전략들을 제시해주는 방법을 활용한다. 또한 지적장애 아동의 기억을 돕기 위해 신체 모방부터 시작해서 점차 상징적인 것으로 전환해 가도록 하고, 추후 회상이 원활하게 이루어지도록 감각 자극을 사용하는 것도 좋다. 이전에 학습한 내용을 새로운 상황에 적용할 수 있도록 치료 상황을 일상적인 상황과 매우 유사하거나 동일하게 제시해 주고 치료 시 가능한 실제 사물을 활용하는 것이 도움이 된다. 중증 지적장애인의 경우 AAC도 고려해 볼 수 있다.

2. 자폐범주성장애

자폐범주성장애 아동의 35~40% 정도가 의사소통을 위한 언어발달이 어렵다.[5] 또한 표현 어휘 발달이 늦고 일반화 과정이 어려우며 단어를 비정상적인 의미로 사용하기도 한다. 의사소통은 상호작용보다는 자신의 욕구 충족을 위해 다른 사람의 행동을 조절하는 도구적 기능을 위한 것이다. 이러한 자폐범주성장애 아동의 언어치료에서는 의사소통을 이해하기 위한 그림교환 의사소통 체계(Picture Exchange Communication System, PECS) 및 화용론적 어려움을 위한 상황이야기 기법 등이 적용될 수 있다.

PECS는 표현언어에 제한이 있는 자폐범주성장애 아동의 의사소통 기술 촉진을 위해 고안된 일종의 AAC로, 아동이 선호하는 사물을 얻거나 활동하기 위해 다른 사람과의 상호작용을 시도하게 하는데 초점을 맞추고 있다. PECS에서는 가장 기본적이고 핵심적인 의사소통 문제가 의사소통 시작의 실패라고 보고, 자기-동기화된 요구(self-motivated request)를 시도하게 함으로써 기능적인 의사소통 기술을 가르친다. 즉 원하는 사물의 사진이나 그림을 상대방에게 제시함으로써 자신의 요구를 표현하게 되고, 그 결과로 아동은 사진이나 그림에 있는 사물이나 행동을 얻게 된다. PECS는 체계가 매우 보편적인 언어에 해당하는 그림을 이용하기 때문에 아동은 어떤 상황에서 누구와도 의사소통이 가능하다.[38]

상황이야기(social stories)는 타인의 생각에 관한 정보를 처리하는 데 결함을 보이는 자폐범주성장애 아동에게 특정 상황과 관련된 사회적 단서를 해결할 수 있도록 도움을 제공하기 위해 개발된 것으로, 특정 상황에서 발생하는 일의 내용 및 이유와 관련된 정확한 정보를 아동에게 제공하고, 관련된 사회적 단서와 일반적인 반응에 대해 설명하는 짧은 이야기를 의미한다. 이를 통해 사람들이 주어진 상황에서 무엇을 하고, 무엇을 생각하고 느끼는지에 대한 정보, 사건의 연속, 중요한 사회적 단서와 의미의 파악, 무엇을 이야기해야 하는지에 대한 형식을 지도한다.[41] 자폐범주성장애 아동들이 사회적 관계에 대한 적절한 반응이 부족하기 때문에 사회적 상황을 예측하도록 하는데 도움이 된다.[42]

3. 마비말장애

마비말장애는 신경계의 손상으로 인해 발화와 관련된 근육 운동 조절 실패로 나타나는 언어장애로, 적절한 자세 유도, 구강안면 반사의 통합 조정 및 근긴장 조절과 구강안면 근육의 근력, 활동범위, 속도, 타이밍과 협응력 향상시키기 등에 치료의 초점을 둔다. 이를 위해 호흡, 공명, 발성, 조음과 운율 훈련 순으로 위계적으로 치료되어야 한다.[43]

1) 호흡 훈련

호흡 치료의 주된 목적은 호흡량 증가 및 정상적인 흡기/호기 패턴과 말호흡 패턴을 확립하는 것이다. 이를 위해 안정 시 호흡 횟수를 분당 16~20회 정도가 되도록 조정하고, 빠르게 흡기한 후 흡기를 유지하다가 길게 호기하는 말 산출 시 호흡 패턴을 확립한다.

2) 발성 훈련

한숨-하품 반복 이후 소리내기 등 이완된 상태의 발성위치를 취하도록 발성 조정훈련을 실시한다. 수의적 발성훈련(모음-자음 교대로 빨리 말하기), 모음을 이용한 발성 지속훈련(깊은 흡기 후 15초, 얕은 흡기 후 10초 이상), 음역 확대훈련(노래 부르기), 성량 증대훈련(밀면서 발성), 음질 향상훈련 등을 실시한다.

3) 공명 훈련

과다비성을 감소시키고, 연인두 폐쇄를 강화하며, 적절한 구강공명을 형성하는 것이 중요하다. 거울이나 nasometer 등을 이용하여 비강기류와 과다비성에 대한 피드백을 제공한다. /a/ 발성 시 설압자를 이용한 연구개 거상, 빨대로 음료 마시기 및 불기 등의 비인강 폐쇄운동을 실시하고, 이러한 훈련을 통한 자음의 명료도 향상과 이러한 변화의 청각적 인식이 필요하다.

4) 조음 훈련

조음기관의 긴장도 저하와 근력 향상을 위한 안면 및 구강 마사지를 실시한다. 또한 하악, 입술, 혀와 같은 구강조음기관의 운동 세기 및 범위를 향상시키고, 직접적인 오조음에 대한 피드백을 제공한다.

5) 운율 훈련

음도범위 확대하기, 강세대조 훈련 등을 실시하여 억양을 다양하게 하고, 메트로놈, 손가락 두드리기 등을 이용하여 말하는 속도를 변화시킨다. 또한 적절한 간격으로 한 호흡에 긴 발화를 유도한다.

4. 청각장애

청각장애 아동은 조기 발견, 조기 중재가 매우 중요하다. 조기 발견이 되면 소리를 들을 수 있는 기본 조치인 보청기 및 인공와우 등을 시행한 후 청능훈련이 이루어지고 발성훈련 및 언어치료도 함께 이루어진다. 이외에도 고심도 난청의 경우 독화, 수화지도 및 AAC 활용을 고려해야 하는 경우도 있다.

청능훈련 시 부모에 대한 교육이 굉장히 중요하며 유의사항은 다음과 같다. 청능훈련이 자연스럽게 이루어지도록 귀 가까이에서 부르거나 말을 걸고, 노래 불러주며 소리나는 완구와 악기를 가지고 놀도록 한다. 예기치 못한 큰 소리를 갑자기 들려주지 않도록 주의하고, 아동의 청력 장애 상태에 맞춰 훈련한다. 특정 시간만이 아닌 생활 전반에 걸쳐서 시행해야 하며 훈련 성과를 너무 성급하게 기대하지 말아야한다.[5]

청능훈련은 대화법과 듣기훈련법으로 나눌 수 있고 대화법은 다시 자연적 대화법과 구조적 대화법으로 나눌 수 있다. 자연적 대화법은 형식 없이 자연스럽게 대화하면서 난청 아동이 일반적인 대화 형식을 익히도록 유도하는 것이다. 다만 처음에는 시각적 청각적 자극이 모두 주어진 상황에서 실시하다가 차츰 시각적 단서를 제거하여 아동이 일반적인 의사소통 상황에 적응할 수 있게 도와준다. 고도 이상의 청력장애인 경우 이해가 잘 되지 않아 산만해질 수 있다. 구조적 대화법은 조금 더 형식화된 기법으로 주어진 주제와 관련된 낱말이나 문장을 미리 알려주고 반복적으로 이용하게 하여 앞으로 경험할 청각 환경에 응용할 수 있도록 유도하면서 대화하는 것이다. 소리를 처음 대하거나 언어 개념이 없는 아동에게는 어려운 작업이다. 듣기 훈련법은 주어진 몇 개의 음소에 대한 집중적 훈련을 실시하는 것으로 소리를 처음 접하거나 양측성 중도 이상의 난청 아동에게 유용하다. 이러한 접근법들은 각기 장단점이 있으므로 한가지만 주장하기 보다는 두가지 접근법을 아동의 능력과 필요에 따라 탄력적으로 실시하여야 한다.[44]

5. 구개열

구순구개열 아동에서 구조적 결함으로 인해 섭식, 청력, 치과 문제가 병행된다. 섭식 문제는 부모 교육 및 특수 젖병을 사용하고 청력은 만성 귀 질환을 지속적으로 점검하며 부정교합 교정 및 수술 등의 치과 문제를 해결해 나간다. 구순구개열 아동의 입술 수술은 10주부터, 구개 수술은 9개월부터 할 수 있고 아동의 상태에 따라 다양한 수술법이 선택될 수 있으며 수술은 여러 차례 시행될 수도 있다. 구개열 수술 후 연인두 기능장애로 과다비성이 나타날 수 있어, 심할 경우 인두판 수술이나 구개 거상기를 착용하여 구어명료도를 높일 수 있다.

출생에서 구개 수술 전까지는 의사소통 및 구어발달에 대한 부모 교육을 실시하고 구개 수술 후부터 5세까지는 아동의 전반적 언어발달을 분석하고 중재해야 한다. 또한 5세 이상에서 20세까지는 지속적인 구어 자료를 수집하고 아동의 학습 및 취업과 관련된 중재 및 조언을 제공한다. 구순구개열 아동에게 음운장애, 학습장애, 지적장애, 청각장애가 병행된다면 조음의 정확도와 명료성은 더욱 악화될 수 있다.[45] 보상조음오류들은 구개열 아동 특유의 문제이다. 이는 구개열이 있는 사람에게서 자주 들을 수 있는 비정상적인 소리 패턴이며 성도에서 조음의 위치가 후부로 이동함으로써 만들어지는 소리이다. 어린 아동에서 가장 보편적이고 뚜렷한 보상조음오류는 많은 자음을 성문 파열음으로 대치하는 것이다.[46] 성문 파열음은 성대에서 기류 흐름을 차단하여 유사 파열 자음을 만들어 내어 과비성으로 약해지는 고압력 자음을 대체하는 것이다. 성문 파열음은 대부분의 언어에서 없는 음성이고 이러한 자음을 산출하면 화자에게 주목이 되기 때문에 문제가 된다. 성문 파열음은 구순구개열 아동의 언어치료가 길어지는 원인이 되며 교정하는데 어려움이 있다. 따라서 성문 파열음이 확립된 후 아동을 치료하는 것보다 구순구개열 아동이 보상 구어 패턴을 습관화하기 이전에 중재하는 것이 더 효율적일 수 있다.

▶ 참고문헌

1. Levykh MG. The affective establishment and maintenance of Vygotsky's zone of proximal development. Educational theory 2008;58:83-101.
2. Olswang LB, Bain BA. Intervention issues for toddlers with specific language impairments. Topics in Language Disorders 1991;11:69-86.
3. Ellis Weismer S, Robertson S. Focused stimulation approach to language intervention. Treatment of language disorders in children 2006:175-202.
4. Fey ME. Language intervention with young children: College-Hill Press; 1986.
5. 곽미영, 김시영, 김효정 외. 언어치료학 개론. 1 ed. 서울: 학지사; 2019.
6. Paul R, Norbury C. Language disorders from infancy through adolescence-E-Book: Listening, speaking, reading, Writing, and Communicating. Missouri Elsevier Health Sciences; 2018.
7. Gillam R, Frome Loeb D. Principles for school-age language intervention: Insights from a randomized controlled trial. The ASHA Leader 2010;15:10-3.
8. Eisenberg S. What works in therapy: Further thoughts on improving clinical practice for children with language disorders. Language, speech, and hearing services in schools 2014;45:117-26.
9. Kamhi AG. Improving clinical practices for children with language and learning disorders. Language, Speech, and Hearing Services in Schools 2014;45: 92-103.
10. Proctor-Williams K. Treatment for morphosyntactic deficits: From specific strategies to a holistic approach. Perspectives on Language Learning and Education 2014;21:192-202.
11. Leonard LB, Deevy P, Fey ME, et al. Sentence comprehension in specific language impairment: A task designed to distinguish between cognitive capacity and syntactic complexity. Journal of Speech, Language, and Hearing Research 2013.
12. Spoken Language Disorders. Available at: https://www.asha.org/practice-portal/clinical-topics/spoken-language-disorders/. Accessed 31 October 2020.
13. Bates E, Thal D, MacWHINNEY B. A functionalist approach to language and its implications for assessment and intervention. Pragmatics of Language: Springer; 1991;133-61.
14. Budwig N. A developmental-functionalist approach to child language: Psychology Press; 2013.
15. McCune L. A normative study of representational play in the transition to language. Developmental psychology 1995;31:198.
16. Lewis JB, Laura Lupton, Samantha Watson, Vicky. Relationships between symbolic play, functional play, verbal and non-verbal ability in young children. International Journal of Language & Communication Disorders 2000;35:117-27.
17. 최윤지, 이윤경. 영유아의 상징놀이 발달과 초기 표현 어휘 발달과의 관계. 언어청각장애연구 2011;16:248-60.
18. McCune-Nicolich L. Toward symbolic functioning: Structure of early pretend games and potential parallels with language. Child development 1981: 785-97.
19. Casby MW. Developmental assessment of play: A model for early intervention. Communication Disorders Quarterly 2003;24:175-83.
20. 김영태. 아동언어장애의 진단 및 치료. 서울: 학지사; 2012.
21. Craig HK. Pragmatic characteristics of the child with specific language impairment: An interactionist perspective. Pragmatics of Language: Springer; 1991; 163-98.
22. Kim Y, Park E, Han S, et al. Korean augmentative and alternative communication: assessment and intervention for special educators and speech-language pathologists. In: Editor, ed.^eds. Book Korean augmentative and alternative communication: assessment and intervention for special educators and speech-language pathologists: Seoul: Hakjisa; 2016.
23. 박은혜. 보완 · 대체의사소통 사용자의 언어발달. Communication Sciences & Disorders 2000;5:5-32.
24. Binger C, Light J. The effect of aided AAC modeling on the expression of multi-symbol messages by preschoolers who use AAC. Augmentative and

Alternative Communication 2007;23:30-43.

25. Drager KD. Aided modeling interventions for children with autism spectrum disorders who require AAC. Perspectives on Augmentative and Alternative Communication 2009;18:114-20.
26. Yule G. Referential communication tasks: Routledge; 2013.
27. Zouhar M. Definite descriptions, reference, and inference. Theoria 2007;73:28-45.
28. Bishop DV, Adams C. What do referential communication tasks measure? A study of children with specific language impairment. Applied Psycholinguistics 1991;12:199-215.
29. Hemmeter ML, Kaiser AP. Enhanced milieu teaching: Effects of parent-implemented language intervention. Journal of Early Intervention 1994;18:269-89.
30. Kaiser AP, Hancock TB, Nietfeld JP. The effects of parent-implemented enhanced milieu teaching on the social communication of children who have autism. Early Education and Development 2000;11:423-46.
31. Kaiser AP, Hester PP. Generalized effects of enhanced milieu teaching. Journal of Speech, Language, and Hearing Research 1994;37:1320-40.
32. 김민영, 이소현. 환경중심 의사소통 중재가 자폐아동의 자발적인 기능적 의사소통 행동에 미치는 영향. 특수교육 2006;5:31-56.
33. 최성규. 장애아동 언어지도. 대구: 한국언어치료학회; 2001.
34. Gierut JA. Differential learning of phonological oppositions. J Speech Hear Res 1990;33:540-9.
35. 석동일, 권미지, 김유경 외. 조음음운장애 치료. 4 ed. 대두: 대구대학교출판부; 2013.
36. Guitar B. 말더듬: 본질 및 치료에 관한 통합적 접근 (Stuttering: An integrated approach to its nature and treatment). 서울: 박학사; 2018;456.
37. Boone DR MS, Von Berg SL, et al. . 음성과 음성치료(The voice and voice therapy). 9 ed. 서울: 시그마프레스; 2014;472.
38. 김영태. 아동언어장애의 진단 및 치료. 2 ed. 서울: (주)학지사; 2012;638.
39. Miller JF. Assessing language production in children: Experimental procedures. Baltimore: University Park Press; 1981;186.
40. Owens RE. Language development: an introduction. Boston: Allyn & Bacon; 2002.
41. Gray CA, Garand J. Social stories: improving responses of students with autism with accurate social information. Focus Autism Other Dev Disabl 1993;8:1-10
42. Chen T, Yang W, Wang Q, et al. Effects of social stories intervention for children and adolescents with autism spectrum disorders: A protocol for a systematic review and meta-analysis of randomized controlled trials. Medicine (Baltimore) 2020;99:e22018.
43. Darley FL, Aronson AE, Brown JR. Differential diagnostic patterns of dysarthria. J Speech Hear Res 1969;12:246-69.
44. 심현섭, 김영태, 김진숙 외. 의사소통장애의 이해. 1 ed. 서울: (주)학지사; 2005;390.
45. Chapman KL, Hardin-Jones M, Halter KA. The relationship between early speech and later speech and language performance for children with cleft lip and palate. Clin Linguist Phon 2003;17:173-97.
46. Peterson-Falzone SJ, Hardin-Jones, M.A. Karnell,M. P. Cleft Palate Speech. 3 ed. St. Louis: Mosby; 2001.

CHAPTER

17 인지치료

Cognitive Therapy

성인영, 김보련

I. 머리말

인간이 성장하면서 자신을 둘러싼 세계를 점차 알아가며 적응해가는 과정은 매우 흥미로운 과정이며, 이는 외부 환경 속에서 다양한 경험을 통해 인지(cognition)를 발달시켜 나가는 과정이라고 할 수 있다. 인지란 정보의 습득, 저장, 변형, 사용으로 정의되며, 이는 외부 세계로부터 유입되는, 다양한 정보를 포함하는 자극에 대해 주의하고 감각기관을 통해 들어온 정보에 대해 지각하고 표상하며 기억하는 과정을 통해 형성되며 발달한다.[1]

인지발달은 유전적인 요인과 환경의 상호작용의 결과로 이루어진다. 아동의 발달시기에 따라 대뇌피질의 영역별로 뉴런과 시냅스의 형성과 밀도 변화는 생득적인 프로그램으로 이루어지지만, 시냅스의 선택적 소멸 과정에서는 아동의 경험이나 학습, 훈련 등 환경적 요인에 의해 정교화되고 구체화된다. 아동의 인지장애는 다양한 생물학적, 환경적 요인에 의해 발생할 수 있으며, 비단 인지발달뿐 아니라 대근육운동, 소근육운동, 언어, 정서 및 사회성 발달과도 밀접한 상관성을 가지며 발달과정에 영향을 미칠 수 있다. 현재까지 인지장애를 동반하는 여러 질환들에서 다양한 인지치료들의 효과에 대한 임상 연구결과들이 보고되고 있지만, 임상적 경험과 관찰에 근거한 치료들도 많이 시행되고 있는 것이 현실이다. 본 장에서는 소아재활을 담당하는 의료진들이 아동의 인지치료에 대한 이해와 치료 결정과정에 도움이 되고자, 근거중심의 치료효과를 간략히 살펴보고자 한다.

II. 인지치료의 종류

1. 인지재활

1) 개념

인지재활(cognitive rehabilitation)은 특정 인지기능의 호전을 목표로 기술과 전략을 훈련하는 인지훈련(cognitive training, CT)보다 포괄적인 개념으로, 재활의 대상을 기능이 저하된 인지영역이 아니라 인지장애가 있는 아동에게 적용함을 의미한다. 아동에서 인지재활의 목표는 특정한 인지과제의 수행능력을 향상시키는 것뿐 아니라, 일상생활 중의 적응 행동 및 사회적 기능의 향상을 목표로 한다. 인지장애가 있거나 인지발달지연의 위험이 높은 아동에서 효과적인 인지재활을 위해서는 생애 초기부터 대근육운동 발달과 신체활동 증진을 위한 운동치료, 소근육운동 발달 및 일상생활동작 수행능력 향상을 위한 작업치료, 언어발달과 의사소통능력 향상을 위한 언어치료, 자기 조절과 사회적 상호작용을 증진시키기 위한 감정-행동치료 및 부모 교육과 인지훈련 등의 다양한 재활의학적 조기중재가 필요하다. 또한, 이러한 포괄적이고 다학제적인 인지재활 중재는 영유아기뿐 아니라 가정, 학교, 지역사회에서 독립적인 신변처리기술과 사회적 참여의 요구가 높아지는 학령기와 청소년기까지 필요하다.

2) 중요성

인지재활을 위한 다양한 재활의학적 조기중재가 중요한 이유는 생애 초기의 뇌발달과정으로 설명할 수 있다. 출생 후 뉴런들 사이에 형성되는 시냅스의 생성은 매우 빠르게 일어나는데 첫 1년간 약 10배 이상으로 증가한다. 뇌의 전 피질 영역에서 같은 시기에 시냅스가 생성되는 것이 아니라 일차감각영역과 운동영역에서 시냅스가 가장 빨리 발생하고 그 다음으로 연합영역과 전전두엽피질에서 발생한다. 이는 기본적인 감각과 운동기술을 습득한 다음 더 복잡하고 정교한 발달이 이루어짐을 의미한다. 또한, 뇌발달과정의 특징적인 패턴은 뉴런과 시냅스의 과잉생산 후 가지치기 방식으로 요약된다. 시냅스 생성과 마찬가지로 시냅스 소멸이 발생하는 시기도 피질영역에 따라서 다른데 시각피질에서는 가지치기가 10세에 완성되지만, 전두엽피질에서는 청소년기까지 지속된다. 시냅스의 과잉생산은 뇌가 초기에 환경에 최대로 반응할 수 있는 능력을 갖게 하는 기제이며 이후 가지치기 과정은 발달하는 동안 환경과의 상호작용을 통해 전문화되고 정교화되는 기제이다. 뇌발달 과정에서 가장 중요한 개념 중 하나가 뇌가소성이다. 이는 뇌가 적절한 환경적 자극이나 훈련을 통해서 새로운 기능이 형성되기도 하지만, 이미 존재하는 능력도 사용하지 않으면 사라지게 되는 현상으로 아동의 뇌발달에 풍요로운 환경(enriched environment)의 중요성을 말해준다. 이미 잘 알려진, 설치류를 대상으로 한 많은 연구들에서 풍요롭고 자극적인 환경이 뉴런의 수상돌기와 뉴런당 시냅스 수의 증가, 해마의 크기 증가, 학습능력의 증진을 보였다고 보고하였다.[1, 2]

아동은 성인과 비교하여 학습과 뇌가소성에 있어 뛰어난 잠재능력을 가지며, 생후 첫 3년간은 경험에 의한 학습과 뇌가소성이 가장 활발하게 이루어지는 시기이다. 발달하는 뇌(developing brain)는 충분한 감각경험과 운동경험, 풍부한 언어환경, 부모의 긍정적인 양육(positive parenting), 또래와 충분한 상호작용, 식이, 마이크로바이옴(microbiome), 면역체계 등과 같은 뇌가소성에 긍정적인 영향을 미치는 인자들과 뇌손상, 스트레스, 극심한 결핍, 학대 또는 방임, 폭력, 부모의 정신적 질환, 약물 남용이나 중독 등의 뇌가소성에 부정적인 영향을 미치는 인자들에 의해 형성, 변화되고 이는 결국 아동의 인지발달과 학습으로 이어지게 된다.[3] 따라서, 인지재활의 목표는 인지장애가 있거나 인지발달지연의 위험이 높은 아동에서 뇌발달 시기 동안 초기 뇌가소성을 극대화하는 것이라 할 수 있겠다. 뇌가소성과 학습을 이끄는 핵심동인(key driver)은 부모-아동 간 상호작용, 풍요로운 환경, 경험의존적 뇌가소성을 활용한 훈련에 바탕을 둔 치료적 중재이다(그림 17-1). 특히, 아동에서의 경험의존적 뇌가소성을 활용한 치료적 중재는 과제 특이적 훈련(task-specific practice)을 반복적이고 집중적으로 시행하는 것이 중요하다. 그리고 동기부여(motivation)와 주의력이 뇌가소성의 핵심 조절인자(key modulator)이기 때문에 아동에게 주어지는 과제는 아동 스스로 흥미롭게 집중하고 반복할 수 있도록 고안되어야 한다.[4] 이러한 뇌가소성의 원칙에 근거한 몇몇 조기중재연구들이 시행되었는데, 미국 노스캐롤라이나의 저소득 가정에서 태어난 아동들을 대상으로 한 Abecederian Project 연구가 대표적이다.[5]

1972년부터 1977년 사이에 태어난 아기들을 두 군으로 무작위 배정하여 생후 첫 5년간 개별적이고 집중적인 교육프로그램을 시행하였는데 사회성, 정서, 인지, 언어발달영역에 초점을 맞춘 놀이 중심의 활동으로 구성되었다. 이후 성인기까지 장기간 추적 관찰을 하였는데, 조기중재군이 대조군에 비해 지능지수, 수학, 읽기능력뿐 아니라 대학 진학률과 고용률도 유의하게 높았으며 사회-정서적 문제, 심혈관 질환이나 대사성 질환의 빈도도 현저히 낮은 결과를 보였다. 2015년 미숙아를 대상으로 한 조기중재의 효과에 관한 코크란 리뷰에서는 운동 및 인지향상을 위한 조기중재 프로그램은 학령전기 인지발달에는 대체로 긍정적인 효과를 보인 반면, 학령기 이후 장기적인 인지기능 예후에 관해서는 각 연구마다 중재프로그램의 다양성으로 인해 결론이 제한적임을 보고하였다.[6]

3) 인지재활 프로그램의 요소

(1) 운동치료중재

아동의 대근육운동 발달과정은 인지발달과 밀접한 관계를 가진다. 아동은 생후 1년 동안 앉고 서고 걷는 대근육운동 발달이 이루어지는데 이는 자신을 둘러싸고 있는 환경을 적극적으로 탐색해 나가는 초기 지각-운동 행동이며 자신의 신체, 사물, 그리고 사람과의 관계에 대한 정보를 습득하고 지식을 형성하는 과정이라고 할 수 있다. 아동이 앉을 수 있게 되면 세상을 보는 새로운 지각적 관점

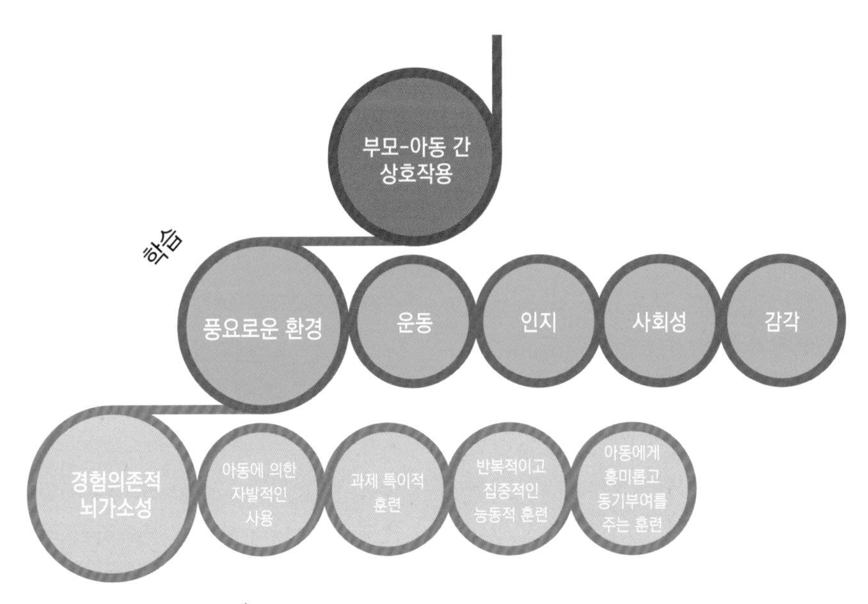

그림 17-1 뇌가소성과 학습의 핵심 동인[4]

을 획득하게 되고 시각적 정보를 처리하는 능력이 향상된다. 시각적 주의집중력은 문제 해결력의 핵심 요소이기 때문에 앉기는 인지발달의 중요한 기초가 된다. 또한, 앉기가 가능해지면, 시선이 안정화되고 시각-운동 협응력이 발달하게 되어 사물의 상호작용을 학습하게 될 기회가 높아진다. 따라서, 발달지연이 있거나 위험이 높은 아동에서 앉기 및 사물탐색능력을 촉진시키기 위해서는 신체나 사물탐색에 집중하게 하는 놀이 활동을 다양한 앉기 전략들과 결합하는 치료적 개입이 도움이 된다.[7,8]

아동이 서고 걷게 되면, 이동하는 직접적인 행동을 통해 기존 정보를 보완하면서 더욱 풍부한 정보 습득이 가능해져 문제 해결력과 공간 기억력 등 인지발달에 있어서 상당한 진전을 보이게 된다.[9] 보행능력의 발달이 지연된 미숙아, 수막척수탈출증, 뇌성마비 아동들은 학령기 및 청소년기의 시공간 지각력, 주의집중력, 문제 해결력, 지능지수, 학업 성취도 및 일상생활 수행능력 또한 저하된다는 연구결과들이 보고된 바 있다.[10-13]

아동의 신체활동이 인지에 미치는 긍정적인 영향에 관해서는 많은 실험 및 임상 연구들을 통해 알려져 있다. 신체활동은 뇌에 다양한 신경생리학적 변화를 유도하게 된다. 첫째, 혈관분포를 변화시켜 산소포화도와 포도당 운반이 증가하게 된다. 이는 혈관신생(angiogenesis)을 촉진시키고 인지, 각성과 연관된 대뇌부위의 혈류를 증가시킨다. 둘째, 뇌유래 신경영양인자(brain-derived neurotrophic factor, 이하 BDNF)와 같은 neurotrophin을 증가시켜 뉴런의 성장과 신경발생(neurogenesis)이 자극되고, 세토로닌과 노르에피네프린과 같은 신경전달물질(neurotransmitter, NT)이 증가하게 되어 정보 처리가 촉진된다. 셋째, 특정 유전자 발현의 변화를 유도하여 뇌가소성이 촉진된다. 이 밖에도 인지기능과 연관된 대뇌피질 및 피질하부위들(상전두엽(superior frontal area), 상측두엽(superior temporal area), 기저핵(basal ganglia) 등)의 구조적 변화와 기능 호전 등의 가설들이 제시되고 있다.[14-16]

운동은 신체 기능과 건강을 향상시키기 위한 목적으로 이루어지는 반복적이고, 구조적이며, 계획된 신체활동으로 정의된다. 운동은 문제해결, 창의성, 의사결정, 목표설정, 자기조절 등 핵심 고위 인지기능인 실행기능을 향상시킨다.[17-19] 운동과 가장 민감하게 연관된 인지영역은 작업기억, 억제, 고위 실행기능, 인지적 생활기술(cognitive life skill)이며, 매일 신체활동의 양을 증진시키는 프로그램이 효과적이다. 또한, 단순하고 반복적인 동작보다는 운동의 난이도가 점진적으로 증가하여 인지적인 노력을 요하는 프로그램이 실행기능을 포함한 인지발달에 도움이 된다.[20] 정상발달 아동들 및 자폐스펙트럼장애, 주의력 결핍 과잉행동장애 아동들을 대상으로 한 여러 연구들에 의하면, 신체활동 및 운동은 학업 성취도 및 주의집중력, 실행기능 등의 인지기능뿐만 아니라 상동행동, 충동성, 과다활동성 등의 행동문제에도 긍정적인 영향을 미치며 주로 유산소 운동의 효과를 강조하고 있다.[21-26]

(2) 작업치료중재

아동은 일반 탐색(general exploration), 뻗기(reaching), 사물 탐색(object exploration) 등의 초기 상지행동들(upper extremity behaviors)을 통해 주변 환경을 탐색하고, 정보를 모으고, 신체 및 사물에 관한 복잡한 상관관계에 대해 학습한다. 상지행동들을 통해 사물을 잡고, 조작하고 탐색함으로써 사물과 상호작용하는 능력이 점점 발달하게 되면, 대상에 대한 표상과 기억형성, 사건의 인과관계, 대상을 구분하고 분류하는 능력, 익숙한 사물에 대한 재인능력(recognition) 또한 발달하게 된다. 이러한 초기 상지행동들은 아동의 일상생활동작의 핵심 요소들로 향후 식사하기나 옷입기를 포함한 일상생활동작 수행능력의 중요한 바탕이 된다.[9] 여러 연구들에서 영유아기에 초기 상지행동들을 통한 사물과 상호작용하는 능력이 지연되면 학령전기의 시각-운동 협응력을 포함한 인지적 수행능력이나 학령기의 지능지수에 부정적인 영향을 미친다는 결과를 보고한 바 있다.[31-33] 따라서, 발달지연의 고위험군이거나 유의한 발달지연이 있는 아동에서 초기 상지행동들을 촉진시킴으로써 사물을 탐색하고 상호작용을 높이는 경험들은 초기 인지발달을 위해 매우 중요하다.

아동에서 일반 탐색 활동을 촉진시키기 위해서는 타월이나 담요 등을 이용하여 팔다리를 굴곡하여 가운데로 모으는 자세잡기(positioning), 캥거루 케어, 엎드린 자세잡기(prone positioning), 소리가 나거나 움직이는 장난감과 손목을 줄로 연결하여(tethering) 상지 움직임을 증가시키는 놀이, 부모와의 사회적 놀이(social play) 등이 도움이 된다. 일반 탐색 활동을 촉진시키기 위한 중재들과 함께 부모 교육을 통해 좀 더 과제 지향적(task-oriented) 놀이 활동을 하면 뻗기와 사물 탐색 활동을 촉진시키는 데도 효과적이다.[31-33]

일상생활동작 수행능력은 시지각 및 실행기능을 포함한 다양한 인지영역의 발달과 연관성이 있다. 일상생활동작에는 옷입고벗기, 먹기, 개인위생, 목욕, 대소변관리, 화장실 사용 등과 같이 자신의 신체를 돌보는 기본적 일상생활동작들(basic activities of daily living, ADL)과 환경과의 상호작용이 필요한 좀더 복잡한 수단적 일상생활동작들(instrumental ADL)이 있다. 아동은 성장하게 되면서 가정 및 지역사회에서 독립적인 기본적 및 수단적 일상생활동작들에 대한 환경적인 요구가 증가하게 된다. 이는 아동의 인지기능뿐 아니라 사회화 능력에도 중요한 영향을 미치므로 이에 대한 과제 특이적, 놀이 중심의 작업치료중재가 필요하다. 소근육운동 발달은 주의집중력, 시각-운동 협응력을 비롯한 인지기능의 발달과 유의한 상관성이 있다. 학령기가 되면 글쓰기, 미술활동 등 소근육운동 능력과 연관된 학습활동에 대한 요구가 증가하게 되므로 이에 대한 작업치료중재는 소근육운동 능력 향상 뿐 아니라 학습능력 및 인지기능 향상을 위해서도 중요하다. 인지장애 아동들을 대상으로 한 몇몇 국내 연구들에서 수예 및 공작 중심의 작업치료가 소근육운동 능력 및 주의집중력 향상에 도움이 되었다고 보고한 바 있다.[34, 35]

앞서 언급하였듯이, 아동의 인지기능 향상을 위한 작업치료중재에서 놀이의 개념은 매우 중요하다. 놀이는 그 자체로 아동의 내적 동기에 의한 자발적인 활동으로 외부 규칙에 얽매이지 않고 결과보다는 과정에 의미를 둔다. 놀이는 인지발달을 반영하며 탐색적, 상징적, 창의적, 경쟁적인 특성이 있다. 아동은 놀이를 통하여 운동, 감각, 인지, 정서에 관한 기술들을 발달시킨다. 그리고 자신의 신체와 사물, 주위 환경뿐 아니라 상황에 대해 적응하는 능력, 사물에 대해 주의를 기울이고 조작하고 문제를 해결하는 능력, 또래와 협상하는 능력, 사회화 능력을 배우게 된다. 아동의 놀이 형태는 주로 감각과 운동을 이용한 놀이로 시작하여, 사물이나 상황에 대한 개념이 형성되면 실제 사물에 가상적인 상황을 의도적으로 부가하는 구조화된 상징 놀이 및 사회적 역할놀이로 이어지게 된다.

아동의 놀이를 치료적 중재에 잘 활용하기 위해서는 놀이에 참여하는 부모나 또래 아동, 치료사 등을 통해 사회적 상호작용을 증진시키는 환경과 창의성, 상상력, 변화의 경험과 기회를 제공하는 물리적 공간, 장난감, 보조 도구 등을 적절하게 제공하는 것이 중요하다.[36]

(3) 언어치료중재

초기 언어발달은 기본적인 의사소통, 인지과정, 문해력, 그리고 사회적 상호작용을 위한 기반을 쌓는 중요한 과정이다. 언어발달 또한 뇌발달 과정을 반영하며, 첫 수년 동안 뇌의 양적 증가가 이루어지면서 언어발달도 현저하게 증가한다. 인간의 언어발달을 설명하는 다양한 이론적 관점들이 있지만, 언어발달 또한 생득적 요인인 인지발달과 환경적 요인과의 상호작용으로 이루어진다. 피아제의 관점에서 언어는 인지적 성숙, 즉, 언어를 지각하여 표상하고 기억하는 인지발달이 이루어지는 과정의 결과물임을 강조하였으며, 비고스키의 관점에서 언어는 사고력을 포함한 인지발달을 촉진시키는 매개체로서의 기능을 강조하였다. 아동의 언어 지각과 획득에 있어 인지발달과의 연관성을 강조한 이러한 이론적 관점들은 최근 뇌영상기법을 이용한 아동의 뇌발달에 관한 여러 연구들을 통해 긴밀한 연결성이 밝혀지고 있다.[37, 38] 따라서, 인지장애가 있거나 인지발달지연의 위험이 높은 아동에서 조기 언어치료중재를 통해 생애 초기부터 풍부한 언어환경에 노출시키는 것은 인지발달을 위해 매우 중요하다.

언어환경에 대한 반응은 태아기때부터 가능하며 태아는 재태기간 약 32주부터 엄마의 목소리를 타인과 구별할 수 있다고 알려져 있다. 신생아집중치료실(Neonatal ICU, NICU)의 초저체중 미숙아들을 대상으로 언어환경 분석장치인 Language Environment Analysis (LENA)를 이용하여 성인 언어(adult speech), 아동 발화(child vocalizations), 대화의 변화(conversation turns), 침묵(silence), 소음(noise)을 분석한 연구 결과, 미숙아들은 빠르면 예정일보다 약 8주 전부터 발화가 시작되며 부모의 대화 음성이 재태기간 32주와 36주째 아동 발화의 유의한 예후 인자임을 알 수 있었다. 또한, 재태기간 32주째와 36주째 부모 대화량의 증가가 생후 7개월째와 생후 18개월째 베일리 평가에서의 인지 및 언어 지수와 유의한 상관성이 있었다.[39-41] 이러한 결과를 고려해 볼 때, 아동의 언어 및 인지발달을 위해서 신생아집중치료실과 같은 초기 환경에서부터 가족을 참여시키는 조기중재 노력과 정책이 필요할 것이다.

언어 또한 의사소통을 위해 사용되는 일종의 상징체계이기 때문에 발달시기에 따라 나타나는 언어의 형태와 합동주시(joint attention), 모방(imitation), 상징놀이(symbolic play) 등 몸짓이나 제스처 등을 통한 상징행동은 긴밀한 상관성을 가진다.[37] 실제로 아동이 만 2세경이 되면 상징 체계를 표상할 수 있는 인지기능이 현저하게 증가하면서 언어기능과 상징행동 또한 현저히 발달하게 된다. 따라서, 언어치료중재 시 아동의 언어발달 수준에 따른 상징행동 수준을 평가하여 이를 치료에 적절히 활용하는 것이 중요하다.

인지장애 아동의 언어능력은 인지장애의 유형과 중증도, 언어과제 및 환경에 따라 차이를 나타내기는 하지만, 대체적으로 언어의 구문-형태적, 음운적, 의미적, 화용적 사용 측면에서 일부 또는 전반적인 결함이 관찰된다. 언어 및 의사소통 문제는 인지장애 아동에서 나타나는 가장 심각한 적응행동 문제 중 하나이며 사회화 능력에도 부정적인 영향을 미치므로 학령기까지 지속적인 중재가 필요하다. 인지장애 아동의 언어발달수준에 따라 다양한 접근방식의 언어치료중재가 시행될 수 있으며 기능적인 의사소통을 유도할 수 있도록 환경 속에서 아동의 관심과 흥미에 따라 시행하는 환경중심 언어중재, 말을 통한 기능적인 의사소통이 어려운 아동에게 적용할 수 있는 보완대체 의사소통이나 그림교환 의사소통 프로그램 등이 있다.[42]

(4) 정서 · 행동치료중재

아동의 정서 및 사회성이 발달하는 과정 또한

인지발달과 밀접한 연관성이 있다. 마음에 대한 이해능력은 사람이 각자 자신만의 생각, 믿음, 지각, 바람과 같은 마음을 가진다는 것을 아동이 이해하는 능력이며, 마음의 표상적 특성이 발달함으로써 가능해진다. 상징 놀이 또한 사물을 실재와는 다르게 마음속으로 표상할 수 있는 인지능력이 생겼음을 보여주는 증거라고 할 수 있다. 인지능력으로서 마음에 대한 이해능력의 발달은 타인과의 상호작용을 위한 사회적 기술과 적응 능력의 발달에 중요한 기반이 된다. 아동은 신생아 시기부터 다양한 정서의 표현이 가능하고 점차 사회적 참조 행동을 통해 마음을 이해하는 기본 능력이 형성되므로 부모와의 사회적 상호작용을 높이는 조기중재가 매우 중요하다.[1]

인지장애가 있는 아동은 정상발달아동에 비하여 행동문제가 발생할 가능성이 3~4배 정도 높으며 이는 향후 아동의 적응 능력, 사회적 기술, 학교 생활뿐만 아니라 부모의 정서적 및 신체적 건강에도 부정적 영향을 미친다.[43] 인지장애 아동들에서 부정적 행동을 감소시키고 적응 행동을 향상시키기 위한 대표적인 행동중재로는 응용행동분석(applied behavior analysis, ABA)에 기반을 둔 행동적 중재를 들 수 있다. 응용행동분석 중재는 환경에 적응하는 인간 행동의 기본 원리를 바탕으로 바람직한 행동을 향상시키거나 문제 행동을 감소시키기 위해 다양한 전략을 사용한다. 모든 행동수정은 선행자극(행동이 일어나기 전에 발생하는 일)과 결과(행동 이후에 발생하는 일)에 근거를 두고 긍정적 강화를 이용하여 행동을 이해하고 변화를 유도할 수 있도록 한다. 응용행동분석 중재로 바람직한 행동이 일상생활에 잘 적용되도록 하는 것이 중요하며, 이는 학습능력이나 인지기능에도 긍정적인 영향을 줄 수 있다.[44] 그 밖에도 한 메타분석에서 신경발달장애로 진단받은 아동들에서 사회적 관계와 적응 행동을 향상시키기 위한 기관중심의 다양한 인지치료중재의 긍정적 효과를 보고한 바 있다.[45]

2. 부모 교육과 훈련

1) 개념

인지재활을 위한 다양한 재활의학적 조기중재 프로그램을 구성할 때 부모 교육과 훈련은 필수적인 요소 중 하나이다. 부모의 양육은 아동의 뇌발달에 따른 운동, 인지, 사회-정서발달에 중대한 영향을 미친다. 아동이 태어나서 성장하는 동안 부모에게 의지하는 것은 오랫동안 배우는 견습생 과정(long learning apprenticeship)에 비유되기도 하는데, 이는 양육을 통해 환경에 잘 적응할 수 있는 인지적 유연성을 배우는 과정이라고 할 수 있다. 아동이 가장 좋아하고 영감을 주는 놀이는 부모와의 친밀한 상호작용을 통해 이루어진다.

부모가 아동의 발달과정에 민감하고 긍정적으로 반응하는 양육을 통해 아동은 우연적 학습(contingency learning)을 경험하게 되고 이는 아동의 인지발달에 긍정적인 영향을 미친다.[4] 따라서, 긍정적인 양육을 위해서는 아동의 전반적인 발달과정에 대한 이해, 부모-아동의 상호작용을 높이기 위한 방법, 바람직한 양육행동의 인식 및 수정, 부모의 심리사회적 건강의 중요성에 대한 부모 교육과 훈련이 반드시 필요하다. 특히, 발달장애가 있거나 발달지연의 위험이 높은 아동을 둔 부모들은 아동의 신체적, 인지적, 사회-정서적 발달 수준에 따라 다양한 형태의 부모 교육과 훈련 중재가 필요하다. 부모 교육과 훈련은 양육에 대한 자기 효능감(self-efficacy)과 자기 조절력(self-mastery)을 높여 결과적으로 아동의 발달과 부모의 사회심리적 안녕(psychosocial well-being)에 도움을 주기 위한 중요한 중재이다.

2) 중요성

앞서 언급하였듯이, 아동의 뇌발달은 뇌가소성에 긍정적인 영향을 미치는 인자들과 부정적인 영향을 미치는 인자들에 의해 중요한 영향을 받게 되고 이는 결국 아동의 운동, 인지, 사회-정서적 발달로 이어지게 된다. 여러 연구들에서 부모의 긍정적인 양육행동과 부모 교육 및 훈련이 아동의 뇌발달에 이로운 영향을 준다는 연구결과들을 보고하였다. Lio 등은 동물 실험을 통해 쥐의 모성 관리(maternal care)가 해마 시냅스형성(synaptogenesis)과 공간 학습 및 기억을 촉진시켰다고 보고하였으며, Rao 등은 영유아기의 긍정적인 양육경험이 청소년기의 해마의 용량과 기능에 밀접하게 영향을 미친다는 결과를 보고하였다.[46, 47]

또한, Fisher 등은 학령전기 아동의 발달 및 사회-정서적 요구에 대한 지지적인 환경을 제공하는 가족 중심의 치료적 중재가 아동의 시상하부-뇌하수체-부신 축의 가소성을 향상시킴으로써 혈중 코르티솔 수준을 유의하게 낮출 수 있음을 밝혀냈다.[48] 반면, 아동이 부모의 부정적 양육행동으로 인해 생애 초기에 극심한 스트레스와 학대에 노출되게 되면 신경생물학적 수준에서 뇌발달에 치명적인 손상이 발생하게 되고 이는 아동의 인지와 정서-행동 발달에 악영향을 끼치게 된다. 이러한 변화들은 신경호르몬, 특히 시상하부-뇌하수체-부신 축 수준뿐만 아니라 뇌의 구조적, 기능적 수준에서도 이루어진다. 주요한 뇌의 구조적 변화들은 뇌량(corpus callosum)의 크기 감소, 좌측 신피질(neocortex), 해마, 편도의 발달 저하 등이 있으며, 기능적 변화들은 변연계(limbic system)의 전기적 과민성 증가와 소뇌벌레(cerebellar vermis) 부위의 기능적 활동성 저하 등이 있다.[49] 또한, Yingying 등에 의하면, 신체적, 정신적, 성적 학대와 방임 등을 포함하는 아동 학대는 인지발달지연과 밀접한 관련이 있으며 특히 지능과 실행기능의 저하가 가장 많았다.[50]

3) 프로그램의 실제

부모 교육과 훈련 프로그램은 부모-아동의 애착 형성을 통해 상호작용을 높이고 긍정적인 양육행동을 형성하기 위한 목적으로 구성되어야 하며, 신생아집중치료실과 같은 초기 환경에서부터 적용해 볼 수 있다. 미숙아는 신생아집중치료실 환경에서 야기되는 소음, 빛, 시술에 의한 통증으로 인해 스트레스를 받게 되며 이는 혈중 코르티솔 수준을 높여 뇌발달에 부정적인 영향을 줄 수 있다. 부모 또한 자신의 아동을 돌봄에 있어 수동적인 관찰자로 인식되어 심리적인 스트레스가 가중된다. 따라서, 생애 초기 환경에서부터 부모를 치료에 적극적으로 참여시키고 훈련시키는 중재는 부모-아동의 상호작용에 도움이 될 수 있다. 예를 들어, 부모와 아동의 피부-피부 접촉을 강조한 캥거루 케어, 감각 자극을 촉진시키기 위한 마사지, 초기 운동 자극을 위한 교육 등의 부모 교육을 고려해 볼 수 있다.[4]

지역사회에서 이루어지는 부모 교육 및 훈련 중재 프로그램은 주로 아동을 양육함에 있어 부모의 지식, 술기, 자기 효능감을 증진시키기 위한 목적으로 이루어지는 교육 및 지지 프로그램으로 이루어진다. 대부분의 부모들은 자신의 부모나 인터넷 또는 영상 매체들을 통해 양육에 대한 정보를 얻게 된다. 하지만, 발달장애 아동을 둔 부모들은 양육의 롤모델을 접할 수 있는 기회가 거의 없기 때문에 지역사회 기반의 양육지원 프로그램은 특히 중요하다. 양육지원 프로그램은 부모 요인과 아동 요인 두 가지를 고려한 내용으로 구성되는 것이 좋으며, 비슷한 고민을 가진 부모들간에 의견을 공유할 수 있고 양육전문가로부터 개별 코칭을 받을 수 있는 기회를 제공하는 것이 좋다. 대표적인 예로, Sanders 등이 2002년에 개발한 긍정적 양육 프로그램(positive parenting program, Triple P)을 들 수 있다. Triple P 프로그램은 5단계의 대면 또는 비대면 교육 세션을 통해 부모의 지식과 술기를 향상시켜 아동의 사회-정서적, 행동적 문제들을 예방하고 치료하기 위한 프로그램이다. 양육지원 전문가가 개별 가족의 요구에 적합한 수준의 프로그램을 선정하고, 가족은 해당 수준의 양육지원을 제공받게 된다. Triple P 프로그램 중에서 징검다리 긍정적 양육 프로그램(stepping stones triple P, SSTP)은 장애아동의 행동문제를 수정하기 위한 목적으로 고안되었으며 프로그램은 양육과 관련된 고민을 나누고 양육 쟁점들에 관하여 알아보기, 부모-아동 상호작용에 대한 관찰과 피드백을 받아 양육에 대한 목표 설정하기, 아동발달 증진전략 및 문제행동 관리전략에 대해 배우기, 연습을 통해 전략 익히기, 계획된 활동 교육 및 실행하기 등으로 진행된다. Triple P 프로그램은 현재 발달장애뿐만 아니라 뇌성마비와 뇌손상 아동 가족을 위한 조기 중재로도 적용하고 있다.[51, 52]

Moxley-Haegert 등은 발달지연 아동의 부모를 대상으로 가정 기반 발달교육 프로그램을 시행하였다. 프로그램의 내용은 부모가 아동의 발달 경과를 예리하게 관찰하고 발달상의 작은 변화도 인식하게 하는 교육에 중점을 두었다. 효과를 분석한 결과, 프로그램을 교육받은 부모의 아동에서 발달수준이 유의하게 향상되었으며, 프로그램 참여율도 대조군에 비해 현저히 높음을 알 수 있었다.[53] 발달장애 아동을 둔 부모들은 아동의 발달장애 수준과 여러 사회경제적 요인에 따른 양육 스트레스가 현저히 높으며 이는 아동의 발달에도 부정적인 영향을 미친다. 최근에는 부모의 양육 스트레스를 경감시키고 심리사회적 안녕을 증진시키기 위한 목적으로 이루어지는 마음챙김(mindfulness) 기반 중재가 중요하게 인식되고 있다.[54, 55] 효과적인 부모 교육과 훈련 중재를 위해서는 양육지원에 기반을 둔 프로그램과 부모의 심리적 안녕을 위한 마음챙김에 기반을 둔 프로그램을 통합적으로 구성하는 것이 중요하겠다.

3. 인지훈련

인지훈련(cognitive training, CT)은 인지기능(cognitive skill or general cognitive ability)을 향상시키기 위한 특정 프로그램 또는 활동을 일컬으며, 설정된 시간 동안 반복의 과정을 통하여 이루어진다.[56] 인지훈련은 측정 가능하고 반복가능한 방법의 실행을 통하여 목표를 둔 특정 인지기능 또는 사회-정서행동의 개선을 유도하기 위한 것으로, 기능과 행동에서의 효과뿐 아니라, 뇌 신경해부학적 변화를 유도하며, 훈련 목표로 삼지 않은 다른 인지영역의 기능개선 또한 유도할 수 있는 안전하고 효과적인 방법이라고 하였다. 임상과 문헌에서 인지훈련, 인지치료(cognitive remediation), 인지재활 등의 용어가 흔히 혼용되어 사용되기도 하나, 인지재활이나 인지치료는 또 다른 치료방법들을 포함하는 좀 더 포괄적인 의미로 사용될 수 있어서 본 장에서는 인지기능 향상을 위한 특정 치료 프로그램 활동만을 지칭할 때 '인지훈련' 용어를 사용하기로 하였다.

1) 소아에서의 인지훈련과 신경학적 근거

인지의 발달은 출생 후부터 시작하며, 소아의 발달하고 있는 뇌는 외부 자극과 환경에 매우 민감하게 반응하고 풍부한 뇌가소성을 지녔으며, 충분한 기간 동안 많은 반복을 통하여 가장 큰 변화가 일어난다.[57-60] 이는 인지장애를 갖는 어린이들에서도 다르지 않다. 또한 뇌기능영상기법을 이용한 연구들에서 인지훈련에 의하여 기능호전과 함께 뇌신경 기능 및 구조가 변화됨을 보여주었는데, 이는 인지훈련 효과의 신경학적 근거를 제공하였다.[61, 62] 따라서 인지장애 환아들에서 어릴 때부터 적극적 조기 인지훈련은 뇌가소성을 극대화함으로써 인지기능을 향상시킬 수 있으며, 인지훈련에서 주 목표로 삼았던 특정 인지영역의 개선뿐 아니라, 다른 인지영역도 개선시킬 수 있을 것으로 생각하였다. 여린 X 증후군 환자들을 대상으로 주의집중력 훈련을 시행한 연구결과, 주의집중력뿐만 아니라 기억력도 함께 향상됨을 보고한 바 있다. 그러나 소아에서의 인지훈련 연구는 뒤늦게 시작되어 연구가 많지 않으며, 정상발달 아동의 연구로부터 시작하여 인지장애 아동의 연구로 진행되었고, 주로 주의력결핍 과잉행동장애, 외상성 뇌손상 환아 대상의 연구가 많았다.

2) 인지훈련의 역사와 발전

과거 일반인들뿐 아니라 의료인들조차도 인지기능은 선천적으로 결정되며, 특히 선천적 인지장애는 치료를 통하여 개선될 수 없다고 생각하였다. 따라서 인지장애의 치료방법은 없으며, 경련성 질환, 문제행동 등 수반되는 문제점들에 대한 치료 외에는 인지장애 아동의 보호와 돌봄만을 강조하여 왔었다. 1960년대에 이르러 주로 주의력결핍 과잉행동장애, 외상성 뇌손상, 자폐스펙트럼장애 아동들을 대상으로 자제력, 혹은 행동조절을 위한 훈련을 행동치료(behavior therapy)의 형태로 적용한 결과 사회적응력과 기능적 독립성이 좋아지고, 학업능력에서도 긍정적 효과가 있음을 발표하였다.[63, 64] 이후 인지치료와 병합하여 인지행동치료(cognitive behavior therapy)로 발전시키기도 하였다.[65, 66]

인지기능의 특정 영역에 대한 집중적 인지훈련법들은 1980년대 후반부터 관심이 높아지면서 특히 주의집중력 훈련에 관한 연구들이 많이 발표되었다. 즉 집중력 훈련을 통하여 집중력뿐 아니라 다른 인지영역들과, 행동, 학업성취도, 일상생활기능도 향상되었음을 보고하였는데 주로 주의력결핍 과잉행동장애, 외상성 뇌손상, 편측무시, 조현병 환자들을 대상으로 한 연구들이었다.[67-70] 2000년대 초반에 이루어진 4~6세의 정상발달 아동과 자폐스펙트럼장애 아동 대상의 연구에서도 집중력이 향상되는 결과를 보고하였다.[71, 72]

이후 기억력, 실행력, 시지각인지 등 특정 인지영역 훈련에 관한 적용 노력이 이어져 왔다. 주로 종이와 연필을 이용한 형태의 지필과제 훈련방법(paper & pencil or paper-and-pencil)과 시각, 청각 등의 감각과 운동을 통한 훈련방법이 있었으며, 이러한 전통적 훈련은 교육기관, 발달센터와 같은 병원이 아닌 곳에서 주로 이루어져 왔다. 컴퓨터 기반 인지훈련은 2000년대 초반 처음 상용화된 이후 많은 프로그램들이 개발, 보급되어 현재는 의료기관에서 가장 널리 사용되고 있는 훈련법이다. 이는 컴퓨터 기반 인지훈련이 갖고 있는 장점들, 즉, 표준화된 프로그램을 제공하고, 조절가능한 치료를 제공할 수 있으며, 수행결과의 변화를 객관적으로 비교하기 쉽고, 치료자 의존성이 덜하다는 장점들이 있기 때문이다. 또한 대부분의 인지장애 아동들이 컴퓨터 기기에 친숙하고 우호적이기 때문에 동기부여가 잘되는 점도 장점이라 할 수 있다.

3) 고식적 인지훈련법

인지력 향상을 위한 프로그램은 1900년대 중반 이후 발달심리학자들을 중심으로 연구되고 교육과 치료현장에서 주로 (paper & pencil or paper-and-pencil)의 형태로 적용하기 시작하여, 2000년대 초반 컴퓨터 기반 프로그램이 상용화되기 전까지 사용되었다. 이러한 지필수업 형태는 필기도구를 잘 사용할 수 있는 소동작 조절능력과 숫자, 글자, 모양 형태의 과제를 이해하고 필기도구로 표현할 수 있는 능력이 필요하다. 지필과제에는 차이점 찾기, 숨은 물건 찾기, 따라 그리기, 숫자순서대기, 숫자, 모양, 글자 지우기 등을 포함한다.

상용화된 훈련 프로그램으로는 attention process training (APT), prospective memory training (PROMT), Brainwave-R 등이 있는데, 대부분 성인 또는 청소년을 대상으로 개발된 것으로 소아에 적용 가능한 방법은 드물었다. Feuerstein Instrumental Enrichment (FIE) 프로그램은 이스라엘의 아동심리학자 Reuven Feuerstein이 2차 세계대전 후 고아들을 위한 교육방법을 연구해 오던 중, 1980년, 2003년에 9세 이상과 5~7세 아동을 위한 프로그램인 "Instrumental Enrichment", "Instrument Enrichment-Basic"을 각각 개발하였다. 교실에서 다수의 학생들에게 그룹으로, 혹은 개별적으로 적용하는 이 프로그램은 지필과제 형태로 문제해결력과 이해력, 비교판단력, 분별력, 공간지각력, 분석적 지각력, 수 개념, 시각적 지각력, 가족관계, 삼단논법 등을 주제로 한 14개의 워크북으로 구성되어 있다. 또한 프로그램을 적용하는 사람인 중재자의 중요성을 강조하여, 규정된 교육과정을 이수한 사람만이 적용할 수 있도록 하였다.

이밖에 소아를 위하여 개발된 프로그램으로는 Abecedarian Approach, Transforming box, Bright Start curriculum, Tools of the Mine (Vygotskian approach), Head Start Research based Developmentally Informed 등이 있다. 이들은 주로 저소득층 자녀들의 조기개입 프로젝트의 적용 프로그램으로 개발되어 학교나 보육시설에서 교육프로그램으로 사용되었으며, 이중 Abecedarian Approach는 35년간의 장기간 추적 연구에 적용되었던 프로그램으로, 인지, 사회성, 정서 영역 발달과 관련된 내용들을 포함하며 주로 언어에 중점을 두었고, 대화와 읽기, 충실한 돌봄, 학습용 게임의 네 요소로 이루어졌다. 연구 결과 인지와 학업성취도, 사회적 응력 향상이 성인기까지 지속되었음을 보고하였다.[73-75]

4) 컴퓨터 기반 인지훈련 (computerized cognitive training)

컴퓨터 기반 인지훈련은 1986년 Elizabeth L Glisky 등이 최초로 컴퓨터를 이용한 기억력 훈련 효과를 보고한 이후 뇌손상환자들을 대상으로 컴퓨터 프로그램을 적용한 결과 전반적 인지기능 및 집중력의 향상을 보고하였고, 2000년대 초반 상용화되어 현재는 의료기관에서 가장 널리 사용되는 인지훈련 방법이 되었으나, 이들 프로그램들은 대부분 성인들을 위하여 개발된 것으로 아동용은 많지 않다. 2005년 상용화된 Cogmed는 아동용 프로그램을 처음으로 포함하였으며, 정상발달 아동과 정상 성인을 대상으로 Cogmed를 이용하여 인지훈련을 시행한 연구결과 작업기억(working memory)이 향상됨을, 2007년 주의력결핍 과잉행동장애 아동에게 적용한 연구에서도 작업기억의 개선효과를 보고하였다.[76, 77] 이후 Fast ForWord-language (FFW-L), Lumosity, Comcog, Rehacom 등 소아에서 사용가능한 몇몇 프로그램들이 개발되었으나 학령기, 또는 적어도 4세 이상의 학령전기 아동에서 적용가능한 것들이어서 이 연령보다 어리거나 생활연령이 많더라도 인지연령이 떨어지는 아동들에게는 적용할 수 없었다. 2016년 우리나라에서 개발한 태블릿 기반 컴퓨터 인지프로그램은 인지연령 18개월부터 36개월을 대상으로 개발한 것으로, 4세 이전 인지연령 아동을 위한 프로그램으로는 아직까지 유일하다. 이 프로그램을 이용하여 인지장애 어린이들을 대상으로 시행한 무작위

대조임상연구 결과 집중력 개선과 베일리 발달평가에서 인지영역의 개선 효과가 있음을 보고한 바 있다.[78]

(1) 훈련 방법

최적의 훈련방법으로는 우선적으로 고강도의 집중훈련이 추천된다.[79] 많은 횟수의 반복이 필요하며 적정기간 시행해야 하는데, 참여를 유지함이 중요하므로 훈련 시간을 점진적으로 확대하여 각 개인에게 적합한 훈련조건을 맞추어 가는 것이 필요하다. 아직 표준화된 구체적 훈련방법이 확립되지는 않았으나 학령전기 아동에서는 한 회당 20분, 학령기에는 30~45분씩 주 2~5회, 총 20~25회 이상 집중 훈련할 것을 권하고 있다. 또한 프로그램의 참여, 동기 유발 및 유지가 매우 중요하므로 적절한 참여를 유도하기 위한 치료팀 간의, 그리고 보호자와의 협력과 노력이 필요하다. 그러나 인지장애가 심할수록 적절한 참여를 유도하기 어려운 경우가 많으므로, 컴퓨터 기반 프로그램은 심한 인지장애인들에게 더 도움이 되며,[80] 특히 태블릿 기반 컴퓨터 프로그램은 접근의 용이성으로 참여와 재미를 더해줄 수 있어 지적장애와 자폐스펙트럼장애 아동에서 유용함을 보고하기도 하였다.[81, 82]

(2) 인지훈련 효과

인지훈련의 효과에 대한 연구는 2010년을 전후하여 정상 성인에서 먼저 활발하게 전개되었다. 효과적이었다는 연구결과도 있었으나, 그렇지 않았다는 주장도 많았는데, 그 이유로 플라시보 효과 또는 반복 테스트에 따른 효과일 뿐 실제 개선효과는 미미하다는 주장이었다.[83, 84] 2010년 영국에서는 온라인 프로그램을 통하여 1만명이 넘는 정상 성인을 대상으로 시행한 연구에서, 인지기능의 개선 효과를 얻지 못하였다고 발표하였다.[85] 또한 사용하는 프로그램이나 적용 대상자, 치료자에 따라 항상 일치된 결과를 보이지 않는 등, 효율성에 의문을 갖고 있는 다수의 연구자가 있었다. 그럼에도 더 많은 연구자들이 이후에도 개선 효과를 입증하는 연구 노력을 지속해 왔고, 그 결과 긍정적 연구보고들의 축적에 힘입어 현재 컴퓨터 기반 인지훈련은 인지치료에서 중요한 방법 중 하나로 자리잡아가고 있다.

그러나 소아에서의 연구는 매우 제한적이다. 주로 8세에서 12세 사이 연령의 정상발달 아동, 혹은 주의력결핍 과잉행동장애 아동들을 대상으로 이루어졌으며, 대체적으로 학습능력의 향상과 과잉행동의 감소, 집중력 및 단기 기억력의 향상을 보고하였다.[86-89] 지적장애나 자폐스펙트럼장애 등 장애아동을 대상으로 한 연구는 드물었으며, 지적장애 아동에서 인지훈련 효과는 일관적이지 않았고, 효과가 있더라도 미미한 수준이었다.[90, 91] 그 이유는 주의력결핍 과잉행동장애 아동들과 달리 인지 전반에 걸쳐 현저히 낮은 기능을 갖으며, 프로그램 내용이 그들 수준에 적합하지 않았거나, 연구 디자인의 적용 방법이 적절하지 않았을 가능성이 있다. 이에 우리나라에서 낮은 인지연령층을 대상으로 개발한 태블릿 기반 컴퓨터 프로그램을 인지장애 아동 38명에게 적용한 무작위 대조연구를 시행한 결과, 인지기능이 유의하게 개선됨을 관찰하고 보고한 바 있다.[78] 따라서 지적장애, 주의력결핍 과잉행동장애 아동들에게 장애 정도에 따른 적합한 프로그램의 개발과 연구 디자인의 개발로 대상자의 범위를 확대하고, 인지개선 및 실제 생활에서의 개선효과를 유도하는 노력이 필요하다.

4. 약물치료

정상적 인지기능을 위하여 시냅스에서의 정상적 연결(synaptic connection)과 자극에 대한 억제성 및 흥분성 신경전달의 균형잡힌 조절이 필요하다.

인지장애를 초래하는 유전적 증후군들에서 이러한 시냅스 기능의 불균형이 존재함을 확인하였다. 이러한 연구들을 기반으로 2000년대 들어 유전적 인지장애 질환들을 대상으로 한 분자 세포학적 수준에서의 표적치료(targeted therapy) 연구가 진행되어 왔으며, 주로 여린 X-염색체 증후군 연구가 가장 많았고, 레트 증후군, 다운 증후군 등 원인 유전자가 밝혀진 인지장애 질환들을 대상으로 하였다. 동물실험을 거쳐 임상 연구까지 진행되었거나 진행 중인 약물들이 있으나, 소아에서는 주의력결핍 과잉행동장애 아동에서 주의집중력 부족, 과다활동(hyperactivity)의 조절을 위해 사용되고 있는 약물치료 이외에, 지적장애, 자폐스펙트럼장애 등 인지장애 아동에서 인지향상을 위한 약물치료는 아직 임상에서 확립되지 않은 상태이다. 본 장에서는 인지장애에서 약물치료의 기본적 개념과 이를 근거로 한 대표적 약물들에 관하여 기술하여 약물치료에 관한 이해를 돕고자 한다.

1) 약물치료의 표적치료 개념

신경전달물질(neurotransmitter, NT)은 시냅스에서 분비되어 신경세포 간의 정보전달에 관여하는 일련의 물질을 일컬으며, 아미노산류(γ-아미노부티르산, 글리신, 아스파르트산, 글루탐산염), 아민류(히스타민, 세로토닌, 카테콜라민), 펩타이드류(옥시토신, 엔도르핀, 엔케팔린, 콜레시스토키닌, 소마토스테인, 기질-P), 아세틸콜린 등이 대표적이다. 기능에 따라서는 글루탐산염(glutamate)으로 대표되는 흥분성 NT와 γ-아미노부티르산(이하 GABA)로 대표되는 억제성 NT, 그리고 아세틸콜린과 같이 두 가지 기능을 모두 갖는 NT로 구분할 수 있다. 신경전달물질은 다양한 정신질환과 높은 상관관계가 있음이 보고되어, 조현병, 충동조절장애, 양극성 정동장애에서는 도파민, 글루탐산염, GABA의 조절장애가, 우울증은 세로토닌, 노르에피네프린의 감소와 관계 있음이 알려져 있다.

인지와 정서를 조절하는 약물치료제는 이러한 NT를 조절하는 역할을 하여, 카테콜라민을 증가시키는 약물(methylphenidate, MPH)과 글루탐산염을 억제하는 약물(Memantine), 아세틸콜린 증가를 위한 항콜린에스테라아제 억제제(anticholinesterase inhibitor: Donepezil, Rivastigmine, Galantamine)로 크게 대별할 수 있다. 카테콜라민은 도파민, 노르에피네프린, 에피네프린을 포함하며, 주로 전두엽에서 실행력과 자제력을 조절하는 역할을 하며, 증가시키는 약물로 MPH와 암페타민이 대표적이다. 글루탐산염은 뇌에 전반적으로 분포하는 흥분성 NT로 지나치게 과다분비되면 신경세포를 손상시키게 된다. 따라서 NMDA 수용체에 길항하여 글루탐산염 활성을 억제하는 Memantine이 알츠하이머병 치료에 사용되었다. 항콜린에스테라아제 억제제인 Donepezil은 치매치료제로 2006년 FDA 승인을 받고 사용되고 있으며, 치매증상을 보이는 다운증후군 성인에서 사용 후 인지와 적응행동의 개선, 언어의 개선을 보였다고 보고하였고,[92-94] Rivastigmine도 언어와 집중력, 기억력, 적응력에서 호전을 보였음을 보고하였다.[92]

이중 가장 널리 사용되고 있는 MPH는 1944년 처음 합성되어 1955년 과잉행동치료제로 미국 FDA 승인을 받았으며, 1970년대부터 주의력결핍 과잉행동장애 아동과 청소년들에게 사용되기 시작한 이래 현재까지 가장 널리 사용되고 있는, 효과와 안정성이 비교적 잘 정립된 약물이다. 많은 연구 결과 주의력결핍 과잉행동장애 환자군의 전두엽과 변연계, 기저핵, RAS (reticular activating system)에서 노르에피네프린, 도파민이 감소되어 있음을 알게 되었고, 이는 dopamine receptor D4 (DRD4) receptor gene의 결함과 dopamine transporter-1 (DAT1) 과다에 의한 것임을 밝혔다. MPH는 대뇌 DAT, norepinephrine transporter (NET)와 결합하여 시냅스 내 도파민과 노르에피네프린의 재흡수를 차단하여 결과적으로 시냅스 내 도파민, 노르에피네프린 양을 증가시켜 시냅스 후 도파민, 노르에피네프린, 카테콜라민 신호전달을 활성화 증폭시킴으로써 증상을 호전시키는 것으로 치료기전을 설명하고 있다.

여린 X 증후군은 지적장애와 자폐스펙트럼장애 양상을 보이는 유전적 인지장애의 대표적 원인질환으로 FMR-1유전자가 불활성화되어 여린 X 증후군 단백질(fragile X mental retardation protein, 이하 FMRP)의 생성이 중단됨으로써 인지장애를 유발하는 것으로 알려져 있다. FMRP의 뇌에서의 기능은 크게 두 가지로 시냅스 가소성의 조절(regulator of synaptic plasticity)과 번역 억제(negative regulator of translation)의 역할이다. 시냅스 가소성은 자극이 오면 시냅스 수용체(synaptic receptor)가 활성화되어 새로운 단백질을 생성하여 시냅스 연결을 통한 연관된 신경회로 전달을 가능하게 하는 것이다. 시냅스 가소성은 자극과 경험에 반응하여 변화하고 적응하는 것으로, 학습, 기억, 집중력 등 인지발달에도 매우 중요하다. 이러한 시냅스 가소성을 위하여 FMRP는 nuclear localization signal (NLS)과 nuclear export signal (NES)을 갖고 있어서 신경세포의 수상돌기의 세포질에서 NLS를 이용하여 핵안으로 통과하여 들어가 mRNA 및 단백질과 결합하여 리보핵산단백질(ribonucleoprotein)을 형성하고, NES를 이용하여 다시 세포질로 돌아와서 세포질내 리보좀과 결합하여 필요한 단백질을 생산한다. FMRP는 신경세포의 세포질과 핵 사이를 왕복(nucleocytoplasmic shuttling)하면서 시냅스에서 신호전달에 필요한 단백질을 효과적으로 생산하는 역할을 한다. 또한 FMRP는 RNA라는 유전정보 물질과 결합하는 단백질(RNA-binding protein)로 mRNA 번역(translation)을 억제하는 역할을 한다. 따라서 FMRP가 부족하거나 문제가 생기면 번역을 억제하지 못하게 되어 metabotropic glutamate receptor(이하 mGluR) 자극에 의한 단백질 합성의 조절 실패로 단백질 합성이 과다하게 일어나, 임상양상을 초래하게 된다. FMRP 부족-쥐 연구에서 이상행동과 함께 target mRNAs 단백질의 현저한 증가를 확인하였고, mGluR 자극 후 수상돌기 가시(dendrite spine)가 길어지고 숫자가 비정상적으로 증가된 소견이 관찰되었다. 또한 mGluR 활성화에 의한 수상돌기 단백질 번역(dendrite protein translation) 과정은 ERK, mTOR dependent signaling을 통하여 이루어지기도 한다.

이와 같이 질환의 병태생리에 대한 이해가 넓어지면서 병리를 유발하는 부분을 표적으로 하는 약물치료 전략을 세우게 되었는데, 대략적으로 정리하면, 1) 과다한 mGluR로부터의 자극신호를 줄이고, 2) FMRP 결핍에 의해 과다 합성된 단백질을 낮추고, 3) 과다한 mRNAs 번역을 억제하며, 4) 억제성 신경전달물질인 GABA-B의 작용제(agonist)를 사용하는 것으로 대별할 수 있다. 구체적인 연구들로 mGluR 억제를 위하여 mGluR5 길항제(STX107, mavoglurant, basimglurant)와 리튬(lithium)을 이용한 연구, 단백질 합성을 억제하여 조절하는 것으로 신경전달기능 역할을 하는 단백질 중 하나이며 FMRP 결핍 시 증가하여 임상증상을 일으키는 Matrix metalloproteinases 9 (MMP9)를 낮추는 기능을 갖고 있는 minocycline 연구, 과다한 mRNA 번역을 억제하는 연구, 그리고 GABA 활성도를 조절하는 GABA-B 작용제인 arbaclofen 연구들이 있다.

2) 대표적 약물치료

인지장애의 표적약물치료에 관한 그간의 임상 연구들을 대략적으로 정리하면, 여린 X 증후군에서 mGluR활성도가 과다함을, 자폐스펙트럼장애에서는 GABAergic signaling이 부족함을 발견하고 GABA-B 작용제인 arbaclofen을 사용하여 여린 X 증후군, 자폐스펙트럼장애를 갖고 있는 아동 및 청소년들을 대상으로 각각 시행한 임상 3상 및 2상 연구결과 사회성과 행동, 의사소통 등에서 호전이 있었음을 보고하였다.[95-97]

한편 다운증후군 쥐 모델의 해마(hippocampus)에서 GABA 인터뉴런이 증가되어 있고, GABA 활성도의 이상을 발견하고,[98, 99] 쥐 모델 실험 연구를 거쳐 2013년부터 다운증후군 청소년과 성인을 대상으로 GABA-A 수용체의 선택적 역작용제인 Basmisanil을 사용한 1상과 2상 임상연구를 시행하였으나, 2016년 2상 연구 결과 유효한 인지개선효과를 관찰하지 못하고 중단하였다. 또한 글루탐산의 과다를 낮추기 위하여 글루탐산 길항제인 Memantine을 다운증후군 청소년과 성인들을 대상으로 시행한 2012년 임상 1상 연구에서 기억력의 개선을 보고하였으며,[100] 2상 연구는 2020년 7월 종료되었으나 결과는 아직 보고되지 않았다. 그러나 2016년 121명의 자폐스펙트럼장애 아동을 대상으로 시행한 대규모 무작위 대조연구에서는 유의미한 효과를 거두지 못하였다.[101] 또한 아세틸콜린을 증가시키는 항콜린에스테라아제 억제제를 다운증후군을 대상으로 사용한 연구에서는 인지와 적응력의 향상을 관찰할 수 있었으나 행동장애와 같은 부작용을 보였고[92] 언어능력의 호전을 보이나 인지와 행동에는 개선효과가 없었음을 보고하는[93, 94] 등 일관적이지 않은 개선효과와 부작용을 보고하였다.

이밖에도 여린 X 증후군 대상연구에서 mGluR 길항제인 Mavoglurant를 사용하여 30명의 여린 X 증후군 성인환자를 대상으로 한 무작위 이중맹검연구에서 유의한 효과를 관찰하지 못하였고,[102] Minocycline를 이용한 연구에서 증상의 개선효과가 있었으나 무작위 대조연구에서는 뚜렷하게 유의한 결과를 보이지 않았다고 하였다. 최근 콜레스테롤 강하제인 Lovastin과 Minocycline을 함께 사용하는 복합치료(combined therapy) LovaMix로 시너지 효과가 있었음을 보고하였는데, 여린 X 증후군 환자에서 특징적 임상 양상을 개선시키는 Minocycline의 효과와 함께, Lovastatin은 Ras-ERK 길항제로서 해마에서의 단백질 합성을 조절하여 특징적 행동을 개선시키고 경련성 발작을 감소시키는 효과가 있었음을 보고하였다.[103] 이외에도 oxytocin에 대한 연구들이 있다. 최근 연구로는 Arginine vasopressin (AVP) 비강내 투여로 삼차신경을 통하여 뇌에 직접적으로 전달하는 방법을 사용하여 6세에서 12세 사이 30명의 자폐스펙트럼장애 환아를 대상으로 시행한 이중맹검 무작위대조연구에서 인지, 의사소통, 사회성 향상에 긍정적 효과를 발표하는 등 꾸준한 연구가 이어오고 있으나, 아직은 제한적이다.[104]

아직 일관된 임상 효과와 안전성에 있어서 임상 적용 수준 단계에 이르지 못하고 있으나, 20여년에 걸친 집중적인 연구와 개발이 이루어지고 있으므로 이에 대한 관심과 연구 노력이 지속되어야 할 것이다.

5. 신경조절(Neuromodulation)

신경조절은 신경기능의 조절 혹은 정상화를 목적으로 전기적, 혹은 화학적 자극을 이용하여 신경의 활성도를 변화시키는 것을 일컬으며, 통증조절과 뇌전증, 정신질환, 배뇨 및 배변 장애, 호흡조절, 인공 와우 및 망막이식 등 다양한 영역에서 시도되고 있으며, 전기적 또는 전자기적 자극, 약물 투여의 방법을 사용한다. 뇌기능의 조절목적으로 우울증과 같은 정신과적 질환과 뇌졸중 후 실어증, 실행증, 편마비 등의 임상적 효과에 대한 연구가 주로 성인을 대상으로 이루어졌다. 소아를 대상으로 한 연구는 아직 많지 않아서, 2010년 이후 주의력결핍 과잉행동장애[105], 학습장애[106, 107], 자폐스펙트럼장애 아동[108] 들을 대상으로 인지기능과 행동의 호전을 보고한 연구들이 있다.

전기자극 신경조절방법은 침습적 방법과 비침습적 방법으로 대별하는데, 침습적 방법으로는 운동조절을 담당하는 뇌 부위에 전극을 심어 직접 전기자극하는 방법으로 뇌전증과 파킨슨병, 근긴장이상증(dystonia)을 치료하는 심부 뇌자극법(deep brain stimulation)이 있고, 비침습적 방법으로는 뇌 일정 부위의 두피를 자극하는 경두개 자기장 자극(transcranial magnetic stimulation, TMS)과 경두개 전기자극(transcranial electric stimulation, tES)이 있다(그림 17-2). 경두개 전기자극 방법으로는 자극하는 전기의 성질에 따라 직류일 때는 경두개 직류전기자극(transcranial direct current stimulation, tDCS), 교류일 때는 교류전기자극(transcranial alternating current stimulation, tACS), 무작위 진폭 및 주파수(0.1~640 Hz 사이)와 함께 교류를 사용하는 무작위 소음자극(transcranial random noise stimulation, tRNS)이 있다(그림 17-3).

TMS는 강하고 짧은 자극을 주어 뉴런을 활성화하여 신경의 활동전위를 유발하는 것으로 재활치료에서 운동 마비, 실어증, 실행증 등의 치료목적으로 사용하며, 또한 신경회로의 연속성을 보기 위한 검사 방법으로 이용되고 있다. 그러나 강한 자극으로 인하여 긴 시간 사용이 어렵고, 불편감, 두려움을 야기할 수 있어서 특히 소아에게 사용하기엔 적절하지 않다.

tDCS은 두피에 0.5~2 mA 정도의 미세 직류 자극으로 뇌신경 세포의 안정막전위를 변화시키고 신경연결망 활성을 조절하는 것으로,[109] TMS와 달리 활동전위를 유발하지 않으며, 전기자극 강도가 경미하여 별 느낌이 없거나 사소한 불편감을 줄 뿐이어서 적용하기 쉽고, 오랜 시간 자극할 수 있

그림 17-2 경두개 직류전기자극 치료시 모습

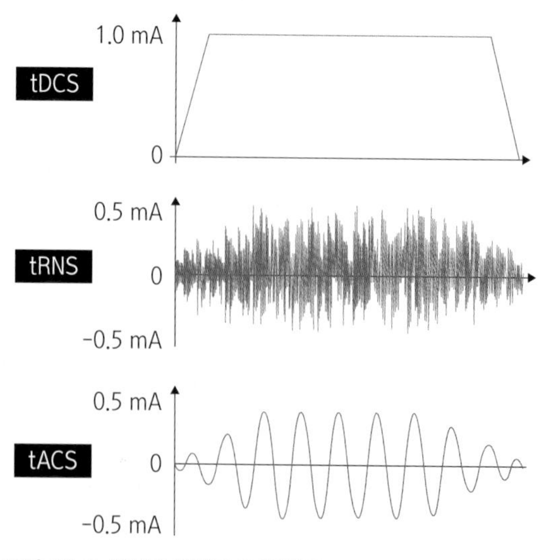

그림 17-3 경두개 전기자극 방법들
tDCS: 경두개 직류전기자극, tRNS: 경두개 무작위 소음자극, tACS: 경두개 교류전기자극
수직선은 전류세기, 수평선은 시간을 가리킴

으며, 부작용이 적고 안전하다는 장점들을 갖고 있어서 현실적으로 소아에게 적용이 가능하다. tDCS는 경두개 전기자극법 중 가장 널리 사용되고 있고, 임상적 효과와 안정성에 관한 연구가 가장 많이 되어 있어서 본 장에서는 주로 tDCS에 관하여 기술하기로 하였다. 또한 경피적인 미세한 전기자극이 뇌신경세포에 어떤 변화를 유발하는지에 관한 기본 원리와 이에 관한 과학적 근거를 살펴보고, 적용방법 및 임상 효과 연구에 관하여 기술하고자 한다.

1) 치료의 기본 원리

경두개 전기자극 치료의 기본 원리는 신경의 흥분성 변화와 신경발생 효과로 설명하고 있다. 1960년대 동물실험 연구를 통하여 전기자극에 의하여 뇌신경세포막 전위의 흥분성이 변화됨을 관찰하였는데, 양극전류 자극(anodal stimulation)을 가하면 안정막전위가 탈분극하여 양성으로 변하고, 음극전류 자극(cathodal stimulation)은 과분극(hyperpolarization)되는 현상을 보였으며, 충분 기간 자극을 주는 경우에 그 효과가 일정 기간 유지됨을 관찰하였다.[110, 111] 1990년 후반기 이후 인체 대상 연구가 정상 성인을 대상으로 운동피질 부위 두피에 tDCS 자극을 하고, TMS를 이용한 운동유발전위 검사법을 이용하여 효과를 관찰하는 방법으로 많은 연구자들에 의해 진행되었다. 운동피질 부위 두피에 0.2~1 mA의 약한 직류전기자극으로 신경 흥분성이 변화됨을 보고하였는데, 양극전류로 자극한 후 신경흥분성을 증가시켜 운동유발전위가 증가되고, 음극전류 자극 후 흥분성을 억제하여 유발전위가 감소됨을, 그리고 이 변화는 자극기간을 5~10분으로 증가시키면 수시간까지 지속되는 지속효과를 관찰하였다.[112, 113] 이는 두피의 전기자극이 두피와 뇌 사이에 전자기장과 current density를 형성시키고, 뇌신경세포의 안정막전위를 역치전단계까지(neuronal excitability sub-threshold shift of resting membrane potentials) 변화시키며, 음, 양극 자극 전류에 따라 상반된 효과를 보이는 것으로 정리할 수 있다.

신경발생효과는 단순히 신경세포막전위의 변화만으로는 설명하기 어려운 tDCS 자극 후 효과의 지속현상을 설명해 주며, 신경가소성, 시냅스에서의 신경전달과 연관된다. tDCS가 시냅스에서 신경전달에 미치는 영향에 관한 연구들은 1990년대 후반부터 동물연구를 통하여 tDCS 양극자극은 BDNF를 증가시키고, Glutamatergic transmission 증가, GABA transmission 감소됨을 보고하였고, NMDA 수용체 길항제는 tDCS 양극자극에 의한 흥분효과를 억제하며, NMDA 수용체 작용제는 흥분효과를 증가시킴을 관찰 보고하였다.[109, 114] 또한 도파민 활성도를 감소시키는 약물복용은 tDCS에 의해 발생되는 효과를 감소시켰다는 연구도 있어, tDCS와 신경전달물질과의 연관성을 시사하였다. 그 외에 tDCS는 축삭의 재생(axonal regeneration)과 신경돌기 증식(neurite overgrowth)을 독려하고, 신경세포가 아닌 다른 세포들에 대한 영향으로 염증반응과 퇴행에 조절 효과를 갖는다고 하였다.

2) 치료방법

(1) 자극 부위 및 자극 방법

소아를 위한 구체적 가이드라인이 아직 확립되어 있지 않다. 따라서 효과성을 확인하였던 기존 연구들에서 사용하였던 방법들을 참고하게 되는데, 질환별로 정리하면 다음과 같다. 전극 부착 위치는 뇌파검사시 사용되는 10~20체계를 적용한다(그림 17-4).

- 자폐스펙트럼장애: 1~2 mA, 20~30분, 1~10회, anode F3, cathode 반대편 어깨 또는 안와 상부

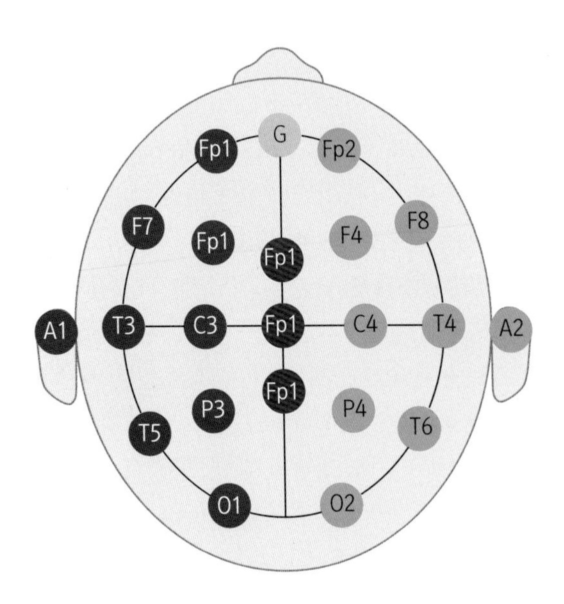

그림 17-4 전극 부착 위치, International 10~20 system
F(전두엽), Fp(전전두엽), P(두정엽),T(측두엽), O(후두엽), C(중앙부), Z(zero, 두개골의 정중시상면), A(유양돌기, 가장 두드러진 뼈)

- 주의력결핍 과잉행동장애: 1~2 mA, 15~30분, 1~5회, anode F3/F4, cathode 우측 안와상부 또는 F4
- 뇌성마비의 운동마비 치료: 1 mA, 20분, 1~15회, anode 일차 운동피질(C3, C4)
- 뇌전증: 1~2 mA, 20분, 1~14회, cathode 간질 유발 부위 또는 0.3~0.7 mA, 20~40분, 15회까지, anode 뒤쪽 측두엽, cathode 측두엽
- 난독증: 1 mA, 20분, 1~18회, anode 좌측 두정측두엽(P7-Tp7), cathode 우측 두정측두엽(P8-Tp8)

(3) 영향 인자

tDCS에 의한 흥분성 변화에 영향을 주는 인자로는 자극 강도와 활동 수행 여부 등을 꼽을 수 있다. 낮은 강도(1 mA)로 자극하면 일반적인 극성 특성에 따라 흥분성의 변화를 일으키나, 높은 강도(2 mA)에서는 양극과 음극 모두에서 흥분성의 증가를 유발한다고 하며,[115] 활동 또는 과제 수행 여부, 예를 들어 인지 관련 과제를 tDCS자극과 함께 수행하면 양극 자극에서는 흥분성이 더욱 증가하고 음극 자극에서는 흥분성이 감소된다고 하였다.[116] 이는 재활치료나 활동 수행 시 tDCS 병행 적용의 장점을 뒷받침한다. 최근 편마비환자를 대상으로 거울치료와 tDCS를 시행한 연구에서 거울치료만 한 군보다 tDCS를 추가한 군에서 더 좋은 결과를 보였으며, 동시에 적용한 병행치료군보다 tDCS를 먼저 시행한 후 거울치료를 순차적으로 시행한 군에서 더 효과적이었다는 흥미있는 연구결과 보고가 있었다. 적용방법에 관한 보다 구체적이고 심도있는 후속 연구가 필요하다. 또한 흥분성의 변화가 개별 환자 내에서도 자극 세션마다 일정하지 않을 수 있는데, 이러한 가변성은 신경전달물질에 영향을 줄 수 있는 약제의 복용 여부, 하루 중 자극 시점, 자극 전 활성도 상태 등이 영향을 줄 수 있으므로 이에 대한 고려가 필요하다.[117]

3) 치료 효과와 부작용

인체에 미치는 효과는 정상 성인에 대한 적용으로부터 시작하였다. 15명의 대학생들에게 좌측 후측두 전전두엽에 양극 및 음극자극, 그리고 허위자극을 준 결과 좌측 후측두 전전두엽에 양극 자극한 경우에만 실행기억력이 개선된 연구결과[118]가 발표되었고, 이후 알츠하이머병, 파킨슨병에서의 인지장애, 실어증, 편측무시, 조울증, 조현병, 약물중독, 의식저하 등 다양한 인지장애 환자군들을 대상으로 활발한 임상 연구가 현재까지 이루어지고 있다.[119, 120] 2017년 관련 연구자들이 tDCS에 관한 그간의 연구자료들을 모으고 분석한 결과를 토대로 근거중심의 가이드라인을 만들어 발표하였는데, 뚜렷한 효과를 보이는 레벨 A에 해당하는 질환

은 없었고, probably effective를 보인 레벨 B에는 우울증과 약물중독, 섬유근육통, possibly effective를 보인 레벨 C에는 신경인성 통증이 해당됨을 보고하여 다양하고 적극적인 연구에도 불구하고 앞서 기술한 네 질환들을 제외하고는 아직 임상적 효과에 대한 근거가 부족하다고 할 수 있다.[121] 최근 발표된 우울증의 약물치료군과 위약, tDCS 적용군의 세군으로 나누어 효과 검증한 대단위 무작위대조연구에서 tDCS 적용군에서 위약군보다 유의한 호전 효과를 보였음을 발표하여[122] 우울증에서 적용이 확대되고 있다.

한편 소아에서는 2010년 이후 자폐스펙트럼장애와 주의력결핍 과잉행동장애, 난독증, 뇌전증, 뇌성마비를 대상으로 한 연구들이 발표되었다.[123, 124] 이중 주의력결핍 과잉행동장애에 관한 연구가 가장 많았는데, 실행기능과 실행기억력, 자기조절능력 등의 향상을 보고한 연구들이 있으나, 별 효과가 없었다는 연구도 있었다. 자폐스펙트럼장애에 관한 연구에서 적응행동과 언어의 향상을 보고하였으나 5편에 불과하였고 대상자가 1~20명으로 소수였다. 뇌전증 환아에서 뇌전증의 감소를, 경직성 뇌성마비 아동에서 경직감소와 운동기능의 향상 등 호전 효과들을 보고하였다. 지적장애를 동반하는 뇌성마비 아동을 대상으로 tDCS의 인지개선 효과를 알기 위한 무작위이중맹검연구에서 인지기능, 일상생활능력, 언어에서 일부 호전을 보였다는 pilot study가 있으나,[125] 아직 소아에서 인지개선에 관한 연구는 매우 제한적이다.

tDCS는 신경세포에 영향을 주는 비침습적 방법으로, 심각한 부작용이 없으며, 재활인지치료 시 병용 사용할 때 부가적 치료효과를 기대할 수 있는 장점이 있으나, 아직 치료방법 중의 하나로 널리 인정받는 단계에 이르지 못하였다. 따라서 치료방법 선택의 여지가 많지 않은 소아 인지장애에서 추가적인 치료방법의 하나로 자리잡기 위해서는 효과적이고 체계적인 치료방법 가이드라인 마련과 대단위 임상 연구 등 보다 심도 있는 노력과 협의가 필요하다. tDCS 부작용으로는 가려움증과 같은 피부자극, 피로감, 경미한 두통과 오심 등의 경미한 부작용 외에 심각한 부작용은 아직 보고되지 않았다. 발작의 가능성을 배제할 수 없으나 아직 보고된 바는 없다.[126, 127]

6. 마이크로바이옴(Microbiome, 미생물 군집)치료

마이크로바이옴은 특정 환경에 존재하는 미생물과 생태계, 그 유전정보를 일컬으며(microbe+biome), 인체 마이크로바이옴은 인간 몸체 피부와 점막에 서식하는 미생물과 그들의 유전정보 전체를 말한다. 미생물은 박테리아, 진핵생물(eukaryotes), 고세균(archaea), 바이러스, 진균으로 구성되며, 이중 박테리아는 1만개 이상의 종을 포함하고, 대표적 종으로는 Bacteroides, Prevotella, Ruminococcus genera가 있다. 미생물총(microbiota)의 수는 100조 정도로 인간 세포의 10배이며, 인간 유전자(gene)의 100배가 넘는 유전자 총합을 갖고 있다.[128] 2007년부터 2016년까지 미국 국립 보건원에서 진행한 Human Microbiome Project 연구를 통하여 인체 마이크로바이옴의 특성과 미생물 대사의 변화를 파악하고, 인체의 건강과 질병에 영향을 주고 있음을 인식하게 되었다. 최근 코호트 연구에서 자극에 대한 인체의 면역반응 중, 적어도 10%가 마이크로바이옴과 연관 있음을 보고하기도 하였다.[129]

장내 미생물총은 일생 동안 3단계의 변화를 보이는데, 출생하면서 모체와 환경을 통해 처음 마이크로바이옴을 형성하며, 첫 1년에 10^{13} to 10^{14} microbes/mL 개, 500~1,000종의 장내 미생물총을 갖게 된다. 이후 수유기를 지나 고형식을 섭취하면서 미생물총이 확립되고, 개인적 차이가 있으나 대략 3세 이후 성인과 비슷해지며 일생을 유지하게 되는데, 식사와 유전적 영향을 받으며, 스트레스, 질병, 약물에 의해 변화될 수 있다.

장 마이크로바이옴의 기능은 셀룰로즈, 이눌린과 같은 소화되지 않은 탄수화물들을 분해하고 발효시켜 에너지를 만들고 대사물질을 만들며, 대사물질인 단사슬지방산(short chain fatty acids, SCFA), 아세트산(acetic acid), 프로피온산(propionic acid), 뷰틸산(butylic acid) 등은 전염증성 인자(pro-inflammatory factors: IL-1β, IL-6, TNF-α)와 항염증성 사이토카인(anti-inflammatory cytokine: IL-10)의 생산을 조절하여 면역체계와 염증반응에 관여하는 것으로 알려져 있다. 이는 장내세균이 뇌에 영향을 주고받는 장-뇌 축을 설명하는 중요 기전이다. 또한 마이크로바이옴 구성의 변화와 다양한 질병과의 연관성을 밝힌 많은 연구들이 발표되면서, 마이크로바이옴 조절을 통한 질병 치료의 가능성을 제시하고 있어 주목을 받고 있다.

1) 장-신경계 축(gut-brain axis)

장-신경계 축은 내분비계, 면역계, 자율신경계와 장 신경계의 복합적 연결망을 통하여 장과 중추신경계, 양방향으로 진행된다. 장내미생물은 미주신경과 면역반응을 통하여 중추신경계로 영향을 주는 것으로 알려져 있다. 단사슬지방산과 같은 장내세균 대사산물과 도파민, 세로토닌, GABA와 같은 신경전달물질을 생산하며, 트립토판 대사에 관여하여 세로토닌의 양을 조절하는 역할도 하는 것으로 알려져 기억력과 학습에도 영향을 줄 수 있어, '제 2의 뇌' 라고도 불리우기도 한다.

사람이 스트레스를 받는 상황이 되면 교감신경계의 항진으로 노르에피네프린, 에피네프린 같은 아드레날린 호르몬이 올라가고, 이는 장운동과 장 분비물의 생산을 증가시켜 장내 미생물총 분포의 변화를 가져오고, 변화된 장내세균에서 만들어진 독소는 다시 스트레스를 악화시킬 수 있다. 또한 스트레스는 내분비계인 시상하부-뇌하수체-부신피질 축을 활성화하여 코르티솔, 전염증성 사이토카인(pro-inflammatory cytokines) 분비를 증가시켜 장 운동과 분비를 자극하고 장내미생물총 분포의 변화를 초래하며, 부신피질 지향성 방출호르몬도 활성화하여 비만세포(mast cell)를 자극하고 항체, 미생물 대사물, 독소, 지질다당류(lipopolysaccharides)를 생성하여 장내미생물총의 분포와 장기능을 변화시킨다.

이처럼 장내미생물은 다양한 신경물질, 면역물질을 분비하거나 직접 사람의 신경 혹은 면역신호체계의 발현을 조절함으로써 신경계의 발달 과정이나 인지, 감정조절에 영향을 미칠 수 있다. 반대로 스트레스, 불안 등의 중추 신경계에서 발생하는 변화는 코티솔과 같은 스트레스 호르몬을 증가시키고, 염증 반응을 활성화해 장내 산화 스트레스를 증가시킨다. 이는 결과적으로 장내 투과성의 변화 등 환경 변화를 유발해 장 마이크로바이옴의 변화를 유발한다. 따라서, 장내미생물을 매개로 한 장-신경계 축을 통해 결국 장관계와 신경계가 서로 영향을 주고받는 관계를 형성하고 있음을 알 수 있다(그림 17-5).

2) 마이크로바이옴과 발달장애

자폐스펙트럼장애 아동에서 위장관계 증상을 갖는 경우가 3배 이상 많음과 장내세균 분포에 뚜렷한 차이가 있어서 병적 세균, 특히 clostridium 종이 많은 점, 위장관계 증상을 호소하는 경우 항생제 투여로 증상이 호전됨을 보고한 여러 연구들을 기반으로 장내세균과 발달장애와의 관련성에 대한

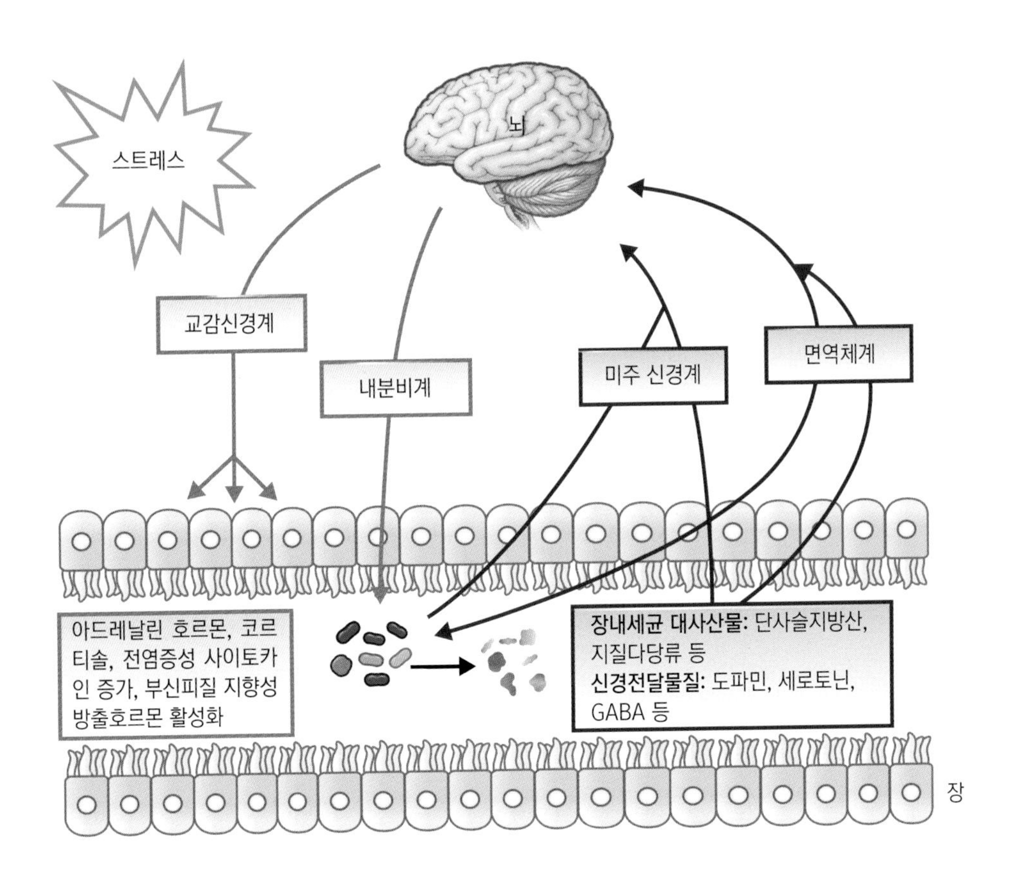

그림 17-5 장-신경계 축
내분비계(hypothalamic-pituitary-adrenal, HPA axis: 시상하부-뇌하수체-부신피질 축), 면역계(cytokines, chemokines), 자율신경계, 장 신경계(enteric NS) 간의 직접, 간접 경로를 통한 양방향 네트워크

관심을 갖게 되었다.[130, 131]

최근 연구에서 임신 중 장내 바이러스에 감염된 어미 쥐에서 태어난 새끼 쥐에서 자폐와 유사한 행동 이상을 보였고, 이는 감염된 바이러스에 의해 면역체계가 자극되어 T-helper 17 cell 면역세포에서 interleukin-17a (IL-17a)를 분비하여, 뇌세포 발달에 영향을 주는 기전을 동물 실험을 통하여 처음으로 확인하였다.[132] 이후 이러한 면역 반응은 사회성과 행동 조절 역할을 하는 일차 체성감각영역(S1), 이차 운동영역(M2), 측두엽 연합영역(TeA) 등 뇌 피질에 흔적(cortical patch)을 남기며, 장내세균이 면역세포에서 IL-17a를 만드는 데 중요 역할을 함을 쥐 실험을 통하여 구현하였고,[133] 임신한 어미 쥐의 장내세균 감염을 항생제로 치료하자, 정상 새끼를 출산하였음을 보고하여 장내면역체계와 뇌 사이의 연관성을 구체적으로 확인하는 연구를 발표하는 등 이에 관한 관심과 연구가 확장되고 있다.[134]

이와 관련하여 장내세균을 안정적으로 관리하면 자폐스펙트럼장애와 같은 발달장애에도 도움이 될 것이라는 가설 하에 임상연구를 포함하여 다양한 연구가 진행되었다. 최근 연구로 309명의 생후 6개월 이전 아기들의 장 마이크로바이옴 성분 분석을 시행하고, 3세에 발달평가를 시행한 결과 의사

소통, 사회성, 소근육운동 발달 사이에 뚜렷한 연관성이 있음을 보고하기도 하였다.[135, 136] 최근 높아진 관심 속에 임상연구들이 진행되고 있으나 아직 마이크로바이옴이 발달장애의 유발요인, 치료방법의 하나라고 할 만한 근거는 부족하다. 면역체계, 뇌기능과 장 마이크로바이옴과의 관련성에 관심을 갖고, 보완요소로서의 역할을 고려하는 접근과 노력이 필요할 것이다.

3) 치료법

이처럼 장내미생물을 매개로 장과 중추신경계가 서로 영향을 주고받는 장-신경계 축이 과민성 대장 증후군의 발생을 비롯해 많은 임상 질환과 밀접한 관련을 가진다는 많은 연구 결과가 있었다. 인체 마이크로바이옴의 가장 많은 비율을 차지하고 있는 장 마이크로바이옴과 관련한 치료법으로는 프로바이오틱스(Probiotics)와 프리바이오틱스(Prebiotics)의 사용, 그리고 분변이식술(fecal microbiome transplantation)이 있다.

유익균 또는 유산균으로 불리는 프로바이오틱스는 질병이 없는 사람의 소화관 내 미생물 균형을 잡는데 도움이 되는 유익균이나 이를 함유한 식품을 말한다. 락토바실러스 아시도필루스(Lact acidophilus) 프로바이오틱스를 자폐스펙트럼장애 아동을 대상으로 2달간 사용 후 언어이해력과 집중력이 향상되었고,[137] 생후 6개월간 락토바실러스 람노서스(Lact. Rhamnosus) 프로바이오틱스를 사용한 아기 집단을 13년간 추적관찰한 연구에서 아스퍼거 장애, 주의력결핍 과잉행동장애의 발병률이 적었음을 보고하기도 하였다.[138]

프리바이오틱스는 인체에 유익한 장내 미생물의 성장을 도와주는 성분을 일컬으며, 프리바이오틱스는 소장에서 소화가 되지 않으며, 대장으로 이동해 유산균과 같은 유익균의 성장이나 활성을 선택적으로 높여 인체의 건강을 증진시킨다. 장내 미생물도 우리가 섭취하는 식품을 이용해 성장하므로 섭취하는 음식물이 장에 존재하는 미생물의 종류를 변화시킬 수 있는데, 이중 식이섬유, 올리고당, 흡수되지 않은 당류 등이 장내 미생물의 성장에 영향을 준다. 프리바이오틱스라는 개념은 올리고당이 인체의 장에 존재하는 유산균을 선택적으로 증가시킨다는 것이 알려지면서부터 언급되기 시작했다. 올리고당은 장내미생물총에서 공생미생물을 선택적으로 성장시키고 장내 유해균의 성장은 막아주는 작용을 한다. 또한 프로바이오틱스와 프리바이오틱스를 함께 사용한 무작위이중맹검연구에서 프리바이오틱스만 사용할 때보다 병용 사용 시 장 증상과 자폐적 행동의 개선에 보다 효과적이었음을 보고하여 병용 사용할 것을 권고하였다.[139]

분변이식술은 건강한 사람의 장내 미생물을 포함하는 분변을 환자의 장에 옮겨 심는 방법이다. 염증성 장질환, 특히 항생제 사용에 의한 클로스트리듐 디피실 장염(Clostridium difficile enteritis)에 효과적임을 보고하였고, 이후 자폐스펙트럼장애 아동에 적용한 연구에서, 8주간의 공개임상연구 결과 자폐 증상과 장 불편 증상이 개선됨을 보고한 바 있다.[140]

원인을 특정하기 어려운 자폐스펙트럼장애의 원인과 치료에서 장 마이크로바이옴과의 연관성에 관하여 많은 동물실험과 임상연구들이 이루어지고 있으나, 아직 단정하기 어려우며, 더 많은 연구가 축적되어야 할 것이다. 프리바이오틱스, 프로바이오틱스는 적절한 음식과 유익균을 복용하는 것으로 일상에서 어렵지 않게 적용할 수 있고, 부작용이 없으므로 임상적용에 무리가 없으나, 효과 유효성에 관한 근거는 부족하다.

7. 기타

1) 미디어 노출과 인지발달

놀이 활동은 소아의 발달에서 매우 중요하다. TV, 스마트폰, 컴퓨터 게임과 같은 미디어에 노출될 기회가 많아진 현재의 아이들에게 TV, 게임 등은 흔히 접할 수 있는 실내 놀이활동이 될 수 있다. 그러나 많은 연구들에서 소아기에 과다한 미디어 노출과 몰입은 언어와 인지, 운동발달의 지연, 그리고 정서적 불안정성을 초래한다고 보고하였다.[141-143] 또한 소아기에 과다한 TV 시청은 소아기 발달을 저해할 뿐 아니라 성인이 되어서도 사회적, 정신적, 신체적 건강에 악영향을 끼쳐 주의집중력장애, 수면장애, 우울증, 반사회적 성격, 흡연율과 실업률, 비만, 고혈압 등의 빈도가 높은 것으로 보고하였다.[144-147] 이들을 근거로 세계보건기구 WHO는 2019년 국제질병분류 ICD-11에 Gamining Disorder로 분류하여 포함시킴으로써, 하나의 질병임을 공식적으로 인하였다.

미국 소아과학회에서는 2016년 2세 미만에서는 미디어 노출을 금할 것과 2~5세 사이 소아에서는 하루 1시간 이내로 제한할 것을 권고한 바 있다. 보호자가 함께 참여하여 교육용, 혹은 치료용 프로그램을 하루에 정해진 20~30분 이내로 사용하고, 함께 본 프로그램의 내용을 일상생활 활동에서 적용하면 긍정적 효과를 거들 수 있으리라 생각한다.

2) 수면과 인지

수면은 인지, 특히 기억 통합(memory consolidation)과 추리력, 통찰력에 영향을 미치는 것으로 알려져 있으며, 수면 이상은 집중을 힘들게 하고, 반응시간을 더디게 하며, 실행력과 새로운 생각, 지식의 습득을 어렵게 하는 등 인지기능에 좋지 않은 영향을 준다. 또한 치매와 외상성 뇌손상, 다발성 경화증과 같은 인지장애 동반 질환에서 수면이상을 동반하는 경우도 빈번하여 상호 영향을 주고 있다. 이런 현상은 소아에서도 다르지 않아 수면부족은 학습과 실행력, 주의집중력을 저하시켜 낮 동안의 활동과 전반적 건강에 좋지 않은 영향을 주며, 돌보는 가족들 또한 지치게 하는 요인이 된다.

자폐스펙트럼장애, 주의력결핍 과잉행동장애, 지적장애, 뇌성마비 등 발달장애를 갖는 소아에서 수면이상을 동반하는 경우가 많은데,[148] 특히 자폐스펙트럼장애에서는 50~80%의 유병률을 보고하고 있어 다른 발달장애들보다도 현저히 많았다.[149] 치료방법으로는 우선 수면장애의 원인이 무엇인지 원인을 찾아 제거하거나 수정하는 노력을 해야 하며, 수면불안감(sleep anxiety)을 줄이고, 적절한 잠자리 습관(bedtime routine)과 환경을 만들어 편안하게 잠들도록 유도하는 일차적 방법을 적용한다. 이러한 방법에 효과가 없으면 멜라토닌과 같은 약물치료를 고려한다.

3) 기타

이밖에 운동, 명상, 음악 등이 인지발달에 긍정적 영향을 준다는 다양한 보고들이 있다. 또한 가상현실, 뇌파를 이용한 바이오피드백 방법인 뉴로피드백 훈련 등의 시도들이 있으나 아직 객관적인 근거가 부족하고, 안정성이 확보되어 있지 않으며, 나이가 어리거나 중증의 인지장애가 있는 경우에는 적용하기 어려운 제한점이 있다.

III. 맺음말

1900년대 후반까지도 인지장애 자체는 개선되는 어떠한 치료방법도 없는 것으로 받아들여져 왔으나, 뇌과학의 발전과 함께 적극적 인지치료를 통하여 변화될 수 있음을 인식하게 되었음은 매우 고무적이다. 한편 2019년 우리나라 신규 장애인 등록 통계에 의하면 18세 이하 등록자 중 지적장애, 자폐스펙트럼장애, 언어장애가 각각 1, 2, 3위로 총 78%를 차지하는 등, 인지장애 아동이 매우 빠른 속도로 증가하고 있다. 인지장애 아동의 증가와 함께 최근에는 '인지치료'가 비의료기관을 포함하여 많은 곳에서 행해지고 있다. '인지치료'라는 이름으로 행해지는 치료의 내용들이 과연 어떻게 구성되고 실행되고 있는지 확인하기 어려우나, 아마 시행 기관에 따라 많은 차이가 있을 것으로 짐작된다. 왜냐하면 소아 인지치료에 대한 개념이나 내용들에 관하여 과학적 근거에 기반한 설명이나 포괄적 정보를 찾기 어려웠기 때문이다. 간혹 컴퓨터 기반 인지훈련이 곧 인지치료의 전부로 오해될 수 있고, 아직 확인되지 않은 방법들에 과도한 기대를 가질 수 있으며, 양육기술 교육, 훈련과 같이 매우 중요한 부분을 누락할 수도 있다.

본 장을 통하여 소아 인지치료시 반드시 고려해야 하는 사항들과 포함하는 영역들, 아직은 연구가 더욱 필요한 영역들을 알고, 궁극적으로 적절한 인지치료 프로그램을 선별하고 제공하는 데 도움이 되기를 바란다.

▶ 참고문헌

1. 이화도. 유아인지발달. 서울: 창지사; 2009.
2. Banich MTaRJC. Cognitive neuroscience: Cambridge University Press; 2018.
3. Katz NaJT. Cognition, occupation, and participation across the life span: Neuroscience, neurorehabilitation, and models of intervention in occupational therapy: AOTA Press.; 2018.
4. Novak IaCM. High-risk follow-up: early intervention and rehabilitation, in Handbook of clinical neurology: Elsevier; 2019.
5. Ramey CT, Campbell FA. Preventive education for high-risk children: cognitive consequences of the Carolina Abecedarian Project. Am J Ment Defic 1984;88:515-23.
6. Spittle A, Orton J, Anderson PJ, et al. Early developmental intervention programmes provided post hospital discharge to prevent motor and cognitive impairment in preterm infants. Cochrane Database Syst Rev 2015:Cd005495.
7. Hadders-Algra M, Brogren E, Forssberg H. Training affects the development of postural adjustments in sitting infants. J Physiol 1996;493 (Pt 1):289-98.
8. Harbourne RT, Willett S, Kyvelidou A, et al. A comparison of interventions for children with cerebral palsy to improve sitting postural control: a clinical trial. Phys Ther 2010;90:1881-98.
9. Lobo MA, Harbourne RT, Dusing SC, et al. Grounding early intervention: physical therapy cannot just be about motor skills anymore. Phys Ther 2013; 93:94-103.
10. Lepage C, Noreau L, Bernard PM. Association between characteristics of locomotion and accomplishment of life habits in children with cerebral palsy. Phys Ther 1998;78:458-69.
11. Marlow N, Hennessy EM, Bracewell MA, et al. Motor and executive function at 6 years of age after extremely preterm birth. Pediatrics 2007;120:793-804.
12. Rendeli C, Salvaggio E, Sciascia Cannizzaro G, et al. Does locomotion improve the cognitive profile of children with meningomyelocele? Childs Nerv Syst 2002;18:231-4.
13. Wijnroks LaNvV. Individual differences in postural

control and cognitive development in preterm infants. Infant Behavior and Development 2003;26:14-26.

14. Chaddock-Heyman L, Hillman CH, Cohen NJ, et al. III. The importance of physical activity and aerobic fitness for cognitive control and memory in children. Monogr Soc Res Child Dev 2014;79:25-50.
15. Diamond AB. The Cognitive Benefits of Exercise in Youth. Curr Sports Med Rep 2015;14:320-6.
16. Hillman CH, Pontifex MB, Castelli DM, et al. Effects of the FITKids randomized controlled trial on executive control and brain function. Pediatrics 2014;134:e1063-71.
17. Lakes KDaWTH. Promoting self-regulation through school-based martial arts training. Journal of Applied Developmental Psychology. 2004;25:283-302.
18. Papacharisis V, et al. The effectiveness of teaching a life skills program in a sport context. Journal of applied sport psychology 2005;17:247-54.
19. Pesce CaTDB-S. Exercise-Cognition Interaction: Neuroscience Perspectives: Academic Press; 2016.
20. Álvarez-Bueno C, Pesce C, Cavero-Redondo I, et al. The Effect of Physical Activity Interventions on Children's Cognition and Metacognition: A Systematic Review and Meta-Analysis. J Am Acad Child Adolesc Psychiatry 2017;56:729-38.
21. Barenberg J, T. Berse, and S. Dutke. Executive functions in learning processes: do they benefit from physical activity? Educational Research Review 2011;6:208-22.
22. Christiansen L, Beck MM, Bilenberg N, et al. Effects of Exercise on Cognitive Performance in Children and Adolescents with ADHD: Potential Mechanisms and Evidence-based Recommendations. J Clin Med 2019;8.
23. Diamond A, Lee K. Interventions shown to aid executive function development in children 4 to 12 years old. Science 2011;333:959-64.
24. Donnelly JE, Greene JL, Gibson CA, et al. Physical Activity Across the Curriculum (PAAC): a randomized controlled trial to promote physical activity and diminish overweight and obesity in elementary school children. Prev Med 2009;49: 336-41.
25. Ferreira JP, Ghiarone T, Júnior CRC, et al. Effects of Physical Exercise on the Stereotyped Behavior of Children with Autism Spectrum Disorders. Medicina (Kaunas) 2019;55.
26. Lee S, Won J, Park S, et al. Beneficial effect of interventional exercise on autistic Fragile X syndrome. J Phys Ther Sci 2017;29:760-2.
27. Ruff HA, McCarton C, Kurtzberg D, et al. Preterm infants' manipulative exploration of objects. Child Dev 1984;55:1166-73.
28. Sigman MD, et al. Infant attention in relation to intellectual abilities in childhood. . Developmental Psychology 1986;22:788.
29. Lawson KR, Ruff HA. Early focused attention predicts outcome for children born prematurely. J Dev Behav Pediatr 2004;25:399-406.
30. Beccaria E, Martino M, Briatore E, et al. Poor repertoire General Movements predict some aspects of development outcome at 2 years in very preterm infants. Early Hum Dev 2012;88:393-6.
31. Lobo MA, Galloway JC. Postural and object-oriented experiences advance early reaching, object exploration, and means-end behavior. Child Dev 2008;79:1869-90.
32. Lobo MA, Galloway JC, Savelsbergh GJ. General and task-related experiences affect early object interaction. Child Dev 2004;75:1268-81.
33. Needham A, T. Barrett, and K. Peterman. A pick-me-up for infants' exploratory skills: Early simulated experiences reaching for objects using 'sticky mittens' enhances young infants' object exploration skills. Infant behavior and development 2002;25:279-95.
34. 권희정. 펄러비즈 공예활동이 특수학교 전공과 지적장애 학생의 주의집중력과 소근육운동에 미치는 효과: 창원대학교 교육대학원 석사학위 청구논문; 2010.
35. 김남순. 수예공작 프로그램 적용이 발달장애 아동의 시지각 발달에 미치는 영향: 대구대학교 재활과학대학원 석사학위 청구논문 2011.
36. O'Brien JCaHK. Case-Smith's occupational therapy for children and adolescents: Elsevier Health Sciences; 2019.
37. Bates E, Dick F. Language, gesture, and the

developing brain. Dev Psychobiol 2002;40:293-310.

38. Dehaene-Lambertz G, Hertz-Pannier L, Dubois J. Nature and nurture in language acquisition: anatomical and functional brain-imaging studies in infants. Trends Neurosci 2006;29:367-73.
39. Caskey M, Stephens B, Tucker R, et al. Importance of parent talk on the development of preterm infant vocalizations. Pediatrics 2011;128:910-6.
40. Gilkerson J, Richards JA, Warren SF, et al. Mapping the Early Language Environment Using All-Day Recordings and Automated Analysis. Am J Speech Lang Pathol 2017;26:248-65.
41. Caskey M, Stephens B, Tucker R, et al. Adult talk in the NICU with preterm infants and developmental outcomes. Pediatrics 2014;133:e578-84.
42. 김영태. 아동언어장애의 진단 및 치료: 학지사; 2019.
43. Crnic KA, Neece CL, McIntyre LL, et al. Intellectual Disability and Developmental Risk: Promoting Intervention to Improve Child and Family Well-Being. Child Dev 2017;88:436-45.
44. PL. N, CL. D, BA. I, et al. Behavior analysis in intellectual and developmental disabilities. Psychological Services 2020;7:103-13.
45. Ahn SN, Hwang S. Cognitive Rehabilitation of Adaptive Behavior in Children with Neurodevelopmental Disorders: A Meta-Analysis. Occup Ther Int 2018;2018:5029571.
46. Liu D, Diorio J, Day JC, et al. Maternal care, hippocampal synaptogenesis and cognitive development in rats. Nat Neurosci 2000;3:799-806.
47. Rao H, Betancourt L, Giannetta JM, et al. Early parental care is important for hippocampal maturation: evidence from brain morphology in humans. Neuroimage 2010;49:1144-50.
48. Fisher PA, Stoolmiller M, Gunnar MR, et al. Effects of a therapeutic intervention for foster preschoolers on diurnal cortisol activity. Psychoneuroendocrinology 2007;32:892-905.
49. MH. T, SL. A, A. P, et al. The neurobiological consequences of eary stress and childhood maltreatment. Neurosci Biobehav Rev 2003;27:33-44.
50. Su Y, D'Arcy C, Yuan S, et al. How does childhood maltreatment influence ensuing cognitive functioning among people with the exposure of childhood maltreatment? A systematic review of prospective cohort studies. J Affect Disord 2019;252:278-93.
51. Sanders MR, Kirby JN, Tellegen CL, et al. The Triple P-Positive Parenting Program: a systematic review and meta-analysis of a multi-level system of parenting support. Clin Psychol Rev 2014;34:337-57.
52. 김지원. 문제해결전략중심 양육지원 프로그램이 정서.행동장애 위험유아 어머니의 자녀에 대한 인식, 양육 효능감, 양육 스트레스, 어머니-유아 상호작용에 미치는 영향. In: Editor, ed. eds. Book 문제해결전략중심 양육지원 프로그램이 정서.행동장애 위험유아 어머니의 자녀에 대한 인식, 양육 효능감, 양육 스트레스, 어머니-유아 상호작용에 미치는 영향: 이화여자대학교 대학원 특수교육학과 박사학위 청구논문; 2017.
53. Moxley-Haegert L, Serbin LA. Developmental education for parents of delayed infants: effects on parental motivation and children's development. Child Dev 1983;54:1324-31.
54. A. B, C. W, L. Z, et al. Mindfulness based stress reduction (MBSR) for parents and caregivers of individuals with developmental disabilities: A community-based approach. J Child Fam Stud 2015: 1-11.
55. Dykens EM, Fisher MH, Taylor JL, et al. Reducing distress in mothers of children with autism and other disabilities: a randomized trial. Pediatrics 2014;134: e454-63.
56. Rabipour S, Raz A. Training the brain: fact and fad in cognitive and behavioral remediation. Brain Cogn 2012;79:159-79.
57. Cannonieri GC, Bonilha L, Fernandes PT, et al. Practice and perfect: length of training and structural brain changes in experienced typists. Neuroreport 2007;18:1063-6.
58. Teicher MH, Andersen SL, Polcari A, et al. The neurobiological consequences of early stress and childhood maltreatment. Neurosci Biobehav Rev 2003;27:33-44.
59. Lenroot RK, Giedd JN. The changing impact of genes and environment on brain development during childhood and adolescence: initial findings from a neuroimaging study of pediatric twins. Dev Psychopathol 2008;20:1161-75.

60. Elbert T, Pantev C, Wienbruch C, et al. Increased cortical representation of the fingers of the left hand in string players. Science 1995;270:305-7.
61. Draganski B, Gaser C, Kempermann G, et al. Temporal and spatial dynamics of brain structure changes during extensive learning. J Neurosci 2006; 26:6314-7.
62. Driemeyer J, Boyke J, Gaser C, et al. Changes in gray matter induced by learning--revisited. PLoS One 2008;3:e2669.
63. Kanfer FH. Self-regulation: Research, issues, and speculations. In C. Neuringer, & J. L. Michael, (Eds.), Behavior modification in clinical psychology. New York: Appleton-Century-Crofts; 1970.
64. Pressley M. Increasing Children's Self-Control Through Cognitive Interventions. Review of Educational Research 1979;49:319-70.
65. Beck JS. Cognitive behavior therapy: Basics and beyond, 2nd ed.: Guilford Press; 2011.
66. Benjamin CL, Puleo CM, Settipani CA, et al. History of cognitive-behavioral therapy in youth. Child Adolesc Psychiatr Clin N Am 2011;20:179-89.
67. Sohlberg MM, Mateer CA. Effectiveness of an attention-training program. J Clin Exp Neuropsychol 1987;9:117-30.
68. Robertson IH, Tegnér R, Tham K, et al. Sustained attention training for unilateral neglect: theoretical and rehabilitation implications. J Clin Exp Neuropsychol 1995;17:416-30.
69. Benedict RH, Harris AE, Markow T, et al. Effects of attention training on information processing in schizophrenia. Schizophr Bull 1994;20:537-46.
70. Medalia A, Aluma M, Tryon W, et al. Effectiveness of attention training in schizophrenia. Schizophr Bull 1998;24:147-52.
71. Rueda MR, Posner MI, Rothbart MK. The development of executive attention: contributions to the emergence of self-regulation. Dev Neuropsychol 2005;28:573-94.
72. Whalen C, Schreibman L. Joint attention training for children with autism using behavior modification procedures. J Child Psychol Psychiatry 2003;44:456-68.
73. Campbell FA, Pungello EP, Miller-Johnson S, et al. The development of cognitive and academic abilities: growth curves from an early childhood educational experiment. Dev Psychol 2001;37:231-42.
74. Campbell FA, Pungello EP, Burchinal M, et al. Adult outcomes as a function of an early childhood educational program: an Abecedarian Project follow-up. Dev Psychol 2012;48:1033-43.
75. Campbell F, Conti G, Heckman JJ, et al. Early childhood investments substantially boost adult health. Science 2014;343:1478-85.
76. Westerberg H, Klingberg T. Changes in cortical activity after training of working memory--a single-subject analysis. Physiol Behav 2007;92:186-92.
77. Klingberg T, Fernell E, Olesen PJ, et al. Computerized training of working memory in children with ADHD--a randomized, controlled trial. J Am Acad Child Adolesc Psychiatry 2005;44:177-86.
78. Ko EJ, Sung IY, Yuk JS, et al. A tablet computer-based cognitive training program for young children with cognitive impairment: A randomized controlled trial. Medicine (Baltimore) 2020;99:e19549.
79. Alloway T BV, Lau G. Computerized working memory training: Can it lead to gains in cognitive skills in students? . Computers in Human Behavior 2013;29:632-8
80. Durkin K. Videogames and Young People with Developmental Disorders. Review of General Psychology 2010;14:122-40.
81. Dawson G, Rogers S, Munson J, et al. Randomized, controlled trial of an intervention for toddlers with autism: the Early Start Denver Model. Pediatrics 2010;125:e17-23.
82. Remington B, Hastings RP, Kovshoff H, et al. Early intensive behavioral intervention: outcomes for children with autism and their parents after two years. Am J Ment Retard 2007;112:418-38.
83. Zach Shipstead TSR, Randall W. Engle. Does working memory training generalize? Psychologica Belgica 2010;50:245-76.
84. Kermen R, Hickner J, Brody H, et al. Family physicians believe the placebo effect is therapeutic but often use real drugs as placebos. Fam Med

2010;42:636-42.

85. Owen AM, Hampshire A, Grahn JA, et al. Putting brain training to the test. Nature 2010;465:775-8.

86. Shalev L, Tsal Y, Mevorach C. Computerized progressive attentional training (CPAT) program: effective direct intervention for children with ADHD. Child Neuropsychol 2007;13:382-8.

87. Rabiner DL, Murray DW, Skinner AT, et al. A randomized trial of two promising computer-based interventions for students with attention difficulties. J Abnorm Child Psychol 2010;38:131-42.

88. Holmes J, Gathercole SE, Dunning DL. Adaptive training leads to sustained enhancement of poor working memory in children. Dev Sci 2009;12:F9-15.

89. Beck SJ, Hanson CA, Puffenberger SS, et al. A controlled trial of working memory training for children and adolescents with ADHD. J Clin Child Adolesc Psychol 2010;39:825-36.

90. Söderqvist S, Nutley SB, Ottersen J, et al. Computerized training of non-verbal reasoning and working memory in children with intellectual disability. Front Hum Neurosci 2012;6:271.

91. Van der Molen MJ, Van Luit JE, Van der Molen MW, et al. Effectiveness of a computerised working memory training in adolescents with mild to borderline intellectual disabilities. J Intellect Disabil Res 2010;54:433-47.

92. Prasher VP. Review of donepezil, rivastigmine, galantamine and memantine for the treatment of dementia in Alzheimer's disease in adults with Down syndrome: implications for the intellectual disability population. Int J Geriatr Psychiatry 2004;19:509-15.

93. Heller JH, Spiridigliozzi GA, Sullivan JA, et al. Donepezil for the treatment of language deficits in adults with Down syndrome: a preliminary 24-week open trial. Am J Med Genet A 2003;116a:111-6.

94. Kondoh T, Amamoto N, Doi T, et al. Dramatic improvement in Down syndrome-associated cognitive impairment with donepezil. Ann Pharmacother 2005;39:563-6.

95. Berry-Kravis EM, Hessl D, Rathmell B, et al. Effects of STX209 (arbaclofen) on neurobehavioral function in children and adults with fragile X syndrome: a randomized, controlled, phase 2 trial. Sci Transl Med 2012;4:152ra27.

96. Erickson CA, Veenstra-Vanderweele JM, Melmed RD, et al. STX209 (arbaclofen) for autism spectrum disorders: an 8-week open-label study. J Autism Dev Disord 2014;44:958-64.

97. Veenstra-VanderWeele J, Cook EH, King BH, et al. Arbaclofen in Children and Adolescents with Autism Spectrum Disorder: A Randomized, Controlled, Phase 2 Trial. Neuropsychopharmacology 2017;42:1390-8.

98. Pérez-Cremades D, Hernández S, Blasco-Ibáñez JM, et al. Alteration of inhibitory circuits in the somatosensory cortex of Ts65Dn mice, a model for Down's syndrome. J Neural Transm (Vienna) 2010;117:445-55.

99. Hernández-González S, Ballestín R, López-Hidalgo R, et al. Altered distribution of hippocampal interneurons in the murine Down Syndrome model Ts65Dn. Neurochem Res 2015;40:151-64.

100. Boada R, Hutaff-Lee C, Schrader A, et al. Antagonism of NMDA receptors as a potential treatment for Down syndrome: a pilot randomized controlled trial. Transl Psychiatry 2012;2:e141.

101. Aman MG, Findling RL, Hardan AY, et al. Safety and Efficacy of Memantine in Children with Autism: Randomized, Placebo-Controlled Study and Open-Label Extension. J Child Adolesc Psychopharmacol 2017;27:403-12.

102. Berry-Kravis E, Des Portes V, Hagerman R, et al. Mavoglurant in fragile X syndrome: Results of two randomized, double-blind, placebo-controlled trials. Sci Transl Med 2016;8:321ra5.

103. Çaku A, Pellerin D, Bouvier P, et al. Effect of lovastatin on behavior in children and adults with fragile X syndrome: an open-label study. Am J Med Genet A 2014;164a:2834-42.

104. Parker KJ, Oztan O, Libove RA, et al. A randomized placebo-controlled pilot trial shows that intranasal vasopressin improves social deficits in children with autism. Sci Transl Med 2019;11.

105. Weiss M, Lavidor M. When less is more: evidence for a facilitative cathodal tDCS effect in attentional abilities. J Cogn Neurosci 2012;24:1826-33.

106. Wagner T, Valero-Cabre A, Pascual-Leone A. Noninvasive human brain stimulation. Annu Rev Biomed Eng 2007;9:527-65.
107. Holland R, Crinion J. Can tDCS enhance treatment of aphasia after stroke? Aphasiology 2012;26:1169-91.
108. Schneider HD, Hopp JP. The use of the Bilingual Aphasia Test for assessment and transcranial direct current stimulation to modulate language acquisition in minimally verbal children with autism. Clin Linguist Phon 2011;25:640-54.
109. Nitsche MA, Cohen LG, Wassermann EM, et al. Transcranial direct current stimulation: State of the art 2008. Brain Stimul 2008;1:206-23.
110. Bindman LJ, Lippold OC, Redfearn JW. The action of brief polarizing currents on the cerebral cortex of the rat (1) during current flow and (2) in the production of long-lasting after-effects. J Physiol 1964;172:369-82.
111. Purpura DP, McMurtry JG. Intracellular activities and evoked potential changes during polarization of motor cortex. J Neurophysiol 1965;28:166-85.
112. Nitsche MA, Paulus W. Excitability changes induced in the human motor cortex by weak transcranial direct current stimulation. J Physiol 2000;527 Pt 3:633-9.
113. Pellicciari MC, Brignani D, Miniussi C. Excitability modulation of the motor system induced by transcranial direct current stimulation: a multimodal approach. Neuroimage 2013;83:569-80.
114. Stagg CJ, Best JG, Stephenson MC, et al. Polarity-sensitive modulation of cortical neurotransmitters by transcranial stimulation. J Neurosci 2009;29:5202-6.
115. Batsikadze G, Moliadze V, Paulus W, et al. Partially non-linear stimulation intensity-dependent effects of direct current stimulation on motor cortex excitability in humans. J Physiol 2013;591:1987-2000.
116. Antal A, Terney D, Poreisz C, et al. Towards unravelling task-related modulations of neuroplastic changes induced in the human motor cortex. Eur J Neurosci 2007;26:2687-91.
117. Filmer HL, Dux PE, Mattingley JB. Applications of transcranial direct current stimulation for understanding brain function. Trends Neurosci 2014;37:742-53.
118. Fregni F, Boggio PS, Nitsche M, et al. Anodal transcranial direct current stimulation of prefrontal cortex enhances working memory. Exp Brain Res 2005;166:23-30.
119. Hill AT, Fitzgerald PB, Hoy KE. Effects of Anodal Transcranial Direct Current Stimulation on Working Memory: A Systematic Review and Meta-Analysis of Findings From Healthy and Neuropsychiatric Populations. Brain Stimul 2016;9:197-208.
120. Mancuso LE, Ilieva IP, Hamilton RH, et al. Does Transcranial Direct Current Stimulation Improve Healthy Working Memory?: A Meta-analytic Review. J Cogn Neurosci 2016;28:1063-89.
121. Lefaucheur JP, Antal A, Ayache SS, et al. Evidence-based guidelines on the therapeutic use of transcranial direct current stimulation (tDCS). Clin Neurophysiol 2017;128:56-92.
122. Brunoni AR, Moffa AH, Sampaio-Junior B, et al. Trial of Electrical Direct-Current Therapy versus Escitalopram for Depression. N Engl J Med 2017;376:2523-33.
123. Osório AAC, Brunoni AR. Transcranial direct current stimulation in children with autism spectrum disorder: a systematic scoping review. Dev Med Child Neurol 2019;61:298-304.
124. Lee JC, Kenney-Jung DL, Blacker CJ, et al. Transcranial Direct Current Stimulation in Child and Adolescent Psychiatric Disorders. Child Adolesc Psychiatr Clin N Am 2019;28:61-78.
125. Ko EJ, Sung IY, Yuk JS, et al. Poster: Effect of Anodal Transcranial Direct Current Stimulation Combined with Cognitive Training for Improving Cognition and Language in Children with Cerebral Palsy with Cognitive Impairment: A Pilot, Randomized, Controlled, Double-Blind, Clinical Trial. Symposium of Korean Society of Pediatric Rehabilitatoin and Developmental Medicine 2019
126. Bikson M, Grossman P, Thomas C, et al. Safety of Transcranial Direct Current Stimulation: Evidence Based Update 2016. Brain Stimul 2016;9:641-61.
127. Nikolin S, Huggins C, Martin D, et al. Safety of repeated sessions of transcranial direct current stimulation: A systematic review. Brain Stimul 2018;11:278-88.

128. Gilbert JA, Blaser MJ, Caporaso JG, et al. Current understanding of the human microbiome. Nat Med 2018;24:392-400.
129. Schirmer M, Smeekens SP, Vlamakis H, et al. Linking the Human Gut Microbiome to Inflammatory Cytokine Production Capacity. Cell 2016;167:1897.
130. Bolte ER. Autism and Clostridium tetani. Med Hypotheses 1998;51:133-44.
131. Buffington SA, Di Prisco GV, Auchtung TA, et al. Microbial Reconstitution Reverses Maternal Diet-Induced Social and Synaptic Deficits in Offspring. Cell 2016;165:1762-75.
132. Choi GB, Yim YS, Wong H, et al. The maternal interleukin-17a pathway in mice promotes autism-like phenotypes in offspring. Science 2016;351:933-9.
133. Kim S, Kim H, Yim YS, et al. Maternal gut bacteria promote neurodevelopmental abnormalities in mouse offspring. Nature 2017;549:528-32.
134. Shin Yim Y, Park A, Berrios J, et al. Reversing behavioural abnormalities in mice exposed to maternal inflammation. Nature 2017;549:482-7.
135. Sordillo JE, Korrick S, Laranjo N, et al. Association of the Infant Gut Microbiome With Early Childhood Neurodevelopmental Outcomes: An Ancillary Study to the VDAART Randomized Clinical Trial. JAMA Netw Open 2019;2:e190905.
136. Carlson AL, Xia K, Azcarate-Peril MA, et al. Infant Gut Microbiome Associated With Cognitive Development. Biol Psychiatry 2018;83:148-59.
137. Kałużna-Czaplińska J, Błaszczyk S. The level of arabinitol in autistic children after probiotic therapy. Nutrition 2012;28:124-6.
138. Pärtty A, Kalliomäki M, Wacklin P, et al. A possible link between early probiotic intervention and the risk of neuropsychiatric disorders later in childhood: a randomized trial. Pediatr Res 2015;77:823-8.
139. Sanctuary MR, Kain JN, Chen SY, et al. Pilot study of probiotic/colostrum supplementation on gut function in children with autism and gastrointestinal symptoms. PLoS One 2019;14:e0210064.
140. Kang DW, Adams JB, Gregory AC, et al. Microbiota Transfer Therapy alters gut ecosystem and improves gastrointestinal and autism symptoms: an open-label study. Microbiome 2017;5:10.
141. Lin LY, Cherng RJ, Chen YJ, et al. Effects of television exposure on developmental skills among young children. Infant Behav Dev 2015;38:20-6.
142. Pagani LS, Fitzpatrick C, Barnett TA, et al. Prospective associations between early childhood television exposure and academic, psychosocial, and physical well-being by middle childhood. Arch Pediatr Adolesc Med 2010;164:425-31.
143. Daniel R. Anderson TAP. Television and Very Young Children. American Behavioral Scientist 2005.
144. McAnally HM, Young T, Hancox RJ. Childhood and adolescent television viewing and internalising disorders in adulthood. Prev Med Rep 2019;15: 100890.
145. Owens J, Maxim R, McGuinn M, et al. Television-viewing habits and sleep disturbance in school children. Pediatrics 1999;104:e27.
146. Landhuis CE, Poulton R, Welch D, et al. Does childhood television viewing lead to attention problems in adolescence? Results from a prospective longitudinal study. Pediatrics 2007;120:532-7.
147. Robertson LA, McAnally HM, Hancox RJ. Childhood and adolescent television viewing and antisocial behavior in early adulthood. Pediatrics 2013;131:439-46.
148. Hvolby A. Associations of sleep disturbance with ADHD: implications for treatment. Atten Defic Hyperact Disord 2015;7:1-18.
149. Valicenti-McDermott M, Lawson K, Hottinger K, et al. Sleep Problems in Children With Autism and Other Developmental Disabilities: A Brief Report. J Child Neurol 2019;34:387-93.

CHAPTER

18

보조기, 의지, 보조 기구

Orthoses, Prostheses and Assistive Devices

김민영, 김명옥, 박정미, 나동욱

본 장에서는 보조기가 적용되는 부위에 따라 주요 적응증과 목적을 설명하였다. 상지 보조기에는 일상생활보조 도구를 포함하여 기술하였고, 하지와 체간 보조기 및 기립과 보행, 이동을 위한 보조기구, 인지와 언어 관련 보조기구들을 설명하였다. 또한, 소아에서의 상, 하지 절단 시 착용하는 의지와, 최근 기술이 향상되고 있는 보행 로봇을 기술하였다.

I. 보조기 처방의 원칙

소아의 보조기 사용원칙은 성인에서와 같으며, 특별히 소아만을 위하여 고안된 보조기, 소아에게 더 자주 처방되는 보조기 및 보조기구들이 있다. 소아에서 보조기 사용의 목표는 성인에서와 마찬가지로 기능을 향상시키고 변형을 예방하는 것이다.[1] 개인의 손상된 기능을 파악하고 예상되는 근골격계 합병증을 고려하여 생역학적 원칙에 따라 소아에게 적절한 보조기를 처방할 수 있다. 소아 환자의 보조기 선택에는 몇 가지 중요한 원칙이 있다. 먼저 보조기는 단순하고, 가볍고, 튼튼해야 한다. 소아가 쉽게 사용할 수 있고 계속 착용할 수 있는 것 역시 중요하다. 또한, 소아의 삶의 질을 높일 수 없다면 성공적이라고 볼 수 없다. 발달과 관련하여 특별히 생각해 주어야 할 일은 나이에 맞는 경험을 제공하도록 하는 것이다. 이를 위하여 첫째, 정상 운동 발달에서 벗어나는 정도를 파악해야 한다. 둘째, 운동의 제한에 따라 의존성이 높아지고 정서적으로 미성숙해지기 쉬우므로 인격의 발달을 고려해야 한다. 셋째, 학습능력과 적응 및 인지 능력을 고려해야 한다. 넷째, 운동 장애로 소아의 건강이나 발달에 영향을 미치는 내과적 합병증의 가능성도 예상해야 한다. 예를 들어, 걷지 못하는 소아에게 기립기(standing frame)를 처방하여 서게 함으로써 앉아 있거나 누워있을 때와 다른 각도에서 주변을 볼 수 있게 함으로써 아동이 지적인 자극을 받고 삶에 대한 만족감을 가지도록 할 수 있다. 이는 기립 자세를 만들어 줌으로써 다리의 구축을 예방하고, 골 대사를 개선시키는 것보다 더 의미있는 일일 수 있다. 그 외에 부모의 협조 없이는 보조기 착용이 이루어질 수 없는 일이므로 부모 역시 보조기 처방의 중요한 요소라고 할 수 있다.

II. 보조기와 보조기구의 종류

보조기는 신체에 적용되는 부위에 따라 상지, 하지 및 체간 보조기로 나누어 볼 수 있다. 보조기의 목적에 따라 더 좋은 자세를 만들어주기 위한 보조기, 움직임을 제한하기 위한 고정용 보조기, 변형이나 구축을 예방하기 위한 보조기, 통증을 완화시키기 위한 보조기, 부분 마비된 부위를 보강하거나 마비된 부위를 지지하기 위한 보조기 등으로 나눌 수도 있다.[2] 또한 기능과 운동을 돕는 동적 보조기(dynamic orthosis)와 원하는 상태로 고정시키기 위한 정적 보조기(static orthosis)로 구분하기도 한다. 앉는 자세, 혹은 서 있는 자세를 유지시키기 위한 도구들이 있고, 앉거나 서서 이동할 수 있게 하는 도구들과 스스로 보행할 수 있도록 도움을 주는 보조기구들도 있다. 일상생활의 동작들을 보조하기 위한 도구로서 상지의 사용을 돕는 보조기와 심한 기능 손상을 위한 환경 조절(environmental control) 시스템이 사용될 수 있다. 의사소통을 가능하게 하여 일상생활에 적응해 나갈 수 있도록 돕는 컴퓨터 시스템도 지속적으로 개발 중이다.

소아의 보조기는 대상 환아의 군에 따라서 나누어 생각해 볼 수도 있는데, 가장 흔한 경우는 뇌성마비이다. 그 중에서도 경직형과 양지마비형이 가장 많으므로 경직성 양지마비 및 이와 관련된 발의 변형에 대한 보조기가 대표적이며 보행을 돕기 위한 보조기구들도 자주 사용되고 있다.[3,4] 다른 종류의 뇌성마비에서도 보조기가 필요한 경우들이 있다. 척수형성 이상증이 동반된 척수수막류와 같은 경우에는 치료 과정에서 보조기가 필수적이다. 또한, 신경계나 근육의 원인 등으로, 혹은 알 수 없는 이유로 골격의 정렬에 이상이 생긴 척추 측만증도 보조기의 주요 적응증이다.[5,6]

1. 상지 보조기

상지 보조기의 일반적인 목적은 변형을 예방하고 구축을 감소시키는 데 있다. 사지마비형 뇌성마비의 경우 완관절과 주관절의 굴곡 구축이 심해지는 것을 막기 위해 보조기를 사용하고 있으나 아직까지 효과가 있다는 뚜렷한 증거는 제시되지 않았다. 하지만 소아가 불편해하거나 피부 손상이 초래되지 않는 한 보조기 사용이 해가 된다고 볼 수는 없다. 이론적으로 성장 과정에서 보조기를 사용할 때 보조기는 근육을 신장(stretch)시키고, 신장은 성장을 자극한다고 생각되므로 도움이 된다고 생각된다.[7] 정확한 보조기 착용의 권장 시간은 없으나 매일 4~8시간 정도가 바람직하다고 알려져 있다.

상지 보조기를 사용함으로써 기능을 획득하는 경우는 매우 드물다. 가끔 작은 엄지 외전 보조기를 사용함으로써 손바닥에 내전되어 붙은 엄지(thumb in palm) 때문에 엄지와 다른 손가락 사이로 쥐기(grasp)가 되지 않는 소아가 장난감을 쥘 수 있게 하는 정도이다. 하지만 그러한 경우라 하여도 그 소아가 보조기의 착용을 참을 수 없다면 보조기는 사용하기 어렵다.

1) 어깨 보조기

뇌성마비아에게 유용하게 사용할만한 어깨 보조기는 보고된 것이 없다. 어깨관절이 외전, 외회전 구축된 불수의 운동형, 혹은 경직형 뇌성마비아에게 손목 밴드를 사용하여 전완을 허리띠나 휠체어의 무릎받침대(lap tray)에 붙임으로써 효과를 얻을 수는 있다. 때로는 어깨가 심하게 앞으로 쏠린(shoulder protraction) 경우 8자 어깨 보조기(figure of eight)를 사용하기도 하지만 거의 도움이 되지 않는다.

2) 주관절 보조기

경한 경직성 굴곡 구축이 발생된 경우, 양판(bivalve)의 고온 가소성 플라스틱 주형 맞춤 보조기(custom-molded high-temperature plastic orthosis)가 필요하다. 고정용 다이알락(dial lock) 보조기는 견딜 수 있는 만큼 주관절을 신전 시켜가도록 하는데, 특히 매일 견딜 수 있는 굴곡 구축의 정도가 변화하는 소아들에게 도움이 된다. 만약 경직이 심하지 않은 10세 이하의 소아라면 주두(olecranon)를 감싸는 띠가 있으면서 주관절의 굴곡면을 받치는 형태의 단순한 저온 가소성 플라스틱 보조기가 경제적이다. 이러한 보조기는 작업치료사가 만들 수 있고 고온의 열총(heat gun)으로 적절하게 변형시킬 수도 있다. 최근에는 탄력성이 있는 경첩(hinge)이 주관절을 지속적으로 신전시키는 보조기도 개발되었다. 전완이 회내(pronation)되는 변형도 경직이 있는 환아에게 매우 흔하며, 효과적으로 경직이 조절되지는 않지만 팔을 둘러싸는 형태의 보조기가 큰 불편 없이 사용되고 있다(그림 18-1).

3) 손목-손 보조기

손과 손가락의 굴곡과 엄지의 굴곡 및 내전 구축은 뇌성마비 소아에서 아주 흔하다. 손목을 신전시키는 보조기는 주로 수술 정복 후에 이전시킨 건을 보호하기 위하여 부목사용 후 몇 달간 사용한다. 일반적으로 이 보조기는 손바닥 쪽을 받치는 손바닥 보조기(volar splint)로서 손목을 20~30° 신전시킨 상태에서 유지하도록 하며 하루 종일 착용하도록 한다(그림 18-2A).

이러한 손목보조기가 가끔 상지 기능을 향상시켜 주기도 하지만 장기간 사용되기는 어려운데, 편마비 소아나 청소년은 외모에 관심이 많으므로 기능적 효과가 크지 않으면서 눈에 쉽게 띄는 보조기를 지속적으로 착용하지 않기 때문이다. 손등 쪽에서 손목을 고정하는 손등 보조기(dorsal splint)는 좀 더 쉽게 받아들일 수 있으나 기능적으로 손바닥 보조기보다 좋다고 할 수는 없다. 하지만 손을 사용하는 과정에서 감각 피드백이 용이하다는 장점이 있으므로 손가락의 사용이 가능하다면 손등 보조기를 사용하도록 한다. 한편, 손바닥 쪽에

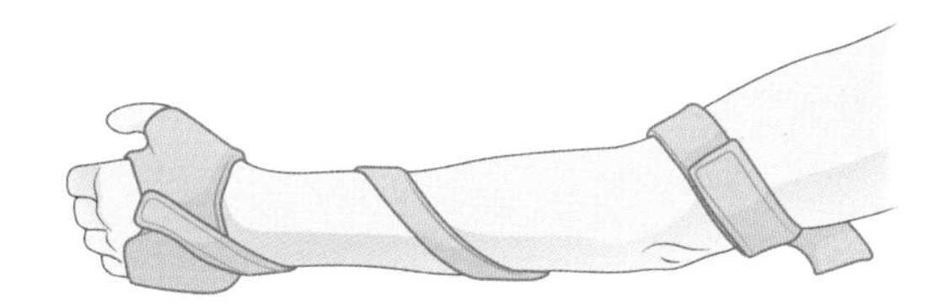

그림 18-1 회내를 조절하기 위한 보조기

A

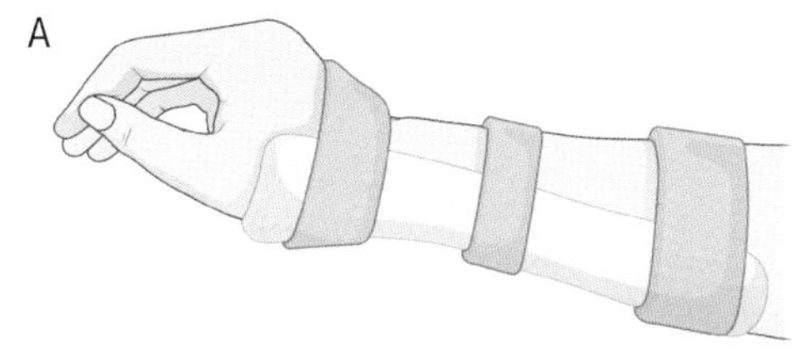

B

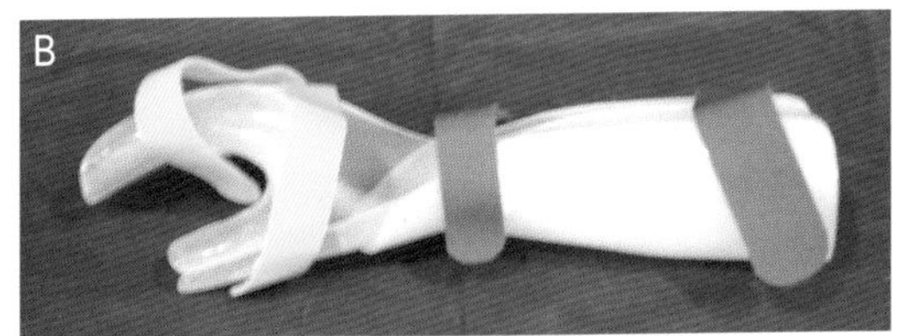

그림 18-2
A. 손목 손바닥 보조기(wrist volar splint)
B. 수부 안정보조기(resting palmar splint)

힘을 받는 면이 적어서, 피부가 눌리는 부작용이 생기기 쉽다는 단점이 있다.

수부 안정 보조기(resting hand splint)는 손목과 손가락들이 편한 상태에서 최대한 신전될 수 있게 하며, 전완의 근육들을 신장시킴으로써 성장에 도움을 주고, 엄지를 외전, 신전시킬 수 있다(그림 18-2B). 보통 처음에는 소아들이 보조기를 견디기 어렵지만 점차 착용 시간을 늘려 가면 4~8시간 정도는 흔히 착용이 가능해진다. 충분한 효과를 위해서는 그 정도의 시간이 필요하지만 2~4시간만이라도 견딜 수 있다면 도움이 된다.

4) 엄지 보조기

사지 뇌성마비 아동에서 엄지의 내전, 굴곡 변형이 흔하며, 대개 엄지와 함께 다른 손가락들의 굴곡과 손목의 굴곡 구축이 동반된다. 그러한 경우 엄지의 변형은 전체적인 수부 안정 보조기에 함께 고정시켜서 교정할 수도 있다. 손가락으로 물건을 잡는 것을 돕기 위한 방법으로 작고, 부드러운 재질의 외전 보조기(abduction splint)나 저온 가소성 주형 엄지 외전 보조기를 사용하는 것이 도움이 되는 경우도 있다(그림 18-3). 이러한 보조기를 맞출 때 주의할 점은 되도록 피부를 덮는 면적을 줄여서 감각 피드백에 영향을 주지 않고 소아가 손을 쓰지 않는 습관이 생기지 않도록 하는 일이다.

5) 손가락 보조기

뇌성마비 환아들의 근위지관절에서는 손가락의 과다한 신전근건 활성화로 과신전이 발생할 수 있다. 이러한 근력의 불균형은 제3, 4 수지에서 가장 흔하지만 검지에서도 생길 수 있다. 금속이나 플라스틱으로 8자형 보조기를 만들어 착용함으로써 이러한 과신전을 막을 수 있는데, 보통 먼저 플라

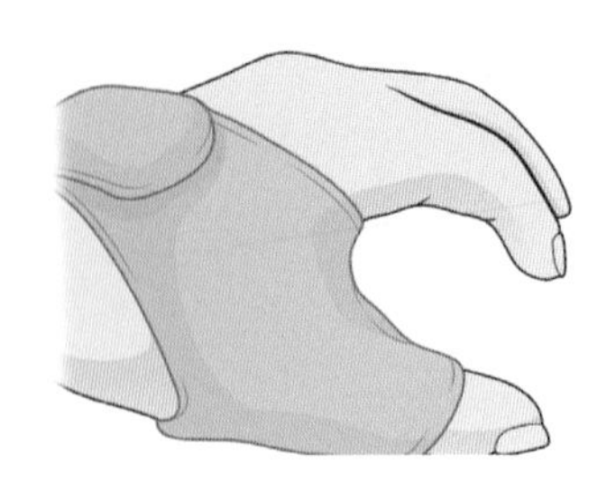

그림 18-3 엄지 외전 보조기

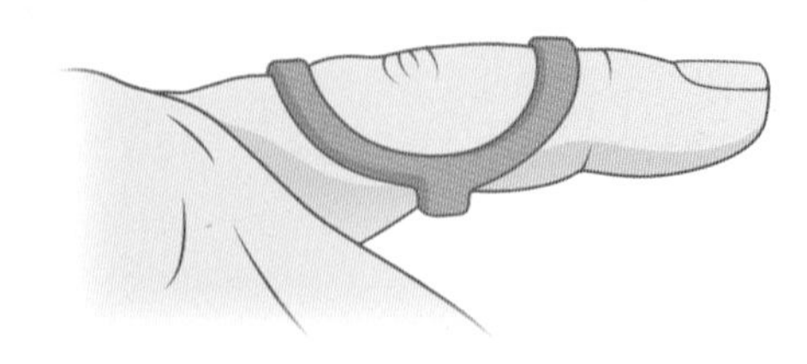

그림 18-4 손가락 보조기

스틱 재질로 만들어보고 효과가 있다면 금속재질을 사용한다(그림 18-4). 금속재질은 반지같이 보이기 때문에 외형상 이유로 선호되고 있으나 경직이 심한 경우는 손가락 일부에 압박이 가해지므로 사용하기 어렵다.

6) 장애아의 일상생활 보조기구(utensil)

Utensil이란 Use(사용)라는 뜻의 Ut(en)과 "알맞은"이라는 Sil이 합쳐져서 사용하기에 알맞은 도구를 의미한다. 일반적인 의미로는 주로 부엌에서 사용하는 조리도구를 일컫는 단어로서 국자, 뒤집개, 걸음망, 가위 등 손잡이가 달린 도구를 말하며, 손부위의 잡기 장애가 있는 소아에게는 주로 식사하는 데 필요한 특수 손잡이가 달린 숟가락, 포크, 미끄럼이나 넘어짐 방지 기능의 식기(예: Scooper bowl, Scooper plate) 등을 의미한다(그림 18-5).

그 외의 대표적 도구들로서 옷과 신발 착용을 위한 보조기구가 있다. 지퍼나 단추를 꿰는데 어려움이 있는 환아를 위해 버튼 지퍼 보조기, 신발

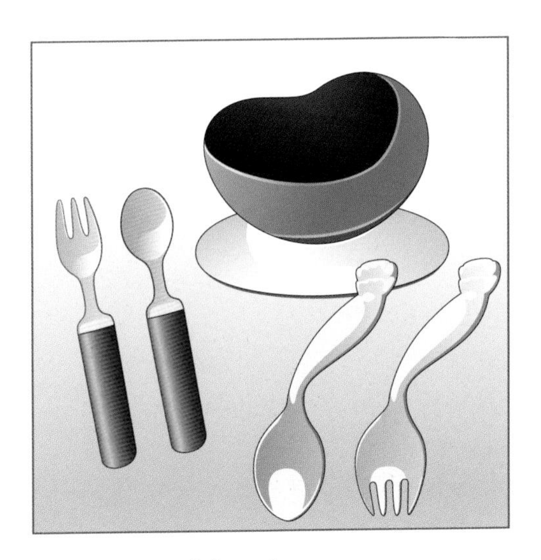

그림 18-5 Utensil for eating

그림 18-6 버튼 지퍼 보조기

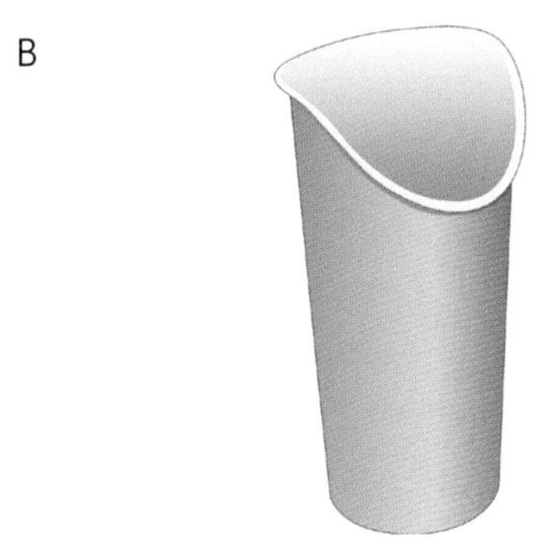

그림 18-7 A. Weighted base cup, B. Nosey cup

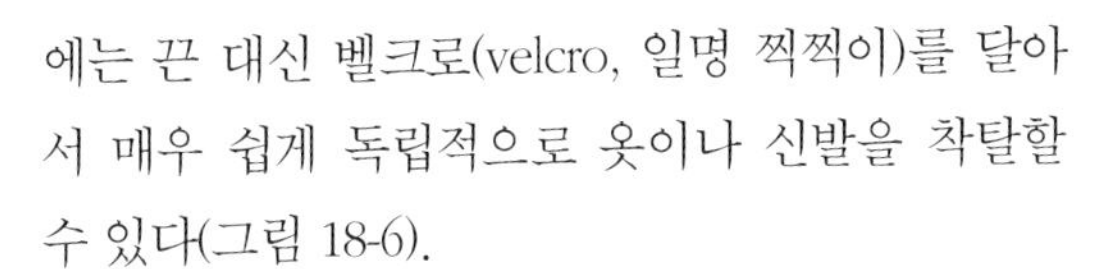

에는 끈 대신 벨크로(velcro, 일명 찍찍이)를 달아서 매우 쉽게 독립적으로 옷이나 신발을 착탈할 수 있다(그림 18-6).

마시기를 보조하기 위한 도구로 쓰러지지 않게 밑바닥 쪽에 넓은 테가 달려있거나 오뚜기처럼 밑바닥에 추가 달려있는 컵 등을 쓸 수 있다. 고개를 젖히지 않아도 컵의 물을 먹을 수 있는 특수컵도 있다(그림 18-7).

2. 하지 보조기

1) 뇌성마비아를 위한 보조기

(1) 고관절 보조기

고관절 내전근의 단축 시에 연장 수술 전 단계에 고관절 외전 보조기를 사용하는 방법이 논의되고 있으나 종합적인 결론은 득보다 실이 더 많다는 것이다. 그러므로 고관절의 아탈구를 막기 위하여 근육연장술 이전에 고관절 외전 보조기를 사용하는 것은 피해야 한다. 수술 후에 이 보조기를 착용시키는 것이 고관절 탈구의 회복에 도움이 되기는 하지만 과도한 외전구축을 발생시킬 수도 있다는 점을 염두해 두어야 한다. 즉, 고관절 외전보조기의 수술 후 착용의 효용성은 낮고, 기능적으로도 가위 보행(scissoring)을 보완해 줄 수 없으므로 커다란 고관절 외전 보조기를 사용하기보다는 보행기(walker)의 외측에 환아의 신발과 연결하는 끈을 묶는 등의 방법으로 간단하고 쉽게 가위 보행을 줄여주는 것이 낫다고 할 수 있다(그림 18-8).

속옷 유형의 고관절 외전 보조기를 착용하기도 하는데, 이는 경직성 뇌성마비 환아에게 앉은 균형과 앉았다 일어서기를 개선시켜 체간손상점수

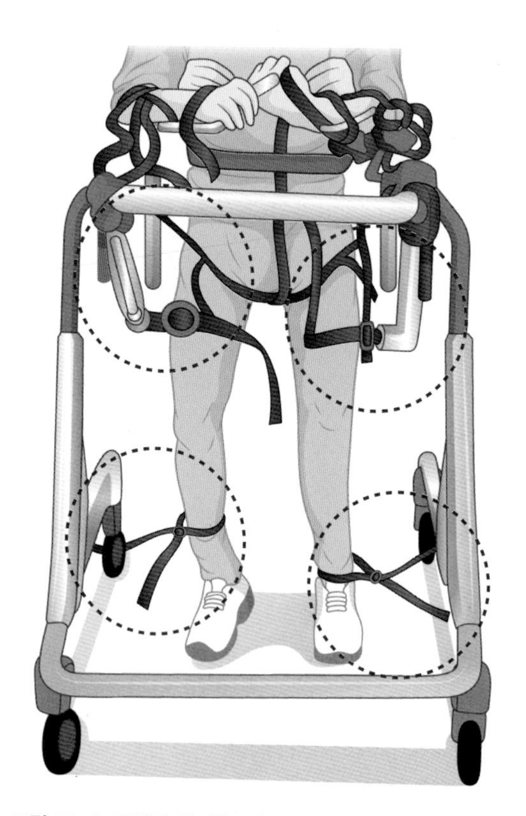

그림 18-8 고관절 외전을 돕는 장치

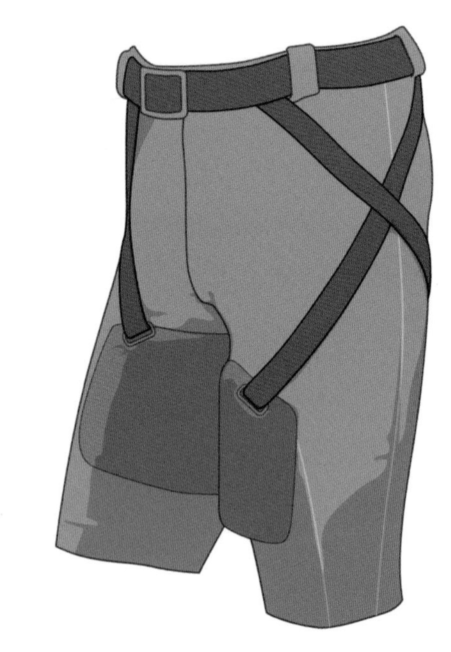

그림 18-9 The underwear-type hip abduction orthosis (Cosa Active: Otto Bock)

(trunk impairment scale)에서 향상이 있었다고 보고 된 바 있다(그림 18-9).[8]

(2) 트위스터 케이블

고관절의 내회전은 뇌성마비에서 매우 흔하여 과거로부터 오랫동안 트위스터 케이블이나 이와 비슷한 보조기를 발부터 허리까지 연결하여 사용해왔다(그림 18-10). 이렇게 하지를 외회전시키는 보조기들이 기능적으로 도움이 된다는 증거는 없으며 오히려 하지의 경직을 증가시켜 더욱 느리고 움직이게 하고, 무릎에만 장력을 집중시킨다. 결과적으로 무릎 인대에 과도한 신장 손상을 줄 수 있고 기능적으로도 도움이 되지 않으므로 단단하고 강한 트위스터 케이블은 사용하지 말아야 한다.

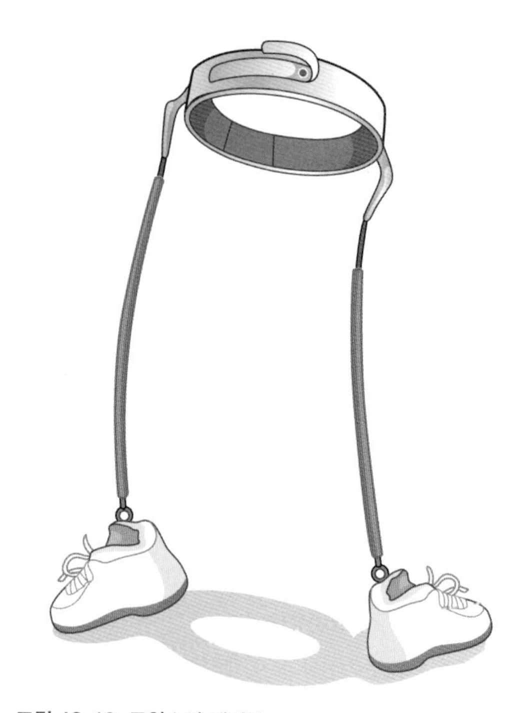

그림 18-10 트위스터 케이블

(3) 탄력 덮개(flexible derotator)

탄력 덮개는 고관절의 내회전을 조절하기 위하여 사용되는 보조기로서 단하지 보조기(ankle foot orthosis, AFO)의 근위부 말단에 싸개를 붙여서 대퇴부를 싸서 덮어 허리띠까지 올리는 것이다. 이 보조기는 힘이 강하지 않고 무게도 가벼워 트위스터 케이블의 단점이 없으며, 때로는 이 보조기로 약간의 기능적 도움을 얻는 소아들도 있다. 이 보조기는 경직이 너무 강하지 않은 경우에 도움을 줄 수 있다(그림 18-11).

그림 18-11 탄력 덮개

(4) 무릎 보조기

무릎 보조기들은 거의 제한적으로만 사용된다. 드물게 무릎 관절의 과신전으로 무릎의 통증이 발생하거나 변형이 악화되는 경우가 있으며, 무릎의 과신전을 막기 위한 경첩을 장착한 장하지 보조기(knee ankle foot orthosis, KAFO)가 사용될 수 있다. 또한 심하게 무릎이 굴곡 구축되어 무릎 후방 관절낭 절제술(capsulotomy)을 받은 아동에서 굴곡구축이 재발되지 않도록 보조기를 사용해야 하는 경우도 있는데, 단계별 잠금(step-lock)이나 다이알 잠금(dial lock) 무릎 경첩이 달린 장하지 보조기를 사용하여 점차적으로 무릎을 신전시킨다. 수술 후 부종이 가라앉을 때까지 보조기를 사용할 수 없으며, 첫째 달에는 양판 보조기가 보통 사용된다. 이 보조기는 하루 12~16시간 정도 착용하여 무릎을 완전히 신전한 상태에서 잠잘 수 있도록 하는 것이 목표이다. 6개월 정도 장하지 보조기를 착용한 후에 무릎의 신전이 안정화되면 점차 착용시간을 줄여나가도록 한다. 그 외에 흔히 사용되는 보조기는 무릎 고정용 보조기(knee immobilizer)이다(그림 18-12).

이것은 폼(foam) 재료 속에 플라스틱이나 금속 고정물이 들어있고 무릎을 감싸면서 벨크로 띠로 고정시켜 놓도록 하는 것이며 슬건근 연장수술 후,

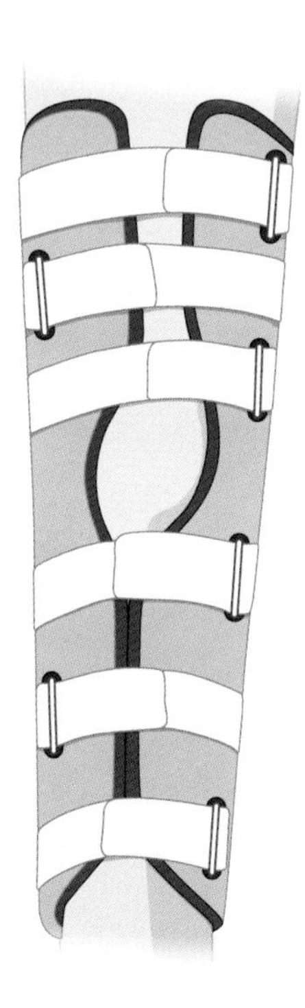

그림 18-12 무릎 고정용 보조기

혹은 슬건근의 굴곡 구축에 대한 수면 시 착용하는 보조기로서 사용될 수 있다. 최근에는 로봇 외골격 형태의 장하지 보조기를 사용하기도 하는데, 이는 선 자세에서 무릎 신전 각도를 향상시킴으로써 웅크림 보행(crouch gait)을 교정하기 위한 목적으로 사용된다(그림 18-13).[9]

보행 중 입각기(stance phase)에는 안정성을 위해 무릎 굴곡을 유지시키고, 유각기(swing phase)에는 슬관절이 자유롭게 회전될 수 있도록 하는 자세 제어 장하지 보조기(stance control KAFO: SCKAFO)는 기존의 수동 장하지보조기(passive KAFO)에 비해 더 적은 노력으로 더 나은 보행을 가능하게 한다. 하지만 입각기에서 유각기로의 전환이 부드럽지 않다는 단점이 여전히 남아있어, 슬관절의 위치가 보행 시 변하는 것을 인식하여 슬관절의 상태를 변화시키는 전자기 시스템의 슬관절을 이용하여 보행 주기에 맞춰 부드러운 보행이 가능하게 하는 전자기 시스템 자세 제어 장하지 보조기(SCKAFO with electromagnetic system)가 개발되기도 하였다(그림 18-14, 15).[10, 11, 12]

(5) 단하지 보조기

발목의 첨족변형(equinus)은 뇌성마비 소아에서 가장 흔히 관찰되는 관절 이상 자세이다. 첨족을 조절하기 위한 보조기 사용은 뇌성마비 운동장애의 가장 오래된 치료법일 것이다.[7, 13, 14] 과거에는 중금속이나 무거운 가죽신발 등만 사용할 수 있었으나 현대에는 열가소성 플라스틱(thermoplastic)으로 재료 선택의 기회가 많아졌다. 플라스틱 보조기는 피부 접촉면이 넓어서 경직으로 인한 힘의 분산이 넓게 퍼짐으로써 견디기 쉬운 장점이 있다. 뇌성마비 소아에서는 다리의 크기와 모양의

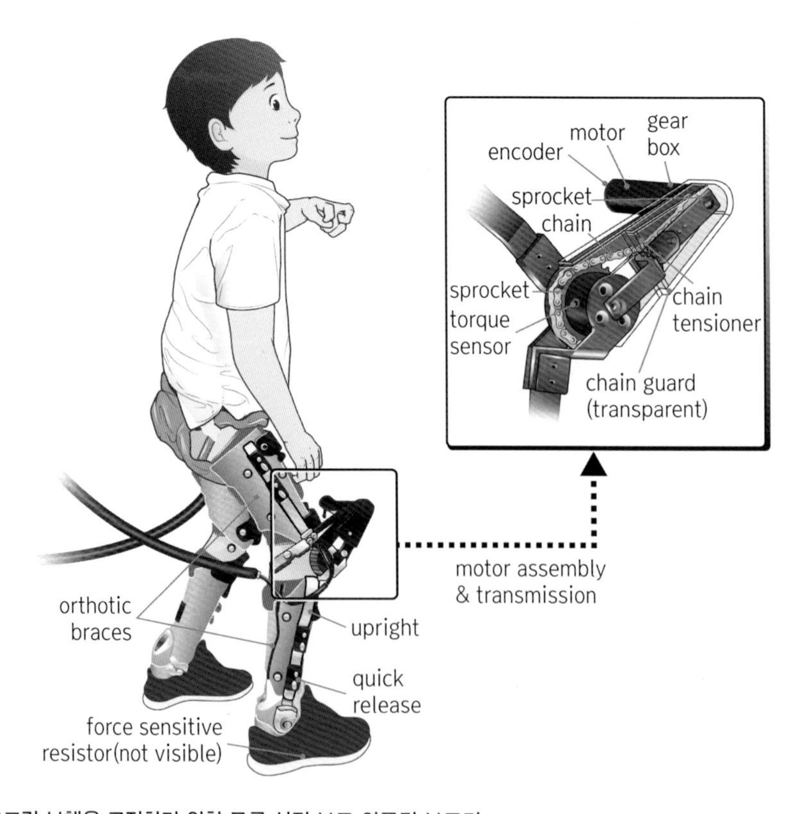

그림 18-13 웅크림 보행을 교정하기 위한 무릎 신전 보조 외골격 보조기

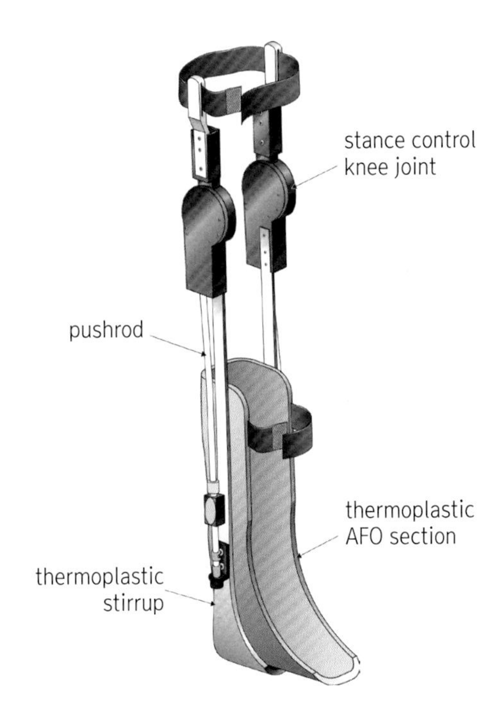

그림 18-14 The Horton stance control orthosis

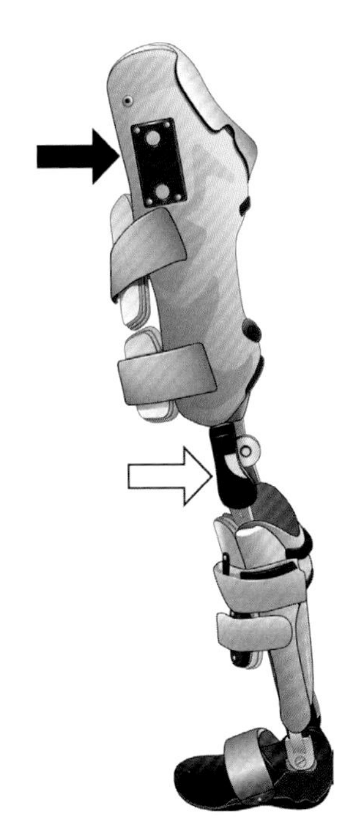

그림 18-15 Stance control knee-ankle-foot orthosis (SCKAFO) with electromagnetic (E-MAG) system

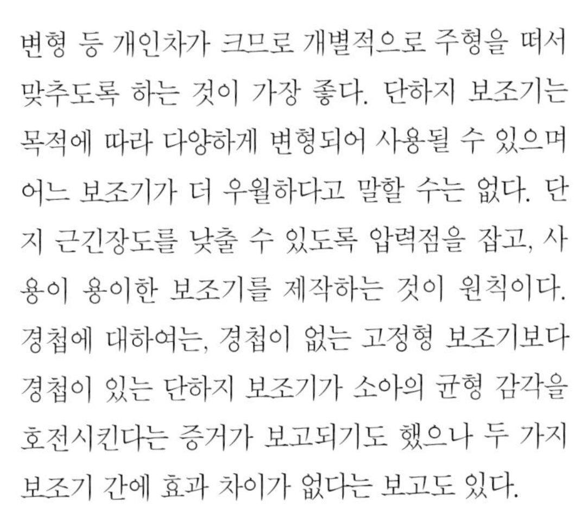

변형 등 개인차가 크므로 개별적으로 주형을 떠서 맞추도록 하는 것이 가장 좋다. 단하지 보조기는 목적에 따라 다양하게 변형되어 사용될 수 있으며 어느 보조기가 더 우월하다고 말할 수는 없다. 단지 근긴장도를 낮출 수 있도록 압력점을 잡고, 사용이 용이한 보조기를 제작하는 것이 원칙이다. 경첩에 대하여는, 경첩이 없는 고정형 보조기보다 경첩이 있는 단하지 보조기가 소아의 균형 감각을 호전시킨다는 증거가 보고되기도 했으나 두 가지 보조기 간에 효과 차이가 없다는 보고도 있다.

단하지 보조기를 사용하면 보행 시 입각기에 안정성이 높아지며 유각기와 발의 접지기에 족관절의 위치가 좋아지는 것으로 알려져 있다. 또한, 기립을 시작하는 걷기 전의 소아에게 단하지 보조기를 착용시킨 경우 안정성이 향상된다는 보고도 있다. 결론적으로 목적에 따라 적합한 단하지 보조기를 개별적으로 처방하는 것이 중요하다고 하겠다. 단하지 보조기들을 종류대로 기술하기에 앞서 단하지 보조기와 관련된 용어 중 몇 가지를 정리하여 혼란을 피하고자 한다. 동적 단하지 보조기(dynamic AFO)라는 표현은 족관절에 경첩이 달린 경우를 뜻하기도 하지만, 얇고 유연한 플라스틱으로 하지를 감싸도록 만든 고정형(solid) 단하지 보조기를 말하기도 한다. 긴장도 저하용(tone reducing)이라는 용어도 정확한 정의는 없다.

새로운 개념의 보조기는 아니지만 선 자세 균형과 보행을 개선시키고, 골과 관절의 변형을 예방하기 위해 기존의 단하지 보조기와 신발 조합(AFO-footwear combination)의 사용이 권장되기도 한다.[15]

① 고정형 및 관절형 경첩 단하지 보조기

고정형 단하지 보조기는 보행 이전 시기나 18~24개월 이내의 소아에게 가장 자주 처방되는 단하지 보조기로서 장딴지를 받치고 앞으로 하퇴와 발목을 가죽띠로 감아 고정시킨다(그림 18-16). 이 보조기의 목적은 소아가 서 있는 자세에서 안정된 받침을 제공하기 위한 것이다. 무게가 가볍고 쉽게 탈착할 수 있는 장점이 있다. 경첩 단하지 보조기는 일반적으로 뇌성마비 소아에서 보행의 안정성이 높아지고 보행기를 사용하여 걷기 시작하는 시기인 만 3~4세에 착용하게 되며 족관절 경첩은 저굴(plantar flexion)은 제한하고 배굴(dorsiflexion)만 일어날 수 있도록 장착한다(그림 18-17).

이 경첩 보조기는 만약 소아가 심한 편평 외반족이나 발의 내반 변형이 있다면 사용하지 말아야 한다. 경첩이 족관절 자체보다는 거골하 관절에 작용하므로 더욱 발의 변형이 심해질 것이기 때문이다. 또한 경첩의 사용은 점차 입각기에서 무릎의 굴곡이 진행되어 가거나 웅크림 보행(crouch gait)이 발생한 경우에서도 피해야 한다. 대개 잘 걸을 수 있는 양하지 마비나 편마비형의 환아에서 경첩이 도움되는 나이는 만 3세 정도이다. 보행이 어려운 거의 모든 소아들은 고정형 단하지 보조기를 사용하는 것이 좋다. 경첩이 달린 보조기는 슬관절 과신전 소아에서 비복근 구축이 있을 때 사용할 수 있다. 족관절의 저굴제한 각도를 5° 배굴 상태로 맞추어 놓으면 독립적 보행이 가능한 소아의 경우 입각기에 무릎을 굴곡시키는 힘이 작용하게 되기 때문이다. 하지만, 만약 보행기나 목발과 같은 보조기구를 함께 사용한다면 지면에서 발이 떨어지는 시점에서 무릎이 그대로 과신전될 수 있다. 이럴 때에는 신발을 넓고 안정된 구두굽으로 바꿀 필요가 있으나 일부 뇌성마비아는 장하지 보조기로 무릎의 과신전을 조절할 수 밖에 없다.

② 지면 반발 단하지 보조기

입각기에 과도한 무릎의 굴곡과 족관절의 배굴이 발생하는 웅크림 보행(crouch gait)은 근위부에서 넓게 하퇴를 둘러주는 띠가 있는 일반적인 단하지 보조기가 가장 좋으나 약 8~10세에 이르는 25 kg 체중까지만 견딜 수 있다. 그 이상의 체중이 나가는 소아에서는 고정형 족관절 지면 반발 단하지 보조기가 추천된다(그림 18-18). 이 보조기를 사용하면 족관절은 무릎이 최대한 신전된 상태에서 중립위에 놓일 수 있도록 하는 효과가 있다.

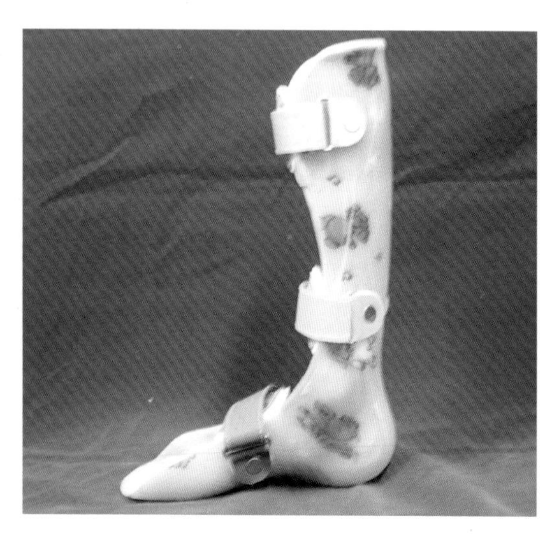

그림 18-16 고정형 단하지 보조기

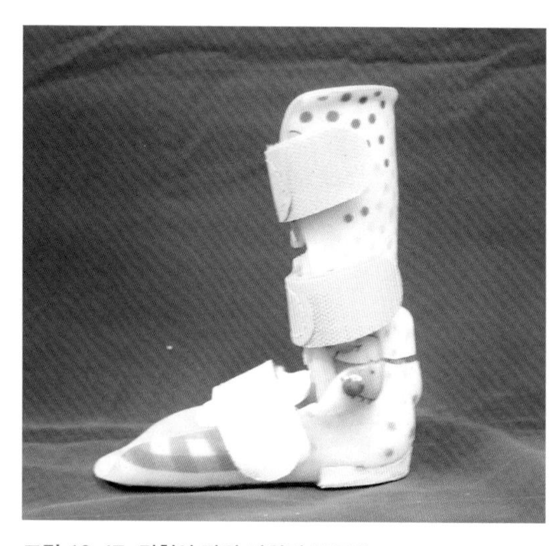

그림 18-17 경첩이 달린 단하지 보조기

만약 이런 작용이 발생하지 않는다면 보조기는 기능이 없는 것이며, 이 소아들에 대하여 비복근이나 슬건근 연장 수술을 시행할 것을 우선 고려해보아야 한다. 이 보조기가 효과를 발휘하기 위해서는 발-무릎의 각이 거의 정상 정렬로 유지되어야 하므로 무릎의 굴곡 구축이 없어야 하며 경골의 내측 혹은 외측 염전이 20° 이내이어야 한다. 그리고 소아가 자신의 발을 딛고 서서 독립 보행을 할 수 있어야 하고 체중이 더 나가게 될수록 더욱 효과적이지만 보조기도 더욱 강해져야 한다. 그래서 50 kg 이상이 되는 경우에 대해서는 탄소섬유(carbon fiber)나 층상 혼성 중합체(laminated copolymer) 재료로 제작해야 한다.

③ 관절형 지면 반발 단하지 보조기

관절형 지면 반발 단하지 보조기는 족관절의 배굴을 제한하고 저굴이 가능하도록 경첩이 달려있다. 이 보조기는 발의 재건술 후에 발의 굴곡근 강화가 이루어지는 과정에서 사용되나 경우에 따라서는 장기적으로 사용될 수도 있다. 이 보조기의 사용을 위해서도 중요한 조건은 발의 정렬이 정상적이어야 한다는 것이다. 이 보조기는 전족부를 주조(mold)해서 감싸고 후족부에 대한 조절력은 없으므로 후족부의 평편외반이나 내반족이 있는 경우에 지면 반발력에 의하여 더욱 정렬 상태가 나빠질 수 있으므로 사용하지 말아야 한다. 또한 이 보조기는 변형을 예방할 힘이 전혀 없으므로 편평외반족(planovalgus)의 경우 전족부의 피부에 압력이 가하여져 착용을 견디기도 어렵다. 체중이 25 kg 이하이고 다른 조건을 충족하는 소아의 경우에는 편안하게 웅크림 보행(crouch gait)을 조절할 수 있는 좋은 보조기로 사용될 수 있다. 그러나 체중이 많이 나가는 청소년에 대해서는 충분한 힘을 받을 만큼 튼튼한 재료가 없으므로 사용하기 어렵다.

④ 반 높이 단하지 보조기

반 높이 단하지 보조기는 전방 장딴지 고정끈이 없으면서 족관절의 저굴만 조절하고 배굴은 자유롭게 일어날 수 있는 고정형 단하지 보조기를 말한다(그림 18-19). 만약 소아가 족관절 배굴을 충분히 할 수 있다면 장딴지가 보조기에서 멀어져

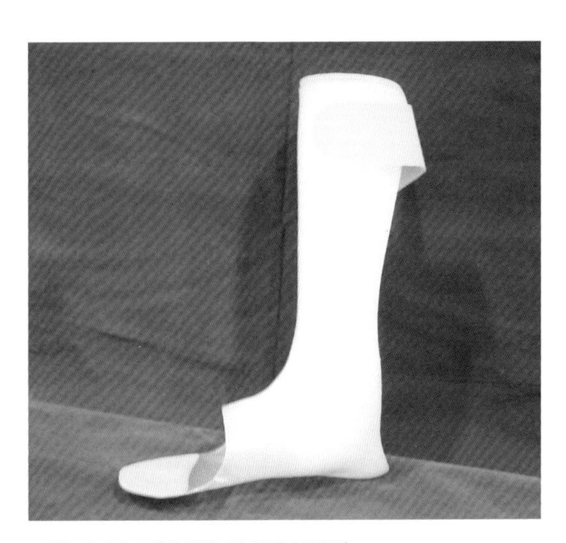

그림 18-18 지면 반발 단하지 보조기

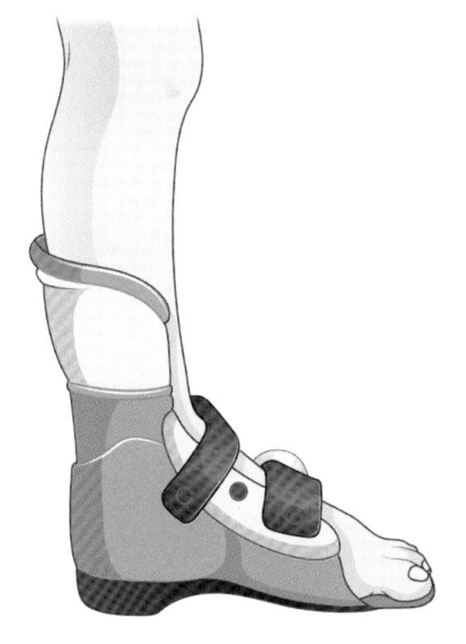

그림 18-19 반 높이 단하지 보조기

가면서 보조기는 매우 불편해질 것이다. 그래서 길이는 짧게, 일반 단하지 보조기의 반 정도 높이로 낮추게 되었으며 이 보조기는 매우 경한 족관절 족저굴력 경직이 있는 소아에서 유각기나 초기 압각기에 저굴이 일어나지 않도록 부드럽게 압력만 주기 위해 사용될 수 있다. 이 보조기는 강한 족저굴근의 경직이나 입각기의 무릎 과신전이 있는 경우 등에서는 충분한 힘을 실어주지 못하므로 사용하지 말아야 한다. 또한, 이 보조기는 장딴지의 후면에 매우 높은 압력을 전달해 주므로 장딴지 중간에 피하지방이 없어지고 영구히 선이 남는 등의 부작용이 생길 수도 있다. 또한 어떠한 소아들은 보조기와 다리 사이의 피부가 눌려서 아파할 수도 있다. 이 보조기는 5~8세 정도의 중간 아동기(middle childhood)에 거의 보조기가 필요 없는 정도의 뇌성마비 아동에서 도움이 될 수 있으나 무릎 과신전과 발가락 끝으로 걷는 보행패턴이 발생하게 될 우려도 있다.

⑤ 발을 감싸는 형태의 보조기

대개의 단하지 보조기는 개별적으로 주문 제작하여 고온 가소성 주형으로 진공-형성시킨 플라스틱을 사용하게 된다. 이 재료는 몇 가지의 두께 중에서 골라 사용할 수 있다. 일반적으로 이 보조기는 장딴지 쪽 하퇴뒷면 절반을 받치고 발바닥 쪽을 받친다. 이 보조기에 개인적인 필요에 따라 부드러운 삽입패드(pad insert)를 덧대어 사용할 수도 있다. 요즘에는 얇은 고온 가소성 플라스틱을 사용하여 발과 하퇴의 앞부분까지 모두 감싸는 스타일의 단하지 보조기가 소개되고 있다. 보조기가 받을 수 있는 힘의 정도는 둘러싸는 정도와 재질에 따라 결정되며 얇을수록 유연하지만, 견딜 수 있는 힘은 더욱 약해져 외력에 의해 변형되기 쉽다(그림 18-20). 또한 돌보는 사람이 두 손을 사용하여 보조기를 벌려야 하며 협조가 되지 않는 소아에서 착용이 쉽지 않다는 단점도 있다. 전체 밀착형이므로 성장이 이루어짐에 따라 잘 맞지 않게 되고 스스로 착용하기도 어려워, 단지 6~9개월 정도의 일부 소아들에서 도움이 되는 경우가 있다. 한편 재질이 강하지 않으므로 지면 반응 난하지 보조기에는 사용될 수 있다.

⑥ 전방 족관절 띠와 보조기 바닥

경직이 있는 소아에게 사용하는 모든 단하지 보조기는 전방 족관절 띠가 있고 이의 변형도 다양한 효과를 낼 수 있다. 강한 족저굴곡 경적이 있는 모든 경우 족관절 띠는 해부학적 족관절 위치에 고정되어야 한다. 그리고 D-고리(D-ring)를 돌아 나와 다시 앞의 벨크로에 부착되도록 한다. 이 방법은 직접적으로 족저굴곡을 제어하는 강한힘을 제공한다. 8자 끈으로 묶는 방법도 있으나 넓은 부분을 덮음에도 불구하고 전방족관절 띠(anterior ankle strap)만큼 강력하지 못하다. 만약 발의 내반 변형이 있는 소아라면 이 띠는 보조기 외측벽의 안쪽에서 시작하여 강하게 조여주고 D-고리가 내측에 있는 것이 좋다. 만약 발이 외반 변형되었다

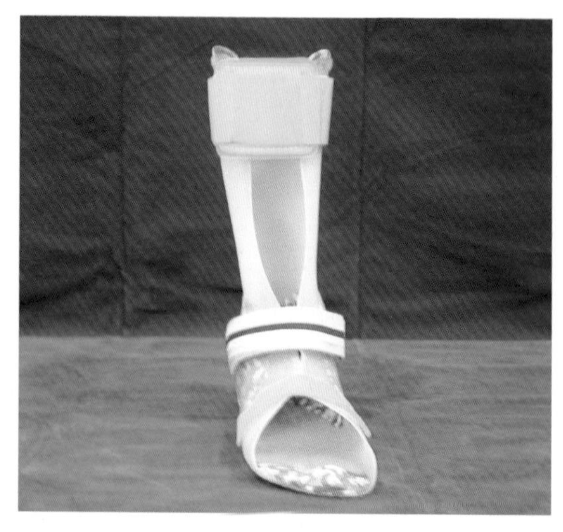

그림 18-20 모두 감싸는 양식의 단하지 보조기

면 이 띠는 보조기의 내측벽에서 시작하고 D-고리가 외측에 있도록 해야 한다. 보조기의 바닥(sole)도 여러 가지 변형이 가능하지만 어떤 것도 더 우월하다고 할 수는 없다. 발가락을 위로 올려줌으로써(elevated toe plate) 족저굴곡으로 미는 힘을 줄여 줄 수 있는데 입각기 마지막 시기에 발의 구르기(rolling)를 돕게 되고, 주로 기능적 보행이 가능한 경우에 사용하게 된다. 하지만 발이 커지면서 구르는 위치가 달라지므로 실제적 사용에는 어려움이 있다. 어떤 경우에는 발의 내측 종아치, 횡아치, 외측 종아치 등을 높여주기도 하는데 아치가 과하게 들어가지 않는다면 안정성에 도움이 될 수도 있을 것으로 예상되지만 아직까지 분명히 효과적이라는 증거는 없다.

단하지 보조기의 원위부 길이는 처방 시에 기술해야 할 부분이다. 거의 모든 경직성 변형이 있는 소아들에게는 보조기가 발가락 끝까지 도달하는 길이로 만들어 발가락의 굴곡을 조절하는 것이 기본이다. 경직이 있는 대부분의 경우 발가락들의 굴곡반응이 발생하게 되므로, 발이 커지면서 보조기가 작아지면 보조기 끝이 발바닥을 자극하여 발가락이 더욱 구부러질 수 있으므로 길이와 반응을 살펴보아야 한다. 근긴장도가 낮거나 운동실조가 있는 소아는 보조기 원위부 끝이 중족골두 정도까지만 도달하도록 하여도 된다. 이러한 경우 보조기 바닥의 원위부가 길면 후기 입각기 발의 구르기(rolling)가 어려워지기 때문이다.

⑦ 발 보조기

족관절의 저굴과 배굴을 조절하는 기능이 없는 보조기를 말한다. 이 보조기의 역할은 발의 변형을 막고자 하는 것이며 주된 적응증은 편평외반족과 첨족 변형이다.[16] 이 보조기는 근긴장도가 낮은 소아와 중간 아동기와 청소년기에서 발의 경직성 변형이 일어나는 경우에 대하여 우선적으로 처방되고 있다. 복사상(supramalleolar) 디자인은 외측이 족관절 위로 연장되어서 발의 내반과 외반 변형을 조절하고자 하는 목적으로 사용된다(그림 18-21). 일반적으로 전방 족관절 띠가 사용되지만 족저굴곡의 조절이 잘되는 소년기에서는 필요가 없다. 또한 발의 변형이 생긴 쪽의 반대쪽에 지지대(post)를 붙임으로써 지면 반발력을 이용해 뒤꿈치 부위에 변형을 막는 힘이 발생시킬 수도 있다. 예를 들어, 외반변형이 있는 경우, 지지대를 뒤꿈치 내측벽에 세우는 것이다. 복사상 발 보조기는 발을 감싸는 형태의 얇은 플라스틱 재질로 사용할 수 있으나 기본적인 단하지 보조기와 같은 문제들이 생길 수 있으며, 특히 체중이 많이 나가는 소아는 오래 착용함에 따라 보조기가 무너지기 쉽다.

얇은 플라스틱으로 감싸는 형태와 고정형 플라스틱 반주조(half-mold) 디자인을 사용할 수 있고 선호도에 따라 결정하도록 한다. 교정이 필요한 편평외반이나 내반이 있으나, 족관절의 저굴과 배굴에 문제가 없는 경우라면 복사상 보조기(supramalleolar orthotics)를 처방하도록 한다. 복사하 보조기(inframalleolar orthotics)가 적응증이 되는 경우는 근긴장도 저하증과 운동실조에 의해 중증도의 편평외반이 있는 소아들로서 뇌성마비에

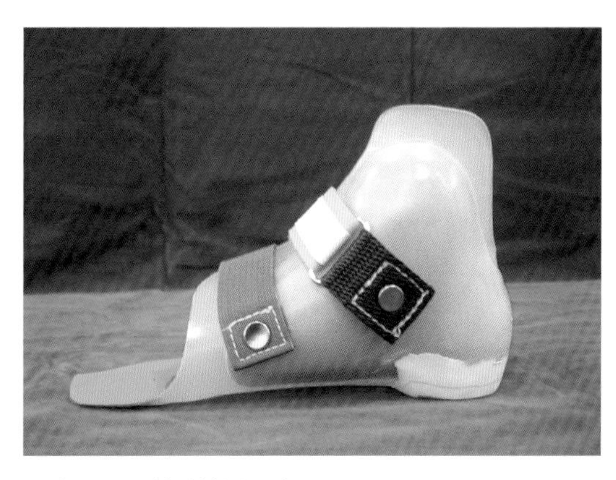

그림 18-21 복사상 보조기

서 처방되는 일이 드물다. 이 보조기는 뒤꿈치, 내측 종아치 등이 잘 주조되어야 하고 중족골두 부위까지의 길이를 갖는다. 이 보조기는 신기 편하지만, 경직이 있는 소아에서는 교정력이 약하므로 사용할만 하지 않으며 흔히 이 보조기는 University of California Biomechanics Laboratory (UCBL) 보조기로 알려져 있다(그림 18-22). 뇌성마비아의 발 보조기에 아치를 받치거나 발가락의 변형을 막기 위하여 내고정물을 삽입하는 일은 거의 효력이 없다. UCBL 보조기와 복사상 보조기(SMO)는 후족부(hindfoot)의 외반 또는 내반 변형을 조절하는데 사용되나, 복사상 보조기는 UCBL 보조기에 비해 더 긴 응력 중심간 거리(level arm)를 가지고 있어 더 큰 돌림힘이 작용하여 후족부 및 중족부(midfoot)에 더 효과적으로 적용할 수 있다.[17]

2) 척수수막류 소아를 위한 보조기

거의 모든 척수수막류 환자들은 하지의 마비 때문에 서거나 걷기 위하여 보조기가 필요하다. 보조기는 부적절한 근력을 조절하고 변형이 진행되지 않도록 하며, 양측 하지에 체중을 부하시킴으로써 신체적, 심리적 효과를 발생시키는 역할을 한다. 보통 척수수막류의 보조기는 교정용이라기보다는 지지용이며, 소아의 신체 발달 상태와 체격에 따라서 다른 보조기가 필요하게 된다. 척수수막류를 위한 보조기는 제 30장 척수질환에서도 따로 자세히 기술되어 있다.

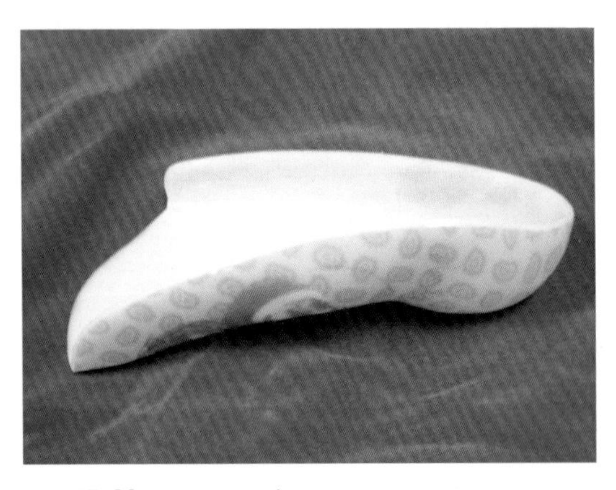

그림 18-22 UCBL 보조기

(1) 발 보조기

천수 높이의 운동신경 손상이 있으면 발의 변형이 발생하는데, 발의 나이가 들 수록 내재근(foot intrinsic muscle)의 근력이 약한데 체격은 커지기 때문에 더 심해진다. 이에 대해 개별적으로 주조(mold)한 깔창으로 발의 압력분포를 개선할 수 있다. 감각이 없어 욕창이 생길 수 있으므로 단단한 깔창보다는 반강체의(semi-rigid) 소재나 부드러운 소재와 합성 소재들(plastazote, PPT, poron)을 사용하며, 짧게는 2~3개월마다, 보통은 6개월마다 갈아주어야 쿠션 효과를 잃지 않는다. 이러한 환아들은 족관절의 배굴과 저굴의 기능이 거의 정상이거나 정상에 가깝기 때문에 AFO 보다는 복사상 보조기(SMO) 또는 UCBL 보조기와 같은 발 보조기(FO, foot orthosis)가 도움이 된다.[18]

(2) 단하지 보조기

제 2천추 이하의 높이에서 척수수막류가 발생한 경우는 드물며 대개는 비복근의 근력이 약하다. 이런 경우, 입각기 중기나 말기 정도에서 경골근(tibialis)이 발을 너무 배굴시키며 비복근의 감속 효과를 만들어내지 못한다. 족관절의 보호 감각도 없어 Charcot 퇴행성 관절증이 생길 수 있다. 족관절을 잡아주지 않는다면 발목을 최대 배굴시키고 무릎을 굴곡시켜서 대퇴사두근을 사용하여 걷는 웅크림 보행(crouch gait)을 하게 된다. 그러므로 이런 경우 단하지 보조기로서 발목과 발을 교정하여야 하며, 가장 흔히 사용되는 방법은 주조된(molded) 플라스틱 깔창을 단일 혹은 양측 지지대와 함께 사용하는 것이다. 지지대 하나, 혹은 두 개를 쇠로 된 긴 축(steel-shank)으로 신발에 달아서 족관절의 배굴을 제한하는 보조기는 성장이 덜 이루어진 족관절을 보호한다.

스프링이나 잠금으로 족관절의 배굴이나 저굴을 제한시킬 수 있으며, 발의 외반이나 내반을 교정하기 위해 가죽 T-스트랩(T-strap)을 부착하는 경우도 많다. 장점은 피부의 문제가 생기지 않고, 신발을 개별적으로 맞출 수 있다는 것이고, 단점은 이러한 교정으로 진행되는 변형을 막기 어렵고 무거우며 같은 구두를 계속 신어야 한다는 것이다. 플라스틱 단하지 보조기는 신발 안에 들어가도록 하는 것으로 저온 재질은 값이 싸고 바로 만들 수 있다는 장점과 두꺼우며 견고성이 약하다는 단점이 있다. 고온재질은 원하는 대로 체중을 이동시킬 수 있고 딱 맞게 제작하기 쉽다는 장점과 비싸고 제작에 시간이 걸리는 단점이 있다. 발목 고정형 단하지 보조기를 2~5° 정도 배굴시켜 발의 접지기부터 중간 입각기까지의 연결을 부드럽게 만들어 줄 수 있고 앞에서 D고리(D-ring)로 끈을 달아 고정할 수 있다. 발 부위 길이는 중족골두 위치까지 오게 하거나 더 길게 만들 수 있다. 고정형이 아닌 관절형 단하지 보조기를 탄력, 혹은 비탄력적인 경첩 재료로 연결하여 사용할 수 있고 발목의 배굴을 제한하는 장치를 부착해야 한다. 중간 요추 높이의 환자들을 위해 단하지 보조기의 근위부를 앞으로 연장시켜서 지면 반발 단하지 보조기를 만들 수 있다. 이 보조기는 제4요추 피절인 슬관절 원위부에 감각을 제공하므로 고유감각을 제공할 수 있고 대퇴사두근의 수축을 강화할 수 있다.

(3) 장하지 보조기

하부 요수 병변에서 고관절 신전근의 활성화가 거의 불가능하다. 이 경우 키가 크고 상체의 무게가 많아진다면 대퇴사두근만으로 슬관절을 충분히 지지하기는 어렵게 된다. 제3, 혹은 제2요추 신경근의 기능이 매우 약한 경우라면 슬관절의 조절도 되지 않아 이러한 경우에 보행을 위해 장하지 보조기(knee-ankle-foot orthosis, KAFO)가 필요하다(그림 18-23). 하나 또는 두 개의 금속 지지대를 사용하고 목적에 따라 다양한 슬관절 잠금 장치를 할 수 있으며, 플라스틱이나 가죽 띠(cuff)를 쓰며 신발형, 혹은 신발 안에 들어가는 주조형 등을 써서 발로 연결시킨다.

(4) 고관절연결 장하지 보조기

상부 요추나 흉추 높이의 병변이라면 고관절을 조절하여 안정성을 높이는 것이 좋다. 이러한 경우에 회전까지 조절이 될 수도 있는데, 회전을 위하여 트위스터 케이블(twister cable)과 회전 띠(rotation strap)를 쓸 수 있다. 트위스터 케이블은 골반대에 강철 스프링을 회전시켜 부착하여 신발이나 단하지 보조기까지 연결하는 것으로 이전에

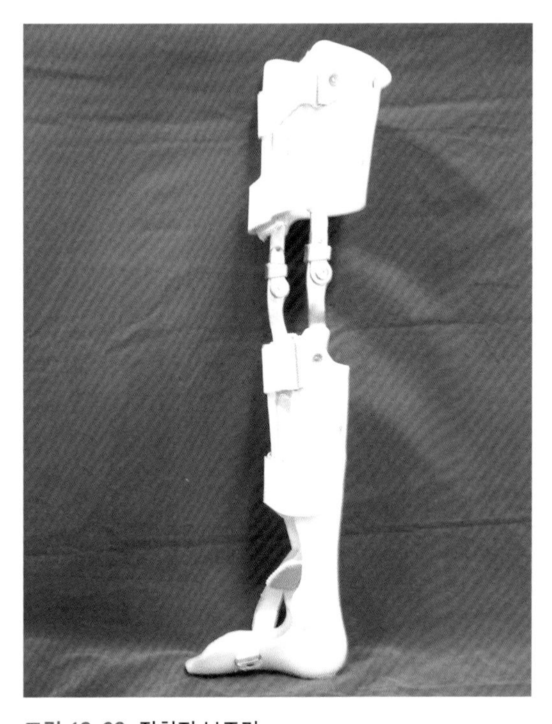

그림 18-23 장하지 보조기

대퇴골의 전경(anteversion)에 대해 사용되었으나 무겁고 옷을 입는데 방해가 된다는 단점이 있다. 회전 띠는 골반대에서부터 탄력 있는 끈을 신발까지 돌려 내려가 신발이나 단하지 보조기까지 연결하는 것이며, 자주 위치를 바꿔주어야 하고 피부의 문제가 생긴다는 단점이 있다. 전통적인 고관절 연결 장하지 보조기는 골반대에 지지대를 연결하고, 고관절, 슬관절의 경첩(hinge)과 단하지 보조기로 연결되어 이루어져 있다. 보통 이를 착용하고 보행기나 목발을 사용하여 건너뛰기(swing through) 보행을 하게 되며 어떤 소아들은 이것을 착용하고 서서 놀 수 있게 된다. 교대 보행 보조기(Reciprocating gait orthosis, RGO)는 서로 번갈아 다리가 나갈 수 있도록 하는 도구로서 더 어린 나이부터 보행 훈련을 하는 데 도움을 준다고 알려져 있다. 하지만 비싸고 착용이 어려우며 옷을 입기 어려운 단점이 있다. 디자인과 케이블(cable) 연결 등에 따라 몇 가지 종류가 있다(그림 18-24).

(5) 틀로 된 보조기

고관절 연결 장하지 보조기의 연장형이라고 생각되는 보조기로서 바닥판 위에 다리를 고정시켜 목발없이 서 있고 회전해가면서 조금 움직일 수도 있게 하는 도구이다. 기립기(standing frame)는 10개월~2세 사이의 소아들에게 골반, 흉부 뒤쪽을 받치고서 앞쪽으로 무릎을 받치는 장치와 발판 등으로 서 있도록 해 준다(그림 18-25). 파라포디움(발보조기, parapodium)은 둥근판 위에 양측 지지대가 있고 고관절과 슬관절 잠금을 이용하여 앉을 수도 있게 하는 기능도 부가되었다(그림 18-26). 그 외 서 있는 틀 안에서 체중이 양쪽 다리로 이동될 때 자동으로 회전하면서 앞으로 나가도록 하는 선회보행기(swivel walker)도 있다(그림 18-27).

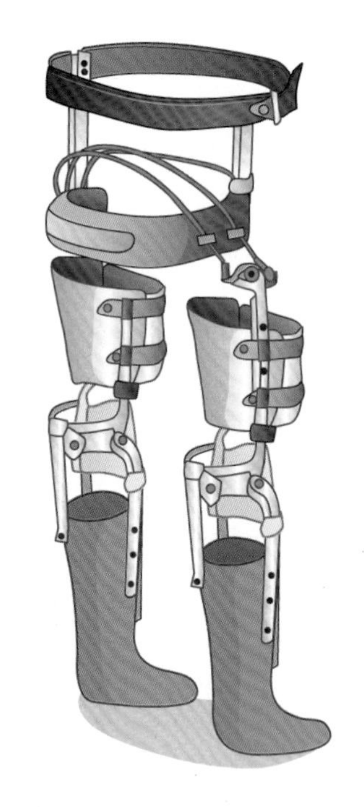

그림 18-24 상반 보행 보조기(RGO)

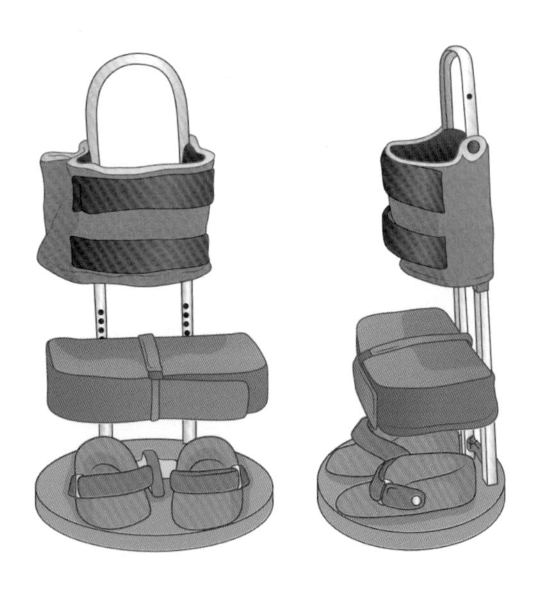

그림 18-25 기립기(standing frame)

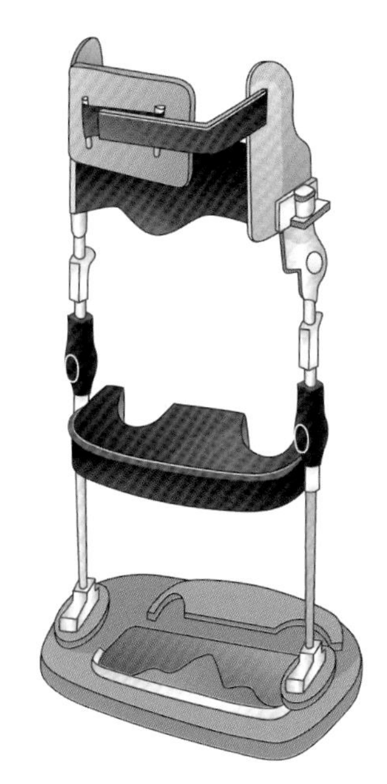

그림 18-26 파라포디움(parapodium)

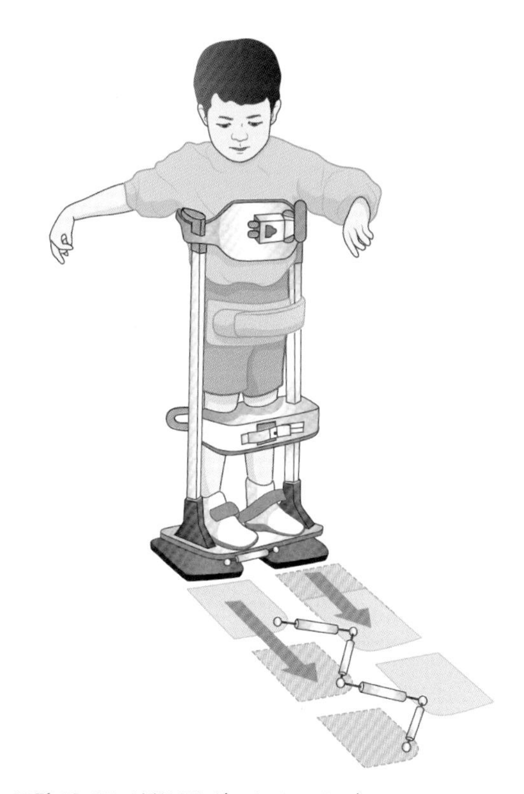

그림 18-27 선회보행기(swivel walker)
http://www.prowalk.de/sprachen/englisch/swivel.html

3. 체간 보조기

소아에서 사용 가능한 체간 보조기는 종류가 다양하지 않으며, 흉요천추 보조기(thoraco-lumbosacral orthosis, TLSO)가 대표적이다. 이 보조기는 척추 골절 또는 수술 후 척추를 안정화시킬 목적으로 사용되거나, 또는 자세가 불안정한 아동이 정적, 동적 활동을 수행할 때 몸통에 똑바른 지지를 제공할 치료적 목적으로 사용된다.[19] 체간 보조기는 호흡 기능에 영향을 줄 수 있으므로 주의가 필요하고, 보조기의 딱딱한 테두리에 의해 겨드랑이나 가슴뼈, 골반의 전상장골극(ASIS) 부위가 압박되거나 까칠 수 있으므로 잘 관찰하여야 한다.

열 과민증(heat intolerance)을 가진 아동들에서는 착용시간을 잘 모니터링하는 것이 필요하다. 체간 보조기는 척추의 변형을 교정할 수 없으며 틀어짐의 진행을 지연시키는 효과라는 점을 주지하여야 한다. 그 외에, Theratogs/Benik suit는 감각-운동기능의 장애가 있는 아동에게 자세 조절과 정렬, 움직임과 정확도를 향상시킬 목적으로 촉각을 통한 포지셔닝 신호를 주는 체형 보정 속옷과 스트랩 제품이다(그림 18-28).

아동기 척추의 변형은 크게 특발성, 선천성, 신경근육질환 등에 의해 발생하며, 각각의 특징과 처방되는 체간 보조기에 대해 기술하고자 한다.

1) 특발성 사춘기 척추측만증에 대한 체간 보조기

소아에서 체간 보조기가 가장 흔히 사용되는 경우는 특발성 사춘기 척추측만증으로서 다양한 형태의 흉요천추 보조기가 주로 처방된다.[20] 체간 보조기가 척추 변형의 교정보다는 변형의 진행을 늦추는 효과라는 점에는 대체로 동의하고 있다. 측만증은 키가 현저하게 자라는 성장기에 악화되기 쉬우므로 이 때 체간 보조기를 착용하는 것이 좋

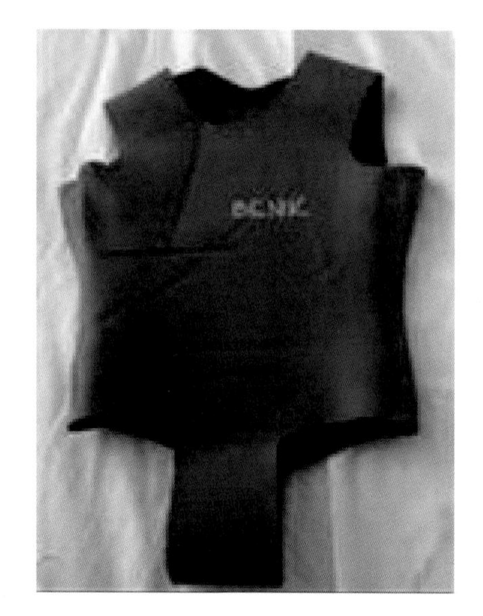

그림 18-28 Benik suit

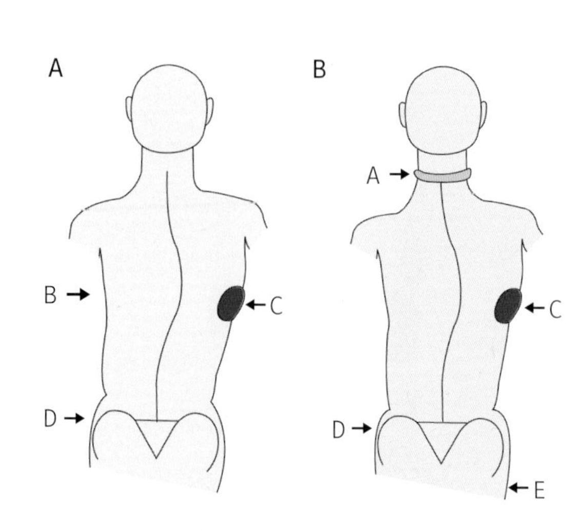

그림 18-29 밀워키보조기의 원리

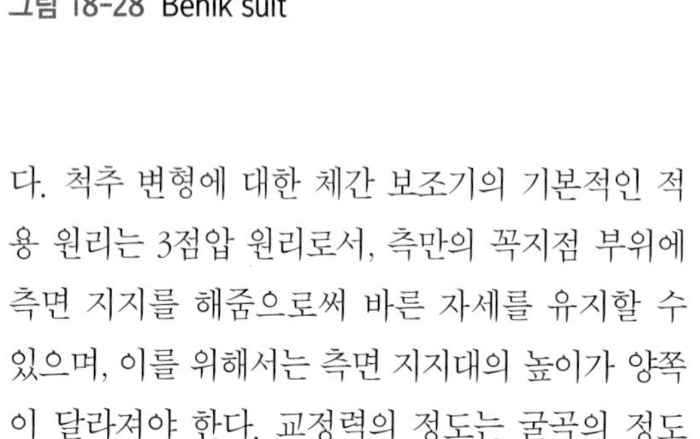

다. 척추 변형에 대한 체간 보조기의 기본적인 적용 원리는 3점압 원리로서, 측만의 꼭지점 부위에 측면 지지를 해줌으로써 바른 자세를 유지할 수 있으며, 이를 위해서는 측면 지지대의 높이가 양쪽이 달라져야 한다. 교정력의 정도는 굴곡의 정도와 척추 뼈의 유연성에 따라 달라진다.[1, 21]

척추측만증 보조기로 처음 알려진 것은 1948년에 경흉요천추 보조기(cervicothoracolumbosacral orthosis, CTLSO)로 소개된 밀워키 보조기이다. 이 보조기는 주형으로 본 떠 제작한 골반대와 체간의 앞에 한 개, 뒤에 두 개 세운 지지대를 기초로 제작된다. 이것은 목의 링에 연결되어 있으며 골반대와 목의 고리(ring)는 뒤에서 열 수 있게 되어 있다. 골반대는 대전자(greater trochanter)까지 덮도록 하여 균형을 잡는 데 도움을 주고자 하며 만곡이 있는 곳마다 패드를 대어 튀어나온 부위를 누르는 힘이 가해지도록 한다(그림 18-29). 이 보조기는 호흡에 큰 영향을 미치지 않고, 활동의 제한도 매우 적으며, 지주를 연장시킬 수 있게 하여 키가 자라도 이에 맞게 계속 착용할 수 있다는 장점이 있다. 그러나 사춘기 학생들이 감당하기 어려운 외적 모양 때문에 심리적 문제가 발생하는 경우가 많고 최근에는 잘 사용되지 않는다.[1, 21, 22]

흉요천추 보조기(low profile TLSO)는 흉곽에서 천추까지를 연결하며 매우 다양한 종류가 있고, 주로 요추와 흉요추의 커브를 교정하며 2중 커브에서도 사용한다. 개념적으로 밀워키 보조기와 마찬가지로 3점압 또는 4점압 원리를 사용한다. 몸에 맞도록 직접 맞추는 방법으로서 옷 속에 숨겨 착용할 수 있으므로 10대 청소년들이 밀워키 보조기에 비하여 잘 받아들일 수 있다는 장점이 있다. 그러나 성장에 따라 다시 맞추어야 한다는 단점이 있고 피부에 문제가 발생하기 쉽다(그림 18-30). 보스턴 보조기가 가장 흔히 사용된다.

밀워키 보조기와 흉요천추 보조기 가운데 어떤 보조기를 처방하느냐는 측만증의 꼭지점의 위치가 제 8흉추 상부인지 하부인지에 따라 제 8흉추 이상에 정점(apex)이 있을 경우는 밀워키 보조기를 착용하도록 해야 하고, 그 이하 높이의 단일 커브 변형일 때에는 밀워키나 흉요천추 보조기 중에

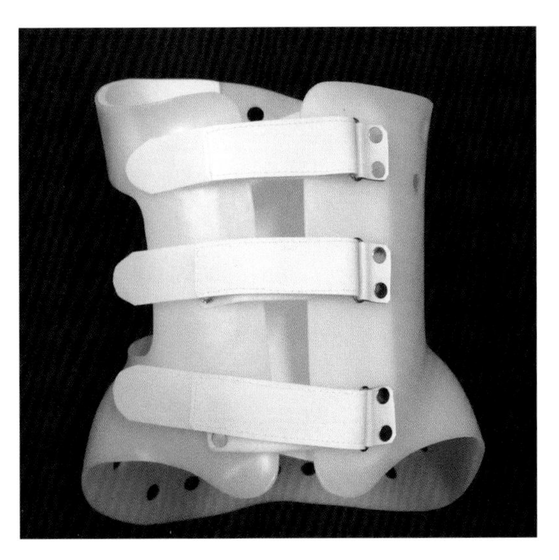

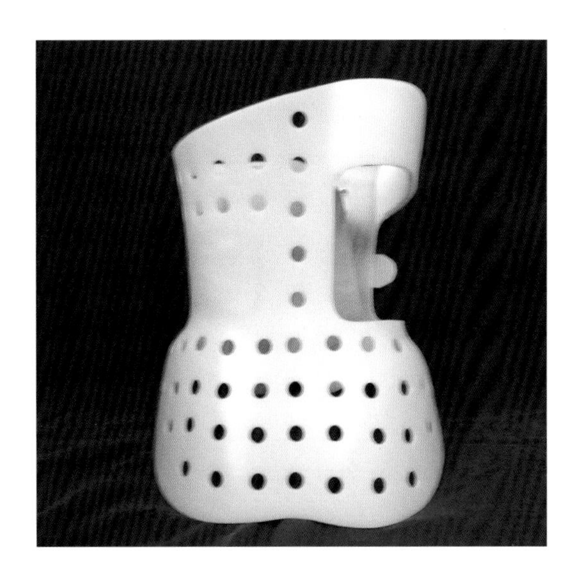

그림 18-30 흉요천추 보조기

서 선택하도록 한다. 두 보조기 모두 적응증은 만곡 각도가 대체로 25~45° 까지의 경우 대상이 된다. 보조기는 하루 23시간 착용을 원칙으로 한다. 일반적으로 사춘기 측만증의 경우 성장이 멈추면 보조기 착용도 점차적으로 줄여나가도록 한다. 이에는 시간을 줄여나가는 방법과 자는 시간에만 착용하는 방법이 있다.[14, 23]

2) 선천성 변형에 대한 체간 보조기

사춘기 이전의 연소한 아동기에 측만증이 발견된 경우에는 척추의 선천성 질환이 동반되었을 가능성이 있으므로 자세한 신경학적 검사와 자기공명영상(MRI) 등을 시행하는 것이 좋다.

척추의 선천성 기형이 있는 경우, 즉 척추 형성이 되지 않거나 반척추(hemivertebra) 등이 원인이 되는 경우가 있으며 태아기에 발생하였을 것으로 생각되고 있다. 이 경우 연조직보다는 척추 자세에 문제가 있으므로 체간 보조기의 역할은 극히 제한적이다. 활동과 호흡에 지장이 거의 없고 미용상 문제가 덜한 어린 시기에는 밀워키 보조기가 사용될 수 있다.[24]

3) 신경근육질환 아동을 위한 체간 보조기

척수 근위축증(spinal muscular atrophy), 근디스트로피, 척수손상 등 신경근육질환이 있는 경우 척추측만증의 발생이 증가하게 되는데 특히 체간의 근약화 진행과 연관이 있다. 발생률은 질환 별로 차이가 있으나 25%에서 100%에 달할 만큼 매우 높은 편이다. 특히 신경근육질환에 의한 측만증은 만곡 정도가 심한 경우 성장이 멈춘 이후에도 진행이 될 수 있다는 점과 근약증이 심한 질환의 경우 측만 각도의 심화가 뚜렷하다는 점에서 주의가 필요하다. 신경근육질환은 측후만증의 진행이 급격하게 진행하므로 체간 보조기를 처방할 때 주의를 요한다. 예를 들어 흉요천추 보조기는 일반적으로 두 판을 붙이는 형태로 몸에 잘 맞도록 맞추어야 하지만 앞쪽의 판은 호흡장애를 초래하지 않도록 넉넉하게 만들어 줄 필요가 있다.[24]

4) 뇌성마비 아동을 위한 체간 보조기

뇌성마비 아동에서 척추 변형은 주로 보행이 불가능한 중증 사지마비에서 발생하며 경직이 심한 경우 측만 변형의 정도도 더 심한 양상을 보인다. 측만증이 진행된 뇌성마비 아동에서 체간 보조기의 역할은 명확히 규명되지 않았다. 체간 보조기가 측만증의 진행을 예방하는지에 대한 무작위대조시험 결과가 없으며 아직 치료 효과에 대한 의학적 합의도 이루어지지 않았다. 체간 보조기가 앉은 자세의 안정성을 향상시키고 상지 사용에도 긍정적인 영향을 미친다는 경험적 보고가 있으나 이 역시 객관적 증거는 없는 실정이다.

스스로 앉을 수 없는 뇌성마비 아동들에게는 부드러운 재질을 이용한 흉요천추 보조기를 맞춰 줌으로써 앉을 수 있도록 지지하는 것이 좋다. 이 보조기는 금속이나 플라스틱의 지지대를 부드러운 재질로 싸서 피부에 문제를 일으키지 않으면서 부분적으로 높은 압력이 전달되지 않게 한다(그림 18-31). 이 보조기는 아동의 몸통에 석고붕대(cast)로 주형을 떠서 만들며, 몸통의 정렬 유지에 목적이 있다.

몸통의 근긴장도가 저하되고 운동 조절이 되지 않는 뇌성마비 아동에서는 척추후만증이 발생하는 경우가 많다. 이 경우 휠체어에 적절한 등받이와 시트를 장착하고 가슴 멜빵을 하여 어깨가 앞으로 기울어지지 않도록 하여 자세를 유지하는 것이 필요하지만, 이 방법으로 잘 조절되지 않거나 멜빵을 견디지 못하는 경우 고온가소성 양판 흉요천추 보조기가 도움이 될 수 있다(그림 18-32). 이 보조기의 전방부는 위로 흉쇄관절(sternoclavicular joint)로부터 아래로는 전상장골극까지 내려간다. 보조기의 후면은 후만증의 꼭지점(apex)까지 올려줌으로써 3점압의 원리를 적용하게 된다. 이 보조기가 후만증을 감소시킨다는 증거는 부족하므로 앉은 자세를 유지시키거나 고개 가누는 힘을 향상시키는 데 목적을 두어야 한다.[7, 25]

그림 18-31 부드러운 흉요천추 보조기

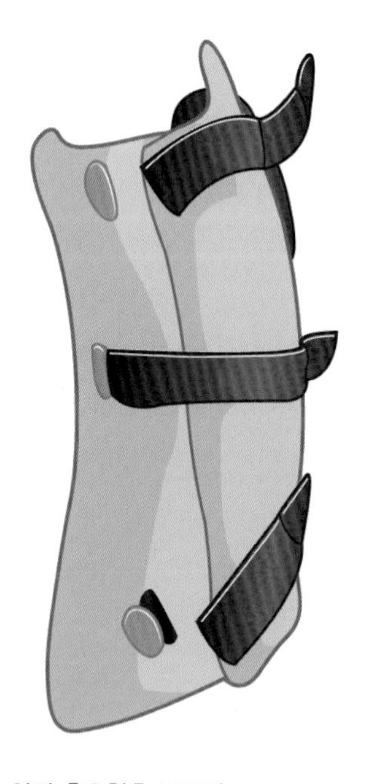

그림 18-32 양판 흉요천추 보조기

4. 휠체어

보행이 불가능한 뇌성마비 아동에서 가장 중요한 이동 도구는 휠체어이다. 특히 아동이 성장할수록 휠체어에 대한 의존도는 더욱 높아진다. 그러나 초기 뇌성마비 아동의 부모들은 대개 휠체어에 대한 인식이 좋지 않은 편이다. 장애인에 대한 세상의 편견에 노출되고 싶지 않아 하고 아이가 결국 스스로 걸을 것이라는 기대를 버리기 힘들어 휠체어 사용을 주저하고 아이를 안고 다니거나 일반 유모차에 태우기도 한다. 또한, 많은 부모들이 집에서 섭식의자(feeding seat)에 앉혀 놓거나 침대에 뉘어 놓는 경우가 많아 비교적 늦은 시기에 휠체어를 접하게 된다. 적절한 휠체어의 사용은 아동의 자세 변형을 지연시키거나 예방할 수 있고 부모 또한 아동의 앉아있는 시간이 늘어남에 따라 편리함을 느끼게 된다. 적절한 휠체어를 선택하기 위해서는 성장, 특정 장애의 종류, 치료적 개입의 영향, 미래의 기능적 예후, 인지 기능 등과 함께, 아동의 의학적 병력, 수술 병력들을 청취하고 신체평가를 수행하여야 한다. 뇌성마비 아동에게 가장 적합한 휠체어의 처방을 위하여는 환자 가족, 재활의학과 의사, 물리치료사, 작업치료사, 재활공학 기사와 휠체어 판매자가 한 팀이 되어 용도와 집의 환경, 아동의 기능, 추후 수술 계획 등을 모두 고려하여 선택하여야 한다.

적절한 휠체어는 아동에게 안정성, 지지를 제공하고 자세 변형의 가능성을 감소시키며 상지 사용을 향상시켜 준다. 또한 아동으로 하여금 주변 세계를 탐색하고 경험할 수 있는 기회를 제공해준다. 휠체어에 앉게 되면서 아동은 학교와 가정 활동에 참여가 가능해지고 사회화가 일어나게 된다. 휠체어에 앉아있을 때, 좋은 체형의 유지는 좌석 및 등받이, 다양한 자세 유지 장치들에 의해 이루어진다. 소아 휠체어는 3년마다 교체하는 것이 원칙이나 성장속도, 휠체어 내의 좌석이나 장치들에 따라 교체 주기는 조정이 필요하므로 성장기 아동에게 휠체어를 처방할 때는 주기적인 추적관찰이 필요하다.

휠체어는 크게 의존형 휠체어와 활동형 휠체어로 나뉘게 된다. 유모차, 리클라이닝 휠체어, 틸트형 휠체어 등이 독립적인 이동이 불가능한 아동들에게 권장되는 의존형 휠체어 종류들이다. Quickie IRIS와 같은 틸트형 휠체어는 똑바른 자세를 전혀 취할 수 없는 중등도에서 중도의 자세 유지가 요구되는 아동들에게 권장된다. 틸트형 휠체어는 체중을 재분배함으로써 좌골 부위에 압력을 감소시키는 것을 도와주며, 보호자가 휠체어 내에 아동을 잘 포지셔닝하는 데 도움을 줄 수 있다. KIMBA나 KidKart Xpress와 같은 포지셔닝 유모차들은 독립적인 이동이 이슈가 되지 않는 어린 아동들에게 주로 사용된다.[19]

활동형 휠체어는 수동휠체어 또는 전동휠체어를 스스로 사용함으로써 독립적 이동이 이루어진다. 전동휠체어는 아동 스스로 휠체어를 굴릴 수 없어 수동 휠체어를 사용할 수 없을 때 처방하며, 독립적인 이동이 가능 하려면 지각운동 능력 및 사회적 기술의 발전이 선행되어야 한다. 전동휠체어의 독립적 사용은 인지, 의사소통, 심리사회적 발달에 기인하는 것이다. 전동휠체어는 크기 때문에 옮기는 데 제약이 있고 집안에서도 공간적인 접근성에 제약이 있다. 전동휠체어 대신 전동스쿠터를 이용하는 경우도 있는데 포지셔닝 측면에서 휠체어에 비해 약점이 있다. 전동휠체어는 위험성이 높으므로 주의가 필요하다. 처방 시 고려해야만 하는 사항은 첫째, 안전하게 운전할 수 있어야 하며, 둘째, 시력이 적절해야 하고, 인지와 행동이 위험을 파악할 수 있는 수준이 되어야 한다. 운전 조절 장치는 다양한 선택이 있을 수 있어 손을 사용해 조이스틱을 쓰거나, 머리를 이용하거나, 발과 머리를 함께 쓸 수도 있다. 뇌성마비 아동들은 보통 구강 기능이 좋지 않기 때문에 입을 이용하는 조이스틱은 사용이 어렵지만, 신경근육질환이나 척수손상에서는 큰 도움이 될 수도 있다. 보통 만 7~9세에 전동휠체어를 사용하기 시작하는데 인지가 좋은 불수의 운동형 뇌성마비의 경우 만 4세에 시작할 수도 있다. 심한 관절구축증(arthrogryposis), 불완전 골형성증(osteogenesis imperfecta), 선천성 사지 결함 등에서는 조기에 전동휠체어가 필요하다. 전동휠체어가 필요할 것으로 예상되는 아동들에게는 미리 전동 구동 장난감 자동차로 전동 구동에 익숙해지도록 하면 좋다.

휠체어의 구성요소들로는 좌석 및 등 받침, 벨트, 휠체어의 틀(frame), 발판, 팔 받침대 및 기타 부속품 등이 있다. 각 휠체어 구성 요소들을 적절하게 처방하기 위하여 고려해야 할 사항들을 기술하고자 한다.

(1) 좌석 및 등 받침

좌석 및 등 받침은 아동이 편안하고 적절한 자세로 앉아 있을 수 있게 하는데 있어 가장 중요한 요소이다. 이 부분은 크게 선형(linear), 윤곽형(contoured), 몰딩형(molded) 장치로 나눌 수 있다.[19] 이 가운데 선형 장치는 아동이 성장함에 따라 크기의 조정기능이 있는 형태로 아동의 몸과의 일치도가 가장 낮다. 그러나 선형 장치는 조정이 수월하므로 아동의 정형적 요구에 대해 쉽게 대응할 수 있다. 선형 장치에서, 외전 및 내전 쐐기장치, 옆막음 장치 등 조정 장치(positioner)들은 좌석이나 등 받침에 쉽게 부착된다. 윤곽형 장치는 선형에 비해 아동 신체의 실제 모양에 더 가깝게 맞춘다. 윤곽형 장치를 처방할 때 가장 주의할 점은 성장 속도와 치료적 개입의 영향을 예측하는 것이다. 이는 윤곽의 형태가 기대한 것과 달라질 수 있기 때문이다. 몰딩형 장치는 아동의 체형에 최대의 지지를 제공하는 것이므로 변형이 고정된 경우 처방이 고려된다. 몰딩형 장치는 다시 몰딩을 하지 않는 한 아동이 성장하면 맞지 않게 되므로 비용과 시간 측면에서 낭비 요소가 있다는 점을 고려하여야 한다. 몰딩형 장치는 근긴장도 조절 측면과 변형에 대한 핏이 가장 좋다는 장점이 있으나 아동이 좌석에 앉아있는 동안 자유를 제한하는 역작용이 있음을 간과해서는 안 된다.[19]

척수손상과 같이 감각이 결여된 아동들에 대해, 다양한 좌석 쿠션들이 압력을 경감하고 피부 손상을 감소시킬 목적으로 사용된다. 쿠션의 종류로는 폼, 겔, 에어, 물 등을 포함하는 형태로 분류된다. 쿠션은 뼈가 튀어나온 부위에 압력 감소를 제공하여 골반과 대퇴부에 안정적인 지지면을 제공한다. 압력 측정 장치(pressure mapping system)가 휠체어 사용자와 좌석 쿠션 사이 접촉면의 압력을 측정함으로써 모니터에 압력 분포를 잘 보여주어 욕창의 원인을 진단하고 가장 적절한 압력 감소 방법을 제시해 줄 수 있다.[26]

좌석의 바닥은 여러 종류가 있으며 나이가 어리고 체중이 가벼운 소아들에게는 앞부분을 살짝 올려주는 모양으로 만드는 밀폐 기포 T폼(closed-cell t-foam)이 흔히 사용된다(그림 18-33).

아동이 성장하면서 체중이 늘어나면 피부 손상을 예방할 목적으로 겔 패드(gel pad)나 메모리폼을 좌석 면에 부착하여 사용하기도 한다. 한 쪽으로만 치우치는 소아에 대해서는 고관절을 고정시킬 수 있는 고관절 안내(hip guide) 지지 장치를 부착시킬 수 있다. 외전 쐐기(abduction wedge) 장치는 내전 경직으로 소아의 다리가 안쪽으로 꼬여서 휠체어에 앉는 자세를 유지할 수 없을 때 처방하는데, 외전 쐐기 장치를 부착하면 더 나은 하지의 정렬을 제공한다. 경도의 대퇴 내전이 있는 아동에게는 작은 쐐기를 좌석 앞쪽에 붙여주면 되나, 심한 내전이 일어나는 경우는 탈부착이 가능하거나 내려 접을 수 있는 큰 쐐기가 필요하다(그림 18-34).

외전 쐐기는 대퇴 내전 경직에 대해 사용하는 것이지 휠체어로부터 아동이 앞쪽으로 미끄러지는 것을 막는 용도로 제작된 것이 아니므로 하지 신전 경직이 심한 아동은 좌석에서 앞으로 미끄러지며 천골 앉기 자세가 되어 외전 쐐기에 의한 회음부 마찰로 피부 손상이 발생하는 경우가 있다. 이 경우 쐐기에 부드러운 패드를 붙이고 가장자리를 둥글게 마감처리하여 아동의 피부가 손상 받지 않도록 해야 한다. 대퇴 내전 장치는 고관절의 외

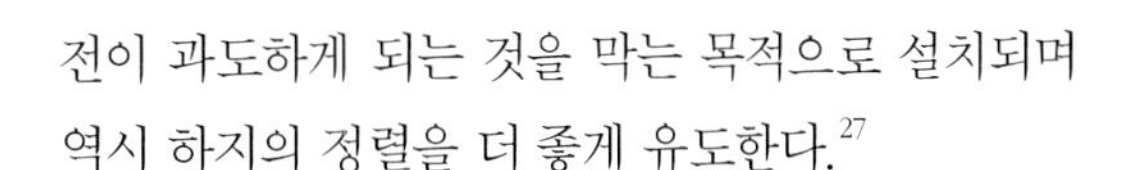

전이 과도하게 되는 것을 막는 목적으로 설치되며 역시 하지의 정렬을 더 좋게 유도한다.[27]

대부분의 뇌성마비 아동에게는 단순하고 평평한 모양에 얇고 부드러운 패드로 덧댄 등 받침이 적합하다. 요추 지지 패드나 등의 후만 모양에 맞는 받침 보조 장치들은 기능적으로도 도움이 되지 않고 불편을 초래할 뿐이다. 등 받침에 등을 완전 밀착시키는 것 역시 공간이 없어지면 자유로운 움직임이 제한되기 때문에 권장되지 않는다. 휠체어에 앉아 있을 때 몸통 조절이 안되는 아동이 옆으로 쓰러지지 않도록 측면 지지대(lateral support)가 필요할 수도 있다(그림 18-35).

이와 같은 측면 지지대는 몸통을 정중앙으로 유지하게 도와주므로 측만증의 악화를 부분적으로 지연시키는 효과를 갖는다. 또한 몸통이 앞으로 구부러져 척추 후만이 있는 경우, 등을 펴 주기 위한 목적으로 전방 지지대가 사용되며, 이를 위해 조끼형 지지대(chest harness)나 띠가 흔히 사용된다. 어린 아동들에게는 직물의 조끼형을, 큰 아동들이나 체중이 무거운 경우에는 끈을 사용하는 것이 추천된다.

머리 받침은 고개를 가누지 못하는 경우나 과신전되는 아동들에게 필수적으로 사용되며, 고개를

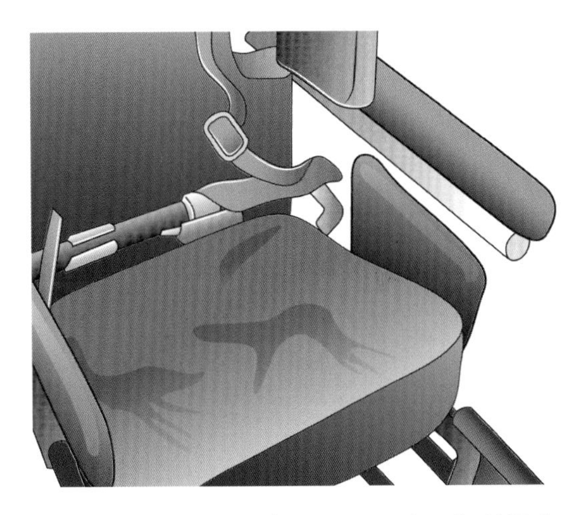

그림 18-33 밀폐기포 T폼(closed-cell t-foam) 좌석바닥

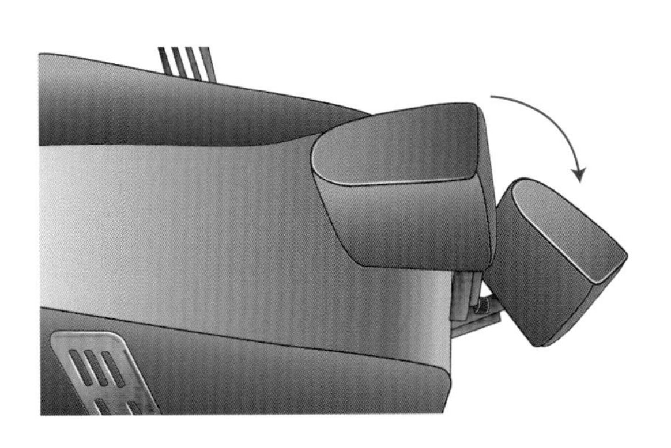

그림 18-34 탈부착이 가능한 외전 쐐기

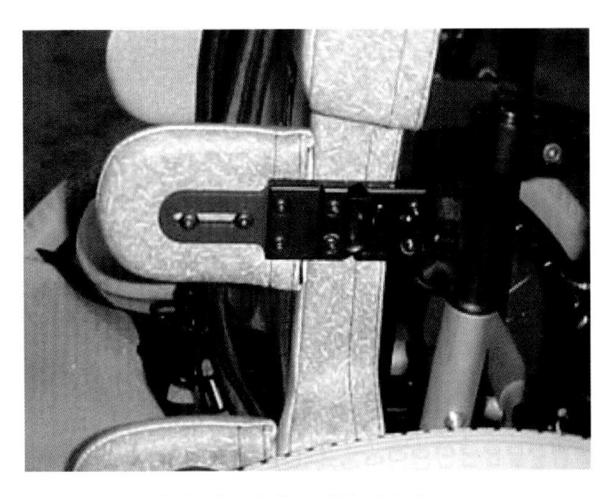

그림 18-35 측면 지지대와 조끼형 지지대

가눌 수 있는 경우라도 이동 중 안정성을 위하여 사용된다. 머리 받침은 적절한 시각적 유입, 근긴장도 조절, 음식 섭취와 삼킴 자세의 유지에 도움을 준다. 앉은 자세에서 목이 과신전되지 않는 목적으로만 사용하는 경우 평평하거나 약간 구부러진 모양으로 제작하면 되지만, 측면도 받쳐주어야 하는 경우는 더 길게 연장하고 전하방쪽에 받침을 만들어 주어야 한다.

그림 18-36 전하방 전상장골극 막대 보호대(subanterior superior iliac spine bars: SUBASIS bars)

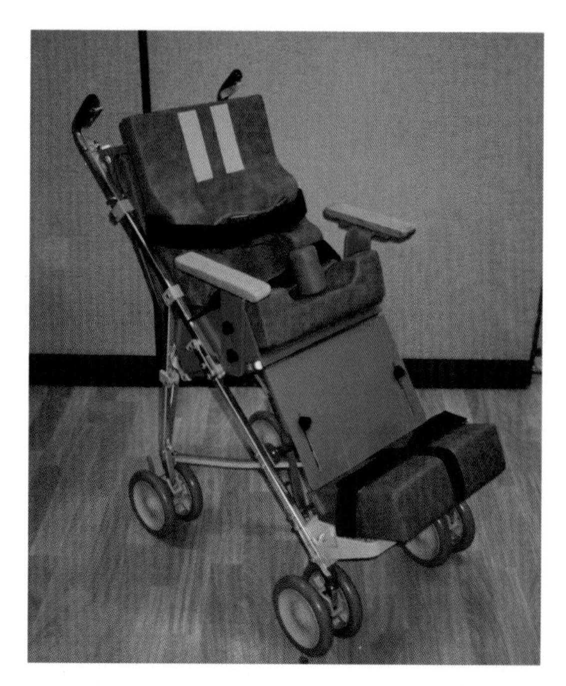

그림 18-37 유모차형 휠체어

(2) 좌석 벨트

휠체어에 앉아 있는 동안, 적절한 체형을 유지하기 위해서는 좌석 벨트를 잘 활용하여야 한다. 이를 통해 휠체어에 앉아 있을 때 기능적 앉기 자세를 유지하게 된다. 가장 중요한 좌석 벨트는 골반 벨트이다. 이 벨트는 골반의 정렬과 안정성을 위해 고안된 것으로, 고관절의 중심축을 지나도록 해야 하며 좌면에 대해 후하방 45° 각도로 잡아당겨지도록 해야 한다. 골반 벨트가 잘못된 위치에 적용되면, 착용하지 않는 것보다 더 안좋은 상태를 만들 수 있기 때문에 정확한 착용이 필요하다.[28] 다른 방법은 벨트 대신에 막대 보호대를 설치하는 것인데, 이 보호대를 전하방 상장 골극 막대보호대(subanterior superior iliac spine bars, SUBASIS bars)라고 부르며 좌석에 부착시킨다(그림 18-36).

이 막대 보호대는 근긴장도가 높은 환아에게 주로 사용되는 것으로서, 복부를 누르는 것이 아니라 대퇴 전면에 압력이 가해지므로 부착 위치만 잘 맞으면 매우 편안하게 착용할 수 있다. 그러나 부착 위치가 잘못되면 피부손상이 발생하기 쉽다.

(3) 휠체어 바퀴

휠체어 바퀴는 다양한 선택이 가능하다. 유모차형 휠체어 바퀴는 의료용의 느낌이 덜하며 일반 유모차와 같이 보이는 장점이 있다(그림 18-37).

유모차형 휠체어 바퀴는 주로 만 3세 이전에 사용되고 가볍기 때문에 차 트렁크에 쉽게 들어갈 수 있다는 장점이 있다. 더 큰 아이들이 사용할 수 있는 대형 유모차의 경우 무거운 휠체어보다 편한 점도 있지만, 바퀴가 휠체어보다 작고 약하므로 울퉁불퉁한 길에서 잘 굴려지지 않는 등의 문제가 있어 휠체어의 기능을 대체하기에는 한계가 있다. 큰 바퀴(rear wheel)를 사용하는 경우에는 큰 바퀴를 뒤에 두고 작은 바퀴(caster)는 앞에 두게 되며, 아동기 후반과 청소년기에 사용하게 된다. 큰 바퀴 굴림형은 스스로 양손을 사용하여 휠체어를 굴릴 수 있는 경우에 이상적으로 사용할 수 있으며,

아동의 체격이 큰 경우나 바닥이 고르지 못한 경우에도 사용하기 좋다. 대부분의 뇌성마비 아동은 작은 바퀴의 직경이 적어도 18~13 cm 정도 되는 큰 바퀴 휠체어를 쓰는 것이 좋으며 성장이 진행되어도 이 모양이 계속 권장된다.[19]

(4) 휠체어의 틀, 발판, 팔 받침대 및 기타 부속품

일반적으로 휠체어 틀의 재료는 가벼운 원통형의 강철로 되어있으며 더 가벼운 탄소섬유 합금이나 티타늄, 알루미늄 등을 쓰기도 한다. 가벼운 재료들은 더 비싸지만, 차 트렁크에 넣거나 계단을 오르내릴 때 더 쉽게 사용될 수 있는 장점이 있다.

발판과 발목 조정 장치는 하지의 신전 경직 조절을 돕고 발이 과도하게 내회전되지 않도록 막아준다. 발판은 밀어서 돌리는 발판이 가장 사용하기 쉽다(그림 18-38).

접어 올리는 발판은 뇌성마비 아동의 기본형 휠체어에는 적합하지 않으며, 수술이나 하지 손상 후로 국한된다. 발을 스스로 휠체어 발판에 고정시켜 둘 수 없는 심한 뇌성마비 아동들은 다리를 다치기 쉬우므로 발을 발판에 묶는 끈을 붙여두는 것도 좋다. 발판 경사 역시 중요한데, 척추 후만증이 심하고 슬건근이 짧아진 경우는 슬건근의 영향을 최소화시키기 위하여 90°를 사용하며 하지의 신전 긴장도가 높은 경우에도 굴곡위에 가깝게 취할 수 있도록 역시 90°의 발판대를 사용한다. 70° 경사 발판대는 심한 구축이 없다면 90°경사 발판대보다 편안한 자세를 제공할 수 있으며, 직경이 큰 작은바퀴 사용이 가능하다는 장점이 있다(그림 18-39).

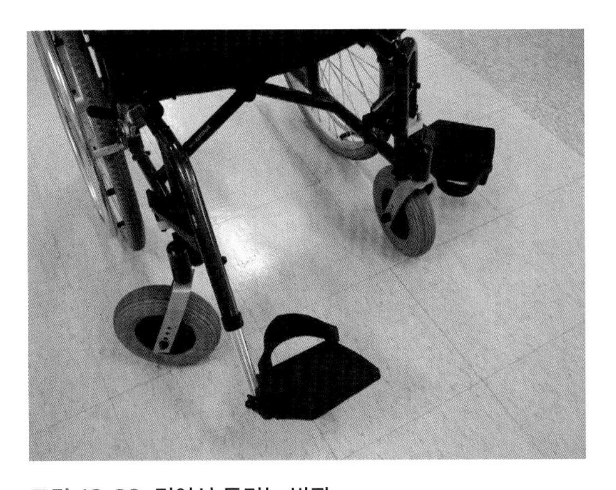

그림 18-38 밀어서 돌리는 발판

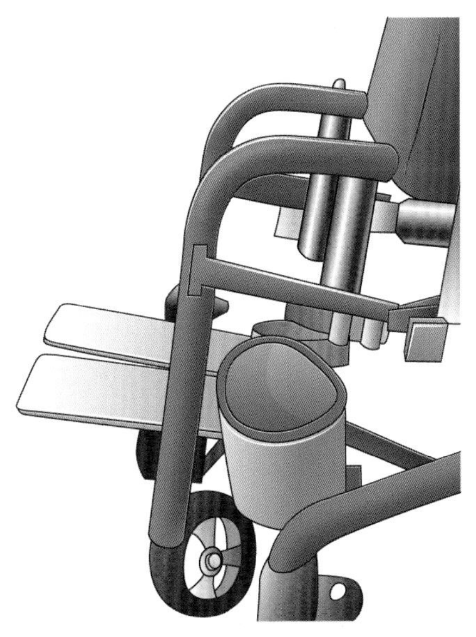

그림 18-39 발판대 경사

팔 받침대는 상지로 몸통을 지지할 수 있고 휠체어에서 일어설 때 잡고 설 수 있는 도구가 된다. 또한 랩 쟁반을 올려놓을 수 있는 받침대로 사용되고 전동휠체어를 조작하는 스위치들이 위치하는 곳이다. 따라서 몸통의 균형이 좋지 않은 경우는 항상 팔 받침대가 필요하며 높이 조절이 가능하면 더욱 좋다. 랩 쟁반은 튼튼하고 투명한 플라스틱이 가볍고, 깨끗하고, 자세를 잡는 데도 도움을 주므로 가장 바람직하다.[29]

5. 앉거나 눕는 자세, 이동을 돕기 위한 보조기구

장애아동들이 앉을 수 있는 특수 의자들은 목적에 따라 여러 가지 종류가 있다. 섭식의자는 쉽게 먹이기 위해 필요한 의자로서 가격이 비교적 저렴하며 음식이 묻어도 보호자가 쉽게 닦아줄 수 있고, 가족들과 비슷한 눈높이에서 함께 식사하는 데 도움을 준다. 놀이 의자는 바닥에 앉아서 놀 수 있도록 하는 것, 여러 높이로 앉아서 놀 수 있는 것 등이 있다. 변기 의자는 배변 훈련을 이해할 수 있는 정도의 인지기능이 발달한 중기의 소년기에서 필요하게 된다. 목욕 의자는 만 3세까지 앉지 못하는 경우에 필요하고 어린 아동의 경우 망으로 매달아 욕조에 들어가게 할 수 있는 간단한 도구가 좋다. 아이가 더 크면 샤워 의자가 편리하게 사용된다. 체중이 무거운 아동의 경우 망이 씌워진 들것(stretcher)을 욕조 위에 두어 그 위에 눕혀 씻길 수도 있다. 설 수 없으나 앉아있을 수 있다면 샤워 의자(shower stall)를 사용할 만 하다.

기능이 많이 저하되어 누워만 지내거나, 경직과 이상 자세 등이 지속되는 아동들은 관절의 구축과 변형, 욕창 등이 발생할 가능성이 높다. 이러한 아동들을 베개나 수건 말이, 쿠션 같은 것을 이용하여 적절한 포지셔닝을 유지하도록 하는 것이 좋으며 특히 뼈가 튀어나온 후두, 견갑골극, 천골, 대퇴골두, 종골 등의 부위에 압력이 오래 가해지지 않도록 주의해야 한다. 넓은 부위에 적용 가능한 겔 패드나 다양한 크기의 폼 쐐기 등을 이용하여 옆으로 누운 자세를 지지해 줄 수 있다. 다리의 꼬임(scissoring)이 심하면, 외전 베개를 다리 사이에 넣어주어 고관절이 외전 되도록 한다. 또한 Versa Form 포지셔닝 베개는 스티렌 구슬 주머니로서 아동이 어떤 자세를 취하든지 그에 맞게 변형되어 반영구적 자세받침으로 사용될 수 있다.[19]

카시트는 장애 아동이 차량에 탑승할 때 안전띠가 안전을 담보할 수 없기 때문에 필수 안전용품이다. 카시트의 구성 요소로는 적절한 포지셔닝 패드, 안전 스트랩, 억제대, 좌석 깊이 익스텐더, 머리 받침, 멜빵, 발 받침대가 포함된다. 기관절개 장치를 가진 아동에서는 카시트 장치에 주의가 필요한데, 급정거나 추돌사고가 일어날 때 몸이 앞으로 쏠리면서 팔 받침대나 트레이에 부딪치며 기관절개 장치가 손상을 받을 수 있기 때문이다. 이 경우 5점 멜빵을 부착하는 것이 가장 좋다.

아동이 작을 때는 부모가 안아서 들어올리면 되지만 체중이 늘어나면 이동 보조기구가 필요하다. 초기에는 이동판(transfer board)을 사용하며 단풍나무나 단단한 플라스틱으로 20 cm 넓이에 60 cm 길이 정도가 적당하다. 더 성장한 경우 이동에 완전 의존상태라면 전동으로 구동되는 이동 도구를 사용해야 한다.

III. 의사소통을 위한 보조 장치

장애의 유무와 관계없이, 아동들은 말과 글, 사회 언어 기술 등 다양한 의사소통 방법을 익혀야 한다. 이러한 의사소통을 보다 원활하게 할 수 있도록 아동들에게 보완하고(augmentative) 대체하는(alternative) 의사소통법을 사용하게 할 수 있다. 이 방법은 특히 음성 언어로 의사표현을 할 수 없고 글을 써서 충분히 표현할 수 없는 중증 장애 아동들에게 필요하다. 이러한 장애의 원인이 되는 경우들은 구음장애, 실행증 및 전 발달지연(global developmental delay), 전반적 발달장애(pervasive developmental disorder), 자폐증, 정신지체, 외상성 뇌손상, 뇌성마비, 학습 장애와 같은 인지와 언어 장애, 그리고 근디스트로피나 척수손상과 같은 신경근육질환 등이 해당한다.[27]

보완대체 의사소통도구(AAC) 중재의 목표는 아동이 조직적인 의사소통 행동을 만들어가는 것이며, 그럼으로써 주위 사람들이 되도록 아동의 의도를 알아맞히려는 노력을 적게 하면서 의사소통 할 수 있도록 하려는 것이다. 이를 위하여 매우 많은 의사소통의 심볼들이 소개되어왔고, 아동들은 이것들을 배우게 된다. 의사소통 시스템은 그림 자석 같이 간단한 것부터 여러 그림들 중 해당하는 것을 짚어서 알리는 책 종류도 있고, 누르면 메시지를 말하는 커다란 스위치로 의사표현을 하는 도구들도 있다. 일상생활에서 흔히 쓰이는 문구들을 모아놓은 컴퓨터 의사소통 기구들도 있다.

정상 인지와 운동 발달을 하다가 후천적으로 손상을 입은 환아들, 특히 척수 손상과 같이 인지와 언어 기술은 정상적이지만 호흡기능이 불충분하여 모든 환경에서 고르게 효과적인 말의 산출이 어려운 경우는 이를 대체할 새로운 도구를 사용할 수 있다. 하지만 뇌 손상이 발생한 경우는 구성과 실행의 인지능력이 없으므로 새로운 학습이 어려운 경우가 많다. 이전에 말을 했었던 소아들은 대체 의사소통 방법으로는 만족하지 못하며 언어능력이 조금이라도 남아있다면 이를 극대화시켜 주는 일이 필요하고, 보완대체 의사소통도구를 정상 발화를 촉진하기 위한 도구로 사용하여야 한다. 목소리가 너무 작은 경우라면 앰프시스템으로 되도록 자신의 발화가 나오는 것을 확인시켜주는 것이 인공적으로 합성된 소리를 듣게 하는 것보다 좋다.

장애아동들은 책의 페이지를 넘기기 힘들고, 글을 크게 읽을 수 없거나 내용을 기억하는 데 어려움이 있을 수 있으므로, 책을 접할 수 있는 기회가 적다. 보완대체 의사소통도구로서, 컴퓨터 기술은 이러한 장벽을 극복하는 데 도움을 준다. 그림이 순서대로 나타나면서 책 내용이 말로 나오는 장치를 사용할 수도 있다. 컴퓨터의 도움을 받아서 보는 책들도 나와 있다. 오랫동안 앉아서 글을 쓸 수 없는 아동들이 쉽게 글을 작성할 수 있도록 돕는 단어 예견 프로그램(word prediction program)도 시판되고 있다. 자판의 특정 문자를 보며 눈을 깜빡이거나 자판을 일정 시간 쳐다보는 것 만으로 글자를 타이핑해 주는 시선추적장치(eye tracking system)도 있다. 그 외에, 말 소리의 내용을 감지하여 문자로 보여주는 음성인식 타이핑 소프트웨어도 있어 말할 수는 있으나 자판을 치기가 힘든 경우에 유용하게 사용될 수 있다. 터치스크린이나 특별한 마우스, 언어 감지 도구 등을 이용하는 기술 등을 통하여 장애아동도 정상아동과 함께 학습하고 의사소통 할 수 있게 된 것은 의미있는 일이며 특히 온라인상으로 대화할 기회를 얻는다는 점도 중요하다.

IV. 소아의 의지 (Pediatric Prosthesis)

아동은 어른의 축소판이 아니다. 아동들이 성인과 다른점은 성장을 한다는 사실 이외에도 장애에 대해 성인과는 다르게 반응하며 적응한다는 사실이다. 아동의 사지결손은 크게 두 가지 원인으로 분류된다. 즉, 선천성 결손으로 태어난 경우와 후천적으로 절단에 의해 결손이 된 경우다. 선천성 결손 장애아의 경우 자신의 장애에 대한 인지가 거의 없어 환상지(phantom limb) 증상을 경험하지 않으며 심리적 적응 과정이 필요 없다는 점에서 의지 착용에 대한 적응이 쉽다. 후천성 사지 결손의 경우에는, 매우 어린 상태에서 결손되지 않는 한, 절단 이전에 대한 사지의 기억이 남아 있어 상실에 대한 감각을 심하게 느끼며 결손에 대한 재적응을 하려고 노력한다. 이 재적응을 얼마나 잘 해나가느냐에 따라 의지에 대한 적응도가 결정된다.

사춘기 환아의 경우 다른 사춘기 아동이 겪는 지적이고 정서적인 변화를 똑같이 겪게 되며 사지 결손 상태로 인해 더욱 어려움을 겪게 된다. 또래 아이들을 새로 사귀게 되면, 또래와 "다름"을 부정하며 의지가 없고 자주 의지를 잃어버리기도 한다. 새로운 친구들과의 관계가 잘 형성된 후에 기능적인 보조를 잘 해주는 의지를 다시 찾게 된다. 성인과 마찬가지로 섬세한 동작을 필요로하는 상지 의수의 경우 환아에게 완벽하게 기능을 하기 어려우므로 하지 의족의 경우보다 적응도가 떨어진다.[30]

1. 선천성 결손

선천성 상하지 결손은 소아에서 일어나는 절단의 대부분을 차지한다. 선천성 결손은 미국에서 1만 명당 5에서 9.7명이 발생하며, 상지와 하지의 비율은 3:1을 보인다.[31] 임신 첫 3개월이 팔다리 생성의 중요한 시기이며, 선천성 결손은 팔다리 싹의 부분 또는 전체의 형성 실패의 결과로 나타난다. 팔다리의 중배엽 형성은 태생 26일에 일어나고, 8주까지 분화가 계속된다. 팔다리 분절은 근위부에서 원위부로 발달하므로 상완과 전완부가 손보다 먼저 나타나고, 대퇴와 하퇴부가 발보다 먼저 나타난다.[32] 선천성 결손의 80% 이상은 근골격계 외의 기형과 연관된다.[33] 상지 결손은 임신 첫 3개월에 발달한다는 공통점 때문에 두개 안면, 심장, 혈액학적 질환 등 다른 기형들과 더 흔히 연관되어 나타난다.[34] 두개안면부 결손은 대개 양측 상지 결손이 더 흔하다.[35] 선천성 결손은 산모의 임신성 당뇨,[36] 약물(술, 헤로인, 코카인) 중독,[37] 담배,[38] 탈리도미드(thalidomide)[39] 등에 의해서도 발생한다는 보고가 있다.

선천성 결손은 횡결손(transverse limg deficiency)과 종결손(Longitudinal limg deficiency)으로 나눌 수 있다. 횡결손은 특정 부분의 원위부가 완전히 결손되어 있는 양상이며 주원인은 Streeter's 이형성증(dysplasia)이라고 불리는 양막띠 증후군(amniotic band syndrome)이 주 원인이다. 종결손은 사지의 한개의 뼈가 부분 또는 전체가 결손되는 것이다. 가장 흔한 결손 형태는 상지에서는 요골 결손, 하지에서는 비골형성 부전증으로 정상에 비해 짧아있다. 선천성 상지 결손은 하지결손에 비해 흔하며(전체 선천성 결손 환아의 81%) 수지, 부분 수부 결손, 손목 이단, 전완부의 횡결손, 주관절 이단, 상완 결손, 견관절 이단, 견갑흉부 결손 등이 나타날 수 있으며, 그 가운데 전완부 윗 1/3의 횡결손이 가장 흔한 상지 결손이다. 전완부나 상완부의 종결손은 흔치 않다.

2. 후천성 절단

소아기에 후천성 절단의 가장 흔한 원인은 외상과 질병이다.[40] 외상이 질병에 비해 약 2배 더 흔하다.[41] 가장 흔한 외상 원인은 자동차, 오토바이, 기차 등의 사고이며 지역적으로나 나이별로 차이가 있다.[42, 43] 종양은 질병에 의한 절단의 가장 흔한 원인이다. 종양의 가장 높은 발병 시기는 12~21세 사이이다. 골육종, 유잉육종, 횡문근육종 등이 절

단 원인의 대다수를 차지하고 있다.[44, 45]

수막구균혈증에 의한 감염성 색전이 팔다리의 자가절단을 유발할 수 있다. 이 경우 번번히 사지 모두를 침범하게 된다.[46]

환상지(phantom limb)는 상실된 팔다리에 대한 개인적인 인식이며, 보통 통증을 일으키지는 않으므로 치료를 필요로 하지 않는다. 환지감은 감각 정보의 발생이 뇌로부터 일어난다는 전제에서 설명이 된다.[47] 환지통(phantom pain)은 10세 이하의 아동에서는 매우 드물게 나타나며, 10대에는 간혹 보고된다.

3. 의지 처방

1) 소아의 상지 의지

절단 또는 선천성 상지 결손 환아에게 언제, 어떤 종류의 의수를 맞춰서 어떤 훈련을 할지에 대해서는 많은 의견이 있어왔다. 심지어는 일부 전문적인 근전기 의수전문 쎈터에서는 생후 4개월부터 15개월 환아에게도 근전동(myoelectric) 의수를 훈련시켜 전문가들과 상지결손 환아의 부모들의 관심을 받은 적도 있었다.[48, 49] 그러나 뒤집기나 기기동작 시 방해받을 수 있으므로 보통 상지결손 환아들은 독립적으로 앉아 있을 수 있는 연령인 생후 6개월 이후로 능동적 동작이 않되는 고정 상지의수를 우선 맞춰준다.[50] 대부분의 전문가들은 만 2세 이전에 의수를 맞춰주면, 2세 이후에 의수를 장착한 환아보다 적응이 빠르고 의수를 이용하는 기술도 다양해진다.[51]

CAPP에서 디자인하여 제작한 Infant Passive Mitt는 control cable system이 없어 단순한 수동적 상지의수이나 가볍고 마찰력을 이용하여 물건을 집거나, 모래 등을 퍼올리거나, 두손 동작시 물건을 고정할 수 있어 유아의 경우 매우 잘 쓰일 수 있다. 그러나 세밀한 동작이 불가능하여 기능상의 제한이 있다(그림 18-40).

환아가, Child Amputee Prosthetics Project (CAPP)에서 제시한, 다음 네 가지 조건을 갖추게 되면 비능동적 의수를 자신이 조절할 수 있는 능동적 의수로 바꿀 수 있다.[50]

1. 환아가 단순한 지시사항을 따를 수 있어야 한다.
2. 최소 10분 이상 주의집중할 수 있어야 한다.
3. 환아는 terminal device (TD)가 물건을 집을 수 있다는 사실을 인지하고 있어야 하며 정상 손으로 TD를 벌릴 수 있어야 한다.
4. 두손이 함께 필요한 동작에 흥미를 가져야 한다.

만 2세때 보상적인 grasp pattern이 발달하기 시작한다. 정상손과 함께 두손 동작이 필요한 놀이를 하게되면 환아는 양쪽 무릎 사이, 겨드랑이 또는 팔꿈치를 구부리고 그 사이에 장난감을 끼어서 고정하고 정상손으로 작동시킨다. 이러한 보상적 잡기패턴을 못하게 하기 위해 control cable system을 추가하고 mitt에서 plastisol로 감싼 hook으로 바꾸고 집중적인 훈련을 하여 능동적인 잡기패턴으로 발달시킨다(active hook). 유아들의 어깨는 좁고 둥글기 때문에 성인에서 흔히 쓰는 Figure of 8 harness로 고정이 되지 않는다. Elastic strap을 사용하면 control strap과 cable system의 일부를 매

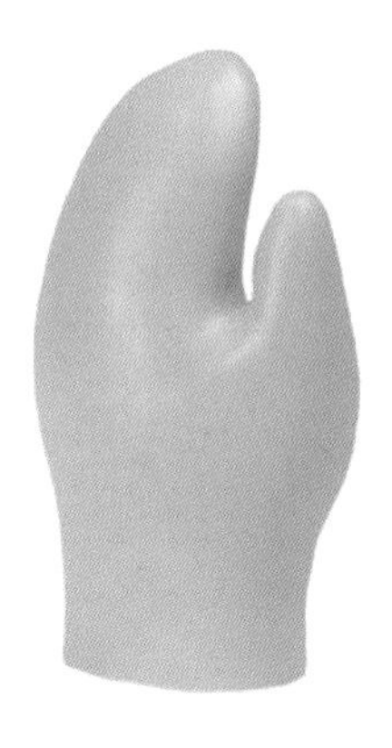

그림 18-40 Infant Passive Mitt

우 안정적으로 대신할 수 있다(그림 18-41).

소아의 경우 지속적인 신체적 성장, 골의 과성장 및 왕성한 신체활동 때문에 의지의 교환주기가 단축된다. 따라서 만 5세까지는 매년 교환이 필요하며, 5~12세까지는 상지 의지가 1년 6개월마다, 하지 의지는 2년마다, 그리고 13~21세까지 상지 의지는 2년마다, 하지 의지는 3년마다 새로운 의지로의 교환이 필요하다. 교체가 빈번한 경우, 다층화된 소켓(multilayered socket, onion socket)을 이용하면 6~18개월까지 연장 사용이 가능하다.

High-level의 상지 결손 환아의 경우 매우 빠르게 발을 이용하여 손의 기능을 대체한다.[50] 이런 환아들에서는 발의 기술이 상지 기능과 유사할 정도로 체계적으로 발달한다. 엄지손가락과 다른 손가락으로 잡는 모습과 유사할 정도로 엄지발가락과 둘째발가락으로 잡기가 익숙해진다.[52] 그러므로 환아는 무거운 의수의 필요를 못 느끼게 되어 자연히 의수를 사용하지 않게 된다.

소아에서 상지 의지 착용 시기는 양손 사용을 시작하거나 앉기 시작할 무렵인 3~6개월이 가장 좋다. 일반적으로 앉은 자세가 잘 유지되는 생후 6개월경에 착용하는 것이 권장된다. 대부분의 선천성 상지 결손 아동들은 생후 1세 이전에 의지를 착용하게 되는데, 조기 의지 착용은 양 손 사용을 늘려주고 독립성을 빨리 만들어주며 대칭적인 네발기기를 유도해 준다. 수부 말단장치(terminal device, TD)를 작동하는 것은 빠르면 생후 18~24개월에 가능하며, 팔꿈치 장치의 조절은 36~48개월에도 조작이 가능해진다. 근전도 의지(myoelectric hand)의 사용은 예전에 크고 무거워 1~2세 아동이 사용하기 어려웠으나 최근에는 1세 아동들도 사용이 가능할 만큼 발전되었다. 4~5세 아동들은 모든 형태의 의지를 조작할 수 있을 만큼 익숙하게 사용이 가능하다.

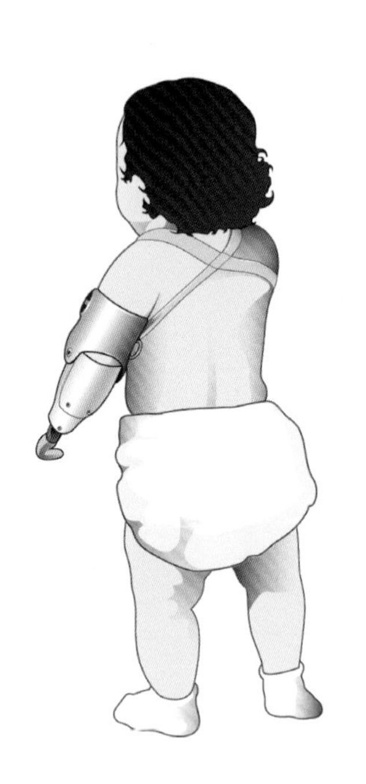
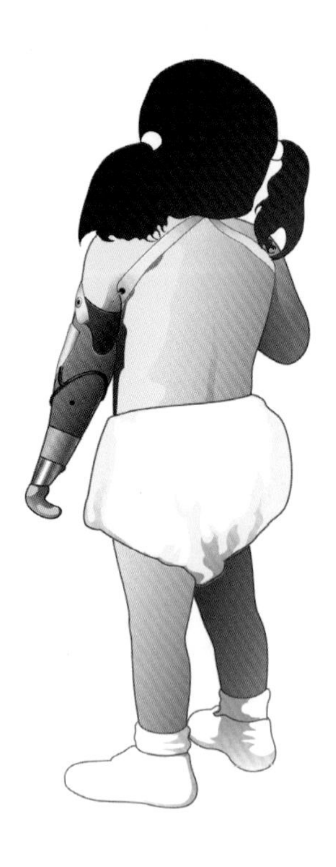

그림 18-41 Elastic strap

2) 소아의 하지 의지(의족)

아동에게 있어 보행에 두 다리가 필요하므로 하지의지에 대한 적응도가 매우 높으나 이를 감추고자 하는 욕구 또한 매우 높다. 성인과 달리 환아들의 경우 빠르게 성장과 발달을 하므로 매우 자주 소켓을 고치거나 새로 맞춰야 한다. 만 5세까지는 일 년마다, 만 5세부터 12세까지 매 2년마다, 만 21세까지는 평균 매 3~4년마다 새로운 의족을 맞춰야 한다.[53] 그러나 의족을 새로 맞추는 비용이 만만치 않으므로 되도록 자주 진찰실에서 환아의 상태를 파악하고 의족의 재료 또한 자주 변형 시킬 수 있는 것으로 하는 것이 바람직하다. 최소 6개월마다 환아의 두 다리를, 길이를 재는 단순 방사선 검사(scanogram)하여 성장에 따른 의족의 길이를 조절해야한다.

환아의 후천적 절단의 경우, 골간단(metaphyseal) 또는 골간(diaphyseal) 절단술 후에 약 10내지 30%의 환아에서 뼈의 과성장(overgrowth)이 올 수 있으므로 가급적 슬관절 이단이나 대퇴 원위부의 성장판 유합술(distal femoral epiphyseodesis)을 하는 것이 좋다.[54] 체간에 가까운 대퇴골(58%), 경골 근위부(24%)나 상완골(10%)의 일부를 절단하는 경우 기능적으로 정상적인 원위부까지 희생하기가 어려워진다. 예를 들면, proximal focal femoral deficiency 또는 대퇴골의 종양을 가진 환아의 경우 대퇴골의 일부를 절단하고 가능한한 정상적인 원위부인 하퇴부분을 남기고 그 기능을 이용하게 된다. 이 경우 성장에 따라 길이(최대 120 mm)를 늘릴 수 있는 expandable prosthesis을 사용하게 되면 재수술하지 않을 수 있는 장점이 크다(그림 18-42).[55]

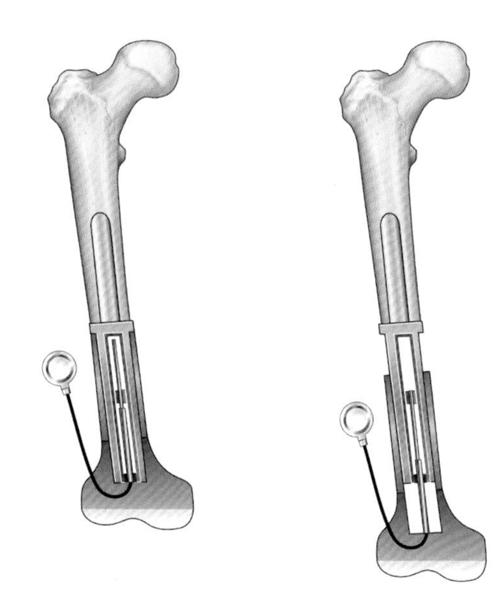

그림 18-42 Expandable Prosthesis

V. 보행 보조 로봇

로봇은 신호를 감지하고 분석하며 이를 바탕으로 스스로 판단하여 행동하는 자율성을 가진 기계를 말한다. 최근 로봇공학의 발전과 재활에 대한 적용은 재활의학에 커다란 변화를 가져오고 있다. 로봇기술은 크게 두 가지 방향으로 재활의료에 적용되고 있다. 첫 번째는 치료사에 의존하던 재활치료를 로봇이 대신 제공하는 것이다. 효율적인 운동학습(motor learning)을 위해서는 어렵고 도전적이지만 불가능하지는 않은(challenging but, not disappointing) 적절한 난이도로 반복적인 훈련을 제공하는 것이 중요하다. 재활로봇은 능동보조(active assistance)와 저항(resistance) 등을 적절하게 조절하면서 표준화된 반복적인 훈련을 제공하여 장애회복의 효율성을 높여 준다고 보고되고 있다.[56, 57] 환자가 스스로 움직이려는 힘을 정밀하게 측정하여 재활효과를 최대화할 수 있는 최적의 보조를 제공하는 기능을 가진 로봇재활 장비들이 개발되고 있는데, 마비된 팔다리를 외골격 형태의 로봇(exoskeletal type)에 고정시켜 재활훈련을 시행하는 형태와 팔다리 말단부만(end-effector type)을 고정하여 미리 프로그램 된 움직임을 반복적으로 훈련시키는 형태가 있다(그림 18-43).[58, 59]

두 번째 로봇기술의 적용분야는 신체기능을 보조하고 증진시키는 로봇보조기이다. 첨단 재활 치료가 발전함에도 불구하고 불가피하게 남은 신체장애로 인한 사회적 기능저하는 필연적이다. 소실된 사지의 기능을 향상하기 위해 현재 다양한 보조기(orthosis)들과 보조 도구(assistance device)들이 사용되고 있다. 하지만 이러한 보조기들은 소재의 특성과 구조의 수동적 힘을 사용하여 기능을 보조하는 한계 때문에 사용 대상이 한정적이고 기능보조 효과도 기대에 못 미치는 것이 현실이다. 따라서 여기에 능동적 보조가 가능한 구동기(actuator)를 장착하고 로봇공학 기술을 적용시

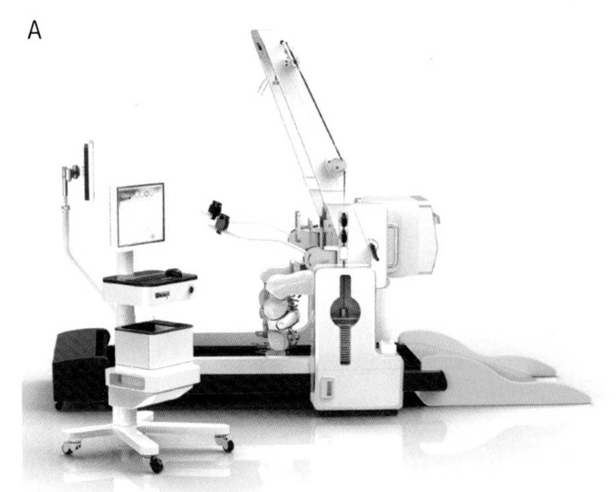

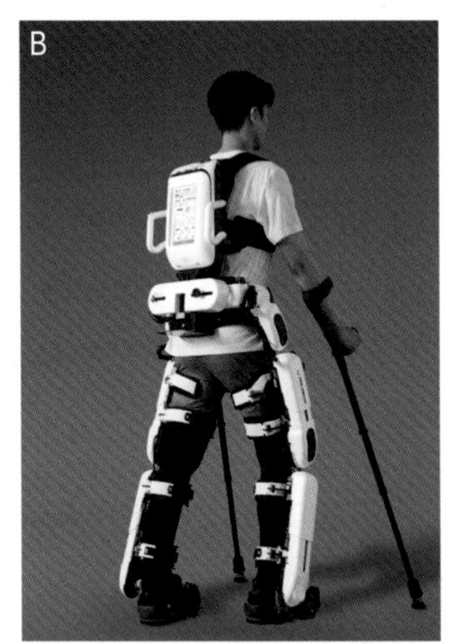

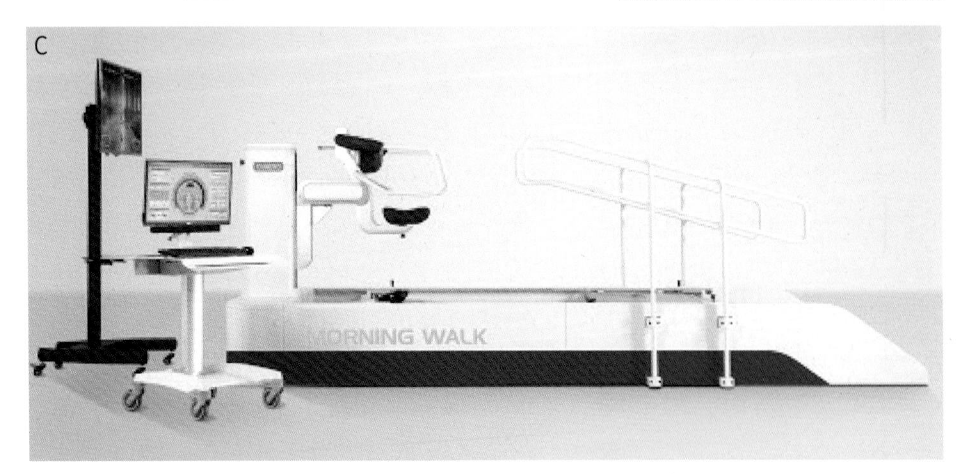

그림 18-43 로봇보조보행재활치료(Robot-assisted gait rehabilitation training) 장비
A. 트레드밀 고정형 외골격 로봇(Walkbot, P&S mechanics Co., Ltd., Korea)
B. 착용형 지면보행 외골격 로봇(Angel-Legs, Angel Robotics Co., Ltd., Korea)
C. 하지 말단부 고정형 로봇(Morning Walk, Curexo Inc., Korea)

켜 자율적인 능동 보조를 제공함으로써 신체기능을 보조해 줄 수 있다. 현재 보행을 보조하는 로봇보조기를 중심으로 제품이 소개되고 있는데, 대상자의 하지가 완전마비인 경우와 불완전마비인 경우에 따라 착용형 보행보조 로봇보조기의 보조방법도 달라진다.

완전마비의 경우에는 착용자의 자발적 움직임이 없기 때문에 보행에 필요한 힘과 관절 각도의 변화를 로봇이 온전히 만들어 내는 관절각도 제어방법(trajectory control)을 사용하여 보행을 보조하게 된다. 하지만 불완전 마비 환자는 근력의 약화와 운동조절 기능의 저하로 비정상적인 이상보행이 유발되며, 이로 인해 정상보행에 비해 특정 관절과 근육에 더 많은 힘이 가해져 근지구력이 감소되고 더 많은 에너지를 소모하게 된다. 이 경우는 자발적 움직임이 남아있기 때문에 착용자의 의도를 파악하여(intention recognition) 적절한 힘을 보조해 주는 관절토크 제어방법(torque control)을 사용하게 된다(그림 18-44).[60]

최근 국제표준화 기구(International Organization for Standardization, ISO)에서는 전자의료기기 중 재활로봇의 안전성과 필수성능을 정의하는 기준을 발표했는데(https://www.iso.org/standard/68474.html), 재활로봇을 medical robot for rehabilitation, assessment, compensation or alleviation으로 정의하여, 앞에서 기술한 재활(rehabilitation)과 기능보조(compenation or alleviation)뿐 아니라 평가(assessment)기능을 포함하고 있다. 재활로봇이 가지고 있는 대상자의 기능수준을 객관적이고 정량적으로 평가할 수 있는 기능은 향후 대규모의 정량적 데이터를 수집하여 인공지능, 빅데이터 분석을 통한 정밀재활의료(precision rehabilitation medicine)의 기반을 구축하는 데 도움이 될 것으로 기대된다.

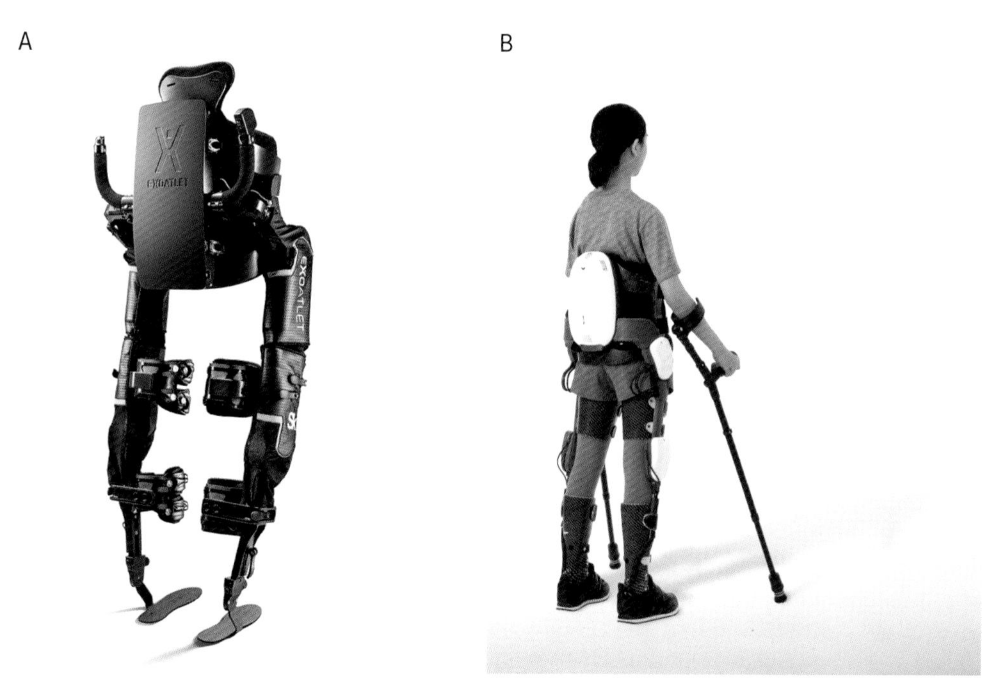

그림 18-44 로봇 보행보조기
A. 관절각도 제어형 로봇 보행보조기(ExoAtlet I, ExoAtlet Asia Co., Ltd., Korea)
B. 관절토크 제어형 로봇 보행보조기(Angel Suit, Angel Robotics Co., Ltd., Korea)

▶ 참고문헌

1. 김진호, 오경환, 정진. 보조기학과 의지학. 서울: 대학서림, 1987.
2. Goldberg B, Hsu JD : Atlas of orthoses and assistive devices, 3rd ed. Missouri: Mosby, 1997;pp259-278, 477-626, 543-555.
3. Carlson WE, Vaughan CL, Damiano DL, Abel MF : Orthotic management of gait in spastic diplegia. Am J Phys Med Rehabil 1997;76(3):219-225.
4. Hoffinger SA. Evaluation and management of pediatric foot deformities : Pediatr Clin North Am 1996;43:1091-1111.
5. Katz-Leurer M, Weber C, Smerling-Kerem J, Rottem H, Meyers S. : Prescribing the reciprocal gait orthosis for meningomyelocele children: a different approache and clinical outcome. Pediatr Rehabil 2004;7(2): 105-109.
6. Woo R : Spasticity: orthopedic perspective. J Child Neurol 2001; 16(1): 47-53.
7. Miller F : Cerebral palsy, New York: Springer, 2005, pp181-249.
8. Kusumoto, Yasuaki, et al. "Effects of an underwear-type hip abduction orthosis on sitting balance and sit-to-stand activities in children with spastic cerebral palsy." Journal of physical therapy science 30.10 (2018): 1301-1304.
9. Lerner, Zachary F., et al. "A robotic exoskeleton for treatment of crouch gait in children with cerebral palsy: Design and initial application." IEEE Transactions on Neural Systems and Rehabilitation Engineering 25.6 (2016): 650-659.
10. Tian, F., Hefzy, M. S., & Elahinia, M. (2015). State of the art review of Knee–Ankle–Foot orthoses. Annals of biomedical engineering, 43(2), 427-441.
11. Kim, J. H., Ji, S. G., Jung, K. J., & Kim, J. H. (2016). Therapeutic experience on stance control knee-ankle-foot orthosis with electromagnetically controlled knee joint system in poliomyelitis. Annals of rehabilitation medicine, 40(2), 356.
12. Pröbsting, E., Kannenberg, A., & Zacharias, B. (2017). Safety and walking ability of KAFO users with the C-Brace® Orthotronic Mobility System, a new microprocessor stance and swing control orthosis. Prosthetics and orthotics international, 41(1), 65-77.
13. Molnar GE, Alexander MA, Pediatric rehabilitation 3rd ed. Philadelphia: Hanley & Belfus; 1999, pp157-178.
14. Parent S, Newton PO, Wenger DR. Adolescent idiopathic scoliosis: etiology, anatomy, natural history, and bracing. Instr Course Lect 2005; 54: 529-536.
15. Owen, Elaine. "The importance of being earnest about shank and thigh kinematics especially when using ankle-foot orthoses." Prosthetics and orthotics international 34.3 (2010): 254-269.).
16. Redford JB Basmajian JV, Trautman P : Orthotics; Clinical practive and rehabilitation technology. New York: Churchill Livingstone Inc, 1995; pp137-165, pp257-284.
17. Tom F. Novacheck, Gary Kroll, Aaron Rasmussen, 33 - Orthoses for Cerebral Palsy, Editor(s): Joseph B. Webster, Douglas P. Murphy, Atlas of Orthoses and Assistive Devices (Fifth Edition), 2019, Pages 337-349.e1.
18. Christopher D. Lunsford, Mark F. Abel, Kevin M. King, 34 - Orthoses for Myelomeningocele, Editor(s): Joseph B. Webster, Douglas P. Murphy, Atlas of Orthoses and Assistive Devices (Fifth Edition), 2019, Pages 350-358.e1.
19. Koczur EL, Strine CE, Peischl D, Lytton R, Rahman T, Alexander MA. Spinal cord injuries. In. Alexander MA, Matthews DJ. Pediatric Rehabilitation. 4th ed. New York: Demos Medical; 2010; 109-123.
20. Tachdejian MO. Pediatric orthopaedics. 2nd ed. Philadelphia: Saunders, 1990.
21. 김장환, 박윤서, 송준찬, 박근실 외. 의지.보조기학. 제5판. 탑메디오피아; 2020.
22. Moore DP, Tiley E, Sugg P. Spinal orthoses in rehabilitation. In: Braddom RL. Physical medicine & rehabilitation. 4th ed. Philadelphia: Elsevier Saunders; 2011; 359-372.
23. Ugwonali OF, Lomas G, Choe JC, Hyman JE, Lee FY, Vitale MG, Roye DP Jr : Effect of braicing on the quality of life of adolescents with idoiopathic

scoliosis. Spine J 2004; 4(3): 254-260.

24. 소아에게 흔한 근골격계 문제. In: 한태륜, 방문석, 정선근. 재활의학. 제6판. 파주: 군자출판사; 2019.
25. 뇌성마비의 재활. In: 한태륜, 방문석, 정선근. 재활의학. 제6판. 파주: 군자출판사; 2019.
26. Pellow TR. A comparison of interface pressure reading s to wheelchair cushions and positioning: a pilot study. Can J of Occup Ther. 1999;66(3):140-7.
27. Zollars A, Knezevich J. Special Seating: An Illustration Guide. Minneapolis, MN: Otto Bock Orthopaedic Industry, Inc.; 1996.
28. Cook AM, Hussey SM. Assistive technologies: Principles and Practice. Missouri: Mosbi-Yea Book, Inc.; 1995.
29. Stavness C. The effect of positioning for children with cerebral palsy on upper extremity function: a review of the evidence. Phys and Occup Ther in Ped 2006;26(3):39-51.
30. Patterson DB et al: Acceptance rate of myoelectric prosthesis. J Assoc Child Prosthet Orthoti Clin 1990; 25:73-76.
31. Rijnders LJ, Boonstra AM, Groothoff JW. Lower limb deficient children in The Netherlands: Epidemiological aspects. Prosthetics and Orthotics International 2000; 24: 13.
32. Graham JM, Miller ME, Stephen MJ. Limb reduction anomalies and early in-utero limb compression. J Pediatr 1980; 96: 1052-1056.
33. Herring J, Birch J. The child with a Limb Deficiency. Rosemont, IL: American Academy of Orthopaedic Surgeons, 1998.
34. Panthaki JH, Armstrong MB, Panthaki ZJ. Hand abnormalities associated with craniofacial syndrome. Journal of Craniofacial Surgery 2003; 14: 709.
35. Stoll C, Rosano A, Botto LD. On the symmetry of limb deficiencies among children with multiple congenital anomalies. Annales de Genetique 2001; 44: 19.
36. Kousseff BG. Gestational diabetes mellitus (class A): A human teratogen? American Journal of medical Genetics 1999; 83: 402.
37. Mrles SL, Reed M,vans JA. Humeroradial synostosis. Ulnar aplasia and oliogodactyly, with contralateral Amelia, in a child with prenatal cocaine exposure. American Journal of Medical Genetics 2003; 116: 85.
38. Man LX, Chang B, Man L-X. Maternal cigarette smoking during pregnancy increases the risk of having a child with a congenital digital anomaly. Plastic and Reconstructive Surgery 2006; 117: 301.
39. McCredie J, Willert HG. Longitudinal limb deficiencies and the sclerotomes. An analysis of 378 dysmelic malformation induced by thalidomide. Journal of Bone and Joint Surgery 1999; 81: 9.
40. Fagelamn MF, Epps HR, Rang M. Mangled extremity severity score in children. Pediatric Orthopaedics 2002; 22: 182.
41. Poeck K. Phantoms of limbs following a amputations in early childhood and in congenital absence. Cortex 1964; 1: 269.
42. Erdmann D, Lee B, Roberts CD. Management of lawnmower injuries to the lower extremity in children and adolescents. Annals of Plastic Surgery 2000; 45: 595.
43. George EN, Schur K, Muller M. Management of high voltage electrical injury in children. European Journal of Vascular and Endovascular Surgery 2006; 32: 690
44. Yaw KM. Pediatric bone tumors. Seminars in Surgical Oncology 1999; 16: 173-183.
45. Chihara IG, Osada H, Iitsuka Y. Pregnancy after limb sparing hemipelvectomy for Ewing's sarcoma. A case report and review of the literature. Gynecologic and Obstetric Investigation 2003; 56: 218.
46. Davies MS, Nadel S, Habibi P. The orthopaedic management of children awaiting limb reconstruction treatment. Child: Care, Health, and Development, 1999; 25: 313.
47. Hamzei F, Liepert J, Dettmers C. Structural and functional cortical abnormalities after upper limb amputation during childgood. Neuroreport 2001; 12: 957.
48. Brenner C: Fitting infants and children with electric limbs. J Assoc Child Prosthet Orthoti Clin 1990; 25:30.
49. Mifsud M et al: Variety Village electromechanical hand for amputees under two years of age. J Assoc Child Prosthet Orthoti Clin 1987; 22:41-46.

50. Setoguchi Y & Rosenfelder R: The Limb Deficient Child. Springfield,III, Charles C Thomas Publishers, 1982, pp 95-97, 140-158, 180-192, 212-237.
51. clinical Experience, long-term observation, exchange of information with other health professionals, and accumulated lecture material from the Child Amputee Prosthetics Project(CAPP), University of Califormia at Los Angeles , 1972-1992.
52. Schmid H: Foot studies in children with severe upper limb deficiencies. Am Occup Ther 1971;25:160.
53. Lambert C: Amputation surgery in the Child. Orthop Clin North Am 1972; 3:473-482.
54. Aitken GT: Osseous overgrowth in amputations in children, in Swinyard CW(ed): Limb Development and Deformity; Problems of Evaluation and Rehabilitation. Springfield,III, Charles C Thomas Publishers, 1969.
55. Jeys L et al. (Abudu A, Grimer R): Oncology chapter 4: Expandable prostheses. pp1~9.
56. Beretta E, Storm FA, Strazzer S, et al. Effect of Robot-Assisted Gait Training in a Large Population of Children With Motor Impairment Due to Cerebral Palsy or Acquired Brain Injury. Arch Phys Med Rehabil 2020;101:106-12.
57. Sucuoglu H. Effects of robot-assisted gait training alongside conventional therapy on the development of walking in children with cerebral palsy. J Pediatr Rehabil Med 2020;13:127-35.
58. Esquenazi A, Talaty M. Robotics for Lower Limb Rehabilitation. Phys Med Rehabil Clin N Am 2019; 30:385-97.
59. Kim, S.K., Park, D., Yoo, B., Shim, D., Choi, J.-O., Choi, T.Y., Park, E.S. Overground Robot-Assisted Gait Training for Pediatric Cerebral Palsy. Sensors 2021;21:2087.
60. Young AJ, Ferris DP. State of the Art and Future Directions for Lower Limb Robotic Exoskeletons. IEEE Trans Neural Syst Rehabil Eng 2017;25:171-82.

SECTION **5**

질환별 재활

Specific disorders

CHAPTER 19 뇌성마비의 원인과 평가(Cerebral Palsy: Etiology and Evaluation)
CHAPTER 20 뇌성마비의 임상양상과 치료
(Cerebral Palsy: Clinical Features and Management)
CHAPTER 21 신경근육 질환(Neuromuscular Diseases)
CHAPTER 22 척수 질환(Spinal Cord Disorders)
CHAPTER 23 외상성 뇌손상과 기타 뇌 질환
(Traumatic Brain Injury and Other Brain Disorders)
CHAPTER 24 소아재활영역에서 흔히 보는 유전 질환
(Common Genetic Disorders in Pediatric Rehabilitation)
CHAPTER 25 소아기 정신장애(Childhood Mental Disorder)
CHAPTER 26 근골격계 질환(Musculoskeletal Disorders)
CHAPTER 27 소아암 재활(Pediatric Cancer Rehabilitation)
CHAPTER 28 뇌전증(Epilepsy)

CHAPTER

19 뇌성마비의 원인과 평가

Cerebral Palsy: Etiology and Evaluation

임신영, 정한영

뇌성마비로 추정되는 장애는 고대 이집트 벽화 등에서 발견되고 있어 뇌성마비는 인류의 역사와 거의 함께 있었던 것으로 추정된다. 영국의 의사인 리틀(William John Little; 1810~1894)은 1861년에 하지 마비, 경직 및 변형을 갖고 있는 아동들의 임상적 특성 및 이들의 과거력을 보고하였는데, 리틀은 이들의 증상이 뇌출혈 및 분만 과정의 무산소증에서 기인한다고 생각하였고, 이는 의학 문헌상에 기록된 뇌성마비에 대한 첫 보고인 것으로 알려져 있다. 이에 뇌성마비는 리틀씨병(Little's disease)으로 명명되었다가, 1889년 영국의 오슬러(William Osler; 1849~1919)에 의하여 뇌성마비(cerebral palsy)라는 용어가 처음으로 사용되었다고 한다. 한편 1897년 프로이드(Sigmund Freud; 1856~1939)는 뇌성마비는 분만 시 외상보다는 자궁 내 발달 이상과 관련된다고 기술하였다. 리틀과 프로이드의 기술 이후, 난산 및 자궁 내 발달 이상은 뇌성마비의 중요한 위험 인자로 현재까지 인식되고 있다.[1,2]

1. 뇌성마비의 정의

뇌성마비의 정의로는 1964년 Bax가 제안한 정의가 널리 이용되었고,[3] 이는 2006년에 다음과 같이 개정되었다. 뇌성마비는 태아 혹은 영아의 뇌에 발생하는 비진행적인 손상에 의한 운동 및 자세의 이상을 초래하는 질환군으로, 이로 인하여 활동의 제한이 초래되며, 감각, 인지, 의사소통, 지각, 행동 및 경련 등이 흔히 동반된다.[4]

1964년 정의와의 주된 차이점으로는 세계보건기구의 기능, 장애 및 건강에 대한 국제 분류의 용어인 활동 제한(activity limitation)의 개념이 도입되었다는 것과 운동 및 자세의 이상과 함께 뇌성마비에서 흔히 동반되는 수반 장애에 대한 언급이 있었던 점이라 하겠다. 정의에 미성숙한 뇌에 대한 구체적 언급은 없으나 생후 2~3년까지를 포함하는 것으로 설명 되어있다.

2. 뇌성마비의 역학

선진국의 뇌성마비 유병률은 1,000명의 생존아 중 2~2.5명으로, 1970년대 이후에도 유병률은 상당히 일정하게 유지되고 있다. 개발도상국에서는 신생아 가사 및 저체중아 출생률이 선진국에 비하여 상대적으로 높아 이와 관련하여 뇌성마비 유병률이 선진국에 비하여 상대적으로 높을 것으로 추정되고 있다.[5-9] 1999년 Liu 등은 7세 미만의 중국 아동에서 뇌성마비 유병률은 1,000명당 1.6명인 것으로 발표하였다.[10] 영유아 건강검진 사업 자료 및 국민건강보험 자료를 이용한 국내 연구에 의하면 국내 뇌성마비 유병률은 1,000명당 2명인 것으로 보고되었다.[6]

주산기 가사보다는 자궁 내 성장 지연이 뇌성마비와 더 연관된다는 프로이드의 주장에도 불구하고, 리틀의 1861년 논문 이후 약 100년간 뇌성마비는 주로 주산기 가사에 의하여 발생한다는 것이 일반적인 견해였다. 이러한 이유로 뇌성마비의 유병률이 산과 시술 및 신생아 치료 질평가(quality measurement)의 한 지표로 이용되기도 하였다. 1960년대 이후 전자태아 감시술과 제왕절개술의 도입으로 태아의 절박 상태를 조기에 발견하고, 제왕절개술을 통하여 난산에 의한 주산기 질식을 감소시킴으로써 뇌성마비의 발생을 줄일 수 있을 것이라는 낙관적 견해가 등장하기도 하였다. 그러나 제왕절개술 및 전자태아 감시술의 도입에도 불구하고 뇌성마비의 유병률은 감소하지 않았다.

이러한 현상은 뇌성마비 발생에 있어서의 난산 및 주산기 가사 등의 역할에 관한 의문을 제기하게 되었다. 의학의 발달과 함께 1960년대 이후 신생아 사망률은 현저히 감소하였으며, 이는 주로 극소 저체중 출생아(very low birth weight infant; 출생 시 체중이 1,500 g 미만)와 초극소 저체중 출생아(extremely low birth weight infant: 출생 시 체중이 1,000 g 미만)의 생존율 증가에서 기인하였다. 즉, 출생 시 체중이 1,500 g 미만인 극소 저체중 출생아는 1970년에는 1,000명 중 약 300명이 생존한 반면 1994년에는 약 850명까지 생존하게 되었다.[9] 현재 일반 인구집단에서 36주 이전에 출생한 미숙아의 비율이 약 7.5%인 것에 비하여 뇌성마비군에서는 미숙아의 비율이 40~50%이 달한다. 특히 극소 저체중 출생아는 일반적으로 총 출생아의 1~2% 미만이나 뇌성마비군에서는 25~30%를 차지한다. 한 체계적 고찰 및 메타 분석 연구에 따르면, 1,000명의 생존아당 뇌성마비 유병률을 출생 시 체중에 따라 분류하면, 출생 체중 2,500 g 이상인 정상체중 출생아에서는 1,000명의 생존아 당 1.3명, 저체중 출생아(2,499~1,500 g)에서는 10명, 출생 시 체중 1000~1499 g에서는 59명, 그리고 출생 시 체중 1,000 g 이하에서는 1,000명의 생존아 당 56명의 뇌성마비 유병률을 보였다.[8]

한국 뇌성마비 데이터베이스를 분석한 한 국내 연구에 따르면 뇌성마비군에서 미숙아와 저체중 출생아가 각각 약 60%에 해당했다. 후천성 뇌성마비는 약 15%이며, 경직성 뇌성마비는 87%, 이상운동성 뇌성마비는 5%였다. 이상운동성 뇌성마비아의 기능 수준이 가장 낮았다. 동반질환으로는 언어 지연 및 장애(43.9%), 안과 질환(32.9%) 및 지적장애(30.3%)가 가장 흔한 동반 질환으로 보고되었다. 뇌성마비군의 뇌 자기공명 촬영 소견은 정상 10%, 선천성 뇌기형 10%, 뇌실주위백질연화증 등을 포함하는 비정상 소견이 77%로 가장 흔하였다.[11]

3. 뇌성마비의 병리학적 소견

뇌성마비의 주요 병리학적 소견은 다음과 같이 분류할 수 있으며, 각각에 대하여 알아보기로 한다: 1) 저산소성 허혈성 뇌병증(hypoxic-ischemic encephalopathy), 2) 배아기질-뇌실 내 출혈(germinal matrix-intraventricular hemorrhage), 3) 빌리루빈뇌증(bilirubin encephalopathy).[12]

1) 저산소성-허혈성 뇌증

저산소성-허혈성 뇌증은 뇌의 산소 공급 감소나 허혈에 의한 뇌손상으로 흥분성 아미노산과 자유 라디칼(free radical) 등에 의한 이차적 뇌손상으로 유발된다. 태아의 일부 신경원(neuron)에는 흥분성 아미노산 수용체가 과다 표현되어 있어 흥분성 아미노산 손상에 보다 민감하며, 또한 미성숙한 희소돌기아교세포(oligodendrocyte)는 자유 라디칼 공격에 보다 손상을 받는 것으로 알려져 있어, 태아 및 영아의 뇌가 성인에 비하여 저산소성-허혈성 손상에 강할 것이라는 생각은 사실과 다르다. 저산소성-허혈성 뇌증은 기전 및 특성에 따라 다음과 같이 분류할 수 있으며, 각각에 대하여 알아보기로 한다: (1) 선택적 신경원 괴사(selective neuronal necrosis), (2) 시상 주위 대뇌 손상(parasagittal cerebral injury), (3) 뇌실주위백질연화증(periventricular leukomalacia), (4) 국소적/다초점 허혈성 뇌괴사(focal and multifocal ischemic brain necrosis).

(1) 선택적 신경원 괴사

선택적 신경원 괴사는 저산소성-허혈성 뇌증의 가장 흔한 형태로서 저산소성-허혈성 손상에 의하여 대뇌 피질의 신경원, 기저핵, 시상(thalamus) 등의 심부 구조나 뇌간 특히 중뇌, 교뇌(pons) 등이 선택적으로 괴사되는 현상을 말한다(그림 19-1).

대뇌를 구성하는 세포 중에서 신경원, 희소돌기아교세포, 성상세포(astrocyte), 미세아교세포(microglia)의 순으로 저산소성-허혈성 손상에 민감한 것으로 알려져 있으며 따라서 이러한 생리적

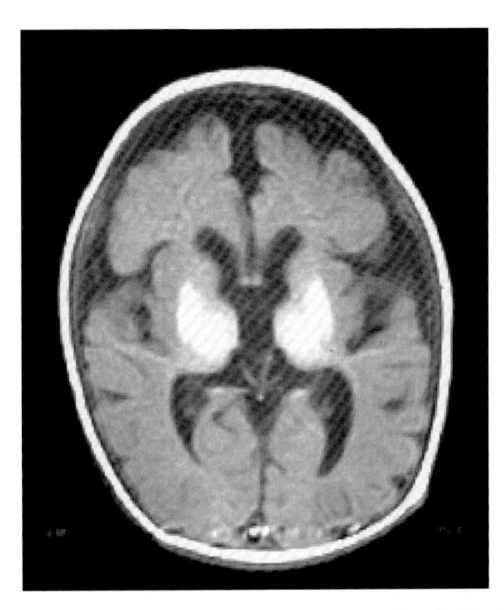

그림 19-1 저산소성-허혈성 손상에 의한 양측 기저핵과 시상의 선택적 신경원 괴사를 보이는 뇌자기공명촬영 소견(생후 5개월 남아).

특성으로 저산소성-허혈성 손상 시 신경원이 선택적으로 괴사되는 것으로 생각된다. 또한 저산소성-허혈성 손상의 정도 및 기간, 손상의 급성 혹은 만성 여부에 따라 손상 신경군 및 손상 정도가 결정된다. 예를 들면 저산소성-허혈성 손상이 상당히 만성적으로 지속되는 경우, 뇌간으로의 혈류가 우선적으로 공급되어 상대적으로 뇌간이 보호될 수 있으나, 저산소성-허혈성 손상이 갑자기 발생하는 경우 이러한 재배열의 여지없이 뇌간의 손상이 유발될 수 있다. 또한 신경원에 표현되어 있는 흥분성 아미노산 수용체의 표현 정도에 따라 손상 신경원이 결정되는 바, 태아의 기저핵과 시상 그리고 해마(hippocampus)에는 흥분성 아미노산인 글루타민산염(glutamate) 수용체가 과다 표현되어 있어 따라서 이러한 부위가 저산소성-허혈성 손상에 의한 흥분성 아미노산이 우선적으로 손상된다. 임상 양상은 손상된 신경원군의 기능에 따라 나타나며, 대부분의 경우 인지 기능 저하가 나타난다.

특히 저산소성-허혈성 손상 이후 기저핵과 시

상에 선택적 손상을 보이며 육안적으로 얼룩얼룩한 대리석의 모습을 보이는 경우를 대리석양상태(status marmoratus)라고 하며, 이는 저산소성-허혈성 손상에 의한 선택적 신경원 괴사 및 잔존하는 희소돌기아교세포에 의하여 수초화(myelination)가 과다하게 진행되어 얼룩얼룩한 대리석 같은 모습을 보이는 것을 말한다. 이는 저산소성-허혈성 손상 이후에 적어도 과다한 수초화(myelination)를 유발할 수 있는 희소돌기아교세포가 잔존하여 기능할 때 이러한 대리석양상태가 유발되는 것으로 추정된다.

(2) 시상 주위 대뇌 손상

시상 주위 대뇌 손상은 만삭아에서 특징적으로 발생하는 바, 저산소증보다는 허혈에 의하여 초래되는 뇌증이다. 만삭아에서는 시상 주위가 주요 대뇌 동맥들의 경계구역(border zone)으로서, 허혈성 손상 시 혈류가 가장 먼저 감소하여 이에 따른 허혈성 손상이 유발된다(그림 19-2).

하지만 허혈성 손상에 대하여 어느 경우에 시상 주위 대뇌 손상이 유발되고 어느 경우에 선택적 신경원 괴사가 유발하는 지는 아직 명확하지 않다. 시상 주위 대뇌 손상은 시상면의 대뇌 피질 및 피질하백질이 우선적으로 손상되고 그림 19-2와 같은 기전에 의하여 하지보다는 상지, 원위부보다는 근위부의 이상을 주로 나타낸다.[12]

(3) 뇌실주위백질연화증

뇌실주위백질연화증은 32~34주 이전의 미숙아에서 나타나는 소견으로 뇌실 주위 백질의 선택적 괴사에 의한 병증을 말한다. 뇌실주위백질연화증은 뇌실을 따라 전반적으로 백질이 손상된 경우(그림 19-3)와 국소적 백질 손상으로 나눌 수 있다.[12]

국소적 뇌실주위백질연화증은 뇌실 주위 백질의 국소적 괴사에 의하여 낭성 뇌실주위백질연화증(cystic periventricular leukomalacia)을 보인다.[12] 28~32주 이전 태아에서는 다음과 같은 생리학적 특성에 의하여 뇌실 주위 백질이 허혈성 손상에 선택적으로 손상되어 뇌실주위백질연화증이 특징적으로 발생한다: (1) 28~32주 이전, 태아의 뇌

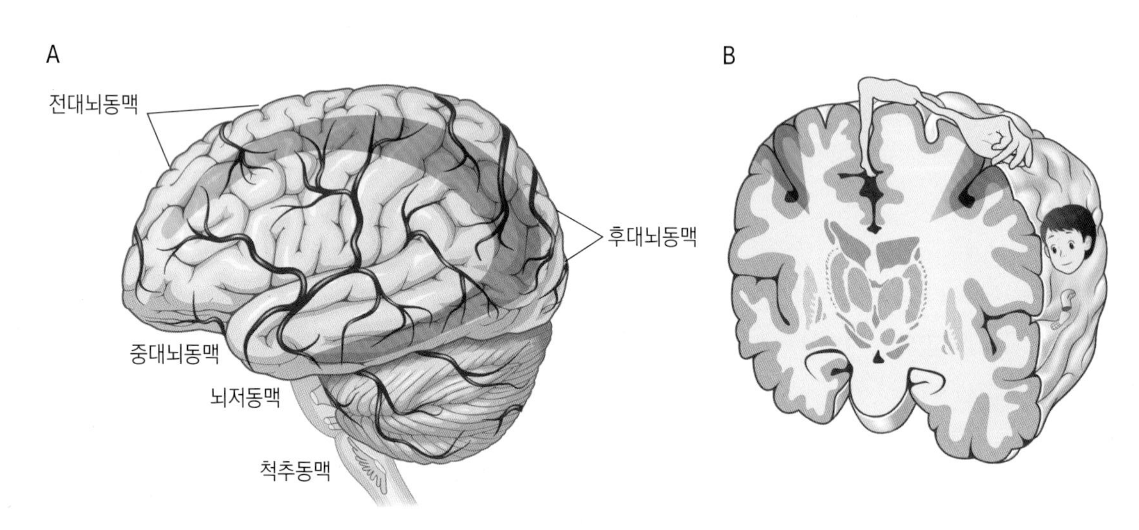

그림 19-2 시상주위 대뇌손상의 도식적 그림
A. 주요 대뇌 동맥들의 경계구역에 해당하는 시상
B. 시상 주위 대뇌손상 시 피질 및 피질하 백질이 일차적으로 손상된다.

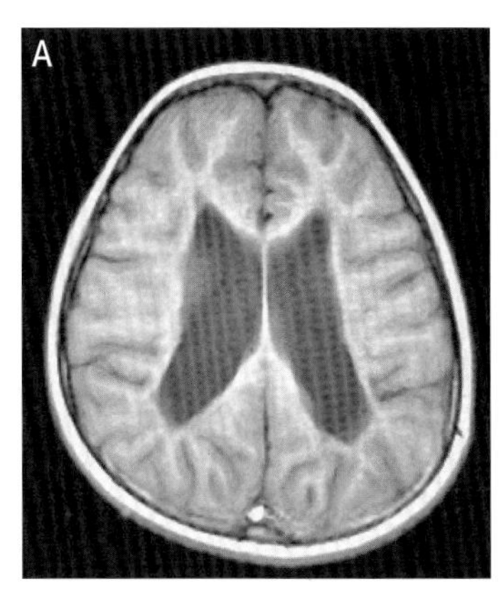

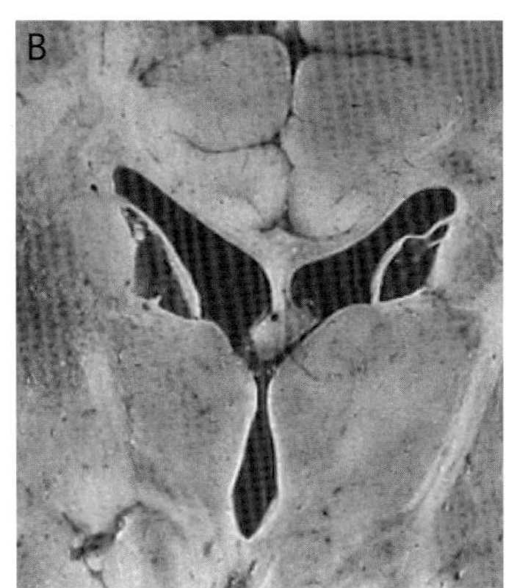

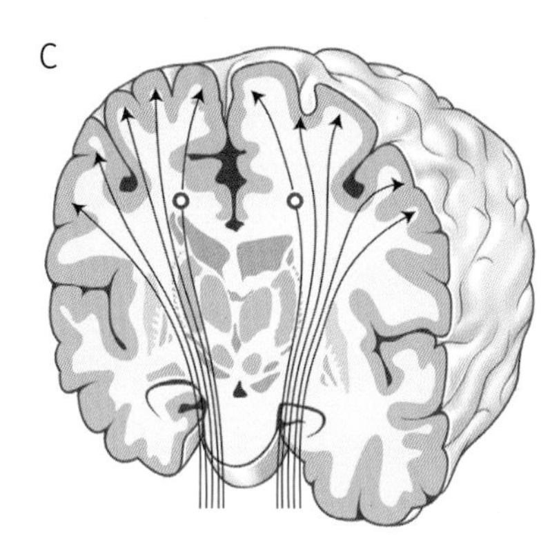

그림 19-3 뇌실주위 백질연화증
A. 뇌실주위 백질연화증을 보이는 뇌자기공명촬영. 측뇌실의 윤곽이 매끄럽지 않고 전반적인 뇌실주위 백질의 양이 감소되어있다(8세의 경직성 뇌성마비 GMFCS level IV 아동).
B. 뇌실주위 백질 낭(cyst).[10]
C. 측뇌실 외측과 속섬유막(internal capsule)을 통과하는 피질 척수로의 도식적 그림.

실 주위 백질은 동맥의 말단부에 위치하는 분수계(watershed area)에 해당하여 허혈 상황에서 우선적으로 손상을 받게 된다. (2) 백질의 혈류가 성인의 50 mL/100 mg/min에 비하여 5.0 mL/100 mg/min로 평상시에도 상당히 적은 혈류에 의하여 유지되고 있어 적은 혈류의 감소에도 허혈성 손상이 유래될 수 있다. (3) 전신 혈압의 변동에도 불구하고 뇌혈류는 일정하게 조정되는 자가조절기능이 있으나, 28~32주 이전의 태아에서 뇌혈류의 자가조절력이 없거나 혹은 자가조절범위가 상당히 좁아서 전신 혈압이 감소하면 뇌혈류도 감소하게 되어 뇌의 손상이 초래된다. (4) 태아의 희소돌기아교전세포(preoligodendrocyte)는 만삭아의 성숙한 희소돌기아교세포보다 자유 라디칼 공격에 상대적으로 쉽게 손상된다.[13]

허혈성 손상에 대하여 만삭아는 주로 시상 주위 대뇌 손상이 초래되고, 미숙아에서는 주로 뇌실주위백질연화증의 형태로 나타나는 기전은 미숙아의 뇌에는 경막동맥(meningeal artery)의 문합이 풍부하여 이러한 문합을 통하여 대뇌피질 및 피질하백질의 혈류가 보전되기 때문이며, 이러한 경막동맥의 문합은 만삭 이후에 소멸되어 만삭아에서는 시상 주위가 경계 구역이 되는 것으로 생각되고 있다. 뇌실주위백질연화증과 관련된 뇌성마비의 임상적 특징은 경직성 양지마비로서 상지에 비하여 하지가 우선적으로 손상을 받게 되는데 이는 운동피질에서 시작하여 뇌실 바깥쪽을 통과하는 피질 척수로(corticospinal tract)의 해부학적 배열이 뇌실 가장 가까운 안쪽부터 다리, 몸통, 팔, 얼굴의 순으로 배열되어 있어 뇌실주위백질연화증에서는 하지가 우선적으로 손상을 받게 되기 때문이다(그림 19-3).

(4) 국소적/다초점 허혈성 뇌괴사

국소적/다초점 허혈성 뇌괴사는 저산소성-허혈성 뇌증의 하나로서, 주요 대뇌 동맥의 허혈에 의한 뇌괴사를 뜻하며, 무뇌수두증(hydranencephaly), 공뇌증(porencephaly; 그림 19-4),[14] 다발성 낭종성 뇌연화증(multiple cystic encephalomalacia) 등이 국소적/다초점 허혈성 뇌 괴사에 해당한다.

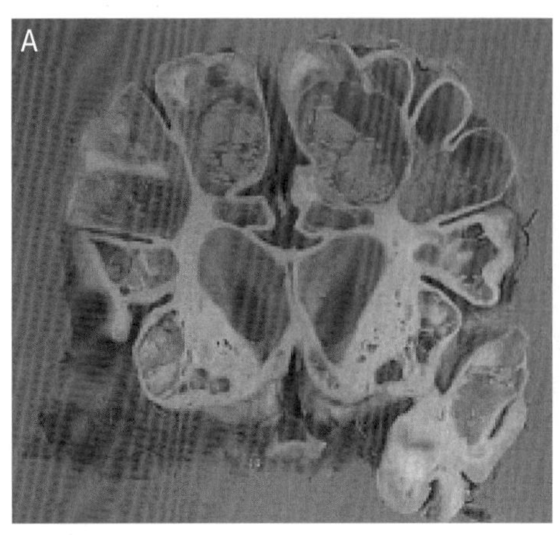

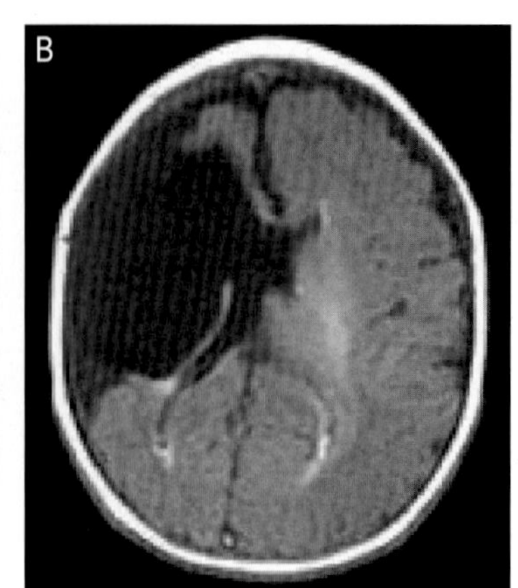

그림 19-4 공뇌증(porencephaly)
A. 육안적 소견[14]
B. 뇌자기공명촬영 소견(생후 3개월 남아)

임신 초기 태아의 뇌는 성숙한 뇌에 비하여 높은 수분 함량, 불완전한 수초화 및 성상세포에 의한 신경아교증(gliosis)의 부재 등에 의하여 무뇌수두증, 공뇌증 등의 상당히 심한 정도의 뇌괴사가 발생할 수 있다. 국소적/다초점 허혈성 뇌괴사는 다양한 원인에 의한 주요 대뇌 동맥의 혈류 중단 혹은 심한 감소에 의하여 유발되는 바, 특히 제5 혈액 응고 인자(factor V) 유전자의 단일 아미노산 치환에 의한 제5인자 라이든(factor V Leiden)을 보유하는 경우와 항인지질 증후군(antiphospholipid syndrome)으로 인한 혈액 응고 과다 상태 등이 이에 해당한다.

2) 배아기질-뇌실 내 출혈

미숙아에서 뇌성마비를 유발하는 특징적인 뇌병변 중의 하나가 배아기질-뇌실 내 출혈로서, 이는 뇌실막밑(subependyma)에 위치하는 배아기질 및 뇌실 내 출혈을 뜻한다. 배아기질은 제태기간 32~34주경에 소멸되는 특징적인 구조로서 측뇌실과 미상핵(caudate nucleus)의 머리 및 시상 사이에 위치한다(그림 19-5).[12]

배아기질에서 신경원 및 아교세포가 분화, 발달하여 최종 위치로 이동하게 되며 배아기질은 이러한 기능을 수행한 후 32~34주에는 자연 소멸하여 만삭에 출생한 태아의 뇌에는 배아기질이 더 이상 존재하지 않는다. 배아기질은 세포가 대단히 촘촘하게 밀집되어 있고, 동시에 혈관 분포가 매우 풍부한 구조물이다. 배아기질의 혈관은 불규칙한 형태의 내피세포로 구성된 모세혈관으로서, 이러한 혈관 구조의 특성으로 쉽게 출혈된다. 혈압이 상승하거나 혈류가 증가하는 등의 상황에서 출혈되며 이러한 출혈에 의하여 배아기질이 파괴되고 출혈 후 정맥혈의 울혈에 의한 경색, 그리고 뇌수종 등의 2차적 상황이 발생할 수 있으며 이로 인하여 뇌성마비가 유발된다.

3) 빌리루빈뇌증

빌리루빈은 적혈구 대사 과정의 대사물로서, 빌리루빈뇌증이 유발되려면 빌리루빈이 혈액뇌장벽(blood-brain barrier)을 통과하여 신경원에 도달

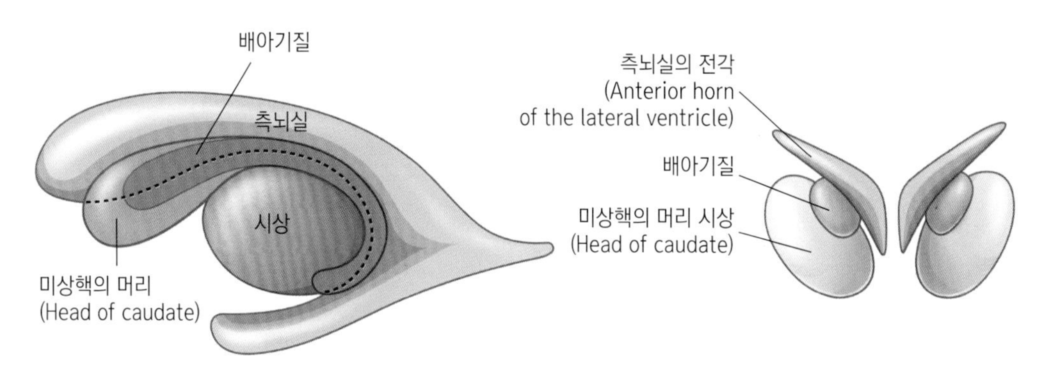

그림 19-5 배아기질의 도식적 그림

하여야 하며, 알부민과 결합되지 않은 빌리루빈산(bilirubin acid)이 특별히 신경원에 강한 독성을 갖는다. 혈액뇌장벽이 유지되어 있는 상태에서도 발작 등에 의하여 갑자기 뇌혈류가 증가할 때는 알부민과 결합되지 않은 빌리루빈이 혈액뇌장벽 세포막의 인지질과 결합한 빌리루빈-인지질 복합체의 형태로 혈액뇌장벽을 통과하여 신경원에 도달할 수 있다. 급성 빌리루빈뇌증 즉, 핵황달은 빌리루빈에 염색된 신경원의 괴사를 특징으로 하며 이러한 신경원의 염색은 약 7~10일간 유지된다. 빌리루빈은 특징적으로 기저핵과 뇌간에 위치하는 동안신경 및 와우신경의 핵을 침범하며 이러한 특정 신경원군에 대한 선택적 침범의 기전은 아직 명확하지 않다. 따라서 전형적인 빌리루빈뇌증에 의한 뇌성마비에서는 추체외로이상 즉 불수의운동과 주시운동장애(gaze abnormality)와 청력장애 특히 감각신경성난청 등의 특징적인 증상이 나타난다. 따라서 전형적인 빌리루빈뇌증에 의한 뇌성마비 아동의 약 50%에서는 인지기능이 비교적 잘 유지되어 있다. 신생아가 주산기 가사 등으로 대사성산증을 보이는 경우 독성이 강한 빌리루빈산의 형태가 증가하면서 빌리루빈의 총량은 그리 높지 않아도 빌리루빈뇌증의 정도가 심하게 된다.

4. 뇌성마비의 원인

뇌성마비의 역학에서 기술한 바와 같이 뇌성마비의 유병률은 1970년대 이후 1,000명의 생존아 중 2~2.5명으로 일정하게 유지되고 있고, 주산기 가사를 보인 영아의 상당수가 선천성 뇌기형 등의 선천성 이상 소견을 보여서, 주산기 가사 등의 분만 사건과 뇌성마비 발생의 연관성에 대하여 의문이 제기되었다. 현재 주산기 가사와 관련된 뇌성마비는 전체 뇌성마비의 6~8%에 해당하며, 뇌성마비의 75% 이상이 출생 전 인자와 관련되는 것으로 알려져 있다. 또한 미숙아, 저체중아 특히 32주 이전에 출생한 극미숙아 및 극소 저체중 출생아에서의 뇌성마비 유병률이 현저히 높아 현재로서는 조산 및 저체중출생이 뇌성마비 발생과 관련된 가장 강력한 위험인자로 알려져 있다.[15-19] 이외에 자궁 내 성장지연, 주산기감염 및 다태임신이 뇌성마비의 강력한 위험 인자로 알려져 있다.[17] 강력한 위험인자가 단독으로 뇌성마비를 유발할 수 있으나, 여러 위험인자가 동시에 작용하여 뇌의 생리적 방어기전이 실패함으로써 뇌성마비가 발생하는 것이 일반적인 기전일 것으로 판단된다.[16]

1) 임신 전 뇌성마비의 원인 및 위험인자

뇌성마비 발생과 관련된 후보유전자는 제5인자 라이든, methylenetetrahydrofolate reductase (MTHFR), 알파 림프독소(lymphotoxin α), tumor necrosis factor-α, eNOS와 mannose binding lectin 등이 알려져 있다.[18] 유전적 감수성(genetic vulnerability)이 있는 경우 이차적인 환경적 스트레스가 추가될 경우 뇌성마비의 발생이 증가하는 것으로 생각된다.[18] 어머니가 임신 시 20세 미만 혹은 40세 이상인 경우도 뇌성마비의 위험이 증가하는 것으로 알려져 있다. 어머니의 연령이 너무 어려도 산전관리 등이 잘 이루어지지 않는 경우가 흔하고 고령의 어머니에서는 태아의 염색체 이상 등이 증가하기 때문이다. 이전 사산력이 있거나, 어머니의 인지장애, 간질, 갑상선 질환 등도 뇌성마비의 위험 증가와 관련된다.[20]

2) 임신 중에 발생하는 뇌성마비의 원인 및 위험인자

일반 인구의 약 4.9%가 선천성 뇌기형을 갖고 있는 반면, 중등도 혹은 중도의 뇌성마비군의 약 29.3%에서 선천성 뇌기형을 보이는 바, 선천성 뇌기형은 잘 알려진 뇌성마비의 원인이다. 원발성 뇌기형은 기형발생물질(teratogen) 혹은 유전적 변이 등으로 임신 초기의 배아발생과정(embryogenesis)이 교란되어 발생한다. 뇌회결손(lissencephaly), 다소뇌회증(polymicrogyria), 분열뇌증(schizencephaly), 회백질 이소증(gray matter heterotopia) 등의 신경원이동질환(neuronal migration disorder)이 이러한 원발성 뇌기형에 해당한다. 임신 7주경 배아 기질에서 신경원과 아교세포가 생성, 증식하고 임신 8주경에 최종 목적지로 이동을 시작하는데, 신경원 이동 질환은 이 과정에 이상이 발생하는 것이다. 회백질 이소성은 주로 경기의 발생과 관련되나 운동영역 침범 시 뇌성마비를 유발한다. 한편 무뇌수두증, 공뇌증, 다발성 낭종성 뇌연화증 등의 파괴성 뇌증(clastic encephalopathy) 등의 선천성 뇌기형은 주로 감염, 저산소성-허혈성 손상 등에 의한 파괴성 뇌증에 해당한다. 이러한 파괴성 뇌증에 관하여는 뇌성마비의 병리 소견을 참고하기 바란다.

임신 전기 및 중기의 풍진(rubella), 거대세포바이러스(cytomegalovirus), 톡소포자충증(toxoplasmosis) 등의 모체 감염은 태아의 뇌성마비 발생과 관련되어있다. 홍역, 볼거리, 풍진의 복합 백신을 통하여 가임 여성의 풍진 감염을 크게 예방할 수 있게 되어, 결과적으로 선천성과 관련된 풍진증후군과 뇌성마비는 현저히 감소하였고, 현재 거대세포바이러스는 뇌성마비를 초래하는 가장 흔한 선천성 감염으로서 현재로서는 효과적인 백신이 없다. 톡소포자충증은 임신부가 고양이와의 접촉을 피하고 고기를 잘 조리하여 완전히 익히는 것이 권장되고 있지만 효과적인 예방법은 아직 없는 실정이다. 자궁 내 감염 특히 임신 후반부 혹은 분만기의 융모양막염(chorioamnionitis)은 만삭아와 미숙아 모두에서 뇌성마비의 발생과 뇌실주위백질연화증과 관련되는 것으로 알려져 있다.[21]

만삭아 모체의 전자간증(preeclampsia)은 뇌성마비의 위험을 증가시키는 한편 미숙아에서의 전자간증은 카테콜아민의 분비를 높여 태아의 성숙을 촉진시킬 수도 있어 미숙아의 전자간증은 뇌성마비 발생의 위험 증가와 관련되지는 않은 것으로 생각된다. 최근 임신 연령이 증가하고, 배란 촉진제를 사용한 불임 치료 등과 관련하여 다태임신이 증가하고 있으며, 이러한 다태임신에서 자궁 내 성장 지연, 기형 등이 흔하고 이와 관련되어 뇌성마비의 위험이 증가할 수 있다. 또한 단일융모막을 갖는 쌍생아(monochorionic twin)에서 한 태아의 사산(co-fetal death)이 있는 경우에서 뇌성마비의 위험은 약 6~11배까지 증가하는 것으로 보고되고 있어 다태임신과 관련된 뇌성마비의 발생이 증가하고 있다.

모체의 갑상선 호르몬 T4는 태아 신경원의 이동 및 기능 유지를 위하여 필수적이다. 임신 초기의 요오드 부족(iodine deficiency)은 경직성 마비 및 청각장애를 특징으로 하는 크레틴병(cretinism)을 유발하여 뇌성마비를 초래할 수 있다. 또한 메칠수은 중독에 의한 미나마따병(Minamata disease)과 임신기간 모체의 알코올 과다 섭취 및 이로 인한 태아 알코올 증후군은 뇌성마비의 원인이 될 수 있다. RH 음성 혈액형을 가진 어머니가 RH 양성 혈액형의 아이를 임신 후 RH 양성 혈액형 아기를 다시 임신하게 되었을 때 RH 부적합(RH incompatibility)에 의한 적혈구의 과다 파괴 및 빌리루빈뇌증이 초래될 수 있다.

3) 분만 과정의 인자

태반조기박리, 제대 탈출(cord prolapse)과 자궁파열은 뇌성마비의 강력한 원인 인자이나, 이러한 사건은 다행히도 흔하지 않다. 분만 과정의 과다출혈, 두개골반 불균형 혹은 비정상 태위로 인한 지연 분만, 분만 중 외상 등도 분만 과정의 위험인자로 알려져 있다. 조기 양수파열 또한 뇌성마비의 중요한 위험인자로 알려져 있다. 그러나 분만 과정의 사건이 뇌성마비 발생의 직접적인 원인으로 간주되기 위하여는 미국 산부인과 학회에서 제안한 다음의 네 조건을 동시에 모두 만족시켜야 한다: (1) 출생당시 태아의 제대 동맥혈에서 대사성 산증의 증거가 있어야 한다(pH<7이며 동시에 염기부족≥12 mmol/L). (2) 제태 기간 34주 이후에 출생한 신생아에서 중등도 혹은 중도의 신생아 뇌증이 있어야 한다. (3) 경직성 혹은 운동이상형(dyskinetic) 뇌성마비에 해당한다. (4) 외상, 응고장애, 감염성 질환 혹은 유전질환 등의 원인이 없어야 한다.[22]

4) 후천성 원인

뇌성마비의 후천성 원인으로는 선진국의 경우는 감염과 뇌손상이, 그리고 개발도상국에서는 감염과 열성경련이 흔한 것으로 보고되어 있다. 특히 만 5세 이전에 발생하는 후천성 원인의 50% 정도가 첫 12개월 내에 발생하며 이러한 후천성 원인은 빈곤과 안전하고 효과적인 양육에 대한 인식부족에서 기인하는 것으로 생각된다. 헤모필루스 인플루엔자 B형 바이러스(Hemophilus influenza type B)에 의한 뇌수막염 및 이로 인한 후천성 뇌성마비는 1993년에 헤모필루스인플루엔자 B형 바이러스에 대한 백신이 도입되면서 현저히 감소하였다. 또한 출생당시 비타민 K를 근육 내 주사하여 태아의 출혈을 감소시켜 이에 따른 뇌성마비도 감소하였다. 또한 영아돌연사증후군(sudden infant death syndrome)에 대한 방지 교육 등도 이로 인한 뇌성마비의 발생을 줄이는데 기여하였다.

5. 뇌성마비의 진단과 평가

뇌성마비의 진단은 본 병증의 정의 자체가 임상적인 관찰과 판단을 기초로 만들어졌기 때문에 본 병증의 진단 역시 검사실 검사나 신경방사선학적인 검사보다는 아동의 병력과 의사의 임상적인 검진에 기초하여 진행되는 것이 일반적이다. 따라서 기본적인 병력 청취, 이학적, 신경학적 검진, 그리고 이렇게 얻은 임상적 평가를 도와주거나 감별진단을 위해 여러 가지 검사들을 시행하게 된다. 뇌성마비 아동의 운동기능평가는 3단원을 참고하기 바란다.

1) 병력 채취 및 운동발달 관찰

뇌성마비를 진단하기 위해서는 해당 아동에 대해서 아동의 운동발달에 대해 보호자로부터의 의견 청취, 뇌성마비와 관련된 위험인자들, 가족력을 포함하는 광범위한 병력청취, 그리고 평가자가 아동의 운동발달 능력에 직접 관찰하고 평가하는 것이 중요하다. 즉 평가하고자 하는 아동의 운동발달 능력이 같은 나이 또래의 정상 운동 이정표(motor milestone), 특히 뒤집기, 앉기, 기기, 서기, 걷기 등의 운동발달이 늦거나 해당 아동의 운동이정표가 인지이정표(cognitive milestone)보다 상당히 늦다면 운동발달지연 혹은 뇌성마비를 의심할 수 있다. 또는 한 살 이전에 아동이 한쪽 손 혹은 한쪽 팔과 다리를 유난히 덜 사용한다면 편마비성 뇌성마비를 의심할 수 있다.

또한 비정상적인 움직임으로는 나이에 비해 너무 일찍 머리를 가누는 듯 보이지만 머리를 너무 뒤로 젖히고 있거나 몸통을 활이 휜 듯이 뒤로 젖히면서 뒤집거나 항상 까치발을 선다면 이것들 역시 뇌성마비를 의심할 수 있는 병력들이다. 또한 해당 연령에 비해 아동의 이상한 운동 형태를 보이는 경우, 즉 항상 다리를 뒤로 꼬면서 W자 형태로 앉지만 다리를 앞으로 펴고는 앉지 못하거나 두 다리를 교대로 움직이지 않고 토끼 같이 두 다리를 모아 깡충깡충하는 모습으로 기어 다니거나 전쟁터의 군인과 같이 팔만 사용하여 엎드린 자세로 포복하듯 기어다닌다면 이들도 중요한 단서가 될 수 있다.[23]

2) 이학적, 신경학적 진찰

철저한 신경학적, 이학적 검사가 중요하며 신생아기에는 주로 근육의 긴장도, 유아기에서는 원시반사들이 중요하며, 좀 더 성장한 아동기에는 심부건반사, 족저반사(plantar response), 발목간대성 경련(clonus) 등이 중요한 소견이다. 근육 긴장도는 유아를 편안한 자세로 유지하면서 자연스럽게 아동의 사지를 움직이면서 여러 각도에서 저항 유무에 따른 근육의 긴장도를 검진하며 특히 근육 긴장도를 검진할 때 유아를 울리지 말고 검진하는 것이 중요하다. 그러나 유아기의 근육 긴장도는 어른에 비해 상대적으로 증가한 형태로 나타나는 경우가 많아 근육 긴장도를 평가하는 데는 매우 조심스러운 접근이 필요하다. 또한 근육 긴장도를 평가하는 과정에는 객관적인 평가 방법이 별로 없기 때문에 이를 극복하기 위해서는 많은 아동을 관찰하는 임상 경험이 도움이 된다.

평가자가 유아의 머리 뒤에 손을 놓고 누운 자세에서 앉기 자세를 취할 때 아동의 머리가 뒤쪽으로 저항을 보이거나 손가락을 꽉 쥐고 펴지 않으려 하거나 두 다리가 가위처럼 꼬는 자세를 하고 있는 경우는 모두 근육 긴장도가 항진된 것을 나타내며, 팔, 다리의 한쪽에서 이런 현상이 보이면 편마비 근육 항진, 양측 다리에서만 이런 모양을 보이면 양쪽 하지의 근육 긴장도 항진이 의심되는 현상이며 이런 증상들은 뇌성마비 아동에서 흔히 발견되는 이상 반응들이다. 사지의 근육 긴장도가 아주 심하게 저하되어 고관절은 외전, 굴전, 외회전되어 있는 형태-이를 개구리가 누워있는 형태(frog leg position)-라고 하며, 또한 머리, 몸통, 팔과 다리가 바닥에 붙어 있는 것처럼 보이는 경우도 뇌성마비의 초기 증세일 수도 있으나 여러 가지 질병들과 감별 진단이 필수적이다. 뇌성마비의 가장 초기 이상 증상 중 하나는 원시반사의 지속이다.

대표적인 유아기 원시반사들로는 모로 반사(Moro reflex), 손바닥쥠 반사(palmar grasp reflex), 비대칭성 긴장성 목반사(asymmetric tonic neck reflex, ATNR), 긴장성 미로반사(tonic labyrinthine reflex, TLR) 등이 있다. 이런 원시반사들은 출생 후 대뇌피질이 성숙해지는 생후 첫 약 4~6월 동안 점차 소멸되어가고 그러면서 아동 자신의 의지에 의한 운동양상으로 발전하게 된다. 따라서 생후 6개월이 지나서도 원시반사들이 계속해서 유지되어 있거나 사지의 한쪽 부위만 남아 있거나 혹은 생후 6개월 이전이라도 원시반사를 유발시키지 않았는 데도 약 30초 이상 지속적으로 원시반사의 모습을 보인다면 이들은 모두 운동발달의 이상을 의심할 수 있는 현상들이다.[24] 또한 이런 원시반사(primitive reflex)들이 점차 소멸되면서 낙하산반사나 균형 원시반사와 같은 자세반응(postural reaction) 혹은 보호반응(protective reaction)이 나타나기 때문에, 적절한 시기에 이런 자세반응이나 보호반응이 나타나지 않는다면 이것들 또한 유아 운동발달의 이상 현상의 하나라고 할 수 있다.

3) 감별진단

다양한 대사질환, 유전질환, 퇴행성 신경질환 등은 뇌성마비 유사 운동 증상을 나타낼 수 있으므로 감별진단을 하여야 한다. 뇌성마비의 감별진단은 대개 초기에 근력저하 형태를 보이는 아동들, 현저한 운동발달지연이 있으면서 동시에 특징적인 얼굴 모양을 보이는 아동들, 운동발달지연을 가지고 있으면서 가족력이 있는 아동들, 그리고 운동발달이 어느 시점부터 퇴행 양상을 보이는 병력을 가지고 있는 아동들에게서 행해진다. 영유아기에 관찰되는 근긴장저하증은 아동이 성장하면서 경직성 마비나 운동 이상형 마비로 변화하는 경우가 자주 있어 주기적인 추적 검진이 꼭 필요하며, 지속적으로 근긴장저하증을 보이면서 운동발달이 늦은 아동들은 선천성 신경근육질환, 선천성 근육병 등이 원인이 될 수 있으므로 이들에 대한 감별진단이 필요하다.[25] 출생 때부터 근력저하를 보이면서 심부건반사가 저하되어 있거나 완전히 소실된 경우, 운동발달에 현저한 지연이 있는 아동들은 선천성 신경근육질환의 가능성을 감별하기 위한 검사가 필요하다. 그러나 신생아 근긴장저하증 아동의 약 2/3는 대개 뇌질환에 의한 중추성 병변 때문이며 약 1/3은 말초신경 혹은 근육질환 등에 의한 말초성 병변이 원인으로 알려져 있다.[25] 근력저하와 발달지연, 그리고 특징적인 얼굴 형태를 보이는 대표적인 질환으로는 프라더 윌리 증후군, 레트 증후군, 다운 증후군 등의 유전성 질환에 대한 검진이 필요하다(표 19-1).

또한 아동이 어떤 움직임이나 운동 능력이 있었다가 점차 퇴행 혹은 소실되는지 여부에 대한 병력도 중요하다. 예를 들면, 머리를 잘 가누고 기어 다니던 아동이 자꾸 넘어지더니 나중에는 전혀 못 걷는 경우라도, 부모로부터 아동의 병력을 자세히 조사하지 않거나 현재 상태만 검진하는 경우엔

표 19-1 뇌성마비아동과 감별진단이 필요한 질병들[21]

선천성 신경근육질환
영아척수성근위축, I형(Werdnig-Hoffman 병)
선천성 근디스트로피
선천성 근긴장디스트로피
유전성 운동 감각신경병증
안면 기형을 동반한 발달지연
프라더-윌리 증후군
레트증후군
다운증후군
소토스 증후군
진행성 중추신경계 질환
이염색백질이영양증
올리브교뇌소뇌위축증 (oligopontocerebellar atrophy)
Friedrich 운동실조증
모세혈관 확장성 운동실조증 (ataxia telangiectasia)
사람면역결핍바이러스 뇌병증

이 아동을 뇌성마비, 즉 비진행성 운동발달장애로 오진할 수 있기 때문에 이런 아동기에 발생하는 퇴행성 중추신경계 질환에도 관심을 가져야 한다.

뇌성마비의 감별진단 중 아래의 소견이 있으면 뇌성마비의 진단이 맞는지를 다시 한번 의심하여 보아야 한다: (1) 정상 뇌자기공명촬영, (2) 발달이 퇴보하는 경우, (3) 경직없이 근긴장저하증만 단독으로 나타나는 경우, (4) 뇌자기공명촬영상 담창구(globus pallidus)에만 단독 이상이 있을 때, (5) 가족 내 유전이 의심되는 경우, (6) 경직보다는 경축(rigidity)이나 근긴장이상증(dystonia)이 주로 나타나는 경우, (7) 하반신마비.[27] 예를 들어, 비진행적인 추체로 증상이나 추체외로 증상이 3세 이전에 나타나면서 뇌자기공명촬영 검사가 정상인 뇌성마비 유사증상을 갖는 환자에서 시행한 유전자수(copy number)검사 결과 10%가 병적 유전자수 이상에 의한 질환이 있었고, 12%는 병적의심 유전자수 이상이 있었다.[28]

경직을 보이는 뇌성마비 유사 감별 질환의 대표적 예는 다음과 같다: (1) 유전성 경직성 하반신마비(hereditary spastic paraplegia), (2) 펠리제우스-메르츠바하병(Pelizaeus-Merzbacher disease), (3) 라이소좀내 저장이상질환, (4) 평평뇌증(lissencephaly) 등의 신경원이동 이상질환(neuronal migration disorder), (5) 전뇌분할이상질환(disorders of forebrain cleavage). 핵황달 등의 명확한 과거력이 없이 이상운동증을 주로 보이는 경우는 특히 감별진단에 보이는 뇌성마비 유사 감별 질환의 예는 다음과 같다: (1) 카테콜아민 등의 신경전달물질 이상질환, (2) 포도당 수송체 1형 결핍 스펙트럼질환, (3) 모노카르복실레이트(monocarboxylate) 수송체 8형 결핍, (4) 뇌의 철 축적(iron accumulation)과 관련된 신경퇴행성질환, (5) 유기산 이상 질환, (6) 사립체 질환.[27, 29] 특히 실조증을 보이는 경우는 뇌성마비 보다는 기저 질환에 의한 실조증을 보이는 경우들이 많아 감별진단에 특히 유의하여야 한다. 실조증을 보이는 뇌성마비 유사 감별 질환의 예는 다음과 같다: (1) 보조효소Q10 결핍증, (2) 선천성 당화 이상 질환(congenital disorders of glycosylation), (3) MECP2 (methyl CpG binding protein 2) 중복 증후군, (4) Joubert 증후군, (5) 엔젤만 증후군.

4) 뇌성마비 진단에 도움을 주는 검사 방법들

(1) 신경영상학적 검사

뇌자기공명영상이나 뇌초음파 검사가 널리 사용되고 있으며, 이들은 뇌성마비의 원인, 의학적 처치, 신경발달정도를 예측하는 데 활용되고 있다. 미숙아로 출생한 아동에서 가장 많이 사용되는 신경방사선 검사는 주로 뇌연화증의 평가를 위해 뇌초음파 검사가 있다. 미국 신경과학회에서는 임신 30주 이하의 미숙아는 출생 7~14일 사이, 그리고 출생 36~40주 사이에 뇌초음파 검사를 시행할 것을 권고하고 있다. 즉 임신 33주 이하의 미숙아 혹은 체중 1.5kg이하의 저체중 아동은 뇌성마비가 의심되는 증상이 없어도 출생 7일에 뇌초음파를 시행하여야 하며, 뇌성마비증상이 있다면 미숙아와 만삭아를 구별하지 말고 즉시 뇌초음파검사를 실시하고 일주일 후에 추적 검사를 실시할 것을 권고하였다.[30]

또한 뇌초음파 검사 결과는 예후를 예측하는 과정에도 활용되고 있으나, 미만성 뇌손상이나 비낭성백질병변(non-cystic white matter abnormality)은 뇌초음파 검사로 잘 발견하기 어려운 경우가 있어, 이런 경우엔 뇌초음파 검사보다 뇌자기공명영상 검사가 더 유용하다고 알려져 있다. 미국 신경과학회는 원인을 알 수 없으나 뇌성마비가 의심되는 아동의 경우엔 컴퓨터단층촬영 검사보다는 자기공명영상검사가 권장된다고 하였다. 최근 보고에 의하면 뇌성마비 아동에 대해 시행한 뇌자기공명영상 검사에서 이들의 80%에서 비정상인 소견을 발견할 수 있었다는 보고가 있고,[31] 또 다른 대단위 연구에서도 뇌자기공명영상 검사를 수행한 뇌성마비 아동 중 11.7%에서만 이상소견을 발견할 수 없다는 보고가 있어[32] 대다수의 뇌성마비 아동은 자기공명영상 검사로 뇌신경계에 대해 유용한 정보를 얻을 수 있을 것으로 판단된다.

(2) 혈액학적 검사

실험실 검사로는 대개 근력 저하의 원인을 감별하기 위해 사용하며 검사 내용으로는 아미노산, 혈청 리소솜수산화효소 검사(serum lysosomal hydroxylase enzyme battery), 갑상선 기능 검사, 크레아틴키네아제(creatinine kinase) 검사 등이 뇌성마비 아동 등 중추성 근약증과의 감별 진단을 위해 도움이 된다. 또한 편마비형 뇌성마비 아동은 출생 전 혹은 출생과정에서 뇌경색이 발생했을 가능성이 높으며, 이들의 원인으로 여러 가지 혈액응고질환이 있을 수 있기 때문에 이들을 감별 진단하기 위한 혈액검사가 권장된다.[26] 혈장과 소변에서의 아미노산 및 유기산의 검사 등이 필요하기도 하다.

(3) 전기진단학적 검사

전기진단학적 검사는 근력변화의 원인이 신경병적 질환인가 아니면 근육병인가를 감별하는 데 이용될 수 있으며, 전기진단학적 검사는 신경병성 질환은 85~90%, 근육병은 40%의 정확도로 진단에 도움을 줄 수 있다.

(4) 유전학적 검사

다양한 유전학적 질환이 뇌성마비 유사증상을 보이므로 유전학적 검사가 필요한 경우가 있다.[27, 29, 33-36] 표준염색체검사법 이외에 배열비교유전체보합(array comparative genomic hybridization; aCGH) 검사가 유전체 전장에 걸친 유전자수변이(copy number variation; CNV)를 진단하는 데 사용된다. aCGH의 개요는 비교하고자 하는 대조군과 실험군의 시료를 두 종류의 형광물질로 각각 염색한 후 동일량을 섞은 후 마이크로어레이에 교잡 반응을 통해 상보적으로 결합시킨다. 따라서 마이크로어레이에 심겨져 있는 탐색자에 대하여 두 색깔로 염색된 해당 표적 유전자(target gene)는 경쟁적으로 반응하며 결과적으로 이와 같은 동일 조건의 경쟁반응에서는 시료 내 표적 유전자의 양에 의하여 반응 정도의 우위가 결정된다. 반응이 끝난 후 상보적으로 결합하지 못한 것들은 적절한 세척 과정을 통해 제거하고 스캔너를 통해 이미지화 작업을 거친다. 대조군과 실험군의 표적 DNA가 마이크로어레이에 있는 탐색자에 대하여 동일하게 결합하면 형광신호의 비율은 1:1이 될 것이다. 그러나 미세 결손이나 미세 중복을 보이는 실험군에서는 결손 부위는 0.5:1을 보일 것이고 중복 부위에서는 1.5:1의 비율을 보이게 된다. aCGH 검사는 유전학적 운동질환이 의심되며 1~2Mb 이하의 미세 결손이나 미세 중복 등이 있어 일반적 세포유전학검사 방법에서 정상 핵형을 보이는 경우 염색체상의 결실이나 중복을 진단하는 데 이용되며, 특히 특정 위치에 대한 형광동소교잡법을 이용하기 어려운 경우 유용하게 사용된다.

aCGH 검사법이 상용화되면서 과거에 진단할 수 없었던 유전자수변이에 의한 뇌성마비 유사 질환에 대한 감별진단이 가능하게 되었다.[37] 그러나 진단에 이용한 aCGH의 해상도보다 크기가 작은 유전자수변이에 의한 경우나, 단일염기서열변이(single nucleotide variants, SNVs) 이에 의한 경우는 aCGH로 진단할 수 없으며, 이러한 경우 염기서열 분석기법이 이용될 수 있다. DNA 염기서열 분석기법으로는 1977년 Sanger 등이 개발한 방법이 사용되다가 1990년대 모세관 전기영동 방법을 결합한 자동분석기가 보급되면서 인간유전체사업(human genome project)에 큰 기여를 하였으나 개인 유전체(personal genome)의 분석에 사용하기에는 여전히 많은 시간과 비용이 요구되는 어려움이 있었다. 이후 2000년에 기존의 틀을 깨는 차세대 염기서열 분석(next generation sequencing, NGS) 기술이 보고되었는데 이는 수십 만개의 DNA 가닥을 동시에 읽어내기 때문에 초병렬시퀀싱(massively parallel sequencing) 방법으로도 명명된다. 차세대 염기서열분석기술을 이용하여 전체 유전체 상의 변이를 신속하고 체계적으로 분석할 수 있으므로 이를 이용하면 멘델 유전법칙을 따르는 질환의 진단과 희귀질환의 원인 유전자 발견에 사용할 수 있다. 따라서 aCGH의 해상도보다 크기가 작은 유전자수변이에 의한 경우나, 단일염기서열변이에 의한 뇌성마비 유사 운동 질환의 경우 차세대염기서열분석 기법을 이용하여 유전학적 진단을 시도할 수 있다. 최근 차세대 염기서열 분석장치의 도입으로 빠른 시일 내에 전장유전체해독(whole-genome sequencing)이 가능해짐에 따라, 기존의 aCGH로 발견될 수 없는 점 돌연변이 및 미세중복/결실에 의한 뇌성마비 유사질환에 대한 진단율이 증가하고 있다.[38]

(5) 뇌성마비 조기 진단의 장단점과 확정 진단

조산이나 저체중 아동의 경우, 출생 초기의 신경학적 진찰 소견으로 자주 보이는 이상운동증은 일시적인 현상인 경우가 있으며, 이런 아동들을 2세 이전에 뇌성마비로 진단한 경우 약 50%정도는 성장하면서 정상적인 소견을 보인다는 보고가 있어 출생 초기에 뇌성마비를 조기에 진단하는 것은 쉽지 않다.[24] 또한 출생 초기에 근육 긴장도가 저하된 아동은 성장하면서 근육의 긴장도가 증가하여 경직 형태로 바뀌거나 혹은 이상운동증 형태로 변화하는 경우가 종종 있어, 근육 긴장도가 떨어진 아동은 특히 적극적인 추적 관찰이 필요하다. 이러한 이유 때문에 뇌성마비 아동의 확진, 여러 가지 뇌성마비의 형태분류, 중증도 평가를 보다 정확히 평가하기 위해서는 출생 후 3세 혹은 5세 이후나 가능할 수도 있기 때문에 국가적인 혹은 국제적인 뇌성마비 아동의 분류나 통계연구는 일반적인 조기진단과는 달리 수행되고 있음을 아는 것도 중요하다. 그럼에도 불구하고 조기 진단에 더 관심을 가지는 이유는 임상의사로서 어떻게 하면 뇌성마비 아동의 기능을 최대한 향상시킬 수 있겠는가 하는 관점 때문이며, 이는 발달과정에 있는 아동의 경우에는 뇌병변에 대한 적응 능력이나 뇌가소성(brain plasticity)이 어른들보다 훨씬 높기 때문에 가능하면 조기에 발견을 통해 조기에 치료를 시작하는 것이 해당 아동에게 보다 큰 치료 효과가 있다는 현대의학의 기초와 증거가 있기 때문이다.[39]

▶ 참고문헌

1. Morris C. Definition and classification of cerebral palsy: a historical perspective. Dev Med Child Neurol Suppl 2007;109:3-7.
2. Schiariti V, Fowler E, Brandenburg JE, et al. A common data language for clinical research studies: the National Institute of Neurological Disorders and Stroke and American Academy for Cerebral Palsy and Developmental Medicine Cerebral Palsy Common Data Elements Version 1.0 recommendations. Dev Med Child Neurol 2018;60:976-86.
3. Bax MC. Terminology and classification of cerebral palsy. Dev Med Child Neurol 1964;6:295-7.
4. Rosenbaum P, Paneth N, Leviton A, et al. A report: the definition and classification of cerebral palsy April 2006. Dev Med Child Neurol Suppl 2007;109:8-14.
5. Clark SL, Hankins GD. Temporal and demographic trends in cerebral palsy-fact and fiction. Am J Obstet Gynecol 2003;188:628-33.
6. Kim HJ, Kang TU, Park KY, et al. Which growth parameters can affect mortality in cerebral palsy? PLoS One 2019;14:e0218320.
7. Kirby RS, Wingate MS, Van Naarden Braun K, et al. Prevalence and functioning of children with cerebral palsy in four areas of the United States in 2006: a report from the Autism and Developmental Disabilities Monitoring Network. Res Dev Disabil 2011;32:462-9.
8. Oskoui M, Coutinho F, Dykeman J, et al. An update on the prevalence of cerebral palsy: a systematic review and meta-analysis. Dev Med Child Neurol 2013;55:509-19.
9. Platt MJ, Cans C, Johnson A, et al. Trends in cerebral palsy among infants of very low birthweight (<1500 g) or born prematurely (<32 weeks) in 16 European centres: a database study. Lancet 2007;369:43-50.
10. Liu JM, Li S, Lin Q, et al. Prevalence of cerebral palsy in China. Int J Epidemiol 1999;28:949-54.
11. Yim SY, Yang CY, Park JH, et al. Korean Database of Cerebral Palsy: A Report on Characteristics of Cerebral Palsy in South Korea. Ann Rehabil Med 2017;41:638-49.
12. Volpe JJ. Neurology of the newborn. 4th ed. Philadelphia: Saunders/Elseviar; 2008.
13. Elitt CM, Rosenberg PA. The challenge of understanding cerebral white matter injury in the premature infant. Neuroscience 2014;276:216-38.
14. Towbin A. Brain damage in the newborn & neurologic sequels, pathologic and clinical correlation. Danvers: PRM Publishing Company, Inc.; 1998.
15. Fleiss B, Gressens P. Tertiary mechanisms of brain damage: a new hope for treatment of cerebral palsy? Lancet Neurol 2012;11:556-66.
16. Nelson KB. Causative factors in cerebral palsy. Clin Obstet Gynecol 2008;51:749-62.
17. O'Callaghan ME, MacLennan AH, Gibson CS, et al. Epidemiologic associations with cerebral palsy. Obstet Gynecol 2011;118:576-82.
18. O'Callaghan ME, MacLennan AH, Haan EA, et al. The genomic basis of cerebral palsy: a HuGE systematic literature review. Hum Genet 2009;126:149-72.
19. Jin C, Londono I, Mallard C, et al. New means to assess neonatal inflammatory brain injury. J Neuroinflammation 2015;12:180.
20. Gibson CS, MacLennan AH, Goldwater PN, et al. Antenatal causes of cerebral palsy: associations between inherited thrombophilias, viral and bacterial infection, and inherited susceptibility to infection. Obstet Gynecol Surv 2003;58:209-20.
21. Shatrov JG, Birch SC, Lam LT, et al. Chorioamnionitis and cerebral palsy: a meta-analysis. Obstet Gynecol 2010;116:387-92.
22. American College of Obstetricians and Gynecologists, American Academy of Pediatrics. Neonatal encephalopathy and cerebral palsy: defining the pathogenesis and pathophysiology. Washington, DC: American College of Obstetricians and Gynecologists, 2003
23. McMahon M, Pruitt D, Vargus-Adams J. Cerebral palsy. In: Alexander MA, Matthews DJ, eds. Pediatric Rehabilitation, Principle and Practice. 4th ed. New York: Demos Medical; 2010; 169-170.

24. Oleszek J, Davidson L. Cerebral palsy. In: Braddom R, ed. Physical medicine and rehabilitation. Philadelphia: Saunders; 2011; 1256-1259.
25. Richer LP, Shevell MI, Miller SP. Diagnostic profile of neonatal hypotonia: an 11-year study. Pediatr Neurol 2001;25:32-7.
26. Diamond M, Armento M. Children with Disabilities. In: Frontera W, ed. DeLisa's physical medicine and rehabilitation, 5th ed, Philadelphia: Wolters Kluwer; 2010;1482-1483.
27. Lee RW, Poretti A, Cohen JS, et al. A diagnostic approach for cerebral palsy in the genomic era. Neuromolecular Med 2014;16:821-44.
28. Segel R, Ben-Pazi H, Zeligson S, et al. Copy number variations in cryptogenic cerebral palsy. Neurology 2015;84:1660-8.
29. Baizabal-Carvallo JF, Cardoso F. Chorea in children: etiology, diagnostic approach and management. J Neural Transm (Vienna) 2020;127:1323-42.
30. Ment LR, Bada HS, Barnes P, et al. Practice parameter: neuroimaging of the neonate: report of the Quality Standards Subcommittee of the American Academy of Neurology and the Practice Committee of the Child Neurology Society. Neurology 2002;58: 1726-38.
31. Inder TE, Anderson NJ, Spencer C, et al. White matter injury in the premature infant: a comparison between serial cranial sonographic and MR findings at term. Am J Neuroradiol 2003;24:805-9.
32. Bax M, Tydeman C, Flodmark O. Clinical and MRI correlates of cerebral palsy: the European Cerebral Palsy Study. JAMA 2006;296:1602-8.
33. Novak I, Morgan C, Adde L, et al. Early, accurate diagnosis and early intervention in cerebral palsy: advances in diagnosis and treatment. JAMA Pediatr 2017;171:897-907.
34. Pearson TS, Pons R, Ghaoui R, et al. Genetic mimics of cerebral palsy. Mov Disord 2019;34:625-36.
35. Emrick LT, DiCarlo SM. The expanding role of genetics in cerebral palsy. Phys Med Rehabil Clin N Am 2020;31:15-24.
36. van Eyk CL, Corbett MA, Maclennan AH. The emerging genetic landscape of cerebral palsy. Handb Clin Neurol 2018;147:331-42.
37. Miller DT, Adam MP, Aradhya S, et al. Consensus statement: chromosomal microarray is a first-tier clinical diagnostic test for individuals with developmental disabilities or congenital anomalies. Am J Hum Genet 2010;86:749-64.
38. Srivastava S, Love-Nichols JA, Dies KA, et al. Meta-analysis and multidisciplinary consensus statement: exome sequencing is a first-tier clinical diagnostic test for individuals with neurodevelopmental disorders. Genet Med 2019;21:2413-21.
39. Holt RL, Mikati MA. Care for child development: basic science rationale and effects of interventions. Pediatr Neurol 2011;44:239-53.

CHAPTER

20 뇌성마비의 임상양상과 치료

Cerebral Palsy: Clinical Features and Management

성인영, 신용범, 박수성

뇌성마비는 발달 중인 뇌의 비진행성 손상으로 인한 자세 및 운동기능 이상을 의미하며, 활동 제한을 유발하는 것 이외에도 감각, 인지, 의사소통 또는 행동, 이차적인 근골격계 문제, 경련 등의 증상이 동반될 수 있다.[1] 뇌성마비는 근본적인 치료법은 없으므로, 다양한 증상에 대한 대증적 치료가 치료의 주를 이루게 되고, 다양한 뇌성마비의 분류 체계를 통해 증상의 자연경과와 치료의 효과를 입증할 수 있는 의미있는 연구들이 진행되어왔다.[2] 뇌성마비 증상의 정확한 분류가 중요한 이유는 첫째, 문제점의 특징과 정도를 올바르게 판단하고, 둘째, 어떠한 관리가 필요한지에 대한 정보를 제공하며, 셋째, 증상을 합리적으로 비교할 수 있게 하며, 넷째, 시간에 따른 증상의 변화를 보다 정확히 분석하는 데 필수적이기 때문이다.[1] 본 장에서는 뇌성마비의 운동장애 형태, 침범 부위 및 기능에 따른 분류방법으로 임상 양상을 살펴보고, 운동기능장애와 함께 동반되는 증상들에 대해 알아보고자 한다. 또한, 이러한 임상양상에 따른 활동제한을 최소화하고 기능적 발전을 극대화하기 위한 다양한 보존적 및 수술적 치료방법들을 다루고자 한다.

I. 뇌성마비의 임상양상

1. 뇌성마비의 분류 체계와 유형별 임상양상

1862년 Little group이 경직성 마비 증상이 몸의 편측에 심하게 나타나는 경우를 편마비형 경축(hemiplegic rigidity), 증상이 하지에 더 심한 경우를 하반신마비(paraplegia), 그리고 전신적으로 증상이 심한 경우를 전신적 경축(generalized rigidity)이라고 명명한 이후로 현재까지 150년 이상 뇌성마비를 분류하고자 하는 노력이 지속되어 왔다. 1990년 중반 Palisano 등에 의한 기능적 분류 체계가 정립된 이후 체계적 분류 체계에 많은 발전이 있어 왔고[2] 현재까지 운동장애의 형태, 침범 부위 및 기능에 따른 분류가 가장 흔히 사용되어 오고 있으며 해부학적, 방사선학적 소견, 동반장애, 뇌성마비의 원인 등에 따라 좀 더 객관적이고 체계적인 분류를 하고자 하는 노력이 지속되고 있다.[1]

1) 운동장애(movement disorder)의 형태에 따른 분류

운동장애의 형태는 신경학적 특성에 따라 결정되고 이는 일반적으로 근육 긴장도의 증감이나 변화양상에 따라 표현된다. 1959년 Mac Keith 등이 경직형(spastic), 근긴장이상형(dystonia), 무도-무정위형(choreo-athetosis), 실조형(ataxic) 혼합형(mixed), 무긴장형(atonic) 등으로 분류한 이후 매우 다양한 분류가 오랜 기간 사용되어 왔으나, 너무 다양한 분류는 임상에서 오히려 혼란을 가져오기 때문에 단순화시키는 것이 의사소통을 위해 더 유리할 수 있겠다는 의견들이 있어왔다. 이에 1992년 Lesley Mutch 등이 경직형, 이상운동형(dyskinetic), 실조형으로 분류한 이후, 2000년 유럽 뇌성마비 감시체계(Surveillance of Cerebral Palsy in Europe, SCPE)에서는 이 중 이상운동형을 근긴장이상형과 무도-무정위형으로 세분하였고,[3] 간혹 분류가 어려운 경우(not classifiable)를 따로 두기로 하고 체계적 분류 방법을 제시하였다(그림 20-1). 이러한 결과들을 바탕으로, 2007년 여러 나라의 연구자들이 다년간의 연구와 협의 끝에 새로운 분류 체계를 만들게 되었는데, 이 체계에 의하면 주된 유형(primary type)으로 경직형과 근긴장

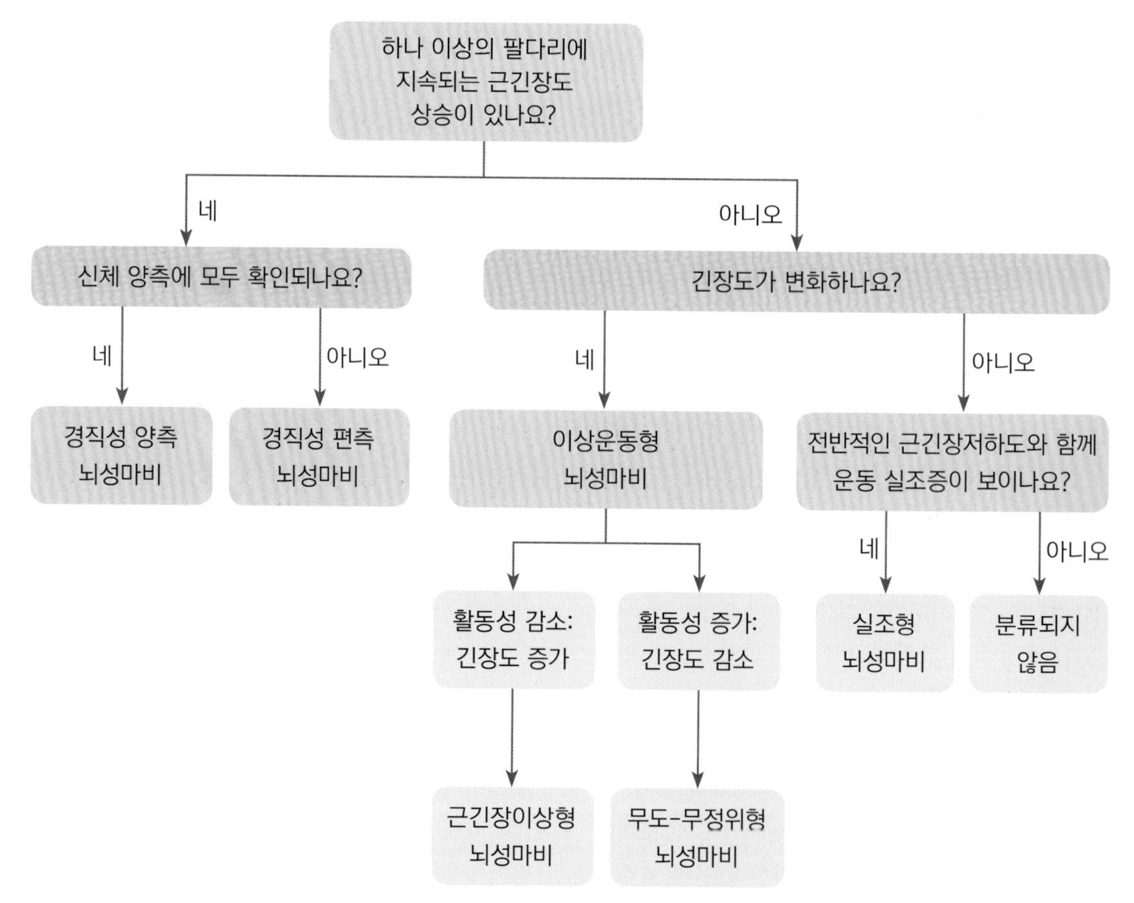

그림 20-1 뇌성마비 아형의 계층적 분류
(Cans C. Surveillance of cerebral palsy in Europe: a collaboration of cerebral palsy surveys and registers. Developmental Medicine & Child Neurology 2000;42:816-24)

이상형, 무도-무정위형, 실조형으로 분류하도록 하였고, 이외에 또 다른 운동이상형태가 존재할 경우 이차적 유형(secondary type)을 부가적으로 사용하도록 하여 혼합형이라는 용어는 사용하지 않도록 권고하였다.[4]

운동장애의 형태를 추체로(pyramidal tract)군과 추체외로(extrapyramidal)군으로 나누어 볼 때 추체로군에 해당하는 경직형은 수면 시를 포함하여 경직의 정도가 비교적 일정한 특징이 있으며, 침범 부위에 따른 분류(topographic classification)는 일반적으로 경직형에 대해서 시행한다. 이외의 모든 유형에 해당하는 추체외로군은 긴장도가 상황에 따라 변할 수 있고, 일반적으로 사지를 모두 침범하지만, 특히 상지에 더 뚜렷한 이상소견을 보인다.[5] 가장 흔한 유형인 경직형은 근긴장도와 병적 반사의 증가를 주된 특징으로 한다. 심부건반사의 항진과 지속적 발목간대성 경련을 보이며 비교적 조기에 관절 구축과 같은 근골격계 변형이 유발될 수 있다. 특히 경직에 의한 하지의 병적인 자세로 인하여 고관절의 내회전 변형과 내전 변형, 슬관절의 굴곡 변형 및 발에서도 외반족이나 첨내반족 등의 변형이 흔히 관찰된다.[6] 이상운동형은 불수의적이고 조절되지 않는 근육의 수축에 의한 운동장애를 보인다. 근긴장도의 변화가 다양하게 나타나며 원시반사가 과장되고 오랫동안 지속되는 경향을 보인다. 이상운동형 중 근긴장이상형의 경우 지속적인 근수축으로 인한 자세 이상을 특징으로 하며 수의적 운동을 하려고 할 때에 왜곡된 동작을 보이게 된다. 무도형은 빠르고 불수의적이며 분절된 동작을 보이며 무정위형은 느리고 마치 벌레가 꿈틀거리는것 같은 동작을 그 특징으로 한다. 실조형은 일반적으로 근긴장도가 저하되어 있으며, 근육의 순차적인 조화 운동 능력이 소실되어 동작을 수행할 때 힘과 리듬이 비정상적으로 나타나 정확한 동작을 할 수 없다. 균형 능력이 낮아서 자세 유지가 어렵고 보행 실조 증상을 보인다. 또한 목표물에 접근할 때에도 지나쳐 버리거나 정확히 도달하지 못하여 소뇌손상에서 흔히 동반되는 증상인 활동 떨림(intentional tremor) 증상을 보이기도 한다.[7]

2) 침범된 부위에 따른 분류

침범된 지체별 분류는 경직형을 대상으로 하며,[5] 과거 단지마비, 편마비, 양지마비, 사지마비, 삼지마비 등으로 분류하여 왔으나 명확한 분류가 어려운 경우가 많았는데, 삼지마비는 편마비와 양지마비가 혼합된 경우인지, 사지마비의 경미한 형태인지 구분하기 어렵다. 양지마비와 사지마비의 구분을 위해 사용되는 '더 심하게'라는 말의 의미가 임상적 징후와 기능 중 무엇을 근거로 하는지 불분명하며, 상지가 소근육운동 중심이라면 하지는 대근육운동 중심의 기능을 수행하므로 상하지 간의 중증도를 구분하는 것이 어려워 임상가의 주관적 평가에 의존하는 경우가 많았다. 이러한 불명확성과 오류를 줄이기 위하여 2000년 SCPE 에서는 침범된 부위가 편측성(unilateral)인지 양측성(bilateral)인지로 구분하는 방법을 채택하였고, 2006년 개정된 새로운 분류에서도 이를 받아들였다. 이는 주로 팔과 다리의 침범여부에만 국한하여 명명하였던 기존의 분류보다는 몸통의 문제도 포괄적으로 포함하고 있다는 장점이 있지만, 편측성 경우도 반대측이 완전히 건측(uninvolved limb)이 아닐 수 있다는 의견이 있다.[8] 현재는 유럽의 경우, 편측성/양측성, 오스트레일리아에서는 단지마비/편마비/하지마비/삼지마비/사지마비로 분류하며, 북미에서는 두 가지 분류법을 모두 사용하고 있다.[9] 최근에는 기존의 신체 침범에 따른 위상적 서술 용어(topological descriptive term)보다는 기능적 문제를 나타낼 수 있는 분류들의 임상적 유용성이 더욱 강조되고 있다.

3) 기능에 따른 분류(표 20-1)

뇌성마비에서 초기 발달은 운동 발달 및 보행능력 향상에 집중하게 되지만 연령이 증가할수록, 일상생활 및 사회구성원으로서 필요한 역할수행의 정도에 따른 기능 평가의 비중이 증가하게 되므로, 일상생활 동작 수행을 위한 신체 기능, 먹고 마시는 기능 및 의사소통 등과 관련된 기능의 체계적 분류들이 개발되어 왔다. 대표적인 기능 분류 체계인 1997년 개발된 대근육운동 기능 분류 체계(gross motor function classification system, GMFCS)와 2006년 개발된 손기능 분류 체계(manual ability classification system, MACS)는 앞선 4장에 자세히 기술되어 있다. 본 장에서는 상하지의 기능 뿐만 아니라 가성연수마비나 실질적인 뇌피질의 기능이상에 따른 구강운동장애, 삼킴장애, 그리고 이상적인 의사소통 수행, 언어, 조음 능력 역시 뇌성마비 환아의 중요한 기능제한 요소로서 이를 반영한 먹기와 마시기 기능 분류 시스템(eating and drinking ability classification system, EDACS) 및 의사소통 기능 분류 체계(communication function classification system, CFCS)와 바이킹 언어척도

표 20-1 뇌성마비의 기능에 따른 분류

	GMFCS[a]	MACS[b]	CFCS[c]	EDACS[d]
I	걷는 데 제한 없음. 더 어려운 대근육운동 기능에는 제한 있음	사물을 쉽게 성공적으로 다룸	친숙하지 않은 그리고 친숙한 상대와 효과적인 화자 및 청자	안전하고 효율적으로 먹고 마심
II	보조기구 없이 걷지만 실외나 공공장소에서 장거리 보행에 제한 있음	대부분의 사물을 다룰 수 있으나 다소 서투르고 수행속도가 느림	친숙하지 않은 그리고 혹은 친숙한 상대와 느리지만 효과적인 속도의 화자 그리고/혹은 청자	안전하게 먹고 마시지만, 효율에서 약간의 제한이 있음
III	보행보조기구 사용함. 실외나 공공장소 걷는 데 제한 있음	사물을 다루는 데 어려움이 있어 준비하는 데 도움이 필요하거나 동작수정이 필요함	친숙한 상대와 효과적인 화자 및 청자	안전하게 먹고 마시는 데 약간의 제한이 있으며, 효율에서 제한이 있을 수도 있음
IV	스스로 이동하는데 제한 있음. 실외나 공공장소에서 전동의자차 사용	적응된 상황에서 선택된 사물만 제한적으로 다룰 수 있음	친숙한 상대와 일관성 없는 화자 그리고/혹은 청자	안전하게 먹고 마시는 데 현저한 제한이 있음
V	스스로 이동하는 것이 보조장치를 이용하여도 심하게 제한됨. 타인에 의해 수동의자차로 이동	사물을 거의 다룰 수 없음	친숙한 상대와도 의사소통이 어려운 화자 및 청자	안전하게 먹거나 마실 수 없다. 영양 공급을 위해 튜브 영양법을 고려할 수도 있음

[a]GMFCS (대근육운동 기능 분류 체계; gross motor function classification system)
[b]MACS (손기능 분류 체계; manual ability classification system)
[c]CFCS (의사소통 기능 분류 체계; communication function classification system)
[d]EDACS (먹기와 마시기 기능 분류 시스템; eating and drinking ability classification system)

Paulson A, Vargus-Adams J. Overview of four functional classification systems commonly used in cerebral palsy. Children 2017;4:30.

(Viking speech scale, VSS)까지 살펴보겠다. 뇌성마비에서 구인두 연하장애의 유병률은 평가 도구에 따라 27%에서 90%로 광범위 하게 보고되고 있고, 다양한 분류 시스템 중 2014년 개발된 EDACS의 경우 3세 이상의 뇌성마비에서 먹고 마시는 능력을 평가하는 신뢰도와 타당도를 갖춘 분류 체계로 자리 잡게 되었다.[10]

이 분류 체계는 빨기, 베어 물기, 씹기, 삼키기 등 기능적 능력, 음식/음료의 질감의 조정이 필요한지, 먹고 마시기 수행에 어떤 도구가 사용되는지, 그 밖의 환경적 특색에 기초하여 다섯 단계로 분류된다. 먹고 마시기 과정의 주요 특성은 "안전(safety)"과 "효율(efficiency)"로서 안전은 먹고 마시기와 관련된 질식과 흡인의 위험을 가리키고, 효율은 먹거나 마시는 데 필요한 시간과 노력의 정도, 음식이나 음료를 흘리지 않고 입안에 담고 있을 수 있는지가 된다. 이를 기준으로 1단계는 먹고 마심에 제한이 거의 없고, 5단계는 구강 섭취가 불가능한 경우에 해당한다. 안전과 효율의 제한 정도에 따라 세가지의 세부 단계로 나뉠 수 있는데, EDACS 단계와 함께 실제 먹고 마실 때 필요한 도움의 수준에 따라, 독립적인가(independent), 음식이나 음료를 입으로 가져가는 데 도움이 필요한가(requires assistance), 혹은 완전히 의존하고 있는가(total dependent)를 나타내는 지표가 추가될 수 있다. 예를 들어, 안전하게 먹을 수 있지만 효율에서 제한이 있어 숟가락으로 음식을 뜨는 데 도움이 필요하다면 "EDACS 2단계, 도움 필요"로 분류된다. EDACS는 MACS, GMFCS, CFCS, VSS와 중등도의 유의한 상관 관계를 보였으며, 각 기능 분류 시스템은 어느 정도 교집합을 가지지만, 주로 별개의 기능적 측면을 평가하는 것이므로, 한 영역의 분류 단계로 다른 영역의 기능을 예측하거나 판별하기는 어렵다.[11]

2011년도 개발된 CFCS는 일상적인 의사소통 수행 능력을 5단계 수준으로 분류하였고, 세계 보건 기구의 기능, 장애 및 건강의 국제 분류(international classification of functioning, disability and health, ICF)에서 기술하고 있는 것처럼 활동과 참여의 수준에 초점을 맞추고 있다.[12] 의사소통은 최대의 능력 보다 가정, 학교, 지역사회 등 일상적인 상황에 일반적으로 참여하는가에 기초하며, 의사소통 수행능력의 방법들은 말, 몸짓, 눈맞춤, 얼굴 표정과 보완대체의사소통 모두를 포함한다. 각 수준간 구별은 대화 상대의 유형, 의사소통의 속도, 화자와 청자의 역할에 달려 있고, 수준간 구별에 도움이 되는 CFCS 수준 확인 차트를 참고할 수 있다(그림 20-2).

언어 및 조음 장애의 경우도 뇌성마비 환아의 중요한 기능 제한 요소이고, 대규모 코호트 연구 결과에 따르면, 36%에서 달하는 구강운동장애가 동반되고, 조음 장애가 가장 많은 비율을 차지하고 있다. VSS는 4세 이상의 환아에서 시행할 수 있는 4단계의 말 명료도 평가 도구로서 2013년도에 개발되었고,[13] 비교적 높은 검사자 간 신뢰도를 보여 최근 말 명료도 평가에 유용한 역학 감시의 도구로서 추천되고 있다. CFCS와 VSS 한글판은 각자 높은 검사자간 신뢰도를 보였고, 두 지표간에도 높은 연관성을 보이고 있어 의사소통 및 말 명료도 평가에 사용 가능할 것으로 판단된다.

4) 신경영상소견 (neuro-imaging finding)에 따른 분류

뇌성마비에 있어 신경영상소견과 임상적 중증도와의 관련성은 매우 약한 것으로 알려져 있었다. 따라서 정상 뇌 자기공명영상(magnetic resonance imagin, MRI) 소견이 뇌성마비 진단을 배제할 수 있는 기준이 되지는 않으나, 최근 영상기술과 정량적 운동기능 측정기술의 발달에 의해 점차 그

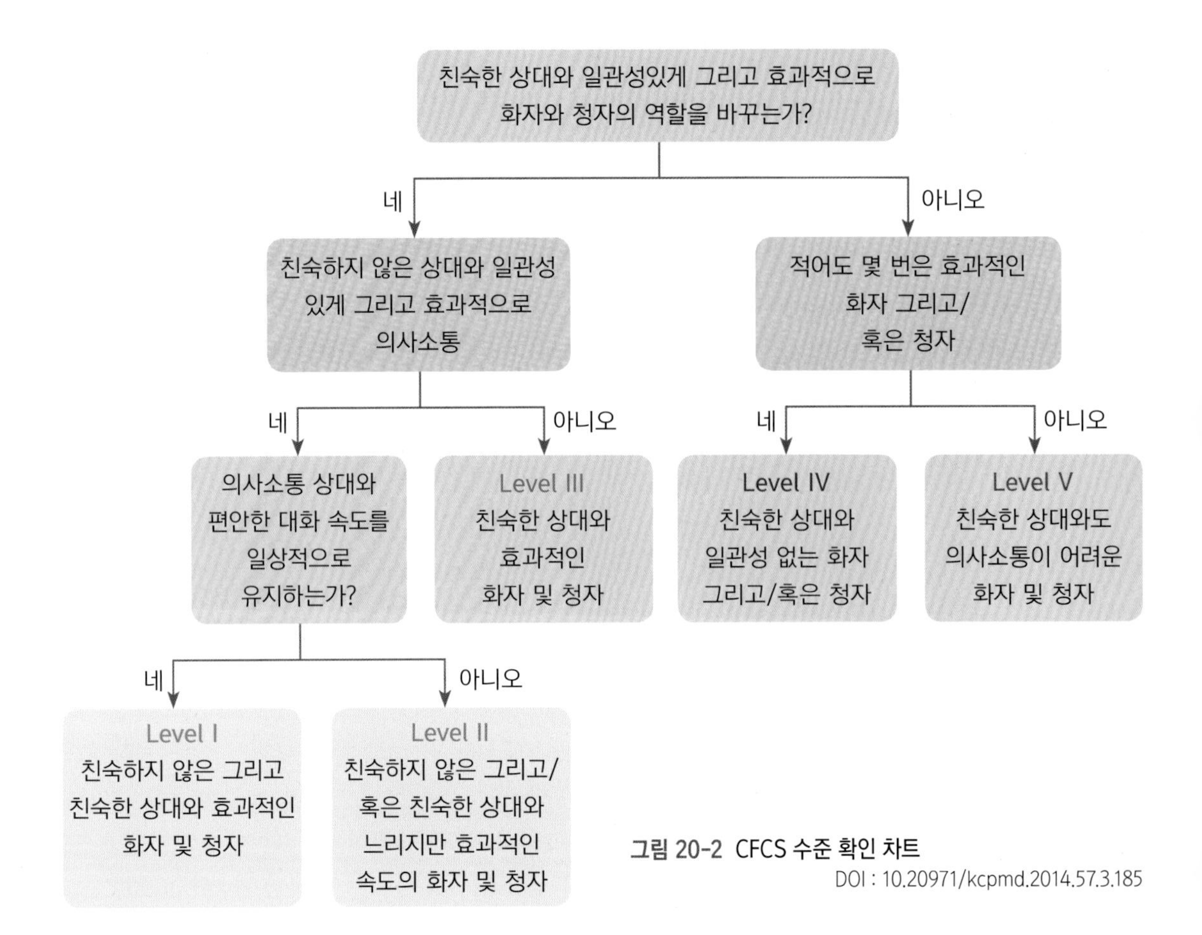

그림 20-2 CFCS 수준 확인 차트
DOI : 10.20971/kcpmd.2014.57.3.185

관련성이 높아지고 있고, 80% 이상의 뇌성마비에서 비정상적 신경영상소견을 보이고 있다. 특히 뇌성마비의 뇌병변은 발달 과정에서 유해 사건(noxious event)이 생긴 시기에 따라 달라지며, 뇌 자기공명영상은 손상 시기별 병변을 가시적으로 보여줄 수 있다. 임신 초기 및 중기에는 피질의 신경 생성(cortical neurogenesis)이 주를 이루므로 이 시기의 문제가 생길 시 뇌 발육이상이 주로 생기게 된다. 임신 후기인 삼분기의 경우 성장 및 분화(growth and differentiation)가 일어나는 시기로 초반에서는 뇌실 주위 백질 연화증 등의 백질이상을 주로 보이고, 후반의 경우 회백질의 분해성 손상(clastic lesion)이 생기게 된다. 2016년 SCPE에서 개발된 자기공명영상 분류 체계(MRI classification system, MRICS)는 뇌발달의 시기별로 나타날 수 있는 병적 양상을 바탕으로 정상 소견을 포함하여 5가지 정성적 유형으로 분류하였다. 뇌성마비의 구조적-기능적 연관성을 이해하고, 영상에서 확인되는 병적 양상에 따라 발병 시기에 따른 뇌성마비를 진단하는 데 유용하게 사용될 수 있겠다(표 20-2).[14]

2. 동반장애

뇌성마비를 운동 기능 장애에 초점을 맞추어 정의하고 있으나, 미성숙한 뇌에 생긴 병변이 운동 영역에만 국한되는 것은 아니므로 여러 영역의 장애를 동반할 수 있으며, 하나의 동반장애는 다른

표 20-2 자기공명영상 분류 체계(MRI classification system, MRICS)

A. 발육이상(Maldevelopments)
A.1 뇌피질 형성 장애(증식 및/또는 이동 및/또는 구성)
A.2 기타 발육이상(예; 전전뇌증, 댄디-워커 기형형성, 뇌량발육부전, 소뇌 저형성)
B. 뚜렷한 백질손상
B.1 백질연화증(경도/중증)
B.2 뇌실출혈 또는 뇌실 주위 출혈성 경색의 흔적
B.3 백질연화증 및 뇌실출혈
C. 뚜렷한 회백질손상
C.1 기저핵/시상부 손상(경도/중등도/중증)
C.2 피질-피질하부에 국한된 손상(근접 시상부 분수선 영역/다낭성 뇌연화증)
C.3 뇌동맥 경색(중대뇌동맥/그외)
D. 기타
예: 소뇌위축, 뇌위축, 수초형성지연, B에 해당하지 않는 뇌실확장증, 뇌출혈, 뇌간 손상, 석회화
E. 정상

Himmelmann K, Horber V, De La Cruz J, et al. MRI classification system (MRICS) for children with cerebral palsy: development, reliability, and recommendations. Developmental Medicine & Child Neurology 2017;59:57-64.

장애와 연관되어 영향을 줄 수 있다. 환자와 보호자는 운동장애 외에 동반될 수 있는 장애, 기능적 제한, 예후와 관련된 정보를 지속적으로 요구하고 있으며, 이와 관련하여 조금 더 명확한 임상 정보를 제공하고, 조기에 적절한 계획 수립을 위한 근거 마련을 위한 연구들이 시행되어 왔다. 동반장애는 미성숙한 뇌의 손상 자체에서 기인한 것일 수 있고(co-causal)(예: 지적장애, 뇌전증 혹은 뇌전증 등) 뇌성마비의 주된 운동장애와 연관되어 발생할 수 있으며(complication)(예: 척추측만, 고관절 탈구), 이와 관련 없이 발생할 수도 있다(co-occuring)(표 20-3).[15] 본 장에서는 뇌병변 및 뇌성마비의 주된 증상과 동반되는 co-causal, complication 영역에서 주로 발생하는 장애들을 살펴 보고자 한다.

1) Co-causal

(1) 지적장애

뇌성마비의 반수 정도에서 IQ 70 이하의 지적장애가 동반되며, 30% 정도에서 IQ 50 이하의 중증 지적장애를 동반하는 것으로 알려져 있다.[16] 뇌성마비의 지적장애 정도는 판단하기가 어려워서 객관적 평가 외에 임상적 판단, 학업 상태, 운동장애의 중증도, 부모의 면담 등을 통해 지적능력을 평가하게 된다. 중증 환자의 경우 객관적 평가 없이 지적 능력이 추정되는 경우가 많고, 특히 미세 운동 기능을 포함한 심한 운동장애를 동반한 경우에는 표준화된 검사를 수행하는 것에 어려움이 있어 지적 능력이 저평가될 가능성이 높다. 이러한 부분을 보완하기 위해 소근육운동이 필요하지 않은

표 20-3 뇌성마비에서의 동반질환 범주

Co-causal	뇌성마비의 원인이 되는 발육 뇌의 손상으로 인한 질환(예: 뇌전증, 지적장애)
Complications	뇌성마비의 주요한 상태의 합병증으로 인한 질환(예: 척추측만, 고관절 탈구)
Co-occuring	발육 뇌의 손상 또는 뇌성마비의 주요한 상태로 인한 합병증이 아닌 질환

Hollung SJ, Bakken IJ, Vik T, et al. Comorbidities in cerebral palsy: a patient registry study. Developmental Medicine & Child Neurology 2020;62:97-103.

언어이해 평가, 비언어추론 평가도구들을 적용하여 대체된 응답 방식을 시도해 볼 수 있다. 경직형 뇌성마비에서 운동장애와 지적장애의 중증도는 비례하는 경향을 보이며, 편측성의 대부분은 70이상의 IQ를 보이며, 양측성 중 사지마비는 대개 70 이하의 IQ를 보인다. 하지만 이 역시 전형적 검사도구를 이용하거나 추정하여 평가하는 경우가 많으므로, 과소평가될 가능성이 있다.

(2) 뇌전증

뇌성마비의 35%에서 발생할 수 있고, 20% 정도에서는 활동성 간질(active epilepsy) 형태로 발생한다. 대뇌피질 손상이 있는 경우 경련이 유발될 가능성이 높으므로 양지마비형에서보다 편마비 및 사지마비형에서 높은 빈도를 보이며, 뇌전증이 있었던 환아의 경우 높은 빈도로 행동장애를 동반할 수 있다.[17] 뇌전증에 대한 자세한 내용은 25장에 기술되어 있다.

(3) 시각장애

시각장애는 시력장애와 안구운동장애로 나눌 수 있으며 유병률은 40~100%까지 매우 다양하게 보고되는데, 이는 인지 및 운동장애로 인한 객관적인 검사의 제한에 의한 것으로 판단된다. 시각은 운동 및 인지 기능의 발달에 있어 중심축이 되는 역할을 하므로, 조기 평가 및 장애의 유형에 대한 정확한 평가가 중요하다. 안구운동장애로는 안구운동근육의 불균형으로 인한 사시(strabismus)가 가장 흔하며, 이차적인 시력장애를 유발할 수 있다. 뇌성마비의 임상 유형과 신경안과적 양상(neuro-ophthalmic profile)의 연관성에 관한 연구 결과들로, 미숙아의 경우 미숙아망막증과 연관된 시력장애가 흔하며, 저산소성-허혈성 뇌손상에 의한 사지마비 환아에서 시각장애의 비율이 가장 높고, 안구이상, 안구운동 기능장애 및 시력 저하의 형태로 나타난다. 편마비에서는 동측반맹으로 인한 시야 제한을 보이는 경우가 많고, 이외에 사시 및 굴절이상도 나타난다. 양측 마비에서는 굴절이상, 사시, 신속눈운동(saccadic movement) 이상이 흔하다.[18] 대근육운동 기능이 좋은 GMFCS 1~2단계의 환아들은 대부분 정상아동과 유사한 양상의 시각장애를 보였으나 3~5단계의 환아들은 매우 중증도의 시각장애를 나타내는 것으로 알려져 있고, 대근육운동 기능장애가 심할수록 사시 유병률이 높고, 사시의 항상성 및 각도가 크다.[19]

(4) 청각장애

청각장애는 뇌성마비 환아의 약 5~15% 정도에서 동반되는 것으로 알려져 있다. 극미숙아의 생존율 증가로 중증 청각장애의 비율은 올라가고 있는 추세이며 청각 장애는 의사소통 및 인지 기능 발달에 중대한 영향을 미칠 수 있으므로 조기에 정확한 진단이 중요하다. 감각신경성, 전도성 및 혼합형 청각장애 중 청각 자극을 받아들이는 신경 경로에 문제가 생기는 감각신경성 난청이 가장 많은 비율을 차지한다. 선천성 톡소플라즈마증, 풍진, 거대세포바이러스, 헤르페스 감염, 세균성 수막염, 저산소성 및 독성약물 등에 의해 감각신경성난청이 유발될 수 있으며 이러한 경우는 청력의 회복이 힘든 경우가 많다. 청각 자극이 내이로 가는 경로에 문제가 생기는 전도형 청각장애의 경우 중이염에 의한 경우가 가장 많으며 적절한 치료로 호전을 보일 가능성이 높다. 난청 선별 검사로 여러가지 behavioral 또는 physiological audiological test가 시행될 수 있다. Behavioral test로 각 주파수의 순음에 대해서 들리는 최소의 역치를 측정하는 순음청력검사(pure tone audiometry, PTA)가 있고, physiological test로서 달팽이관의 외유모세포에서 자발적으로 혹은 음자극에 의해 증폭되어 발생하는 소리 에너지를 측정하는 이음향방사(otoacoustic emission, OAE) 검사와 소리 크기에 따른 뇌파의 반응을 확인하는 청성뇌간반응검사(auditory brainstem respone, ABR) 등이 있다.[20]

(5) 배뇨장애

뇌성마비 환아의 반수이상에서 배뇨장애 증상을 보인다. 뇌성마비 아동은 정상아에 비하여 소변가리기가 늦은데, 6세까지 경직성 사지마비는 50% 정도, 편마비 및 양측마비는 80% 정도에서 소변을 가린다고 한다. 요실금 이외에도 빈뇨, 요절박 및 요정체 등의 증상을 가진다. 방광근육의 과활동성과 작은 방광용적이 뇌성마비 환아의 요역동학적 검사의 가장 흔한 소견이며 때로는 배뇨근괄약근 협동장애 소견을 보이기도 한다.[21] 이러한 환자들에게 배뇨 억제는 수술적 치료 없이도 90% 정도에서 교육을 통해 가능한 것으로 알려져 있어, 적극적 개입이 필요하다.

2) 합병증

(1) 구강운동장애 및 연하장애

구강운동장애는 뇌성마비의 중증도와 연관성이 있다. 구강운동 기능 평가 시 턱의 안정성, 입술, 볼, 혀의 움직임과 긴장도를 확인하는 것이 중요하다. 빠는 힘이 약하고, 삼킴 과정의 부조화, 혀 내밀기, 긴장성 물기 반사(tonic bite reflex) 등이 문제가 되는 경우가 많고, 턱의 불안정성으로 인한 입 벌리기 문제, 음식 덩어리 형성 및 삼킴에 영향을 줄 수 있다. 기도 흡인은 중증 운동기능 장애를 가진 아동의 70% 정도에서 나타날 수 있고, 무증상인 경우도 있으므로 비디오투시 검사를 통해 적절한 섭식 자세, 식사 속도, 점도를 평가하거나 경구 식이가 불가능하여 경관식이가 필요한지 여부를 판단하는 데 객관적인 자료가 될 수 있다. 경구 식이가 안전하지 않고, 충분한 영양섭취가 불가능하며 하루 3시간 이상 식사시간이 지나치게 지연되는 경우 위루관의 적응증이 된다. 또한 중증 운동기능장애로 움직임이 적은 아동의 경우 위루관 이후 오히려 과도한 체중 증가가 일어나지 않도록 지속적인 관찰이 필요하다.[22] 구강운동장애의 또 다른 문제로 침 흘림, 부정교합 및 구강위생 유지의 어려움으로 인한 치주질환 등이 있다. 침 흘림은 구강운동장애뿐만 아니라 구강주위의 감각 저하, 목을 잘 가누지 못하는 것 등에 의해서 더욱 악화되며 이는 사회적 활동에 매우 부정적인 영향을 미치게 된다.

(2) 영양장애

장관의 운동과 소화액 분비를 조절하는 장신경계(enteric nervous system)와 손상된 중추신경계 사이의 상호관계 이상으로 위장관 장애가 발생할 수 있다. 특히 중증 뇌성마비의 경우 구강운동의 장애로 인해 잘 삼키지 못하고 장운동에 유리한 자세를 스스로 취할 수 없으며 흡인성폐렴의 위험으로 충분한 수분을 섭취하지 못하므로 더욱 심한 증상을 갖게 된다. 주된 증상으로는 위식도역류, 위배출의 지연, 오심 및 구토, 복통, 변비 등이 있으며 스스로 증상을 호소할 수 없는 경우가 대부분이므로 상태가 매우 악화된 후에야 인지되는 경우가 흔하여 예방의 중요성이 강조된다.[23] 이러한 위장관 장애로 인하여 영양부족이 심해지는 경우 위루술을 시행하는 것이 바람직하다. 하지만, 중증뇌성마비 환아의 체중감소는 근육이 아니라 지방의 소실에 의한 것이며 위루관을 통한 영양공급 후 체중이 증가된다고 하더라도 운동기능이 호전되는 것은 아니므로 오히려 에너지 소모에 비해 과다한 영양분이 공급되는 경우도 있으므로 주의를 요한다. 위루술과 경구 식이에 대한 최근 코크란 리뷰의 결과 충분한 임상 적용을 위한 무작위 대조시험이 진행되지 않아, 이를 결정하기 위해서는 환자별 상황을 고려한 판단이 필요하다 하였다.[24]

(3) 언어장애

뇌성마비에서의 언어장애에는 인지기능장애, 구강운동장애, 청력장애 및 호흡장애가 복합적으로 영향을 주는데 표현언어와 수용언어 모두 심한 장애를 보이는 경우도 있지만, 수용언어 능력은 보존되어 있으나 조음장애가 심하여 의사소통이 안 되는 경우도 흔하다. 40~60%의 뇌성마비 환아에서 언어장애가 있으며 25% 정도는 언어적 표현이 불가능하다.[25] 거짓연수마비의 증상으로서 구인두근 기능 이상 및 호흡 패턴 조절 불량이 조음장애를 유발할 수 있고, 이는 경직형에 비하여 이상운동형에서 더 심한 경향을 보인다. 경직성 양측마비와 편마비 환아의 경우 언어능력이 좋은 경우가 많고 특히 편마비 환아의 언어발달의 경우 대뇌신경의 재조직화로 주로 설명되고 있다. 언어장애의 원인 중 청력장애의 경우 중이염에 의한 경우도 상당수 있으므로 이에 대한 조기발견 및 치료는 매우 중요하다. 또한 집중력의 저하와 행동장애가 심한 경우에도 언어발달에 악영향을 미칠 수 있으므로 적절한 평가를 통하여 그 원인을 잘 파악하는 것이 치료적 접근에 있어 필수적이다.[26]

(4) 호흡기계 문제

호흡기계 문제는 뇌성마비의 주요한 사망원인이 된다. 반복적인 흡인과 객담 배출의 어려움, 척추와 흉벽의 변형, 영양 불량 상태는 급성 기도 감염 및 만성 하부 기도 염증에서 기관지 확장증에 이르게 되는 주요 원인이 된다. 이러한 인자들에 대한 예방적 대처 및 발생 시 철저한 치료를 통해 중증 뇌성마비의 생존율 증가를 기대할 수 있다.

(5) 감각 이상 및 통증

뇌성마비가 주로 운동 기능 및 자세의 장애에 대하여 강조되어 있어 감각 장애는 간과되기 쉽다. 하지만 감각장애는 손의 기능적 사용에 있어 매우 큰 영향을 끼치므로 꼭 평가할 필요가 있다. 두 점 식별감각, 고유감각 및 입체감각의 장애가 주로 편마비 환아에서 보고되고 있다.[21] 50~75%에 해당하는 뇌성마비에서 통증이 확인되며 25%는 활동을 제한하는 정도의 통증을 호소한다고 하나, 의사소통의 어려움 등으로 인해 이를 표현하지 못하는 경우가 많다. 통증의 중증도는 대근육운동기능분류체계, 동반 질환, 변비, 경직, 보조기 사용 여부, 정서 척도와 연관성이 있고, 성별, 지능수준, 언어 능력, 부모의 교육 정도와는 관계가 없는 것으로 알려졌다. 60% 정도에서 두 군데 이상의 통증을 호소하였고, 하지의 통증을 가장 많이 호소하며, 보행이 불가능한 환자군에서 상대적으로 골반과 복통을 호소하는 경우가 더 많았다.[27] 이러한 통증은 뇌성마비의 삶의 질에 악영향을 줄 수 있으므로 간과하여서는 안되고 특히 의사표현이 제한된 뇌성마비에서 기능적 능력이 퇴행할 경우 통증을 주요 원인 중 하나로 고려해 근거에 기초한 객관적 통증 척도를 통한 평가 및 적극적 개입이 필요하다. 현재 뇌성마비에서 통증 평가를 위해 사용되는 평가 도구들은 통증의 강도나 위치를 중점적으로 측정하나, 기능적 영향과 관련된 부분은 간과된 것들이 대부분이므로 포괄적 통증 치료를 위해서는 이를 평가할 수 있는 부분에 대한 보완이 필요하다.[28]

(6) 골다공증

골밀도 감소 및 이로 인한 골절 위험도 증가는 특히 보행이 불가능한 중증 뇌성마비에서 흔히 나타난다. 10세경이 되면 이들 대부분이 골감소증이 확인되며, 대퇴골밀도의 저하는 신경학적 중증도가 높을수록, 영양공급이 부적절할수록, 항 경련제를 사용하는 경우 특히 심하게 나타난다.[29]

(7) 수면장애

수면장애는 광범위하게 보면 성장, 행동, 인지 기능 발달에 영향을 줄 수 있다. 신경발달장애를 가진 아동의 85%에서 수면장애가 보고되고 있고, 특히 뇌성마비의 경우 수면장애를 유발할 수 있는 야간 경련, 시력 저하로 인한 광각 저하, 멜라토닌 호르몬 분비 저하로 인한 생체 리듬(circadian rhythm)이상, 통증 등 여러 가지 동반질환을 가질 수 있다. 가장 흔한 수면 문제는 불면증(insomnia), 수면의 시작과 지속, 수면의 질에 반복적 문제가 있어 주간 기능 장애를 유발하는 상태이며, 또 다른 문제는 수면호흡장애로 코골이부터 수면 무호흡까지 다양하다. 2019년 체계적 문헌 고찰 및 메타 분석에서 sleep disturbance scale for children이 가장 흔히 사용되는 신뢰도 높은 평가 도구였으며, 이를 이용한 유형별 분석에서 양측성 경직형 뇌성마비에서 41%로 가장 높은 유병률을 보였고, 대근육운동 기능이 낮을수록, 연령이 많아질 수록, 동반 질환이 많을수록 수면장애 발생률이 높았다. 이러한 결과를 보았을 때 뇌성마비에서 수면장애에는 더 많은 관심과 적절한 대처가 필요하다.

(8) 근골격계 변형

골격의 길이성장을 근육이 따라가지 못하며 특히 중증 경직성 사지마비 환아의 경우 경직과 관절의 움직임이 제대로 이루어 지지 않음으로써 근골격계의 변형이 흔히 발생된다. 근골격계의 변형은 미용상의 문제뿐만 아니라 통증 및 기능상의 문제를 더욱 악화시킨다. 특히 하지 근골격계 변형은 병적 보행을 유발하거나 악화시키고, 상지 근골격계 변형은 일상생활동작 수행에 악영향을 주게 되므로 뇌성마비 아동을 관리하는 데 있어 매우 중요한 문제이다.

① 고관절 변형

고관절 변형은 발과 발목관절 변형에 이어 뇌성마비에서 가장 흔한 근골격계 변형으로, 고관절 아탈구 및 탈구로 이어질 수 있고, 대근육운동 기능과 선형의 연관성이 있어, GMFCS 5단계의 경우 90%에서 나타날 수 있다. 고관절 탈구는 고관절 내전근, 장요근, 안쪽 넙다리뒤근육의 경직과 구축 등이 원인이 될 수 있으며 이러한 근육의 불균형이 이차적인 골격 변형과 동반된 대퇴경부 외반, 대퇴골 전경, 비구 이형성과 함께 고관절 불균형을 야기할 수 있다.[30] 초기의 아탈구 단계에서는 통증 또는 불편감을 느끼지 않을 수 있으나, 악화되면 고관절 가동 범위 제한, 자세 유지 및 위생관리 등에 어려움을 겪게 되고, 통증으로 인한 경직 악화로 고관절의 횡방향 이동을 더욱 악화시키며, 이차적 척추 변형의 원인이 될 수도 있다(그림 20-3).[31] 고관절 전위를 평가하기 위한 표준화된 지

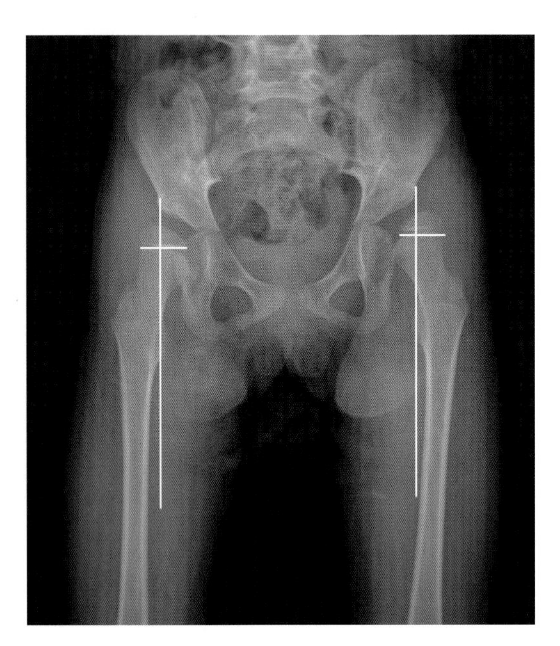

그림 20-3 양측 외반고 및 고관절 아탈구
(Reimers'migration index 우측 40%, 좌측 70%)

표는 골반 방사선 촬영을 통한 전위지수(Reimers' migration index) 이고, 고관절 탈구의 위험인자와 관련된 체계적 문헌 고찰에서 3~5세경 아탈구 진행의 비율이 가장 높다고 하였다. 2~8세 에서는 1년 간격, 그중 고관절이동지수(hip migration index)가 30% 이상일 경우 6개월 간격의 추적 검사를 권유하고 있다.

② 하지의 변형

슬관절의 경우 넙다리뒤근육의 경직과 좌위 지속으로 인한 굴곡 구축이 흔하게 발생하며, 슬관절 굴곡 구축이 심할 경우, 고관절 굴곡 제한을 유발하며, 골반의 후방 경사 및 척주후만증을 유발하게 된다. 특히 넙다리뒤근육의 과도한 경직에 의하여 대퇴전경이 증가하면서 외반슬 및 내족지 보행을 유발할 수 있고, 슬관절 굴곡 구축과 동반된 고관절, 발목 관절 굴곡 구축으로 인한 웅크림 보행은 슬개골 상승이 동반될 경우 뇌성마비의 무릎 통증의 원인이 될 수 있다.[32] 발과 발목 변형의 경우 경직, 운동 조절 이상, 균형 감각 저하 등에 의해 야기될 수 있다. 첨족 변형(equinus deformity)은 가장 흔한 발변형으로 가자미근과 비복근을 포함한 하퇴삼두근의 경직 및 구축에 의해 발생한다. 내반첨족 변형(equinovarus deformity)은 장딴지 근육과 후경골근의 복합적 경직 및 구축에 의해 발생할 수 있고, 편마비에서 가장 흔하다. 외반편평족은 장딴지 근육과 비골근육의 복합적 경직 및 후경골근육의 위약이 동반되어 나타나며 양측마비 및 사지마비형에서 흔하다. 또한 무지외반증(hallux valgus)의 경우 편평외반족에서 많이 동반되며 엄지 건막류(bunion)가 생기고 심한 경우 통증으로 인하여 체중부하가 어려운 경우도 있다(그림 20-4).[21]

③ 척추의 변형

척추 변형은 후만증, 전만증 및 측만증의 형태로 나타날 수 있다. 후만증은 척추 신전근육의 위약, 넙다리뒤근육의 구축에 의해 유발되고 골반 후방기울기(posterior pelvic tilting)가 증가되는 것과 동반되어 앉는 자세를 매우 나쁘게 만든다. 전만증은 고관절 굴곡 구축과 흔히 동반된다.[21] 측만증은 20% 정도에서 나타나며, GMFCS 3~5단계, 여아, 간질, 고관절 탈구 및 수술의 과거력 등이 위험인자로 알려져 있고, 성인 뇌성마비의 경우 고관절, 무릎관절 신전 제한, 기울어진 고관절(windswept hip), 자세 불균형 등이 위험인자로 언급된다(그림 20-5). 사지마비형에서 골격 성숙 이후에도 측만 각도가 증가되는 것은 흔한 일이며, 평균 콥각(cobb's angle)은 57°로 보고되며, 50° 이하에서는 연 평균 0.8°, 이상에서는 연 평균 1.4° 정도의 각도 증가를 보인다는 보고가 있다. 큰 척추 만곡으로 앉는 자세가 기울어지고, 측만증의 회전 요소는 늑골 회전 융기를 만들어 보조기 및 앉는 면에 닿는

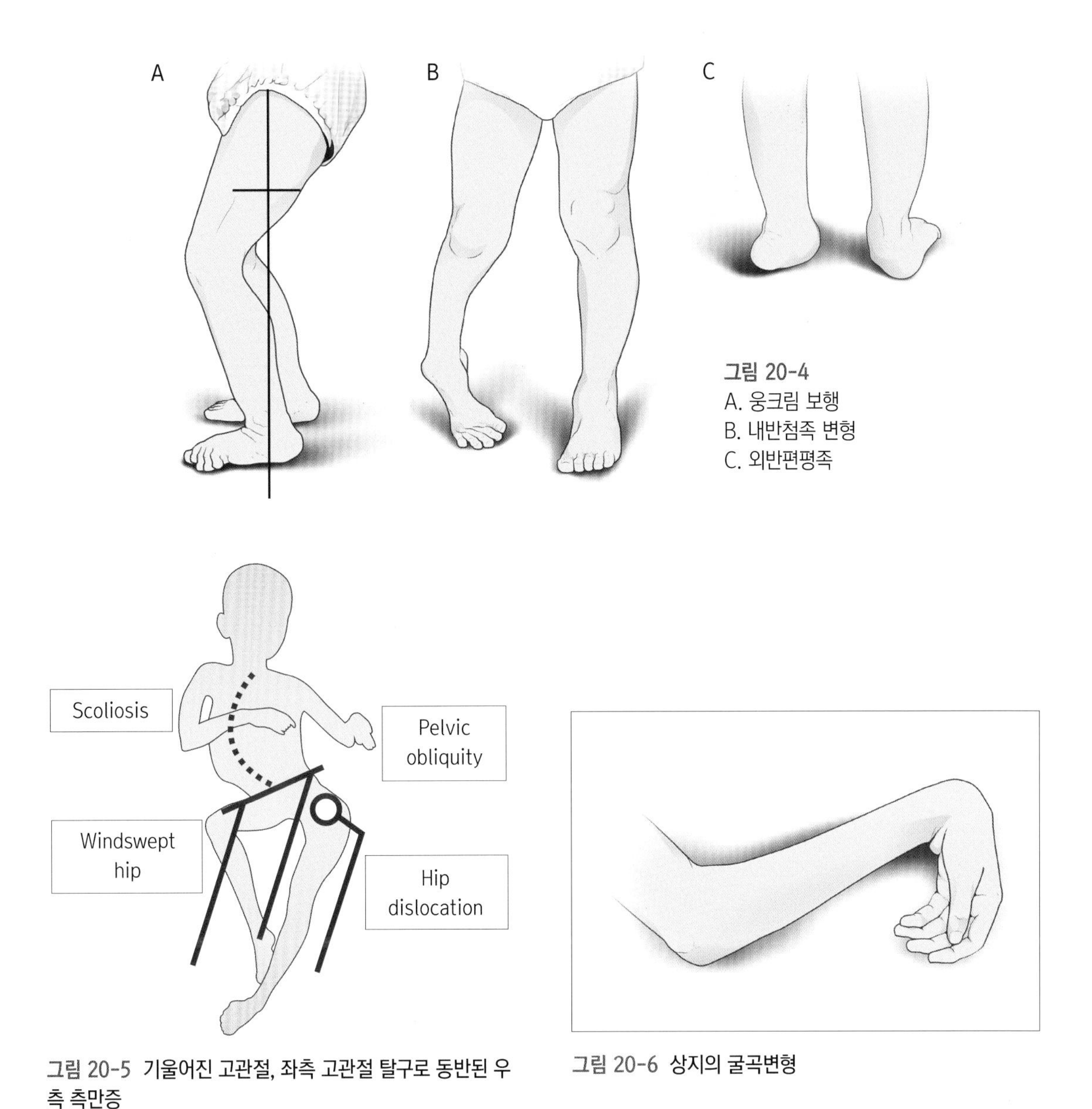

그림 20-4
A. 웅크림 보행
B. 내반첨족 변형
C. 외반편평족

그림 20-5 기울어진 고관절, 좌측 고관절 탈구로 동반된 우측 측만증

그림 20-6 상지의 굴곡변형

피부압을 증가시킬 수 있다. 또한 하위 만곡 위치의 골반의 비대칭을 유발하여 좌골 결절부 조직에 닿는 압력이 증가하여 통증이 유발될 수 있다.[33]

④ 상지의 변형

근경직과 근력 저하 및 불균형은 상지의 관절 변형을 야기한다. 경직형에서 전형적인 상지 변형으로 인한 자세는 견관절 내회전, 주관절 굴곡, 전완부 회내, 완관절, 손가락 굴곡, 내재근 경직 및 엄지손가락이 손바닥 안쪽으로 구부러지는 변형(thumb-in-palm)이다(그림 20-6). 30° 이하의 주관절 구축은 기능적 동작에 큰 영향을 주지 않고, 전완부의 회내변형의 경우 수부 사용에 제한을 야기할 수 있다.[21]

3. 뇌성마비와 감별이 필요한 질환들

경직성 양측마비는 현재 뇌성마비의 가장 흔한 유형이며, 많은 질환에서 유사한 증상을 보일 수 있어 이로 인한 적절한 진단 및 치료가 지연되거나 이루어지지 않을 가능성이 있다. 최근에는 경직성 하지 마비와 임상 증상이 유사한 질환을 확인하는 진단 방법이 더욱 발전되고 있으므로, 정확한 임상적 판단에 의해 비전형적 경직성 양측 마비에서 추가적 감별 진단이 필요한 경우를 적절히 의심하고 평가하는 것이 중요하겠다. 대표적으로 감별진단이 필요한 질환들을 간단히 소개하고자 한다.[34]

1) 양성 특발성 까치발 (benign idiopathic toe walking)

만 2세 이후 지속적 까치발 보행을 하는 경우, 장딴지 근육 및 아킬레스건 구축이 있지만, 신경학적 평가상 이상이 없으며, 대부분 지시에 의해 발꿈치 닫기 보행이 가능하다. 가족력이 있는 경우 강하게 의심해 볼 수 있으며, 대부분 규칙적인 스트레칭을 통해 호전된다.

2) 도파-반응성 근긴장이상 (dopa-responsive dystonia)

6세 전후 증상이 시작되는 원발성 근긴장이상증으로서 경직성 양측 마비로 오진되는 경우가 많으며, 비대칭성 하지 강직에서 성인기에 점차 양측 하지 강직 및 내반첨족을 가지는 경우가 많고, 상지를 포함한 진전 및 파킨슨증이 동반될 수 있다. 증상의 뚜렷한 일중 변화를 가지는 것이 특징적이며 낮에는 점점 악화되나 수면 이후에는 완전히 해소된다. 이러한 일중 변화는 연령이 증가함에 따라 줄어들게 되고 성인이 되면 더 이상 나타나지 않는다. 체내 타이로신을 레보도파로 전환하는 필수 보조인자와 관련된 GCH1 유전자의 돌연변이로 인한 경우가 가장 흔하고, 저용량의 레보도파(4~5 mg/kg/day) 및 카르비도파 복용 시 증상의 뚜렷한 호전을 확인할 수 있다.

3) 유전성 경직성 하반신마비 (hereditary spastic paraplegia)

상지 및 구마비를 동반하지 않고 점차적 하지의 경직과 위약감을 특징으로 하며, 질병이 진행됨에 따라 과긴장성 방광으로 인한 배뇨장애가 흔히 동반된다. 가족력과 함께 질환의 증상 및 진행 양상을 주의 깊게 관찰하는 것이 중요하며 원인으로 몇몇 다른 유전자 이상이 보고되었고, atlastin-1, spastin 유전자 변이로 인한 SPG3A, SPG4 형이 아동에서 가장 흔하다.

4) 유전적 대사질환

몇 가지 아미노산과 유기산 대사질환 및 요소순환결함으로 인한 뇌실 주변 대뇌백색질 이상으로 서서히 진행하는 하지 경직이 나타날 수 있다. 다른 질환 또는 고단백질 식이 이후 이화작용 스트레스(catabolic stress)로 인한 재발하는 뇌병증이 발생하는 경우 의심해 볼 수 있겠다. 비타민 및 엽산 대사의 문제가 있는 경우 역시 경직성 양지 마비와 비슷한 증상을 보일 수 있겠고, 임상적 특징으로 하지 경직, 두위 증가의 감속, 자폐증, 간질, 실조증과 이상운동을 동반한 발달지연이 있겠다.

II. 뇌성마비의 치료

1. 기본 원칙

뇌성마비는 다양한 영역의 전문적이고 포괄적인 치료가 필요하다. 재활의학과 의사, 정형외과 의사, 신경외과 의사, 물리치료사, 작업치료사, 언어치료사, 영양사, 보장구 제작자, 심리학자, 사회사업가 등으로 치료팀을 이루며, 각 환아들에 대한 개별적인 치료 목표와 계획을 수립하고, 구체적 치료 방법을 결정하며, 치료 과정을 추적 관찰하여 치료 효과를 판정해야 한다. 그 과정에서 치료 계획과 목표, 구체적 방법들이 수정될 수 있다.

뇌성마비의 치료는 연령에 따른 고려가 필요하다. 이는 성장과 발달을 고려한 가장 적합한 치료 과정의 설계와 선택이 이루어져야 하기 때문이다.

또한 뇌성마비의 치료는 가능한 조기에 시작하도록 한다. 이와 관련하여 여러 근거가 제시되어 있다. 인간의 뇌는 출생 이후 계속 발달하여 어릴수록 뇌의 가소성(plasticity)이 높다. 특히 뇌세포와 뇌세포의 신경연접은 출생 후 점차 증가하여 만 2세경에는 성인의 두 배 이상 많은 신경연접을 갖게 되나, 이후 오히려 감소하게 되는데, 일단 많이 만들어놓고 필요 없는 것을 제거하는 과정이 일어난다. 이러한 일련의 과정은 이미 결정된 고유한 유전적인 요인과 경험, 학습 등과 같은 후천적 환경적 요인에 의하여 영향을 받는다. 즉 많이 사용하고 꼭 필요한 신경연접은 남겨두고, 불필요한 것들은 제거하여 효율성을 높이는 작업이 성장기에 일어난다.[35] 그러므로 비록 어느 정도 뇌손상이 있을지라도 조기 재활을 시행하면 남아있는 신경연접의 효율성을 극대화할 수 있는 것이다. 조기 치료의 중요성을 설명하는 또 다른 이론으로 '결정적 시기(critical period)'를 들 수 있다.[36] 이는 "아동의 발달 과정에 특정 기능, 행동을 학습할 수 있는 제한된 특정 시기가 있는데, 이 시기에 적절한 환경 자극이 주어지지 않으면 특정 기능, 행동의 습득이 제대로 이루어지지 않는다"는 것이다. 이는 영유아 시기에 인간사회로부터 격리되어 야생에 버려졌다가 뒤늦게 동물들 무리에서 발견된 후 집중적인 교육과 치료를 받았음에도 평생 인간의 언어를 습득하지 못하고 결국 야성을 버리지 못하였던 여러 예들에서 보듯이 정상적인 발달에는 적절한 환경이 필요하고, 그리고 이러한 발달에는 결정적 시기가 있다는 것이다. 뇌성마비 아동에서 재활치료는 '적절한 환경'을 제공하는 것이며, 조기 치료는 '결정적 시기'를 놓치지 않는 것이라 할 수 있겠다. '학습된 비사용' 이론 또한 조기 치료의 중요성을 뒷받침한다.[37] '학습된 비사용'의 예로 사시가 있는 눈을 후천적으로 사용하지 않아서 시력이 점점 나빠지는 소아 사시의 경우나, 마비측 상지의 정상 발달을 경험하지 못하고 사용하지 않음으로써 실제 뇌손상 정도나 하지 기능에 비해 상지기능이 현저히 떨어지는 편마비형 뇌성마비 환아에서 찾을 수 있다. 이런 '학습된 비사용'에 의한 기능저하를 최소화하기 위해 마비지의 사용과 자극을 유도하는 조기 치료가 필요하다.

뇌성마비의 초기 치료는 부모 교육으로부터 시작한다. 뇌성마비의 치료에 있어서 치료팀과 뇌성마비 환아의 부모 및 보호자들과의 적극적이고 밀착된 협력이 매우 중요하다. 치료 목표의 공유와 치료방법의 제시, 그리고 부모 교육 등을 통하여 보다 적극적으로 개입하도록 돕는다. 이는 첫 진단 후 부모들이 받는 불안감을 줄여줄 수 있어서 부모의 안정된 정서적 지지를 받으며, 재활치료가 가정에서도 병행됨으로써 보다 긍정적인 효과를 얻을 수 있다. 부모교육과 참여의 중요성에 관한 연구로 미숙아 부모들을 대상으로 한 연구에서 인지발달에 효과적이었음을 보고하였고,[38] 발달지연 아동들을 대상으로 한 연구에서 부모교육을 받고 가정에서 재활치료를 시행하는 부모들과 그들의 장애자녀들의 심리상태가 보다 안정적이었음을 보고한 바 있어[39] 부모교육에 대한 보다 많은 관심과 확대가 필요하다.

2. 치료 방법

다양한 임상 양상을 보이는 만큼이나 다양한 치료방법들이 있다. 환아의 임상적 특성과 중증도, 연령, 사회문화적 특성을 고려하여 가장 적절하고 필요한 치료방법들을 선택하는 것이 매우 중요하다. 치료방법은 물리치료와 작업치료, 언어치료, 보조기, 보조도구, 약물치료와 주사치료 등 비수술적 방법들로 이루어진 재활치료와, 정형외과적 수술과 경직조절을 위한 선택적 후근 절제술, 척수강내 바크로펜 펌프와 같은 수술적 치료로 대별할 수 있다. 이외에도 승마치료, 수중치료, 아델리옷치료, 고압산소치료, 미술치료 등 많은 보완대체의학적 방법들이 행해지고 있는데, 과학적이고 객관적인 근거를 갖춘 것들은 많지 않다. 2012년까지 발표된 연구들을 총괄하여 연구의 근거수준과 발표된 연구논문의 수 등을 분석한 체계적 문헌고찰 연구에서[40] 효과적인 것과 효과 수준이 낮은 것, 효과가 없는 것으로 분류하여 발표한 바 있다. 효과적인 치료법으로는 경직조절을 위한 보툴리눔 독소 주사와 다이아제팜 약물치료, 선택적 후근절제술을 꼽았고, 관절가동범위 개선 및 유지를 위한 방법으로는 하지의 석고붕대법(casting), 고관절의 안정성 확보를 위해서는 고관절 추적 관찰, 운동기능 및 자기관리능력 향상을 위한 방법으로는 구속치료, 과제지향적 치료, 양손훈련(bimanual training), 보툴리눔 독소 주사 후 작업치료, fitness training, context focused therapy, 그리고 가정치료 등이 있다고 하였다. 한편 신경발달치료(neurodevelopmental therapy, NDT), 고압산소치료, 감각통합치료, 고관절 보조기, 두개천골치료는 효과가 없다고 하였다(그림 20-7).

이후 2012년부터 2019년까지 추가로 발표된 연구들을 분석하여 동일연구자가 2020년 발표한 문헌고찰 연구에서[41] 몇몇 치료법들을 효과적인 치료법에 추가하였는데, 승마치료, 구강감각운동치료와 구강 전기자극치료(oral sensorimotor, oral sensorimotor plus electrical stimulation), 근력강화운동, 부분체중부하 트레드밀 훈련, 척수강내 바클로펜 펌프 등이 대표적이다. 그러나 효과가 없는 치료법에는 변화가 없었다. 2013년에 이은 7년 만의 후속 연구 결과의 경우 아직 결론을 내리기 어려운 미완의 치료방법들을 포함하는 등 논란의 여지가 있다. 그러나 신경발달치료는 실제 임상에서 널리 행해지고 있으나 효과 없음으로 분류됨을 주시할 만하며, 이에 관한 심도있는 논의와 좀 더 객관적이고 체계적인 연구가 필요하다.

본 장에서는 재활치료 방법들 중 보조기, 경직조절, 작업치료, 언어치료 등 각각 주제의 장에서 자세히 다루고 있는 치료법들은 중복을 피하기 위하여 구체적 기술은 하지 않았으며, 뇌성마비의 치료에 필수적이고 기본적인 내용들 위주로 기술하였다. 또한 수술적 치료방법 중 신경외과적 치료는 근긴장도이상에서 다루고 있어 제외하고 정형외과적 치료만을 포함하였다.

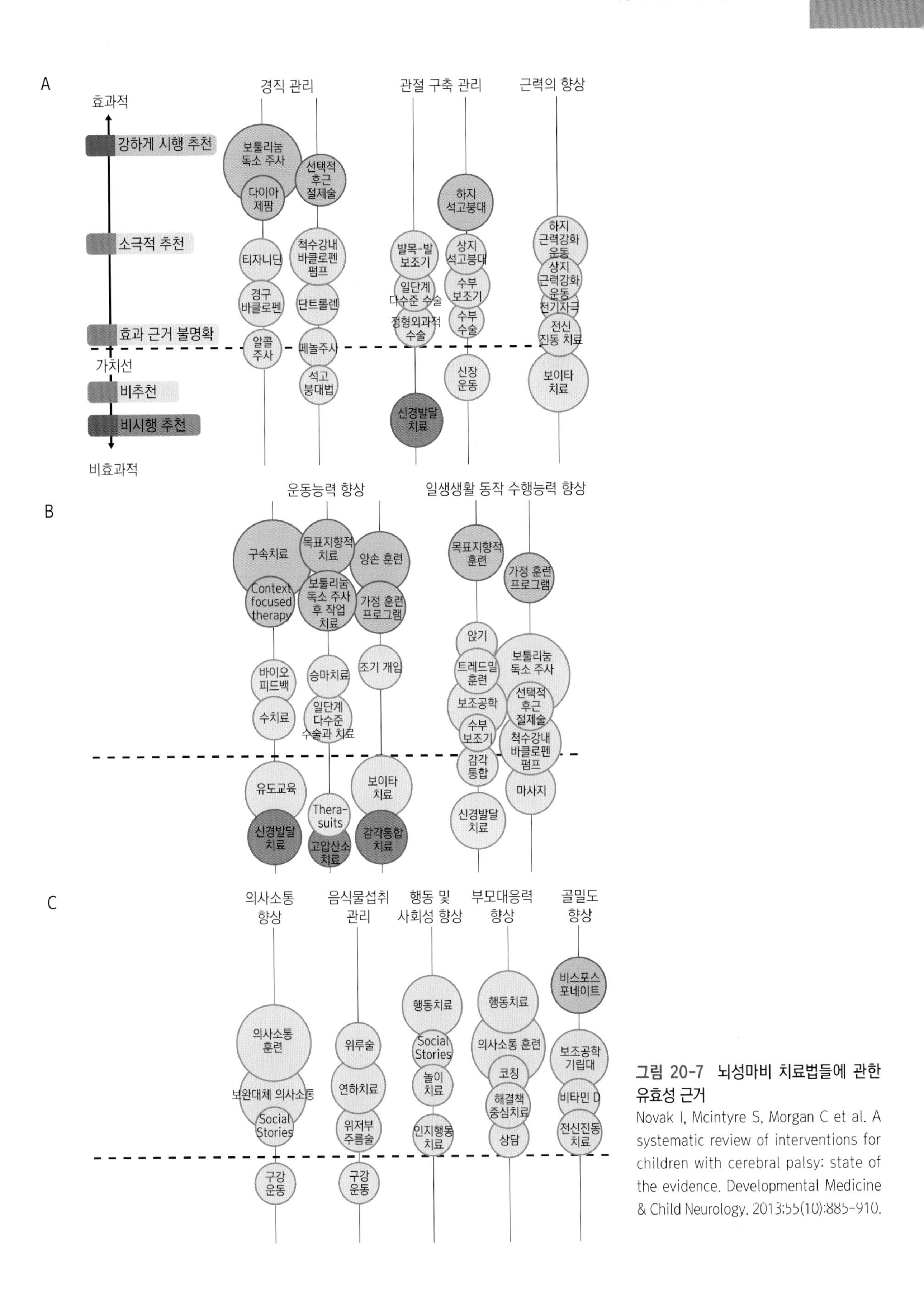

그림 20-7 뇌성마비 치료법들에 관한 유효성 근거

Novak I, Mcintyre S, Morgan C et al. A systematic review of interventions for children with cerebral palsy: state of the evidence. Developmental Medicine & Child Neurology. 2013;55(10):885-910.

A. 재활치료

1. 물리치료

근육단축, 관절구축을 막고 근력향상을 도모하며, 자발적 움직임과 보행기능의 향상을 유도하여, 궁극적으로 일상생활에서 독립성의 강화를 목표로 한다. 이를 위한 다양한 치료 방법들이 있으며 최근 로보틱스, 가상현실 등 새로운 방법들을 치료에 도입하는 시도들이 있다.

1) 운동치료

운동치료에는 관절범위 운동, 근력강화 운동과 같은 기본적 운동치료법 외에 자발적 운동 기능의 발달과 협응 운동의 개선, 자세와 근긴장도의 개선을 위하여 고안된 많은 치료적 운동 방법들이 있다. 이들은 운동 조절 이론에 근거하여 보상훈련법(compensatory training approach), 촉진적 치료법(facilitation remediation approach), 과제지향적 치료법(task-oriented approach)으로 분류되는데, 소아에서는 보상훈련법보다는 촉진적 치료방법들을 주로 사용하여 왔으며, 과제지향적 치료법의 효과가 알려지면서 아동의 자발적 참여와 기능적 과제를 이용하여 임상에서 많이 적용하고 있다.[42] 구체적인 치료적 운동법들로는 신경발달치료법, 보이타 치료법, 고유감각신경근육 촉진법(proprioceptive neuromuscular facilitation, PNF), Rood 치료법, Doman-Delacato치료법 등이 있다. 치료에 효과적인 시간과 횟수에 대한 명확한 근거 지료는 부족하나, 집중적이고 강도 높은 치료가 낮은 강도의 치료보다 운동 기능 개선에 효과적인 것으로 알려져 있다.[43] 대부분의 치료적 운동법들은 임상적 관찰에서 시작되어 치료 효과를 경험하면서 치료방법들로 정립되고 전파되었으며, 그 기전에 대한 신경생리학적 배경은 이후에 제공되었다. 또한 과학적인 근거에 있어서 취약하다. 가 운동방법에 대하여 구체적인 기술은 앞선 운동치료 파트에서 다루고 있으므로 본 장에서는 뇌성마비 아동에서의 대표적 치료방법들에 관하여 간략히 기술하겠다.

(1) 신경발달치료법

1940년대 영국의 Berta 와 Karel Bobath 부부에 의해 고안되어 발전한 치료법으로, 초기 개념은 뇌성마비에서 보이는 비정상적인 자세 및 운동 패턴의 원인이 항진된 근긴장도와 원시반사에 의한 것으로 판단하고, 경직의 감소와 원시반사의 억제를 위하여 반사-억제 자세(reflex-inhibiting posture)의 사용을 강조하였다. 그러나 억제만으로는 경직 감소에 효과적이지 않을 뿐만 아니라 잔효(carry-over effect)가 없음을 알게 되었고, 이후 조절점(key points of control)과 자동 정위반응(automatic righting reaction)의 이용을 강조하였다. 즉 치료사가 운동 조절점을 자극하여 정상 운동을 반복시킴으로써 정상적인 운동 패턴을 촉진시키도록 하였다. 이는 뇌성마비 환아가 정상적인 되먹임 기능을 하고 있음을 전제하는 것이며, 주로 치료자의 손에 맡겨져 아동은 수동적인 입장이었다. 이후 아동 스스로의 운동조절 및 균형의 중요성과 함께 치료가 실제 일상생활에서 기능 향상으로 연계되어야 함의 중요성을 인식하고, 과제중심 치료법(task-oriented approach)의 개념을 도입하였다. 이와 같이 신경발달치료법의 핵심 개념이 초기의 반사 모형(reflex model)과 계급 모형(hierarchical model)에서 계통 모형(systems model)에 이르기까지 신경 운동 조절 이론의 새로운 견해들을 적극적으로 받아들이면서 지속적으로 변화하여 왔다. 그 결과 현재까지 널리 사용되는 치료법으로 자리

잡았으나, Bobath 부부의 초기 개념과는 상당히 달라졌으며, 따라서 독창적인 하나의 치료법이라고 보기 어렵다는 견해도 있다.

한편 이 치료법의 우월성을 입증하기 위한 노력들이 있었으나, 다른 치료법과 비교 시 우월성을 증명하지는 못하고 있다.[44] 경직의 감소나 운동조절 기능의 향상, 관절구축의 감소 등에 있어서 통계학적으로 유의한 차이를 증명해 보이지 못하였으나, 여전히 전세계적으로 널리 사용되는 치료법이다.

(2) 보이타 치료법

1950년대 체코의 소아신경과 의사인 Vaclav Vojta 박사가 뇌성마비의 치료를 위하여 고안한 방법으로 주로 독일과 동유럽, 우리나라, 일본 등에서 이용되고 있다. Vojta 박사는 영아에서 특정 부위를 자극하면 반사적이고 전신적인 일정한 운동반응이 유발됨을 임상적 관찰을 통하여 발견하였고, 이와 같은 전신적 패턴은 보이타 치료법의 반사적 이동(reflex locomotion)의 기초가 되었다. 이러한 반사적 진행동작을 통하여 정상발달과 유사한 자세를 이루게 하여 근골격계를 충분히 자극하도록 하면 중추신경계는 근육, 관절, 피부 등의 장기로부터 구심성 내수용성 감각을 전달받아 정립반응, 평형반응 등의 발달과 근육 기능 분화가 이루어지도록 한다는 것이 기본 개념이다. 반사적 진행 동작으로는 반사적 뒤집기와 반사적 기기(reflex turning, reflex creeping)가 있으며, 일정한 시작자세에서 10개의 일정부위를 자극하여 유도한다.[45]

Vojta 박사는 모든 종(species)은 종 특유의 특성대로 발달하여 종족 특유의 운동발달과 정립기전을 가지며, 종족 특유의 개체발생을 하며 발달해가는데, 뇌성마비에서는 이러한 정상적인 자세조절 및 운동발달의 개체발생이 손상되어, 정상패턴으로 발달하지 못하고 비정상적인 보상패턴을 사용하게 된다고 하였다. 따라서 뇌성마비에서 정상적인 자세발달을 위해서는 정상적인 패턴으로 갈 수 있는 방법, 즉 중추신경계에 존재하나 작용하지 못하고 있었거나 억제되고 있었던 기능을 보상해 주고 일깨워, 소통할 수 있도록 해야 한다는 가설을 세웠으며, 앞서 기술한 반사적 뒤집기와 반사적 기기는 이러한 소통을 위한 방법이 될 수 있다고 주장하였다. 또한 비정상적인 운동패턴이 대뇌에 기억 또는 습관화되기 전에 정상적인 패턴의 움직임을 반복함으로써 대뇌에 정상적인 잠재기억(engram)을 형성, 발달을 이끌어 내야 한다고 하였다.[33] 따라서 비정상적인 운동 보상 패턴이 아직 고착되지 않은 어린 영유아 시기에 시작하는 것이 치료효과가 높다고 하였다. 치료는 성인 기준으로 약 20분의 치료를 하루 4회 반복 시행을 권고하였으나, 나이와 견디는 정도에 따라 시간 조절을 하도록 하였다. 일정 자세를 치료시간 동안 유지해야 하므로 아동들의 거부감이 심한 경우에는 치료지속이 어려운 단점이 있으나, 치료 방법이 비교적 명확하고 일정하여 부모 교육이 용이하므로 가정에서의 치료 수행을 잘 할 수 있는 장점이 있으므로, 환아의 상태와 연령, 부모의 이해 정도 등을 고려하여 선택하도록 한다.

(3) 근력강화 운동

경직형 뇌성마비에서 근긴장도 증가에 대한 관심과 우려가 크고, 따라서 경직 완화를 위한 다양한 치료 방법들이 개발되었음에 비해, 근위약에 대한 관심과 치료는 상대적으로 저조하였다. 또한, 경직이 심하거나 나이가 너무 어릴 때, 혹은 지시따르기가 어려운 지적능력을 갖는 경우 근력평가를 제대로 수행하기 어려워 근위약의 정도를 정확히 평가하지 못하는 경우가 많다. 실제로 근위약은 생각보다 심하고, 광범위하게 분포한다. 특히 몸통 근육과 고관절 신전근과 외전근, 족관절 배측 굴곡근의 근력이 길항근과 비교하여 더욱 약한 경향을 보이며, 편마비형에서 건측지의 근력도 또래에 비하여 약한 경우가 많다. 뇌성마비에서 근위약은 운동단위 동원의 감소와 길항근 동시활성화(antagonist coactivation)의 증가, 근섬유의 위축, 지방과 결체조직의 증가와 같은 근육 성상의 변화 등 다양한 요인으로 설명하고 있다.[46]

이와 같이 광범위하고 지속적인 근위약은 뇌성마비 아동의 기능 습득과 운동발달에 지장을 초래하게 되므로 근력 강화를 위한 보다 적극적이고 체계적인 치료가 치료 초기부터 고려되어야 한다. 그럼에도 불구하고 경직 감소를 위한 적극적인 치료 개입과는 달리 근력 강화를 위한 운동치료는 경직을 증가시킬 수 있다는 우려 때문에 과거에는 추천되지 않았었다. 2000년대에 들어 근위약의 문제점에 주목하게 되면서, 근력강화 운동의 긍정적 치료 효과에 대한 연구들이 다수 발표되기 시작하였다.[47, 48] 즉 뇌성마비 아동에서 근력강화 운동을 시행한 후 긴장도가 증가되지 않았고, 근력 강화와 함께 보행능력, 이동동작 등 대근육운동 기능 발달에서 유의한 개선이 있었음을 보고하였다. 다른 치료법에 비하여 표준화되고 구체적인 방법이 정립되어 있지 않으나, 그럼에도 근력강화 운동은 뇌성마비 아동의 치료에 있어서 간과해서는 안 될 영역이다. 과제지향적 치료법을 지향하고, 그룹치료와 같이 참여의식을 높이는 방식 등의 시도가 필요하다.

(4) 신장운동(stretching)

관절구축은 근육의 불균형과 경직, 비정상적 자세와 움직임이 반복되면서 발생하며, 한 번 발생하면 자세유지와 일상생활을 더욱 어렵게 하여 구축을 악화시키는 악순환을 반복하게 한다. 경직성 뇌성마비 아동의 근육에서 조직학적, 생역학적인 이차적 변화가 일어나, 근육 섬유의 위축과 제1형 근섬유의 상대적 증가, 근육내 콜라겐 축적, 근육에서 탈신경화 등이 나타난다. 또한 관절의 최대 가동범위까지 신전이 일어날 때 근육말단부에 있는 근섬유분절이 자극되면서 근육의 성장이 일어나게 되는데, 경직에 의해 관절 운동범위의 제한이 생기면 근육의 성장이 제대로 이루어지지 않게 되고 근육의 길이가 짧아져, 뼈의 성장을 따라가지 못하게 되므로 관절 구축이나 변형이 더욱 심해지게 된다.[49] 따라서 이러한 관절구축의 예방 및 치료를 위하여 신장운동을 해야 한다. 신장운동은 가정에서도 반복적으로 이루어져야 하며, 치료 전 온열치료로 근육을 이완시킨 후 가볍게 시작하는 것이 좋다. 치료효과를 높이고 유지하기 위하여 치료 후에 석고붕대법, 보조기 착용이 도움이 될 수 있다.

2) 보행훈련- 부분체중부하 트레드밀 훈련 (partial body weight support treadmill training, PBWSTT)

보행은 대근육운동의 가장 궁극적 기능이라 할 수 있으며, 다양한 운동치료법들을 통하여 운동발달을 돕고, 근력과 근긴장도 조절, 관절운동범위를 확보하면서 보행훈련을 병행한다. 독립적 보행이 어려운 경우에는 기구나 보조기, 보조도구를 이용한 서기부터 시작하고, 환아의 임상양상과 연령 등을 고려하여 시행한다.

부분체중부하 트레드밀 훈련은 낙하산 조끼와 흡사한 현가장치를 장착하여 체중부하를 감소시키고 트레드밀에서 보행훈련을 시행하는 방법으로 체중부하 및 몸통 조절의 정도, 보행 속도 등을 조절하며 훈련할 수 있다. 치료 기전으로는 척수와 척수상부에 위치하는 보행중추를 활성화(activation of central pattern generator)하여 보행

패턴을 발전시킨다고 하였다.[50] 또한 보행 양상의 개선은 운동 능력의 습득과 관련하여 반복훈련의 중요성을 간과할 수 없다. 이는 자동적인 신경근 협조의 형성을 위해서는 반복적인 훈련에 의한 잠재 기억의 형성이 중요하다고 한 Kottke 등의 이론과도 맥락을 같이하며, 걷기라는 과제를 반복적으로 시행하는 과제지향적 치료라고도 할 수 있다. 1986년 척수절단 고양이에서 뇌간과 척수 사이의 연결이 끊겼음에도 불구하고 트레드밀 보행 훈련 후 보행의 회복을 관찰한 동물 실험연구를[51] 거쳐 척수손상 환자들을 대상으로 처음 임상연구가 시작되었던 PBWSTT는 성인 뇌졸중 환자에서의 치료 효과와 함께 뇌성마비 환아에도 적용하여 치료 효과를 보고한 바 있다. 보행이 불가능한 뇌성마비 환아들을 대상으로 한 임상 연구에서 대동작기능평가 중 서기, 걷기 부분에서 현저한 호전이 있었다고 하였고,[52] 주 2회씩 6주간 12회 시행한 결과 보행속도가 빨라짐을 보고하였으며,[53] 주 5회씩 3주간 15회 시행한 후 보행분석기를 이용하여 평가한 연구 결과 보행 속도, 분속 수, 활보장이 증가하여 전반적인 보행 기능의 호전을 보고한 국내 연구도 있다.[54] 최근 로봇을 보행 훈련기구에 함께 적용하는 경우가 증가하고 있는데, 보행속도와 대동작기능평가 점수에서 호전이 있었다는 연구보고가 있으나 소아에서의 적용은 아직 제한적이다.

단점으로 PBWSTT 장비와 치료사의 많은 개입이 필요하며, 나이가 어리거나 인지기능이 심하게 떨어지는 경우 시행하기 어려운 경우도 있으나, 보행 훈련 시 안정감을 주고, 낙상 공포로 인한 불필요한 근긴장의 증가를 감소시키며, 조기 보행의 경험을 제공하는 등의 장점이 있다. 또한, 양측 하지의 보행과 관련된 근육으로의 체중 부하를 감소시키고, 양하지의 균형과 안정성을 향상시켜 보행을 쉽게 하여 보행에 재미를 느끼게 한다.

3) 전기자극치료

뇌성마비 아동에서 특정 근육을 훈련시키고 근력을 강화하는 목적으로 사용되는 전기치료에는 신경근육 전기자극법(neuromuscular electrical stimulation, NMES), 역치 전기자극법(threshold electrical stimulation, TES), 기능적 전기자극법(functional electrical stimulation, FES)이 있다.

NMES는 근육이 수축할 정도의 강도로 전기 자극하는 방법으로 근력 약화를 보이는 근육들을 직접 자극하여 근육 수축을 유발하는 방법으로 근력 증가, 관절 가동 범위의 증가, 대근육운동 기능의 향상 효과를 보고한 연구들이 있으며,[55] 근력 증가는 근육단면의 증가와 제2형 근섬유 동원(recruitment)의 증가에 근거한다고 하였다. 한편 전기치료 후에 근력이나, 관절가동범위, 보행분석상의 개선 효과는 없었다는 연구 보고들도 있어서 모든 연구에서 효과를 입증하지는 못하였다. 그러나 효과적이었다는 보고들이 더 많은 편으로, 근력 약화와 근위축이 뚜렷한 경우, 뇌성마비 환아가 전기자극을 견딜 수 있다면 적용해 볼 만하다.

TES는 전기자극을 감지할 뿐 근육 수축은 일으키지 않는 낮은 강도, 고 주파수(low-voltage, high-frequency)의 전기로 자극하는 치료법이다. 전기자극에 대한 거부감이 거의 없어 아동이 잠든 상태에서도 적용 가능하다. 치료기전으로는 자극부위의 혈액순환을 좋게 하여 자극 호르몬의 분비를 증가시켜 근육 발달을 도와준다고 하였다. 근력 강화나 운동 기능에 있어서 개선 효과는 연구자 마다 일치하지 않아서, 근력 강화에는 유의미한 효과가 없었으나 대동작기능평가(gross motor function measure, GMFM)에서는 유의한 개선이 있었다는 연구가 있었던 반면, 근력과 기능에서 모두 효과가 없었다는 무작위 대조연구도 있어서,[56] 잘 계획된 추가적인 연구가 필요하나.

FES는 기능적인 움직임을 하는 동안 근수축을 유발하기 위해 NMES를 사용하는 것으로, 예를 들면 보행 시 발목신전을 유도하기 위하여 전경골근을 자극하는 것이다. 치료 효과에 관한 연구로는 근력과 보행 양상이 향상되었다는 긍정적인 연구보고가[57] 있었으나, 보행분석기를 이용한 연구에서는 37.5%에서만 현저한 개선이 있었다는 보고도 있어, 아직은 치료 효과에 대한 과학적 근거가 부족하며, 경직이 심하거나 빠른 동작을 할 때 치료 효과가 떨어지는 것으로 알려져 있다.

4) 석고붕대법(casting)

관절 구축의 치료에서 지속적인 신장(sustained stretch)이 도수신장운동(manual stretching)보다 효과적으로, 지속적인 신장을 위하여 보조기, 부목 등이 사용되어 왔는데, 석고붕대법은 지속적 신장 방법들 중 하나라 할 수 있다. 석고붕대법에는 억제 석고붕대법(inhibitive casting)과 연속 석고붕대법(serial casting)이 있으며, 좀더 효과적인 방법으로 알려진 연속 석고붕대법은 관절가동범위 각도를 점진적으로 올리면서 석고붕대 고정을 순차적으로 반복하는 방법으로, 대개 5~7일 간격으로 시행하며, 총 3~6주간 지속한다. 치료 효과로 관절 구축의 감소와 관절가동범위의 증가, 연부조직의 신전성 회복, 경직의 감소, 자세 및 보행 양상의 개선 등이 있다. 보툴리눔 독소 주사와 연속 석고붕대법, 또는 두 가지의 병용 효과를 서로 비교 연구한 임상 연구 결과들을 살펴볼 때 경직과 관절 구축을 동반하는 경우 보툴리눔 독소 주사 후 적극적인 신장운동을 시행한 후 지연 연속 석고붕대법(delayed serial casting)을 시도하는 것이 더 효과적인 것으로 추천된다.[58] 보툴리눔 주사 3주 후에 석고붕대법을 1주일 간격으로 3회에 걸쳐 시행하고 12주간 추적비교한 연구결과 보툴리눔 주사법만 시행한 그룹보다 석고붕대법을 병용한 그룹에서 신상도 완화, 관절가동범위 증가, 보행패턴의 개선효과가 더 좋았고, 그 효과는 12주 후까지 지속되었다고 보고하였다.[59] 그러나 치료효과가 빠르게는 석고붕대 제거 후 약 6주부터 감소하기 시작한다는 연구보고도 있으므로 석고붕대 제거 후에 효과 유지를 위하여 신장운동과 보조기 착용 유지를 권고한다. 합병증으로는 욕창과 접촉성 피부염과 같은 피부병변, 통증 등이 있을 수 있으므로 주의를 요하고, 근위축도 발생하므로 석고붕대를 한 상태에서도 등척성 운동을 하도록 한다.

2. 작업치료

운동기능과 감각, 인지기능의 장애로 인한 일상생활과 교육, 놀이활동 등의 참여가 제한되는 뇌성마비 아동들에게 참여 기회와 일상생활동작 독립성의 확장은 작업치료의 목표이며, 이를 위하여 각각의 기능발달을 향상시켜 극대화하고, 환경의 변화를 모색하며, 필요한 경우 보조도구들을 사용한다. 운동기능 향상을 위하여 취약한 기능을 보강할 수 있는 활동이나 작업을 통하여 근력, 조절기능 향상을 유도하는데, 운동기능 향상을 위한 치료뿐 아니라 먹기, 옷 입기, 화장실이용 등 일상생활동작훈련, 인지훈련, 감각훈련 등 광범위한 치료를 시행하며, 환아들을 돌보는 보호자들의 양육기술 교육도 병행한다. 일상생활의 독립적 수행을 위하여 일상적 일들의 루틴들을 만들고, 각각의 루틴은 간단하고 수행 가능한 작은 단계들로 나누어 실행할 수 있도록 돕는다. 본 장에서는 객관적 근거기반 치료효과가 인정되고 있는 구속치료와 양손훈련에 관하여 간략히 기술하고자 한다.

1) 구속치료(constraint-induced movement therapy, CIMT)

구속치료는 주로 편마비형의 뇌성마비 아동에서 상지의 기능 개선을 위하여 사용된다. 선천적 혹은 후천적으로 발생한 편마비형에서 상지 기능은 뇌손상 정도나 하지 기능에 비하여 현저히 떨어지는 경우가 많고, 지속적인 치료에도 불구하고 나이가 들어도 크게 호전되지 않으며, 근육단축, 관절구축, 길이단축 등과 같이 사용하지 않음으로써 이차적인 문제점들이 발생한다. 이러한 임상적 특성은 상지의 정상적인 사용을 경험해 보지 못하여 기능의 발달이 이루어지지 않는 '학습된 비사용(learned nonuse)' 이론이 적용될 수 있으며, 이의 악순환의 고리를 끊기 위하여 마비된 상지에 대한 치료뿐 아니라 일상생활에서의 적극적 사용을 독려하여, 보다 정상적인 운동 패턴의 습득을 목적으로 고안되었다. 구속치료는 건측 상지를 석고고정하여 건측의 사용을 인위적으로 제한하여 마비측의 사용을 유도하는 방법으로 손기능의 호전과 일상생활동작의 개선, 근긴장도의 감소 효과를 보이며, 치료 후 6개월 경과 후에도 효과가 지속됨을 많은 연구들에서 보고하였다.[60, 61] 그러나 적용 연령이나 고정의 구체적 방법, 기간 등에 관한 표준화된 가이드 라인이 확립되어 있지 않으며, 심리적 부담 등 부작용에 관한 연구가 부족하다. 또한 구속치료 후 기능적 MRI에서 대뇌의 재구성(cortical reorganization)의 효과를 보고한 연구결과가 있으나, 치료 기전을 뒷받침하는 뇌의 재생, 뇌가소성의 증가를 입증하는 객관적 연구들이 좀 더 보강되어야 한다.

용어에 있어서 CIMT와 modified CIMT, forced-use therapy가 서로 혼용되기도 하고, 각기 다른 의미로 사용되기도 하는데, CIMT는 마비지에 대한 강도 높은 집중 치료와 함께 건측 상지의 인위적 고정을 적어도 하루에 3시간 이상씩, 2주간 연속적으로 시행하는 것이고, 변형 CIMT (modified CIMT)는 고정 시간을 하루 3시간 이내로 할 때이며, forced-use therapy는 추가적인 치료 없이 생활 중에 건측 상지를 고정함으로써 마비지의 사용을 독려하는 방법을 의미한다.

2) 양손훈련(bimanual training, BiT)

양손훈련은 일상의 활동에서 양손을 사용하도록 훈련하는 것으로 한쪽 상지기능이 약하여 건강한 쪽만 사용하는 편측성 마비형에 주로 적용하나, 상지 사용에 어려움을 느끼는 양측성 마비형에도 적용할 수 있다. Bimanual occupational therapy 또는 hand-arm bimanual intensive therapy (HABIT)라고도 불리며, 성공적인 실행을 위하여는 반복적인 양손사용이 가능하도록 양손 활동이 잘 계획되고 구성되어야 한다. 또한 환아의 참여가 중요한 만큼 충분한 설명과 함께 사전 동의를 구하도록 하고, 충분한 재미와 보상, 격려지원이 필요하다. 이 방법을 선호하는 그룹들은 구속치료에 비하여 치료목표가 기능적이어서 일상생활에 적용이 용이하고, 덜 강압적이라 환아의 거부감이 덜한 장점이 있으며, 치료효과는 구속치료와 큰 차이가 없다고 하였다.[62] 그러나 이는 두 가지 치료방법의 분량을 동일하게 했을 때 비슷한 효과를 보이는 것으로 실제로는 치료자나 보호자가 주시하지 않을 경우 건강한 상지를 사용하기 쉬워서 기대한 효과를 거두지 못할 수 있다. 따라서 일정기간 구속치료로 기능을 향상시킨 후, 양손훈련을 적용하는 교대방법을 고려해 볼 만하다.

3. 언어치료

의사소통을 돕는 언어치료는 뇌성마비 아동들의 언어발달과 조음능력, 유창성 개선을 위하여 시행하며, 언어로 의사소통이 어려운 경우에는 의사소통을 위한 대체언어수단을 사용하기도 한다. 대체언어수단의 종류에는 손동작을 이용하는 사인 랭귀지, 그림, 컴퓨터 기기, 언어보조 앱 등 다양하다. 뇌성마비 아동에서 언어발달의 지연뿐 아니라 조음장애를 갖는 경우가 많은데, 이는 뇌 병변으로 인하여 상하지, 몸통뿐 아니라 얼굴, 특히 입 주변 근육과 혀의 움직임, 목 주변 근육의 조절장애, 근위약, 근긴장도 증가 등을 초래하여 말하기와 씹기, 삼키기, 호흡에 부조화를 일으키기 때문이다. 언어치료의 시작 시기가 일관되고 명확히 제시되어 있지는 않으나 말하기 외에도 먹기, 침 흘림, 호흡 조절과도 연관되어 있으므로 가능한 일찍 시작하기를 추천하며, 학령기에도 지속하는 경우가 많다. 치료 효과에 대한 객관적 근거는 아직 취약한 편으로 보완연구가 필요하다.

4. 삼킴치료

삼킴장애를 동반하는 경우 기도로 음식물이 넘어가 질식이나 폐렴과 같은 심각한 상황을 초래할 수 있고, 물과 음식물 섭취의 어려움으로 영양부족, 발육지연, 골다공증, 변비 등의 이차적 문제를 동반하므로 이에 관한 자세한 문진과 신체계측, 진찰이 필요하다. 또한 전신적인 허약은 재활치료 효과를 반감하고, 발달에도 좋지 않은 영향을 미치게 되므로 초기부터 적극적으로 치료하는 것이 필요하다. 기도흡인과 위-식도 역류 등의 문제를 갖는 경우가 많으므로 비디오투시연하조영검사, 방사선핵종 타액검사(radionuclide salivagram)를 시행하고, 소아청소년과, 영양과와 협진하여 적정 열량과 식이 결정에 도움을 받으며, 경구 식이를 하고 있더라도 섭취량이 부족하고, 영양상태와 발육이 불량한 경우 한시적인 관급식이 필요할 수 있다. 임상양상과 검사결과들을 보호자에게 설명하고, 적절한 치료 방법을 결정하도록 한다. 치료는 식이의 수준을 정하고, 구강운동자극법 등 입주변과 혀 등 구강 주변 구조물을 직접 자극하는 직접 구강 운동법, 안전하고 효과적인 섭식을 위한 자세 교육과 같은 보상적 치료, 기능적 전기자극치료 등을 시행한다. 또한 가정에서의 적절한 돌봄을 위해 보호자 교육도 중요하다.

5. 보조기와 보조 기구

보조기는 관절 구축 및 변형을 막아주고, 기능을 향상시키며, 신체의 일부를 지지하여 약한 근력을 보완하는 목적으로 뇌성마비 아동에서 많이 사용된다. 뇌성마비 아동의 다양한 증상에 따라 하지 보조기와 상지 보조기, 체간 보조기들을 처방하며, 각 개인에게 적합한 종류와 디자인을 선택하여 맞춤식으로 제작하고, 잘 맞는지 검수해야 한다. 또한 보조기를 올바르게 사용할 수 있도록 보호자 교육도 함께 이루어져야 한다.

하지 보조기는 적용 부위에 따라 고관절 보조기, 무릎 보조기, 발목-발 보조기, 발 보조기로 대별할 수 있다. 이중 발목-발 보조기가 가장 널리 사용되고 있으며 종류도 다양하므로 임상 양상과 목적에 따라 적절한 종류를 선택하는 것이 중요하고, 잘 사용하여 기능 개선에 도움이 되도록 이끌어야 한다.

상지 보조기는 손목과 수지 관절의 굴곡구축 예방과 신상도 완화목적으로 고정형 손목-손 보조기(wrist hand orthosis, WHO)가 많이 사용되나 엄지 보조기, 손가락 보조기 등도 종종 사용되고 있다. 상지 보조기는 관절의 안정성을 갖게 하는 장점이 있으나 착용 시 손의 움직임과 감각 피드백을 제한하는 등의 단점이 있어 하지 보조기에 비하여 사용이 많지 않은 편이다. 이를 보완할 새로운 소재와 기능, 디자인에 대한 연구가 필요하다.

척추측만증은 보행이 어려운 중증인 경우 잘 발생하며, 자세유지를 돕고, 측만증의 진행 완화를 목적으로 체간 보조기 또는 앉는 자세유지도구가 필요하다. 측만증의 정도와 전반적 대근육운동기능, 전신적 상태, 환경적 요소 등을 고려하여 선택, 처방하여야 한다. 이외에도 다양한 형태의 보행기와 보행 훈련기, 기립기, 목발과 지팡이, 휠체어, 환경제어 장치, 의사소통 보조도구 등에 대한 적절한 선택과 처방이 필요하다. 이들에 대한 자세한 내용은 중복을 피하기 위하여 앞선 보조기 및 보조기구 장을 참조하기 바란다.

6. 약물치료

뇌성마비 아동의 약물치료는 동반하는 증상들의 완화를 위하여 사용한다. 증가된 근긴장도의 조절과 뇌전증을 동반하는 경우, 수면장애, 침 흘림, 변비, 통증을 호소하는 경우 이들의 조절을 위하여 약물치료를 할 수 있다. 근긴장도 조절을 위한 약물치료는 경직 파트를 참조하기 바란다.

수면장애는 침흘림 과다, 위식도 역류, 호흡의 어려움, 심한 경직, 통증, 과도한 낮잠 등 다양한 원인에 의해 생길 수 있으므로 수면장애의 원인을 찾아보는 것이 우선적으로 필요하며, 이에 따라 적절한 치료나 생활패턴을 개선하도록 한다. 즉, 낮 동안의 신체활동을 늘리고, 낮잠을 줄이며, 취침시간이 가까워 오면 TV 등 자극 요인을 없애고, 취침시간을 일정하게 유지하는 등 적절한 수면 환경을 조성하는 일차적 방법을 적극적으로 실행하여야 한다. 경직이 심하여 수면유지에 어려움을 초래하는 경우에는 저녁때 복용하는 항경직약을 잠자기 전에 복용하도록 복용 시간을 조정하거나, 잠자기전에 추가로 투여하는 방법을 사용할 수 있다. 이러한 방법들로 효과가 없고 수면장애로 인한 어려움이 심한 경우 약물치료를 고려할 수 있다. Melatonin은 뇌성마비 환아뿐 아니라 자폐증, 주의력결핍 과잉행동장애 등 발달장애 아동에서의 수면장애 치료에 효과적이었다는 보고들이 있는데, 용량과 방법은 연구자마다 일정하지 않으나 잠들기 30~60분 전에 1~2 mg으로 시작하여 효과가 있을 때까지 점진적으로 올리며, 12 mg을 넘지 않도록 한다. 대부분의 경우 4주에서 3개월간 사용하였을 때 효과가 있었다고 하였다.[63] 심각한 부작용에 관하여 보고된 바는 없고, 내성은 생기지 않는다고 하나, 아직 장기 사용에 따른 부작용에 관하여 안전성이 확보된 것은 아니다. 수면장애가 심한 경우 chloral hydrate, clonidine을 사용하기도 한다.

침흘림은 보존적 재활치료를 지속적으로 시행함에도 개선되지 않고 폐건강과 음식물 섭취 시 어려움, 그리고 침 냄새 등 사회적 제약을 초래하는 경우 약물치료와 침샘 보툴리눔 독소 주사를 시행할 수 있다. 사용하는 약물로는 glycopyrrolate, benzatropine이 있다. 그러나 항콜린성 약물 사용 시 변비 등의 부작용이 있으므로 관찰을 요한다.

변비도 매우 흔하나, 자주 간과되는 문제점 중 하나로 뇌성마비의 중증도가 심하여 독립적 움직임과 경구 음식 섭취가 제한적인 경우, 인지가 떨어지는 경우에 많이 발생하며, 배변의 어려움으로 복부 팽만, 이로 인한 음식 섭취의 어려움, 변비 악화의 악순환을 초래하기 쉽다. 따라서 문진 시 배변 습관과 변의 상태, 음식섭취의 정도 등을 확인하고 복부 촉진과 필요시 복부 방사선 촬영 등의 검사를 시행하도록 한다. 변비의 치료로는 음식 섭취량과 신체활동량을 점진적으로 늘리고, 배변 훈련을 통하여 배변습관을 익히도록 유도함이 필요하다. 음식 섭취 시에는 수분과 섬유질 섭취를 충분히 하도록 하며, 장내세균 상태의 조절을 위한 배려도 도움이 된다. 이러한 일차적인 방법으로 효과가 없으면 장 완화제나 관장을 시도해 볼 수 있다. 진찰과 복부 방사선 검사에서 복부 팽만이 심한 경우에는 손가락 관장법 등으로 막혀 있는 변을 배출해 주는 것이 필요할 수 있다.

골다공증은 중증도가 심한 경우 가벼운 충격으로도 골절이 반복되는 등, 심각한 문제를 야기할 수 있으므로 관심을 갖고 예방과 치료에 임해야 한다. 골다공증은 독립보행이 부족한 경우, 항 경련제 또는 스테로이드제제를 장기 복용하는 경우, 삼킴장애로 충분한 영양섭취가 어려운 경우, 발육부전인 경우 특히 잘 발생하므로 예의 주시해야 하며, 골밀도 검사를 시행하여 Z-score가 -2.0보다 떨어지며, 골절의 기왕력이 있는 경우 적극적 약물치료를 고려한다. 그러나 약물치료에 앞서 예방이 무엇보다 중요하다. 뇌성마비 아동들, 특히 독립적 보행이 어려운 GMFCS 3~5단계 아동들에게는 충분한 영양과 칼슘 섭취, 활발한 신체활동과 운동을 독려하여 독립적 걷기, 서기가 어려운 경우에도 보조기나 보조도구 등을 이용하여 체중부하 서기, 걷기를 유도한다. 약물치료로 칼슘과 비타민 D, bisphosphonate를 사용한다. Bisphosphonate는 경구 혹은 주사로 투여하며, 골밀도 상승에 효과적이나, 골절률 감소나 장기적 투여에 따른 안정성 확보에 관한 근거는 아직 미약한 것으로 알려져 있다.

근긴장이상증(dystonia)에 관한 약물치료로 trihexyphenidyl이 사용되기도 하나, 2018년 cochrane review는 과학적 근거가 부족하다고 하였다.

7. 기타 치료법

승마치료(hippotherapy)는 자세와 대근육운동 기능, 근긴장도, 관절가동범위의 개선 효과가 있으며, 특히 몸통과 골반의 안정성을 높이는 것으로 알려져 있다. 또한 동물과의 교류를 통하여 사회성의 발달 및 자신감 형성, 언어발달에도 긍정적인 효과를 보인다고 보고되고 있으나, 과학적 근거는 연구자마다 차이를 보이고 있다. 골다공증이 심하거나, 조절되지 않는 간질이 있을 경우, 척추융합술 후 상태, 척추가 불안정한 상태일 때는 피하도록 한다.

아델리슈트(Adeli Suit) 치료법은 신축성있는 여러 줄의 끈으로 연결된 조끼 형태의 상의와 짧은 바지, 무릎보호대, 신발을 착용하고 운동치료를 시행하는 것으로 지지가 필요한 근육군에 다양한 정도의 압력을 제공하여 집중적인 운동치료를 시행한다. 탄력성 있는 끈이 외골격을 형성하여 추가적인 지지를 제공하므로 보조기의 또 다른 형태로 분류하기도 한다. 1970년대 소련의 Adeli에 의해 첫 고안되어 1990년대 이후 뇌성마비 치료에 적용하고 있으며, 근력과 자세, 협응능력을 개선한다고 하나, 다른 치료법보다 우월한 효과를 확인하기는 어렵다.

줄기세포 치료(stem cell therapy)는 수년 전 특히 치료가 어려운 질환에서 새롭고 획기적인 방법으로 각광을 받으면서 뇌성마비에서도 치료방법의 하나로 연구되었다. 일부 연구에서 대근육운동기능에서 짧은 기간 동안의 유의한 효과를 보고하기도 하였으나, 그 효과성은 크지 않아서 과학적 근거로서 불충분하여 아직 객관적으로 신뢰할 만한 방법으로 널리 받아들여지지는 않고 있다.[64, 65]

B. 수술적 치료

1. 수술적 치료의 원칙(Principles of operative treatment)

1) 수술의 결정 (decision of operative treatment)

뇌성마비의 수술 시기는 일반적으로 환아의 운동 기능이 상당한 수준으로 완성되는 시기까지 수술을 늦추는 것이 중요하다. 뇌성마비 환아의 보행 능력은 만 4~6세에 가능한 기능의 90% 이상을 획득하게 되고 이 시기가 학교 교육이 방해 받지 않는 학령 전 시기이므로 이 연령대를 정형외과 수술 치료의 적기로 볼 수 있다. 수술적 치료에 비교적 반응을 잘하는 경직형과 경한 정도의 불수의 운동형에 경직성이 혼재된 혼합형의 일부가 수술 적응증이 될 수 있으며 운동 실조형과 심한 불수의 운동형은 수술적 치료의 적응증이 되지 않는다. 수술의 목적은 일차적으로 환아의 보행을 향상시키는 것이며, 대개 GMFCS 1~3단계의 환아를 대상으로 하나 GMFCS 5단계 및 일부 GMFCS 4단계 환아에서와 같이 보행을 기대하기 힘든 경우에도 통증의 경감, 변형의 교정, 보살핌(caregiving)을 용이하게 하기 위해 수술을 시행한다.

2) 일 단계 다수준 수술(single event multilevel surgery, SEMLS)

뇌성마비 환아는 정형외과적 수술을 하지 및 상지의 골, 관절 및 건, 근육 등 여러 곳을 대상으로 시행해야 하는 경우가 많다. 이럴 경우, 여러 곳을 동시에 수술하는 일 단계 다수준 수술(single event multilevel surgery, SEMLS)을 주로 시행한다. 한번의 입원으로 치료를 가능하게 하여 환아의 정신적인 충격을 줄이고 가족들의 부담을 경감하며 재활 치료를 용이하게 할 수 있고, 환아의 교육을 방해받지 않게 하는 등 장점이 많은 수술법이다. 특히 과거의 다단계 수술(staged operation)을 받은 환자들에게서 주로 나타났던 diving 증후군(그림 20-8)과 같은 새로운 변형의 발생을 예방할 수 있으며, 변형의 재발이나 과교정 등의 발생 빈도가 드물다는 장점이 있다.[66]

수술 전 보행 분석은 복잡한 보행 양식을 보이는 환아의 문제점을 비교적 정확하게 분석해 주며, 특히 수술적 치료가 필요한 일차적인 변형(primary abnormality)과 수술적 치료가 필요하지 않은 보상적 변형(coping abnormality)을 구별해 줌으로써 수술적 치료 결정에 도움을 주고, 여러 부위의 관절 구축에 대한 일 단계 다수준 수술을 가능하게 해 준다. 일 단계 다수준 수술 시행에서는 모든 근육에 대해 수술적 치료에 의한 휴지기의 길이(resting length) 혹은 그 이상의 길이가 유지되게 하고 골의 심한 회전 변형은 관절 모멘트의 회복을 위하여 교정되어야 함을 주지해야 한다. 또한 절골술을 시행할 경우 조기 물리 치료를 위하여 견고한 내고정을 실시함으로써 수술 후 최대한의 운동성(mobility)을 부여할 수 있도록 한다.

2. 수술 전 평가 (Preoperative assessment)

뇌성마비 환아에서 정형외과 수술의 목적은 정상적인 보행에 필요한 요건들을 가능한 한 만들어 주는 것으로, 비정상적인 근육 긴장도의 감소, 운동 조절 및 적절한 에너지 소모 능력 등을 향상시키도록 한다. 이를 위해 이학적 검사, 방사선학적 검사 및 보행 분석 등의 자세한 검사가 필요하다. 임상적 검사는 근력, 근긴장도, 선댁적 근육 조

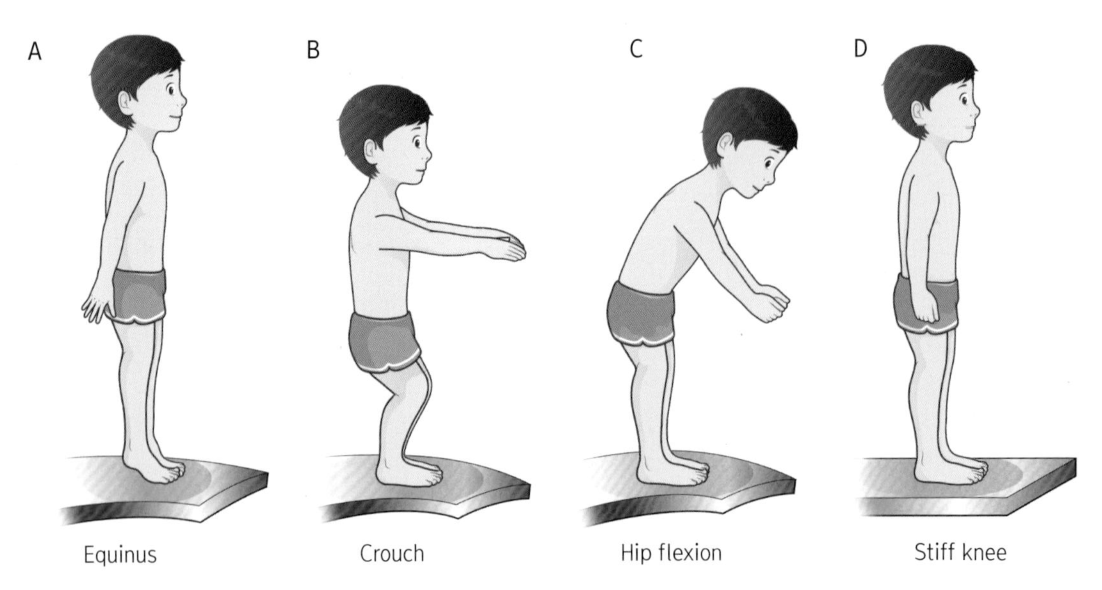

그림 20-8
A. 아킬레스건 구축 외에 슬괵근과 고관절 굴곡근의 구축이 동반되어 있는 뇌성마비 환아에서 첨족변형을 교정하기 위해 아킬레스건 연장술만을 시행한 경우
B. 구축된 슬괵근에 의해 웅크림 보행증상이 나타나게 되고
C. 슬괵근 연장술을 시행한 후 고관절 굴곡근의 구축에 의해 체간이 앞으로 기울어지는 자세 이상이 나타나며
D. 고관절 굴곡근의 연장술 이후 비로소 똑바로 설 수 있게 된다. 뇌성마비 환아에서 수술을 단계별로 시행하였을 때의 문제점을 나타내는 그림으로 마치 다이빙 하는 모습을 닮았다 하여 "diving syndrome" 이라고도 하며 수술을 매년 받게 되고 몇 년에 걸쳐 물리치료를 받아야 한다는 의미로 "birthday syndrome"이라고도 한다.

절 능력, 균형 및 평형감각, 역동적(dynamic) 또는 고정적 근 구축(fixed muscle contracture), 골 변형 여부를 파악하기 위해 상하지의 모든 관절 및 근육에 대해 이학적 검사를 시행하고 이를 기록해 두어야 한다. 수술 전 환아의 전반적인 영양 상태에 대해서도 평가를 시행해야 한다. 소아 신장 대비 체중(weight for height)은 중요한 지침이 될 수 있다.

영양상태가 불량한 상태에서 수술을 시행할 경우 술 후 합병증의 위험이 증가할 수 있기 때문에 사전에 영양 상태를 평가하여 만약 불량한 상태라면 이를 어느 정도 해소한 후에 수술을 계획하는 것이 바람직하다. 뇌성마비 환아들은 ventriculoperitoneal (VP) shunt를 갖고 있는 경우가 많다. 이상행동이나 두통, 구토 같은 shunt 기능부전에 대한 특이 증상이 없다면 추가적인 술 전 검사는 대개 필요치 않다. 그러나 척추 수술은 예외적으로 소아 체형에 많은 변화를 주고 VP shunt 상태에 추가적인 긴장(extra tension)을 줄 수 있으므로 수술 전 약 1~2년간 검사한 적이 없다면 수술 전 shunt의 기능에 대한 검사를 시행하도록 한다.

3. 마취와 관련된 문제 (Special anesthesia problems)

뇌성마비 환자에서는 일반적인 환자들과 다

른 마취과적인 관리가 필요하며 이는 동반된 다른 장애와 연관된 부작용이 발생할 수 있기 때문이다.[67] 뇌성마비 환아들은 항 경직제(antispastic medication)를 지속적으로 사용하는 경우가 많다. 특히 baclofen을 복용하는 경우, 수술 전 갑자기 복용 중단을 하지 않도록 주의한다. 또한 항 경련제(anticonvulsant medication) 복용력을 정확히 파악하고 수술 전 복용 여부를 신중히 결정하도록 한다. 많은 뇌성마비 아이들이 의사소통을 효과적으로 하지 못하고, 반복되는 수술로 인한 불안감이 높기에 이에 대한 대처(preoperative anxiety care)를 미리 해주는 것도 좋다.

위 식도 역류(gastroesophageal reflux) 약제를 복용하고 있다면, 수술 전까지 이를 유지해야 한다. 이는 인-후두부 분비물을 줄임으로써 흡인의 위험성을 낮추고, 폐렴이나 반응성 기도 질환을 예방할 수 있기 때문이다. 이를 위해 추가적으로 항콜린제(anticholinergics)가 같이 정맥을 통해 투여될 수 있다. 뇌성마비 환아들은 기침 능력이 떨어지고, 구강내 분비물 흡인 가능성이 높아 폐렴의 가능성이 높기에, 미리 수술 전 흉부 물리치료(chest physiotherapy)을 시행하여 예방하도록 한다. 또한, 호흡기계의 기능이 저하되어 있어 술후 인공 호흡기(ventilator) 유지 가능성이 정상 환아에 비해 높다. 수술 전 기도 평가에도 신경을 기울여야 하는데, 이는 뇌성마비 환자의 마취시 후두경 사용에서 비정상적인 치아 배열이나 턱관절의 이상 기능 및 경직으로 인한 수술 시 적절한 자세를 잡기 힘든 경우가 많기 때문이다.

뇌성마비 환아들에서는 마취 용제의 최소폐포농도(minimum alveolar concentration, MAC)가 대부분 감소되어 있다. 할로탄(halothane)의 경우, MAC가 일반 아동에 비해 20% 감소되어 있으며, 항 경련제를 복용할 경우 추가적으로 10% 정도 더 낮아지게 된다. 또한 항 경련제와의 약물 상호 작용 및 만성적인 움직임의 저하로 인해 근육 이완제(nondepolarizing muscle relaxant)에 대해 저항성이 있는 경우가 많다.[68]

마지막으로, 부분 마취나 척추 마취를 할 때 필요한 자세를 잡는 데 있어 근육의 구축이나 척추 측만증과 같은 척추 변형 때문에 세심한 주의가 필요하다.

4. 수술 후 관리 (Postoperative management)

뇌성마비 환자에서 수술 후 통증 관리는 통각 인지 장해, 증가된 약물 저항성 때문에 어렵다.[69] 또한 수술이 시행된 근육은 추가적인 통증을 불러일으켜 더 많은 경직을 일으킬 수 있다.[70] 이러한 요소들은 수술 후 통증 관리의 필요성을 높이며, 일반적으로 opioid계 진통제나 benzodiazepine 등을 통해 관리하도록 한다.

뇌성마비 환자의 수술 후 회복 기간은 연부 조직의 경우 3주, 골의 경우 6~8주의 치유 기간이 필요하다. 석고 고정을 같이 시행하여 늘려놓은 연부조직이나 교정된 골이 유지될 수 있도록 하며, 이후의 교정을 위해 보조기 착용 또한 필요할 수 있다. 강화 기간(strengthening time)은 치유 기간 후 6~8주 정도이며, 보행 재교육 기간(gait retraining)은 일반적으로 1년 이상이 소요된다.

5. 정형외과적 수술의 종류

1) 말초 신경에 대한 수술(peripheral nerve)

주로 비보행자에게 많이 시행되는 신경 절제술과 신경 차단술 등이 있으나, 비가역적인 근력 약화를 초래할 수 있어 현재는 거의 사용되지 않는다.[71]

2) 근육 및 건에 대한 수술 (muscle and tendon)

건 절제술(tenotomy), 건 연장술(tendon lengthening), 건 이전술(tendon transfer), 근육 절제술(myotomy), 근막 연장술(aponeurotic lengthening), 근 후전술(muscle recession) 및 근 이전술(muscle transfer) 등이 있다.

3) 골 및 관절에 대한 수술(bone and joint)

관절낭 절개술(capsulotomy), 관절낭 봉합술(capsulorrhaphy), 절골술(osteotomy), 관절 고정술(arthrodesis) 등이 있다.

6. 상지에 대한 수술 (Upper extremity procedures)

상지 수술은 손의 기능을 향상시키도록 하는 것이 목표가 되며, 완벽한 회복보다는 수술 전보다 용이하게 손을 사용할 수 있는 현실적인 목표를 세우도록 한다. 주로 사지마비나 편마비 환아에서 발생하며 6~9세경 관절 구축이 시작되므로 이 시기 동안 수술을 시행하게 된다. 손으로 물건을 집는 능력이 있는 편마비 환아에서는 상지의 수술로 기능적인 면 외에 미용적인 향상도 같이 기대할 수 있으나 지능이 떨어지는 사지마비 환아의 경우 기능적인 면에서의 향상보다는 개인위생(hygiene)과 보살핌(caregiving)을 쉽게 하기 위해 수술을 시행하는 경우가 있다. 상지에 흔히 나타나는 변형은 주관절 굴곡 변형, 전완부 내회전 변형, 완관절 굴곡 변형, 수지의 굴곡 변형과 thumb-in-palm 변형이다.

1) 주관절 굴곡 변형 (elbow flexion deformity)

흔히 나타나는 변형이지만 일반적으로 굴곡 변형의 정도가 심하지는 않은 경우(elbow flexion contracture〈30°)에는 수동적 신전 운동에 비교적 잘 반응을 하므로 신전 운동 치료를 권하게 된다. 심한 변형에서는(elbow flexion contracture〉60°) 수술적 치료를 시행할 수 있으며, 이두박근과 상완근의 근막 연장술 혹은 건의 Z-성형식 연장술을 시행하고 필요시 관절막에 대한 유리술도 같이 시행한다.[72]

2) 전완부 내회전 변형 (forearm pronation deformity)

대부분 완관절의 굴곡 변형과 동반된다. 원 회내근(pronator teres)의 근위부 근막연장술, 건 절단술, 회내근을 외회전 시키는 기능으로 전환시키는 원 회내근 전위술(pronator rerouting)을 시행한다.

3) 완관절 굴곡 변형 (wrist flexion deformity)

경직성 마비에서 흔히 보이는 변형으로 완관절 신전근을 강화시키는 방법과 완관절 굴곡근을 연장시키는 방법이 주로 사용되나 굴곡의 정도가 심하거나 골변형이 동반된 경우 수근골에 대한 수술을 시행할 수도 있다. Green과 Banks가 고안한 방법인 척측 수근 굴근(flexor carpi ulnaris, FCU)을 요측 수근 신근(extensor carpi radialis brevis, ECRB/extensor carpi radialis longus, ECRL)으로 선이시켜 봉합하는 방법이 흔히 사용된다.

4) 수지 굴곡 변형(finger flexion deformity)

경직성 마비의 상지에서 나타나는 가장 흔한 변형으로 대개 완관절 굴곡 변형과 동반된다. 수술 방법으로는 수지 및 완관절 굴근의 분할 근막 연장술(fractional aponeurotic lengthening)이 사용된다.

5) Thumb-in-palm 변형

매우 흔한 변형 중의 하나이며 치료가 어렵다. 무지가 수장부 안에 위치하므로 인지나 중지와의 집게 동작이 불가능하다. 원인이 되는 주 근육으로는 장 무지 굴근, 단 무지 굴근, 제1 배측 골간근, 무지 내전근(adductor pollicis) 등이 있다. 치료로는 원인근에 대한 유리술로 제1 배측 골간근의 박리와 무지 내전근건의 절단술 등이 있으며, 약한 근육의 근력 강화술로 요측 수근 굴근의 무지 외전근 또는 단 무지 신근건으로의 전위술 등이 시행되고, 관절의 불안정성에 대하여는 중수지관절의 유합술 등이 시행된다.

7. 고관절에 대한 수술(Hip procedures)

고관절은 정형외과적 문제가 가장 많이 발생하는 관절로 고관절 내전근, 굴곡근, 내회전근의 비대칭적인 근 강직으로 인하여 고관절의 불안정 및 아탈구에 이어 고관절 탈구가 발생하게 된다.

1) 고관절 내전 변형 (hip adduction deformity)

고관절 내전 변형은 내전근 군(장, 단 내전근과 대 내전근), 박근 및 내측 슬괵근의 경직에 기인되며 이로 인해 환아들은 가위 보행(scissoring gait)을 하게 되며, 보행 중 유각기 시 다리를 전진시키는 데 어려움을 호소한다. 역동적 근전도 검사상 보행 전 주기를 통하여 이들 근육이 활성화된 상태를 관찰할 수 있다. 수술은 주로 내전근건 절단술(adductor tenotomy)을 시행하며, 폐쇄 신경 전지 절단술(obturator nerve, anterior branch neurotomy)은 고관절의 외전 및 외회전 변형을 유발할 수 있고 비가역적 수술법이므로 거의 사용되지 않는다.

2) 고관절 굴곡 변형(hip flexion deformity)

주로 장요근(iliopsoas)과 대퇴 직근(rectus femoris)의 구축이 원인이며, 봉공근, 근막 장근, 치골근, 장 내전근, 박근 등의 경직성도 이에 기여한다. 고관절 굴곡 변형의 정도가 심할수록, 환자의 삶의 질이 저하되는 결과를 가져온다.[73] 요근건막 연장술(intramuscular psoas lengthening over the pelvic brim)이 주로 사용되는데 고관절 굴곡력의 저하 없이 굴곡 구축을 호전시키는 좋은 방법이다.[68]

3) 고관절 내회전 변형 (hip internal rotation deformity)

과도한 대퇴골 전염각의 증가가 고관절 내회전 변형의 주된 원인이다. 일반적으로 대퇴골 전염각의 증가는 정상 아동의 경우 6세 이후에 자연 교정되나 뇌성마비 환아에선 교정되지 않고 지속되며, 연부조직의 치료만으로는 교정이 어렵다.[74] 내회전 변형으로 인한 증상으로는 족부 진행각(foot progression angle)이 음각(negative angle) 소견을 보이며, 슬개골이 내측을 향한 채 내족지 보행(intoeing gait)을 하게 된다. 대퇴골 전염각이 증가해 있는 경우, 대퇴골 감염 절골술(femoral derotation osteotomy)이 주로 사용되는 수술법이며 절골술의 위치는 대퇴골의 전자간부, 혹은 과상부에서 시행하고 수술 시기는 6세 이후에 주로 시행한다.

4) 고관절의 불안정성: 아탈구 및 탈구 (hip instability: subluxation and dislocation)

고관절 주위의 근력의 불균형, 즉 내전근과 굴곡근 경직성의 증가와 외전근의 약화가 주 원인이 된다. 사지마비 환아에서 주로 발생하며, 심하게 이환된 양측마비 환자에서도 발생한다. 출생 시에는 대퇴골두가 골반내에 위치해 있으나 환자가 성장하면서 여러 원인들에 의하여 탈구가 진행하게 되어 환자의 연령이 중요한 위험 인자 중 하나로 볼 수 있으며, GMFCS level이 높은 환자들에게서도 많이 발생한다. 평균적으로 5~7세 이후에 발생하며 청소년기의 고관절 탈구 이환율은 25~40% 정도이다. 아탈구 시에는 고관절 내전 변형 외에 특별한 증상이 없으나, 탈구 시에는 약 50%에서 통증이 발생하고, 앉을 때의 균형 및 회음부 부위의 청결 유지 문제, 척추측만증이 발생할 수 있다.

최근 몇 년간 뇌성마비 환아에서 초기 근골격계 검진(early musculoskeletal screening)의 필요성이 강조되면서, 수술적 처치를 줄이고자 하는 노력이 시도되고 있다. 이러한 surveillance program은 고관절 탈구의 유병률을 줄임으로써 수술을 좀더 어린 시기에 시행할 수 있게 하게 되고, 연속되는 수술적 처치의 총 숫자를 감소시키는 효과를 가져오게 된다.[75]

경직성 뇌성마비 환아에서 고관절 상태를 점검하는 중요한 진찰로는 환아를 앙와위 자세에서 고관절과 슬관질을 신전시킨 채 고관절의 외전각을 측정하는 이학적 검사(그림 20-9)가 가장 중요하며 만약 한 쪽 고관절의 외전각이 45° 이하로 측정되면 일단 골반골의 전후방 방사선 촬영을 6개월 간

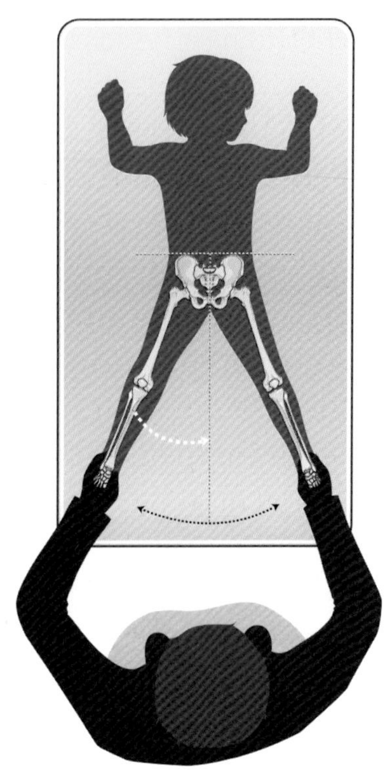

그림 20-9
경직성 뇌성마비에서 위험성 고관절에 대한 스크리닝 차원의 중요한 이학적 검사로 환아를 앙와위 자세로 누인 후 고관절과 슬관절을 신전시킨 채 고관절의 외전각을 측정하는데 만약 한 쪽 고관절의 외전각이 45° 이하로 측정되면 골반골의 전후방 방사선 촬영하여 고관절의 불안정의 정도를 파악하여야 한다.

격으로 최소 만 8세까지 주기적으로 시행하여 고관절불안정의 정도를 파악하여야 한다. 이 때 고관절의 탈구 정도를 측정하기 위해 전위 지수(Reimers' migration index)를 사용한다(그림 20-10). 고관절 불안정성은 그 정도에 따라서 위험성 고관절, 고관절 아탈구, 고관절 탈구의 상태로 나눌 수 있으며, 각각의 상황에 따른 치료 방법은 다음과 같다.

(1) 위험성 고관절(hip at risk)

고관절 내전근 및 굴곡근의 구축과 더불어 대퇴골 경부의 외반과 전염각의 증가가 있고, 비구가

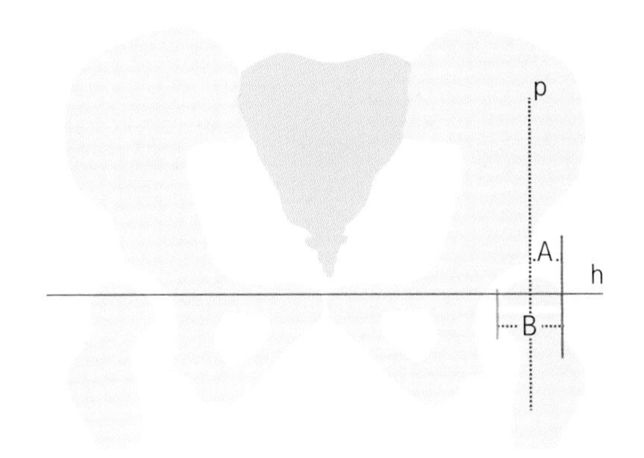

그림 20-10
골반의 전후면 방사선 사진을 이용한 고관절의 아탈구 정도를 측정하는 방법으로 골반의 양측 삼방연골(triradiate cartilage)을 연결하는 Hilgenreiners' line (h), 비골의 외측단에서 Hilgenreiners' line의 수직으로 그은 Perkins' line (p), 대퇴골단의 전체 넓이 (B), Perkins' line에서 대퇴골단의 외측까지의 길이 (A)을 이용한다.
Reimers' migration index=(A/B)x100(%)

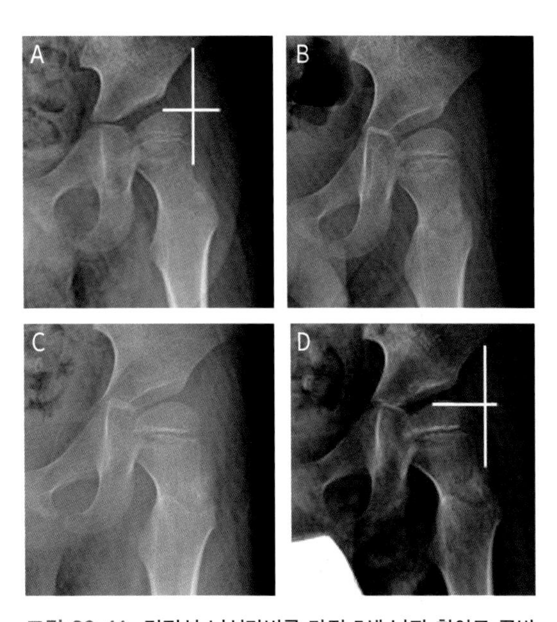

그림 20-11 경직성 뇌성마비를 가진 5세 남자 환아로 골반 전후방 단순 방사선 사진상 고관절의 아탈구 소견
(A: Reimers' migration index 50%)이 관찰되어 예방적 연부조직 유리술을 시행 후 아탈구된 고관절이 시간이 흐름에 따라 점차 안정되어 가는 소견(D: Reimers' migration index 15%)을 보여준다.

얕은(shallow) 경우를 말한다. 자연 경과를 정확히 예측하기는 어려우나, 치료를 안 할 경우 불안정성은 대개 진행하므로 주기적인 추시 관찰이 필수적이다. 예방적 치료로 연부조직의 균형을 맞추기 위해 연부조직 유리술로 고관절 내전근건 절단술 및 요근 연장술을 시행하기도 하나,[76] GMFCS level이 높은 환아의 경우, 연부조직 유리술을 시행하더라도 실패할 가능성이 높은 것으로 알려져 있다.

(2) 고관절 아탈구(hip subluxation)

위험성 고관절이 진행한 상태로 대퇴골두의 1/3 이상이 비구에 의하여 덮여 있지 않고, Shenton 선이 어긋나 있으나 아직 대퇴 골두와 비구가 접해 있는 경우를 말하며, 탈구로의 진행을 막기 위한 수술적 치료가 필수적이다. 수술 방법으로는 연부조직에 대한 수술로서 고관절 내전근건 절단술 및 요근 연장술을 시행할 수 있다(그림 20-11). 편측성 아탈구가 있는 경우라도 9세 이하에서는 결국 반대측에도 문제가 발생하게 되므로, 반드시 양측을 같이 수술하는 것이 좋다.[77] 만약 아탈구가 심하여 연부조직 유리술로 교정이 불충분하거나 환아의 나이가 많아 골격의 재형성을 기대하기 어려울 때는 고관절 재건술을 시행하기도 한다. 연부조직 유리술과 함께 대퇴골 내반 감염 절골술, 비구 이형성증에 대한 골반골 절골술을 시행한다. 대퇴골 절골술은 증가된 전경(anteversion) 및 외반(varus) 변형을 교정해 줌으로써, 비구의 정상적인 발달을 도와주게 된다. 비구의 상태를 정확하게 파악하기 위해 3D-CT 등이 도움이 된다. 비구의 결손은 아탈구의 경우 후방 비구 결손이, 탈구의 경우 전반적으로 비구 결손이 동반되어 있는 것으로 알려져 있다. 비구 결손이 심하면, 아탈구의 경우에도

Dega 절골술, pericapsular acetabuloplasty 등을 시행하는 것을 추천한다.

(3) 고관절 탈구(hip dislocation)

전위 지수(migration index)가 60% 이상인 환아에서는 치료가 시행되지 않으면 탈구로 진행한다(그림 20-12). 비 보행자(non-ambulator)는 고관절 탈구의 고 위험군이고, 보행 시 보조 기구를 요하는 환자(assisted ambulator)는 중등도의 위험군이며, 독립 보행자(independent ambulator)의 경우 고관절 탈구의 위험성이 가장 적다. 치료 없이 관찰만 할 경우 자연 경과 상 심각한 통증으로 발전하는 경우가 많아 대부분의 경우 정복을 원칙으로 하고 이를 위하여 근위 대퇴골 내반 절골술 및 비구의 이형성 정도에 따라 비구 성형술을 같이 시행하기도 한다. 지연 발견된 고관절 탈구에 대해서는 환자의 고통을 줄이고 일상 생활의 편의를 향상시키기 위해 근위 대퇴골 절제술(resection arthroplasty) 혹은 전자하 외전 절골술(abduction osteotomy)과 같은 고관절 구제술을 시행할 수 있다.[78] 고관절 구제술 시행 후 3~6개월 이후에도 지속적으로 통증이 남아 있을 수 있기에, 이에 대해 수술전 환아 보호자들에게 알려줄 필요가 있다.[79]

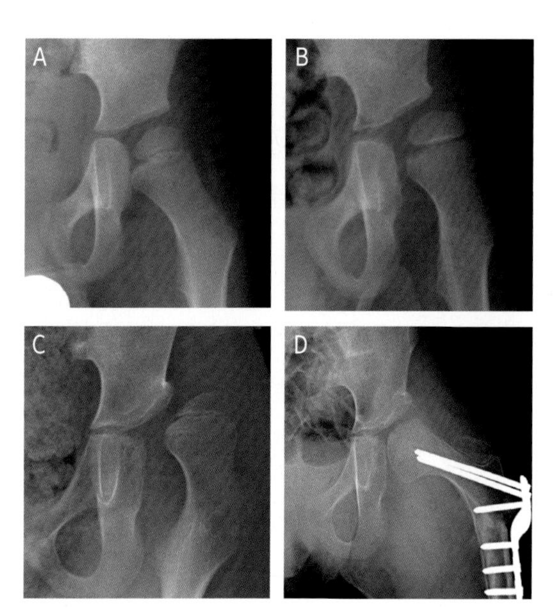

그림 20-12 경직성 뇌성마비를 가진 3세 남아의 골반 전후방 단순 방사선 사진(A)으로 특별한 치료를 하지 않고 단순 경과 관찰만 한 경우로 수년이 지난 후 고관절이 아탈구 상태(B)를 지나 완전 탈구로 진행되는 소견(C)이다. 근위 대퇴골의 내반 절골술(femoral varus osteotomy)과 연부조직 유리술을 동시에 시행하였다(D).

8. 슬관절에 대한 수술(Knee procedures)

1) 슬관절 굴곡 변형(knee flexion deformity)

내측 슬괵근이 주요 원인으로 슬괵근의 경직과 구축으로 인해 발생한다. 슬관절의 굴곡 구축으로 인한 웅크림 보행을 하며, 이는 보행 시 심한 에너지 소모의 원인이 된다. 슬관절의 굴곡 변형이 오래된 경우 슬개건의 연장으로 인한 슬관절의 신전 장애와 근력 약화가 발생하게 되며, 슬개골 이상 고위(patella alta)가 발생할 수 있다. 슬와 각도(popliteal angle)가 45° 이상일 경우 수술의 적응증이 된다. 족관절의 첨족 변형과 고관절 굴곡 변형이 동반되어 있는가를 반드시 확인하여야 하며 이러한 동반된 변형들을 같이 교정하여야 한다. 웅크림 보행의 가장 많은 원인은 슬관절의 굴곡 구축을 무시한 채 첨족 변형만을 교정할 경우이다. 원위 슬괵근 유리술(distal hamstring release)은 가장 많이 사용되는 방법으로 경직이나 구축이 심한 경우 대퇴 이두근도 같이 연장한다. 연부 조직술로도 해결되지 않는 심한 슬관절 굴곡 변형에서는, 비대칭 성장판 성장 억제술이나 원위 대퇴골 절골술(distal femoral osteotomy)을 시행하기도 한다.[80]

2) 웅크림 보행(crouch gait)

웅크림 보행은 연장아(older children) 및 사춘기 환아에서 가장 흔히 보이는 병적 보행으로 성장 속도가 빨라지면서 근력의 증가에 비해 체중의 증가가 상대적으로 더 커지며 나타나는 현상이다. 과도한 아킬레스건 연장술, 과다한 후궁 절제술에 의한 가자미근 약화, 지렛대 기능장애 등이 위험요인이다. 슬관절의 굴곡 변형, 고관절의 굴곡 변형, 족관절의 과도한 족배굴곡이 발생하며 슬관절에 무리한 힘이 가해지게 되고, 마침내 슬관절 굴곡구축이 발생하여 보행의 장해 및 에너지 소비면에서 가장 비효율적인 보행이 발생하게 된다. 웅크림 보행은 장애 정도가 심하고 제일 치료가 힘든 보행이다. 많은 경우 대퇴골 혹은 경골의 회전변형과 양측마비 환아에서 편평 외반 변형(planovalgus deformity)이 동반되는 경우가 많아 이에 대한 교정술이 동시에 필요하다.

3) 슬관절의 강직 변형(stiff knee)

슬관절 강직 변형은 슬괵근과 대퇴 직근의 경직이 동반되어 나타나는 현상으로 대퇴직근이 비정상적으로 보행주기 전반 혹은 유각기 때 과도하게 작용하여 슬관절의 운동범위를 감소시켜 나타나는 변형이다. 유각기의 슬관절 굴곡이 지연되고 감소되어 발들림(foot clearance)의 장애를 초래한다. Ely 검사 양성, 슬관절 굴곡범위가 정상의 80% 이하, 근전도상 대퇴 직근의 유각기 전반에 걸친 근활성도 등이 나타나면 수술의 적응증이 될 수 있으며 이 때 슬관절의 굴곡 구축이 동반되어 있으면 동시에 교정하여야 한다.[81] 수술은 원위 대퇴 직근 유리술(distal rectus femoris release)이나 대퇴직근 이전술(rectus femoris transfer)을 시행한다. 대퇴 직근 이전술은 대퇴 직근의 원위부를 봉공근이나 박근 혹은 대퇴 이두근에 전이하는 술식으로 대퇴 직근의 슬관절에서의 기능을 신전근에서 굴곡근으로 변환시키는 술식이다.

9. 족관절 및 족부에 대한 수술 (Foot and ankle procedures)

뇌성마비 환아에서 흔히 나타나는 족관절 및 족부 변형으로는 첨족 변형(equinus), 첨 내반족 변형(equinovarus), 편평 외반족 변형(planovalgus), 그리고 경골의 염전 변형(torsional deformity)과 족지의 변형 등이 있을 수 있다. 지렛대 기능 장애(lever arm dysfunction)가 족관절의 힘 발생에 부정적인 영향을 미치므로 족관절 주위의 회전 이상(rotational malalignment)을 교정하는 것을 주로 시행하게 되며, GMFCS level의 호전 및 족부 변형의 교정, 족부 통증의 완화, 신발이나 보조기를 착용할 수 있는 족부로 만드는 것이 치료의 목표이다.

1) 첨족 변형(equinus deformity)

비복근 혹은 비복근과 가자미근의 경직성 및 구축이 원인이다. 어린 소아에서는 주로 첨족 보행을 하며 나이가 든 환아에서는 족저 굴곡-슬관절 신전 복합체(plantar flexion-knee extension couple)의 과도한 작용에 의한 중간 입각기에 슬관절이 과신전되는 back-knee gait를 하는 경향이 있다. 비복근에만 경직성이 있거나 구축이 있는 경우, 즉 Silfverskiold 검사 양성인 경우에 Strayer 술식을 시행하고 비복근과 가자미근(soleus muscle)에 다같이 구축이 있는 경우에는 Vulpius 술식이나 Z-성형식 아킬레스건 연장술의 적응이 된다.[82] 첨족 변형에 대한 수술적 치료는 대개 좋은 결과를 보이나 어린 연령(특히 4세 이하) 및 편마비의 경우 수술 시 재발률이 높고, 8세 이후에 수술할 경우에는 재발률이 낮다.[83] 과 교정(overcorrection) 할 경우 종골 보행(calcaneal gait)이라는 치료가 어려운 변형이 발생할 수 있기에 수술 시 주의를 요하며, 첨족 변형이 다소 남게 되더라도 저 교정되는 편이 낫다. 수술 후에는 변형의 재발이나 아킬레스건의 과연장을 막기 위하여 발목관절보조기(ankle foot orthosis, AFO)의 착용이 필요하다.

2) 편평 외반족 변형 (planovalgus deformity)

편평 외반족은 정상 아동에서도 흔히 관찰되는 변형으로, 성장하면서 대부분 호전된다. 하지만, 뇌성마비환자에서는 아킬레스건, 단 비골근의 경직성과 후 경골근의 약화가 주원인으로, 성장해서도 변형의 호전을 기대하기 힘들다. 주로 양측마비에서 호발하며, 보행 효율이나 통증 등 기능적인 문제를 일으킬 수 있다. 수술적 치료로는 아킬레스건 연장술과 종골 연장술, 단비골 연장술을 시행함으로써 외전된 족부 변형을 회복시켜 지렛대 기능 장애(lever arm dysfunction)를 개선한다. 나이가 든 청소년기 환아에서는 변형이 심한 경우 거골하 관절 유합술을 시행할 수 있고 결과는 비교적 양호한 편이다.

3) 첨 내반족 변형(equinovarus deformity)

주로 후 경골근과 하퇴 삼두근의 경직성에 기인하고 전 경골근의 경직이 문제가 될 때도 있으며 편마비 환자에서 호발한다. 변형의 초기에는 AFO착용이나 botulinum toxin을 경직된 근육에 주사함으로써 치료가 가능하나 환아의 나이가 들면서 근육이 단축되는 경우, 하퇴 삼두건 연장술과 후 경골근의 근육내 건 연장술(intramuscular tendon lengthening) 혹은 후 경골근 건의 분리 이전술(split transfer of the tibialis posterior tendon to the peroneus brevis)이 필요하며 장기적 예후는 양호한 편으로 알려져 있다. 많은 경우에서 요족(cavus) 변형이 동반되는데 변형의 강직의 정도를 측정하는 방법으로 Coleman's block 검사법이 이용된다. 후족부가 유연하고 전족부에 의해 후족부 내반이 초래되는 경우는 전족부의 변형을 치료하며 제1중족골의 절골술을 시행한다. 입각기 동안 후족부에 내반의 변형이 있으며 Coleman's block 검사가 음성일 경우에 Dwyer 종골 절골술(calcaneal osteotomy)적응이 되며 제1중족골의 절골술을 병행하여 시행할 수 있다.[84] 변형이 너무 심하거나 나이가 많은 경우에는 구제술로 삼중 유합술(triple arthrodesis)을 사용한다.

4) 경골의 염전 변형(tibial torsion)

대부분 대퇴골의 증가된 전염전(anteversion)에 대한 보상으로 나타나나, 첨족 변형에 의한 외 회전력 등에 의해서도 발생된다. 주로 외염전 변형이 나타나며 역시 지렛대 기능 장애(lever arm dysfunction)를 유발하여 족관절의 push-off power를 감소시킨다. 경골의 과상부회전 절골술(derotation osteotomy of tibia)이 효과적인 수술법이며 비골 동시 절골술은 대개 필요하지 않다.

5) 족지의 변형(toe deformity)

족지의 변형 중 무지의 변형이 흔하며 무지 외반 변형(hallux valgus)은 족관절의 편평 외반 변형에 동반되어 주로 나타난다. 치료를 하지 않으면 시간이 지남에 따라 대개 증상이 악화되나 편평 외반 변형을 치료함으로써 경도의 무지 외반 변형은 진행을 멈추게 할 수 있다. 중등도 이상의 심한 무지 외반 변형에서는 무지에 대한 수술이 필요할 수 있는데 보행이 어려운 환아에서는 중족-족지골간 관절 유합술이 시행되나 보행이 가능한 환아에서는 관절 유합술보다는 연부조직 수술 및 중족골 절골술이 더 선호된다.

10. 척추 변형에 대한 수술 (Spinal deformity procedures)

1) 척추 변형(spinal deformity)

척추의 변형은 사지 마비형과 같은 보행이 힘든 환아에서 주로 관찰되며 측만변형(scoliosis)이 가장 흔한 변형이다. 측만 변형의 진행도 흔하여 뇌성마비 환아가 청소년기에 접어들면 심해져 매달 2~4°씩 진행하기도 한다. 각도가 60° 이상이 되면 앉거나 팔과 머리의 위치를 조절하는 능력에도 영향을 미쳐 똑바로 앉아있기가 힘들어진다. 보조의자나 보조기는 일시적으로 도움이 되지만 변형의 진행을 방지하지 못하는 것으로 알려져 있다. 척추 변형에 대한 교정 수술은 척추 내고정 및 척추간 유합술을 시행하는데 환아의 증상과 수술 후 얻게 될 삶의 질 개선 가능성을 고려하여 결정하여야 한다. 일반적으로 측만 각도가 50° 이상이 되면 수술적 치료를 고려하며 90° 이상 되는 심한 경직형 변형에서는 전방 유합술도 고려할 수 있다.

척추 후만증이나 전만증의 경우 측만증의 경우보다 흔치 않지만 역시 변형의 정도가 심하면 앉아있는 능력에 영향을 주어 삶의 질이 나빠지므로 70° 이상의 변형에서는 적극적인 수술적 치료가 고려되어야 한다.

2) 선택적 후근 절제술 (selective dorsal rhizotomy)

선택적 후근 절제술은 수술적 처치를 통해 근육의 경직성을 영구적으로 줄여주는 술식이다. 근육의 긴장도를 낮추어줌으로써 경직된 자세와 골 변형을 방지하거나 늦춰줄 수 있고, 정형외과적인 수술 후 재발을 방지할 수 있게 해 준다.[85] 통상 다중 레벨의 요추 후궁을 절제한 뒤 척수의 후 신경근을 여러 가닥으로 나누어, 이들에 대한 전기자극을 시행하게 된다. 근전도 상 하지 근육의 비정상적인 활성도를 보이거나, 근육의 이상 반응을 보이는 신경근만을 선택적으로 절단하게 된다. 현재 절단 범위에 대해 명확히 정해지지는 않았지만 보통 50% 이하의 절단에서 근력의 약화 없이 근육의 경직성만을 완화할 수 있다.

명확히 정해진 수술 대상군은 없지만, 4세에서 10세 사이의 환자, 경직성 양측 마비 환자, 몸통의 근력이나 하지의 근력이 양호하여 중력을 이길 정도의 힘을 지닌 환자, GMFCS 2~3단계 환자에게서 좋은 효과를 기대할 수 있다. 하지만 실제 임상 상황에서는 모든 요소를 갖춘 환자를 대상으로 수술을 시행할 수는 없기에, 적절한 임상적 판단을 통해 어떤 환자에게 수술을 정할지 결정해야 한다. 수술 후 결과로 경직성의 완화로 인한 관절 운동범위 증가, GMFCS level의 상승이나 보행 분석상 호전을 기대할 수 있다. 그러나 이미 구축된 근육이나 관절 및 골 변형은 교정할 수 없다는 단점을 지니고 있으며 추후 추가적인 정형외과적인 수술이 필요할 수 있다.[86]

C. 수술 후 재활치료

통증의 조절, 관절 가동범위의 회복, 근력의 회복, 경직의 조절을 통하여 운동 기능의 개선과 변형의 재발 방지를 목적으로 한다.

1. 정형외과적 수술 후 재활

부동상태를 3주간만 지속하여도 근 위축이 초래되고, 이차적인 근력 약화, 기능의 퇴행이 진행될 수 있으므로 좋은 수술결과를 위하여 조기 재활치료가 필요하며, 내고정술의 발달로 조기 치료가 가능해짐으로써 더욱 탄력을 받게 되었다. 수술 후 회복 과정을 세 단계로 나눌 수 있는데, 첫 번째는 수술 부위의 치유, 두 번째는 근력 강화, 세 번째는 기능 개선의 단계이다. 대략적인 소요 기간은 수술 부위 치유에는 연부조직은 약 3주, 뼈의 치유에는 6~8주 의 기간이 소요되고, 수술 전 상태로의 근력 강화에는 12~16주, 보행기능의 개선에는 6개월에서 1년의 기간이 필요한 것으로 알려져 있다.

1) 수술부위에 따른 재활치료

수술 부위와 방법에 따라 재활치료의 내용과 시기가 달라질 수 있다. 연부조직 수술 후 체중 부하는 수술 후 2~4일째부터 가능하고 능동적 관절운동은 가능한 조기에 시작하도록 하며, 뼈수술 후 부분적 체중부하는 환아의 나이와 절골 부위, 방법에 따른 차이가 있으나 절골술을 시행한 대분분의 경우 절골 부위의 유합이 시작되는 6~8주 이후 기립 운동 및 보행 연습을 시작하게 된다.[87]

또한 수술 후 수술 부위의 보호와 변형의 재발 예방, 기능의 호전을 목적으로 보조기 착용이 필요한데, 근육을 신전시켜 근육의 길이 성장을 촉진시키기 위하여 휴식 시에도 보조기를 착용하도록 한다. 대부분의 경우 발목-발 보조기와 무릎 고정 보조기를 사용하는데, 발목-발 보조기의 기능은 입각기 안정성을 부여하고, 2nd rocker를 조절하며, 아킬레스건의 과도한 신전을 방지하는 것이다.

수술 부위에 따른 재활치료 시 고려사항을 살펴보면 고관절 부위 수술에서 고관절 굴곡근의 수술 후에는 고정은 필요치 않으며, 엎드린 자세를 취하도록 하고, 오래 앉지 않도록 하며, 침상 운동으로 고관절 신전과 외전, 외회전 운동을 하며, 3주 후부터 보행훈련을 하도록 한다. 고관절 내전근의 수술 후에는 외전 30°로 3주간 석고 고정 또는 6주간 고관절 외전 보조기 지속 착용 후, 1년간 밤 사이 착용하도록 하고, 능동적 관절가동범위 운동을 수술 후 3일 째부터 시작할 수 있다. 고관절 부위 대퇴골 절골술(osteotomy) 후에는 고관절 스파이커 석고 붕대(hip spica cast)로 약 6주간 고정한 후, 석고 붕대 제거 후 적극적 재활치료를 시작하도록 하는데, 체중 부하는 점진적으로 늘리도록 하며, 부분 체중 부하 트레드밀 등의 보조 장비를 이용하여 가능하면 조기에 보행 연습을 시작하도록 한다. 앉기는 1시간 이상 앉지 않도록 한다.

슬관절 굴곡근 연장술을 시행한 후에는 슬관절을 신전 상태로 석고고정 또는 슬관절 신전 보조기를 3주간 사용하며, 무릎을 편 상태에서 다리 들어 올리는 동작은 제한한다. 대퇴직근 전이술을 시행한 경우에는 수술 2~4일 후부터 부분적 체중 부하 및 능동적 슬관절 굴곡 운동을 점진적으로 시작할 수 있다. 족부 수술 후의 재활치료는 아킬레스건 연장술 후에는 3~6주간 단하지 석고고정 후 아킬레스건의 과도한 신전을 방지하기 위하여 6개월간 고정형 발목-발 보조기를 착용하도록 한다. 족부 뼈 수술 후에는 6주간 석고고정을 하며 부분적 체중부하는 첫 3주 이후 허용할 수 있다.[88]

2) 수술 후 시간경과에 따른 재활치료

수술 후 시간 경과에 따른 재활 치료를 정리하면, 하지 수술 후 3주까지는 적절한 자세 유지와 상지 및 몸통의 근력강화 운동, 가동 범위 내에서의 하지 관절가동범위 운동, 이동 동작 훈련을 위주로 재활치료를 시행한다. 앙와위에서 무릎 밑에 베개 대지 않기, 복와위에서 고관절 밑에 베개 대지 않기 등의 침상 자세교육도 병행한다. 수술 후 3~6주 사이에는 석고고정 제거 후 본격적 재활치료의 시작하는 시기로 관절가동범위 운동, 근력강화 운동, 보행 훈련을 시행한다. 보행 훈련 방법은 수술방법과 부위에 따라 차이가 있을 수 있으며, 보조도구를 이용하여 새로운 보행 패턴을 교육한다.[89] 수술 후 6~12주 사이에는 재활치료의 강도를 높여가는 시기로 저항성 근력강화 운동을 진행하며, 보행훈련을 강화하고, 수영 등의 스포츠 활동을 시작할 수 있다. 또한 보조기의 착용은 시행한 수술 방법과 부위, 회복 양상에 따라 달라질 수 있는데, 근력강화와 보행패턴의 안정화가 어느 정도 이루어지면 점진적으로 착용시간을 줄일 수 있다. 기능회복은 수술 후 3개월까지 수술 전 상태로 회복하고, 수술 후 6개월에는 수술 전보다 기능의 개선을 이룰 수 있도록 집중적인 재활치료를 해야 하며, 약 1년 후까지도 꾸준하게 호전되므로 지속적인 치료가 필요하다. 1년 이상 경과 후에도 근력, 기능면에서 더 이상의 변화가 없으면 재활치료는 종료하도록 하나, 스트레칭, 근력강화 운동 등의 기본적인 운동프로그램은 가정에서 지속하고, 스포츠 활동에 참여하여 기능을 유지하고 관절 구축이 재발되지 않도록 해야 하며 정기적인 검진이 필요하다.

2. 선택적 후근 절제술 후 재활치료

수술 후 재활치료의 집중 여부는 수술의 결과에 절대적인 역할을 하는 것으로 알려져 있다. 수술 후 첫 3일 간은 통증 조절에 중점을 두고 침상 안정을 취하면서 침상에서의 간단한 동작과 관절 운동을 제한적으로 시행한다. 고관절 굴곡은 70° 이내, 다리 직거상 각도는 30°를 넘지 않도록 하고, 몸통의 회전과 측면 굴곡을 제한하며, 첫 3일간은 베개의 사용을 금한다. 수술 후 6일째부터 앉기를 허용하여 점진적 앉는 시간을 늘려가도록 한다. 침상에서 의자로의 이동 동작과 무릎서기, 잡고 서기, 경사대 서기 훈련을 시행하며, 기능적 전기자극치료를 병행할 수 있다. 고관절 굴곡운동은 90° 이내, 다리 직거상 각도는 30°를 넘지 않도록 하며, 몸통의 움직임은 제한한다.

수술 후 1주일 이후 4주 사이에 본격적인 재활치료를 시행한다. 체중 이동, 일어서기, 균형훈련, 보행훈련을 시행하며, 몸통 및 하지의 근력강화 운동을 시행한다. 기기, 엎드린 자세 등 일상생활동작 훈련을 시행한다. 6주 이후에는 전 범위에 걸친 수동 관절운동을 시행할 수 있다. 수술 후 1달 이후에도 보행 훈련, 근력강화 운동과 일상생활동작 훈련을 강화하여 기능 향상을 이루도록 적극적인 재활치료에 힘써야 한다. 수술 후 6개월 이후에는 기능 개선 정도에 따라 치료 빈도를 줄여 나갈 수 있으나, 근력회복 또는 근력강화는 수술 후 1년여에 걸쳐 이루어지므로 꾸준한 통원치료와 가정치료를 지속한다. 그 이후 더 이상의 변화가 없을 경우 통원치료는 종료하고, 근력강화 운동과 관절운동범위 유지를 주 내용으로 하는 가정치료와 함께 가능한 경우 스포츠 활동에 적극 참여하도록 한다. 이차적인 변형이나 연령 증가에 따른 변화를 조기에 파악하고 대처하기 위하여 정기적인 진찰이 필요하다.[90]

III. 예후

1. 보행의 가능성과 경과

뇌성마비 아동에서 독립적인 보행이 가능할지, 언제부터 걸을 수 있을지는 모든 부모들에게 가장 큰 관심사 중 하나이다. 보행의 예후를 결정하는 데에는 운동기능의 중증도뿐 아니라, 의료, 사회환경적 요소 등 다양한 인자들이 영향을 미치므로 정확한 예측은 어려우나, 뇌성마비의 유형과 대근육운동 기능의 발달 정도, 동반장애의 유무, 원시반사의 지속 여부 등을 고려하여 대략적인 예측을 할 수 있다. 2세 이전에 앉기가 가능하거나, 1.5~2.5세에 네발기기가 가능하면 보행의 가능성이 높다. 반면 4세까지 앉기가 불가능하거나, 대칭적, 비대칭적 긴장성 경부반사, 긴장성 미로반사, 모로반사, 양성 지지반사, 신근반발 등의 원시반사들 중 3개 이상이 18개월이 지나도록 양성 반응을 보이면 독립 보행의 가능성이 떨어진다. 또한 동반장애를 많이 갖는 경우 독립보행에 좋지 않은 영향을 미치는데, 특히 지적장애와 경련성 질환은 독립보행의 가능성을 떨어뜨린다.[91, 92]

독립적 보행의 성취는 뇌성마비의 유형에 따라서도 현저한 차이를 보여, 외국의 연구 보고에 의하면 전체 뇌성마비 아동의 75%에서 걸을 수 있으며, 이중 경직성 편마비형은 대부분에서 독립적 보행이 가능하고, 양지마비형은 약 85%, 사지마비형은 50%, 이상운동형은 75%에서 가능하다고 하였다.[37] 2008년 유럽에서 9천명이 넘는 환아들을 대상으로 실시한 대단위 연구에서 경직성 편마비는 96%, 경직성 양측 마비는 57%, 실조형은 90%, 이상운동형은 61%에서 5세에 보행이 가능하였다고 하였다.[92] 국내 연구를 살펴보면 2006년 단일병원 연구에서 뇌성마비 아동의 58%에서 독립적 보행을 성취하였고, 유형에 따라서는 경직성 편마비형 94%, 경직성 양지마비형 68%, 경직성 사지마비형 12%, 이상운동형은 30%에서 가능하였음을 보고하였다.[93] 2017년 우리나라 최초로 전국적 데이터베이스에 근거하여 773명을 분석한 연구에서 51.5%가 GMFCS 1, 2단계에 해당하였고, 이상운동형에서 가장 등급이 낮았다고 하여 큰 차이를 보이지는 않았다.[94] 각 연구에서 사용한 뇌성마비의 분류기준이 같지 않고, 대상 환아의 구성과 보행에 대한 기준 차이가 있기 때문에 결과의 단순비교는 어려우나, 외국 결과와 비교하여 편마비형을 제외하고는 국내의 독립 보행 성취도가 낮은 편이다.

뇌성마비 아동에서 독립보행은 대부분의 경우 2~5세 사이에 가능해지고, 7세경까지 대근육운동 기능이 지속적으로 향상된다. 그러나 이후로는 새로운 대근육운동 기능의 습득이 어려워 더 이상의 기능향상은 크게 일어나지 않는다. GMFCS를 이용하여 뇌성마비 환아들을 대상으로 16개월부터 13세까지 추적조사한 연구에서 약 73%에서 분류 등급이 변하지 않아 GMFCS의 안정성을 뒷받침하였으나, 어린 나이에 시행한 경우에는 나이가 듦에 따라 변화할 수 있다고 하였는데, 특히 2세 미만에 시행한 경우 42%에서 2~4세에 1~2단계의 하락이 있었으므로, 대근육운동 기능의 평가는 반드시 주기적으로 재평가할 것을 권고하였다.[95] 신체지표가 빠르게 성장하는 시기인 사춘기를 거쳐 성인이 되면서 보행 기능은 오히려 퇴행할 수 있는데, 특히 GMFCS 3단계 이하인 경우에 두드러지므로, 각별한 관심을 갖고 운동을 꾸준히 해야 하며, 필요에 따라 재활치료를 시행하는 것이 도움이 될 수 있다.[96] 따라서 정기적인 진찰을 통하여 변화된 상태를 확인하고, 이에 따른 적절한 치료를 통하여 기능의 퇴행과 관절구축의 재발, 이차적 변형 등을 초기에 막는 노력이 필요하다.

2. 성인으로의 이행

1) 생존율

뇌성마비 아동은 여러 동반장애를 갖고 있어 합병증 발생의 가능성이 높아 사망률이 높으나, 의학의 발전과 함께 생존율이 높아지고 있다. 1995년 캐나다의 연구보고에 의하면 30세까지의 생존율은 87%였으며, 지적장애, 경련성 질환을 갖는 경우 더 낮아진다고 하였다.[97] 또한 뇌성마비 아동 중 약 90%가 10세까지 생존하고, 85%가 40대까지 생존하며, 심한 지적장애를 동반한 경우, 스스로 먹지 못하는 경우, 스스로 움직이지 못하는 경우, 경련성 질환이 있는 경우에 수명이 단축된다고 보고하였다. 미국 캘리포니아주의 발달서비스에 등록된 5만여명의 뇌성마비인들을 대상으로 28년간 추적 관찰한 2014년의 연구에서, 엎드린 자세에서 고개를 들지 못하고 관급식으로 식이섭취를 하는 중증의 4세 환아의 50%가 생존하는 평균 연령은 1983년에 10.9세였으나, 2014년 17.1세로 증가하여 심한 장애를 갖는 뇌성마비 환아의 생존율이 과거에 비하여 현저히 향상되었으며, 운동기능과 섭식능력, 연령에 영향을 받는 것으로 보고하였다. 그러나 보행가능한 아동들에서는 큰 변화를 보이지 않았고, 사춘기 이후 성인기에서도 기대 여명은 1~3년 증가하여 변화가 크지 않았다.[98]

뇌성마비 아동의 기대 여명 예측은 이를 위한 연구들이 있으나, 추적 관찰이 불완전한 경우가 많고, 코호트 연구 대상군의 불균일성(heterogeneity) 등의 이유로 아직 이에 관한 확실한 근거를 제시하지 못하고 있다.[99] 사망원인은 2014년 호주 통계청 보고에 의하면 전체 뇌성마비인들의 사망원인으로 호흡기 문제가 가장 많았으며, 중년층 뇌성마비인들의 사망원인으로는 심혈관계와 암 질환이 많았다.[100] 이와 같이 생존율은 뇌성마비의 임상양상과 사회환경적 여러 요인들의 영향을 받는데, 특히 중증도가 심하고, 동반장애가 많은, 어린 연령의 뇌성마비 아동에서 사망률이 높으므로, 이들에 대한 세심한 관찰과 치료, 그리고 보호자 교육이 필요하다.

2) 퇴행성 변화

뇌성마비 아동이 성인으로 이행하면서 근골격계 이차적 변형과 퇴행성 변화가 조기에 시작되며, 통증과 운동기능의 퇴행, 신체의 퇴행성 질환이 빠르게 시작한다. 운동기능의 경우 보행이 가능하였던 뇌성마비 아동의 1/4 정도는 성인이 되면서 걷지 못하게 된다.[100] 이는 정상 보행에 비하여 많은 에너지를 필요로 하는 뇌성마비 보행에서 관절구축의 진행과 관절의 퇴행성 변화, 체중의 증가로 보행 시 더 많은 에너지를 필요로 하게 되므로 보행거리와 시간이 단축되고, 앉아서 생활하는 시간이 늘어나고 운동이 줄어들면서 하지 근력의 약화와 관절구축이 심화되는 악순환을 겪게 되기 때문이다. 이러한 악순환은 성인이 된 이후에도 지속되어 기능이 더욱 악화될 수 있는데, 24세부터 76세 사이의 뇌성마비 성인을 대상으로 7년간 추적 관찰한 연구에서 편마비형, 양지마비형의 52%에서 보행 기능이 퇴행하였고, 이는 통증과 피로, 균형감각의 저하와 관련 있었다고 하였다.[101] 이 밖에도 실금, 변비와 같은 배뇨, 배변의 문제, 비만, 골다공증 등 나이가 들면서 흔히 대두되는 문제들의 진단과 치료뿐 아니라, 신체의 퇴행에 따른 재활치료와 적절한 보조도구 사용이 필요할 수 있으므로 성인기에도 정기적인 진찰과 재활의학적 관심을 기울여야 한다.

3) 사회 참여, 교육과 직업

과거 지적장애를 갖지 않는 경우 뇌성마비인들에서 60~80%가 고등학교를 졸업하고, 14~25%가 대학을 마친다고 하였다. 국가 간 차이가 있으나 교육 권리 보장과 기회의 확장으로 대부분의 경우 고등학교 교육을 받는 비율이 증가하였으며, 아직 대학진학률은 낮은 편이다. 2005년 덴마크 연구에서 직업학교를 포함하여 87%가 고등학교까지의 교육을 받으며, 대학진학은 9%라 하였고, 2010년 이스라엘의 연구에서 79%가 고등학교를 졸업하였고, 34%가 대학에 입학한다고 하여 전체 진학률 52%에 비하여 낮으나, 대학진학률이 높아졌음을 보고하였다.[102, 103] 한편 2018년 발표한 호주 New South Wales 지역의 코호트 연구에서 16세 이하 뇌성마비 아동과 청소년 1770여명의 대부분이 학교에 다녔고, 정규 학력검사에서 약 30%는 정상 범위의 학력수준을 보였으며, 46%가 지적장애나 운동기능의 문제로 불참하였다고 하였다. 정상 학력은 편마비형에서는 43%, 사지마비형에서는 약 8%에서 보였다고 하였다.[104]

성인으로 성장한 후, 국가 간, 연구자 간 차이가 있으나 30~60% 정도는 독립적인 생활을 영위할 수 있고, 35~50%는 직업을 갖는다고 하였다. 지적장애를 갖지 않는 뇌성마비 성인들은 61%가 사회에서 독립적으로 살아간다고 보고하여 지적장애가 없는 경우 독립적 생활 가능성이 높았다.[105] 독립적 생활을 어렵게 하는 인자로는 지적장애, 경련성 질환, 휠체어 의존적인 운동장애 등을 꼽을 수 있다.

직업에 관하여 약 40%가 직업을 가지며 23%가 일반 직장, 15%가 보호 작업장이었다고 보고하였는데, 경쟁적인 일반직장 고용률은 17~53%로 다양한 차이를 보였다.[106] 덴마크에서 발표한 인구기반연구에서 29%의 경쟁적 고용률을 보고하여 일반적 성인의 고용률 82%와 비교하여 현저히 낮았다.[102] 이와 같이 낮은 고용률의 원인으로 지적장애, 사회성 부족, 고용정책, 접근성의 제약, 직장에서의 장애인에 대한 잘못된 인식 등을 제시하였다. 이는 이스라엘의 23%와 비슷하였다. 또한 대학교육자, 운동장애의 정도가 경미할수록, 가족의 협조가 좋을수록, 직업훈련을 받은 경우 취업 가능성이 높다고 하였다.

뇌성마비 성인에 대한 정보는 의학적 관점과 사회경제적, 교육적 관점을 포함하여 전반적으로 매우 부족하며, 연구자마다 결과에서 적지 않은 차이를 보이는 경우가 많다. 더구나 우리나라의 정보는 제한적이다. 뇌성마비 아동이 성인으로 성장하여 어떻게 살아가고 있는지, 무엇이 필요한지, 문제점과 해결 방법들에 대하여 좀 더 관심을 갖고 조사하여, 함께 풀어 나가야 할 것이며, 뇌성마비 아동의 치료를 담당함에 뇌성마비 아동이 자신의 삶을 스스로 꾸려나갈 수 있는 성인으로 성장할 수 있도록 돕는다는 기본적 명제를 생각하는 것이 필요하다.

▶ 참고문헌

1. Baxter P, Morris C, Rosenbaum P, et al. The definition and classification of cerebral palsy. Dev Med Child Neurol 2007;49:1-44.
2. Palisano R, Rosenbaum P, Walter S, Russell D, Wood E, Galuppi B. Development and reliability of a system to classify gross motor function in children with cerebral palsy. Developmental Medicine & Child Neurology 1997;39:214-23.
3. Cans C. Surveillance of cerebral palsy in Europe: a collaboration of cerebral palsy surveys and registers. Developmental Medicine & Child Neurology 2000;42:816-24.
4. Rosenbaum P, Paneth N, Leviton A, et al. A report: the definition and classification of cerebral palsy April 2006. Dev Med Child Neurol Suppl 2007;109:8-14.
5. Pakula AT, Braun KVN, Yeargin-Allsopp M. Cerebral palsy: classification and epidemiology. Physical Medicine and Rehabilitation Clinics 2009;20:425-52.
6. Sanger TD, Delgado MR, Gaebler-Spira D, Hallett M, Mink JW. Classification and definition of disorders causing hypertonia in childhood. Pediatrics 2003;111:e89-e97.
7. Sanger TD, Chen D, Fehlings DL, et al. Definition and classification of hyperkinetic movements in childhood. Movement Disorders 2010;25:1538-49.
8. Hurvitz EA, Brown SH. The terms diplegia, quadriplegia, and hemiplegia should be phased out. 2010.
9. Goldsmith S, McIntyre S, Smithers-Sheedy H, et al. An international survey of cerebral palsy registers and surveillance systems. Developmental Medicine & Child Neurology 2016;58:11-7.
10. Sellers D, Mandy A, Pennington L, Hankins M, Morris C. Development and reliability of a system to classify the eating and drinking ability of people with cerebral palsy. Developmental Medicine & Child Neurology 2014;56:245-51.
11. Sellers D, Bryant E, Hunter A, Campbell V, Morris C. The eating and drinking ability classification system for cerebral palsy: A study of reliability and stability over time. Journal of pediatric rehabilitation medicine 2019;12:123-31.
12. Hidecker MJC, Paneth N, Rosenbaum PL, et al. Developing and validating the Communication Function Classification System for individuals with cerebral palsy. Developmental Medicine & Child Neurology 2011;53:704-10.
13. Pennington L, Virella D, Mjøen T, et al. Development of The Viking Speech Scale to classify the speech of children with cerebral palsy. Research in Developmental Disabilities 2013;34:3202-10.
14. Himmelmann K, Horber V, De La Cruz J, et al. MRI classification system (MRICS) for children with cerebral palsy: development, reliability, and recommendations. Developmental Medicine & Child Neurology 2017;59:57-64.
15. Hollung SJ, Bakken IJ, Vik T, et al. Comorbidities in cerebral palsy: a patient registry study. Developmental Medicine & Child Neurology 2020;62:97-103.
16. Novak I, Hines M, Goldsmith S, Barclay R. Clinical prognostic messages from a systematic review on cerebral palsy. Pediatrics 2012;130:e1285-e312.
17. Carlsson M, Olsson I, Hagberg G, Beckung E. Behaviour in children with cerebral palsy with and without epilepsy. Developmental Medicine & Child Neurology 2008;50:784-9.
18. Fazzi E, Signorini SG, La Piana R, et al. Neuro-ophthalmological disorders in cerebral palsy: ophthalmological, oculomotor, and visual aspects. Developmental Medicine & Child Neurology 2012;54:730-6.
19. Jeon H, Jung JH, Yoon JA, Choi H. Strabismus is correlated with gross motor function in children with spastic cerebral palsy. Current eye research 2019;44:1258-63.
20. Reid SM, Modak MB, Berkowitz RG, Reddihough DS. A population-based study and systematic review of hearing loss in children with cerebral palsy. Developmental Medicine & Child Neurology 2011;53:1038-45.
21. Alexander MA, Matthews DJ, Murphy KP. Pediatric rehabilitation: principles and practice: Demos Medical

Publishing; 2015.

22. Andrew MJ, Parr JR, Sullivan PB. Feeding difficulties in children with cerebral palsy. Archives of Disease in Childhood-Education and Practice 2012;97:222-9.
23. Savage K, Kritas S, Schwarzer A, Davidson G, Omari T. Whey-vs casein-based enteral formula and gastrointestinal function in children with cerebral palsy. Journal of Parenteral and Enteral Nutrition 2012;36:118S-23S.
24. Gantasala S, Sullivan PB, Thomas AG. Gastrostomy feeding versus oral feeding alone for children with cerebral palsy. Cochrane Database of Systematic Reviews 2013.
25. Zhang JY, Oskoui M, Shevell M. A population-based study of communication impairment in cerebral palsy. Journal of child neurology 2015;30:277-84.
26. Bottcher L. Children with spastic cerebral palsy, their cognitive functioning, and social participation: a review. Child Neuropsychology 2010;16:209-28.
27. Fairhurst C, Shortland A, Chandler S, et al. Factors associated with pain in adolescents with bilateral cerebral palsy. Developmental Medicine & Child Neurology 2019;61:929-36.
28. Schiariti V, Oberlander TF. Evaluating pain in cerebral palsy: comparing assessment tools using the International classification of functioning, disability and health. Disability and rehabilitation 2019;41:2622-9.
29. Henderson RC, Lark RK, Gurka MJ, et al. Bone density and metabolism in children and adolescents with moderate to severe cerebral palsy. Pediatrics 2002;110:e5-e.
30. Miller F, Slomczykowski M, Cope R, Lipton GE. Computer modeling of the pathomechanics of spastic hip dislocation in children. Journal of Pediatric Orthopaedics 1999;19:486-92.
31. Miller F. Knee, leg, and foot. Cerebral palsy 2005:667-802.
32. Pelrine E, Novacheck T, Boyer E. Association of knee pain and crouch gait in individuals with cerebral palsy. Journal of Pediatric Orthopaedics 2020;40:e504-e9.
33. Koop SE. Scoliosis in cerebral palsy. Developmental Medicine & Child Neurology 2009;51:92-8.
34. Huntsman R, Lemire E, Norton J, Dzus A, Blakley P, Hasal S. The differential diagnosis of spastic diplegia. Archives of disease in childhood 2015;100:500-4.
35. Schapiro S, Vukovich KR. Early experience effects upon cortical dendrites: a proposed model for development. Science 1970;167:292-4.
36. Wiesel TN, Hubel DH. Effects of visual deprivation on morphology and physiology of cells in the cat's lateral geniculate body. Journal of neurophysiology 1963;26:978-93.
37. Liepert J, Miltner W, Bauder H, et al. Motor cortex plasticity during constraint-induced movement therapy in stroke patients. Neuroscience letters 1998;250:5-8.
38. Melnyk BM, Alpert-Gillis L, Feinstein NF, et al. Improving cognitive development of low-birth-weight premature infants with the COPE program: A pilot study of the benefit of early NICU intervention with mothers. Research in nursing & health 2001;24:373-89.
39. Kim SH, Sung IY, Ko EJ, Park J, Heo N. Stress in Caregivers and Children with a Developmental Disorder Who Receive Rehabilitation. Children 2020;7:136.
40. Novak I, Mcintyre S, Morgan C, et al. A systematic review of interventions for children with cerebral palsy: state of the evidence. Developmental medicine & child neurology 2013;55:885-910.
41. Novak I, Morgan C, Fahey M, et al. State of the evidence traffic lights 2019: systematic review of interventions for preventing and treating children with cerebral palsy. Current neurology and neuroscience reports 2020;20:1-21.
42. Ko EJ, Sung IY, Moon HJ, Yuk JS, Kim H-S, Lee NH. Effect of Group-Task-Oriented Training on Gross and Fine Motor Function, and Activities of Daily Living in Children with Spastic Cerebral Palsy. Physical & Occupational Therapy In Pediatrics 2020;40:18-30.
43. Gagliardi C, Maghini C, Germiniasi C, et al. The effect of frequency of cerebral palsy treatment: a matched-pair pilot study. Pediatric neurology 2008;39:335-40.

44. Butler C, Darrah J. Effects of neurodevelopmental treatment (NDT) for cerebral palsy: an AACPDM evidence report. Developmental medicine and child neurology 2001;43:778.
45. Park K, Ahn Y. Early diagnosis and treatment of Vojta for cerebral palsy. Journal of Korean Academy of Rehabilitation Medicine 1982;6:31-46.
46. Stackhouse SK, Binder-Macleod SA, Lee SC. Voluntary muscle activation, contractile properties, and fatigability in children with and without cerebral palsy. Muscle & Nerve: Official Journal of the American Association of Electrodiagnostic Medicine 2005;31:594-601.
47. Wiley ME, Damiano DL. Lower-extremity strength profiles in spastic cerebral palsy. Developmental Medicine & Child Neurology 1998;40:100-7.
48. Lee JH, Sung IY, Yoo JY. Therapeutic effects of strengthening exercise on gait function of cerebral palsy. Disability and rehabilitation 2008;30:1439-44.
49. Ranatunga K. Skeletal muscle stiffness and contracture in children with spastic cerebral palsy. The Journal of physiology 2011;589:2665.
50. Van de Crommert HW, Mulder T, Duysens J. Neural control of locomotion: sensory control of the central pattern generator and its relation to treadmill training. Gait & posture 1998;7:251-63.
51. Lovely RG, Gregor R, Roy R, Edgerton VR. Effects of training on the recovery of full-weight-bearing stepping in the adult spinal cat. Experimental neurology 1986;92:421-35.
52. Schindl MR, Forstner C, Kern H, Hesse S. Treadmill training with partial body weight support in nonambulatory patients with cerebral palsy. Archives of physical medicine and rehabilitation 2000; 81:301-6.
53. Dodd KJ, Foley S. Partial body-weight-supported treadmill training can improve walking in children with cerebral palsy: a clinical controlled trial. Developmental Medicine & Child Neurology 2007; 49:101-5.
54. Kim YJ, Koo JH, Yoo JY, Sung IY. The Therapeutic Effects of Body Weight-Supported Treadmill Training on Childeren with Cerebral Palsy. Journal of the Korean Academy of Rehabilitation Medicine 2004;28:444-8.
55. Hazlewood M, Brown J, Rowe P, Sailer P. The use of therapeutic electrical stimulation in the treatment of hemiplegic cerebral palsy. Developmental Medicine & Child Neurology 1994;36:661-73.
56. Steinbok P, Reiner A, Kestle JR. Therapeutic electrical stimulation folio wing selective posterior rhizotomy in children with spastic diplegia cerebral palsy: a randomized clinical trial. Developmental Medicine & Child Neurology 1997;39:515-20.
57. Carmick J. Clinical use of neuromuscular electrical stimulation for children with cerebral palsy, part 1: lower extremity. Physical Therapy 1993;73:505-13.
58. Blackmore A, Boettcher-Hunt E, Jordan M, Chan M. A systematic review of the effects of casting on equinus in children with cerebral palsy: an evidence report of the AACPDM. Developmental Medicine & Child Neurology 2007;49:781-90.
59. Lee SJ, Sung IY, Jang DH, Yi JH, Lee JH, Ryu JS. The effect and complication of botulinum toxin type A injection with serial casting for the treatment of spastic equinus foot. Annals of rehabilitation medicine 2011;35:344.
60. Sung I-Y, Ryu J-S, Pyun S-B, Yoo S-D, Song W-H, Park M-J. Efficacy of forced-use therapy in hemiplegic cerebral palsy. Archives of physical medicine and rehabilitation 2005;86:2195-8.
61. Taub E, Griffin A, Nick J, Gammons K, Uswatte G, Law CR. Pediatric CI therapy for stroke-induced hemiparesis in young children. Developmental neurorehabilitation 2007;10:3-18.
62. Sakzewski L, Ziviani J, Boyd RN. Efficacy of upper limb therapies for unilateral cerebral palsy: a meta-analysis. Pediatrics 2014;133:e175-e204.
63. Appleton R, Jones AP, Gamble C, et al. The use of MElatonin in children with neurodevelopmental disorders and impaired sleep: a randomised, double-blind, placebo-controlled, parallel study (MENDS). NIHR Health Technology Assessment programme: Executive Summaries: NIHR Journals Library; 2012.
64. Novak I, Walker K, Hunt RW, Wallace EM, Fahey M, Badawi N. Concise review: Stem cell interventions

for people with cerebral palsy: Systematic review with meta-analysis. Stem cells translational medicine 2016;5:1014-25.

65. Kiasatdolatabadi A, Lotfibakhshaiesh N, Yazdankhah M, et al. The role of stem cells in the treatment of cerebral palsy: a review. Molecular neurobiology 2017;54:4963-72.
66. Norlin R, Tkaczuk H. One-session surgery for correction of lower extremity deformities in children with cerebral palsy. Journal of Pediatric Orthopaedics 1985;5:208-11.
67. Shaikh SI, Hegade G. Role of Anesthesiologist in the Management of a Child with Cerebral Palsy. Anesthesia: Essays & Researches 2017;11.
68. Kim SH, Chun DH, Chang CH, Kim TW, Kim YM, Shin YS. Effect of caudal block on sevoflurane requirement for lower limb surgery in children with cerebral palsy. Pediatric Anesthesia 2011;21:394-8.
69. Lauder G, White M. Neuropathic pain following multilevel surgery in children with cerebral palsy: a case series and review. Pediatric Anesthesia 2005;15: 412-20.
70. Nolan J, Chalkiadis G, Low J, Olesch C, Brown T. Anaesthesia and pain management in cerebral palsy. Anaesthesia 2000;55:32-41.
71. Morton R. New surgical interventions for cerebral palsy and the place of gait analysis. Developmental medicine and child neurology 1999;41:424-8.
72. Manske PR, Langewisch KR, Strecker WB, Albrecht MM. Anterior elbow release of spastic elbow flexion deformity in children with cerebral palsy. Journal of Pediatric Orthopaedics 2001;21:772-7.
73. Firth GB, McMullan M, Chin T, et al. Lengthening of the gastrocnemius-soleus complex: an anatomical and biomechanical study in human cadavers. JBJS 2013; 95:1489-96.
74. Abel MF, Wenger DR, Mubarak SJ, Sutherland DH. Quantitative analysis of hip dysplasia in cerebral palsy: a study of radiographs and 3-D reformatted images. Journal of Pediatric orthopaedics 1994; 14:283-9.
75. Elkamil AI, Andersen GL, Hägglund G, Lamvik T, Skranes J, Vik T. Prevalence of hip dislocation among children with cerebral palsy in regions with and without a surveillance programme: a cross sectional study in Sweden and Norway. BMC musculoskeletal disorders 2011;12:284.
76. Onimus M, Allamel G, Manzone P, Laurain J. Prevention of hip dislocation in cerebral palsy by early psoas and adductors tenotomies. Journal of pediatric orthopedics 1991;11:432-5.
77. Carr C, Gage JR. The fate of the nonoperated hip in cerebral palsy. Journal of Pediatric Orthopaedics 1987;7:262-7.
78. McHale KA, Bagg M, Nason SS. Treatment of the chronically dislocated hip in adolescents with cerebral palsy with femoral head resection and subtrochanteric valgus osteotomy. Journal of pediatric orthopedics 1990;10:504-9.
79. Boldingh EJ, Bouwhuis CB, van der Heijden-Maessen HC, Bos CF, Lankhorst GJ. Palliative hip surgery in severe cerebral palsy: a systematic review. Journal of Pediatric Orthopaedics B 2014;23:86-92.
80. Al-Aubaidi Z, Lundgaard B, Pedersen NW. Anterior distal femoral hemiepiphysiodesis in the treatment of fixed knee flexion contracture in neuromuscular patients. Journal of children's orthopaedics 2012;6: 313-8.
81. Sutherland D, Santi M, Abel M. Treatment of stiff-knee gait in cerebral palsy: a comparison by gait analysis of distal rectus femoris transfer versus proximal rectus release. Journal of pediatric orthopedics 1990;10:433-41.
82. Yngve DA, Chambers C. Vulpius and Z-lengthening. Journal of Pediatric Orthopaedics 1996;16:759-64.
83. Rose S, DeLuca P, Davis III R, Ounpuu S, Gage J. Kinematic and kinetic evaluation of the ankle after lengthening of the gastrocnemius fascia in children with cerebral palsy. Journal of Pediatric Orthopaedics 1993;13:727-32.
84. Mosca V. Calcaneal lengthening for valgus deformity of the hindfoot. Results in. J Bone Joint Surg Am 1995;77:500-12.
85. Nahm NJ, Graham HK, Gormley Jr ME, Georgiadis AG. Management of hypertonia in cerebral palsy. Current opinion in pediatrics 2018;30:57-64.

86. O'Brien DF, Park T-S, Puglisi JA, Collins DR, Leuthardt EC, Leonard JR. Orthopedic surgery after selective dorsal rhizotomy for spastic diplegia in relation to ambulatory status and age. Journal of Neurosurgery: Pediatrics 2005;103:5-9.

87. Berker AN, Yalçın MS. Cerebral palsy: orthopedic aspects and rehabilitation. Pediatric Clinics of North America 2008;55:1209-25.

88. Miller F. Cerebral palsy: Springer 2005;919-1013.

89. Dodd K, Imms C, Taylor NF. Physiotherapy and occupational therapy for people with cerebral palsy: A problem-based approach to assessment and management: John Wiley & Sons; 2010.

90. Mäenpää H, Salokorpi T, Jaakkola R, et al. Follow-up of children with cerebral palsy after selective posterior rhizotomy with intensive physiotherapy or physiotherapy alone. Neuropediatrics 2003;34:67-71.

91. Molnar G, Gordon S. Cerebral palsy: predictive value of selected clinical signs for early prognostication of motor function. Archives of physical medicine and rehabilitation 1976;57:153-8.

92. Beckung E, Hagberg G, Uldall P, Cans C. Probability of walking in children with cerebral palsy in Europe. Pediatrics 2008;121:e187-e92.

93. Lee JH, Koo JH, Jang DH, Park EH, Sung IY. The Functional Prognosis of Ambulation in Each Type of Cerebral Palsy. Journal of the Korean Academy of Rehabilitation Medicine 2006;30:315-21.

94. Yim S-Y, Yang C-Y, Park JH, et al. Korean database of cerebral palsy: a report on characteristics of cerebral palsy in South Korea. Annals of rehabilitation medicine 2017;41:638.

95. Palisano RJ, Cameron D, Rosenbaum PL, Walter SD, Russell D. Stability of the gross motor function classification system. Developmental Medicine & Child Neurology 2006;48:424-8.

96. Hanna SE, Rosenbaum PL, Bartlett DJ, et al. Stability and decline in gross motor function among children and youth with cerebral palsy aged 2 to 21 years. Developmental Medicine & Child Neurology 2009;51:295-302.

97. Crichlan J, Mackinnon M, White C. The life-expectancy of persons with cerebral palsy. Developmental Medicine & Child Neurology 1995;37:567-76.

98. Brooks JC, Strauss DJ, Shavelle RM, Tran LM, Rosenbloom L, Wu YW. Recent trends in cerebral palsy survival. Part I: period and cohort effects. Developmental Medicine & Child Neurology 2014;56:1059-64.

99. Day SM, Reynolds RJ, Kush SJ. Extrapolating published survival curves to obtain evidence-based estimates of life expectancy in cerebral palsy. Developmental Medicine & Child Neurology 2015;57:1105-18.

100. ABo S. Causes of death, Australia. Canberra: Australian Bureau of Statistics 2014.

101. Morgan P, McGinley J. Gait function and decline in adults with cerebral palsy: a systematic review. Disability and rehabilitation 2014;36:1-9.

102. Opheim A, Jahnsen R, Olsson E, Stanghelle JK. Walking function, pain, and fatigue in adults with cerebral palsy: a 7-year follow-up study. Developmental Medicine & Child Neurology 2009;51:381-8.

103. Michelsen SI, Uldall P, Kejs AMT, Madsen M. Education and employment prospects in cerebral palsy. Developmental Medicine & Child Neurology 2005;47:511-7.

104. Mesterman R, Leitner Y, Yifat R, et al. Cerebral palsy—long-term medical, functional, educational, and psychosocial outcomes. Journal of child neurology 2010;25:36-42.

105. Gillies MB, Bowen JR, Patterson JA, Roberts CL, Torvaldsen S. Educational outcomes for children with cerebral palsy: a linked data cohort study. Developmental Medicine & Child Neurology 2018;60:397-401.

106. Frisch D, Msall ME. Health, functioning, and participation of adolescents and adults with cerebral palsy: a review of outcomes research. Developmental disabilities research reviews 2013;18:84-94.

CHAPTER

21 신경근육 질환

Neuromuscular Diseases

박주현, 신용범

신경근육질환은 하위운동신경원, 즉 척수 전각 세포에서 근육에 이르는 운동단위(motor unit)의 이상으로 인한 것이다.[1] 근 위약으로 인한 제반 증상이 성인에서 발생되는 경우에는 원인에 대한 진단이 비교적 수월할 수 있지만 소아, 특히 영유아의 경우는 임상적으로 상위운동신경원과 하위운동신경원 중 어느 부위의 문제에 의한 것인지를 파악하기가 어려운 경우가 많다.

이 장에서는 소아재활을 담당하는 의사들이 흔히 접하게 되는 근긴장저하 영아(floppy infant)의 임상징후와 감별진단부터 시작하여 근 위약에 의한 증상을 보이는 소아에서 진단 가능한 다양한 질환들에 대하여 설명하고, 신경근육질환의 적절한 재활치료를 위하여 정확한 진단을 하는데 도움이 되는 내용들을 기술하고자 한다. 특히 신경근육질환의 자연경과에 대한 숙지는 진행성 장애의 재활치료에 큰 도움이 되므로 소아 신경근육질환의 진단 평가, 진단분류에 의한 자연경과와 증상, 그리고 재활치료에 대하여 서술하였다.

I. 근긴장저하 영아

근긴장저하 영아에 대한 신경학적 진찰에 앞서 환아와 산모에 대한 자세한 과거력을 조사하는 것이 반드시 선행되어야 하며 출생 전, 주산기 및 출생 후 과거력에 대하여 모두 살펴보아야 한다. 임신 중 양수의 양, 태동(fetal movement)과 운동의 강약뿐만 아니라 태아의 자세도 매우 중요하다. 특히 둔위(breech presentation)는 신경근육질환을 가진 태아에서 매우 흔한데 태아가 자세를 바꾸기 위한 충분한 운동능력을 가지지 못하기 때문으로 생각된다. 또한 근긴장저하 영아의 중요한 원인인 저산소성-허혈성 뇌병증의 경우, 대개 출산 시 손상이나 저산소증, 낮은 아프가(Apgar) 점수 등을 동반하므로 병력을 자세히 파악해야 하며 가족력 조사 또한 불필요한 검사를 줄일 수 있으므로 필수적이다.[2]

1. 임상 징후

근긴장저히 영아에 대한 신경학적 특징을 알기 위해서 기본적으로 근육의 긴장도(tone)에 대한 정의를 잘 알고 있어야 한다. 긴장도는 "관절을 수동적으로 움직일 때 나타나는 저항의 정도"로 정의 된다. 위상긴장도(phasic tone)는 근육을 빠르게 신장할 때의 반응으로 건반사(tendon reflex)가 대표적이다. 자세긴장도(postural tone)는 지속적인 저 강도의 근육신장 시 보이는 근육 긴장도로 중력에 대해 자세를 유지하는 능력을 보는 것이 일반적이다.[1]

개구리자세(frog-like posture)는 원인에 관계없이 일반적으로 근긴장저하 영아가 보이는 가장 흔한 임상 징후이다. 이 자세는 중력에 대하여 정상적인 자세를 유지할 수 없고 비정상적으로 관절 가동범위가 증가되며 자발적인 운동이 현저히 저하되어 있어 누운 자세에서 팔과 다리가 외전 되어 있는 상태를 보인다(그림 21-1). 근긴장저하 영아는 재태주수 33주 이상으로 출생하였음에도 누운 자세에서 팔을 당겨 앉히려 할 때 머리가 힘없이 뒤로 쳐지는 증상을 보이게 된다(그림 21-2). 배를 받쳐서 영아를 들어 올렸을 때 체간과 팔다리 모두 헝겊인형처럼 늘어지는 모습(rag-doll posture)을 보인다. 또한 겨드랑이를 손으로 받쳐 들어 올릴 때 영아가 미끄러져 내려가는 현상을 나타낸다. 이외에도 고개를 잘 돌리지 못하여 후두부가 납작하게 되어 있다든지, 선천적으로 고관절이 탈구되어 있는 경우도 있으며 심한 경우 선천다발관절굽음증(arthrogryposis multiplex congenita)을 나타내기도 한다.[1]

1) 중추성 근긴장저하 영아

근긴장저하 영아의 60~80%를 차지할 정도로 중추성 원인이 매우 높은 비율을 보이는데, 이는 다운증후군이나 프라더-윌리 증후군과 같은 염색체나 유전자이상에 의한 증후군들이 모두 여기에 포함되기 때문으로 생각된다.[3] 중추성 근긴장저하 영아는 대뇌피질에서 척수까지 연결되는 운동신경 부위 중 손상이나 기능적 이상에 의해 증상을 나타내는 경우로, 일반적으로 근 위약은 심하지 않아 비마비성(non-paralytic) 근긴장저하 영아 혹은 근긴장저하이지만 강한영아(floppy strong infant)로 알려져 있다.[4]

중추성 근긴장저하 영아의 원인으로 저산소성-

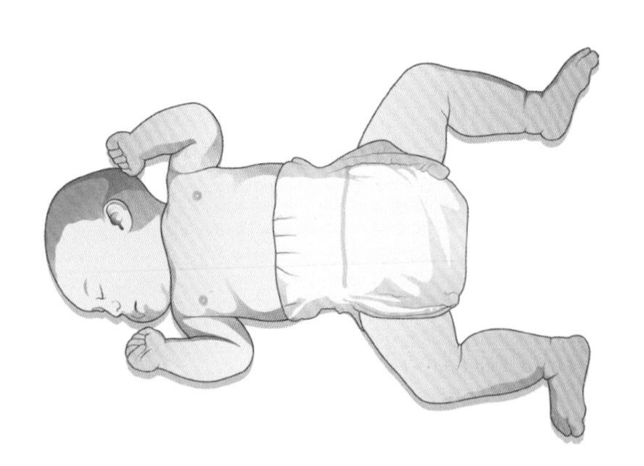

그림 21-1 근긴장저하 영아의 개구리자세(frog leg posture)

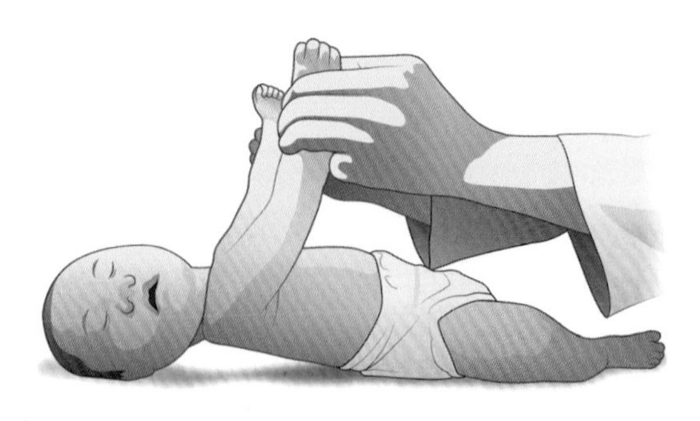

그림 21-2 근긴장저하 영아의 팔을 당겨서 앉히려고 할 때(pull to sit) 늘어지는 머리(head lag)

허혈성 뇌병증이 비교적 흔한 편이며 이외에 유전성 증후군과 대사성 증후군에 의한 경우가 있다. 저산소성-허혈성 뇌병증의 경우 전신성 경련을 보이는 경우가 많으며 건반사 및 발바닥 신전반응의 항진을 흔히 보인다. 초기에는 근긴장저하 상태를 보이나 점차 긴장도가 증가되면서 궁극적으로는 경직이나 이상운동 증상을 보이는 경우가 많다. 유전성 및 대사성 증후군을 가진 환아의 경우 다양한 정도의 형태이상(dysmorphism)을 보이는 경우가 많으나 신생아 때에는 특징적인 얼굴모양을 보이지 않아서 임상적으로 진단하기 어려운 경우도 많다. 또한 대개의 경우 운동기능뿐만 아니라 인지기능의 저하를 함께 나타낸다.[2]

2) 말초성 근긴장저하 영아

근긴장저하 영아 원인의 15~30%를 차지하며, 대표적 원인으로 선천성 근육병과 척수 근위축증이 있고 중추성에 비하여 심한 근 위약증상을 보여 마비성(paralytic) 근긴장저하 영아 혹은 근긴장저하이며 약한영아(floppy weak infant)로 불린다. 건반사가 유발되지 않거나 심하게 저하되어 있으며, 근 위약이 지속되어 초기에는 관절 가동범위가 증가되어 있으나 시간이 지나면서 중력방향에 따른 관절구축이 유발된다. 운동발달지연의 정도는 심하지만 비교적 인지기능은 잘 보존되어 있다. 초기에는 가성구마비와 유사한 정도의 삼킴장애를 보이기도 하여 중추성 근긴장저하 영아와 구별이 어렵다.[4] 근육병이 원인인 경우 텐트모양의 윗입술을 가진 열린 입과 얼굴 표정의 결여 등, 특징적인 얼굴모습을 보인다. 운동신경원의 문제에 의한 경우 혀를 잘 관찰해 보면 섬유속자발수축(fasciculation)을 볼 수 있는데 아기가 울 때에는 잘 관찰하기 어렵다.

2. 감별 진단

앞에서 설명한 바와 같이 근긴장저하 영아의 원인을 임상증상만으로 중추성과 말초성으로 구분하는 것은 초기에는 쉽지 않다. 정확한 진단은 예기치 못한 악성 고열증(malignant hyperthermia)을 방지할 수 있으며 유전상담을 위해서도 꼭 필요하다.

임상적으로 중추성은 근 위약의 정도가 덜하다고 하나 초기에는 말초성과 확연한 차이를 보이지 않는 경우가 많으며 개구리자세가 말초성 근긴장저하 영아에서 흔히 보인다고 하지만 중추성도 초기에는 이러한 자세를 보이는 경우가 많다.[4] 대개의 경우 다소 안정기로 접어든 후 환아가 보이는 증상들을 가지고 판단하는 경우가 많은데, 몸통위약(axial weakness)이 사지에 비하여 뚜렷하면 중추성일 가능성이 높다. 횡격막, 안면근육 및 괄약근의 기능은 비교적 좋으나 전반적인 근 위약을 보이면 척수전각세포(anterior horn cell)의 이상을 의심할 수 있으며 특징적으로 역설호흡(paradoxical breathing)을 보인다. 근무력증후군의 경우 구마비 및 안구운동근육 마비 증상이 심한 것이 특징이다.

대칭적인 사지 근위부 근육마비가 특징적이면 근육병을 고려하고, 반면에 원위부 마비, 즉 쥐는 힘이 약하고 족하수를 보이면 말초신경병증을 의심하게 된다. 하지만, 미토콘드리아질환(mitochondrial disorders), 지질축적병(lipid storage diseases) 및 리소좀축적병(lysosomal storage diseases) 등의 다양한 대사질환들의 경우 중추성 및 말초성 증상을 동시에 보일 수 있으며, 말초성 근긴장저하 영아에서 주산기 질식에 의해 뇌병증이 유발된 경우에도 양측 모두의 특징을 가질 수 있다. 그러므로, 결국 확진을 위해서는 임상적으로 중추성이 의심되면 뇌컴퓨터단층촬영이나 뇌자기공명영상의 촬영이 필수적이며 이외에도 유전적 질환이 의심되는 경우 유전자검사를 시행한다. 임상적으로 말초성 원인이 의심되면 크레아틴 키나아제(creatine kinase, CK)를 기본으로 하는 혈액검사와 신경전도 및 근전도 검사를 시행하며 확진을 위해 유전자 돌연변이에 관한 검사가 필요한 경우도 있다(그림 21-3).

II. 진단

근 위약의 원인이 말초성으로 판단되는 경우 일반적으로 이 장에서 다룰 주 내용인 신경근육질환의 범주에서 그 구체적인 원인을 찾기 위한 검사들을 시행하게 된다. 전통적으로 병력 및 가족력, 이학적 검사, 전기진단학적 소견, 그리고 근육과 신경 생검의 병태생리학적 분석을 통하여 임상진단 및 분류를 하였다. 그러나 분자유전학적 연구의 진전으로 신경근육질환 연관 유전자들이 속속 밝혀지고 원인 유전자수 발견이 빠르게 증가하고 끊임없이 확대되고 있어 향후 원인미상의 근긴장저하 영유아로 남는 경우는 없기를 기대해 본다.

1. 병력 및 가족력

앞서 근긴장저하 영아의 경우에 대해서는 기술하였으며, 근긴장저하 상태가 지속되면서 운동발

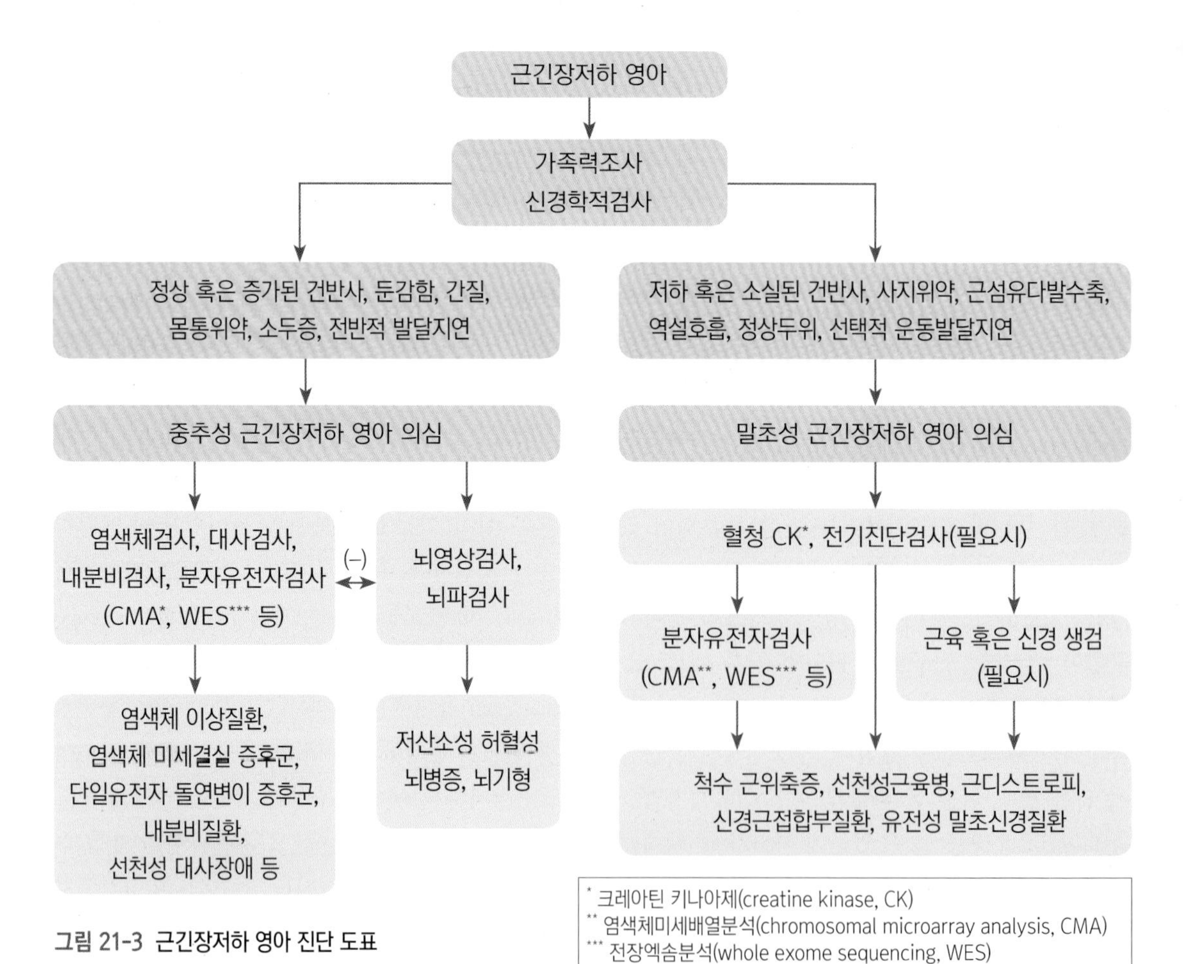

그림 21-3 근긴장저하 영아 진단 도표

달지연, 영양과 호흡 곤란, 비정상적인 보행, 자주 넘어짐, 계단 오르기 힘든 증상이나 근육 경련과 굳음 등을 주소로 하는 경우가 많으며 언어와 연하곤란과 같은 연수기능이상 증상을 나타내기도 한다. 증상의 시작시기, 진행성 여부를 정확히 파악해야 하며, 근 위약의 분포가 근위부, 원위부 또는 전체 인지를 알아내는 것이 원인에 접근하는 데 있어 매우 중요하다. 증상의 시작이 보행기능 발달 이후라고 호소하더라도 발달이정표에 대하여 반드시 질문하여야 하며 보행의 변화양상도 알아보아야 한다. 진전이나 균형문제를 호소할 경우 원위부 근 위약이나 소뇌이상이 동반되었을 가능성이 있다. 백내장이나 외안근 위약이 신경근육질환에 동반될 수 있으므로 시각 흐림 증상이나 복시 등의 유무에 대해서도 물어보아야 한다. 잦은 어지럼증, 실신, 흉통, 좌위호흡 등의 증상은 심근의 침범을 의심할 수 있는 증상들이다.

주산기 호흡곤란이 심하여 인공호흡기의 도움을 받아야 하는 경우는 중추성에 비하여 말초성 원인이 빈번하며 특히 척수 근위축증 1형, 근세관성 근육병, 선천성 저수초성 신경병증, 선천성 근긴장성 근이영양증, 선천성 근무력증후군, 중증의 신경성 관절굽음증 등에서 심한 것으로 알려져 있다. 신경근육질환에서도 인지기능의 문제를 보이는 경우가 종종 있으므로 지적능력을 파악하는 것도 매우 중요하다. 악성 고열은 중심핵 근육병, 뒤쉔 근디스트로피, 베커 근디스트로피, 지대 근디스트로피, 안면견갑상완 근디스트로피, 주기성 마비, 선천성 근긴장증, 사립체 근육병증 등과 관련 있는 것으로 알려져 있으므로 과거 수술력에 대한 환자의 병력 및 가족력도 파악하여야 한다. 자세한 가족력과 가계도를 통하여 유전적인 특성을 파악한다. 성염색체 열성 유전인 뒤쉔 근디스트로피는 모계 쪽 남성의 50%에서 발현하고 여성 중 50%는 보인자이며, 대부분이 상염색체 열성 유전인 지대 근디스트로피는 가족이 포함되지 않는 경우가 많아 가족 질환으로 진단하기가 어렵고 상염색체 우성 유전을 보이는 근긴장성 근디스트로피와 안면견갑상완 근디스트로피는 가계도상 자손의 50%에서 발현된다.[5]

2. 이학적 검사

이학적 검사는 확진을 위하여 어떠한 검사를 선택할 것인가를 결정하는 데 있어 매우 중요하며 이학적 검사를 잘 시행하면 불필요한 검사를 배제할 수 있다. 근육 긴장도 저하, 근력 약화, 섬유속 자발수축, 근긴장증, 감각장애, 근육통 등이 주된 임상증상이다. 특히 주된 근 위약이 근위부인지 원위부인지를 세밀하게 관찰함으로써 근육병증과 신경병증을 감별하는 데 도움이 된다. 관절부위의 과신장이 관찰될 수 있으며 관절굽음증의 경우에는 신생아기에 중증의 구축을 볼 수 있다.

신경근육질환이 의심되는 환아에 있어 시진(inspection)이 매우 중요한데 근육의 가성비대(pseudohypertrophy)는 근육의 국소 또는 미만성 소모가 동반되면서 국소적으로 지방과 결합조직이 증가된 것으로 뒤쉔 및 베커 근디스트로피의 장딴지에서 특징적으로 볼 수 있으며 어깨나 혀에서도 관찰될 수 있다. 특정 부위의 국소근육 위축은 신경근육질환 진단에 있어 중요한 단서를 제공할 수 있는데 안면견갑상완 근디스트로피, 지대 근디스트로피, 에머리드레이푸스형 근디스트로피 및 제2형 유전성 운동 감각신경병증에서 특히 도움이 된다. 또한 주관절터널부위, 귓바퀴 뒤쪽 혹은 비골두주위에서 비대된 신경의 촉지는 유전성 탈수초 신경병증의 진단에 도움이 된다.

섬유속자발수축은 다양한 하위운동신경원 질환에서 비특이적으로 보이나 척수 근위축증에서 흔하다. 간 비대는 대사성 근육병증(글리코겐증 2형,

3형, 4형)에서 관찰되며, 두개안면의 변화와 치아 부정교합은 선천성 근긴장형 근디스트로피, 선천성 근육병증, 선천성 근디스트로피와 제 2형 척수 근위축증에서 흔하다. 상지 근위부 위약이 심한 경우 익상견갑(scapular winging)이 관찰되고 이러한 소견은 환아가 팔을 들어 올릴 때 특히 뚜렷하게 보인다(그림 21-4). 하지 근위부 위약이 심한 경우에는 환아가 바닥에서 일어날 때 손과 무릎을 네 기둥처럼 이용하여 기립한 후 상지로 무릎을 잡아 신전을 유지한 뒤 일어나는 Gowers 징후를 보인다(그림 21-5).

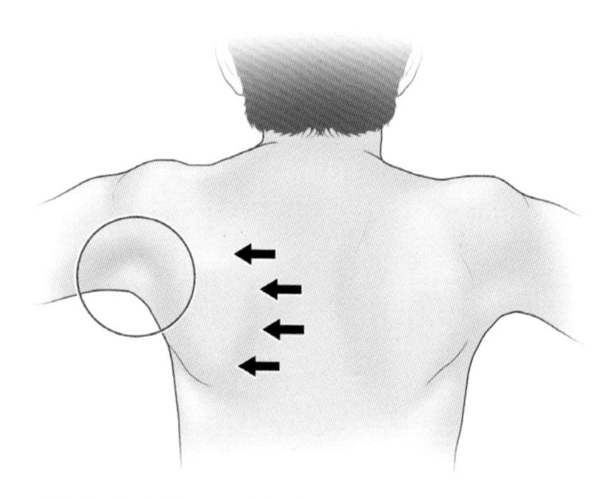

그림 21-4 솟아오른 견갑골(scapular winging) 및 후방액와함몰징후(posterior axillary depression sign)

하지 근위약이 진행됨에 따라 환아가 보행을 지속하기 위하여 본능적으로 특정 부위의 근위약을 보상하는 자세를 취함으로써 넘이지지 않고 보행하게 되는데, 이러한 보상자세에 의하여 특징적인 근육병증성 보행 양상이 나타나게 된다(그림 21-6). 고관절 신전근의 약화로 골반이 전방으로 기울고 몸통이 고관절의 앞에 위치하게 되며 환자는 이를 보상하기 위하여 척추전만을 유지하게 된다. 그리고 무릎 신전근의 약화를 보상하기 위하여 입각기 무릎 굴곡을 줄이고 족관절의 족저굴곡을 증가시킴으로써 무릎의 신전 안정을 유지하게 된다. 또한 고관절 외전근의 약화를 보상하기 위하여 유각기에 골반을 측방으로 기울이고 골반을 처지게 하여 몸통을 외측으로 구부리는 트렌델렌버그 보행 양상을 보이게 된다. 마지막으로, 근위약의 주된 부위가 원위부인 경우 주로 족관절 신전근과 외번근의 위약이 보행 시 문제가 되며 이때에는 유각기에 발이 바닥에 걸리지 않도록 하기 위하여 고관절 및 슬관절의 굴곡을 증가시키는 족하수보행(steppage gait)을 하게 된다.[5]

그림 21-5 Gowers 징후

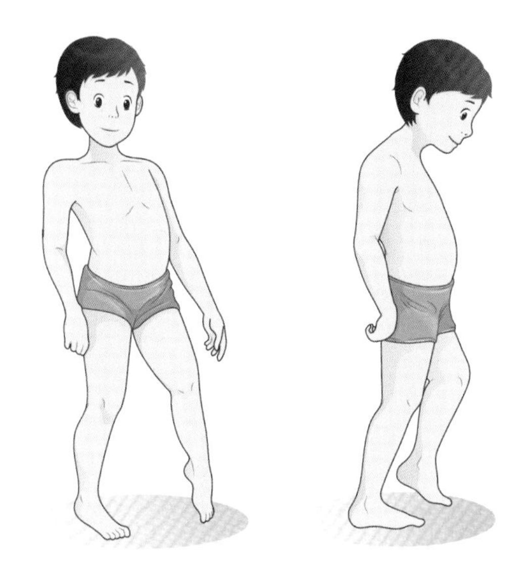

그림 21-6 근육병증성 보행자세

3. 혈청 검사

유전성 횡문근형질막(sarcolemmal muscle membrane) 손상은 혈청 내 아미노전이효소(transaminase), 알돌라아제, 크레아틴 키나아제를 증가시킨다. 크레아틴 키나아제는 뒤쉔 및 베커 근디스트로피 초기에 정상보다 50~100배 증가되며 지대 근디스트로피, 에머리드레이푸스형 및 선천성 근디스트로피에서는 중간정도의 크레아틴 키나아제 수치 증가를 관찰할 수 있다. 대개의 경우 크레아틴 키나아제 수치는 질병의 정도와 상관관계를 갖지 않는데, 진행성 근디스트로피에서 지속적인 근섬유의 소실로 인하여 중증으로 진행하면서 크레아틴 키나아제 수치가 점차 감소하여 3세의 뒤쉔 근디스트로피 환자의 크레아틴 키나아제 수치가 25,000 정도인 반면, 10세에는 증상은 매우 악화된 상태이나 2,000 정도의 수치를 나타낸다.

대부분의 선천성 근육병증에서는 크레아틴 키나아제 수치가 정상이거나 약간 증가되어 있고, 척수 근위축증의 경우 크레아틴 키나아제 수치는 정상부터 약 2~4배 정도 범위의 증가를 보인다. 이와 같이 크레아틴 키나아제의 증가 양상은 다양하게 나타날 수 있으므로 근력 약화를 보이는 환아에서 크레아틴 키나아제 수치가 정상이라고 해서 근육병증이나 기타 신경근육질환을 배제할 수는 없다. 젖산염, 피르부산염 수치는 대사성 근육병증을 평가하는데 도움이 되는데, 특히 젖산산증은 사립체 뇌근육병증(mitochondrial encephalomyopathies)에서 흔히 볼 수 있으며 동맥혈 내 젖산수치가 정맥혈 검사보다 더 믿을만 하지만 진단적 가치를 높이기 위해서는 척수액 검사까지 시행하는 것이 좋다.[5]

4. 전기진단 검사

유전자 검사법의 획기적인 발전에 의해 필요성이 줄어들기는 하였지만, 신경전도 및 근전도 검사는 이학적 검사의 연장선상에서 시행되며 병소를 파악하는 데 유용하다. 또한 확진을 위한 근육 생검 시 가장 적합한 근육을 선택하는 데 도움을 줄 수 있다. 자세한 내용은 6장을 참조하면 된다.

5. 분자 유전자 검사

신경근육질환의 근본적인 원인을 분석하는 데 있어 매우 중요하다. 디스트로핀 결핍 근디스트로피(디스트로핀병증), 근긴장성 근디스트로피, 척수 근위축증, 유전성 운동 감각신경병증 등을 비롯한 수많은 신경근육질환의 분자 유전학적 병태생리를 이해하는 데 분자유전자 연구가 이용되고 있다. 분자 유전학 기술이 급속도로 발전되면서 신경근육질환의 원인 염색체의 위치, 원인 유전자 및 돌연변이 등에 대한 정확한 진단이 이루어지고 있다. 예를 들어 디스트로핀 결핍 근디스트로피의 경우 X 염색체에 위치한 큰 유전자의 이상에 의해 근섬유의 안정성을 유지하는 데 필수적인 단백질인 디스트로핀이 제대로 생성되지 못하여 유발된다는 사실을 분자 유전학적 연구의 결과로 알게 되었다.

유전자분석을 위하여 흔히 사용되는 다발성 중합효소연쇄반응(multiplex PCR)의 경우 유전자 결손에 의한 경우만 진단이 가능하나, 다중결찰의존프로브증폭(multiplex ligation-dependent probe amplification, MLPA) 방법을 이용하여 유전자결손 및 중복까지 확인할 수 있고, 유전자 돌연변이가 의심되는 경우에는 기존의 생어분석(Sanger sequencing) 외에도 전장엑솜분석(whole exome sequencing, WES)을 시행할 수도 있게 되었다.[6]

같은 유전자 변이로 인하여 유발된 경우에도 표현형이 다른 근육병증이 발생될 수도 있으며 원인 유전자와 단백질의 종류에 따라 분류가 좀 더 세분화되고 명칭도 바뀌고 있다. 하지만, 이러한 분자 유전학적 진단기법의 발전이 자세한 병력 및 과거력 조사와 이학적 검사를 대체할 수는 없다는 것을 명심하여야 한다.

6. 근육 생검과 조직 소견

근육 생검을 위해 가장 적합한 근육은 약하지만 심하게 위축되지는 않은 근육이다. 근력 약화의 분포와 근전도에서 침 삽입 활성정도를 바탕으로 생검 근육을 선택하는데 근디스트로피의 경우 중증의 근 위약을 보이는 근육을 선택하면 대부분 지방과 결합조직으로 대치되어 있으므로 근섬유가 평가하기에 부족하다. 연령별 정상 근섬유의 비율과 직경에 대한 충분한 지식도 있어야 되는데 예를 들어 외측광근은 2/3는 II형 섬유, 1/3은 I형 섬유로 구성되어 있으나, 전경골근은 I형 섬유가 우세하며, 팔꿈치근은 대부분이 I형 섬유로 구성되어있다. 대퇴사두근과 이두박근은 근섬유가 세로로 배열되어 있어 표본을 단면적 절편으로 준비하는 데 좋으나 장딴지근과 삼각근의 경우 근섬유들의 배열이 고르지 못하여 좋지 못하다. 최근에 근전도검사를 시행한 근육은 바늘에 의해 이차적인 근섬유 세포변화의 가능성이 있으므로 근육 생검의 대상으로 부적절하므로 근육 생검을 위해 타과에 의뢰가 필요한 경우 근전도 검사를 어느 근육에 시행하였는지를 명시해 주는 것이 도움이 된다. 근육 생검을 위해 하지에서는 외측광근, 상지에서는 이두박근과 삼두박근이 자주 선택되며 근위부 근육이 중증의 침범을 보이거나 원위부 근육만 침범된 경우에는 요측수근신근이나 전경골근이 주로 사용된다.[5]

III. 신경근육질환

신경근육질환이란 척수 전각세포, 신경근육 접합부, 말초신경 및 근육으로 구성되는 운동단위(motor unit)의 이상에 의한 질환이다. 각각의 원인에 따라 많은 질환들이 있으나, 이 장에서는 소아에서 접하게 되는 질환 중 일반적인 근디스트로피, 근긴장성 근디스트로피, 선천성 근무력 증후군, 급성 염증성 탈수초 다발성 신경병증, 유전성 운동 감각신경병증 및 척수 근위축증으로 대표되는 운동신경원 질환에 대해 기술하고자 한다.

1. 근디스트로피

1) 디스트로핀병증(뒤쉔 또는 베커 근디스트로피)

Xp21 유전자자리의 이상을 보이는 성염색체 열성 유전 질환으로, 근세포막의 중요한 세포골격요소인 디스트로핀 단백의 결핍을 초래한다. 근세포는 기계적인 부하에 의해 쉽게 손상되어 결과적으로 근섬유가 소실되고 섬유조직으로 대체된다. 뒤쉔 근디스트로피의 발생빈도는 전 세계적으로 남아 100만 명당 7.1명, 전 인구 기준 100만 명당 2.8명, 생존한 출생 남아 100만 명당 19.8명이고, 이 중 1/3 정도는 돌연변이에 의한 산발형(sporadic)이다.[7]

일반적으로 근긴장도가 저하되어 있으며 운동발달이 경도로 지연되는데 대부분의 부모들은 환아가 걷기 전까지는 이상하다고 느끼지 못한다. 대부분 하지 근위부 근 위약으로 인하여 뛰거나 점프 동작을 어려워한다. 5세 정도에 진단되는 경우가 가장 많으며 보행자세의 이상, 자주 넘어짐, 그리고 계단을 올라가기가 어려워지는 것 등을 주소로 내원하는 경우가 많다. 이는 아마도 성장급증(growth spurt)시기에 성장은 정상적으로 되는 반면 운동기능이 따라가지 못하여 증상이 두드러져 보이기 때문일 것으로 생각한다.

때로는 건강검진이나 다른 이유로 시행한 혈액검사에서 간 기능 이상을 의심하게 할 정도로 아미노전달효소(aminotransferase) 수치가 상승되어 있어 간 문제에 대한 다양한 검사를 받고 있다가 뒤늦게 운동기능이상을 알아채어 내원하는 경우도 볼 수 있으므로 소아과 의사들도 이러한 문제를 잘 숙지하고 있어야 한다고 생각된다. 또한 전신마취를 필요로 하는 수술 시 악성고열증이 유발되거나 이환된 남자 형제가 있을 경우에는 증상이 뚜렷해지기 전에 진단되기도 한다.

경부 굴근(neck flexor)의 약화가 가장 처음 보이는 특징이며, 평생 중력을 이기지 못한다. 다음으로 골반대 근 위약이 견갑대 근 위약보다 수년 정도 앞서 나타난다. 근 위약은 계속 진행되는데 정량적 근력 검사에서 6세까지 40~50% 이상 근력 소실을 보이며, 5세에서 13세까지 지속적인 근력 감소를 나타낸다. 14세에서 15세 이후에 근력감소의 정체를 보이는 이유는 바닥효과이거나 근력검사 척도의 민감도 저하 때문으로 생각된다. 앞서 설명한 바와 같이 근육병증성 보행을 하며, 특히 장딴지 부위의 가성비대 부위의 통증을 호소하는 경우도 흔하다. 상지 견갑대 부위의 근 위약이 진행되면서 환아가 상지를 90° 외전 및 외회전 하였을 때 후삼각근과 극하근이 가성비대된 사이의 함몰부위가 나타나는데 이를 "후방액와함몰징후(posterior axillary depression sign)"라고 한다(그림 21-4).

평균 10세(7~13세 범위) 정도에 휠체어를 사용하게 되며 30 피트를 보행하는데 9초 이상 소요되는 환아의 경우 2년, 12초 이상 걸린 환아는 1년 이내에 보행능력을 잃게 된다. 14세 이후에도 독립보행이 가능한 경우는 베커 근디스트로피나 지대 근디스트로피일 것으로 생각된다.

관절구축은 근 위약이 진행되면서 13세 이후가 되면 거의 대부분 뚜렷하게 보이게 되는데 이는 휠체어에 완전 의존하는 시기와 거의 일치한다. 하지에 체중부하를 하지 않으면서 관절구축은 급속도로 악화된다. 즉, 보행능력 소실의 주된 원인은 중증도의 근 위약이며 관절구축은 보행능력이 소실된 이후에 악화되므로 보행소실의 결과물로 보는 것이 타당할 것이다. 흔한 구축부위는 족저굴곡근, 장경인대, 고관절 굴곡근, 무릎 굴곡근, 팔꿈치와 손목 굴곡근 부위이다.

척추변형은 중요한 임상적인 관심사이며 일반적으로 연령이 증가하면서 심해진다. 척추측만증이 보행능력 소실 시기와 유사하게 악화되는 것은 사실이지만, 측만증과 휠체어 사용간의 인과관계를 보인다기 보다는 사춘기 성장급증과 몸통 근육의 진행성인 침범이 사춘기에 악화되는 측만증의 결정적인 원인으로 생각되고 있다. 곡선 타입과 조기 폐기능 검사로 측만증의 정도를 예측할 수 있는데 곡선이 후만증이나 과다전만증을 동반하지 않고 최고 강제폐활량(forced vital capacity, FVC)이 2 L 이상이면 측만증이 중증도로 진행될 가능성은 낮은 것으로 보고되고 있다.

폐기능의 경우 FVC가 10대 초반까지는 증가되지만 이후로는 선상감소를 나타내며 환아에서 제한성 폐기능 저하를 나타내는 가장 민감한 지표인 최대 정적 공기압(최대 호기 및 흡기 압력)은 5~10세 사이에서도 또래에 비하여 저하되어 있다. FVC로 척추측만증의 위험성을 어느 정도 예상할 수 있는데, FVC 최대치가 1,200 mL 미만인 환아는 중증도의 척추측만증을 보이며, 1,700 mL 이상인 경우에는 증상이 덜한 것으로 보고되어 있으므로 환아의 FVC 최대치를 높일 수 있도록 최선을 다해야 한다.

디스트로핀 단백이 심근과 푸르킨예(purkinje) 섬유에도 존재하기 때문에 심장 기능의 이상도 야기하게 된다. 거의 모든 환아에서 13세 이후가 되면 심전도에서 이상소견을 보인다. 심실 전위, 심근병증과 좌심실 기능부전 합병증으로 인한 급사가 기술되어 있으나, 진행성 울혈성 심부전이 환자를 사망에 이르게 하는 가장 흔한 문제이다. 특히 최근에는 호흡재활치료의 발달로 인하여 호흡근육 약화와 관련된 합병증을 잘 조절하고 있어 환자의 생존과 관련된 문제로 심장관련 합병증이 더욱 관심의 대상이 될 것으로 생각된다. 임상적 증상을 유발하는 심근병증은 10세 이후부터 나타날 수 있으며 18세 이후에는 대부분의 환자에서 나타난다. 하지만 심부전증상은 말기에 이르기까지 거의 증상이 없을 수도 있는데 아마도 증상을 유발할 만한 활동을 하지 못하기 때문일 것이다. 따라서 10세부터는 증상의 유무에 관계없이 심전도, 심장초음파 및 24시간 홀터 감시 등을 주기적으로 검사하여야 정확한 심장상태를 파악할 수 있다.

뒤쉔 근디스트로피 환자에게서 높은 빈도로 지적장애, 학습장애, 자폐스펙트럼장애, 주의력결핍과잉행동장애, 불안을 비롯한 다양한 정신사회적 문제를 가질 수 있는데 이는 디스트로핀 결핍에 의한 영향뿐만 아니라 사회적 격리, 정서적 요소, 그리고 치료를 위해 사용되는 스테로이드의 영향 등 다양한 문제로 인해 야기될 수 있는 것으로 알려져 있으며, 육체적인 문제에 비하여 상대적으로 주목받지 못하여 간과되는 경우가 흔하다.

골격의 길이 성장에서도 또래에 비하여 저하되어 있는 경우가 흔하고 관절구축이 악화되면서 정확한 키 측정을 할 수 없게 된다. 물론 상지폭(arm span) 측정을 이용하는 경우도 있지만 이 방법도 주관절 굴곡구축이 30° 이상이 되면 적용할 수 없게 되므로 이때에는 아래팔 분절(forearm segment)을 이용하기도 한다. 비만은 휠체어에 의존하기 시작하면서 점차 심해지는 경향을 보이지만, 질환 말기에는 스스로 영양공급을 하기 힘들어지고 폐기능이 악화되면서 오히려 의미있는 체중저하를 보인다.[6]

베커 근디스트로피는 뒤쉔 근디스트로피와 유사한 패턴의 근력약화를 보이지만 발생빈도도 낮고, 임상증상이 늦게 발현되며 서서히 진행한다. 웨스턴블롯을 이용하여 디스트로핀 정량분석을 하였을 때 정상의 20~80% 정도로 측정된다. 크레아틴 키나아제 상승 정도는 두 질환을 구별하는 데 도움이 되지 않으며, 디스트로핀을 분석하지 않으면 임상적으로 뒤쉔 근디스트로피와 구별하기가 어려운 경우도 있다. 임상적으로 구별해 볼 때 베커 근디스트로피 환자가 10대 중후반 이전에 휠체어를 이용하는 것은 드물다. 두 가지의 임상적 진행양상을 보일 수 있는데 첫 번째는 평균 연령 7.7세에 증상이 드러나고 대부분의 환자가 20세 이전에 계단을 오르기가 어렵게 된다. 다음으로, 경미한 형은 더 흔하며 평균 12세에 문제가 있음을 알게 되지만 20세에도 비교적 계단을 잘 오른다. 전자의 경우 심전도검사에서 비정상인 경우가 높은 비율로 관찰된다. 성장기가 지난 이후 보행능력이 소실되는 것이 일반적이어서 중증도의 척추변형은 흔하지 않다.

베커 근디스트로피 환자에서 주의해야 할 점은 의미있는 심장 질환의 발생 가능성이 높다는 것이다. 심전도 검사에서 비정상 소견이 환자의 75%에서 관찰되며 임상 증상이 심장 침범의 중증도를 반영하지 못하므로 뒤쉔 근디스트로피와 마찬가지로 일정한 간격을 두고 심전도와 심장초음파검사 등을 시행하여야 한다. 폐 기능의 경우 FVC가 20~30대가 될 때까지도 심하게 저하되지는 않으며 횡격막에 비해 상대적으로 늑간근과 복부 근육이 심하게 침범되어, 초기 최대 호기압력(maximal expiratory pressure, MEP)의 저하가 최대 흡기압력(maximal inspiratory pressure, MIP) 저하보다 심하므로 MEP의 측정이 진행 상태를 파악하는 민감한 지표로 사용될 수 있다.

2) 안면견갑상완 근디스트로피 (fascioscapulohumeral muscular dystrophy)

안면과 견갑(shoulder girdle)근육의 진행성 근위약을 특징적으로 나타낸다. 디스트로핀병증과 근긴장성 근디스트로피 다음으로 높은 발생 빈도를 보이며, 유병률은 15,000명 중 1명으로 추정되나, 임상 증상이 매우 다양하게 나타나며 유전적 소인을 가진 20%의 인구에서는 무증상이므로 실제 유병률은 더 높을 것으로 추정된다. 대부분 상염색체 우성으로 유전되며, 분자유전학적 검사를 통하여 진단한다. 염색체 4q35의 D4Z4 거대위성반복배열(macrosatellite repeat array)에 위치한 역유전자인 DUX4 (double homeobox 4)의 발현에 의해 유발되고, 10% 정도의 환자는 모자이시즘(mosaicism) 돌연변이가 원인이 된다. DUX4 억제의 원인이 반복배열수의 감소(contraction)에 의한 1형, D4Z4 반복배열 염색질의 저메틸화(hypomethylation)에 의한 경우 2형으로 나뉜다.

환자의 95% 이상이 1형에 해당하며, D4Z4 반복배열수가 적을수록 조기에 발병하고 임상 증상은 더 심하게 나타나며 진행이 빠르다. 2형에 해당하는 환자에서 85%는 18번 염색체의 SMCHD1 (structural maintenance of chromosomes flexible hinge domain containing 1) 유전자에 돌연변이가 있다. SMCHD1 유전자의 돌연변이가 없는 2형 환자에서 DNMT3B (DNA methyltransferase 3B) 유전자의 이형접합 돌연변이가 D4Z4 억제의 또 다른 원인인 것으로 확인되었다.[8]

조기에 발병하는 경우 10세 이전에 안면근 약화가 눈둘레근, 광대근, 입둘레근에서 우선적으로 나타난다. 점차 눈감기가 어려워지고 얼굴표정이 없어지며 입술을 오므리는 것, 빨대 빨기, 휘파람불기 등을 수행하기 어렵게 된다. 하지만 저작근, 측두근, 외안근 및 인두근의 기능은 비교적 잘 보존되어 있다.

전완의 원위부 근육은 보존되고, 삼각근보다 상완이두근 및 상완삼두근이 심하게 침범되어 뽀빠이 팔 모양(Popeye arm appearance)을 보일 수 있으며, 견갑골을 안정시킨 상태에서 검사해 보면 삼각근은 놀라울 정도로 기능을 유지하고 있다. 견관절 외전근과 외회전근의 침범이 특징적이며 전거근, 능형근, 광배근과 하부 승모근 등의 위약이 심해지면서 견갑골이 특징적으로 외측, 위쪽으로 전이되어 견갑골의 위쪽경계부위가 승모근 쪽으로 올라가 마치 근육이 비대된 것 같은 느낌을 주고, 익상견갑이 나타날 수 있다. 복근의 비대칭적인 침범을 보이는데, 초기에 상복부근육은 보존되어 Beevor 징후가 나타날 수 있다.[9] 하지에서도 골반대 근위부 근육을 침범하여 진행되면서 특징적인 근육병증성 보행을 보인다. 특히 비대칭적인 근육 침범이 흔한데 이를 우세 상지 사용으로 인한 비대칭적 약화라고 생각하기도 하지만 아직은 논란의 여지가 있다. 뒤쉔 근디스트로피나 근긴장성 근디스트로피와는 달리 구근, 호흡 및 심장 침범은 상대적으로 드물며, 대부분 수명에는 영향을 주지 않는다.

근육 외 증상으로 망막의 진행성 삼출성 모세혈관확장증, 감각신경성 청력소실, 인지 및 지적능력 저하, 경련 등이 있으며, 이러한 증상은 D4Z4 반복수 감소와 상관관계가 있다. Coat 증후군은 안과적 증상이 매우 심하게 나타나는 안면견갑상완 근디스트로피의 변형이다. 하지만, 일반적인 안면견갑상완 근디스트로피 환자에서도 예상보다 안과 및 이비인후과적 문제가 많다는 보고가 있으므로 가급적 모든 환자에서 선별검사가 필요하다.

현재까지 질병의 경과를 변화시킬 수 있는 치료약제는 없고, 경구 알부테롤(albuterol), 정주 마이오스타틴 억제제(myostatin inhibitor), 프레드니손(prednisone), 딜티아젬(diltiazem)을 시도한 연구가 있었으나, 근력 향상, 근육통 및 근피로 개선 효과에 대한 근거가 부족하므로 약물은 처방하지 않는 것이 원칙이다.[10] 하지만 질환에 대한 분자유전학적인 원인 규명이 이루어짐에 따라 표적 치료 개발을 위한 연구가 진행되고 있다.

3) 지대 근디스트로피 (limb girdle muscular dystrophy)

지대 근디스트로피는 상하지의 근위부 근육을 침범하는 유전성 진행성 질환으로, X 염색체 연관 유전방식을 따르는 뒤쉔 및 베커 근디스트로피를 제외한 나머지 근디스트로피의 총칭이라고도 볼 수 있다. 전체 지대 근디스트로피 환자의 유병률은 14,500~45,000명 중 1명이며, 최근 원인 유전자가 차례로 밝혀짐에 따라 현재 30가지 이상의 아형으로 세분화되고 있다(표 21-1).[11] 인종 간 각 아형의 유병률에 많은 차이가 있으나, 최근 보고에 따르면 2A형, 2I형이 약 30%, 19% 정도로 흔하다. 유전방식에 따라 상염색체 우성 유전인 1형, 상염색체 열성 유전인 2형으로 분류한다. 혈청 CK 수치는 대개 10~100배 이상 상승되어 있다. 1형은 지대 근디스트로피의 5~10%이며 성인기에 더 흔하게 발병하므로 소아를 다루는 의사들이 보게 되는 것은 대개 2형으로 생각하면 되고 여기서도 2형에 대해 각각 해당유전자의 단백 산물에 따른 분류를 중심으로 설명할 것이다. 주로 대칭적인 사지 근위부 근위약을 보이며, 전형적인 임상양상과 합병증으로는 호흡기계 문제, 심근병증, 부정맥, 익상견갑, 장딴지 근육의 가성비대, 관절 구축 등이 있으나 증상의 정도는 다양하게 나타난다.

(1) 지대 근디스트로피 2C, 2D, 2E, 2F (sarcoglycanopathies)

살코글리칸은 근막에 존재하는 4개의 단백으로 복합체를 형성하고 있으며, 디스트로핀 및 디스트로글리칸과 직접 연결되어 있어 근섬유의 세포골격 구조의 일부를 구성하는데, 해당 유전자의 병적 변이가 생길 경우 근육이 제 기능을 하지 못하게 된다. 네 가지 유형(2C, 2D, 2E, 2F)은 각각 γ, α, β, δ가 누락된 특정 살코글리칸 단백질과 관련된다. 발병 시기는 대개 4~7세경 조기에 시작되나, 20세까지도 발병할 수 있으며 진행속도도 다양하다. 대개 10~20대에 보행능력이 소실된다. 지능은 정상이며, 심근병 및 호흡부전이 흔히 동반될 수 있으므로 심폐기능에 대한 적극적인 선별검사를 시행하는 것이 필요하다. 혈청 CK가 정상에 비해 10~20배 이상 많이 증가되어 있다. 영상학적 검사에서 허벅지와 어깨 주위 근육의 근 위축과는 대조적으로, 장딴지 근육은 꽤 보존되어 있는 것을 확인할 수 있다.[11]

표 21-1 지대 근디스트로피의 분류

유전양상에 따른 분류	유전자 위치	유전자	단백
상염색체 우성 지대 근디스트로피			
1A	5q22-q34	TTID	마이오틸린
1B	1q11-21	LMNA	라미니 A/C
1C	3p25	CAV3	카베올린 3
1D	7q	DNAJB6	HSP40
1E	6q23	DES	데스민
1F	7q32	TNPO3	트랜스포틴 3
1G	4p21	HNRNPDL	이질 핵 리보핵산단백질 D-유사 단백
상염색체 열성 지대 근디스트로피			
2A	15q15.1-q21.1	CAPN3	칼파인-3
2B	2p13	DYSF	디스페린
2C	13q12	SGCG	감마-살코글리칸
2D	17q12-q21.33	SGCA	알파-살코글리칸
2E	4q12	SGCB	베타-살코글리칸
2F	5q33-q34	SGCD	델타-살코글리칸
2G	17q11-q12	TCAP	텔레토닌
2H	9q31-q34.1	TRIM32	E3-유비퀴틴결합효소
2I	19q13.3	FKRP	푸쿠틴-관련단백질
2J	2q	TTN	티틴
2K	9q34	POMT1	단백-O-만노실 전이효소 1
2L	11p14.3	ANO5	아녹타민 5
2M	9q31-q34.1	FKTN	푸쿠틴
2N	14q24	POMT2	단백-O-만노실 전이효소 2
2O	1p34.1	POMGnT1	단백-O-만노스 베타 1, 2 N-아세틸 글루코사미닐 전이효소
2P	3p21	DAG1	디스트로글리칸
2Q	8q24	PLEC1	플렉틴
2R	2q35	DES	데스민
2S	4q35	TRAPPC11	트랜스포트 단백결정복합체 11
2T	3p21	GMPPB	GDP-만노스 피로포스포릴라아제 B
2U	7p21	ISPD	이소프레노이드 합성 도메인
2V	17q25	GAA	알파-14, 글루코시다아제
2W	2q14	LIMS2	LIM, 노쇠세포 항원-유사 도메인 2

(2) 지대 근디스트로피 2B (dysferlinopathies)

디스페린 유전자는 제2번 염색체 단완 2p13에 존재하며 이 유전자의 변이에 의해 디스페린 단백이 소실되어 질환이 발생된다. 20~30대까지 다양하게 증상이 나타나며 일반적으로 살코글리칸 병증보다 늦게 발병된다. 사지 근위부 근육의 위약과 함께 장딴지 근육의 위약도 비교적 일찍 나타난다. 첨족변형이 흔하며 익상견갑은 보이지 않는다. 호흡근육과 심근은 침범하지 않으며 지능은 정상이다.

동일한 디스페린 유전자 변이에 의해 생기지만 표현형이 다른 미요시(Miyosi) 근육병증의 경우 발병연령은 비슷하지만 비대칭적인 하지 원위부, 특히 장딴지 근육을 특징적으로 침범한다.

(3) 지대 근디스트로피 2A(calpainopathies)

원인 유전자가 제15번 염색체에 존재하며 전 세계적으로 가장 흔한 지대 근디스트로피 유형으로 알려져 있다. 발병연령은 2세부터 40세까지 다양하며 12세 이전에 발병되는 경우가 가장 중증으로 진행된다. 일반적으로 살코글리칸병증에 비해 증상은 경한데 사지 근위부 근육의 위축이 나타나며 아킬레스건 구축이 초기증상으로 나타난다. 심근은 침범되지 않으나 후기에 호흡기계 침범이 흔하게 나타난다.

2. 근긴장성 근디스트로피 (Myotonic dystrophy)

상염색체 우성으로 유전되며 염색체 19q13.3에 존재하는 DMPK (myotonic dystrophy protein kinase) 유전자에서 CTG 삼염기(trinucleotide) 반복의 확대가 원인이 되는 1형과 염색체 3q21에 존재하는 CNBP (cellular nucleic acid-binding protein, 과거 zinc finger protein 9 (ZNF9)로 명명됨) 유전자의 인트론(intron) 1에 해당하는 CCTG 사염기(tetranucleotide) 반복의 확대가 원인이 되는 2형이 있다.[12] 2형은 1형에 비하여 경하고 중증의 선천성 형태는 없으므로 여기서는 1형에 대하여 설명하고자 한다.

1형 근긴장성 근디스트로피는 유병률이 8,000명 당 1명이며, 표현형은 선천성(congenital)형, 아동기발병(childhood onset)형, 성인기발병(adult onset, 일반(classical)형), 후기발병형/무증상형(late onset/asymptomatic) 으로 구분된다. CTG 반복 횟수가 많을수록 증상이 심하고 조기에 발병한다. 후기발병형/무증상형의 경우 50~100개의 반복을 보이는 반면, 선천성형의 경우 1,000~4,000개의 반복을 보이며, 반복 횟수가 38~49개인 경우 전돌연변이(pre-mutation)로 구분하기도 한다.[12] 특히 선천성의 경우 1,000개 이상의 반복을 보이면 모계유전으로 판단되는데 이유는 그 정도로 큰 반복을 가지는 대립유전자(alleles)가 정자에 포함될 수 없기 때문이다. 골격근, 평활근, 심근, 뇌와 심장, 안구조직 등 다발 장기를 침범하며 임상적으로 백내장, 심전도 이상, 연하곤란, 골격근 약화와 근긴장증 등의 소견이 나타난다. 인슐린 저항성을 보인다고 알려져 있으나 직접적인 당뇨병 유발 원인인지에 대해서는 논란이 있다.

안면에 있는 관자근 및 측두근의 위축에 의해 얼굴이 길고 가늘게 되는데 "애처로운 얼굴(lugubrious face)" 로 표현되기도 한다. 젊은 남자에서 전두부 대머리가 흔하며 고환위축도 관찰될 수 있다. 사지 근위부에 비해 원위부 근육 침범이 더 심하게 나타나는데 족관절 배측굴곡, 내번근과 외번근 침범으로 인한 족하수와 수부근육 침범으로 인한 꽉 쥐기 약화 소견을 보이고 궁극적으로는 근위부 근육도 약화가 진행된다.

평활근 침범으로 연하곤란과 변비가 특히 선천

성 근긴장성 근디스트로피에서 흔하게 나타난다. 성인의 근긴장성 근디스트로피 환자에서도 삼킴장애를 호소할 때 비디오투시연하조영검사를 시행해 보면 음식덩어리 통과시간이 지연되어 있으며 흡인의 위험성도 증가됨을 알 수 있다.

심장의 이상이 흔하여 70~75% 환자에서 심전도와 심장초음파에서 이상 소견을 보인다. 심장전도 결손이 일차소견이며 PR 간격 연장, 비정상 축, 결절 하 전도이상 등을 보이며 5% 정도에서는 급사의 가능성이 있어 심장박동조율기가 필요한 경우도 있다. 특히 호흡곤란, 두근거림, 흉통 등의 심장 증상이 있는 경우에는 정기적인 심장 검사가 추천된다. 제한성 폐기능장애가 흔하며 야간 호흡저하, 수면 무호흡이 나타날 수 있어 아침 두통, 기면, 잦은 악몽, 과다한 코골이, 수면이 어려운 증상을 보일 수 있다.

선천성형은 근긴장저하 영아의 표현형을 나타내며 초기 호흡장애 및 섭식곤란으로 약 25% 정도에서는 사망에 이르는 경우도 있다. 또한 심한 관절 구축을 보일 수 있으며 일반적으로 5세 이전까지는 근긴장성을 보이지 않는다. 중증도의 인지장애를 보이며 CTG 반복 횟수와 상관관계가 있다. 뇌수두증이 동반될 수 있으며 뇌량위축, 뇌백질변성 및 전반적인 뇌위축을 보일 수 있어 분자유전학적 검사로 확진되기 이전에는 뇌성마비로 오인되는 경우도 있다.

다른 근디스트로피와 구별되는 특징은 근긴장성 존재, 즉 지속적인 근 수축 또는 이완 지연을 보이는데 반사 망치로 무지융기를 타진하면 무지의 지속적인 굴곡과 내전이 유발되는 현상인 타진 근긴장증(percussion myotonia)을 관찰할 수 있다. 또한 환자에게 손을 꽉 쥐게 한 상태를 지속하게 한 뒤 갑자기 이완하라고 하면 손가락 펴지는 것이 지연되는 현상인 꽉쥐기 근긴장증(grip myotonia)을 관찰할 수 있다. 그러므로, 임상적으로 선천성 근긴장성 근디스트로피가 의심되는 근긴장저하 영아의 경우 아이의 엄마와 악수를 청해 보는 것도 의미있는 방법이다.[13] 유전자 검사로 진단 가능하며 근전도검사에서 긴장성 "점증-감쇠" 파형을 확인할 수 있으나 근긴장성 근디스트로피만의 특이 소견은 아니다.

3. 신경근접합부 질환

선천성 근무력증후군

신경근접합부 구성요소의 돌연변이로 인해 발생하는 드문 유전성 질환으로, 증상 발현은 신생아기, 영아기, 청소년기 및 성인기 등 어느 때에도 나타날 수 있다. 표현형이 매우 다양한데, 특히 성인기에 발병하는 경우에는 증상의 경과가 비특이적이어서 진단을 놓칠 수 있으므로 주의가 필요하다. 안검하수, 외안근마비, 안면근육 약화, 피로 등의 임상증상을 동반하는 근긴장저하 영아의 경우 이 질환을 의심해 볼 수 있으며, 증상의 변동성이 매우 흔히 나타난다. 50~70%의 환자는 유전자검사를 통해 확진되며, 현재까지 30개 이상의 유전자 돌연변이가 밝혀졌고 특정 유전자 유형에 따라 치료가 달라질 수 있다.[14]

자가면역에 의한 근무력증과는 달리 항아세틸콜린수용체 항체는 발견되지 않는다. 진단을 위하여 반복신경자극검사 및 근전도검사를 이용하며 신경근접합부를 포함하는 삼각근 혹은 상완이두근 생검 조직에 대한 미세구조를 평가하기도 한다. 치료를 위해서는 정확한 진단이 가장 중요한데 저속통로증후군(slow channel syndrome)인 경우에는 아세틸콜린에스테르분해효소 억제제를 사용할 경우 오히려 증상이 악화될 수 있기 때문이다.

4. 말초신경 질환

1) 급성 염증성 탈수초 다발성 신경병증 (길랑-바레 증후군)

자가면역이상에 의한 탈수초성 신경병증으로 운동축삭이 감각축삭보다 더 심하게 침범되며, 2/3의 환자에서는 발병 전 6주 이내에 호흡 또는 위장관 감염이 선행된 경우가 많다. 공장캄필로박터, 거대세포바이러스, B형 간염 바이러스, 마이코플라스마, 엡스타인바 바이러스, 지카 바이러스 등이 흔한 원인이다. 병력청취와 신체진찰을 통해 임상적으로 예측할 수 있고, 뇌척수액 검사 및 근전도검사 결과와 일치하면 확진 가능하고 여러 가지 항체에 대한 검사도 시행하지만 필수적인 것은 아니다. MRI는 진단을 위해 필수적인 검사는 아니며, 말초신경에 대한 초음파영상은 초기 병리학적 기전으로 나타나는 척수근의 염증반응을 확인하는 차원에서 유용할 수 있으나, 아직 추가적인 검증이 필요하다.[15]

근 위약 증상이 하지 원위부에서 시작하여 상지로 진행되는 상행성 진행을 주로 보이며, 뇌신경까지 침범되는 경우 편측 또는 양측 하위운동신경원성 안면마비증상이 가장 흔하고 약 20%에서는 기계적 인공호흡을 필요로 한다. 근 위약의 정도는 발병 2주 이내에 최대치에 이르며 회복의 많은 부분은 초기 1년 내에 이루어지나, 5년 이상까지 지속된다. 대부분 환아에서 완전한 회복을 보이는데 성인 길랑-바레 증후군에서의 예후 기준은 소아에서는 적용되지 않는 것으로 생각된다.

자율신경계 손상이 소아에서 흔한데 일과성 신경인성 방광 및 장, 과도한 발한, 동성빈맥 및 심장부정맥, 혈압조절장애나 동공 조절 이상 등을 보일 수 있으며, 치명적인 결과를 가져오기도 한다. 치료방법으로는 코르티코스테로이드 투여, 혈장교환, 정맥 내 면역글로불린 주사 등이 있다.

2) 유전성 운동 감각신경병증 (샤르코-마리-투스 신경병증)

전 세계적으로 가장 흔한 유전성 말초신경질환으로, 발생빈도는 2,500명 중 1명 정도이다. 병리학적인 소견에 따라서 탈수초성, 축삭성, 중간형 신경병증으로 분류된다. 정중신경의 운동신경전도속도를 기준으로 탈수초성 및 축삭성은 38 m/sec보다 각각 느리거나 빠른 소견으로 구분하고, 중간형의 경우에는 30~40 m/sec의 범위를 보인다.

최근에는 임상증상과 유전학적 관점에 따라 1형~6형, X 염색체 연관형, 중간형(intermediate) 등 여러 가지 아형으로 나뉘고, 현재까지 60개 이상의 원인 유전자가 발견되었다. 대부분 상염색체 우성으로 유전되지만, X염색체연관 또는 상염색체 열성 유전도 존재한다. PMP-22, GJB1, MPZ, MFN2 유전자가 90% 이상의 원인이며, CMT1A, CMTX1, CMT2A, CMT1B, HNPP가 가장 흔한 아형이다.

임상증상의 발현 시기는 보통 20세 이전이며 운동신경과 감각신경 모두 침범한다. 사지 원위부근육의 약화, 감각이상 및 심부건반사의 소실을 특징으로 한다. 손과 발의 내재근부터 침범되고 하지 원위부 및 상지 원위부로 서서히 진행된다.

1형은 신경 생검에서 비후성 탈수초성 신경병증을 보이며 신경전도속도가 중증도로 감소되어 있다. 1형의 60~70% 정도는 1A형으로, 염색체 17p11.2 위치의 PMP-22 (peripheral myelin protein 22) 유전자의 발현이 증가되어 있으며 전체 샤르코-마리-투스병 환자의 절반 가량을 차지한다. 증상 발현 시기는 대개 20세 이전이며 진행되면서 초기에 손과 발의 내재근을 침범하여 변형이 유발되고 아킬레스건이 짧아지며 주로 족관절 신전근과 외번근의 위약이 보행 시 문제가 되어 족하수

보행을 하게 된다. 1/2 정도에서 탈수초화에 의한 양파망울(onion bulb) 형성으로 비후된 신경이 촉지 된다. 요족변형(cavus foot deformity)이 진행되며 갈퀴발(claw toe) 변형이 동반된다. 신경전도검사 시 신경전도속도는 일반적으로 15~20 m/sec 정도로 매우 감소되어 있다. 1B형은 MPZ 유전자의 이형접합성 돌연변이에 의해 유발되며, 1A형과 증상은 유사하나 발생빈도는 5% 미만으로 낮다. 1C형은 16p13에 위치한 LITAF 유전자의 이형접합 돌연변이에 의해 아동기에 발병하고, 1D형은 EGR2 유전자의 돌연변이에 의해 10~20세경에 발병한다. 1E형은 PMP-22 유전자, 1F형은 NEFL 유전자의 돌연변이에 의해 발생한다. 임상 증상, 병리 소견 및 신경전도 속도는 다른 1형 아형들과 유사하다.

2형은 축삭신경병증으로, 신경전도속도는 정상이거나 약간 감소되어 있다. 전체 샤르코-마리-투스병 환자의 1/3을 차지하며, 2형의 10-30%는 MFN2 유전자 돌연변이에 의해 발병하며, 최근 NEFL 유전자 돌연변이도 원인으로 확인되었다. 일반적으로 10대 이후 증상이 발현되나, 60대 이후에도 가능하다. 손 내재근 침범이 1형보다 덜하며 신경 비후도 나타나지 않는다. 장딴지와 다리의 앞쪽 구획 위축으로 인한 뒤집어진 샴페인 병(inverted champagne bottle) 형태의 다리모양을 보인다. 2C형은 염색체 12q23-q24에 연관되며 2형 중 어린나이에 증상이 발현되고 횡격막, 늑간근, 근위부 근육, 안면근육을 침범할 수 있고, 성대마비를 일으킬 수 있다는 특징이 있다.

3형(데제린-소타스병, Dejerine-Sottas disease)은 중증 비후성 탈수초성 다발성신경병증을 나타낸다. PMP-22, MPZ, EGR2 유전자 돌연변이로 인해 말초신경의 수초화가 정상적으로 이루어지지 못하여 영유아기 운동발달이 지연되고 정중신경의 운동신경전도속도는 10 m/sec 미만이다. GDAP1, NEFL, PRX 유전자 돌연변이는 조기에 발병하여 중증의 경과를 보인다. 대부분 독립보행 기능은 성취하지만 때로는 처음부터 휠체어에 의존하기도 한다.

4형은 주로 상염색체 열성으로 유전되며, 진행이 빠르고 초기 영아기에 발병하며 지연된 운동발달이정표를 보이고 표현형이 다양하다. 선천성 저수초성 신경병증(congenital hypomyelinating neuropathy)은 출생 시 호흡곤란과 중증 근긴장저하증을 나타내며 종종 관절굽음증을 동반한다. 신경전도검사에서 감각신경활동전위가 소실된 경우가 흔하고 복합근육활동전위도 소실되거나 매우 낮게 나타난다. 운동신경전도속도는 3~10 m/sec 정도로 매우 감소되어 있다.

5, 6형은 염색체 1p36에 위치한 MFN2 유전자 돌연변이가 원인이 될 수 있다. 5형은 추체로 침범으로 인해 경직성 마비 증상이, 6형은 시신경 위축이 발생할 수 있다.

X연관 유전을 보이는 CMT-X는 염색체 Xq13, Xq26, Xq22, Xp22 등의 위치에 있는 GJB1/Connexin 32, AIFM1, PRPS1, PDK3 등의 유전자 문제에 의해 유발되며 조기에 증상이 발현되고 빨리 진행된다.[16]

유전성 운동 감각신경병증의 진단을 위한 유전자검사가 상용화 되어 있기는 하지만 상당히 고가이므로 가급적 정확한 신경전도검사를 통하여 유전자 검사 범위를 좁혀야 한다. 병에 이환된 부모가 있다면 부모에 대한 신경전도검사를 시행하는 것이 아이의 검사 진행에 큰 도움이 될 수 있다.

5. 운동신경원질환

운동신경원질환은 척수전각세포와 뇌간의 운동신경핵을 침범하는 질환을 총칭한다. 여기서는 그 중에서도 소아에서 가장 흔히 접할 수 있는 척수근위축증(Spinal muscular atrophy, SMA)에 대하여 기술하고자 한다. 척수 근위축증에 대한 치료 약제가 2016년 처음으로 승인되면서, 진단과 관리 측면에서 그 중요성이 대두되고 있다. 증상발현 시기와 획득할 수 있는 최대 운동 기능에 따라 1, 2, 3, 4형으로 분류한다. 보행 능력을 획득하지 못하는 1형은 "앉지 못함", 2형 및 3형 중에서도 보행 능력을 획득하지만 이후 소실하는 그룹을 "앉기 가능", 3형 중 보행 능력 소실 없이 유지하는 그룹 및 4형을 "보행 가능"이라 표현하기도 한다. 경우에 따라 주산기 또는 출생 시부터 관절 구축과 호흡부전을 보이는 환아에 대해 0형으로 분류하기도 한다.[17] 이 기능적인 분류에 따라 평가 방법이나 치료적 개입, 관리 계획의 목표에 차이를 둔다(표 21-2).

표 21-2 척수 근위축증의 분류

분류	발병시기	운동발달 이정표	소분류	자연 경과	임상적 특징	SMN2 유전자 복제수	기능적 분류
제0형	주산기 또는 출생 시	앉을 수 없고, 고개 가누기 불가		치료하지 않으면 1개월 내 사망	관절 구축, 심장 결함, 출생 직후 호흡부전	1	
제1형 (Werdnig-Hoffmann disease)	0~6개월	앉을 수 없고, 일부는 고개 가누기 가능	1A형: 1개월 이전에 발병, 고개 가누기 불가	치료하지 않으면 6개월 내 사망	제0형과 유사함	1~2	앉지 못함
			1B형: 1~3개월에 발병, 고개 가누기 어려움	치료하지 않으면 2년 내 사망	혀근육 섬유속연축, 연하곤란, 조기 호흡부전		
			1C형: 3~6개월에 발병, 고개 가누기 가능				
제2형 (Dubowitz disease)	6~18개월	앉을 수 있으나, 설 수 없음	2A형: 앉을 수 있으나 이후 앉는 능력 소실	2세 후에도 생존하고, 70%는 25세까지 생존	근위부 위약, 자세성 수부 진전, 정상 지적 능력, 척추측후만증	3	앉기 가능
			2B형: 앉을 수 있고 이후에도 앉는 능력 유지				
제3형 (Kugelberg-Welander disease)	18개월 이후	설 수 있고, 걸을 수 있음	3A형: 18~36개월에 발병	성인기까지 생존	수부 진전 3A형: 척추측만증, 조기 보행능력 소실	3	
			3B형: 3세 이후에 발병			4	보행 가능
제4형	10~30세	설 수 있고, 걸을 수 있음		성인기까지 생존	대개 보행능력 보존	4~6	

대부분 상염색체 열성으로 유전되며 염색체 5q11.2-q13.3 부위에 위치한 SMN1 (survival motor neuron 1) 유전자의 결손으로 인하여 태생기 세포자멸사 과정이 비정상적으로 진행되어 척수전각 운동신경세포의 변성을 유발하는 것으로 알려져 있다. SMN1 유전자는 9개의 엑손(exon)으로 구성되어 있는데, 96%의 환자에서 엑손 7, 8의 동형접합 결실이 있고, 일부는 엑손 7에만 결실이 있다. SMN2 (survival motor neuron 2)는 단위반복변이를 통해 비기능적인 SMN1 유전자 결실을 보완하는 기능을 가지고 있는데, 정상인에서도 5번 염색체의 SMN2 유전자 복제수는 0~4개로 다양하다. 모든 척수 근위축증 환자에서 1개 이상의 SMN2 유전자 복제수를 가지고 있는데, 복제수가 많을수록 일반적으로 증상이 덜하다.

척수 근위축증의 진단은 SMN1, SMN2 유전자의 분자유전학적 정량 검사를 통해 시행한다. 다중결찰의존프로브증폭(MLPA), 정량적 중합효소연쇄반응(quantitative PCR) 또는 차세대 염기서열분석(next generation sequencing, NGS) 방법을 이용한다. 근전도검사는 1형, 2형 환아에게는 대개 필요하지 않고, 혈청 크레아틴 키나아제 수치는 정상이거나 약간 상승되어 있는 것이 일반적이나, 10배 이상 상승되어 있다 하더라도 척수 근위축증을 배제할 수는 없다.

영아기의 임상 증상은 근긴장저하, 상지에 비해 하지에서 두드러지는 진행성 대칭성 근위부 위약, 구근과 내늑간근의 위약은 있으나 상대적으로 안면근육과 횡격막은 보존되는 특징을 보인다. 늑간근 위약이 심하여 역설적인 호흡패턴을 보이며 얕은 호흡만을 하게 되어서 결국 점차적으로 종-모양 흉곽 형태를 가지게 된다. 고관절 외전과 슬관절 굴곡이 동반된 개구리 다리 자세와 어깨 외회전과 주관절 굴곡자세인 물병손잡이 자세를 보인다.

유아기에 발병한 경우는 영아기에 발병한 경우에 비해 구근과 호흡근의 위약이 덜 하다. 운동발달 이정표의 지연을 보이고 근육병증성 보행을 나타내며 바닥에서 일어설 때 Gowers 징후를 보일 수 있다. 보행능력이 소실된 이후부터 관절구축이 악화되며 척추측만증이 나타날 수 있다.[5] 그 외에도 관절 구축, 진행성 측만증, 제한성 폐질환을 보일 수 있다.

IV. 치료

신경근육질환의 원인 유전자 및 원인 단백 생성물들이 밝혀지면서 근본적인 치료방법을 얻고자 하는 노력이 지속되고 있다. 이러한 원인 유전자 확인은 병인에 대한 이해를 높이고 예후를 결정하며 치료 전략을 세우는 데 도움을 줄 것이다. 하지만, 아직은 임상에서 적용 가능한 약제가 매우 한정적이므로 추가적인 연구가 필요하다. 신경근육질환은 침범부위, 정도 및 진행속도에 따라 증상의 차이가 있지만, 공통된 특징은 시간이 지나면서 기능적인 근섬유의 소실이 심해져서 진행성 근력 약화, 지구력 감소, 관절 구축, 척추 변형, 신체구성 변화, 폐 기능 저하 등을 보이고 심근을 침범한 경우에는 심장 장애를 초래하게 된다.

신경근육질환을 근본적으로 치료할 방법은 아직 없지만 장애를 개선시키기 위한 재활의학적 접근은 신경근육질환을 가진 소아의 삶의 질을 개선하는데 있어 큰 도움이 된다. 이 장에서는 특히 가장 흔히 임상에서 접할 수 있는 디스트로핀병증과 척수 근위축증에 대한 치료를 중심으로 다양한 치료적 접근에 대하여 설명하고자 한다.

1. 재활치료

신경근육질환 환아의 근본적인 문제는 진행성 근 위약이며, 이에 따르는 자세 보상, 진행성 구축 및 변형의 위험, 그리고 기능적 손실이 발생할 수 있다. 물리치료와 보조기기는 관절 구축, 급격한 척추측만의 악화, 심각한 구축과 변형의 위험을 감소시키며, 삶의 영역에서 기능과 참여를 향상시킬 수 있다. 의사, 물리치료사, 작업치료사, 언어치료사, 보조기사, 의료기사 등 다학제적 접근을 통한 관리가 필요하다. 임상 증상에 대한 재활의학적 평가는 근골격계 및 관련 기능 장애에 초점을 맞추는데, 관절가동범위, 근육 신장성, 자세 및 정렬, 근력, 기능, 삶의 질, 일상적인 활동의 참여 등이 포함되며, 주기적으로 모니터링 되어야 한다.[18] 최근 뒤쉔 근디스트로피 환아의 포괄적 진료를 위한 가이드라인이 정립되어 표준화된 진료가 가능해지고 대부분의 신경근육질환에 적용될 수 있을 것으로 보인다(표 21-3).[6]

걷기, 수영 및 실내자전거 타기 등의 저강도 유산소 운동은 심폐기능을 향상시키고 근육의 효율성을 증가시키기 때문에 신경근육질환에서 관찰되는 근활성화 장애, 전반적 전신상태 저하 및 활동 감소로 인한 심폐기능 저하 등에 의하여 발생하는 근 피로를 예방하는 데 도움이 된다. 편심성(eccentric) 및 저항(resistant)운동은 피해야 하고, 과로를 방지하기 위한 모니터링, 휴식 및 에너지 보존의 필요성과 감소된 심폐기능으로 인한 근 손상의 위험성에 대한 고려가 필요하다.[18] 가급적 환아가 지루해 하지 않고 운동을 할 수 있도록 여가 활동에 가입하거나 수중치료를 이용하는 것이 합리적인 접근이며 운동량이 과도하지 않도록 운동 시작 후 30분 이내에 오히려 위약감을 느끼거나 운동 후 24시간 이후에도 심한 근육통이 지속되면 운동 강도를 줄이는 것이 좋다.

"앉기 가능" 한 척수 근위축증 환자는 구축과 척추측만증을 예방하여 기능과 이동능력을 향상시키는 것을 목표로 한다. 보호자 교육을 통해 매일 능동-보조 관절가동범위 운동을 시행하도록 하며, 동심성 및 편심성 운동, 걷기, 수영 및 실내자전거 타기 등의 저강도 유산소 운동이 권장된다. "보행 가능" 한 환자는 기능, 이동, 균형능력 및 지구력 향상을 목표로 하며, "앉기 가능" 한 환자에게 권장되는 운동에 추가적으로 균형 운동을 함께 시행한다.

2. 근골격계 변형 및 골다공증 치료

전반적인 목표는 가능한 한 오랫동안 운동 기능을 유지하고 관절 구축을 최소화하며 척추를 곧게 유지하고 골 건강을 증진하는 것이다. 구축은 능동적 또는 수동적 관절운동범위의 제한이 있는 것으로 신경근육질환에서 구축 유발 및 중증도에 관여하는 요인으로는 섬유화 및 지방조직 침윤정도, 정적 자세와 능동적, 수동적 관절운동의 부족, 주동근과 길항근 근력의 불균형, 기립시 체중부하 부족과 정적 앉은 자세, 기립 유지를 위한 보상적인 자세 변화, 그리고 두 관절에 걸친 근육군(two joint muscles)의 존재 등이 있다.

뒤쉔 근디스트로피 환자에서 하지의 경우 고관절 굴곡, 슬관절 굴곡 및 족저굴곡 방향으로의 구축이 호발한다. 기립이 가능한 경우에는 매일 규칙적으로 기립과 보행을 하도록 하고, 매일 가정 프로그램으로 수동적 신전을 시행하도록 하며, 스트레칭 프로그램은 수동적인 관절 가동범위가 소실되기 전에 시작하는 것이 중요하다. 또한 고관절 굴곡 구축을 예방하기 위해 자주 엎드린 자세를 취하도록 하고, 협조가 되는 경우에는 족관절 구축을 예방 및 지연시키기 위한 휴식 시 단하지 보조기 적용도 도움이 된다.[6] 근디스트로피 환자에서 휠체어를 사용하게 되면서 상지 주관절 굴곡

표 21-3 뒤쉔 근디스트로피 환자에 대한 포괄적 진료[6]

치료 및 관리	1단계: 진단 시	2단계: 조기 보행기	3단계: 후기 보행기	4단계: 조기 비보행기	5단계: 후기 비보행기
일반적 관리	다학제 진료 안내; 새로운 치료법 제공; 환자 및 가족지지, 교육, 유전상담				
	스케줄대로 예방접종 시행	6개월마다 기능, 근력, 관절가동범위 평가를 통해 질병의 단계 평가			
	글루코코르티코스테로이드 사용에 대해 논의	글루코코르티코스테로이드 시작과 조절			
	여성 보인자 환자는 심장내과 진료 의뢰				임종 준비
재활	6개월마다 포괄적인 다학제적 평가				
	평가에 기반하여 환자에게 개별화된 물리, 작업 및 언어치료 제공				
	구축 또는 변형, 과로 및 낙상 방지를 위한 활동; 에너지 보존 및 적절한 운동과 활동을 촉진; 보조기, 기구, 학습 지원		모든 이전 조치를 지속; 이동 장치, 좌석, 지지형 기립 장치 및 보조 기술을 제공; 통증 및 골절 예방과 관리; 경제적 상황, 접근성, 사회 참여, 성인기 자아 실현을 지원		
내분비계	6개월마다 기립 상태의 키 측정				
	6개월마다 비 기립 상태의 성장을 평가				
		9세부터 6개월마다 사춘기와 관련한 사항을 평가			
		글루코코르티코스테로이드 사용 시, 가족 교육 및 스트레스 용량 스테로이드 처방			
위장관계 및 영양	외래 진료 시 영양사에 의한 평가 포함(6개월마다); 비만 예방을 위한 관리 시작; 특히 중요한 전환기 시기의 과체중 및 저체중 모니터링				
	혈청 25-하이드록시비타민 D 및 칼슘 섭취량에 대해 매년 평가				
		6개월마다 연하장애, 변비, 위식도역류질환, 위장관 마비에 대해 평가			
			일상적인 치료의 일환으로 위루관에 대해 매년 상의		
호흡기계		필요에 따라 폐활량계 교육 및 수면 검사 (호흡기계 문제 발생의 위험이 낮음)		적어도 6개월마다 호흡기능 평가	
	최신 예방 접종 확인 : 폐렴구균 매년 불활성화 독감 예방 접종				
				폐용적 유지를 위한 호흡재활치료 시작	
				보조 기침, 야간 인공호흡기 시작	
					주간 환기 추가
순환기계	심장내과 진료 의뢰; 심장초음파, 심전도, 심장 MRI 평가	매년 심장기능 평가; 10세부터 안지오텐신 전환효소 억제제, 안지오텐신 수용체 억제제 투약 시작	적어도 1년마다 심장 기능 평가, 증상이 있거나 비정상적인 영상 소견이 있다면 더 자주 평가; 부정맥 모니터링		
			기능 악화에 따라 표준 심부전 치료		
골 건강 및 골다공증		측면 척추 엑스레이 평가(글루코코르티코스테로이드를 투여 받은 환자 : 1~2년마다, 글루코코르티코스테로이드를 투여하지 않은 환자 : 2~3년마다)			
		골절의 초기 징후(1 등급 이상의 척추 골절 또는 첫 번째 장골 골절) 있을 시 골질 전문가의 진료 의뢰			
정형외과적	적어도 6개월마다 관절가동범위 평가				
		매년 척추측만에 대해 모니터링		6개월마다 척추측만에 대해 모니터링	
	필요에 따라 정형외과 진료 의뢰 (대개는 필요치 않음)	보행능력 향상을 위해 족부와 아킬레스건 수술을 선택적으로 의뢰		휠체어 자세에서 족부 위치에 대한 개입을 고려; 적응증에 해당하는 경우 척추 후방 유합술을 통한 중재 시작	
심리사회적	외래 진료 시 마다 환자와 가족의 정신건강을 평가하고 일관된 지지를 제공				
	학습, 정서 및 행동 문제에 대한 신경 심리학적 평가 / 중재 제공				
		교육 요구 사항 및 사용 가능한 자원 평가(개별 교육 프로그램); 성인의 경우 직업 지원 요구도 평가			
		연령에 맞는 독립성과 사회성 발달 장려			
전환기	미래에 대한 토론에 참여시켜 성인기 준비시키기	성인기 인생에 대한 목표 설정 및 향후 기대치 설정; 전환기 준비 정도를 평가 (12세까지)	건강 관리, 교육, 취업 및 성인기 인생을 위한 전환 계획을 시작(13~14세까지); 최소한 매년 진행 상황을 모니터링; 지도 및 모니터링을 위해 케어 코디네이터 또는 사회 복지사 연결		
			건강 변화에 대한 전환 지원 및 예상 지침 제공		

Birnkrant DJ, Bushby K, Bann CM, et al. Diagnosis and management of Duchenne muscular dystrophy, part 1: diagnosis, and neuromuscular, rehabilitation, endocrine, and gastrointestinal and nutritional management. Lancet Neurol. 2018 Apr;17:251-67

구축이 악화되는 경향이 있고 전완부 회내근 단축과 완관절 척굴곡 편향이 동반된다. 15° 미만의 경미한 주관절 구축은 기능적인 제한을 초래하지 않지만 30° 이상의 주관절 구축은 보행하는 환자에서 목발 사용을 방해하며 60° 이상의 중증의 구축은 상지 원위부 기능 저하와 관련되어 옷 입고 벗기 등의 수행을 어렵게 한다. 그러므로, 주관절 굴곡근 및 전완부 회내근에 대한 신전운동을 규칙적으로 시행하여야 한다. 완관절과 장지 굴근의 능동적 관절운동과 같이 완관절 굴곡근과 수부와 완관절의 내재근, 외근의 수동적 신전을 매일 시행함으로써 완관절과 수부의 구축을 방지하여 섬세한 운동 기능을 유지할 수 있다.

심한 근위부 근력약화가 있는 환자들에게 견관절 구축은 큰 문제가 되지 않으나, 견관절 내회전, 내전 구축과 주관절 굴곡 구축이 동반된 경우에는 스스로 식사하기가 어렵게 된다. 중증의 견관절 내회전 변형은 옷 입기를 어렵게 하고 수동적 관절 운동 시의 통증 및 통증에 의한 수면장애도 유발할 수 있으므로 수동 신전운동 및 휴식 시 견관절을 외전 및 외회전 상태의 자세로 유지시키는 것이 도움이 될 수 있다.

척수 근위축증 환자의 경우, 기능적 분류에 따라 재활치료의 목적과 방향에 차이가 있다. "앉지 못함" 및 "앉기 가능"한 환자는 양육자 및 간병인 교육을 통해 매일 수동 및 능동-보조 관절가동범위 운동을 시행하며 상하지 보조기를 적용한다. 체간 근육의 지지가 약하므로 흉곽의 변형이 발생하고, 변형으로 인해 "파라솔" 모양 늑골이 관찰되기도 한다.[18]

1) 보조기 적용

진행성 근디스트로피 환아에게 적용되는 보조기는 일반적으로 야간부목(night splint), 단하지 보조기, 장하지보조기, 기립경사대 및 안정수부부목(resting hand splint) 등이 있다. 단하지보조기(ankle foot orthosis, AFO)의 경우 독립보행 여부와 관계없이 어린 나이 때부터 족관절 구축 예방 목적으로 적용하는 것이 가장 좋으며, 보행능력을 소실하게 되면 주간에도 적용이 필요하다.[6] 뒤쉔 근디스트로피의 경우 하지 근위부 근 위약이 심한 상태에서 기립 혹은 보행 시 단하지보조기를 적용하면 고정된 족관절이 슬관절 기능을 방해하게 되어 오히려 의자에서 일어나기가 더 힘들게 되고 보상성 발뒤꿈치 들기를 할 수 없게 되므로 보행이 더 어려워진다.

장하지보조기(knee-ankle-foot orthosis, KAFO)는 야간에 적용하기에는 어려우며 주로 환아의 보행능력이 저하되는 시기에 가급적 기립자세를 유지할 수 있도록 하며 보행가능 기간을 최대한으로 늘리기 위해 처방된다. 하지만, 실제 임상에서 이러한 시기가 되면 대개 장하지보조기를 적용하기 힘들 정도로 하지 관절구축이 진행되어 있어 수술을 시행하지 않고서는 적용할 수 없는 경우가 많다. 또한 이 경우 대부분의 보호자는 수술을 원하지 않기 때문에 실제로 장하지보조기를 보행 상실이 다가왔을 때 적용하기는 어려운 현실이다. 그러므로 초기부터 슬관절 및 족관절의 구축을 최소화하기 위하여 매일 꾸준히 스트레칭 운동을 하여 이러한 문제를 예방하도록 해야 한다. 안정수부부목은 완관절 신전, 중수지관절 신전 및 근위지간 관절굴곡 위치를 유도하여 최대한 낮 시간 동안 기능을 유지할 수 있도록 밤 시간에 주로 적용되며, 감각과 기능에 장해를 주지 않도록 주의하여야 한다.[6]

2) 수술적 치료

관절의 구축이 고착화 되고 나면 스트레칭은 효

과가 없으므로 수술이 필요한 경우가 있다. 수술은 보행기능의 향상 및 관절구축을 예방하기 위한 목적으로 시행하는 조기수술과 환아의 보행기능이 저하되는 시기 혹은 휠체어에 의존하는 시기에 시행하는 후기수술이 있다.

보행 가능한 시기의 환아에게 시행되는 조기수술은 대부분 수술을 통한 이점이 있으나, 과거에 비해 드물게 시행되므로 이러한 경우도 고려한다는 정도로만 알고 있으면 된다. 내번 변형을 개선하기 위해 족부에 대한 수술을 시행할 수 있고, 대퇴사두근과 고관절신전근의 근력이 양호하나 발목관절 구축이 있는 환아에서는 아킬레스건에 대한 수술을 시행하여 발목의 배측굴곡 각도를 향상시킴으로써 보행을 개선시킨다. 4~7세 사이에 시행하는 것이 일반적이며, 관절구축이 유발되기 이전에 예방적으로 시행하자는 주장도 있다. 조기수술 후에는 술 후 3일째부터 보행이 가능하며, 구축이 재발하는 것을 방지하기 위해 단하지보조기를 적용한다. 이 시기에 고관절이나 슬관절에 대한 수술은 추천되지 않으며, 보행 단계에서 하지 골절은 보행을 유지시키기 위해 내고정, 외고정 등의 적극적인 치료를 필요로 한다.

후기수술은 주로 보행기간을 연장시키기 위하여 시행되며 보행기간을 1~3년 정도 연장시켰다는 보고가 있다. 넙적다리뒤인대 연장술(hamstring lengthening)은 슬관절 굴곡구축이 15° 이상인 경우 시행되며 일반적으로는 고관절에서 아킬레스건까지 양측 다관절에 대한 수술이 시행되며 술 후 광범위한 물리치료를 시행하고 장하지보조기를 착용시킨다. 초기 보행 소실기에는 첨족내번을 개선하기 위해 족부와 발목 관절 수술을 시행할 수 있고, 이는 휠체어에서의 자세, 신발을 착용하는데 도움이 된다. 수술 후에는 구축 재발을 방지하기 위해 주간에 발목보조기를 적용한다. 후기 보행 소실기에는 통증, 자세, 피부 문제나 상처 등이 문제가 되지 않는 한, 사지의 구축에 대한 수술적 치료는 고려하지 않는다. 이 시기의 원위부 대퇴골절에 대한 치료는 골절 부위 안정화와 통증 조절을 위해 석고 고정, 부목 적용으로 충분하지만 근위부 대퇴골절의 경우에는 수술적 치료가 필요하다.[19]

척수 근위축증 환아에서도 구축은 역시 흔히 발생할 수 있으며, 보존적 치료에도 구축이 악화되어 통증이나 기능 저하를 유발한다면 수술을 고려할 수 있다. 1, 2형 환아들은 비사용에 의해 골다공증과 낮은 혈중 비타민 D 수치, 피로 골절이 흔히 동반된다. 보행이 불가한 환자의 경우 석고 고정을 통해 움직임을 제한하도록 하지만 4주는 넘지 않도록 한다.

3) 척추변형 치료

뒤쉔 근디스트로피 환아의 척추변형은 체간근육의 위약이 심해지면서 발생되며 특히 사춘기에 성장이 급속도로 이루어지는 과정에서 더욱 악화되는 경향을 보인다. 휠체어에 의존한 뒤쉔 근디스트로피 환아의 75~90% 에서 척추측만증이 유발되며 대개 10~14세경에 뚜렷해진다. 척추변형의 정도가 휠체어에 의존한 기간이 길수록 심한 경향을 보이기는 하지만, 명확한 인과관계를 갖지는 않는다. 보행이 가능한 기간 동안은 척추측만증에 대한 평가를 최소한 1년에 한 번은 시행하여야 하고, 이학적 검사를 통해 의심되는 경우에는 방사선촬영을 시행한다. 휠체어에 의존한 이후로는 6개월~1년마다 주기적으로 척추 전후면 및 측면 방사선촬영을 시행해야 한다.[19]

초기 보행 소실기에는 방사선검사를 통해 초기 만곡의 정도를 확인하여야 하고, 골 성숙 이전에는 6개월 간격으로, 골 성숙 이후에는 1년 간격으로 추적 관찰 방사선 검사를 시행한다. 20° 이상의 측만이 발생하면 정형외과 진료를 시행한다. 척추

변형에 대한 정형외과적 수술의 목표는 척추측만증의 추가 진행을 예방하고 앉는 자세를 개선하며 통증을 줄이는 것이다. 척추 만곡이 20~30° 이상이고 아직 사춘기에 이르지 않았으며 만곡이 진행될 것으로 예상되는 경우에는 후방 척추 유합술이 권장된다. 만일 수술적으로 척추측만증을 교정한 이후에도 골반 기울기가 15° 이상인 경우에는 골반 안정화를 위해 유합수술이 고려되기도 한다. 골반 기울기가 심하지 않으면 하부 요추와의 유합술만으로도 충분하다.

후기 보행 소실기에는 매 방문 시마다 척추 변형에 대해 진찰하고, 매년 방사선 검사를 시행하여야 한다.[19]

척추 보조기 적용이나 휠체어 내에 자세유지기구를 적용하는 것이 척추 변형의 진행을 막을 수는 없는 것으로 알려져 있다. 하지만, 척추 변형에 동반되는 골반기울기가 심할 경우에는 앉은 자세를 유지하기 어렵고 또한 이로 인하여 호흡문제를 더욱 가중시키고 욕창을 유발할 수도 있으므로 실제 임상에서는 적용하는 경우가 흔하며 특히 보행능력을 갖지 못하는 척수 근위축증이나 선천성 근디스트로피 같이 10세 이전에 측만증이 시작되는 경우에는 앉은 자세를 유지하는데 척추 보조기가 도움이 된다.

척수 근위축증 환자 중 1, 2형 환아의 경우 척추측만증의 유병률이 60~90%에 이를 정도로 높다. 따라서 "앉지 못함" 환자의 경우에는 자세 안정화를 위해 경추 및 흉추 보조기, 자세보조용구를 사용하기도 하며, "앉기 가능" 한 환자는 근긴장저하 척추 만곡이 아동기에 진행할 수 있고 흉추의 후만이 다양한 정도로 발생할 수 있으므로 정기적인 진찰이 필수적이다. "앉기 가능" 한 환자는 골 성숙 이전에는 6개월 간격, 골 성숙 이후에는 매년 척추측만증을 관찰해야 하고, 20° 이상의 만곡을 보이면서 성장이 남아 있다면 자세 및 기능 향상을 위해 흉요추 보조기 적용이 필요하다.

하지만 보조기는 척추 변형의 진행을 막지 못하므로, 수술적 치료가 필요하게 되는 경우가 있다. 주된 만곡의 정도가 Cobb angle 50° 이상이거나 연간 10° 이상 진행하는 경우, 호흡을 포함한 기능 저하, 골격 이상이 악화되는 경우 4세 이후에 수술을 고려할 수 있다. 이후에 기술될 척수 근위축증 치료제인 nusinersen (Spinraza™)은 척수강 내로 주입하는 약물이므로, 척추 변형에 대한 수술적 치료를 고려할 경우에는, 요추의 1~2레벨을 보존하여 약제 투약 경로를 확보해두는 것이 중요하다.[18] 특발성 척추측만증과는 달리 성장이 끝난 후에도 진행될 수 있어서 자세문제뿐만 아니라 호흡부전을 악화시키게 된다. 과거에는 환자의 강제폐활량이 정상예측치의 40% 이상일 때 수술하는 것이 적절하며, 최소 30% 이상이어야 한다는 기준이 적용되었으나 최근에는 30% 미만인 환자에서도 술 전에 수술 후 기도분비물 관리, 폐렴예방 및 무기폐증 치료 등에 대한 충분한 대책을 세우고 술 후 사용할 비침습적 호흡기에 대한 적응을 충분히 시킨 뒤 수술할 경우 안전하다고 생각된다. 수술적 치료를 고려할 때는 술전 심폐기능에 대한 평가가 이루어져야하고, 악성 고열증의 위험성은 없는지 잘 확인하여야 한다.

4) 골다공증 치료

뒤쉔 근디스트로피 환아 중 글루코코르티코이드 치료를 받는 경우 골다공증의 악화를 야기할 수 있고, 이는 경미한 외상에 의해 20~60%는 사지의 장골 골절(일반적으로 원위 대퇴골, 경골 또는 비골), 30%는 증상이 있는 척추 골절이 발생한다. 장골 골절 후 지방 색전증 증후군으로 인한 사망에 이를 위험도 있다. 2018년 업데이트 된 지침은 치료 목표의 근본적인 변화를 제시하였는데, 골다공증의 진행을 늦추고, 적응증에 해당하는 환자를 조기에 확인하여 골 건강을 회복하여 척추체의 높이를 더 잘 보존하는 데 그 목표를 둔다.[19]

척수 근위축증 환자의 경우, SMN 유전자의 기능 이상은 파골세포를 촉진시켜 골감소증과 골절의 위험을 높인다. 매년 혈중 비타민 D 검사를 시행하고, 이중에너지방사선흡수법(dual energy x-ray absorptiometry analysis, DEXA)을 통해 골밀도를 확인해야 한다.[18] 척추 골절은 더 진행된 붕괴 단계에서도 무증상인 경우가 꽤 많으므로, 허리 통증이나 변형 증상만으로 척추 영상 촬영을 시행하지는 않는다. 반면, 운동기능 장애나 글루코코르티코이드 치료를 포함한 척추 골절의 위험 인자가 있는 환자는 정기적으로 척추 영상 검사를 시행하도록 한다. 뒤쉔 근디스트로피 환자에서 척추 골절은 골밀도검사의 Z 점수가 -2 표준편차보다 낮은 경우 발생할 수 있다.

경미한 외상에 의한 척추 또는 장골 골절이 발생한 경우 정주용 비스포스포네이트에 대한 적응증이 되고, 치료 시작시기에 대해서는 과거의 방식과 큰 차이가 있다. 과거에는 허리 통증이나 척추 변형을 호소하는 환자에서 척추 골절을 확인한 후 치료를 시작하였으나, 현재는 모든 환자에 대해 정기적인 척추 방사선 사진 촬영을 통해 증상이 있는 척추 골절(경증, 중등도 및 중증)과 무증상 중등도 및 중증 척추 골절이 확인되면 치료를 시작한다. 경구용이 아닌 정주용 비스포스포네이트 투여가 골다공증의 1차 치료 방법이다.[19]

3. 호흡재활

호흡기계 합병증은 주 사망 요인이며 호흡근 약화와 피로, 폐 역학의 변화, 기도 분비물 배출의 어려움, 무기폐, 폐렴 등이 있다. 또한 진행성인 횡격막, 흉곽근육 및 복부근육의 약화와 피로는 제한성 폐질환을 초래하고 결국은 부적절한 기침, 호흡저하, 고탄산혈증 및 호흡부전을 일으킨다. 치료하지 않으면 심한 호흡곤란, 무기폐 또는 폐렴으로 인한 장기 입원, 호흡 정지 또는 호흡부전에 의해 유발된 심장 부정맥으로 인해 사망을 초래할 수 있다.

신경근육질환에서는 평소에도 호흡시 에너지소비량이 전체 산소소비량의 15%를 넘을 수 있다. 이러한 경우 호흡근의 피로를 막기 위해서는 호흡중추에서 얕은 호흡을 하도록 조절하게 되어 호흡근의 부하는 감소하지만 고탄산혈증과 폐포 저환기가 유발된다. 특히 야간 저환기에 의한 저산소혈증 및 고탄산혈증으로 인해 수면 시 자주 깨며 아침 두통을 호소하고, 주간 졸림과 집중력 감소를 보인다.

이와 같이 신경근육질환에서 근본적인 호흡기계 문제는 흡기근 약화로 인한 흡입공기량의 감소와 호기근 약화로 인한 기도분비물 배출장애다. 이러한 상황을 고려하여 호흡근 기능에 대한 주기적인 평가, 폐용적 유지, 기침 보조, 야간 및 주간의 보조 인공호흡 등의 관리가 필요하다.[19] 백밸브마스크(bag valve mask; ambu bag)를 이용한 공기누적 운동은 폐 용적을 유지하여 흉곽의 성장에도 긍정적인 영향을 주므로, 특히 척수 근위축증 환아에서는 신생아기부터 시작하여 매일 시행하는 것이 매우 중요하다.

협조가 가능한 5~6세부터 폐활량 측정을 시작해야 하고, 주기적인 폐기능 검사가 필수적이다. 강제폐활량은 성장에 따라 증가하고, 독립보행 기능을 가진 환아의 경우 보행능력이 소실되는 시기에 정점에 도달한다. 이후에는 호흡곤란 증상을 자각하지 못하더라도 강제폐활량이 감소한다. 야간 저환기로 인한 고탄산혈증에 대한 평가를 위해 수면 중 호기말 이산화탄소분압측정 검사가 필요하다. 특히 글루코코르티코이드 치료로 체중이 증가한 환자와 수면장애 관련한 호흡 증상이 있는 환자의 경우 보행 가능한 단계에서도 수면 검사가 필요할 수 있다.

보행기능을 소실하게 되면, 최소한 6개월 간격으로 강제폐활량, 최대흡기압, 최대호기압, 최대기침유량, 맥박산소측정을 통한 산소포화도를 측정하여야 하고, 부가적으로 호기말 혹은 경피적 이산화탄소분압측정을 시행하여야 한다. 강제폐활량이 예측치의 60% 이하로 저하되면, 폐유순도와 폐용적을 보존하기 위하여 ambu bag을 이용한 공기누적운동을 시행하며, 스스로 기도분비물 배출이 어려울 경우 기침유발기[mechanical insufflation-exsufflation (MIE) device]를 이용할 수 있다. 보행 소실 이후 경과가 진행함에 따라, 기침 능력이 저하되면서 무기폐, 폐렴, 환기-관류 불균형, 호흡부전으로의 진행 위험이 높아진다. 따라서 강제폐활량이 예측치의 50% 이하, 최대기침유량이 270 L/min 이하, 최대호기압이 60 cmH_2O 이하이면 도수 및 기계적 보조 기침 방법을 적용한다. 또한 강제폐활량이 예측치의 50% 이하, 최대흡기압이 60 cmH_2O 이하, 낮 시간 저환기의 증상이 있는 경우에 야간에 인공호흡기 사용이 필요할 가능성이 높으므로 야간 수면동안 호흡의 적절성에 대한 검사를 반드시 시행하여야 한다.[19]

비침습적 인공호흡기를 적용하여 환기상태를 개선시킴으로써 고탄산혈증으로 인한 증상들을 해소하고 수명을 연장시킬 수 있다. 일반적으로 기관절개를 해야 하는 침습적 방법에 비하여 환자나 보호자의 순응도가 높은데 비교적 안전하게 적용할 수 있으며 말을 할 수 있고 외관상으로도 문제가 없기 때문이다. 하지만, 구강마스크나 비강마스크를 공기가 새지 않도록 적용하기 위해서는 필요에 따라 chin strap이나 lip seal을 사용해야 하는 경우가 있고 자가 호흡이 비교적 강한 경우에는 적응하기에 어려운 경우도 있다. 마스크에 의한 안면피부 압력손상이 유발될 수 있어서 이에 대한 대처도 필요하므로 숙련된 전문가가 적용하여야 한다. 압력조절 호흡기는 기도 내 분비물에 의해 기도저항이 증가되어 있는 경우 폐 환기에 필요한 공기를 충분히 주입하지 못할 가능성이 높으며 보조 기침에 필수적인 폐의 유순도 유지를 위한 공기누적 호흡운동을 효과적으로 시행할 수 없다. 따라서 이 경우에는 압력조절 호흡기보다는 용적조절 호흡기를 사용하는 것이 적절하다.

뒤쉔 근디스트로피 환자가 기관절개술을 통해 인공호흡을 해야 할지 비침습적인 방법으로 환기를 해야 할지 여부는 논란의 여지가 있다. 2018년 뒤쉔 근디스트로피 환자의 진료 지침에 따르면, 기관절개술의 적응증으로 다음의 상황들을 제시하고 있다. 환자 선호도, 비침습적 인공호흡기를 사용할 수 없는 경우, 비침습적 인공호흡기와 기계적 보조 기침을 적절하게 사용했음에도 불구하고 중증 질환 상태에서 기도 발관을 3회 실패하는 경우, 약한 구근으로 인해 폐로 분비물이 흡인되는 것을 방지할 수 없는 경우가 포함된다.[19] 기계적 인공호흡기가 갑자기 작동하지 않을 경우를 대비하여 연수기능이 보존되어 있는 환자에서 개구리 호흡법(glossopharyngeal breathing)을 미리 훈련해야 하는데 이것은 호흡근육이 아닌 혀와 인두근육을 이용하여 공기덩어리를 삼켜 폐에 누적시키는 방법으로 1회 호흡 시 6~9회 시행하며 한번에 60~200 mL의 공기를 누적시킬 수 있다.

정상인에서 기도 내 분비물을 제거하기 위해서 기침을 할 때 유발되는 유속은 12 m/sec 정도이며 이때의 유량은 360~1,000 L/min 정도이다. 최대기침유량(peak cough flow)이 270 L/min 이상이면 비교적 효과적인 기침을 할 수 있으며 최소 160 L/min 이상은 되어야 분비물을 배출할 수 있다. 만약 환자의 최대기침유량이 160~270 L/min 사이인 경우에는 평소에는 별 문제가 없지만 호흡기계 감염이 유발되면 급격히 저하될 수 있으므로 평소에 충분한 관리가 필요하다. 호흡근육이 약화되어 있는 신경근육질환 환자에서 질환에 따라 기침유량이 약해지는 주된 원인의 차이가 있는데 뒤쉔 근디스트로피의 경우에는 호기근육 약화가 가장 중요한 원인이다.[20] 호흡근육을 보조하여 기침유량을 증가시키기 위한 방법으로 도수 보조 기침(manual assisted cough)을 시행할 수 있고, 흡기근 위약이 심한 경우에는 기침하기 전에 ambu bag을 이용하여 인위적으로 충분한 양의 공기를 폐 내에 주입한 후에 도수 보조 기침을 시행하여야 한다.

최근에는 비구강 마스크나 기도절개관을 통하여 40 cmH_2O 정도의 양압을 가하여 폐에 공기를 주입한 후 순간적으로 -40 cmH_2O 정도의 음압을 가하여 강력한 공기 유속을 유발하여 기도 내 분비물을 제거하는 기침유발기가 효과적으로 사용되고 있다. 물론, 기침을 유발하기 전에 폐내 기관지에서 분비물이 이동되기 용이하도록 고빈도 흉벽진동(high frequency chest oscillation)과 폐내 타진 환기법(intrapulmonary percussive ventilation, IPV), 음압 환기법(negative-pressure ventilation)을 시행하기도 하지만, 효용성에 대해서는 연구가 더 필요하다.[19]

감염이 유발되어 치료할 때에도 저산소증에 대한 산소보충치료는 저환기나 무기폐 등의 기저원인을 드러나지 않게 할 수 있고, 또한 중추성 호흡구동(central respiratory drive)을 억제하여 고탄산혈증을 더욱 악화시켜 이산화탄소 혼수를 유발하여 사망에 이르게 할 수 있으므로 매우 주의를 요한다. 따라서 이러한 환자에게는 반드시 저환기를 개선하고 기도분비물 배출을 산소치료와 동시에 시행하여야 하며, 환자와 보호자에게도 미리 이러한 부분에 대하여 충분히 교육을 하여 갑작스런 응급상황시 실수하는 일이 없도록 해야 한다.[21]

척추측만증을 포함한 어떠한 이유로 전신마취하에 수술을 시행 받아야 하는 경우에 환아의 최대기침유량이 270 L/min 미만이면 반드시 술 전에 도수 보조 기침 훈련이나 기침유발기에 적응 시켜 수술 후에 바로 사용할 수 있도록 해야 한다. 또한 강제폐활량이 예측치의 30% 미만이면 반드시 술 전에 비침습적 인공호흡기에 적응시켜 술 후에 바로 적용할 수 있도록 해야 술 후 합병증을 최대한 막을 수 있다.[19]

신경근육질환 환아는 호흡기계 감염에 노출될 기회가 많으며, 일단 감염되면 증상이 급속도로 악화되는 경우가 많으므로 예방이 매우 중요하다. 일반적으로 환아가 생후 6개월이 지나면 불활성화된 인플루엔자 백신을 매년 접종하여야 하며 2세 이후부터는 폐렴구균 백신을 접종해 주는 것이 좋다.

4. 위장관계 및 영양 관리

신경근육질환 환자에서는 연하장애, 체중조절, 성장, 영양, 위장관 기능이상 등에 대해서도 관심을 가져야 한다. 종종 체중 증가 또는 감소, 영양 불균형, 체액 불균형, 연하장애, 변비, 위식도역류, 탈수, 낮은 골밀도 및 하악 구축 등으로 인하여 위장관계 합병증과 영양 문제가 생길 수 있다.

뒤쉔 근디스트로피 환자에서는 글루코코르티코이드 치료가 식욕과 열량 섭취 증가, 나트륨 및 체액 저류를 일으켜 유아기 과체중 또는 비만의 위험을 증가시킨다. 보행 소실 이후에는 활동이 줄면서 칼로리 요구량이 감소하여 과체중 또는 비만의 위험이 증가한다.[6] 최근 연구에 따르면 비만한 척수 근위축증 환자에서 포도당 대사 이상이 사후에 확인된 바 있어 대사이상 가능성에 대한 경과 관찰도 필요할 것이다.[18]

영양 불균형은 호흡기계, 골격근 및 심장 기능에 악영향을 미칠 수 있으므로 주의해야한다. 영아의 경우 큰 구멍 미숙아 젖꼭지 사용, 적절한 머리와 턱 자세, 반쯤 기댄 몸통 자세, 피로를 최소화시키기 위해 소량씩 자주 먹이는 방법 등이 사용될 수 있다. 일반적인 영양 권장사항에 준해 식이와 영양을 정하고, 매년 비타민 D, 칼슘 수치를 확인하여 미량원소가 결핍되지 않도록 한다. 탈수를 방지하기 위해 적절한 수분 섭취를 하는 것이 중요하다.

구개와 인두근육이 침범되면 연하곤란이 발생하며 척수 근위축증을 포함한 다양한 근긴장저하 영아상태를 유발하는 질환이나 뒤쉔 근디스트로피의 말기에 문제가 된다. 나이에 적절한 체중증가가 이루어지지 않거나 10% 이상의 의도하지 않은 체중감소가 유발될 경우 연하기능에 문제가 없는지를 평가해 보아야 한다. 또한 삼킬 때 주관적인 어려움, 음식이 목에 달라붙는 느낌, 식사에 걸리는 시간 등의 질문을 통해 연하장애가 의심된다면 비디오투시검사를 시행하여 구강기 및 인두기 연하장애의 상태를 자세히 파악해야 한다.[6, 18]

연하기능이 저하되는 경우에는 비위관을 삽입하여 영양공급을 시행할 수 있으나 비위관이 호흡을 방해하고 분비물을 증가시킬 가능성이 높다. 장기적으로 볼 때 경피적 내시경 위루술(percutaneous endoscopic gastrostomy) 또는 경피적 방사선 위루술(percutaneous radiologic gastrostomy)이 적절하다. 폐활량이 정상예측치의 50% 이상일 때 시행하는 것이 안전하지만 사실 이러한 상황에서는 환자나 보호자가 수술을 받아들이지 못하는 경우가 많다. 이 경우 꼭 필요하다면 충분한 영양공급을 튜브를 통해서 시행하고 기도 흡인이 없는 경우에는 경구식이를 병행할 수 있다고 설명하는 것이 가장 좋다.

변비는 매우 흔히 나타나는 위장관계 합병증으로, 위험인자로는 대장통과시간의 지연, 부동 상태, 복근 위약, 탈수 등이 있다. 휠체어에 의존하게 된 이후 자주 유발되며 특히 경구식이가 부적절하게 되면서 더 심해진다. 충분한 수분공급과 삼투성 하제, 자극제의 사용이 필요할 수 있다.

위식도 역류에 대해서는 소량씩 자주 식사하고 지방함량을 낮춘 식사로 식단을 조절하는 것이 도움이 되고, 양성자펌프 억제제(protonpump inhibitor)나 H2 수용체 길항제(histamine-2 receptor antagonist)등을 사용할 수 있다. 위루관 시술 시 Nissen fundoplication을 함께 시행하면 위식도역류를 막는 데에 도움이 될 수 있다.[6]

5. 심장 합병증 치료

임상적으로 문제가 되는 심장 합병증이 흔히 동반되는 신경근육질환으로 뒤쉔 및 베커 근디스트로피와 근긴장성 근디스트로피가 있다. 특히 최근 호흡기계 합병증에 대한 대증적 치료가 발달하면서 호흡기계 합병증에 의한 사망률이 낮아지고 환자의 수명이 연장되면서 심혈관 합병증은 뒤쉔 근디스트로피 환자의 질병 관련 이환율 및 사망률의 주요 원인이 되고 있다.[22]

디스트로핀 단백의 결핍은 심근병증으로 나타나는데, 질병이 진행됨에 따라 심부전이 발생하고, 심근의 기능 부전은 생명을 위협하는 부정맥을 야기할 수 있다. 보행 소실 이후의 환자에서 심부전 징후와 증상은 종종 간과되기도 하는데, 그 이유는 중증의 근 위약으로 인해 증상이 나타날 만큼의 활동을 할 수 없는 경우가 많기 때문이다.

뒤쉔 근디스트로피의 경우 6~7세까지는 심장초음파, 그 이후에는 심장자기공명영상검사(cardiac MRI)가 추천된다. 10세까지는 매년 심초음파 등 비침습적 영상을 포함한 심장 평가를 받아야하고, 10세 이후에는 좌심실 기능 부전의 위험이 있으므로 적어도 최소한 1년에 한 번은 평가를 받아야 한다.

뒤쉔 근디스트로피 환아의 심부전에 대해 전통적인 심부전 치료 전략을 사용하는데, 안지오텐신

전환효소억제제(ACEIs) 또는 안지오텐신수용체차단제(ARBs)는 뒤센 근디스트로피와 관련한 심장질환에 대해 1차 치료제로 사용되고 있다. 심장자기공명영상검사 또는 심초음파 검사에서 이상 징후가 없는 10세 미만 무증상 환아에게 안지오텐신전환효소억제제를 사용하는 것에 대해서 완전한 합의가 이루어지지는 않았지만 예방적인 처방을 하는 경우가 많아지고 있다. 베타차단제(β-blockers)는 일반적으로 심실부전의 증거가 있을 때 시작할 수 있다. 심근 섬유화가 진행되면 좌심실 기능부전이 초래되는데, 중증으로 진행된 경우에는 심부정맥혈전증을 예방하기 위하여 항혈전제 치료가 필요하다.

뒤센 근디스트로피 환자는 심방세동 또는 심방조동, 심실빈맥 및 심실세동을 포함한 부정맥의 위험이 있다. 표준 항부정맥 약물 또는 항부정맥 장치를 통해 관리할 수 있고, 감시를 위한 평가 방법은 24시간 홀터 모니터링을 주기적으로 시행하는 것으로 충분하다. 심실빈맥 또는 심실세동에 대해 이식형 심전도 제세동기는 일차 예방 목적의 이점은 없으며, 심박출률 35% 미만의 심부전이 있는 성인의 경우에는 도움이 된다.[19]

근긴장성 근디스트로피의 경우 70% 정도의 환자가 심전도나 심초음파검사에서 이상소견을 보이며, 2형에 비해 1형에서는 더 흔히, 더 심하게 나타난다. 전도장애가 심한 경우 급사의 위험이 높으므로 심장박동조율기를 사용하는 경우도 있다.[12]

좌심실보조장치(left ventricular assist device, LVAD)는 심장 이식이 적절하지 않다고 판단되는 뒤센 및 베커 근디스트로피, 지대 근디스트로피 환자에게 최종적인 치료로도 사용할 수 있다. 심장이식도 이론적인 옵션이지만, 기증자가 적기 때문에 사례별로 고려할 필요가 있겠다.

여성 보인자의 경우에는 성인기에 접어들게 되면, 다른 유전성 심근병증의 선별검사 기준과 마찬가지로 3~5년마다 평가하도록 한다. 심전도 및 비침습적 영상 검사를 시행하는 것이 추천되며, 최근에는 심장자기공명영상검사가 선호된다.[19]

6. 내분비계 합병증 치료

치료 목표는 성장과 발달을 관찰하고, 호르몬 결핍 여부를 확인하고, 생명을 위협할 수 있는 부신기능부전 위기를 방지하기 위함이다. 디스트로핀병증 환아의 성장곡선은 선형이 되지 못하는 경우가 흔한데, 이는 글루코코르티코이드 치료에 의해 더욱 악화될 수 있다. 환아의 성장은 사춘기를 지나 최종 키에 도달할 때까지 6개월마다 평가해야 한다. 보행 가능한 환아의 경우 기립 시 신장을 측정하는 것이 가장 정확한 방법이며, 기립이 불가능한 환아의 경우에는 팔 길이, 척골 또는 경골의 길이, 무릎 높이 등 간접적인 방법으로 신장을 측정할 수 있으나, 모두 현재까지 제대로 검증되지 않은 방법이다. 재조합 인간 성장 호르몬 치료의 안전성과 효능을 밝힌 연구가 부족하므로, 디스트로핀병증과 관련한 성장부전에 대해 일상적으로 성장 호르몬 치료를 하는 것은 추천되지 않는다.

성선기능저하증으로 인한 사춘기 지연은 글루코코르티코이드 치료의 잠재적인 합병증이며, 환아에게 정신적 고통을 주고 삶의 질을 저하시킬 수 있다. 테스토스테론 대체요법은 성선기능저하증이 동반된 14세 이상의 환아에게 권장되며, 글루코코르티코이드를 복용하면서 사춘기 발달이 확인되지 않는 12세 이상의 남아에서 고려할 수 있다. 시상하부-뇌하수체-부신 축의 억제로 인한 부신 기능부전은 드물게 나타나지만, 다른 질병 상태나 글루코코르티코이드 치료가 갑작스럽게 중단되는 경우 생명에 위험할 수 있다. 글루코코르티코이드를 처방받은 모든 환자는 부신 위기의 징후, 증상 및 관리에 대해 교육 받아야한다.[6]

7. 약물치료

신경근육질환의 원인유전자 및 원인단백 생산물들이 밝혀지면서 원인유전자를 직접적으로 치료하고자 유전자치료를 시도하기 위한 연구가 지속되고 있지만, 아직은 임상에서 적용 가능한 약제는 많지 않다. 이 장에서는 디스트로핀병증과 척수근위축증의 약물치료 위주로 다루도록 하겠다.

디스트로핀병증에 대한 약물 개발은 2010년에 치료 고려 사항이 발표된 이후에 많은 변화가 있었다. 엑손 건너뛰기(exon skipping)기전은 역배열 올리고핵산(antisense oligonucleotide)을 투여하여 디스트로핀 유전자의 이어붙이기 과정에서 특정 엑손을 배제시켜 읽기틀(reading frame)을 회복시키는 치료법으로, 디스트로핀 엑손 51번과 엑손 53번을 은폐하여 배제시키는 방법이 개발되어 있고, 적응증에 해당하는 환아는 각각 13%와 8% 정도이다. 이러한 기전을 갖는 약제는 질병의 진행을 완화할 수는 있지만, 결실된 부분의 기능을 회복시킬 수는 없고, 장기적인 예후는 아직 알려져 있지 않다. 2016년 미국 FDA의 승인을 받은 Eteplirsen (Exondys 51®) 등이 있다.

뒤쉔 근디스트로피 환아의 10~15%는 염기서열의 일부가 정지코돈으로 전환되는 넌센스(nonsense) 돌연변이를 갖는데, 2014년 유럽에서 승인된 Ataluren (Translarna®)은 정지코돈 초과번역(stop codon readthrough)하도록 하는 기전을 갖는다. 이론적으로는 정지 점 돌연변이를 갖는 다른 질환에도 적용할 수 있다. 벡터-매개(vector-mediated) 유전자 치료 기전을 이용한 아데노-연관 바이러스-매개 미니/마이크로 디스트로핀 유전자 치료(adeno-associated virus(AAV)-mediated mini-/microdystrophin gene therapy)는 임상시험이 진행 중으로, 이는 비분열 세포에 대한 유전자 치료 매개체로 가장 각광받는 방법이다. 마이크로 디스트로핀은 액틴 결합부와 디스트로글리칸 결합부를 그대로 가지고 있지만, 가운데 막대 반복 부분의 대부분이 제거되어 최소한의 기능 영역을 갖는다.[22] 이외에도 부작용을 줄인 스테로이드 유도체, 섬유화 억제치료, 마이오스타틴 억제치료 등이 개발 중이며, 이들 치료제들은 디스트로핀 유전자와 직접적인 관련이 없어 다른 근디스트로피에도 적용시킬 수 있을 것으로 기대된다. 치료제의 임상시험 목록은 ClinicalTrials.gov 및 WHO International Clinical Trials Registry Platform에 지속적으로 업데이트 되고 있다.[6]

현재까지의 디스트로핀병증에 대한 주된 치료 방법은 물리치료와 코르티코스테로이드 치료이며 이는 보행기능이 소실된 이후에도 지속되어야 한다. 가장 흔히 처방되는 것은 프레드니손(prednisone) 0.75 mg/kg/day 또는 데플라자코트(deflazacort) 0.9 mg/kg/day 이고, 주기적인 이학적 검사를 통하여 용량을 조절한다. 프레드니손은 근력과 호흡 기능, 운동 기능을 향상시키고, 척추측만증 수술의 필요성을 줄이며, 18세 이전 심근병증의 발병을 줄이는 데 도움이 되는 것으로 알려져 있다.

스테로이드 장기복용 시 발생할 수 있는 흔한 부작용으로는 과체중, 쿠싱형 외모, 다모증, 골다공증 및 골절, 행동장애, 포도당 불내성(glucose intolerance), 면역장애, 피부변화, 백내장 및 소화성궤양 등이 있고, 이에 대한 경과관찰이 필요하다. 부작용의 발생은 비교적 흔하지만 일반적으로 심하지 않고 중증부작용이 발생하여 약물을 중단해야만 하는 경우는 많지 않다. 스테로이드의 부작용과 효능을 저울질하여 적절한 용량과 투여 간격에 대한 연구가 이루어지고 있다. 부작용을 최소화하기 위하여 격일로 투여하거나, 용량을 줄이거나 혹은 간헐적으로 투여하는 방법들이 다양하게 시도되고 있으나 명확한 결론을 내리지는 못하고 있다. 평균 4년 동안 매일, 격일 또는 간헐적(10일 사용 후 10일간 중단) 스테로이드 투여에 대한 대규모 비교종단 연구에 따르면, 일일 요법은 보행기간을 늘리고 7세 이후 기능 향상에 도움이 되지만, 간헐적 요법에 비해 부작용의 빈도가 높다고 보고되어 있다.[23] 프레드니손과 데플라자코트 두 약제는 운동 기능의 향상 측면에서는 동일한 효과를 갖는데, 프레드니손 0.75 mg/kg/day 는 약제 투약 1년 이내의 체중 증가, 다모증, 쿠싱형 외모의 위험을 높일 수 있고, 데플라자코트 0.9 mg/kg/day를 사용하면 백내장 유발가능성이 상대적으로 높아지는 것으로 알려져 있다.

스테로이드 중단을 계획한 경우에는 갑자기 중단해서는 안 되고, 수주 내지는 수개월에 걸쳐 서서히 감량하여 중단하여야 한다. 프레드니손 또는 데플라자코트 12 mg/m^2/day 이상의 용량을 복용하는 환자의 경우에는 Coronavirus disease 2019 (COVID-19) 감염을 포함한 심각한 질병, 중증 외상, 수술 상황에서 50~100 mg/m^2/day의 하이드로코티손 스트레스 용량 투여가 필요할 수 있고, 글루코코르티코이드 치료 중단을 계획할 때는, PJ Nicholoff 스테로이드 프로토콜에 따라 용량을 감량하여 부신기능부전을 방지하도록 한다.[24] 2주 간격으로 20~25%의 용량을 감량 하고, 생리적 용량(프레드니손 또는 데플라자코트 3 mg/m^2/day)에 도달하면, 하이드로코티손 12 mg/m^2/day 로 변경하여 매주 20~25%의 용량을 감량한 뒤에, 2.5 mg까지 용량이 감량되면 2주간 격일로 복용을 유지한 뒤에 중단하면 된다.

스테로이드 사용 기간, 종류 및 용법 등의 문제에 대한 해답이 필요한데, 아직 명확하게 정해져 있지는 않다. 근력 및 기능 향상 결과에 대한 증거를 바탕으로, 프레드니손 0.75 mg/kg/day 혹은 그 이상의 용량은 비교적 안전하게 효능을 기대하며 사용할 수 있겠다고 보고되나, 이점과 부작용에 대한 향후 연구와 임상시험을 통해 그 답을 구하는 것이 중요할 것이다. 프레드니손과 데플라자코트의 이점에 대비한 위험 비율은 이중맹검 연구가 진행중이다.[25]

척수 근위축증의 경우에는 질병의 진행 과정에 영향을 미칠 수 있는 것으로 입증된 약제는 최근까지 없었다. 유전의학의 발달로, 척수 근위축증의 유전자치료에 대한 시도가 이루어지면서 2016년에 Nusinersen (Spinraza™)은 최초의 척수 근위축증 치료제로 미국 식품의약품안전처의 승인을 받았다. 안티센스 올리고 뉴클레오타이드 제제이며, 척수강 내로 주입하는데, 도입 용량은 2주 간격, 유지용량은 4개월 간격으로 투약한다. 1~3상 임상시험에서 Hammersmith Functional Motor Scale-Expanded (HFMSE), Hammersmith Infant Neurological Exam-Part 2 (HINE-2), Children's Hospital of Philadelphia Infant Test of Neuromuscular Disorders (CHOP-INTEND) 점수의 상승이 있었고, 운동발달의 호전이 확인되었다.[26] 국내에서는 1형에서부터 3A형 척수 근위축증 환아에게 보험 적용되고 있다. Onasemnogene abeparvovec-xioi (Zolgensma®)는 아데노-연관 바이러스 벡터에 기반한 유전자 치료제로, 2세 미만의 척수 근위축증 환아에게 정맥로를 통해 투여하도록 2019년 승인되었다.[26, 27]

척수 근위축증 환자에게 비타민 D를 제외한 칼슘 및 비스포스포네이트와 같은 골 건강을 위한 약제, 항생제, 위식도 역류 치료제 등은 예방적으로 사용되지는 않고, 필요시에는 사용될 수 있다. 호흡기계 관리를 위해 매년 독감 및 폐렴구균 예방접종은 강력하게 권고된다.[27]

8. 응급상황 및 급성기 치료

신경근육질환 환자는 지역사회 획득 감염, 흡인 및 분비물 제거의 어려움 등 급성 호흡 증상에 취약하고, 장염으로 인한 탈수, 골절, 여성 환자에서는 분만, 위루관 및 척추 관련 예정된 수술 등으로 급히 입원이 필요한 경우가 있다. 이러한 점을 고려하여, 가정, 응급의료전달체계, 병원에서 급성 질환의 처치에 대한 프로토콜이 마련되어 있어야 한다. 급성 질환 상태에서 호흡 평가와 보조가 가장 중요하다. 비침습적 인공호흡기 사용이나 이산화탄소 가스 교환 모니터링 없이 경험적으로 산소만 공급해서는 안 된다. 수술적 처치가 필요한 경우에는 전신마취보다는 국소마취가 선호되며, 약제사용이나 모니터링에 있어 주의를 요한다.[21, 28]

9. 심리사회적 관리, 전환기 준비

비침습적 인공호흡기의 발달과 기침유발기와 같은 기계의 적절한 사용으로 최근에는 40대까지 생존하는 뒤쉔 근디스트로피 환자가 보고되고 있다.[29] 뒤쉔 근디스트로피 환자의 수명이 연장됨에 따라 정신 건강, 심리 사회적 치료 및 성인으로의 전환기에 대한 대처 등의 새로운 문제들이 대두되고 있다. 이들에게서 높은 빈도로 지적장애(17~27%), 학습장애(26%), 자폐스펙트럼장애(15%), 주의력결핍 과잉행동장애(32%) 및 불안(27%) 등이 보고되었다. 또한 환자의 부모 및 가족 구성원들은 우울과 불안의 위험이 높은 것으로 보고되어, 정기적인 추적 관찰 진료시 면밀한 확인이 필요하다. 성인기로 이행하면서 자율성과 독립성을 가질 수 있도록 13~14세부터 계획에 대한 논의가 시작되어야 하고, 적절한 자원과 건강관리, 교육, 직업 활동, 주거, 교통, 사회적 관계 등에 대해서도 지원과 관심을 기울여야 한다.[21]

▶ 참고문헌

1. Bodensteiner JB. The evaluation of the hypotonic infant. Semin Pediatr Neurol. 2008;15(1):10-20.
2. Harris SR. Congenital hypotonia: clinical and developmental assessment. Dev Med Child Neurol. 2008;50(12):889-92.
3. Prasad AN, Prasad C. Genetic evaluation of the floppy infant. Semin Fetal Neonatal Med. 2011;16(2):99-108.
4. Prasad AN, Prasad C. The floppy infant: contribution of genetic and metabolic disorders. Brain Dev. 2003; 25(7):457-76.
5. Pediatric rehabilitation, 5th edition.
6. Birnkrant DJ, Bushby K, Bann CM, et al. Diagnosis and management of Duchenne muscular dystrophy, part 1: diagnosis, and neuromuscular, rehabilitation, endocrine, and gastrointestinal and nutritional management. Lancet Neurol. 2018;17:251-67
7. Crisafulli S, Sultana J, Fontana A, et al. Global epidemiology of Duchenne muscular dystrophy: an updated systematic review and meta-analysis. Orphanet journal of rare diseases 2020;15(1):141.
8. Hamel J., Tawil R. Facioscapulohumeral Muscular Dystrophy: Update on Pathogenesis and Future Treatments. Neurotherapeutics. 2018;15(4):863-871.
9. Statland JM., Tawil R. Facioscapulohumeral Muscular Dystrophy. Continuum (Minneap Minn) 2016;22(6): 1916-1931.
10. Tawil R, Kissel JT, Heatwole C, et al. Evidence-based guideline summary: Evaluation, diagnosis,

and management of facioscapulohumeral muscular dystrophy. Neurology. 2015;85(4):357-364.

11. Murphy AP, Straub V. The Classification, Natural History and Treatment of the Limb Girdle Muscular Dystrophies. J Neuromuscul Dis 2. 2015;S7-19
12. Meola G, Cardani R. Myotonic dystrophies: An update on clinical aspects, genetic, pathology, and molecular pathomechanisms. Biochimica et Biophysica Acta. 2015, May;1852(4):594-606.
13. Koh TH. Do you shake hands with mothers of floppy babies? Br Med J (Clin Res Ed). 1984;289(6443):485.
14. Iyadurai SJP. Congenital Myasthenic Syndromes. Neurol Clin. 2020;38(3):541-552.
15. Leonhard SE, Mandarakas MR, Gondim FAA, et al. Diagnosis and management of Guillain-Barre syndrome in ten steps. Nature Reviews Neurol. 2019;15(11):671-683.
16. Stéphane M, Cyril G, Meriem T, et al. Carcot–Marie–Tooth diseases: an update and some new proposals for the classification. J Med Genet. 2015;0:1-10.
17. Chen TH. New and Developing Therapies in Spinal Muscular Atrophy: From Genotype to Phenotype to Treatment and Where Do We Stand?" Int. J. Mol. Sci. 2020;21(9):3297.
18. Mercuri E, Finkel RS, Muntoni F, et al. Diagnosis and management of spinal muscular atrophy: Part 1: Recommendations for diagnosis, rehabilitation, orthopedic and nutritional care. Neuromuscular Disorders 2018;28(2):103-115.
19. Birnkrant DJ, Bushby K, Bann CM, et al. Diagnosis and management of Duchenne muscular dystrophy, part 2: respiratory, cardiac, bone health, and orthopaedic management. Lancet Neurol. 2018;17(4): 347-361
20. Park JH, Kang SW, Lee SC, Choi WA, Kim DH. How respiratory muscle strength correlates with cough capacity in patients with respiratory muscle weakness. Yonsei Med J. 2010;51(3):392-397.
21. Birnkrant DJ, Bushby K, Bann CM, et al. Diagnosis and management of Duchenne muscular dystrophy, part 3: primary care, emergency management, psychosocial care, and transitions of care across the lifespan. Lancet Neurol. 2018;17(5):445-455
22. Sun C, Shen L, Zhang Z, et al. Therapeutic Strategies for Duchenne Muscular Dystrophy: An Update. Genes. 2020;11(8):837.
23. Matthews E, Brassington R, Kuntzer T, et al. Corticosteroids for the treatment of Duchenne muscular dystrophy. Cochrane Database Syst Rev. 2016;(5)
24. Kinnett K, Noritz G. The PJ Nicholoff Steroid Protocol for Duchenne and Becker Muscular Dystrophy and Adrenal Suppression. PLoS currents. 2017;(1)
25. Griggs RC, Miller JP, Greenberg CR, et al. Efficacy and safety of deflazacort vs prednisone and placebo for Duchenne muscular dystrophy. Neurology. 2016;87(20): 2123-2131.
26. Li, Q. Nusinersen as a Therapeutic Agent for Spinal Muscular Atrophy. Yonsei Med J 2020;61(4):273-283.
27. Schoriling DC, Pechmann A, Kirschner J. Advances in Treatment of Spinal Muscular Atrophy - New Phenotypes, New Challenges, New Implications for Care. J Neuromuscul Dis. 2020;7(1):1-13.
28. Finkel RS, Mercuri E, Meyer OH, et al. Diagnosis and management of spinal muscular atrophy: Part 2: Pulmonary and acute care; medications, supplements and immunizations; other organ systems; and ethics. Neuromuscul Disord. 2018;28(3):197-207.
29. Bach JR, Decicco A. Forty-eight years with duchenne muscular dystrophy. Am J Phys Med Rehabil. 2011;90(10):868-870.

CHAPTER

22
척수 질환
Spinal Cord Disorders

방문석, 유지현

I. 척수 및 척추 해부학

1. 척수의 발달

척수는 임신 3주부터 형성되기 시작하며, 임신 11~12주 정도에 성인의 척수와 비슷한 외형을 갖추게 되고, 길이와 너비 성장을 지속하다가 척수의 끝이 제2요추체 밑단까지 성장한 상태에서 출생하게 된다. 출생 후에는 척추뼈의 성장 속도가 척수의 성장 속도보다 빠르기 때문에 척수가 점점 위로 올라가게 되며, 척수의 끝인 척수 원추는 성인의 경우 제12흉추체~제2요추체 사이에 위치하게 된다.[1]

2. 소아 척추의 특징

소아의 척추는 성인과 다른 몇 가지 차이점을 지니며, 이는 척수손상의 발생기전에 있어 성인과 다른 차이점을 갖게 되는 요인이 된다. 소아의 전종인대, 후종인대 등은 인대의 탄력이 떨어져 이완된 상태이며, 추체 앞부분은 쐐기형으로 생겨있고, 척추체의 골화는 완성되지 않은 상태이다. 특히 후관절의 골화는 7~10세까지 지연되는 경우가 많으며, 성인의 상부 경추 후관절의 각도는 60~70° 인데 반해 신생아의 후관절 각도는 30°를 이루고 있다. 이완된 인대, 골화되지 않은 척추관절, 쐐기형의 추체 구조, 후관절의 작은 각도 등은 소아의 척추관절의 안정성을 저하시키는 요인으로 작용한다. 경추에서 일어나는 굴곡, 신전 움직임의 지렛점이 3세 이하 소아는 제2경추~제4경추 사이에 위치하나, 8세 이상에서는 성인과 같이 제5경추~제6경추 부위에 위치한다. 이로 인해 3세 이하 소아에서는 상부 경수손상의 비율이 4세 이상의 소아에 비해 높은 편이다.[1-2]

II. 외상성 척수손상

1. 역학 및 발생기전

척수손상환자의 약 3~5%가 15세 미만의 척수손

상환자이다. 3세 미만에서는 남아와 여아의 발생 비율이 거의 비슷하나, 청소년기로 갈수록 남아의 비율이 여아보다 높아진다. 성인과 마찬가지로 교통사고가 가장 흔한 원인이며, 미국 데이터에서는 폭력, 스포츠 손상이 그 다음으로 흔한 원인이라고 보고되고 있다. 그 외에도 분만손상, 횡단척수염, 척수경색 등에 의해 척수손상이 발생할 수 있으며, 연소성 류마토이드 관절염이나 다운증후군 환아에서는 제1경추/제2경추 간의 불안정성으로 인해 척수손상이 발생하기도 한다.

척추뼈의 특징에서 살펴본 것처럼 8~10세 미만 소아의 척추뼈는 태생적으로 불안정성이 높은 구조이다. 그러나, 척추인대의 탄력성으로 인해 외력이 가해졌을 때 척추뼈는 탄력적으로 움직이고, 척추강 내의 척수는 상대적으로 유연성이 떨어져 단순방사성촬영에서는 골절이 관찰되지 않지만 척수손상이 발생하는 Spinal Cord Injury witout Radiologic Abnormality (SCIWORA)라는 현상이 나타나기도 한다. 하지만, SCIWORA는 척수신경의 손상 정도를 확인할 수 있는 자기공명영상검사나 미세골절을 확인할 수 있는 컴퓨터단층촬영검사 같은 정밀검사가 발달하기 이전에 불리우던 용어이다. SCIWORA로 생각되던 케이스도 자기공명영상검사나 컴퓨터단층촬영검사에서는 척수신경의 손상 또는 척추의 미세골절이 확인되는 경우가 대부분이기 때문에 현재는 SCIWORA는 삭제되어야 하는 용어라고 생각되어진다.

2세 이하의 소아는 성인에 비해 머리와 몸의 비율이 크고, 경추에서 일어나는 굴곡, 신전 움직임의 지렛점이 제2경추~제4경추 사이에 위치하며, 목 부위 근육의 불완전한 발달로 인해 상부 경수손상의 비율이 높다. 연령이 높아질 수록 머리의 비중이 작아져가고, 경추부 굴곡, 신전 움직임의 지렛점이 제5경추와 제6경추 사이로 내려감에 따라 상부 경수손상의 비율은 줄어들며, 안전벨트에 의한 요수손상의 비율이 증가한다. 안전벨트에 의한 손상은 외력이 가해질 때 골반부의 안전벨트가 지렛점으로 작용하여 제2요추~제4요추 사이의 굴곡-신연(flexion-distraction) 힘에 의한 척수손상이 발생한다. 안전벨트에 의한 손상을 줄이기 위해서 8세 미만의 소아는 반드시 카시트 또는 부스터 시트에 앉혀야 하며, 골반부 안전벨트가 허벅지 근위부로 지나가도록 해야 한다.[1-4]

2. 신경학적 평가

척수손상환자는 척수손상환자 신경학적 분류 국제 표준(International Standards for Neurological Classification of Spinal Cord Injury, ISNCSCI)에 따라 평가해야 한다. ISNCSCI는 1982년에 개발된 미국척수손상학회 표준[American Spinal Injury Association (ASIA) Standards]에서 시작하였으며, 수차례 개정을 거쳐 가장 최근에는 2019년에 개정이 이뤄졌다(그림 22-1). ISNCSCI는 가장 정확하고 신뢰도 높은 척수 손상 환자의 신경학적 평가 방법이지만 평가 시간이 짧게는 40분, 길게는 1시간까지 소요되며, 환자의 평가에 대한 이해도가 평가의 정확도에 영향을 주기 때문에 소아 환자에게 시행한 ISNCSCI는 성인에 비해 정확성이 떨어진다. 소아 환자가 ISNCSCI 전체 검사를 소화하려면 적어도 만 6세 이상이 되어야 한다고 알려져 있다.

ISNCSCI는 감각기능과 운동기능에 대한 평가로 구성되며, 평가 결과에 따라 감각레벨, 운동레벨, 단일 신경학적손상레벨(single neurological level of injury), 완전/불완전 손상 여부 및 ASIA 손상 척도(ASIA impairment scale, AIS)를 결정하게 된다. 옆으로 누운 상태에서 시행하는 직장 검사를 제외한 모든 평가는 주적 검사에서의 타당한 비교를 위해 앙와위에서 시행해야 한다. 만약, 급성기 척수손상으로 환자의 척추 안정성이 확보되지 않은

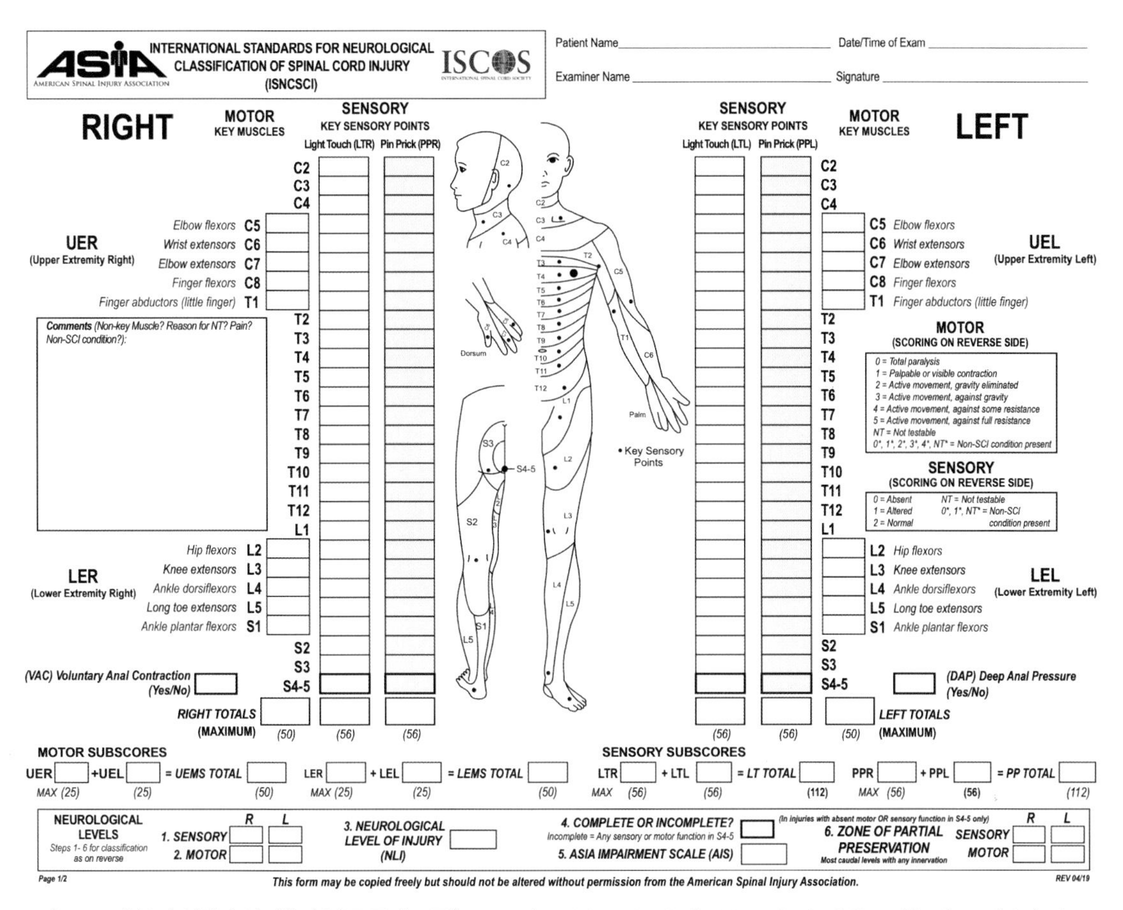
ASIA — AMERICAN SPINAL INJURY ASSOCIATION
INTERNATIONAL STANDARDS FOR NEUROLOGICAL CLASSIFICATION OF SPINAL CORD INJURY (ISNCSCI)
ISCoS — INTERNATIONAL SPINAL CORD SOCIETY

Patient Name________ Date/Time of Exam________
Examiner Name________ Signature________

RIGHT — MOTOR KEY MUSCLES; SENSORY KEY SENSORY POINTS: Light Touch (LTR), Pin Prick (PPR)

LEFT — SENSORY KEY SENSORY POINTS: Light Touch (LTL), Pin Prick (PPL); MOTOR KEY MUSCLES

Sensory levels: C2, C3, C4, C5, C6, C7, C8, T1, T2, T3, T4, T5, T6, T7, T8, T9, T10, T11, T12, L1, L2, L3, L4, L5, S1, S2, S3, S4-5

UER (Upper Extremity Right) / UEL (Upper Extremity Left):
- C5 Elbow flexors
- C6 Wrist extensors
- C7 Elbow extensors
- C8 Finger flexors
- T1 Finger abductors (little finger)

Comments (Non-key Muscle? Reason for NT? Pain? Non-SCI condition?):

LER (Lower Extremity Right) / LEL (Lower Extremity Left):
- L2 Hip flexors
- L3 Knee extensors
- L4 Ankle dorsiflexors
- L5 Long toe extensors
- S1 Ankle plantar flexors

(VAC) Voluntary Anal Contraction (Yes/No)
(DAP) Deep Anal Pressure (Yes/No)

RIGHT TOTALS (MAXIMUM) (50) (56) (56)
LEFT TOTALS (MAXIMUM) (56) (56) (50)

MOTOR (SCORING ON REVERSE SIDE)
0 = Total paralysis
1 = Palpable or visible contraction
2 = Active movement, gravity eliminated
3 = Active movement, against gravity
4 = Active movement, against some resistance
5 = Active movement, against full resistance
NT = Not testable
0*, 1*, 2*, 3*, 4*, NT* = Non-SCI condition present

SENSORY (SCORING ON REVERSE SIDE)
0 = Absent
1 = Altered
2 = Normal
NT = Not testable
0*, 1*, NT* = Non-SCI condition present

• Key Sensory Points

Dorsum, Palm

MOTOR SUBSCORES
UER + UEL = UEMS TOTAL — MAX (25) (25) (50)
LER + LEL = LEMS TOTAL — MAX (25) (25) (50)

SENSORY SUBSCORES
LTR + LTL = LT TOTAL — MAX (56) (56) (112)
PPR + PPL = PP TOTAL — MAX (56) (56) (112)

NEUROLOGICAL LEVELS (Steps 1-6 for classification as on reverse): 1. SENSORY R L; 2. MOTOR R L
3. NEUROLOGICAL LEVEL OF INJURY (NLI)
4. COMPLETE OR INCOMPLETE? Incomplete = Any sensory or motor function in S4-5
5. ASIA IMPAIRMENT SCALE (AIS)
6. ZONE OF PARTIAL PRESERVATION (In injuries with absent motor OR sensory function in S4-5 only) — Most caudal levels with any innervation: SENSORY R L; MOTOR R L

Page 1/2
This form may be copied freely but should not be altered without permission from the American Spinal Injury Association.
REV 04/19

그림 22-1 척수손상환자 신경학적 분류 국제 표준(International Standards for Neurological Classification of Spinal Cord Injury (ISNCSCI) 워크시트

상태에서는 직장 검사도 앙와위에서 시행한다. 그러나, 소아 환자의 경우에는 직장 검사가 심리적인 충격을 줄 수 있어 검사 이전에 보호자가 지켜보는 가운데 인형을 이용하여 직장 검사가 어떤 검사인지 충분히 설명하고 이해시키는 시간이 필요하다. 만 3세 미만의 소아 환자에게 직장 검사를 시행할 때에는 검지 손가락을 이용해서 검사하는 성인과 달리, 새끼 손가락을 이용해서 검사해야 한다.

1) 감각평가

감각 평가는 환자의 눈을 감긴 상태에서 오른쪽과 왼쪽을 각각 평가하며, 경수 2번부터 천수 4/5번까지의 총 28개의 피부분절의 중요점(key point)에 대해 면봉을 이용하여 촉각을 평가하고, 안전핀의 핀 부위와 덮개를 이용하여 통각을 평가한다.

촉각은 뺨의 느낌과 비교하여 0점(전혀 느낌없음), 1점(느껴지지만 부분 또는 이상 감각), 2점(얼굴과 동일한 감각)의 3점 점수 체계로 평가한다. 통각은 안전핀의 핀 부위가 닿을 때의 예리감과 덮개 부위가 닿을 때의 둔감을 구분할 수 있는지를 평가하는 것으로, 뺨의 느낌과 비교하여 0점(전혀 못 느끼거나 예리감과 둔감을 구분하지 못함), 1점(예리감과 둔감을 구분하지만 예리감이 뺨

과 다름), 2점(예리감과 둔감을 구분하며 예리감이 얼굴과 동일)의 3점 점수 체계로 평가한다.

2019년에 개정된 ISNCSCI에서는 골절, 화상, 말초신경손상 등의 비척수손상 상태로 감각저하가 있는 경우에는 평가된 점수로 점수를 표시하되 점수 옆에 '*'를 같이 표기하고, 검사지에 그 이유를 기술하도록 하고 있다. 예를 들어, 흉수 3번 손상에 의한 하지마비 환자가 우측 상완신경총 손상으로 인해 경수 5번~흉수 1번 피부분절의 촉각과 통각이 1점으로 평가된 경우에는 '1*'로 표시해야 한다. 또한, 석고 붕대, 화상, 절단 등으로 인해 감각 중심점 위치에서 감각평가를 시행할 수 없을 때에는 평가 결과지에 점수 대신 'NT* (not testable)'로 기록해야 한다.

심부항문압력 감각은 검사자의 검지 손가락(만 3세 미만 소아의 경우에는 검사자의 새끼 손가락)을 환자의 항문 안에 넣고 항문직장벽에 부드럽게 압력을 가했을 때 환자가 느끼면 1점, 느끼지 못하면 0점으로 평가한다. 환자가 천수 4/5번 피부분절 감각 중요점에서 촉각 또는 통각이 1점 이상으로 체크되면 심부항문압력 감각검사는 시행하지 않아도 된다.

2) 운동평가

운동 평가는 총 10개의 근육분절(경수 5번~8번, 흉수 1번, 요수 2~5번, 천수 1번)을 대표하는 10개의 중심근육(key muscles, 표 22-1)의 근력을 평가하게 된다. 10개의 중심근육 중 흉수 1번의 중심근육인 소지외전근은 만 6세 이상이 되어야 완전하게 발달되는 것으로 알려져 있어, 만 4~5세 미만 환자의 흉수 1번 중심근육의 근력 평가는 정확도가 떨어진다. 평가 시에는 ISNCSCI에서 제시하는 각 근육의 표준 검사위치와 안정화 방법을 지키며 시행해야 정확한 평가를 시행할 수 있다. 점수는 일반적인 도수근력평가 때의 0~5점의 6단계 체계로 평가하지만, ISNCSCI에서는 정확한 평가를 위해 점수에 +나 -는 표시하지 않는다.

표 22-1 운동평가의 신경분절에 따른 중심근육

신경분절	중심근육
경수5번	팔꿈치 굴곡(이두근, 상완근)
경수6번	손목 신전(장요측수근신근, 단요측수근신근)
경수7번	팔꿈치 신전(삼두근)
경수8번	제3수지 원위지간지 굴곡(제3수지 심수지굴근)
흉수1번	제5수지 외전(소지외전근)
요수2번	고관절 굴곡(장요근)
요수3번	무릎 신전(대퇴사두근)
요수4번	발목 배측굴곡(전경골근)
요수5번	엄지발가락 신전(장족무지신근)
천수1번	발목 족저굴곡(비복근, 가자미근)

2019년에 개정된 ISNCSCI에서는 비척수손상 상태로 인해 근력저하가 있는 경우에는 평가된 점수로 점수를 표시하되 점수 옆에 '*'를 같이 표기하고, 검사지에 그 이유를 기술하도록 하고 있다. 예를 들어, 흉수 4번 손상에 의한 하지마비 환자가 우측 쇄골 골절에 의한 통증으로 경수 5번인 팔꿈치 굴곡근의 근력이 3점으로 평가된 경우에는 '3*'로 표시해야 한다. 또한, 석고 붕대, 화상, 절단 등으로 인해 운동평가를 시행할 수 없는 중심근육은 점수를 'NT*'로 기록해야 한다. 환자가 관절 가동 범위의 50%를 초과하는 관절 구축이 있을 때에는 그 근육은 'NT*'로 평가하며, 50% 이하의 구축의 경우에는 가동 가능한 관절 각도 범위 내에서 동일한 6점 체계로 평가한다.

수의적 항문수축(voluntary anal contraction)은 검사자가 검지 손가락(만 3세 미만 소아의 경우에는 검사자의 새끼 손가락)을 항문 안에 넣은 상태에서 환자에게 대변을 참을 때처럼 항문을 꽉 조여보도록 지시하여 외항문괄약근의 수의적 수축 여부를 평가한다. 수의적 항문수축이 있으면 1점, 없으면 0점으로 평가한다.

3) 감각 및 운동 레벨(sensory and motor level), 신경학적 손상레벨(neurological level of injury)

감각평가와 운동평가를 진행한 후에는 감각레벨과 운동레벨을 결정하고, 감각레벨과 운동레벨을 토대로 단일 신경학적 손상레벨을 결정하게 된다. 감각레벨은 촉각과 통각이 모두 정상인 가장 하부 레벨로 결정되며, 운동레벨은 직상부 중심근육의 근력은 정상(5점)인 최소 3점 이상인 가장 하부 레벨로 결정된다. 중심근육이 존재하지 않는 흉수 2번~요수 1번과 천수 2번 이하 부위에서는 감각레벨과 운동레벨이 동일한 것으로 간주하도록 정의되고 있다. 환자의 감각점수가 모든 피부분절에서 2점인 경우 감각레벨은 INT로 표시하며, 경수 2번의 감각은 비정상이나 얼굴은 정상인 경우에는 감각레벨을 경수 1번으로 평가한다. 좌우 각각 감각레벨과 운동레벨이 결정되면, 이 중 가장 상부 부위를 단일 신경학적 손상부위로 결정한다. 비척수손상 상태로 인해 감각 또는 운동 평가에 '*' 점수가 평가된 경우에는 감각 또는 운동레벨 및 신경학적 손상레벨에 '*'를 표시한다.

4) AIS 척도

AIS는 A~E의 5단계로 평가한다. AIS A는 완전손상으로 천수 4번/5번 부위의 감각 및 운동 기능이 전혀 보존되지 않은 경우에 해당한다. AIS B는 감각 불완전손상으로, 천수 4번/5번 부위의 감각기능은 남아있지만 운동기능은 없는 경우이다. 천수 4번/5번 부위에 촉각, 통각, 심부항문압력 감각 중 어떤 하나의 감각이라도 남아 있고, 운동레벨보다 3 부위를 초과하는 운동절에 중심 또는 비중심근육의 운동기능이 남아있는 경우 또는 수의적 항문괄약근 수축이 존재하는 경우에는 운동 불완전손상인 AIS C 또는 D로 평가하게 된다. AIS C는 신경학적 손상레벨 아래의 중심근육 중 근력 3점 이상인 근육이 절반 미만인 경우이며, AIS D는 근력 3점 이상인 근육이 절반 이상인 경우이다. AIS E는 과거에는 척수손상으로 AIS A~D에 해당 했었으나, 기능이 회복되며 현재는 감각 및 운동기능이 모두 정상으로 평가되는 경우이다. AIS A 외에 AIS 척도가 비척수손상 상태에 영향을 받은 경우에는 '*'를 표시하고, 비척수손상 상태로 인해 AIS 척도가 달라질 수 있는 경우에는 AIS를 'ND (not determined)'로 표시해야 한다.

5) 부분보존구역 (zone of partial preservation, ZPP)

AIS 척도와 상관없이 천수 4번/5번 부위의 감각 기능이 보존되지 않은 경우 감각 ZPP를 평가하고, 천수 4번/5번의 운동기능인 수의적 항문괄약근 수축이 관찰되지 않는 경우에는 운동 ZPP를 평가한다. ZPP는 좌우 각각 평가하며, 감각레벨 또는 운동레벨 이하에서 감각 또는 운동 기능이 보존되는 가장 하위 분절로 정의된다.[5-6]

3. 척수손상의 합병증

소아가 성인의 축소판이 아니라고 말하듯, 유소년 시기에 발생한 척수손상으로 마비를 갖게 된 소아 척수손상환자들이 겪게 되는 문제들은 성인 시기에 척수손상이 발생한 성인 척수손상환자들이 겪는 문제들과는 차이가 있다. 소아시기에 척수손상을 받은 후 성장하여 성인이 된 척수손상환자와, 성인이 된 후 척수손상을 받은 척수손상환자는 같은 성인 척수손상환자라 하더라도 외래 진료 시 관찰되는 문제점과 합병증 관리의 초점이 달라지게 된다. 골격계가 미성숙한 만 12세 이전에 손상을 받은 척수손상환자의 경우에는 성장하면서 척추측만증이 발생할 위험성이 높고, 방광의 크기가 성장해가는 시기에 손상을 받은 척수손상환자의 경우 성인이 된 후에도 방광용적이 나이에 맞게 성장하지 않아 소아에 해당하는 방광용적을 갖게 되는 경우도 발생한다. 따라서, 마비를 가지고 성장해가면서 겪게 되는 합병증 및 합병증 관리의 초점이 성인의 경우처럼 '현 상태 유지'가 아닌 '건강하게 성장하기'에 맞춰져야 한다. 또한, 아직은 일상생활동작 수행에 있어 보호자의 도움이 필요한 유아 시기에 척수손상이 발생한 환자들의 경우에는, 정상 발달 과정에서 보호자로부터 일상생활의 독립성을 키워나가는 소아청소년 시기에 환자의 마비 수준에 따라 독립성 확보를 어느 수준까지 해줄 것인지에 대한 고민도 필요하다.

1) 신경인성 방광

방광은 낮은 방광 내압 상태에서 소변을 저장하고, 적절한 용량에서 소변을 배출하는 두 가지 기능을 수행하는 기관이다. 방광의 원심신경계는 교감신경계인 하복신경, 부교감신경계인 골반신경, 체성신경계인 음부신경 등이다. 교감신경계는 배뇨근의 β_2, β_3-아드레날린 수용체와 방광목의 α_1, α_2-아드레날린 수용체에 작용하여 방광의 저장기능을 담당한다. 부교감신경계는 방광벽의 M_2, M_3 무스카린 수용체에 작용하여 방광의 배뇨기능을 담당한다. 체성신경계인 음부신경은 요도외괄약근의 니코틴수용체에 작용한다(그림 22-2). 구심신경계는 부교감신경인 골반신경이 담당하며, 방광의 팽창정도에 대한 신호를 뇌에 전달하게 된다. 성인의 경우에는 수초화 신경인 Aδ 섬유가 방광의 수동적인 팽창과 능동적인 수축에 대한 반응감지를 담당하나, 신생아의 경우에는 무수초화 신경인 C 섬유가 그 역할을 담당한다. 출생 후 신경 수초화가 진행되는 과정에서 C 섬유가 담당하던 역할을 Aδ 섬유가 담당하기 시작하면서 소아가 소변을 수의적으로 조절하기 시작한다.

척수손상, 특히 상위운동신경원 형태의 손상이 발생하면 방광은 과활동성 신경인성 방광(Neurogenic bladder)으로 변하게 된다. 이는 쉽게 설명하면 방광의 저장 기능은 소실되고 배뇨기능만 과대화된 상태이다. 연령에 따른 방광 최대 용적에 도달하기 전까지는 방광은 저장기능을 지속하고, 방광 최대 용적에 도달하면 배뇨감을 느끼고 배뇨를 시작해야 하나, 과활동성 신경인성 방광은 최대 용적 도달 이전에도 배뇨근이 수축하면

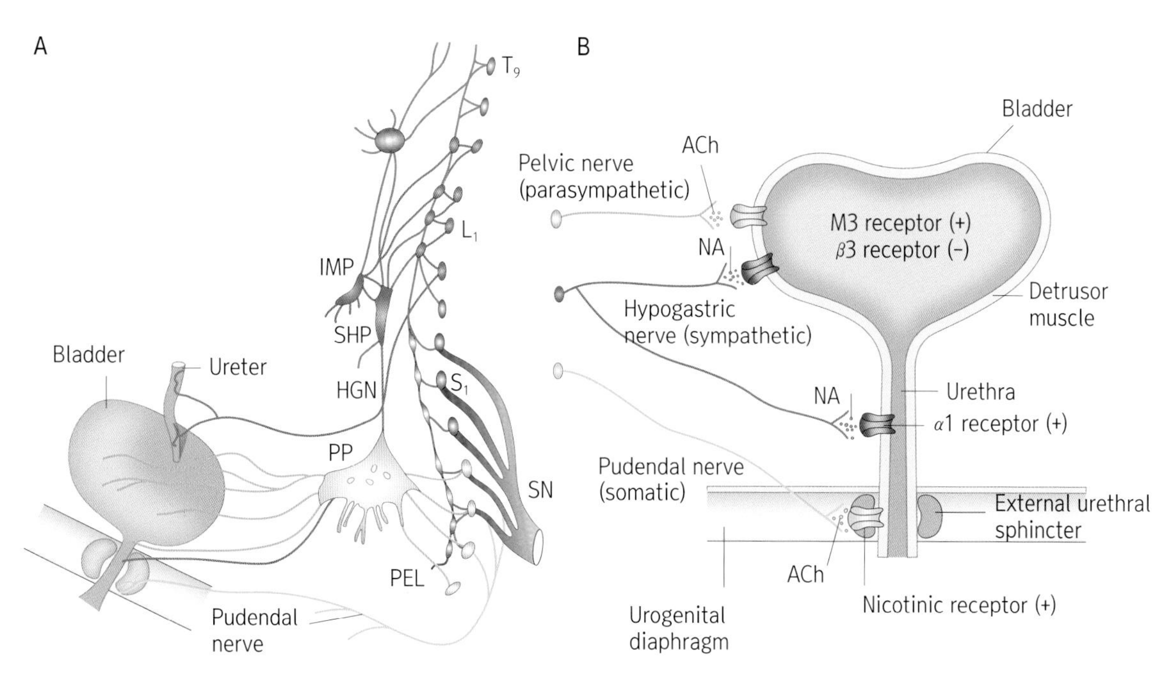

그림 22-2 방광의 신경지배

서 배뇨를 유발하려는 움직임을 보이게 된다. 또한, 이 경우 배뇨근의 수축압은 정상배뇨 시의 배뇨근 수축압(20~30 cmH_2O)보다 높은 압력을 나타낸다. 방광 최대 용적 도달 이전에 반복적으로 높은 압력의 배뇨근 수축이 반복되면서 환자는 요실금을 경험하게 되고, 배뇨근 압력이 조절되지 못한 채 장기간 지내다보면 방광 용적이 줄어들게 되며, 방광-요관역류의 발생 위험성이 높아진다. 성인의 경우에는 방광 최대용적은 400~500 mL이다. 소아는 나이에 따른 방광 최대용적이 다르며, 만 2세 미만의 경우[(나이(세)×2)+2)×30 (mL)], 만 2세 이상의 경우[(나이(세)/2)+6)×30 (mL)]로 계산한다. 따라서, 소아 척수손상환자의 신경인성 방광을 관리할 때에는 나이에 따라 방광 용적이 증가하고 있는지를 확인해주어야 하며, 방광 용적이 증가할 수 있고, 방광-요관역류가 발생하지 않도록 배뇨근 압을 낮춰주려는 노력이 필요하다.

배뇨근압을 낮추기 위해서는 항콜린성 약제인 옥시부티닌, 솔리페나신, 톨테로딘 등을 사용할 수 있으며, 베타 3 작용제인 미라베그론을 사용할 수 있다. 하지만, 소아 환자에서의 사용에 대해 FDA 허가를 받은 약제는 옥시부티닌이 유일하며, 0.3~0.6 mg/kg/day를 3번에 나눠 분복하도록 되어 있다. 그외의 약제들은 아직 FDA 허가를 받지 못했으나, 논문들에서는 소아 환자에게 사용했을 때 효과가 있다고 발표되고 있다. 옥시부티닌은 비선택적 항콜린제이기 때문에 선택적 항콜린제인 솔리페니신, 톨테로딘 등에 비해 입마름, 눈마름, 인지기능 저하, 변비 등의 부작용이 심하다. 이러한 부작용으로 인해 특히 수험생들에게 투약할 때는 약물 순응도가 떨어지기 때문에 외래 진료 시 약물 순응도를 평가할 필요가 있다.

신경인성 방광을 관리하기 위해서는 소실된 방광의 저장기능을 찾아주고, 극대화된 방광의 배뇨기능을 낮추는 방향으로 약물을 투여하기 때문에, 배뇨기능을 다른 배뇨법으로 해결해주려는 노력이 필요하다. 배뇨법으로는 청결간헐도뇨, 유치도뇨(치골상부 또는 요도), 자극배뇨법 등이 있으며, 환자가 스스로 청결간헐도뇨를 시행할 수 있다면 청결간헐도뇨가 이상적인 배뇨방법이며, 손기능 저하로 인해 스스로 시행이 어렵다면 유치도뇨를 고려할 수도 있다. 소아는 정상발달과정에서 만 3세 전후가 되어야 불수의적 배뇨에서 수의적 배뇨로 발전하게 된다. 따라서, 소아 척수손상환자의 신경인성 방광을 관리할 때에도 만 3세 이전의 환아는 기저귀를 이용한 불수의적 배뇨법을 선택하며, 만 3세 이후부터 도뇨관을 사용한 배뇨법으로 변경한다. 자가 도뇨 시행은 일반적으로 학교 입학 전인 만 5~7세경에 교육을 시작하도록 권고되고 있다.

소아 척수손상환자는 1~2년마다 요역동학검사를 통해 방광 용적 및 불수의적 배뇨근 수축 유무, 배뇨근압, 방광-요관역류의 유무 등을 확인해주고, 혈청 creatinine, cystatin C, 24시간 소변 내 creatinine 청소율 등의 검사를 통해 신장 기능을 평가하며 성인이 될 때까지 방광의 구조 및 신장 기능이 유지될 수 있도록 관리해야 한다.[2, 7-9]

2) 신경인성 장

학교를 다니는 소아 척수손상환자들이 학교에서 변실금을 경험하게 되면, 악취로 인해 친구들이 알아차릴 수 있고 그로 인해 놀림을 받는 경우가 생기기 때문에 학교 생활에서 위축되게 된다. 성인의 경우에도 사회생활을 위해 변실금 예방이 중요하지만, 소아에 있어서도 변실금 예방을 위한 신경인성 장 관리는 매우 중요하다. 신경인성 장(Neurogenic bowel)은 상위운동신경원 손상, 하위운동신경원 손상 모두 장 운동의 속도가 느려지나, 하위운동신경원 손상에서 더 크게 느려지며, 하위운동신경원 손상의 경우에는 외항문괄약근의 이완으로 인해 변의 점성이 묽어지면 변실금 발생의 위험성이 높아진다. 따라서, 상위운동신경원 손상과 하위운동신경원 손상의 신경인성 장 관리의 방법이 달라져야 한다.

장내반사는 위결장반사(gastrocolic reflex), 직장결장반사, 직장직장반사, 결장결장반사 및 직장항문억제반사 등이 있으며, 이 중 위결장반사는 척수손상 후에도 느려지긴 하지만 보존되는 장내반사이다. 위결장반사는 식후 30~60분 동안 소장 및 대장의 연동운동이 증가하는 것으로 위결장반사를 배변관리에 이용하게 된다. 직장결장반사(rectocolic reflex)는 직장 또는 항문이 화학적 또는 물리적 자극을 받으면 결장의 연동운동이 증가되는 반사이다. 이는 상위운동신경원 손상 때에는 보존되는 반사이나 하위운동신경원 손상에서는 보존되지 않는다. 좌약을 사용하거나, 항문 수지자극을 이용하여 배변을 유도하는 방법은 직장결장반사를 이용한 배변관리법이다.

상위운동신경원 손상 환자는 배변관리를 위해 변의 묽기를 브리스톨 대변차트(bristol stool chart)(그림 22-3)의 유형 3 또는 4로 유지하기 위해 변완화제 등을 복용하면서, 위결장반사가 나타나는 식후 30~60분 시기에 항문 수지자극 또는 좌약(글리세린 또는 비사코딜) 삽입을 통해 배변을 유도해준다. 하위운동신경원 손상 환자는 위결장반사는 보존되나 직장결장반사는 보존되지 않기 때문에 좌약과 항문 수지자극을 이용한 배변유도가 불가능하다. 따라서, 이들의 경우에는 변실금 방지를 위해 변의 묽기를 브리스톨 대변차트의 유형 2로 유지하면서 수지 변제거를 통해 배변 시행한다. 배변훈련 역시 소아의 정상발달 과정을 고려하여 만 3세 전후에 시작하며, 학교 입학 이전인 만 5~7세경에 독립적인 배변관리를 교육하기 시작하나, 환아의 마비 상태에 따라 보호자에 의해 수행되어야 하는 경우도 있다.[1-2, 9]

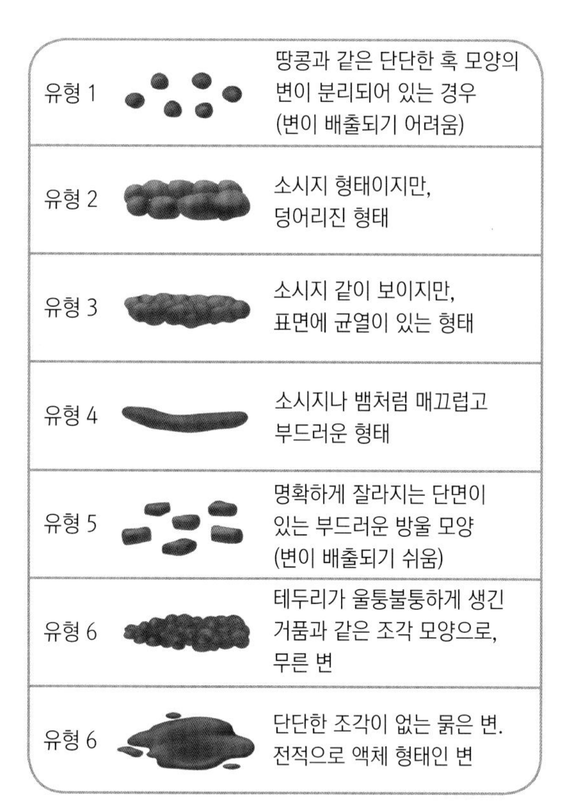

그림 22-3 브리스톨 대변 도표

3) 자율신경 이상반사증

교감신경계는 흉추 1~12번 옆에 교감신경줄기로 위치하며 각 장기로 신경지배를 하고 있고, 부교감신경계는 골반신경에서 지배받는 하부 하행대장 및 방광을 제외하고 다른 장기들은 뇌신경 10번인 미주신경을 통해 지배를 받는다. 척수손상이 발생하면, 뇌신경 10번인 부교감신경계 미주신경은 손상되지 않지만 교감신경계는 손상 부위에 따라 다양한 손상 정도를 나타내게 된다. 따라서, 척수손상환자는 부교감신경계는 대부분 정상적으로 작용하지만, 교감신경계는 일부 작용하지 못하는 상태가 된다. 이로 인해 발생하는 현상이 자율신경 이상반사증(Autonomic dysreflexia)이다. 자율신경 이상반사증은 주로 흉수 6번 이상의 척수손상환자에게 발생하며, 낮게는 흉수 10번 환자까지도 발생할 수 있다.

자율신경 이상반사증은 주로 손상부위 이하의 통증 자극에서 시작이 된다. 통증 자극은 방광 과팽창, 배변 분복, 욕창, 내향성 발톱, 골절 등이 흔한 원인이다. 손상부위 이하의 통증 자극으로 교감신경계가 활성화 되어 혈관이 수축하여 고혈압이 발생하며, 몸에서는 항상성 유지를 위해 부교감신경계를 활성화시켜 혈관을 이완시키고, 맥박을 느리게 하여 혈압을 낮추려는 노력을 한다. 그러나, 척수손상으로 인해 손상부위 이하로 부교감신경계의 반응이 전달되지 않아 손상부위 이상에서는 부교감신경계가 활성화 되어 두통, 발한, 얼굴 홍조, 비충혈 등이 발생하고, 손상부위 이하에서는 교감신경계가 활성화 되어 고혈압, 고혈압에 의한 두통 등이 나타나는 현상이 자율신경 이상반사증이다.

이는 고혈압에 의해 뇌출혈이 발생할 수도 있는 재활의학과적 응급 상황으로, 자율신경 이상반사증으로 판단이 되면 즉시 환자를 기립 자세로 앉히고, 복대나 압박스타킹 등 혈압을 높일 수 있는 요인은 제거한다. 가장 흔한 원인인 방광 과팽창을 확인 및 해결하기 위해 도뇨를 시행한다. 만약 도뇨관을 삽입한 환자라면 도뇨관이 막히지 않았는지 확인하고, 도뇨관이 막혔다면 즉시 제거하고 도뇨를 시행한다. 도뇨 시행 후에도 자율신경 이상반사증이 소실되지 않는다면 다음으로 흔한 원인인 배변 분복을 확인 및 해결하기 위해 관장을 시행한다. 그러나, 관장으로 인한 통증 자극으로 혈압이 더 상승될 위험이 있기 때문에 관장 시행 전에는 혈압강하제(니페디핀, 0.25 mg/kg)를 투약해야 한다. 자율신경 이상반사증을 진단할 때 주의할 점은 고혈압의 기준을 130/80 mmHg 이상으로 생각해서는 안된다는 점이다. 상위 경수손상의 경우 안정시 수축기 혈압이 90 mmHg로 낮은 경우가 흔하다. 소아에서는 기저 수축기혈압에 비해

15 mmHg 이상 상승하는 경우, 청소년은 기저 수축기혈압에 비해 15~20 mmHg 이상 상승하면 자율신경 이상반사증으로 판단해야 한다.[1-2, 9-10]

4) 기립성 저혈압

기립성 저혈압(Orthostatic hypotension)은 척수손상환자가 미주신경 보존으로 인해 상대적으로 부교감신경계가 활발한 상태에 놓이기 때문에 발생하는 현상이다. 기립성 저혈압은 앙와위에서 기립 자세로 변환했을 때, 수축기 혈압 20 mmHg 이상, 이완기 혈압 10 mmHg 이상 하락하는 경우로 정의된다. 어지러움, 시야흐림, 이명, 약한 두통, 구역 등의 증상을 호소할 수 있지만 소아에서는 증상 표현 없이 저혈압이 발생하는 경우가 대부분이기 때문에 기립훈련을 할 때에는 잦은 혈압 확인이 필요하다.[1-2]

5) 고칼슘혈증

척수손상 후의 고칼슘혈증은 수상 3개월 이내의 청소년에게 흔하게 발생하며 남자에서 더 흔하게 발생한다. 척수손상 후 침상안정 중 부동으로 인해 골 흡수가 증가되어 발생하기 때문에, 골전환이 빠르게 일어나는 청소년기에 흔하게 발생한다. 고칼슘혈증이 발생하면 복통, 구토, 전신위약, 다뇨, 탈수 등의 증상이 나타난다. 치료를 위해서는 생리식염수 정맥주사를 통해 탈수를 교정하고, 비스포스포네이트제인 파미드로네이트 1 mg/kg를 4시간 동안 서서히 정주한다.[2]

6) 척추측만증

소아 척수손상환자가 성장하면서 겪게 되는 합병증 중 흔한 합병증 중의 하나가 척추측만증(Scoliosis)이다. 연구 보고에 따르면 5세 미만에 척수손상이 발생한 환자의 경우에는 96%에서 척추측만증이 발생하였고, 그 중 63%는 측만증의 각도가 40° 이상이었다고 한다. 다른 연구에서는 12세 미만에 척수손상이 발생한 환자의 86%에서 척추측만증이 발생하며, 12세 이상에서 척수손상이 발생한 환자들의 경우에는 31%에서만 척추측만증이 발생했다고 한다. 이렇듯 골격계 성숙이 완성되기 이전에 척수손상이 발생하여 근력마비가 발생한 환자들의 경우에는 성장 시기에 척추측만증의 발생 위험도가 높아진다. 골격계 성숙을 1년 이상 앞둔 상태에서 척수손상이 발생하면 98%에서 척추측만증이 발생하지만, 골격계 성숙을 1년 미만 앞둔 상태에서 척수손상이 발생하면 척추측만증의 발생률은 20%로 낮아진다는 연구 보고도 있다. 척수손상환자에게 척추측만증이 발생하는 이유는 마비에 따른 근력마비 및 근력불균형이다. 여기에 고관절 아탈구 또는 탈구가 겹쳐지면 척추측만증의 발생 위험은 더 높아지게 된다.

소아 척수손상환자에게 성장 시기 동안 척추측만증이 발생하지 않도록 예방하는 것은 어려운 일이다. 하지만, 척추측만증의 각도가 빠르게 악화되지 않게는 노력할 수 있다. 척추측만증 발생을 확인하기 위해 사춘기까지는 6개월마다 전척추사진을 앉은 자세에서 촬영하고, 사춘기가 지난 이후에는 매년 촬영한다. 척추측만증이 관찰되기 시작하면 흉요천추보조기를 제작하여 착용시키고, 골반 높이 차이가 있는 경우에는 휠체어 방석 높이 조절을 통해 골반 높이를 맞춰주며 관리한다.[2, 9, 11-13]

7) 고관절 아탈구 또는 탈구

고관절 아탈구 또는 탈구는 주로 척추측만증과 같이 관찰된다. 척추측만증과 마찬가지로 척수손상 발생 당시의 연령에 따라 고관절 아탈구(Hip subluxation) 또는 탈구의 발생률이 달라진다. 연구보고에 따르면, 5세 미만에 척수손상이 발생하면 100%에서, 10세 미만에 척수손상이 발생하면 83%에서 고관절 아탈구 또는 탈구가 발생한다고 한다. 골화가 완성되지 않은 상태의 소아가 척수손상으로 인해 기립 및 보행의 경험이 박탈되면서 고관절의 비구의 성숙이 이루어지지 않고, 이 상태에서 대퇴골두는 크기가 커져가면서 아탈구 또는 탈구가 발생하게 된다. 고관절 아탈구 또는 탈구가 발생하면 척추측만증의 발생 위험도 높아지기 때문에 사춘기까지는 6개월마다 골반사진을 촬영하여 아탈구 또는 탈구 여부를 확인해야 하며, 아탈구가 진행되면 고관절 외전보조기를 착용시켜 악화를 방지해야 한다.[2, 14]

III. 비외상성 척수질환

1. 척수이형성증(Spinal dysraphism)

1) 역학

척수이형성증이란 신경관(neural tube)에서 기원하는 척수의 발생 이상으로 인하여 나타나는 질환으로, 척수가 정상적이지만 척추뼈만 형성 이상을 보이는 경우는 제외한다. 반면, 이분척추증(spina bifida)의 경우, 척수는 정상이지만 척추뼈만 분리된 경우까지 포함하여 총칭하기도 하므로 용어의 혼동을 주의해야 한다.

척수이형성증은 척수나 뇌척수막의 외부 노출 여부에 따라 개방이분척추(spinal bifida aperta)나 폐쇄성이분척추(closed spinal dysraphism) 및 잠재이분척추(spina bifida occulta)로 구분할 수도 있고, 뇌의 형성 이상까지 동반된 무뇌증(anencephaly), 뇌류(encephalocele), 혹은 척추 밖으로 노출된 부위가 뇌척수막뿐인지 척수까지 포함인지에 따라 수막류(meningocele)와 척수수막류(myelomeningocele, MMC)로 구분하기도 한다(그림 22-4, 5).

개방성 척수이형성증의 경우 발생률은 미국의 경우 1,000명당 1명 꼴 이지만 민족별, 국가별, 시대별로 차이가 있다. 국내에서는 1990년대 1,700명 출생아 중 1명의 비교적 높은 발병률을 보고하였지만, 현재는 1년에 3~5명을 수술하는 정도이다. 엽산 투여, 영양 개선으로 인한 발병률 감소에 기인하기도 하나, 산전 진단과 임신 중단으로 인한 영향도 커지고 있다. 잠재성 척수이형성증의 경우 진단되지 못하고 성장하는 경우도 많기 때문에 정확한 통계를 얻기 어려우나 4,000명 출생아 중 1명 내외의 빈도를 보고하고 있다.[15]

2) 원인(그림 22-6)[15-16]

(1) 1차 신경관 결손

재태주수 3주경부터 신경외배엽(neuroectoderm), 신경판(neural plate)으로부터 신경관(neural tube)의 형성이 시작된다. 신경외배엽은 초기 피부외배엽과 연결되어 있지만, 신경 주름(neural fold)을 경계로 1차 신경관이 분리되며 닫힌다. 이렇게 1차 신경관이 닫히는 과정이 불완전할 때, 척수수막류(myelomeningocele)가 발생하고, 피부나 척추뼈에 온전히 덮히지 못한 신경 조직이 밖으로 노출된다. 또한 결손 부위로 뇌척수액이 과도하게 밀려나오며, 뇌간-소뇌의 형성 이상인 키아리 기형의 동반이 흔하다.

1차 신경관이 거의 온전히 닫혔지만, 피부외배엽과 신경외배엽의 분리가 불안전할 때는 제한적 등쪽 척수갈림증(limited dosal myeloschisis, LDM) 혹은 선천성 피부동(congenital dermal sinus, CDS)

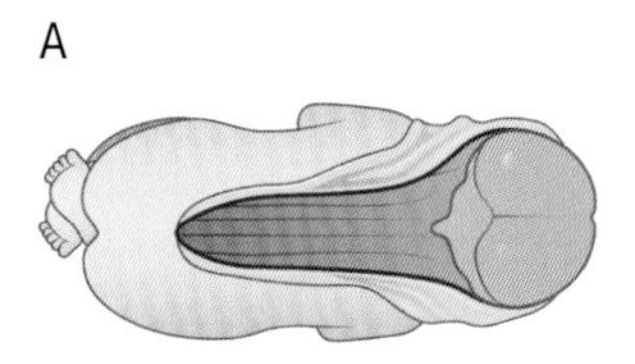

Craniorachischisis
Completely open brain and spinal cord

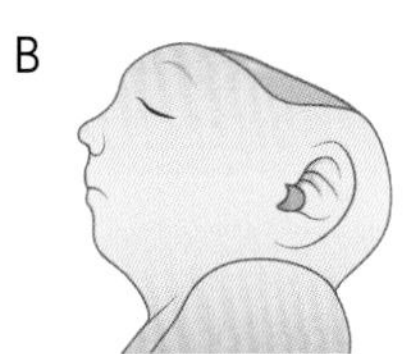

Anencephaly
Open brain and lack of skull vault

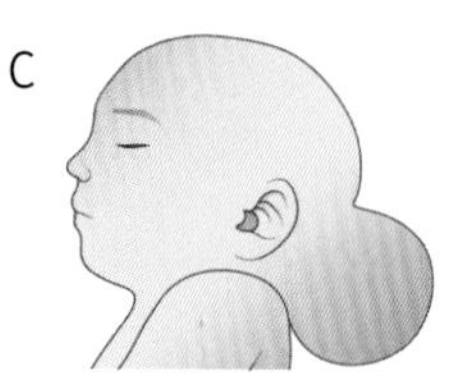

Encephalocele
Herniation of the meninges (and brain)

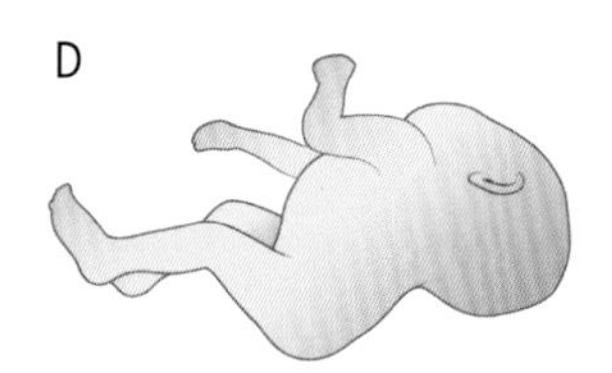

Iniencephaly
Occipital skull and spine defects with extreme retroflexion of the head

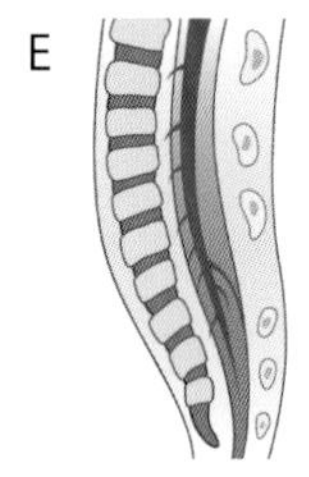

Spina bifida occulta
Closed asymptomatic NTD in which some of the vertebrae are not completely closed

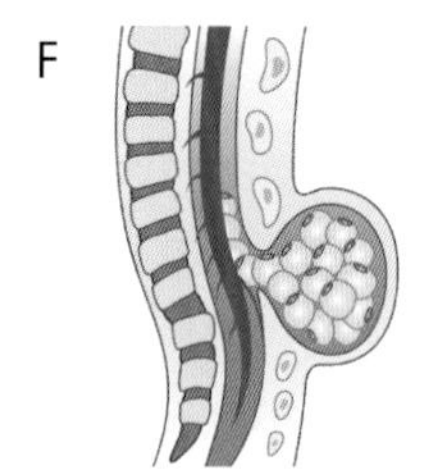

Closed spinal dysraphism
Deficiency of at least two vertebral arches, here covered with a lipoma

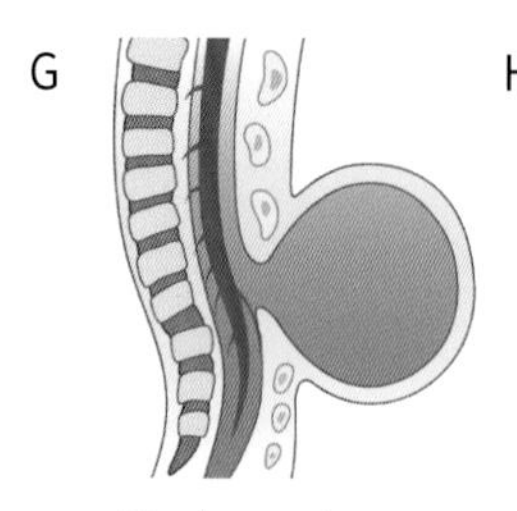

Meningocele
Protrusion of the meninges (filled with CSF) through a defect in the skull or spine

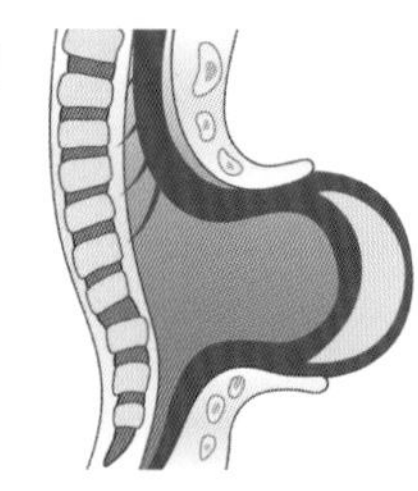

Myelomeningocele
Open spinal cord (with a meningeal cyst)

그림 22-4 척수 이형성증의 종류

A. 두개척추파열(craniorachischisis): 두개골과 척추가 모두 개방된 상태의 기형
B. 무뇌증(anencephaly): 두개골과 대뇌반구가 정상 발생하지 못한 기형
C. 뇌류(encephalocele): 대뇌와 뇌척수막의 탈출 기형
D. 대후두공뇌탈출기형(Iniencephaly): 후두부 두개골과 척추의 발생 부전으로 목의 과도한 후굴변형이 동반.
E. 잠재이분척추(spina bifida occulta): 척수, 뇌척수막의 노출 없이 척추의 일부만 완전히 닫히지 않는 무증상 척추이형성증
F. 폐쇄성이분척추(closed spinal dysraphism): 최소 2개 이상의 척추 발생부전이 동반되나, 척수, 뇌척수막의 노출은 없음. (지방종 동반 가능)
G. 수막류(meningocele): 닫히지 않은 척추 사이로 뇌척수액으로 찬 뇌척수막까지만 노출된 척수이형성증.
H. 척수수막류(myelomeningocele): 닫히지 않은 척추 사이로 뇌척수막과 척수가 외부로 노출된 개방이분척추.

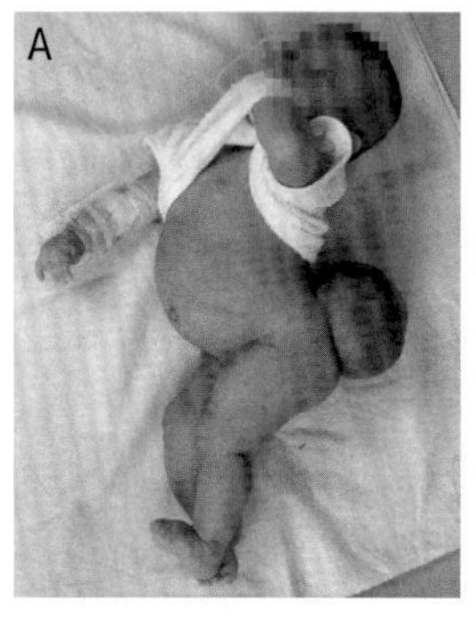

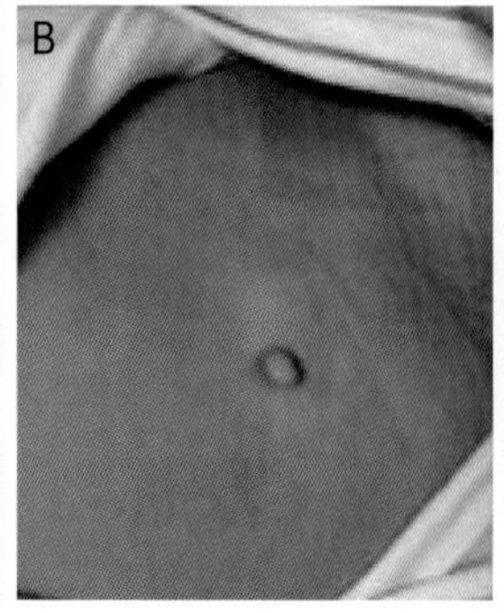

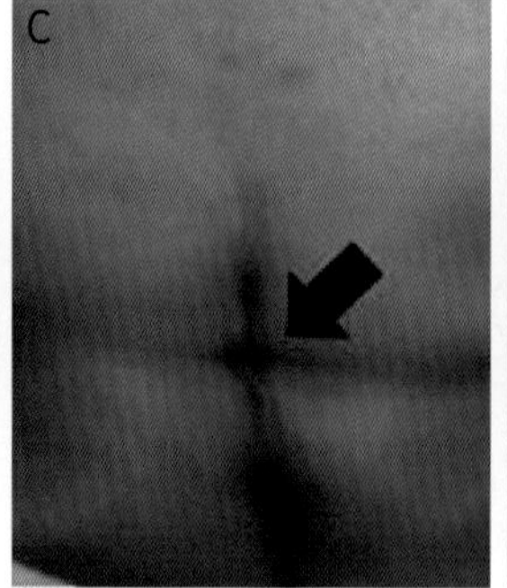

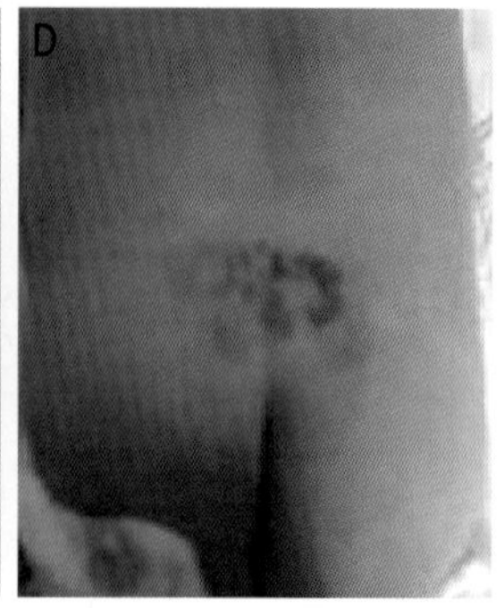

그림 22-5

수술 전 척수수막류 환자(A)와 잠재이분척추의 특징적인 신생아 피부이형성증(B–D).
B. skin tag, C. dimple, D. capillary hemangioma.

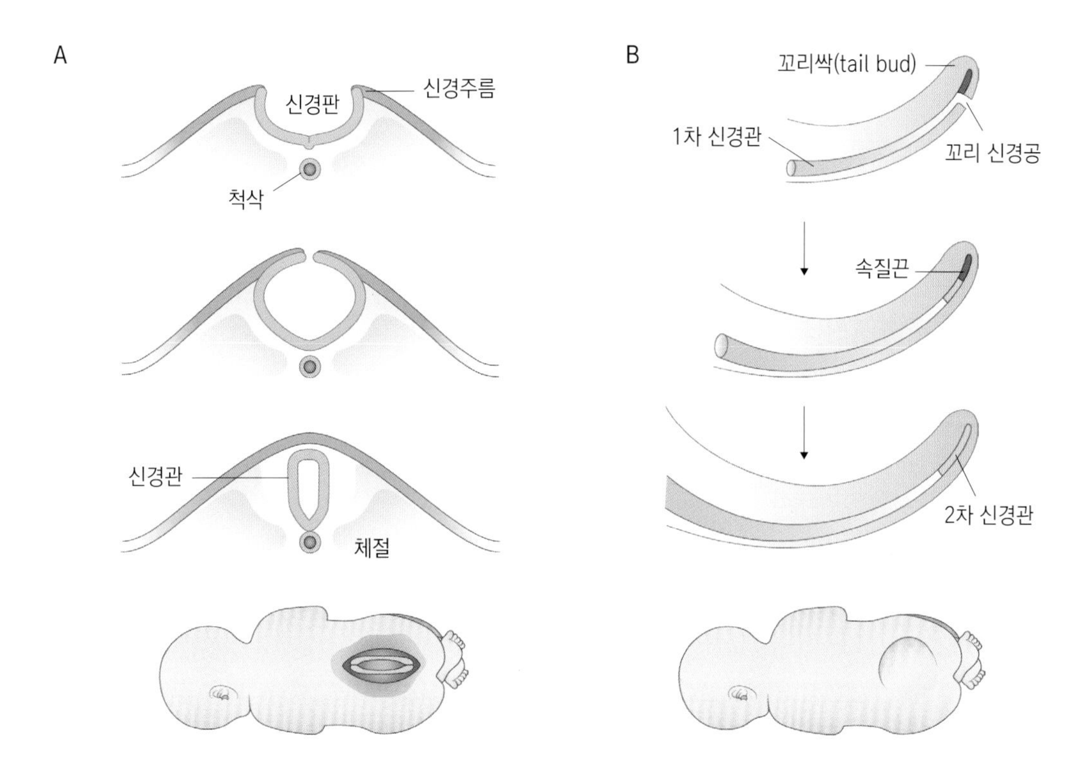

그림 22-6 신경관 형성 과정
A. 1차 신경관 형성(primary neurulation), B. 2차 신경관 형성(secondary neurulation)

이 발생한다. 배부 결손(back defect)은 국소적이지만, 신경과 피부를 연결하는 줄기(stalk)가 잔류하여 줄기에 신경조직, 결합조직의 중배엽 기원 세포만 있는 경우 제한적 등쪽 척수갈림증이고, 중배엽세포뿐 아니라 피부 조직까지 있는 경우 외부와의 연결이 많아 감염 위험이 더 높은 선천성 피부동에 해당한다. 반대로 피부외배엽과 신경외배엽의 분리가 너무 일찍 이루어지는 경우에는, 피부 결손은 없지만 신경관의 결손 부위에 중배엽세포가 함입되어 척수에 지방이 붙어 있는 등쪽형 요천추 지방종(dorsal lipomyelocele)이 생길 수 있다. 신경관 형성은 방대한 세포분열을 통해 일어나는 과정이기 때문에 핵산(뉴클레오타이드, nucleotide)의 생성에 필수적인 엽산(folic acid)이 부족할 때 척수수막류의 위험이 높아진다.

(2) 2차 신경관 결손

2차 신경관 형성은 태생 5~7주경, 1차 신경관보다 더 아래쪽에서 일어난다. 동물 종간 차이가 있을 것으로 추정되지만, 중배엽세포들의 응축(condensation) 과정으로 형성된 속질끈(medullary cord)의 가운데 공동화(vacuolization/canalization)가 생긴 후, 이것이 위쪽 1차 신경관의 중앙관(central canal)과 연결되어 발생한다는 가설이 우월하다. 1차 신경관과 연결된 이후에는 2차 신경관의 정상적인 퇴화(regression)가 일어나 척수의 아래 끝인 원추척수(conus medullaris)에 연막이 연장되어 경막 속으로 내려가는 종말끈(filum terminale)만 남게 된다. 이 과정에서 문제가 생기면 미부 형성부전(caudal agenesis)이 발생하여, 천추(sacrum), 원추척수(conus medullaris), 속질끈 등이 생성되지 않거나 불충분하다. 이 부위는 원시창자, 비뇨생식계의 형성에 중요하여, 2차 신경관 결손 시에는 쇄항(imperforate anus) 등의 생식-비뇨기계 동반기형을 갖는 경우가 흔하다. 가장 흔한 기형으로는 종말끈 비대증(thickened filum terminale)이 있으며, 속질끈의 퇴화가 제대로 일어나지 않아 정상보다 두꺼운 경우인데 기능적 이상을 동반하지 않으면 지켜볼 수 있다(잠재이분척추, spina bifida occulta). 2차 신경관 결손은 엽산 부족보다는 산모 당뇨가 있을 때 호발하는 것으로 알려져 있다.

(3) 위험인자

신경관의 결손은 선천성 기형 중 가장 흔한 형태의 하나로, 첫째 아이가 신경관 결손이 있었던 경우 다음 임신 시 위험도가 2배에서 30배 증가하며 가족력이 있거나 부모의 나이가 많은 경우 발생률이 높아진다. 이외에도 영양, 약물과 열에 노출 등의 환경적 요인과 유전학적 요인 등 여러 가지 요인에 의해 위험도가 증가한다. 임신 중의 발프로익산의 복용, 임신 초기의 뜨거운 사우나나 발열성 질환 등으로 열에 노출된 경우 발생이 증가하는 것으로 보고되고 있고, 엽산(folic acid)이 부족할 경우 앞서 설명한 대로 1차 신경관 결손이 발생할 위험이 높아진다. 미국의 경우 가임 여성들에게 하루에 0.4 mg의 엽산을 복용하는 것을 권장하고 있으며, 척수이형성증 어린이의 출산 경험이 있는 여성들은 하루에 4.0 mg의 엽산을 복용하여야 한다.[17]

3) 검사[15]

(1) 자기공명영상(MRI) 검사[18]

자기공명영상(MRI)는 다른 검사에 비해 연부 조직 해상도가 높아 척수와 주위 피하 조직의 구조물을 구분하여 정확한 진단을 위해 필수적이다. 통상적으로는 비조영 검사를 시행하나, 감염이 의심되거나 유피낭종(dermoid cyst)과 같은 함입 종괴가 의심될 경우 조영제를 사용할 수 있다.

척추 MRI를 통해 원추척수(conus)의 위치(높이)와 모양 및 척수공동증 여부를 확인하며, 지방종이 있을 경우 크기 및 위치 등을 확인한다. 초음파로 이미 진단이 된 경우에도, 수술이 결정되면 보다 정확한 형태학적 진단과 수술 계획을 위해, 대부분 수술 전 3개월 이내 MRI 검사를 다시 시행한다(그림 22-7). 수술 직후에는 MRI를 한 번 더 확인하여, 향후 추적 관찰 동안 재결박이 의심되는 경우 비교할 수 있는 자료로서 활용 가능하다. 하지만 수술 후 무증상으로 외래에서 추적 관찰하는 동안에는 재결박을 진단해야 하는 경우가 아니면 정기적인 MRI 검사를 시행하지는 않는다. 척수수막류의 경우에는 수두증, 키아리 기형의 동반 위험이 높아 초기 진단 과정에서 뇌 MRI도 병행한다. 이외에도 동반될 수 있는 뇌기형으로 뇌량 형성부전(agenesis of corpus callosum)이 있다. 잠재성 척수이형성증으로 뇌 기형의 위험이 높지 않다면 뇌 MRI를 반드시 시행할 필요는 없다.

(2) 초음파(ultasound, US) 검사

초음파 검사는 비교적 영유아를 대상으로 진정이 필요 없이 인체에 무해한 검사이기 때문에, 척수이형성증의 소견인 피부 이형성증(dimple이나 담뱃불 화상흔(cigarette burn scar), 등에 보이는 피하 지방종(subcutaneous lipoma), 모세혈관종(capillary hemangioma)이나 정중선 부위의 털과 색소 침착, 피부 부속물(skin appendage), 보조개(midline dermal sinus above gluteal crease)가 있을 때(그림 22-5), 초기 선별검사로 활용 가능하다. 6개월 이하 영유아의 경우 아직 척추뼈의 골화가 완전히 완료되지 않아 초음파로도 척추 아래에 있

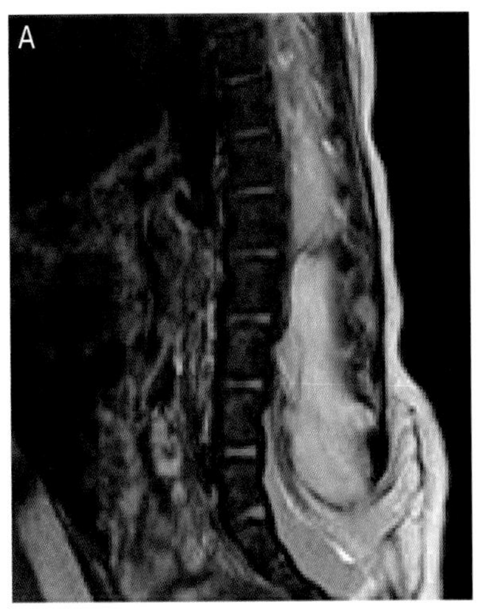

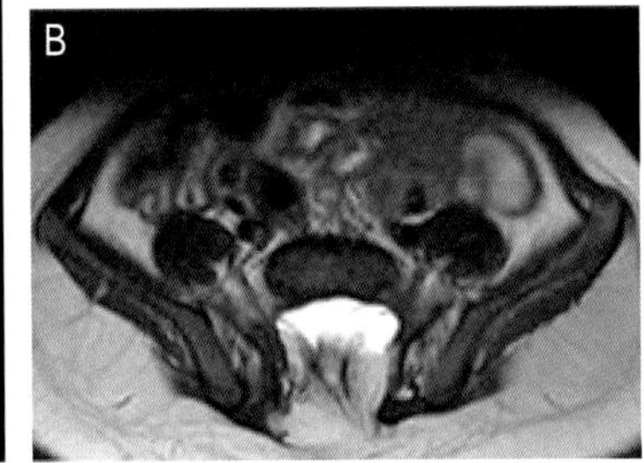

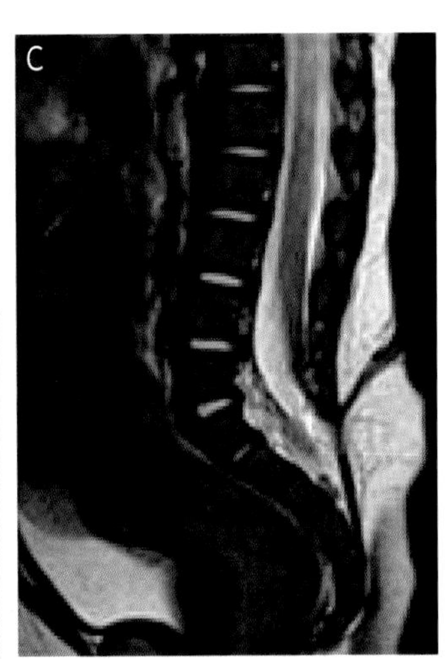

그림 22-7 척수이형성증 환자의 수술전 척수MRI
A, B. 척추 후궁의 결손을 통해 지방종과 척수의 연결부위가 확인됨.
C. 제한적 등쪽 척수갈림증(LDM)에서 신경과 피부를 연결하는 줄기(stalk)가 보임.

는 척수를 비교적 정확히 관찰할 수 있다. 또한 오히려 배부 결손(back defect)이 있으면 6개월 이후에도 척수 관찰이 가능하여 초음파 검사의 유용성이 높다. 초음파를 통해서도 원추척수의 위치, 모양과 종사의 두께를 기록하고, 피부나 피하층에서 척수강 내로 연결되는 구조물(줄기)이 있는지 여부, 지방종 여부 및 위치와 크기 등을 확인한다. 척수의 박동성과 척수공동증 여부도 함께 검사 가능하다. 또한 MRI와 마찬가지로 척수수막류 환자에서는 수두증, 키아리 기형 동반 여부를 확인하기 위해 아직 열려 있는 대천문을 통해 뇌초음파 검사를 함께 시행한다. 특히, 초음파 검사는 반복검사가 용이하기 때문에 수두증으로 인한 뇌실 크기의 추적 관찰에 유용하다.

(3) 신경계 검사[19, 20]

운동 신경의 검사는 보행 기능을 예측하는 데 도움을 주는데 척추의 이상 부위나 피부의 병변 부위와 손상된 운동 신경의 레벨이 일치하지 않는 경우가 많아서 이학적 검사를 하여 운동 신경 상태를 먼저 평가한다. 신생아에서의 평가는 시진으로 근육의 부피를 확인하고 자세 반사를 유발하거나 근육들의 수축 방향에 가벼운 압력을 가하여 수의 운동을 유발하여 검사한다.

많은 척수수막류 환아에서 출산 후 1주일 내에 근력의 호전을 보일 수 있다. 따라서 정확한 신경근 침범여부를 알기 위해서는, 신생아기에서도 침근전도 등의 전기생리학적 검사가 도움이 된다. 국내의 연구에 의하면 척추 자기공명영상에 척수 신경근 침범 소견이 있더라도 전기생리학적 검사 시에는 이상이 없고 임상적으로 이상이 없는 경우가 있어 정확한 신경계 침범여부의 결정은 영상 검사보다는 전기생리학적인 검사가 더 정확하다 할 수 있다. 뇌 기형이 동반되어 상지로 가는 신경까지 손상이 의심되는 경우에는, 유발전위 검사(evoked potential, EP)를 함께 시행할 수도 있다. 또한 신경인성 방광 및 장의 위험도를 예측하고 아이의 배뇨, 배변 기능에 대한 신경학적 평가를 위해 구해면체 반사(bulbocavernosus reflex, BCR) 검사도 가능하다.

(4) 기타 동반 기능장애 평가

개방성 척수이형성증, 척수수막류로 뇌기형이 동반된 경우에는 삼킴장애와 호흡장애를 함께 평가해야 한다. 잦은 사레, 목소리 변화, 호흡의 변화나 잦은 호흡기 감염 등에서는 삼킴장애를 의심하고 비디오 투시 연하 검사 등을 시행한다. 호흡장애가 의심될 경우에는, 7세 이상에서는 폐기능 검사를 통한 노력성 폐활량(FVC), 1초간 노력성 호기량(FEV1), 노력성 호기 중간유량(FEF 25~75%) 등을 측정 가능하다.

4) 초기 치료[21]

척수이형성증에서의 문제는 첫째, 수두증이 동반된 경우, 둘째, 하지마비, 셋째, 신경인성 방광이나 장, 넷째, 척수 및 척추의 변형 등이 있으며 기타 통증, 감염이나 염증을 주의해야 한다. 사망에 이를 수 있는 증상은 수두증으로 인한 두개내압 상승, 중추신경계 감염, 요로감염 혹은 욕창 감염으로 인한 패혈증 혹은 신부전 등이 있다.

(1) 산전 치료

산전에 척수수막류를 검사하는 방법들이 개발되어서 주산기의 치료가 용이하게 되었다. 산전 진단은 수정 후 16주에서 18주에 엄마의 혈중 α fetoprotein (AFP) 농도의 측정, 고해상도 초음파 및 양수 천자 등이 있다. 양수 천자에서는 양수 내의 AFP와 acetylcholine esterase의 농도를 측정하는데 AFP는 척수수막류 이외에도 여러 가지 질환에서 증가하나 acetylcholine esterase는 임신 주수에 상관없이 척수수막류에서만 증가한다.

(2) 신생아기의 치료

① 배부 결손(back defect)

신생아기에 우선 병변이 개방되어 있는지 확인하고 개방되어 있는 경우 48시간 이내에 신경외과적인 처치를 하여 병변을 봉합하여야 한다. 배부 결손의 치료는 중추신경계 감염의 위험을 줄이고 신경학적 기능을 유지하며 척추 전만 혹은 측만증으로 인한 변형을 감소시키기 위해 시행한다. 배부의 수술로 뇌척수액의 역학에 변화가 생겨서 일부의 환아에서는 뇌수종이 발생한다.

② 수두증의 치료

척수수막류 환아의 90%에서 수두증이 발생하며 이는 중뇌수도 협착(aqueductal stenosis)이나 수술 후 악화된 교통성 수두증(commuicating hydrocephalus) 등에 의해 발생하며 뇌실복강 션트(ventriculo-peritoneal shunt)가 가장 좋은 치료이다.

③ 초기의 방광 검사 및 치료

이학적 검사로 방광의 상태를 평가할 수 있는데 복부 진찰 시 방광의 팽창이 보이는 경우에는 괄약근의 실조(sphincter dyssynergia)가 있을 가능성이 높고, 방광이 만져지지 않으면서 지속적으로 소변을 흘리는 경우(dribbling)에는 괄약근의 긴장도(tone) 감소를 의심할 수 있다. 대소변 가리기 이전의 아이들에게는 주기적으로 잔뇨를 측정한다. 신생아에서 소변을 본 후의 잔뇨량이 20 mL를 넘으면 요류 정체(urinary retention)가 있는 것이므로 간헐적 도뇨가 필요하다. 그러나 일반적으로 1세 미만의 아이들에서, 배뇨 시점을 정확히 알기 어려워 잔뇨가 과장되게 측정되는 경우가 흔하며, 변비로 인한 분변매복(fecal impaction)에 의해서도 잔뇨가 실제보다 크게 측정됨을 알고 있어야 한다. 반면, 대소변을 다 가린 연령에서도 지속적으로 잔뇨가 증가하거나, 요로감염이나 요실금이 동반된 잔뇨 증가는 배뇨기능 이상의 근거로 판단할 수 있다. 대소변 가리기 시작한 연령의 아이들에서 배뇨장애가 의심될 경우에는 요류 검사(uroflowmetry)와 요역동학 검사(urodynamic study, UDS)를 시행할 수 있다. 또한 초음파 검사를 시행하여 방광의 팽창성 수신증, 신장 발육 부전(renal agenesis) 등을 진단할 수 있고, 정기적인 혈액 뇨 질소(BUN), 크레아티닌치의 측정, 소변 배양 검사도 도움이 된다. 배뇨장애의 문제가 괄약근인지 배뇨근인지에 따라 적절한 약물을 처방하거나, 그럼에도 잔뇨가 해결되지 않은 경우에는 간헐적 도뇨를 시작해야 한다.

(3) 재활 치료[22]

합병증의 예방을 위하여 진단 시점부터 부모에 대한 교육이 필요하다. 감각이 떨어지는 부위의

표 22-2 손상 신경 위치별 근골격, 감각, 괄약근 기능 이상[21]

<table>
<tr><th>관절</th><th>T6-12</th><th>L1</th><th>L2</th><th>L3</th><th>L4</th><th>L5</th><th>S1</th><th>S2</th><th>S3</th><th>S4</th></tr>
<tr><td rowspan="2">몸통</td><td>복근
몸통굴곡</td><td></td><td></td><td></td><td></td><td></td><td></td><td></td><td></td><td></td></tr>
<tr><td>하부몸통
신전근</td><td></td><td></td><td></td><td></td><td></td><td></td><td></td><td></td><td></td></tr>
<tr><td rowspan="4">고관절</td><td></td><td colspan="3">장요근(고관절굴곡)</td><td></td><td></td><td></td><td></td><td></td><td></td></tr>
<tr><td></td><td colspan="3">고관절 내전근</td><td></td><td></td><td></td><td></td><td></td><td></td></tr>
<tr><td></td><td></td><td></td><td></td><td colspan="3">중둔근(고관절 외전)</td><td></td><td></td><td></td></tr>
<tr><td></td><td></td><td></td><td></td><td></td><td colspan="3">대둔근(고관절 신전)</td><td></td><td></td></tr>
<tr><td rowspan="2">무릎</td><td></td><td></td><td colspan="3">대퇴사두근(무릎 신전)</td><td></td><td></td><td></td><td></td><td></td></tr>
<tr><td></td><td></td><td></td><td></td><td colspan="4">넙다리뒤근육(고관절 신전, 무릎 굴곡)</td><td></td><td></td></tr>
<tr><td rowspan="4">발목</td><td></td><td></td><td></td><td></td><td colspan="2">앞정강근
(발등 굽힘, 내번)</td><td></td><td></td><td></td><td></td></tr>
<tr><td></td><td></td><td></td><td></td><td></td><td colspan="2">비골근(외번)</td><td></td><td></td><td></td></tr>
<tr><td></td><td></td><td></td><td></td><td></td><td colspan="3">하퇴삼두근(발바닥쪽 굽힘)</td><td></td><td></td></tr>
<tr><td></td><td></td><td></td><td></td><td></td><td colspan="3">뒤정강근(발바닥쪽 굽힘, 내번)</td><td></td><td></td></tr>
<tr><td rowspan="3">발</td><td></td><td></td><td></td><td></td><td colspan="3">발가락 신전근</td><td></td><td></td><td></td></tr>
<tr><td></td><td></td><td></td><td></td><td></td><td colspan="3">발가락 굴곡근</td><td></td><td></td></tr>
<tr><td></td><td></td><td></td><td></td><td></td><td colspan="3">발 내재근</td><td></td><td></td></tr>
<tr><td>회음</td><td></td><td></td><td></td><td></td><td></td><td></td><td></td><td colspan="3">회음부 괄약근</td></tr>
<tr><td>담당
기능</td><td>완전하지지마비
척추변형(후만, 측만) 고관절, 무릎의 굽힘구축, 첨족,
대소변 장애</td><td colspan="3">조기 고관절 탈구 및 구축(굴곡, 내전) 척추변형(측만, 전만)
무릎 굴곡 구축
첨족
대소변장애</td><td colspan="2">후기 고관절 탈구
척추변형(전만, 측만)
종골내반족, 종족
무릎 신전 구축
고관절/무릎 굽힘 구축, 대소변장애</td><td colspan="2">요족
대소변장애</td><td colspan="2">요족
대소변장애</td></tr>
</table>

화상 또는 동상의 가능성에 대해 설명하여 예방할 수 있도록 교육하고 적절한 관절의 위치와 운동 방법도 교육한다. 1세까지는 매달 추적 관찰하여 고관절 및 척추 관절의 아탈구나 탈구가 있는지 확인하며, 유연한 발변형이 발생한 경우, 부드러운 수동적 관절가동범위 운동(PROM)을 통해 교정을 도모한다. 상부 요추의 병변이 있는 경우 고관절 굴곡과 내전에 의해 아탈구나 탈구도 흔히 발생한다. 막대 척추(bar vertabrae), 반척추(hemi vertabrae) 등의 척추 변형이 동반되었는지 확인하여 관절 구축이 있을 때는 적극적인 신전운동을 시행한다.

5) 병변에 따른 임상 양상[23-24]

전기생리학적 검사 및 영상검사를 통해 병변의 위치가 확인되면, 그에 따라 임상적 양상을 다음과 같이 분류할 수 있다. 보조기 처방, 운동 치료 등의 포괄적인 재활 치료를 위해서는 병변 위치에 따른 임상 양상을 미리 알고, 추적 관찰 시 정확한 평가를 해야 한다. 각 손상된 신경의 위치별 호발하는 근골격계 변형은 다음 표 22-2에 정리되어 있다.

(1) 흉수의 병변

흉수 이상으로 운동 기능이 침범되면 대부분의 배부 근육, 늑간근, 고관절의 신전근, 외전근, 슬관절의 굴곡근, 신전근, 발목의 척굴근, 신전근의 약화를 보여 앉은 자세 및 균형 유지에 어려움을 겪는다. 척추 측만 및 후만 등의 변형과 고관절의 외회전 구축, 외전 구축, 고관절 및 슬관절의 굴곡 구축, 족관절 저측 굴곡 구축 등의 변형이 올 수 있다. 척수손상 혹은 수두증 등 신경근보다 상부 운동신경원이 손상된 경우에는 이완된 마비가 아니라 오히려 경직 증상을 보이기도 한다.

(2) 상부 요수의 병변

상부 요수보다 상위 신경근 지배를 받는 근육의 움직임은 남아있기 때문에, 흉수병변의 척추 변형보다는 고관절의 문제가 주가 된다. 굴곡 및 내전 구축(그림 22-8)과 이에 따른 고관절의 탈구(그림 22-9)가 흔하며, 골반 경사와 척추 측만, 첨족(equinus foot) 등의 변형도 동반된다.

(3) 하부 요수 병변

고관절 신전근, 발목의 신전근, 굴곡근이 약해서, 중부 요수 병변의 만곡족(clubfoot), 내반첨족

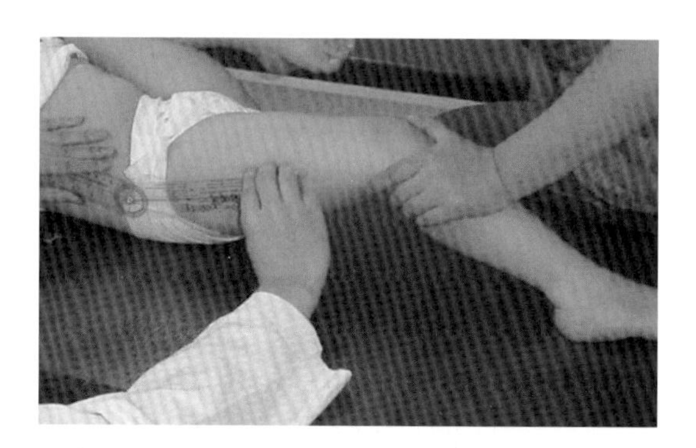

그림 22-8 상부 요수손상환자의 우측고관절 구축

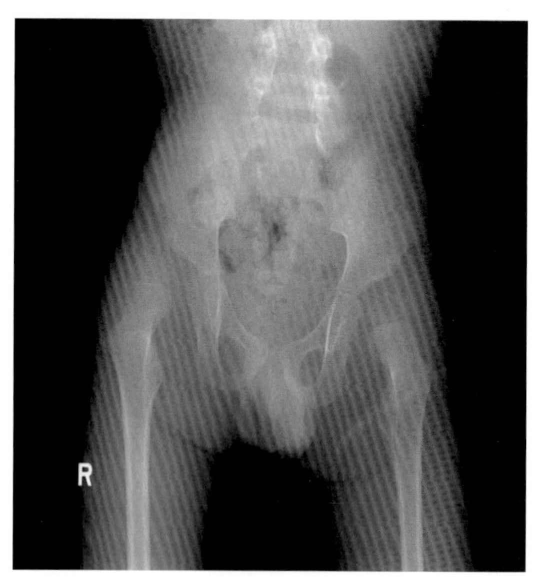

그림 22-9 상부 요수손상환자의 우측고관절 탈구

(equinovarus foot), 첨족(equinus foot)에 비해 하부 요수 병변에서는 발의 종족(calcaneus foot), 종골내반족(calcaneovarus foot) 변형이 흔하다(그림 22-10).

(4) 천수의 병변

발의 내재근의 약화로 요족(cavus), 갈퀴족(clawing) 변형이 오고(그림 22-10), 변형이 없는 경우도 있으나 대개 배변, 배뇨, 성기능 장애를 보여 신경인성 방광 및 신경인성 장 관리에 주의를 요한다. 제5요수-제1천수 이상의 운동 기능이 정상적으로 유지될 경우 보행 기능은 대부분 유지된다.[25]

6) 척수 재결박 및 척추 변형

(1) 척수 재결박(re-tethering)[26]

척수이형성증 수술 이후에 신경 유착으로 인해 다시 척수 결박으로 인한 신경학적 증상이 악화되는 것을 '재결박(re-tethering)'이라 한다. 초기 진단 시 기형의 복잡도, 중등도에 따라 재결박의 위험도가 달라지며, 지방척수수막류(lipomyelomeningocele), 말단부 척수낭류(terminal myelocystocele)나, 요천추 지방종 중 지방종의 크기가 클수록 위험이 높다. 따라서 수술 이후에도 주기적으로 외래 추적 관찰을 통해, 척수 재결박 의심 증상이 나타나지 않는지 면밀히 확인해야 한다. 갑자기 악화되는 요통이나 하지 방사통으로 발현할 수도 있고, 근력 약화, 발변형이나 척추변형, 하지의 부분적인 감각 저하나 저린 느낌으로 나타나기도 한다. 새로 발생하는 요실금, 배뇨 상황의 변화, 요로 감염 등 신경인성 방광의 악화 소견도 주의해야 한다. 따라서 방문 시마다 근력검사를 하고, 필요시 MRI를 다시 촬영하여 척수공동증이 새로 생겼는지 확인하거나, 근전도 검사와 요역동학검사 결과를 이전과 비교하여 악화 소견이 있는지 종합적으로 판단하여 재결박 여부를 진단한다. 척수 재결박이 의심되면 재수술을 고려한다. 진행하는 신경학적 기능 악화를 막기 위해 척수 결박을 해소하고자 수술하지만, 결박 해소를 완전히 하지 못하게 되거나 수술 중 운동 및 방광 담당 신경 손상의 위험이 초기 수술보다 높다.

(2) 척추 변형

① 원인과 발생률[27, 28]

척수이형성증에서 척수뿐 아니라 척추 골격 계통의 선천적 기형을 동반하는 경우도 잦고, 골격계

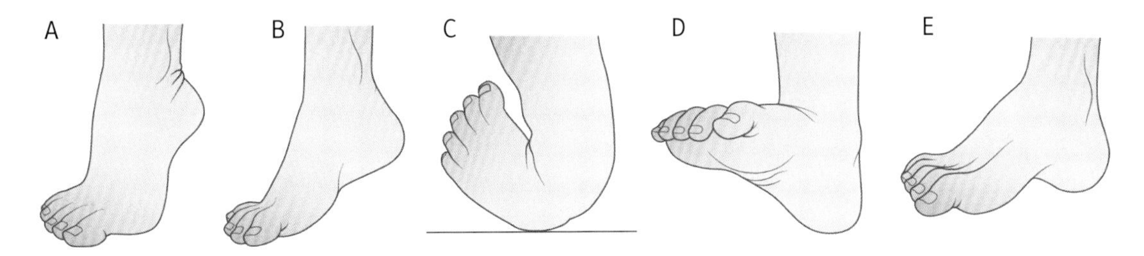

그림 22-10 척수이형성증에서 호발하는 발변형의 종류
A. 첨족(equinus foot)
B. 내반첨족(equinovarus foot)
C. 종골내반족(calcaneovarus foot)
D. 종족(calcaneus foot)
E. 요족(cavus foot).

통의 이상 없이도 척수결박(tethered spinal cord), 즉 척수가 다른 구조물에 비정상적으로 연결되어 당겨지며 신경이 손상되는 경우에도 척추측만증이 생길 수 있다. 척추 변형은 발생한 이후에는 성장기 이후에도 악화가 지속되는 경우가 많아, 추가적인 신경 손상 여부를 확인하고 필요시 적극적 치료가 권고된다. 개방성 척수수막류의 경우, 척추 변형 중 가장 흔한 것은 척추측만증으로 약 23~88%에서 발생하며, 여아에서 더 흔하고, 상부 척수까지 이환된 경우에 더 흔하다. 잠재성 척수결박 증후군에서도 척추측만증은 31%로 비교적 흔하게 보고되며, 이들 중 35° 이상의 심한 측만이 생긴 경우에는 이후에도 계속해서 진행하는 경우가 많았다.

② 증상

외관상 비대칭(어깨 높이 차이, 배부 돌출(dorsal hump)이 관찰되면서 알게 되거나, 변형이 심하게 진행하면 앉은 자세를 제대로 유지하지 못하는 골반 경사(pelvic inclination) 증가나 좌골(ischium)이 흉곽과 맞닿아 욕창이 발생하는 경우까지 생긴다. 심하게 진행하거나 급격한 각도의 척추 변형이 생기면, 그 자체로 직접 척수를 압박하거나 신장(stretch)시켜 신경 손상을 일으킬 수도 있다. 또한, 폐성숙 시기 이전의 어린 나이부터 척추 변형의 정도가 심하게 진행하는 경우, 흉곽 용적이 충분히 성장하지 못하며 제한성 폐질환을 일으키기도 한다.

③ 검사

척수이형성증 환아에서는 진단 이후 정기적인 척추 X-ray를 통해 척추측만증의 발생과 진행 정도를 확인한다. 반면, 선천성 척추 기형이 먼저 발견된 환아에서는 18~38%에서 신경 계통 이상이 동반되며, 심혈관 계통(10~13%)과 비뇨생식기 계통(23~40%)의 동반 기형도 흔하기 때문에 이에 대한 검사도 필요하다. 또한, 척추 기형 및 다른 질환의 병력이 없다 하더라도, 10세 이하의 측만증이 90° 이상으로 심하게 진행한다면, 역시 신경계통 이상의 동반 여부를 확인해야 한다. 하지 근력 약화 및 감각 저하, 반사 이상과 같은 신경 계통 이상을 시사하는 신체 검진을 확인하고, 비뇨기계 증상, 족부 변형 및 척수이형성증에 특징적인 피부 병변을 관찰해야 한다.

④ 치료[29]

척추측만증이 10세 이하에서 발견되거나, 40° 이상으로 진행하여 악화 위험이 높은 경우, 신경학적 증상이나 선천성 척추 기형을 동반한 척추 변형은 보다 적극적으로 수술적 치료를 고려할 수 있다.

7) 보조기 처방

(1) 보조기 처방의 원칙[22, 30-31]

보조기 적용에 있어서는 다른 소아 질환에서와 같이 다음과 같은 원칙이 적용된다.

① 변형의 예방

변형 방지는 척수이형성증 환자에서는 매우 중요하다. 마비된 부위에 따라 길항근이 없는 경우에 예측되는 변형 방지를 위하여 보조기 및 지속적인 스트레칭 같은 운동치료가 필요하고, 때로는 수술 후 변형의 예방을 위하는 목적으로도 보조기를 쓸 수 있다. 예를 들어 천수 1번 이하가 마비되고 요수 4, 5번까지의 기능만 있는 경우는 발목의 족저근은 없으나 굴곡근만이 있어 그냥 놓아두면 종족 변형(calcaneal deformity)이 오므로 단하지 보조기를 족관절의 굴곡을 예방하는 전방 스톱 또는 지면반발형(ground reaction force)(그림 22-12)

으로 만들어 보행 훈련을 시작한다. 이 때에 보조기는 변형 예방 외에도 보행 시 push-off를 어느 정도 가능하게 하는 역할도 하게 된다.

② 정상적인 관절의 정렬과 역학의 보조

이러한 목적을 위해서는 금속보다는 모양을 만들기가 용이한 부드러운 플라스틱이 좋다. 특히, 하지 감각저하가 흔히 동반되는 척수이형성증에서는 상처 방지를 위해서도 부드러운 재질을 선호한다. 경직이 있는 경우 발바닥 모양만들기(molding)를 통해 긴장감소형(tone reducing type)을 만드는 것이 그 예가 될 수 있다. 발목관절이나 전족부의 제한이 가능한 단하지 보조기, 족부 보조기 등이 많이 쓰인다.

③ 필요시 다양한 관절 가동범위를 제공

관절의 스톱장치를 달아 관절 가동 범위를 제한하는 것이 해당된다.

④ 기능의 촉진

Reciprocating Gait Orthosis (RGO) 같이 작은 힘으로도 보행기능을 갖게 하는 것이 예가 될 수 있다.

(2) 척수이형성증에서 쓰이는 보조기의 종류

① 족부 보조기(foot orthosi, FO)(그림 22-11)

족부보조기는 거골하 관절을 안정시켜야(control of subtalar joint), 즉 종골(calcaneus)을 잘 잡아 주어 내반이나 외반이 되지 않게 하여야 하고, 이미 고정된 변형이 있을 때는 외측이나 내측에 쐐기 등을 삽입하여 체중 부하 시 압력의 분포가 내측이나 외측 한 쪽에만 편중되지 않게 하여 준다. 보조기의 말단 끝 부위는 중족골두 바로 근위부까지 연장하여 만들어 준다.

내-외측 안정성을 더 얻기 위해서는 내외과의 3~5 mm 근위부까지 연장된 복사상 보조기(supramalleolar orthosis, SMO)를 처방하기도 한다. 복사상보조기는 보조기 상부와 피부 사이, 특히 내과나 외과 부위에 마찰로 인해 불편감과 피부 손상이 생기지 않도록 하는 보조기 제작사의 숙련성이 요구된다.

② 단하지 보조기(ankle-foot orthosis, AFO)
(그림 22-12)

단하지 보조기는 하부 요수의 병변에 흔히 처방된다. 이전에는 금속으로 된 단하지 보조기를 썼으나 최근에는 1970년대 이후에 개발된 플라스틱, 특히 폴리프로필렌으로 된 단하지 보조기를 많이 쓴다. 발의 종족 변형(calcaneal deformity)을 방지하기 위해 solid-type 단하지 보조기도 많이 처방된다.[32] 그러나 내과, 외과(medial and lateral malleolus)를 잘 몰딩하여 부드러운 소재를 덧대주

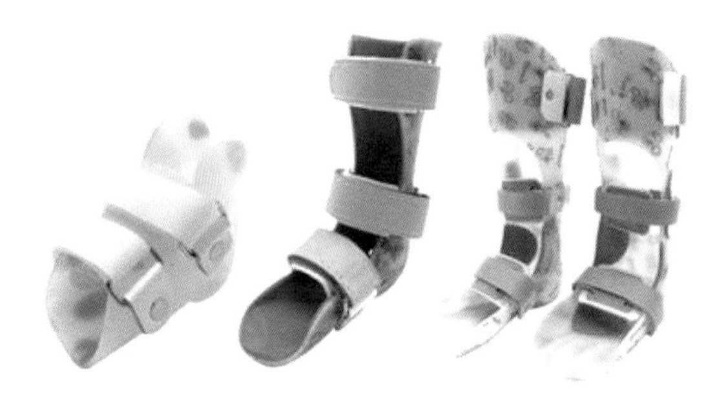

그림 22-11 족부 보조기와 단하지 보조기

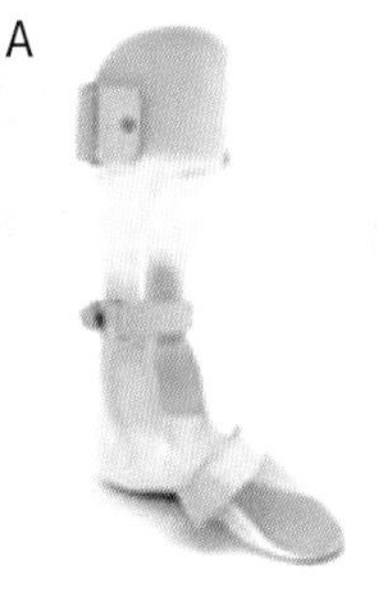

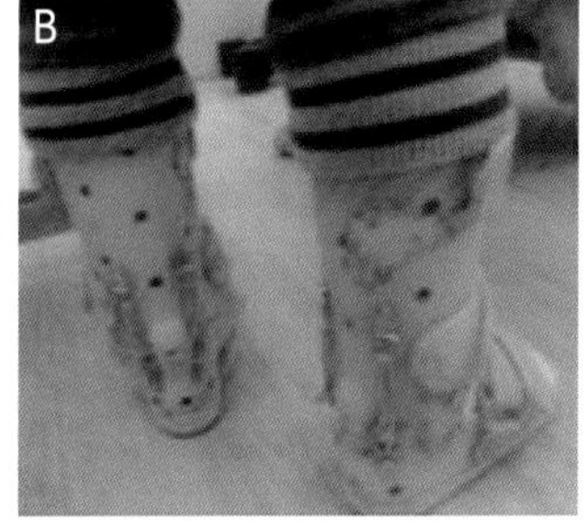

그림 22-12
A. 지면반발형 단하지보조기
B. 지면반발 효과를 향상시킨 수정된 보조기

어야 피부의 손상을 막을 수 있으므로 보조기 처방 후에도 반드시 의사의 확인이 필요하다. 체중이 적은 2세 미만인 경우는 발등의 벨크로만 넓게 해주는 단하지 보조기를 처방하여도 충분하다. 종골 변형을 적극적으로 막고 crouch gait 양상을 보이는 슬관절의 과도한 굴곡을 막기 위해서는 지면반발형 단하지 보조기(ground reaction force AFO)를 처방한다(그림 22-12A). 하부 요수 신경근 병변이 있는 척수수막류 환자에서 보행 시 동적 근전도를 이용한 연구에서도 보행 주기 중 접지기에 슬관절 신전근의 활동기간이 과도하게 연장되는 것이 단하지 보조기에 의해 개선된다고 보고된 바가 있고 보행 시 산소 소모량도 단하지 보조기에 의해 개선된다고 한다.[33, 34] 그러나 보조기에 의해 오히려 슬관절의 과신전이 생기면 rocker sole을 추가할 수 있다. solid형이나 지면반발형 모두 피부손상에 주의하여야 한다.

그 외에도 경직 증상 등이 동반되면 관절이 있는 단하지보조기를 처방할 수도 있다. 관절형 보조기의 뒷면에 고무줄이나 스프링을 덧대어 발이 땅에 닿을 때 족저굴곡근의 편심성 수축을 보조하여 지면반발 효과를 향상시킬 수도 있다(그림 22-12B). 단하지 보조기의 경우도 이미 고정된 변형이 있을 때는 외측이나 내측에 쐐기 등을 삽입하여 체중 부하 시 압력의 분포가 편중되지 않게 해야 한다.

③ 장하지보조기 (knee-ankle-foot orthosis, KAFO)

병변이 상위요추부(L1~2)일 때, 고관절의 내전과 무릎의 굴곡 구축에 대해 장하지보조기를 적용할 수 있다. 보조기구를 같이 사용하면 보행이 가능하기도 하지만, 무릎의 굴곡 구축이 20° 이상이면 보행이 힘들다. 또한 슬관절 신전근이 약한 경우는 그 이하의 고관절 신전근과 외전근이 모두 약하고 고관절 내전근만이 작용하여 고관절 탈구를 일으키는 염려가 있어 장하지보조기만을 처방하는 경우는 적은 편이다(그림 22-13).

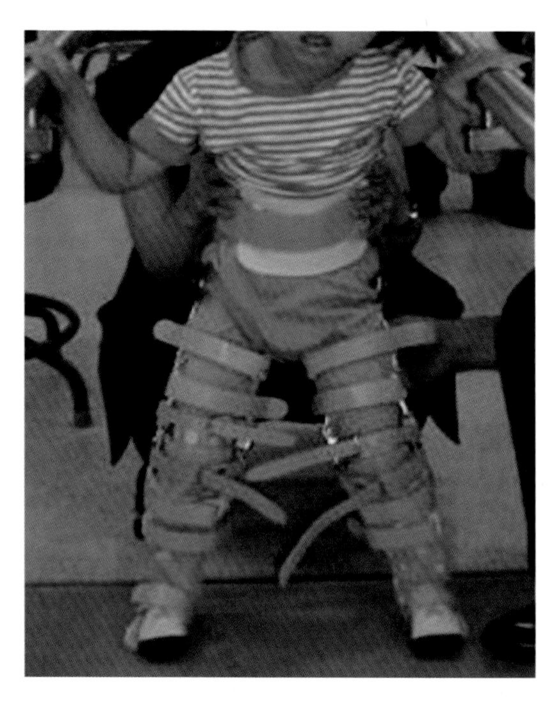

그림 22-13 전통적인 장하지 보조기 (knee ankle foot orthosis)

④ 고관절 연결 장하지 보조기 (hip-knee-ankle-foot orthosis, HKAFO)

고관절 연결 장하지 보조기는 단순한 형태의 금속형 또는 플라스틱 몰딩 형태에서부터 개량 상반 보행 보조기(advanced reciprocating gait orthosis, ARGO)까지 다양한 형태가 있다. 그러나 국내에서는 수요는 적은 반면 가격이 비싸 발전된 형태의 보조기가 널리 보급되지는 못하였다. 척추보조기와 양쪽이 연결된 고관절을 가진 Parawalker (hip guidance orthosis, HGO)가 있고 이는 주로 흉수에 병변이 있는 환자에게 쓰였다. 또한 캐나다와 영국 등에서 척수수막류 등으로 척수에 손상이 있는 어린이를 위해 양 고관절을 케이블로 연결한

장하지 보조기가 개발되었고 이는 한쪽 고관절이 굴곡시 반대쪽은 자동으로 신전하게 도와주는 역할을 한다. 이후 루지애나 주립대 의료원에서 보다 개선된 형태로 발전시켜, 흔히 상반 보행보조기(reciprocating gait orthosis, RGO)라고 부르게 된다.

Parawalker와 상반 보행보조기(RGO) 사이에 보행속도의 차이는 거의 없다. 다리의 움직임은 상반 보행보조기가 Parawalker에 비해 더 크지만, 목발을 사용하기에는 Parawalker가 상대적으로 편리한 점이 있다. 반면, 단순한 장하지 보조기(KAFO)를 이용한 swing-through gait의 경우가 양하지의 상반(reciprocation)을 이용한 보조기를 이용할 때보다 더 빠른 속도로 보행이 가능하다.[34, 35] 상반 보행보조기에 케이블을 Bowden 케이블로 쓰고 겉을 튜브로 싼 것을 개량 상반 보조기(ARGO)라고 부른다. 앉은 자세에서 일어날 때 무릎을 미리 신전하지 않아도 되는 이점이 있다. 그 밖에도 양쪽 보조기의 내측이 연결된 Walkabout 혹은 Mooring Medial Linkage Orthosis (MLO), Isocentric 상반 보행보조기 등이 있다. 그러나 전통적인 장하지 보조기보다는 비용 면에서의 부담이 너무 큰 것이 단점이다.[31]

⑤ 기립기(standing frame)

보행보다는 단순히 서있을 수 있는 기립기(standing frame)에 해당하는 보조기로는 회전고리 보행기(swivel walker)와 파라포디움(parapodium)이 있다. 회전고리 보행기는 경수 6번 이하가 손상된 어린이 환자에게 적용했던 것으로 몸을 옆으로 굽히면 한쪽의 발판이 회전하여 앞으로 전진하는 형태로 작동하며, 착용하고 벗을 때 전적으로 타인의 도움이 필요하고 속도가 무척 느리고 평지에서만 사용할 수 있다(그림 22-14).

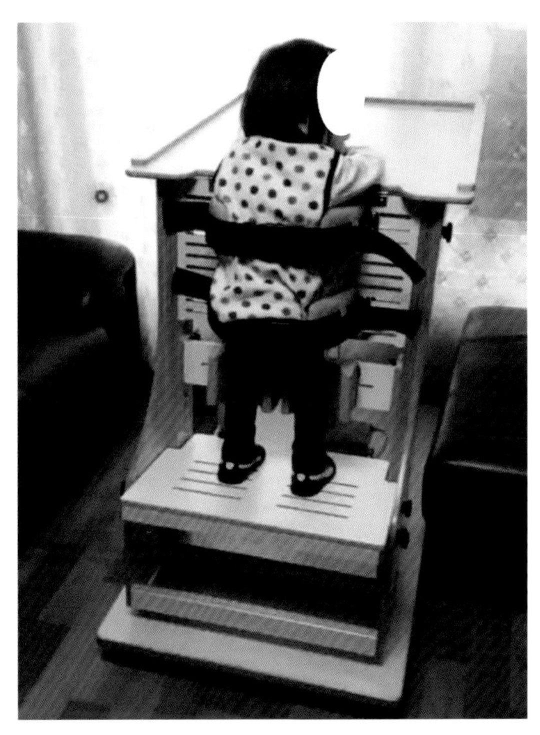

그림 22-14 기립기(standing frame)

⑥ 휠체어

흉수 이상에 병변이 있는 경우 몰딩된 척추 받침을 해주는 것이 변형 방지에 도움이 된다. 감각 소실이 있는 환자의 경우는 욕창이 생기지 않도록 적절한 방석 및 쿠션을 함께 처방해 주어야 한다.

⑦ 척추 보조기

척추측만증의 경우는 20° 이상이고 매년 5° 이상 증가하면 척추 보조기의 적응증으로 생각한다. 보스톤 브레이스(Boston brace) 등 몰딩된 흉요천추 보조기(TLSO)가 가장 흔히 처방된다. 문제점은 폐 기능에 장애를 줄 수 있고 피부 손상, 갈비뼈의 변형 등을 유발하거나 복부에 압력이 가해져 배뇨에 문제가 생기는 경우도 있다. 척수이형성증에서 비교적 발생빈도가 높은 척추 후만의 경우는 피부 손상의 문제 때문에 보조기 적용이 불가능한 경우가 많아 이럴 때는 수술적인 치료를 요한다.[36]

⑧ 보행보조기

보행보조기에는 보행기(walker), 여러 가지 목발(crutch), 지팡이(cane) 등이 있다. 2, 3세부터 목발이나 지팡이를 이용한 보행을 시작할 수 있다. 하부 흉수, 상부 요수의 병변이 있는 경우에도 4, 5세 때는 보행보조기를 이용해 걸을 수 있다. 4점 보행보다는 swing-through gait가 속도는 더 빠르다. 지팡이나 목발을 짚는 경우는 고관절, 슬관절의 운동형상학적(kinematic) 지표를 향상시켜 정상적인 보행에 가깝게 하여 준다. 보행보조기 없이도 보행이 가능한 하부 요수 병변의 경우에도 편측의 지팡이를 사용하면 보행속도가 현저히 빠르고 몸통의 흔들림도 적어 보행이 효율적이나, 손이 자유롭지 못하고 미관상의 이유로 환자들이 나이가 10대를 넘어가면 잘 쓰려하지 않는 경향이 있다. 척수이형성증 환자 대상 결과는 아니지만 Mellis 등의 연구에서 불완전 척수손상 환자를 대상으로 보행기, 목발, 지팡이 세 가지를 비교한 결과 보행기가 수직 방향의 체중 지지를 100%로 가장 많이 하고 속도는 늦고 몸을 앞으로 숙이게 된다고 했고, 목발은 50% 체중을 지지하고 자세는 보행기보다 더 똑바르고 속도는 빠르며 측면안정성이 좋다고 했다. 지팡이가 체중지지는 가장 적다고 했다. 따라서 환자에게 처방할 때 이러한 각 보조기 별 특징을 잘 고려하여 처방해야 한다.[35]

(3) 보조기와 관련된 문제점

보조기가 척수이형성증 환자의 근골격 변형 방지, 이동능력의 개선 등 기능적인 도움을 주지만 보조기와 관련된 많은 문제점과 불편도 존재한다.

① 피부의 손상(그림 22-15)

가장 큰 문제는 피부의 손상이다. 실제로 보조기와 관련된 가장 흔한 불편 사항이 피부와 관련된 문제이다. 환자들의 대부분이 족부 등에 감각 손실이 있기 때문에, 오랜 기간 압력이 가해지거나 손상을 받을 때나 열이 가해질 때 통증이 없어 쉽게 피부 궤양이 생길 수 있고 한 번 생긴 부위는 재발이 잘 된다. 이러한 피부의 손상은 neurotrophic factor와도 연관이 있는 것으로 여겨진다. 따라서 보조기 처방 후 과도한 압력이 생기는 부위가 있는지 확인하고 실제 보행이나 체중 부하 후 다시 한 번 관찰하여 피부 손상의 우려가 있으면 교정해 주는 과정이 필수적이다. 재발되는 피부 궤양은 골수염으로 악화될 수도 있는데 환자의 주관적인 통증 호소가 적기 때문에 의사의 세심한 관찰이 요구된다. 그리고 환자 및 보호자에게 보조기 착용부위를 반드시 눈으로 관찰하여 피부 손상이 발생하는지 자주 확인하도록 교육해야 한다.

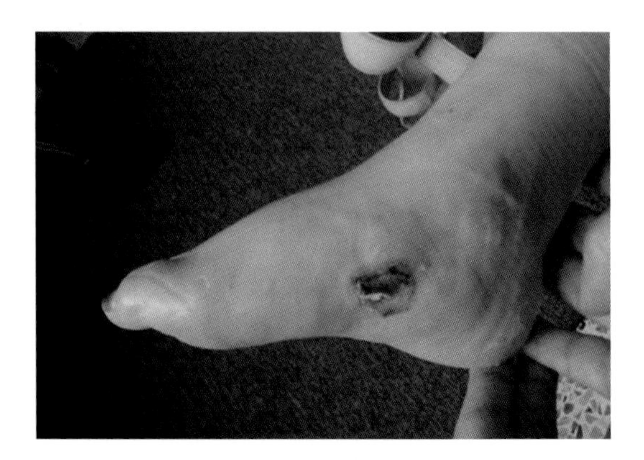

그림 22-15 보조기 착용 후 생긴 피부 궤양

② 기타 보조기 착용에 대한 문제점

보조기와 관련된 환자와 보호자의 불편사항으로 피부 문제 다음으로는 땀이나 통풍 문제, 과중한 무게, 미관상의 문제, 통증 등이 있다. 따라서 보조기 처방 시에 이러한 불편한 점에 대한 고려를 충분히 하여야 환자의 보조기에 대한 순응도를 높일 수 있다.[22]

2. 척수병증

그 외 드물게 척수병증을 유발하는 질환으로 다발성 경화증(multiple sclerosis), 가로성 척수염(transverse myelitis), 급성 파종성 뇌척수염(acute demyelinating encephalomyelitis, ADEM) 등이 있다. 다발성 경화증은 비교적 성인기 초반에 흔히 발생한다고 알려져 있지만 전체 다발성 경화증 중 2.7~1.5%는 소아에서 나타난다는 보고도 있다. 다발성 경화증은 척수뿐 아니라 뇌 실질, 뇌신경에 병변을 일으켜 마비, 감각 저하, 운동 실조, 시력 저하 등을 유발한다.[37] 가로성 척수염은 매우 드문 염증성 탈수초성 척수병증(inflammatory demyelinating myelopathy)으로, 갑자기 발병하여 약 1/3만이 후유증 없이 회복된다.[38] 따라서 다발성경화증과 급성 파종성 뇌척수염간의 감별이 중요하다. 가로성 척수염은 흉수(thoracic spinal cord)에 가장 흔하여 하지마비, 등의 통증, 신경인성 방광 및 장을 일으킨다. 최근에는 척수 자기공명영상(magnetic resonance imaging, MRI)이 중요한 진단 도구이며, 운동기능 회복이 없었던 환자들의 추적 검사에서 척수 위축이 관찰되는 보고도 있었다(그림 22-16).[39]

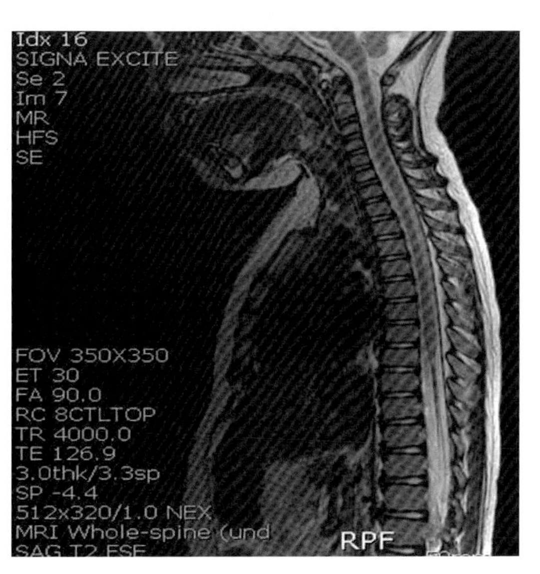

그림 22-16 급성 가로성 척수염 후 진행된 척수 위축

▶ 참고문헌

1. 고현윤. 재활의학과 의사를 위한 척수의학 매뉴얼. 초판. 경기도: 군자출판사; 2016
2. Kirshblum S, Campagnolo DI. Spinal cord medicine. 2nd ed. Philadelphia; LWW
3. Atesok K, Tanaka N, O'Brien A et al. Posttraumatic spinal cord injury without radiographic abnormality. Adv Orthop 2018;3:1-10
4. Vogel CL, Betz R, Anderson JC et al. Symposium on pediatric spinal cord injury. J Spinal Cord Med 1997;20:8-30
5. American Spinal Injury Association. International Standards for Neurological Classification of Spinal Cord Injury – Revised 2019. Available at: https://asia-spinalinjury.org/isncsci-2019-revision-released/
6. 유지현. 척수손상의 평가 및 예후. J Korean Med Assoc 2020;63:596-602
7. Silveri M, Salsano L, Pierro MM et al. Pediatric spinal cord injury: approach for urological rehabilitation and treatment. J Pediatr Uro 2006;2:10-5
8. Eswara JR, Castellan M, González R et al. The urological management of children with spinal cord inury. World J Urol 2018;36:1593-1601
9. Powell A, Davidson L. Pediatric spinal cord injury: a review by organ system. Phys Med Rehabil Clin N Am 2015;26:109-32
10. Wan D, Krassioukov AV. Life-threatening outcomes associated with autonomic dysreflexia: a clinical review. J Spinal Cord Med 2014;37:2-10
11. Vogel LC, Krajci KA, Anderson CJ. Adults with pediatric-onset spinal cord injury: part 2. musculoskeletal and neurological complications. J Spinal Cord Med 2002;25:117-23
12. Schottler J, Vogel LC, Sturm P. Spinal cord injuries in young children: a review of children injured at 5 years of age and younger. Dev Med Child Neurol 2012;54:1138-43
13. Parent S, Mac-Thiong JM, Roy-Beaudry M et al. Spinal cord injury in the pediatric population: a systematic review of the literature. J of Neurotrauma 2011;28:1515-24
14. McCarthy JJ, Chafetz RS, Betz RR et al. Incidence and degree of hip subluxation/dislocation in children with spinal cord injury. J Spinal Cord Med 2004;27 Suppl:S80-3
15. Copp AJ, Adzick NS, Chitty LS et al. Spina bifida. Nat Rev Dis Primers 2015;1.1:1-18.
16. Eggink AJ, Steegers-Theunissen, Regine PM. Neural tube anomalies: An update on the pathophysiology and prevention. Fetal therapy: Scientific basis and critical appraisal of clinical benefits 2020;449-455.
17. Obican SG, Finnell RH, Mills JL, Shaw GM, Scialli AR. Folic acid in early pregnancy: a public health success story. FASEB J. 2010;24:4167–74.
18. Kumar J, Afsal M, Garg A. Imaging spectrum of spinal dysraphism on magnetic resonance: A pictorial review. World J Radiol. 2017;9.4:178.
19. 방문석, 한태륜, 임정훈, 이인식. 이분 척추 환자들에 대한 전기생리학적 검사. 대한재활의학회지. 1997; 22(2):335-40.
20. Alexander MA, Matthews DJ, Murphy KP. Pediatric rehabilitation: principles and practice. 5thed. DemosMedicalPublishing,2015.
21. Dominic NPT. Spinal dysraphic anomalies; classification, presentation and management. Paediatrics and Child Health 2014;24:431-8.
22. 한태륜, 방문석, 정선근. 재활의학 제6판. 군자출판사; 2019.
23. 방문석, 한태륜, 김진호, 이경우, 이인식. 이분 척추 환자들의 보행. 대한재활의학회지. 1998;22(4): 840-847.
24. Gutierrez EM, Bartonek A, Haglund-Akerlind Y, Saraste H. Characteristic gait kinematics in persons with lumbosacral myelomeningocele. Gait Posture. 2003;18(3):170-7.
25. Park BK, Song HR, Vankoski SJ, Moore CA, Dias LS. Gait electromyography in children with myelomeningocele at the sacral level. Arch Phys Med Rehabil. 1997;78(5):471-5.
26. Mehta VA, Bettegowda C, Ahmadi SA, Berenberg P, Thomale U-W, Haberl E-J et al. Spinal cord tethering following myelomeningocele repair. J Neurosurg Pediatr. 2010;6.5:498-505.

27. Mummareddy N, Dewan M, Mercier M, et al. Scoliosis in myelomeningocele: epidemiology, management, and functional outcome. J Neurosurg Pediatr 2017;20:99-108.
28. Trivedi J, Thomson J, Slakey J, et al. Clinical and radiographic predictors of scoliosis in patients with myelomeningocele. J Bone Joint Surg Am 2002;84-A:1389-94.
29. Yaltirik, El Tecle NE, Pierson MJ, et al. Management of concomitant scoliosis and tethered cord syndrome in non-sina bifida pediatric population. Childs Nerv Syst 2017;33:1899-903.
30. Hulin MG AFO function in low-level myelomeningocele
31. Knutson LM. Orthotic devices for ambulation in children with cerebral palsy and myelomeningocele.
32. Thomson JD, Ounpuu S, Davis RB, DeLuca PA. The effects of ankle-foot orthoses on the ankle and knee in persons with myelomeningocele: an evaluation using three-dimensional gait analysis. J Pediatr Orthop. 1999;19(1):27-33.
33. Vankoski SJ, Michaud S, Dias L. External tibial torsion and the effectiveness of the solid ankle-foot orthoses. J Pediatr Orthop. 2000;20(3):349-55
34. Mazur JM, Kyle S. Efficacy of bracing the lower limbs and ambulation training in children with myelomeningocele. Dev Med Child Neurol. 2004; 46(5):352-6.
35. Mellis EH et al. Analysis of assisted-gait characteristics in persons with incomplete spinal cord injury. Spinal Cord 1999:37:430-439
36. Muller EB, Nordwall A. Brace treatment of scoliosis in children with myelomeningocele. Spine. 1994; 19(2):151-5.
37. Banwell B, Ghezzi A, Bar-Or A, Mikaeloff Y, Tardieu M. Multiple sclerosis in children: clinical, diagnosis, therapeutic strategies, and future directions. Lancet Neurol 2007;6:887-902.
38. Berman M, Feldman S, Alter M, Zilber N, Kahana E. Acute transverse myelitis: Incidence and etiologic considerations. Neurology 1981; 31: 966-971.
39. Bang MS, Kim SJ. Progression of spinal cord atrophy by traumatic or inflammatory myelopathy in the pediatric patients: case series. Spinal Cord. 2009 Nov;47(11):822-5.

CHAPTER

23 외상성 뇌손상과 기타 뇌 질환

Traumatic Brain Injury and Other Brain Disorders

고성은, 홍지연

I. 외상성 뇌손상

청소년기의 손상 및 사망의 가장 흔한 원인은 외상성 뇌손상이다. 중증의 뇌손상 소아는 인지, 기억, 언어 및 학습 능력 등 다양한 영역의 장애가 발생되기 때문에 적극적인 재활치료를 필요로 한다. 소아 외상성 뇌손상 후 운동장애로 경직, 운동실조증, 운동완만, 근긴장 저하 또는 동요 등이 나타나고, 이는 오랜 기간 지속되며, 대근육운동과 함께 섬세한 운동이 어렵게 된다. 사망률은 어른보다 낮아서 심한 뇌손상 소아에서 9~38%의 사망률을 보인다. 사망의 위험은 글라스고우 혼수 계수(Glasgow coma scale)와 관련이 있고 점수가 3점인 이완성 혼수 환아는 50~100%의 사망률을 보인다. Humphreys는 소아의 심한 뇌손상 후 결과에 대해 "3등분 규칙"을 말했는데, 이는 1/3의 아이들은 사망하고, 1/3은 좋은 회복을, 그리고 나머지 1/3은 장애가 남는다고 하였다.

Sullivan은 심한 뇌손상 청소년을 4년간 추적, 관찰하였는데, 근력, 지구력, 민첩성 및 협동 작용 등 운동수행능력이 저하되었고, 이 때문에 뇌손상아들은 스포츠나 체육 활동에 참여하기 어렵다고 하였다. 대부분의 심한 뇌손상 아동들도 독립적으로 보행이 가능하게 되지만 어려움은 오랫동안 남는다. 손동작의 기능 저하도 팔 전체의 기능을 어렵게 한다.

Kuhtz-Buscheck 등은 6~13세의 중등도 및 중증의 외상성 뇌손상 아동 12명을 손상 1년 후, 보행, 팔-손 앞으로 뻗기 및 물건 쥐기를 분석하였다. 외상성 뇌손상 아동의 동작 수행은 느리고, 동작 양상이 일정치 않고 협동 작용이 떨어지는 것이 특징이라고 하였다. 걷는 속도가 느리고 걸음거리와 보폭거리가 저하되고 보폭이 다양하고 보폭의 대칭성이 일정하지 않았고 균형이 떨어졌다고 하였다. 보행장애의 정도는 뇌손상의 정도가 심할수록 컸다. 손의 기능 회복은 보행보다 더 좋지 않았다. 물건쥐기 반응시간과 동작 기간이 길어지고 속도가 감소하고, 물건을 손으로 쥐기 위한 전 동작으로 손을 내밀 때 손이 크게 펴지는 것을 관찰, 보고하였다.

1. 손상기전

뇌손상의 일차적 손상 기전은 미만성 축삭 손상이 특징으로, 가속-감속, 회전력에 의해 발생하며 손상 정도에 따라 현미경적인 미세 병변부터 육안으로 확인 가능한 병변까지 다양하게 생기므로 컴퓨터단층촬영영상이나 자기공명영상에서 보이지 않을 수도 있다. 백질의 축삭과 수초가 신장, 신연되어 생기고 주로 뇌량, 속섬유막, 상소 뇌각에 잘 생긴다. 미만성 손상 때는 의식소실 기간이 길다. 자기공명영상은 뇌의 회전력으로 인한 손상과 좌상을 관찰하기에 좋다. 반면, 국소 손상은 타격, 추락 등 비교적 저속의 충격에 의해 발생하고 두개골 골절이나 뇌좌상이 동반된다. 이차적 뇌손상은 주로 허혈에 의해 생긴다. 혈액량과 뇌수분량의 증가로 뇌종창과 부종이 생기고 이로 인해 두개내압상승, 이탈 및 허혈을 초래하여 광범위한 손상을 야기하게 된다. 소아 뇌손상은 성인과 다른 몇가지 특징이 있는데, 뇌신경의 수초형성이 불완전하기 때문에 전단력(shearing)에 의한 손상의 위험성이 높고, 상대적으로 큰 머리가 작고 약한 목에 의해 지지되므로 회전력이 증가하여 손상의 중증도가 심해질 수 있는 가능성이 있다. 이외 뇌부종 발생 위험성이 상대적으로 높다는 연구도 있다.

2. 평가

신경학적 장애는 성인 뇌손상과 매우 비슷하지만 뇌손상 소아의 회복 결과를 평가하기는 쉽지 않다. 운동, 감각 장애보다도 인지장애, 특히 행동장애를 평가하기 어렵다. 평가 방법이 민감하고 특이해야 하는데, 아직 뇌손상 소아를 평가하는 특별히 좋은 방법이 없다. 또한 아이들이 성장하는 동안 인지, 행동, 및 심리 장애가 뇌손상 또는 정상발달에 미치는 영향을 밝히기 어렵다.

1) 연령에 따른 평가

(1) 분만 손상의 초기 평가

분만 중 두개골이나 뇌의 외상은 정적이므로, 머리의 모양이 대뇌의 외상 정도에 영향을 미친다. 주로 겸자분만으로 인한 함몰성 두개골 골절, 경막하 또는 경막외 혈종, 대뇌 혈종, 출혈성 좌상 또는 타박상 등이 생긴다. 초기 아프가 점수, 5분 아프가 점수는 분만중 외상에서 낮다. 분만 후 첫 24시간내 경련이 있으면 두개내 혈종의 가능성이 있고 컴퓨터 단층 촬영의 적응증이 된다. 의식 감소 정도를 평가하기 어려우므로 융기된 천문, 분열된 봉합선 및 머리 크기의 증가 등이 중요한 척도가 된다. 간헐적인 무호흡, 서맥등도 대뇌 손상의 가능성을 시사한다. 사망률은 낮지만 오랜기간 기능장애를 보이는 비율이 30%로 높은 것이 특징이다.

(2) 첫 1세의 초기평가

1세 이하에서 글라스고우 혼수 계수는 유용하지 않다. 특히 외상성 뇌손상 환아에서도 율동적 안구 운동, 반복적인 상,하지 운동이 나타나므로 목적이 있는 자발적인 운동으로 오인할 수 있다. 망막 출혈은 진탕의 특징적 소견이며 저산소증, 저탄산혈증 및 두개내압 상승으로 인한 이차적 뇌손상과 동반된다.

(3) 1세 이후의 초기 평가

글라스고우 혼수 계수(표 23-1)를 적용할 수 있다. 단, 언어 반응에서는 아이가 울면 4점, 울지 않으면 1점을 준다.

2) 인지 기능의 평가

뇌손상 환아의 인지장애나 그와 관련된 정신, 사회적 장애는 운동장애보다 흔하게 나타나고 성장

표 23-1 소아 글라스고우 혼수 계수

	나이	반응	점수
눈뜨기	1세 미만	스스로 눈을 뜬다	4
		큰소리치면 눈을 뜬다	3
		꼬집으면 눈을 뜬다	2
		눈을 뜨지 않는다	1
	1세 이상	스스로 눈을 뜬다	4
		큰소리로 명령하면 눈을 뜬다	3
		꼬집으면 눈을 뜬다	2
		눈을 뜨지 않는다	1
운동반응	1세 미만	정상 반응	6
		꼬집으면 반응한다	5
		꼬집으면 그 부위를 피한다	4
		꼬집으면 부적절하게 몸을 굴곡시킨다	3
		꼬집으면 신전자세로 강직된다	2
		꼬집어도 반응이 없다	1
	1세 이상	명령하면 따라한다	6
		꼬집으면 검사자의 손을 뿌리친다	5
		꼬집으면 그 부위를 피한다	4
		꼬집으면 부적절하게 몸을 굴곡시킨다	3
		꼬집으면 신전자세로 강직된다	2
		꼬집어도 반응이 없다	1
언어반응	2세 미만	상황에 따라서 적절히 운다	5
		상황에 관계없이 운다	4
		부적절하게 울거나 소리쳐 흐느낀다	3
		끙끙거린다	2
		반응이 없다	1
	2~5세	적절한 언어를 구사한다	5
		적절하지 못한 언어를 구사한다	4
		울거나 소리쳐 흐느낀다	3
		끙끙거린다	2
		반응이 없다	1
		대화가 가능하고 지남력이 있다	5
		혼란스럽고 지남력이 떨어진다	4
		적절하지 않은 단어를 구사한다	3
		이해할 수 없는 소리를 낸다	2
		반응이 없다	1

하는 환아의 삶에 큰 영향을 미친다. 신경학적 장애나 학습 장애는 손상의 심한 정도에 비례 한다. 기억력, 주의력, 실천 능력, 실행 속도, 언어 및 시공간 지각력 등이 손상된다. 인지 기능의 회복은 중등도 또는 중증의 뇌손상 후 첫 1년이 중요하다. 그 이후는 회복이 느리고 특히 수행 지능, 문제해결 능력, 그리고 기억의 장애는 3년 후에도 지속된다. 따라서 뇌손상의 결과를 평가하려면 추적 관찰기간이 충분해야 한다. 결과의 최종평가는 손상 7, 8년 후 시행하는 것이 좋 다. 뇌손상 환아의 인지 능력 평가는 뇌손상의 합병증에 대한 이해가 필요하다. 지능 지수가 정상이거나 높다고 후유증이 없는 것은 아니다. 일상 생활을 조직적으로 잘 하지 못하고 일의 결정을 잘 못할 가능성이 있다.

인지기능의 평가는 1) 환아의 인지능력 영역 내에서 장애의 보상으로 근력을 이용할 수 있는지, 2) 환아가 생활하는 데 근력 약화의 영향 중 기능적으로 가장 연관이 있는 것이 무엇인지, 3) 인지적 측면의 재활에서 치료의 목표와 특정한 목적을 설정하기 위해, 4) 치료 환경에서 기초적 상태를 얻고 치료의 경과 정도를 평가하기 위해, 5) 기능적인 인지능력 향상을 위해 가장 효과적인 방법이 무엇인지 결정하기 위해, 6) 개개인의 환아마다 효과적인 교육은 무엇인지 파악하여 치료가 그 아이에 맞게 이루어지도록 하기 위해, 그리고 7) 어떠한 과제, 환경적 변수, 대인관계에서의 변수 또는 동기 부여를 하는 변수가 적응 기능과 교육에 가장 효과적인지 등을 결정하기 위해 필요하다.

객관적이고 공식적인 평가는 환아가 지시를 따를 수 있어야 하고 주의집중기간이 검사하기에 적당하여야 하며(최소 20분), 초기의 빠른 회복기에 시행하지 않아야 한다. 취학 전 아동의 진단적 평가에 가장 중요한 점은 아이에게 새로운 정보로서 규칙이 있는 활동(예를 들면, 게임)과 어휘를 가르쳐 주고 아이의 학습 능력에 맞게 체계적으로 이루어져야 한다.

3) 감각과 운동의 평가

영아는 선천성 신경계 질환과 비슷한 평가와 치료를 하여야 하고, 취학 전 아동은 대근육운동과 섬세한 운동 기술이 발달하는 시기이므로 단지 잃었던 기술에 대한 획득만이 아니라 발달과정에도 비중을 두어야 한다. 학령기 아동은 기능적 학습 기술, 예를 들어 쓰기와 학습 성취를 위해 필요한 장비나 학용품과 그 사용에 중점을 두어야 한다. 성인과 비슷한 운동 기능을 가지는 사춘기는 사회적 자기 인식에 중점을 두어 평가하여야 한다. 운동기능 평가에는 가족의 능력이나 치료팀의 일원으로서의 기대에 대한 평가도 주의 깊게 이루어져야 한다. 심한 뇌손상 환아에서는 개조된 장비, 개조된 의자, 동력 이동장치, 의사소통 보조기 및 환경 조절 등이 기능 개선에 큰 도움이 되므로 정확한 평가와 적용이 필요하다. 평가 지표로서 운동범위, 근육의 긴장도, 근력, 반사, 감각(시각, 청각, 촉각, 전정감각, 고유감각, 운동감각), 자세, 자세성 반사 기전(직립 반사, 평형 반사, 방어 반응), 운동을 실행할 수 있는 단계적 계획 등이 평가된다. 기능 평가는 대근육운동(걷기, 이동 등), 섬세한 운동(물건의 조작, 쓰기), 일상생활동작(이 닦고 세수하기, 옷입기)등의 영역을 평가한다.

(1) 대근육운동

아이가 몸의 중심선에서 벗어나는 움직임이 가능한지, 배밀이, 기기, 균형감각, 몸무게 중심 조절 능력, 어떤 위치에서 안팎 이동이 가능한지, 무게를 팔이나 다리에 실을 수 있는지, 지지면을 감소시켜서 근위부가 안정되는지, 어떤 이행 동작이 있는지, 양쪽 방향으로 구를 수 있는지, 양 방향으로 움직여서 앉을 수 있는지, 팔다리를 모두 움직이는지, 무릎을 꿇고 앉은 자세에서 일어날 수 있는지, 앉았다 다시 일어날 수 있는지를 평가한다. 주위의 소파나 가구를 잡고 다니는지, 걷기가 가능한지, 보행을 위해 도움이나 장비가 필요한지, 침대로 혹은 침대에서 이동, 의자차, 그리고 화장실 의자, 샤워 의자, 목욕통 등의 장비가 필요한지 등을 평가한다.

(2) 섬세 운동

아이가 단계적이고 방향성 있는 팔과 손의 움직임이 가능한지, 중심선을 교차하는지, 다양한 모양과 크기의 물건을 다루기 위해 기능적인 쥐기가 가능한지, 선택적인 손가락 움직임이 가능한지(손가락 놀이, 가리키기, 타이프치기), 물건을 조작하고 내려놓을 수 있는지, 쓰기, 단추 잠그기, 공을 튀기고 잡기, 대칭적이고 상동적인 동작 즉, 치약 뚜껑 열기, 가위질을 할 때 양손의 협동 운동이 적절한지, 우세 손이 손상 전과 후에 어느 쪽인지, 다른 한 손의 보조가 자연스럽게 이루어지는지 등을 평가한다.

(3) 일상생활동작

아이가 스스로 먹기, 옷입기, 머리빗기, 화장실 가기 등을 할 수 있는지, 연령이나 환경에 맞게 독립적이고 안전하게 생활할 수 있는지, 음식을 만들고 준비할 수 있는지, 그리고 놀이나 기타 여가 활동에서 독립적이고 효과적으로 활용하는지 등을 평가한다.

4) 재활결과 평가

외상성 뇌손상 환아의 치료결과를 예측하고 평가하는 일이 단순하지는 않다. 소아 외상성 뇌손상 연구에 필요한 타당성 있는 평가도구들을 일반화하는 작업이 이루어졌다. 우선 평가영역을 학습, 일상생활동작수행 능력, 가정과 주위 환경, 총체적인 결과(global outcome), 삶의 질, 영아 및 유아기 평가, 언어와 소통 능력, 정신 심리 상태, 사회 적응력, 그 외 외상성 뇌손상 관련 증상 등으로 분류하고 각 영역에서 중심이 되는 평가도구들을 선정하였다(표 23-2).

3. 예후

연령에 따라 예후의 차이가 있는데 15~18세보다 어린 아이들이 2세 이상의 연령에 비해 좀더 예후가 좋다. 하지만 5세 이하는 예후가 나쁘다. 컴퓨터단층촬영영상 소견이 정상인 경우 예후가 좋으며, 경막하 출혈, 뇌내출혈, 양측 뇌반구 부종이 존재하면 예후가 나쁘다. 글라스고우 혼수 계수는 1세 이상의 아이들에게 신뢰도가 높은 지표가 된다. 3점인 경우 사망률이 높고 어른에서와 달리 4점인 경우 유의한 회복률을 보이며, 5점 이상은 사망률이 매우 낮고 아주 높은 회복률을 보인다. 혼수의 심한 정도에 따라서는 큰 차이는 없다. 두개내압이 높을수록 보통 사망률이 높지만 생존의 질적 수준과는 연관이 적다. 일찍 두개 내압을 조절하면 사망률을 감소시킬 수 있다.

뇌손상 후 급성기의 합병증(표 23-3)을 잘 관리할수록, 환아의 정신 기능, 인지 발달, 언어, 운동 기능 등의 회복 가능성이 높고 빠르다.

4. 뇌손상 후 문제점

1) 정신, 심리 및 행동 양상

행동장애나 성격 변화의 빈도는 정확히 알 수 없으나 꽤 흔한 문제이다. 성인과 마찬가지로 주의력 부족, 일의 계획 및 착수 또는 문제 해결을 잘 못하고 융통성이 부족하며 피곤, 짜증, 분노 폭

표 23-2 평가영역별 주된 평가도구

Domain	Core measures
Academics	Child Behavior Checklist (CBCL-School Competence scale)
Adaptive and Daily Living Skills	1. Pediatric Evaluation of Disability Inventory (PEDI-Self Care subscales) or 2. Functional Independence Measure for Children (WeeFIM)
Family and Environment	Family Assessment Device-General Function subscale (FAD-GF)
Global Outcome	Glasgow Outcome Scale-Extended (GOS-E Peds)
Health-Related Quality of Life	PedsQL
Infant and Toddler Measures	1. Mullen Scales of Early Learning 2. Bayley Scales of Infant and Toddler Development-III (full, not screen) 3. Brief Infant Toddler Social Emotional Assessment (BITSEA) or 4. CBCL
Language and Communication	1. Wechsler Abbreviated Scale of Intelligence (WASI-Vocabulary subset) 2. Caregiver Unintelligible Speech Rating
Neuropsychological Impairment Attention/Processing Speed	Wechsler Intelligence Scale for Children, 4th edition (WISC-IV)/Wechsler Preschool and Primary Scale of Intelligence, 3rd edition (WPPSI-III) Processing Speed Index
Executive Functioning	Delis-Kaplan Executive Function System (D-FEFS) Verbal Fluency
General Intellectual Ability	WASI
Memory	1. Rey Auditory Verbal Learning Test (RAVLT) 2. California Verbal Learning Test for Children (CVLT-C)
Physical Functioning	1. WeeFIM 2. PEDI mobility subscale
Psychiatric and Psychological Functioning	1. CBCL, problem Behaviors or 2. Strengths and Difficulties Questionnaire
Recovery of Consciousness	1. Children's Orientation and Amnesia Test (COAT) 2. Galveston Orientation and Amnesia Test
Social Role Participation and Social Competence	1. PedsQL (Social subscale) 2. Strengths and Difficulties Questionnaire (Peer Relations and Prosocial Behavior subscale)
TBI-Related Symptoms	Health and Behavior Inventory (HBI)
Social Cognition	Not Available

표 23-3 뇌손상 후 급성기 합병증

발생부위	증상	발생부위	증상
피부	욕창	심혈관	고혈압 또는 저혈압
	여드름		부정맥
눈	안구건조	비뇨기	배뇨장애
귀	청력 및 균형장애		뇨관삽입으로 인한 합병증
코	후각 상실	내분비	시상하부 뇌하수체 기능장애
목	구강 감염		전해질 불균형
	이갈이		불명한 발열
	척수손상과 마비	근골격	관절구축
후두	삼킴장애		이소성 골화증
기도	기관삽관으로 인한 손상		근약증
	기관절개술	중추신경	감각이상
	감염		경직
호흡기	폐 색전증		뇌혈종, 수활액낭종
	폐렴		감염
	호흡 곤란 증후군		외상성 뇌전증
소화기	위궤양과 합병증		수두증
	소화기능장애		뇌척수액 누출
	배변장애	말초신경	말초신경압박손상
	비위관 식이 합병증		뇌신경손상
	영양장애		

발이나 적절치 못한 행동을 흔히 보인다.

Rivara 등은 뇌손상이 행동장애의 모든 원인이라고 할 수 없고 손상 전의 아이의 성격, 가족의 문제가 큰 요인이라고 하였다. 엄격한 가족들이 심한 뇌손상 후의 문제에 적응하기가 더 어렵고, 시간이 지남에 따라 아이와 가족에게 좋지 않은 결과를 초래한다고 하였다. 초기 회복기에는 일과성으로 나타나고 예측 가능하며 초조, 격앙, 퇴행, 정보처리 능력의 손상, 안절부절 못하고 지리멸렬한 대뇌 자극 증후군이라 일컬어지는 행동을 보인다. 이러한 초기 행동 유형은 수일에서 수주까지 지속된다. 또한 움직임이 없거나 무감정이 나타날 수 있으나 드물다.

회복 중반부에는 촉각이나 소음 등 자극에 대해 못 견디는 양상을 나타내고 자신의 결함에 대해 부정하거나 과소 평가하기 때문에 치료에 대한 순응도가 떨어진다. 마지막 단계에서는 잠재적인 인지장애와 행동장애에 대한 인식이 증가하여 서로 해롭게 결합되어 자존심의 상실, 우울증, 분노, 또는 위험한 행동 등으로 나타난다. 정신과적 후유증은 복합적인 양상으로 나타나는데 대부분 지각과 인지능력장애에 대한 이차적 긴장감으로 인해 생긴다. 시각-운동장애, 시각-공간장애, 운동 속도 및 숙련도의 저하 등이 생기고 특히 눈과 손의 협동 작용 속도가 저하된다.

2) 언어

소아의 뇌손상 후 대화 기술의 회복은 좋다. 외상 때의 연령과 언어 회복 정도는 반비례하여 1세 이하의 뇌손상에서 회복이 좋다. 또한 손상 때의 연령은 언어 장애의 유형과도 관련되어 청소년은 구음장애(말더듬증)와 문자에 관한 언어 장애를 보이고 어린 소아는 언어 행위 상실증의 빈도가 높다. 소아에서 운동성 언어 장애(비언어상실증)의 빈도는 진성 언어상실증보다 적다. 표현 언어상실증이 가장 흔히 나타나고 이름대기, 단어 찾기 등에 어려움이 많다. 이러한 언어장애는 학업 성취도에 영향을 미치게 되므로 잠재적인 언어장애에 대한 진단과 치료가 중요하다.

3) 지능

Kennard가 실험적으로 원숭이의 일측 뇌피질을 손상시킨 후, 운동기능 회복을 관찰하였는데, 뇌병변이 유사한 경우 어릴 때 손상이 연령이 높은 성인 원숭이의 손상보다 회복이 더 좋았다고 하였다. 이로써 발달과정의 중추신경계는 재구성과 보상능력이 탁월하다는 원칙을 얻게 되었다. 그 이후 이 Kennard 원칙을 지지하거나 반박하기 위한 연구가 많이 진행되었다. 소아의 뇌가소성과 인지기능 회복에 대하여 반박이 많았다. 어릴 때 손상되면 뇌 가소성이 큼에도 불구하고 예후가 나쁘다고 몇몇 연구가들이 주장하였다. 조기의 뇌손상은 실제로 뇌의 총 질량 성장을 저해하고 비정상적인 위축이나 비후 상태를 형성하고 뇌발달을 방해하여 학습을 어렵게 한다고 하였다.

최근에는 특히 뇌병변이 미만성 손상이면 어린 아이들에게서 인지장애나 행동장애가 더욱 심하다고 한다. 그리고 외상성 뇌손상 후 예후는 새로운 것을 배울 수 있는 능력에 좌우된다고 한다. Duval 등은 외상성 손상은 아니지만, 뇌병변 소아를 7세 전, 후로 나누어 회복 정도를 비교하였다. 7세 이전에 손상된 소아는 언어나 수행지능 검사 모두 회복이 느렸고, 7세 이후 뇌손상 소아의 회복이 보다 좋았다고 하였다. 뇌병변이 연령적으로 늦게 발생될수록 인지기능이 높고 일상생활 수행수준도 보다 더 양호하다고 하였다. 아직 발달되지 않은 영역은 더욱 지연되거나 비정상적으로 발달하거나 또는 전혀 발달하지 못할 수도 있다. 기능에 따라 발달 속도가 달라 특히 느린 영역이 있을 수도 있다. 지능의 향상은 외상 후 1~2년까지 지속적으로 이루어진다.

운동능력과 신체적 독립성의 회복과 달리 지능장애는 좀더 심각한 장기적인 장애로 남는다. 글라스고우 혼수 계수가 8점 이하인 심한 뇌손상에서 소아군이 청소년보다 낮은 지능 지수를 보였다. 언어와 수행지능 검사 점수 80 이하의 비율은 각각 33%와 40%이었고, 10세 이하에서 유의하게 낮은 점수를 보였다. 혼수 상태 지속기간에 따른 뇌손상의 심한 정도는 장기적인 지능 장애와 직접적인 관련이 있다. 수행지능 저하가 언어지능 저하보다 더 심하고 더 오래 지속된다.

4) 기억력 장애

장기간 저장하거나, 재생하기 어려운 기억력 장애가 흔하고 글라스고우 혼수 계수와 혼수 지속기간등 뇌손상의 심한 정도와 직접적인 관련이 있고 연령과는 관련이 적다. 또한 기억력 장애는 지능이 회복되어도 오래 지속된다.

5) 학습 능력

인지장애와 행동장애로 인해 학교 생활에 어려움이 예상되나 이에 대한 연구가 부족하다. 기억력, 시각-공간적 능력, 운동의 숙련도, 주의력 및 행동 조절 등이 학교 생활을 수행하는 데 영향을 미치는 인자이다. 청소년기의 흔한 문제점은 추상적인 사고, 조직적인 작업 능력, 읽기 이해력, 정보를 종합하는 능력, 판단력, 결과의 예측 능력 등의 장애에 의한다.

6) 내과 및 외과적 문제점

(1) 영양과 섭식

소아의 손상 후 대사에 관한 연구는 이루어지지 않았지만 어른에서와 마찬가지로 대사과다증으로 인해 영양 결핍이 생길 수 있다. 비정상적 구인두 근육의 긴장과 감각 및 운동장애, 비정상적 반사 등으로 섭식과 삼킴기능에 문제가 생기고 흡인의 위험도 있다. 회복 후반기에는 과도한 칼로리 섭취로 인해 비만이 초래될 수 있다.

(2) 위장관

위산 과다 분비, 역류성 식도염, 긴장성 소화궤양, 또는 비위 영양관으로 인한 점막 손상 등으로 위장관 출혈이 흔히 생기므로 대변의 잠재 출혈 여부를 검사하여야 한다. 또한 두개내압 상승과 함께 췌장염이 생길 수 있다.

(3) 호흡기계 이상

안정기의 체중당 산소 소비율이 어른의 2배이고 긴장 상황에서 호흡률이 증가하여 호흡 부전에 빠지기 쉽다. 기관내 삽관의 기간이 길어질수록 후두기관 협착과 육아종 등의 발생이 증가한다. 기관절개를 장기간 한 경우 성문하 협착, 기관의 육아종, 성대의 융합, 성대의 마비 및 위상 내전 운동의 상실 등 문제가 생긴다.

(4) 고혈압

18세 이하의 심한 뇌손상 환자의 20%가 전신성 고협압을 보이는데, 대부분 정상화되나 몇개월 동안 지속되어 약물 치료가 필요한 경우도 있다. 이는 과아드레날린성 상태로 인해 생기게 되지만 치료 가능한 다른 원인이 있는지 검사가 필요하다.

(5) 발열과 감염

상부 호흡기계 감염, 비위영양관으로 인한 비동염, 폐렴, 기관지염, 흡인, 무기폐 또는 뇌기저 골절과 복합성 두개골 골절, 뇌의 관통상으로 인한 세균성 뇌수막염 또는 뇌농양, 그리고 도뇨 관에 의한 요로감염 등이 드물지 않다. 시상하부의 손상으로 인해 중추성 발열도 생길 수 있으나 다른 감염의 가능성이 배제되어야 진단할 수 있다. 그 외에도 드물지만 기생충, 진균성 감염도 있고, 심한 경직 때도 미열이 생길 수 있다.

(6) 내분비계 이상

내분비계 장애는 일시적일 수도, 또는 영구적일 수도 있으며 부분적 장애에서 완전 장애까지 다양하게 나타날 수 있다. 뇌하수체 후엽의 기능 항진은 수상 후 1~2주에 나타나, 자가제한적인 항이뇨 호르몬의 부적절한 분비증후군, 요붕증 등이 생길 수 있다. 뇌하수체 전엽의 기능장애는 뇌하수체 기능저하증, 성장장애, 동성성징발달조숙 등이 보고되었다. 특히 성장 호르몬 결핍은 저신장, 발육부진 등을 일으킨다.

(7) 피부의 문제

스테로이드에 의한 여드름은 약을 끊으면 없어진다. 욕창은 엄격하게 압력을 세서하고 적절한 영양 공급을 하여야 한다. 영아는 체중이 가벼워 욕창의 위험은 적지만 머리의 후방부에 잘생기고 좀더 큰 아이들은 발꿈치, 복사뼈, 천추부에 가장 흔하게 생긴다. 욕창 궤양이 생기면 재활치료를 방해하므로 주의해야 한다.

7) 근골격계 문제

(1) 골절, 골전위

대부분의 뇌손상이 자동차 사고로 인해 생기므로 골절의 발생률이 높다. 초기 혼수상태에서는 진단이 어렵고 의식이 회복되면 정확한 검사로 발견되지 않은 손상을 찾아야 한다. 빈도는 대퇴골, 쇄골, 전완부와 완관절, 경골, 상완골의 순으로 많고, 초기에는 초조, 격앙되고 공격적이기 때문에 복합적인 치료가 필요하며 골절은 개방골절 교정과 내고정술 등의 수술적 치료가 이루어져야 한다.

(2) 이소성 골화증

소아에서는 어른보다 발생 빈도가 낮고 고관절, 대퇴부, 견관절 및 주관절 등에 생긴다. 수상 후 2~12개월 사이에 잘생긴다. 관절가동범위 감소, 통증, 발적 및 종창 등이 있고 연조직염, 감염성 관절염, 혈전정맥염, 골절 등과 감별해야 한다. 관절 강직을 예방하기 위해 수동적 관절 운동을 실시하는데 소아는 골단 성장판을 손상시키지 않도록 특히 주의해야 한다. 수술적 치료는 관절가동범위 제한으로 재활 치료가 힘들거나 기능을 증가시키기 위해 실시한다. 소아에서 이인산의 효과는 아직까지 명확하지 않으나 구루병성 골변화가 발생할 가능성이 있기 때문에 예방적 사용은 금기이다.

(3) 과칼슘혈증

움직이지 못하고 누워있으면 과칼슘혈증이 발생하여 애매모호한 무기력, 감정 상태의 변화, 위장관계 이상, 구역 및 식욕부진 등의 증상이 나타나고 후기에는 요석증이 생길 수 있다.

(4) 척추측만증

경직이 지속될 때 생긴다. 성장하면서 척추측만증이 진행할 수 있으므로 주의깊게 관찰해야 한다.

(5) 양다리 길이의 차

편마비는 2~5 cm 정도의 마비측 다리의 단축이 생길 수 있으므로 주위 깊게 관찰해야 한다. 차이가 심하면 다리 길이를 맞추기 위한 수술을 해야 한다.

8) 신경학적 문제

(1) 운동장애

경직이 가장 흔한 운동장애이나 운동 실조가 동반되어 나타나기도 한다. 경직성 편부전마비 양상이 많아서 우세한 손이 침범되면 장애가 심하다. 소아의 경직은 수상 첫 6개월 동안 증가하는데 2, 3개월에 최고점을 이룬다.

운동 실조도 나타나는데 어른보다 소아에서 흔하게 나타나며 단독으로 나타나기보다는 경직과 동반되어 나타나고 경직이 심하지 않은 상하지에서 주로 잘 보인다. 심한 경우 영양 섭취나 보행을 방해하고 구음장애를 야기하고 언어 명료도를 저해한다. 어른과 달리 수상 후 2, 3년이 지나도 회복된다. 그 외 운동이상증은 드물다.

(2) 척수 손상

소아 뇌손상의 약 1%에서 척수 손상이 동반된다. 초기 혼수 상태에서는 간과될 수 있으므로 가장 흔히 손상되는 경추부는 방사선 사진을 찍어 반드시 확인해야 한다. 소아는 확인 가능한 방사선촬영에 척추의 이상 소견이 없어도 척수가 손상되었을 가능성이 높으므로 진단이 더욱 어렵다. 불완전 척수손상 때는 체성감각유발전위 검사가 도움이 된다.

(3) 말초 신경 손상

말초 신경 손상은 드물다. 다른 증상이 회복되어도 이완성 마비나 근 약화가 지속되면 고려해야 한다. 쇄골 골절에 의한 상완 신경총 손상, 장골 골절에 의한 비골 및 요골 신경 손상, 그리고 골반 골절 후 요천추 신경총이나 골반 신경 손상 등이 있다. 근전도 검사로 진단한다.

(4) 외상 후 수두증

대뇌 위축으로 인한 수두증이 가장 흔하고 수상 후 2주 내에 생길 수도 있다. 외상 후 교통성 수두증이 드물게 발생하는데 수상 후 1년 이내에 생긴다. 뇌척수액의 압력이 상승된 경우 단락술로 임상적 호전을 볼 수 있다.

(5) 청력과 전정장애

측두골 골절의 70~80%는 세로로 생기고 고막과 중이가 손상되어 청력이 상실되지만 대부분 자연적으로 회복된다. 측두골의 가로 골절은 20~30%이고 전정기관, 와우 신경 및 안면 신경 손상이 흔히 동반되어 현기증, 영구적 신경성 난청, 안면 신경 마비 등이 발생한다. 전정과 와우의 기능장애로 감각신경성 난청, 드물지만 자세성 현기증, 자발성 또는 체위성 눈떨림 등이 생긴다. 소아의 외상성 감각신경성 난청의 회복은 어른보다 좋으며, 감각성 말초성 전정장애는 약 40%에서 보이며, 어른과 달리 어지러움 등 증상이 지속되는 경우는 거의 없다.

(6) 시력 장애

안구주위의 관통성 손상이나 두개의 둔기 손상으로 인해 시각경로와 시각피질의 손상이 생긴다. 시각 신경 손상은 신전, 열상, 좌상 또는 혈관장애로 생길 수 있고 한 눈의 시력상실, 시력 저하 및 시야장애 등이 생기지만 피질성 시각상실과 달리 대부분 완전히 회복된다.

(7) 외상 후 발작과 뇌전증

초기의 발작은 외상 후 1주 내에 일어나고 어른에 비해 더 자주 일어나고 경미한 외상에도 생길 수 있다. 외상 후 첫 24시간 내 초기 발작은 3세 이하의 유아에는 75~85%의 높은 발생률을 보인다. 보통 국소적으로 응시발작 양상으로 나타나지만 뇌부종이 지속되거나 재발되고 두개내압이 상승할 때에는 대발작 양상으로 진행하므로 주의해야 한다. 항뇌전증약 국소 신경 이상이나 두개내 혈종, 대뇌 열상 등의 국소 뇌손상에 사용하도록 권장하고 있다. 후기의 뇌전증은 소아에서는 어른보다 발생률이 적고 대부분은 손상 후 12개월 내 생기는데 그중 3개월 이내에 가장 많이 생긴다. 70% 이상이 대발작 양상으로 나타나고 30%는 응시발작으로 발현하며 이 중 50%가 측두엽 뇌전증이다. 소아에서 후기 뇌전증의 발생률이 높지 않고 항뇌전증약의 경제적인 면이나 부작용을 고려하면 장기간의 예방적 투여는 장려하지 않는다.

5. 치료

뇌손상과 그 외 신체 부위에 동반한 손상을 치료하는 초기에는 모든 기능이 아주 많이 저하되어 있다. 손상의 정도, 범위 및 합병증에 따라 다르지만 이 시기는 몇 일에서 몇 주가 된다(그림 23-1). 그 후, 급성기 재활치료 시기에는 많은 기능이, 특히 신체 기능이 빠르게 회복된다. 이 시기는 대략

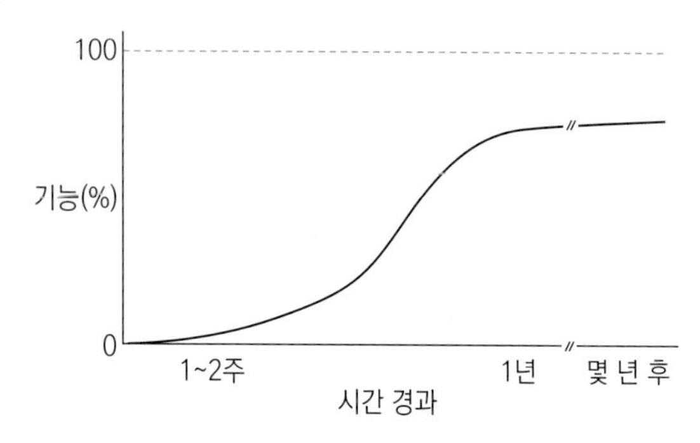

그림 23-1 뇌손상 이후 기능 회복

손상 2주 후에서 1년 후까지 지속된다. 초기에는 합병증을 예방하는 것이 중요하고 이후 치료는 그 방법이 아이들에게 적절하여야 한다. 아이들은 어른보다 다양한 여러 가지 능력이 많지 않고 놀이를 좋아하기 때문에 치료가 딱딱하지 않고 재미있어야 한다. 또한 어른과 달리 소아는 기능 발달이 불완전하고 성장이 계속되므로 이를 고려하여야 한다. 지식, 이해력, 주의력, 집중력 및 일관성이 없기 때문에 평가나 치료 시간이 짧아야 하고 여러가지 활동으로 이루어지면 좋다. 아이가 잘 이해하지 못하면 보고 따라하기나 다양한 감각을 자극하는 것도 좋다. 가족이 중요한 역할을 해야 하나 가족 또한 도움을 필요로 할 때가 많다. 심한 뇌손상 환자는 퇴원하기 전, 가족이 환아를 돕는 방법을 이해하고 배워야하고 앞으로의 치료와 지원 계획을 세워야 한다.

손상 후 아이에게 가장 중요한 재활의 목표는 학교로 돌아가는 것이다. 준비 없이 돌아가거나 너무 일찍 학교로 가는 것은 바람직하지 않다. 미리 학교와 상의해서 선생님이나 다른 학생들이 환아의 재활에 대해 이해하고 도와주고 격려할 수 있도록 한다. 대부분 환아가 ㄴ리기 때문에 학생에게 학교가 부담되지 않도록 배려하고 공부할 때도 충분한 시간을 허락하고 아이에게 맞게 조정할 수 있으면 더욱 좋다.

1) 주의력과 각성

초기의 빠른 회복기에 소아들은 주의를 집중하지 못한다. 병원 환경은 자극이 과도하기 때문에 아이들은 격앙되고 민감하여 정신이 혼돈스럽고 각성이 지연된다. 침대에 있을 때도 몸을 아주 자주 심하게 뒤척이므로 침대 난간에 부딪혀 다치지 않도록 넓게 누빈 쿠션을 난간에 걸쳐 놓는다(그림 23-2). 소아 병동이나 집에서 공간이 넓으면 벽 모서리를 사용하여 침대 매트리스를 바닥에 깔고 벽면과 머리맡에 세우면 아이가 몹시 뒤척여 부딪히거나, 떨어져 다칠 우려가 적기 때문에 좋다. 팔이나 다리를 침대에 붙들어 매 놓는 것은 가급적 피한다. 따라서 치료는 초조, 격앙 상태와 각성의 정도에 주의하여 짧은 시간으로 제한하여야 한다(표 23-4). 빠른 회복기에는 외부자극을 최소화시키는 조용한 환경에서 치료하도록 하고 주의 집중력이나 각성상태가 향상되면 치료실에서 치료하는 시간을 증가시킨다. 또한 진정제는 되도록 피해야 하나 꼭 사용해야 할 때는 인지기능이나 집중력에 변화가 있는지 살펴야 한다.

주의집중장애는 회복 후기에도 경미하게 지속될 수 있다. 주의집중장애의 치료로서 신경자극

그림 23-2 초조 상태의 환아 침대

표 23-4 초조상태에서의 치료

1) 의료진과 보호자가 지속적으로 관찰을 해야 한다.
2) 가능한 한 적은 수의 의료진과 접촉하도록 한다.
3) 한 번에 한 사람만 이야기 한다.
4) 간결하고 명료하게 대화한다.
5) 큰소리로 이야기하지 말고 낮은 소리로 대화한다.
6) 치료시간과 일상 생활을 일정한 시간에 수행한다.
7) 지남력을 위하여 시간, 장소, 목표를 날마다 상기시킨다.
8) 치료 중간 중간에 적절한 휴식을 취하도록 한다.
9) 치료할 때 차분한 태도를 취하도록 한다.
10) 신체적 구속은 가능한 한 피한다.
11) 푹신하게 둘러진 침대에서 뒤척이도록 한다.

제가 집중력을 향상시키기 위해 흔히 사용되며 과다한 활동이나 주의 산만을 감소시킨다고 하나 뇌손상 환아에는 극히 제한적으로 사용하도록 하며 주의집중장애가 재활 치료를 방해할 때 고려해 볼 수 있다. 자극제를 경구 복용할 때 맥박과 혈압 그리고 경련 발생 등을 잘 감시해야 하고 식욕부진, 빈맥, 부정맥, 고혈압, 불면증, 두통, 또는 복통 등의 부작용이 있는지 살펴야 한다. 뇌전증, 경련의 병력이 있는 환아는 특히 주의해야 하나 신경자극제가 경련의 활성도를 증가시키지는 않는다고 한다. 그러나 이유없는 울음, 과민반응, 흥분, 기면, 공격성, 무도병성 운동 및 틱 등 바람직하지 않은 행동을 증가시킬 수 있다. 최근에는 주의집중 장애 및 행동과다 환아에서 삼환계 항우울제가 어느 정도 효과가 있다고 보고되어 자극제에 반응이 없는 경우 항우울제를 사용해 볼 수 있으나 경련의 역치를 낮추므로 주의해야 한다.

2) 경직

성인에서의 경직 치료와 비슷하지만 소아는 부작용에 민감하므로 가능하면 약물치료는 피해야 한다. 디아제팜, 바클로펜, 및 단트롤렌이 널리 사용되고 물리치료로 열치료가 효과적이며 한냉치료나 온열치료와 함께 진동자극이 도움이 된다고 한다. 근긴장 억제를 위한 석고붕대가 완전히 피부에 접촉하여서 과긴장을 감소시키고 집단반사(mass reflex)를 억제하고자 적용한다. 운동 회복의 후반에는 전후가 분리되는 양판식 억제 석고붕대 고정이 유용하며 물리치료의 보조적 치료로 사용한다. 석고붕대고정은 발, 발목과 무릎을 안정시켜 다리 근위부를 지지하여 몸통과 머리의 조절이 가능하도록 한다.

신경차단술은 회복의 어느 시기에나 사용할 수 있다. 페놀 차단은 5% 수용성 페놀을 사용하여 말초 신경 차단은 6~12개월 지속되고 운동점 차단보다 시간이 적게 걸리고 효과가 오래 지속되어 소아에서는 더 선호된다. 차단 후 통증이 지속되는 예는 매우 적다. 보톡스는 클로스트리디움 보툴리눔에서 추출한 신경 물질로 신경근 접합부의 아세틸콜린 분비과정에 작용해서 국소 부위의 경직을 3~6개월 조절할 수 있다. 시술방법이 간편하고 부작용이 적은 장점이 있으나 반복 사용으로 항체가 형성되는 점과 비교적 고가인 점 등이 단점이다. 그 외 척추강내 바클로펜 주입법을 고려해 볼 수 있다.

3) 약물 치료

지난 수년간 성인 외상성 뇌손상 환자의 약물치료는 일반화되어 왔다. 약물치료의 주된 목적은 일반적으로 각성상태의 호전, 인지기능 회복, 그리고 행동장애 조절에 있다. 비록 소아 외상성 뇌손상 환자에서 약물치료에 대한 경험적인 자료는 부족하지만, 이제까지 그 효용성이 확인되고 향후 치료제로써 가능성이 있는 약물들은 다음과 같은 것들이 있다.

(1) 신경보호 작용

신경보호 약물은 주로 뇌손상 초기 급성기에 뇌신경 세포보호를 목적으로 사용한다. 그 종류로는 N-methyl-D-asparate (NMDA) 수용체 길항제로 케타민(ketamine), 메만틴(memantine), 아마타딘(amantadine)이 사용 가능하며, 니코티닌 아세틸콜린 수용체 작용제(nAch-r agonist)로 도네페질(donepezil)이 대표적이다. 항뇌전증약 중 카바마제핀(carbamazepine), 페니토인(phenytoin), 라모트리진(lamotrigine), 토피라메이트(topiramate), 발프로산(valproic acid) 등이 신경 보호 효과가 있다고 알려져 있다. 비록 페니토인(phenytoin) 혹은 레비티라세탐(levetiracetam)이 외상 후 초기 뇌전증(eariy post-traumatic seizures)의 위험성을 감소시키기 위해 사용되기도 하지만, 현재 외상 후 후기 뇌전증(late post-traumatic epilepsy)을 예방하기 위한 목적으로 한 항뇌전증 약 처방은 권유되지 않다. 이중 레베티라세탐(levetiracetam)이 페니토인(phenytoin)에 비해 부작용 및 인지기능에 미치는 영향이 적은 것으로 알려져 있다. 또한 신경보호 작용도 실험적으로 검증이 된 상태인데 아직까지 중증도의 성인 외상성 뇌손상에서만 그 효과가 인정되고 있다. 하지만 소아외상성 뇌손상 환자의 신경보호와 항뇌 전증 목적을 위해서는 레비티라세탐(levetiracetam)의 사용이 적극 검토되고 있다.

(2) 각성 저하

외상성 뇌손상 환자는 손상 후 의식불명의 기간이 길수록 예후가 좋지 않은 것으로 알려졌다. 각성 상태가 빠르게 호전될수록 재활치료를 일찍 시작할 수 있고 장기간 침상생활에 의한 이차 합병증을 감소시킬 수가 있다.

도파민 작용제(dopamine agonists)는 외상성 뇌손상 환자의 각성상태를 호전시킬 목적으로 사용된다. 여기에는 카르비도파-레보도파(carbidopa-levodopa), 아만타딘(amantadine), 브로모크립틴(bromocriptine), 프라미펙솔(pramipexole), 메틸페니데이트(methylphenidate), 암페타민(amphetamine), 그리고 아포모르핀(apomorphine)이 있다. 이 중 아만타딘(amantadine)과 브로모크립틴(bromocriptine)은 일부 소아 외상성 뇌손상 환자의 각성상태 호전과 기능회복에 긍정적인 결과를 나타낸 연구들이 있으며, 메틸페니데이트(methylphenidate)의 경우, 극히 제한적이지만, 최소의식 상태에서의 회복을 보고한 예도 있다.

도파민 작용제를 제외하고 외상성 뇌손상 환자의 각성상태를 호전시키는 약물에 대한 연구는 매우 적다. 졸피뎀(zolpidem)은 omega 1-specific, indirect GABA (γ-aminobutyric acid) agonists로 주로 불면증의 치료 목적으로 사용된다. 외상성 뇌손상 후 GABA는 의식 수준이 저하된 환자(혼수, 식물 인간 상태, 최소 의식 상태)에서 뇌자극을 유발하는 역설적 작용을 나타낸다는 보고가 있다. 그러나 향후 추가적인 연구가 필요한 약제이다.

(3) 인지장애

소아 외상성 뇌손상 환자에서도 주의력 및 기억장애를 포함한 인지장애를 나타낸다. 인지장애에 대한 약물치료에는 주로 메틸페니데이트(methylphenidate)와 암페타민 유도체 제제가 사용된나. 이늘 약제는 주로 전전두엽에서 도파민과 노르에피네프린 효용도를 상향조절 시킴으로써 효과를 나타낸다. 그러나 이들 약제 여기 소아외상성 뇌손상 환자에서의 연구가 더 필요한 실정이다. 최근 도네페질(donepezil)이 도파민 작용제에 잘 반응하지 않는 주의력결핍 과잉행동장애 환자에서 주의력 향상에 도움이 된다는 연구가 있다.

(4) 불안 혹은 초조함

불안 혹은 초조함이나 가만히 있지 못하고 뒤척이는 것은 급성기 행동이상 문제 중 가장 흔하게 나타나는 증상이다. 공격 성향은 외상성 뇌손상 후 관찰되는 행동 변화 중 가장 어려운 문제이다. 폭발적이고 폭력적인 행동은 신경 축삭 미만성 손상뿐만 아니라 국소병변과도 관련이 있다. 재활치료 기간 동안 초조함 때문에 문제가 되는 경우가 있는데, 육체적 공격이나 언어폭력으로 입원하는 환자에 흔하게 동반되기 때문이다. 그러나 외상성 뇌손상 후 신경학적 회복 단계 혹은 각성 상태가 호전되면서, 초조함이나 이상 행동이 나타나는 경우가 있으므로 주의 깊은 관찰이 요구된다. 벤조다이아제핀(Benzodiazepines), 베타차단제(β-blockers), 항뇌전증약(anticonvulsants) 등 여러 가지 약물들이 초조함이나 불안에 사용되나 아직까지 그 효과가 불분명하다. 특히 벤조다이아제핀 계열의 약물은 뇌손상 후 신경회복에 좋지 않은 영향을 미칠 가능성이 있으며, 프로프라놀롤(propranolol)은 소아에서의 사용이 허가되지 않은 상태이다.

대다수 항뇌전증약은 인지 혹은 운동기능 회복에는 부정적인 영향을 미칠 수 있으며 이는 소아 외상성 뇌손상의 경우에도 예외는 아니다. 예를 들면 레비티라세탐(levetiracetam)은 정신병과 연관성이 있으며 토피라메이트(topiramate)는 인지기능저하를 유발할 수 있다. 발프로산(valproic acid)도 외상성 뇌손상 후 나타나는 행동장애에 사용 가능하다. 카바마제핀(carbamazepine)과 라모트리진(lamotrigine)은 소아 외상성 뇌손상에 대한 연구가 부족하다. 항뇌전증약은 소아에서 광범위하게 사용되고 있는 약제 중 하나이다. 대부분 소아에서 뇌전증 발작 치료 때 안정성 혹은 위험성에 대한 연구가 이루어져 있지만 외상성 뇌손상 후 행동장애의 치료로써의 가능성에 대한 연구는 부족하다.

(5) 우울증

외상성 뇌손상 후 우울증은 흔하게 나타나며, 기능 회복이나 학교나 사회로 복귀하는 데 상당히 부정적인 영향을 미친다. 우울증은 심한 장애 정도, 정신사회적 문제, 그리고 낮은 삶의 만족도와 연관성이 높다. 우울증을 진단하고 치료하여 환자를 적극적으로 치료에 참여시키고 재활의 효과를 최대한 높이는 것은 매우 중요하다. 우울증으로 인한 문제점은 잘 알려졌으나, 외상성 뇌손상 후 우울증을 진단하는 것은 의외로 어려움이 많다.

재활의학과 전문의나 가족들은 환자의 종종 기분이 좋지 않은 상태, 즉, 기분이 저하된 것을 발견하게 되는데, 이는 모든 우울증 진단의 일차적인 특징으로 보아야 한다. 그러나 외상성 뇌손상 후 주요 우울장애 진단은 인지기능장애, 심리적인 증상 및 신체적 증상(예를 들면, 생각하는 속도가 저하되고, 집중이 어렵고, 수면장애나, 신체활동력의 저하 등)이 다양하고 복잡하게 얽혀 있어 쉽지 않다.

항우울제로는 선택적 세로토닌재흡수 억제제(selective serotonin reuptake inhibitors, SSRI)와 삼환계 항우울제가 주로 사용되는데 아미트리프틸린(amitriptyline, 12세 이상), 세르트랄린(sertraline), 시탈로프람(citalopram) 등이 소아에서 허가를 받았지만 소아 외상성 뇌손상군에서의 연구는 부족하다. 또한 주우울증(major depression)을 치료하는 도중 소아청소년에서 자살 충동을 증가시킬 수 있다는 경고가 있으므로 사용에 주의를 요한다.

4) 자세

뇌손상 후 초기의 환아는 적은 자극에도 경직이 증가하거나 자세반응을 나타낸다. 자세 반응은 주로 피질제거나 대뇌제거자세 양상으로 나타나며 피질제거자세는, 상지는 경직성 굴곡, 하지는 신전되며, 대뇌제거자세는 상지와 하지 모두 신전된다. 이 시기에는 수동적 관절 운동이 매우 어려워서 몸통과 하지를 굴곡시켜 정적인 자세를 취하는 것이 도움이 되나 자세를 유지하기 힘들면 옆으로 누운 자세를 이용한다.

내과적으로 안정되면 바로 몸을 이동하는 운동을 시작해야 하고 똑바로 서는 자세는 주위환경에 대한 인식을 높여주고 하지 관절의 바른 정렬과 바로 서는 감각기능을 높이는 등 장점이 많다. 이동전에 기립성 저혈압이 있는지 보기위해 환아를 30° 눕혀진 의자차에 잠시 앉아있게 하는데, 별다른 문제가 없으면 수직 자세로 점차 각도를 높인다. 불편하거나 피로하지 않은지 잘 보고, 잘 앉아있을 수 있으면 주위 환경의 자극 변화를 시도할 수 있다. 적절한 바로서기 자세는 경직을 감소시킨다. 앉는 의자는 적절한 깊이의 견고한 좌석과 단단한 등받이로 시작해야 하고, 머리와 몸통의 조절이 잘 안되는 경우는 높은 등받이 의자가 도움이 되며 등받이는 머리와 몸통의 조절을 위해 약간 눕힌다. 좌석은 고관절과 슬관절이 90° 굴곡되도록 의자 전방을 쐐기모양으로 조금 높이 만들어 주어야 한다. 낮은 골반띠는 의자에 골반을 잘 고정하기 위해 필요하고 쿠션은 단단해야 한다. 그 외에 부가적으로 가슴띠, 요추 지지대, 머리 지지대 및 무릎 위 상판 등을 사용할 수 있다.

5) 구축

수동적 관절 운동을 하루 1, 2회 이상 시행해야 한다. 특히 어깨의 외회전은 가장 먼저 구축되므로 잘 관리해야 한다. 기능적인 관절가동범위를 유지하기위해 적절한 정적 자세 유지가 중요하다. 상지 부목은 손목을 신전, 손가락을 중립 위치로 고정하고, 발목의 족저굴곡을 예방하기 위해 좋은 자세 유지와 관절범위운동을 실시한다.

팔다리의 구축이 고정된 경우 연속적 석고붕대 고정이 효과적인데 두툼하게 패딩이 잘 되어야하고 1주 간격으로 교체해 더 이상 관절범위가 증가하지 않을 때까지 한다. 주관절이나 슬관절의 구축은 구축 반대부위를 조금 제거한 드랍아웃(drop-out) 석고붕대고정이 유용하다. 스스로 구축 반대 방향으로 능동적으로 신전할 수 있는데 초음파치료와 전기치료를 같이 할 수 있다. 연속적 석고붕대고정으로 더 이상 관절범위가 증가하지 않으면 그 상태를 유지하기 위해 앞뒤 두 부분으로 분리되는 석고붕대고정을 사용할 수 있다. 수술치료는 수상 후 첫 1년 동안은 신경학적 호전이 진행되므로 실시하지 않는다. 따라서 첫 1~2년 동안은 적극적인 물리치료와 석고붕대고정이 가장 좋은 치료이다.

6) 운동 기능

운동장애는 회복이 빠르고 좋아 거의 완전히 회복된다. 내과적으로 안정되면 적극적인 재활 치료를 시작한다. 물리치료는 모든 관절 가동범위를 유지하고 운동 기능을 최대로 회복시켜야 하고, 환아의 성장과 발달에 맞게 이루어져야 한다. 중추신경발달 치료법을 이용하여 변형을 예방하고 원하지 않는 비정상적인 움직임을 억제하고 적절한 기능, 즉 방어 반응과 균형 반응을 촉진 시키는 것에 중점을 둔다. 또 새로운 기술을 습득하기 위해 놀이 치료를 이용하기도 한다. 치료가 이루어지는 환경은 환아의 발달에 맞아야 하고 치료 장비도 너무 크지 않도록 하고 장난감을 사용하여 대근육 운동과 섬세 운동 기술을 발달시킬 수도 있다. 때로 수영이나 승마가 이용되는데 아이의 치료 동기가 현저히 호전된다. 특히 치료를 위한 말타기 프로그램은 하지의 근력과 자세를 향상시키고, 말의 리듬있는 움직임과 고관절 외전 자세는 경직을 감소시키고 균형과 직립 반응을 향상시킨다.

동년기 아이들끼리의 모여 같이하는 집단 활동은 소아에서 절실히 필요하며 적절한 동년기로 구성된 작은 집단 환경은 강력한 동기를 부여할 수 있다. 사회화 기술이 운동 기술의 향상을 위해 치료 과정에 포함될 수도 있다. 놀이 활동은 뇌손상 환아에서 새롭게 확립된 대근육운동과 섬세 운동 기술의 향상을 위해 이용되어야 하며 장난감은 환아의 인지 기능에 맞게 선택되어야 한다. 예를 들면, 큰 구슬 튀기기는 양손 활동을 시작한 환아에서 몸 중앙에서 하는 중심선 활동을 향상시키기 위해 사용된다. 놀이 치료는 아이들에게 성공을 경험하게 해 주어야 하며 스트레스로 작용하거나 좌절감을 느끼게 되면 안된다. 치료 프로그램은 아이나 가족에게 모두 특별히 얻을 수 있는 이점으로 시간적 손실을 보상할 수 있어야 하는데 가족의 생활에 중점을 두어서 시간이 잘 맞도록 짜여야 한다.

7) 보행

아이가 관절의 운동을 조절할 수 없으면 보조기가 도움이 된다. 즉, 발과 발목을 족관절 보조기로 안정시키면 몸통, 고관절, 슬관절의 조절에 집중할 수 있다. 소아는 키가 작고 무게중심이 낮아 물리적 효율이 좋아서 보조기를 사용하여 보행할 수 있다. 그러나 이러한 보행은 사춘기에 급격한 성장으로 그 능력이 떨어지기도 하고, 보행 때 에너지 소비가 급격하게 증가한다. 감정 상태나 사회적, 지적 또는 직업적 목표가 증가함에 따라 보행능력이 감소하기도 한다.

8) 감각 자극

회복 초기에 아이의 지속되는 감각 기능의 박탈과 부적절한 자극이 과도해서 생기는 신경계의 이차적 합병증을 예방하기 위해서 감각 환경을 적절히 변화시켜준다. 가족과 의료진은 아이가 치료에 집중할 수 있도록 주변 환경의 소음과 사람들의 왕래를 가능한 줄여서 가장 적합한 반응을 유도하도록 감각 기능 환경을 마련해야 한다. 가족을 초대하여 아이가 좋아하는 음악이나 친숙한 소리가 있는 곳에서 10~15분 단위로 놀도록 하는 것도 좋고, 좋아하는 장난감과 가족 사진 또는 친구들과 친근하게 느끼도록 하는 것도 중요하다.

9) 행동

뇌손상 후 회복의 전 과정에서 행동의 문제가 나타난다. 공격적인 행동이 사회생활을 힘들게 하지만 다른 모든 행동에도 영향을 미칠 수 있다. 양성 강화 행동치료를 초기부터 시작하여야 하고 습득된 행동 양상으로 행동하도록 해야 한다.

8세 이하 소아의 가장 흔한 행동 양상은 행동 과다, 짧은 집중시간, 지속적인 집중력의 부족, 분노발작, 충동성, 공격성, 파괴적 행동 및 야뇨증 등이다. 8세 이상은 동기부족으로 어떠한 활동을 시작하기 어렵고 기면증, 발작수면을 보이며 우울증, 부정, 반항, 행동습득, 노출 행동, 감정적 퇴행, 판단력 부족 및 의존성 과다 등도 흔히 보인다. 이러한 시기에 가장 효과적인 행동 치료는 제한된 환경에서 명백하고 지속적으로 이루어져야 하고 가능하면 아이의 사회적 성공과 학습적 성공에 대하여 보상한다. 적절하지 않은 행동에 대해 벌을 주기 보다는 적절한 행동에 대한 강화에 중점을 두어야 한다. 또한 문제 행동을 유발할 수 있는 상황을 파악하기 위해 모든 환경에서 주의 깊게 관찰해야 한다. 뇌손상 환아는 진정 작용이 있는 항뇌전증약이 인지 기능에 미치는 부작용에 민감하므로 이러한 약을 끊고 카바마제핀을 사용하는 것이 좋고 주의력과 각성에 대한 문제가 지속될 경우 자극제를 시도해 볼 수도 있다. 할로페리돌이나 클로프로마진 같은 신경이완제는 학습과 수행능력을 저하시키므로 뇌손상 환아에게 추천되지 않는다. 또한 지연운동 이상증 같은 심각한 부작용이 생길 수도 있다. 많은 환아의 행동장애는 대부분 시간이 지남에 따라 회복되고 때로 정상으로 회복될 수도 있다. 하지만 뇌손상 후 2년 또는 3년간 나빠지는 경우도 있는데, 이는 특히 아이의 행동 문제에 대한 이해가 부족한 가족에서 볼 수 있다. 탈억제, 부적절한 사회적 행동, 부족한 판단력 또는 주의력 부족 등이 지속된다.

10) 인지 훈련

입원기간 중 초기 정서검사와, 심리 검사를 시행하여 인지재활 및 언어치료를 시작한다. 정확한 객관적 평가는 환아가 검사에 충분히 집중할 수 없기 때문에, 유용하지 않으므로 빠른 변화시기와 혼돈스러운 회복 시기에는 비공식적 검사를 실시한다. 인지 재활은 언어치료사, 작업치료사, 교사, 레크리에이션 치료사 및 심리치료사에 의한 포괄적 치료와 환경의 변화, 교정 운동 등으로 시야나 주변환경의 좌우 인지 능력을 향상시키고, 자신의 생각을 명확하고 정확하게 표현하도록 연습시키고 체계적인 문제 해결방법을 습득시킨다. 환아에게 그들의 뇌손상과 장애에 대하여 교육하고, 말하는 사람에게 반복해서 말해 줄 것을 요청하거나 메모리 수첩에 정보를 기록하도록 하는 보상적 대책 교육도 포함한다. 혼돈이 심한 이른 회복기 재활 치료의 목표는 환아의 혼돈을 감소시키고, 조절된 행동과 목적이 있는 행동을 증가시키고 체계적으로 정보 처리 과정을 증가시키며 기본적이고 조직화된 사고, 그리고 연령에 맞는 사고를 재정립하는 것이다. 작업치료 시간에 다양한 작업과 퍼즐, 게임, 연구과제 등으로 조직적인 활동 임무를 인지적 차원에서 중점적으로 치료할 수 있다.

언어치료는 수용언어와 표현언어를 향상시키고 좀더 조직적인 사고, 정보의 재생을 위한 활동을 포함해야 한다. 취학 전 아동은 치료 시간에 대본을 만들어 장난감을 가지고 치료사에게 그 내용을 이야기 하도록 하는 것도 좋다. 좀더 큰 환아는 성숙한 사고를 할 수 있는 언어적이고, 조직적인 임무를 주어 저장된 지식을 복구하고 체계적인 방법으로 정보를 재생하고, 효과적으로 분류하고 조직화해서 잘 표현할 수 있도록 도와 주어야 한다.

11) 학교로의 복귀

조기에 학교와 협조하여 환아가 성공적으로 복귀할 수 있도록 해야 한다. 따라서 선생님이 재활치료팀의 일원으로 포함되어야 하고 아이의 인지능력과 주의집중력이 학업에 참여할 수 있는 적당한 수준이면 방문 교육으로 병원에서 학습을 시작해야 한다. 재활 전문의는 병원에서 학교로 복귀할 때 재활 프로그램이 잘 유지되고 환아의 신경학적 회복에 맞추어, 학교의 요구에 잘 반응할 수 있도록 조정해 주어야 한다. 병원에서 학교로 이행이 잘 계획되지 못하면 학업이 실패하거나 행동부적응을 초래할 수 있다. 퇴원하기 전 학교 선생님과 치료사들이 아이의 재활 프로그램을 관찰하고 학교 환경에서 재활치료가 지속되기 위하여 계획에 대해 논의하여야 하고 또래 친구들과의 관계에 대해서도 준비가 필요하다. 잘 조직된 비경쟁

집단 환경 즉, 보이스카우트나 걸스카우트가 좋은 환경이 될 수 있다.

사춘기의 학습 계획은 특히 어렵고 사회적 문제가 생길 위험이 많다. 따라서 동년기 그룹에 잘 어울리지 못하고 약물이나 알코올 중독 등의 문제를 일으킬 수 있다. 사춘기 소녀들은 부적절한 이성 관계를 가지기도 하는데 이것은 뇌손상 전 인격과는 상관이 없다고 본다. 낮은 자존심, 탈억제, 동년배와의 어려운 관계 형성 등과 관련이 있다. 적절한 성교육과 피임에 대한 교육도 필요하다.

12) 직업 전망

심한 외상성 뇌손상 아이의 지능이 정상이고 학습능력이 정상이어도 반드시 정상적으로 직업을 가진다고 할 수 없다. 일을 수행하는 속도, 결단력, 기억력과 현실을 파악하는 능력 등이 직업 전망과 상당한 관계가 있다. Koskiniemi 등은 미학령기의 심한 뇌손상아 33명을 추적 관찰하여 성인이 되었을 때 취업, 정상적인 학업 수행과 상당한 차이가 있는 것을 알았다. 정상적인 취업은 27%에 불과하였고, 21%는 남을 보조하는 일을, 37%는 일은 하지 않으나 일상 생활을 독립적으로 하였으며 그리고 15%는 일상 생활에 도움을 받았다. 손상 후 기억상실의 기간과 지능지수와는 큰 관계가 없으나 성인이 되어서 직업을 가지는 것과는 밀접한 관계가 있었다.

6. 맺음말

소아, 청소년의 외상성 뇌손상 후의 치료와 재활은 복잡하기 때문에 여러 분야의 전문가들이 협동하여 팀을 이루어 접근하여야 한다. 전문가들은 환아의 성장과 발달 과정에 대한 지식을 가지고 과정에 따라 재활 계획을 수립해야 한다. 가족들도 이에 관한 교육을 받고 치료팀의 일원으로서 참여해야 한다. 가정과 학교 환경에서 사회적 기능을 추적 관찰해야 하고 정기적으로 정신, 심리검사를 시행하고 학습 장애와 주의력 문제가 있는지 평가해야 한다. 정신, 심리학적 추적 관찰은 장기간 필요하다. 소아들은 뇌손상 후 몇 년 동안 지속적으로 인지 기능이 향상되고 새로운 기술을 습득할 수 있으므로 이러한 변화에 맞추어 적절한 교육 프로그램을 수정할 필요가 있다.

II. 기타 뇌질환

1. 뇌염

뇌염은 신경학적 이상 소견을 보이는 뇌 실질의 염증성 질환이다. 감염성 뇌염, 염증성 뇌염으로 분류할 수 있으며, 독성 물질에 의한 뇌병증과는 구분이 필요하다. 뇌염은 의식 수준의 변화나 행동 이상을 보이는 신경학적 이상 증상과 함께 뇌 영상 검사에서 염증성 이상 소견 또는 뇌척수액 검사에서 염증 세포가 보이는 경우 진단할 수 있다. 소아뇌염의 유병률은 10만 명당 10.5명으로 성인에 비해 높고, 3명 중 2명의 환자는 완쾌되어 퇴원하지만 1/3에서 경직, 운동장애, 인지장애, 경련 등의 합병증을 남기며, 사망률은 5% 정도이다. 대부분의 뇌염은 뇌 실질의 감염으로 발생하지만 급성 혹은 만성 염증반응으로 면역-매개 뇌염이 유발되기도 하며, 대표적으로 급성 파종성 뇌척수염(acute disseminated encephalomyelitis, ADEM), 루프스 뇌염, 부종양 증후군 등이 있다. Falchek 등은 소아 뇌염을 감염성, 부감염성, 일차 염증성 뇌염으로 분류하였으며, 각각의 진단에 따라 치료 원칙이 달라져 정확한 원인 분류가 치료 계획수립에 중요하다.

1) 감염성 뇌염

(1) 임상 양상

뇌염의 증상은 전형적으로 독감과 같은 전조증상을 보이면서 이후 행동이나 의식의 변화가 있거나 두통, 구역질, 구토 등의 증상이 나타나게 된다. 국소적인 신경학적 증상이나 경련을 보이기도 한다. 운동장애 증상을 보이는 경우는 부분 또는 전신 마비, 협조 장애, 운동 실조가 나타난다. 발열, 경련, 의식 변화는 감염성 뇌염에서, 급성 파종성 뇌척수염에서는 다초점성 신경 이상, 헤르페스 뇌염에서는 측두엽 경련이 특징적으로 연관되어 나타나기도 한다.

(2) 진단

뇌염의 진단을 위해서는 병력 청취를 통해 최근의 여행력, 병력, 백신접종 이력, 자가면역질환 병력, 면역 억체상태 여부 등을 확인하고 신경학적 검사, 뇌영상 검사, 뇌척수액 검사를 진행하고, 경련 의심 증상을 보일 때는 뇌파 검사를 한다. Venkatesan 등이 발표한 뇌염은 1) 다른 원인이 규명되지 않은 24시간 이상 지속되는 의식의 변화, 2) 내원 전후 72시간 이내의 38℃ 초과하는 발열, 3) 부분발작 또는 전신발작, 4) 새로 나타난 국소적인 신경학적 증상, 5) 뇌척수액 세포증가증, 6) 영상검사에서 뇌실질의 이상소견, 7) 뇌염 증상과 뇌파검사의 이상 중에서 3가지 이상을 만족할 때 진단할 수 있다. 혈청학 검사로 마이코플라즈마 폐렴, 엡스타인 바 바이러스 등 감염성 원인에 대한 검사와 항핵항체(anti-nuclear antibody, ANA), 항 이중가닥 DNA항체(anti double-stranded DNA antibody), 루프스 항 응고인자, 항 호중구 세포질 항테, 류마티스 인자 등의 자가면역 항체에 대한 검사를 시행하여 감염 원인에 대한 감별진단에 참고 하기도 한다.

(3) 치료

뇌염이 의심되는 환자에게 경험적 항생제와 아시클로버를 사용하는데, 헤르페스 뇌염의 경우 사망률과 합병률이 높고 4일 이내 아시클로버를 사용한 경우 생존율이 높기 때문이다. 부감염성 뇌염과 일차 염증성 뇌염의 경우 면역 억제 치료가 필요하다.

(4) 예후

뇌염의 사망률은 0~7%로 보고되고 있으며 원인에 따라 사망률이 증가할 수도 있다. 소아 뇌염의 후유증은 주의력결핍, 행동장애가 가장 흔하고, 언어장애, 기억손실, 학습장애 등이 높은 발병률을 가진다. 뇌전증은 보고에 따라 10~16%까지 나타난다. 뇌파의 이상과 발작을 보이는 경우 나쁜 예후를 나타내며, 바이러스성 뇌염의 경우 뇌영상 검사 이상소견이 불량한 예후인자로서 보고되고 있다.

(5) 재활치료

대부분의 뇌염 환자는 급성기에 회복되나 많은 환자에서 장기간 인지, 행동 문제를 보이며 이는 학교 생활에서 학습과 수행력 저하로 나타난다. 앞선 외상성 뇌손상 환자의 경우와 마찬가지로 가족 중심의 포괄적 재활치료가 필요하다. 뇌염에서 회복된 환자는 인지기능 저하, 운동기능 이상 등 다양한 신경학적 후유증상을 보이며 이에 대해 목적-지향적인 재활치료를 계획하고 학교 생활과 지역사회로의 복귀를 고려해야한다. 학교생활 적응을 위해서 신경심리검사가 도움되며, 포괄적 재활치료는 지역사회로의 통합을 높이고 기능 향상을 최대화할 수 있다.

2) 자가면역 뇌염

자가면역 뇌염은 뇌신경계에 존재하는 항원 단

백질에 대해 병적 자가 항체가 생성되어 염증반응을 일으키면서 발생하게 된다. 이 중 항N-methyl-D-aspartate (NMDA) 수용체 뇌염, 항-leucine-rich glioma inactivated-1 (LGI-1) 항체에 의한 뇌염이 대표적이며, 그 외에도 20여 가지 이상의 원인 항체가 알려져 있으며, 원인 항체가 밝혀져 있지 않는 경우가 전체 자가면역 뇌염 환자의 40%이다.

(1) 임상 양상

항NMDA수용체 뇌염은 행동 및 정서이상, 운동이상증, 자율신경기능 이상, 기억 소실, 뇌전증 발작, 기능의 저하와 같은 다양한 신경학적 증상이 수일 또는 수주에 걸쳐 진행되며 소아 환자의 경우 초기에는 경미한 이상행동 증상만 나타내기도 한다. 환각, 망상, 혼동, 불안, 수면장애와 같은 초기의 정신병적 증상은 초기에 항NMDA수용체 뇌염 진단을 어렵게 한다. 대부분의 환자는 첫 한 달 동안 기억, 언어, 행동, 인지, 경련, 운동, 의식 중 최소 4가지 이상의 영역에서 이상 증상을 보이며, 어린 환자들일수록 초기에 신경학적 이상증상을 더 뚜렷하게 보이나, 분노발작, 공격성과 같은 이상행동으로 나타나기도 한다.

운동이상증상을 나타내는 환자 대부분은 소아로 무도느림비틀림운동(choreoathetoid), 강직, 활모양강직, 파킨슨증, 구강안면 운동이상증 등의 증상이 있을 수 있다. 운동이상증상이 주로 나타나는 경우는 시덴함 무도병, 스트렙토코쿠스 감염후 소아의 자가면역 신경정신이상[Pediatric Autoimmune Neuropsychiatric Disorder Associated with Streptococcal infections (PANDAS)], 전신 홍반 루푸스, 쇼그렌 증후군 등과 감별진단이 필요하다. 빈맥, 고혈압, 체온 상승과 같은 자율신경계 이상증상이 나타나기도 하며 저환기나 의식저하가 동반되면 기계 호흡과 중환자실 치료가 필요하다. 여성: 남성 유병률은 8:2 정도이며, 약 37%의 환자가 18세 미만이다. 난소 기형종과 같은 종양이나 헤르페스 뇌염 이후에 항NMDA수용체 뇌염이 유발되기도 한다.

(2) 진단

뇌척수액이나 혈청에서 항NMDA수용체 항체가 발견되면 항NMDA수용체 뇌염으로 확진된다. 1/2 이상의 환자에서 뇌자기공명영상은 정상이며, 소아 환자의 1/3에서 정상 소견을 보인다. 뇌파 이상은 대부분의 환자에서 나타나며 델타-쎄타파 영역에서의 광범위한 이상을 보인다.

(3) 치료

초기에 공격적인 면역치료가 필요하며 이환율에 영향을 미친다. 1단계 치료로 정맥내 스테로이드제 투여에 정맥내 면역글로불린 주사치료와 혈장분리교환술을 추가하여 병행하기도 한다. 소아환자에서는 1단계 치료에 반응이 없거나 증상이 악화되면, 리투씨맵(rituximab), 싸이클로포스파미드(cyclophosphamide)를 고려한다. 면역치료로 약 80% 환자에서 회복을 보인다. 첫 단계의 면역치료에 실패한 환자들은 좋지 않은 예후를 보이며, 20% 정도에서 재발이 있고, 확인된 종양이 없는 경우 재발이 흔하다. 난치성의 경우 마이코페놀레이트 모페틸(mycophenolate mofetil)을 2단계 치료에 사용한다. 운동이상증상, 수면장애, 정신병적 증상에 대해서는 증상 조절을 위한 치료가 필요하며 여러전문분야적 접근이 요구된다.

(4) 재활치료

대부분의 환자에서 양호한 회복을 보이나 많은 수의 소아환자에서 완치가 되지는 않고 기능적 결함을 가지고 퇴원하게 된다. 퇴원 후에도 행동이상 증상에 대한 치료나 재활치료가 장기간 필요하며 완치가 되기도 한다. 첫 증상 이후 1년 내에 회복이 일어나고 불완전한 회복을 보이는 경우 2년 후까지도 점진적인 기능의 회복을 보인다.

2. 수두증

수두증은 뇌실내에 뇌척수액의 생산과 흡수의 불균형으로 뇌척수액이 뇌실 또는 두개 내에 축척되는 질환이다. 수두증의 원인은 선천성 요인과 후천성 요인으로 나눌 수 있으며, 선천성 수두증은 뇌척수액 순환 통로 폐쇄를 일으키는 유전자 이상, 뇌와 척수의 기형에 동반된 선천성 원인과 뇌실내 출혈, 외상, 종양, 중추신경계 감염 등과 같은 후천적 원인으로 나눌 수 있다.

1) 병태생리

수두증의 발생 원인은 뇌척수액이 과잉 생성, 흡수장애, 순환장애이다. 뇌척수액이 과잉 생성되는 경우는 맥락얼기유두종(choroid plexus papilloma), 비타민 A결핍 등이고, 매우 드물다. 뇌척수액의 흡수장애로 인한 수두증을 지주막과립(arachnoid granulation)의 막힘이 일어나거나 높은 정맥압이 있는 상황에서 발생할 수 있다. 뇌척수액의 이동장애는 수도관협착증(aqueductal stenosis), 키아리 기형과 같은 뇌척수액 순환 경로에 선천성 기형이 있는 경우, 뇌실내 또는 뇌실 주위의 종양 혹은 혈종 등이 압박하여 발생하는 경우가 있다.

뇌척수액 순환의 막힘의 유무에 따라 폐쇄성 수두증과 교통성 수두증으로 나누며, 각각에서 병인에 따라 선천성과 후천성으로 분류한다. 폐쇄성 수두증은 비교통성 수두증이라고도 하며 뇌척수액 순환이 막히면서 막힌 부위 앞 단계 경로의 확장이 일어나며 뇌압이 증가하게 된다. 교통성 수두증은 지주막공간에서의 막힘 또는 정맥계로의 흡수장애로 일어나며 뇌실내의 폐쇄는 없다.

2) 임상 증상

수두증은 2세 이상의 소아에서 뇌압 증가로 인한 두통, 구토, 시력장애, 행동장애, 기억력장애, 인지장애, 시신경 마비, 하지의 경직성 마비 등으로 증상이 나타날 수 있다. 영유아의 경우 머리둘레의 비증상적인 증가, 대천문의 팽창이 나타나는 경우가 흔하며, 이마의 정맥 확장, 두개 봉합의 벌어짐, 일몰눈 현상, 동안신경 마비, 잠이 늘면서 잘 먹지 않고 늘어짐, 보챔의 증가 등의 다양한 증상이 나타난다. 기면, 의식저하, 서맥, 혈압 상승, 불규칙한 호흡패턴을 보이면 뇌압 상승에 대한 즉각적인 평가와 치료가 필요하다.

3) 진단

수두증은 병력, 임상 증상 및 영상의학적 검사를 통해 진단한다. 영상의학적 검사로 두개 초음파, 컴퓨터단층촬영(CT), 자기공명영상(MRI) (그림 23-3)이 있다. 영유아에서는 대천문을 통해 초음파를 이용하여 뇌실질과 뇌실을 검사할 수 있고, CT는 뇌실과 뇌실질의 변화를 확인할 수 있다. MRI는 뇌실의 크기를 평가하거나 수두증의 원인을 찾는 데 더 정확성이 높다. 뇌실의 관자뿔(temporal horn) 크기가 2 mm 이상인 경우, Evan's ratio가 30% 이상이거나 이마뿔(frontal horn)의 비율이 50% 이상인 경우 수두증을 의심할 수 있다.

4) 치료

수두증이 진행되거나 뇌압상승을 막는 것이 치료 목표이며 조기에 치료하여 뇌손상을 막거나 최소화하는 것이 중요하다. 뇌척수액 생성을 저하시

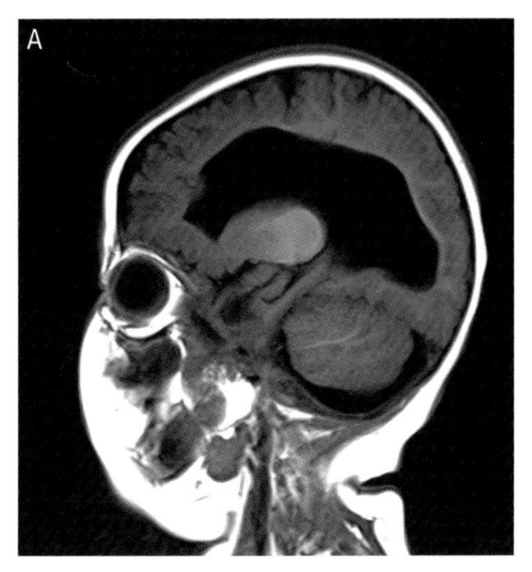

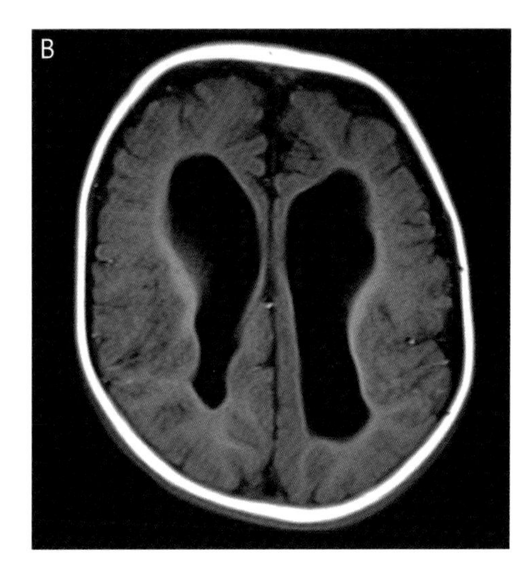

그림 23-3 수두증(Hydrocephalus)
A, B. T1 강조 영상에서 가쪽 뇌실의(lateral ventricle) 전반적인 팽창이 관찰되며 소뇌 부분의 외수두증이 (external hydrocephalus) 함께 관찰된다.

키고, 뇌척수액 흡수를 증가시키는 삼투성 이뇨제 및 아세타졸아미드(acetazolamide)와 같은 약물 치료가 있으나 수술을 대체하는 효과는 없다. 수술적 치료로는 뇌척수액 배액술과 션트 수술이 있다. 뇌척수액 배액술은 요추천자, 뇌실천자, 도관을 이용하여 뇌척수액의 외부배액술로 일시적인 뇌척수액 감소에 도움을 준다. 션트술을 하기 어려운 경우 임시로 사용할 수 있다. 션트술은 두개내에서 흡수되지 못한 뇌척수액을 뇌실에서 신체의 다른 공간으로 배액하여 뇌척수액이 흡수되도록 우회로를 만드는 수술이다. 가장 많이 쓰이는 치료 방법이나, 션트기능부전, 션트막힘, 감염 등의 합병증이 있을 수 있다.

3. 키아리기형

소뇌의 발육 부전부터 소뇌, 제4뇌실, 뇌간이 대공(foramen magnum) 하방으로 탈출하는 두개척추 이행부(craniocervical junction)에 발생하는 마름뇌(hindbrain)의 다양한 정도의 기형을 말한다. 하방으로 전위되는 정도 및 임상증상의 양상에 따라 4가지 유형으로 분류한다.

1) 분류 및 정의

(1) 제1형 키아리기형

소뇌 편도가 대공을 통해 쐐기 모양으로 상부 경추강으로 하강한 기형으로 소뇌 편도가 5 mm 이상 하강한 것을 병적으로 진단하고 척수공동증이나 수두증이 동반되기도 하나 뇌의 다른 기형을 동반하는 경우는 드물다. 종양과 같은 다른 원인에 의해 두개내압이 상승하면서 소뇌 편도의 하강이 나타나는 이차적 키아리기형도 가능하여 감별이 필요하다.

(2) 제2형 키아리기형

소뇌의 일부, 뇌줄기, 제4뇌실까지 경추강내로 하강한 경우로 다른 신경계기형을 동반하는 경우가 많으며, 수두증과 척수공동증이 동반되어 발생하는 빈도가 높다.

(3) 제3형 키아리기형

대부분의 소뇌와 뇌줄기가 후두부나 상부 경추에 발생한 뇌류(encephalocele)로 탈출한 경우이고, 심한 신경학적 장애 및 발달장애를 초래하며 예후가 좋지 않다.

(4) 제4형 키아리기형

소뇌 및 소뇌천막의 형성저하 또는 무형성을 보이는 경우로 후두개와 낭종(posterior fossa cyst) 중 하나로 분류하는 것이 더 적절하다.

2) 임상 증상

(1) 제1형 키아리기형

두통, 후두부 통증, 목, 등, 어깨 부위의 통증 등과 같은 일반적인 증상에서부터 심한 상하지 위약과 같은 다양한 증상을 보인다. 가장 흔한 증상은 주로 후두부나 뒷목의 통증으로 힘을 쓰거나, 기침과 같은 발살바 조작 시에 심해지는 경향을 보인다. 통증 호소를 하기 어려운 영유아는 울음이나 보챔으로 나타나기도 한다. 신경학적 증상으로는 운동마비, 감각마비, 시각장애, 이명, 현기증 등의 청각장애를 보일 수 있으며, 뇌줄기와 하부뇌신경 장애로 안면부 감각이상, 발음장애, 연하장애가 나타나기도 한다. 동반되는 척수공동증으로 인한 증상으로 상하지의 위약, 서툰 움직임 등을 보일 수 있다. 척수공동증이 있는 경우 척추측만이 진행하는 경우가 많다. 사춘기 전 소아환자가 주요만곡이 좌측이면서 신경학적 징후가 동반된 척추측만을 보일 때 키아리기형과 같은 신경근육성 척추측만증에 대한 감별진단이 필요하다.

(2) 제2형 키아리기형

출생 시 척수수막류를 가진 8~90% 환자에서 제2형 키아리기형이 보이며, 약 1/3의 환자가 5세 이전에 뇌줄기 장애로 인한 증상이 나타나며 이 중 1/3 이상이 호흡부전으로 사망한다. 증상의 발현과 나이가 밀접한 관계가 있으며, 신생아는 일반적으로 증상이 없다가 유아기에 뇌줄기장애로 연하곤란이나 발음장애가 나타나고, 흡인성 폐렴이 흔하다. 소아 및 청소년기에는 소뇌, 척수관련 증상이 나타나며, 신경학적 응급을 요하는 증상은 보통 2세 이전에 많으며, 생후 3개월 전에 발생하면 예후가 나쁘다.

3) 치료

(1) 제1형 키아리기형

수술적 감압술 외에 효과적인 치료 방법은 없다. MRI에서 우연히 발견되는 키아리기형이 많아지는 추세이며 증상이 없는 환자는 경과 관찰로 충분하며 어떤 환자에게 수술적 치료가 필요한지 결정하는 것이 중요하다. 두개척추 이행부의 신경조직 과밀로 뇌척수액의 비정상적인 흐름이 증상을 유발하는 주요 원인으로 생각하여 뇌척수액 흐름의 정상화를 목표로 대공감압술을 진행한다.

(2) 제2형 키아리기형

제2형 키아리기형을 보이는 대부분의 환자에서 척수수막류가 동반되어 있으며, 수술은 호흡 이상, 흡인성 폐렴, 수면 무호흡, 진행하는 운동기능장애 등이 있을 때 고려할 수 있으나 감압이 오히려 증상을 악화시키다는 보고도 많아 다른 원인에 대한 감별진단과 감압의 필요성에 대한 면밀한 평가가 필요하다.

4. 댄디-워커 증후군

댄디-워커 증후군은 드문 선천성 뇌기형 질환으로 소뇌충부(cerebellar vermis)의 무발생 또는 형성저하가 있고 제4뇌실의 낭성 확장과 후두개와의 팽창을 보인다. 댄디-워커 증후군은 염색체 이상 질환과 관련이 있으며 13, 18, 21 세 염색체증이 가장 흔하다. 이외에도, 환경적 요인으로는 태생기의 풍진, 거대세포바이러스, 톡소플라즈마 감염증이나 임신성 당뇨, 쿠마딘, 비타민 A, 알코올에 노출되는 것과도 관련이 있다.

1) 임상증상 및 진단

가장 흔한 증상은 수두증으로 약 80% 환자에서 나타난다. 대부분 생후 1년 이내에 나타나고 머리둘레 증가, 수면양의 증가, 보챔, 일몰눈 증상이 보일 수 있다. 소뇌충부의 형성저하로 운동실조, 불안정 보행, 운동발달지연 등의 운동기능 장애를 보이기도 한다. 회색질 이형성증(gray matter heterotropia), 큰뇌이랑증(pachygyria), 뇌이랑없음증(lissencephaly)등의 중추신경계 기형이 36~68%에서 동반되며, 이 경우 지적장애, 발달장애가 나타난다. 댄디-워커 증후군은 다음과 같은 영상의학적인 특징에 따라 진단한다. 1) 제4뇌실과 교통하는 낭성 팽창, 2) 하부 충부의 무발생, 3) 충부의 형성저하 및 상부이동, 4) 제4뇌실꼭지각의 소실, 5) 정맥동후두골접합부의 상승을 동반한 후두개와의 확장, 6) 소뇌반구의 전외측 이동. 댄디-워커 변형은 댄디-워커 증후군의 조건을 충족하지는 못하나 유사한 형태로 좀 더 경한 질환군을 말하며, 정상 크기의 거대수조(mega cisterna magna)와 어느 정도의 뇌척수액 순환을 보인다.

2) 치료 및 예후

수두증 치료를 위해 션트를 통한 뇌척수액전환술이 일차 치료법이며 내시경적 제3뇌실창냄술도 고려될 수 있다. 댄디-워커 증후군은 질환 자체의 중증도와 중추신경계 기형의 동반 여부, 다른 신체 기관 이상의 동반 여부에 따라 예후가 다르다.

▶ 참고문헌

1. 김세주. 외상성 뇌손상환자의 재활. 대한재활의학회지 1991;15: 1-5
2. 김세주. 뇌성마비. 대한재활의학회지 2000;24: 809-816
3. Brink JD, Imbus C, Woo-sam J:Physical recovery after severe closed head trauma in children and adolescents. J Pediatr 1980;97:721-727
4. Clifton GL, Robertson CS, Kyper K, Taylor AA, Dhekne RD, Grossman RG: Cardiovascular response to severe head injury. J Neurosurg 1980;59:447-254
5. Costeff H, Groswasser Z, Landman Y, Brenner T: Survivors of severe traumatic brain injury in child hood. II. Late residual disability. Scand J Rehabil Med Suppl 1985;12:10-15
6. Duval J, Dumont M, Braun CM, Montour-Proulx I: Recovery of intellectual function after a brain injury: a comparison of longitudinal and cross sectional approaches. Brain Cogn 2002;48:337-342
7. Grtiszkiewicz J, Doron Y, Peyser E: Recovery from severe craniocerebral injury with brain stem lesions in childhood. Surg Neurol 1973;1:197-201
8. Humphreys RP: Complications of pediatric head injury. Pediatr Neurosurg 1991-1992;17: 274-278
9. Klingbeil GE, Cline P: Anterior hypopituitarism: a consequence of head injury. Arch Phys Med Rehabil 1985; 66:44-46
10. Kuhtz-Buschbeck JP, Stolze H, Golge M, Ritz A: Analyses of gait, reaching, and grasping in children after traumatic brain injury. Arch Phys Med Rehabil 2003;84:424-430
11. Levin HS, Eisenberg HM, Wigg NR, Kobayashi K: Memory and intellectual ability after head injury in children and adolescents. Neurosurgery 1982;11: 668-673
12. Max JE, Koele SL, Smith W, Sato Y, Lindgren SD, Robin DA, Arndt S: Psychiatric disorders in children and adolescents after severe traumatic brain injury: A controlled study. J Am Acad Child Adolesc Psychiatry 1998;37:832-840
13. McCualey SR, Wilde EZ, Anderson VA, Bedell G, Beers SR, Campell FT, Champman SB, Ewing-Cobbs L, Gerring JP, Gioia GA, Levin HS, Michaud LJ, Prasad MR, Swaine BP, Turkstra LS, Wade SL, Yeates KO: Recommendations for the use of common outcome measures in pediatric traumatic brain injury research. J Neurotr 2012;29:678-705
14. Pangilinan PH, Giacoletti-Argento A, Shellhaas R, Hurvitz EA, Hornyak JE: Neuropharmacology in pediatric brain injury: A review. PM R 2010;2: 1127-1140
15. Raimondi AJ, Hirschauer J: Head injury in the infant and toddler. Coma scoring and outcome scale. Childs Brain 1984;11:12-35
16. Ratcliffe PJ, Bell JI, Collins KJ, Frackowiak RS, Rudge P: Late onset post-traumatic hypothalamic hypothermia. J Neurol Neurosurg Psychiatry 1983; 46:72-74
17. Rivara FP: Epidemiology and prevention of pediatric traumatic brain injury. Pediatr Ann 1994;23:12-17
18. Salazar AM, Jabbari B, Vance SC, Grafman J, Amin D, Dillon JD: Epilepsy after penetrating head injury. I. Clinical correlates: a report of the Vietnam Head Injury Study. Neurology 1985;35:1406-1414
19. Shaul PW: Precocious puberty following severe head trauma. Am J Dis Child 1985;139:467-469
20. Smith DW: Growth and its disorders: basics and standards, approach and classifications, growth deficiency disorders, growth excess disorders, obesity. Major Probl Clin Pediatr 1977; 15- 1-155
21. Zimmerman RA, Bilaniuk LT, Bruce D, Schut L, Uzzell B, Goldberg HI: Computed tomography of craniocerebral injury in the abused child. Radiology 1979;130:687-690

기타 뇌질환 참고문헌

1. Thompson C, Knee R, Riordan A, et al. Encephalitis in children. Arch Dis Child. 2012;97(2): 150-161.
2. Weingarten L, Enarson P, Klassen T. Encephalitis. Pediatr Emerg Care. 2013;29(2):235-241
3. Kirkham FJ, Guide lines for the management of encephalitis in children. Dev Med Child Neurol. 2013;55(2):107-110.

4. Armangue T, Petit-Pedrol M, Dalmau J. Autoimmune encephalitis in children. J Child Neurol. 2012;27(11):1460-1469

5. Dalmau J, Gleichman AJ, Hughes EG, et al. Anti-ANMA-receptor encephalitis: case series and analysis of the effects of antibodies. Lancet Neurol. 2008;7(12): 1091-1098.

6. Titular MJ, McCracen L, Gabilondo I, et al. Treatment and prognostic factors for long-term outcome in patients with anti-NMDA receptor encephalitis: an observational cohort study. Lancet Neurol. 2013;12(2):157-165.

7. Houtrow AJ, Bhandal M, Pratini NR, et al. The rehabilitation of children with anti-N-methyl-D-aspartate receptor encephalitis: a case series. Am J Phys Med Rehabil. 2012;91(5):435-441.

8. Chi JH, Fullerton HJ, Gupta. Time trends and demographics of deaths from congenital hydrocephalus in children in the United States: National Center for Health Statistics data, 1979 to 1998. J Neurosrug. 2005;103:113-118

9. Wu Y, Green NL, Wrensch MR et al. Ventriculo-perinoneal shunt complications in California: 1990 to 2000. Neurosurgery. 2007;61:557- in children younger than age 6 years: presentation and surgical outcome.

10. Albert GW, Menezes AH, Hansen DR, et al. Chiari malformation Type I. J Neurosurg Pediatr.2010; 5:554-561.

11. Caldarelli M, Di Rocco C. Diagnosis of Chiari I malformation and related syringomyelia: radiological and neurophysiological studies. 2004;20:332-335

12. Klein O, Pierre-Kahn A, Boddaert N, et al. Dandy-Walker malformation : prenatal diagnosis and prognosis. Childs Nerv Syst;19:484-489.

13. Lee SW, Kim CH. Textbook of Pediatric Neuro-surgery. Revised ed. Korean Medical Books. 2018; 216-222, 253-279

CHAPTER

24 소아재활영역에서 흔히 보는 유전 질환

Common Genetic Disorders in Pediatric Rehabilitation

신용범, 장대현, 김보련

1. 서론

유전질환(genetic disorder)이란 유전자(gene)의 병적 변이에 따라 병적인 상태로 이환되는 것을 의미한다. 유전질환은 일반적으로 하나의 유전자의 변이에 의해서 발병하는 단일유전질환(monogenic disorder), 여러 개 유전자의 변이에 의해서 발병하는 다인자유전질환(multifactorial inheritance disorder) 및 염색체의 손상(수적, 구조적 변화)에 따른 염색체 질환으로 분류한다. 이에 따라 유전질환은 다양한 임상영역에서 나타나고 모든 장기 및 기능에 영향을 준다고 할 수 있다. 소아재활 영역에서도 많은 유전질환을 임상에서 접하게 되고 각각에 대한 이해가 필요하지만, 발달지연과 관련된 유전성 신경발달질환(neurodevelopemental disorder)을 실제 현장에서 다빈도로 만나게 된다. 따라서 본 챕터에서는 www.orpha.net 2020년에 발표된 Rare disease 유병률(https://www.orpha.net/orphacom/ cahiers/docs/GB/Prevalence _of_rare_diseases_by_alphabetical_list.pdf)과, 2006년에 출판된 발달지연관련 유전질환 논문[1]을 참조하여 비교적 유병률이 높고 임상적으로 소아재활 영역에서 중요도가 높은 7개 질환을 선정하여 유병률을 비롯한 임상양상, 원인, 진단검사, 치료, 협의진료, 유전상담을 위주로 기술하려고 한다.

2. Down syndrome

1) 개요

다운증후군은 1866년 John Langdon Down이 처음 기술한 이후 그의 이름을 따라 명명되었다. 하지만 21번 삼염색체(trisomy 21)로 발병하는 기전이 밝혀진 것은 1959년 Jernome Lejeune에 의해서다. 모든 염색체 질환 중 가장 흔한 원인이며 국가별로 다른 발생률을 보이며 대략 1,000명의 출생아 중 0.3명에서 3.4명씩 발병한다. 국내 연구에 따르면 10,000명당 유병률이 4.7명으로 연구된 바 있다.[2] 다운증후군은 지적장애 아동의 가장 흔하고 중요한 원인으로서 소아재활 영역에서 중요한 질환이며 높은 genetic complexity와 다양한 표현형

(phenotype variability)을 갖고 있다. 또한 최근 발전하는 의료기술로 평균 수명이 55세까지 늘어나 장기간의 의료서비스가 제공되어야 하기 때문에 질환에 대한 정확한 이해가 있어야 임상 현장에서 각 다운증후군 아동에게 최선의 의료서비스를 제공할 수 있을 것이다.

2) 임상양상

(1) 외형적 특징

특징적인 외형을 보고 다운증후군을 의심할 수 있다.

- 평편한 얼굴(flat facial profile)
- 작은 코(small nose)
- 낮은 콧등(flattened nasal bridge)
- 두꺼운 혀(thick tongue)
- 눈의 가장자리가 올라감 (upward slant to the eyes)
- 일자로 된 손금(single deep crease across the center of the palm)
- 과도한 관절 유연성 (excessive ability to extend the joints)
- 근긴장저하증(hypotonia)
- 두꺼운 눈 안쪽 주름(redundant epicanthal folds on the inner corner of the eyes)
- 엄지발가락과 2번째 발가락 사이가 넓음 (excessive space between large and second toe)
- 출생 시 저신장(short stature)

(2) 지적장애[3]

거의 모든 다운증후군 아동은 인지기능 저하가 있다. 일반적으로는 IQ 50~70의 경도 또는 IQ 35~50의 중등도의 지적장애가 대부분이지만 드물게 IQ 35미만의 심한 인지기능 저하를 보이는 아동도 있다. 인지기능 저하를 비롯한 발달지연은 영아기 시기부터 분명하게 나타나며, 대략적으로 앉기 11개월, 기기(creeping) 17개월, 걷기(walking) 26개월로 정상발달을 보이는 아동에 비해 2배의 발달지연을 보인다. 언어발달 또한 느리며 대략 첫 단어를 말하는 시기는 18개월 정도로 알려져 있다. 기타 주의력결핍 과잉행동장애, 강박장애 등의 행동장애 또한 정상발달 아동보다 높은 비율로 나타난다. 최근 연구를 통해 다운증후군 환자는 조기 알츠하이머의 위험성이 높다는 것이 알려져 있으며, 50대 이상 다운증후군 환자의 70%가 치매가 발병한다고 알려져 있다.

(3) 심장

다운증후군 아동의 50%가 선천성 심장 기형의 문제를 가지고 있으며, atrioventricular cushion defect가 가장 흔하며 심실중격결손(ventricular septal defect, VSD)이 다음으로 흔하다(지형학적 차이가 있으며 아시아에서는 VSD가 더 흔하다). 그 외에도 다양한 심장기형이 나타날 수 있으므로 이에 대한 스크리닝과 전문 진료가 반드시 필요하다.

(4) 소화기계

- 십이지장 폐쇄 또는 협착 (duodenal atresia 또는 stenosis)
- 부췌장(annular pancreas)
- 선천성 거대결장, 1~2%(Hirschsprung disease)
- 항문막힘증(imperforate anus)

(5) 눈

안과적 질환의 높은 유병률로 주기적 안과 검진이 필요하다. 굴절 이상, 사시, 안진을 비롯한 백내장, 녹내장이 발생할 수 있다.

(6) 귀

청력 소실은 다운증후군 아동에서 비교적 흔하게 발생한다. 중이염 또한 빈번하게 발생하는 질환으로서 청력 소실의 원인이 될 수 있기 때문에 이에 대한 주기적인 진료가 필요하다. 선천성 청력 소실이 신생아의 15%에서 발생할 수 있으므로 청각유발전위검사(auditory brainstem evoked potentials, ABEP) 스크리닝도 필요하다.

(7) 내분비계

갑상선 질환과 당뇨가 나타날 수 있다. 갑상선 기능저하증은 선천성 및 후천성 모두 나타날 수 있으므로 주기적인 검사가 필요하다.

(8) 혈액종양

다양한 혈액암과 고형암의 발병률이 정상발달 아동에 비해 높다. 백혈병의 경우 10~20배 가량 높은 유병률을 보이고 있으며, 5세까지 대략 2%의 아동이 발생한다고 보고된다.

(9) Atlantoaxial instability

1~2번 경추 불안정은 과도한 1~2번 경추 사이의 움직임이 있을 때로 정의되며 대략 13%의 다운증후군 아동에서 무증상의 1~2번 경추 불안정이 보고된다. 비록 증상이 없는 아동에게서 X-ray를 주기적으로 검사를 해야 하는 가이드라인은 없지만, 소아재활 영역에서 운동기능의 변화, 대소변 조절 양상의 변화, 목 통증, 급성 사경, 목의 과도한 긴장 등의 증상 있을 시, 반드시 이에 대한 정밀 검사가 요구된다.

(10) 기타

수면무호흡, 잠복고환, 요도하열증 및 다양한 피부질환의 위험성이 높다.

3) 원인

(1) 21번 염색체

사람의 21번 염색체는 22개의 상염색체 중 크기가 46,709,983 bp (GRCh38)로 가장 작은 염색체이며 대략 200~300개의 유전자가 포함되어 있는 것으로 알려져 있다.[4] 다운증후군의 태아의 실제 발생률은 더 높은 것으로 알려져 있으나 대략 50~75%는 사산한다고 알려져 있으며, 대부분 태아 때 사망하는 다른 이배수체(aneuploidy) 염색체 질환보다 높은 출산 생존율은 염색체의 크기가 작고 유전자의 개수가 적은 것 때문으로 추정이 된다. 다운증후군은 21번 염색체의 완전(complete) 또는 부분(partial)이 중복되어 삼염색체로 나타날 때 발병한다. 다운증후군의 다양한 임상 증상은 21번 염색체의 gene dosage imbalance로 기인한 것으로 가설되고 있지만 아직까지 복잡하고 다양한 임상 양상의 정확한 병태생리학적 기전은 규명되어 있지 않다.

(2) 유전자형

부분 21번 삼염색체가 다양한 형태로 다운증후군 임상양상을 나타낼 수 있기 때문에 유전자형은 매우 다양할 수 있다. 하지만 일반적으로 다운증후군의 유전자형은 아래와 같이 3가지로 구별된다(그림 24-1).

① 21번 삼염색체(trisomy 21)

21번 삼염색체는 대다수 다운증후군 아동의 유전형이며, 대략 95%를 차지한다. 남아의 경우 유전형을 47, XY, +21로 표기한다. 일반적으로 감수분열의 비분리(nondisjunction)에 의해 발생한다(그림 24-2).

② 전위(translocation)

전위에 의해 발생하는 경우는 대략 2~4%로 알

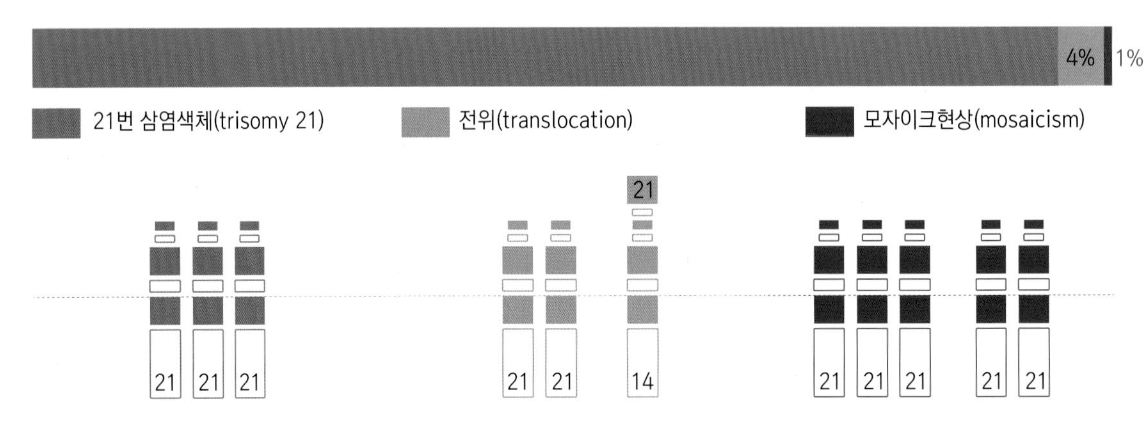

그림 24-1 다운증후군의 대표적인 3가지 유전형

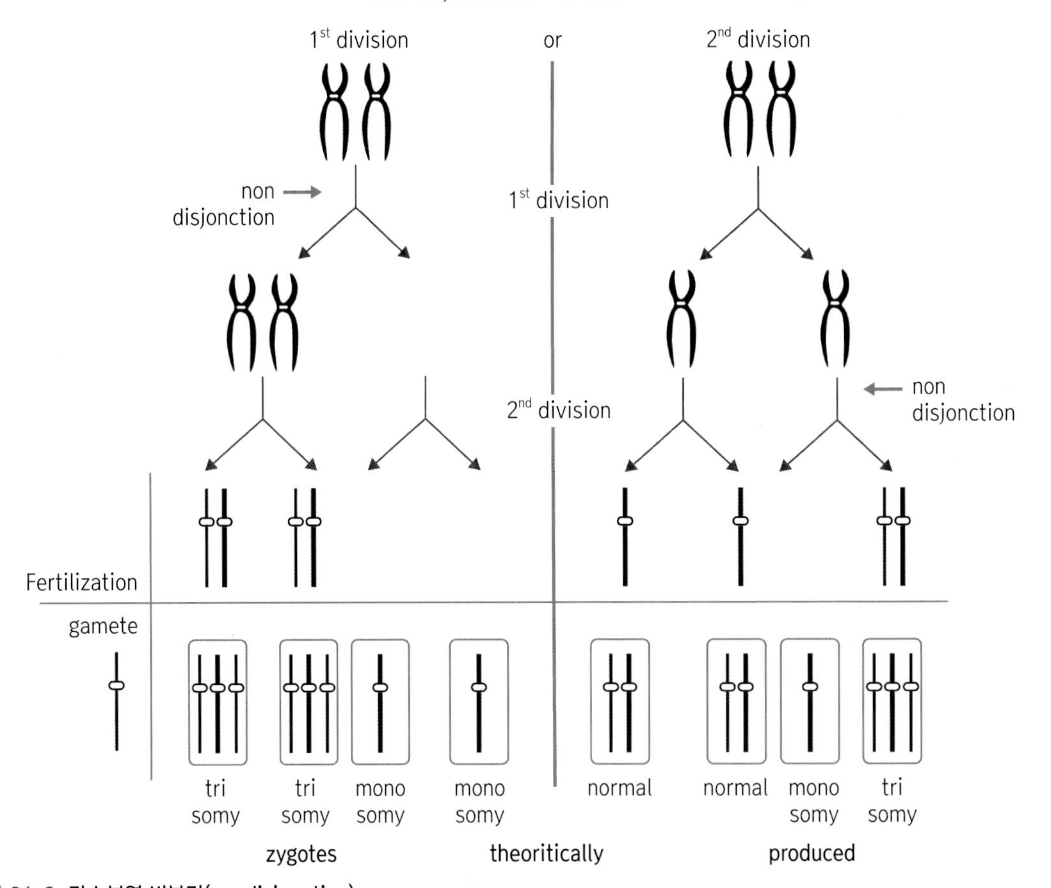

그림 24-2 감수분열 비분리(nondisjunction)
1차 감수분열, 2차 감수분열 모두에서 염색체 비분리 현상이 나타날 수 있고 이로인해 삼염색체(trisomy) 또는 단일 염색체(monosomy)가 발생할 수 있다.

려져 있으며, 주로는 그림처럼 Robertsonian 전위에 의해 발생하며, 14번~21번 염색체 장완전위 t(14q21q), 21번~21번 염색체 장완전위 t(21q21q)가 비교적 흔하다. 이 경우 부모 중 한 명의 균형전위(balanced translocation)에 의해 이환된 경우가 있으므로 반드시 부모 검사를 통해 이를 확인해야 한다(그림 24-3).

③ 모자이크현상(mosaicism)

염색체 수가 46개의 정상세포와 47개의 21번 삼염색체 세포가 혼재되어 있는 경우를 의미하며 정상세포의 비율에 따라 다양한 중증도의 임상 양상이 나타날 수 있다. 일반적으로 21번 삼염색의 경우보다 증상이 경미하다.

4) 진단/검사

특징적인 임상양상으로 대부분 출생 후 임상진단이 가능하지만 확진은 세포유전학 검사(cytogenetic analysis)를 통해 시행을 하며 모자이크현상

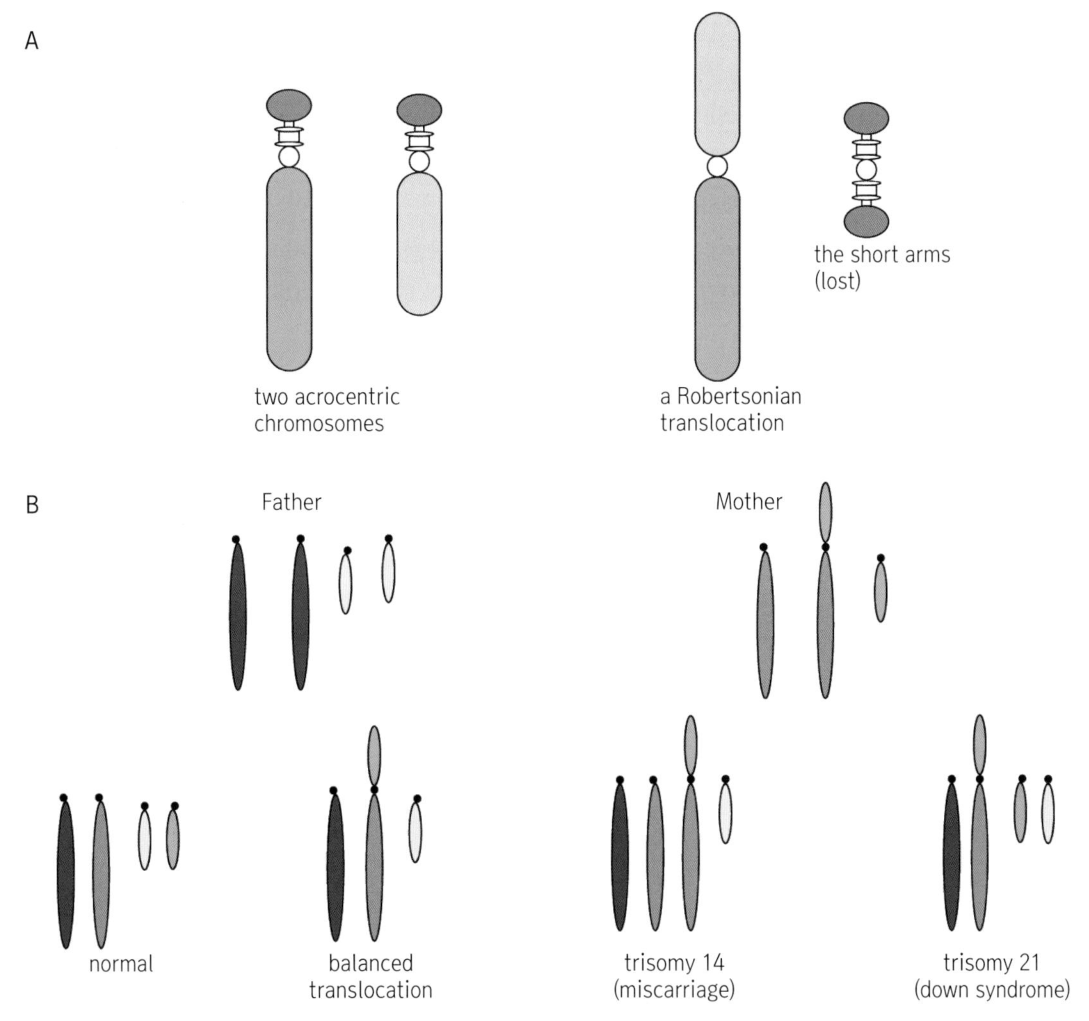

그림 24-3 A. Robertsonian 전위에 의해 다운증후군이 발생하는 기전.
B. 균형전위(balanced translocation)에 의해 다운증후군이 발생하는 기전

등의 경우가 있으므로 반드시 확진검사를 해야 한다. 전위가 확인될 경우 부모 검사를 시행해야 한다. 최근 산모 혈액에서 태아의 cell free DNA를 추출하여 분석을 시행하는 non-invasive prenatal testing (NIPT)가 도입되어 고위험군 산모(고령 등)에서는 스크리닝 검사로 우선 권유되고 있으며 이에 대한 연구가 활발하다.

5) 치료

다운증후군의 근본적인 치료는 현재까지 없는바, 다학제진료를 통한 앞서 기술한 다양한 임상증상에 따른 포괄적 치료가 필요하다. 미국 소아과학회(American Academy of Pediatrics)에서 발간한 연령에 따른 다운증후군 아동의 Health care 정보는 연령에 따라 발생할 수 있는 문제와 이에 따라 시행해야 할 검사를 도식화하여 제공하고 있다. 지면 관계상 URL 주소로 첨부한다(https://www.ndss.org/wp-content/uploads/2017/10/Health_Care_Information_for_ Families _of_Children_with_Down_Syndrome-1.pdf).

6) 협의진료

기본적인 발달의학/소아재활 평가 및 치료가 1차적으로 요구되며, 신경계, 안과/이비인후과, 내분비계, 순환기계에 대한 주기적 진료가 필요하다.

7) 유전상담

일반적으로 대부분의 21번 삼염색체나 모자이크 현상의 경우 다음 임신에 있어서 유전될 가능성은 매우 낮다고 알려져 있다. 하지만 전위의 경우는 대략 10%에서 유전될 수 있다.

3. Prader-Willi syndrome

프라더 윌리 증후군과 앙겔만 증후군(Angelman syndrome)은 전혀 다른 임상양상을 보이지만, 염색체의 동일한 위치(15q11.2-q13)에 병변과 각인(imprinting)에 의한 유전이상을 보이고 있다는 공통점으로 본 챕터에서는 2가지 질환을 이어서 기술한다.

1) 개요

프라더 윌리 증후군은 1956년 Prader A, Labhart A, Willi H에 의해 처음 기술이 되어 그들의 이름을 따라 프라더 윌리 증후군으로 명명이 되었다. 프라더 윌리 증후군은 부모 중 아버지의 염색체 15q11-q13 부위의 여러 유전자 표현의 소실로 발생하는 유전질환으로서 대략 10,000~30,000명 중 한 명의 유병률을 나타내고 있다.[5] 프라더 윌리 증후군과 앙겔만 증후군은 인간에서 처음 기술된 각인과 관련된 질환으로 이에 대한 유전학적 의미를 잘 이해할 필요가 있으며, 특히 프라더 윌리 증후군의 경우 조기진단과 치료가 성장을 비롯한 다양한 임상증상의 예후에 중요한 역할을 하기 때문에 적극적 평가 및 관련 지식의 습득이 요구된다.

2) 임상 양상

프라더 윌리 증후군은 다른 유전염색체 질환과 마찬가지로 증상의 범위가 넓고 특히 uniparental disomy 유전형의 경우 특징적인 얼굴 증상이나 지적장애가 심하지 않게 나타날 수 있으므로 진단에 있어서 주의를 기울여야 한다.

(1) 외형적 특징

- 튀어나와 있는 콧등(prominent nasal bridge)

- 작은 손과 발(small hands and feet)
- 얇은 윗입술(thin upper lip)
- 아래로 쳐지는 입(downturned mouth)
- 아몬드 모양의 눈(almond-shaped eyes)
- 밝은색의 모발 및 피부(light skin and hair)
- 작은 생식기(small genitalia)
- 저신장(short stature)

(2) 연령 별 특징적 임상 소견

- 출생~2세: 근긴장저하증 및 빨기 힘 저하
- 2~6세: 근긴장저하증 및 발달지연
- 6~12세: 발달지연 및 식욕과다/비만
- 13세 이상: 지적장애, 식욕과다/비만, 행동장애, 생식샘저하증(hypogonadism)

(3) 근긴장저하증(hypotonia)

출생 후 근긴장저하증과 빨기 힘의 저하는 프라더 윌리 증후군의 소견이나, 다른 유전염색체 질환에서도 비슷한 증상이 나타날 수 있으므로, 진단에 특이한 소견이다고 할 수는 없다. 다만 근긴장저하증은 프라더 윌리 증후군의 특징적인 소견이기 때문에 출생 후 설명이 되지 않는 근긴장저하증을 보이는 아동에게서는 반드시 프라더 윌리 증후군 유전검사가 필요하다.

(4) 발달지연

거의 모든 프라더 윌리 증후군 아동은 일정 수준이상의 발달지연을 보이고 있으며 지적장애/언어장애/학습장애가 특징적이다. 지능지수 수준은 편차가 있으나 평균적으로 경도의 지적장애가 많으며, 경계성 지능지수 및 중등도의 지적장애도 빈번하다. 드물게 정상지능이나 심한 지적장애 아동도 보고된다.

(5) 생식샘저하증(hypogonadism)

생식샘저하증과 관련된 외생식기 과소가 특징적이며, 잠복 고환이 흔하다. 대부분 불임으로 이어진다.

(6) 식욕과다 및 비만

7 단계로 구분된다.[6]

시기	평균 연령	임상 증상
0	출생 전~출생	근긴장저하증, 저체중
1a	0~9 개월	근긴장저하증, 연하장애, 섭식 부전
1b	9~25 개월	증가하는 식욕 및 섭식, 적정 성장기
2a	2.1~4.5세	과도한 식욕 증가 없는 체중 증가기
2b	4.5~8세	식욕 및 칼로리 증가가 있으나 식욕충전(full) 느낄 수 있음
3	8세~성인기	과다 식욕이나 식욕충전을 거의 느끼지 못함
4	성인기	식욕이 거의 충족되지 못함

(7) 내분비계 이상

당뇨 및 갑상선 질환에 대한 검사가 필요하다.

(8) 성장호르몬 결핍

저신장이 특징적이다.

(9) 기타

수면장애, 행동장애, 사시의 위험성이 높다.

3) 원인

(1) 염색체 15q11.2-q13 부위

염색체 15q11.2-q13 부위는 프라더 윌리 증후군과 앙겔만 증후군의 발병과 관련된 부위로서 PWS

region은 아버지로부터 유래되는 염색체에서만 발현이 되는 부위를 말하며, AS region은 어머니로부터 유래되는 염색체에서만 발현이 되는 부위이다. 이러한 현상은 각인 발현(imprinting expression)이라고 한다(그림 24-4).

(2) 유전형(그림 24-5)

① 결손(paternal 15q11-q13 deletion)

아버지로부터 유래한 염색체 15q11.2-q13 부위의 결손으로 발생하며 대략 프라더 윌리 증후군의 70% 내외를 차지한다. 이염색체성으로 기인한 환자보다 특징적인 외형적 소견이 두드러진다고 보고되며, BP1부터 BP3까지 결손이 있는 type 1 결손이 BP2부터 BP3까지 결손이 있는 type 2의 결손보다 증상이 더 심하다고 알려져 있다.

② 이염색체성(maternal uniparental disomy)

어머니로부터 15번 염색체를 모두 받아서 아버지로부터 오는 염색체가 없는 경우 프라더 윌리 증후군이 발생하며 대략 20~30%가량을 차지한다.

③ 각인센터 결함(imprinting defect)

대략 1~3%의 비율로 나타나며, 주로는 epigenetic(후성유전) cause로 발병하는 것으로 알려져 있다. 즉 DNA 서열의 변화 없이 그리고 부모로부터 각각의 염색체가 하나씩 유래되었음에도 maternal only DNA methylation 패턴을 보인다. 하지만 일부 환자에서는 SNRPN 유전자 5'end에 위치하는 imprinting center (IC) region에서 small deletion이 확인되는 경우가 있다.

4) 진단/검사(그림 24-6)

DNA methylation analysis는 프라더 윌리 증후군을 가장 효율적으로 진단하는 방법으로 99% 정확도를 가지고 있다. 임상적 의심이 될 때 먼저 시행해야 하는 검사이지만 프라더 윌리 증후군의 3가지 유전형을 구별할 수 없다. DNA methylation analysis에서 프라더 윌리 증후군 양성으로 나온다면 그림 24-6에서 제시한 것처럼 유전형을 확인하기 위해 형광제자리부합법(fluoresecence in situ hybridization, FISH), 염색체 마이크로어레이 분

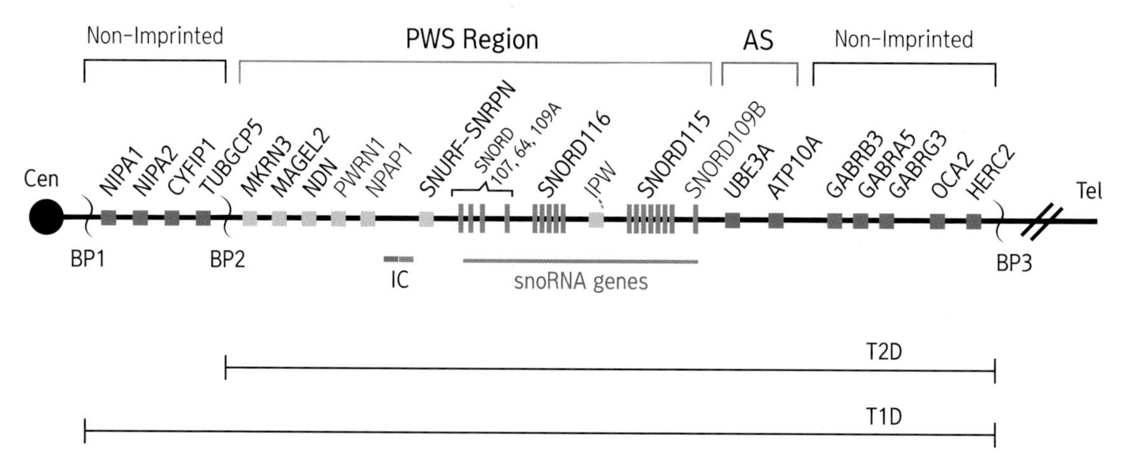

그림 24-4 염색체 15q11.2-q13 부위
프라더 윌리 증후군과 앙겔만 증후군과 관련된 부위. T1D는 BP1부터 BP3까지 결손된 유형을 의미하며, T2D는 BP2부터 BP3까지 결손이다. 일반적으로 T2D가 임상양상이 더 경미하다고 보고된다.

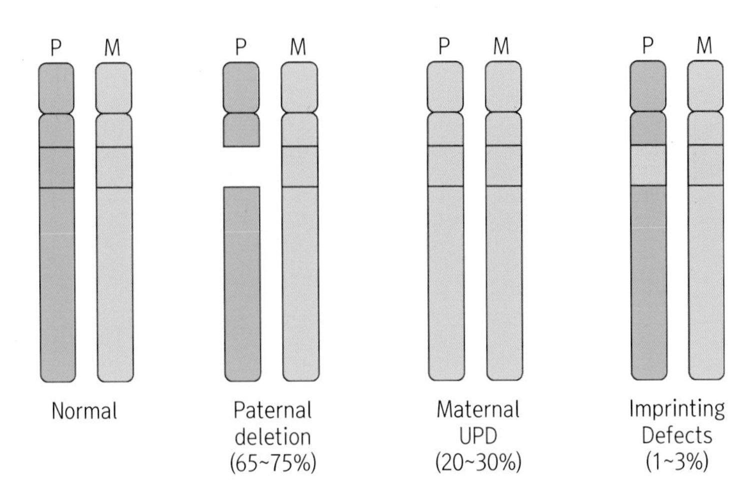

그림 24-5 프라더 윌리 증후군의 3가지 유전형

(http://www.genetics4medics.com/prader-will-syndrome.html)

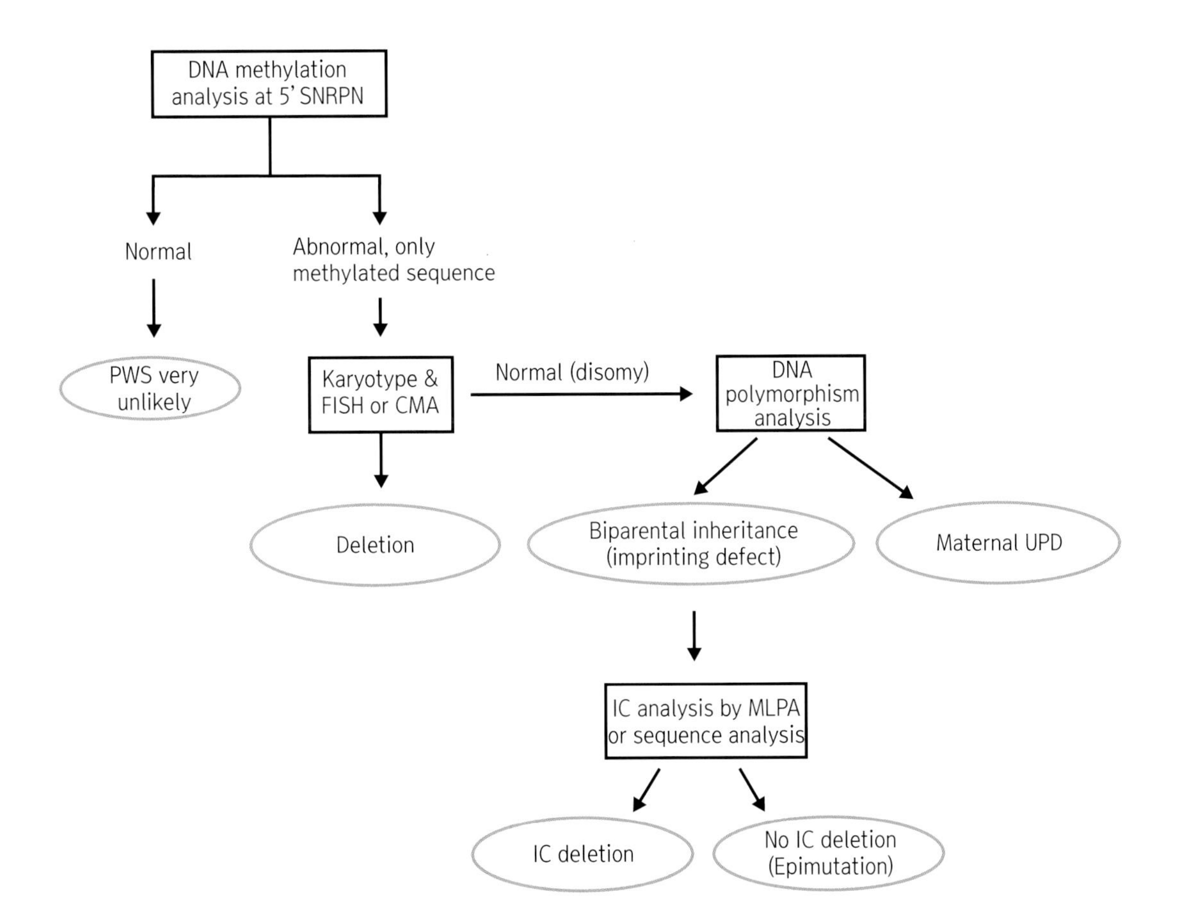

그림 24-6 프라더 윌리 증후군의 진단을 위한 유전학적 검사의 단계적 시행 전략

FISH: fluorescence in situ bybridization, CMA: chromosomal microarray, UPD: uniparental disomy
IC: imprinting center, MLPA: multiplex ligation probe amplification

석 검사(chromosomal microarray analysis, CMA), DNA polymorphism, DNA sequence analysis 또는 다중결찰의존프로브증폭(multiplex ligation-dependent probe amplification, MLPA) 검사 등을 진행해야 한다.

5) 치료

프라더 윌리 증후군의 근본적인 치료는 현재까지 없는 바, 다학제진료를 통한 앞서 기술한 다양한 임상증상에 따른 포괄적 치료가 필요하다. 소아재활, 발달의학적 접근이 필수적이며, 조기 중재를 통한 인지, 언어, 소근육운동, 대근육운동 발달의 향상을 도모해야 한다. 영양, 식이, 비만 관리가 필요하다. 신생아기 연하장애가 나타날 수 있으므로 이에 대한 평가 및 치료가 필요하다. 성장 호르몬 투여에 대한 연구가 광범위하게 진행되어 있으며, 최종 신장 증가, 근력 증가, 언어 및 인지기능 향상의 보고가 있다.

6) 협의진료

기본적인 발달의학/소아재활 평가 및 치료가 1차적으로 요구되며, 신경계, 안과/이비인후과, 내분비계에 대한 주기적 진료가 필요하다.

7) 유전상담

프라더 윌리 증후군의 정확한 유전형을 아는 것이 유전상담에서 가장 중요한 부분이다. 일반적으로 결손에 의한 프라더 윌리 증후군의 경우 다음 임신에서 발생한 확률은 1% 미만으로 알려져 있으나, 부모의 염색체 전위에 의해 발생 확률이 달라질 수 있기 때문에 부모 검사를 하는 것이 필요하다. 이염색체의 경우 역시 대부분은 산발적으로 발생하나(〈1%), 어머니의 Robertsonian 전위에 의해서 발생할 수 있다. 각인센터 결함의 대략 15%는 각인센터 결손을 보이고 있고 이 경우 50%의 확률로 재발할 수 있기 때문에 아버지의 검사가 필요하다.

4. Angelman syndrome

1) 개요

앙겔만 증후군은 1965년 Harry Angelman이 처음 기술한 이후 그의 이름을 따라 명명되었고, 심한 언어발달지연, 뇌전증, 비정상적인 웃음을 주소로 한다. 대략 15,000명당 1명의 발생률을 가지고 있으며 프라더 윌리 증후군과 같은 염색체 region을 가지나 임상적으로는 매우 다른 양상을 보인다.

2) 임상양상

앙겔만 증후군은 출생 초기에는 특징적인 소견이 없는 경우가 있어서 초기 진단에 어려움이 있을 수 있다.

(1) 외형적 특징

- 사시(strabismus)
- 큰 입(wide mouth)
- 튀어나와있는 턱(prominent chin)
- 넓은 치간(widely-spaced teeth)
- 혀내밈(tongue thrusting)
- 소두증/단두증(microcephaly/brachycephaly)

(2) 발달지연[7]

출생 초기에 근긴장저하증을 동반한 대근육운동 발달지연이 나타나며, 빨기 힘 저하에 따른 섭식장애가 있을 수 있다. 언어발달지연이 특징적이며 특히 수용언어에 비해 표현언어발달지연이 두드러진다. 대부분 표현언어 습득에 실패한다. 독립적 보행은 대략 2.5~6세경 습득하게 되나, 실조성 보행 및 진전을 보인다. 과도한 웃음 및 jerky movement, 손을 흔드는 행동 등의 행동이상이 보고된다.

(3) 경련(seizure)

대략 1~3세 사이에 나타나기 시작하며, 다양한 양상을 보인다. Jerky movement 등의 행동이상을 경련으로 오해할 수 있어서 항 경련제의 과다복용이 있을 수 있다.

(4) 기타

수면장애, 위식도 역류, 측만증이 보고되고 있다.

3) 원인

(1) 염색체 15q11.2-q13 부위

프라더 윌리 증후군 발병과 관련된 부위와 같은 위치로 AS region에 존재하는 maternally inherited (어머니로부터 유래한) UBE3A 유전자의 기능이 소실되었을 때 발병한다.

(2) 유전형

프라더 윌리 증후군과 비슷한 형태의 유전형(결손, 이염색체, 각인센터 결함)이 있으나, UBE3A 단일유전자 변이 및 unknown의 경우도 보고되고 있다. 그림을 통해 프라더 윌리 증후군과 앙겔만 증후군의 유전형을 비교한다. 이염색체, 각인센터 결함으로 인한 경우 임상증상이 경미하다고 보고된다(그림 24-7).

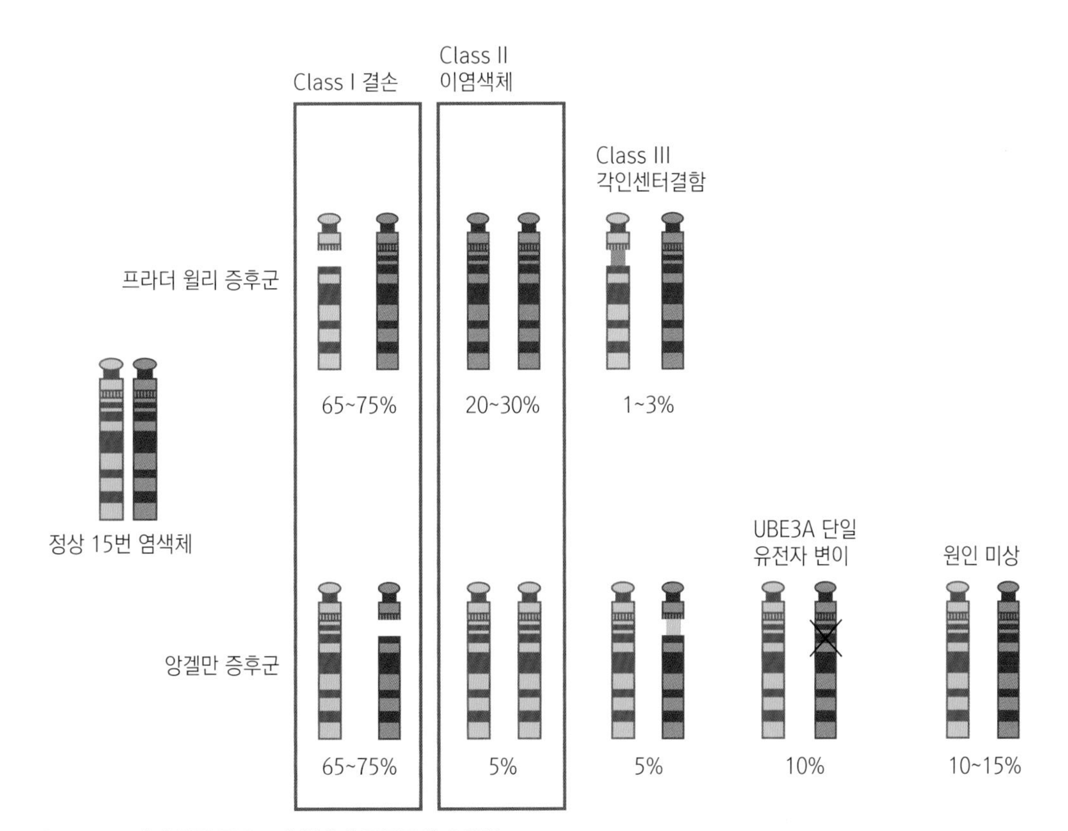

그림 24-7 프라더 윌리 증후군과 앙겔만 증후군의 유진형

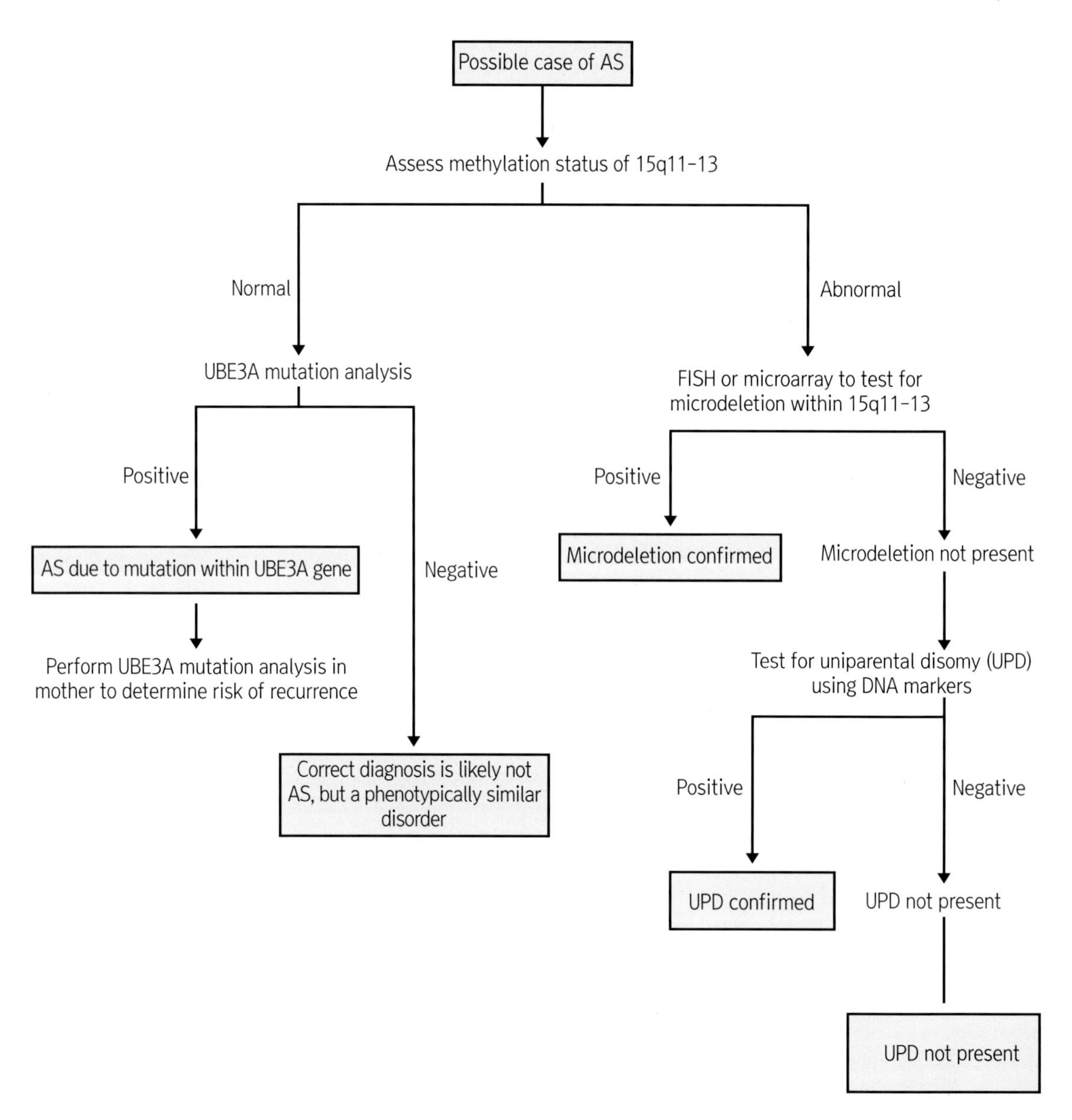

그림 24-8 앙겔만 증후군의 진단을 위한 유전학적 검사의 단계적 시행 전략
AS: Angelman syndrome (앙겔만 증후군)

4) 진단/검사(그림 24-8)

프라더 윌리 증후군과 마찬가지로 DNA methylation analysis는 앙겔만 증후군이 임상적으로 의심될 때 시행해야 하는 검사이지만 80% 내외의 민감도를 보이고 양성이더라도 유전형을 구별할 수 없다. DNA methylation analysis에서 양성으로 나온다면 유전형을 확인하기 위해 FISH, CMA, UPD study, DNA sequence analysis or MLPA 검사 등을 진행해야 한다. DNA methylation analysis에서 음성인 경우 UBE3A 유전자 검사를 시행해야 한다.

5) 치료

UBE3A 유전자 치료에 대한 연구들이 진행이 되고 있지만 앙겔만 증후군의 근본적인 치료는 현재까지 없는 바, 다학제진료를 통한 앞서 기술한 다양한 임상증상에 따른 포괄적 치료가 필요하다. 소아재활, 발달의학적 접근이 필수적이며, 조기 중재를 통한 인지, 언어, 소근육운동, 대근육운동 발달의 향상을 도모해야 한다. 비언어적 의사소통을 목표로 하는 언어치료가 매우 중요하며 그림 카드나 다양한 의사소통도구[augmentative and alternative communication (AAC) devices]를 조기 치료로 시행해야 한다. 경련에 대한 중재가 요구된다.

6) 협의진료

기본적인 발달의학/소아재활 평가 및 치료가 1차적으로 요구되며, 신경계, 안과, 소화기계, 정신과에 대한 주기적 진료가 필요하다.

7) 유전상담

앙겔만 증후군은 다양한 유전형을 가질 수 있기 때문에 이에 따라 유전상담이 달라질 수 있다. 일반적으로 결손에 의한 경우 다음 임신에서 발생한 확률은 1% 미만으로 알려져 있으나, 부모의 염색체 전위에 의해 발생 확률이 달라질 수 있기 때문에 부모 검사를 하는 것이 필요하다. 이염색체의 경우 역시 대부분은 산발적으로 발생하나(<1%), 아버지의 Robertsonian 전위에 의해서 발생할 수 있다. 각인센터 결함 중 각인센터 결손을 보이고 있고 이 경우 50%의 확률로 재발할 수 있기 때문에 어머니의 검사가 필요하다. UBE3A 유전자 변이에 의한 문제의 경우 어머니가 같은 변이를 가졌을 때, 50%의 확률로 재발할 수 있다(표 24-1).[8]

표 24-1

유전자 분류	비율	유전자형	다음 임신 발생확률
Ia	65~75%	15q11-q13미세결손	<1%
Ib	<1%	염색체 전위	50%
IIa	3~7%	아버지 염색체의 이염색체성	<1%
IIb	<1%	아버지 염색체가 이미 이염색체성으로 존재할 때	15:15 Robertsonian 전위 경우 100%로 이환 가능
IIIa	0.5%	각인센터 결손 결함	50%
IIIB	2.5%	각인센터 결손 이외의 결함	<1%
IV	11%	UBE3A 유전자 변이	50%
V	10~15%	원인 미상	미상

5. 22q11.2 deletion syndrome

1) 개요

22q11.2 결손 증후군(22q11.2 deletion syndrome)은 가장 흔한 염색체 미세결손 질환으로 다운증후군 이후 발달지연과 선천성 심장질환을 일으키는 두 번째로 흔한 질환이다. 발생빈도는 2,000~6,000명당 1명 정도로 알려져 있으나, 표현형이 매우 다양하여 실제 발생빈도는 더 높을 수 있다. 22q11.2 미세결손의 약 90%는 de novo 돌연변이로 인해 발생하며, 약 10%는 표현형이 경미한 부모에서 유전된다. 22q11.2 결손이 한번 발생하면 상염색체 우성 유전으로 자녀가 이환될 확률은 50%이다. 1965년 Angelo DiGeorge 의사에 의해 처음 보고된 DiGeorge 증후군(DiGeorge syndrome)은 흉선(thymus)과 부갑상선(parathyroid gland)이 없는 영아들을 포함하였으며, 이후 선천성 심장질환이 추가적인 증상으로 보고되었다. 1980년대 초반 세포유전학적 진단인 22q11.2 미세결손이 DiGeorge 증후군의 원인 인자임을 밝혀낸 이후, 다양한 표현형을 공유하는 질환들(velocardiofacial 증후군, conotruncal anomaly face 증후군, 상염색체 우성 Opitz G/BBB 증후군, Cayler cardiofacial 증후군)이 보고되었다. 이러한 진단들은 임상의사들의 특정 관심영역에 따라 다르게 기술되었으나, 1990년대 초반 FISH검사가 광범위하게 시행되면서 결국 같은 유전적 원인에 의한 22q11.2 결손 증후군으로 명명하게 되었다.[9, 10]

2) 임상양상

22q11.2 결손 증후군의 표현형은 매우 다양하며 증상의 중증도 또한 생명을 위협하는 치명적인 정도부터 경미한 정도까지 다양하게 나타날 수 있다. 가장 흔한 임상증상은 선천성 심장질환, 구개이상(palatal abnormalities), 안면이상(긴 코, 돌출된 콧대, 짧은 인중, 작은 턱, 좁은 안검열, 양안격리증, 귀 기형, 작은 입, 비대칭적으로 우는 얼굴 등), 저칼슘혈증, 면역결핍, 비뇨생식기 결함, 악성 횡문근 종양의 높은 발생 위험, 발달지연, 행동 및 정신과적 문제 등이 있다. 전형적인 임상증상이 주로 관찰되는 시기 또한 나이에 따라 다양하다. 태아기에는 주로 심장이상과 흉선결함이 관찰되며, 아동기에는 선천성 심장질환, 만성 감염, 비강역류, 과비음, 저칼슘혈증, 연하곤란, 발달지연, 행동이상 및 학습장애가 흔하게 보인다. 청소년기와 성인기에는 상기 언급한 임상증상들과 함께 상대적으로 행동이상 및 정신과적 질환이 많이 발생한다(표 24-2).[11]

발달지연은 대부분의 아동에서 나타나며, 대근육운동 및 소근육운동 발달, 표현언어지연, 조음문제가 주로 흔하다. 특히, 조음과 관련된 언어발달의 결함은 구개인두 교정수술(velopharyngeal corrective surgery)에 의해 호전되기도 하는 반면, 언어발달지연은 구개이상과 관계 없이 지속되므로 이를 구분하는 것이 중요하다. 인지장애 또한 90~100%의 환자에서 관찰되며, 특히 지속적 주의력, 실행기능, 기억력, 시공간 지각능력 등 다양한 인지영역의 결함이 나타난다. 아동기와 초기 청소년기의 평균 지능지수는 70점 정도이며 3분의 2의 환자에서 경증 지적장애(IQ 55-75)를 보인다. 전체 지능지수는 전반적인 인지기능을 반영하지 않을 수 있으며, 약 65%에서 언어성 지능과 동작성 지능간의 점수차가 10점 이상으로 주로 언어성 지능이 높다.

다소뇌회증(polymicrogyria)과 같은 일치적인 뇌기형이 있거나 저산소성 허혈성 뇌병증, 지속적인 저칼슘혈증, 신생아 경련 등의 이차적인 손상이 동반되지 않는 이상 중증 지적장애는 흔하지 않다.

표 24-2 22q11.2 결손 증후군 아동 및 성인에서 흔한 임상 증상들[11]

소견	아동(%)	성인(%)
언어장애	~95	?
발달지연	〉95	
지적장애	~75~85	92
학습장애	82~100	
청각장애	6~60	28
구개이상/구개인두기능부전	67	42
후두기관이상	14	?
선천성 심장/심혈관 질환	64	26
위장관계 증상/연하장애	65	40
면역결핍	77	?
저칼슘혈증	55	64
비뇨생식기이상	24	41
자폐스펙트럼장애	19	16
주의력결핍 과잉행동장애	32~52	16~35
불안장애	~35	25
정신장애	15	40~58
조현병	2	~25

학령전기와 학령기 아동에서 학습장애-특히, 수학과 언어이해 영역-가 매우 흔하다. 최근 여러 연구들에 따르면, 인지발달은 다양한 경과를 보이며, 나이와 지능지수-특히 언어성 지능-는 음의 상관관계를 가진다. Vorstman 등은 22q11.2 결손 증후군에서 8세에서 24세 사이에 평균 전체 지능지수가 7점 정도 저하됨을 보고하였으며, 이는 성인기로 이행하면서 지적기능이 안정적으로 유지되지 않을 수 있음을 시사한다.[10, 12, 13]

3) 원인

염색체 22q11.2 부위의 미세결손은 감수분열 동안 일어나는 비대립유전자 상동 재조합(non-allelic homologous recombination)의 결과로 발생한다. 이 부위는 8개의 분절 중복(segmental duplications or low copy repeats, LCRs) 블록을 포함하며 96% 이상이 동일하기 때문에 재배열에 구조적으로 취약하다. 22q11.2 부위는 구개이상과 선천성 심장질환을 포함하는 다양한 표현형과 연관된 90개 이상의 중복 유전자들을 포함한다(그림 24-9).

구개이상과 연관된 유전자는 ARVCF, COMT, DGCR8, GP1BB, HIRA, TBX1, UFD1LL 등이며, 선천성 심장질환과 관련된 유전자는 ARVCF, BCR, COMT, CRKL, DGCR8, GP1BB, HIRA, MAPK1, SMARCB1, TBX1, UFD1LL 등이 있다. 미세결손부위의 크기에 따라 세 가지 유형으로 나누어지는데 제1형(90%)이 3Mb로 가장 흔하며, 제2형(7%)은 1.5Mb, 제3형(3%)은 가장 작은 결손으로 비전형적이다. 또한, 미세결손부위의 LCRs 위치에 따라 근위부, 중심부, 원위부로 구분할 수 있다. LCR-A부터 LCR-E까지를 포함하는 근위부 결손은 DiGeorge 증후군과 velocardiofacial 증후군의 표현형과 연관되어 있으며 심장이상, 구개이상, 면역결핍, 위장관문제, 신장문제, 안면이상, 행동이상 및 정신과적 문제 등이 있다. 중심부 결손은 LCR-B에서 LCR-D 부위로 매우 다양한 표현형과 관련이 있는데, 성장지연, 발달지연, 안면이상, 신장이상, 심장이상, 행동이상 및 정신과적 문제 등 근위부 결손의 표현형을 공유한다. 원위부 결손은 LCR-D에서 LCR-H 부위를 포함하며 주로 조산, 성장과 발달지연, 안면이상, 근골격계 결함, 악성 횡문근 종양의 발생 위험, 동맥간(truncus arteriosus)과 연관된 심장이상과 관련이 있다.[14] 전형적인 신체적 특징과 관련된 증상들-특히 구개이상, 선천성 심장

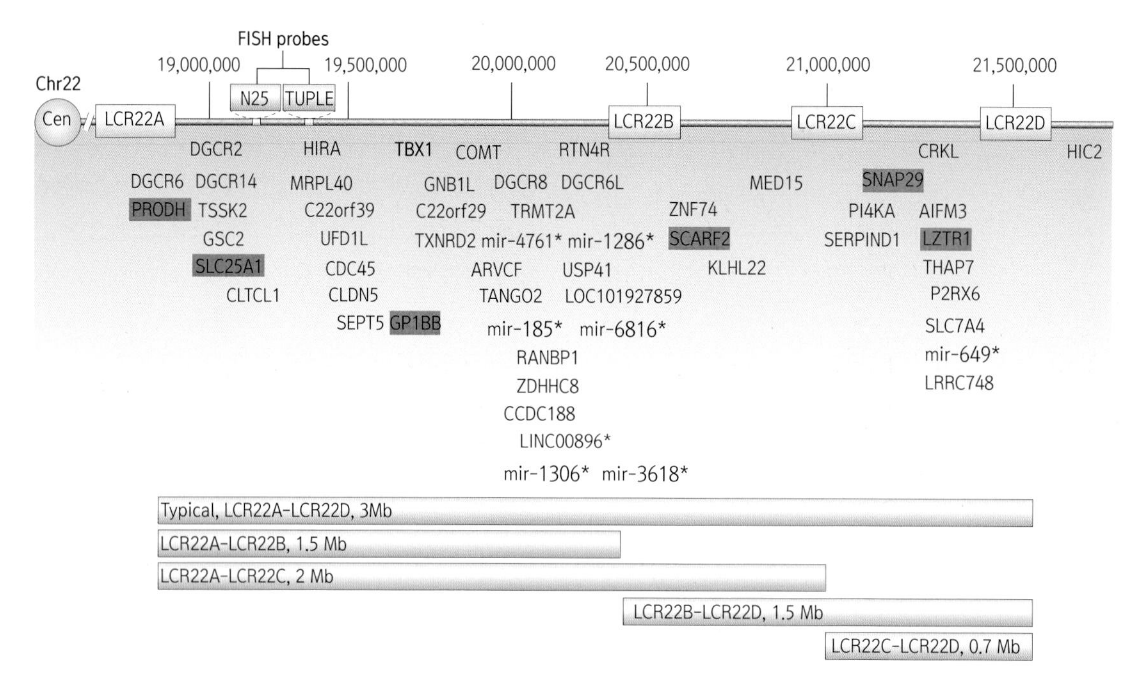

그림 24-9 22q11.2 결손부위에 위치한 유전자와 분절 중복(LCRs)[10]

결함-은 주로 배아기 형태형성(morphogenesis) 및 pharyngeal arch system derivatives의 이상으로 인해 발생한다.[10]

4) 진단/검사

조기 진단은 22q11.2 결손 증후군에 대한 부모의 이해를 높이고 개별적인 증상에 따른 다학제적 치료를 조기에 시행함으로써 환자의 삶의 질을 향상시킬 수 있으므로 매우 중요하다. 태아기에는 산전 초음파에서 심장이상, 흉선이상, 안면이상, 근골격계 결함 등 22q11.2 결손 증후군의 특징적인 신체적 소견이 강하게 의심될 때 검사가 시행될 수 있다. 또한, 구순열/구개열이 있는 아동에서 22q11.2 결손 증후군의 빈도가 0~14%, 선천성 심장질환 중 특히 뿔줄기 결함(conotruncal defect)이 있는 아동에서 22q11.2 결손 증후군의 빈도가 7~39%로 알려져 있어, 구개 및 심장이상 소견과 함께 안면이상, 저칼슘혈증, 면역결핍과 같은 22q11.2 결손 증후군의 특징적인 증상들이 관찰될 경우 검사가 필요하겠다. 하지만 앞서 언급한 바와 같이, 22q11.2 결손 증후군은 표현형이 매우 다양하며, 나이에 따라 발현되는 증상 및 중증도 또한 다양하기 때문에 경미한 표현형일 경우 임상적 진단이 쉽지는 않다. 고식적인 분자유전학적 검사방법으로는 22q11.2 결손을 확인하기 위해 LCR-A에서 LCR-B부위를 지도화(mapping)하는 탐침자(probe)를 이용한 FISH검사가 가장 흔히 시행되었다. LCR-A에서 LCR-B부위를 제외한 결손(LCR-B에서 LCR-D부위 또는 LCR-C에서 LCR-D 부위 결손)일 경우, LCR-B에서 LCR-D부위의 탐침자를 이용한 맞춤형(customized) FISH 검사 또는 MLPA검사를 시행하기도 한다. 최근에는 CMA검사가 일차적인 검사로 시행되며, 특징적인 임상증상이 거의 없

거나 비전형적인 임상증상을 보이는 환자의 진단 시 특히 유용하다.[10, 14]

5) 치료

22q11.2 결손 증후군의 임상증상은 나이에 따라 다양하게 관찰되므로 개별적이고 다학제적인 평가와 치료계획 수립이 필요하다. 근본적인 치료방법은 없으나 전 생애주기 동안 기능과 삶의 질을 향상시키기 위한 목적의 전인적이고 포괄적인 재활 치료 및 협의 진료가 시행되어야 한다.

(1) 재활 치료

많은 아동에서 운동 및 언어, 인지영역에서의 전반적 발달지연이 관찰된다. 특히, 아동이 성장하면서 발달지연과 행동이상으로 인해 나이에 따른 발달수준과 환경적인 요구 간의 격차가 점차 벌어지게 되므로 조기 재활의학적 중재 및 추적 관찰은 매우 중요하다. 조기 재활의학적 중재로는 대근육운동 발달-특히, 균형과 협응 능력-을 위한 운동치료, 소근육운동 발달 및 일상생활동작 수행능력 습득을 위한 작업치료, 구개이상과 연관된 구조적, 기능적 문제에 대한 연하치료와 영양관리, 조음 기능을 포함한 언어발달 및 의사소통능력 습득을 위한 언어치료, 자기 조절과 사회적 상호작용을 증진시키기 위한 감정-행동치료, 부모와 아동의 상호작용을 증진시키고 부모의 양육 스트레스를 경감시키기 위한 부모 교육과 훈련 등이 있다. 언어장애는 언어발달지연(특히, 표현언어지연), 사회적 상호작용의 결함으로 인한 의사소통저하, 구개이상으로 인한 조음장애 등 다양한 원인들의 조합으로 나타날 수 있으며, 이는 아동의 정서-사회성 발달에 부정적인 영향을 미친다. 따라서, 영아기부터 적극적인 언어치료중재를 시행하도록 하며 초기에는 표현언어를 증진시키고 보상 조음 양상을 방지하는 것에 초점을 맞추어 시행한다. 또한, 아동이 성장하면서 지능지수로 대표되는 절대적인 지적 수준이 저하될 수 있기 때문에 아동기와 초기 청소년기 때 전반적인 인지발달수준에 따라 인지치료를 포함한 학습 및 교육 서비스를 적절히 제공하는 것이 중요하다.[11]

(2) 협의 진료

① 심장이상 치료

심혈관계 이상소견은 주로 태아기나 신생아기에 발견되며 첫 증상으로 진단에 이르게 되는 경우가 많다. 가장 흔한 이상은 유출로 기형(malformation of outflow tract)으로 정의되는 뿔줄기 심장결함(conotruncal heart defects)으로 폐동맥판폐쇄를 동반하거나 동반하지 않은 팔로사징(Tetralogy of fallot), 동맥줄기(truncus arteriosus), 대동맥궁단속 B형(interrupted aortic arch type B), 심실중격결손 등이 있다. 뿔줄기 심장결함 외 다른 형태의 선천성 심장질환은 드문 편이다. 많은 아동에서 심혈관 수술 및 시술을 여러 차례 시행하는 경우가 많으며 심장이상은 22q11.2 결손 증후군 아동과 성인의 가장 흔한 사망원인이다. 따라서, 심장이상을 동반한 아동의 경우 전 생애기간 동안 추적 관찰이 필요하며 치료는 각각의 심장질환에 대한 국제적인 가이드라인을 따른다.[10, 15]

② 면역결핍 치료

면역결핍은 흉선 저형성과 T 세포 생성 저하로 발생하며, 약 75%의 환자들에서 동반된다. 중증도는 정상 흉선 발달과 정상 T 세포 기능을 보이는 정도부터 흉선 무형성과 T 세포가 생성되지 않는 정도까지 다양하다. 치료 또한 별다른 치료 없이 경과 관찰을 하는 경우부터 흉선 이식까지 증상에 따라 다르다. 아동기에는 만성 감염, 백신에 대한 반응저하, 면역글로불린 A 결핍, 알레르기와 천식 등이 자주 발생할 수 있다. 나이가 들수록 T 세포수의 증가와 기능의 호전으로 감염의 빈도는 감소한다. 혈액검사를 통해 T 세포 수를 측정하여 기준치보다 낮을 경우, 생백신을 접종해서는 안되며 1년마다 주기적인 추적 관찰이 필요하다. 연소성 류마티스 관절염이나 특발성 저혈소판증, 용혈성 빈혈과 같은 자가면역성 질환도 흔하며, 치료는 개별 질환에 대한 일반적인 진료 지침을 따르되, 면역 억제는 최소화하여야 한다.[10, 15]

③ 내분비계 증상 치료

대표적으로 관찰될 수 있는 내분비계 증상들은 부갑상선저하증으로 인한 저칼슘혈증(50~65%), 저신장(10~40%), 성장호르몬결핍, 갑상선기능저하증(20%) 등이 있다. 다른 증상들과 마찬가지로 부갑상선저하증으로 인한 저칼슘혈증 또한 표현형의 중증도가 매우 다양하다. 신생아기에 발생한 중증의 저칼슘혈증도 성장하면서 자연스럽게 좋아질 수 있으며 성인기에 재발할 수도 있다. 일시적인 저칼슘혈증은 보통 질병, 수술, 청소년기, 임신 등 생물학적 스트레스 상황에서 발병 또는 재발할 수 있다. 따라서 저칼슘혈증이 있을 경우 적절한 치료가 필수적이며 특히 경련이 발생할 수 있는 신생아기와 생물학적 스트레스 상황에서는 특별한 주의를 기울여야 한다. 성장호르몬결핍은 저신장의 원인이 될 수 있고, 갑상선기능저하증 또한 저신장과 학습장애의 원인이 될 수 있는데, 두 경우 모두 치료에 잘 반응하므로 의심될 경우 평가와 치료가 꼭 필요하다.[9, 10, 14]

④ 구개이상 치료

구개인두기능부전(velopharyngeal incompetence), 점막하 구개열(submucous cleft palate)은 약 70%의 환자에서 발생하는 흔한 증상이다. 실제로 22q11.2 결손 증후군은 증후군적(syndromic) 구개이상과 구개인두기능부전의 가장 흔한 원인이다. 따라서 모든 22q11.2 결손 증후군 아동은 충분한 언어발달이 이루어질 때까지 구개인두기능부전의 유무를 확인할 필요가 있다. 대표적인 증상으로 연하장애와 언어장애-특히 조음장애-를 야기할 수 있다. 구개이상에 대한 수술적 치료는 보통 4세에서 6세 사이에 시행되며, 수술을 시행하기 전 소리와 비음의 공기역학적인 측정을 포함한 언어 평가와 구개인두구조를 관찰하기 위한 비디오투시연하조영검사와 코인두경검사를 시행한다. 그리고, 심장과 기도를 포함한 전반적인 술전 검사와 술전후 혈중 칼슘 수치에 대한 모니터링이 필요하다. 술후 비인두 기도의 크기가 감소하기 때문에 폐쇄수면무호흡이 발생하거나 악화될 수 있으므로 술전후 이에 대한 검사가 필요할 수 있다.[9-11]

⑤ 위장관계 증상 및 연하장애 치료

위장관계 이상(30%)과 연하장애(40~90%)는 흔히 발생하는 증상이다. 영유아기에는 주로 위식도역류, 식도 운동이상(dysmotility), 비인두역류, 구토, 변비 등의 증상이 관찰되며, 심할 경우 식도염, 흡인, 성장부전, 영양실조, 질식이나 반복적인 폐렴 같은 심각한 호흡기계 증상으로 이어질 수 있다. 연하장애는 구개인두기능부전과 인두, 식도, 하부위장관 운동이상의 조합으로 발생할 위험이 높다. 따라서, 위장관 질환에 대한 구조적이고 기능적인 문제들에 대한 고려가 필요하다. 위장관 운동이상과 관련된 문제들에 대한 적절한 치료 없이 연하치료만 시행하면 연하장애가 충분히 호전되지 않을 수 있다.[10, 11, 14]

⑥ 행동이상 및 정신과적 질환 치료

많은 행동이상과 정신과적 질환이 나타날 수 있으며 이 또한 나이에 따른 차이를 보인다. 주로 아동기에는 불안장애, 주의력결핍 과잉행동장애, 자폐스펙트럼장애 등이 나타나고, 청소년기와 성인기에는 불안장애, 우울증과 같은 기분장애, 조현병과 같은 정신장애 등이 주로 발병한다. 행동이상의 유형과 정도는 남녀 차이가 없으며 나이가 들수록 증가하는 경향을 보인다. 특히, 22q11.2 결손 증후군은 성인기에 발생하는 조현병의 가장 강력한 분자유전학적 위험 인자이다. 따라서, 가족들에게 발달시기별로 관찰될 수 있는 정신과적 질환 및 초기 증후와 증상에 대한 교육을 시행하는 것이 중요하다.[9,10]

6) 유전상담

22q11.2 결손 증후군은 대부분 de novo 돌연변이로 발생하지만, 중증도가 심한 아동의 부모는 표현형이 경미할지라도 결손을 가지고 있을 수 있으며 체세포 모자이크현상(somatic mosaicism)도 보고되고 있다. 따라서, 자녀가 22q11.2 결손 증후군으로 진단받았을 경우, 부모는 명확한 임상적 특징이 관찰되지 않더라도 산전 유전상담을 받아야 한다. 22q11.2 결손 증후군은 상염색체 우성 유전으로 자녀가 이환될 확률이 50%이다. 하지만 질환의 표현형이 매우 다양하기 때문에 표현형의 범위와 중증도를 예측하는 것은 불가능하다. 산전 진단은 초음파, 태아 심초음파, 융모막융모표본채취(chorionic villi sampling)나 양수천자를 통한 산전 결손검사 등이 있다. 유전상담 시에는 환자와 가족들에게 22q11.2 결손 증후군에서 흔히 발생하는 의학적 문제들에 대한 최신 정보, 발달시기별로 관찰될 수 있는 증상 및 질환, 그에 따른 치료 전략뿐만 아니라 지역자원이나 지지모임과 같은 정보들도 제공하도록 한다.[9]

6. Williams syndrome

1) 개요

윌리암스 증후군(Williams syndrome)은 드문 신경발달질환으로 염색체 7q11.23 부위의 미세결손으로 인해 발생한다. 발생빈도는 7,500~20,000명 당 1명 정도로 알려져 있으며 남녀의 이환율은 같다. 신체적 표현형은 전세계적으로 비슷한 반면, 인지 및 행동적 표현형과 뇌구조 및 뇌기능은 다양하게 관찰된다. 대부분은 de novo 돌연변이로 인해 발생하지만 부모에서 유전되는 경우도 있다. 7q11.23 결손이 한번 발생하면 상염색체 우성 유전으로 자녀가 이환될 확률은 50%이다. 1950년대 윌리암스 증후군에 대한 초기 보고들은 개별적인 증상에 대한 임상의사의 관찰에 의해 이루어졌다. 같은 질환에 대해 신장내과와 내분비내과 의사들은 원인미상의 영아 고칼슘혈증(idiopathic infantile hypercalcemia)으로, 심장내과 의사들은 판막위대동맥판협착증후군(supravalvular aortic stenosis syndrome)으로 보고하였다. 요정 얼굴 같은 특징적인 안면이상으로 인해 윌리암스 요정얼굴 증후군(Williams elfin faces syndrome)으로 불리기도 하였다. 1961년 Jonh C.P. Williams와 1962년 Alois Beuren의 증례보고 이후 미국에서는 주로 윌리암스 증후군으로, 유럽에서는 윌리암스-뷰렌 증후군(Williams-Beuren syndrome)으로 명명하고 있다.[16, 17]

2) 임상양상

윌리암스 증후군은 다기관(multi-system) 질환으로, 아동에서 흔히 관찰되는 임상증상은 심혈관계 이상(엘라스틴 동맥병증(elastin arteriopathy), 말초 폐동맥협착(pulmonary stenosis), 판막위대동맥판협착, 고혈압), 요정 같은 독특한 안면이상(그림 24-10), 결합조직 이상(관절이완, 서혜부 탈장, 대장/방광 게실 등), 성장부전, 내분비계 이상(고칼슘혈증, 고칼슘뇨증, 갑상선기능저하증, 성조숙), 소화기계 이상(연하장애, 위식도역류, 게실염, 변비 등), 안과계 이상(눈물관 막힘, 사시, 원시, 근시, 별모양 홍채 등), 이비인후과계 이상(만성 중이염, 감각신경성 난청, 청각 과민성), 치아 이상(부정교합, 치아발육부전, 치아우식증 등), 발달지연, 지적장애, 독특한 성격(personality) 및 행동이상 등이 있다.

운동, 언어, 인지 영역에서의 발달지연은 흔하며, 약 75%의 아동들은 결국 지적장애로 진단된다. 근긴장저하증으로 인해 대근육운동 발달이 지연되어 평균 24개월째 보행이 가능해진다. 영유아기에는 근긴장저하와 관절과신전으로 인해 발달지연이 나타나지만, 성장하면서 점차적으로 긴장도가 증가하고 심부건 반사가 항진된다. 이로 인해 관절구축과 함께 보행이상, 척추 전만증 및 후만증, 측만증 등의 근골격계 이상소견이 발생할 수 있다. 소근육운동 발달지연은 모든 연령에서 관찰되며 도구 사용과 글쓰기, 일상생활동작 수행이 저하될 수 있다. 언어발달은 다른 발달에 비해 상대적으로 양호하며 일반적으로 수용언어가 표현언어보다 지연된다. 화용적인 측면에서의 언어발달이 형태나 내용적인 측면에서의 언어발달보다 특히 떨어지는데 이는 사회화 기능의 저하 및 행동이상과 관련이 있다. 전체지능지수는 30~70 정도로 경증 및 중등도의 지적장애를 보이며 언어성 지능이 동작성 지능보다 높다.

남녀 간 지능의 차이는 없으며 전 생애기간 동안 지적기능은 대체로 안정적으로 유지된다. 인지기능의 세부 영역별 기능의 차이가 비교적 뚜렷한데 언어기능 및 언어적 단기기억력은 좋으며, 시공간 수행능력과 실행능력은 현저히 떨어진다. 학령기 아동에서는 읽기는 비교적 잘하지만 쓰기, 그리기, 수학영역에서의 수행능력은 떨어진다. 적응능력은 또래에 비해 낮으며 사회화와 의사소통 영역은 비교적 좋은 반면, 일상생활수행 영역은 낮다. 음악적 감각이 뛰어나기도 한데, 이는 소리에 대한

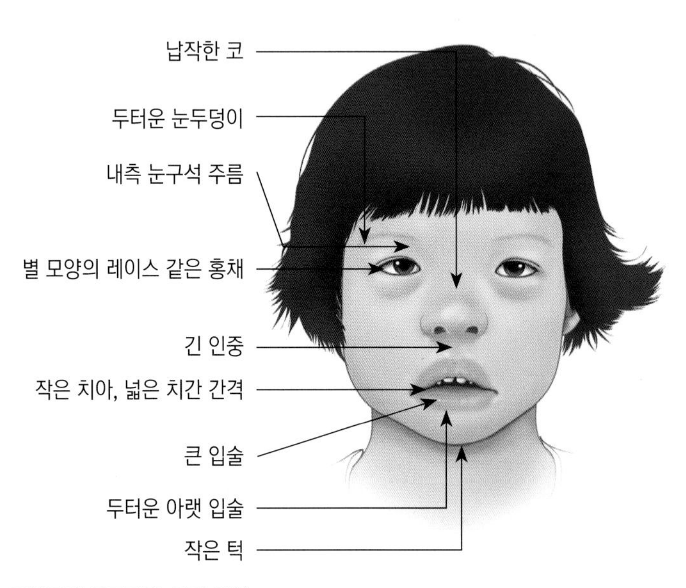

그림 24-10 윌리암스 증후군의 특징적인 안면 이상

과민성, 음악에 대한 높은 흥미 및 감정반응과 연관이 있을 수 있다. 아동의 성격을 포함한 정서-사회성 발달은 독특하며 긍정적인 부분과 부정적인 부분이 공존한다. 아동은 타인에게 지나치게 친근하며 과도한 감정이입을 표현하는 등 사회적 상호작용에 대한 욕구가 높은 것처럼 보인다. 하지만, 사회적 상호작용에 필요한 규칙과 타인의 마음에 대한 이해가 현저히 떨어지기 때문에 또래로부터의 따돌림이나 오해, 다툼을 일으키는 경우가 많다.[17-19]

3) 원인

염색체 7q11.23 부위의 미세결손은 감수분열 동안 일어나는 비대립유전자 상동 재조합의 결과로 발생한다. 결손 부위는 Williams-Beuren Syndrome Critical Region (WBSCR)으로 명명되며, 28개의 유전자들을 포함한다. 약 1.2 Mb의 single copy gene region과 세 개의 분절 중복(segmental duplications or low copy repeats(LCRs) A-C) 블록을 포함하여 전체 결손 부위의 크기는 1.5 Mb (90~95%)에서 1.8 Mb (5~10%)이다.

LCR 블록 부위들은 유사성이 매우 높아 재배열에 구조적으로 취약하다. 세 개의 LCRs과 single copy gene region에 위치한 다양한 유전자들 중에서 현재까지 유전형-표현형의 상관관계가 확인된 유전자들은 일부이다. 가장 잘 알려진 유전자는 엘라스틴(elastin, ELN) 유전자로 single copy gene region에 위치하며 엘라스틴 단백질을 부호화하는데, 이 단백질은 많은 기관들의 결합조직에서 발견되는 탄력 섬유의 중요한 성분이다. 96~98%의 환자들에서 ELN 유전자의 결함이 발견되며 엘라스틴 동맥병증을 포함한 다양한 크기의 동맥 이상 및 결합조직 이상과 연관된다. LIMK1 유전자는 시냅스 형성과 유지에 관여하며 결함 시 뇌구조 이상과 시공간 수행능력을 포함한 인지기능 저하와 연관된다. LIMK1 유전자 외에도 WBSCR 부위에 위치한 여러 유전자들이 뉴런의 형성에 관여하기 때문에 이 부위의 유전자 결함은 뇌용적 감소, 특히 두정엽과 후두엽의 회색질 감소와 연관성

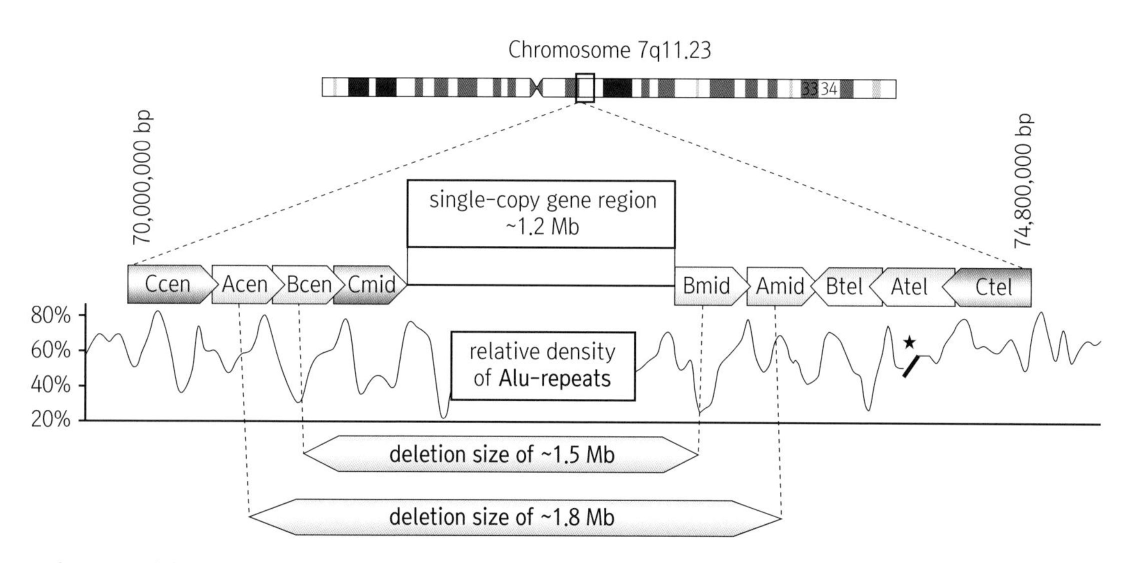

그림 24-11 염색체 7q11.23에 위치한 Williams-Beuren Syndrome Critical Region(WBSCR) 부위
(LCR 블록 A-C의 위치와 방향은 화살표로 표시되어 있다)

이 있다. 일부 환자에서는 소뇌 용적은 보존되어 있으면서 후두와(posterior fossa)의 크기가 감소되어 있는데 이는 Chiari I 기형과 연관이 있다. 이렇듯, 신체적 및 인지적 표현형은 WBSCR 부위에 위치한 유전자들의 다발성 결함에 의해 발생한다.[20, 21]

4) 진단/검사

윌리암스 증후군의 임상적 진단기준은 2001년 미국소아과학회에서 제시되었다. 성장, 발달 및 행동, 얼굴특징, 심혈관계증상, 결합조직이상, 혈중 칼슘 수치 항목에서 세부 기준별로 충족되는 점수를 합산하였을 때 3점 이상일 경우 분자유전학적 검사를 권고한다. 특히, 판막위대동맥판협착이 심초음파에서 관찰될 경우 검사를 시행할 것을 추천한다.[21] 하지만, 표현형이 다양하여 하나의 특징적 임상증상만으로 진단을 하기는 쉽지 않다. 임상적으로 태아 알콜 증후군, 22q11.2 결손 증후군, 누난 증후군, 스미스-마제니스 증후군, 가부키 증후군과 감별하는 것이 중요하다. 또한, 상염색체우성 판막위대동맥판협착 질환은 윌리암스 증후군과는 별개의 질환이므로 감별해야 하겠다. 분자유전학적 검사방법으로는 CMA검사나 염색체 7q11.23 결손부위의 탐침자를 이용한 FISH검사가 가장 흔히 시행되며, 고식적인 G-띠염색법(G banding)으로는 결손 부위를 확인할 수 없다.

5) 치료

윌리암스 증후군의 근본적인 치료방법은 없으며, 아동의 기능 및 삶의 질을 향상시키기 위해서 개별적인 증상에 따른 다학제적인 평가 및 치료가 중요하다.

(1) 재활 치료

많은 아동에서 운동, 언어, 인지 영역에서의 발달지연이 관찰되며 성장하면서 아동을 둘러싼 환경적인 요구가 늘어나기 때문에 적극적인 평가와 조기 개입이 필요하다. 대근육운동 발달의 경우, 초기에는 근긴장저하로 인한 발달지연이 나타나지만, 성장하면서 고긴장증으로 인한 관절가동범위의 제한 및 구축이 발생할 수 있으므로 각각의 발달시기별로 아동의 대근육운동 및 보행 기능을 평가하고 이를 향상시키기 위한 운동치료가 필요하다. 소근육운동 발달지연 및 감각과민성은 사물 조작능력뿐 아니라 일상생활동작 수행능력과도 밀접한 연관성이 있으므로 작업치료 및 감각통합치료도 필요하다. 언어, 인지 및 정서-사회성 영역에서는 강점과 약점이 비교적 뚜렷이 관찰되므로 이를 정확히 파악하고 중재에 적극적으로 반영하는 것이 중요하다. 또한 영아기에 빨기-삼킴의 부조화로 인해 연하장애와 식이 진행이 어려울 수 있고 성장부전도 많이 관찰되므로 이에 대한 적극적인 평가와 연하치료, 영양관리가 필요하다.[17-19]

(2) 협의 진료

① 심장이상 치료

엘라스틴 동맥병증은 환자의 약 75~80%에서 동반된다. 가장 흔한 소견은 판막위대동맥판협착이며 말초 폐동맥협착, 신장동맥협착, 관상동맥협착 등 여러 부위의 동맥병증이 발병할 수 있다. 특히, 판막위대동맥판협착은 생애 첫 5년동안 악화되는 경향이 있으며 수술은 약 20~30%의 환자들에서 시행된다. 적절한 치료를 받지 못하면 동맥 저항이 증가하여 좌심실 비대 및 심부전으로 이어질 수 있다. 고혈압의 유병률은 약 40~50%이며 어느 시기에서든 발생할 수 있고 일반적인 약물치료로 잘 조절된다. 특히, 판막위대동맥판협착과 말초 폐동맥협착이 동반된 환자에서는 양심실 비대와 고혈압으로 인해 심근허혈, 부정맥, 급사의 위험이 높아질 수 있다. 따라서 마취와 진정 시행 시 유의하여야 하며 이에 대한 가이드라인이 제시되어 있다.[18,22]

② 내분비계 증상 치료

원인 미상의 고칼슘혈증(15~50%), 갑상선기능저하증(10%), 성조숙(50%), 내당능장애 및 당뇨 등이 나타날 수 있다. 고칼슘혈증은 영아기에서 과민성(irritability), 구토, 변비, 근경련 등의 증상으로 나타나며 생후 첫 2년간 가장 흔하고 점차적으로 호전된다. 하지만 평균 범위에서 높은 수준의 혈중 칼슘 수치가 평생동안 지속되며 원인은 아직까지 잘 알려져 있지 않다. 주기적인 혈중 칼슘 수치검사가 필요하며 고칼슘혈증의 치료로는 저칼슘식이와 충분한 수분섭취, IV pamidronate, 경구 스테로이드요법 등이 있다. 특히, 비타민 D를 포함한 제재는 칼슘 흡수를 촉진시키므로 피해야 한다. 갑상선기능저하증의 경우, 무증상 갑상선기능저하증이 30% 정도이며 아동에서 더 흔하게 관찰되므로 주기적인 검사가 필요하며 치료는 일반적인 진료지침에 따른다. 성조숙의 경우 생식샘자극호르몬 분비호르몬작용제(gonadotropin releasing hormone agonist)를 시도해 볼 수 있다. 내당능장애는 청소년의 약 26%, 성인의 약 63%에서 발견되며 나이가 들수록 당뇨병의 유병률이 높아지므로 운동과 식이요법에 특히 신경을 써야 하겠다.[17, 18]

③ 위장관계 증상 치료

만성 복통은 아동기와 성인기에서 흔히 나타나는 증상으로 원인으로는 위식도역류, 식도열공탈장, 소화성 궤양, 게실염, 허혈성 장질환, 만성 변비, 불안으로 인한 신체화장애 등이 있다. 만성 변비는 청소년기와 젊은 성인기에서 게실증이나 게실염의 발생을 증가시키므로 충분한 수분 및 고섬유질 음식 섭취, 약물치료 등 적극적인 치료가 필요하다.[17, 18]

④ 비뇨기계 증상 치료

비뇨기계 증상과 질환은 흔하게 관찰되며 빈뇨와 야뇨증(50%), 신장동맥협착(50%), 비뇨기계기형(10%), 방광게실(50%), 신장석회증(〈5%), 배뇨근과다활동(detrusor overactivity, 60%), 방광용적 감소 등이 있다. 주간 소변가리기는 만 4세경에 가능하며 야간 소변가리기는 50% 정도의 아동만이 만 10세경까지 가능하다. 첫 진단 시 신장과 방광의 초음파 검사를 시행하는 것이 권고되며 반복적인 요로감염이 있을 경우 추가적인 평가가 필요할 수 있다.[17, 18]

⑤ 행동이상 치료

타인에 대한 과도한 친근감 및 감정이입이라는 독특한 성격 외에도 주의력결핍 과잉행동장애, 감정조절장애, 고집증(perseveration), 공포증, 불안장애 등의 행동이상들이 발생할 수 있으며 일부 환자에서는 자폐스펙트럼장애가 중복되어 진단되기도 한다. 행동이상에 대해서는 응용행동분석(applied behavior analysis, ABA)에 기반을 둔 행동중재가 도움이 될 수 있으며 주의력결핍 과잉행동장애와 불안장애는 약 50%의 환자에서 약물치료가 필요하다. 불안장애는 전 생애 동안 흔하게 나타날 수 있어 이에 대한 정신과적 상담 및 치료가 필요하다.[17-19]

⑥ 수면장애 치료

수면장애는 50~65%의 환자에서 관찰되며 삶의 질에 부정적인 영향을 줄 수 있으므로 수면위생을 포함한 중재가 필요하며 폐쇄수면무호흡이 의심될 경우 수면다원검사를 고려하도록 한다.[17-19]

⑦ 기타

안과계 질환(눈물관 막힘, 사시, 원시, 근시 등), 이비인후과계 질환(만성 중이염, 감각신경성 난청, 청각 과민성), 치과계 질환(부정교합, 치아발육부전, 치아우식증 등) 등으로 해당 과의 협의 진료가 필요할 수 있다.

6) 유전상담

윌리암스 증후군은 상염색체 우성 유전으로 대부분 de novo 돌연변이로 발생하지만, 드물게 부모로부터 유전되는 경우가 있다. 윌리암스 증후군 아동의 부모는 대부분 이환되지 않기 때문에 임상적인 증상이 없을 경우 부모의 염색체 검사는 필요하지 않다. 아동의 형제자매 또한 부모가 임상증상이 없을 경우 질환에 이환될 확률은 매우 낮지만, 부모가 종자계 모자이크현상(germline mosaicism)이나 자리바꿈 다형태(inversion polymorphism)가 있을 가능성이 있기 때문에 일반 집단보다는 위험도가 높다. 부모가 7q11.23 결손을 가지고 있거나 윌리암스 증후군 아동을 출산한 경우는 산전 검사 및 유전상담을 받는 것이 권고된다. 산전 진단은 융모막융모표본채취나 양수천자를 통한 산전 결손검사 등이 있다. 유전상담 시에는 윌리암스 증후군의 유전 방식과 질환의 특징, 흔히 발생하는 의학적 문제 및 생애주기별로 필요한 평가들, 지역자원이나 지지모임과 같은 정보들을 제공한다.[18]

7. Fragile X syndrome

1) 개요

여린 X 증후군(Fragile X syndrome)은 가장 흔한 유전성 지적장애질환이며 자폐스펙트럼장애를 유발하는 가장 흔한 단일유전자질환으로 알려져 있다. 발생빈도는 남자의 경우 4,000~7,000명당 1명, 여자의 경우 8,000~11,000명당 1명으로 알려져 있으나 보인자의 빈도는 더 높을 것으로 예상되어 정확한 수치는 알 수 없다. 여린 X 증후군은 fragile X mental retardation 1 gene (FMR1 유전자)의 돌연변이로 인해 발생하는 X-염색체 연관 우성유전질환으로 남자는 약 80%, 여자는 약 30~50%의 낮은 침투도(reduced penetrance)를 보이며 표현형의 차이가 있다. 하지만, 여자에서의 X-염색체 불활성화(inactivation)와 유전적 표현촉진(anticipation, 가족을 통해 전달될 때 발병 연령이 점점 빨라지는 현상)으로 인해 통상적인 X-염색체 연관 우성유전방식을 따르지는 않는다. 1943년 Martin과 Bell이 X-연관 유전방식으로 유전되는 발달지연의 큰 가계를 보고하였으며 1969년 Lubs가 X-염색체에서 취약부위를 처음 관찰하면서 여린 X 증후군으로 명명되었다. 이후 1977년 Sutherland가 특수 염색체검사로 X-염색체 장완의 끝 부위인 Xq27-28부위가 끊어져 보임을 밝혀냄으로써 여린 X 증후군이 X-연관 유전방식으로 유전됨을 확인하였다.[23-26]

2) 임상양상

여린 X 증후군은 X-염색체 연관 유전질환이기 때문에 성별에 따라 나타나는 표현형의 빈도 및 정도가 다르다. 여자에서 침투도가 낮기 때문에 일반적으로 증상이 경미한 편이다. 출생 시 두위, 체중, 키 등의 신체계측치는 정상 범위인 반면, 점차 성장하면서 특징적인 임상증상이 나타난다. 아동기에 흔하게 관찰될 수 있는 임상증상은 특이한 안면이상(그림 24-12), 지나치게 부드러운 벨벳 같은 피부, 근긴장저하증, 위식도역류, 사시, 경련, 수면장애, 관절과신전, 평발, 척추측만증, 반복적인

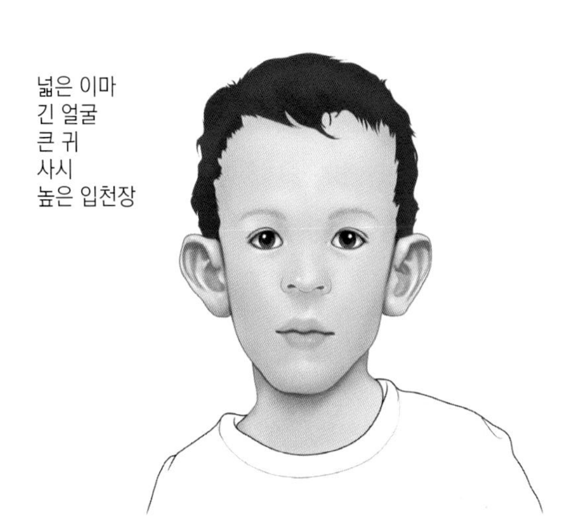

그림 24-12 Fragile X 증후군의 특징적인 안면이상
https://www.alamy.com/fragile-x-syndrome-illustration-image353193270.html

중이염, 발달지연, 인지장애, 행동이상 등이 있다. 사춘기 이후에는 거대고환(macroorchidism)이 특징적으로 관찰되며 승모판 탈출증, 대동맥근 확장(aortic root dilatation) 소견이 관찰될 수 있다.

발달지연은 많은 아동에서 관찰되며 근긴장저하와 대근육운동 발달지연으로 인해 약 10개월경 앉기가 가능해지고 약 20개월경 걷기가 가능해진다. 언어발달 또한 유의한 지연을 보여 약 20개월경 첫 단어를 발화하게 되며 표현언어가 수용언어보다 지연된다. 평균 지능지수는 40~45 정도로 특히 실행기능의 저하가 두드러진다. 실행기능 중에서 작업기억은 언어적, 비언어적(시공간/시지각) 작업기억 모두 저하된 소견을 보이며 특히, 언어적 작업기억이 비언어적 작업기억보다 낮은 수행능력을 보이고 인지부하가 높은 과제에서 수행능력이 더 떨어진다. 또한 억제 조절(inhibitory control), 인지적 유연성/고집증, 선택적/지속적/분산된 주의집중력, 계획능력, 처리속도 등 다양한 실행능력의 결함을 보인다. 이러한 인지기능의 저하는 언어발달지연과 행동문제로 연관되어 나타난다. 예를 들면, 억제 조절이나 주의집중력의 저하가 행동과다, 상동언어, 낮은 적응능력으로 표현될 수 있다. 행동문제는 여린 X 증후군의 두드러지는 임상증상이며, 자폐스펙트럼장애가 아동의 50~70%에서 나타나고 좀 더 심각한 행동문제 및 경련 증상과 연관성이 높다. 이 외에도 과활동성, 충동조절문제, 박수치기 같은 산만한 상동행동, 촉각과민성, 불안, 눈맞춤의 결여(gaze aversion), 고집증적인 말(perseverative speech), 과민성, 공격성, 물어뜯기 같은 자해행동 등 다양한 행동이상들이 관찰된다. 사춘기가 지나면서 과민성, 공격적인 행동은 증가하는 경향을 보인다. 사회 공포증이나 특정 공포증, 예기불안, 수행불안, 분리불안 등 다양한 형태의 불안증이 성인에서 매우 흔하게 나타나며 삶의 질을 현저히 저하시키게 된다. 약 10% 미만의 남아에서는 프라더 윌리 증후군과 같은 임상증상(강박증, 작은 생식기, 과식증, 비만)이 관찰되기도 한다.[25, 27-29]

3) 원인

여린 X 증후군은 염색체 Xq27.3 부위에 위치한 FMR1 유전자의 5'-untranslated region (UTR)에 위치한 불안정한 CGG 삼핵산 반복(trinucleotide repeat)의 확장(expansion)과 과메틸화(hypermethylation)로 인해 발생한다. 정상 대립유전자(allele)에서 CGG 반복 수의 범위는 5~44개이다. CGG 반복 수가 45~54개인 경우는 중간 대립유전자(intermediate allele, IA)라고 하며 AGG 중단(interruption, 다음 세대로 전달될 때 유전자를 안정화시키기 위한 생물학적 기제로 9~10개의 CGG 반복 수마다 일어남)의 존재여부에 따라서 다음 세대로 전달될 때 전돌연변이 대립유전자(premutation allele, PM)로 확장될 수 있다. PM은 CGG 반복 수가 55~200개인 경우로, 전사(transcription)되어 mRNA

농도는 증가하는 반면 Fragile X mental retardation protein (FMRP) 형성은 감소한다. PM을 가질 경우 여린 X 연관 진전/운동실조 증후군(fragile X-associated tremor/ataxia syndrome, FXTAS)이나 여린 X 연관 원발성 난소부전(fragile X-associated primary ovarian insufficiency, FXPOI)의 발병과 높은 상관성이 있다. PM은 불안정하기 때문에 자녀에게 전달될 때 CGG 반복 수가 증가할 위험이 있다. CGG 반복수가 200개를 넘으면 완전돌연변이 대립유전자(full mutation allele, FM)로 과메틸화가 발생하면서 전사 억제가 일어나 FMRP가 형성되지 않게 되고, 여린 X 증후군이 발병하게 된다(표 24-3).

FM을 가진 여린 X 증후군의 40% 이상에서는 크기 모자이크현상(size mosaicism)이나 메틸화 모자이크현상(methylation mosaicism)이 존재할 수 있으며 이 경우, 경한 인지장애가 관찰될 수 있다. 대부분의 경우에서는 FMR1 5'-UTR의 CGG 반복확장에 의해 질환이 발생하지만, 환자의 1~2% 정도에서 FMR1 돌연변이(점 돌연변이 또는 결손)에 의해 발생하는 경우가 있다. FMRP는 뇌와 고환에 가장 높은 농도로 존재하며, 뇌에서는 뉴런을 포함한 많은 신경세포들의 세포질(특히, 수상돌기(dendritic spine))에 존재한다. FMRP는 시냅스의 유지 및 조절에 관여하는 많은 단백질들을 효과적으로 생성하고 많은 mRNA의 전위를 억제하는 RNA 결합 단백질이다.

FMRP에 의해 조절되는 핵심적인 mRNA/단백질은 metabotropic glutamate receptor ($mGluR_1$과 $mGluR_5$)의 신호전달에 관여하는 이차 전령 단백질, GABA 수용체($GABA_A$와 $GABA_B$)의 아형, voltage-gated ion channels, bone morphogenic protein receptor 2 (BMPR2), matrix metalloproteinase 9 (MMP9), amyloid precursor protein (AAP) 등이 있다. 결국 FMRP가 형성되지 않거나 부족하면 시냅스 가소성, 학습, 기억과 관련된 수많은 mRNA와 단백질들의 억제 조절이 실패하게 되고 결과적으로 과다 합성이 일어난다. 또한, 뉴런에서 미성숙한 수상돌기와 같은 구조적 이상이 일어나게 되고 이는 long-term depression (LTD)의 강화, long-term potentiation (LTP)의 저하와 같은 시냅스 가소성의 기능 저하를 일으키게 된다. 미상핵

표 24-3 여린 X 증후군의 FMR1 유전자와 표현형과의 상관성[24]

대립유전자	CGG반복수	메틸화상태	mRNA	FMRP	표현형
정상	5-44	없음	있음	있음	정상
중간 대립유전자(IA)	45-54	없음	있음	있음	"정상" 추가 연구가 필요함
전돌연변이 대립유전자(PM)	55-200	적은 농도	증가; 2-8배	다소 감소	여린 X 연관 진전/운동실조 증후군, 여린 X 연관 원발성 난소부전, 기타 전돌연변이 대립유전자와 연관된 질환들
완전돌연변이 대립유전자(FM)	〉200	있음	없음	없음	전형적인 여린 X 증후군; 남자 100%, 여자 30~50%

(caudate nucleus)과 측뇌실(lateral ventricle), 해마의 증가 및 소뇌벌레(cerebellar vermis), 편도체의 감소, 피질의 회색질 용적의 변화(측두엽 및 전두엽의 감소, 두정엽 및 후두엽의 증가) 등 뇌용적의 구조적 변화도 보일 수 있다. 이러한 병태생리학적 기전으로 인해 인지장애 및 행동이상 등 여린 X 증후군의 특징적인 임상증상이 나타나게 된다. 또한, FMRP는 엘라스틴을 포함한 세포외기질(extracellular matrix)의 필수 성분 조절에 관여하기 때문에 결함 시, 부드럽고 벨벳 같은 피부, 관절 과신전, 평발, 승모판 탈출증, 대동맥근 확장, 척추측만증과 같은 결합조직 이상증상이 발생할 수 있다.[23-25, 29]

4) 진단/검사

여린 X 증후군의 조기 진단은 조기 개입을 통하여 환자의 기능과 삶의 질을 향상시킬 수 있고 향후 임신 시 자녀에게 이환될 수 있는 위험에 대한 유전상담을 가능하게 할 수 있으므로 중요하다. 여린 X 증후군은 염색체 Xq27.3 부위에 위치한 FMR1 유전자의 5'-UTR 부위 CGG 삼핵산 반복서열이 증가되어 있음을 분자유전학적 검사로 확인함으로써 확진된다. 과거 1970년대와 1980년대에는 염색체 검사가 여린 X 증후군을 진단하기 위한 유일한 검사였는데 해상도와 정확도가 낮은 단점이 있었다. 1990년대에 이르러 FMR1 유전자가 원인 유전자임을 밝혀내었고 정확한 DNA검사가 가능해지게 되었다. 현재까지의 분자유전학적 검사법은 PM 범위내의 CGG 삼핵산 반복서열의 크기를 주로 검출할 수 있는 중합효소연쇄반응(polymerase chain reaction, PCR)기법과 좀 더 큰 크기의 CGG 삼핵산 반복서열 대립유전자와 메틸화 상태를 확인할 수 있는 서던블롯분석(Southern blot analysis)기법을 결합하여 시행하는 것이 대표적이다. 최근에는 PCR 기술이 발전하면서 PM 범위뿐 아니라 FM 범위의 CGG 삼핵산 반복서열까지 확인할 수 있을 정도로 민감도가 향상되어 서던블롯분석기법은 메틸화 상태를 확인할 수 있는 용도로만 이용되기도 한다. 대부분의 환자는 CGG 반복확장에 의해 질환이 발생하지만, 1~2% 정도에서 FMR1 부분 또는 전체 결손에 의해 발생하는 경우가 있다. 따라서 CGG 반복확장이 발견되지 않았지만 여전히 질환이 의심될 경우에는 다유전자 패널(multigene panel)이나 엑솜 염기서열분석(exome sequencing), 유전체 염기서열분석(genome sequencing)과 같은 포괄적인 유전체 분석을 시행해 볼 수 있다. 분자유전학적 검사를 시행하는 임상적 기준은 원인불명의 인지장애 또는 발달지연을 보이는 남녀 아동, 설명할 수 없는 자폐스펙트럼장애의 증상을 보이는 남녀 아동, 여린 X 증후군의 가족력이 있는 아동, 과거 염색체 검사에서 정상 소견이었지만 신체적 또는 행동적 표현형이 여린 X 증후군으로 의심되는 경우, 보인자인 산모의 태아 등이다. 임상적으로 감별해야 할 질환은 소토스(Sotos) 증후군, 프라더-윌리 증후군, 자폐스펙트럼장애, 주의력결핍 과잉행동장애 등이 있다.[24, 25]

5) 치료

근본적인 치료방법은 없다. 증상에 기반한 다양한 조기 재활의학적 중재와 약물 치료를 같이 시행함으로써 기능과 삶의 질을 향상시킬 수 있으며 협의 진료를 통한 다학제적 접근이 중요하다.

(1) 재활 치료

아동의 발달지연 영역과 정도, 발달시기에 따라 운동치료, 작업치료, 연하치료, 감각통합치료, 언어치료 등 다양한 재활의학적 중재와 학습에 기반한 교육 서비스가 제공되어야 한다. 운동치료는 아동의 대근육운동 발달을 극대화하고 긴장도의 변화에 따른 관절구축, 척추측만증, 고관절 탈구와 같은 후기에 발생할 수 있는 정형외과적 문제를 예방하기 위해 시행된다. 또한, 여러 연구들에서 여린 X 증후군에서 치료적 운동을 시행하였을 때 신경세포의 성장을 촉진시키고 neurotrophin 인자들을 촉진시키는 등 뇌가소성 측면에서의 이로운 효과를 보고한 바 있다.[30, 31] 작업치료는 옷입기, 먹기, 개인위생, 목욕, 대소변관리, 화장실 사용 등과 같은 일상생활동작 수행능력, 글쓰기, 도구사용 등 소근육운동 능력과 연관된 학습활동을 향상시키기 위해 시행하며 인지장애의 개선에도 도움이 된다. 실행기능에서의 저하가 두드러지므로 이에 대한 집중적이고 반복적인 인지훈련이 필요하며, 최근 전산화인지프로그램을 이용한 인지훈련을 통해 작업기억의 향상을 보고한 바 있다.[32] 또한, 감각과민성을 조절하기 위한 감각통합치료와 감각과 관련된 식이 문제 및 협응을 개선시키기 위한 연하치료도 시행할 수 있다. 언어치료는 아동의 언어발달지연 정도 및 인지수준에 따라 기능적인 의사소통을 위한 중재 및 보완대체 의사소통이나 그림교환 의사소통 프로그램 등이 적절하게 제공되도록 한다.[25]

(2) 약물 치료

여린 X 증후군의 분자유전학적 병태생리에 대한 이해가 확장되면서 병리를 표적으로 하는 약물에 대한 임상연구가 활발히 이루어지고 있다. 주로 흥분성/억제성 신경전달의 불균형을 개선시키기 위한 약물(selective mGluR5 antagonist, N-methyl-D-aspartic acid antagonist, GABA/glutamate normalizer, acetylcholinesterase inhibitor 등)과 FMRP의 변형을 표적으로 한 약물(matrix metalloproteinase 9 inhibitor)에 대한 연구가 이루어졌는데 동물실험에서의 긍정적인 결과와는 달리 위약 대조군 임상시험에서는 대체로 유의한 효과를 나타내지는 못했다. 현재까지 여린 X 증후군의 표적 치료제로 승인된 약제는 없으며 주로 행동이상 및 정신과적 문제들에 대한 증상 기반적 약물치료가 이루어지고 있다. 최근에 제2형 당뇨병 치료제로 알려진 메트포민(metformin)이 FMRP의 감소와 연관된 mammalian target of rapamycin complex 1 (mTORC1)과 extracellular-signal-regulated kinase (ERK) signaling pathway의 과활성화를 억제하는 것으로 알려져 이에 대한 임상연구가 계획 중이다.[33-35]

(3) 협의 진료

① 행동이상 및 정신과적 질환 치료

여린 X 증후군 환자에서 자폐스펙트럼장애를 비롯한 다양한 정서-행동이상들이 관찰될 수 있으며 행동분석에 기반한 행동중재와 증상에 따른 약물치료가 도움이 될 수 있다. 주의력결핍 과잉행동장애 증상에 대해서는 메틸페니데이트나 덱스트로암페타민과 같은 정신자극제(psychostimulants), atomoxetine (선택세로토닌재흡수억제제, selective norepinephrine reuptake inhibitor (SSRI)), 알파 작용제(alpha-agonist) 등이 사용될 수 있다. 공격적인 행동이나 자해 행동이 불안증에 의해 유발될 경우에는 SSRI를 투여해 볼 수 있으며 증상이 심할 경우 항정신병제인 리스페리돈이나 aripiprazole을 투여하기도 한다. 과민성이 불안이나 고집증으로 인해 유발될 경우에 SSRI나 리스페리돈, aripiprazole 등의 항정신병제를 투여한다. 불안증은 SSRI를 포함한 약물치료를 시행하며 일반적인 가이드라인에 따라 치료한다. 수면장애 또한 수면위생과 같은 일반적인 진료지침과 함께 멜라토닌, 클로니딘, 트라조돈과 같은 약물치료를 적용할 수 있다. 여린 X 증후군 환자는 항정신 약물치료에 대한 부작용이 일반 집단에 비해 더 민감하다고 알려져 있어서 저용량에서 시작하여 부작용을 피할 수 있는 적절한 용량까지 서서히 증량하는 것이 좋다.[25]

② 기타

안과적 검진으로 사시 유무를 평가하도록 하며 만 4세까지는 증상이 없어도 검사를 하는 것이 추천된다. 이비인후과적 검진으로 중이염이나 청력이상 유무를 평가하도록 하며, 심장이상에 대해서는 심잡음이 들릴 경우 심초음파 검사로 승모판 탈출증 유무를 검사한다. 위식도역류와 부정교합에 대해서도 증상 발생 시 해당 과의 협의 진료가 필요하다. 약 20%의 환자에서 경련이 발생할 수 있으며 70~80%에서 뇌파의 이상을 보일 수 있으므로 증상 발생 시 협진을 통해 항경련제를 비롯한 적절한 증상 특이적 치료를 시행하도록 한다.[25]

6) 유전상담

여린 X 증후군은 X-염색체 연관 우성유전질환이기 때문에 환아의 엄마는 모두 FMR1 변이에 대해 이형접합 보인자이다. 따라서, 자녀가 여린 X 증후군으로 진단받았을 경우 엄마에 대한 분자유전학적 검사 및 산전 유전상담이 반드시 필요하다. 가족들에 대한 검사의 권유는 신중해야 하며 권유할 경우 개별적으로 시행하도록 한다. 엄마와 여자 형제가 PM을 가진 이형접합 보인자일 경우 여린 X 연관 진전/운동실조 증후군이나 여린 X 연관 원발성 난소부전, 여린 X 연관 신경정신질환이 발병할 위험이 높다. 추후 임신 시, 여성 보인자의 자녀는 삼핵산 반복 확장이 심해지는 표현촉진 현상으로 FM으로 이환될 확률이 높아지거나 증상이 심해질 수 있는데, 아들일 경우에는 50%의 확률로 여러 증상을 동반한 환자나 보인자가 될 수 있으며, 딸일 경우는 50%의 확률로 변이된 유전자를 받지만 낮은 침투도와 X-염색체 불활성화로 증상이 심하지 않은 환자나 보인자가 될 수 있다. 산전진단 검사로는 융모막융모표본채취나 양수천자 또는 착상전 유전자진단 검사가 있으며, 태아가 정상일 확률은 50%이다. 유전상담 시에는 환자와 가족들에게 여린 X 증후군의 유전방식 및 그 특징, 흔히 발생할 수 있는 인지장애, 행동이상을 포함한 의학적 문제들, 지역자원이나 지지모임에 대한 정보를 제공하도록 한다.[24, 25, 36, 37]

8. Rett syndrome

1) 개요

레트증후군(Rett syndrome)은 진행성 중추신경성 발달장애를 특징으로 한다. X-염색체 우성유전질환으로 발생빈도는 여아 10,000~15,000명 당 1명 정도로 발생하며 95% 이상이 산발성(sporadic)이고 드물게 가족성으로 발생한다. 1966년 Rett에 의해서 처음 보고된 이후 1983년 Hagberg에 의해 35례의 레트증후군 환자들의 임상적 특징을 보고됨으로써 알려지기 시작하였다.

2) 임상양상

6개월 이전에는 자폐적 증상이 나타나지 않더라도 약간의 근긴장 저하가 있는 경우가 많다.[38] 6~18개월까지 비교적 정상 발달을 하다가 신경발달이 저하되면서 4단계의 임상경과를 거친다. 제 1단계는 생후 6~18개월에 시작되며, 두위 성장 속도가 지연되고, 놀이에 흥미가 사라진다. 또한 학습 능력을 상실하고 자폐 증상을 보이기도 한다. 제 2단계는 11개월~4세에 시작되며, 사회적 관계, 인지, 운동, 언어 등 전반에 걸쳐 습득했던 기능을 상실한다. 거의 모든 환아에서 특징적인 손의 상동

행동(손 씻기, 비틀기, 손바닥 마주치기 등)이 나타나는데 이는 수면 시간을 제외하고 모든 시간에 지속적으로 나타난다. 그 외 각성 시 주기적인 무호흡 혹은 과호흡과 같은 호흡장애와 보행 실조증, 실행증이 나타나며 야간웃음, 야간발작이 나타난다. 제 3단계인 4~7세경은 가성 안정기로 퇴행 진행이 일시적으로 중단되는 듯하며 자폐 행동이 감소하여 안구 지시로 의사소통하기도 한다. 그러나 보행 실조, 심한 정신지체, 경련 등은 지속된다. 제 4단계는 운동 악화기로 경련은 감소하나 진행성 운동장애, 척추측만증, 근위약 등이 나타난다.

레트 증후군은 연령 증가와 함께 특정적인 임상 증상이 나타나므로 영유아에서는 증상이 모호하여 진단이 어렵다. 특히 유아자폐증으로 오진되기도 하는데 유아자폐증의 경우 언어 퇴행 외에 운동 기능 퇴행은 보이지 않는 반면, 레트 증후군은 두 가지 모두에서 퇴행이 나타난다. 또한 유아자폐증은 여아에서 드물기 때문에 심한 자폐 증상을 나타내는 2세 이하의 여아는 반드시 레트 증후군을 의심해 보아야 한다.

3) 원인

염색체 Xq28에 위치한 MECP2 유전자의 돌연변이가 레트 증후군과 관련 있는 것으로 알려져 있다. 전형적 레트 증후군의 95%이상과 비전형적 레트 증후군의 75% 이상에서 MECP2 돌연변이가 발견된다.[39] MECP2는 전사 억제 단백질인 Methyl CpG binding protein2 (MeCP2 단백질)를 생산하며 모든 장기에서 발현되나 뇌에서 고농도로 존재한다. 따라서 출생 후 신경단위세포가 정상적인 기능을 유지하다가 MeCP2 단백질 결핍이 지속되면 뇌의 특정 부분이 발달되지 않아 증상이 나타난다.

4) 진단/검사

레트 증후군의 임상적 진단 기준은 1985년 Hagberg에 의해 제시된 후 MECP2 유전자가 밝혀지기 전까지는 유일한 진단적 근거가 되었으며 2010년 새롭게 개정되었다.[40] 출생 후 두위성장 속도가 감소한다면 아래의 기준에 따라 레트 증후군의 진단을 고려해야 한다(표 24-4). MECP2 유전자 돌연변이의 발견으로 분자 유전자 검사는 중요한 진단적 가치를 가지게 되었다. 아직 표현형과 유전형의 상관관계에 대해서는 밝혀지지 않았으나 최근 MECP2 유전자의 돌연변이를 가진 남자 환아들과 다양한 증상의 비전형적 레트 증후군이 보고되면서 그 관계가 단순하지 않을 것으로 추정된다. 혈액검사, 소변검사, 뇌척수액 검사, 뇌 CT 검사, 뇌 MRI 검사는 앙겔만 증후군과 프라더 윌리 증후군 등의 가능성을 배제하기 위해 시행할 수 있다.

5) 치료

근본적인 치료 방법은 없으나 퇴행된 기능을 부분적으로 회복시키고 삶의 질을 향상시키기 위해 증상에 따른 다양한 영역의 포괄적인 치료가 필요하다.

(1) 재활치료

인지 및 운동 기능의 회복을 도모하며, 장기간의 운동치료, 수치료는 보행 능력 및 대근육운동 향상에 도움이 된다. 손 기능 향상을 위해 악기 연주, 미세 스위치 누르기 등을 이용한 작업치료를 시행할 수 있다. 또한 손 및 팔꿈치를 부목으로 고정하여 상동행동을 차단함으로써 손의 기능적 사용을 향상시키고, 자해행동을 감소시킬 수 있다. 언어 퇴행은 수용언어, 표현언어 모두에서 나타나므로 문자판, 안구 지시 등의 의사소통 수단을 이용하여

표 24-4 레트 증후군의 임상적 진단 기준[40]

전형적 레트 증후군
1. 발달 퇴행이 회복 또는 안정화되는 기간이 있다.
2. 필수 진단기준 및 배제기준을 모두 만족한다.
3. 부차적인 기준을 만족하지 않아도 진단 가능하다.
비전형적 레트 증후군
1. 발달 퇴행이 회복 또는 안정화되는 기간이 있다.
2. 최소 2개의 필수 진단 기준을 만족한다.
3. 최소 5개의 부차적인 진단 기준을 만족한다.
필수 진단 기준
1. 습득된 손 운동 기능의 퇴행
2. 습득된 언어 기능의 퇴행
3. 보행장애
4. 손의 상동행동(손 비틀기, 문지르기, 씻기 및 두드리기 등)
배제 기준
1. 외상, 대사 질환, 중증 감염 등의 증거가 있는 후천적 뇌 손상
2. 생후 6개월 이전의 심한 정신운동 발달장애
부차적인 진단 기준
1. 각성 중 호흡 장애(수면 시 호전)
2. 각성 중 이갈이(수면 시 호전)
3. 수면장애
4. 근긴장도 이상
5. 말초혈관 운동장애
6. 척추측만증 / 후만증
7. 성장 지연
8. 작고 차가운 손과 발
9. 야간웃음 및 비명
10. 통증에 대한 반응 감소
11. 안구지시를 통한 의사소통

사회적 관계 개선을 도모하도록 해야 한다. 의사소통 기능의 향상은 주의력을 높이고, 불안감, 상동행동 감소에도 도움이 된다.[41]

(2) 협의 진료

① 경련 치료

경련은 질환의 경과와 삶의 질에 큰 영향을 미치는 주요 증상 중 하나이다. 약 70~90%에서 경련이 나타나며 비 경련 환자에서도 뇌파검사상 간질파가 확인될 수 있다. 경련의 형태는 다양하며 임상 증상이 심할수록 경련 발생 위험도는 증가한다. 평균적으로 약 3~4세경 처음 발병하며 발작 빈도는 연령이 증가하면서 감소하여 20세 이후에는 거의 나타나지 않는다.[42] 경련은 손의 상동행동, 운동 실조 등으로 인하여 진단하기 어려우므로 적절한 진단을 위해서는 영상 뇌파 검사(video EEG monitoring)가 필수적이다. 경련은 약물에 의해 호전되며 주로 valproic acid, lamotrigine 등이 사용된다.

② 성장 및 영양 관리

성장 지연은 두위 성장 지연이 먼저 발생하고 이후 체중, 키 및 손발의 성장이 지연된다. 정확한 기전은 밝혀지지 않았으나 유전형과 관계가 있으며 Thr158Met, Arg168X, Arg255X, Arg270X 돌연변이가 있는 경우 성장 지연이 두드러진다. 이갈이 등의 구강 증상으로 삼킴장애가 발생하며 식이 섭취량 감소로 인한 영양 부족에 주의해야 한다. 영양 상태 평가 후 고칼로리, 고지방 식이 등을 통해 영양을 적절히 공급하고 필요시 비위관이나, 위루관 삽입 등을 고려해야 한다. 운동성 감소로 변비가 발생할 수 있으므로 충분한 수분 및 고섬유질 음식 섭취가 필요하다.

③ 척추 변형 치료

척추측만증은 약 75%에서 15세 이전에 발생하고 심각한 MECP2 유전자 돌연변이(R106W, R168X, R255X, R270X, and large deletions)가 있을 경우 더 일찍 발생한다. 척추측만증은 이르면

1세에 발생하기도 하며 10세 이전에 급격히 악화될 수 있으므로 6~12개월 간격으로 평가해야 한다. Cobb 각도가 25° 이상 시 보조기 착용을 고려하고 40~50° 이상이면 수술을 고려해야 한다.[43]

④ 수면장애 치료

대부분 수면장애를 호소하며 큰 결실이 있거나 Arg294X 돌연변이가 있을 경우 발생 가능성이 증가한다. 수면장애는 야간 수면 부족과 주간 수면 증가, 부적절한 웃음 혹은 비명, 이갈이 등으로 나타난다. 연령이 증가함에 따라 부적절한 웃음의 빈도와 총 수면 시간은 감소하나 주간 수면은 더 증가한다.[44] 수면장애는 삶의 질과 밀접한 관계가 있으므로 적절한 정신의학적 개입이 필요하며 멜라토닌은 부작용 없이 사용할 수 있는 약물이다.

⑤ 골다공증 치료

골절 위험성이 4배 더 증가하며 특히 Arg168X 및 Arg270X 돌연변이, 사춘기 지연, 항 경련제(특히 valproic acid), 보행능력 상실 등과 관련 있다. 골밀도를 높이기 위해 근력 강화 운동을 하고 신체활동을 늘리는 것이 좋지만 쉽지는 않다. 주기적으로 비타민 D 수치를 측정하여 75 nmol/L 미만 시 보충하고[45] 골밀도 검사 상 골밀도가 낮거나 골절이 발생하였을 경우 비스포스포네이트와 같은 약물 치료를 고려한다.

⑥ 구강 관리

심한 이갈이로 치아 마모가 일어나며, 타액이 과다하게 분비되어 치아 우식, 치주염이 발생할 수 있으므로 주기적인 치과 진료가 필요하다. 손과 입을 사용하는 습관과 경련 때문에 전치부 동요와 비정상적인 치아 동요가 나타날 수 있으며 필요시 구강 조직을 보호하기 위해 교합 안정기 사용을 하기도 한다.

⑦ 자율신경계 이상

자율신경 조절 이상에 의해 호흡 장애가 나타날 수 있다. 일반적으로 각성 시에만 나타나며 주기적 무호흡과 과호흡이 반복된다. 공기연하증으로 인한 복부 팽만은 흔히 나타나며 드물게 위천공으로 이어질 수 있으므로 약물 및 비위관 이용한 감압이 필요할 수 있다.

6) 유전상담

대부분 de novo 돌연변이로 발생하므로 90% 이상이 유전되지 않고, 유전되더라도 병이 발생하지 않기도 한다. 하지만 드물게 X-염색체 불활성화로 인하여 증상이 거의 없는 이형접합자 모체로부터 유전되는 경우도 있다. 따라서 가족 내에서 MECP2 돌연변이가 발견되었거나 MECP2 돌연변이를 가진 환아를 출산한 경우 반드시 산전 유전상담을 받아야 한다.

▶ 참고문헌

1. Rauch A, Hoyer J, Guth S, et al. Diagnostic yield of various genetic approaches in patients with unexplained developmental delay or mental retardation. Am J Med Genet A 2006;140:2063-74.
2. Lamichhane DK, Leem JH, Park M, et al. Increased prevalence of some birth defects in Korea, 2009-2010. BMC Pregnancy Childbirth 2016;16:61.
3. Asim A, Kumar A, Muthuswamy S, et al. "Down syndrome: an insight of the disease". J Biomed Sci 2015;22:41.
4. Lyle R, Béna F, Gagos S, et al. Genotype-phenotype correlations in Down syndrome identified by array CGH in 30 cases of partial trisomy and partial monosomy chromosome 21. Eur J Hum Genet 2009;17:454-66.
5. Passone CBG, Pasqualucci PL, Franco RR, et al. Prader-willi syndrome: What is the general pediatrician supposed to do? - A review. Rev Paul Pediatr 2018;36:345-52.
6. Miller JL, Lynn CH, Driscoll DC, et al. Nutritional phases in Prader-Willi syndrome. Am J Med Genet A 2011;155a:1040-9.
7. Buiting K, Williams C, Horsthemke B. Angelman syndrome - insights into a rare neurogenetic disorder. Nat Rev Neurol 2016;12:584-93.
8. Jiang Y, Lev-Lehman E, Bressler J, et al. Genetics of Angelman syndrome. Am J Hum Genet 1999;65:1-6.
9. Bassett AS, McDonald-McGinn DM, Devriendt K et al. Practical guidelines for managing patients with 22q11. 2 deletion syndrome. J Pediatrics, 2011;159(2): 332-339.
10. McDonald-McGinn DM, Sulllivan KE, Marino B et al. 22q11. 2 deletion syndrome. Nat Rev Dis Primers. 2015;1(1):1-19.
11. Solot CB, Sell D, Mayne A et al. Speech-language disorders in 22q11. 2 deletion syndrome: Best practices for diagnosis and management. Am J Speech-Lang Pat. 2019;28(3): 984-999.
12. Vorstman JAS, Breetvelt EJ, Duijff SN et al. Cognitive decline preceding the onset of psychosis in patients with 22q11. 2 deletion syndrome. JAMA Psychiat. 2015;72(4): 377-385.
13. Swillen AE, Moss E, Duijff S et al. Neurodevelopmental outcome in 22q11. 2 deletion syndrome and management. Am J Med Genet A. 2018;176(10): 2160-2166.
14. Cardenas-Nieto D, Forero-Castro M, Esteban-Perez C et al. The 22q11. 2 microdeletion in pediatric patients with cleft lip, palate, or both and congenital heart disease: a systematic review. J Pediatr Genet. 2020;9(01): 001-008.
15. Cuneo B.F. 22q11. 2 deletion syndrome: DiGeorge, velocardiofacial, and conotruncal anomaly face syndromes. Curr Opin Pediatr. 2001;13(5): 465-472.
16. Berdon WE, Clarkson PM, Teele RL. Williams-Beuren syndrome: historical aspects. Pediatr Radiol. 2011;41(2): 262-266.
17. Morris CA, Braddock SR. Health Care Supervision for Children With Williams Syndrome. Pediatr. 2020; 145(2):1-16
18. Morris CA. Williams syndrome. In GeneReviews. University of Washington Press. 2020. 1-30.
19. Royston R, Waite J, Howlin P. Williams syndrome: Recent advances in our understanding of cognitive, social and psychological functioning. Curr Opin Psychiatr 2019;32(2): 60-66.
20. Schubert C. The genomic basis of the Williams–Beuren syndrome. Cell Mol Life Sci. 2009;66(7):1178-1197.
21. Paterson SJ, Schultz RT. Neurodevelopmental and behavioral issues in Williams syndrome. Curr Psychiat Rep 2007;9(2):165-171.
22. Latham GJ, Ross FJ, Eisses MJ et al. Perioperative morbidity in children with elastin arteriopathy. Pediatr Anesth. 2016;26(9):926-935
23. Yim SY, Jeon BH, Yang JA et al. Fragile X syndrome in Korea: a case series and a review of the literature. J Korean Med Sci. 2008;23(3):470-476.
24. Tassone F, Mila M. Molecular Diagnostics and Genetic Counseling in Fragile X Syndrome and FMR1-Associated Disorders, in Fragile X Syndrome. Elsevier. 2017. 41-55.

25. Hunter JE, Berry-Kravis E, Hipp H et al. FMR1 disorders. GeneReviews, University of Washington, 2020.
26. Razak KA, Dominick KC, Erickson CA. Developmental studies in fragile X syndrome. J Neurodev Disord. 2020;12:1-15.
27. Kidd SA, Lachiewicz A, Barbouth D et al. Fragile X syndrome: a review of associated medical problems. Pediatr. 2014;134(5): 995-1005.
28. Schmitt LM, Shaffer RC, Hessl D et al. Executive function in fragile X syndrome: a systematic review. Brain Sci. 2019;9(1):1-29.
29. Salcedo-Arellano MJ, Dufour B, McLennan Y et al. Fragile X syndrome and associated disorders: Clinical aspects and pathology. Neurobiol Dis. 2020;136: 1-8
30. Lee M, Won J, Hong Y et al. Benefits of physical exercise for individuals with fragile X syndrome in humans. J Lifestyle Med. 2015;5(2): 35-38.
31. Lee S, Won J, Park S et al. Beneficial effect of interventional exercise on autistic Fragile X syndrome. J Phys Ther Sci. 2017;29(4):760-762.
32. Hessl D, Schweitzer JB, Nguyen V et al. Cognitive training for children and adolescents with fragile X syndrome: a randomized controlled trial of Cogmed. J Neurodev Disord. 2019;11(1):1-14
33. Schaefer TL, Davenport MH, Erickson CA. Emerging pharmacologic treatment options for fragile X syndrome. Appl Clin Genet. 2015;8: 75-93.
34. Erickson CA, Davenport MH, Schaefer TL et al. Fragile X targeted pharmacotherapy: lessons learned and future directions. J Neurodev Disord. 2017;9(1):1-14.
35. Protic D, Salcedo-Arellano MJ, Dy JB et al. New targeted treatments for fragile X syndrome. Curr Pediatr Rev. 2019;15(4):251-258.
36. McConkie-Rosell A, Finucane B, Cronister A et al. Genetic counseling for fragile x syndrome: updated recommendations of the national society of genetic counselors. J Genet Couns, 2005;14(4):249-270.
37. 대한의학유전학회. 유전상담. 다니엘출판사. 2018. 429-431
38. Einspieler C, Kerr AM, Prechtl HF. Abnormal general movements in girls with Rett disorder: The first four months of life. Brain Dev. 2005;27(1):S8–S13.
39. Cheadle, JP, Harinder G, Nick F et al. Long-read sequence analysis of the MECP2 gene in Rett syndrome patients: correlation of disease severity with mutation type and location. Hum. Mol. Genet. 2000;9:1119–1129
40. Jeffrey LN, Walter EK, Daniel G et al. Rett Syndrome: Revised Diagnostic Criteria and Nomenclature. Ann Neurol. 2010;68(6):944–950.
41. Jan L, Dayna G, Anne H et al. Rehabilitation interventions in Rett syndrome: a scoping review. Dev Med Child Neurol. 2020;62(8):906-916
42. Helen L, Stuart C. Clinical and biological progress over 50 years in Rett syndrome. Nature Reviews Neurology. 2017;13:37-51
43. John TK, Jane B, Lane RN et al. Scoliosis in Rett Syndrome: Progression, Comorbidities, and Predictors. Pediatr Neurol. 2017;70:20–25.
44. Deidra Y, Lakshmi N, Nick K et al. Sleep problems in Rett syndrome. Brain Dev. 2007;29(10): 609–616.
45. Jefferson A, Leonard HM. Clinical Guidelines for Management of Bone Health in Rett syndrome Based on Expert Consensus and Available Evidence. PLoS ONE. 2016;11(2):e0146824

CHAPTER

25 소아기 정신장애

Childhood Mental Disorder

김붕년

발달은 점차적인 기능의 습득과 발전을 통해 이루어지게 되며 신경생리학적으로는 중추신경계의 성숙을 바탕으로 한다. 정상적으로는 예측된 순서와 시간 내에 새로운 기능의 습득을 하게 되나 특정 기능의 습득 시기에는 개인적인 차이가 존재할 수 있다. 중추신경계의 이상이 있는 경우 정상 범위보다 발달과정이 지연될 수 있으며 환경적 요인과 양육 방법도 발달에 영향을 줄 수 있다. 발달의 영역은 매우 다양하나 본 장에서는 사회성, 인지발달 및 대표적인 장애인 자폐장애, 지적장애, 주의력결핍 과잉행동장애에 대하여 정리하였다.

I. 소아의 사회성 발달

사회성 발달은 인성발달과 대인관계의 발달을 포함한다. 사회성 발달의 문제는 학령 전 시기 및 아동기, 청소년 시기에 따라 다양하게 나타나며 유전적인 요인과 환경적인 요인이 관여하게 되며 복합적인 양상을 보인다. 본 장에서는 사회성 발달장애의 대표적인 질환인 자폐장애의 정의, 역학, 원인, 임상소견, 평가, 치료 등에 대해 정리하였다.

1. 자폐스펙트럼장애 (Autism spectrum disorder)

1) 개념 및 정의

자폐증에 대한 첫 번째 학술보고는 1943년 존스홉킨스 대학의 Leo Kanner 교수에 의해서 이루어졌다. 당시 11명의 증례를 보고하면서, 그는 자폐적 무관심, 같은 것에 대한 강박적 고집, 의사소통의 심각한 지연이 핵심문제라고 하였다. Kanner 이후 몇몇 학자들은 자폐증의 아형이라고 할 수 있는 특이한 아동들을 세분하여 기술한 바 있는데, Asperger (1944)는 자폐증과 유사한 사회성의 문제를 가지나 언어발달과 지능 면에서 문제성이 훨씬 적은 아동들을 자세히 기술하였다. 이후 Rutter (1968)는 그때까지 보고된 모든 연구들을 면밀히 고찰한 후 유아자폐증을 하나의 독립된 질병군으로 보고 이들의 특징을 1) 대인관계 사회성 발달의 심한 장애 2) 언어 및 의사소통의 심한 장애 3) 상동성 및 특이한 행동의 반복 4) 30개월 이전의 발병 5) 망상, 환각, 그리고 조현병에서 보는 사고 장애가 없는 것 등으로 기술하였는데,[1] 이 개념이 국제적으로 통용되는 진단 기준인 WHO의 질병 및 관련건강문제의 국제통계분류-9 (International Statistical Classification of Diseases and Related Heath Problems, ICD-9)와 미국의 정신장애 진단 및 통계편람-III (Diagnostic and Statistical Manual of Mental Disorders, DSM-III) 기준의 틀이 되었다. 이후 미국에서 DSM-IV가 출간되며 자폐증은 발달 전반에 걸친 장해로 개념화되어 전반적발달장애 (pervasive delopmental disorder)라는 진단명 아래 5개의 아형으로 분류되었는데, 2013년 최근에 출간된 DSM-5에서는 아형의 구분을 없애고 자폐스펙트럼장애(autism spectrum disorder)로 용어를 통일하였다.

또한 기존 DSM-IV에서는 자폐증을 진단하기 위한 3개의 핵심증상으로 1) 사회적 상호교류의 질적인 이상, 2) 의사소통의 질적인 장애(구어발달지연 증상을 포함) 3) 한정된 관심사, 반복적이고 상동적인 행동을 기준으로 제시하였는데, DSM-5에서는 2개의 핵심증상으로 1) 사회적 의사소통의 장애, 2) 한정된 관심사 및 반복적이고 상동적인 행동을 제시하고, 구어발달의 지연이 진단 기준에서 삭제되었다(표 25-1).

2) 역학

자폐스펙트럼장애의 유병률은 최근 약 20여 년 간에 걸쳐 그 수가 점점 늘어나는 추세인데, 2014년 미국 질병통제예방센터(CDC, Center for Disease Control and Prevention)의 통계에서 자폐스펙트럼장애의 유병률은 59명 중 1명으로 보고하였다.[3] 이러한 유병률의 증가는 진단기준의 확장, 자폐스펙트럼장애에 대한 인식의 증가, 조기진단과 검진체계가 확립된 것과도 연관된다. 국내 아동을 대상으로 한 유병률은 연구마다 상이한 결과를 보고하여 향후 후속연구가 필요한 상황이다.[4] 남녀 비율은 일관되게 남아가 3~4배 이상 높은 것으로 보고되며, 사회경제적 계층과 유병률은 무관하다는 보고가 주류를 이룬다.[5]

3) 원인

(1) 유전적 요소

가족연구, 쌍생아연구, 입양아연구 등에서 매우 일관되게 유전적 요인이 가장 중요한 요인임을 시사하고 있다. 일란성 쌍생아와 이란성 쌍생아의 비교연구에서 약 80%의 유전성(heritability)을 갖는 것으로 보고하고 있다. 또한 1차 친척에서의 발생 위험도는 20배 이상 증가, 형제에서의 상대 위험도는 일반인구의 약 25배인 것으로 추정된다. 전형적인 자폐증이 발병하지 않은 형제군이나 이란성 쌍생아군에서도 언어-인지발달의 문제에서 가벼운 자폐증상 등 넓은 의미의 자폐 표현형을 보이는 경우가 흔하다. 자폐스펙트럼장애는 다수 유전자의 변이가 동시에 작용하여 발생하는 복합 유전질환으로 여겨지고 있으며 실제 위험인자가 되는 취약유전자를 발견하기 위한 노력이 진행 중이다. 최근의 새로운 유전분석을 통한 연구들을 통해, 연관 유전자가 다양하게 보고되고 있으며, 특히 신경시냅스를 구성하는 단백질과 신경 연접부 단백질 유전자의 이상이 광범위하게 보고되었다.[6]

(2) 뇌질환 및 주산기 문제

일부 자폐아들이 기질적 뇌증후군을 앓고 있다. 뇌성마비, 선천성 풍진, 톡소플라즈마병, 결절성 경화증, 거대세포봉입체 질환, 납 뇌변경증, 뇌막

표 25-1 자폐스펙트럼장애의 DSM-5 진단기준(APA, 2013)[2]

다음 A, B, C, D 진단 기준을 모두 충족해야 한다.
A. 다양한 맥락에 걸친 사회적 의사소통과 사회적 상호교류의 지속적인 장애로, 현재 또는 발달력 상에서 다음 모든 양상이 나타난다. (1) 사회, 정서적 상호교환성의 결핍: 비정상적인 사회적 접근 및 주고받는 대화를 나누기 어려운 것(관심사, 감정, 정서의 상호교환과 반응이 적은 것 등에 의함)부터 사회적 상호작용을 전혀 시작하지 못하는 것까지의 범위에 걸쳐 있다. (2) 사회적 상호작용에 사용되는 비언어적 의사소통 행동의 결핍: 잘 협응되지 않는 언어적, 비언어적 의사소통(눈맞춤이나 신체언어의 이상, 또는 비언어적 의사소통을 이해하고 사용하는 능력의 결핍)부터 얼굴 표정이나 제스처가 전혀 없는 것까지 이에 해당한다. (3) 부모 이외의 사람과 발달연령에 맞는 적절한 관계를 형성하고 유지하지 못함: 서로 다른 사회적 상황에 맞게 행동을 조절하기 어려운 것(상징놀이를 공유하기 어렵거나 친구를 만들기 힘든 것으로 나타남)부터 타인에 대한 관심이 없는 것까지 포함된다.
B. 행동, 관심 및 활동이 한정되고, 반복적이고 상동적인 양상으로, 현재 또는 발달력 상에서 다음 중 2가지 이상의 양상이 나타난다. (1) 상동화되고 반복적인 움직임, 사물의 사용, 또는 말(예: 단순한 운동 상동증, 장난감을 줄세우기, 사물을 뒤집는 행동, 반향어 또는 개인 특유의 어구 사용 등) (2) 같은 상태를 고집함, 일상적으로 반복되는 관습적 행위에 대한 융통성이 없는 집착, 또는 틀에 박힌 언어적, 비언어적 행동(예: 사소한 변화에 대한 극심한 불편감, 하나에서 다른 것으로 전환을 어려워함, 융통성 없는 사고 패턴, 틀에 박힌 인사 패턴, 똑같은 일상 규칙을 반복해야 하는 것, 매일 같은 음식을 먹음) (3) 매우 제한적이고 고정된 관심을 갖고 있으며, 그 강도나 집중의 대상이 비정상적임(예: 유별난 사물에 강한 애착을 보이거나 몰두함, 관심사가 매우 한정적이거나 집요함). (4) 감각적인 자극에 지나치게 높거나 낮은 반응성, 또는 환경의 감각적 측면에 대해 유별난 관심을 보임(예: 통증/열감/차가운 감각에 대한 무반응, 특정한 소리나 질감에 대해 특이한 반응을 보임, 지나치게 사물의 냄새를 맡거나 만져보려 함, 불빛이나 빙글빙글 도는 물체에 대해 시각적으로 매료됨).
C. 증상은 어린 시절부터 나타나야 한다(하지만 사회적 요구가 제한된 능력을 상회하기 전에는 완전히 드러나지 않을 수 있다).
D. 증상은 일상 기능을 제한하고 장애를 유발해야 한다.

염, 뇌염, 심한 뇌출혈, 여러 형태의 간질 등 광범위하게 다양한 신경학적 장애들이 자폐 증상을 보이는 것으로 보고되었다. 산전, 주산기, 산후 합병증이 자폐증 환자의 과거력에서 빈도가 높다는 주장이 있다. 그러나, 산전, 주산기, 생후 위험요소가 자폐증과 연관이 있는 정도는 유전적 요인에 비하면 미미할 것으로 판단되며, 그 인과적 관련성도 높지 않은 것으로 보고되어, 해석상의 주의를 요한다.[6]

(3) 뇌영상 연구

다양한 방식의 뇌 자기공명영상 연구를 통해 자폐스펙트럼장애에서 뇌의 구조, 연결성, 기능 상의 이상이 확인되고 있는데, 특히 사회적 지각능력 관련되어 있다고 알려진 '사회적 뇌(social brain)'

부위의 구조와 기능에 대한 연구가 활발하게 이루어지고 있다.[7] 자폐스펙트럼장애의 사회적 인지 능력의 결함과 관련되어 있는 것으로 추정되는 영역은 1) 얼굴 자극의 인식과 구별에 중요한 역할을 하는 외측방추회(lateral fusiform gyrus), 2) 시선 및 얼굴 표정 등 비언어적인 사회적 신호를 해석하는 데 중요한 위관자고랑(superior temporal sulcus), 3) 사회적 보상 및 강화와 관련된 안와전두피질(orbitofrontal cortex)과 복외측전전두엽(ventrolateral prefrontal cortex), 4) 타인의 감정을 인지하고 정서적 경험 처리에 중요한 편도(amygdala)와 변연계(limbic system) 등이 있다.

또한 자폐스펙트럼장애에서 보이는 사회적 학습 능력의 결함이 거울뉴런시스템(mirror neuron symtem)을 구성하는 하전두이랑(inferior frontal gyrus)와 하두정소엽(inferior parietal lobule) 영역의 이상과 관련되어 있다는 보고들이 있으며 상대방의 생각이나 추론하는 능력인 마음이론(theory of mind)과 관련된 내측전전두피질과 측두두정접합(temporoparietal junction) 영역의 구조 및 기능 상의 이상이 자폐스펙트럼장애와 관련되어 있음을 보고한 연구들도 있다.[8] 자기공명분광검사(Magnetic Resonance Spectroscopy) 연구에서는 자폐군에서 신경조직과 연관된 화합물의 농도 및 비율이 감소되어 있다는 보고를 하고 있으며, 농도 감소와 신경심리학과 언어 검사 수행 결과가 상관성이 있음을 보고하였다. 양전자방출 단층촬영술(PET) 연구에서는, 당대사가 많은 뇌부위에서 대조군에 비해서 오히려 증가되어 있다는 보고가 있고, 일부에서는 전전두엽 및 측두엽의 당대사가 감소되었다는 보고를 하기도 하였다. 뇌백질 연결성을 평가하는 Diffusion Tensor Imaging에서도 다양한 영역간의 연결성의 결함이 광범위하게 보고되었다.[8]

(4) 생화학적 연구

자폐스펙트럼장애와 관련하여 뇌의 기능 및 발달에 연관되는 다양한 신경전달물질의 이상소견들이 비특이적으로 보고되었다. 일부 연구에서는 뇌에서 흥분성 신경전달물질(glutamate)과 억제성 신경전달물질(GABA)의 불균형을 시사하는 결과를 보고하였고, 뇌 발달 과정에서 세로토닌 시스템의 불균형으로 인해 신경 발달이 저해된다는 보고가 있었다. 그 외에도 도파민, Peptides 등의 활성증가 및 감소가 보고되고 있다.

4) 임상소견

(1) 사회적 행동의 결손

Kanner (1943)는 사회적 결손을 자폐증의 핵심 증상으로 간주하였다. 영아기에는 눈맞춤을 피하고, 사람의 말 소리에 거의 관심을 보이지 않고, 안기려고 팔을 내밀지도 않으며, 감정이 무디고, 표정도 거의 없다. 대다수의 자폐아가 격리 불안이나 낯선 이에 대한 불안을 보이지 않아 낯선 사람에게도 부모처럼 쉽게 접근하지만 다른 아동들과 함께 노는 데 흥미를 보이지 않으며 적극적으로 피하기조차 한다. 아동 중기에는 부모나 다른 친숙한 성인에게 애착을 보이긴 하나 집단 게임에 관심을 보이지 않고 또래들과 관계를 맺을 수 없는 심각한 사회적 어려움이 계속된다. 장애가 경한 아동들은 다른 아동들과의 게임이나 신체적 놀이에 수동적으로 참여할 수도 있으나 이런 사교는 피상적인게 보통이다. 자폐아는 나이가 들면서 부모와 형제들에게는 애정을 보이고 다정하게 대한다. 그러나 사회적인 접촉을 먼저 시작하는 일이 거의 없고 사람들에게 정적인 관심을 보이는 일 또한 거의 없다. 일부 경증 자폐아는 우정을 원하나 다른 사람의 관심과 정서를 알아차리지 못해 사회적으로 부적절한 말을 하거나 행동을 하여 우정을 발달시키지 못한다.

(2) 의사소통의 문제

자폐아는 영아기에는 울거나 소리 지르는 것으로 그들의 욕구를 나타내고 유아기에는 원하는 것을 얻기 위해 성인의 손을 끌거나 구체적인 몸짓을 사용한다. 그러나 이 때 적절한 표정이 수반되지는 않는다. 말과 함께 혹은 말의 대체로써 고개를 끄떡이거나 옆으로 흔드는 일이 거의 없고 모방을 잘 하지 않는다. 아동 중기나 후기에도 다른 사람의 몸짓은 꽤 잘 이해하나 몸짓을 사용하는 경우는 드물다. 일반적으로 자폐아는 기쁨, 두려움, 분노의 감정을 나타내 보일 수 있으나 극단적으로만 표현하며, 일부 자폐인은 대체로 나무막대처럼 딱딱하거나 감정이 없어 보인다.

구어 이해의 손상 정도는 장애 정도에 따라서 다양한데, 심하게 지체된 자폐인은 구어의 의미를 결코 이해하지 못한다. 장애가 다소 덜 심한 자폐아는 상황에 맞는 간단한 지시를 내리거나 몸짓과 함께 지시를 내리면 따를 수 있다. 장애가 경증인 경우에는 미묘하거나 추상적인 의미만 이해하지 못하나 가장 영리한 자폐인도 유머나 관용적인 표현에는 혼란스러워 한다. 자폐인의 절반 정도는 평생 구어를 사용하지 못하며 말을 하는 경우에도 반향어나 대명사 정도를 보인다. 또한 말이 단조음이고 변화나 감정 표현이 없어 밋밋하여 로봇이 말하는 것과 유사하다. 일부 자폐아는 자기 자극적인 목적으로 아무 의미도 없는 단어나 구절을 반복한다. 말을 자발적으로 하는 자폐인의 경우에도 말의 문법적인 구성이 미성숙하여 전치사, 접속사, 대명사를 빼거나 잘못 사용하기도 한다. 말을 잘 하는 자폐인도 자신의 관심사에 대해서만 지나치게 이야기하고 상대방과 말을 주고받으며 상호교류적으로 대화를 나누지 못하여 일방적으로 말을 한다는 느낌을 준다.

(3) 비정상적인 행동패턴

자폐아가 보이는 특이한 반응은 몇 가지 형태를 취하는데, 첫 번째는 변화에 대한 저항이다. 친숙한 환경에 어떤 변화가 일어나면 자폐아는 행동문제를 보이는데 반복되는 일상사에 작은 변화만 생겨도 힘들어하고 심한 우울, 분노발작을 보이기도 한다. 많은 자폐아가 장난감이나 물건을 일렬로 세우는 행동을 보이는데 이를 방해하면 심한 스트레스를 받는다. 의례적이고 강박적인 행동을 어떤 절차를 엄격하게 지킨다든지(예: 특정 음식만을 먹는다든가) 상동적이고 반복적인 움직임(예: 손뼉을 치거나 손가락을 꼬거나 하는 등의 행동)을 포함한다. 청소년기에는 이런 행동들이 강박적인 증상(예: 같은 질문을 계속 반복하는데 답은 늘 똑같은 식으로 행해져야 한다)으로 발전하기도 한다. 많은 자폐아가 이상한 물건(예: 파이프 청소기, 작은 플라스틱 장난감)에 강한 애착을 형성한다. 그 물건을 항상 가지고 다니며 그것을 빼앗으면 저항하거나 짜증을 낸다. 자폐아는 빛, 무늬, 소리, 회전물체, 촉각적 감각에 사로잡히기도 한다. 어린 자폐아는 어떤 물체를 그 기능에 따라 사용하기보다는 일렬로 줄을 세우거나 쌓거나 회전시키는 데 사로잡힌다. 감각적인 자극에 대해서 과소 혹은 과잉반응을 보인다. 그래서 농아나 약시나 맹아로 의심을 받기도 한다.

(4) 지능과 인지적 결손

대다수의 자폐아는 정신지체아로 약 40~60%는 IQ 50 이하이며, 단지 20~30%만이 IQ 70 이상이다. IQ가 높은 자폐아와 낮은 자폐아는 주요 증상에서는 비슷하지만, IQ가 낮은 자폐아가 사회적 발달에서 더 심한 손상을 보이고 상동행동과 자해행동 같은 일탈된 사회적 반응을 더 많이 보이며 예후도 좋지 않다.[9]

5) 평가

자폐증은 단일질환이 아니다. 자폐증은 여러 원인 요소에 의해 표현되는 행동증후군이다. 그러므로 일차적으로는 자폐증의 진단을 위해 부모로부터의 발달력 청취와 임상소견이 중요하지만 원인질환이나 동반되는 질환 그리고 감별진단을 위한 의학적 검사와 조사가 병행되어야 한다.[10]

자폐증의 진단은 지름길이 없다. 시간이 걸리고 복잡한 과정이 필요하다. 무엇보다도 한번에 적당히 진단을 내려서는 안 된다. 명확한 의학적 진단을 위해서만이 아니라 아이들을 직접 도와줄 교육자들이 유용하게 쓸 수 있도록 아동의 인지능력, 언어능력, 적응능력 등 자세한 정보가 얻어질 때까지 모든 평가가 진행되어져야 한다. 한 연구에서, 집중적인 생물학적, 의학적, 뇌신경학적 검사 실시를 통해 이미 동반 질환으로 잘 알려진 간질을 제외하고도 자폐증의 37%에서 적어도 한 가지의 의학적 문제를 지닌 것으로 나타났다. 이 연구의 중요한 소견의 하나는 적어도 반수에서 의학적 조사를 열심히 하지 않았다면 진단이 얻어지지 않았을 것이라는 점이다. 다른 연구에서도, 자폐증에서 적어도 35%는 기저 원인 질환을 알 수 있고 5~10%에서는 명확히 유전적 요소가 관계됨을 알 수 있으며 50%는 아직 모르나 언젠가는 밝혀질 원인에 의한 주요 뇌기능부전증후와 유전적 요소 또는 두 가지를 합한 경우이고 단지 5%에서만 명확한 원인을 알 수 없었다는 것을 보여주었다.[8]

(1) 현병력

체계적인 질문을 시작하기 전에 부모들 자신이 아동에 대해 걱정하는 것, 근심하는 것을 말할 수 있는 기회를 주는 것이 중요하다. 부모들이 자신의 아이에 대해 가장 잘 알고 있으므로 그들의 걱정거리에 관심을 두는 것이 도움이 되고 또한 가정에서 가장 문제가 되는 행동에 치료의 첫 번째 초점을 두는 것이 바람직하기 때문이다. 부모가 제시한 문제에서부터 체계적 질문을 시작하는 것이 좋은데 실제 행동을 자세하게 설명할 수 있도록 물어보는 것이 결정적으로 중요하다. 전체적으로 요약해서 말하는 것은 도움이 되지 않는다. 체계적으로 과거력을 청취하기 위한 방법으로 설문도구나 구조화된 면담도구들이 개발되었는데 이 중 소아자폐증 평가표(Childhood Autism Rating Scale), 자폐증 부모 면담 도구(Autism Diagnostic Interview) 등이 널리 쓰이고 있다. 이 두 도구는 모두 국내 표준화가 되어있다.

(2) 발달력

현재 문제에 대한 적절한 답을 얻고 나면 발달에 대한 정보를 얻는 것이 다음 단계다. 자폐증은 발달장애이므로 시간 순으로 발달에 대해 물어보는 것이 편리하다. 즉각 임신 시와 출산에 대해 물어보기보다는 처음 뭔가 잘못됐다고 느낀 것은 언제이고 그때에 걱정한 것은 무엇이었는지를 물어본다. 특정 시기의 사회적 관계나 반응에 대한 중요한 정보를 얻기 위해 그 시기에 촛점을 맞춘 일련의 질문을 해야 한다. 마찬가지로 놀이에 있어서도 특정연령 시기의 아동의 놀이에 대해 자세하게 물어본다. 특별히 생후 첫 5년에 관한 위의 발달력이 얻어졌으면 현재의 각 영역에 관한 아동의 능력을 알아보는 것이 필요하다. 이러한 종적 발달력을, 언어영역, 사회적 관계영역(부모와의 애착, 또래 놀이 등), 놀이영역, 인지영역, 운동영역에 걸쳐 자세히 물어보아야 한다.

(3) 면담 및 관찰

진찰실에서는 가족과 함께 아동을 봄으로써 그 관계를 관찰할 뿐 아니라 익숙한 사회적 상황에서의 아동을 관찰할 수 있다. 덜 구조적 상황에서 아동을 만나면서 편안한 상호작용을 가능한 유도하는 것이 좋다. 진찰실은 아동의 흥미와 발달수준에 맞게 잘 선택된 몇 개의 장난감이 있어서 이를 이용하여 관계를 맺고 같이 놀 수 있고 상상놀이를 할 수 있어야 한다. 아동을 맞이한 뒤 처음에는 다소 수동적 역할을 하여 아동이 장난감과 사회적 상황에 어떻게 대처하나를 본다. 그리고 나서 다소 적극적이 되어 다양한 자극을 주면서 상호교환성과 반응성을 평가하는 것이 중요하다. 보통 처음 보는 의사에게는 어느 정도의 위축을 보이는 것이 정상이고 차차 편안해진다. 사회성, 언어, 표정 등을 관찰 평가한다. 사회적 접근과 반응에 동반되는 감정표현의 정도와 함께 감정의 범위, 질 그리고 적절함을 주목해야 한다. 구조적 놀이를 통해 아동을 체계적으로 관찰, 평가하는 도구로서 자폐증 진단 관찰표(Autism Diagnostic Observation Schedule)이 있고, 이는 국내 표준화가 되어 있는데 주로 정확한 진단과 연구목적으로 많이 활용되고 있다.

(4) 인지적 평가

현재의 인지능력을 가능한 객관적으로 평가하려는 시도로서 다양한 표준화된 검사도구를 사용할 수 있다. 사회성숙도검사는 자조능력, 이동능력, 적응능력, 의사소통능력 등 다양한 기능을 포괄적으로 평가하고, 보호자와의 면담을 통해서 완성할 수 있다. 바인란드 적응 능력 검사(Vineland Adaptive Rating Scale)는 의사소통, 일상생활 기술, 사회성, 운동기술, 부적응 행동 영역으로 이루어져 있는데 전체적 적응능력을 체계적으로 포괄하며 각 영역의 점수를 알 수 있다.

아동의 전체 지능은 아동의 환경에 대한 호기심, 즉 새로운 상황에 어느 정도의 호기심을 갖는지와 사물이 어떻게 작용하는지 알아내는 능력, 문제해결 방식, 사회적 성숙도, 놀이 등을 통해 평가해야 한다. 물론, 이와 더불어 구조화된 검사가 필요하다. 어린 아동이나 지체가 심한 나이 든 아동, 언어능력이 크게 결핍된 아동에게는 비언어적 지능검사인 라이터검사(Leiter test)가 유용한데 실시연령은 2~7세이고 비언어적 지능뿐만 아니라 주의력 및 기억력도 평가 가능하다. 학령기 아동으로서 심하게 지체되지 않은 경우에는 아동용 Wechsler 지능검사가 가장 적합한데, 넓은 범위의 인지능력을 포괄하고 표준화가 잘 되어 있으며 전체지능지수와 함께 언어이해, 지각추론, 작업기억, 처리속도지수를 모두 알 수 있기 때문이다. 교육진단검사(Psychoeducational Profile)는 자폐증을 포함한 발달장애 아동의 평가를 발달적 측면에서 평가하며 개별 교육 계획을 세우는 데 사용된다.

(5) 의학적 검사

임상적으로 시행되는 의학적 평가는 치료할 수 있거나, 자폐증 증후군의 양상을 보이는 기저 의학적 질환을 감별하고, 진단하기 위해 시행하는 경우가 대부분이다. 신경학적 징후에 대한 검사와 특이한 외모과 자세, 걸음걸이에 대한 평가가 필수적이다. 또한 미세 신체 기형 여부를 조사하는 것도 중요한데, 미간, 귀모양, 입천장, 손금 등에서 이상을 보이는 눈과 귀의 검사는 중요하므로 철저히 해야 한다. 진단적으로 중요할 뿐 아니라 교육적 개입을 실시할 때 아동의 능력과 한계를 아는 데 도움이 된다.

뇌영상 검사는 아직 일반적으로 사용되지는 않으나, 가능한 시행을 하여 뇌기능 및 구조적 이상 여부를 확인하는 것이 도움이 된다. 뇌파 검사의 경우 이견이 많지만, 일반적 검사로 시행하는 것은 추천되지 않고, 경련 고위험군에 해당하면 시행하는 것이 좋다.[8]

6) 치료

자폐장애의 치료는 가능한 한 조기에 발견하여 치료를 시작해야 한다. 또한, 특정한 방법만을 사용하기보다는 발달 전체를 도와주는 다각적이고 다학적인 접근 방법을 써야 한다. 자폐증의 치료는 자폐아의 사회적, 언어적 발달을 촉진시키고 부적응 행동(과잉활동, 상동행동, 자해행동, 공격성)을 최소화하는 것을 목표로 하고 있다.[11]

(1) 부모 교육 및 가족 지원

부모 교육과 부모상담은 장기적인 도움이 필요한 자폐아에서 매우 중요하다. 특히 초기에 진단과정에서 부모가 아동의 자폐증을 받아들이고 어떻게 도와야 할지를 알도록 적극적인 교육이 필요하다. 따라서 부모를 보조치료자로 훈련시키고 집에서 치료교육을 실시할 수 있도록 도와주어야 한다.

(2) 치료교육

학령 전기에 자폐아를 확인하여 매우 구조화된 환경에서 특수교육 프로그램을 통해 치료하며, 자폐아의 가족들이 더 잘 적응하도록 돕기 위해 가족과 밀접하게 협력하는 것에 초점을 맞추어야 한다. 교육적 치료는 많은 시간 구조적이고, 지속적으로, 다양한 방법을 통해 이루어져야 한다. 자조기술, 사회성 기술, 의사소통 기술을 획득하도록 도와주어야 한다. 특히, 중요한 것은 시각, 카드, 기타 어떤 방법을 동원하든 의사소통을 돕는 것이다. 치료교육의 최근 동향은 자폐아의 모든 행동결함과 인지·언어적 장애가 사회성 및 사회인지의 결손과 밀접한 관계가 있으므로, 치료개입에 있어서도 사회-정서적 소통을 향상시키는 쪽에 맞추어져야 한다는 것이다.

(3) 행동치료

Lovaas 등 많은 행동치료 관련 연구자들은 구체적인 행동분석-목표설정-행동주의적 치료방침의 일관되고 반복적이며 지속적인 적용을 통해 행동문제 및 사회적 상호작용이 향상될 수 있음을 증명하였다. 자폐아에 대한 행동치료의 원칙은 첫째, 자폐아는 개인차가 심하므로 행동치료 프로그램이 개인별로 작성되어야 한다. 둘째, 일반화에 문제가 있으므로 일반화를 위한 단계가 필요하다. 셋째, 아동의 사회적 발달을 촉진시키는 것이 치료목적의 하나이므로 시설에서의 장기간의 치료는 명확히 바람직하지 않다는 것이다.[12]

(4) 약물치료

약물치료가 자폐증의 핵심결함을 완전히 교정하지는 못하지만 과잉운동, 위축, 상동증, 자해행동, 공격성, 수면장애, 우울감, 감정조절 실패 등과 같은 적응능력과 교육효과를 떨어뜨리는 문제들을 감소시키는 데에는 중요한 역할을 하고 있다. 특히 최근에는 비전형도파민 길항제가 개발됨에 따라 매우 안전하고, 효과적으로 이러한 행동-정서 조절능력을 향상시키고, 문제행동을 교정하는 데에 기여할 수 있게 되었다. 그 밖에 강박적인 행동은 Clomipramine이나 SSRI를 통해 치료적 도움을 줄 수 있고, 주의력문제는 중추신경자극제 등의 ADHD치료제를 통해서 도움을 주고 있다.[13]

7) 예후

자폐증은 아동기의 사회적, 언어적, 행동적 어려움들이 나이가 들어가면서 다소 다른 유형을 취하기는 하지만 만성적인 질병이다. 청소년기에 지적 능력의 감소 같은 진행성 퇴행을 보이는 경우는 소수인데 약 10~20%에서 퇴행 소견을 보였다. 또한 청소년기 후기까지 약 10~30%의 환아에서 경련성 질환이 발병하였다. 성인기까지의 장기간 추적결과는 적으나, 현재까지 알려져 있기는 약 10~20% 자폐문제를 가진 성인이 고용상태로 직업적인 능력을 발휘하였다. 그러나, 결혼 등 사회정서적 기술이 많이 요하는 과제는 매우 수행하기 어려운 것으로 조사되었다. 자폐아의 예후에 관해서는 Lotter (1978)는 5~17%의 자폐아가 전반적인 사회적 적응에서 좋은 결과를 보였다고 보고하였고, Gillberg (1991)도 소수의 자폐인은 생산적이고 자족적인 성인기를 보냈다고 보고했다. 그러나 그들 역시 대인관계에서는 어려움을 나타내었고 몇가지 이상한 행동을 보였다. 예후와 관련된 요인으로는 지능지수(IQ), 구어사용 여부, 행동장애의 심각도 등이었고, 이 중에서도 지능지수가 가장 높은 예측정도를 보였다.[8]

II. 소아의 인지 발달

1. 소아의 인지 발달 과정

인지 발달은 감각 자극의 해석, 정보의 저장, 회상, 상징의 이용, 추론, 문제 해결, 지식 습득 등의 과정을 수행할 수 있는 능력이 향상되는 것을 의미한다. 인지 발달과 관련된 여러 이론 중 피아제(Piaget)의 인지 발달 4단계를 살펴보면 첫 번째 단계가 출생 후부터 생후 18개월까지의 감각 운동기(sensorimotor stage)이다. 이 시기에는 미성숙한 반사와 감각 운동 반응들을 보이다가 점차 감각 및 운동 기능이 향상되면서 목적하는 행동을 수행할 수 있도록 발달하게 된다. 두 번째 단계는 전조작기(preoperational stage)이며 아동이 언어를 습득하기 시작할 때부터 6~7세가 될 때까지의 시기이다. 이 시기의 아동은 언어, 모방, 상상, 상징 놀이, 그림 등을 통해 표상적 구조(representative scheme)를 상징적으로 표현하게 된다. 세 번째 단계는 구체적 사고의 시기(the stage of concrete operational thought)이며 6~7세에서부터 11세까지에 해당한다. 이 시기의 아동은 정규 교육 과정을 시작하게 되고 논리적 사고, 분류 및 체계화하는 능력을 향상시키게 된다. 네 번째 단계는 형식적 사고의 시기(the stage of formal operational thought)이며 11~12세 이후에 해당한다. 이 시기의 아동은 동시에 상호작용하는 여러 변수를 개념적으로 정리할 수 있으며 추상적 추론을 할 수 있게 된다.[4]

2. 지적장애(Intellectual disability)

1) 개념 및 정의

지적장애는 이전에는 정신지체(mental retardation)로 표기되었으나, 최근의 의학계, 교육계, 미국 지적장애 및 발달장애협회(American Association on Intellectual and Developmental Disabilities, AAIDD) 등 전문가 집단에서 정신지체라는 용어를 지양하고, 지적장애 혹은 지적발달장애라는 용어를 주로 사용하고 있다. 이에 따라 2013년 출간된 DSM-5에서는 지적장애(intellectual disability)로 명칭을 변경하였다.[2]

기존 ICD-10과 DSM-IV에 의하면 정신지체/지적장애는 다음과 같이 정의하였다. 1) 지능지수 IQ가 정상 이하(70 이하)이고 인지기능의 저하를 갖는 경우이다. 이때 지능지수는 객관적으로 표준화된 지능검사로 측정되어야만 한다. 2) 지적장애를 진단함에 있어서 사회생활에 적응장애를 초래하는 정도(사회적응수준)가 중요하게 고려되어야만 한다. 3) 18세 이전에 나타나야 하는데 이러한 연령 규준은 지적장애가 발달장애로 여겨지고 있음을 의미한다.

지능검사 결과와 더불어 적응적 수준에 대한 평가가 지적장애를 개념화하는 데 중요한 것으로 받아들여지고 있다. 정의에 의하면 지능검사 점수로는 지체의 범주에 들지만 집과 학교, 직장에서 생활하는 데에는 문제가 없는 사람들은 지적장애라고 진단하지 않는다. 즉 65~70의 지능지수라도 적응능력이 좋은 경우에는 지적장애 진단은 내릴 수 없다. 또한 지능검사 점수는 낮지 않으면서 적응행동에 결함이 있는 경우에도 지적장애로 진단하지 않는다. 적응기능의 장애는 환자의 현재 증상을 반영해 주는데, 적응기능은 자신이 처해 있는 상황에 대하여 자신의 나이를 고려하여 효과적으로 대처할 수 있는 능력을 의미한다. 이러한 능력은 개인의 교육상태, 동기, 성격적 특성, 공존하는 정신장애와 신체질환에 의하여 결정된다. 1992년 미국정신지체협회(American Associationon Mental Retardation, AAMR)는 이전의 개념을 수정하여 지적장애를 1) 지적 기능이 평균 이하이며, 동시에 2) 의사소통, 자기 보호, 가정생활, 사회적 기술, 지역사회 자원의 활용, 자기관리, 건강과 안전, 기능적 학업, 여가, 그리고 직업의 영역 등에서 두 가지 이상의 영역에서 분명한 적응기능의 저하가 확인되어야 하는 것으로 보았다. 이러한 개념 변화는 지적장애를 개인의 불변의 절대적인 특징으로 이해하기 보다는, 환경과 개인의 상호 작용 속에서 가변적인 적응적 상태로 이해하려는 시도이다. 2013년 출간된 DSM-5에서는 이러한 지적장애에서의 적응기능의 중요성을 반영하여 지적장애를 '발달시기에 시작되어 지적기능과 적응기능 모두에 결함이 있는 상태'로 정의하고, 지적기능의 결함을 IQ 70과과 같은 특정 값이 아닌, '평균으로부터 2 표준편차(standard deviation)를 벗어난 경우'로 개념화하여 경우에 따라 경계선 지능지수 범위를 포함하는 유연성을 가질 수 있도록 하였고, 지적장애의 정도(severity)를 지능지수 IQ가 아닌 적응 기능에 따라 결정하도록 기술하고 있다. 이는 적응기능에 따라 도움이 필요한 정도가 결정되며 낮은 지능지수 IQ 범위에서는 지능검사의 타당성이 떨어지는 것을 반영한 것이다(표 25-2).

지적장애의 진단은 개인이 환경 내에서 실제로 어떤 기능을 하느냐에 달려있으며, 기능이 변화하면 진단도 변화할 수 있다. 기능은 능력과 관계되며, 능력은 개인이 생활하고 학습하고 놀고 일하고 사회활동을 하는 환경과 상호작용한다. 이 모델은 또 개인의 기능과 그에게 주어지는 지원이 상호 연관되어 있다는 것을 보여준다. 일반적으로 기능은 적절한 지원이 주어지면 향상된다고 가정한다.

2) 역학

연간 발생률은 아직 구체적으로 규명되지 못하였다. 유병률은 IQ(70)만을 기준으로 했을 때 전체인구의 2~3% 가량 되는 것으로 판단된다. 그러나 지적장애를 IQ와 적응기능 둘 다에 의해 정의할 경우에는 유병률이 1% 이하로 떨어진다. 이 차이는 경도 지적장애자의 절반 가량은 환경에 충분히 적응적인 행동을 하므로 지적장애로 진단되지 않는다는 사실을 반영한다. 연구자에 따라 상당한 차이가 있으나 대략적인 유병률은 전체인구의 약 1% 정도로 보고되고 있다. 성별로는 전체적으로 남자에서 더 흔하나 중증 지적장애나 최중증 지적장애는 남녀가 비슷한 유병률을 갖는다. 사회경제적인 상태로는 중증 지적장애와 최중증 지적장애는 사회경제적인 상태와 무관하나, 경도 지적장애는 낮은 사회경제적 상태에서 더 흔히 나타난다.[2, 14]

표 25-2 지적장애의 DSM-5 진단 기준[2]

지적장애(지적발달장애)는 발달 시기에 시작되어 개념, 사회, 실행영역의 지적기능과 적응기능 모두에 결함이 있는 상태를 말한다. 다음의 세 가지 조건을 충족해야 한다.
A. 지적기능(추론, 문제해결, 계획, 추상적 사고, 판단, 학습, 경험 학습 등)의 장애가 임상적 평가와 개별화, 표준화된 지능검사에서 확인되어야 한다.
B. 적응기능의 장애로 인해 개인의 자립과 사회적 책무에 대한 발달학적, 사회문화적 기준을 충족하지 못한다. 지속적인 도움 없이는 적응기능의 결함으로 다양한 환경(집, 학교, 일터, 공동체 등)에서 하나 이상의 일상활동(의사소통, 사회참여, 독립적인 생활)에 지장을 받는다.
C. 지적결함과 적응능력의 결함은 발달시기 동안에 시작되어야 한다. 현재의 심각도 명시* 317(F70) 지적장애, 경도 318.0(F71) 지적장애, 중등도 318.1(F72) 지적장애, 중증 318.2(F73) 지적장애, 최중증

* 개념, 사회성, 실행능력으로 구성된 세가지 영역에서의 제약 정도에 따라 심각도를 분류하도록 하고 있으며 그 판정 기준이 될 표를 제시함.

3) 원인

지적장애를 가진 사람들에 대해 적극적인 의학적 검사를 시행할 경우, 약 60%의 사람들에서 관련 원인을 규명할 수 있다. 특히 지적장애의 정도가 심할수록 분명한 원인이 발견되는 경우가 많다.

(1) 생물학적 원인

가장 잘 알려진 지적장애의 원인인 유전적 증후군(다운증후군)과 태아기 독성물질에 노출된 경우(태아 알코올 증후군)가 30%를 차지한다. 그리고 단일 유전자 이상(여린 X 증후군, 복합 결절성 경화증 등), 선천성 대사장애 등으로 인한 유전적 원인은 5%, 임신과 주산기 합병증(손상, 조산, 저산소증 등)은 10%, 후천적 의학적 질환(납중독, 두부외상 등)은 5%을 차치한다.[4]

(2) 환경적 또는 사회경제적인 원인

특히 경도 지적장애의 경우 사회경제적 원인들이 중요한 원인으로 작용할 수 있는데, 환경적인 원인이 지적장애를 일으키는 기전은 다음과 같이 설명될 수 있다.

① 산전의 적절한 의학적인 검사가 부족할 가능성과 영양 상태의 불량 가능성
② 10대 임신인 경우, 산과적 합병증의 위험성과 미숙아
② 산후 산모에 대한 불량한 의학적 배려와 유아의 영양불량
④ 독성물질 또는 외상 등에 노출
⑥ 가족 내에 불안정성, 잦은 이사, 부적절한 보살핌
⑦ 어머니의 교육정도가 낮아 아이에게 적절한 자극을 주지 못할 가능성
⑧ 아동학대 및 방임의 장기간 경험

4) 임상양상과 공존장애

지적장애는 지능저하와 적응행동의 장애뿐 아니라 각종 소아정신과적 장애를 동반할 수 있고, 일부 환자의 경우에는 분명한 신경학적 장애를 동반하는 복합장애로 나타나기도 한다. 지적장애자의 정신장애 유병률은 일반인보다 최소 3~4배 높으며, 특히 중증 지적장애자는 약 50%에서 다른 정신장애를 볼 수 있다. 흔히 볼 수 있는 정신장애는 주의력결핍 과잉행동장애, 자폐장애, 상동행동장애 등이며, 이식증도 가끔 볼 수 있다. 흔히 과잉활동증상, 좌절에 대한 낮은 내성, 공격적인 행동, 분노발작, 정서불안, 상동적인 행동, 자해적인 행동 등이 나타난다. 특히 자해적인 행동은 지적장애의 정도가 심해질수록 더 자주, 더 심하게 나타난다.

심한 경우에서 신경근육계 장애, 시력, 청력 또는 언어장애, 간질 등의 복합장애를 많이 볼 수 있다. 각각의 지적장애의 정도에 따라 임상특징을 살펴보면 다음과 같다.[15, 16]

(1) 경도 지적장애(IQ 50~70)

전체 지적장애의 약 85%를 차지하며 교육적인 관점에서는 '교육가능군'으로 분류되고, 대개 초등학교 6학년 수준까지 교육은 가능하다. 소아가 학교에 입학할 때까지 진단이 내려지지 않을 수도 있는데, 이들은 대인관계를 맺는 능력이나 언어발달상태가 학령전기에서는 크게 문제가 되지 않을 수도 있으며 또한 감각운동기능에 있어서도 최소한의 장애만이 동반되기 때문이다. 점차 나이가 들수록 추상적 사고능력의 결핍과 같은 인지적인 기능의 저하나 자기중심적인 사고 등으로 인해 또래 다른 아이들과 구분된다. 성장하여 획득한 직업적인 기술로 혼자서 살아가는 수도 있지만 스트레스 하에서는 도움이 필요하다.

(2) 중등도 지적장애(IQ 35~50)

전체 지적장애의 약 10%를 차지하며 교육가능 수준은 대개 초등학교 2학년 정도이다. 경도의 지적장애보다는 더 어린 나이에 진단이 내려지는데 이것은 언어발달이 더 느리고 초등학교에서부터 대인관계의 발달이 문제가 되기 때문이다. 직업훈련에 의하여 도움을 받을 수도 있고 적절한 감독을 받으면 스스로 돌볼 수 있는 능력을 갖출 수도 있으며, 비교적 높은 수준의 감독이 계속 요구되지만 도움을 받는 상황에서는 직업적 업무를 적절히 수행할 수 있다.

(3) 중증 지적장애(IQ 20~35)

전체 지적장애의 약 3~4%를 차지한다. 보통 학령전기에도 진단이 가능한데, 이는 언어의 발달이 일어나지 않거나 극도로 제한되어 있고 또한 운동의 발달에 심한 지연이 있기 때문이다. 학령기가 되면 약간의 언어발달이 일어나며, 스스로 돌볼 수 있는 기본적인 능력은 어느 정도 갖출 수 있다. 학습능력은 가, 나, 다 정도나 간단한 셈은 가능하며, 성인이 되면 철저한 감독 하에 간단한 일은 할 수 있다.

(4) 최중증 지적장애(IQ 20미만)

전체 지적장애의 1~2%를 차지한다. 최중증 지적장애는 지속적인 감독이 필요하며 언어나 운동발달에 심한 장애가 동반된다. 성인이 되면 약간의 언어발달과 간단한 자조능력은 갖추게 되나 독립적인 생활은 어려우며 타인의 도움이 필요하다.

5) 평가

지적장애의 진단은 학령기 이전에는 정신신체적 발육상태를 평균적인 발달수준과 비교함으로써 추정할 수 있으며, 학령기에는 학습능력 그리고 성인

기에는 사회적응력을 통해 평가할 수 있다.[16]

(1) 가족력과 임신력

모성 산과적 병력은 유산이나 불임, 약물과 화학물질의 노출, 특히 태아의 움직임에 주의를 기울여야만 한다. 태아 곤란이나 조기 분만의 부가적인 병력이 도움을 줄 수 있으며, 부모들은 흔히 태아 움직임의 감소나 태아 크기에서의 문제를 정확하게 보고할 수 있다. 정신지체의 가족력은 특히 남아에 있어서 매우 유용한 정보를 제공해줄 수 있다. 약물과 알코올 병력은 그 양과 노출의 빈도 모두를 물어 보는 것이 도움이 된다.

(2) 일반적 이학적 검사

세 가지 이상의 경한 이상이 발견될 경우, 검사자는 비정상적인 형태발생학적 증후군의 가능성에 대해 경계해야 한다. 이러한 이상이 발견되면 초음파와 CT, MRI 등의 필요한 검사를 해야 한다. 비정상적인 머리카락 패턴은 흔히 대뇌 비형성증의 예견에 도움을 주는데, 그 이유는 이런 패턴은 뇌의 성장을 반영하며, 그 결과로 인한 두피의 확장을 반영하기 때문이다. 이런 비정상적인 모습은 흔히 임신 18주 초기 뇌의 성장 문제를 암시하고 있다. 특히 얼굴 중앙선의 비정상적 소견과 성장 실패 등의 중간 얼굴 비대칭성은 내포된 중추신경계의 변형을 반영하고 있으며, 그 결과로 인해 지적장애를 초래한다. 신경학적 검사나 신경발달학적 평가는 동작의 대칭성에 대한 주의 깊은 진찰, 유아나 소아 울음의 음조, 종소리나 악수 등의 자극에 대한 반응이 포함되어야만 한다. 흔히 높은 음조의 울음은 오랫동안 지속된 산전 손상을 암시하고 있으며 비정규적인 움직임, 극단적 흥분성, 과다하게 놀라는 반응을 보이는 소아는 발달장애의 위험이 있을 수도 있다.

(3) 정신과적 면담 및 심리검사

a. 정신과적 면담

지적장애 환자나 그 가족들과의 면담 시 다음과 같은 사항들을 주의하여야 한다.

① 환자의 정신연령에 의거해서 면담하지 말고 실제 연령에 의거하는 것이 바람직스럽다. 왜냐하면 만약 아이취급을 받는다면 상처를 받고 화를 내거나 비협조적인 태도를 취할 것이며, 수동적이고 의존적인 환자인 경우 면담자가 아이로 취급하면 면담자가 바라는 대로 아이처럼 행동할 가능성이 있는데, 어느 경우든지 객관적인 올바른 평가가 어렵기 때문이다.

② 환자가 자신의 부모와 대화하는 특징을 관찰하거나 또는 병력을 기초로 환자의 언어능력을 평가하고, 환자가 비언어성대화를 시도할 때에는 기다려 주어야 한다.

③ 많은 지적장애 환자들은 이미 많은 부분에서 실패를 경험해 왔으므로 면담에 대해서도 불안해할 가능성이 크기 때문에 모든 진단적인 과정에 대하여 미리 자세하게 설명을 해주는 것이 좋다.

④ 환자의 나쁜 행동 때문에 병원에 오게 되었다는 인상을 주어서는 안 된다.

⑤ 지지와 칭찬을 적절히 사용한다.

⑥ 유도 질문은 피하는 것이 좋다.

⑦ 주제에서 벗어나지 않기 위하여 약간의 지시나 체계적 면담 및 강화가 필요할 수도 있다.

⑧ 환자의 방어기제 특성, 성숙한 정도, 충동조절 능력, 자존심의 정도에 대하여도 평가한다.

b. 심리검사

유아기 심리검사의 기능 예측에 대해서는 논란이 많다. 그러나 검사시행 연령이 증가하는 것에 비례하여 예측도가 증가하는 것은 분명한 듯하다.

① 시각-운동 협동기능검사 : Copying geometric

figures, Goodenough Draw-A-Person test, Corsi blocks test, Geometric puzzles 등이 시행될 수 있다.

② 지능검사

- 유아기: Gesell developmental schedules, Cattell infant scale for intelligence, Bayley test 등이 시행된다.
- 소아기: Stanford-Binet test, Wechsler Intelli-gence Scale for Children-revised (WISC-R) 등이 시행될 수 있다. 그러나 이 두 검사의 문제점은 첫째, 문화적으로 소외된 소아들은 부당한 취급을 받을 수 있고, 둘째, 문화적인 편견이 많고, 셋째, 사회적 기능보다는 주로 학업 성취를 측정한다는 점이며, 마지막으로 지능지수 50 이하에서는 신뢰도가 떨어진다는 점 등이다. 언어장애 환자들이나 심한 지적장애 환자들에게도 적용할 수 있게 하기 위하여 개발된 방법이 Peabody vocabulary test이다. 이 검사는 비영어권자, 언어발달의 지연이 있는 경우 또는 문맹자들에게도 적용이 가능한 검사법이다. 뇌손상이 의심되는 경우에는 Bender-Gestalt test, Bentonvisual retension test 등이 시행될 수 있다.

(4) 진단검사의학적 평가

많은 선별검사 연구들이 이용되고 있다. 소변 아미노산 선별검사는 페닐케톤뇨증 등 식이를 통해 치료되어 질 수 있는 질환을 진단하는 데 중요한 역할을 한다.

Fragile X 증후군을 포함한 염색체 분석은 중요하며, 이때 적절한 병력과 신체검사 소견 및 이학적 검사결과의 제공은 실험실 검사가 특정 배양과 염색 방법을 사용할 수 있도록 결정하는 데 도움을 줄 것이다. 혈청 lactate, pyruvate, biocarbonate level과 최근 정맥 pH는 신생아, 특히 산성증 신생아의 대사 결점을 진단하는 데 도움이 되는 것으로 인식되어져왔다.지적장애 소아들에게 있어서 이식증 (pica)나 의미있는 납중독이 의심될 때, 납의 혈액 농도나 빈혈을 측정하는 것이 중요할 수 있다.

(5) 분자 유전학적 검사

분자 유전학과 세포유전학 기술의 발전은 지적장애와 연관된 수많은 증후군에 대한 진단의 정확성을 증가시켰다. 이런 기술은 fluorescence in situ hybridization (FISH), 다른 특정 DNA marker methods 및 DNA probe의 적용 등을 포함한다.

고해상도 banding과는 달리, 이런 새로운 분자학적 기술은 인간 유전자의 비정상적 영역을 결정할 수 있다. 즉, 특정 임상적 특징과 관련된 DNA 분자학적 변이는 유전학자들이 부모와 다른 친척들에 있어서 유사한 패턴을 찾아서 재발의 가능성에 관해 유전학적 자문을 제공해 줄 수 있게 되었다. Prader-Willi syndrome은 특정 DNA marker가 확장된 prophase banding 기술에 의해서 제자리를 찾게 된 질환의 예이다. X염색체와 연관된 지적장애인 fragile X 증후군(site Xq27.3)은 FMR1 gene의 돌연변이로 인해 X염색체 장완(long arm)의 말단에서의 위축으로 fragment의 모양이 부서져있는 것처럼 보인다. 지적장애의 가장 흔한 유전 형태 중의 하나이다.[4]

6) 치료

지적장애에 대한 최선의 치료는 예방이다.[4]

(1) 1차 예방

지적장애와 관련된 질환을 발생시키는 상황을 줄이는 과정이 이에 속한다. 방법으로는 ① 대중교육 ② 공중보선정책 향상을 위한 노력 ③ 모자보건 제공을 위한 입법 ④ 중추신경계 질환의 근절 등이 이에 속한다. 예를 들면 지적장애와 관련된 유전질환의 가족력이 있는 가계에 대한 상담, 사회경제수준이 낮은 계층에 대한 산후 관리, 보조 프로그램의 시행 등이 여기에 해당된다.

(2) 2차 예방 및 3차 예방

2차 예방은 조기발견, 조기치료로서 일단 지적장애와 관련된 질환이 확인되면 그 질환의 경과를 단축시키기 위한 치료과정이다. 3차 예방은 재활로서 후유증이나 잔류 장애를 최소화하는 치료과정을 의미한다.

a. 소아에 대한 교육

적응기술훈련, 사회성 증진훈련, 직업훈련 등 포괄적인 특수교육 프로그램이 필수적이다. 특히 의사소통과 삶의 질을 향상시키는데 초점이 맞추어져야 하며, 집단치료가 효과적일 수도 있다.

b. 행동치료, 인지치료 및 역동적 정신치료

① 행동치료: 사회적 행동을 늘리고, 공격적이고 파괴적인 행동을 줄이는 데 유용하다. 긍정적 강화와 가벼운 정도의 벌을 줄 수 있다.
② 인지치료: 지시를 따를 수 있는 정도라면 잘못된 생각을 없애거나 이완운동을 하기 위한 목적으로 사용할 수 있다.
③ 역동적 정신치료: 불안, 분노, 우울을 야기하는 요소와 관련된 갈등을 줄이기 위한 환자 및 그 가족을 대상으로 시행할 수 있다.

c. 가족에 대한 교육

가족에 대한 교육은 환자에 대한 현실적인 기대를 유지시키면서 환자의 능력과 자존심을 향상시킬 수 있는 중요한 방법 중의 한 가지가 될 수 있다. 흔히 가족들은 어느 정도로 환자의 독립을 촉진시키면서, 동시에 보호하는 환경을 마련해야 할지 판단이 어려울 경우가 많다. 이러한 문제에 대하여 지속적으로 상담 또는 가족치료를 함으로써 부모에게 도움을 줄 수 있으며, 이를 통해 부모 자신의 죄책감, 낙심, 분노 등의 감정을 표현할 수 있는 기회도 제공하게 된다.

(3) 약물치료

지능을 호전시켜 주는 약물은 없지만, 동반된 정서-행동문제를 해결해 줌으로써, 적응적인 기능상태를 현저히 개선시킬 수 있다.[13]

a. 항정신병 약물

비전형적 항정신병 약물이 가장 흔히 시도되고 있다. 위약통제연구에서도 뚜렷한 임상효과를 보인다는 것이 반복적으로 증명되었다.

b. Lithium, valproic acid 등 기분조절제

동반된 양극성 정동장애나, 공격적 행동이 심한 경우 도움이 된다. 위약으로 통제된 연구를 통하여 기분조절제가 효과적으로 공격적인 행동을 감소시켰다는 보고가 있다.

c. 항우울제

지적장애와 우울증이 동반된 경우에 항우울제가 효과가 있다. 선택적 세로토닌 재흡수 차단제 SSRI 등의 항우울제가 가장 많이 시도된다.

d. 중추신경흥분제

지적장애와 과잉운동, 주의력 결핍증, 충동적인 행동이 동반된 경우에 중추신경흥분제가 시도되었으나 결과가 일정하지 않다. 현재로서 결론을 내리기는 어려우나 ① 나이가 어린 경우 ② 지적장애의 정도가 경도 또는 중등도의 범위에 있는 경우 ③ 주의력 결핍증상 또는 충동적인 증상이 뚜력한 경우 ④ 상동적인 행동 또는 자해적인 행동이 없는 경우에는 시도해 볼만 하다.

7) 예후

대부분의 지적장애에서 지적인 기능 자체는 호전되기 어려울 수도 있다. 다만 지지적이고 좋은 환경이 제공된다면 적응수준은 향상될 수 있으며, 특히 경도 지적장애는 조기에 적절한 교육을 받으면 상당한 수준의 적응상태를 기대할 수 있으므로, 개별적 상태에 맞는 적극적인 교육-환경적 지지가 필요하다. 동반된 정신과적 장애가 있는 경우에는 예후에 악영향을 미칠 수 있으므로, 조기진단과 조기치료가 필요하다.

III. 주의력결핍 과잉행동장애(ADHD)

1. 개념 및 정의

주의력결핍 과잉행동장애(attention deficit hyperactivity disorder; 이하 ADHD)는 주의산만 · 과잉행동 · 충동성을 위주로 하면서, 12세 이전 아동기에 발병하고, 만성 경과를 밟으며, 여러 기능 영역(가정 · 학교 · 사회 등)에 지장을 초래하는 매우 중요한 질병이다.

20세기 초 공격적이고, 말 안 듣고, 지나치게 감정적인 아동들에 대해 도덕적으로 자제력 부족이 원인으로 논의되었다. 즉, 버릇이 없는 것으로 생각되었던 것이다. 하지만 미국에서 뇌염이 전국적으로 유행(1917~1918년)한 후에 살아남은 아동들에서 산만하고, 활동적이며 충동 조절 · 인지 기능의 장애가 발생하는 보고들이 여럿 있었다. 그 후 이러한 과잉행동의 원인으로 뇌염과 같은 뇌 손상뿐 아니라 출산 시 손상 · 홍역 · 납중독 · 간질 등이 보고되었다. 그리하여 1950~1960년대에는 이들을 "두뇌손상아(brain-injured child)", "미세두뇌손상(minimal brain damage)", 혹은 "미세두뇌기능장애(minimal brain dysfunction, MBD)" 등으로 불렀다.

1950년대 말부터 1960년대 초에 걸쳐 아동의 뇌손상에 의한 단일 증후군 개념에 대해 많은 비판들이 제기되어, 결국 더 이상 MBD라는 용어는 사라지고, 이 같은 불명확한 원인론에 입각한 명명보다는 관찰이 가능하고 정의할 수 있는 것에 근거하여 "난독증(dyslexia)", "언어장애(language disorders)", "학습장애(learning disabilities)", "과잉행동(hyperactivity)", "과잉행동아 증후군(hyperactive child syndrome)" 등으로 불리어졌다.

1970년대 여기에 관한 수많은 연구들이 진행되어 헤아릴 수 없을 만큼 많은 양의 논문과 수 십 권의 단행본들이 쏟아져 나왔다. 이때 주의집중력(sustained attention)과 충동조절(impulse control)이 과잉행동(hyperactivity) 보다 이 아동들의 결함을 더 잘 설명한다는 주장으로 해서 미국정신의학회에서는 1980년 진단분류편람(DSM-III)에서 이 질환을 주의력결핍장애(Attention Deficit Disorder; 이하 ADD)라고 부르게 되었고(APA, 1980), 그 후 과잉행동증도 무시할 수 없다는 반론들이 제기되어 개정되면서(DSM-III-R, DSM-IV), 주의력결핍 과잉행동장애(Attention Deficit Hyperactivity Disorder, ADHD)로 변화되었다(APA, 1987; APA, 1994). 그러나 세계보건기구(WHO)에서 제정한 국제질병분류(ICD-10)에서는 아직 과잉행동장애(Hyperkinetic Disorder)로 명명하고 있다(WHO, 1992).

즉, 산만하고 활동적인 아동들을 처음에는 단순히 버릇없이 키워져서 지재력이 부족한 아이들로

만 생각해오다가, 뇌를 다치고 난 후에 오는 것으로 생각하다가, 특별히 관찰되는 뇌 손상이 발견되지 않음에도 불구하고 유전적으로 혹은 선천적으로 나타나는 병적인 현상으로 인정되고 있지만, 아직도 의학에서 병으로 간주하는 것과는 달리 일반적으로 인식이 덜 되어 있는 실정이다.

2. 역학

1) 빈 도

미국에서는 이 질환을 매우 흔하고, 뇌 손상과 직접 관련이 없는 행동장애로 간주하는 반면, 영국을 중심으로 하는 유럽 쪽에서는 그 범위를 좁게 잡고 있다. 이러한 견해차는 질환의 빈도, 진단기준, 치료방법 등에서 많은 차이를 보여왔고, 1980년대 들어서서 그 차이를 줄이게 된다. 미국의 연구 결과를 중심으로 발생 빈도를 보면, 전체적으로 일반아동에서 2~6.3% 정도가 해당하는 것으로 알려져 있다. 최근 미국에서 한 지역의 전체 공립초등학교 전체 아동의 5.96%가 정기적으로 약물치료(주로 각성제)를 받고 있다는 보고가 있을 정도로 매우 흔하게 진단되고 치료가 매우 보편화되고 있다. 국내에서의 역학조사를 보면 서울대학교병원과 서울시소아청소년광역정신보건센터 주관으로 진행된 2006년 연구가 가장 대표적인데, Diagnostic Interview Schedule for Children-DSM-IV(DISC-IV)를 활용한 구조화된 부모면담에서 확인된 ADHD의 빈도는 초등학생에서 약 13%였고, 중학생과 고등학생에서는 7%내외였다.

남녀비는 일반인구 조사와 클리닉인구 조사가 다소 차이를 보이는데, 일반 인구의 경우 2.5:1에서 5.1:1로 조사되어 대략 3-4:1로 남자에게 흔하다. 하지만 임상군을 대상으로 한 조사에서는 2:1 내지 10:1까지도 차이가 나는데 대략 6:1 정도로 남자가 높게 나타난다. 이것은 남자에서 더 공격적이거나 반사회적인 문제 행동을 동반하여 클리닉을 방문하는 가능성이 많기 때문이 아닌가? 추정하고 있다.

그 외에 여러 가지 요인들이 이 질환의 발생 빈도에 영향을 미치는 것으로 거론되었으나, 그 가운데 성별 · 가족 역기능 · 낮은 사회경제적 수준은 별 영향을 미치지 않는 것으로 판명되었고, 건강 문제 · 발달상의 결함 · 연령 · 도시지역 거주는 영향을 미치는 것으로 알려져 있다.

2) 동반 증상

이 장애는 흔히 여러 다른 질환과 동반하거나, 혹은 증상의 일부로 나타나는 수가 많은데, 그 가운데 제일 흔하고 문제가 많은 것이 품행장애(conduct disorder) 혹은 적대적 반항장애(oppositional defiant disorder)이다. 대개 ADHD 아동의 약 40~70%에서 이들을 동반하는 것으로 보고되고 있다. 그 외에 과잉행동 증상을 보이는 질환들이 많은데 앞의 두 가지 질환 외에도 주요우울증, 양극성 장애, 뚜렛장애, 불안장애, 아동학대 등이 있다. 그밖에도 모든 학습 및 언어장애, 전반적 발달장애(자폐증), 정신지체, 조현병 등에서 과잉행동증을 동반하는 수가 많고, 여러 가지 신체 질환 중에서도 간질, 두뇌손상, 갑상선기능장애 등과 연관이 높다. 이에 대해서는 뒤에서 다시 논의할 것이다.

3. 임상 특성

1) ADHD 아동들의 특징적인 모습들

이 아동들은 흔히 아주 어려서부터 까다롭거나 활발했던 경우가 많다. 예를 들어, 밤낮이 바뀌어애를 먹였다거나 혹은 하도 '발발거리고' 돌아다녀서 수없이 넘어지고 다치고 해서 애를 먹였다고 하는 등이다. 하지만 대개 "철이 없다, 씩씩하다, 극성맞다, 남자답다" 등의 말을 들으면서 무심코 지내게 된다. 하지만 유치원이나 초등학교에 다니기 시작하면서, 단체 생활을 시작한 후에야 발견되고 주목하게 된다.

수업 중에 가만히 앉아있어야 하고, 질서나 규칙을 지키고, 비교적 긴 시간을 집중해서 공부를 해야 하는 등의 제한이 가해지는데 이런 일을 수행하는데 매우 곤란을 겪는다. 부모나 교사들이 아동의 문제를 인식하게 되는 것이 대개 이 시기이며, 부모보다는 교사들이 먼저 상담을 권유하는 수가 많다. 왜냐하면 가정에서는 증상이 심하지 않거나 혹은 두드러지지 않는 경우가 많지만, 수십 명의 단체 생활에서는 훨씬 심해지고 더 잘 눈에 띄기 때문이다.

2) 핵심 증상

앞에서 논의한 바와 같이 주의력결핍 과잉행동장애(ADHD)가 많은 개념의 변천을 거치면서 다양한 명칭으로 불려왔는데 이러한 변화와 혼란 속에서도 일련의 증상들-과잉행동, 주의집중력 저하, 주의산만, 충동성, 반항, 학습 문제, 운동 실조-은 핵심증상으로 전문가들이 공통으로 인정해왔다. 그 가운데서도 특히 과잉행동 혹은 주의산만은 아직도 핵심 증상으로 간주되고 있는데, 이는 단지 ADHD뿐 아니라, 다른 질병이나 혹은 정상적인 발달과정의 아동 및 청소년기에도 매우 중요하고 높은 빈도를 나타내는 증상이다. 영국 라이트섬(Isle of Wright) 연구에서 일반 아동의 약 30%에서 주의산만함을 보고하고 있으며, 국내에서도 홍강의와 홍경자(1985)의 조사에서 "주의집중을 못하고 산만하다"는 아동들이 전체의 50% 이상, 그 중에서 '자주/많이' 내지 '아주 자주' 산만하다고 보고된 아동이 남아의 15.1%, 여아의 7.6%에 달했다. 그 이후 아동행동조사표(CBCL)을 이용한 조사에서 "집중 못함"(문항 #8)에서 '자주 그렇다'가 남아 13.7%, 여아 9.8%로 조사되었다. 이같이 많은 아동들에서 이러한 증상이 나타나기 때문에 과잉행동을 어떻게 개념화하는가 하는 것이 문제가 되었다.

Werry (1992)는 과잉행동을 다음과 같이 3가지 관점에서 논의하였다. 첫째, 증상으로서의 과잉행동이다. 이것은 단순히 정상이나 대다수의 아동보다 운동량이 많은 것을 지칭하는 것으로, 임상적으로, 평가 척도에서 혹은 운동량 측정도구로 정의될 수 있다. 그렇지만 이것은 특정한 정신병리를 지칭하는 것이 아니고, 특수한 것이 아닌 정상아동에서도, 신체 질환에서도, 그 외에 거의 모든 정신질환이나 스트레스 상황에서 보여질 수 있다. 단순히 과잉행동을 증상으로만 사용한다면 서로 소통이나 명확함에 있어서 별 문제가 없지만 사실은 그렇지를 못하다. 특히 유럽에서 "hyperkinesis"라는 용어를 증상에 대해 많이 사용하고 있지만 반드시 그렇지도 않다. 둘째, 증후군이나 질병으로의 과잉행동이다. 이것은 앞에서 논의한 것과 같이 다양한 명칭과 개념을 거쳐 최근에 이르렀는데, 아직도 많은 의료계에 종사하지 않는 전문가, 대중 매체 종사자들, 일반인들은 이것을 질병으로 간주하는 것에 대해 회의적이거나 비판을 제기한다. 셋째, 성격 특성이나 차원으로의 과잉행동이다. 과잉행동을 종류(kind)가 다른 것이 아니라 정도(degree)의 차이로 간주하는 관점으로 과잉행동을 비정상으로 간주하는 것 자체가 자의적이라는 비판이다. 이것은 질병이나 증후군 관점과 아주 다른데, 특히 운동량을 측정하는 평가척도를 사용하는 역학조사에서 흔히 제기되었다. 그렇지만 이들의 다차원적 접근과 다양한 문제에 대한 접근으로

해서 이 같은 관점은 약화되었다. 여기서는 이 같은 매우 흔하고, 중요한 증상인 과잉행동을 증후군 혹은 질병의 관점에서 그것의 핵심 증상과 경과, 감별 진단 등을 논의하겠다.

(1) 과잉행동(hyperactivity)

1980년 발간된 DSM-III에서 일차 증상이 과잉행동에서 주의산만(inattention)으로 변했지만, 여전히 핵심 증상중의 하나로, 안절부절 · 꼬부락 거림 · 불필요한 몸 움직임 등이 흔하다. 부모들은 흔히 "항상 가만히 있지를 않는다", "마치 모터가 달린 것 같다", "지나치게 기어오른다", "가만히 앉아있지를 않는다"고 호소하며, 학교에서 자리를 벗어나 돌아다니거나, 팔다리를 가만히 두지 않고 흔들어대거나, 과제와 관계없는 다른 것을 갖고 놀거나, 다른 아이에게 말을 걸고 장난하거나, 쓸데없는 소리를 낸다. 이러한 과잉행동은 나이가 들면서 대근육운동에서 소근육운동으로, 외적 행동에서 내적 행동으로 변화한다. 따라서 학령전기 아동들에서는 나대고 돌아다니는 것과 같은 대근육 활동이 문제가 되지만 학령기가 되어 시간이 지나면 이러한 대근육 활동은 더 이상 문제가 되지 않고, 꼬무락거림, 자리에서 뒤돌아보기, 말하기, 다른 아이 집적거리기, 연필 입에 물기 등으로 변한다. 청소년기가 되면 이 같은 과잉행동은 대부분 크게 문제가 되지 않는다.

이러한 과잉행동은 낮에는 물론 심지어는 밤에 자는 동안에도 관찰되는데, 이것이 다른 질환에서 나타나는 것과 명확하게 구별되지 않는다. 최근 연구에서 환경이 변함에도 불구하고(학교, 집) 전반적으로 나타나는 과잉행동이 다른 경우에서의 과잉행동과 구별된다는 보고도 있지만 반드시 구별지어주지 못한다.

(2) 주의산만(inattention)

아동들은 주의력을 지속하는데 곤란함을 느끼거나, 혹은 무시해야하는 자극에 주의가 산만해진다. 이 증상이 일차 증상이냐 아니면 과잉행동이 일차 증상이냐 하는 것은 오랫동안 논란을 거듭해왔는데, 이들은 서로 독립적이면서도 상호보완적인 것으로 간주되고 있다. 검사실 실험에서 ADHD 아동들은 과제에 대한 지속적 주의력(sustained attention to task) 혹은 각성도(vigilance)에 결함을 갖고 있음을 보고하는데, 아동이 재미없고, 지루하고 반복적인 과제 수행(예, 혼자 하는 숙제, 자습, 심부름 등)에서 특히 두드러진다.

부모들은 흔히 "귀기울여 듣지를 않는다", "끝맺음을 잘 못한다", "쉽게 산만해진다", "잔소리를 하지 않으면 스스로 하지를 않는다", "물건을 잘 잃어버린다", "집중하지 않는다", "자꾸 지시해야만 한다", "일을 끝내지도 않고 딴 일을 벌인다" 라고 아이들을 표현한다. 이 같은 표현들은 후에 평가 척도의 문항이 되었는데, 여러 가지 직접 관찰 연구에서 놀 때 행동이나 특별히 주의력을 요하지 않는 일을 할 때도 정상 아동들과 ADHD 아동들이 구별되는 것으로 해서 이러한 결함이 행동 탈억제(behavioral disinhibition)의 문제에 대한 이차적인 것이 아니냐는 주장이 제기되고 있다.

이 같은 주의산만함은 학령전기 아동들에서는 주의 집중이 덜 요구되기 때문에 과잉행동이나 요구가 많은 것으로 간과되다가, 청소년기가 되면 두드러진다. 이것은 특히 학업 부진과 이차적인 동기 저하를 유발할 수가 있다.

(3) 충동성(impulsivity)

과잉행동은 요인 분석에 의해 주의산만과는 구별되지만 충동성과는 잘 구별되지 않는다. 주의산만함과 같이 다차원적인 성격을 갖으며, 충동성의 어떤 측면이 이 아동들에서 문제가 되는지 아직 확실치 않다. Kindlon 등(1995)은 충동성을 크게 두 가지 측면-동기차원(motivational domain)과 인지차원(cognitive domain)으로 나누고 있다. 전자는 처벌에 대한 민감도와 보상에 대한 무관심, 수동적 회피 학습, 만족 지연의 요소를 내포하고, 후자는 억제적 조절과 그 외의 일반적 처리과정의 결함을 포함한다. 임상적으로는 지시를 끝까지 기다리지 않고 재빨리 반응하는 것으로 나타나는데, 대개 부주의한 실수를 초래하는 수가 많다. 또 경우에 따라서는 부정적인, 파괴적인, 혹은 위험한 결과를 초래할 수도 있고, 자주 불필요한 위험한 행동을 하기도 한다. 결과적으로 잘 다치거나, 물건을 잘 망가뜨리고, 게임에서 차례를 기다리거나 하는데서 문제를 일으킨다.

앞에서도 논의했지만 Barkley (1990)는 ADHD의 가장 중요한 증상으로 오히려, 행동의 탈억제 혹은 행동의 조절과 억제 곤란을 꼽고 있으며 그 이유로 다음과 같은 증거들을 제시하고 있다. 첫째, ADHD 군과 다른 임상군 및 정상군을 주의산만함으로 명확하게 구분할 수 없다는 점, 둘째로 ADHD의 3가지 증상에 대한 객관적 측정에서 ADHD 군과 비 ADHD 군을 구별하는 가장 좋은 것은 충동적 실수(각성도 검사에서)와 지나친 활동수준이라는 점, 셋째로 DSM-III-R(APA, 1987)의 ADHD 진단 기준에 관한 14가지 행동 중 탈억제의 특성을 나타내는 증상들이 임상군과 정상군을 구별하는데 가장 좋다는 연구 결과 등이다. 그는 주의산만함 보다는 오히려 행동적 탈억제가 가장 핵심이 되는 증상으로 보고, 충동성 중에서도 동기차원을 강조하였다. 그렇지만 아직 이것은 좀 더 많은 논의를 거쳐야할 것이고, 이러한 충동성은 아동의 연령이 증가하면서 다른 어떤 것보다 학습에서나 사회적으로 문제를 더 일으킨다.

(4) 그 외의 증상들

① 인지 발달 및 학업수행

ADHD 아동들은 정상아동이나 자기 형제들보다 지적발달이 뒤지는 것으로 알려져 있으며, 표준화된 지능검사에서 대조군에 비해 평균 7~15점 낮다고 보고된다. 그렇지만 이것이 검사 받는 행동(주의산만함으로 해서 수행이 저하되기 때문에)에서의 차이인지 혹은 실제 지능 차를 나타내는 것인지는 확실하지 않다. 또한 가능성이 이 아동들에서 흔히 동반하는 학습 곤란에서 기인할 수도 있다. 후에 진단에서도 논의하겠지만 웩슬러지능검사 상 소위 "주의산만성 요인(산수, 숫자, 기호쓰기; A-C-D)" 이 저하된다고 하여 연구가 진행되었고 국내에서도 신민섭 등(1990)이 비슷한 결과를 보고하기도 했지만, 그 후 홍강의 등(1996)의 연구나 그 외 다른 결과들에서 두드러진 특성을 관찰하기가 어렵다고 하였다. 또한 홍강의 등(1996)은 주의산만함을 주소로 한 다양한 임상군을 비교하면서 오히려 외향적 장애군(반항장애, 품행장애)이 ADHD 군에 비해 지능 및 소검사(특히 상식)에서 저하되었고, 내향적 장애군(우울 및 불안장애)은 차이가 없었다고 하였다. 그 외에 공존질병을 동반한 ADHD 군이 순수한 ADHD 군에 비해 지능지수가 낮았고, 특히 동작성에서 10점 정도의 차이를 보고하고 있다.

학업 성취는 Barkley (1990)는 자신의 클리닉을 방문하는 모든 아동이 학업 상 결함을 갖는다고 하였지만, 이것이 실제 임상적으로 많은 문제를 가져오는 것은 약 40% 정도로 추정하고 있다. 김미경 등(1996)은 학습수행평가척도를 이용하여 ADHD 아동의 46%가 학습 상 상당한 곤란을 겪는 것으로 보고하였다.

② 학습장애

학습장애를 얼마나 동반하는가? 여부는 연구자에 따라 10% 정도에서부터 50% 내외, 90% 이상으로 그 비율이 매우 다양하다. 이 차이를 극복하기 위하여 최근 학습장애를 진단하는 기준으로 전통적으로 사용해오던 능력-성취 차이(ability-achievement discrepancy)의 개념(지능지수와 성취도 검사치 간의 차이, 15점 혹은 1 표준편차 등)에 덧붙여, 성취도 절단점 방법(achievement cutoff score: 성취도검사에서 1.5 표준편차 이하), 복합계산법(combined formula: 성취도 검사에서 7 퍼센타일 이하 및 지능과 성취도의 유의미한 차이를 모두 충족시킴)이 이용되고 있다. 전통적인 방법으로는 학습장애의 비율이 일반인구에서 너무 많이 잡히는 단점이 있어왔다. 이 같은 개선된 방법으로 약 20% 내외의 학습장애를 동반하는 것으로 보고된다.

최근 Biederman 등(1992)은 3가지 방법 - 전체지능지수에 비해 성취검사에서 읽기와 산술계산이 10점 이상의 차이(방법 1), 20점 이상의 차이(방법 2), 성취검사에서 읽기 및 산술 계산 85점이하와 전체지능에 비해 15점 이상의 차이(방법 3) - 을 ADHD 군, 기타 정신과 임상군, 정상 대조군에서 비교하였다. 그 결과 방법 1에서는 학습장애가 각각 38%, 43%, 8%, 방법 2에서는 23%, 10%, 2%, 방법 3에서는 15%, 3%, 0%로 조사되었다고 하면서 그 동안 많은 문헌들에서 방법 1을 주로 사용하였는데 이것이 너무 지나치게 많은 학습장애를 동반하는 것으로 보고하고 있다고 비판하면서 방법 2가 유용하다고 주장하였다.

③ 언어발달

ADHD 아동들에서 심각한 언어지연은 발견되지 않는다. 그렇지만 일반 지역사회 연구에서 과거력 상 정상아동들에 비해 일반적으로 언어발달의 지연이 높게 보고되고 있다(6% vs 35%, 2% vs 5.5%). 이 같은 언어발달의 지연 외에도 10~54%에 이르는 다양한 정도(대조군 2~25%)로 표현언어에 문제를 더 많이 갖는 것을 보고한다. 김미경 등(1996)은 ADHD 임상군에서 39%가 언어문제를 갖는 것으로 보고하면서, 특히 그 같은 소견을 뒷받침하는 것으로 지각-언어검사에서 다른 하위척도와 달리 특히 청각기억이 64.3%의 높은 비율로 결함을 보이고 있다. 이 하위척도는 후에 시각 운동, 시각 구성 하위척도와 함께 언어 표현은 물론 읽기 학습능력과도 관련이 높은 것으로 추정된다.

④ 기억력 및 실행능력

안동현 등(1992)은 단기시각기억수행(visual memory task, VMT), 청각기억수행(auditory memory test, AMT)을 그의 연구 속에 포함시켜 조사하면서 단기기억수행은 약물 투여에도 별 변화가 없을 뿐 더러, 검사가 단순하고 지각탐색이 덜 요구되는 난이도가 떨어지는 과제로 그 효용성이 떨어진다고 하였다. 청각기억수행검사 중 1, 2, 3차 시행은 단기기억인데 비해, 4차 시행은 지연된 기억으로 학습과 상당히 밀접한 연관을 갖는 것으로 논의하면서 기억력 자체보다 언어학습과 관련 있는 수행에서의 차이로 추정하였다.

주의집중력에 있어서도 안동현 등(1992)은 연속수행검사에서 3가지 과제-한글철자과제, 카드과제, 모호한 숫자과제-중에서 첫 번째 한글철자과제와 달리 나머지 2과제에서 더 뚜렷한 약물 효과를 관찰할 수 있었는데, 이것은 Douglas (1983)의 주장을 뒷받침하는 것이라고 할 수 있다. 즉, ADHD 의 주된 정신병리를 파악하기 위해서는 단순한 자극에 의한 과제보다 복잡한 지각 탐색을 요하는 과제가 더 유용하다. 이것은 이들의 실행능력의 차이를 시사한다고 보여진다.

⑤ 신체 및 신경학적 이상들

다음과 같은 많은 문제들이 관련이 있는 것으로 제기되어 왔다.

i. 청각(hearing) - 중이염 등 귀와 관련된 염증이 높다는 보고도 있지만 특별히 뚜렷한 청각의 이상은 보고되지 않는다.
ii. 시각(vision) - 사시(strabismus)를 포함한 시력의 문제가 제기되었다. 그렇지만 아직 뚜렷한 관련성은 아직 확인된 바 없다.
iii. 대근육운동 발달(gross motor) - 기기, 걷기 등 대근육운동발달의 지연은 뚜렷하지 않다.
iv. 운동조절기능(motor coordination) - 일부 보고가 있으며, 특히 미로 찾기나 판꽂기과제(pegboard tasks)와 같은 미세운동 조절기능에서 결함이 보고되고 있다. 특히 이것은 소위 "과흐름 운동(motor overflow movements)"이라고 하여 어떤 특정한 근육을 움직이도록 지시했을 때(예: 손가락 구부리기; finger flexion), 손가락 톡톡치기(toe tapping 등) 불필요한 연관 운동이 일어난다. 이것과 관련하여 ADHD 아동들은 대부분 글씨 쓰기와 필기에서 아주 곤란함을 겪는 것으로 악명이 높다.
v. 경한 신체 이상(minor physical anomalies) - 일부 연구에서 이러한 것들을 보고하기도 하지만, 이러한 소견과 과잉행동과의 연관에 대해서는 별로 알려진 바가 없다.
vi. 모성 건강과 출산전후의 문제들 - 임신중독증, 과숙, preeclampsia, fetal distress 등이 제기되기도 하였으나 아직 확인되지 않았다.
vii. 신체 건강 - 영아기 때 잦은 질병, 잦은 상기도 감염, 알레르기, 천식 등이 제기되었고, 국내에서도 연구가 있었지만 아직 확실하지 않다.
viii. 야뇨증 - 일부에서 약 2배 정도로 많이 보고하기도 하였지만 확실하지 않다.
ix. 수면 문제 - 일부에서 잠들기 어렵다(56% vs 23%), 자주 깬다(39%), 깨서 피곤해한다(55% vs 27%) 등을 보고한다. 그 외에 영아기에 더 많은 수면 문제를 보고한다(52% vs 21%). 김미경등(1996)은 39%에서 수면문제를 보고하였다.
x. 김미경 등(1996)은 그 외에 만 3세 이전에 과잉행동(92%), 발달 과거력 상 다소 지연(89%), 식사 문제(46%) 등을 보고하였다.

⑥ 정서 및 품행 문제

일반적으로 외래 ADHD 환자군에서는 30~50%, 입원환자의 40~70%에서 공존질병이 있다고 추정된다는 주장에서와 같이 ADHD 아동에서 공존질병을 갖는 것은 매우 흔한 것으로 보고되고 있다. 신윤오 등(1993)은 소아정신과에 입원중인 ADHD 환자군에서 평균 2.7개의 공존질병을 갖는다고 보고하였으며, 홍강의 등(1996)은 외래 ADHD 환자군의 48.8% 가 공존질병을 갖는다고 하였다. 그들은 그 빈도를 순서대로 특정발달장애(11.6%), 품행장애(9.3%), 반항장애(7%), 불안장애(7%), 유뇨증(4.7%), 정신지체(4.7%) 등의 순서로 제시하였다. 김미경 등(1996)은 전체 26명의 대상 아동 중 반항장애(23%), 품행장애(8%), 분리불안 및 과잉불안장애(16%) 등이 동반되었음을 보고하였다. 그 외에 이경숙 등(1996)은 총 42명중 22명(52.4%)이 반항 및 품행장애를 동반하는 것으로 보고하였다.

이 부분은 여기에서 다루기에는 너무 광범위한 주제이기 때문에 여기에서는 이상으로 논의를 제한하고, 다음과 같은 제안을 한다. ADHD는 다양한 공존 질병을 갖는 복합적인 질병이다. 따라서 치료전략을 세우는데 있어서 그들이 동반하고 있는 증상 혹은 질병에 따라 다양한 전략이 요구되며, 진단적으로도 다양한 측면의 세밀한 평가를 통해 문제 영역 중심의 개별적인 접근이 요구된다. 이같이 공존질병 혹은 증상의 동반 여부는 진단 및 평가, 치료 전략의 수립, 교육 계획의 수립 등에 있어서 필수적인 고려사항임을 강조한다.

4. 진단 및 감별진단

1) 진단에서 발달학적 요소의 고려

DSM-III-R (1987), DSM-IV (1994)와 DSM-5 (2013) 에서 일부 고려가 되기는 하였지만, 아직 충분히 반영되지 못했는데 ADHD의 진단 기준과 그 평가에서 아동들의 발달 요소들이 신중하게 고려되어야 한다. 먼저 어떤 방법으로 평가할 것인지를 생각해야 되는데, 자기보고형 평가는 ADHD 청소년에서는 매우 유용할 수 있지만, 학령전기 아동들에게서는 얻기도 어렵고 그 유용성이 매우 낮다. 5세 이전의 아동들에서 ADHD 진단을 내리기 위한 DSM-III-R(1987) 진단 기준을 보면 14개의 증상 중 8개 이상 해당이라는 기준이 비교적 넓게 포함될 수 있어 오히려 그 기준이 10개 이상으로 높이고, 청소년에게는 6개 이하로 줄여야 된다는 주장들도 있다. 따라서 이러한 진단의 어려움으로 인해 평가에 사용되는 도구들은 시간 경과에도 불구하고 적용할 수 있어야 하고, 검사-재검사 신뢰도가 높아야 하고, 발달 규준도 포함하여야 한다. 발달 요소들도 평가에서 심각하게 고려해야 한다.

학령전기에서, 우선 ADHD 평가에 사용되는 대부분의 평가 도구에 학령전기에 대한 규준이 부족하다. 따라서 이들을 표준화된 도구로 규준에 맞추어 평가하는 것은 대단히 어려운 일이므로, 실제는 발달학적 관점에서 간접적이거나 임상적인 판단에 의존하는 수가 많다. 학령전기 아동들이 접하는 환경은 비교적 덜 구조화되어 있으며, 초등학교와 같이 지시를 따르는 것에 대한 곤란함이 뚜렷하지 않다. 그렇지만 집에서 부모들은 자조기술에 대해 아동들과 일상생활에서 늘 문제를 일으키는 수가 많다. 이러한 특성으로 해서, 일상생활에서의 갈등이나 또래들과 잘 싸우거나 미숙함으로 인해서 생기는 문제는 부모들이 잘 발견하는데 비해, 교사들은 잘 발견하지 못하는 경우가 있다. 흔히 이러한 문제로 인해서 생기는 것들을 단지 행동이나 사회성이 미숙하다고 간주하여 유치원을 늦게 보내거나 혹은 다시 같은 수준을 반복하는 것으로 해결하려고 하는 수도 많은데, 만일 이것이 ADHD에서 기인하는 것이라면 그러한 것들은 소용이 없어진다.

학령기가 되면 유치원 과정에서 비교적 허용되었던 것들이 더 이상 용납되지 않기 때문에 문제를 일으킨다. 특히 이때는 규칙을 따라야하고, 개개인보다는 집단에 맞추어야 하기 때문에 특히 규칙을 준수하는 행동(rule-governed behavior)에서 곤란함을 겪게 된다. 따라서 왜 지금 이러한 문제가 생기게 되었는가를 이해하기 위해서는 전반적인 발달력을 자세히 조사하는 것이 필요하다. 문제가 쉬는 시간 같은 때 일어나는 정도로 경할 수도 있고 주어진 과제를 제대로 끝내지 못할 정도로 두드러질 수도 있는데, 머리가 좋은 아동은 보통 3학년 정도까지는 큰 문제가 생기지 않을 수도 있다. 그렇지만 보통 4학년 경부터 단순한 과제에서 더 높은 단계로 이행되며, 독립적인 작업이 늘기 때문에 이때는 곤란함이 커질 수 있다. 그밖에 체육을 하거나 할 때, 차례를 지키지 않거나, 지시를 잘 따르지 않고 장난하거나, 주의 산만하여 지적을 많이 받고, 경우에 따라 시각-운동 혹은 운동조절 능력의 곤란으로 인해 체육 시간에 곤란함을 겪는 수가 많다. 그 외에도 이때 또래 관계에서 문제를 일으키기도 하고, 자긍심(self-esteem)이나 사회적 자신감(social competence)에서 손상을 받는 경우가 많다. 따라서 이 발달 단계의 아동들에서 이러한 영역의 평가가 중요하다.

청소년기에 이르러서도 여전히 많은 ADHD 아동들은 학교, 가정, 사회 적응에 곤란을 겪는다. 특히 이때는 학업보다도 책임감 없이 하는 행동들, 제대로 일을 끝내지 못하는 것, 지시나 규칙에 잘 따르지 않는 것 등으로 인해서 가족들과 갈등을 갖는다. 종종 대근육 활동 대신에 이차적인 안절부절함으로 대치되기도 한다. 그렇지만 청소년들은 인지 능력의 발달로 인해 자기 스스로 자기의 곤란함을 충분히 표현할 수 있기 때문에 앞 단계들과 달리 직접 면담이나 자기보고형 측정으로 정보를 제공받을 수 있다.

2) 진단 과정

주의력결핍 과잉행동장애(ADHD)는 소아정신과 영역에서 가장 중요한 질병으로, 외래를 찾아오는 환자의 상당수를 차지하는데, 이들을 정확하게 평가하는 과정은 진단뿐 아니라 치료에서도 매우 중요하다. 이들을 치료하는데 있어 다른 중복장애아와 같은 다차원적, 다학제적 접근이 필요한데, 평가에 있어서도 마찬가지이다. Barkley (1990)는 평가에 있어서 소아정신과 영역의 다른 질병과 마찬가지로 생물적, 심리적, 사회적 요소의 상호작용하에서 평가할 것을 제안하였는데 그의 제안에 따라 간략히 살펴보면 다음과 같다.

먼저 생물적 요인에서는 아동의 신체 상태, 유전적 소인, 그 외에 수많은 위험 요소들로 거론된 것들을 평가하는 것이 필요하다. 이 같은 위험 요소들 중에 임신 중의 어머니의 알코올 남용으로 인한 알코올 태아 증후군(fetal alcohol syndrome)의 예를 들 수 있는데, 이 증후군에서 과잉행동과 함께 정신 지체, 학습 곤란 등이 동반된다. 그 외에 여러 가지 환경에서 유래하는 독성 물질(예: 납)과의 관련에 대해서도 논의되고 있다. 최근에 중추신경계의 기능, 그 중에서도 대뇌영상검사에서 대뇌 혈류량의 감소나 신경심리검사에서 전두엽 기능의 저하 등이 거론되고 있어 연구가 활발히 진행되고 있지만 대개 일상적인 평가에는 포함되지 않는다. 또한 안동현(1994)의 연구에서 제안하듯이 갑상선 기능검사를 일반 평가에 포함시킬 것인지 여부도 계속 논란거리이다. 그 외에 소위 "경한 신경학적 증후(soft neurological sign)"와 경한 신체적 이상(minor physical anomalies)들도 ADHD와 관련이 많은 것으로 거론되고 있지만 진단에 필수적이거나, 일반적인 평가 과정에 반드시 포함되지는 않는다.

두 번째는 인지/신경심리적 요인으로 아동의 신경심리학적 및 중추신경계의 발달학적 능력을 평가하는 것이 필요하다. 실행 능력(executive process), 규칙에 따르는 행동(rule-governed behavior), 행동 억제(behavioral inhibition)에서의 결함이 ADHD의 핵심적인 것이다. 그렇지만 ADHD 아동들이 과제나 상황에 따라 많이 달라지기 때문에, 아동이 과제를 성취하는지 여부뿐만 아니라, 다른 요소들 - 문제 해결 방식, 과제에 접근하는 방법, 전략을 수립하는 능력과 전략을 행동으로 옮기는 능력, 집중력을 유지하거나 혹은 과제를 피하는 보상 행위 등 - 도 파악해야 한다. 그 외에 아동이 보이는 과제 선호도, 기질이나 기분 상태, 오전에 혹은 오후에 더 잘 수행하는지 여부 등도 고려해야 한다. 이 같은 요소들은 평가에 있어서 서로 일치하는 자료들을 해석하는 데도 도움을 주지만, 치료에 더 많은 정보를 제공할 수 있다. 이러한 요소 외에 또 중요한 것이 아동의 인지능력이다. 아동이 평균이상의 지적 능력을 가진 경우에는 그렇지 못한 아동들보다 훨씬 좋은 예후를 갖는다. 이러한 일반적인 인지능력 외에도 일부의

ADHD 아동들은 읽기, 쓰기, 산술 계산과 같은 학습 기술(academic skill)의 결함을 갖는 수가 있다. 따라서 이러한 학습 기술과 같은 인지능력의 평가도 포함되어야 한다. 마지막으로 품행 문제나 공격성과 같은 심리적인 요소들의 평가도 포함되어야 한다.

세 번째는 사회적 요소로서 Barkley (1990)는 이것을 다시 3가지 - 행동 및 환경 요소, 사회 및 가족 요소, 사회경제 및 정치적 요소 - 로 구분하였지만 여기서는 한데 묶어서 논의한다. 교사가 수업을 어떤 형태로 구조화하는가? 하는 여부가 ADHD 아동의 상태나 증상을 많이 변화시키기도 한다. 예를 들면 열린 혹은 몬테소리 형태의 교육과 같이 기대나 요구가 덜 명확하거나 한가지에서 다른 것으로의 이행이 명확하지 않을 때, 아동들은 종종 곤란함을 겪는다. 이러한 요소들 외에도 학습 공간, 안락함, 주의분산도, 소음, 학생-교사 비율과 같은 물리적 환경이 모든 아동들의 수행에 영향을 미치지만 ADHD 아동들에게서는 더욱 민감하게 작용한다. 이 같은 환경 요소 외에도 교사, 부모, 또래들과의 사회적 상호작용(social interaction)에 관한 평가도 이루어져야 한다. 이들이 또래로부터 부정적 평가가 많다는 보고들, 또래들과 어울리지만 비효율적인 방법으로 수행된다는 보고들이 뒷받침하듯이 이들의 평가에서 여러 사회적 환경 요소에 관한 평가가 포함되어야 한다. 다음에 중요한 것이 부모와 형제들간의 심리적 관계, 정신의학적 문제 여부, 부모의 결혼 만족도 여부, 스트레스 여부와 정도 등 가족 기능을 포함한 사회적 요소들이 평가되어야 한다. 애를 들면 ADHD와 품행장애(conduct disorder; 이하 CD)를 모두 갖는 아동의 가족에서 우울증, 알코올중독, 품행 문제, 과잉행동이 더 많이 발견된다는 보고들이 있는데, 결국 이것은 치료에서도 중요한 의미를 갖는다. 만일 이러한 문제들이 동반된 경우에는 특히 부모 교육과 같은 치료가 덧붙여질 필요가 있다. 마지막으로 사회경제적 요소들로 부모의 교육 수준, 직업, 경제 상태 등이 영향을 미칠 수 있고, 그 외에 문화, 인종, 종교 배경 등도 영향을 미칠 수 있다. 이러한 배경에 따라 아동의 행동이나 학습 문제를 심각하게 받아들일 수도 있고, 혹은 치료를 할 문제로 받아들일 수도 있다. 그렇지만 ADHD에 관해서 이 같은 면에 있어서의 연구는 아직 활발하지 못하다.

5. 치료

1) 치료의 원칙

이들의 치료는 크게 3가지 방법이 협력하여야 한다. 즉 중복장애아동과 같은 원칙에서 교육적 대책, 인지-행동적 치료, 및 약물치료가 상호보완적으로 필요하다.

이 같은 치료가 이루어지는 첫 단계로 우선 진단을 확실하게 하는 것이 매우 중요하다. 그런 후에 이 진단이 뜻하는 바가 무엇인가? 하는 것과 앞으로 어떻게 해 나가야할 것인가? 를 설명해 준다. 일반적으로 증상이 경하거나 주변(가정, 학교, 사회)과의 문제가 심각하지 않을 때는 약물치료 없이 환경조절이나 부모상담, 행동수정방법 등을 우선적으로 시행한다. 그러나 대개 임상에서는 문제가 비교적 중한 경우가 많기 때문에 약물치료가 우선적인 수가 많다. 이때는 부모와 아동에게 약물치료를 충분히 받아들일 수 있도록 설명하고, 장기간 사용해야 한다는 것도 미리 알려준다. 그리고 정기적으로 치료 효과 및 약물의 부작용 여부를 평가한다.

2) 약물치료(drug therapy)

(1) 일반적 사항

부모나 교사들에게 이들에게 약을 투여하여 치료를 한다고 하면 의아해하거나 반대부터 하는 수가 많다. 하지만 이 아동들의 약 70~80% 정도에서 매우 효과가 있다. 그러다 보니 앞에서 이미 언급했지만 미국의 경우, 비록 한 지역(Baltimore County)이지만 그 지역 공립초등학교 전체 학생의 약 6%가 약물치료를 받고 있다는 놀라운 보고가 있다. 국내에는 아직 정확한 통계가 없지만 점차 그 사용량이 늘고 있는 것은 분명하다.

여러가지 약제가 처방되지만 가장 효과적인 것은 중추신경자극제(각성제)로 암페타민(d-amphetamine), 메칠페니데이트(methylphenidate), 페몰린(pemoline)이 있다. 이 가운데 국내에는 뒤의 두 가지만이 처방되고 있다. 그 외에 삼환계항우울제(tricyclic antidepressants: imipramine, desipramine), 클로니딘(clonidine), 구아확신(Guafacine) 등이 이차 선택약물로 사용된다. 이 약은 일반적으로 알려진 신경정신과에서 사용하는 것과 달리 졸리움이나 습관성이 없고, 매우 안전한 것으로 알려져 있다.

치료 시작 전에 약물의 효과와 한계에 대해 설명해주고, 반드시 적절한 교육 혹은 행동수정 프로그램이 배려된 후에 투여하도록 한다. 가장 많이 사용되는 메칠페니데이트(MPH)를 예를 들면 초기에 체중 1 kg 당 0.3 mg을 1일 1회 아침 식사 전후에 사용한다. 이렇게 사용하여 2주간 증상 호전이 없으면, 용량을 초기 투여량의 2배인 0.6~0.8 mg/kg/day로 양을 늘린다. 다시 2주간 호전이 없으면 약물을 바꾸거나, 가능하면 아동을 다시 평가, 진단한다. 약물투여는 대개 학년말까지 지속하고, 주말이나 방학은 중지하고, 새 학년이 되면 4~6주간 약물치료가 다시 필요한지 여부를 재평가한다. 아동이 틱이나 뚜렛 장애를 갖거나 가족력이 있을 경우 증상을 악화시킬 수 있기 때문에 약물 선택에 조심하고, 지속적으로 투여할 경우 성장 억제가 있을 수 있으므로 정기적으로 체중 · 신장, 그 외에 혈압 등을 측정해야 한다.

(2) 약물의 효과

각성제를 포함한 약물의 효과, 특히 단기간의 효과에 대해서는 논란의 여지가 없이 일치되어 왔다. 최근 미국 5개 지역에서 시행된 각 치료 방법의 비교 연구에서도 약물 치료의 효과는 탁월한 것으로 입증되었다. 하지만 이것도 14개월간의 추적 기간에 대한 효과이기 때문에 장기간의 약물 효과에 대해서는 아직 논란이 있다. 하지만 단기간의 약물 효과는 광범위하게 여러 영역에 걸쳐 효과를 나타낸다(표 25-3).

(3) 약물 부작용

① 일반 사항들: 각성제들에서는 부작용이 대개 비슷하고, 대개 용량과 관계 있다. 부작용은 청소년이나 성인에 비해 소아들은 덜 민감하다. 약 20%에서 행동상의 부작용이 관찰된다. 일반적인 부작용으로 수면 장애, 식욕 부진, 오심, 복통, 두통, 목마름, 구토, 감정 변화, 자극민감성, 슬픈 모습, 울음, 빈맥, 혈압 변화 등이 있지만 심혈관계 작용을 제외한 나머지는 수 주안에 대개 감소한다.

② 성장 지연(체중, 신장의 감소): Safer 등(1972)의 보고 이후 이에 대한 논란이 많이 있어왔다. Mattes & Gittelman (1983)은 4년 간 추적에서 성장 지연을 보고하는 등, 초기에 여러 보고들이 있어왔지만 최근에 Vincent 등(1990)은 6년간의 주적에서 차이를 발견하지 못했다. 따라서 정기적으로 체중 및 신장을 검진하여 표준 성장 곡선에서 지연이 있는지

표 25-3 각성제의 단기간 약물 효과

A. 행동에 대한 변화
1. 활동의 감소를 초래한다.
2. 교실에서 소리 내고, 떠들고, 시끄럽게 하는 것이 줄어든다.
3. 글씨 쓰기가 호전되기도 한다.
B. 인지 기능에 대한 효과
1. 과제 수행에 호전을 보이는데, 지속적 주의력·주의산만도·충동성·단기 기억 등을 포함한다.
2. 아동이 흔히 사용하는 인지 전략을 촉진시킨다.
3. 지루한 과제에 대한 동기를 강화시킬 뿐 아니라, 수행의 저하를 방지하기도 한다.
4. 학업 성취도에도 영향을 미쳐 산수에서 실수를 줄이고, 빼먹는 것을 줄인다.
5. 읽기·독해·철자에서도 호전되며, 앉아있는 시간을 늘여준다.
C. 대인관계수행에서의 효과
1. 쉬는 시간에도 행동을 차분하게 해준다.
2. 성인의 지시에 따르는 순응도도 증가하고, 행동의 강도를 저하시킨다.
3. 아동에서 나타나는 반항과 공격성을 감소시킬 뿐 아니라, 부모나 교사에게 보다 긍정적으로 대하게 된다
4. 약물 치료 단독으로만 이루어지는 것은 아니지만, 사회적 기능에도 많은 호전을 가져온다.

여부를 면밀히 검토하지만 크게 염려할 문제는 아니라고 생각한다.

③ 정신분열 증상: 기존의 정신병 증상의 악화나 정신분열 증상이 나타날 수 있다. 그러므로 이 같은 위험 요소가 예상될 때는 투여하지 않아야 하고, 만일 증상 발현이 있으면 즉시 투약을 중지한다. 중지 후 증상은 곧바로 소실하기 때문에 별도의 치료는 필요치 않는다.

④ 남용의 위험성: 현재는 없다고 알려져 있지만, 가족 등에서 남용의 위험성이 있다. 특히 암페타민을 처방할 경우, 남용의 가능성이 있기 때문에 가족 상황이나 주변 인물들을 고려하여 처방한다.

⑤ 반동 효과(rebound effects): MPH 투여 후 5시간 정도가 지나면 나타나기 시작할 수 있다. 증상으로는 흥분 · 말 많아짐 · 과활동 · 수면장애 · 속쓰림 · 가벼운 오심 등이다.

⑥ 내성: 내성은 드물다, 민일 일어난다면 1~2년에 걸쳐 서서히 진전된다. 만일 내성이 일어난다면, 다른 약제로 대치하고, 교차-내성(cross-tolerance)은 생기지 않는 것으로 알려져 있다. 일부에서 각성제의 효능이 연령 증가에 따라 감소한다고 주장하기도 한다.

3) 약물치료 이외의 방법들 (Non-pharmacological therapies)

약물 치료가 매우 탁월함에도 불구하고, 다음과 같은 이유로 인하여 심리-사회치료의 필요성이 대두된다.

즉, 첫째, 약물치료 효과의 제한으로 심리-사회적 치료가 필요하다. 1) ADHD 아동의 20~30%에서 약물 치료의 효과가 제한을 받는다. 2) 또한 일부 아동들은 효과는 뚜렷하지만 틱 발생이나 식욕 저하 등의 일부 약물 부작용으로 그 사용이 제한되는 수가 있다. 3) 그리고 약물을 사용하더라도 약물 효과가 떨어지는 오후, 주말이나 방학, 혹은 약물 투여 후에 일어나는 문제들을 대처하기 위한 방법들이 필요하게 된다.

둘째, ADHD 속성에 의한 문제들로 이러한 치료들이 필요하게 된다. 1) 부모나 교사들이 약물 이외의 방법에 의한 치료를 요구하는 수가 많다. 따라서 약물 치료를 하면서 순응도를 높이기 위해 이러한 방법이 병행되는 수가 많다. 2) ADHD에 동반된 문제 행동들, 예를 들면 학습 결손이 심각하다든지 혹은 자긍심이 저하되어 있다든지 하는 것은 약물 치료에 의해 호전을 기대하기 어렵다. 3) 부모-자녀, 형제, 교사 및 또래관계 자체가 약에 의해 호전되지는 않는다. 이러한 필요성에 의해 약물 치료에 병행해서 혹은 단독으로 심리-사회적 치료가 이 아동들의 치료에서 유용하다.

(1) 부모 및 가족 상담 (parental counseling & family therapy)

ADHD 아동을 치료하는데, 부모를 대상으로 접근하는 방식이다. 앞에서 언급한 것과 같이 ADHD의 특성으로 인해 가정 내에서 부모들이 겪는 어려움이 보다 심각한 문제로 인식되면서, 사회학습이론에 근거한 부모행동수정훈련 프로그램들이 비순종, 반항, 공격적 아동들을 대상으로 개발되었다. 지금까지 보고된 바에 의하면, 부모 훈련을 통해 ADHD의 핵심 증상에 대한 호전은 다소 논란이 있지만, 비행 및 공격성을 비롯한 이차적인 증상들을 임상적으로 유의미하게 감소시켜 주었으며, 무엇보다도 아동의 가정내 비순종 행동을 현저하게 개선시켜 부모와의 갈등을 감소, 긍정적인 상호작용을 촉진할 수 있었다.

부모 상담에서 이들에게 우선 한두가지 목표 행동에 관심을 두도록 하고, 이때 완벽하기보다 현실적이고 실현 가능한 목표를 설정하도록 하며, 아동과 대화할 때 가능한 듣도록 한다. 비판과 칭찬을 적절히 균형 맞추고, 일관성 있는 태도를 견지하고, 아동이 일상생활에서 성공을 이룩하도록 격려하도록 한다. 이같이 부모나 가족 상담에서 아동을 지지할 수 있도록 한다.

부모 훈련에서는 부모들에게 또래관계의 중요성을 인식시켜 아동의 사회 기능을 호전시키도록 한다. 구체적인 내용으로 아동의 적절한 행동을 긍정적으로 강화하는 것, 일부 행동에 대해 무시하기, 분명하고 효과적인 지시하기, 토큰 경제나 포커 칩을 이용한 행동수정방법, 타임-아웃과 같은 처벌 방법을 효과적으로 사용하기 등을 훈련에 포함시킨다. 이러한 부모 상담 혹은 부모 훈련은 약물 치료와 병합하여 매우 훌륭한 효과를 가지는데, 특히 ADHD 아동의 가정내 생활, 부모-자녀 관계, 부모의 유능감을 호전시킨다. 효과는 연령이 높은 아동보다는 초등학교 저학년 이하의 비교적 낮은 연령군일수록, 강의식보다는 부모가 적극적으로 참여할수록 더 효과가 높다.

(2) 교육적 방법(educational intervention)

많은 아동들이 학습장애 내지 학습 부진을 동반하고, 이들이 병원을 찾는 가장 흔한 이유이기도 하다. 또한 아동들이 학교에서 보내는 시간이 많기 때문에 이에 대한 이해가 중요하다.

학교에서 교사들이 사용할 수 있는 행동치료적 접근으로 토큰 경제법, 수업 규칙, 긍정적 행동에 대해 관심주기, 타임-아웃, 반응 대가법 적용 등이 있다. 교사는 이러한 치료적 접근에서 강화물로 칭찬과 같은 긍정적 인지, 스티커 붙여주기, 알림장에 적어주기 혹은 일상기록지(daily report cards) 사용 등이 있다. 그 외에 교사들이 사용할 수 있는 것으로 개별지도, 학습 진도나 난이도의 변경, 학급 혹은 자리 재배치 등이 있다. 미국에서는 법으로 ADHD를 규정하여 모든 학교에서 이 아동들에 대해 특별한 관심을 기울여 교육시킬 것을 강조하고 있지만, 아직 국내에서는 별 관심을 기울이지 못하고 있다.

(3) 인지-행동요법 (cognitive-behavioral therapy)

증상이 심하지 않거나 약물치료를 수용하지 않을 때 시행하는 수가 많고, 단독으로보다는 약물치료에 수반해서 시행하는 수가 많다. 구체적인 목표 행동에 촛점을 맞추어 비체벌적 한계설정(예, "격리, time out")과 같은 부정적 강화와 보상이 주어진다. 최근 MTA 연구(1999)에서도 제시되었지만, 기존의 많은 연구들에서도 효과는 있지만, 약물치료를 대신할 만하다는 보고는 별로 없다. 이 치료는 아동에서의 연구가 부족한 점, 시간 경과에 따른 효과 감소, 일반화의 부족, 시간과 경비가 많이 소요되는 점, 부모와 교사의 열성적인 참여를 기대하기 어려운 점등이 실제 임상에서 치료에 이용되기 어려움이 많다.

인지행동요법의 구체적인 방법으로는 모델링, 역할놀이, 행동적 유관 등을 사용하며 학습과 인지적인 문제에 대한 문제해결 기술을 가르치고 자기지시적인 훈련을 통해 자신의 행동을 조절하는 등의 실제적으로 사회적 적응에 도움이 되는 특별한 기술과 함께 문제 행동에 내재해 있는 인지과정을 훈련하는 방법이다. 인지행동요법을 초등학교에 재학 중인 ADHD 아동들에게 적용한 연구에서 단기적인 훈련의 효과는 나타났으나 지속적인 효과나 일반화에 대한 결과는 얻지 못하였으며 훈련의 효과는 아동마다 나타나는 시기가 다양했으며 아동에 따라 일반화도 다르게 나타나 처치효과의 유지가 어렵다고 보고 되었다.

(4) 사회기술훈련

ADHD 아동들은 사회적인 부분에서 많은 결함을 보이므로 부정적인 또래관계 감소, 친사회적인 행동의 증가를 도모하고 사회적 정보 처리, 일반적인 사회적 행동들과 학업 수행을 높일 수 있는 효과적인 사회기술훈련이 필요하다. 사회기술훈련은 ADHD 아동들의 인지적 변화를 통해서 행동의 변화를 가져오게 함으로써 이러한 이차적 증후를 치료하는 기법으로, 대개 또래로부터 따돌림을 경험하는 아동, 공격성이나 사회적 고립을 보이는 아동에 대해 적용한다.

구체적인 예로 한은선 등(2001)이 개발한 프로그램을 보면, Pfiffner와 McBurnett (1999)의 프로그램을 재구성하여 사용한 것으로 가정과 학교에서 집단 활동에 참여하는 적절한 방법과 또래와 성인과의 관계를 개선하는 방법을 훈련하는 것을 목표로 한다. 프로그램에서 제시하는 모듈로는 첫째, 사회적 지식 결함에 대한 치료와 부적응적인 사회적 행동을 적응적인 행동으로 대체하기 위한 강의(didactic instruction), 상징적 및 실제적인(in vivo) 모델링, 역할놀이, 행동 시연 등을 사용하여 새로운 기술을 가르친다. 둘째, 기술 수행의 결함을 치료하기 위하여 단서 제공, 촉진법, 구조화된 연습, 강화를 사용하여 적절한 행동 빈도를 증가시킨다. 셋째, 사회적 행동의 적절한 자극을 조절하는 것을 습득하기 위하여 타인의 언어적, 비언어적 사회적 단서들이나 감정을 변별하고 이해하는 방법을 가르친다. 넷째, 새로운 문제 해결 상황에서 적극적이고 적절한 반응을 하도록 사회적 문제 해결 방법에 대한 구조화된 절차를 가르친다. 마지막 목표는 사회기술훈련의 일반화를 도모하는 것이다. 구체적으로 프로그램의 회기에서 놀이 규칙, 결과 수용, 독립적인 생활 습관, 자기 주장, 또래의 놀림에 대한 대처, 감정 인식 및 통제, 문제 해결 등을 포함시킨다. 개별적인 각 회기는 집단 시작 활동 및 지난 주 과제 검토를 시작으로, 참여적 토의로 금주의 목표가 되는 사회기술에 대한 설명을 하고, 금주의 기술을 적은 기술카드를 제시하며 주제와 관련된 구조화된 집단 놀이 활동(coached group play), 즉 기술게임을 진행하며 아동들이 직접 행동 시연을 하는 역할극을 진행하고, 주된 활동들이 끝나면 집단 마무리 활동으로 금주의 과제를 배부하며 당일 수행을 평가한 후 집단보상 여부를 결정하게 된다. 이러한 아동집단훈련에 덧붙여 치료의 일반화와 효과를 유지하기 위해, 부모집단훈련을 동시에 병행하기도 한다.

(5) 정신치료(psychotherapy)

앞에서 이미 언급한 바와 같이 이 환자들은 정서 및 행동장애를 동반하는 수가 많다. 우울증, 자신감 결여, 대인관계의 갈등과 같은 문제를 나타낼 때 개인정신치료가 필요하다. 정신치료 자체가 주의력결핍 과잉행동장애를 치료하는 것은 아니지만, 그들 장애에 수반된 문제를 해결하는데는 많은 도움을 줄 수 있다.

(6) 아직 학술적으로 입증되지 못한 기타 방법들 (controversial therapies)

첨가제가 포함되지 않은 특수한 식이요법으로 훼인골드식이법(Feingold diet) 등이 있는데, 일부 제한된 아동에서 확실히 일치하지 않는 적은 효과를 보일 뿐이다. 그 외에도 비타민요법, 저당분 식이요법, 미네랄요법 등이 있다.

그 외에 감각-통합이론에 근거한 몇 가지 방법들(patterning, optometric training, vestibular stimulation), EEG Biofeedback (국내에서 MC 스퀘어)이 있으나 아직 과학적으로 입증되어 있지 않아 권고할 만하지 않다.

▶ 참고문헌

1. 홍강의. 자폐장애: 본질과 개념변천에 대한 고찰. 소아청소년정신의학 1993; 4(1): 3-26.
2. American Psychiatric Association [APA], Diagnostic and statistical manual of mental disorders, Arlinton VA: American Psychiatric Association, 2013.
3. MMWR Surveillance Summaries, Prevalence of Autism Spectrum Disorder Among Children Aged 8 Years — Autism and Developmental Disabilities Monitoring Network, 11 Sites, United States, 2014, MMSR Surveillance Summaries / 67(6);1–23.
4. 홍강의. DSM-5에 준하여 새롭게 쓴 소아정신의학, 학지사, 2014.
5. American Academy of Child and Adolescent Psychiatry(AACAP). Practice parameters for the assessment and treatment of children, adolescents, and adults with autism and other pervasive developmental disorders. J Am Acad Child Adolesc Psychiatry 1999; 38 (12 suppl):3 2-54.
6. Rutter M. Infantile autism and other pervasive developmental disorders, in Child and Adolescent Psychiatry, London, Blackwell, 1997.
7. Pelphrey KA, Shultz S, Hudac CM, Research Review: Constraining heterogeneity: the social brain and its development in autism spectrum disorder, Journal of child psychology and psychiatry 2011, 52(6): 631-644
8. Martin A, Bloch MH, Volkmar FR, Lewis's child and adolescent psychiatry: a comprehensive textbook (Fifth edition), Philadelphia: Wolters Kluwer Health, 2017.
9. Mundy P, Sigman M. Specifying the Nature of the Social Impairment. In Autism(ED) G Dawson, Guilford Press, New York, 1989.
10. American Psychiatric Association. Diagnostic and Statistical Manual of Mental Disorders, 4th Edition.

Washington DC, American Psychiatric Association, 1994.

11. Campbell M, Schopler E, Cueva JE, Hallin A. Treament of autistic disorder. J Am Acad Child Adolesc Psychiatry 1996; 35: 134-143.
12. Volkmar FR, Klin A, Marans W, Cohen DJ. Childhood disintegrative disorder. In D. J. Cohen & F.R. Volkmar(Eds.), Handbook of autism and pervasive developmental disorders. New York; Wiley & Wilkins, 1997.
13. 조수철. 소아정신약물학 개정판, 서울: 서울대학교 출판부, 2000.
14. Luckasson R, Coulter DL, Polloway EA, et al. Mental retardation: Definition, classification, and systems of supports. Washington DC: American Associationon Mental Retardation, 1992.
15. Russell AT, Tanguay PE. Mental Retardation in Child and Adolescent Psychiatry, 2nd ed, Baltimore: Williams and Wilkins, 1996.
16. Szmanski LS, Kaplan LC. Mental Retardation, in Textbook of Child & Adolescent Psychiatry, 2nd ed, Washington DC: American Psychiatric Press, 1997.
17. 김붕년 (2013) : 주의력결핍/과잉활동장애(ADHD), 생물소아정신의학, 학지사.
18. 김자윤, 안동현, 신영전(1999) : 농촌지역의 주의력결핍 과잉행동장애와 학습장애의 역학적 연구. 신경정신의학 38(4):784-793.
19. 김미경, 안동현, 이양희(1996) : 학습문제를 동반한 주의력결핍 과잉행동장애 아동의 특성 분석. 정신건강연구 15:122-133.
20. 신민섭, 오경자, 홍강의(1990) : 주의력결핍 과잉활동장애 아동의 인지적 특성. 소아 청소년정신의학 1: 55-64.
21. 안동현(1995) : 주의력결핍 과잉행동장애. 대한의사협회지 38:1001-1007.
22. 안동현(1994) : 갑상선호르몬내성증후군과 주의력결핍 과잉운동장애. 소아·청소년정신의학 5:102-107.
23. 안동현, 홍강의, 오경자, 신민섭, 유보춘, 정경미(1992): Methyphenidate 와 Imipramine 투여에 따른 주의력결핍.과잉운동장애 환아의 행동 및 인지기능 변화에 대한 연구. 소아 청소년정신의학 3:26-45.
24. 안동현, 홍강의(1990) : 주의력결핍장애아동의 치료. 소아 청소년정신의학 1:77-88.
25. 오경자(1990) : 주의력 결핍과잉활동장애의 평가. 소아 청소년정신의학 1:65-76.
26. 정경미(1991) : 과제 유형과 피이드백이 주의력결핍 과잉활동아의 주의과정에 미치는 효과. 연세대학교 대학원 석사학위논문.
27. 조수철(1990) : 주의력결핍 과잉운동장애의 개념과 생물학적 연구. 소아 청소년정신의학 1:5-26.
28. 조수철, 신윤오(1994) : 파탄적 행동장애의 유병율에 대한 연구. 소아 청소년정신의학 5(1) : 141-149.
29. 조수철, 최진숙(1990) : 주의력결핍 과잉운동장애와 행동장애 및 반항장애와의 상호관계에 관한 연구. 정신의학 15(2):147-159.
30. 한은선, 안동현, 이양희(2001) : 주의력결핍/과다활동장애(ADHD) 아동에서 사회기술훈련. 소아 청소년정신의학 12(1):79-93.
31. 홍강의, 김종흔, 신민섭, 안동현(1996) : 주의 산만.과잉운동을 주소로 소아정신과를 방문한 아동의 진단적 분류와 평가. 소아 청소년정신의학 7(2):190-202.

CHAPTER

26 근골격계 질환

Musculoskeletal Disorders

이소영, 나동욱, 강은영, 장현정

I. 골격계의 성장과 발달

1. 근골격계의 발생

배아기(embryonic period)는 수정부터 임신 8주까지이고 배아의 분할, 착상, 창자배 형성(gastrulation), 신경관 형성(neurulation), 기관형성(organogenesis)의 단계로 나뉜다.

태생 3주에 창자배 형성이 일어나는데 외배엽, 중배엽, 내배엽으로 나누어지고 각각 외배엽에서 뇌, 척추, 피부, 머리카락, 손톱, 치아, 감각 세포 및 신경계로, 중배엽에서 근골격계, 심혈관계, 비뇨생식계가, 내배엽에서 소화기계, 호흡기계가 분화하게 된다. 신경관 형성 시기에 신경관의 배쪽에 해당하는 세포들을 신경능선(neural crest)이라고 하고 말초신경계의 신경 세포와, 신경교 세포, 표피의 멜라닌 세포, 두경부 연골, 결체조직 등을 형성한다.

근골격계는 중배엽과 이 신경능선 세포에서 유래한다. 축주위(paraxial) 중배엽에서 체절(somite)이 형성되며, 체절은 골분절(sclerotomes)과 피부절(dermatomes), 근절(myotomes)로 분화되는데, 골분절 세포들은 체절로부터 이동하여 결국 연골세포가 되고, 피부절 세포들은 진피를, 근절 세포들은 근육을 형성하게 된다(그림 26-1).[1]

1) 사지의 발생과 발달

사지와 각각의 연결대는 측판 중배엽(lateral plate mesoderm)의 세포들로부터 유래된다. 팔다리싹(limb buds)은 상지는 태생 26일에 심장 주변 전외측으로, 하지는 태생 28일에 제대 직하부에서 나타난다. 태생 5주에 손판(hand plate)이 형성되고 6주에 연골형성으로 손가락 배열이 나타난다. 7주에 손가락이 갈라지기 시작하는데, 이 과정이 이루어지지 않으면 합지증이 된다. 태생 7주째에 상지는 90° 외회전을 하여 엄지 손가락이 외측으로, 하지는 90° 내회전을 하여 엄지발가락이 하지에서 내측으로 위치하게 된다. 사지 골격은 5주에 팔다리싹 내부의 중간엽세포들이 뭉치면서 연골 세포로 분화하여 연골 모형을 형성하면서 시작

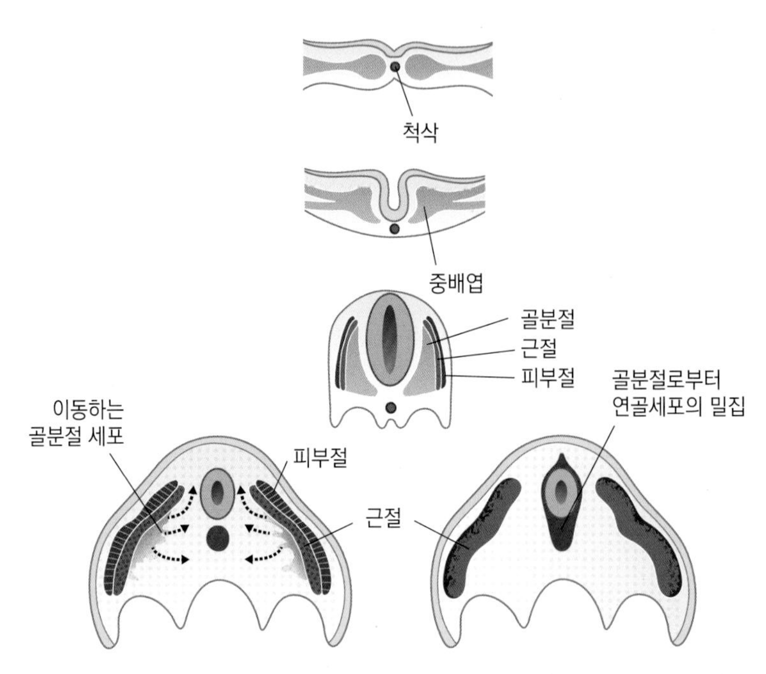

그림 26-1 세겹원반(trilaminar disc), 신경관 형성(neural tube closure). 중배엽은 골분절(sclerotome)과 피부절(dermatomes), 근절(myotomes)로 분화된다. 이동하는 골분절은 연골세포가 된다. 연골세포는 결국 척추체와 척추궁을 형성한다.

된다. 연골 모형 가운데에 처음 형성된 골화 중심을 일차골화중심이라고 하고 태생 12주까지 거의 모든 사지에 나타나고 이 일차 골화 중심으로부터 골화되는 골 부분을 골간(diaphysis)이라고 한다. 이차골화중심은 연골 모형의 양 끝에서 나타나는데 이는 장관골의 골단(epiphysis)에 해당한다. 태생 34~38주경 대퇴골의 원위부와 경골의 근위부에서 나타나기 시작하고 대부분 출생 후에 나타난다(표 26-1). 이차골화중심이 출현하고 해당 골단판(epiphyseal plate)이 닫히는 시기가 부위마다 특징적으로 다르므로 방사선 사진에서 이차골화중심의 숫자, 크기 및 유합을 확인하여 골 연령을 측정할 수 있다(그림 26-2).

관절의 형성은 태생 6주 째부터 팔다리싹 중심부의 중간엽세포 덩어리에서 관절이 형성될 부분(interzone)의 세포들이 연골세포, 활막세포, 중심부 세포들로 분화한다. 중심부 세포들이 자멸되고 태생 16주에 관절강이 형성되며, 인접한 세포들이 활막과 관절 연골을 형성한다. 사지의 근육은 태생 3주 째부터 측판 중배엽에서 중간엽세포들이 팔다리싹으로 이동하여 들어가서 연골 모형을 둘러싼다. 근위부에서 원위부 방향으로 근육들이 형성되고 태생 8주까지 모든 근육들이 식별 가능해져 사람의 형태를 갖추고 기본적인 주요 장기도 형성된다. 사지 말초신경은 태생 5주까지 상완 및 요천추 신경총이 형성되며, 태생 7주까지는 목표 기관에 신경 지배를 하게 된다.[2]

2) 척추와 중추신경계의 발생

태생 3주 말에 축엽(paraaxial) 중배엽이 분절되어 후두부 4개, 경추부 8개, 흉추부 12개, 요추부 5개, 천추부 5개, 미추부 4~5개의 체절이 발생되는데, 골분절 세포들이 중심선으로 이동하여 척

표 26-1 태아와 신생아의 골단 골화 출현 시기

골화 중심	5백분위수	95백분위수
상완골두	태생 37주	생후 16주
원위 대퇴골	태생 31주	태생 39주(여)/태생40주(남)
근위 경골	태생 34주	생후 2주(여)/생후 5주(남)
종골	태생 22주	태생 25주
거골	태생 25주	태생 31주
입방골	태생 37주	생후 8주(여)/생후 16주(남)

Kuhns LR, Finnstrom O. New Standards of ossification of the newborn. Radiology. 1976;119:655-660.

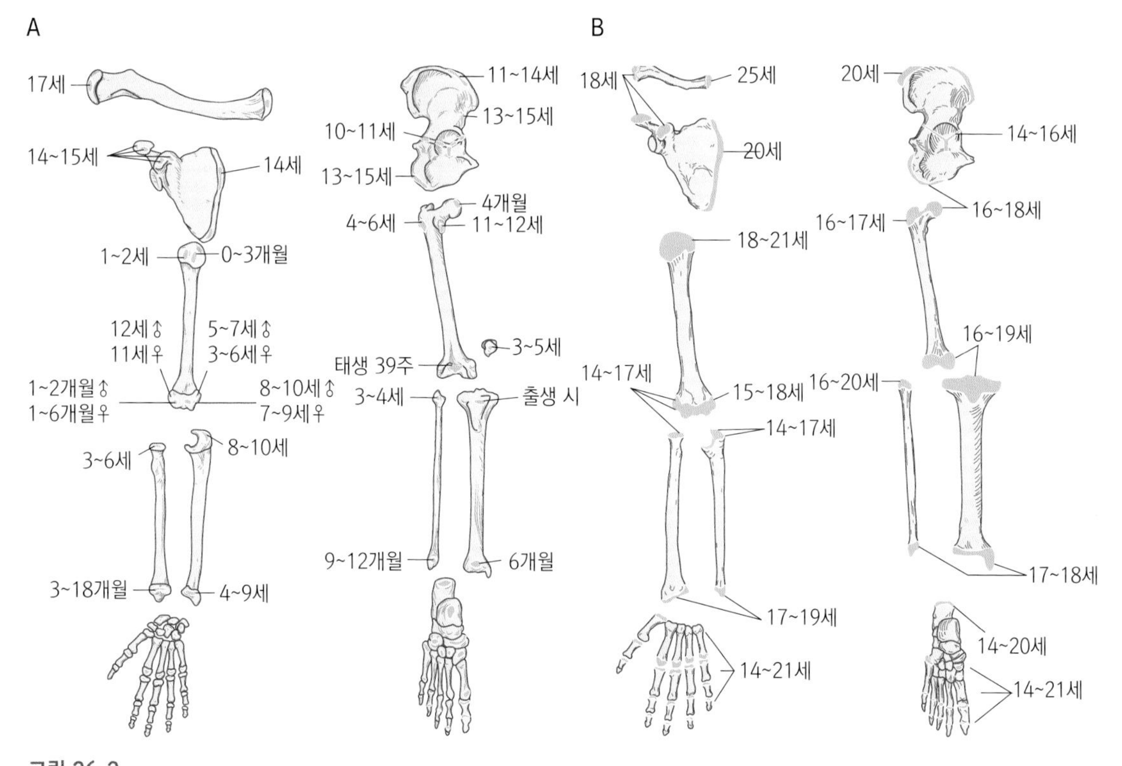

그림 26-2
A. 상지와 하지의 주된 장골의 이차 골화중심의 출현 연령, B. 상지와 하지의 주된 장골의 골단 폐쇄(생리적 골단 유합) 연령
Ogden JA. Skeletal injury in the child. 3rd ed. New York: Springer; 2000;128

삭(notochord)을 둘러싸게 된다. 각 체절은 두부(cranial half)와 미부(caudal half)로 양분되고 두부 골분절은 인접 체절의 미부 골분절과 융합하여 하나의 척추체를 형성하고, 미부 골분절에서 신경궁 부분이 생겨 신경관을 감싸게 된다. 골분절에 의해 둘러쌓인 척삭의 일부는 추간판 수핵이 된다. 각각의 척추 분절에는 세 개의 일차골화중심이 나타나는데 척추궁 양쪽의 골화중심은 태생 7~8주경 상부 경추에서 나타나 미부로 이행하고, 척추체 전방의 골화중심은 태생 8주경 하 흉추부에 처음 출현하여 두부 및 미부로 이행한다. 양측 척추궁 골화중심의 유합은 1~2세경 요추부에서 시작하여 경추부로 진행하여 상 경추부는 3세경에, 하 요추부는 6세까지 유합된다. 7세경부터 척추궁이 척추체와 유합하기 시작하고 경추에서 요추로 진행한다. 배부 신경궁의 유합이 이루어지지 못하게 되면 잠재이분척추(spina bifida occulta)가 된다. 이들 척추 조직의 융합이나 분절이 실패할 경우 반척추(hemivertebra)와 골단띠(epiphyseal bar)와 같은 다양한 척추 기형이 발생하게 된다. 청소년기에 극상 돌기와 횡돌기 끝부분과 척추체 윤상골단(ring apophysis)에 이차 골화중심이 나타난다. 윤상 골단은 10세 이후 열려있는 유일한 척추 성장 중추이다. 척수는 운동신경, 감각신경 순으로 두부에서 미부로 발생하고 출생 시 척수원뿔(conus medullaris)은 제2번 또는 제3번 요추부에 위치하게 되고 성장이 완료되면 제1번 요추부 하단에 위치하게 된다.

3) 골단판(epiphyseal plate)의 구조와 기능

이차골화중심에 의해 형성되는 골단(epiphysis)과 일차골화중심에 의해 골화되는 골간(diaphysis)의 끝부분인 골간단(metaphysis) 사이에 존재하는 연골을 골단판(epiphyseal plate) 혹은 성장판이라고 하고 성장이 끝날 때까지 지속적으로 연골 세포 증식과 연골내 골화가 진행한다(그림 26-3). 조직화된 기질의 구조와 주변의 결합조직에 의해 뼈의 길이 성장이 이루어지고 골단판의 주위를 감싸고 있는 랑비에 구(Ranvier groove)에 의해 골의 용적이 커진다. 골단판 연골은 정지대(resting zone), 증식대(proliferating zone), 성숙대(maturing zone), 잠정 석회화대(provisional calcification zone)로 나누어져 있다. 증식대에서 활발한 세포분열이 일어나고 길이 성장에 관여하며 산소분압이 가장 높아 단백다당의 합성이 가장 활발하게 일어나며 방사선 조사의 영향을 많이 받는다.[3]

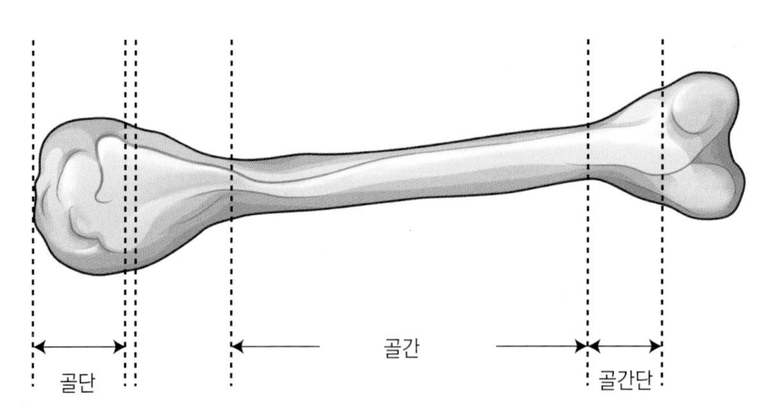

그림 26-3 전형적인 장골(long bone)의 골간(diaphysis), 골간단(metaphysis) 및 골단(epiphysis).

2. 근골격계의 성장

1) 연령별 성장 양상

(1) 키

신생아의 키는 약 50 cm이나 만 1세가 되면 75 cm로 1.5배가 되고 만 4세에 100 cm로 2배, 만12세에 3배가 된다. 태아기부터 2세까지 급속히 성장하는 시기를 지나 2세부터 사춘기까지 성장이 느려지고 사춘기부터 15~16세까지 성장 속도가 빨라졌다가 이후 성숙기까지 성장 속도가 감소한다. 출생 시에는 머리와 몸통이 상대적으로 크지만 성장은 머리-발쪽 방향으로 진행되어 하지의 길이가 길어진다. 머리부터 치골 결합까지를 상절, 치골 결합부터 발끝까지를 하절이라고 했을 때 상절 대 하절의 비를 신체비례로 하여 구해보면 출생 시 1.7 정도이나 성장함에 따라 감소하여 12~15세가 되면 1.0이 된다.

(2) 체중

출생 시 신생아의 평균체중은 3.3 kg이지만 생후 3개월에 2배, 1세에 10 kg로 3배 증가하고, 10세에 30 kg로 출생 시 체중의 10배가 된다.

(3) 머리 둘레

출생 시 머리 둘레는 약 34 cm이지만 생후 1년간 12 cm가 자라 만 1세가 되면 약46 cm가 된다. 4세가 되면 50 cm로 성인 두위인 55 cm의 90%에 다다르게 된다.

2) 사지와 척추의 성장

(1) 하지의 성장

대퇴골의 근위 성장판은 대퇴골 성장의 30%를 담당하고 1년에 약 0.4 cm 성장하고 원위 성장판은 대퇴골 성장의 70%를 담당하고 1년에 1 cm, 사춘기가 되면 1년에 1.2 cm까지 성장한다. 경골의 길이는 대퇴골 길이의 85%를 차지하고 경골의 근위 성장판은 경골 성장의 60%를 담당하여 1년에 약 0.7 cm 성장하고, 원위 성장판은 경골의 40%의 성장을 담당하고 1년에 약 0.5 cm 성장한다. 비골 길이는 경골 길이의 96%에 해당한다. 무릎 주변의 성장판에서 전체 하지길이 성장의 65%가 일어난다.[4, 5] 발은 출생 후 5세까지 급격하게 성장하다가 속도가 느려져 여아는 10~12세까지 남아는 12-14세까지 1년에 약 0.9 cm의 일정한 속도로 자라게 된다. 이후 다시 급격히 속도가 감소하여 여아는 14세, 남아는 16세가 되면 거의 성장이 멈추게 된다.[6]

(2) 상지의 성장

상완골은 80%가 근위부에서, 척골은 85%가 원위부에서, 요골은 75%의 길이 성장이 원위부에서 일어난다. 따라서 상지에서는 팔꿈치 관절 주변의 성장판에서는 약20%의 길이 성장만 일어난다. 척골은 상완골 길이의 80%, 요골은 척골 길이의 94%에 해당한다.

(3) 척추의 성장

태아기의 척추만곡은 C자형으로 일차 만곡이라고 하고 출생 후 3~4개월경 목을 가누면서 경추 전만이 시작되고 12개월경 서고 걷기 시작하면서 요추 전만이 시작되는데 이를 이차 만곡이라고 한다. 흉추는 출생 시 약 11 cm이며 5세까지 매년 1.25 cm 속도로 자라다가 성장속도가 감소하여 10세경에 0.75 cm 자라고 10세 이후에 다시 성장속도가 증가하여 15세에는 1.25 cm씩 자란다. 성인이 되면 평균 28 cm(남자), 26 cm(여자)로 성장한다. 요추는 출생 시 7 cm이며 5세까지 매년 0.75 cm 속도로 자라다가 성장속도가 감소하여 10세경에 0.25 cm 자라고 10세 이후에 다시 성장속도가 증가하여 15세에는 0.5 cm씩 자란다. 성인이 되면 평균 16 cm(남자), 15.5 cm(여자)로 성장한다.[7]

II. 소아의 근골격계 신체 검사

신체검사에 앞서 환아의 주소와 병력을 파악하는 것은 질병을 진단하는 데 있어 매우 중요하다. 병원에 두려움을 가지고 있는 환아에게 친근한 환경을 조성하여 자신의 증상을 잘 표현할 수 있도록 도와주고 환아와 의사소통이 어렵다면 부모님을 비롯한 주 양육자를 통해 유용한 정보를 얻을 수 있다. 어머니의 출산전 건강 상태와 출산력, 과거력, 발달지표, 가족력, 유치원이나 학교에서의 생활 등의 사회력을 파악한다.

근골격계 신체검사는 시진과 촉진, 신체 계측, 관절가동범위 측정, 근력과 근긴장도, 자세와 보행의 평가 등을 포함한다. 신체 계측을 통해 환아의 신장, 체중, 두위 등을 측정하여 정상 성장 곡선을 따라 성장하고 있는지 확인한다. 관절가동범위측정은 수동 및 능동 관절운동범위를 구분하여 평가한다. 통증이 있는 경우 관절운동범위 제한이 있을 수 있고 건측과 비교하여 차이를 평가한다. 발목관절에서는 굴곡과 신전이 일어나고 거골하 관절에서는 내번(inversion), 외번(eversion), 회외(supination), 회내(pronation)가 일어나고 회외는 내번과 내전이, 회내는 외번과 외전이 결합된 운동이다. Silfverskiold 검사는 비복근과 가자미근의 구축을 감별하는 검사로 슬관절 굴곡 시보다 신전 시에 발목관절 신전이 감소하면 비복근의 구축이 있음을 보여준다.

슬관절은 굴곡과 신전이 일어나며 넙다리뒤근육의 경직 및 구축이 있으면 슬와 각도(popliteal angle) 측정 시 신전이 제한되거나 하지직거상의 각도가 감소된다. 고관절에서는 굴곡, 신전, 내전, 외전 내회전 외회전이 일어나며 Thomas test와 Staheli 복와위 검사를 통해 고관절의 굴곡 구축을 평가할 수 있고 Duncan-Ely 검사를 시행하여 복와위에서 슬관절을 수동적으로 굽혔을 때 고관절이 함께 굴곡되는 현상을 관찰하여 대퇴직근의 경직이나 구축을 확인할 수 있다. Trendelenburg 검사를 통해 체중을 지지하는 하지의 반대측 골반이 하강하는 것이 관찰되면 체중을 지지하는 하지의 고관절 외전근의 위약이 있음을 나타낸다. Patrick 검사는 앙와위에서 한쪽 고관절을 외전, 외회전 시켜 검사측 발목을 반대편 무릎위에 놓고 검사하는 쪽 무릎을 바닥쪽으로 눌러 통증이 유발되는지 관찰하고 고관절이나 천장관절 병변 시 양성으로 나타난다.[8]

하지의 각변형 검사를 위해서는 내반슬(genu varum)에서는 원위 대퇴골 내과 간의 거리(intercondylar distance)를 측정하고 외반슬(genu valgum)에서는 발목관절 내과 간의 거리(intermalleolar distance)를 측정한다. 하지의 회전성 변형을 검사하기 위해서는 족부진행각(foot progression angle)을 측정하여 내족지 보행과 외족지 보행의 정도를 확인한다. 엎드린 자세에서 측정한 고관절의 내회전이 증가되어 있으면 전방경사 증가, 외회전 쪽으로 치우치면 전방경사각 감소 또는 후방경사(retroversion)를 나타내나 정확하지 않아 고관절 내회전시 대전자가 외측으로 가장 두드러지는 위치의 고관절 내회전을 대퇴골 전방경사각으로 간주할수 있다.[9] 대퇴 족부각(thigh foot angle)과 횡과각(transmalleolar angle)을 측정하여 경골의 회전정도를 확인할 수 있다. 중족골 내전은 발뒤꿈치 이분선의 위치에 따라 정도를 평가한다(그림 26-4). 근력과 근긴장도 평가 시 연령으로 인해 협조가 어려운 경우에는 환아의 움직임을 관찰하고 원시반사와 자세 반응을 유발하거나 특정

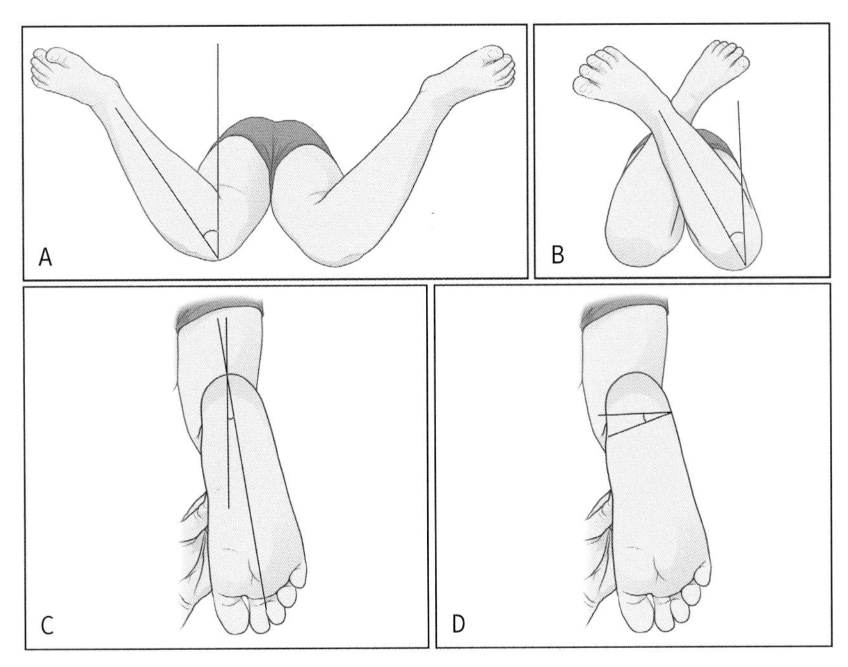

그림 26-4 하지의 회전성 변형에 대한 이학적 검사
A. 고관절 내회전, B. 고관절 외회전, C. 대퇴 족부 각(Thigh Foot Angle), D. 횡과각(Transmalleolar Angle)

자세를 유도하여 평가할 수 있다(3장 소아신경학적 진찰 참조).

III. 척추의 병변

1. 경추 이상

1) 선천성 근육성 사경

편측 흉쇄유돌근의 단축으로 인하여 고개가 동측으로 기울어지고 얼굴과 턱이 반대측으로 돌아가는 증상을 말하며, 근육에 생긴 섬유종이나 섬유화가 원인인 선천성 근육성 사경이 대부분이다(그림 26-5). 원인은 아직 명확하지 않으나 자궁내의 자세이상, 분만 시 출혈로 인한 섬유화, 혈관폐쇄로 인한 구획증후군, 흉쇄유돌근의 원발성 근병증 등 다양한 가설이 제기되고 있다.[10] 난산의 과거력이 30~60%까지 보고되고 첫번째 분만에서 발병률이 높은 것은 자궁내 자세이상이나 분만 시 외상의 가설을 시사하며, 자궁내 밀집(intrauterine crowding)과 연관이 있는 것으로 알려진 발달성 고관절 탈구가 선천성 근육성 사경과 동반될 확률

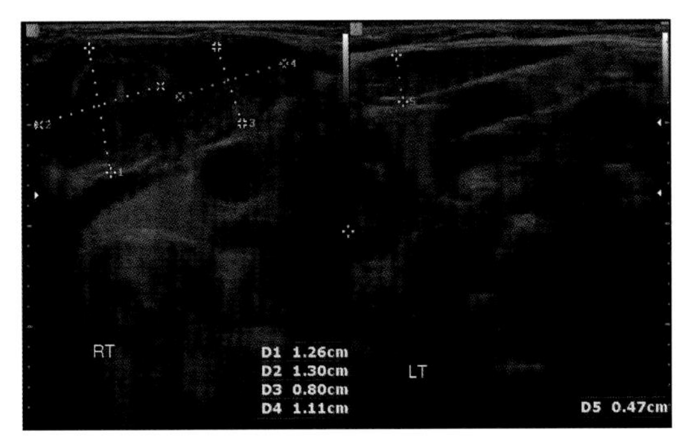

그림 26-5 우측 선천성 근성 사경 영아의 흉쇄유돌근 초음파 소견 RT: 우측, LT: 좌측

이 높다는 보고도 이러한 가설을 지지한다(그림 26-6).[11] 하지만, 이러한 분만의 문제가 없고 제왕절개로 분만한 경우에도 선천성 근육성 사경이 발병한다는 사실은 분만시 외상외의 다른 원인이 있음을 시사한다. 발병률은 0.3~2.0%까지 다양하게 보고되고 있으며 3:2정도로 남자에서 더 많이 발생한다고 알려져 있다.[12]

사경이 의심되어 내원하는 아동의 주 호소는 고개가 기울어짐, 주로 한쪽만 쳐다보는 증상, 목에서 만져지는 종괴 등이다. 선천성 근육성 사경의 경우 병변이 의심되는 방향으로 고개를 돌리는데 제한이 있고, 고개가 기울어지는 증상을 보인다(그림 26-7). 선천성 근육성 사경에 의해 목의 비정상적인 회전변형이 발생하면 자세성 사두증(positional plagiocephaly)이 발생한다. 주로 앙와위에서 자는 경우는 반대측 후두부가, 복와외에서 자는 경우는 동측 얼굴이 편평해지는 변형이 발생한다.[13] 진단을 위해서는, 우선 분만 시 난산, 이상태위(malpresentation) 등의 출생력을 확인하고, 눈맞춤이 가능한 3개월 이후에는 따라보기(visual tracking) 반응을 유도하여 안과적 문제가 없는지 확인하며, 그 외에도 다른 신경학적 문제를 감별하기 위한 신체검사를 시행한다. 흉쇄유돌근에서 종괴가 만져지거나 단축이 의심되고, 고개를 환측으로 돌리는 데 제한이 있으면 선천성 근육성 사경을 의심할 수 있는데, 영아의 경우 목이 짧고 협조가 잘 되지 않아 평가에 어려움이 있을 수 있다. 초음파 검사는 진단을 위한 가장 좋은 검사이다. 초음파는 소아에서 진정없이 사용할 수 있고, 동시에 고관절 이형성 여부를 확인할 수 있는 장점이 있다. 초음파 검사에서 흉쇄유돌근내의 방추상의 고에코 종괴를 확인하거나, 섬유화를 의심할 수 있는 근육 전반 또는 밴드 형태의 고에코 소견을 확인할 수 있다(그림 26-5).

사경의 증상이 있으나 검사 상 근육성 사경이 아닌 경우는 다른 원인을 감별진단해야 한다. 척수종양, 척수공동증 등의 신경질환, 클리펠-페일(Klippel-Feil) 증후군, 그리젤(Grisel) 증후군, 반척추뼈(hemivertebra), 환추 축추 아탈구 등의 골격질환, 상사근 마비, 하사근 걸림(entrapment) 등

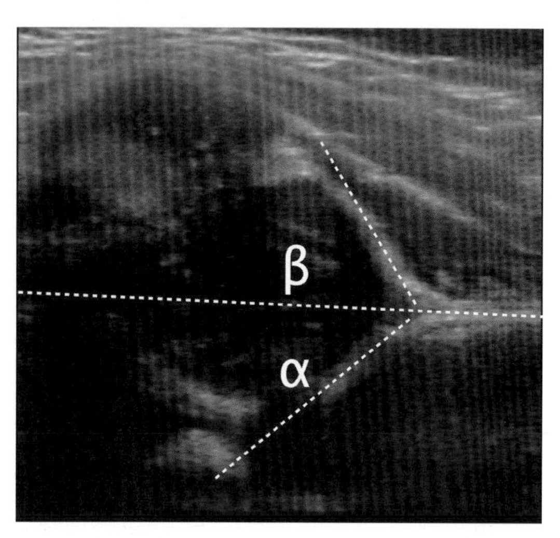

그림 26-6 선천성 근육성 사경 영아에서 동반된 고관절 아탈구 소견 *α*: *α* angle, *β*: *β* angle

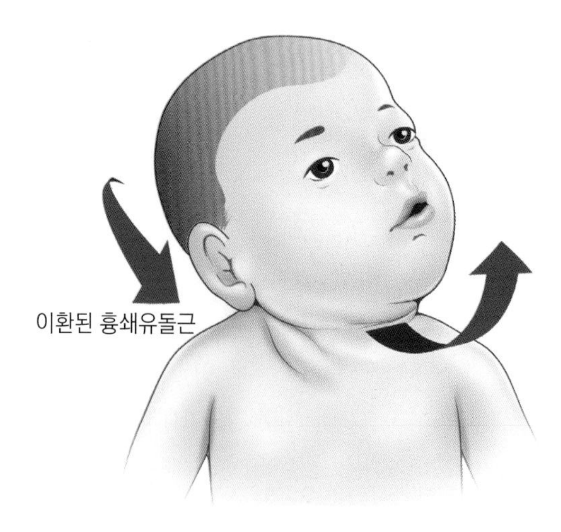

그림 26-7 우측 선천성 근육성 사경 영아의 자세. 고개가 우측으로 기울어지고, 우측 회전에 제한이 있다.

의 안과질환 등을 감별해야 하고 이러한 근육 외의 다른 원인은 약 20% 정도를 차지한다.[14] 특히 다른 신경학적 이상을 동반하는 경우는 뇌종양, 척수종양 등을 의심해 볼 수 있고, 급성으로 통증을 동반한 사경 증상이 있는 경우는 경추의 일과성 활액막염(transient synovitis), 환축추 회전성 아탈구(atlanto-axial rotatory subluxation), 인두뒤농양(retropharyngeal abscess) 등을 의심할 수 있다(그림 26-8).

흉쇄유돌근에 생긴 섬유종의 약 50~70%는 생후 1년이내에 대부분 저절로 없어진다고 알려져 있다. 하지만 치료하지 않고 방치하면 종괴가 없어져도 근육의 단축, 섬유화로 인하여 고개돌림에 제한이 발생하고, 성장하면서 얼굴의 변형, 척추측만증 등이 발생할 수 있다. 대부분 스트레칭 치료를 통해 좋은 결과를 보이는데 어깨를 고정시킨 상태에서 턱을 환측으로 회전시키고 머리를 반대측으로 측면 기울이기를 한다(그림 26-9).

가급적 빨리 진단을 하고 치료를 시작하는 것이 예후가 좋으며 생후 4개월 이내에 치료를 시작하면 평균 3~4개월의 치료기간이 소요되고 수술적 치료없이 호전되었다는 보고가 있다.[15] 아동이 성장하면서 재발하는 경우가 있는데 이는 이환된 흉쇄유돌근이 건측과 같은 속도로 성장하지 못하기 때문이다. 스트레칭 치료에도 증상이 지속되는 경우 최근 보툴리눔 독소 주사가 시도되고 있으며 비교적 안전하고 효과적인 치료로 보고되고 있으나 아직 표준치료로 시행하는 데는 논란이 있다.[16] 6개월 이상의 보존적 치료에도 운동범위의 소실과 안면비대칭이 있는 경우 보통 1세 이후에 흉쇄유돌근을 연장시키는 수술적 치료를 시행한다. 수술 후에는 경부보조기로 신장을 유지하고 상처가 아물면 반흔형성을 최소화하기 위하여 스트레칭 치료를 시행한다.

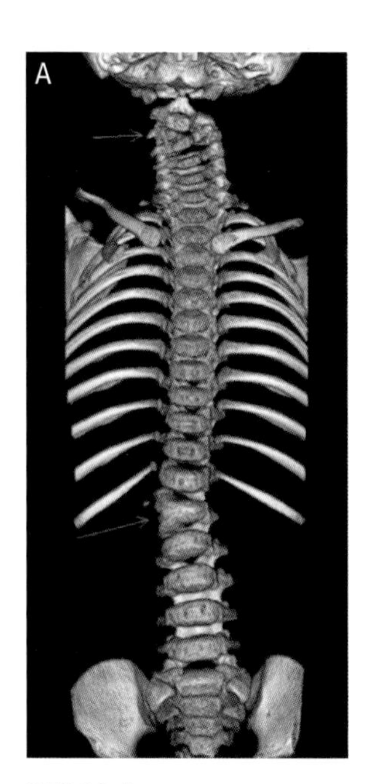

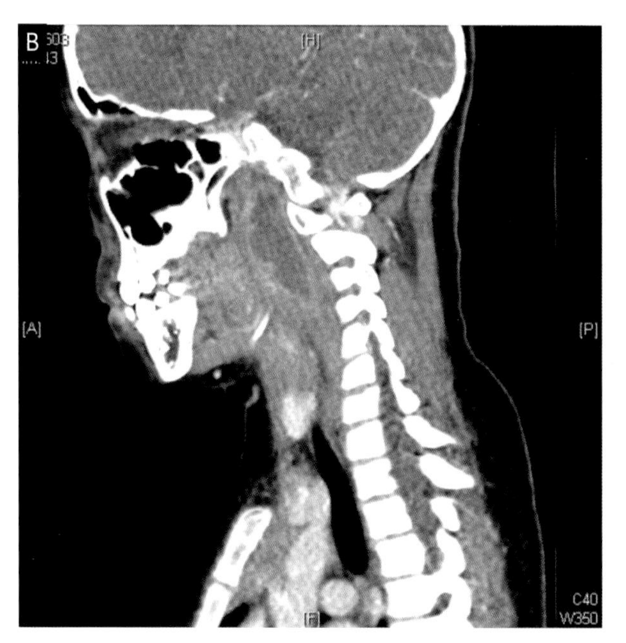

그림 26-8
A. 사경 증상을 보이는 아동의 경추부 반척추뼈 3D 컴퓨터 단층 촬영 소견
B. 급성 사경 증상을 보이는 아동의 인두 뒤 농양 컴퓨터 단층 촬영 소견

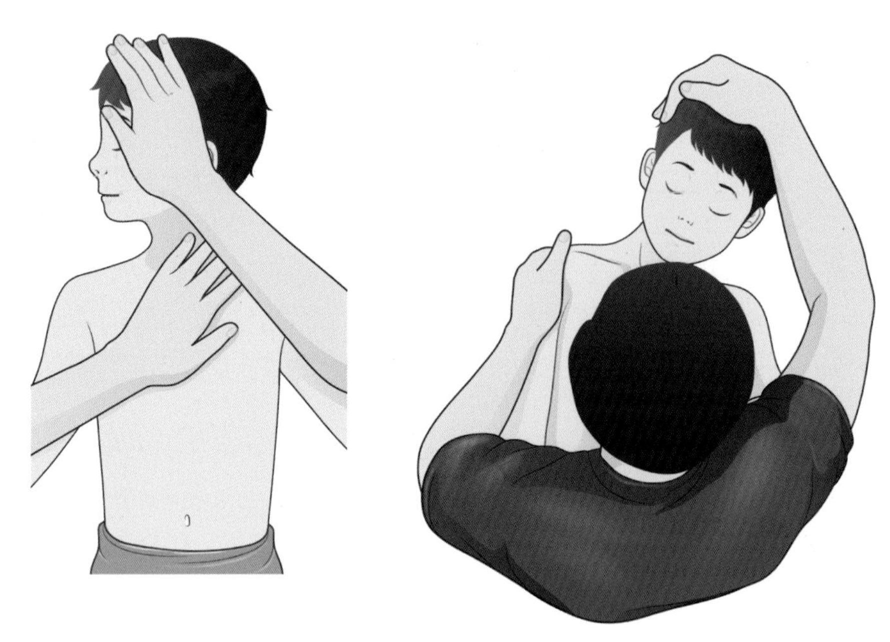

그림 26-9 우측 선천성 근육성 사경 아동의 흉쇄유돌근 신장 방법

2) 클리펠 페일(Klippel-Feil) 증후군

경추의 선천적 유합에 의한 경부 운동범위제한을 보이는 질환으로 임신 3~8주경 발생하는 경추 분할(segmentation)의 선천적 결함으로 발생한다. 지금까지 매우 다양한 유전자와 염색체 이상과의 연관성이 보고되고 있으며, 이것이 클리펠 페일 증후군이 임상적 다양성을 보이는 원인으로 생각된다. 약 40,000명 출생당 1명 발생하는 것으로 알려져 있으며 남여 비율은 2:3정도이다. 특징적인 3가지 증상은 짧은 목, 낮은 모발선, 경부 운동범위제한인데, 세 가지 증상을 모두 보이는 경우는 40~50% 정도이고 가장 흔한 증상은 경부 운동범위제한이다. 통증이나 신경학적 이상을 보이는 경우도 있지만 아무런 증상이 없는 경우가 많다. 다양한 선천적 이상이 동반되는데, 척추측만증(약 60%), 잠재이분척추(약 45%), 신장이상(35~55%), 늑골기형(20~30%), 난청(30~40%) 등이 흔히 동반되는 질환이다.[17, 18]

방사선 검사를 통해 경추 유합과 동반된 골격계 이상을 확인하여 진단되는데, 경추 유합은 C5-6, C2-3에서 가장 흔하다.[19] 경추 신경병증과 척수병증의 발생 여부를 확인하기 위하여 주기적인 신경학적 검사가 필요하며, 작은 외상에도 척수손상이 유발될 수 있기 때문에 경부에 손상을 입을 수 있는 활동은 피해야 한다. 경추의 불안정성이 있거나 신경학적 손상을 보이는 경우는 수술적 치료를 고려한다.

3) 환축추 회전성 탈구 (atlanto-axial rotatory fixation)

경추 회전의 약 60%는 환추-축추 관절에서 일어나는데, 아탈구가 발생하면 경부 근연축(muscle spasm)이 유발되어 대개 통증을 동반한 급성 사경이 발생하게 된다. 근육성 사경과 다른 점은, 아탈구를 감소시키기 위해서 턱이 돌아가는 방향의 흉쇄유돌근에 근연축이 관찰된다는 것이다. 성인보

다는 소아에서 흔히 발생하지만 매우 드문 질환이 다.[20] 경추골절이 동반되는 외상에서 발생할 수 있으나 머리를 부딪히는 정도의 경미한 외상, 목보조기 착용 후에도 발생이 보고된 바 있다. 또 다른 원인으로는 각종 바이러스나 박테리아 감염으로 인한 염증(grisel syndrome), 자가면역성 질환과 동반된 관절병증, os odontoideum 같은 선천적 척추 기형 등이 있다.임상적으로 진단하는 질환이며, 경추 방사선 검사를 통해 골절의 유무, 환추와 축추의 불안정성을 판단해 볼 수 있다. 하지만 경부의 운동제한과 아탈구 소견 때문에 경추 방사선 검사에서 정확한 구조를 확인하기 어려운 경우가 많아 경추 컴퓨터 단층촬영을 시행하여 진단에 도움을 받는다. 필요시 고개를 돌리면서 촬영하는 역동적 컴퓨터 단층촬영(dynamic CT)이나 3차원 재구성(reconstruction)을 시행한다(그림 26-10). 자기공명영상 검사는 환추와 축추사이의 인대, 척수 및 척수신경의 상태를 파악하는 데 도움이 된다. 발병 1개월 이내의 급성기이면서 동반된 골절이나 신경학적 증상이 없는 경우는 진통제 투여 및 목보조기 착용으로 4주 이내에 증상이 소실되는 경우가 많다. 1개월 이상 지속된 만성 아탈구의 경우에는 홀터 견인(Halter traction), 할로베스트(Halo vest) 등을 적용해 볼 수 있고, 교정이 안되면 수술적 고정술을 시행한다.

2. 척추측만증

척추측만증(scoliosis)은 척추가 관상면상에서 옆으로 휜 변형을 말한다. 하지만 실제 척추측만증은 횡단면 상에서의 회전, 시상면상에서의 이상 만곡 등이 함께 일어나는 3차원상의 입체적인 변형이다. 아주 심한 변형이 아닌 경우에는 대개 임상적인 문제를 일으키지 않지만, 90° 이상의 심한 변형에서는 외관상의 변형 및 균형의 문제뿐 아니라 호흡기계, 순환기계 등에도 문제를 일으킬 수 있다.

진단 시 척추의 구조적 변형에 의한 측만증과 기능적 측만증을 감별해야 하는데, 하지부동, 통증으로 인한 척추주위근의 근연축(muscle spasm) 등에 의해 발생한 기능적 측만증은 그 원인을 제거하면 교정될 수 있기 때문이다.[21] 진찰상으로 어깨높이 또는 골반높이의 차이, 견갑골의 비대칭, 여

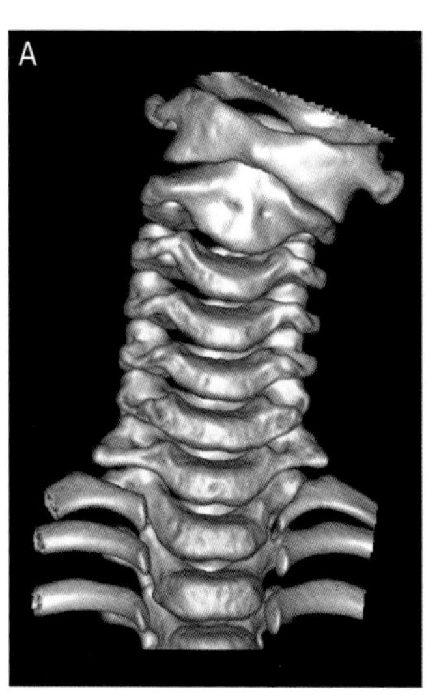

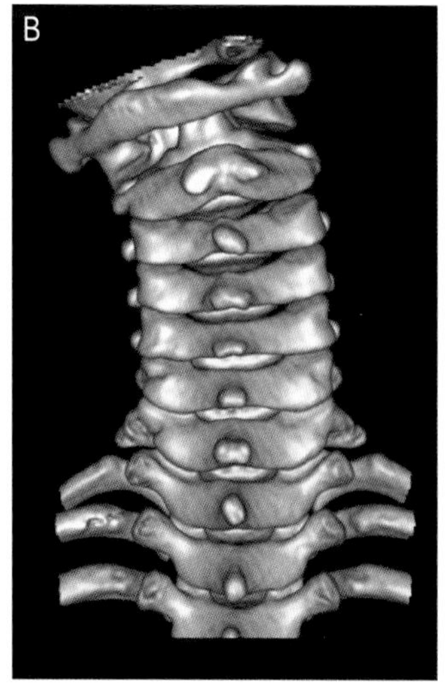

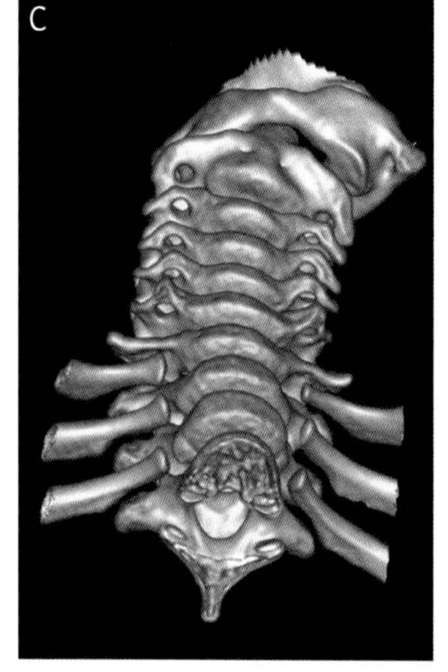

그림 26-10 환축추 회전성 탈구의 3D 컴퓨터 단층 촬영 소견

자의 경우 유방크기의 차이 등이 관찰되면 의심할 수 있다. 발을 모으고 무릎을 편 상태에서 허리를 앞으로 90° 구부리는 전방굴곡 검사를 시행하면 흉곽이 궁융부(convexity) 쪽으로 돌출되는 것을 관찰할 수 있다(그림 26-11). 엑스레이 검사상 관상면상 척추의 만곡을 확인하여 진단한다. 대개 주만곡(major curve)과 부만곡(minor curve)이 있는데, 주만곡은 유연성이 없는 구조적 만곡이고 부만곡은 주만곡에 의한 불균형을 보상하기 위해 이차적으로 발생한 만곡이다. 이는 체간을 좌우로 굴곡해서 촬영하는 동적 엑스레이를 통해 확인할 수 있다. 주만곡이 두 개 있는 이중 만곡도 있다.

척추측만증을 진단하고 척추 만곡의 심한 정도를 측정하기 위하여 기립자세로 전후면 엑스레이를 촬영하고 Cobb 방법으로 만곡의 각도를 측정하는데, 만곡의 최상단과 최하단의 관상면상 가장 많이 기울어진 척추체의 골단판간의 각도를 측정하고 첨단부의 위치를 좌측 또는 우측으로 표시한다. 척추체의 회전은 대개 첨단부에서 제일 심하다. Cobb 각도가 10° 이상인 경우를 척추측만증으로 정의하는데, Cobb 각도의 측정에러가 약 5° 정도 됨을 감안해야 한다(그림 26-12).[22]

1) 특발성 척추측만증

척추측만증의 가장 흔한 원인으로 약 80%를 차지한다. 발견된 연령에 따라 유아기(infantile; 3세 미만), 연소기(juvenile; 3~9세)형, 청소년기(adolescent; 10~17세)형, 성인(adult; 18세 이상)형으로 분류하는데, 청소년기형이 대부분을 차지한다. 그 외에 Cobb 각도의 크기나 만곡의 위치에 따라 분류하기도 한다.[21]

특발성 척추측만증은 정의상 특별한 원인이 없이 발생한 경우로 정의되지만, 유전, 자궁내 자세 이상, 호르몬 이상, 성장속도 불균형 등 다양한 원인 가설이 제시되고 있으며, 가족성 경향이 있는 것으로 보고되고 일란성 쌍둥이에서 70% 이상의 확률로 동시발병된다고 보고된 바 있다. 국내 학

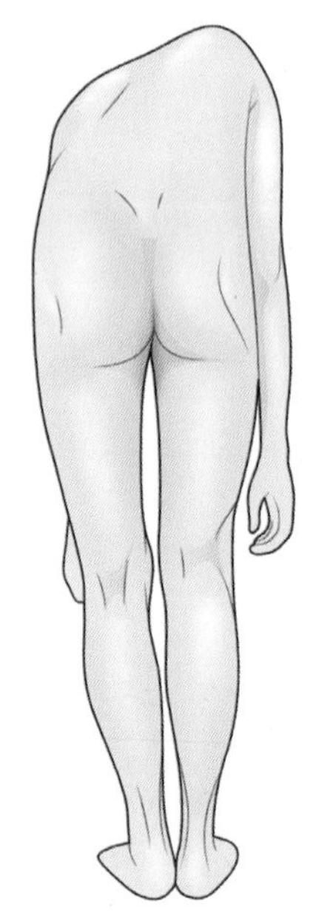

그림 26-11 전방 굴곡 검사
흉곽이 궁융부쪽으로 돌출되는 것을 관찰한다.

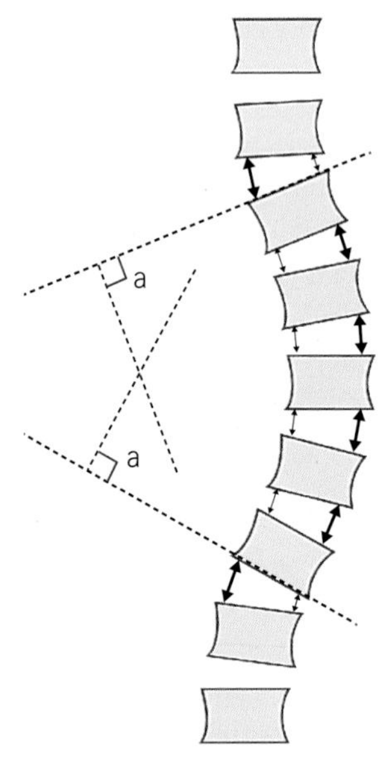

그림 26-12 Cobb 방법을 이용한 만곡 각도의 측정
a=만곡 각도

교 검진자료를 기초로 발표된 자료에 따르면 우리나라 청소년기 특발성 척추측만증 유병률은 남자 1.97%, 여자 4.65%(평균 3.26%)로 보고되었다. 우측 흉추 만곡이 많으며, 여자에서 만곡각도가 크고 특히 사춘기 성장급증기에 진행의 위험성이 높다. 전체 환자 중 약 10%는 보존적 치료가 필요하고 0.1~0.3%정도에서 수술적 교정이 필요하다.[23]

성장급증기에 진행의 위험성이 높기 때문에 골격의 성장단계를 평가하는 것이 중요하며 이 때 가장 많이 사용되는 방법이 Risser 등급 평가이다. Risser 등급 평가는 척추 엑스레이 촬영 시 함께 촬영되는 골반을 이용하여 추가 촬영 없이 확인할 수 있는 장점이 있으며 장골능골단의 골화 정도에 따라 5단계로 분류한다(그림 26-13).

치료는 보존적 치료와 수술적 치료로 나눌 수 있다. 보존적 치료의 제일 중요한 목적은 사춘기 동안 수술이 필요할 정도로 만곡의 각도가 증가하는 것을 막는 것이다. 그 외에 미용적 교정을 통해 삶의 질을 높이고, 만성통증이나 호흡부전을 예방하는 것 등이 치료의 목적이 된다.[21] 측만증을 교정하는 운동의 효과는 아직 이론적 근거가 충분하지 않다. 20~25° 미만의 만곡은 성장이 끝날 때까지 3~6개월 간격으로 엑스레이 검사를 하여 진행 여부를 관찰하고 25~45°의 만곡이 있으면서 진행하는 경우는 보조기를 처방한다. 첨부척추의 위치가 8흉추 이하인 경우는 흉요천추 보조기를, 8흉추 이상인 경우는 밀워키 보조기를 사용한다. 하지만 최근에는 미관상의 문제, 착용의 불편함 등으로 밀워키 보조기는 거의 사용하지 않는다.[24] 보조기의 적용은 수면시간에만 착용, 학교수업을 제외하고 모두 착용, 그리고 가능한 하루종일 착용하는 방법 등으로 적용할 수 있으며,[25] Risser 4~5등급으로 성장이 끝나가고 만곡의 진행가능성이 낮다고 판단되면 서서히 착용시간을 줄여간다.[26] 적절한 보존적 치료를 시행해도 계속 진행하여 만곡이 40~50° 이상이 되면 성인이 되어도 미용적, 기능적 제한,

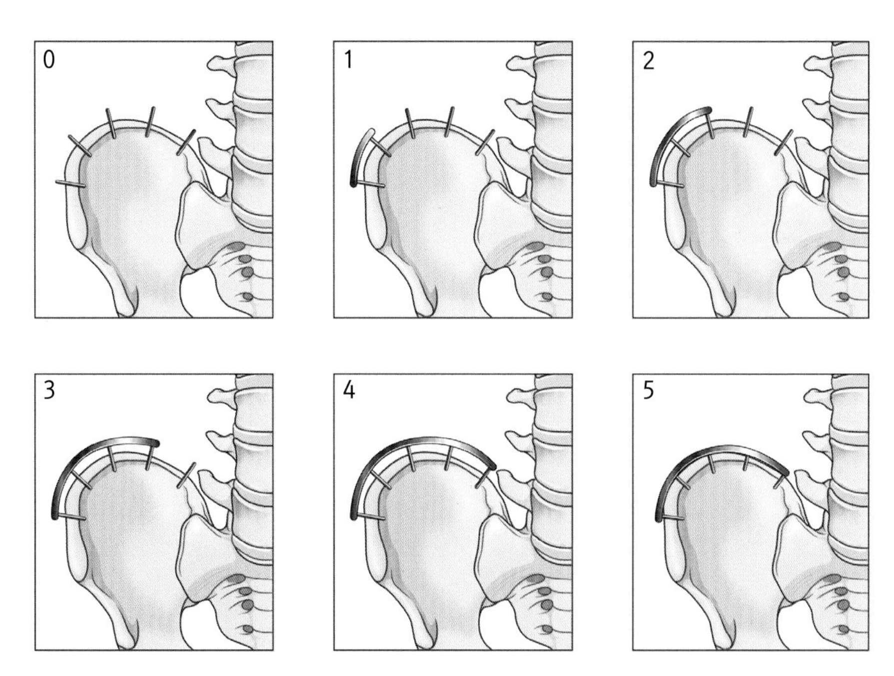

그림 26-13 Risser 등급

통증 등을 유발하고 퇴행성 변화와 함께 진행될 가능성이 있어 수술적 치료를 고려한다.[27]

2) 선천성 척추측만증

배아의 발생 과정동안 일어나는 척추의 선천적 기형이 원인이 되는 측만증을 말한다. 발생기전에 따라 형성부전(defects of formation)과 분절부전(defects of segmentation)으로 나눈다. 형성부전은 척추체 발생과정에서 일부 결손이 발생하는 경우를 말하며 편측형성부전에 따른 설상척추(wedge vertebrae), 반척추(hemivertebrae), 전방형성부전에 따른 나비척추(butterfly vertebrae) 등의 소견을 보인다. 분절부전은 정상적으로 분리되어야 하는 척추체 간에 비정상적인 골성연결을 보이는 경우를 말하며 측만의 오목면에 미분절 척추봉이 위치하게 된다. 정확한 국내 유병률은 알 수 없으나 1,000명 출생당 0.01~1명의 빈도로 발생하며 여아에서 남아에 비해 많이 발생한다고 알려져 있다.

선천적 척추기형을 가진 환자에서 발생하는 척추변형의 형태와 증상은 매우 다양하다. 더 이상의 진행없이 특별한 문제를 일으키지 않을 수도 있지만 변형이 진행되어 근골격계와 심폐기능의 저하를 유발하기도 한다. 형성부전이 분절부전에 비해 진행할 가능성이 높고, 흉추나 흉요추 부위에 위치한 만곡이 경흉추나 요추부에 위치한 만곡보다 진행할 가능성이 높다. 여러 개의 반척추가 같은 방향으로 있는 경우 진행할 가능성이 높고, 반대 방향으로 있으면 진행하지 않는 경우가 많다. 만곡의 진행여부를 확인하기 위하여 약 6~12개월마다 외래에서 방사선 촬영 및 신체검사를 하는데 진행의 정도에 따라 추적 검사 간격을 결정한다. 척추를 형성하는 중배엽은 비뇨생식기, 심장 및 폐의 기원이기도 하여, 비뇨생식기 기형, 심혈관기형이 잘 동반되며, 척수이분증, 척수공동증, 척수견인증후군, 키아리 기형 등의 척추내 신경기형이 동반될 수 있다. 선천성 척추기형은 고정된 변형이기 때문에 보조기의 교정효과가 적다. 따라서 보상성 만곡의 조절이나 비교적 길고 유연한 만곡의 경우에 제한적으로 사용할 수 있다. 만곡이 진행되거나 진행될 가능성이 높은 경우에 수술적 치료를 시행할 수 있으며, 수술의 목적은 성장완료 시까지 척추균형을 유지하고, 신경학적 기능과 폐기능을 정상적으로 유지하는 것이다.

3) 신경근성 척추측만증

뇌, 척수, 말초신경, 또는 근육질환과 관련하여 이차적으로 발생하는 척추측만증이다. 신경근육질환이 있으면 척추의 구조를 유지해 주는 근육의 근력약화, 근력불균형 및 근경직 때문에 척추가 휘어진다. 뇌성마비, 소아기 척수손상, 척추이분증, 척수 근위축증 등의 신경질환과 근디스트로피, 선천성근육병(congenital myopathy) 등의 근육질환에서 발생한다. 신경질환성 척추측만증은 경직이 있는 상부운동신경원 병증과 이완성 마비가 있는 하부운동신경원 병증으로 분류된다.

신경근성 척추측만증의 원인이 되는 질환은 어려서부터 발병하기 때문에 만곡의 진행속도가 빠르고 정도가 심하며, 근력의 이상이 지속되기 때문에 성장이 끝난 후에도 진행하는 특징이 있다. 만곡이 진행되면 골반경사가 발생하고 이차적으로 고관절 탈구 등의 합병증이 발생한다. 보조기의 적용으로 만곡의 진행을 막을 수는 없으며, 수술적 치료가 가능한 나이(10~12세)까지 척추의 성장이 가능하게 하고 만곡의 진행을 최대한 지연시키기 위한 목적으로 사용하다. 수술의 목적은 몸통의 균형을 바로 잡아 앉은 자세에서 상지를 자유롭게 사용할 수 있도록 하며, 폐기능의 악화를 방지하고 통증을 완화 시키는 것이다.

3. 척추후만증

척추후만증은 시상면상에서 정상적인 전만을 보여야 하는 부위에서 전만이 소실되어 후만 각도가 과도하게 증가되어 비정상적인 척추정렬을 보이는 경우를 말한다.

1) 선천성 척추후만증

태생기에 전방척추체 형성부전 또는 척추체 분절부전으로 인하여 발생한다. 대개 하위 흉추나 흉요추부의 후만변형이 관찰되며 경추에서의 발생은 극히 드물다. 흔한 질환은 아니지만 치료시기를 놓치면 심한 후만변형과 신경학적 증상이 발생할 수 있다. 보조기로 교정은 어려우며 수술적 치료가 필요하다.

2) 청소년기 척추후만증

정확한 원인은 알려져 있지 않으며 대개 8~12세 경에 진단된다. 흉추형(만곡의 첨부가 T6~8사이)과 흉요추형(만곡의 첨부가 T10~L1사이)으로 나뉘며 흉추형이 더 흔하지만 흉요추형이 늑골의 지지가 없어서 더 진행하는 결향을 보인다. 정상적으로 흉추는 20~40° 정도의 후만을 보이는데 40° 이상의 후만을 보이는 경우 척추후만증이라고 한다. 척추의 골단성장판(epiphyseal growth plates)의 이상으로 인접한 3개 이상의 흉추가 5° 이상의 전방 쐐기변형(anterior wedging)을 보이는 발달성 질환을 Scheuermann's kyphosis라고 부른다. 대개 청소년기에 시작되며 척추후만이 고정되어 있고, 주로 하루 일과의 마지막에 심해지는 통증 등이 자세성 후만증(postural kyphosis)과 구별된다.[28] 50° 이하의 경미한 변형은 주기적인 방사선 검사로 변형의 진행을 관찰하고, 50° 이상의 변형이 있는 경우 진행을 막기 위한 보조기를 고려할 수 있다. 75° 이상의 변형이 있는 경우 수술적 치료를 시행한다.

4. 소아의 요통

성인에서 뿐 아니라 소아, 청소년에서도 요통은 매우 흔히 발생한다. 무거운 백팩과 요통과의 관계에 대하여는 아직 논란이 많다. 하지만 미국 소아과학회에서는 소아, 청소년은 체중의 10~20% 정도 무게의 백팩을 사용하도록 권장하고 있다. 원인은 특별한 병변이 발견되지 않고 근육의 긴장이나 염좌 등에 의한 비특이적인 통증인 경우가 대부분이다. 추간판 탈출증, 척추분리증, 척추측만증, 척추후만증 등의 골격계 이상과 동반되는 경우도 많다.

급성 요통의 경우는 추간판 탈출증, 골절, 근육염좌 등을 의심해 볼 수 있으며, 만성통증의 경우는 척추측만증, 척추후만증 등의 변형이나 강직성 척추염, 소아류마티스관절염(juvenile rheumatoid arthritis) 등의 만성염증성 질환을 의심해 볼 수 있다. 전환장애(conversion disorder), 기분장애(mood disorder)와 같은 정신질병(psychiatric illness)이 있는 경우는 다른 원인과 감별이 어렵다. 환아의 나이가 4세 미만이거나, 증상이 점점 심해지거나, 생활에 제한을 주는 정도의 통증이 있거나, 발열, 체중감소 등 다른 전신증상이 동반되거나, 신경학적 증상이 동반되거나, 밤에 통증이 지속되는 경우는 종양, 감염, 척추공동증 등 다른 원인을 찾기 위한 검사를 시행해야 한다.[29] 문진, 신체검사, 신경학적 검사를 시행하고 방사선 검사를 통해 골절, 척추변형 등의 여부를 확인하며 필요시 컴퓨터 단층 촬영, 자기공명영상 검사 등을 시행해 볼 수 있다.

IV. 상지의 병변

1. 상완신경총 손상

출산과 관련된 상완신경총 손상은 국가 간 차이가 있으나 1,000생존아당 1명의 비율로 발생한다. 거대아, 임신성 당뇨, 이상태위 등과 연관된 견갑난산(shoulder dystocia)이 위험 인자이며, 신경총의 견인 또는 신장에 의해 발생한다.[30] 경수 5~6번의 손상은 Erb 마비라고 하며 전체 50~60%를 차지하고 여기에 경수 7번까지 손상되는 경우는 30% 정도이다. Erb 마비가 있는 경우 견관절 내전 및 내회전, 주관절 신전 및 전완부 회내의 특징적 자세를 보이고 이두근 반사가 소실된다. 신생아에서는 비대칭의 모로 반사 및 긴장성 목반사를 보인다. 경수 5번-흉수1번의 전상완신경총 마비는 15% 정도에서 발생하고 팔 전체의 이완성 마비를 보이며 이환 측 상지의 모든 반사가 소실된다. 경수 8번-흉수 1번의 손상은 Klumpke 마비로 2% 미만을 차지하고 손목 굴곡근 및 손 내재근이 약화되며 파악반사가 소실되나 이두근 반사는 정상이다. 진단 시 기본적으로 출생력을 포함한 과거력 청취 및 이학적 검사를 실시해야 하며 이외에 쇄골 및 상완골 골절을 확인하기 위한 단순 방사선 검사가 필요하다. 횡격막 마비가 의심되는 경우 흉부 단순 방사선 검사를 실시한다. 환자가 3개월이 지나도록 호전이 없는 경우 전기진단학적 검사를 실시하게 되며 감별 진단 및 수술 전 평가로 경추부 자기공명영상검사가 도움이 된다.[31]

초기에 추가적 외상이 발생하지 않도록 조심스럽게 자세교정(positioning)을 시행하고 발병 2주후부터 관절가동범위 운동을 실시하는데 상완골두나 요골두 탈구를 예방하기 위해 과도한 견관절 외전이나 전완부 회외는 피한다. 필요에 따라 부목 또는 보조기, 물리치료, 작업치료, 전기자극 치료 등을 시행한다. 이차적 합병증으로 근 위축, 관절 구축, 성장 지연, 사경, 사두, 관절 탈구 등이 있다. 예후는 손상 정도 및 범위에 따라 달라지는데 상부 상완신경총 손상의 경우 예후가 좋아 75~95%에서 완전 회복을 보이는 반면 Horner 증후군이 동반된 팔 전체 이완성 마비는 예후가 불량하다. 1개월까지 이환된 근육의 항중력 운동이 가능한 경우는 예후가 매우 좋으며, 3개월까지 수축이 느껴지고 5개월까지 항중력 운동이 가능한 경우 불완전하지만 어느 정도 회복이 가능하나 3개월까지 전혀 회복되지 않으면 추가적인 검사가 필요하고 3~6개월까지 회복이 없으면 수술적 치료를 고려해야 한다. 90% 이상이 4개월까지 완전히 회복되며 기능 회복은 첫 수개월내 가장 빠르게 일어나지만 1년까지 지속될 수 있다.[32]

2. 상지의 선천성 이상

1) 견갑부 선천성 이상

(1) 선천성 상위 견갑골(congenital high scapula, Sprengel deformity)

Sprengel 변형은 드물지만 견갑부에서 발생하는 가장 흔한 선천성 기형이다. 배아 발달 시기에 견갑골의 비정상적인 하강으로 인해 견갑골이 정상적인 위치보다 상부에 위치하고 하각(inferior angle)은 내측으로 상각(superior angle)은 외측으로 회전되는 변형을 말한다.[33] 이환된 아동은 견관절 가동범위 감소 정도에 따라 다양한 기능적 제한을 나타내게 된다. 대부분 편측성이나 10% 정도에서는 양측성으로 발생한다. 척추측만증(35~55%), Klippel-Feil 증후군(16~27%), 늑골 변형(16~48%), 척수이분증(20~28%) 등과 흔히 동반된다. 선천성 상위 견갑골이 의심이 된다면 단순 방사선 검사를 시행하여 견갑골의 위치를 확인하고 동반 기형 여부를 판단한다. 관절가동범위 운동을 통해 최대한의 견갑관절 운동범위를 확립하고 사경을 예방한다. 변형이 심하거나 견관절 기능장애가 심할 때는 수술을 고려해야 한다.[34]

(2) 쇄골 두개 이형성증 (cleidocranial dysplasia)

쇄골의 결손으로 양측 어깨가 서로 닿는 현상, 두개골 기형 및 구강악안면 이상을 특징으로 하는 선천성 발육 장애이다.[34] 6번 염색체에 위치한 RUNX2 (Runt-related transcription factor 2)의 변이와 관련이 있으나 임상적으로 진단을 받은 전체 환자의 65%에서만 이 유전자 변이가 발견된다.[35] 임상적 특징으로 왜소증, 쇄골 형성 부전 또는 무형성증으로 인한 견관절 운동범위 증가, 두개 봉합의 지연 유합, 여러 형태의 치아 결함 등이 있다. 대부분의 환자에서 기능 장애가 없어 치료가 필요하지 않다.

2) 전완부 선천성 이상

(1) 선천성 요골 결손(congenital longitudinal deficiency of the radius)

선천성 요골 곤봉수라고도 불리며 다양한 정도의 요골 결손을 보이고 양측성으로 잘 발생하지만 침범정도는 비대칭이다. 신생아 55,000명당 1명의 빈도로 발생하는 것으로 추정되지만, 핀란드의 한 연구에서는 5,000명 중 1명에서 발생한다고 보고되었다. 유전보다는 산발적으로 발생하는 경우가 많다.[36] 환자의 2/3에서 내과적 또는 근골격계 이상이 동반되는데, 선천성 요골 결손과 연관된 증후군으로는 TAR (thrombocytopenia absent radius) 증후군, VACTERL (vertebral, anal, cardiac, trachea-esophageal, renal, limb), Holt-Oram 증후군, Fanconi 빈혈 등이 있다.[37] James 등은 선천성 요골 결손을 방사선학적으로 6가지로 분류했다.[38] N형은 엄지 저형성 혹은 부재, 0형은 요측 수근골 저형성 혹은 부재인 상태이며, 요골 결손 정도에 따라 2 mm 이상의 요골 단축을 보이는 1형부터 요골의 완전 결손을 보이는 4형으로 나뉜다. 전완골 단축, 요골 각변형, 주관절 굴곡운동 제한, 완관절 불안정성, 수근골의 결손 혹은 저형성 등의 임상 양상을 보인다. 치료는 출생 직후부터 시행되어야 한다. 손과 전완부 사이의 각변형을 교정하기 위한 스트레칭 및 부목, 석고고정 등을 적용한다. 3형 및 4형의 경우 수술적 치료가 필요할 수 있다.[37]

(2) 선천성 척골 결손(congenital longitudinal deficiency of the ulna)

선천성 척골 곤봉수라고도 불리는 이 질환은 척골이 불완전 또는 완전 결손되는 선천성 이상이다. 생존 출생아 25,000명당 1명의 빈도로 발생하고 유전성이 아닌 산발적 발생을 보인다.[36] 전신 질환과 연관성은 보이지 않으나 근위부 대퇴골 부분 결손, 비골 결손, 척추측만증 같은 다른 근골격계 이상은 흔히 동반되며 거의 대부분의 환자에서 동측 수부 기형이 동반된다. 기능적 결함은 선천성 요골 결손에 비해 심하지 않다. 선천성 요골 결손과 마찬가지로, 비수술적 치료가 선행되어야 하며 수술적 치료가 필요하다면 1세 이전에 시행하는 것이 좋다.[34]

(3) 선천성 요척골 골 결합(congenital radioulnar synostosis)

요골과 척골의 일부분이 골조직으로 결합되어 있어 전완부 회전장애가 발생하는 이상으로 근위부 결합이 더 흔하다. 단순 방사선 사진에서 골 결합이 없는데도 전완부 회전 운동이 안되는 경우 연골결합이나 섬유 결합으로 붙어있을 가능성이 있다. 다른 전완부 선천성 이상이 같이 나타날 수 있으며 Apert 증후군, 관절구축증, Klinefelter 증후군과 동반되어 나타나기도 한다. 대개 2.5~5세 사이에 전완부 회전 장애를 통해 발견되는데 양측성이거나 회내변형이 심한 경우 보다 조기에 발견된다. 회내변형이 심하지 않은 경우 어깨와 손목에서 회외전이 어느 정도 보상되어 일상생활에 큰 지장이 없을 수 있다. 회내 변형이 60° 이상인 경우, 특히 양측성인 경우 수술이 권장된다.[34]

(4) 선천성 요골두 탈구(congenital dislocation of the radial head)

선천성 요골두 탈구는 흔히 증후군, 유전자 이상과 동반되어 나타나는 선천성 이상으로 60%에서 유전성을 보이고, 양측성인 경우가 많으며 외상성 탈구와 감별이 필요하다.[39] 이환 시 주관절 가동범위가 감소되고 전완부의 회전 운동이 제한되며 경미한 통증 및 미용상의 문제가 발생한다. 소아기에는 증상이 없다가 성장함에 따라 요골두와 상완골 소두 사이의 침식으로 인해 통증과 운동 제한의 악화가 나타날 수 있다. 증상이 심하지 않으면 치료가 필요하지 않을 수 있고 유아기에 발견된 경우 도수정복을 시도해 볼 수 있다. 증상이 심한 경우 성장이 완료된 후 요골두 절제술을 시행하기도 한다.[34]

3. 수부의 선천성 이상

다지증(polydactyly)은 손에 생기는 흔한 선천성 이상 중 하나로 대부분 무지에 발생한다. 다지증이 합지증보다 흔하며 남자에서 두 배 더 많이 발생한다. 무지와 손가락 사이로 집기를 시작하는 1세 이전에 수술적 치료를 시행하는 것이 좋다.

수지 간 분리가 불완전하여 선천적으로 붙어있으며, 물갈퀴가 근위 지골의 근위 1/3 부위보다 원위부로 내려가 있는 경우를 합지증(syndactyly)이라고 하며 다지증과 함께 흔한 수부의 선천성 이상이다. 중지-환지 사이에 가장 흔하며 반 정도가 양측성이고 남자에서 두 배 더 많이 발생한다. 수술 시기는 빠를수록 좋다.

파열수(cleft hand)는 선천성으로 제2, 3, 4지에 나타나는 결손이며 제3지 결손이 가장 흔하다. 다른 수지가 모두 소실되고 소지만 남은 경우도 있다. 파열수는 여러 수부 이상이 동반될 수 있으므로 과도하고 깊은 틈을 줄이고 동반된 수부 이상을 함께 치료하는 것이 수술적 치료의 목적이다.

거대지(macrodactyly)는 하나 또는 둘 이상의 수지가 전반적으로 커지는 드문 선천성 이상이다. 한 손가락만 이환된 경우는 인지가 가장 흔하며, 두 개가 이환된 경우는 인지-중지가 흔하다. 골과 관절을 포함한 거의 모든 조직의 비대가 관찰된다. 힘줄의 발달이 미약하여 이환된 손가락을 능동적으로 움직이지 못하는 경우가 흔하며, 지간 관절의 강직도 흔히 관찰된다. 경미한 경우가 아니면 수술 후 만족스러운 결과에 도달하기 힘들다.[34]

V. 하지의 병변

1. 고관절

1) 발달성 고관절 이형성증(developmental dysplasia of the hip, DDH)

이형성증(dysplasia)이란 단어는 발달 이상을 의미하는 용어이다. 발달성 고관절 이형성증은 고관절의 불충분한 발달(dysplasia)과 피막 이완증이 있는 단순 고관절 불안정성부터 비정상적인 비구 소켓(acetabular socket)에서 대퇴 골두가 완전히 전위된 것(dislocation)까지의 넓은 의미로 사용되고 있다. 이전에는 '선천성 고관절 탈구' 라고 불리었는데 1991년에 미국 정형외과 학회에서 '발달성 고관절 이형성증' 으로 개칭하였다. 여아에서 4~6배 호발하며, 환자의 12~30%에서 가족력이 있다고 보고된다. 연관 인자로는 둔위 태향(breech presentation), 초산부, 자궁내 압박으로 발생하는 것으로 생각되는 변형 즉, 사경(torticollis), 사두증(plagiocephaly), 양수감소증(oligohydramnios), 중족골 내전(metatarsus adductus), 종외반족(calcaneovalgus) 등이 있으며, 좌측에 더 많이 발생한다.

증상 및 징후로 피부 주름의 비대칭, 고관절의 외전 제한, 하지 길이 차이, 파행 보행 및 자세 변화 등이 있다. 이학적 검사는 대퇴골두가 비구에서 미끄러져 나왔다가 들어가는 것을 검사자가 유발하여 확인하는 것이다. 고관절을 부드럽게 굴곡 및 외전시키면서 촉진할 수 있는 덜컹하는 소리 혹은 느낌을 알 수 있다. 이것을 Ortolani 징후라 하며, 반면에 고관절을 천천히 내전시키면 탈구되는데 이것을 Barlow 징후라 한다. Ortolani와 Barlow 검사는 고관절 이형성증 자체의 진단보다는 도수 정복이 가능한지를 가늠하는 것에 더 큰 의의가 있다. Galeazzi 징후는 유아를 눕힌 상태에서 발뒤꿈치를 나란히 모으고 고관절과 슬관절을 완전히 굴곡시키면 명백한 병변측 대퇴부 단축과 함께 비대칭적인 무릎 높이를 볼 수 있다. 보행이 가능한 연령이 되면 탈구된 쪽을 외회전하고 Trendelenburg 보행을 보인다. 양측 모두 이환된 경우는 외측 동요성 보행(lateral waddling gait)을 보이며 대칭적이므로 간과될 수 있다.

초음파 검사는 신생아 고관절 이형성증의 표준적인 방법으로 사용되며, 위험군에 속한 환아들은 생후 4~6주 초음파로 선별검사를 해야 한다. 생후 4~6개월이 되면 단순방사선 검사가 진단에 도움이 되며, 생후 1세 이후에는 고관절의 발달과 이형성의 잔존 또는 재발을 평가하는 표준적인 방법이 된다. 단순 방사선 검사에서는 비구지수(acetabular index)의 증가, 대퇴 골두가 외상방 전위 됨으로써 Shenton선의 단절, 대퇴 골두 골화 중심의 지연 출현 등 Putti의 삼주징(triad) 소견이 관찰된다. 치료는 환아의 나이, 점진적 또는 도수정복의 가능성, 정복 후 관절의 안정성, 골이형성증 정도에 따라서 다양한 방법이 이용되고 있다. 치료 목표는 고관절 정복과 유지 및 무혈성 괴사를 예방하는 것이다. 나이가 어릴수록 보존적 방법으로 치료 가능한 경우가 많고, 나이가 많을수록 수술적 정복술 및 절골술이 필요한 경우가 많다. 보장구를 이용한 치료는 대부분 6개월 이내에 실시하며, Pavlik 보장구가 가장 널리 이용되고 있다. 생후 6~8개월 이후에는 보장구로 정복을 실패하는 경우가 흔하며, 6~8개월 이전에 발견하여도 기형적 혹은 선천적 탈구는 수술적 정복이 필요한 경우도 있다. 18개월 이전 환아에서는 전신마취 하에 고관절을 굴곡-외전하여 도수 정복 후 석고 붕대로 고정하여 관절을 안정화시키는 방법을 실시한다. 치료가 지연되면 대퇴 골두에 무혈성 괴사가 발생할 뿐만 아니라 재발되는 경향이 있다. 1세까지 대퇴 골두에 골화가 보이지 않으면 허혈성 괴사를 의심할 수 있다. 6세 이후에 정복이 되지 않으면 영구적인 고관절 아탈구가 되고 현저한 보행 장애를 보이게 되며 시간이 지날수록 골관절염과 통증을 겪게 된다. 보존적 치료 및 도수 정복이 실패하거나 안정적인 정복 상태를 유지하기 어려운 경우 고관절에 대한 수술적 치료를 하게 되는데, 연령이 증가할수록 그 가능성은 높아진다.

2) 레그-깔베-페데스 병 (Legg-Calve-Perthes disease)

레그-깔베-페데스 병은 아동에서 원인을 알 수 없는 혈행 장애로 초래되는 대퇴 골두의 무혈성 골괴사로서 4~10세의 남아에서 잘 발생한다. 10~12%에서 양측으로 이환된다. 전형적인 증상으로는 간헐적인 경도의 파행, 서혜부 통증과 슬관절로의 방사통이 있다. 이환된 고관절의 내회전, 신전 및 외전의 제한은 활액막염의 경우와 비슷하다. 그러나 일과성 고관절 활액막염과 달리 수주에서 수개월간 증상이 지속되며 자주 재발한다.

발병 후 1개월에서 1년 내에는 골화 중심의 괴사와 대퇴골두골단의 음영이 증가된 소견이 관찰된다. 반달징후(crescent sign)가 초기에 발생된다. 마지막 단계에는 어느 정도의 구형 복원 또는 퇴행성 관절염으로 이행되는 대고(coxa magna)를 보인다. 병의 초기에 단순방사선 검사에서 나타나지 않을 때 골주사 검사와 자기공명 영상촬영이 진단에 도움이 된다. 관절조영술은 질병의 단계를 나눌 때나 고관절의 조화(congruency)를 판단하는데 도움이 된다.

치료의 단기 목표는 고관절의 통증과 강직을 감소시키는 것이다. 비스테로이드성 소염제가 활액막염을 제어하는 데 효과가 있고, 목발을 이용하여 체중을 부하하지 않는 방법 등으로 활동을 제한하는 것이 통증을 경감시키는 데 도움이 된다. 빨리 발견할수록 예후는 좋으며, 8세 미만으로 대퇴 골두의 괴사가 50% 미만일 때 예후가 더 좋다. 통증이 없고 방사선 검사에서 치유된 소견을 보일 때까지 충격이 강한 운동은 제한한다. 치료받지 않은 환자 중 50%는 골관절염을 보이고, 50세 경에 이르러 심한 변화를 보인다. 겸상적혈구성 빈혈, 대퇴경부골절, Gaucher 병, 대퇴골두골단분리증, 선천성 고관절 탈구, 류마티스양 관절염과 기타 교원질 질환 및 스테로이드 치료 등과 같이 무혈성 괴사를 발생시키는 질환들도 항상 감별 진단으로 고려하여야 한다.

3) 급성 일과성 활액막염 (acute transient synovitis)

급성 일과성 활액막염은 소아시기에 흔한 고관절 질환으로 원인을 알 수 없는 자기 제어성 염증 질환(autoimmune disease)이며 일반적으로 임상 경과는 양호하다. 유아기 이후 어떤 시기에도 발생될 수 있는데, 5~6세 사이에 가장 많이 발생하며 남아가 여아보다 2~3배 많다. 95%가 일측성이며, 좌우 동일한 빈도로 발생한다. 소아에서 급성 고관절 통증의 가장 흔한 원인으로 재발률은 4% 정도이다.

임상 증상으로는 편측 고관절이나 서혜부 통증과 슬관절의 연관통이 있으며, 파행을 보이거나 체중 부하를 하지 않으려고 한다. 특히 고관절 내회전의 제한이 있고, 이환된 하지는 일반적으로 굴곡, 외전 및 외회전 자세를 취하고 있다. 최근의 급성상기도 감염이나 중이염, 경미한 외상과 연관이 있을 수 있으며, 미열과 백혈구수 및 적혈구침강속도 증가, 방사선 검사에서 반대측과 비교해서 관절강내 삼출액을 보일 수도 있으나 모든 검사에서 정상으로 보고되기도 한다. 감별 진단으로 세균성 고관절염, 레그-깔베-페데스 병(Legg-Calve-Perthes disease), 연소기 류마티스 관절염, 혈청 음성형 관절염 등과 감별이 중요하다. 기본적인 치료방법은 휴식과 비스테로이드성 소염제의 투여 등의 대증적 치료이다. 고관절의 통증이 완전히 사라지고 파행이 없어질 때까지 활동을 어느 정도 제한해야 한다.

2. 하지의 선천성 이상

1) 선천성 만곡족(clubfoot, congenital talipes equinovarus)

선천성 만곡족은 전족부 내전(adduction) 및 내회전(medial rotation), 후족부 내반(varus), 족관절 첨족(equinus)을 보이는 선천성 변형이다. 발생 빈도는 1,000명의 생존 출생아 중 1~2명 정도로 보고된다. 약 50%가 양측성이며, 남아에서 2~4배 정도 더 많이 발생한다. 만곡족의 발병률은 인종과 성별에 따라 변화가 크며, 유전적 요인도 있다고 보고된다. 태생기 중 사지 발생 초기의 발달장애이므로 뼈와 관절뿐만 아니라 슬관절 이하 부위의 모든 근골격계와 신경 혈관 조직에 영향을 미치는 선천성 이형성증(dysplasia)으로 설명될 수 있다. 원인에 따라서 자세성(postural), 특발성(idiopathic), 신경인성(neurogenic), 증후군(syndromic) 관련 만곡족으로 분류된다. 자세성 만곡족은 변형이 심하지 않고 하퇴삼두근의 위축을 보이지 않으며 수동적으로 교정되며 치료에 잘 반응한다. 신경인성 만곡족은 척추수막류, Charcot-Marie-Tooth 병 등 신경근육성 질환에 동반된 변형을 의미한다. 증후군 관련 만곡족은 관절구축증 등과 같이 유전성 질환에 동반된 경우이다. 특발성 만곡족은 신경근육성 질환이나 증후군이 없는 환아에서 선천성 기형의 형태로 족부의 변형과 하퇴삼두근의 위축 등을 보이는 경우이다.

산전 초음파 검사는 만곡족을 조기에 진단하는 데 도움이 된다. 유아는 뼈가 대부분 연골 상태이고, 거골의 골화 중심은 뼈의 중앙에 위치하지 않으며, 발의 변형이 심해서 단순 영상 검사가 힘들 수 있다. 일관된 영상을 촬영하기 위해 가능한 변형이 최대한 교정된 상태에서 촬영을 한다. 가장 흔히 사용되는 방법은 거골종골각(talocalcaneal angle)을 전후상과 편측상에서 측정하는 것이다. 일반적으로 만곡족에서는 거골(talus)과 종골(calcaneus)이 평행이 되려는 경향이 있어서 전후방 거골종골각은 20° 미만, 편측 거골종골각은 25° 미만으로 각도가 정상보다 감소한다. 어떤 치료를 하더라도 족관절의 운동범위의 감소 및 하퇴 근육의 위축, 족부 크기의 감소 및 동반된 경골 내회전 변형 등이 남게 된다. 비수술적인 치료 방법으로 가장 널리 사용되는 것은 Ponseti의 연속적 도수 교정 및 석고 고정법이다. 도수 교정하기에 족관절 및 족부가 심하게 구축되어 있으면 수술적 치료를 고려한다. 수술과 석고 붕대고정 후 족부 자세를 유지하기 위해 복사상 보조기(supra-malleolar orthoses)를 처방하기도 한다. 수술 후에는 배굴과 외번에 중점을 둔 재활 치료를 통해 관절운동범위가 유지되어야 한다. 지속적인 변형은 불안정한 족관절, 외측 인대의 염좌를 발생시키고 체중 부하를 어렵게 한다.

2) 선천성 종외반족 (congenital calcaneovalgus foot)

선천성 종외반족은 족관절이 과도하게 족배굴곡 및 외반되어 발등 외측이 하퇴부 전면에 맞닿아 있는 변형이다. 이는 이형성증(dysplasia)이라기보다 자궁 내에서 족부의 위치 때문에 발생하는 것으로 생각된다. 약 1,000명 출생당 한 명꼴로 관찰되며, 여아, 초산아, 젊은 산모에서 많이 발생한다. 임상 소견은 족관절의 심한 족배굴족, 전족부 외반, 거골하 관절에서의 경도의 외전이다. 발등 외측의 연부 조직의 구축이 없고 족관절의 수동적 족저굴곡이 중립위 이상 되면 가정에서 신장 운동으로 호전될 수 있다. 보통 3~6개월이면 발의 모양이 정상화된다고 하나 중립위 이상 족저굴곡이 되지 않는 심한 구축의 경우 연속적 석고붕대고정이나 보조기의 적응증이 된다.

3) 선천성 수직 거골 (congenital vertical talus)

선천성 수직 거골은 족저 내측을 향하여 거골(talus)이 거의 수직으로 놓여 있고 주상골(navicular)은 배측 및 외측으로 탈구되어 있다. 약 50% 정도에서 양측성이며 성별에 따른 차이는 없다. 정확한 원인은 알려져 있지 않으나 50% 정도에서는 동반되는 신경 근육 및 유전학적 이상이 있다. 경직된 족부(rigid foot)의 경우에는 도수 정복이 불가능하다. 호상족(rocker bottom foot) 변형으로 발바닥이 볼록하게 보이기도 하고, 족근동(sinus tarsi)에 오목한 피부선이 관찰되기도 한다. 보행 시 전족부의 push-off가 힘들어 보행 이상을 보인다. 보존적 치료만으로는 변형이 경한 경우를 제외하고 거의 치료에 성공하지 못한다. 수술 시기는 주로 1~2세 이전에 수술적 정복술을 시행한다.

4) 선천성 중족골 내전 (metatarsus adductus)

유아기에 가장 흔하게 발견되는 선천성 족부 변형으로 전족부는 내측으로 편향되고 약간 회외(supination)되어 있다. 제1~2족지 사이가 벌어져 있는 경우가 흔하다. 1,000명 출생당 한 명의 비율로 발생하며 절반에서는 가족력이 있다. 남아와 여아가 비슷하게 이환된다. 정확한 병인은 미상이나 근골격계의 태생기 발달은 정상이나 마지막 단계에서 자궁 내의 상대적 공간 부족 환경에서 발의 잘못된 자궁 내 위치로 인한 압박에 의해 변형이 발생한다는 packing 이론과 근골격세 불균형, 골관절 이상설이 있다. 임상 소견은 아주 경한 내전 변형부터 심한 변형에 이르기까지 다양한 스펙트럼으로 발생한다. 발의 내측부에 깊은 피부주름이 있으면 어떤 형태이든지 치료가 필요하다는 것을 뜻한다. 족관절 및 거골하 관절의 운동성은 정상이며, 흔히 동반되는 변형으로는 searching great toe, 경골 내회전 변형 등이 있다.

Bleck는 두 가지 관점에서 중족골 내전을 분류하였다. 첫 번째는 발뒤꿈치 이분선(heel bisector line)을 이용한 분류로서 정적인 상태에서의 변형의 정도를 나타낸다. 정상적으로는 제2족지 또는 제2족지와 제3족지 사이의 공간을 통과하는데, 이 선이 제3족지 또는 그보다 외측으로 통과할 수록 더 심한 중족골 내전증을 의미한다. 두 번째는 변형의 유연성을 기준으로 분류하였다. Crawford와 Gabriel의 분류(1987)는 후족부를 고정한 후 전족부를 수동적으로 외전시켜 변형을 교정할 수 있는지를 보아서 유연한지 여부를 판정한다. 3~4세까지 정상 또는 경도의 변형으로 자연 교정되는 경우도 있다고 하나 고관절 이형성증, 고관절의 내회전 변형, 경골의 내회전 변형 등 다른 요인이 동반되었는지 주의 깊은 이학적 검사가 필요하다. 스트레칭이 도움이 된다는 보고도 있으나 보호자가 적절히 시행하지 못하는 경우가 많다. 교정 신발 단독 착용 또는 Denis-Browne 보조기 등이 효과 있다는 증거도 희박하다. 변형이 심하여 심한 동통, 굳은살, 신발 신기 등의 어려움이 계속되는 예외적인 경우에만 드물게 수술적 치료를 시행한다.

3. 하지의 회전성 변형

발생학적으로 태아 때 상지와 하지는 길이 성장과 더불어 회전이 이루어진다. 회전은 태생 7주에 시작되는데 상지는 외회전하게 되고 하지는 내회전 하게 된다. 따라서 태어난 후 정상적으로 견관절에서 상완골은 후염(retroversion), 고관절에서 대퇴골은 전염(anteversion)상태를 나타나게 된다.

1) 고관절

출생 시 대퇴골경(femoral neck)과 대퇴골간(femoral shaft)의 정상 각도는 약 160°이고 5세 경에 약 140°로 감소되며 성인이 되면 120°가 된다. 출생 시 원위부 대퇴골의 과간선(transcondylar line)에 대한 전방 대퇴골경 각도는 약 40°이며, 5세경이 될 때까지 약 25°로 감소되고 성인에서는 5~15°가 된다.

대퇴골 전경증(femoral anteversion)은 소아 초기 내족지 보행의 가장 흔한 원인이며 여아에서 주로 발생되며 대칭적이다. 환아들은 주로 W-자세로 앉는다. 보호자는 아동이 뛸 때 모습이 이상하다거나 내족지 보행 혹은 발의 중족부가 낮은 유연성 편평족을 발견할 수 있다. 보행할 때 슬개골이 서로 마주보게 되는 것도 대퇴골 전경증을 시사하는 소견이다. 일반적으로 대퇴골 전경증은 8세경 해소된다고 한다. 그러나 지속적으로 증가된 전경각(anteversion angle)이나 고관절 내회전 각도가 외회전에 비해서 증가된 아동은 내족지(in-toeing) 보행을 하게 된다. 고관절 내회전 및 외회전은 엎드린 자세에서 가장 잘 평가할 수 있다. 성장발달 과정에서 고관절의 내회전 각도는 외회전 각도에 비해서 작게 측정되는 것이 정상이다.

보존적 치료는 고관절의 외회전근을 강화시키는 운동, 외족지(out-toeing) 보행을 하도록 발보조기를 처방할 수 있다. 미용적 또는 기능적 변형이 현저하게 있으면서 전경각이 50°를 초과하고 고관절 내회전이 80°를 초과하는 8세 이상의 소아인 경우 수술적 치료의 적응증이 될 수 있다. 대퇴골 전경증을 교정하는 수술적 치료는 근위부 및 원위부 대퇴골 절골술(femoral osteotomy)이 있다. 대퇴골 후경증(femoral retroversion)은 대퇴골 전경증과는 반대로 고관절 외회전을 과도하게 되는 반면에 내회전은 최소한도로 되는 경우를 말하며, 엎드린 자세에서 가장 잘 검사할 수 있다. 다운 증후군과 Ehlers-Danlos 증후군과 같이 근육 긴장도가 저하되고 관절 이완증이 증가된 소아에서 흔하다. 과도한 외족지 보행을 보이며 이차적인 외반슬과 유연성 편평족이 동반될 수 있다.

2) 슬관절

대퇴골 회전에 대한 보상작용이나, 자체적 경골 내염전(internal torsion) 또는 외염전(external torsion)이 발생하는 경우 아동은 내족지 보행 또는 외족지 보행을 하게 된다. 경골 내염전은 걸음마를 시작할 무렵에 발견된다. 1~3세 사이 연령에서 보이는 내족지 보행의 가장 흔한 원인이다. 환아의 2/3에서 양측으로 나타나며 편측인 경우에는 주로 좌측에 나타난다. 대부분의 경우 자궁 내에서의 자세에 의해 발생하는 것으로 생각된다.

이학적 검사로 엎드린 자세에서 슬관절을 90°로 굴곡하고 대퇴-족부 각도(thigh-foot angle, TFA)를 측정한다. 이 각도는 대퇴부 종축에 대한 경골과 후족부의 회전 각도를 나타내는 것으로 경골 염전의 정도를 알 수 있다. 대부분의 신생아는 대퇴-족부 각도 평균 4°의 경골내염전(internal tibial torsion)을 보이다가 성장함에 따라 경골은 지속적으로 외측으로 회전되어 성인이 되면 평균 23°(범위는 0~40°)의 경골 외염전(external tibial torsion)을 보인다. 과간축과간축(transmalleolar axis, TMA)도 경골의 염전 정도를 결정하는 데 도움이 된다. 유아기에는 외과가 내과보다 약 5~10° 후방에 위치하고, 사춘기에는 약 15°로 증가한다.

경골내염전과 달리 경골외염전은 연령이 증가함에 따라 그 정도가 증가하는 경향이 있다. 주로 소아 후기나 청소년기에 발견되고 편측에만 발생되는 경향이 있으며 주로 우측에 발생된다. 경골이 과하게 외염전이 되어 있을 경우에도 슬개-대퇴

관절 통증 및 슬개-대퇴관절 불안정성 등을 발생시킨다. 일반적으로 경골내염전은 성장과 더불어 자연적으로 호전된다고 되어 있으나, 만 8세 이상에서 심한 변형과 기능 제한 및 대퇴-족부 각도가 10°보다 작거나 반대로 40°보다 큰 경골 염전의 경우 수술의 적응증이 된다.

태어났을 때 영아는 10~15° 각도의 내반슬(genu varum) 상태인 O형 다리를 보인다. O형 다리는 점차 똑바르게 정렬되어 생후 12~18개월까지 대퇴경골 정렬이 0°가 된다. 계속 성장함에 따라 3~4세경에 12~15° 정도의 최고 외반 각도를 이룬다. 그 후 외반슬(genu valgum)은 감소되어 12세경에 약 5~7°의 정상 성인 수치를 보인다. 어떤 연령대이건 상당히 넓은 정상 표준편차를 보인다. 대퇴-경골각도(femur-tibia angle, FTA), 골간단-골간각(metaphyseal-diaphyseal angle, MDA) 또는 과건거리(intermalleolar distance, IMD)를 측정하여 변형을 객관적인 수치로 측정할 수 있다.

소아에서 가장 흔한 내반슬의 원인은 생리적 내반슬이다. 생리적 내반슬은 생후 18개월 이후에도 지속될 수 있으나 만 3세 이전에 대체로 해소된다. 생리적 내반슬의 전형적인 방사선학적 특징은 대칭적이며 정상적인 성장판을 보이고 대퇴골 원위부뿐만 아니라 경골 근위부까지 포함하는 내측 만곡(bowing)을 보인다. 2세 미만의 소아의 생리적 내반슬과 영아 내반경골(infantile tibia vara, Blount disease)은 방사선학적 소견과 대퇴-경골각(femoral-tibial angle)이 비슷하여 이들 두 질환을 감별하는 데 골간단-골간각(metaphyseal-diaphyseal angle)을 측정하는 것이 도움이 된다. 생리적 내반슬의 골간단-골간각은 11° 미만이고 영아 내반 경골의 진단은 12° 이상 14~16°의 범위를 진단기준으로 하기도 한다. 감별 진단으로는 영아 내반경골(infantile tibia vara) 또는 Blount병, 저인산염혈성 구루병(hypophosphatemic rickets), 골간단 연골이형성(metaphyseal chondrodysplasia), 초점성 섬유연골이형성증(focal fibrocartilaginous dysplasia), 골단 외상 등이 있다.

Blount 병은 유아기 경골 내반증으로 근위 경골 골단판을 침범하는 발육 장애 질환이다. 출생 시 뚜렷한 이상이 없는 소아가 2세 이전에 보행을 함에 따라 내반슬의 악화를 보이는 전형적인 병력이 있다. 흔하지는 않지만 연소형(juvenile form)은 4~10세 사이에 발생하고, 사춘기형(adolescent form)은 11세 이후에 발생하는데, 흑인과 여아에서 더 흔하고 비만하거나 조기 보행을 시작하는 소아에서 볼 수 있다. Blount병은 근위부 경골 골단판의 내측면에 비정상적인 압력이 가해져서 그 부위의 성장이 지체되거나 근위부 경골이나 비골 외측면의 성장이 촉진되어 발생되는 것으로 생각하고 있다. 조기에 Langenskiold stage I 혹은 stage II의 최적 요법은 보조기 착용이나, 3세 이후 혹은 Langenskiold stage III의 각 변형이 있는 경우 근위부 외반 절골술(valgus osteotomy)이 필요하다. 내측 근위부 골단의 분절(fragmentation), 회선(declination) 및 부리 모양(beaking)이 증가할 경우에는 일반적으로 수술의 적응이 된다.

외반슬 또는 X형 다리는 외반 변형이 가장 심하게 진행하는 3~4세에 가장 많이 관찰된다. 특발성 외반슬의 경우 방사선검사에서 대칭적인 성장판을 보이고 특별한 이상은 없다. 이러한 환자는 고관절이나 경골의 회전 변형이나 발의 평편족 등이 동반되지 않았는지 세심한 이학적 검사가 필요하다. 외반슬이 있는 소아가 성장 과정에서 대퇴-경골각이 비정상적으로 내회전 변형을 보이거나 평편족이 진행하는 경우 하지 회전 보조기나 발보조기 등 보존적인 치료가 도움이 될 수 있다. 수술적인 치료로는 반골단고정술(hemiepiphysiodesis)이나 내측 골단판 봉합(stapling)으로 교정한다. 골단판 봉합의 장점은 과도한 교정이 발생되기 전에 봉합한 것을 제거할 수 있다는 것이다.

4. 족부 질환

1) 편평족(flat foot, pes planus)

편평족은 내측 종아치가 낮아지거나 소실되는 것으로 유연성 편평족과 강직성 편평족으로 분류된다. 아동들은 통증을 주증상으로 병원을 방문하기보다는 유아의 경우 독립 보행의 시기가 늦어진다거나, 소아에서는 보행 시 피로감을 호소하거나 보행 기능이 감소하고 발의 모양이나 자세의 이상으로 내원하는 경우가 대부분이다.

유연성 편평족은 일반적으로 증상이 없으며 내측 종아치가 소실되고 족부는 외반되고 종골 외반(calcaneal valgus)을 보인다. 체중을 부하하지 않으면 비교적 정상적인 내측 종아치 형태를 가지게 된다. 청소년기가 되면 점차적으로 증상이 나타날 수 있는데, 아킬레스건이 단축되어 족관절 배굴이 제한됨으로써 힘이 중족부로 전달되거나 비골근이 짧아져 증상이 나타나기 시작한다. 시간이 지나면 족근관절(tarsal joints)은 붕괴되며 환자는 내측 아치와 족관절에 모호한 통증을 호소한다. 이학적 검사로 족관절과 거골하관절의 가동성을 평가해야 한다. 후족부와 전족부의 관계를 평가하는 것도 중요하다. 아동이 서 있을 때 'too many toes' 징후, 후경골근 힘줄의 기능을 평가하기 위해 'single heel rise' 검사와 'double heel rise' 검사 등을 시행한다.

증상이 있는 경우 장딴지 근육과 아킬레스건의 신전운동을 하고, 필요한 경우에는 이학적 검사에 따라 맞춤형 발보조기를 처방하기도 한다. 발보조기의 목적은 체중을 부하하였을 때 발과 발목 관절의 정렬을 정상적으로 하고 발바닥의 체중을 골고루 분산시키는 것이다. 일반적으로 맞춤신발에는 발뒤꿈치 올림(heel lift), 내측뒷굽쐐기(medial heel wedge), 내측뒷굽가죽(medial heel counter), 토마스 힐(Thomas heel) 등을 제작한다. 치료하지 않은 상태로 진행되는 경우 보상성 무지외반증(hallux valgus), 평외반족(pes planovalgus), 이차적인 무지건막류(bunion) 등 족지변형이 발생할 수 있다. 증상이 있는 모든 편평족에 대해서는 부주상골(accessory navicular bone)이 있는지 확인할 필요가 있다.

강직성 편평족은 50%에서 다른 질환과 동반되어 나타나며, 후족부 및 중족부에 관절염과 변형이 동반되는 경우가 많다. 족근골 유합(tarsal coalition)은 강직성 평편족의 원인 중 하나로 알려져 있지만 모두 증상이 있거나 평편족인 것은 아니다. 가장 흔한 유합은 거종골(48%)과 종주골(43%) 유합이다. 골화의 진행에 따라 증상이 나타나며 거종골 유합(talocalcaneal coalition)의 경우 8~12세, 종주골 유합(calcaneonavicular coalition)의 경우 12~16세경에 주로 증상이 나타난다. 무증상으로 지내다가 우연히 발견되는 경우가 많고, 환자 중 50%에서 양측으로 존재한다. 증상은 서서히 발생하나 때때로 급성으로 아치(arch), 족관절(ankle), 중족부(metatarsal)에 통증이 발생하기도 한다. 제한된 거골하 움직임으로 인해 발목 관절 염좌가 흔히 발생하고, 거골하와 횡족근관절(transverse tarsal joint)에 대한 부하로 통증이 자주 유발된다.

2) 요족(pes cavus)

요족은 체중 부하 시에 내측 종아치가 비정상적으로 높아져 있는데, 이는 후족부에 비해서 전족부가 상대적으로 첨족이 되어 발생된다. 신경-근육성 질환, 선천성 변형, 외상 그리고 특발성 등이 요족의 알려진 원인이다. 샤르코-마리-투스병

(Charcot-Marie-Tooth disease), 척추파열증(spinal dysraphism), 프리드리히 운동실조증(Freidrich's ataxia), 혹은 척수 종양 등 척수 질환이나 신경-근 질환과 동반되어 있기 때문에 신경학적 평가는 필수적이다. 강직성 요족은 중족골통(metatarsalgia), 갈퀴족(clawing), 내재근 위축과 연관이 있다. 요족의 강직을 보상하고 통증을 감소시키기 위해서 종아치와 발목을 지지하는 족부 보조기 또는 국소적으로 가해지는 압력을 족부 전체로 재분배시키기 위한 맞춤 신발이나 발보조기가 필요하다. 특히 수술을 고려할 때 후족부의 유연성을 평가하기 위한 Coleman block test는 필수적이다. Coleman block test는 족부 체중 부하 시에 전족부 회내(pronation) 변형의 영향을 상쇄해서 후족부 변형이 교정되는지 평가하는 검사이다. 2층 높이의 블록 위에 발의 1st ray를 제외한 발을 올리고 섰을 때 후족부의 내반 변형이 유연하여 중립위로 교정이 되면 양성이다. 검사에 음성인 경우 고착된 후족부 변형이 있음을 의미하며 수술적 치료의 적응증이 된다. 수술 시에는 족저근막의 유리술도 동반되어야 한다.

3) 족지의 이상

(1) 다지증(polydactyly)

1,000명 중 출생당 1.7명 발생하는 흔한 질환으로 약 30%에서 가족력을 보인다. 약 50% 정도에서 양측성이며, 수지 다지증이나 족지 합지증을 동반할 수도 있다. 제5족지 중복(80%)이 가장 흔한데 이를 다시 관절을 형성하는 A형과 관절 미발달형인 B형으로 분류한다. 족무지 중복은 약 15%를 차지한다. 중족골이 중복되거나 bracket 골단을 보이는 경우도 있다. 신발을 신기 어렵거나, 통증, 미용적인 문제가 될 때 수술을 고려한다. 치료 원칙은 축성 정렬이 가장 잘 된 족지를 남겨두고 증상을 유발하는 족지를 절제한다. 동반된 중족골 기형도 함께 치료한다. 보통 생후 1년에 수술하는데 미발달된 B형은 출생 시 결찰하여 제거한다.

(2) 합지증(syndactyly)

제5족지에 흔히 발생하는 기형으로 가족성 성향이 있고 대개 무증상이다. 족지의 숫자는 정상이면서 제2족지와 제3족지간에 유합된 경우가 가장 흔하다. Polysyndactyly는 제5족지의 중복이 있으면서 제4족지와 제5족지 간의 합지증인 경우가 흔하다. 외측 중족골들의 골유합이 있을 수 있으며, 수술적 치료를 요하는 경우도 있다.

(3) Curly toes

족지의 가장 흔한 변형으로 대개 양측으로 발생하며, 3번째, 4번째 발가락에 가장 많이 발생한다. 가족력이 있는 경우 상염책체 우성으로 유전된다. 원인은 선천적으로 짧은 장족지 굴근과 단족지 굴근의 구축 때문이다. 이환된 발가락은 근위지절 관절에서 굴곡되면서 내측으로 변형되고, 원위지절 관절에서 외측 회전을 함으로써 인근의 정상 발가락과 겹쳐지게 된다. 아동기 환자의 24% 정도는 자연 소실된다고 하지만 6세 이상에서도 지속적인 변형이 있는 경우에는 수술적인 치료를 고려한다. 족지 테이핑이나 부목은 효과가 없다고 알려져 있으나, 신생아기에 테이핑 요법을 적용한 경우 90% 이상에서 효과가 있었다는 연구 결과가 있으므로 가능하면 조기에 진단하고 치료적인 접근을 하는 것이 필요하겠다.

VI. 유전성 근골격계 질환

1. 유전성 골격계 질환

1) 연골 무형성증(achondroplasia)

가장 흔한 형태의 왜소증으로 10,000~30,000명 생존아당 1명의 빈도로 발생한다.[40] Fibroblast growth factor receptor 3 (FGFR3) 유전자 변이와 관련이 있다. FGFR 3는 성장판에서 일어나는 연골세포의 분화 시 음성 되먹임(negative feedback)에 관여하는데 FGFR 3 유전자에 변이가 생기면 수용체의 과활성화로 연골세포가 조기분화하게 되고 증식 단계가 짧아져 장골의 길이가 감소하는 것이다. 임신 후기 산전 초음파로 진단되기도 하며 출생 시 좁고 긴 몸통에 비해 불균형적으로 짧은 사지의 특징적인 외모로 진단 가능하다.[41] 신생아 시기에 큰 머리에 비해 좁은 경정맥공으로 인해 정맥압이 상승하면서 수두증이 발생하기도 한다. 따라서 생후 수년간 주기적인 두위 측정 및 초음파 검사 등이 필요하다. 경수 압박도 흔히 발생하는데 하지 긴장도 증가, 중추성 무호흡, 대후두공(foramen magnum) 협착 소견이 보인다면 감압술을 고려해야 한다. 안면중앙부 형성 부전으로 인해 유스타키오관이 짧고, 후두부가 작으며 상대적으로 편도와 아데노이드가 크다. 25%에서 만성 중이염을 앓게 되는데 중이염이 잦은 경우 전도성 난청을 예방하기 위해 편도절제술 및 환기튜브 삽입이 필요하다. 이런 구조적 문제와 관련되어 언어발달지연 및 조음장애가 25%에서 발생한다. 연골 무형성증 아동에서 발달지연, 특히 운동발달지연을 보이고, 형제와 비교 시 일반적으로 평균 지능 지수가 낮다. 척추관 협착증 및 신경인성 파행이 흔하게 발생하는데 10세까지 10%의 연골 무형성증 환자가 이와 관련된 신경학적 증상을 호소하고 50대가 되면 전체의 80%가 비슷한 증상을 보인다. 대규모 코호트 연구에서 연령별 사망률을 조사했을 때 연골 무형성증 환자의 사망률이 전 연령대에서 높게 나타났다.

2) 골형성부전증(osteogenesis imperfecta)

유전성 결체조직 질환으로 뼈가 쉽게 부러지는 특징을 갖는 질환군이며, 15,000~20,000당 1명의 빈도로 진단된다.[42] 대부분 제1형 교원질(collagen)의 알파1, 알파2 사슬 생산과 관련된 교원질 유전자인 COL1A1과 COL1A2에 생기는 변이에 의해 야기된다. 임상적 그리고 방사선학적 특징에 기초한 Silence 분류는 골형성부전증을 4가지로 나눈다. 가장 경미한 증상을 보이는 제I형(mild)은 성인까지 뚜렷한 청색 공막(blue sclera)을 갖고 키는 대체로 작으며 과격한 운동 이외에는 정상적인 생활이 가능하다. 가장 심한 증상을 보이는 제II형(lethal)은 사산되거나 다발성 골절로 인한 호흡 곤란으로 출생 직후 사망한다. 생존 환자 중 가장 심한 증상을 보이는 제III형(severe)은 왜소증을 보이고 잦은 골절과 심한 사지 및 척추 변형을 보이며 독립 보행이 어렵다. 제IV형(moderate)은 제I형과 제III형의 중간 정도의 증상을 보인다. 제III형과 제IV형 환자의 경우 영유아기에 청색 공막이 관찰되다가 성장하면서 점차 흰색으로 바뀌게 된다.

폐 기능 장애가 골형성부전증 환자의 주된 사망 원인이며 심장판막질환이 동반되기도 하고, 5%의 환자에서 10대 이전에 난청이 발생한다. 골형성부전증 환아는 쉽게 부러지는 뼈, 약한 근육, 반복된 골절과 부동에 의해 대근육운동 기능의 발달 및 유지가 어렵다. 치료의 목표는 골절의 빈도 감소, 척추와 사지의 변형 예방 및 최대한의 보행 능력 확보이다. 숙련된 치료사에 의해 근력 강화 및 관절가동운동을 위한 물리치료 및 수치료를 시행하는 것은 환자의 기능 및 독립성을 최대화하는데 필수적이다. 골절을 감소시키기 위해 bisphosphonate를 사용하나 메타 분석에서 효과가 입증되지 못했다. Risedronate가 골형성부전증 아동의 골절 감소에 효과가 있다는 보고가 있으며 골형성 촉진을 위한 성장호르몬 치료도 시도되고 있다. 골절 치료 시 석고고정은 최소화해야 하지만 충분히 골절부위를 보호하지 않으면 재골절이나 변형 위험이 있으므로 최소한의 석고고정 후 보조기를 착용한 상태에서 조기에 활동을 시작하되 정상인보다 보조기를 오랫동안 착용해야 한다.[34]

3) 가성 연골 무형성증 (pseudoachondroplasia)

출생 시 정상이나 보행이 시작되면서 동요성보행(waddling gait)을 보이고, 2세경 신장이 정상 이하로 감소되면서 연골 무형성증과 유사하게 사지가 짧은 왜소증을 보이나 얼굴 모양은 정상이다.[43] 하지의 큰 관절에서 관절통이 흔히 발생하고, 내반슬 또는 외반슬 등의 하지 각변형이 흔하며 조기 퇴행성 관절염이 발생한다. 경미한 척추측만 및 요추 전만이 동반되기도 한다. 방사선학적으로 장관골의 골단부에서 골화 지연이 보이고 골간단은 넓적하며 불규칙한 소견을 보인다. 흉요추에서는 편평 척추(platyspondyly) 또는 전방 부리형 변형(anterior beak)이 관찰된다. 임상적 그리고 방사선학적 특징에 기초해 진단하게 되나 불확실한 경우 COMP 유전자 검사를 통해 확진할 수 있다. 관절통이 심한 경우 소염진통제를 처방한다. 하지의 심한 각변형으로 보행에 제한을 주는 경우 절골술을 시행할 수 있으며, 환축추 불안정성에 따른 신경학적 증상이 보이면 유합술이 필요하다.

4) 다발성 골단 이형성증 (multiple epiphyseal dysplasia)

경도의 왜소증, 조기 퇴행성 관절, 장관골의 골단 형성 지연 등을 특징으로 하는 일련의 질환군으로 총 6가지 유전자 변이가 밝혀져 있으며 임상양상이 다양하다.[44] 10,000~20,000명당 1명에서 이환되는 것으로 보고되고 있다. 장관골 골단부의 연골 내 골화의 문제로 관절 연골이 출생 시에는 정상 소견이나 이후 하단부 골 지지가 되지 않아 빠른 퇴행을 보이게 된다. 따라서 생후 2년까지는 특별한 이상 소견이 없으며 대부분 아동기 이후 발견된다. 학동기 이후 외반슬, 내반슬 등의 하지 각변형이 발생하고 학동기 또는 청소년기에 체중부하관절의 간헐적 통증 및 운동범위 제한이 나타난다. 대퇴골두 무혈성 괴사가 발생하면 지속적인 통증 및 파행을 호소한다. 단순방사선 검사에서 성장기 장관골의 골단이 납작하고 불규칙하며 분절화된 형태로 관찰된다. 다발성 골단 이형성증 치료로는 소염진통제, 통증 조절, 물리치료, 행동교정 등이 있다. 적절하게 체중을 조절하고, 강하게 충격을 받는 활동을 피하도록 한다. 증상이 심한 경우 수술적 치료가 필요할 수 있다.

5) 골간단 연골 이형성증 (metaphyseal chondrodysplasia)

골간단의 무기질 침착에 관여하는 유전자 결함에 의해 발생하며, 골단은 보존되면서 골간단의 불규칙성과 변형을 특징으로 하는 다양한 질환군이다.[34] Schmid 형은 상염색체 우성 유전으로 증상이 경미하고 비교적 흔하며 COL10A1의 변이로 제10형 교원질에 결손이 생긴다.[45] 출생 시는 증상이 없으나 2세 이후 사지가 짧은 왜소증이 발생하고 내반슬, 동요성보행이 나타난다. 단순 방사선 검사상 골간단이 넓고 불규칙하며 성장판이 넓어져 보인다. 치료로 통증 조절, 관절에 무리가 되지 않을 정도의 운동, 체중 조절을 하고 내반고 또는 내반슬이 심한 경우 교정 수술을 하기도 한다. McKusick 형은 상염색체 열성 유전으로 가늘고 성긴 모발이 특징이다. 방사선 소견은 Schmid 형과 비슷하나, 내반슬이 없고 족관절 변형이 발생하며 왜소증이 심하다. T세포 면역 변화로 바이러스 감염에 취약하며 악성종양 발생 위험도 증가한다.[34]

2. 대사성 골질환

1) 골다공증(osteoporosis)

소아 골다공증은 이중에너지 X-선 흡수법(dual-energy x-ray absorptiometry, DXA)으로 측정한 골밀도가 평균의 2 표준편차 이하로 저하되고, 임상적으로 유의한 골절 과거력 있는 경우의 두 가지 기준을 만족하는 것으로 정의될 수 있다.[46] 이때 임상적으로 유의한 골절은 최소 1부위의 하지 장골 골절, 혹은 2부위의 상지 장골 골절, 혹은 척추 압박골절을 말한다. 통일되지 않은 진단 기준 및 확립된 DXA 기준치의 부재 등으로 인해 소아에서 골다공증의 정확한 유병률은 알려져있지 않다. 골다공증은 골형성부전증 같은 골 질환 이외에 운동에 제한이 있는 마판증후군(Marfan syndrome)이나 엘러스-단로스 증후군(Ehlers-Danlos syndrome) 같은 결체조직 질환 환자에서도 볼 수 있다. 또한 뇌성마비, 근이영양증, 척수손상 등 체중부하운동에 어려움이 있는 아동에서도 골다공증의 위험이 증가된다. 골밀도 감소를 보이는 아동에 대해 비타민 D와 칼슘 보충을 시행한다. 1세 미만의 영아의 비타민 D 하루 권장량은 400IU이고 1세 이상 아동은 600IU이다. 아동에서는 비스포스포네이트 제제를 우선적으로 사용하지는 않는다.

2) 비타민A 과다증

비타민 A는 세포 분화와 관련되어 태아 및 소아의 발달과 성장, 호흡기, 위장관, 조혈 및 면역 기능의 유지와 시력에서 중요한 역할을 맡는다. 비타민 A는 빠르게 흡수되고 서서히 배출되어 반감기가 매우 길다. 여드름, 건선 등의 치료에 비타민 A 유도체 과다복용용법을 사용하거나, 지속적으로 영양제 과량 복용 시 비타민 A 과다증이 발생할 수 있다. 증상은 구토, 두통, 탈모, 피부 건조 등이 나타나고 연부조직 특히 전완부 소결절이 발생한다. 골격의 변화도 발생하는데 성장판이 조기에 폐쇄되어 장골의 길이가 짧고, 골단(epiphysis) 근처에서는 골재형성이 촉진되어 골절에 취약하다. 단순방사선 검사상 장골의 피질골이 두꺼워지며, 척골과 중족골의 간부가 물결치는 모양으로 두꺼워진다. 이러한 증상들은 비타민 A를 중단하면 급격히 소실되며 진단은 혈청 비타민 A 상승과 비타민 A 과다복용 병력에 의한다.[34, 47]

3) 비타민 C 결핍증

비타민 C는 콜라겐 합성, 콜레스테롤 및 신경전달물질 대사에 중요하며 항산화 작용을 한다. 비타민 C 결핍 시 잇몸 출혈, 점상 출혈, 다리 부종 및 압통, 상처회복 지연 등의 증상이 생기고 소아에서 성장 부진 및 소화기능 저하 등의 비특이적 증상을 보인다. 골모세포(osteoblast)의 기능 저하로 골기질 합성이 감소되어 방사선학적 변화를 야기하며, 성장판 부위에서 잘 관찰된다. 증식대(proliferative zone)의 연골세포가 줄고, 골간단 측에는 골조직이 아닌 칼슘 침착한 연골로 소주(trabeculae)를 형성하여 성장판이 불규칙하게 된다. 새로 형성된 골소주가 적기 때문에 해면골의 강도가 저하되어 쉽게 골절이 발생한다. 치료로

비타민 C를 투여하면 방사선학적 변화의 호전을 관찰할 수 있다.[34, 47]

4) 구루병(rickets)

구루병은 정상적인 뼈 성장과 무기질화에 필수적인 칼슘 혹은 인의 결핍으로 인해 성장판에서 연골내 골화 및 신생 유골(osteoid)의 무기질화 과정이 저하되는 질환으로 소아에서 성장 부진과 골 약화 및 변형을 일으킨다.[48] 칼슘부족 구루병(calcipenic rickets)에는 비타민 D 결핍성 구루병 및 제 I, II형 비타민 D 의존 구루병이 있다. 칼슘 섭취나 재흡수가 부족하면 혈중 칼슘 농도를 유지시키기 위해 부갑상선 호르몬 분비가 증가되며 증가된 부갑상선 호르몬이 신장에서 인의 배출을 증가시키고 칼슘 손실을 감소시키며, 골에서 칼슘 유리를 증가시킨다. 신장에서의 인 배출 증가로 인한 인 부족성 구루병(phosphopenic rickets)에는 인 결핍성 및 유전성 저인산혈증 구루병이 있으며 이 경우 부갑상선 호르몬는 정상이다. 이환된 아동에서 주로 골격의 변형이 관찰되지만 근육 및 면역 계통에도 이상이 생긴다. 영아에서는 근긴장도 감소, 발달지연, 근육 경축, 무호흡 발작, 경련 등이 발생하거나 심근병증 등을 동반하기도 한다. 골격 변형의 경우 신생아기에는 대천문이 크고 폐쇄가 지연되며 봉합선이 두꺼워진다. 영아와 소아기에는 장골의 변형이 주로 나타나는데 성장판이 넓어지면서 관절부위가 두꺼워지고 환아가 서고 걸으면서 무릎 뼈가 휘게 되는데 내반슬이 가장 많고 외반슬 및 내반고 등이 관찰되기도 한다.[34]

늑골의 골-연골 연결부위가 염주모양으로 비후되는 rachitic rosary가 생기거나 횡격막 부착 부위 늑골들의 내측 함몰, 흉골 돌출에 의한 볼록가슴 등이 초래되기도 한다. 뼈의 방사선학적 소견은 성장판 부위가 넓고, 불규칙하며 골간단과 성장판 사이의 경계가 소실되는 것이다. 골단 중앙부가 컵 모양으로 들어가고(cupping) 피질골이 얇아져 보이며, 전반적인 골음영이 저하된다. 전형적인 비타민 D 결핍증의 경우 비타민 D 복용과 칼슘, 인의 섭취를 충분히 늘린다. 유전성 저인산혈증 구루병의 경우 고용량의 무기 인을 투여하면서 고용량 비타민 D를 함께 투여한다.[47]

3. 선천성 다발성 관절구축증 (Arthrogryposis multiplex congenita)

선천성 다발성 관절구축증은 선천적으로 신체 두 부위 이상에서 존재하는 관절 구축을 특징으로 하는 복합적인 증후군이다.[49] 400가지 이상의 다른 증후군을 총칭하는 용어이며 발생률은 생존아 3,000명당 1명꼴이다. 태내에서 태아의 활동 저하를 야기하는 원인에 따라 내인성 및 외인성으로 나누게 된다. 내인성은 태아 인자(근질환, 대사이상, 중추신경 또는 말초신경질환, 태아의 심한 근긴장저하)에 의한 것이고, 외인성은 산모 인자(자궁 구조 이상, 산모의 질환, 기형유발물질) 또는 외부 환경적 인자(약물, 감염, 다태아)에 의한 것이다.[50]

분류하는 방법은 임상적 분류, 유전적 분류, 원인에 따른 분류 및 기능적 분류 등으로 다양하다. 임상가에게는 침범 부위에 따라 임상적으로 나누는 것이 가장 유용하다. 제1군은 다른 장기 침범 없이 사지만 침범하는 형으로 전체 50%를 차지한다. 생존아의 선천성 다발성 관절구축증 중 가장 많은 형태인 근무형성증(amyoplasia)과 Bruck 증후군, 제1형 원위부 관절구축증이 여기 속한다. 제2군은 사지와 더불어 다른 장기나 안면부를 침범하는 형으로 제2형~제7형 원위부 관절구축증, pterygium 증후군 및 Mobius 증후군 등이 여기에

포함된다. 제3군은 중추신경계의 이상, 지적장애 등을 동반한다.[51]

관절구축증은 산전 초음파상 태아의 관절 움직임이 없을 때 의심되며 관절 구축으로 인해 출산 과정에 어려움이 생길 수 있고 신생아 골절이 발생하기도 한다. 출생 후 관절 운동범위 제한, 근 위약 및 전형적인 상하지 변형을 보인다. 관절 구축의 분포 및 정도는 다양하지만 이환되지 않았던 관절 부위로 진행되지 않는다. 척추 변형이 흔히 동반된다. 가능한 일찍부터 적극적으로 스트레칭 및 보조기구 이용을 해야 한다. 생후 1년이 지나도 보존적 치료로 교정이 되지 않은 경우 수술을 시행한다. 양측 고관절 탈구는 종종 그대로 두지만 편측의 경우에는 측만증 발생 위험이 높아 수술적 치료를 시행한다. 상지의 수술적 치료는 환아 상태에 대한 평가가 가능할 때까지 연기한다. 절골술은 가급적 성장이 마무리되면 시행한다. 수술 후 조기 거동을 하고 석고고정을 단기간 시행한다. 연부조직 수술후에는 보조기로 변형의 재발을 예방한다.[52]

VII. 기타 관절염

1. 류마티스성 관절염: 소아기 특발성 관절염(Juvenile idiopathic arthritis, JIA)[53]

소아기 특발성 관절염은 소아기의 가장 흔한 류마티스 질환으로 유병률은 약 10만 명당 16~150명으로 비교적 다양하게 보고되고 있으나 최근 메타분석 연구에 따르면 발병률은 10만 명당 7.8명, 유병률은 10만 명당 20.5명이었다.[54)]

국제류마티스학회(International League of Associations for Rheumatology, ILAR) 진단 기준에 따라 16세 미만의 소아에서 최소 6주 이상 지속되는 관절염이 1개 이상의 관절에서 나타날 때 진단할 수 있고, 발병 초기 6개월간 나타나는 증상의 특징에 따라 전신형, 소수 관절형, 류마티스 인자 음성 다수관절형, 류마티스 인자 양성 다수관절형, 건선 관절염, 부착부염 연관 관절염, 미분류형 관절염으로 분류한다.[55]

1) 임상 양상

(1) 전신형

JIA의 10~20%를 차지하고, 최소 2주 이상 매일 한두 차례 39° 이상의 고열이 있다가 다시 정상 체온으로 돌아오는 특징적인 열이 관절염에 선행하거나 동반하고(그림 26-14), 일과성 연어색 홍반, 전신 림프절 비대, 간비대 또는 비장 비대, 장막염 중 1개의 증상이 동반된 경우 진단한다. 약 50%의 환자는 열을 동반한 관절염이 있다가 전신 증상이 조절되면서 관해되는 양호한 경과를 보이지만, 나머지 50% 환자들은 관해되지 않고 침범 관절수가 늘어나면서 관절 파괴가 심하게 진행되어 예후가 좋지 않다. 전신증상이 지속되거나 발병 후 6개월 시점의 혈소판 개수가 600,000/mm^3이상일 때 예후가 좋지 않다. 약 5~8%의 환아에서 대식세포활성증후군(macrophage activation syndrome, MAS)이라는 치명적인 합병증이 발생할 수 있다. 사망률이 20~30%에 이르기 때문에 초기에 글루코코르티코이드나 시클로스포린 등으로 적극적으로 치료하는 것이 중요하다.

(2) 소수관절형

발병 후 6개월간 침범된 관절수가 1~4개인 경우 진단하고 지속적으로 4개 이하의 관절을 침범하는 경우 지속형, 6개월 이후 5개 이상의 관절이 침범

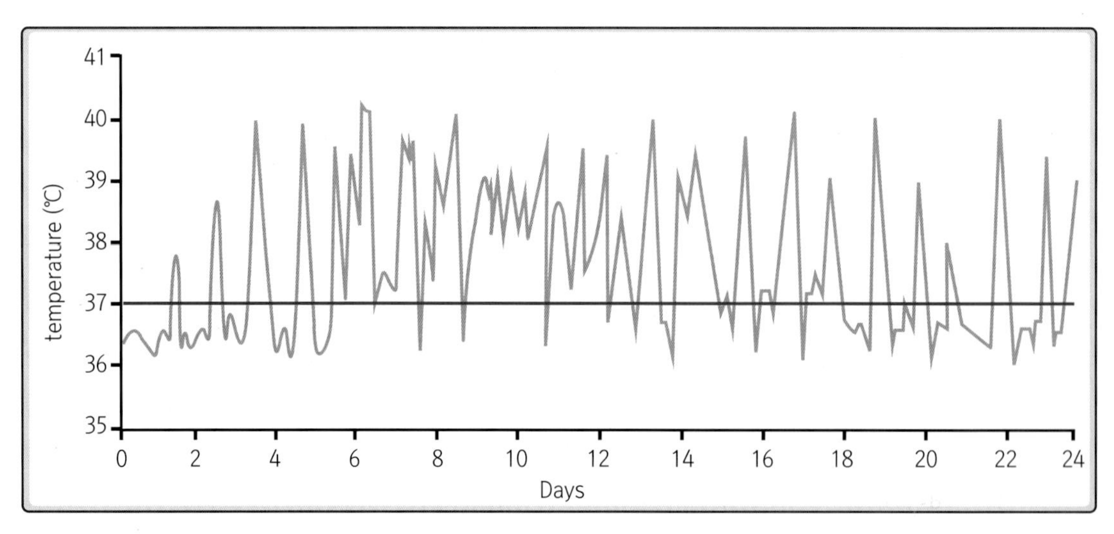

그림 26-14 전신형 소아기 특발성 관절염의 전형적인 발열 양상

Ravelli A, Martini A. 2007. Juvenile idiopathic arthritis. Lancet.369:767-78

되는 확장형으로 나뉜다. JIA 중 가장 흔하고 양호한 경과를 보이고 무릎 발목 손목 같은 큰 관절을 비대칭적으로 침범하고 항핵항체가 70~80%에서 양성이다. 15~20%에서 심각한 합병증인 홍채섬모체염(iridocyclitis)이 발생하는데 대부분 양측성으로 발생하며 관절의 중증도와 비례하지 않고 무증상인 경우도 있으므로 발병 후 2년 동안 3개월마다, 그 후 7년 동안 6개월마다, 그 후에는 1년에 한 번씩 안과 검진이 권유된다. [56]

(3) 다수관절형

발병 6개월 동안 5개 이상의 관절이 침범되는 형으로 류마티스 인자 양성형과 음성형이 있다. 성인 류마티스 관절염과 유사하게 조조강직을 수반하고 손가락과 손목 관절을 먼저 침범하며 이후 큰 관절을 침범하며 경추, 견관절, 측두악관절을 침범하기도 한다. 류마티스 인자 양성형은 소아 후기에 발생하고 류마티스양 결절을 동반하고 발병후 5년내에 심각한 관절변형과 장애가 나타날 수 있다. 류마티스 인자 음성형은 20~40%에서 항핵항체 양성이고 만성 포도막염이 5~20%에서 발견된다.[56]

(4) 건선 관절염

JIA의 5%를 차지하고 관절염과 건선의 특징적 피부병변이 동반 발생하거나, 관절염과 함께 손발가락염(dactylitis), 손발톱오목(nail pitting)과 손발톱박리증(onycholysis), 1촌 이내 가족에서 건선 환자가 있는 경우 중 2가지 이상 발생한 경우 진단한다. 5세 이전에 발생하면 조절이 어렵고 평균 9.5세에 발병한다.

(5) 부착부염 연관 관절염

강직성 척추염, 염증성 장질환과 관련 관절염이 이 범주에 속한다. 대부분 HLA-B27 양성이다. 아킬레스건의 종골 부착부, 족저근막, 거골 부위를 자주 침범하고 하지 관절을 흔히 침범하고 고관절 침범도 흔하다. 점차 진행하여 강직성 척추염, 반응성 관절염, 염증성 장 질환 연관성 관절염의 진단 기준을 충족할 수 있다. 급성 앞포도막염도 발생할 수 있는데 갑자기 발생하고 증상이 있으며 일측성인 경우가 많은 점이 JIA의 홍체섬모체염과 구분되는 점이다.[57] 소아기 강직성 척추염은 청소년기 남아에서 주로 발생하고 HLA-B27과 연관성이 매우 높으며 초기에는 부착부염이나 하지의 비대칭적인 일과성의 소수관절염 형태로 나타났다가 후기에 양측 천장관절이 침범되고 진행되면 척추에 특징적인 대나무 척추(bamboo spine) 양상이 관찰될 수 있다. 재활치료는 신전운동을 통해 척추 관절운동범위를 유지하고 고관절 신전근과 대퇴사두근 근력 강화 운동, 통증 조절을 위한 깔창 사용, 흉곽 팽창을 위한 심호흡 운동 등이 있다.[57]

염증성 장질환 관련 관절염은 궤양성 대장염과 크론씨 병의 10~20%에서 나타난다. 소수의 관절을 침범하거나 척추염과 동반될 수 있다. 결절성 홍반(erythema nodosum)과 성장 지연이 나타날 수 있다.

3) 약물치료 및 수술 치료

비스테로이드소염제(NSAID)는 1차 치료 약제로 쓰이고 나프록센, 이부프로펜, 술린닥 등을 사용할 수 있고 인도메타신은 전신형 JIA에서 열과 심막염을 치료하는 데 유용하다. 아스피린도 열이나 염증을 조절하는 데 효능이 좋고 사용도 안전한 약물이다. 메토트렉세이트는 초기에 2차 치료 약제로 많이 사용되고 효과를 유지하기 위해 엽산을 같이 복용하도록 권고되고 있고 매달 혈중 농도, 백혈구와 혈소판 수, 간효소 수치를 관찰해야 하면서 수개월 또는 수년간 유지한다. 소수관절형에서 가장 좋은 반응을 보인다. 질환조절 항류마티스 약제(disease-modifying antirheumatic drugs, DMARDs)는 항말라리아제제, 주사용이나 경구 gold, 술파살라진, D-penicillamine으로 구성되고 NSAID에 잘 반응하지 않는 다수 관절형 JIA의 2차 치료 약제로 사용된다. 생물학적 제제인 etanercept, abatacept, adalimumab, tocilazumab 등도 JIA의 치료에 효과적이라는 결과가 보고되어 왔고 2003년 etanercept가 보험 급여 인정된 이후 상기 약제들이 순차적으로 우리나라에서도 보험급여 인정을 받고 있다.

글루코코르티코이드는 전신 증상이 잘 조절되지 않고 심각한 전신형 관절염의 경우에, 만성 포도막염의 치료를 위한 점안제로, 또는 관절내 주사제로 쓰인다. 전신적 장기 복용 시 의인성 쿠싱 증후군이나 성장지연, 골절, 백내장, 감염의 증가 등의 위험이 있어 신중하게 사용하여야 하며 질병의 경과를 변화시킨다는 증거는 없다. 질병 자체의 경과와 스테로이드 치료 등과 관련하여 성장지연과 골감소증이 발생할 위험이 높아 칼슘과 비타민 D 투여, 햇빛 노출, 신체활동의 격려 등이 치료 계획에 포함되어야 한다. 수술적 치료는 통증을 경감시키고 관절변형을 예방하거나 교정하고 관절운동범위를 호전시키기 위해 시행한다. 활액막제거술, 연부조직유리술, 관절유합술, 절골술, 성장판유합술, 인공관절치환술 등을 시행한다.

3) 소아기 특발성 관절염의 재활

치료의 목표는 증상의 조절, 관절 손상의 예방, 정상 성장과 발달의 획득, 기능과 활동 수준의 유지이다. 유지기와 급성 악화기에 각각 치료의 목표는 달라질 수 있다. 관절의 안정은 활동성 시기에는 악화를 방지하기 위해, 유지기에는 관절의 보호를 위해 필요하다. 엎드린 자세로 쉬는 것이 고관절과 슬관절의 굴곡 구축을 예방하는 데 도움이 된다. 하루 2~3번 부드러운 관절 신전 운동이 관절운동 유지에 도움이 되고 놀이와 여가 활동 시에 근력 강화운동이 포함될 수 있도록 한다. 열 치료는 유지기에, 냉치료는 활동기에 유용한 치료이고 일상생활동작 시 관절 보호를 위해 보조 도구(adaptive equipment)를 사용하도록 하고 활동과 보행과 활동성이 유지될 수 있도록 후방 보행기와 기립기 사용을 적극적으로 권장한다.

관절 부위별로 목뼈의 침범이 성인보다 더 자주 일어나고 연성 목 칼라가 도움이 될 수 있고 굴곡을 최소화하는 것이 중요하다. 턱관절 침범이 JIA 환아의 2/3에서 일어나고 통증과 강직, 소악증을 일으키며, 턱 성장의 문제는 다수관절형에서 더 흔하다. 어깨관절은 처음에는 침범하지 않지만 다수관절형이나 건선 관절염의 1/3에서 침범하고 내전과 내회전의 제한으로 인해 정중선의 일상생활동작에 영향을 미친다. 팔꿈치 관절은 일상생활동작을 위해 최소 90°의 굴곡은 확보가 되어야 하며 신전 -45° 이상의 굴곡 구축이 되지 않도록 관절 각도를 유지하도록 한다. 손목관절의 굴곡 및 척골측 편위 구축이 흔하다. 손목 보조기는 손목관절 15~20° 신전, 중수지관절 25° 굴곡, 근위지관절 5~10° 굴곡, 엄지손가락 맞섬(opposition)의 기능적인 자세로 제작하도록 한다. 반지모양 부목은 손가락 변형에 대해 사용할 수 있다. 하지의 고관절 굴곡 구축은 외회전과 외전을 동반하는 성인과 달리 내회전과 내전과 함께 일어난다. 슬관절은 JIA에서 가장 흔하게 침범되며 무릎 고정부목은 밤 시간에 무릎 신전을 유지하기 위해 사용한다. 다발성 발변형이 일어날 수 있으며 맞춤형 반경성(semirigid) 발보조기, 플라스틱 잎사귀 스프링형 발목관절보조기나 야간 안정부목이 도움이 될 수 있다. 하이힐은 발목의 굴곡 구축이나 발의 변형을 악화시킬 수 있고 고무재질의 샌들은 불안정한 발에 적절한 지지를 제공할 수 없어 권장되지 않는다. 대퇴골 말단부의 염증으로 인해 뼈가 과다성장하기도 하고, 염증으로 인한 혈류 증가로 성장판이 조기에 유합되어 뼈가 단축되기도 한다.

4) 경과 및 예후

일반적으로 JIA의 약 50%는 성인이 되어서도 지속적인 관절염 증상을 나타내지만 적절한 치료를 받는다면 70~90%는 만족스러운 경과를 보이고 나머지 10~20%에서 관절기형 또는 파괴, 성장장애, 골다공증과 같은 기능적 장애가 동반된다. JIA 환아들의 삶의 질을 평가하는 도구로 Childhood Health Assessment Questionnaire가 개발되었다. 8가지의 일상생활동작을 각각 0-3점으로 평가한 후 평균을 구하여 장애지수점수(disability index score)를 구하여 점수가 높을수록 장애가 심한 것으로 평가한다.[59] 관절염에 의한 신체 장애는 전신형과 다수관절형에서 더 심하고, 처음 증상 발현 시 관절염의 중증도가 높을수록, 초기에 손 부위 관절 침범, 낮은 발병 연령, 남자, 전신형, 류마티스 인자 양성, 소수 관절형에서 항핵항체 양성일 때 예후가 좋지 않고, 확장형 소수 관절형 환자에서 포도막염의 발병률이 높다.[60]

2. 혈우병성 관절염

혈우병은 혈액응고인자 결핍에 의한 출혈성 질환으로 85%는 VIII 인자(혈우병 A), 14%는 IX 인자(혈우병 B)결핍에 의해 발생한다. 성염색체 열성 유전 질환으로 남아 5,000명당 1명 꼴로 발생한다. 신생아기 뇌출혈로 혈우병이 진단되는 경우는 2%에 불과하고 보통 아이가 기어가고 걷기 시작하면서 자연 출혈(spontaneous bleeding)이 시작하고 주로 발목, 무릎, 팔꿈치 등 체중부하관절에서 나타난다. 아이는 관절이 따뜻하거나 저릿하게 느낄 수 있다. 통증과 부종으로 관절을 잘 움직이기 어렵고 결국 구축으로 진행한다.

주된 치료는 신속하게 응고 인자를 투여하는 것이다. 경증이나 중등증의 출혈의 경우에는 정상지혈 수준의 35~50%까지 증가시켜 주고 생명을 위협하는 심각한 출혈이나 대수술 시에는 100%까지 증가해 주어야 한다. 통증의 조절을 위해 진통제를 사용할 수 있으나 NSAID는 출혈 경향을 악화시킬 수 있어 opioid가 추천된다. 관절 주변의 피부가 팽팽하면 관절흡입이 필요할 수 있다. 급성의 혈관절병증은 48시간 동안 고정해서 추가적인 출혈을 막아야 한다. 통증과 부종이 가라앉으면, 수동적인 관절운동을 하여 섬유화와 구축을 예방하도록 한다.

적절한 치료를 하지 않으면 활막 혈관이 파열되어 출혈이 일어나고 관절 내 철(iron)이 침착되고 활성 산소와 상호작용을 하며, 거대포식 세포, 기질 금속단백질분해효소, 염증 유발 사이토카인 활성화로 인해 활막의 염증반응이 생기고 재발성 출혈에 의해 활막의 비후가 되면서 혈액 공급이 풍부해지고 돌기를 내어 더 출혈되는 악순환이 반복되면서 관절 파괴가 진행한다.[61] 물속에서 관절가동운동과 관절의 안정성을 향상시키기 위한 근력운동이 처방될 수 있으나 접촉(contact) 운동은 금기이다. 관절염이 진행하면 활막 제거술이나 관절치환술을 고려할 수 있다.

▶ 참고문헌

1. Alexander MA, Matthews DJ. Pediatric rehabilitation:Principles and practic, 5th ed, New York: Demos medical, 2015;217-18.
2. 최인호, 정진엽, 조태준 외. 소아정형외과학 제4판 서울: 군자출판사 2014;3-17.
3. 정형외과학 제8판 서울:최신의학사 2020;104-105
4. Anderson MS, Messner MB, Green WT. Distributions of lengths of the normal femur and tibia in children from 1 to 18 years of age. J Bone Joint Surg Am. 1964;46:1197.
5. Maresh MM. Linear growth of long bones of the extremities from infancy through adolescence. Am J Dis Child. 1955;89:725.
6. Anderson M, Blais MM, Green WT. Lengths of the growing foot. J Bone Joint Surg Am. 1956;38:998.
7. Labrom RD. Growth and maturation of spine from birth to adolescence. J Bone Joint Surg Am. 2007;89 Suppl 1:3-7.
8. Chung CY,Lee KM, Park MS, et al. Validity and reliability of measuring femoral anterversion and neck- shaft angle in patients with cerebral palsy. J Bone Joint Surg Am. 2010;92:1195.
9. 최인호, 정진엽, 조태준 외. 소아정형외과학 제4판 서울: 군자출판사 2014; 21-31.
10. Davids JR, Wenger DR, Mubarak SJ. Congenital muscular torticollis: sequela of intrauterine or perinatal compartment syndrome. J Pediatr Orthop 1993;13:141-7.
11. Tien YC, Su JY, Lin GT, et al. Ultrasonographic study of the coexistence of muscular torticollis and dysplasia of the hip. J Pediatr Orthop 2001;21:343-7.
12. Cheng JC, Au AW. Infantile torticollis: a review of 624 cases. J Pediatr Orthop 1994;14:802-8.
13. Yu CC, Wong FH, Lo LJ, et al. Craniofacial deformity in patients with uncorrected congenital muscular torticollis: an assessment from three-dimensional computed tomography imaging. Plast Reconstr Surg 2004;113:24-33.
14. Do TT. Congenital muscular torticollis: current concepts and review of treatment. Curr Opin Pediatr 2006;18:26-9.
15. Celayir AC. Congenital muscular torticollis: early and intensive treatment is critical. A prospective study. Pediatr Int 2000;42:504-7.

16. Qiu X, Cui Z, Tang G, et al. The Effectiveness and Safety of Botulinum Toxin Injections for the Treatment of Congenital Muscular Torticollis. J Craniofac Surg 2020.
17. Frikha R. Klippel-Feil syndrome: a review of the literature. Clin Dysmorphol 2020;29:35-7.
18. Mahirogullari M, Ozkan H, Yildirim N, et al. [Klippel-Feil syndrome and associated congenital abnormalities: evaluation of 23 cases]. Acta Orthop Traumatol Turc 2006;40:234-9.
19. Gruber J, Saleh A, Bakhsh W, et al. The Prevalence of Klippel-Feil Syndrome: A Computed Tomography-Based Analysis of 2,917 Patients. Spine Deform 2018;6:448-53.
20. Pang D, Li V. Atlantoaxial rotatory fixation: Part 1--Biomechanics of normal rotation at the atlantoaxial joint in children. Neurosurgery 2004;55:614-25; discussion 25-6.
21. Negrini S, Donzelli S, Aulisa AG, et al. 2016 SOSORT guidelines: orthopaedic and rehabilitation treatment of idiopathic scoliosis during growth. Scoliosis Spinal Disord 2018;13:3.
22. Zmurko MG, Mooney JF, 3rd, Podeszwa DA, et al. Inter- and intraobserver variance of Cobb angle measurements with digital radiographs. J Surg Orthop Adv 2003;12:208-13.
23. Parent S, Newton PO, Wenger DR. Adolescent idiopathic scoliosis: etiology, anatomy, natural history, and bracing. Instr Course Lect 2005;54:529-36.
24. Fayssoux RS, Cho RH, Herman MJ. A history of bracing for idiopathic scoliosis in North America. Clin Orthop Relat Res 2010;468:654-64.
25. Dolan LA, Weinstein SL. Surgical rates after observation and bracing for adolescent idiopathic scoliosis: an evidence-based review. Spine (Phila Pa 1976) 2007;32:S91-S100.
26. Negrini S, Grivas TB, Kotwicki T, et al. Guidelines on "Standards of management of idiopathic scoliosis with corrective braces in everyday clinics and in clinical research": SOSORT Consensus 2008. Scoliosis 2009;4:2.
27. Weinstein SL, Dolan LA, Spratt KF, et al. Health and function of patients with untreated idiopathic scoliosis: a 50-year natural history study. JAMA 2003;289:559-67.
28. Murray PM, Weinstein SL, Spratt KF. The natural history and long-term follow-up of Scheuermann kyphosis. J Bone Joint Surg Am 1993;75:236-48.
29. Bernstein RM, Cozen H. Evaluation of back pain in children and adolescents. Am Fam Physician 2007;76:1669-76.
30. Smania N, Berto G, La Marchina E, et al. Rehabilitation of brachial plexus injuries in adults and children. Eur J Phys Rehabil Med 2012;48:483-506.
31. Abid A. Brachial plexus birth palsy: Management during the first year of life. Orthop Traumatol Surg Res 2016;102:S125-32.
32. Joyner B, Soto MA, Adam HM. Brachial plexus injury. Pediatr Rev 2006;27:238-9.
33. Harvey EJ, Bernstein M, Desy NM, et al. Sprengel deformity: pathogenesis and management. J Am Acad Orthop Surg 2012;20:177-86.
34. 대한정형외과학회. 정형외과학. 8 ed. 석세일, editor. 서울: 최신의학사; 2020;1042.
35. Farrow E, Nicot R, Wiss A, et al. Cleidocranial Dysplasia: A Review of Clinical, Radiological, Genetic Implications and a Guidelines Proposal. J Craniofac Surg 2018;29:382-9.
36. Bednar MS, James MA, Light TR. Congenital longitudinal deficiency. J Hand Surg Am 2009; 34:1739-47.
37. Olson N, Hosseinzadeh S. StatPearls[Internet]. Treasure Island (FL): StatPearls Publishing. 2020.
38. James MA, McCarroll HR, Jr., Manske PR. The spectrum of radial longitudinal deficiency: a modified classification. J Hand Surg Am 1999;24:1145-55.
39. Al-Qattan MM, Abou Al-Shaar H, Alkattan WM. The pathogenesis of congenital radial head dislocation/subluxation. Gene 2016;586:69-76.
40. Daugherty A. Achondroplasia: Etiology, Clinical Presentation, and Management. Neonatal Netw 2017; 36:337-42.
41. Horton WA, Hall JG, Hecht JT. Achondroplasia.

Lancet 2007;370:162-72.

42. Forlino A, Marini JC. Osteogenesis imperfecta. Lancet 2016;387:1657-71.
43. Briggs MD, Wright MJ. Pseudoachondroplasia. In: Adam MP, Ardinger HH, Pagon RA, et al., eds. GeneReviews((R)). Seattle (WA)1993.
44. Anthony S, Munk R, Skakun W, et al. Multiple epiphyseal dysplasia. J Am Acad Orthop Surg 2015;23:164-72.
45. Richmond CM, Savarirayan R. Schmid Metaphyseal Chondrodysplasia. In: Adam MP, Ardinger HH, Pagon RA, et al., eds. GeneReviews((R)). Seattle (WA) 1993.
46. Steffey CL. Pediatric Osteoporosis. Pediatr Rev 2019;40:259-61.
47. 안효섭. 홍창의 소아과학. 10 ed. 서울특별시: (주)미래엔; 2012;1416.
48. Chanchlani R, Nemer P, Sinha R, et al. An Overview of Rickets in Children. Kidney Int Rep 2020;5:980-90.
49. Cachecho S, Elfassy C, Hamdy R, et al. Arthrogryposis multiplex congenita definition: Update using an international consensus-based approach. Am J Med Genet C Semin Med Genet 2019;181:280-7.
50. Hall JG, Kimber E, Dieterich K. Classification of arthrogryposis. Am J Med Genet C Semin Med Genet 2019;181:300-3.
51. Hall JG, Kimber E, van Bosse HJP. Genetics and Classifications. J Pediatr Orthop 2017;37 Suppl 1:S4-S8.
52. Wagner LV, Cherry JS, Sawatzky BJ, et al. Rehabilitation across the lifespan for individuals with arthrogryposis. Am J Med Genet C Semin Med Genet 2019;181:385-92.
53. Ravelli A, Martini A. 2007. Juvenile idiopathic arthritis. Lancet.369:767-78.
54. Thierry S, Fautrel B, Lemelle I, Guillemin F. Prevalence and incidence of juvenile idiopathic arthritis: A sytemic review. Joint Bone Spine 2014;81:112-7.
55. Petty RE, Southwood TR, MAnner P, et al. 2004. International League of Associations for Rheumatology classification of juvenile idiopathic arthritis. 2nd rev. J Rheumatol. 2004;31:390-392.
56. Cassidy J, Kivlin J, Lindsley C, et al. American Academy of Pediatrics, Section on Rheumatology; section on opthalmology. Opthalmologic examinations in Children with juvenile rheumatoid arthritis. Pediatrics. 2006;117:1843-1845.
57. Tattersall R, Rangaraj S. Diagnosing juvenile idiopathic arthritis. Pediatr Child Health. 2007;18(2):85-89.
58. Hofer M. Spondyloarthropathies ub children-are they different from those in adults? Best Pract Res Clin Rheumatol. 2006;20(2):315-328.
59. Singh G, Athreya BH, Fries JK, Goldsmith DP. Measurement of health status in children with juvenile rheumatoid arthritis. Arthritis Rheum 1994;37:1761-9.
60. Ravelli A, Martini A. Early predictors of outcome in juvenile idiopathic arthritis. Clin Exp Rheumatol. 2003;21(suppl 31):S89-93.
61. Daniela M,Mirko M, Marco M. Pathophysiology of hemophilic arthropathy. J Clin Med.2017 Jul; 6(7):63
62. Meehan PL. Other conditions of the foot. In: Lovell and Winter's Pediatric Orthopaedics.2nd Ed. Morrissy RT ed. Philadelphia: Lippincott;1990;991.
63. Crawford AH, Gabriel KR. Foot and ankle problem. OCNA. 1987;18;649.
64. Nogami H. Polydactyly and polysyndactyly of the fifth toe. Clin Orthop Relat Res. 1986;204:216.
65. Hamer AJ, Stanley D, Smith TW. Surgery for curly toe deformity : A double-blind, randomized, prospective trial. J Bone Joint Surg Br.1993;75:662.
66. Sweetnam R. Congenital curly toes. An investigation into the value of treatment. Lancet. 1958;2:398.
67. Tachdjian MO. Pediatric Orthopedics, 5th ed. Philadelphia, WB Saunders Co, 2014;1027.
68. Bleck EE. Metatarsus adductus: classification and relationship to outcomes of treatment. J Pediatr Orthop. 1983;3:2.
69. Cappello T, Mosca VS. Metatarsus adductus and skewfoot. Foot Ankle Clin. 1998;3:683.
70. Crawford AH, Gabriel KR. Foot and ankle problems. OCNA. 1987;18:649.

71. Farsetti P, Weinstein SL, Ponseti IV. The longterm functional and radiographic outcomes of untreated and non-operatively treated metatarsus adductus, J Bone Joint Surg Am. 1994;76:257.
72. Gruber MA, Lozano JA. Metatarsus varus and developmental dysplasia of the hip: is there a relationship Orthop Trans. 1991;15:336.
73. Larsen B, Reimann I, Becker-Andersen H. Congenital calcaneovalgus. Acta Orthop Scand. 1974;45:145
74. Wetzenstein H. The significance of congenital pes calcaneovalgus in the origin of planovalgus in childhood. Acta Orthop Scand. 1960;30:64
75. Ogden JA. Skeletal injury in the child. 3rd ed. New York: Springer;2000;128
76. Caffey J. Pediatric X-ray Diagnosis, 8th ed. Chicago: Year Book; 1985.

CHAPTER

27

소아암 재활

Pediatric Cancer Rehabilitation

전재용, 이상지

I. 서론

1. 소아암 발생률 및 특징

보건복지부 자료에 의하면 소아(0~17세)의 암환자 수는 전체 2만 4,000명 정도로 5년 생존율은 평균적으로 85% 정도이다.[1] 진단 및 치료 기술의 발달로 소아암의 환자 수는 해마다 증가 추세에 있다.

발생 비율로는 백혈병과 골수증식성 질환군이 전체의 37.5% 정도로 가장 많고 그 다음으로는 림프종(24.3%)이며 생식세포종양(17.0%), 악성 골종양(12.8%), 육종(8.5%), 중추신경계 종양(11.1%) 등도 발생비율이 높다(표 27-1).[2] 위암, 갑상선암, 간암이 많은 성인과는 다른 분포를 보이며, 조직학적으로도 결합조직에서 발생한 비상피성 종양인 육종이 많다. 성인은 상피성 종양의 형태가 많다.

소아암은 100만 명당 발생률 141.8명으로 성인과 달리 발생 빈도가 낮으며, 조기 발견이 어려워 진행이 된 상태에서 발견되는 경우가 많다. 소아는 성인보다 체표 면적당 투여 가능한 항암제 용량이 크고, 원격 전이가 있어도 치료에 반응이 좋아 예후가 좋은 편이다. 그러나, 치료에 따른 후기 후유증에 부담이 크고 특히 연령이 어릴수록 치료로 인한 기능 상실이나 이환율이 증가되어, 이에 따라 치료 계획을 조정하기도 한다.

2. 소아암 재활의 목표 및 포괄적 치료

소아 암재활은 합병증 예방(preventive), 재건(restorative), 지지(supportive), 완화(palliative)의 4가지 영역으로 구성된다. 치료시기별로 적절한 서비스가 적절히 제공되어야 하며 궁극적으로는 또래와 관계를 형성하고, 학교생활로 잘 복귀할 수 있도록 하기 위해서는 학령기 아동들에게는 개별화된 교육이 제공되는 것이 중요하다.

(1) 암 치료 중인 환아의 재활

진단 직후에는 검사와 수술, 항암, 방사선 요법 등을 시행하며 완해가 된 경우에는 재발 방지를

표 27-1 국제소아암분류 기준에 따른 소아암 발생률, 2017년[2]

진단 그룹	백분율(%)
백혈병, 골수증식성질환과 골수형성이상증후군	30.6
림프종	15.8
중추신경계 종양(성상세포종, 신경교종, 배아성종양, 신경모세포종 등)	11.7
신경모세포종 및 다른 말초신경세포 종양, 교감 신경 계통 종양	7.4
망막모세포종	3.1
신종양(신모세포종, 신암종)	2.8
간종양(간모세포종 외)	1.4
악성골종양(골육종, 유잉종양, 연골육종 등)	5.0
연조직 및 다른 육종(연조직육종, 횡문근육종, 섬유육종 등)	5.6
생식 세포 종양, 영약막 신생물 및 생식선의 신생물	8.6

위한 치료 또는 잔존 암에 대한 치료를 시행한다.

급성기나 아급성기 소아암 환아의 재활 목표는 통증을 조절하고, 치료로 인한 기능 상실을 최소화 하는 데 있다. 적절한 영양 섭취와 운동은 신체 기능을 유지하고 면역력을 높여 암 치료를 끝까지 잘 수행할 수 있도록 한다. 또한 장기간 침상 가료로 인한 심폐 기능 저하, 근력 약화, 관절 구축 등의 장애를 최소화하여 일상 생활 및 학교로의 복귀를 빠르게 할 수 있도록 한다.

(2) 치료 종결 후의 재활

암치료 종결 후 환자들은 질병 또는 치료로 인한 신체적, 정신적 문제를 가지고 일상생활로 복귀한다. 특히 학교 생활은 오랫동안 중단되었던 학업 진도를 따라가야 하는 어려움과 자신보다 어린 친구들과 새로운 교우 관계를 맺어야 하는 상황에 처하게 된다. 이들의 문제는 치료 종결 직후의 적응과 복귀 문제뿐만 아니라 새로 발생할 수 있는 건강의 위해 요소에 대한 의학적 관리, 스트레스 및 정서적 문제에 대한 개입, 질병으로 발생한 기능 상실에 대한 치료를 모두 포함한다.

(3) 장기 생존자의 포괄적 접근

소아암의 장기 생존 환자의 누적 이환율을 조사한 연구에 따르면 73.44%가 한 가지 이상의 만성적인 문제를 가지며 39.2%는 두 가지 이상의 문제를 가지고 있고 그 중에 42.4%는 생명을 위협할 정도의 심각성을 가지고 있는 것으로 보고되었다. 그 중에서도 고위험군은 골육종과 호지킨병, 뇌종양이다.[3] 후기 합병증은 암 치료 후 수년 또는 30년 경과 후에도 생명에 영향을 줄 정도의 중대한 문제가 생길 수 있다.[4] 후기 합병증의 종류로는 성장, 발달, 인지장애, 심폐기능장애, 내분비장애, 신장장애, 소화기장애, 근골격계의 후유증, 이차암 발생 등이 있다. 이런 합병증은 수술, 항암제치료, 방사선 치료의 종류와 용량, 시행 받은 나이에 따라 위험성이 다르다. 따라서 이전 치료 기록 및 부작용과 합병증 여부를 기록하여(표 27-2), 추적 관찰을 지침에 따라 체계적으로 시행하도록 한다(표 27-3).

소아암 장기 생존자들은 여러 가지 후기 합병증으로 인하여 일차 기관을 두 개 이상 방문하는 빈도가 높은 것으로 조사되었다. 국내에 소아암 장기 생존자들에 대한 체계적인 프로그램이 부족하며, 소아 종양 전문의들은 대도시에 편중되어 있어 접근성이 떨어진다. 치료 기술의 향상으로 점차 증가되는 소아암 환자들에 대한 재활의학과의 포괄적인 접근법이 삶의 질 향상에 도움이 될 것으로 생각한다.

II. 주요 소아암으로 인한 장애

1. 백혈병

백혈병은 소아암 중 가장 발생률이 높으며 그 중에 급성 림프구성 백혈병(Acute lymphoblastic Leukemia, ALL)이 80%를 차지하고, 의학의 발달로 현재 장기 생존율이 85%로 향상되었다. 생존한 아동들의 단기 장기 합병증들은 재활의학의 접근을 필요로 하는 다양한 문제들을 포함하고 있다.

급성 림프구성 백혈병 치료에는 네 단계가 있으며 관해(remission)의 초기집중치료, 공고요법, 중간관해유지 및 지연강화요법, 유지요법이다. 급성 백혈병 치료에 필수적인 약물은 스테로

표 27-2 치료 내용 요약지[5]

인구학적	이름, 생년월일, 치료기관(의사), 치료팀
암 진단	진단일, 위치, 병기
과거력	유전, 선천성 이상 등 암 진단 외의 과거력
재발	날짜, 위치
이차암 발생	날짜, 타입
치료프로토콜	이름, 번호, 시작일, 종료일
치료 종결	완해일
항암 치료	항암제 이름, 투여 경로, 누적 용량(mg per m^2), 투여 시기 안쓰라시클린(anthracyclines), 알키화제(alkylating chemotherapy)와 블레오마이신(bleomycin) 등은 누적 용량 확인
방사선 치료	날짜, 종류, 부위, 총 방사선 조사량, 총 횟수, 각 회당 조사량
수술	날짜, 종류, 위치
조혈모세포 이식	날짜, 종류, 이식편대숙주병(graft-versus-host disease) 등의 후유증 유무

표 27-3 Children's Oncology Group(COG)의 소아암 생존자에 대한 표준화된 관찰 지침[6]

분류	치료 종류	후기 반응	표준화된 스크리닝 검사
신경 인지 학적	방사선치료(뇌)	신경인지기능 저하	초기 신경인지검사 학령기 기초 학습능력 검사 매년 학습/직업 능력 경과 확인
심장	안쓰라시클린(도노루비신, 이다루비신) 방사선조사(흉부)	심근병증(무증상 좌심실 기능부전, 조기 관상동맥질환, 판막손상, 심막질환)	병력과 신체검진: 초기, 매년 심전도, 공복혈당, 혈청지질검사: 2년마다 심장전문의 협진: 증상 생기거나 임신 가능성 안쓰라시클린 누적용량 300 mg/m^2 이상, 또는 그 미만이라도 심장에 영향을 줄 수 있는 방사선 치료를 같이 한 경우
호흡기	카르무스틴(carmustine); 로무스티(lomustine) 부설판(busulfan); 블레오마이신(bleomycin) 방사선조사(폐)	폐섬유화 폐섬유화: 간질성 폐렴, 급성호흡부전증 폐섬유화, 지연된 간질성 폐렴, 제한성, 폐색성 폐질환	병력과 신체검진: 초기, 매년 폐기능검사(폐확산능, 폐용적 검사): 초기 흉부 X-ray: 초기, 전신마취 전, 임상적으로 필요시
내분비	갑상선 조사 시상하부-뇌하수체축의 방사선 조사	갑상선기능저하증 (일차성, 또는 중추성), 갑상선 기능 항진증, 성장호르몬 부족, 중심성 부신기능 부전, 과프로락틴 혈증	병력과 신체검진: 매년, T4, TSH 매년 혈중 코티솔: 시상하부-뇌하수체의 조사량이 40≥Gy 프로락틴: 유즙분비, 무월경, 성욕감소
생식기	알킬화제 화학요법(alkylating chemotherapy), 양쪽 생식선 제거술, 방사선 치료	생식샘저하증 (hypoganadism), 생식샘 기능상실 (gonadal failure), 불임, 조기 폐경	이차성징 및 성기능에 대한 병력과 신체검진 LH, FSH, 에스트라디올, 테스토스테론; 여 13세, 남 14세 시작, 조발 사춘기 정액검사
이차암	etoposide; teniposide; 안쓰라시클린(anthracyclines) 알킬화제 화학요법(alkylating chemotherapy)	급성골수성백혈병 급성골수성백혈병, 골수이형성증	일반혈액검사: 함암제 시작부터 10년간
이차암	방사선조사부위 방사선조사(갑상선,유방,장)	이차암(피부, 연조직, 뼈) 갑상선암, 유방암, 대장직장암	방사선 조사부위의 시진, 촉진 갑상선 초음파 검사: 일년마다 유방: 자가 촉진 달마다, 25세까지 일년마다 유방 검진, 맘모그램과 MRI: 조사 후 8년 후부터 또는 25세 이후부터 대장내시경: 5년마다, 방사선조사 10년 이후부터 또는 35세 이후부터

이드와 빈크리스틴(vincristine), L-asparaginase, dexametasone, methotrexate이다. 재발위험이 높은 경우 항암치료를 높은 강도로 하거나 조혈모세포이식 hematopoietic stem cell transplant (HSCT)를 한다. 중추신경계와 고환에서의 재발률이 높으며 최근에는 중추신경계 방사선 요법보다는 척추강 항암제 주입 요법을 시행한다.

스테로이드는 관해유도, 지연강화요법 등 장기간에 걸쳐 사용하게 되면서 근병증을 일으킬 수 있으며 통증을 동반하지 않은 대칭성 근위부 위약을 호소하며 근전도 검사상에서는 정상인 경우가 많다. 또한 스테로이드 장기 사용 시 골다공증이나 뼈의 무혈성 괴사 위험이 높아서 합병증이 의심되면 X-ray, MRI 검사를 시행한다. 빈크리스틴은 축삭을 주로 침범하는 말초신경병을 유발한다. 항암제의 용량을 줄이거나 끊은 후에는 증상 호전을 보이며 가역적이다. 증상에 맞는 대증적인 치료를 시행하며 항암제 용량이 조절이 가능한 경우에는 감량에 대해서 소아종양전문의와 상의한다. 골수기능 부전으로 인한 빈혈 및 혈구 감소증이 발생 시에는 증상에 맞게 운동 종류나 강도를 조정한다.

안쓰라시클린(anthracycline)은 심장 독성이 있어서 부정맥, 전도장애, 좌심실 기능 부전, 만성 심근병증을 유발할 수 있다. 심장 독성은 방사선 치료를 병행한 경우 가능성이 더 높아지며 심초음파를 주시적으로 시행하여 확인하도록 한다.

중추신경계 방사선 요법과 척추강 항암제 주입 요법은 후기의 신경인지장애를 일으킬 위험이 매우 높다. 급성 골수성 백혈병(acute myeleloblastic leukemia, AML)은 ALL보다 강화된 항암화학요법과 조혈모세포이식을 시행한다.

2. 악성 림프종(Malignant lymphoma)

림프종은 림프절이 통증 없이 커지며 주로 목이나 종격부, 겨드랑이, 복부, 사타구니 또는 림프절을 침범한 장기에 따른 증상을 보이고 고열, 야간 발한, 체중 감소 등을 보일 수 있다.

호지킨병(Hodgkin's disease)과 비호지킨림프종(non-Hodgkin lymphoma)을 합하면 전체 소아암의 10% 정도를 차지하며 백혈병 다음으로 흔하게 발생하는 소아암이다. 비호지킨 림프종은 유소아기보다는 청소년기에 발생 빈도가 높다. 림프종은 대부분 고등급의 악성 종양인 경우가 많으나 최근에는 치료 기술의 비약적인 발달로 치료에 반응을 보이는 경우가 90%에 육박하였다. 생존자들은 치료로 인한 후기 합병증의 이환율이 높은 고위험군에 속한다. 치료는 강력한 항암제들의 병합 요법과, 병변 주변의 방사선 조사를 한다. 재발하거나 항암치료에 반응이 없는 경우에는 조혈모세포 이식을 시행한다.

종격동의 방사선 요법은 대혈관과 심장, 폐의 중심에 영향을 주며 같이 사용된 항암요법이 독성을 악화시킬 수 있다. 안쓰라시클린 및 아드리아마이신(adriamycin) 등은 심장 독성을 블레오마이신(bleomycin)은 폐의 독성을 증가시킨다. 대동맥주위 림프절과 장골주위 림프절의 방사선 조사는 불임을 일으킨다. 마찬가지로 방사선 조사와 더불어 시클로포스파마이드(cyclophosphamide) 계열 중 프로카바진(procarbazine)이 같이 사용되면 조기 폐경이나 불임을 가속화 시킬 수 있다.

백혈병과 유사하게 뇌내 방사선 조사, 척수강내 항암제투여, 고용량의 함암제는 신경인지학적 장애를 남긴다. 이차암 발생의 가능성의 높으며, 뇌의 방사선 조사로 인한 뇌종양이 발생할 수 있다. 목 주변과 종격동의 방사선 치료를 시행한 경우, 성인이 되었을 때 갑상선 기능 저하가 50% 갑상선

암은 정상인의 18배 발생 빈도를 보이며, 30년간 유방암의 위험은 30%에 달한다.[7]

3. 뇌종양

전체 소아 종양의 11%가 뇌 및 중추신경계에 발생하는데 소아암 중에서는 백혈병과 림프종 다음으로 빈번하다. 국내에서는 5년 생존율은 1990년대 초 48.5%에서 2000년대 62.6%로 높아졌지만 다른 소아암에 비해서는 낮고, 생존자의 장기 후유증 이환 빈도가 높다.[1, 2]

소아청소년에서 뇌종양의 조직학적 발생 빈도를 보면 배아성 종양(embryonal tumor) 34%, 별아교세포종(astrocytic tumor)이 21%, 신경교종(glioma)가 24%, 뇌실막종(ependymoma)과 맥락막총 종양(choroid plexus tumor)이 약 18% 정도이다. 대부분 양성 암이지만 뇌간 등의 위치한 경우에는 조직학적으로 양성 암이라도 그 위치에 따라 치료가 매우 어렵거나 치료 후 큰 장애를 남기는 경우가 많아 악성으로 분류된다. 호발 연령으로는 0~2세에는 기형종(teratoma) 및 맥락총종양(choroid plexus tumor)이 흔하다. 뇌실에 발생하는 뇌실막종(ependymoma)은 4세 전후, 수모세포종(medulloblastoma)은 7세 전후에 많으며 종자세포종양(germinoma)은 여아에서는 5~10세, 남아에서는 10세 이후에 증가한다.[8]

뇌종양의 위치에 따라 천막상부와 천막하부로 나누며 뇌실 주변에 있는 것과 먼 것으로 분류한다. 천막 상부의 암으로는 뇌피질에 발생하는 교종(glioma), 원시외배엽성종양(primitive neuroectodermal tumors, PNET), 종자세포종양(germinoma), 별아교세포종(astrocytoma) 등이 주로 발생한다. 천막상부의 안장부위나 시신경 교차부위에 잘 발생하는 두개인두종(craniopharyngioma), 시신경교종(optic glioma)이 있다. 천막하부에는 후두개와에 수모세포종(medulloblastoma), 뇌실막종 또는 상의세포종(ependymoma), 소뇌별아교세포종(cerebellar astrocytoma)이 주로 발생한다. 뇌줄기에는 뇌줄기 교종(brain stem glioma)이 발생한다. 교종은 천막상부와 하부에 모두 발생할 수 있으며 증상은 종양 위치에 따라서 나타난다. 치료에 가장 중요한 부분은 수술이며 종양을 완전히 절개하는 것이 치료 성적 향상에 가장 관건이지만 이로 인한 기능 손실 및 연령, 동반 치료 계획을 고려하여 결정한다.[8] 뇌종양 위치가 뇌실 주변의 병변인 경우 뇌수두증이 흔하며 특히 제4뇌실 부위에 수모세포종, 상의세포종 등의 악성 뇌종양이 있는 경우 급작스러운 뇌압상승에 의한 수두증발작(hydrocephalic fit)을 일으킬 수 있다. 천막하 뇌종양은 하부 뇌간의 뇌신경들을 침범하며 연하장애, 언어장애, 실조증을 보인다. 시신경교차부위에는 발생하는 종양에서는 두개인두종, 뇌하수체샘종, 시신경교종이 있으며 복시, 시야장애 등을 유발할 수 있다. 안장부위의 종양에서는 내분비장애가 올 수 있다. 측두엽에 인접한 뇌종양에서는 다른 부위보다 뇌전증의 비율이 높게 보고되었다.[9, 10]

국소적인 치료에는 방사선 치료가 있으며 3세 미만의 아동에서는 이후에 신경내분비 및 신경인지장애가 심하게 오기 때문에 사용이 쉽지 않다. 이런 경우에는 항암 치료를 시행하면서 방사선 치료를 최대한 미루거나, 수술 시 절제 부위에 대한 신중한 접근을 요한다. 양전자 치료 등의 최신 방사선 설비들은 정상 조직에 조사량을 최대한 줄일 수 있게 고안되어 이전까지 수술적 접근이 어렵던 소아암 치료에 이용되고 있다.[11]

소아뇌종양에 대한 재활의학적 접근법은 급성기의 항암 및 방사선 치료로 인한 합병증 고려하고 수술적 절제에 의한 기능 상실을 최소화하는 것이다. 또한 심리검사와 신경인지검사를 통해서 환아에게 적절한 지지요법을 시행하고 일상생활과 학교에 복귀할 수 있도록 각계 전문가의 의견을 수렴하는 다각적 접근이 필요하다.

4. 골육종

악성 골종양 중 골육종(osteosarcoma)이 58%로 가장 흔하며 유잉육종(Ewing's sarcoma)이 24%이다. 골성장이 빠른 사춘기에 많이 발생한다. 발생 위치는 뼈몸통끝(metaphysis)으로 대퇴골 근위부, 경골 원위부나 상완골에 위치하는 경우가 절반이다. 성장통과는 다르게 3~4주 이상 지속적으로 같은 위치에 국소열과 압통, 또는 종괴같이 만져지는 경우 의심할 수 있다. 진단은 X-ray에서 골막 반응으로 인한 코드만 삼각형이 확인되며 병변의 정확한 판별을 위해서 MRI, CT를 촬영한다.

초기 진단 시점에 폐 전이는 약 20%에서 동반한다. 암세포의 범위를 줄여 사지구제술(limb-sparing surgery)을 시행하기 위해 수술 전 항암치료를 통상적으로 시행한다. 수술적 치료가 가장 중요한 부분으로 병기, 세포학적 진단, 환아 나이, 병변의 위치나 크기를 고려하여 결정한다. 최근에는 기능과 삶의 질을 고려한 사지구제술을 시행하여 절단술의 시행 빈도는 5~15%로 줄었다. 환자는 수술 전부터 재활 운동을 시작하며 관절 운동, 근력강화, 기능 회복을 위한 운동들을 술식에 맞게 진행한다. 절단단의 근육판이나 동종골 이식은 상처 회복 및 골형성에 시간이 필요하여 장기간 체중 부하가 어려우나 종양대치물을 이용한 내고정물은 통상적으로 2주 후부터 서서히 체중 부하를 한다. 대퇴근위부의 관절 치환술은 2~4주의 침상 안정이 필요하며, 고관절의 탈구를 방지하기 위해 3개월간 외전 보조기를 착용하도록 한다.

수술 방법은 광범위한 절제를 시행하면서 재건술을 시행한다. 사지구제술은 인공관절을 포함한 종양대치물을 흔히 사용하며 이외에도 동종골 이식술, 자가골 이식술, 관절고정술이 있다. 금속성 내고정물 중 신장이 가능한 것(expandable endoprosthesis)은 성장 후 평균 다리 길이 차이를 최소화할 수 있으나 지속적인 재수술이 필요하다.[12] 대부분 수술 전 항암 치료 등으로 전신 건강 상태가 좋지 못하여 감염, 부정 유합 등이 발생하기 쉽고, 합병증 발생 시 수술 후 항암 치료가 지연될 수 있다. 지속되는 수술 부위 상처의 문제로 인해 재수술을 요하는 경우는 만성 통증에 이환될 가능성이 높다. 수술 직후의 문제뿐만 아니라 이후에도 내고정의 물리적인 문제, 절단 부위의 과성장, 환상통, 사지 부동에 의한 문제 등이 발생할 수 있어 보장구 관리, 통증 및 운동 처방 등 적극적인 조치가 필요하다. 수술 후 통상 6개월 정도 항암 치료를 병행하게 된다.

방사선 치료는 수술이 어렵거나 통증이 심한 경우 제한적으로 시행한다. 골육종은 수술로 인한 결손으로 활동 제한이 발생하는 경우가 높고 소아암 장기 생존자 중 후기 이환율 및 합병증 발생 위험이 매우 높다.[13] 통증을 포함하여 적극적인 재활의학적 관리가 필요한 질환이며 재발률도 높아 치료 후에도 주기적인 관리가 요한다. 초기 발견 시 폐전이가 있는 환자를 제외하면 생존율은 65~75%이다.[14]

III. 소아암 치료로 인한 장애

1. 수술적 치료

수술로 인한 이환율이 높은 소아암으로는 골육종과 뇌종양이 있다. 고형암의 수술적 치료는 절개

부위의 암세포가 없도록 광범위하게 절개하는 것이 완해율을 높이고 재발을 줄이는 등 암치료의 결정적인 요인이다. 그러나 아동의 나이가 어릴수록 암 수술로 인한 절제에 대한 질환 이환율은 증가될 수밖에 없다.

골육종의 경우에는 수술 전 보조 화학 요법을 사용함으로써 절단 수술을 줄이고 수술 범위를 줄일 수 있었다. 특히 성장이 많이 남은 어린 연령일수록 다리 길이 차이가 문제가 될 수 있으며, 이를 교정하는 고식적인 방법으로는 2 cm 미만일 때는 깔창 교정, 2~4 cm일 때는 반대쪽 다리 길이를 줄이는 반대쪽 골단유합술, 4 cm 이상일 때는 연장술 등을 고려할 수 있다. 천막하 뇌종양은 수술적 접근에 어려움이 있으며 뇌간 구조의 침범 시 후유 장애가 크게 나타날 수 있어 수술적 접근이 어려운 경우도 있다. 후두개와의 뇌종양 수술의 후유증의 하나인 소뇌성 함구증은 고위 인지기능이나 언어기능에 영향을 줄 수 있으며 수술 시의 견인 등의 의해 발생하는 것으로 추정하고 있다.

2. 방사선 치료

소아는 성인보다 이온화 방사선 조사에 취약하기 때문에 항암 치료를 통해 방사선 치료 시작 나이를 최대한 미루거나, 시행하더라도 조사 부피나 용량을 줄이게 된다. 연령이 어릴수록 조사의 영향이 크며, 뇌조직이 성숙해지기 전인 3세 미만에서는 합병증이 광범위하게 나타나며, 2세 미만의 아동에서는 방사선 조사는 치료적으로 잘 사용하지 않는다. 7세 미만 아동에서 뇌조직의 조사 2년 후 평균 IQ가 27 감소하였으며 이 이상의 연령에서 변화는 통계적으로 유의하지 않았다.[15]

신경계에 조사된 방사선은 백질병증(leukoencephalopathy)을 유발한다. 조직학적으로는 뉴런의 괴사(neuronal dropout), 신경아교증(gliosis), 증식성 경화성 혈관병(proliferative sclerosing angiopathy) 소견을 보인다. 백질병증의 정도는 방사선 조사 부위, 양, 부피, 아동의 연령과 관계가 있다. 뇌의 방사선 조사는 지능, 운동 능력, 언어발달, 집중력과 실행능력 등 뇌의 인지 전반에 영향을 준다. 혈관 병증에 의한 허혈은 뇌경색 발생 부위에 따른 증상을 보인다. 후두개와의 조사는 신경내분비계에 장애를 일으켜 성장장애, 갑상선기능저하 등이 발생할 수 있다. 또한 정상 뇌조직에 조사된 방사선은 이차암 가능성을 높인다.[16]

척수에 조사된 방사선은 방사선 척수염을 유발하여 경직성 마비를 발생시킬 수 있다. 또한 측만증이나 후만증이 발생할 수 있다. 종격에 조사된 방사선은 폐와 심장막의 섬유화를 일으킨다. 간질폐렴(pneumonitis), 폐섬유화(pulmonary fibrosis) 등에 의해서 폐활량, 폐유연도, 이산화탄소 확산능이 감소된다. 협착심장막염(constrictive pericarditis)과 전도장애, 관상동맥질환이 발생될 수 있다.[16]

3. 항암 치료

소아는 항암제의 급성 반응에 대해 순응도가 높아 체표면적으로 계산된 최대 수용 가능한 항암제의 용량이 성인보다 높다. 항암제의 급성 부작용은 주기가 짧은 세포가 영향을 주로 받는다. 오심, 구토, 구내염, 설사, 간, 신장기능 장애, 피부염, 탈모가 있으며 가장 흔한 부작용으로는 골수 기능부전으로 인한 백혈구나 혈소판 수 감소가 있다. 다행이 이런 부작용들은 항암제를 끊으면 가역적이며 빠르게 호전된다. 급성기에 이런 증상들을 호전시키기 위한 적절한 운동과 약물 처방, 이완요법, 카운셀링 등이 도움이 된다. 항암제 치료 시 혈구 수치가 감소되면 운동에 주의를 요하며 특히 혈소판이 1만 이하일 경우에는 운동을 권하지 않는다.[17] 항암제의 지연성 효과는 청력손실, 백질뇌병변, 심근병증 등이 있다. 시스플라틴(cisplatin) 사용과 관련된 청력 손실은 이전에 항사선조사, 신기능저하, 주입속도의 증가, 어린 연령, 높은 누적용량과 관련성이 보고되었다.[18]

안쓰라시클린(anthracycline)은 백혈병, 림프종, 골육종 치료에 사용되며 급성, 아급성, 후기 심장독성을 나타낼 수 있다. 만성 심근병증은 치료 6개월 후 만성심부전 증상을 보인다. 증상은 활동 시 숨이 가쁘거나 운동 시 쉽게 피로를 느끼며 암 생존자들은 활동적이지 못한 경우가 많아 증상을 느끼지 못하는 경우가 많다. 심초음파 검사가 도움이 되며, 운동부하검사에서 최대산소소모량이 감소하거나 무산소 역치가 감소되는 소견을 보인다. 일단 발견되면 적극적 약물치료를 시작한다.

메토트렉세이트(methotrextate)는 신경독성이 있으며 뇌졸중 증상과 유사한 급성뇌병증 또는 만성 진행성 탈수초화 뇌병증(progressive demyelinating encephalopathy)을 일으키며 고위인지기능의 장애를 가져온다. 기타 골병증 및 골다공증을 유발하며, 척수강내 주입 때는 길랑바레와 같은 상행성 신경근병증을 일으킨다.

시클로포스파마이드(cyclophosphamide)는 가역성 신경독성과 출혈성 방광염, 남아에서 불임을 유발할 수 있다. 최근에는 다양한 종양발생 기전에 분자생물학적 이해를 통하여 표적 치료 등 새로운 노력들이 지속되고 있으며 아직 표적 치료제들이 기존의 항암제를 대치할 수는 없지만 정상세포에 미치는 영향을 최소화하여 항암치료에 따른 부작용을 줄이게 되었다.

4. 조혈모세포 이식(Hematopoietic cell transplantation)

부작용은 주로 전처치료에 사용된 고용량 항암요법이나 전신 방사선 조사(whole-body irradiation)에 의한 부작용으로 발생한다. 초기 부작용은 오심, 설사, 점막염, 간 신장기능 장애, 출혈성 방광염, 심근병이 있고 후기 부작용은 전신 방사선 조사로 인한 성장장애나 갑상선 기능 저하, 이차성징 지연 및 불임 등의 신경내분비, 인지장애를 포함하여 백내장, 만성 폐질환, 뼈의 괴사성 병변, 이차암 등이 발생할 수 있다. 초기 이식 후에는 감염관리가 가장 중요하다. 조혈모세포 이식을 받은 군은 후기 합병증의 이환율과 중증도가 높은 군에 속한다. 이식편대숙주병(graft-versus-host disease)은 이식된 면역체계가 숙주 조직에 면역반응을 나타내는 것으로 자가면역질환과 비슷한 질환이 오며 심하면 사망에 이를 수 있다. 백 일 이전에 발생한 것을 급성, 그 이후에 발생한 것을 만성으로 분류한다. 피부, 눈, 간, 폐, 소화기에 주로 증상이 발생하며 근골격계 증상으로는 관절 구축, 관절 및 근육통, 근위약이 있다. 근육염[19]은 근전도, 조직검사 등으로 확진하며 통증을 동반한 근위부의 대칭성 마비가 나타난다. 치료는 면역억제제를 사용한다.

IV. 소아암의 장애에 대한 재활치료

1. 통증

암성 통증은 급성기와 만성기로 나누어 볼 수 있다. 급성기 암과 관련된 통증으로는 골수 검사, 요추부 천자 등 진단과 관련된 통증, 수술, 항암 등 침습적 술기와 관련된 치료에 관련된 통증이 있다. 만성기 암과 관련된 통증으로는 신경병증, 섬유화 등 암치료 후유증으로 인한 통증이 있다.

이외에도 암의 진행이나 사망에 임박한 통증, 기존 질환에 의한 통증 등이 있으며 통증 기전에 따라 약물을 선택한다. 약물은 소염진통제(NSAIDs), opioids, 국소마취제, 물리치료 등을 병용하며 약물 상호작용이나 부작용이 없도록 용량을 잘 조절한다.[20]

2. 근력 약화, 골다공증, 관절 구축

장기적인 스테로이드 복용의 부작용으로 근병증, 골다공증, 고관절 골괴사가 올 수 있으며 항암제 부작용으로 인한 말초신경병증으로 통증, 감각저하, 근력약화가 올 수 있다. 장기 침상 안정으로 인하여 관절 구축이 오지 않도록 자세를 잘 관리하고 필요 시 보조기, 운동 요법 등을 같이 실시한다. 장기적 부동에 의한 환아들의 운동은 저강도에서 시작하여 점차적으로 증진시켜주는 것이 좋다. 성인 연령인 경우 본인의 체력과 근력에 맞추어 운동처방을 시행한다. Karvonen formulae에 의해서 목표심박수를 초기에는 안정 시 심박수에 reserve heart rate(최대심박수-안정 시 심박수)의 50~60%를 더한 값으로 시작하여 70~80%까지 서서히 증가시킨다. 근력강화 운동에 필요한 무게는 1번 반복 가능한 무게(1RM; repetition maximum)의 절반에서 시작하여 5~10%씩 증가시키도록 한다. 102명의 급성림프성백혈병 생존자들의 체력을 측정한 메타 연구에 따르면 이들의 최대 산소 소모량은 정상 대조군에 비해서 13% 정도 감소되어 있었다.[21]

운동은 소아 암 생존자들 피로 감소와 체력 증진을 시킬 뿐 아니라 삶의 질 향상에 도움이 되므로, 병원뿐만 아니라 학교나 가정에서도 이들에 대한 지속적인 운동 프로그램이 진행될 수 있도록 한다.[22] 만성 이식편대 숙주반응으로 발생한 관절 구축은 피부의 태선화 및 피부경화반응과 동반되며 조직학적 소견상 과각화를 보인다. 면역억제제 치료 외에 구축 부위에 UVA1 광선치료, 스테로이드 크림 등을 사용할 수 있으며, 열치료, 전기치료, 스트레칭, 근력강화 운동, 보조기 등의 적극적인 치료가 도움이 된다.[23, 24]

3. 성장장애

성장장애는 항암 치료나 방사선 치료의 후유증으로 뇌하수체 기능 저하로 인한 성장 호르몬 분비 저하, 방사선 조사로 인한 골괴사 등이 있다. 치료로는 성장호르몬 투여, 골다공증에 대한 약물 및 운동 등의 치료적 접근을 같이 시행한다. 수술로 인한 성장판 손상으로 인한 하지 부동에는 척추측만이나 비대칭적인 체중부하로 인한 관절 통증, 변형 등의 문제가 동반되지 않도록 성장을 예측한 체계적인 관리가 필요하다.

4. 심리적 문제 및 적응장애

진단 후 초기 치료 시점에서는 검사, 치료 과정에서 오는 스트레스, 우울감, 죽음에 대한 두려움 등이 있으며 이후 퇴원 후 유지요법을 시행 중에는 재발에 대한 두려움, 암으로 인한 기능 상실에 따른 적응장애 등이 있다. 치료 종결 후에는 외상 후 스트레스장애, 불안, 우울, 자존감 감소 등을 경험하는 경우가 많다. 기존 병력이 있거나 중추신경계 암 또는 항암이나 방사선 치료의 후유증으로 신경인지학적 문제를 가진 환아들이 이환될 확률이 더 높다.

이런 심리 사회적인 문제들은 악화된 경제적 상황 및 변화된 가족 역학으로 가족 모두에 영향을 준다. 특히 환아의 형제들은 질병에 대한 두려움뿐만 아니라 가족들의 관심이 환아에게 집중함으로서 생기는 질투, 분노, 죄책감 등을 경험하게 된다. 장기적인 투병 생활 후에는 사회적 단절로 인한 또래 관계의 형성 어려움, 뒤떨어진 학업 성취 등의 적응 장애를 갖기 쉬워 투병 생활 중에도 치료 후의 적응을 돕기 위한 병원 학교나 다양한 프로그램을 필요로 한다.

5. 영양장애

46%의 환자에서 영양장애를 가지며 영양 부족한 경우 성장장애뿐만 아니라 면역 기능저하, 상처 회복 지연, 약물 대사에 영향을 주어 예후에 영향을 미칠 수 있다. 그러나 암과 치료 부작용으로 인한 메스꺼움, 구토, 식욕부진, 입안 염증은 섭취를 어렵게 한다. 체중의 5% 이상의 감소는 급성 영양실조이며 연령당 신장이 5백 분위수 이하인 경우에는 만성 영양부족을 의미한다.[25] 전체적으로 체중이 적은 소아암환자에서 암 종괴 등이 차지하는 비중이 높으므로 영양 부족이 의심되면 체지방 분석 등의 적극적인 평가를 시행하도록 한다.

구토를 하는 경우는 뜨겁고 냄새, 향이 강한 것은 제외하며, 물부터 시작하여 연식으로 섭취량을 늘린다. 식욕 부진으로 칼로리 섭취가 부족한 경우 소량씩 자주 먹고 과자, 빵 등 포만감이 적고 열량이 높은 음식을 주며, 볶거나 버터, 참기름 등을 첨가하면 열량을 높일 수 있다. 면역기능이 저하된 격리식을 할 때에는 소독된 식사 도구를 사용하고, 치즈, 과일, 유제품은 제한하여 익힌 음식만 섭취한다. 시판 음식도 개봉 후 바로 먹거나 가능하면 데워서 섭취하도록 한다. 설사가 심한 경우 염분과 칼륨이 많은 육수, 바나나, 복숭아, 토마토, 스포츠 음료, 감자를 추가하는 것이 도움이 된다.[26] 영양 부족 시 고에너지 단백질 보충 음료를 사용하며, 구토와 구내염이 심한 경우 비위관 삽입이 도움이 된다. 비위관 삽입으로도 영양부족이 지속될 경우에는 위나 공장조루술을 시행한다. 비경구수액요법은 흡수장애나 장폐색, 이식편대숙주병이 아니면 지속적인 영양 보충 요법으로 권장하지 않는다.[25]

V. 소아암 재활에서 주의점

암 환자에게 비교적 안전한 물리치료는 냉치료, 바이오피드백, 전기영동법, 경피적전기자극기, 마사지 등이다. 전기 자극과 마사지는 암조직에 바로 가하는 것은 피하는 것이 좋다. 동물 실험에서 심부열인 초음파는 종양의 크기를 크게 했다는 보고가 있어 주의하는 것이 좋다.[27]

항암치료 중 면역력이 떨어지는 경우에는 피부에 상처가 날 수 있는 경쟁적인 운동은 피하도록 한다. 열치료나 운동에 금기가 되는 경우는 헤모글로빈 7.5 미만, 혈소판 20,000 이하 백혈구 3,000 미만, 골전이, 장, 방광, 요관, 혈관, 척수 등의 내장기관(hollow viscous)의 압박, 심강, 흉강, 복강 내의 삼출물 등으로 통증이나 호흡 곤란이나 증상을 일으키는 경우, 중추신경계 기능저하나 코마, 두개강내압의 증가, 저칼륨혈증, 고칼륨혈증, 저나트륨혈증, 고칼슘혈증이나 저칼슘혈증, 기립성 저혈압, 분당 110 이상의 빈맥이나 심실성 부정맥, 38.3° 이상의 고열이 나는 경우이다.[28] 지속적이고 적절한 운동을 통해서 암 치료를 위한 신체의 조건을 유지하게 하는 데 도움이 되며, 심폐 능력을 단련할 뿐만 아니라 정서적 안정을 도모할 수 있다. 운동의 효과는 피로, 기분, 행동, 사회적 능력, 자신감, 집중력, 기억력 향상에도 영향을 미치는 것으로 알려져 있다.[29]

▶ 참고문헌

1. The Korea Central Cancer Registry NCC. Annual report of cancer statistics in Korea in 2017, 2019.
2. The Korea Central Cancer Registry NCC. Annual report of cancer statistics in Korea in 2017. Ministry of Health and Welfare, 2019.
3. Hudson MM, Mertens AC, Yasui Y, Hobbie W, Chen H, Gurney JG, Yeazel M, Recklitis CJ, Marina N, Robison LR, et al. Health status of adult long-term survivors of childhood cancer: a report from the Childhood Cancer Survivor Study. JAMA 2003; 290: 1583-1592.
4. Oeffinger KC, Mertens AC, Sklar CA, Kawashima T, Hudson MM, Meadows AT, Friedman DL, Marina N, Hobbie W, Kadan-Lottick NS, et al. Chronic health conditions in adult survivors of childhood cancer. N Engl J Med 2006; 355: 1572-1582.
5. Wendy Landiers SB. Cancer Survivorship: A Pediatric Perspective. The Oncologist 2008, pp1181-1192.
6. Children's Oncology Group Long-Term Follow-Up guidelines for survivors of childhood, adolescent, and young adult cancers. 2018 www.survivorship-guidelines.org.
7. von der Weid NX. Adult life after surviving lymphoma in childhood. Support Care Cancer 2008; 16: 339-345.
8. Phi JH, Wang KC, Kim SK. Surgical treatment of pediatric brain tumors. J Korean Med Assoc AID - 10.5124/jkma.2012.55.5.438 [doi] 2012; 55: 438-446.
9. Wells EM, Gaillard WD, Packer RJ. Pediatric brain tumors and epilepsy. Semin Pediatr Neurol 2012; 19: 3-8.
10. Phi JH, Chung CK. Treatment of Epilepsy Associated with Brain Tumors. J Korean Med Assoc AID - 10.5124/jkma.2010.53.7.603 [doi] 2010; 53: 603-612.
11. Kim JY. Proton therapy in pediatric brain tumors. J Korean Med Assoc AID - 10.5124/jkma.2012.55.5.454 [doi] 2012; 55: 454-462.
12. Henderson ER, Pepper AM, Marulanda G, Binitie OT, Cheong D, Letson GD. Outcome of lower-limb preservation with an expandable endoprosthesis after bone tumor resection in children. J Bone Joint Surg Am 2012; 94: 537-547.
13. Geenen MM, Cardous-Ubbink MC, Kremer LC, van den Bos C, van der Pal HJ, Heinen RC, Jaspers MW, Koning CC, Oldenburger F, Langeveld NE, et al. Medical assessment of adverse health outcomes in long-term survivors of childhood cancer. JAMA 2007; 297: 2705-2715.
14. Federman N, Bernthal N, Eilber FC, Tap WD. The multidisciplinary management of osteosarcoma. Curr Treat Options Oncol 2009; 10: 82-93.
15. Radcliffe J, Packer RJ, Atkins TE, Bunin GR, Schut L, Goldwein JW, Sutton LN. Three- and four-year cognitive outcome in children with noncortical brain tumors treated with whole-brain radiotherapy. Ann Neurol 1992; 32: 551-554.
16. Pruitt DW, R N. Rehabilitation of Pediatric Cancer Patient. In: Stubblefield M, M OD, edtors Principles and Practice of Cancer Rehabilitation, New York: Demos Medical Publishing, 2009, pp855-867.
17. James MC. Physical therapy for patients after bone marrow transplantation. Phys Ther 1987; 67: 946-952
18. Freilich RJ, Kraus DH, Budnick AS, Bayer LA, Finlay JL. Hearing loss in children with brain tumors treated with cisplatin and carboplatin-based high-dose chemotherapy with autologous bone marrow rescue. Med Pediatr Oncol 1996; 26: 95-100.
19. Allen JA, Greenberg SA, Amato AA. Dermatomyositis-like muscle pathology in patients with chronic graft-versus-host disease. Muscle Nerve 2009;40: 643-647.
20. Galloway KS, Yaster M. Pain and symptom control in terminally ill children. Pediatr Clin North Am 2000; 47: 711-746.
21. van Weert E, Hoekstra-Weebers JE, Grol BM, Otter R, Arendzen JH, Postema K, van der Schans CP. Physical functioning and quality of life after cancer rehabilitation. Int J Rehabil Res 2004; 27: 27-35.
22. Lucia A, Earnest C, Perez M. Cancer-related fatigue: can exercise physiology assist oncologists? Lancet Oncol 2003; 4: 616-625.
23. Ziemer M, Thiele JJ, Gruhn B, Elsner P. Chronic

cutaneous graft-versus-host disease in two children responds to UVA1 therapy: improvement of skin lesions, joint mobility, and quality of life. J Am Acad Dermatol 2004; 51: 318-319.

24. Choi IS, Jang IS, Han JY, Kim JH, Lee SG. Therapeutic experience on multiple contractures in sclerodermoid chronic graft versus host disease. Support Care Cancer 2009; 17: 851-855.

25. Bauer J, Jurgens H, Fruhwald MC. Important aspects of nutrition in children with cancer. Adv Nutr 2011; 2: 67-77.

26. 위경애. 소아청소년암 영양 가이드 Good Nutrition for families of children with cancer. 재단법인 한국백혈병어린이 재단 2017.

27. Sicard-Rosenbaum L, Lord D, Danoff JV, Thom AK, Eckhaus MA. Effects of continuous therapeutic ultrasound on growth and metastasis of subcutaneous murine tumors. Phys Ther 1995; 75: 3-11; discussion 11-13.

28. Vargo MM, Riutta JC, DJ F. Rehabilitation for Patients with Cancer Diagnoses. In: Delisa JA, BM G, edtors Delisa's Physical Medicine & Rehabilitation. 6th ed, Philadelphia: Lippincott Williams & Wilkins, 2020, pp820-846.

29. Robertson AR, Johnson DA. Rehabilitation and development after childhood cancer: can the need for physical exercise be met? Pediatr Rehabil 2002; 5: 235-240.

CHAPTER

28

뇌전증

Epilepsy

고태성

I. 뇌전증의 정의와 분류

1. 뇌전증의 정의

발작(seizure)이란 대뇌의 비정상적인 전기활동에 의하여 발생하는 돌발적이고, 일시적인 증상을 나타내는 용어로서, 운동 증상, 감각 증상, 의식 변화 또는 행동 변화 등의 다양한 증상을 초래할 수 있다. 발작이라는 현상은 한가지의 진단적 병명이 아니고 여러 가지 다양한 원인들(열성경련, 뇌막염, 뇌염 등의 증상, 전해질 장애, 저혈당 등)에 의해서 일어나는 중추신경계의 한 증상으로 이해하여야 하고, 위에 열거한 원인이 아닌 발작이 반복적이고도 만성적으로 나타날 때에 비로소 '뇌전증(epileptic), 또는 간질(epilepsy)' 이라고 진단할 수 있다. 따라서 발작은 증상을 나타내는 용어이며, 뇌전증(또는 간질)은 진단명을 나타내는 용어이다.

2. 뇌전증발작(Epileptic seizures)의 분류

1981년도에 International League Against Epilepsy (ILAE)에서 International Classfification of Epeileptic Seizures (ICES)를 발표하였다(표 28-1). 이 분류법은 뇌전증성 발작을 그 임상양상 및 뇌파 소견을 기준으로 하여 부분성 및 전신성 발작으로 크게 나누었고, 이 분류법은 그 후 국제적으로 널리 통용되게 되었다. 그러나 한 환자에서도 여러 유형의 발작이 나타날 수 있고 또 같은 유형의 발작이라도 어떤 환자에서는 치료가 잘 되는데 반하여 어떤 환자는 조절이 매우 힘들다는 사실 등이 경험적으로 알려져 있어 같은 유형의 발작이라도 원인적 측면이나 치료에서 그 의의가 다를 수 있음을 시사하게 되었다. 그리고 어떠한 종류의 발작은 그 발병 연령이 비교적 일정한 연령군에 한정되어 있음도 알려져 있으며 동일한 뇌전증성 질환에서도 여러 유형의 발작을 보일 수 있으며, 또 같은 유형의 발작이 다른 종류의 뇌전증성 질환에서 나타날 수도 있다는 점들도 임상적으

표 28-1 뇌전증발작의 국제분류(1981)

I. 부분발작[(partial, focal, local) seizures]

- A. 단순부분발작[simple partial seizures (consciousness not impaired)]
- B. 복합부분발작[complex partial seizures (consciousness impaired)]
- C. 2차성 전신발작으로 진행하는 부분발작(partial seizures evolving to secondarily generalized seizures)

II. 전신발작(generalized seizures)

- A. 소발작/결신발작(absence seizures)
- B. 근간대발작(myoclonic seizures)
- C. 간대발작(clonic seizures)
- D. 강직발작(tonic seizures)
- E. 강직간대발작(tonic-clonic seizures)
- F. 무긴장발작(atonic seizures, astatic seizures)

III. 분류 불가능한 뇌전증성 발작(unclassified epileptic seizures)

표 28-2 뇌전증발작의 국제분류(2017)

I. 국소 발생(focal onset)

- A. 인식(awareness)
  - 인식장애(impaired awareness)
- B. 운동발생(motor onset)
  - 자동증(automatism)
  - 무긴장(atonic)
  - 간대(clonic)
  - 강직(tonic)
  - 근간대(myoclonic)
  - 운동과다(hyperkinetic)
  - 뇌전증연축(epileptic spasm)
  - 비운동발생(nonmotor onset)
  - 자율(autonomic)
  - 행동정지(behavior arrest)
  - 인지(cognitive)
  - 정서(emotional)
  - 감각(sensory)
- C. 국소발생에서 양측성 강직-간대 (focal to bilateral tonic-clonic)

II. 전신발작(generalized seizures)

- 운동(motor)
  - 강직-간대(tonic-clonic)
  - 간대(clonic)
  - 강직(tonic)
  - 무긴장(atonic)
  - 근간대(myoclonic)
  - 근간대 강직-간대(myoclonic tonic-clonic)
  - 근간대 무긴장(myoclonic atonic)
  - 뇌전증연축(epileptic spasm)
- 비운동(non-motor, absence)
  - 정형적(typical)
  - 비정형적(atypical)
  - 근간대(myoclonic)
  - 눈꺼풀 근간대(eyelid myoclonia)

III. 발생미상 (unknown onset)

- 운동(motor)
  - 강직-간대(tonic-clonic)
  - 뇌전증연축(epileptic spasm)
- 비운동(non-motor)
  - 행동정지(behavior arrest)

IV. 분류 불가능(unclassified)

로 잘 알려지게 되었다. 그러므로 ICES는 각각의 발작의 유형에 대한 분류로서는 대단히 유용하였으나 그러한 발작군의 원인적 질환, 호발연령, 혹은 예후 등에 관한 내용을 포함하지 못한 단점이 있었다. 그후 ILAE에서는 2017년도에 새롭게 인식장애 여부가 불명확한 경우나 일반인들이 이해하기 어려운 경우 등을 감안하여 보다 실용적인 분류를 출판하였다(표 28-2).

3. 뇌전증증후군(Epileptic syndromes)의 분류

그 후 ILAE에서는 앞에서 기술한 ICES의 단점을 보완하기 위하여 1985년에 International Classification of Epilepsies and Epileptic Syndromes (ICEES)를 제시하였고 이를 1989년 다시 개정하여 발표하였다(표 28-3). 이 분류의 특징은 뇌전증성 질환을 여러 증상이나 증후가 동시에 나타나는 하나의 증후군으로 이해하려고 접근하여 발작의 유형 외에도 원인, 해부학적 병변, 유발 요인, 발병 연령, 발작의 빈도, 하루 중의 호발시기, 치료에 대한 반응이나 예후 등을 분류의 기준으로 포함시켰다는 점이다. 이 분류에서도 뇌전증증후군은 크게 두 가지로 나누어 '국소화-연관성(부분성 혹은 초점성)'과 '전신성'으로 나누고 있는데, ICES에서 썼던 부분성(partial) 혹은 초점성(focal)이라는 용어 대신에 '국소화-연관성(localization-related)'이라는 용어를 사용하였다. ICES에서는 뇌전증증후군의 원인과 관련하여 '증후성(symptomatic)', '원발성(idiopathic)' 및 '원인불명(cryptogenic)'이라는 세 가지 용어를 사용하였다. 증후성은 뇌전증의 원인이 될 수 있는 중추신경계 질환을 이미 알고 있을 때, '원발성'은 유전적 소인이 관여하리라고 생각은 하고 있으나 그 이외의 확실한 원인 질환이 없는 경우에, '원인불명'은 원인 질환이 밝혀지면 증후성으로 분류할 수 있겠으나 현재까지는 원인을 찾지 못한 경우에 사용하였다.

최근 분자 유전학의 발전과 더불어 '원발성' 뇌전증 중에 뇌전증유전자가 상당수에서 밝혀지게 되었고(표 28-4), 향후에는 신경세포의 전기신호 생산 및 전달에 관여하는 더 많은 뇌전증관련 유전자가 발견될 것으로 기대되고 있다. 이와 같이 뇌전증증후군에 대하여 계속 새로운 사실들이 밝혀지고 있기 때문에 뇌전증증후군의 분류는 고정된 것은 아니며, 이의 보완 혹은 개정에 관한 보고가 되어왔고 현재에도 이의 개정에 관한 국제적인 토론이 진행 중에 있다.

4. 유전학적 진단(Genetic diagnosis)

뇌전증의 원인 유전자를 찾기 위한 검사는 유전자 질환이 의심되는 뇌전증 환자에서 시행하게 된다. 이 경우 유전학적 진단을 내리고, 환자에게는 예방 및 치료에 도움을 주고, 가족 구성원에게는 유전학적 정보를 제공할 수 있는 목적으로 시행한다. 유전학적 검사방법은 여러가지 방법들이 있는데, 대개 유전자 이상의 종류에 따라서 시행하는 검사의 방법이 결정된다.

1) Sanger 염기순서분석법 (DNA sequence analysis)

적절한 크기의 단일 유전자 변이에 사용되는 방법으로 유전자의 일부를 중합효소연쇄반응으로 증폭시킨 후에 이를 크기별로 분리하여 염기서열을 확인한다.

표 28-3 뇌전증 증후군의 국제분류(1989년)

1. 국소화-연관성(국소성, 초점성, 부분성) 뇌전증과 증후군

- 1.1 원발성(발병연령-관련)
  - 중심측두엽 극파를 보이는 양성 소아 뇌전증 (BCECTS, 양성 Rolando 뇌전증)
  - 후두엽 극파를 보이는 소아 뇌전증
    - Panayiotopoulos 증후군
    - Gastaut 형 원발성 소아기 후두엽 뇌전증
  - 일차성 읽기 뇌전증
- 1.2 증후성
  - 만성 진행성 부분 뇌전증 지속증
  - 특이 방식에 의해 유발된 발작을 특징으로 하는 증후군
  - 국소화 혹은 원인에 근거한 기타 뇌전증과 증후군
    - 측두엽 뇌전증
    - 전두엽 뇌전증
    - 두정엽 뇌전증
    - 후두엽 뇌전증
- 1.3 원인불명

2. 전신성 뇌전증과 증후군

- 2.1 원발성(발병연령-관련)
  - 양성 가족성 신생아 경련(BFNC)
  - 양성(원발성) 신생아 경련(BNC)
  - 양성 영아기 근간대성 뇌전증(BMEI)
  - 열성 경련 플러스를 가진 전신성 뇌전증(GEFS+)
  - 소아기 소발작 뇌전증(CAE, Pyknolepsy)
  - 청소년 소발작 뇌전증(JAE)
  - 청소년 근간대성 뇌전증(JME)
  - 각성시의 전신성 강직간대 발작 뇌전증
  - 기타 전신성 원발성 뇌전증
  - 특이 방식에 의해 유발된 발작을 가지는 뇌전증
- 2.2 증후성 또는 원인불명
  - West 증후군(영아 연축)
  - Lennox-Gastaut 증후군(LGS)
  - 근간대성 무정위성 뇌전증(MAE, Doose 증후군)
  - 근간대 소발작 뇌전증(E with MA)
- 2.3 증후성
  - 2.3.1 비특이 원인
    - 조기 근간대성 뇌증(EME)
    - 조기 영아 뇌전증성 뇌병증(EIEE, Ohtahara 증후군)
    - 상기에 정의되지 않은 기타 증후성 전신성 뇌전증
  - 2.3.2 특이 증후군
    - 다른 질환에 합병된 뇌전증성 발작

3. 국소성인지 전신성인지 정해지지 않은 뇌전증과 증후군

- 3.1 국소성과 전신성 발작을 함께 가진 뇌전증 증후군
  - 신생아 발작
  - 중증 영아기 근간대성 뇌전증(SMEI, Dravet 증후군)
  - 서파수면시 지속적인 극-서파를 보이는 뇌전증 (CSWS)
  - 후천성 뇌전증성 실어증(Landau-Kleffner 증후군, LKS)
  - 상기에 정의되지 않은 기타 뇌전증
- 3.2 국소성 혹은 전신성 양상이 명료하지 않은 뇌전증 증후군

4. 특수 증후군

- 4.1 상황-관련 발작
  - 열성 경련
  - 급성 대사성 혹은 독성 사건 관련 발작
- 4.2 단독 발작 혹은 단독 뇌전증 지속증

표 28-4 뇌전증증후군의 유전자

유전자		기능	위치	뇌전증증후군	발작형태
GABRA1	GABAA 수용체 $\alpha 1$ 소단위	GABA 유발전류 억제	5q34	AD JME	강직-간대, 근간대, 결신
GABRG2	GABAA 수용체 $\gamma 2$ 소단위	GABA 유발전류 억제	5q31	FS, CAE, GEFS+	열성, 결신, 강직-간대, 근간대, 간대, 부분
GABRD	GABAA 수용체 $\delta 2$ 소단위	GABA 유발전류 감소	1p36	GEFS+	열성과 비열성 발작
SCN2A	Na 통로 $\alpha 2$ 소단위	Na 이온통로 유입과 활동전위전파	2q24	GEFS+, BFNIC	열성, 비열성 전신성 강직, 강직-간대
SCN1A	Na 통로 $\alpha 1$ 소단위	Na 이온통로 유입	2q24	GEFS+, SMEI	열성, 결신, 근간대, 강직-간대, 부분
SCN1B	Na 통로 $\beta 1$ 소단위	Na 이온통로 조절	19q13	GEFS+	열성, 결신, 강직 간대, 근간대
KCNQ2	K 통로	M 전류	20q13	BFNC	신생아경련
KCNQ3	K 통로	M 전류	8q24	BFNC	신생아경련
ATP1A2	Na^{+}, K^{+}-ATPase pump	이온운반기능	1q23	BFNIC and familial hemiplegic migraine	영아경련
CHRNA4	Acetylcholine 수용체 $\alpha 4$ 소단위	니코틴작용전류 조절	20q13	ADNFLE	수면과 관계있는 부분발작
CHRNB2	Acetylcholine 수용체 $\beta 2$ 소단위	니코틴작용전류 조절	1p21	ADNFLE	수면과 관계있는 부분발작
LGI1	Leucine-rich, glioma activated	항상성 부조절, 신경세포와 아교세포의 상호작용	10q24	ADPEAF	환청 또는 환시를 가진 부분발작
CLCN2	Voltage-gated Cl 통로	Cl 이온 유출	3q26	IGE	강직-간대, 근간대, 결신
EFHC1	Protein with an EF-hand motif	마우스 해마 세포자멸사 감소	6p12-p11	JME	강직-간대, 근간대
BRD2 (RIN G3)	Nuclear transcriptional regulator		6p21	JME	강직-간대, 근간대

AD, 상염색체우성; ADNFLE, 상염색체우성 야간 전두엽 뇌전증; ADPEAF, 청각양상을 가진 상염색체우성 부분발작; BFNC, 양성가족성 신생아경련; BFNIC, 양성가족성 신생아영아경련; GEFS+, 열성경련플러스를 동반한 전신뇌전증; JME, 청소년 근간대뇌전증; SMEI, 중증 영아 근간대뇌전증.

2) 차세대 염기순서분석법 (next generation sequencing)

천문학적으로 반복적인 효소반응을 시키고, 개별 증폭반응을 이미지 스캔을 이용하여 전체 유전체의 염기순서를 분석하는 방법으로 분석할 수 있는 유전자의 변이가 매우 방대해진다. 이를 이용하여 뇌전증유전자의 분석에는 주로 유전자패널분석법(targeted gene panel sequencing), 전엑솜 염기순서분석법(whole exome sequencing) 등이 사용된다.

3) 다중결찰의존탐색자 증폭법 (MLPA/multiplex ligation dependent probe amplification)

여러개의 엑손을 포함하는 큰 범위의 중복이나 결실이 있는 유전 질환은 맞춤 제작 탐색자를 이용하는 MLPA법을 사용한다.

4) 비교유전체 혼성화배열법 (CGH array/comparative genomic hybridization microarray)

염색체검사로 알 수 없는 미세중복과 결실을 전체유전자수준에서 확인하는 방법으로, 기형, 발달지연, 뇌전증 발작 등의 증상을 동시에 가진 환자에 적용할 수 있는 방법이다.

II. 소아뇌전증의 특징

1. 소아뇌전증과 성인뇌전증의 차이

소아뇌전증은 성인뇌전증과는 여러 가지 점에서 차이가 있다. 우선 위에서 열거했듯이 연령별로 발작의 원인이 있고, 연령별로 존재하는 뇌전증증후군이 있다는 점을 들 수 있고, 그 외에도 발작은 미성숙 뇌에서 발생하기 쉽다는 점, 뇌전증과 감별해야 할 유사질환도 연령별로 다르다는 점, 한 환자라도 연령에 따라서 뇌전증발작의 양상이 바뀌어 가는 경우가 있다는 점, 소아기에는 예후가 매우 좋은 양성 뇌전증이 많다는 점, 또 이와는 반대로 난치성 뇌전증인 경우에는 소아기의 성장과 발달에 나쁜 영향을 미친다는 점 등을 들 수 있다.

2. 발달성 뇌전증성 뇌증 (Developmental epileptic encephalopathy)

발달성 뇌병증(developmental encephalopathy)은 발달과정상 신경학적 축에 포함되는 여러 요소들(언어, 보행, 감각, 자율신경계, 호흡, 수면, 기분 등)의 기능장애가 나타나는 여러 질환을 의미하는 용어이다. 이러한 각 영역이상과 해당 질환의 예는 표 28-5를 참고한다.

뇌전증성 뇌증(epileptic encephalopathies)은 반복되는 심한 발작으로 인하여 신경학적 기능이 악화되는 질환군을 의미하는 용어이다. 여기에 속하는 소아의 뇌전증으로는 조기 근간대성 뇌증(early myoclonic encephalopathy), Ohtahara 증후군, 영아기 악성 이동성 부분발작(malignant migrating partial seizures of infancy), 영아연축(infantile spasms), Lennox-Gastaut 증후군 등이 있다. 이 질

표 28-5 발달성 뇌병증에서 나타나는 신경학적 기능장애와 질환예

신경기능적 영역	질환예
보행	Angelman 증후군에서 비정상 걸음걸이
언어	자폐스펙트럼장애에서 언어표현장애
감각	통증 역치 이상으로 인한 신체손상
자율신경	Rett 증후군에서 심장박동장애
호흡	Rett 증후군에서 불규칙한 호흡, Pitt-Hopkins 증후군에서 과호흡
수면	Angelman 증후군에서 수면-각성 주기 이상
기분	Angelman 증후군에서 적절하지않은 웃음, 여러 질환에서 관찰되는 지속적인 짜증(Persistent irritability)
뇌전증	FOXG1 duplications 에서의 영아연축, CDKL5 disorder 에서의 뇌전증성 뇌증(Epileptic encephalopathy)

환들은 대부분 발달장애를 동반하기 때문에 그 후 발달성 뇌증(developmental encephalopathies)으로 불리우기도 하였다. 이 질환들에서 발견되는 운동발달과 언어발달을 포함한 신경학적 기능의 퇴화는 뇌전증성 뇌증의 원인 유전자들이 최근에 많이 발견됨에 따라서, 유전자 이상과 심한 발작이 함께 또는 따로 작용하여 초래되는 것이라는 가설로 설명되고 있다. 예를 들어 FOXG1 유전자를 포함하는 14q12염색체의 중복을 가진 환자의 경우, 부신피질호르몬 치료를 하여 영아연축이 멈추고 뇌파상 고부정뇌파가 사라지는 환자에서도 성장 후에 심한 지적장애, 언어장애, 사회성부족, 반복적 이상 행동 등의 증상이 나타나는 것을 보면, FOXG1 유전자 중복이 성장후 나타나는 발달장애의 원인으로 작용할 것이라는 설명이 가능하다. 따라서 발달성 뇌증과 뇌전증성 뇌증의 관계는 뇌전증성 뇌증(epileptic encephalopathies)은 발작증상을 주요 증상으로 가지는 발달성 뇌증(developmental encephalopathies)의 한 종류로 보는 것이 타당하다.

III. 뇌전증의 종류

1. 신생아기 발병

1) 양성 신생아 경련 (benign neonatal convulsions)

우성으로 유전하는 양성 가족성 신생아 경련은 생후 2~3일에 발생하는 간대성 발작으로서 생후 7일째까지 나타나다가 사라진다. 뇌파소견은 특이한 점이 없다. 비가족성인 경우는 보통 부분성인 간대성 발작이 생후 4~6일에 발생하며 뇌전증 지속 상태가 될 때까지 자주 반복하는 수도 있다.

2) 조기 근간대성 뇌증 (early myoclonic encephalopathy)

발작은 부분적이거나 심한 근간대성 발작, 부분성 운동발작 혹은 강직성 발작이다. 뇌파검사 상

극파 혹은 예파와 서파의 군발이 억제된 배경파와 교대로 나타난다. 심한 신경학적 장애가 진행되어 대개 1세 이내에 사망한다. 수 례에서 비케톤성 고글라이신 혈증이 증명되었다.

2. 영아기 발병

1) West 증후군(영아연축: Infantile spasm)

1841년 West가 이 증후군을 처음 기술한 이래 아직도 근본적인 병태 생리학적인 기전에 대해서는 명확히 밝혀진 바가 적다. 3개월~3년 사이에 발생하며 특징적인 근간대성 발작의 양상을 보이므로 절하는 모양의 발작(salaam attack)이라고도 한다. 신생아기부터 나타나는 경우도 있으나 보통은 3~9개월 사이에 시작된다. 뇌파검사상 특징적인 고부정뇌파(hypsarrhythmia)의 소견(그림 28-1)을 보인다. 특징적 연축은 굴근성(flexor), 신근성(extensor) 혹은 혼합성인 경우도 있다. 발작은 군발성(cluster)으로 발생하며 보통 잠에서 깨어날 때나 잠이 들려고 할 때 자주 나타난다. 과거에는 원인 불명인 경우가 많다고 하였으나 최근 70~80%에서는 확실한 원인을 밝힐 수 있다. 원인 질환으로는 선천적 중추신경계 발달 기형(결절성 경화증, Aicardi 증후군, 뇌량 무형성, lissencephaly, 전종뇌증, 공뇌증, 회질, 이소증 등), 대사성 질환(페닐케톤뇨증, 단풍당뇨증, 피리독신 의존증, 사립체 뇌근병증 등), 태내 감염(cytomegalovirus,

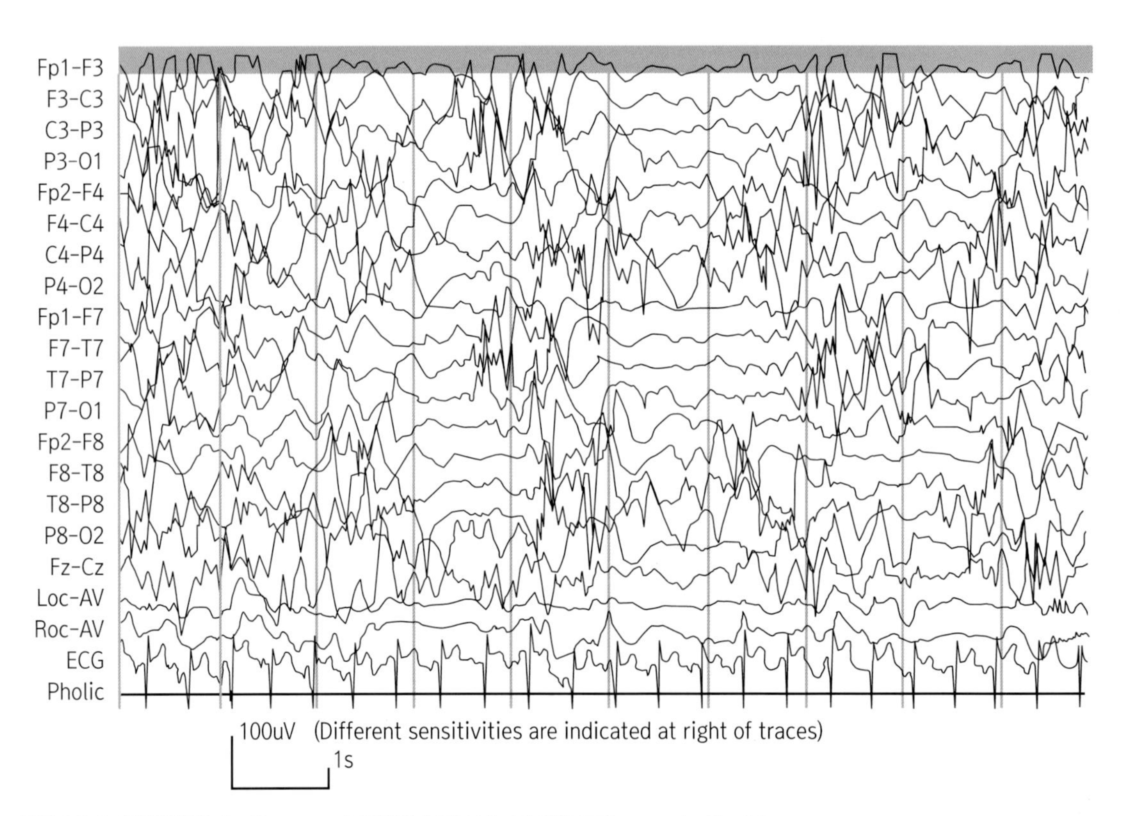

그림 28-1 영아연축(infantile spasm) 환아의 뇌파소견: 고부정뇌파(hypsarrhythmia)

toxoplasmosis 등) 및 주산기의 저산소성-허혈성 뇌증 등이 원인이 된다.

영아연축의 치료에는 일반적인 항뇌전증약이 거의 효과가 없고, ACTH나 부신피질 스테로이드가 일차적인 선택이다. ACTH나 prednisone을 사용하는 경우 그 부작용으로 나타나는 혈압상승, 전해질 장애, 감염 감수성의 증가, 심하게 보채는 상태가 되는 것 등에 주의하여야 한다. 이외의 약물로는 vigabatrin(특히, 원인질환이 결절성 경화증인 경우에 효과적임), topiramate, zonisamide, valproic acid, clonazepam 등을 시도해 볼 수 있다. 이러한 약물요법에도 반응이 없는 경우엔 ketogenic 식이요법으로 효과를 보는 경우도 있다. 그러나, 불행히도 영아연축이 성공적으로 치료가 되어도 환아의 지능 발달이 정상일 것이라는 보장은 없다. 반면에 발작이 조절되지 않으면 필연적으로 지능과 운동 발달의 지연이 수반된다. 최근에는, 제한된 경우에만 가능하지만 뇌의 부분적인 병변이 원인이 되는 경우에는 뇌전증수술(epilepsy surgery)을 시도하여 완치되는 경우도 있다. 이 증후군의 예후는 원인 질환에 따라서 결정되지만 일반적으로 다른 종류의 발작, 예를 들어 Lennox-Gastaut 증후군 등으로 발전하거나 지능 박약이 동반되어 예후가 불량하다고 알려져 있다. 그러나, 발작이 있기 전 환아의 신경학적 발달이 정상이고 치료시작이 빠르고 다른 신경학적 신체검사상 원인적 질환이 전혀 없을 때 정상 지능 발달을 보이는 등 예후가 좋은 경우도 있다.

2) 열성경련(Febrile convulsion)

열성경련은 뇌전증과는 구별되어야 할 질환이지만 소아 연령에서 2~5% 정도가 경험할 만큼 흔한 발작이다. 대개 3개월~5세 사이에 발생하는 경련으로서 중추신경계 감염 등의 원인이 아닌 고열에 수반되어 나타나는 경련이다. 열성경련은 '단순 열성경련'과 '복잡 열성경련'으로 구분한다. '복잡 열성경련'은 경련의 시간이 15분 이상이거나, 부분발작의 양상을 보이거나, 24시간 내에 2번 이상 경련이 연속하여 나타났을 때를 말한다. 열성경련의 급성기 치료로는, 환아가 경련을 계속하고 있다면 기도를 유지하고 diazepam을 투여하고 호흡을 유지시켜주는 등 일반적인 경련의 치료에 준한 처치를 하면서 열을 떨어뜨려 주어야 한다. 일단 경련이 멈추면 자세한 병력의 청취와 진찰을 하여 원인 질환을 찾도록 한다. 이때 특히 뇌막염, 전해질 장애나, 다른 급성 신경질환을 놓치지 않도록 하여야 한다. 필요하면 요추천자를 시행하여 뇌척수액 검사를 하도록 한다. 장기적인 치료로는 예방적인 항뇌전증약의 사용 여부를 결정하는 것이 중요하다. 이에 대한 지침은 다음과 같다.

① 열성경련의 발병 전 이미 신경학적 이상이 있는 환자
② 열성경련의 양상이 복잡성일 때(경련 시간이 15분 이상, 부분 발작의 양상, 24시간에 2회 이상)
③ 가족력상 비열성경련 환자가 있는 경우

이상 3가지 중 2가지 이상이 있는 경우에, 장기적인 항뇌전증약 예방요법을 고려할 수 있다. 항뇌전증약으로 phenobarbital 이나 valproic acid가 있으나 최근에는 거의 사용되지 않고 있고, 이보다는 열성 질환의 초기에 benzodiazepine (valium)을 경구적으로나 직장 주입법으로 사용하는 방법이 권장되고 있다. 열성경련의 예후는 거의 대부분의 예에서 양성 경과를 취하게 되므로 무조건적인 장기적 항뇌전증약의 투여보다는 부모를 안심시키는 것이 무엇보다도 중요하다.

3) 양성 영아기 근간대성 뇌전증(benign myoclonic epilepsy in infancy, BIME)

정상적인 영아에서 반복되는 근간대성 발작이 다발적으로 발생한다. 뇌파상 수면 초기에 전반적인 극서파의 군발파(burst)가 기록된다. Valproic acid가 효과가 있으며 장기적 예후는 양호하다.

4) 중증 영아기 근간대성 뇌전증(severe myoclinic epilepsy in infancy, SIME)

정상발육을 보이던 영아가 비전형적이며 반복되는 열성경련 후에 근간대성 혹은 다른 유형의 발작으로 나타난다. 조기 근간대성 뇌증과 비슷하지만 발병시기가 늦고 발병 전까지 정상 발육을 보이는 점이 다르다. 초기의 뇌파는 정상이나 곧 극서파의 전반적 군발, 다극서파, 광과민성(photosensitivity) 등이 나타난다. 대부분의 항뇌전증약에 반응이 없으며 발달지연이 나타난다.

3. 소아기 발병

1) 근간대성 무정위성 뇌전증 (myoclonic astatic epilepsy)

근간대성 혹은 무정위성 발작이 비전형적인 소발작, 전신성 강직간대발작 혹은 강직발작에 수반되어 나타난다. 뇌파소견상 2~3 Hz의 배경파 위에 나타난다. 치료에 대한 반응은 다양하다.

2) Lennox-Gastaut 증후군

Lennox-Gastaut 증후군은 1~6세 사이에 발병하며 체간의 강직발작이 주된 발작 유형이나 비정형적 소발작(atypical absence seizure), 근간대발작(myoclonic seizure)이나 무긴장발작(atonic seizure) 등 여러 형태의 발작이 나타나고 지능 발달지연을 동반하는 발작성 질환이며 뇌파소견상 1.5~2.5 Hz의 slow spike-and-wave complex가 burst로 나타나는 것이 특징적이다(그림 28-2). Lennox-Gastaut 증후군의 원인으로서 가장 흔한 것은 분만 전후의 신경학적 손상이며 그외 영아연축의 병력이 있는 환자, 결절성 경화증, 지질 저장성 질환, 아미노산 대사 장애, 뇌염 뇌막염이나 뇌증의 후유증 등을 열거할 수 있다.

Lennox-Gastaut 증후군은 치료에 가장 반응이 좋지 않은 뇌전증증후군의 하나이다. 많은 환자들이 여러 종류의 항뇌전증약을 쓰지 않을 수 없고 그럼에도 불구하고 발작의 빈도나 정도에 호전을 보이지 않는다. 진정 작용이 있는 약은 피하는 것이 좋으며 phenobarbital은 발작에 특별한 효과가 없고 지적 능력이나 행동장애의 문제만 일으킬 수 있다. Clonazepam, nitrazepam이나 clobazam이 효과적인 환자가 있으나 대부분 내성이 생겨 점차 용량을 올리지 않을 수 없어 부작용이 나타나게 된다. Valproic acid 요법이 상당히 효과적인 경우에는 일차적인 항뇌전증약으로 선택할 수 있다. 새로이 개발된 약 중에는 lamotrigine, topiramate, zonisamide, levetiracetam, rufinamide를 시도해 볼 수 있다. 약물요법에 전혀 반응이 없던 일부 환자는 ketogenic 식이요법으로 호전되는 경우가 있으며, 수술적 요법으로 뇌량절제술(corpus callosotomy)이나 일부환자에서 절제술(resective surgery)을 통하여 혹은 미주신경 자극요법(vagal nerve stimulation)으로 효과를 보는 경우도 있다. 이외에도 환자가 발작 시 자주 넘어지게 되므로 머리의 부상을 방지하기 위하여 헬멧을 씌우거나 가구의 모서리를 감싸는 등의 보호 조치가 필요하다.

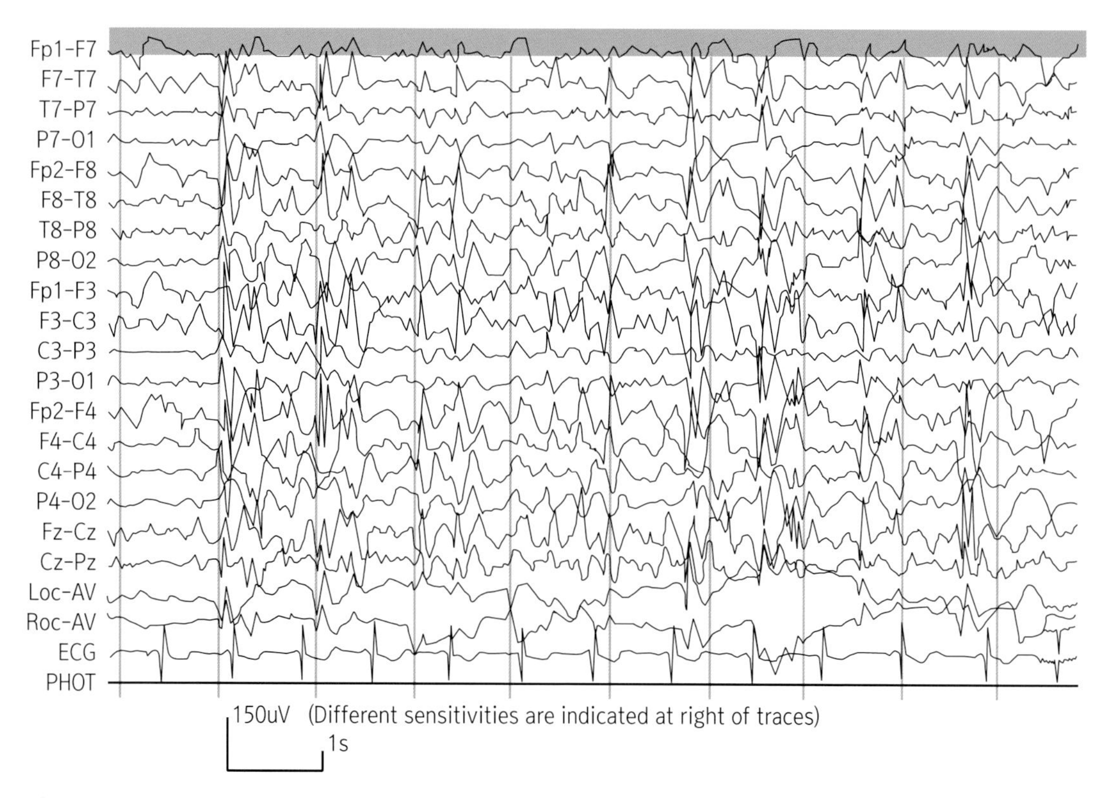

그림 28-2 Lennox-Gastaut 증후군의 뇌파소견: slow spike-wave complex

3) 소아기 소발작 뇌전증 (childhood absence epilepsy)

6~7세가 호발연령이고 보통 사춘기가 되면 사라진다. 90%에서 갑자기 의식이 없어졌다가 곧 의식이 회복되고 자동증은 아주 경미하다. 약 40%에서 아주 가끔 나타나는 강직간대발작이 동반된다. 뇌파상 특징적 3 Hz 극서파복합이 나타나고(그림 28-3), 치료로서 ethosuximide나 valproic acid가 효과적이다.

4) 근간대 소발작 뇌전증 (epilepsy with myoclonic absence)

심한 양측성 규칙적 근간대(myoclonus)와 수반되어 의식상실이 나타난다. 발작시 뇌파는 3 Hz 극서파이다. 항뇌전증약에 반응이 좋지 않으며 지능 박약이 흔히 동반된다.

5) 양성부분뇌전증

양성부분뇌전증환자의 신경학적 소견 및 지능은 정상이다. 사춘기가 되면 소실되는 것이 보통이다.

(1) 중심측두엽 극파를 보이는 양성소아뇌전증 (BCECTS, benign rolandic epilepsy)

이 증후군은 소아 연령에서 상당히 흔한 발작성 질환인데, 발병 연령은 대개 3~13세이고 15세 이후 대부분 저절로 소실되므로 예후가 양호한 발작 증후군이다. 발작은 대개 밤중에 나타나고 얼

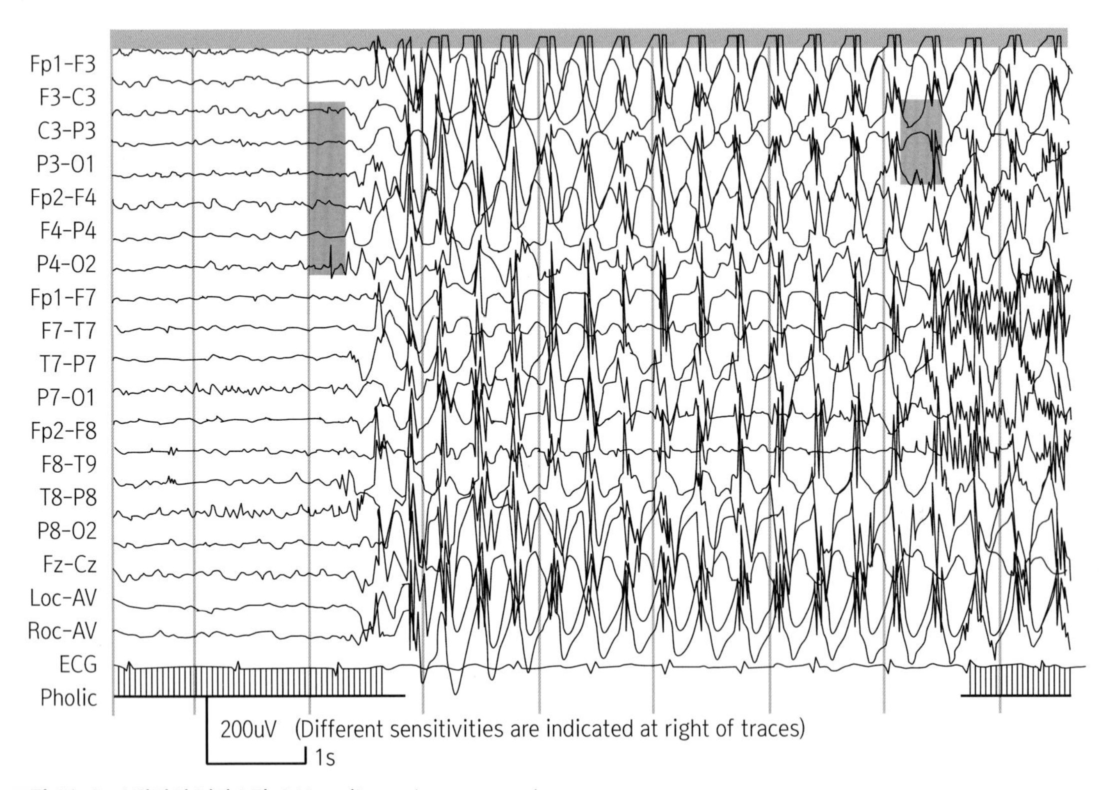

그림 28-3 소발작의 뇌파소견: 3 Hz spike and wave complex.

굴 일측의 발작, 입 주위의 발작, 침흘림 등 부분성 발작의 양상으로 시작하는 경우가 많으나 전신성 발작으로 진행하는 경우도 있다. 발작 후에는 구음 장애가 나타나는 경우가 많다. 뇌파 소견상 특징적으로 중심측두엽 극파(centrotemporal spike)가 주로 수면기에 일측성 혹은 양측성으로 나타난다(그림 28-4). 그러나 뇌 MRI 소견은 병변이 없이 정상이다. 이 발작성 질환은 그 예후가 좋은 것처럼 대부분의 항뇌전증약에 반응이 좋다. 일차적인 선택은 부작용이 적고 부분성 발작에 효과적인 점 등을 고려하여 carbamazepine이나 oxcarbazepine을 사용한다.

(2) 후두엽 극파를 보이는 소아뇌전증 (childhood epilepsy with occipital paroxysm)

뇌파상 눈을 감았을 때 후두엽 부위에 극파가 나타난다. 발작은 주로 시각 증상을 동반하고 발작 후 두통이 심하다. 여기에는 주로 5세 전후에 발병하고 주로 수면 중에 부분발작이 있으면서 위장관계 증상을 흔히 동반하는 조기형 소아후두엽뇌전증(Panayiotopoulos syndrome)과 주로 8세 전후에 발병하고 각성 시의 부분발작과 시각 증상을 흔히 동반하며, 발작 후 두통이 따라오는 지연형 소아후두엽뇌전증(Gastaut type idiopathic childhood occipital epilepsy)의 두가지 증후군이 있다.

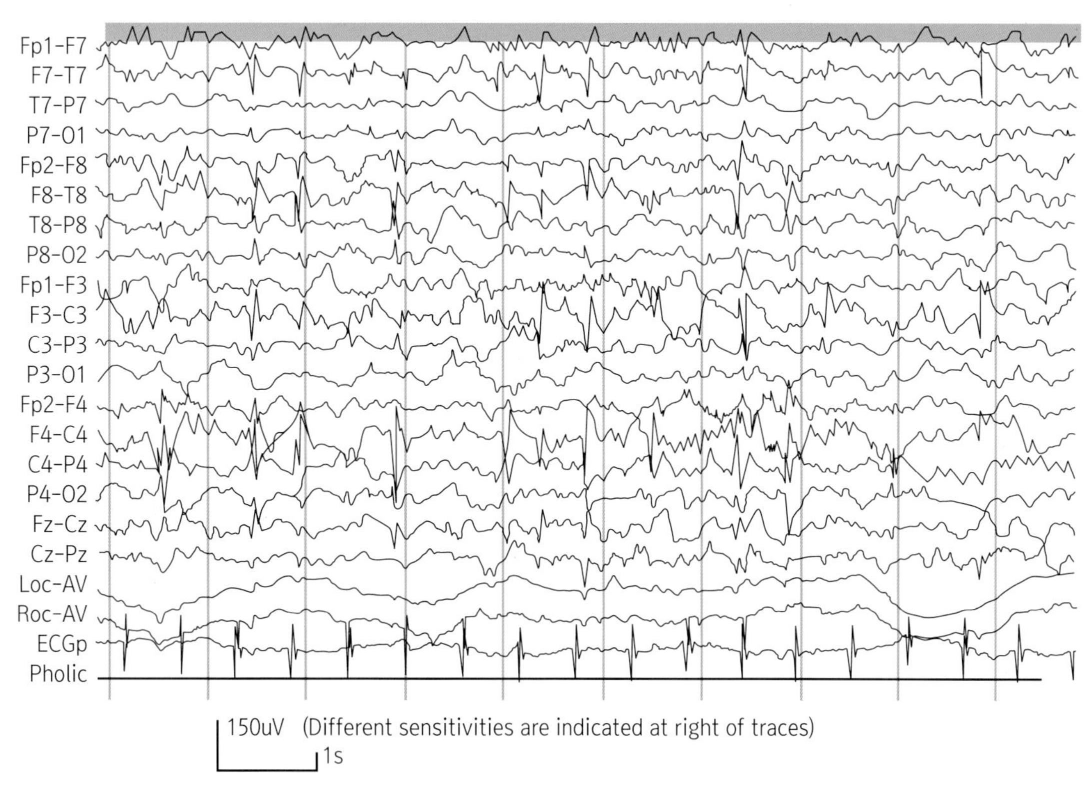

그림 28-4 중심측두엽 극파를 보이는 양성소아뇌전증의 뇌파소견

6) Landau-Kleffner 증후군

정상 언어발달을 보이다가 후천성 실어증과 더불어 부분성 혹은 전신성 발작을 보이며 뇌파상 다초점성 혹은 초점성 극파 내지 극서파의 복합이 보인다. 행동과다, 공격적 행동 등의 행동장애와 지능 장애가 동반되는 것이 보통이다.

7) 서파수면시 지속적인 극-서파를 보이는 뇌전증(epilepsy with continuous spike and wave during slow sleep)

주로 야간 수면 시 발작이 나타나며 발작 유형은 부분성 혹은 전신성 운동 발작이지만 때로 주간의 비전형적 소발작이 동반되기도 한다. 뇌파소견상 특징적으로 서파수면시 지속적인 극서파가 나타난다. 대개 사춘기에 사라진다.

4. 사춘기 발병

1) 청소년 소발작뇌전증 (juvenile absence epilepsy)

소발작과 더불어 약 80%에서는 가끔 잠에서 깰 때 전신성 강직간대발작이 동반된다. 발작 시 뇌파는 3.5~4 Hz의 극서파 복합이다.

2) 청소년 근간대성 뇌전증 (juvenile myoclonic epilepsy)

이 뇌전증증후군의 발병 연령은 대개 10세 이후이고 임상 양상은 잠에서 깰 때 주로 상지에서 보이는 근간대발작이 특징이다. 약 15~30%가 소발작(absence)의 병력이 있고 50~80% 이상 환자가 전신성 강직간대발작을 동시에 가지고 있다. 따라서 근간대발작의 증상을 모르고 단순한 대발작 환자로 분류되어 치료받은 경우가 많다. 지능이나 신경학적 검사는 정상이다. 수면부족이 흔한 유발요인이지만 수면 초기에 발생하는 일은 드물다. 수면 박탈과 음주가 유발 요인이 된다. 뇌파상 4~6 Hz의 다극서파가 특징이고 광감수성이 자주 나타난다. 효과적인 항뇌전증약은 valproic acid이며, 이외에 levetiracetam, topiramate 등을 시도해 볼 수 있다.

3) 각성시의 전신성 강직간대발작 뇌전증 (epilesy with GTCS on awakening)

대부분 10대에서 발병하며 발작은 잠에서 깬 뒤 바로 나타난다. 위의 두 증후군과 자주 동반되기도 하는 유전적 소인이 강하다고 생각되는 원발성 전신성 뇌전증이며 많은 환아에서 광감수성이 보인다. 수면 박탈이 발작의 유발 요인이 된다.

Ⅳ. 뇌전증의 치료

뇌전증의 치료에 있어서 우선적으로 필요한 것은 뇌전증의 정확한 진단과 분류가 선행되어야 한다는 점이다. 그후에 장기적이고 규칙적인 약물치료를 하여야 한다는 점이 중요하다.

첫째로, 뇌전증이 의심되는 환자를 진료할 경우, 뇌전증발작과 유사한 발작을 일으키거나 의식변화를 가져온다든지 하여, 뇌전증으로 오인할 수도 있는 '뇌전증발작 유사질환'과 뇌전증을 감별해야 한다. 외국의 보고에 의하면 뇌전증의 치료를 위해 뇌전증 센터에 전원된 환자의 10~20%가 실제로는 뇌전증성 발작이 아닌 '비뇌전증성 유사발작' 이었다는 보고들이 있는 것을 보면 적지 않은 환자들이 뇌전증 발작과 유사한 증상을 보일 수 있다. 소아 청소년기의 '뇌전증발작 유사질환'에는 호흡정지 발작, 실신, 수면장애[야경증, 악몽, 몽유병, 수면발작], 운동장애[틱(tic), 근긴장이상(dystonia), 몸서리 발작(shuddering attack), 간대성 근경련, 점두 연축(spasmus nutans), 무도병(chorea), 발작성 이상운동증(paroxysmal dyskinesia), 흔들림(jitteriness), 진전(tremor)], 위식도 역류(gastro-esophageal reflux), 복잡성 편두통, 심인성 경련, 분노 발작(tamper tantrum), 광포/격노 발작(rage attack), 양성 발작성 현훈(benign paroxysmal vertigo), 자위행위(masturbation) 등이 있다. 따라서, 자세한 병력청취 및 적절한 검사를 통하여 뇌전증발작 유사질환을 감별하여야만, 뇌전증으로 오진해서 항뇌전증약을 남용하는 것과 같은 여러 부작용들을 예방할 수 있다.

둘째로, 뇌전증발작 및 뇌전증증후군에 따라서 치료에 대한 반응이 각기 다르기 때문에, 진료하는 환자의 뇌전증발작 및 뇌전증증후군에 대한 정확한 세부진단을 내리는 것이 우선된다.

1. 약물치료(Medical treatment, anti-epileptic drug treatment)

뇌전증은 대다수에서(소아청소년 뇌전증환자 기준으로 약 70%) 약물치료로 조절 또는 완치가능하다. 따라서 뇌전증 환자의 치료에 있어서 무엇보다 중요한 것은 우선적으로 정확한 진단과 분류를 한 다음, 환자에게 장기적이고 또한 규칙적으로 약물치료를 하여야 한다. 보통 초기 치료는 한 가지의 항뇌전증약으로 시작하게 된다(monotherapy). 항뇌전증약의 선택은 뇌전증의 세부진단에 따라 효과있다고 알려진 약물을 선택하고, 소량부터 복용하여 점차 증량해가며, 발작이 조절될 때까지 혹은 약물의 부작용이 나타날 때까지 증량하며, 치료 반응에 따라 적절한 복용량을 결정하게 된다.

약물치료를 하는 과정 중에, 첫 번째 약물로 조절이 안되는 환자의 경우에는, 두 번째 약물을 추가해서 치료하거나(add-on therapy), 바꾸어서 치료한다(2nd monotherapy or switch therapy). 두 번째 약물로도 조절이 되지 않는 경우에는 세 가지 이상의 약물을 추가해서 치료한다(polytherapy).

항뇌전증약을 사용하는 목적은 발작의 빈도나 강도를 감소시키거나 발작을 없앰으로써 예측할 수 없는 발작으로 인한 위험한 사태를 예방하고 환자를 보호하는 데 1차적인 목적이 있다. 항뇌전증약은 전기생리학적으로는 뇌전증의 병소부위로부터 전파되는 비정상적인 전기활동을 억제시키는 역할을 하는데, 만일 이러한 비정상적인 전기활동이 장기간 완전히 억제될 수 있다면 때로는 소멸되기도 하고 약을 끊은 후에도 발작은 재발하지 않게 된다. 이렇게 하여 약을 끊은 후에 발작이 재발하지 않으면, 비로소 뇌전증이 치료되었다고 할 수 있다. 그러나, 이러한 정도까지에는 발작없이 최소한 2~3년 이상의 기간이 필요한 것으로 알려져 있다.

항뇌전증약은 발작의 전파를 방지하는 작용을 하지만, 정상적인 뇌세포의 흥분과 억제작용에는 미약한 영향을 주므로, 특히 한 가지 약제로 치료할 때에는 정상적인 뇌기능에는 심각한 영향을 미치지 않는다. 항뇌전증약의 종류에는 과거로부터 사용되어져 왔던 phenobarbital (luminal), phenytoin (dilantin, hydantoin), carbamazepine (tegretol), valproic acid (orfil, depakine, depakote), ethosuxi-mide (zarontin), diazepam (valium), clonazepam (rivotril), nitrazepam, clobazam (sentil) 등의 약물뿐만 아니라, 최근 20여년 사이에 개발되어 이미 임상에서 널리 사용 중인 약물도 여러 가지가 있다.

1990년대 이후에 국내 임상에서 사용 중인 새로운 약물로는, vigabatrin (sabril), zonisamide (excegran), gabapentin (neurontin), pregabalin (lyrica) lamotrigine (lamictal), topiramate (topamax), oxcarbazepine (trileptal), levetiracetam (keppra) 등이 있고, 2009년에 Lennox-Gastaut 증후군에 사용허가를 받은 rufinamide (inovelon)가 있다. 그 외에도 다수의 약물(lacosamide, carisbamate, brivaracetam, eliscarbazepine, tiagabine, stiripentol, perampanel 등)들이 최근 국내허가를 받고 있거나, 외국에서 개발단계에 있기 때문에, 약물치료율 또는 약물조절률은 앞으로 더욱 높아질 전망이다.

1) 항뇌전증약의 작용기전

항뇌전증약은 세포 수준에서 직접적으로 또는 신경 전달 물질을 통하여 간접적으로 다양한 이온 통로들에 영향을 끼쳐 신경세포의 흥분(neuronal excitability)을 감소시키는 작용을 한다. Phenytoin과 carbamazepine은 겉질 신경 세포의 지속적인 고빈도의 반복적 발화를 감소시켜 전압 의존 Na 통로(voltage-gated Na channel)에서 Na+의 전도를 차단한다. 이것은 valproic acid, lamotrigine 및 topiramate 등에서도 관찰된다.

Ethosuximide는 시상 신경 세포의 율동적인 발화에 의하여 나타나는 낮은 역치의 T형 Ca 전류(low threshold T-type Ca current)를 차단한다.

Zonisamide는 전압 의존 Na통로와 T형 Ca 통로에 모두 작용한다. Barbiturate와 benzodiazepine은 GABA 수용체에 결합하여 GABA 매개 Cl 전류를 증강시켜 신경 세포막을 과분극(hyper-polarization)시킨다. Topiramate도 동일한 작용을 한다. Tiagabine은 GABA의 재흡수를 차단하고, vigabatrin은 GABA transaminase를 억제함으로써 GABA 수용체와 직접 결합하지 않고도 GABA의 활성을 증가시킨다. Topiramate는 흥분 신경 전달 물질인 glutamate가 kainate나 AMPA 같은 non-NMDA수용체들과 결합하여 유발되는 Na 전류를 억제한다.

2) 약물치료의 원칙

(1) 항뇌전증약

발작의 형태에 근거하여 가장 효과적이고 부작용이 적은 약을 선택한다.

(2) 치료의 시작

한 가지 약으로 시작해야 하며(단일 요법, mono-therapy), 용량을 발작이 조절되거나 독성 증상이 나타날 때까지 증량한다. 첫 약으로 발작이 조절되지 않을 경우에는 서서히 감량하면서 두 번째 약으로 대치하여 차츰 증량한다. 단일 요법은 복합 요법(polytherapy)보다 약물의 독성을 줄이고, 상호 작용을 감소시키며, 부작용의 원인을 명확히 알 수 있게 하므로 가능한 단일 요법을 하는 것이 좋다.

(3) 용량

약 용량의 변경을 서서히 하여야 하며, 한 번 변경하는 데 대개 5~7일 이상 소요되어야 한다.

(4) 1차 약이 실패

1차 약이 실패하였을 경우 두 번째 약으로 발작이 조절될 확률은 감소하며 부작용이 나타날 확률은 증가한다.

(5) 발작조절

발작이 조절되어도 투약을 지속해야 하며, 기간은 뇌전증 또는 뇌전증증후군의 종류에 따라 다르나 일반적으로 최소한 2년 이상 발작이 없고 뇌파가 정상이 될 때까지 지속한다.

(6) 항뇌전증약

항뇌전증약의 혈중 농도를 모든 환자에서 일상적으로 검사할 필요는 없다. Phenobarbital, phenytoin, carba-mazepine, valproic acid 등의 약에 대해서는 혈중 농도를 측정하는 것이 도움이 된다. 약물의 혈중 농도를 측정하여 유효 치료 농도를 결정할 수 있으며, 약물이 효과가 없는 경우 그 이유를 밝히는 데 도움이 되고, 독성 증상의 원인 등을 알 수 있다. Lamotrigine, levetiracetam, tiagabine, topi-ramate, vigabatrin, zonisamide 등 신약의 경우에는 혈중농도와 효과 간의 관련성에 대해 많이 알려지지 않았다. 발작이 잘 조절되는 환자에서 약물 농도를 반드시 측정해야 하는지에 대해서는 논란의 여지가 있으나, 성장하는 소아에서는 대사의 변화 가능성이 있으므로 정기적인 측정이 도움이 될 수 있다.

(7) 검사

일반 혈액 검사와 간 기능 검사는 모든 환자에서 정기적으로 시행할 필요는 없다.

(8) 약의 감량

항뇌전증약의 감량은 서서히 진행되어야 한다. 특히, barbiturate 계열의 약은 갑자기 중단할 경우 뇌전증지속증을 초래하기 쉽다.

3) 항뇌전증약의 종류 및 선택(표 28-6)

(1) Benzodiazepines

Diazepam과 lorazepam은 뇌전증지속증의 치료 시에 정맥 주사로 사용된다. Midazolam은 뇌전증지속증의 치료 시 지속적 정맥주사요법으로 사용된다. Clonazepam은 근간대발작, 무긴장발작, 부분발작 등에 효과적이며 Lennox-Gastaut 증후군에 사용가능하다. 졸음, 행동장애, 타액 분비 증가 등의 부작용이 올 수 있다. Nitrazepam은 근간대발작의 치료에 사용된다. Clobazam은 복합부분발작의 추가적 요법에 사용되며 0.25~1 mg/kg/일

표 28-6 소아뇌전증 치료지침안 비교

발작형태 또는 뇌전증증후군	FDA	SIGN (2003)	NICE (2004)	AAN (2004)	ILAE (2006)	PEDIATRIC EXPERT CONSENSUS SURVEY (NORTH AMERICA)	PEDIATRIC EXPERT CONSENSUS SURVEY (EUROPE)
부분뇌전증	PB, PHT, CBZ, OXC, TPM, LTG, LEV	PHT, VPA, CBZ, LTG, TPM, OXC, VGB, CLB	CBZ, VPA, LTG, OXC, TPM	OXC, CBZ, LTG	OXC, CBZ, PB, PHT, TPM, VPA	OXC, CBZ	OXC, CBZ
BCECTS	None	None	CBZ, OXC, LTG, VPA	None	CBZ, VPA	OXC, CBZ	VPA
소아기 소발작	ESM, VPA	VPA, ESM, LTG	VPA, LTG	VPA, LTG	ESM, LTG, VPA	ESM	VPA
청소년 근간대 뇌전증	TPM, LEV, LTG	VPA, LTG, TPM	VPA, LTG	VPA, LTG	None	VPA, LTG	VPA
Lennox-Gastaut 증후군	FLB, TPM, LTG	None	LTG, VPA, TPM	None	None	VPA, TPM	VPA
영아연축	None	None	VGB, cortico-steroids	ACTH, VGB	None	VGB, ACTH	VGB

FDA: Food and Drug Administration; SIGN: Scottish Intercollegiate Guidelines Network; NICE: National Institute for Clinical Excellence; AAN: Americal Academy of Neurology; ILAE: International League against Epilepsy; ACTH: adrenocorticotropic hormone; BCECTS: benign childhood epilepsy with centrotemporal spikes; CBZ: carbamazepine; CLB: clobazam; ESM: ethosuximide; FLB: felbamate; LEV, levetiracetam; LTG: lamotrigine; OXC: oxcarbazepine; PB: phenobarbital; PHT: phenytoin; TPM: topiramate; VGB: vigabatrin; VPA: valproic acid.

의 용량으로 사용한다. Phenytoin, phenobarbital, carbamazepine 및 valproic acid의 혈중농도를 상승시키고, 어지러움증이나 졸림 등의 부작용이 올 수 있다.

(2) Carbamazepine

Carbamazepine은 전신강직간대발작과 부분발작에 효과적이지만, 정형적 및 비정형적 소발작과 근간대발작은 오히려 악화시킬 수 있다. 최초 용량은 10 mg/kg일이며 점차 증량하여 유지 용량은 20~30 mg/kg/일을 2~3회 분복한다. 적절한 치료 혈중 농도는 8~12 μg/mL이나, 혈장 단백과 결합을 하고 대사 산물인 10, 11-epoxide로 전환되므로 혈중 농도의 해석에 어려움이 있을 수 있다. 또, 대사 산물인 10, 11-epoxide에 의한 독성 부작용을 보일 수도 있다. 복용 초기에 백혈구 감소와 간독성을 초래할 수 있으므로 주의해야 하고 일반 혈액 검사 및 간 기능 검사가 필요하다. 부작용으로 졸음, 복시, 어지러움 및 조화운동불능 등이 나타날 수 있으며, 피부 발진이나 저나트륨혈증도 발생할 수 있다. Phenobarbital 이나 phenytoin보다 인지 기능에 미치는 영향이 적다.

(3) Ethosuximide

소발작에만 효과가 있다. 다른 발작 유형의 병력이 없을 경우에 사용되며, 다른 발작이 있는 경우에는 valproic acid 또는 lamotrigine을 사용하는 것이 좋다. 용량은 최초 20 mg/kg/일 bid, 최대 40 mg/kg/일 또는 1.5 g/일 사용하며, 유효치료 혈중 농도는 50~100 μg/mL이다. Phenytoin은 소발작을 악화시키므로 같이 투여하지 않는다. 부작용으로 소화기 장애, 피부 발진, 두통 등이 있으며, 백혈구 감소가 나타날 수도 있다.

(4) Gabapentin

Gabapentin은 성인의 난치성 부분발작 및 이차성 전신강직간대발작에 추가 요법으로 사용된다. 소아에서의 용량은 아직 확립되지 않았으나 부분발작의 추가 요법으로 20~50 mg/kg/일을 3회 분복한다. 부작용은 졸림, 피로, 어지럼, 구역, 체중증가 등이 있다.

(5) Lacosamide

최근 약물로서, 아직은 16세 이상의 부분발작환자에서 부가적요법으로 사용되는 약물이다. 100 mg/d로 시작하여 200~400 mg/d까지 증량하여 사용한다. 부작용으로는 두통, 어지러움증, 복시, 구역 등이 있다.

(6) Lamotrigine

Lamotrigine은 대발작 및 부분발작에 효과적으로 작용하는 광범위한 항경련 효과를 가진 약물로서, Lennox-Gastaut 증후군, 유년기 근간대뇌전증, 소발작뇌전증 등에 유용하다. 단독 요법을 하거나 valproate를 사용하지 않을 경우에는 1~2 mg/kg/일로 시작하여 점차 증량하여 5~15 mg/kg/일을 유지한다. Valproate는 lamotrigine의 대사를 억제하므로 기존에 valproate를 복용 중인 경우에는 0.1~0.5 mg/kg/일로 시작하여 최대 5 mg/kg/일까지 서서히 증량한다. 부작용으로 두통, 구역, 어지럼 등이 있다. 복용 초기에 피부 발진이 나타날 수 있으며, 심한 경우 Stevens-Johnson 증후군 또는 독성 표피 괴사 용해(toxic epidermal necrolysis) 등을 초래할 수 있다. 그러나, 장기간 사용 시에도 인지 기능에 미치는 영향이 적은 장점이 있는 약물이다.

(7) Levetiracetam

부분발작 및 전신발작의 부가적 요법으로 주로 사용되는 약물이다. 전신발작 중에서는 청소년 근간대뇌전증 및 일차성 전신강직간대발작에서 효과가 있다. 용량은 10~20 mg/kg/일로 시작하여 40~60 mg/kg/일까지 증량할 수 있다. 부작용으로는 졸림, 피로감, 공격적 행동, 불안감 등의 중추신경계 증상이 있다.

(8) Oxcarbazepine

Oxcarbazepine은 10, 11-epoxide로 전환되지 못하게 한 carbamazepine으로부터의 합성체로 항경련 효과는 동일하면서 부작용은 감소시킨 약이다. 부분발작 및 전신강직간대발작에 효과적이다. 최초 용량은 10 mg/kg/일이며 점차 증량하여 최대 30 mg/kg/일을 2회 분복한다. 부작용으로 carbamazepine과 같이 피부 발진 및 저나트륨혈증이 나타날 수 있다.

(9) Perampanel

최근에 개발된 약물로 AMPA 수용체의 길항제로 작용하는 약리작용을 가진 약이다. 12세 이상의 부분발작과 전신강직간대발작 환자에서 부가적 요법으로 사용한다. 2 mg/일로 시작하여 12 mg/일까지 증량할 수 있다.

(10) Phenobarbital

전신강직간대발작과 부분발작에 효과적이다. 용량은 4~5 mg/kg/일을 2회 분복한다. 뇌전증지속증 시의 부하용량은 20 mg/kg(신생아는 20~30 mg/kg)이고, 유효 혈중 농도는 15~40 μg/mL이다. 주된 부작용은 졸림, 행동 과다, 주의력 결핍 등이 있고, 피부발진 및 Stevens-Johnson 증후군이 나타나는 경우도 있다. 장기간 사용할 경우 약 25%에서 거친 행동 등 행동의 이상이 나타나며, 특히 인지 기능의 저하를 초래할 수 있다. 부작용 때문에 최근에는 주로 뇌전증지속증 등 급성기의 치료에 비경구적으로 쓰이며, 장기적인 투여는 가급적 하지 않는다.

(11) Phenytoin

전신강직간대발작 및 부분발작에 효과적이다. 용량은 3~9 mg/kg/일을 2회 분복한다. 뇌전증지속증 시의 부하용량은 20 mg/kg이고, 유효 혈중 농도는 10~20 μg/mL/이다. 혈중 농도의 증가에 따라 독성 증상의 양상이 변하게 되는데, 혈중 농도가 15~30 μg/mL에서는 눈떨림이 있으며, 30 μg/mL 이상에서는 조화운동불능이 나타나게 된다. 혈중 농도가 40 μg/mL 이상으로 증가하면 발작의 악화가 나타날 수 있다. 복용 초기에 발진이 있을 수 있으며 심한 경우 Stevens-Johnson 증후군이 나타날 수 있다. 장기간 사용 시 잇몸의 비후, 다모증, 얼굴 모양의 변형, 빈혈 등이 발생할 수 있다. 기형 발생 효과가 있으며 태아 hydantoin 증후군을 초래할 수 있다. 부작용이 많아서 최근에는 주로 뇌전증지속증 등 급성기의 치료에 비경구적으로 쓰이며, 장기적인 투여는 피하는 것이 좋다.

(12) Rufinamide

Lennox-Gastaut 증후군에서 부가적 요법으로 사용되는 새로운 약물이다. 30 kg 미만의 환자에서는 200 mg/d로 시작하여, valproate를 사용하는 경우에는 600 mg/d까지 증량하고 valproate를 사용하지 않을 경우에는 1000 mg/d까지 증량한다. 30kg 이상의 환자에서는 400 mg/d로 시작하여 최대권장용량(체중 50 kg에서는 1800 mg/d)까지 증량 가능하다. 부작용으로는 졸음, 두통, 어지러움 등의 중추신경계 증상과 구역, 구토 등의 위장관 증상이 있다.

(13) Topiramate

Topiramate는 주로 난치성 뇌전증의 부가 요법으로 사용되며, 대발작 및 부분발작에 효과가 있다. 최초 용량은 1~2 mg/kg/일로 시작하여 4~8 mg/kg/일을 유지한다. 부작용으로 식욕 저하, 체중 감소, 발한 감소 등이 있으며, 인지 기능 장애로 음성 기억력과 정신 운동 속도를 저하시킬 수 있다.

(14) Valproic acid

광범위한 항뇌전증약으로 전신강직간대발작, 소발작, 근간대발작, 무긴장발작에 효과가 있으며, 부분발작에도 효과가 있다. 최초 용량은 10~15 mg/kg/일을 2~3회 분복하며, 1주일 단위로 증량하고 유지 용량은 30~60 mg/kg/일이다. 항뇌전증 작용과 직접적인 관련은 적지만 적절한 혈중 농도는 50~100 μg/mL로 순응도 확인에 도움이 된다. 흔한 부작용으로 오심, 구토 등의 위장관 장애, 체중 증가, 탈모, 떨림 등이 있다.

간기능에 영향을 끼칠 수 있으며, 용량과 관련된 간 효소의 증가는 일시적 현상으로 용량을 감소하면 호전되나, 약물 특이 반응으로 전격 간부전을 초래할 수 있으므로 주의해야 한다. 고암모니아 혈증, 혈소판 감소가 있을 수 있으며, 드물게 췌장염을 초래할 수 있다. 여러 부작용에도 불구하고 발작 조절이 우수하고 인지 기능에 영향이 적어 널리 사용되고 있다.

(15) Vigabatrin

Vigabatrin은 부분발작에 효과적이며, 그 외 영아연축, 특히 결절성 경화증에 의한 환자의 치료에 효과가 있다. 최초 용량은 40 mg/kg/일에서 시작하여 80~100 mg/kg/일까지 증량하며, 영아연축에서는 100~150 mg/kg/일까지도 사용된다. 부작용으로 행동 과다, 흥분, 기면, 체중 증가 등이 있다. 특히, 비가역적인 시야 감소가 발생할 수 있으므로 주의해야 한다.

(16) Zonisamide

부분발작의 부가 요법으로 사용되며, 근간대발작에도 효과가 있다. 최초 용량은 2~4 mg/kg/일로 시작하여 8~12 mg/kg/일까지 증량할 수 있다. 부작용으로 신결석이 생길 수 있다.

2. 뇌전증수술(Epilepsy surgery)

약물치료로 뇌전증발작 조절이 안되는 '난치성 뇌전증' 인 경우에는 문제가 심각해진다. 특히 성장과 발달을 해야만 하는 소아에서는 난치성 뇌전증이 운동발달지체나 정신발달지체를 동반하여 학습장애를 일으키고 나아가 정상적인 성인으로 성장하는 데 큰 장애가 될 수 있는데, 이러한 난치성 뇌전증인 경우에 현재 시행하는 치료법들 가운데에 첫번째로 뇌전증수술이 있다. 이는 뇌수술을 통하여 뇌전증을 치료하는 방법으로서, 뇌전증발작의 원인이 되는 뇌의 기초질환이나 장애를 찾아내어 이를 제거하는 것을 말하는데, 환자에 따라서는 이 방법이 최선의 방법일 수도 있다. 그러나 뇌전증수술 시에는 몇 가지 고려사항이 있다. 첫째, 뇌의 국소적인 병소가 있고, 둘째, 그 병소가 환자의 뇌전증의 원인이라는 것이 밝혀져야 하고, 셋째, 그 병소가 수술적으로 절제가 가능해야 하고, 넷째, 수술 후에 신경학적인 후유증이 거의 없는 경우에 고려할 수 있다.

뇌전증수술을 고려할 경우에는, 먼저 환자가 뇌전증수술의 대상이 되는지, 또한 수술 방법은 어떻게 디자인하는 것이 좋은지를 알기 위하여 '여러 가지 특수검사' 들을 시행하게 되는데 이를 '수술전 정밀검사(presurgical work-ups)' 라 부른다.

이러한 특수검사들에는 24시간 비디오-뇌파 감시 검사(video-EEG monitoring), 고해상도 MRI, MRS, SPECT (single photon emission CT), PET (positron emission tomography), 언어 및 기억력에 대한 우성대뇌판정을 위한 WADA 검사(amobarbital을 경동맥 내에 주입 후 기억과 언어검사를 시행함), 임상심리검사(neuropsychometry) 등이 있다. 이 중 'SPECT검사' 는 방사성 동위원소를 혈관내로 주입하여 뇌의 국소뇌혈류의 변화를 측정하는 뇌영상기법으로 이 검사를 통해서는 발작이 시작되는 부위(ictal onset zone)를 찾을 수 있다. 'PET검사' 는 방사성 동위원소를 혈관내로 주입하여 뇌의 대사상태를 알 수 있는 뇌영상기법이다. 이 검사를 통해서는 뇌대사가 떨어져 있는 부위(hypometabolic area)를 찾아내어 뇌전증 병소(epileptogenic lesion)를 찾을 수 있다.

위의 일 단계 검사들로 뇌전증 병소의 정확한 국소화가 어렵거나 절제 부위를 더 세밀하게 결정하여야 할 경우에는 두개강 내에 경막하 전극(subdural grids)을 삽입한 후 비디오-뇌파를 시행하며(invasive EEG study), 이 때 운동 또는 언어 피질영역을 확인하기 위한 감별하는 전기자극 검사(cortical stimulation and brain mapping)를 시행할 수도 있다. 수술 방법은 뇌전증 병소를 제거하기 위한 절제술(resective surgery : lesionectomy, cortisectomy, lobectomy, hemispherectomy 등)과 발작의 전파를 차단하기 위한 차단술(disconnection: callosotomy, comissurotomy, subpial transection 등)로 나눌 수 있다. 이 중, 측두엽 절제술(temporal lobectomy)은 성인에서는 많이 시행되며, 뇌량 절제술(corpus callosotomy)과 대뇌반구 절제술(hemispherectomy)은 소아연령에서 많이 적용된다.

3. 식이요법(Ketogenic diet therapy 와 atkin diet therapy)

이 방법은 약물치료로 조절이 안 되는 난치성 뇌전증인 경우에, 식이요법을 통하여 뇌전증을 치료하는 방법이다. '케톤생성 식이요법' 은 보통 식사에 많은 탄수화물(밥, 빵, 국수, 감자 등)과 단백질(고기류, 콩류 등)을 제한하고(단 성장에 필요한 단백질 양은 포함하게 한다), 지방의 함유량을 높인 식사를 하게 하여서(ketogenic ratio는 4:1), 몸 안에 케톤체가 생성되게 하여 대뇌의 에너지 공급원을 포도당에서 케톤체(ketone body)로 대체하여 항경련 효과를 기대하는 치료법이다. 작용 기전은 아직 정확히 알려져 있지 않으나, 케톤체가 항경련 효과를 가져오는 것으로 알려져 있다. 일차적인 적용 대상은 glucose transporter 단백 결핍증과 pyruvate dehydrogenase 결핍증이었으나, 최근에는 소아의 난치성 뇌전증의 치료법으로 널리 쓰이게 되었다. 대개 5세 이하 유 · 소아에서 간대 근경련, 무긴장, 비정형 소발작 등 주로 약물 난치성 전신 발작들과 Lennox-Gastaut 증후군 및 West 증후군의 치료에 사용된다. 부작용으로 신결석, 고지혈증, 고요산혈증, 간기능이상, 심근병증 등과 골밀도 저하로 인한 병적 골절 및 발육 이상이 있을 수 있으며, 면역 기능 저하로 심한 감염도 발생할 수 있다. 신결석의 빈도를 증가시키는 topiramate, zonisamide, acetazolamide 등은 식이요법을 시작하기 전에 중단하거나 용량 조절 등을 고려해야 하며, 식이요법 중에는 간독성을 증가시킬 수 있는 valproate 사용을 주의해야 한다. 'Atkin 식이요법' 은 케톤생성 식이요법과 비슷한 방법으로 시행되는 식이요법으로서, 좀 더 먹기 편하게 단백질의 함량을 높이고, 지방의 상대적인 함량을 낮춘 식이요법이다. 주로는 영아기를 지난 환자와 청소년기 환자에서 시행된다.

4. 미주신경 자극요법 (Vagal nerve stimulation)

난치성 뇌전증의 치료법 중의 한 가지로서 최근 국내에서도 많이 시행되고 치료법이다. 동물 실험에서 미주 신경을 자극하면 발작을 완화시킨다는 것에 근거한 치료법으로 정확한 작용 기전은 알려져 있지 않다. 전기발생기를 환자의 왼쪽 가슴근육 아래에 넣은 다음, 목 부위에서 좌측 미주신경에 전선을 연결하여 이를 자극하여 항경련 효과를 기대하는 치료법이다.

신호 빈도, 기간, 작동 시간 및 출력 전류 등을 컴퓨터 프로그램을 이용하여 조절한다. 이 방법은 약제에 반응이 없는 환자 중에서 뇌전증수술의 적응증이 되지 못하는 경우나 뇌전증수술 후에 임상적 호전이 없는 경우가 대상이 되는 방법이다.

▶ 참고문헌

1. 임상뇌전증학. 대한뇌전증학회편. 제3판. 범문에듀케이션. 2018, 59-63, 123-477.
2. Swaiman's Pediatric Neurology. 6th edition. ELSEVIER. 2018;242-248.513-6.
3. ILAE. Commission on Classification and Terminology of the International League Against Epilepsy : Proposal for Revised Classification of Epilepsies and Epileptic Syndromes. Epilepsia. 1989;30:389-99.
4. Berg AT, Berkovic SF, Brodie MJ, et al. Revised terminology and concepts for organization of seizures and epilepsies: Report of the ILAE Commission on Classification and Terminology, 2005–2009. Epilepsia. 2010;51:676-85.
5. Fisher RS, Cross JH, D'Souza C, et al. Instruction manual for the ILAE 2017 operational classification of seizure types. Epilepsia, 2017;58;531-42.
6. Berkovic SF. Genetics of Epilepsy in Clinical Practice. Epilepsy Curr. 2015;15:192-6.
7. Lee YJ, Ahn JH, Kwon S, et al. Molecular Diagnosis of Epilepsy in Clinical Practice. J Korean Child Neurol Soc. 2016;24:183-9.
8. Cross JH, Auvin S, Falip M, et al. Expert Opinion on the Management of Lennox–Gastaut Syndrome: Treatment Algorithms and Practical Considerations. Front Neurol. 2017;8:1-18.
9. Symonds JD, McTague A. Epilepsy and developmental disorders: Next generation sequencing in the clinic. European Journal of Paediatric Neurology. 2020;24:15-23.

SECTION 6

기타

Special issues related with pediatric rehabilitation

CHAPTER 29 장애 아동의 성인기 전환 및 노화
(Transition and Aging in Child onset Disability)
CHAPTER 30 장애인 스포츠와 레크리에이션(Parasports & Recreations)
CHAPTER 31 장애 진단(Disability Evaluation)

CHAPTER

29

장애 아동의 성인기 전환 및 노화

Transition and Aging in Child onset Disability

방문석, 이지선, 정세희

I. 장애를 가진 아동에 대한 생애주기 관점

장애를 가지고 성인기에 도달하는 아동 및 청소년의 수가 증가하고 있다. 소아에서 가장 많이 발생하는 만성질환 중 하나가 뇌성마비이며 최근 뇌성마비를 가진 아동의 90% 이상이 성인이 되고 수명이 길어지면서, 성인기 전환에 대한 서비스의 필요와 노화에 대한 관심이 증가되고 있다.[1, 2]

뇌손상, 유전성질환, 자폐증, 지적장애를 가진 장애아동에서 일반 비장애군에 비해 40~50대에 빠른 노화의 징후가 관찰되었으나 건강한 인구집단과는 달리 노화 과정에 대한 종적 연구와 통계조사가 부족하다. 장애로 인한 노화는 예상보다 이른 시기에 기능이나 건강의 변화를 경험하는 사람들에게는 압도적이고 두려운 상황이 될 수 있으나 의료인들은 조기 노화의 문제를 잘 인식하지 못하고 징후를 종종 놓치는 경향이 있다.[1, 3, 4]

최근에는 비진행성 장애인 건강관리 모델을 장애 중심 패러다임에서 일반적 건강과 안녕의 패러다임으로 전환해야 한다고 강조한다.[4] 즉, 성인기로의 전환 시에는 장애로 인한 이차적 조건의 예방과 조기발견, 노화, 성인기 질병의 예방과 일반적 건강상태에 초점을 맞추어 관리해야 하며, 돌봄에 있어서도 소아기 양육 관점에서 성인기 자기주도 서비스로의 돌봄 전환을 준비하여야 한다는 것이다. 이러한 관점에서 2017년 시행된 『장애인 건강권 및 의료접근성 보장에 관한 법률』에서는 '건강권' 이란 질병 예방, 치료 및 재활, 영양개선, 재활운동, 보건교육 및 건강생활의 실천 등에 관한 제반 여건의 조성을 통하여 최선의 건강상태를 유지할 권리를 말하며, 보건과 의료서비스를 제공받을 권리를 포함한다고 명시하였다. 또한 '장애인 건강 보건 관리' 란 장애인과 비장애인 간 또는 장애인 간 건강수준의 격차가 발생하지 아니하도록 보건의료 접근성을 향상하기 위해 건강검진, 주기별 질환 관리, 진료 및 재활, 건강증진사업 등을 시행하도록 규정하고 있다.[5]

지속적으로 발전하는 의료서비스와 장애아동의 기대수명의 증가에 맞추어 건강관리를 위해 의료기관-지역사회-정책이 연계된 체계적인 서비스가 구축되어야 하며, 장애를 가진 성인들이 이러한 서비스에 대한 기획자, 자문가로 직접 참여할 필요가 있다.

II. 장애 청소년기

1. 뇌성마비를 가진 장애 청소년의 주요 이슈

1) 근골격계 병리 (musculoskeletal pathology)

(1) 근골격계 변형

뇌성마비 환자는 청소년기의 빠른 성장으로 근골격계 변형이 가속화되므로 젊은 성인이 되었을 때 일반 인구보다 근골격계 문제를 가질 확률이 7배 높고, 중년기에는 근골격계 문제와 연관된 다양한 만성 질환의 유병률이 1.5~2.9배 높은 것으로 보고되었다.[6]

고관절(아)탈구의 70~90%는 사지마비 유형에서 나타나고, 평균적으로 5세 내지 7세 이후에 발생하게 되므로 사지마비 유형에서 지속적인 추시(hip surveillence)가 필요하다.[7] 웅크림(crouch) 보행을 하는 환자의 경우, 슬개고위증(patella alta), 슬개건 연장 및 이로 인한 통증, 연골연화증도 종종 발생할 수 있다. 슬개고위증은 뇌성마비 환자에서 약 70~93%로 보고되는데, 특수학교에 재학 중인 10대 뇌성마비를 대상으로 한 국내 연구는 72%에서 슬개고위증, 경골골단분리(partial separation of tibial tuberosity)나 슬개골 아래 부위 파편화 조각 등의 변형이 동반된 경우가 32%라고 보고하였다.[8] 무릎 통증 호소 시에 열전기치료, 키네지오테이핑 등이 도움이 될 수 있고 슬개건 연장술(patellar tendon advancement surgeries)도 통증 개선과 보행 시 무릎 관절 기능개선을 위해 고려해볼 수 있다. 발목 관절의 구축과 보행 시 편평외반족 소견은 흔히 관찰되며 보조기 사용을 권유할 때에는 선 자세에서 좋은 정렬의 제공과 보행기능 개선 등 명확한 목적을 가지고 사용하여야 한다.

심한 운동장애를 가진 경우 척추변형은 매우 흔하고 정도가 심하며 대부분 급격하게 진행되는 경향이 있다. 대근육운동 기능분류체계(gross motor function classification, GMFCS)의 단계가 높아질수록 척추측만증의 빈도 및 중증도가 증가하며 GMFCS IV, V 단계의 환자들은 18세가 될 때까지 중등도(moderate) 이상의 척추측만증이 발생할 가능성이 50%에 이른다.[7] 경직성 뇌성마비 환자에서 15세 이전에 Cobb 각이 40° 이상인 경우, 전신 이환, 와상 상태 등이 척추측만증 진행의 위험요인으로 보고되었다.[9] 척추측만증은 앉기 기능의 저하뿐 아니라, 압력에 의한 욕창, 흉곽과 골반부의 충돌로 인한 통증, 흉곽변형에 의한 심폐기능 저하 등 이차적 문제를 유발할 수 있으므로 40° 이상의 진행성 만곡으로 앉은 자세를 방해하는 경우에는 척추유합술을 고려해볼 수 있다.[7] 수술이 어려운 경우는 앉기 기능을 개선하기 위한 목적으로 척추보조기나 자세보조기구를 활용하여 활동과 참여의 기회를 증진시켜 주어야 한다.

(2) 골다공증과 골절

소아청소년의 경우, 이중에너지 X-선 흡수법(dual-X-ray absorptiometry, DXA)를 이용하여 진단할 경우 면적에 의한 영향으로 오류가 발생하기 쉬워 International society for clinical densitometry에서는 주요 골절 병력(하지장골의 골절, 척추 골절이나, 상지에서 두군데 이상의 골절)과 낮은 골량 여부로 골다공증을 진단한다.[7] 낮은 골량은 Z-score (age- and gender-normalized standard deviation score)를 사용하며 Z-score가 또래 연령과 동일성별에 비해 2 표준편차 이하인 경우를 말한다.[10]

뇌성마비를 가진 아동 청소년 및 성인에서는 최소 50%에서 골다공증이 보고되었으며,[4] 뇌성마비에서의 골밀도 감소의 주요 원인으로는 성장기에 보행경험이나 기립 기회의 부족에 따른 골격계에 대한 기계적 하중의 감소, 섭식장애에 따른 영양 결핍이나 칼슘 섭취의 부족 등이다. 항경련제, 스테로이드의 사용은 뼈 미네랄을 감소시킬 수 있으며, 정형외과적 수술 후 4주 정도의 석고 고정도 골밀도의 손실을 가져와 후속적인 골절의 위험을 유발할 수 있고 낮은 체질량지수, 골절의 과거력도 골절의 위험요인이 된다.[11-13] 골절 위험군에 대해서는 학교에서의 활동, 가정에서의 돌봄, 재활치료 시 항상 주의하여야 한다. 특히 GMFCS V 단계와 같이 아동기부터 체중 지지 경험이 현저히 적고 하지관절에 고정된 구축이 있는 경우에는 기립기에서 하지의 신전을 유도하거나, 가벼운 관절운동이나 스트레칭, 혹은 이동이나 앉은 자세 유도와 같은 일상적 활동에서도 쉽게 골절이 일어날 수 있으며, 이는 매우 적은 충격에 의해 골절될 수 있다는 점에서 의료 전문가들을 때때로 놀라게 한다.

뇌성마비에서의 뼈의 양의 결핍은 사춘기 이전에 이미 나타난다고 하였고 이는 아동기 골량 증가를 위한 치료적 접근이 중요하다는 것을 시사한다.[14] 야외활동을 장려하고 혈중 비타민 D 결핍증이 관찰된 경우와 걸을 수 없는 아동들의 예방적 목적으로 비타민 D를 사용할 수 있다. 일일 칼슘 섭취는 적절한 연령의 권장 식단을 따라야 한다. 정주용 비스포스포네이트인 Pamidronate 치료는 한 군데 이상의 비외상성 골절이 발생하거나 Z-score가 2 표준편차 이하인 낮은 골밀도를 보일 경우 고려할 수 있고, 사용 후 골밀도 향상과 골절 예방 효과가 보고되고 있으나 장기적 사용에 대한 영향이 아직 충분히 연구되어 있지 않으므로 주의가 필요하다.[7] 보행이 가능한 청소년에게 적극적인 근력 운동과 체중 부하 운동을 권유하고 최소한 서 있는 능력을 유지하게 하는 것은 뼈의 안정성이 급격히 저하되는 것을 피하기 위한 중요한 치료 수단이다. 또한 주기적인 저강도, 고빈도의 전신진동기구를 이용한 치료가 해면골 형성에 좋은 효과가 보고되었으므로 고려해볼 수 있겠다.

(3) 근육 병리와 근감소증

뇌성마비 근골격계 병리의 주요 특징은 골격근의 길이(longitudinal) 성장의 실패에 있으며, 이로 인해 상하지에서 운동범위를 제한하는 근육 약화와 구축이 나타난다.[15-16] 경직은 구축의 기여 요인이지만 선택적 후근 절제술(selective dorsal rhizotomy, SDR)에 의한 경직 제거 자체가 구축 발달을 예방하지 못한다. 10년간의 추적 조사에서 연구자들은 SDR이 단기간에 경직을 줄이고 수동적 운동범위는 개선했지만 장기적으로는 구축의 진행을 예방하지는 못함을 관찰했다.[17] 이와 유사하게 국소 경직 감소를 위해 보툴리눔 독소 주사를 맞은 뇌성마비 아동의 경우, 운동범위의 증가와 경직 감소가 단기적으로 나타났지만 1~3년 후 장기 추적 조사에서 운동범위가 감소하는 것으로 나타났다.[18] 이러한 연구들은 구축의 진행이 단순히 경직에 의한 것이 아니라는 것을 시사한다.

뇌성마비 아동의 근육은 더 짧고 직경이 감소된 섬유를 포함하고 있다. 근육이 이완되더라도 항상 존재하는 고정구축(fixed contracture)이 있는 아동의 근육에서 보고된 변화는 근육원섬유마디(sarcomere)가 근육이 매우 짧아졌음에도 불구하고 매우 길어져 있다는 것이다. 손목 굽곡근, 뒤넙다리근, 발바닥쪽 굽힘근 등의 구축에서 관찰되는 짧아진 근육의 긴 근육원섬유 마디는 뇌성마비에서 관찰되는 역설적인 근육의 적응이다. 극도로 긴 근육원섬유마디는 상대적으로 낮은 활동력(active force)과 크기 변화 외에도 근육약화에 영향을 미칠 수 있다. 더 긴 근육원섬유의 길이는 높은 수동 근육 힘(high passive muscle force, 신경 활성화가 없는 상태에서 조직에 의해 발생하는 근육의 힘)과 관련이 있다고 보고되었으며 현재까지 뇌성마비에서 관찰되는 극도로 긴 근육원섬유의 역학적 근거는 알려져 있지는 않다.[19]

이와 같은 특징적 근육 병리를 가진 뇌성마비 환자에서 청소년기 근골격계 변형의 진행, 운동과 활동량의 감소, 보행 기능 감퇴와 앉은 자세 중심의 생활습관 등은 근육량 감소를 유발하며 청소년기에 조기 기능적 감퇴는 조기 근감소증(sarcopenia) 유발과 관련이 있다.[3, 20]

2) 운동기능과 보행

Hanna 등 (2009)의 연구에서는 뇌성마비 청소년기의 기능상실 여부를 평가하기 위해 뇌성마비를 가진 아동 및 청소년의 운동발달곡선(motor growth curve)의 구성을 보고하였다(그림 29-1). 평균적으로 GMFCS Ⅰ,Ⅱ 단계 아동의 기능 저하의 증거는 발견하지 못했다. 그러나 Ⅲ 단계의 경우 7년 11개월, Ⅳ, Ⅴ 단계에서는 6년 11개월에 GMFM-66 점수가 정점에 도달한 후 청소년에서 성인기로 진행하면서 유의미하게 감소한다는 증거를 발견하였다. 연구 결과는 Ⅲ, Ⅳ, Ⅴ 단계 아동과 청소년이 운동기능을 상실할 위험이 있으며 Ⅳ 단계에서 가장 큰 감소가 나타났음을 보여준다.[21]

걷기는 가장 중요한 기능 중 하나이며, 아동기에

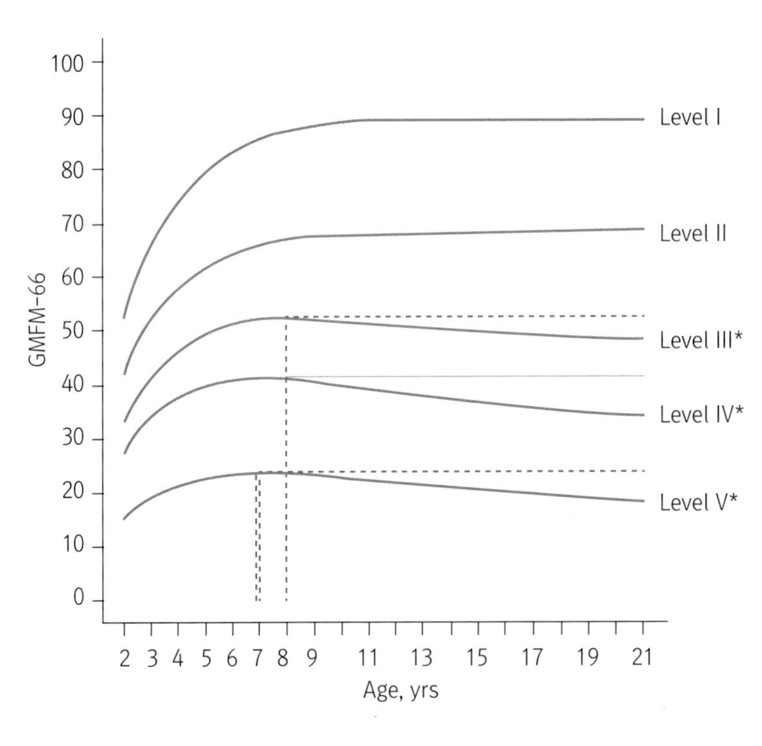

그림 29-1 Stability and decline in gross motor function among children and youth with cerebral palsy aged 2 to 21 years. Hanna(2009).[21]

물리 치료를 받는 동안, 부모와 아이의 가장 큰 희망은 독립적 이동이다. 그럼에도 불구하고 이동의 독립성은 GMFCS III 단계 이상으로 분류된 경우, 청소년기 이후 현저히 감소하며 비교적 젊은 나이에 보행기능을 상실할 가능성이 있다.[22] 청소년기 보행기능 감소의 원인으로는 성장에 따른 구축과 같은 2차 근골격계 장애, 체중 증가, 비활동성, 통증 또는 신체적 피로 등을 들 수 있다. 보행능력의 감소는 걷기에 필요한 도움의 증가, 보행을 위한 더 큰 노력의 필요, 보행 거리 및 속도의 감소, 보행 패턴 변화, 자기효능감의 감소, 보행 시 통증, 야외나 지역사회 보행의 제한 등과 같은 양상을 나타낸다. 성인기의 보행능력을 가장 잘 나타내는 예측 인자는 성인기 이전과 성인기 초기 동안의 보행능력 수준이며 이를 위해 청소년기에 근력, 근지구력, 심폐기능을 강화하는 것은 의미가 있다.

기능이 좋은 GMFCS I, II 단계 아동 청소년에서도 비장애 동료들에 비해 하지 근력이 6~59% 감소되어 있으며,[23] Eken 등(2016)은 16세 이상의 뇌성마비 환자의 18~39%가 피로를 경험한다고 보고하였는데 무릎 신전근 지구력 감소는 주관적으로 보고된 피로와 보행능력 감소와 연관되어 있다고 하였다.[24] GMFCS 단계에 따라 다양한 보조도구를 활용한 보행 경험을 적기에 제공하여야 하며, 비대칭적 근육활동을 개선시켜야 한다. 또한 체중지지 트레드밀이나 자전거와 같은 운동 장비 등을 이용한 치료 등을 고려해야 하겠다.[1, 25-27]

3) 통증

뇌성마비를 가진 아동 청소년의 통증 유병률은 14~76%로 보고되고 있고 통증은 하퇴부에서 가장 빈번하게 발생했다. 통증은 삶의 질과 건강상태에 대한 인식, 심리적 기능과 참여에 부정적 영향이 있었다.[28] 뇌성마비 환자의 만성 통증의 원인은 고관절(아)탈구, 위식도역류, 요통, 경직 등으로 다양하므로 원인에 따라 적절한 치료가 병행되어야 한다. 원인의 다양성, 의사소통 장애, 인지 및 신체기능 장애 등으로 인해 뇌성마비를 가진 아동 청소년에서 통증을 측정하는 데 어려움이 있고 스스로 보고하는 능력에도 제한이 있다. 따라서 청소년 뇌성마비 환자의 통증에 대한 빈번한 연구 보고에도 불구하고, 통증은 일반적으로 임상의가 진료 시마다 측정하거나 취급하지 않는 경향이 있으며 통증 관리 전략이 부족한 것이 현실이다. 그러나 통증을 간과할 때 뇌성마비를 가진 청소년들의 기능 저하와 참여 제한, 삶의 질이 저하될 수 있음을 이해하고 의료전문가는 통증 호소나 징후를 찾아내기 위해 보다 적극적으로 노력해야 하며 다학제간 통증 관리를 위한 개입을 제공해야 한다. 심한 피로를 호소한 사람은 만성 통증이 2.3배로 높게 보고되었으므로 통증 관리를 위해서 피로도를 함께 평가할 필요가 있다.[29-33] 피로감이 통증을 자극하는 경우도 있어 운동 후 통증이 해소된다고 보고하는 경우에는 경직에 의한 통증 유무도 확인하여 경직 치료 및 적합한 운동을 제공을 고려한다.

4) 학습과 사회참여

운동기능 저하가 의사소통과 사회적 상호작용에 영향을 미칠 수 있지만, 그것이 의사소통능력 및 사회적 능력 자체를 반영하지 않기 때문에 의료 전문가들은 GMFCS 단계를 근거로 뇌성마비를 가진 청소년의 의사소통 및 사회적 능력과 욕구를 과소평가해서는 안 된다. 뇌성마비를 가진 학생의 학교 생활의 성공에 포용적인 학교 문화가 결정적 요인으로 보고되었으며[34] 학교에서 활동 참여가 높을 때 성인기의 사회적 활동에 관련된 기술이 향상될 수 있다. 운동기능 장애가 있으나 의사소통과 학습능력이 좋아 비장애 학생과의 통합교육을 받는 학생들에게 학교에서 포괄적 교육을 제공하기 위해 첨단 보조공학기술 도입을 통한 학습환경의 지원이 필요하다. 또한 학교는 또래 청소년들과의 관계 형성과 활동 참여에 대한 욕구가 좌절되지 않도록 장애 청소년의 기능 수준을 고려하여 안전한 범위 내에서 학교 내 활동에 활발히 참여할 수 있도록 지원해야 하며 이는 변형된 체육활동의 참여도 포함한다. 뇌성마비를 가진 청소년에게 심리적 고립감과 사회적 기술 부족이 관찰되는 경우는 조기에 개입을 해주는 것이 좋다. 그와 같은 개입은 자아존중과 사회적 기술, 또래의 행동을 해석하는 데 있어서의 유연성, 또래들의 부정적 대우에 대한 효과적 대응 능력, 자기결정권 등을 키우는 데 도움이 되며 이는 성인기 사회 활동과 직업 환경에서의 적응에도 긍정적 영향이 있다.[35]

특수학교의 경우에는 지역사회 내 재활의학 전문가 집단과 팀을 이루어 학생들의 건강관리를 위해 의료-보건-교육 간 협력적 연계시스템을 구축하는 것이 좋다. 재활전문가는 학교에서의 건강관리, 학생들의 학습과 활동 참여를 증진하기 위한 자세 평가와 보조기기 활용에 대한 조언, 교직원, 학부모, 학생에 대한 교육을 제공할 수 있다.

5) 영양과 건강 문제

사지마비 뇌성마비를 가진 중증 장애 청소년을 돌보는 데 있어 가장 큰 어려움이자 중요한 요소는 적절한 식이 섭취를 제공하는 것이다. 이를 위한 방법으로 위절개관급식(gastrostomy tube feeding)은 많은 국가에서 중증 뇌성마비로 인해 급식에 어려움을 겪고 있는 아동과 청소년들에게 안전하며 효과적인 치료로 간주되며 성장을 촉진하고 영양불량을 개선할 수 있다.[36] 따라서 중증의 마비를 가진 뇌성마비 아동 청소년에서 적절한 시점에서의 위절개관을 통한 영양공급이 검토되어야 하며 이때 구강 섭식을 포기한다는 부모들의 상실감과 심리적 저항감을 고려하여 체계적으로 상담을 계획해야 한다. 유산소 운동능력이 낮은 청소년은 혈압 상승 및 혈청 콜레스테롤 수치 상승과 같은 심혈관 질환에 대한 추가적인 위험 요인을 더 많이 가진다.[37] 따라서 유산소 능력 증진을 위해 신체적 활동은 계속 강조되어야 한다. 신체적 활동은 최적의 신체적, 정신적 건강을 위한 필수 요소로서 아동 청소년의 보행 기능 감퇴와 좌식 위주의 수동적 생활양식으로의 전환을 지연시킨다. 일반적인 좌식 습관은 청소년기에서 운동기능의 저하에서 기인하기도 하지만, 그들이 이용할 수 있는 구조화된 활동 프로그램이 적은 이유도 있기에 가정, 학교, 지역사회에서는 장애 청소년들을 위한 구조화된 활동 프로그램을 다양하게 확보해야 한다.

6) 가족 이슈와 삶의 질 측면

부모는 자녀가 청소년기에서 성인기로 이행하는 시기에 자녀들의 고립을 자신들의 실패로 느끼기도 하고, 이 시기에 자녀에게 필요한 새로운 정보를 파악하고 적절한 지원을 찾아내는 과정에서 많은 에너지를 소모한다.[31] 의료 전문가들은 부모의 슬픔, 스트레스, 걱정을 덜어주면서 부모들의 건강관리에 도움을 줄 수 있으며 부모 간 동료 그룹 멘토링 프로그램도 도움이 될 수 있다.

삶의 질 측면은 뇌성마비 등의 만성질환에 대한 치료의 가장 중요한 결과물이 될 수 있기에 평가와 치료적 개입을 계획할 때 삶의 질 측면을 고려해야 하고 청소년의 의견을 적극적으로 경청해야 한다. 왜냐하면 장애를 가진 청소년들의 삶의 질에 관한 보고와 부모의 보고 사이에는 상당한 불일치가 존재하기 때문이다.[1,38] 청소년들은 대체로 부모들의 보고에 비해 기능 수준보다는 참여적 활동의 다양성, 강도, 참여의 즐거움이 삶의 질과 관련이 있다고 보고하였으며, 여가활동의 참여는 신체적, 정서적 행복과 삶에 대한 만족에 긍정적인 영향을 미친다고 하였다.[39] 반면 통증은 성인기 뇌성마비에 있어 모든 영역의 삶의 질에 부정적인 영향을 미치는 가장 흔한 요소이기에 통증에 대한 평가와 적극적인 치료는 삶의 질 향상에 필수적 요소로서 청소년기부터 관리되어야 한다.

보호자의 삶의 질도 고려해야 한다. 부모들의 장기화된 사회적 고립, 가족 역동에 미치는 영향, 신체적 긴장, 수면장애, 그리고 고용 유지 능력 저하 등은 선천적 장애를 가진 자녀를 양육하는 보호자의 삶의 질에 영향을 미친다.[1] 부모들이 가지는 희망은 자녀가 어릴 때에는 재활치료의 결과에 대한 기대에 초점이 맞추어져있다가 아동이 성장함에 따라 자녀의 행복에 대한 희망으로 바뀌게 되는 경향이 있다. 장거리 마라톤과 같은 부모로서의 삶의 경주에서 장애 자녀와 함께 행복하고 건강한 삶을 살아갈 수 있도록 전문가들은 그들의 페이스메이커 역할을 하며 적절한 조언과 안내를 해줄 수 있다.

7) 성인기로의 전환

성인기 건강관리를 위해 건강관리프로그램, 사례관리자, 자원 및 서비스 정보 제공, 지역사회 보건전문가 등 전반적 인프라가 구축되어야 한다. 성인 중심의 의료로 전환하기 위한 일환으로, 의료제공자와 부모들은 당사자 개인에게 권한을 부여하여 그들이 자신의 의료서비스 결정에 능동적인 참여자가 되도록 권장해야 하며 이러한 의료 전환과정의 시작은 10대 초반부터 시작되어야 한다고 권한다.[40] 장애아동은 부모에 의해 선택된 장기간의 재활치료와 병원방문에 대해 청소년기에 접어들면서 심리적 저항감을 가지는 경우가 종종 있다. 이러한 점을 고려하여 어려서부터 의료서비스 결정에 대한 아동의 참여를 훈련하고 청소년기에는 적극적인 치료 선택의 주체로서 의견을 표현할 기회를 제공해야 한다. 이는 향후 성인기 건강 돌봄의 주체로서 자기 인식을 형성하는데 중요한 요소가 된다.

2. 뇌성마비 청소년의 건강관리와 재활

1) 뇌성마비 청소년의 건강관리와 재활의 모델

(1) ICF-CY

국제기능장애건강분류(international classification of functioning, disability and health, ICF)는 2001년 제54차 세계보건기구(world health organization, WHO) 총회의 승인을 거쳐 국제적으로 사용되는 장애 분류 체계이다. ICF는 단순 의학적 질병분류에서 벗어나, 사회적 물리적 환경요인이 결합된 장애개념으로, ICF-CY (children & youth) 버전은 성장과 발달을 고려하여 아동 청소년에게 적용하는 모델로서 제안되었고 항목 분류는 동일하며 세부적인 코딩분류에서 성장과 발달을 고려하여 작성되었다.[44]

ICF-CY 모델에서 기능과 활동은 상호 간 영향을 미친다. 뇌성마비 청소년에서 운동기능 수준이 좋은 경우, 운동기능의 향상은 더 나은 활동을 만들 수 있다. 운동기능 수준이 낮은 경우는 활동 수행 참여가 운동기능의 퇴화를 막을 수 있으므로 풍부한 자극과 환경변화를 통한 일상생활 수행능력의 향상은 의미가 있다.[41] 전문가들은 팀 회의를 통해 ICF-CY 모델에서 제시된 청소년 삶의 여러 요소들을 고려하여 평가하고 치료계획을 세우며 그 치료의 결과가 장애 청소년과 그 가족에게 미친 효과에 대해서도 이 모델에 근거하여 소통해나가는 것이 필요하다.

(2) 장애 청소년을 위한 지역사회 중심 재활 모델

장애 청소년들의 삶의 환경에는 가정, 학교, 병원, 지역사회가 있으며 각각의 환경은 장애 청소년의 건강하고 행복한 삶을 위해 상호 연계된 서비스를 제공하여야 한다. 정부와 지자체는 장애 청소년과 가족의 욕구 파악, 건강관리 모델과 정책을 개발하고 그에 따른 다각도의 지원을 제공해야 한다. 그림 29-2는 국내에서 장애 청소년을 위한 '지역사회중심재활' 을 운영하는 예시이다.

2) 뇌성마비 청소년의 건강관리와 재활치료

(1) 청소년기 포괄적 평가

뇌성마비를 가진 청소년의 건강과 유지기 재활치료에 관한 계획을 수립할 때에는 기본적으로 복용약 관련, 낙상 관련, 체질량지수 및 혈압, 영양

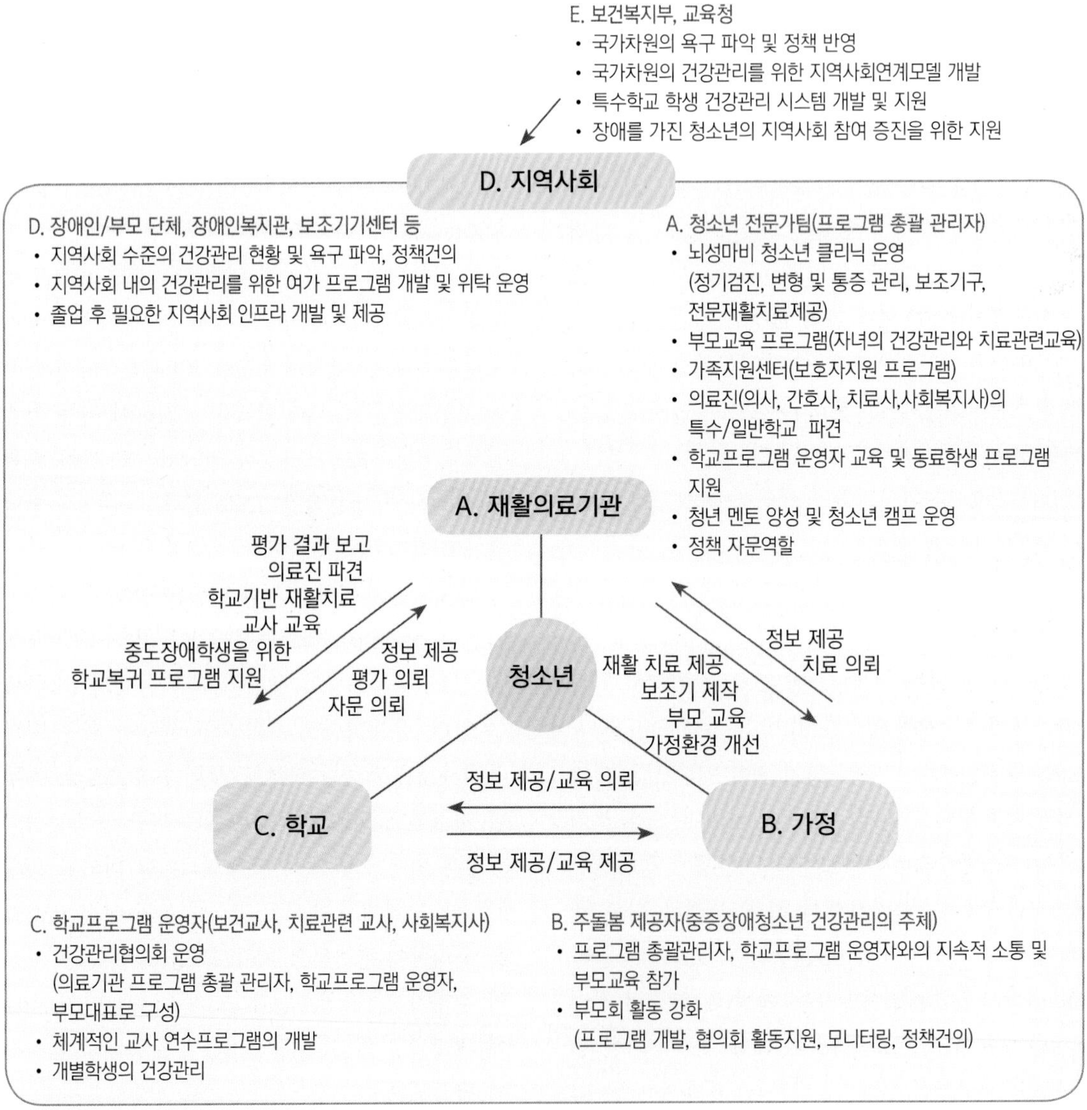

E. 보건복지부, 교육청
- 국가차원의 욕구 파악 및 정책 반영
- 국가차원의 건강관리를 위한 지역사회연계모델 개발
- 특수학교 학생 건강관리 시스템 개발 및 지원
- 장애를 가진 청소년의 지역사회 참여 증진을 위한 지원

D. 지역사회

D. 장애인/부모 단체, 장애인복지관, 보조기기센터 등
- 지역사회 수준의 건강관리 현황 및 욕구 파악, 정책건의
- 지역사회 내의 건강관리를 위한 여가 프로그램 개발 및 위탁 운영
- 졸업 후 필요한 지역사회 인프라 개발 및 제공

A. 청소년 전문가팀(프로그램 총괄 관리자)
- 뇌성마비 청소년 클리닉 운영 (정기검진, 변형 및 통증 관리, 보조기구, 전문재활치료제공)
- 부모교육 프로그램(자녀의 건강관리와 치료관련교육)
- 가족지원센터(보호자지원 프로그램)
- 의료진(의사, 간호사, 치료사,사회복지사)의 특수/일반학교 파견
- 학교프로그램 운영자 교육 및 동료학생 프로그램 지원
- 청년 멘토 양성 및 청소년 캠프 운영
- 정책 자문역할

A. 재활의료기관

청소년

A → C: 평가 결과 보고, 의료진 파견, 학교기반 재활치료, 교사 교육, 중도장애학생을 위한 학교복귀 프로그램 지원

C → A: 정보 제공, 평가 의뢰, 자문 의뢰

A → B: 재활 치료 제공, 보조기 제작, 부모 교육, 가정환경 개선

B → A: 정보 제공, 치료 의뢰

C. 학교

B. 가정

B → C: 정보 제공/교육 의뢰

C → B: 정보 제공/교육 제공

C. 학교프로그램 운영자(보건교사, 치료관련 교사, 사회복지사)
- 건강관리협의회 운영 (의료기관 프로그램 총괄 관리자, 학교프로그램 운영자, 부모대표로 구성)
- 체계적인 교사 연수프로그램의 개발
- 개별학생의 건강관리

B. 주돌봄 제공자(중증장애청소년 건강관리의 주체)
- 프로그램 총괄관리자, 학교프로그램 운영자와의 지속적 소통 및 부모교육 참가
- 부모회 활동 강화 (프로그램 개발, 협의회 활동지원, 모니터링, 정책건의)

그림 29-2 장애 청소년을 위한 지역사회중심재활 모형(서울재활병원)

상태 등 일반적 건강관리 영역과 신경학적 검진 및 동반 질환(안과적 문제, 호흡기 문제, 연하장애, 뇌전증 등)에 대한 평가를 실시한다. 그리고 청소년기의 특성을 고려한 아래 내용에 대한 평가를 주의하여 시행해야 한다.

① 급속한 성장에 따른 근골격계 관련 평가

관절구축 및 근육단축 검사, 하지길이 부동 및 회전변형 평가, 골다공증 고위험군 스크리닝, 척추 및 하지 방사선 검사

② 대근육운동 기능과 보행 기능 관련 평가

병적 보행 양상 및 보행 기능 감퇴 여부, 근력, 근지구력, 피로도 평가, 앉은 자세 유지와 이동성 향상을 위한 보조기구의 필요에 관한 평가

③ 활동 수행 및 참여 관련 평가

학교와 가정에서의 활동과 지역사회 참여를 위해 필요한 기능, 수행능력, 사회성 및 적응행동, 우울증 등의 심리행동 문제, 인지 및 의사소통 능력, 생활과 학습 및 의사소통에 관련된 보조기구의 필요 여부

④ 통증 및 삶의 질 평가

통증 사정, 삶의 질 평가 및 청소년의 삶에 의미있는 활동의 파악과 건강관리에 대한 청소년의 의견

(2) 물리치료 및 작업치료 평가

척추의 정렬(spinal alignment)과 관절가동범위는 대근육운동 기능, GMFCS, 일상생활기능의 쇠퇴와 강한 상관관계가 있다. 전통적으로 관절가동범위는 일반적인 측각계(universal goniometer)를 사용했으나 뇌성마비에서는 반복측정 결과의 편차가 크다. 이를 보완하기 위하여 2005년 Spinal alignment and range of motion measure (SAROMM)이 개발되었다. SAROMM은 정렬과 관절가동 범위에 대한 의미있는 지시가 있어 기존의 방법에 비하여 더 간단하게 적용이 가능하며 평가자 내, 평가자 간의 적절한 신뢰도와 타당도를 제공한다.[42]

GMFM-88은 서열척도로서의 한계가 있고 GMFM-88의 점수로는 연령 증가에 따른 대근육운동 기능 수준의 추이를 예측하기 어렵다. 이를 보완하기 위하여 GMFM-66이 개발되었고 GMAE (gross motor ability estimator) 프로그램을 이용하여 결과를 산출할 수 있다. 계산된 GMFM-66 점수와 GMFCS 단계별 운동발달 곡선을 통해 평가하는 아동 청소년의 대근육운동 기능 수준의 추이를 예측할 수 있으므로 GMFM-66의 적극적인 사용이 필요하다.[43]

장애 청소년의 작업치료계획 수립을 위해서는 정확한 평가가 필요한데 청소년의 평가에는 작업수행요소와 실제 작업수행수준을 함께 평가해야 한다. 작업수행요소에 관한 평가로는 일상생활동작 평가, 상지 및 손기능 평가, 감각조절에 대한 평가, 실행기능에 대한 평가 등이 있으며, 작업수행능력 평가로는 대상자 중심의 작업참여 능력을 평가하는 School AMPS (school assessment of motor and process skills), SFA (school Function assessment), COPM (Canadian occupational performance measure), ESI (evaluation of social interaction) 등을 사용할 수 있다.

(3) 재활치료의 목표

생애 주기에 따른 청소년기 치료목표는 다음과 같다.[44]

① 성인으로 이행준비

② 근력, 유연성, 근지구력 등 운동기능 유지

③ GMFCS I~III: 보행능력 증진

GMFCS IV~V: 변형 진행 예방, 기능저하 방

지, 신체건강 관리
④ 개별화된 특수교육 통한 학습능력 및 지식적용 능력 획득
⑤ 일상생활의 독립성 향상
⑥ 학교생활 적응, 또래 그룹 내 적응
⑦ 스포츠나 여가활동 참여
⑧ 성교육 및 학습을 통하여 올바른 성 인식 확립

(4) 재활치료의 전략

① 근감소 예방과 근력 유지를 위한 전략

뇌성마비의 운동장애를 관리하기 위한 전통적인 노력은 근긴장도의 정상화와 정상 운동패턴을 촉진하는데 초점이 맞추어져 있었다. 그러나 최근의 접근방식은 기능적 문제의 공통 요소인 근육 약화를 해결하고자 하는 특징이 있다.[19]

뇌성마비 환자는 성인이 되기 훨씬 전부터 근육에 장애가 있으며, 신경학적 병변으로 인하여 목표 근육을 최대로 활성화할 수 없다. 이로 인한 가장 심각한 근육 손상은 근육 성장의 부족일 수 있다. 이로 인하여 일반 성인과 비교하여 상대적으로 예비된 근육량은 훨씬 적게 되며 훨씬 조기에 일상생활 기능에 어려움을 겪게 될 수 있다. 근육 성장은 강력한 근육의 활성화 수준에 달려 있기 때문에 뇌성마비 아동이 발달 과정에서 예비할 수 있는 근육량은 신경학적 병변을 고려할 때 근육계를 활성화할 수 있는 정도에 따라 달라질 수 있으며, 초기 이정표 달성 시기 또한 근육 성장과 관련 있을 수 있다. 늦게 이정표를 달성하는 아동은 초기 근육 발달의 기회를 놓칠 수 있다. 따라서 영유아기에는 신경학적 병변을 고려한 초기 이정표 획득을 위한 치료적 전략이 필요하며 성인기 이전까지 얼마나 많은 예비 근육을 저장해 놓을 수 있는지가 주된 목표가 될 수 있다.[45] 신체활동을 통한 유산소 능력 향상의 치료 중재도 필요하다. 근력 강화 및 피트니스 프로그램을 통해 치료사는 뇌성마비 환자가 효과적이고 지속 가능한 신체활동을 할 수 있도록 전략의 수립을 돕고 특정 기능을 훈련시킬 수 있다.[19]

GMFCS I, II, III 단계의 뇌성마비를 가진 청소년에 비하여 IV, V 단계를 대상으로 하여 신체활동 수준을 높이고 근력을 강화시킬 수 있는 방법은 극히 제한적이다. 적극적인 운동을 하기 힘든 경우에는 기존의 운동법을 대체할 수 있는 방법으로 신경근자극(neuomusculor electrical stimulation)과 전신진동운동(whole body vibration)등을 적용해 볼 수 있을 것이다.[46]

② 활동과 참여 증진을 위한 학교기반, 가정연계 작업치료 전략

장애 아동 및 청소년들은 학교생활에서 신체적인 어려움뿐만 아니라 정서적 문제 및 사회적 상호작용에 대한 경험 부족으로 조직 활동, 대인관계, 대처 기술 및 학습 기술 습득 등이 어렵다. 또한 지시 따르기, 쓰기 활동, 의사소통, 그룹 활동, 행동 제어의 어려움과 같은 학교 작업 수행의 어려움을 보인다.[47-50] 작업치료사는 장애 청소년의 참여를 지지하기 위해 실제 수행하는 학교환경 및 유사환경에서 평가 및 중재를 시행해야 한다. 작업치료사는 학교환경에서 청소년의 학습 및 체육활동, 사회적 상호작용, 자기관리 등을 적절히 수행할 수 있도록 도울 수 있으며, 이를 위해 사회기술, 수학, 읽기와 쓰기, 행동 관리, 체육 활동 참여, 자기 도움 기술, 직업 전 참여 등을 포함한 학문적, 비학문적인 중재를 실시한다.[51]

가정환경은 식사, 휴식, 수면, 가사 등의 활동이 이루어지는 공간으로 장애 청소년의 주요 활동환경 중 하나이다. 많은 선행 연구에서 실제 가정환경과 치료환경은 서로 상이한 차이가 있으며, 가정 내에는 많은 사고를 유발하는 물리적 장애물과 같은 위험 요인이 있어 중재의 성과를 일반화하지

못하는 경우가 많다고 하였다.[52-55] 따라서 가정방문을 통해 각 개인의 가정 내 위험요인 파악과 활동의 수행 수준을 평가한 후 그에 맞는 훈련과 환경 수정을 통해 일상생활활동을 수행하도록 돕는 과정은 청소년의 삶의 질과 독립성 증진을 위해 매우 의미있는 치료적 접근이라 할 수 있다.

③ 보조기기 활용

보조기기는 신체적 한계를 극복하고 환경 장벽을 넘어서게 하는 잠재력을 가진 것으로 널리 간주되므로 보다 적극적으로 고려할 필요가 있으며 이러한 장치 중 일부는 어린이발달 초기 단계에서도 권장된다. 최근 컴퓨터공학, 로봇공학의 발전과 4차 산업혁명은 장애인을 위한 보조기기의 새로운 시대를 열고 있다. 다양한 의사소통을 보조하기 위한 다양한 소프트웨어와 공익적 보완대체의사소통기구(augmentative and alternative communication, AAC) 무료 앱이 개발되었고 단순한 카드 형태부터 고도화된 기술이 접목된 형태까지 장애 유형과 정도에 따라 활용범위가 점차 넓어지고 있다. 따라서 청소년의 활동 수행 및 참여 증진, 삶의 질 향상을 위해 개인의 능력, 목표, 환경을 고려한 적극적인 보조기기의 활용이 필요하다.

④ 여가 및 레저의 참여

참여의 중요성에 대한 인식이 높아지고 있지만, 실제 임상 현장에서는 뇌성마비를 가진 아동과 청소년의 평가와 개입 계획, 치료성과에 있어 구체적인 반영이 부족한 상황이다. 레저 참여는 청소년들이 자신을 표현하고 사회에 공헌할 수 있도록 하며, 자신에 대해 배우고, 실험, 탐구, 자기결정적 도전, 성취 등을 통해 자신감과 역량을 키울 수 있도록 도와주므로 적극적으로 고려되어야 한다. 뇌성마비 청소년과 청년들을 대상으로 신체 행동과 스포츠 참여에 초점을 맞춘 상담과 체력 훈련으로 구성된 생활 습관 중재는 피로, 통증, 정신건강 및 사회적 기능을 개선할 수 있음이 입증된 바 있다.[56] 장애를 가진 청소년들을 진료하는 임상의들은 그들이 지역사회 내 스포츠 기회의 참여를 촉진시키기 위한 운동훈련과 재활의료서비스를 점점 더 통합해 가는 것의 이점에 대해 이해하고 있다.[57] 지역사회 내 장애를 가진 청소년들이 참여할 수 있는 레저와 스포츠 프로그램의 개발과 이에 대한 사회적 지원이 매우 필요한 상황이다.

3. 기타 질환을 가진 장애 청소년의 건강 문제

1) 만성척수기능장애 (chronic spinal cord dysfunction)

척수이형성증(spinal dysraphism)과 아동기 척수손상(pediatric-onset spinal cord injury) 등 만성척수기능장애를 가진 아동 및 청소년의 시간 경과에 따른 기능 변화에 대한 대규모 연구는 아직 부족하다. 청소년기와 성인기의 건강 악화 조건은 신경학적 소견의 변화, 비만, 당뇨병, 운동 감소로 인한 골다공증과 골절 위험, 욕창과 그에 따른 합병증, 신경인성 장과 방광, 신장 질환, 척추측만증이나 고관절병변과 같은 근골격계 합병증 등으로 이에 대한 주기적인 모니터링과 관리가 필요하다.[58] 청소년기에 가장 부각되는 문제는 독립적인 배뇨와 배변 관리이며, 요실금, 변실금에 대한 적극적인 예방과 학교 환경에서의 도뇨 과정에 대한 구체적인 계획이 수립되어야 한다.

심리사회적 영역과 관련한 여러 연구에서 척수이형성증이 있는 청소년에서 집중력과 실행기능, 독립성 발달, 사회적 적응에 분명한 장애가 관찰되었으며 이는 사회적 기능장애로 연결될 수 있다고 하였고, 불행감은 또래 사회로부터의 고립감과 관련되어 있다고 하였다. 또한 청소년들은 그들의 건강과 신체적 문제, 인지와 사회적 도전이라는 맥락 안에서 자존감, 긍정적인 사회적 지향성, 또래 집단과의 연대, 스트레스 상황에 대한 대처능력 등 성인기 전환에 있어 중요한 이러한 특성들을 개발할 기회가 일반 청소년에 비해 부족하며 의사결정, 친구들과의 우정 활동, 가정 내 책임과 같은 청소년기의 전형적인 활동에 대한 낮은 참여가 자기관리와 고용 측면에서 성공적인 성인으로의 전환을 어렵게 할 가능성이 있다고 하였다.[59-61] 척수손상을 가진 아동과 청소년은 성인보다는 비율은 낮지만 13%가 상당한 불안감을 가지고 있고 6%가 상당한 우울증을 가지고 있다고 보고된 바 있다.[58] 앞서 다룬 뇌성마비를 가진 청소년들의 지역사회 내 치료적 전략의 큰 틀이 만성척수장애를 가진 청소년들에게도 동일하게 적용될 수 있다.

2) 신경근육계 질환

근디스트로피 등의 신경근육계 질환에서는 보행 소실 후 척추측만증이 빠르게 진행하며 호흡기능 저하에도 영향을 미친다.[62] Hsu 등(1983)은 듀센형 근디스트로피 환자에서 척추측만증이 40° 이상으로 진행하면 폐활량은 12~16% 감소하기 때문에 호흡기능 저하를 유발하는 척추측만증의 진행을 예방하거나 지연시키는 것은 매우 중요하다 하였다.[63] 듀센형 근디스트로피에서는 휠체어에 의존한 이후 사춘기에 접어들 때 척추측만증이 매우 빠르게 진행할 수 있으므로 4~6개월 간격의 모니터링이 필요하고, 측만증이 빠르게 진행하는 경우, 대개 10~15세 사이 폐활량이 최고치에 도달했을 때 조기에 수술을 시행하는 것이 좋다. 호흡기능의 유지와 심장합병증의 조기평가를 위해 10세 이후에는 매년 호흡기능평가와 심장기능평가를 실시하여야 한다.

또한 보행이 어려운 듀센형 근디스트로피 청소년에서 원위대퇴골 골절과 골밀도검사 Z점수 사이에 강한 상관관계가 보고되었는데 Z점수가 5 미만인 경우에 35~42%에서 골절이 관찰되었다. 따라서 보행이 어려운 신경근육질환을 가진 청소년에서 골밀도의 추적 조사와 골절 예방은 중요한 과제라 할 수 있다.[64] 삶의 질에 대한 연구에서는 전반적으로 듀센형 근디스트로피를 가진 청소년들은 건강한 또래들보다 삶의 질이 상당히 낮다고 보고했으나, 그들이 인식하는 정신사회적 삶의 질은 낮은 신체 기능에도 불구하고 그들의 부모가 인식하는 것보다 낫다고 하였다.[65] 또한 근육마비의 진행에 따른 활동량의 감소로 인해 과체중이나 비만의 문제도 관찰되는데 비만은 장애 자체에서 발생하는 합병증을 악화시키고 청소년의 참여와 삶의 질을 제한하며 필요한 치료나 훈련을 제한시키므로 이에 대한 평가와 관리가 필요하다.

3) 지적장애

지적장애를 가진 개인은 수명이 길어지고 일반 인구와 같은 질병의 대부분을 경험하고 있다. 지적장애를 일으키는 다양한 질환 중 윌리엄스 증후군은 선천성 대동맥협착증과 함께 좌심실 심부전 및 고혈압을 유발할 수 있어 성장 과정 중 지속적인 추적검사와 관리가 필요하다. 윌리엄스 증후군을 가진 사람들 사이에서 정신 질환, 특히 불안장애가 흔하며, 성장 후 새롭게 보행 이상과 조기 기억장애 등이 발생할 수 있음이 보고되었다. 프라더 윌리 증후군에서는 음식 찾는 행동과 관련된 임상적 우울증 및 가족관계의 문제, 비만으로 인한 심각한 폐쇄성 수면 무호흡증 등이 보고되어 있어 이에 대한 관찰이 필요하다. 다운증후군에 대한 연구는 비교적 많은 편인데 의료, 영양, 공중 보건 시스템이 발전하면서 기대수명이 급격히 연장되었고 피부 변화, 조기 탈모, 조기 폐경, 백내장 발생 빈도 증가, 청력 상실 빈도 증가, 갑상선 기능 저하증 증가, 발작의 증가 등 조기 노화로 인한 여러 증상들이 나타난다고 보고되었다.[66]

비만은 지적장애를 가진 청소년들의 건강상의 문제로서 대두되는데 지적장애를 가진 비만한 청소년은 비만과 관련된 이차적 질환이 많아 성인이 되면서 더 큰 건강 문제를 겪게 된다. Bandini 등(2005)은 인구 기반 가구 조사에서 거동이 불편한 어린이들이 이동성 제한이 없는 어린이들에 비해 현저하게 높은 비만 유병률을 보인다는 것을 보고했다.[67] 따라서 지적장애 청소년을 대상으로 비만 관련 신체계측을 주기적으로 시행할 것을 권한다. 또한 지적장애를 가진 청소년, 주로 다운증후군을 가진 환자에 대한 연구에서 여성의 6%, 남성 개인의 20%에서 골다공증에 대한 유병률과 위험요인을 발견했다. 작은 신체 크기(body mass), hypogonadism, 낮은 비타민 D 혈중 농도, 신체활동 부족을 포함한 많은 위험 요소들이 낮은 골밀도와 연관되었다. 앙겔만 증후군, 레트 증후군, 프라더 윌리 증후군 환자에서도 간질과 관련하여 발작에 의한 신체활동 제한, 골대사에 대한 항경련제의 역할 등이 보고되었다. 지적장애를 가진 청소년에서 골다공증 위험 요인에 대한 평가와 관리계획도 수립되어야 하겠다.[68]

III. 아동에서 발생한 장애의 노화에 따른 문제점

1. 뇌성마비 아동의 노화

뇌성마비란 미성숙한 뇌에 발생한 비진행성 병변 혹은 손상에 의해 운동과 자세의 영구적인 장애가 발생하는 임상증후군으로, 비록 기능 장애가 치료에 의해 다소 경감될 수는 있으나 질병 자체가 완치될 수 없다. 이러한 이유에서 뇌성마비는 당뇨나 고혈압과 같이 지속적으로 관리되어야 하는 만성 질환의 하나로 간주되어야 하나, 현실에서는 소아 이하의 어린 뇌성마비 환자에 의료자원 및 서비스가 집중되어 있다. 뇌성마비 소아청소년이 성인이 되면 새로운 의학적, 정형외과적 문제에 직면하며, 뇌성마비 성인은 생애 기간에 따라 다양한 문제를 가지고 살아가게 된다. 통증, 만성 피로, 근위약, 경직, 기능 부전, 이동 기능의 조기 상실, 관절 구축, 변형, 퇴행성 관절염 등이 대표적인 문제들이다.

성인 뇌성마비 인구는 빠르게 증가하고 있다. 뇌성마비 성인의 평균 수명은 중증도에 따라 달라서, 경도-중등도의 운동기능 장애를 가지는 뇌성마비 성인의 누적 생존율은 50세 때 95%를 넘으나, 중증 운동 기능 장애를 가지는 경우에는 74.5%이다. 뇌성마비의 노화 특성은 뇌성마비의 유형, 기능적 문제, 중증도에 따라 다양한 양상으로 나타날 가능성이 높다. 한 연구에 따르면, 국내 뇌성마비 성인의 연령이 증가할수록 1인당 총 건강비용이 증가하며 노년기의 경우 소아기에 비해 더 많은 건강 관리 비용을 지출하는 것으로 나타났다.[69] 또 다른 해외 연구에 따르면, 복잡한 신체 기능 문제를 가지는 뇌성마비 성인의 경우 지속적인 건강 문제로 잦은 의학적 치료를 요하며, 비장애인 성인에 비해 9배 높은 입원률을 보였다.[70]

소아 뇌성마비 환자에 대한 의료서비스는 성장과 발달을 중심으로 전문화되고 다학제적, 종합적으로 제공되고 있다. 그러나 이와는 대조적으로, 뇌성마비 성인에 대한 의료 서비스는 소아 환자와는 달리 산발적이고 비체계적인 방식으로 제공되고 있다. 뇌성마비 성인의 의료요구도에 대한 정보가 충분하지 않아, 뇌성마비 성인은 건강 문제 발생 시에 불필요한 의료비용을 지불하거나 부적절한 의료서비스를 제공받는 경우도 잦다. 더욱이 성인 이후에 지속되거나 악화되는 여러 건강 문제에 대하여는 체계적인 연구나 조사가 상대적으로 부족한 현실이다. 뇌성마비 성인에게 나타나는 여러 의학적 문제는 각 개인에게 다른 양상으로 영향을 주므로 시간 경과에 따른 영향을 일반화하기에 어려움이 있다. 생활습관이나 행동학적, 생물학적 위험인자 등이 초기의 장애와 상호 작용하여 이차적인 장애 발생에 영향을 준다는 생애 주기관점의 패러다임이 최근 강조되고 있듯이, 뇌성마비의 후기 장애에 대한 예방과 장애를 극복하기 위한 재활의학적 접근의 중요성이 대두되는 시점이다.

1) 심혈관계 합병증 및 대사성 질환

뇌성마비 성인이 가지는 당뇨, 심장질환 등과 같은 대사성 질환 및 대사성 질환의 위험 인자에 대하여 많은 연구가 되어 있지는 않다. 그러나 45,292명의 뇌성마비 환자를 대상으로 한 연구에서, 허혈성 심장 질환으로 사망한 뇌성마비 성인의 비율이 35~54세 군과 55세 이상 군에서 모두 정상 인구 집단에 비해 각각 3.6, 1.8배 증가하였으며, 뇌혈관 질환으로 사망한 비율은 35~54세 군과 55세 이상 군에서 모두 정상 인구 집단 대비 각각 2.3, 4.1배 증가하였음을 밝혔다.[71] 또한 2010년 이후 연구들에서 비교적 젊은 뇌성마비 성인의 심혈관계 및 대사성 질환의 위험이 증가되었음을 보고하였으며, 특히 보행이 불가능한 군에서 더 흔한 것으로 나타났다.[72-75]

2) 신체 기능의 저하

뇌성마비 성인을 대상으로 한 연구에서, 보행 기능의 저하 비율은 25~52%로 보고되었으며, 보행 기능의 저하는 40세 이전에 발생하는 경우가 흔하였다.[76-80] 한편 60세 이상 뇌성마비 성인을 대상으로 한 3개의 코호트 연구에서 성인기, 특히 노년기에 접어들어서도 매우 급격한 보행 기능 저하가 지속됨을 밝힌 바도 있다.[81] 편마비인 경우보다 양측마비인 경우가 보행 기능 악화의 비율이 유의하게 높았다.[82]

본 저자들의 연구 결과, 국내 뇌성마비 성인 중 30대에 신체 기능 저하를 경험한 비율이 가장 높았으며, 20대, 40대의 순이었다. 뇌성마비 성인의 보행 기능 저하의 원인은 균형, 통증, 경직 악화, 근력 저하, 관절 구축, 관절 변형, 피로, 슬관절 문제, 신체적 소진, 낙상 혹은 낙상 두려움, 부적절한 수술, 신체활동의 부족, 지구력 저하 등으로 다양하였다.[80]

3) 골다공증 및 퇴행성 근골격계 질환

뇌성마비 성인의 골다공증과 관절염의 위험은 일반인과 마찬가지로 연령이 증가할수록 증가한다.[83] 체중 부하의 감소, 약제(주로 항경련제), 불충분한 영양 섭취, 변형 및 근위약 등으로 인하여 뇌성마비 환자는 조기에 골 질량이 감소되기 시작한다.[84, 85] 보행 가능한 뇌성마비 성인에서도 골밀도의 감소는 관찰되며, 취약 골절(fragility fractures)의 빈도도 증가할 뿐 아니라 낙상이나 발작(뇌전증) 등으로 인한 주요 골절의 발생 위험도 증가한다.[86-88] 뇌성마비 환자에서 골절은 대퇴골에서 가장 흔하며(48%), 경골(27%), 상완골(8%), 족부골(7%) 등의 순이다.[89]

본 저자들의 연구 결과, 국내 뇌성마비 성인의 33.1%가 골절 경험이 있다고 응답하였다. 뇌성마비 성인은 일반인에 비해 조기에 골다공증이 발생할 위험이 증가하므로, 젊은 연령부터 적절한 평가와 적극적 치료가 필요하다. 체중 부하와 근육

량을 늘리는 것이 유용하며, 보행 가능한 뇌성마비 성인의 골절 위험을 줄이는 것 또한 중요하다.[90]

뇌성마비 성인에서 자주 발생하는 퇴행성 근골격계 질환에는 슬개골 이상 고위(patella alta), 고관절 이형성증(hip dysplasia), 퇴행성 관절염(degenera-tive arthritis), 척추변성증(spondylosis), 척추분리증(spondylolysis), 척추측만증(scoliosis), 경추부 척추관 협착증(cervical stenosis), 관절 구축(contracture) 등이 있다. 질환별 유병률은 퇴행성 관절염 59%, 측만증 61~77% 등이었고, 보행이 불가능한 뇌성마비 성인의 91%에서 하지 관절 구축이 발생한다고 보고되고 있다.[91, 92]

경추부 척추관 협착증은 이상운동형 뇌성마비 성인에서 호발하여, 정상인에 비해 경추 퇴행성 변화가 8배, 경추 불안정성도 6~8배 증가하는 것으로 알려져 있다. 퇴행성 경추 협착증을 가지는 뇌성마비 성인을 대상으로 한 연구에서 동반 척수마비가 호발함을 보고한 바 있다. 따라서 조기부터 이에 대한 스크리닝 평가가 필요하고, 경추병증으로 수술한 경우에도 장기적인 추적 평가가 반드시 필요하다.[93]

4) 근감소증

뇌성마비 성인은 일반인에 비해 근육을 충분히 사용하지 못하기 때문에 근육 기능이 저하되므로 근감소증의 위험이 증가한다.[94-96] 본 연구진이 평균연령 42.8세인 80명의 국내 뇌성마비 성인을 대상으로 수행한 단면적 연구에 따르면, 근감소증의 유병률은 47.9%로, 동일 연령 일반인구보다 3배 이상 높은 유병률을 보였다.[20] 또한 근감소증이 있는 뇌성마비 성인은 건강 관련 삶의 질이 유의하게 낮았다.[20] 근감소증이 노인 인구에서 주로 나타나는 질환임을 감안할 때, 뇌성마비 성인에서는 일반인구에 비해 유의한 수준으로 조기에 발생한다는 것을 알 수 있다.

5) 통증

뇌성마비 성인의 69~80%이 통증 및 그에 따른 활동 제한을 호소하는 것으로 알려져 있다.[76, 97] 통증은 경직이 심할수록, 기능이 좋을수록, 연령이 증가할수록, 여성인 경우에 더 흔하다.[98] 만성 통증이 흔하며, 중등도 이상의 강도인 경우가 많다. 79%가 요추부, 하지, 골반 부위의 통증을 호소하였으며, 경추부 역시 흔한 통증 부위이다.[99] 본 저자들의 연구 결과, 국내 뇌성마비 성인의 83.8%가 비일상적인 통증을 느낀다고 응답하였으며, 어깨, 다리, 허리, 목의 순이었다. 또한 통증이 일상생활에 지장을 주는 정도는 평균 45.5%라 응답하였다. 뇌성마비 성인의 통증은 관절구축, 관절 변형, 골절, 앉은 자세에서 뼈 돌출부위에 가해지는 압력, 경직 등과 관련되는 것으로 알려져 있다.[100] 또한 통증을 경험하는 경우 대부분이 심한 피로, 우울감을 함께 가지고 있었다.[101]

6) 삼킴 및 영양

뇌성마비는 영아기부터 구강기 운동의 저하, 운동 조절 능력 저하, 위장관 운동 저하 등으로 인하여 삼킴 및 섭식에 흔하게 문제를 보인다. 성인기 이후 새로 발생하는 삼킴, 섭식의 문제에는, 퇴행성 경추 질환으로 인한 연하 장애 및 이로 인한 흡인, 척추 측만증 등으로 인한 위장관 운동의 저하 등으로 인한 소화 기능 장애, 비활동성으로 인한 변비 등이 있다.

삼킴에 대한 한 질적 연구에서 뇌성마비 성인은 30세 경부터 삼킴 기능이 저하된다고 보고하였다.[102] 본 저자들의 연구 결과, 국내 뇌성마비 성인의 46.9%가 연하장애 증상을 보였다. 삼킴의 문제는 영

양에도 영향을 미칠 수 있어, 중증의 뇌성마비 성인에게 영양섭취 불량 또한 흔하게 보고되고 있다.[103]

7) 삶의 질 및 사회 참여의 저하

본 저자들의 연구 결과, 국내 뇌성마비 성인의 56.2%만이 본인의 건강 수준을 보통 이상으로 인식하고 있었고, 건강 관련 삶의 질 척도인 European quality of life 5 dimensions questionnaire 3-Level version (EQ-5D-3L)로 평가하였을 때 평균 0.5의 낮은 수준의 건강 관련 삶의 질을 보고하였다.

뇌성마비 성인은 여러 가지 원인에 의해 자조활동, 사회 경제적 활동에 상당한 제한을 갖게 된다. 또한 심리적, 정서적으로 우울, 스트레스, 불안 등을 흔히 경험하기도 한다. 사회적으로는 뇌성마비 성인의 경제활동 참가율, 고용률 등이 저조하며, 임시 일용근로자 비중, 무급가족 종사자와 단순노무종사자 비율이 높음이 알려져 있다. 특히 중증 기능 장애(운동 기능, 언어기능, 조작 기능, 인지 기능 등), 고령 등이 취업을 저해하는 원인으로 알려져 있다.

2. 척수이형성증 아동의 성인기 이행

1) 배뇨와 배변관리

척수이형성증 어린이가 성장하여 사춘기에 접어들면 가장 흔하게 부각되는 문제는 배뇨와 배변 관리이다. 이전까지는 부모가 배뇨관리와 배변관리의 많은 부분을 시행해 주었으나 사춘기가 들어서면서 부모들은 자녀가 스스로 자기관리가 가능하다고 인정하기 때문에 스스로 자기관리를 하도록 도움을 줄인다. 넬라톤 도뇨는 초등학교 입학 전부터 스스로 도움없이 시행이 가능하지만 중학교라는 새로운 환경에서 시행하는 것은 또 다른 도전이 된다. 도뇨와 실금관리는 개인의 성향이나 진단받은 시기 등에 따라 대하는 태도가 다르다. 유아기 때부터 도뇨를 하였던 아이들은 초등학교를 거치면서 나름대로의 노하우가 쌓이게 되고 중학생이 되면서부터 자가도뇨나 실금관리에 적응이 된다. 초등학교와 달리 부모나 교사의 도움 없이 스스로 자기 관리를 할 수 있고 도뇨와 실금의 문제들을 또래에게 비밀로 하는 경향이 있다. 이런 경우와는 달리 도뇨에 대하여 부정적으로 인식하는 경우도 많다. 도뇨를 늦게 시작할수록 수치스럽다거나, 학교에서 도뇨를 하는 것을 큰 스트레스로 인식하여 학교생활에 어려움을 호소할 수도 있다. 도뇨를 하기 위하여서는 일반적인 학교에서의 쉬는시간 10분으로는 부족하고 붐비는 화장실에서 시행이 어려운 경우가 대부분이기 때문에 이에 대한 세부적인 대책을 학교 선생님과 세우도록 해야 한다. 요실금뿐만 아니라 의료적으로 중요한 것은 학교생활 중 변실금에 대한 경험을 없도록 하는 것이다. 배변습관을 만들어주고 경항문세척법(transanal irrigation) 등을 사용하여 매우 적극적으로 변실금을 예방하여야 학교생활을 할 수 있다.[104]

2) 친구 사귀기와 이성 교제

일반 사람들이 척수이형성증의 독특한 증상(배뇨와 배변에의 문제, 도뇨의 과정, 발가락 변형 등)을 이해하기는 쉽지 않다. 그렇기 때문에 청소년기와 성인기에 또래들과 친밀한 관계를 맺거나 이성 교제를 하는 데에 부담을 느끼는 경우가 많다. 아예 마비가 심하여 휠체어를 사용하거나 보행보조기를 사용하면 주변에서 장애 상태에 대하여 쉽게 인식을 할 수 있다. 그러나 자가보행은 가능하나 보행속도가 느린 경우에는 이동시간이 오래 걸리고 중간중간에 넬라톤 도뇨까지 시행하다 보면 주변에서는 잘 인식하지 못하지만 막상 당사자는 학교에서 일어나는 여러 활동들에 참여하기가 어려운 경우도 많다. 척수이형성증에서 남성의 경우 발기, 사정 등 성기능이 정상인 경우도 있고 그렇지 않은 경우도 있기 때문에 성기능에 대한 평가가 필요하다. 남성의 경우 중고등학교 시절부터 본인의 성기능에 대한 인식이 생기게 되나 이에 대한 적극적인 평가와 개입을 받기가 현실적으로 어렵기 때문에 의료진이 먼저 관심을 가지고 이 문제에 대한 상담을 해야한다. 여성의 경우 임신과 출산에는 대부분 영향이 없으나, 다리마비와 관절 구축으로 체위가 어렵거나, 회음근의 마비와 감각의 둔화에 대한 의료진 상담이 필요할 수 있다.

3) 체육활동

체육활동은 근육량을 유지하고 심폐 지구력을 유지하는 신체적인 측면뿐만 아니라 자존감을 높이고 정서적인 안정성을 높일 수 있는 심리적인 측면에서도 중요하다. 개인마다 근력의 상태와 관절의 배열이 다르기 때문에 적절한 체육활동을 찾도록 의료진의 조언과 지원이 필요하다. 예를 들어 수중에서의 운동은 대부분의 척수이형성증 아이들에게 적절한 체육활동이라고 볼 수 있다. 또한 발목 근력이 약한 청소년과 성인에게 육상 운동은 관절에 부담을 줄 수 있다. 중고등학교 체육시간은 척수이형성증 청소년들에게 가장 괴로운 시간이 될 수 있다. 학교 체육선생님들이 겉보기에는 표시가 나지 않는 척수이형성증의 다양하고 복잡한 증상에 대하여 잘 이해할 수 있도록 해야 한다.[105]

▶ 참고문헌

1. Panteliadis CP. Cerebral Palsy. A Multidisciplinary Approach. 3rd ed. Thessaloniki, Greece: Springer; 2018;327-34.
2. Pizzighelloa S, Pellegrib A, Vestria A, et al. Becoming a young adult with cerebral palsy. Research in Developmental Disabilities 2019;92:1-6.
3. Strax TE, Luciano L, Dunn AM, et al. Aging and Developmental Disability. Phys Med Rehabil Clin N Am 2010;21:419–27.
4. Alexander MA, Matthews DJ. Pediatric Rehabilitation. Principles and Practice. 4th ed. New York: demosMedical: 2010;425-60.
5. 법제처 홈페이지. 장애인건강권및의료접근성보장에관한법률. Available at: https://www.law.go.kr.
6. Whitney DG, Hurvitz EA, Ryan JM, et al. Noncommunicable disease and multimorbidity in young adults with cerebral palsy. Clin Epidemiol 2018;10:511–9.
7. 정진엽, 왕규창, 방문석 외. 뇌성마비. 군자출판사; 2013.
8. 이지선, 이규범, 김창원 외. 10대 뇌성마비에서의 척추와 하지 변형. 대한재활의학회지 2008;32:135-41.
9. Saito N, Ebara S, Ohotsuka K, et al. Natural history of scoliosis in spastic cerebral palsy. Lancet 1998;351:1687-92.
10. International Society for Clinical Densitometry. Available at: http://iscd.org.
11. Rožkalne Z, Maksims Mukans M. Vetra A. Transition-Age Young Adults with Cerebral Palsy: Level of Participation and the Influencing Factors. Medicina 2019;55:737.
12. Maggs J, Palisano R, Chiarello L, et al. Comparing the priorities of parents and young people with cerebral palsy. Disability and Rehabilitation 2011;33:1650–58.

13. Jung KJ, Kwon SS, Chung CY, et al. Association of Gross Motor Function Classification System Level and School Attendance with Bone Mineral Density in Patients With Cerebral Palsy. Journal of Clinical Densitometry: Assessment & Management of Musculoskeletal Health 2018;21:501-6.
14. Trinh A, Wong P, Fahey MC, et al. Longitudinal changes in bone density in adolescents and young adults with cerebral palsy: A case for early intervention. Clinical Endocrinology 2019;91:517–24.
15. Graham HK, Selber P. Musculoskeletal aspects of cerebral palsy. J Bone Joint Surg 2003;85:157-66.
16. Christos P. Panteliadis. Cerebral Palsy. A Multidisciplinary Approach. 3rd ed. Springer. 2018;143-53.
17. Tedroff K, Lowing K, Jacobson D, et al. Does loss of spasticity matter? A 10-year follow-up after selective dorsal rhizotomy in cerebral palsy. Dev Med Child Neurol. 2011;53:724–9.
18. Tedroff K, Granath F, Forssberg H, Haglund-Akerlind Y. Long-term effects of botulinum toxin a in children with cerebral palsy. Dev Med Child Neurol. 2009;51:120–7.
19. Graham HK, Rosenbaum P, Paneth N, et al. Cerebral palsy. Nat Rev Dis Primers 2016;7:15082.
20. Jeon IP, Bang MS, Lim JY, et al. Sarcopenia among Adults with Cerebral Palsy in South Korea. PM&R 2019;1296–301.
21. Hanna SE, Rosenbaum PL, Barteltt DJ et al. Stability and decline in gross motor function among children and youth with cerebral palsy aged 2 to 21 years. Dev Med Child Neurol 2009;51:295–302.
22. Morgan P, McGinley J. Gait function and decline in adults with cerebral palsy: a systematic review. Disabil Rehabil 2014;36:1–9.
23. Ferland C, Lepage C, Moffet H, et al. Relationships Between Lower Limb Muscle Strength and Locomotor Capacity in Children and Adolescents with Cerebral Palsy Who Walk Independently. Physical & Occupational Therapy in Pediatrics 2012; 32:320–32.
24. Eken MM, Houdijk H, Doorenbosch CAM, et al. Relations between muscle endurance and subjectively reported fatigue, walking capacity, and participation in mildly affected adolescents with cerebral palsy. Developmental Medicine & Child Neurology 2016; 58:814–21.
25. Nooijen C, Slaman J, Slot W, et al. Health-related physical fitness of ambulatory adolescents and young adults with spastic cerebral palsy. J Rehabil Med 2014;46:642–47.
26. Burg JJW, Jongerius, Limbeek PHJJ, KHJJ Rotteveel. Social interaction and self-esteem of children with cerebral palsy after treatment for severe drooling. Eur J Pediatr 2006;165:37–41.
27. Frisch D, Msall ME. Health, functioning, and participation of adolescents and adults with cerebral palsy : a review of outcomes research. Developmental Disabilities Research Review 2013;18:84–94.
28. McKinnon CT, Meehan EM, Harvey AR, et al. Prevalence and characteristics of pain in children and young adults with cerebral palsy: a systematic review. Developmental Medicine & Child Neurology 2019;61:305–14.
29. Brunton LK, Bartlett DJ. Construction and validation of the fatigue impact and severity self-assessment for youth and young adults with cerebral palsy. Developmental Neurorehabilitation 2017;20:274–9.
30. Shikako-Thomas K, Kolehmainen N, Ketelaar M, et al. Promoting Leisure Participation as Part of Health and Well-Being in Children and Youth With Cerebral Palsy. Journal of Child Neurology 2014;29:1125-33.
31. Björquist E, Nordmark E, Hallström I. Parents' Experiences of Health and Needs When Supporting Their Adolescents With Cerebral Palsy During Transition to Adulthood. Physical & Occupational Therapy in Pediatrics 2016;36:204–16.
32. Whitneya DG, Hurvitza EA, Devlinb MJ et al. Age trajectories of musculoskeletal morbidities in adults with cerebral palsy. Bone 2018;114:285–91.
33. Jasien J, Daimon CM, Maudsley S, et al. Aging and Bone Health in Individuals with Developmental Disabilities. International Journal of Endocrinology. 2012;1-10.
34. Bourke-Taylor HM, Cotter C, Lalor A, et al. School success and participation for students with cerebral palsy: a qualitative study exploring multiple

perspectives. Disability and Rehabilitation 2018;40: 2163-71.

35. Wiegerink DJHG, Roebroeck ME, Donkervoort M, et al. Department of Rehabilitation Medicine, Erasmus MC, University Medical Center and RijndamSocial and sexual relationships of adolescents and young adults with cerebral palsy: a review. Clinical Rehabilitation 2006;20:1023-31.
36. Caselli TB, Lomazi EA, Montenegro MAS, et al. Comparative study on gastrostomy and orally nutrition of children and adolescents with tetraparesis cerebral palsy. Arq Gastroenterol 2017;54:292-6.
37. Verschuren O, Takkend T. Aerobic capacity in children and adolescents with cerebral palsy. Research in Developmental Disabilities 2010;31:1352–7.
38. Longoa E, Badiab M, Orgazc MB, et al. Comparing parent and child reports of health-related quality of life and their relationship with leisure participation in children and adolescents with Cerebral Palsy. Research in Developmental Disabilities 2017;71:214–22.
39. Nguyen L, Rezze BD, Mesterman R, et al. Effects of Botulinum Toxin Treatment in Nonambulatory Children and Adolescents With Cerebral Palsy: Understanding Parents' Perspectives. Journal of Child Neurology 2018;33:724-33.
40. Cooley WC, Sagerman PJ, American Academy of Pediatrics, Transitions Clinical Report Authoring Group. Clinical report—supporting the health care transition from adolescence to adulthood in the medical home. Pediatrics 2011;128:182–200.
41. Ho PC, Chang CH, Granlund M, et al. The Relationships Between Capacity and Performance in Youths With Cerebral Palsy Differ for GMFCS Levels. Pediatr Phys Ther 2017;29:23–9.
42. Chen CL, Wu KP, Liu WY, Cheng HY et al. Validity and clinimetric properties of the Spinal Alignment and Range of Motion Measure in children with cerebral palsyDev Med Child Neurol. 2013 Aug;55(8):745-50.
43. GMFM-66. Available at https://www.canchild.ca
44. 김민영. 공공 어린이재활의료기관 중심 어린이재활의료 활성화 방안. 보건복지부 정책용역과제. 2018: 169-74,136-7,144
45. Shortland A. Muscle deficits in cerebral palsy and early loss of mobility: can we learn something from our elders? Dev Med Child Neurol 2009;51:Suppl(4):59-63.
46. 대한근감소증학회. 근감소증. 군자출판사; 2017;301
47. Bagwell CL, Newcomb AF, Bukowski WM. Preadolescent friendship and peer rejection as predictors of adult adjustment. Child development 1998;69:140-53.
48. Beck KJ, Bogel AJ, Grixe KA, et al. Perceptions regarding school-based occupational therapy for children with emotional disturbances. American Journal of Occupational Therapy 2003;57:337-41.
49. Compagnone E, Maniglio J, Camposeo S, et al. Functional classifications for cerebral palsy: correlations between the gross motor function classification system (GMFCS), the manual ability classification system (MACS) and the communication function classification system (CFCS). Research in Developmental Disabilities 2014;35:2651-7.
50. Prior K. Occupational therapy with schoolaged children. In L. Lougher Occupational therapy for child and adolescent mental health. New York: Churchill Livingstone. 2001.
51. Rens L, Joosten A. Investigating he experiences in a school-based occupational therapy program to inform community-based pediatric occupational therapy practice. Australian Occupational Therapy Journal 2014;61:148-58.
52. Chevarley FM, Thierry JM, Gill CJ, et al. Health, preventive health care, and health care access among women with disabilities in the 1994-1995 national health interview survey, supplement on disability. Women's Health Issues, 2006;16:297-312.
53. Ko KD, Lee KY, Cho B, et al. Disparities in health-risk behaviors, preventive health care utilizations, and chronic health conditions for people with disabilities: The Korean national health and nutrition examination survey. Archives of Physical Medicine and Rehabilitation 2011;92:1230-7.
54. Petersson I, Lilja M, Hammel J, et al. Impact of home modification services on ability in everyday life for people ageing with disabilities. Journal of Rehabilitation Medicine 2008;40:253-260

55. Shin JI, Park SJ. Study on instrumental activities of daily living after rehabilitation for elderly outpatients. Journal of Korean Association Occupational Therapy Policy for Aged Industry 2010;2:17-24.
56. Slaman J, Berg-Emons HJG, Twisk MJ, et al. A lifestyle intervention improves fatigue, mental health and social support among adolescents and young adults with cerebral palsy: focus on mediating effects. Clinical Rehabilitation 2015;29:717–27.
57. Maher CA, Toohey M, Ferguson M. Physical activity predicts quality of life and happiness in children and adolescents with cerebral palsy. Disabil Rehabil 2016;38:865–9.
58. Johnson KL, Dudgeon B, Kuehn C, et al. Assistive Technology Use Among Adolescents and Young Adults With Spina Bifida. American Journal of Public Health 2007;330-6.
59. Rose BM, Holmbeck GN. Attention and Executive Functions in Adolescents with Spina Bifida. Journal of Pediatric Psychology 2007;32:983–94.
60. Flanagan A, Kelly EH, Lawrence V. Psychosocial Outcomes of Children and Adolescents With Early-Onset Spinal Cord Injury and Those With Spina Bifida. Pediatric Physical Therapy 2013;25:452-9.
61. Holmbeck GN, Devine KA. Psychosocial and family functioning in spina bifida. Dev Disabil Res Rev 2010;16:40–6.
62. Choi YA, Shin HI, Shin HI. Scoliosis in Duchenne muscular dystrophy children is fully reducible in the initial stage, and becomes structural over time. BMC Musculoskeletal Disorders 2019;20:277.
63. Hsu JD. The natural history of spine curvature progression in the nonambulatory Duchenne muscular dystrophy patient. Spine. 1983;8:771–5.
64. Henderson RC, Berglund LM, Babette RM, et al. The relationship between fractures and DXA measures of BMD in the distal femur of children and adolescents with cerebral palsy or muscular dystrophy. Journal of Bone and Mineral Research 2010; 25:520–6.
65. Uzark K, King E, Cripe L, et al. Health-Related Quality of Life in Children and Adolescents With Duchenne Muscular Dystrophy. Pediatrics December 2012;130:e1559-e1566.
66. Janicki MP, Hendersonb CM, Rubinc IL, et al. Neurodevelopmental conditions and aging: Report on the Atlanta. Disability and Health Journal 2008;116-24.
67. Bandini LG, Curtin C, Hamad C, et al. Prevalence of overweight in children with developmental disorders in the continuous national health and nutrition examination survey (NHANES) 1999–2002. The Journal of Pediatrics 2005;146:738–43.
68. Coppola G, Fortunato D, Mainolfi C, et al. Bone mineral density in a population of children and adolescents with cerebral palsy and mental retardation with or without epilepsy. Epilepsia 2012;53:2172–7.
69. Park MS, Kim SJ, Chung CY, et al. (2011). Prevalence and lifetime healthcare cost of cerebral palsy in South Korea. Health policy, 100(2-3), 234-8.
70. Young NL, Steele C, Fehlings D, et al. Use of health care among adults with chronic and complex physical disabilities of childhood. Disabil Rehabil 2005;27:1455-60.
71. Bauman WA. The potential metabolic consequences of cerebral palsy: inferences from the general population and persons with spinal cord injury. Developmental Medicine & Child Neurology 2009;51(Suppl 4):64–78.
72. van der Slot WM, Roebroeck ME, Nieuwenhuijsen C, et al. Cardiovascular disease risk in adults with spastic bilateral cerebral palsy. J Rehabil Med 2013;45:866-72.
73. Peterson MD, Kamdar N, Hurvitz EA. Age-related trends in cardiometabolic disease among adults with cerebral palsy. Dev Med Child Neurol 2019;61:484-9.
74. McPhee PG, Gorter JW, Cotie LM, et al. Associations of non-invasive measures of arterial structure and function, and traditional indicators of cardiovascular risk in adults with cerebral palsy. Atherosclerosis 2015;243:462-5.
75. McPhee PG, Gorter JW, Cotie LM, et al. Descriptive data on cardiovascular and metabolic risk factors in ambulatory and non-ambulatory adults with cerebral palsy. Data Brief 2015;5:967-70.
76. Murphy KP, Molnar GE, Lankasky K. Medical and functional status of adults with cerebral palsy.

Developmental Medicine & Child Neurology 1995;37(12):1075-84.

77. Andersson C, Mattsson E. Adults with cerebral palsy: a survey describing problems, needs, and resources, with special emphasis on locomotion. Developmental Medicine & Child Neurology 2001;43(2):76-82.

78. Bottos M, Feliciangeli A, Sciuto L, et al. A. Functional status of adults with cerebral palsy and implications for treatment of children. Developmental Medicine & Child Neurology 2001;43(8):516-28.

79. Jahnsen R, Villien L, Egeland T, et al. Locomotion skills in adults with cerebral palsy. Clinical rehabilitation 2004;18(3):309-16.

80. Morgan PJ, McGinley. Gait function and decline in adults with cerebral palsy: a systematic review. Disabil Rehabil 2014;36(1):1–9.

81. Strauss D, Ojdana K, Shavelle R, et al. Decline in function and life expectancy of older persons with cerebral palsy. NeuroRehabilitation 2004;19(1):69-78.

82. Opheim A, Jahnsen R, Olsson E, et al. Walking function, pain, and fatigue in adults with cerebral palsy: a 7-year follow-up study. Developmental Medicine & Child Neurology 2009;51(5):381-8.

83. Whitney DG, Hurvitz EA, Devlin MJ, et al. Age trajectories of musculoskeletal morbidities in adults with cerebral palsy. Bone 2018;114:285-91.

84. Haak P, Lenski M, Hidecker MJ, et al. Cerebral palsy and aging. Dev Med Child Neurol 2009; 51(Suppl4):16-23.

85. Verschuren O, Smorenburg AR, Luiking Y, et al. Determinants of muscle preservation in individuals with cerebral palsy across the lifespan: a narrative review of the literature. J Cachexia Sarcopenia Muscle 2018;9:453-64.

86. Mus-Peters CT, Huisstede BM, Noten S, et al. Low bone mineral density in ambulatory persons with cerebral palsy? A systematic review. Disabil Rehabil 2018 May 22 [Epub]. https://doi.org/10.1080/09638288.2018.147 0261.

87. Peterson MD, Zhang P, Haapala HJ, et al. Greater adipose tissue distribution and diminished spinal musculoskeletal density in adults with cerebral palsy. Arch Phys Med Rehabil 2015;96:1828-33.

88. Trinh A, Wong P, Fahey MC, et al. Musculoskeletal and endocrine health in adults with cerebral palsy: new opportunities for intervention. J Clin Endocrinol Metab 2016;101:1190-7.

89. Presedo A, Dabney KW, Miller F. Fractures in patients with cerebral palsy. Journal of Pediatric Orthopaedics 2007;27(2):147-53.

90. Trinh A, Wong P, Fahey MC, et al. Musculoskeletal and endocrine health in adults with cerebral palsy: new opportuni¬ties for intervention. J Clin Endocrinol Metab 2016;101:1190-7.

91. Carter DR, Tse B. The pathogenesis of osteoarthritis in cerebral palsy. Developmental Medicine & Child Neurology 2009;51(s4):79-83.

92. Koop SE. Scoliosis in cerebral palsy. Developmental Medicine & Child Neurology 2009;51(s4):92-8.

93. Azuma, Seiichi MD; Seichi, Atsushi MD; Ohnishi, Isao MD; et al. Long-Term Results of Operative Treatment for Cervical Spondylotic Myelopathy in Patients With Athetoid Cerebral Palsy: An Over 10-Year Follow-Up Study. Spine 2002.

94. Lampe R, Grassl S, Mitternacht J, et al. MRT measurements of muscle volumes of the lower extremities of youths with spastic hemiplegia caused by cerebral palsy. Brain Dev 2006;28(8):500-6.

95. Shortland A. Muscle deficits in cerebral palsy and early loss of mobility: can we learn something from our elders? Dev Med Child Neurol 2009;51(suppl 4):59-63.

96. Peterson MD, Gordon PM, Hurvitz EA. Chronic disease risk among adults with cerebral palsy: the role of premature sarcopoenia, obesity and sedentary behaviour. Obes Rev. 2013;14(2):171-82.

97. Sandström K. The lived body experiences from adults with cerebral palsy. Clinical Rehabilitation 2007;21(5):432-41.

98. Riquelme I, Cifre I, & Montoya P. Age-related changes of pain experience in cerebral palsy and healthy individuals. Pain Medicine 2011;12(4):535-45.

99. Jahnsen R, Villien L, Aamodt G, et al. Musculoskeletal pain in adults with cerebral palsy compared with the general population. Journal of Rehabilitation Medicine 2004;36(2):78-84.

100. Tosi LL, Maher N, Moore DW, et al. Adults with cerebral palsy: a workshop to define the challenges of treating and preventing secondary musculoskeletal and neuromuscular complications in this rapidly growing population. Dev Med Child Neurol 2009;51(Suppl4):2-11.

101. van der Slot WM, Nieuwenhuijsen C, van den BERG-EMONS RJ, et al. Chronic pain, fatigue, and depressive symptoms in adults with spastic bilateral cerebral palsy. Developmental Medicine & Child Neurology 2012;54(9):836-42.

102. Balandin S, Hemsley B, Hanley L, et al. Understanding mealtime changes for adults with cerebral palsy and the implications for support services. J Intellect Dev Disabil 2009;34:197-206.

103. Somerville H, Tzannes G, Wood J, et al. Gastrointestinal and nutritional problems in severe developmental disability. Dev Med Child Neurol 2008;50:712-6.

104. Fremion EJ, Dosa NP. Spina bifida transition to adult healthcare guidelines. J Pediatr Rehabil Med 2019;12(4):423-9.

105. Le JT, Mukherjee S. Transition to adult care for patients with spina bifida. Phys Med Rehabil Clin N Am 2015 Feb;26(1):29-38.

CHAPTER 30

장애인 스포츠와 레크리에이션

Parasports & Recreations

김미정, 송선홍, 한승훈

I. 서론

모든 어린이가 스포츠의 재미를 느끼고, 단체활동을 통한 팀워크의 즐거움과 승리의 기쁨, 운동을 통한 건강증진 기회를 가져야 함은 너무 당연한 일로, 장애를 가진 어린이의 경우도 마찬가지라 할 수 있다. 특히 장애를 가진 어린이에서 스포츠 활동의 참여는 자신감을 증진시키고, 팀원으로의 소속감과 대인관계 능력, 정서적인 안정 등 스포츠의 정신적 효과와 더불어 운동을 통한 근력이나 유연성 등 신체능력 증진과 성장발달에 기여하고, 체중관리 등 스포츠의 신체적 효과를 더욱 배가시킬 수 있는 효율적인 활동으로 적극적으로 권장되어야 할 것이다.

과거 장애인을 위한 적응스포츠가 20세기 중반에 전장에서 다친 상이용사들의 신체 단련을 위한 재활치료 도구였다면, 현재는 소아를 포함한 전 연령층에서 장애종류에 상관없이 모든 장애인들이 다양한 스포츠활동을 즐기게 되었고, 지역이나 국가간의 경쟁적인 스포츠경기로까지 활성화되면서 비장애인의 올림픽경기와 마찬가지로 전세계적인 장애인올림픽경기가 개최될 정도로 급속한 발전을 보여왔다. 특히, 단순 질병의 치료를 위한 재활치료 목적의 운동에서 더욱 발전되어 장애인들의 건강과 활력을 유지하기 위한 기본적인 건강권으로 인식되고 있다. 따라서, 장애를 가진 아동을 위한 적응스포츠와 오락활동은 재활프로그램의 핵심으로 매우 중요하며, 이런 스포츠활동을 소개하고 함께 하는 재활전문가들의 역할도 매우 광범위하고 막중하다고 할 수 있다. 즉, 재활전문가는 장애아동들에게 장애에 따라서 참여할 수 있는 지역사회 스포츠나 오락프로그램에 대한 정보를 제공하는 주요한 정보 제공처이며, 동시에, 스포츠나 오락활동에 참여하는 장애인 선수들의 손상이나 기타 관련 재활치료를 담당해야 하고, 스포츠 종목별로 공정한 경기가 가능하도록 장애인들의 잔존기능 수준 정도에 따라 장애등급을 분류하는 등급분류사로 참여하는 등 다양한 역할을 해야 한다. 더불어, 장애인들이 참여하는 다양한 스포츠활동의 생역학과 생리학, 심리학, 사회학, 스포츠의학 등 관련 주제에 대한 과학적 근거를 제공하기 위한 연구에도 참여해야 한다.

현재 장애인 스포츠로 대한장애인체육회에 소개된 전문체육 경기 종목만 보더라도 하계 종목으로 골볼, 농구, 댄스스포츠, 론볼, 배드민턴, 보치아, 사격, 수영, 승마, 사이클, 양궁, 역도, 요트, 유도, 육상, 조정, 배구, 축구, 탁구, 볼링, 휠체어럭비, 휠체어테니스, 휠체어펜싱, 태권도, 카누, 트라이애슬론 등 26개 종목이며, 동계 종목으로 아이스하키, 알파인스키, 노르딕스키, 휠체어컬링, 스노보드 등 5종목이어서 동계와 하계를 합치면 총 31개 종목으로 장애인스포츠와 오락활동이 건강을 유지, 증진을 위한 생활체육의 일환에서 벗어나 국가간의 경쟁이 심한 엘리트체육활동까지 보편화된 상태이다.[1] 본 장에서는 장애인 특히, 장애아동들을 위한 다양한 종류의 적응스포츠와 오락활동의 제 분야에 대해 살펴보고자 한다.

II. 역사

전 세계적인 장애인스포츠의 역사는 1924년 8월 24일 프랑스 파리에서 시작되었다. "The Silent Games" 라는 알려진 세계농아인체육대회(Comité International des Sports Silencieux, CISS, 현재는 명칭이 The International Committee of Sports for the Deaf, Inc., ICSD로 개정됨)가 최초의 세계적인 장애인 경기대회로서 유럽 9개국에서 총148명의 선수가 참여하면서 비롯되었다.[2] 이후 보다 체계적인 장애인 대상의 스포츠경기가 재활치료의 일환으로 1944년 Ludwig Guttman경을 중심으로 영국의 Stoke Mandeville 병원에서 시작되었다. 그는 스포츠 경기를 통해 심신을 단련하는 것이 장애인 선수 개인의 자긍심을 높이고, 동료선수들과의 공정한 경쟁과 더불어 우애를 키워주어 향후 사회 재적응에 필수적인 정신력을 제공한다는 믿음으로 스포츠경기를 시작하였다. 이후 1952년 척수장애인을 위한 국제스토크맨디블경기위원회(International Stoke Mandeville Games Committee, ISMGC)를 시작으로, 1960년 국제스토크맨디블경기연맹(International Stoke Mandeville Games Federation, ISMGF)이 설립되면서 본격화되었고, 1989년에 ISMGF가 척수장애인뿐만 아니라 절단장애인을 포함하는 국제스토크맨디블 휠체어경기연맹(International Stoke Mandeville Wheelchair Sports Federation, ISMWSF)으로 확대 개편되었다. 1964년에는 International Sports Organization for the Disabled, ISOD가 설립되었으며, 이후 1967년에는 척수손상을 제외한, 절단장애, 시각장애, 뇌성마비, 기타 장애선수들을 관리하는 조직으로 확대되었다.

1978년에는 국제뇌성마비협회(International Cerebral Palsy Society)로부터 뇌성마비 운동선수들을 위한 국제뇌성마비 경기연맹(Cerebral Palsy International Sports and Recreation Association, CPISRA)으로 독립하였다. 1981년에는 시각장애인을 위한 국제시각장애인 경기연맹(International Blind Sports Federation, IBSA)이 설립되었고, 이런 국제장애인경기연맹들은 각각 독립적으로 성장하면서 ISOD 산하에서 활동하였다. 1976년 토론토 장애인 올림픽경기에서 처음으로 절단장애선수들과 시각장애선수들이 참가하였으며, 1980년 네덜란드의 안햄에서 개최된 하계장애인 올림픽경기에서 뇌성마비종목이 처음 참가하게 되었다. 1980년 ISMGF와 ISOD를 동시에 관장하던 Guttman경의 사망 이후 ISOD산하의 IBSA, CPISRA가 분리, ISOD에선 절단과 기타장애선수들만을 관리하게 되었으며, 1981년 국제장애인스포츠기금이 설립되면서 장애인 올림픽경기를 통합, 조정시키기 위해 1982년 3월부터 세계장애인스포츠

기구 국제조정위원회(International Coordinating Committee of world sports for the disabled, ICC, 후에 international paralympic committee이 됨)를 후원하였다.

이후 1988년 서울 장애인올림픽경기대회를 성공적으로 개최하면서 국제정신지체인 경기연맹(International Sports Federation for Persons with Intellectual Disability, INAS-FMH 후에 INAS-FID로 됨)과 국제농아스포츠위원회(International Committee of Sports for the Deaf, Comité International des Sports des Sourds, CISS)를 가입시켰으며, 이후 1989년 9월 독일 뒤셀도르프에서 다양한 장애인 경기연맹을 조정하기 위한 보다 강력하고 권위있는 새로운 조직인 국제장애인올림픽위원회(International Paralympic Committee, IPC)를 설립하였다. 이에 따라 1992년 바르셀로나 장애인올림픽경기대회를 끝으로 ICC의 모든 권리와 역할이 IPC로 이전, 장애인올림픽경기와 세계장애인선수권 대회를 직접 관장하면서 장애인스포츠의 체계적인 발전을 유도하고 있다.[3]

IPC를 통해 개최되는 장애인올림픽(Paralympics)은 그 기본정신이 스포츠를 통한 국가 간의 우정과 이해를 증진시키고 인류의 평화에 이바지하고자 하는 올림픽 정신과 이념을 기초로 인종, 국가, 정치, 문화 및 이념을 초월한 인간의 건강증진과 스포츠를 통한 인류의 화합, 나아가 인간의 평등을 확인, 인간의 무한한 잠재능력을 신장시키고, 인간한계를 뛰어넘는 축제의 장을 만드는 것으로, 1960년 이태리 로마에서 최초로 시작되었으며, 현재 전세계에서 수천명의 장애인선수들이 치열한 경쟁을 하는 세계적인 경기로 발전하였으며, 비장애인의 올림픽경기에 이어서 같은 장소에서 매 4년마다 개최되고 있다.

“Paralympics”의 의미는 하반신마비들 뜻하는 “Paraplegia”와 올림픽을 뜻하는 “Olympics”를 조합한 합성어로 1964년 동경장애인올림픽대회부터 쓰이기 시작하였으나 과거 척수손상, 절단, 뇌성마비, 시각장애선수들이 주로 참여하던 대회가 기타군(Les Autres)으로 다발성경화증, 근이영양증, Friedreich실조증, 다발성 관절구축증, 골형성부전증, Ehlers-Danlos증후군 등 다양한 장애를 가진 선수들의 참여로 확대 발전되면서, ICC에서도 “Para”의 의미를 “부수적인(attached to)”으로 공식정의 하였고 따라서, “Paralympics”는 모든 장애인을 대상으로 올림픽과 함께 개최되는 장애인들의 올림픽으로 이해되고 있다.[4]

한편, 우리나라 장애인 스포츠의 시작은 일제강점기하인 1912년 조선총독부에서 제생원을 설치하고 그 산하에 한국 최초의 공립특수교육기관인 제생원 맹아부(盲啞部)를 설치하여 체조를 가르치면서 시작되었다고 할 수 있다. 제생원은 12세에서 20세까지의 맹아자가 입학하여 수업하였으며 1945년 국립맹아학교로 개명되고, 1959년 국립맹학교와 국립농학교로 각각 분리되면서 1960년대와 70년대에는 당시 국민들에게 인기가 있던 야구나 축구 같은 스포츠를 대신하여, 시각장애 학생들도 ‘방에서 하는 야구’라는 말을 줄여서 ‘방야’가 유행하였고, 축구공 대신 돼지저금통 속에 돌을 넣어 구를 때 나는 소리를 들으면서 하는 축구나 경사판을 이용한 탁구 등을 하였다. 1963년에는 제 1회 농아학생 수영강습회가 한강에서 개최되고, 정인환선수가 1967년 체육교사로 부임하면서 우리나라 최초의 맹인유도장이 마련되며, 1971년 5월 1일 제 1회 맹인소년단체유도대회가 개최되었다.[3,5]

특히, 1981년 UN이 제정한 “세계 장애인의 해”를 계기로 시각, 지체, 청각, 지적 등 다양한 장애의 총 761명의 선수들이 참여하는 우리나라 최초의 제1회 전국장애인 체육대회가 개최되었다. 이후 1986년 서울장애인아시아경기대회와 1988년 서울장애인올림픽대회(서울패럴림픽)의 국내개최로 장애인 스포츠의 대중화와 비장애인들의 장애인 스포츠에 대한 이해를 높이는 획기적인 전기가 마련되었다고 할 수 있다. 또한 2002년 부산, 2014년 인천의 장애인아시아경기대회 등 장애인국제경기는 장애인스포츠활동의 전국민적 관심을 가져왔다. 장애아에 특히 대표적인 몇몇 종목의 역사를 살펴보면, 먼저 시각장애스포츠인 골볼경기는 서울패럴림픽을 계기로 1990년 제7회 전국장애인체육대회부터 현재까지 특수학교의 학생들을 통해 보급, 발전되어 왔다고 할 수 있다. 청각장애스포츠도 1982년 12월 한국농아인체육회가 설립된 이래, 2004년부터 전국농아인체육대회가 매년 개최되고 있으며, 1924년부터 개최되던 하계농아인올림픽대회가, 2017년 데플림픽(Deaflympics)이라 명칭 변경하여 4년마다 개최되고 있다.

뇌성마비아동이 주축이 되는 스포츠로 1968년 국제뇌성마비협회가 결성되고 1982년 한국뇌성마비복지회가 회원으로 가입하면서 덴마크에서 개최된 국제뇌성마비경기대회에 3명의 육상(100 m, 투포환, 휠체어달리기)선수가 처음 참가하면서 시작되었다. 국내에선, 1984년 제4회 전국장애인체육대회부터 처음 참가하여, 육상, 수영, 탁구 등 3개 종목에 11개 세부종목에서 경기가 벌어졌다. 서울패럴림픽에선 총 54명의 선수가 육상, 수영, 탁구, 사이클, 양궁, 사격, 보치아 등 7개 종목에서 금 15개 등 총 34개의 메달을 획득하였다. 보치아와 7인제 축구경기는 뇌성마비선수들이 주축이 되는 특별한 경기로, 국내 중증의 어린 뇌성마비선수들이 활발하게 메달을 따고 있는 종목이라 할 수 있다.

척추장애와 절단, 및 기타장애의 스포츠 활동은 6.25와 베트남전쟁에서 상해를 입은 상이용사 특히 척수손상자와 소아마비장애를 갖는 선수들에 의해 시행되었으며, 대한상이군경회와 한국소아마비아동특수보육협회가 활동하였다. 특히, 소아마비청소년을 위한 정립회관은 운동장, 실내수영장, 체육관, 사격장, 양궁장 등을 갖춘 소아마비 학생을 위한 종합체육시설로 전국의 초, 중, 고, 대학교와 재활시설의 지체부자유 청소년이 모여 종합체육대회, 수영, 양궁, 사격, 역도 등의 종목별 경기대회를 개최하는 등 장애학생의 교육과 스포츠활동에 주도적 역할을 담당했으며, 이를 계기로 한국장애인복지체육회와 대한장애인체육회가 출범하는 기초가 되었다고 할 수 있다. 하지만 현대 장애인 스포츠의 특징은 장애원인에 따른 질병별 스포츠종목제한에서 벗어나, 모든 경기 종목에서 장애의 원인에 상관없이 현재 남아있는 잔존장애와 이로 인한 기능제한에 근거해 각 선수의 등급을 분류하고 경쟁하도록 하므로, 가령, 이전의 뇌성마비환아만 경기하던 보치아경기에 근육병이나 척수손상 등 다른 장애를 가진 선수도 참여할 수 있게 되어 경기가 훨씬 경쟁적이며 더 많은 참여를 유도할 수 있도록 하고 있다.[5] 따라서 장애를 가진 누구나 자신의 능력에 따라 다양한 스포츠를 선택, 열심히 참여하는 것이 건강 증진을 위해 중요하다고 할 것이다.

III. 장애 스포츠 및 레크리에이션의 효과

모든 장애인에게 스포츠 및 신체적 활동은 물리치료 및 심리 치료의 방법으로 평가되곤 한다. 특히 "치료적 레크리에이션" 개념이 도입된 이래 가정이나 병원에서 치료의 한 형태로 레크리에이션을 도입하고 있다. 치료적 레크리에이션은 일반적인 물리 치료 혹은 운동 치료가 갖는 신체적 장애에 대한 치료 개념에 즐거움을 비롯한 자기 실현 등 심리적 안정감을 덧붙이는 종합적인 치료의 한 형태라고 할 수 있다. 모든 인간이 스포츠 활동을 통하여 삶의 즐거움을 추구하는 것처럼 장애인도 스포츠 등을 통하여 즐거움을 얻게 되는데 이를 장기적으로 보면 효과적인 재활방법이기도 하다. 또한 사회 복귀 등을 통하여 장애인과 비장애인들 간의 상호 이해를 증진시키고 고립되지 않고 사회의 일원으로 활동할 수 있어 심리적으로 매우 큰 효과를 주고 있다. 국내외적으로 복지 정책의 여러 변화로 장애인 스포츠에 대한 관심들이 커지고 있고 장애인의 사회적 활동이 점차 증가되면서 엘리트 체육을 포함하여 대중적 장애인 스포츠에 대한 관심도가 높아지고 있다.

1. 운동 치료적 관점에서의 효과

장애 스포츠에서 선구자적인 역할을 담당한 Guttmann은 "장애 스포츠는 장애인의 신체적 건강(fitness)를 회복시키는 데 매우 중요하며 특히 근력, 협조 운동, 속도, 지구력 등에 꼭 필요한 역할을 한다"고 하였다.[6] 일반적으로 치료적 레크리에이션은 균형 감각, 협조 운동, 속도, 근력 등의 증강을 목적으로 한다. 이러한 요소의 향상을 통하여 모든 아동에게 있어서 운동 발달, 기술 숙달, 능숙도 및 성취감 달성 및 스포츠로서의 성공 등을 이룰 수 있다. 그러나 장애 아동에게 있어서는 치료적 레크리에이션이 일반 아동에게 갖는 의미에 더하여 더욱 더 건강 유지 및 질병 악화 예방에 있어서 중요하다. 치료적 레크리에이션은 장애 아동에게 있어서 심폐기의 지구력 상승, 신체 구성도의 질적 변화, 근력 및 근지구력 강화, 유연성 획득을 비롯하여 여러 신체 기능의 향상의 효과를 기대할 수 있으며 다양한 질병의 악화 위험도를 떨어뜨리는 기능도 포함된다.

1) 심폐 지구력에 대한 효과

심혈관계 지구력은 유산소 능력을 대변하는데 활동중인 근육으로의 산소를 이동시켜 주는 심장과 폐의 능력 및 운반된 산소를 활용하는 근육의 능력을 표현하는 것이다. VO_2max는 일정 시간 동안의 최대 산소 섭취량을 의미하는데 유산소 능력 및 심혈관계 지구력을 표현하는 지표이다. 성인과 마찬가지로 아동에서도 주당 3~5회, VO_2max의 60~85%의 강도, 최소 15분으로 최소 6주 동안 치료적 레크리에이션 훈련 프로그램을 진행하면 7~26%의 VO_2max 증가가 관찰된다고 보고되고 있다.[7] 심혈관계 지구력의 효과는 정상인에 비해 신체적 조건이 열악한 장애 아동의 경우에서도 강도를 낮춰서 치료적 레크리에이션 훈련 프로그램을 진행하면 충분히 나타날 수 있으므로 신체적 조건에 적합한 처방이 필요할 것이다.

심혈관계 못지 않게 폐도 치료적 레크리에이션에 적응하기 위하여 호흡 용적 및 호흡 횟수를 증가시킨다. 만성 폐 질환을 비롯하여 환기 제한이 있는 장애 아동의 경우 유산소 운동을 실시하면 호흡 저항력을 항진시킬 수 있고 특히 호흡 근육의 지구력을 증가시킬 수 있다고 보고되고 있다.[8]

뿐만 아니라 치료적 레크리에이션을 비롯한 유산소 운동을 할 경우 근육에서의 미토콘드리아의 밀도를 증가시켜 산화 능력을 증가시켜 적응력을 높일 수 있다.

2) 신체 구성도에 대한 효과

유산소 운동 및 근력 강화 운동은 무지방 신체 질량을 증가시키고 신체 지방도를 감소시키는 효과를 나타낸다. 많은 수의 성인 질환의 경우 감소된 신체활동의 원인이 소아청소년기에 시작되는 경우가 있는데 소아 청소년기에 유산소 운동 및 근력 강화 운동을 실시하면 장애 아동에게 있어서 성인 시기의 여러 질환 및 신체적 유약을 예방할 수 있는 효과를 기대할 수 있다. 즉 위험인자를 관리하는 차원에서 중요하다고 할 수 있다. 특히 관상동맥 질환의 경우 정상 성인에 비해 신체적 제한이 있는 장애 성인이 2배 정도 유병률이 높고 죽상 경화가 아동청소년 시기에 시작된다고 알려져 있듯이 유산소 운동을 통하여 신체 지방도를 감소시키고 콜레스테롤 수치를 낮추는 것은 장애 아동의 성인 시기의 생활 및 활동을 잘 유지하는 것에 매우 중요한 역할을 한다고 할 수 있다.[9]

3) 근력 및 지구력에 대한 효과

근력과 지구력은 적절한 신체 기능을 유지하는 데 매우 중요한 역할을 한다. 아동 및 청소년기의 의미있는 근력 증가는 근육량의 증가에 기인하는 것이 아니라 신경학적 요소의 변화에 기인한다고 알려져 있는데 근력 강화 운동을 실시하면 운동단위를 동기화시키고 근육의 협응력을 향상시켜주는 효과가 있다고 보고 되고 있다.[10] 단, 근력 강화 및 지구력 강화를 할 때 성인 장애인과 달리 장애 아동의 경우 더 주의 깊게 살펴보아야 하며 주변의 위험을 충분히 제거한 상태에서 진행하여야 한다. 특히 큰 근육의 근력 강화를 할 경우 저강도의 다반복의 세팅으로 실시하여야 하며 적절한 기술이 요한다. 근력 강화 운동을 하는 것은 근골격계 기능을 향상시키고 근 위축을 예방하는 데 중요한 역할을 하기도 한다.

4) 유연성에 대한 효과

근력 못지않게 유연성도 적절한 근골격계 기능 유지에 중요하다. 유연성은 규칙적인 신장 운동에 의해 향상되고 유지되는데 장애 아동의 경우 유연성이 떨어지게 되면 쉽게 근골격계의 손상을 초래하게 된다. 특히 관절 운동범위의 제한이 있는 장애 아동의 경우 적절한 유산소 운동을 비롯하여 신장 운동을 병행하면 유연성을 증가시킬 수 있는 효과를 기대할 수 있다.

5) 예방적 효과

규칙적 신체활동을 비롯하여 치료적 레크리에이션 활동을 하게 되면 장수에 도움이 되고 사망의 여러 위험 인자의 감소를 얻을 수 있으므로 매우 중요하다. 특히 관상동맥 질환, 고혈압, 당뇨병, 골다공증, 그리고 비만 등을 조절하기 위한 신체적 예방 효과가 있다고 알려져 있다.[11] 특히 장애 아동의 경우 신체적 활동 수준과 관상동맥 질환의 위험 요소 수준과의 연관성이 있다고 보고 되고 있는데 활발한 아동이 그렇지 못한 아동에 비해 고비중리포단백질(HDL)이 높다고 한다.[12]

표 30-1 신체 능력에 대한 치료적 레크리에이션의 효과[13]

원시반사	소실시기
심폐 지구력	유산소 운동력 증가 심박출량 증가 환기능력 증가
신체 구성도	비만 감소 신체 지방도 감소 무지방 신체 질량 증가
근력 및 지구력	근골격계 기능 향상 근 위축 및 손상 예방 근력 증가 산화 능력 증가
유연성	근골격계 유연성 증가 관절 구축 및 손상 예방

운동 치료적 관점에서 장애 아동의 신체에 대한 긍정적 효과를 요약하면 표 30-1과 같다.

6) 지적장애인의 레크레이션

지적장애인에 대한 전통적인 치료방법 중 활동요법으로 독서, 그림, 음악, 댄스, 스포츠 등 다양한 여가 활동을 통한 치료적 환경 조성을 통한 집단 활동 요법이라고 할 수 있겠다. 이러한 집단 활동 요법 중에 대인 관계 및 의사소통 기술의 증진, 독립성과 사회성 발달, 사회적 재활 능력 향상 효과를 목적으로 하는 방법이 치료 레크레이션, 놀이요법 등이 포함된다고 한다. 치료 레크레이션이란 신체적, 정신적, 정서적, 사회적 행동을 바람직하게 변화시키고 지적장애인의 개인의 성장과 발달을 증진시키기 위해서 레크레이션 서비스를 활용하는 의도적인 개입 과정이라고 할 수 있겠다.

치료 레크레이션은 치료 기관, 보호 시설 및 지역사회 복지 시설 등 다양한 기관에서 다양한 방법으로 실시되고 있다. 기본 개념으로는 Peterson & Gunn이 제시한 치료 레크레이션 서비스 연속체 모델이라는 방법으로 전문가에 의한 최소 통제를 기반으로 전문가는 클라이언트에게 참여 기회를 최대한 제공하면서 책임을 나누고 여러 형태의 여가 생활 양식을 제공하는 방식으로 요약할 수 있겠다.[14] 서비스 범주별로 구체적 목적을 정하는데 (1) 재활 서비스 목적-체력 향상 및 신체 기능 증진, 인지 기능 증진 (2) 여가 서비스 목적-놀이와 여가에 대한 자기 인식 개발, 여가 문제 해결 능력 개발, (3) 레크레이션 참여 서비스 목적-자기 표현 촉진, 즐거움과 만족감의 기회 제공 등 활용될 수 있겠다.[15]

지적장애인의 치료 레크레이션을 활용하기 위해서는 목표 도달에 적합한 프로그램을 잘 선택하여야 하며 개개 그룹 혹은 장애인에게 적합한 성취 목표를 정해야 한다. 예를 들어 (1) 자기 자신에게 좋은 느낌을 갖게 해주는 Feel good 목적, (2) 다른 사람들과의 관계 형성 능력을 향상시키는 Related to others, (3) 상황 대처 능력을 향상시키는 Development 등 정해지면 거기에 합당한 구체적인 놀이 방법을 선택 혹은 개발하는 방법을 활용하는 것이 좋다. 더 구체적으로 보면 Feel good을 성취하기 위해서는 '사랑해' 율동 만들기를 하면서 자기 표현력 및 스스로에 대한 만족감을 갖게 만들거나 Related to others를 이루기 위해서는 풍선 배구를 하면서 집단의식을 고취시키거나 Development를 향상시키기 위해서는 실종 사건에 대처할 수 있는 물품의 순서를 집단으로 논의하게 하는 등의 방법을 들 수 있겠다. 단 이러한 지적장애인에 대한 치료레크레이션 방법을 적용하기 위해서는 시간을 정확히 시작하고 끝내며 한사람 한사람에 관심을 가져주어야 하고 돌발적인 행동이 발발했을 때 대처 방안을 가지고 있어야 하며 각 프로그램마다 의미를 지적장애인이 알 수 있도록 하여야 하는 점을 상기해야 한다.

2. 장기적 재활 관점에서의 효과

유산소 운동을 비롯한 치료적 레크리에이션은 장기적 재활 방법 중 하나이다. 장애 아동의 경우 치료 과정에서 쉽게 느끼는 지루함을 극복하기 위해서는 즐겁고 장애 아동이 쉽게 할 수 있는 치료적 레크리에이션이 더욱 더 필요하게 된다. 성인이 되기까지의 긴 기간 동안 하나의 스포츠, 즉 치료적 레크리에이션을 선택하여 지속할 경우 새로운 목표가 생기게 되고 이를 통하여 신체적 기능을 활성화시키는 두 가지의 좋은 이점을 갖게 된다. 꼭 필요한 재활 치료라고 하더라도 장애 아동이 하기 싫고 쉽게 흥미를 잃게 된다면 그것은 좋은 치료 방법이 아니다. 특히 예민한 감성을 소유

하고 있는 청소년기의 장애 아동의 경우 더욱 더 그러하다.

3. 심리적 효과

예전부터 규칙적인 운동은 건강한 신체를 유지하여 줄 뿐 아니라 건강한 정신도 유지하여 준다는 것은 다 아는 사실이다. 더불어 인지기능, 사회적 기능을 포함하여 아동들의 도덕적 발달에도 도움을 준다고 알려져 있다. 특히 장애 아동은 심리사회적 적응에 매우 어려운 경우를 직면할 때가 많다. 적절한 동료 혹은 친구의 도움이 없거나 주위의 무관심 속에 방치된다면 사회로부터 쉽게 고립되고 심리적 위축감을 급가속시켜 장애 아동 스스로를 좁은 틀로 구속하게 된다. 장애와 비장애를 구분하지 않고 모든 사회 현상을 동일한 선상에서 바라보아야 함에도 불구하고 그렇지 못한 경우에 더욱 더 심하다. 정신에 대한 운동의 효과를 차지하더라도 규칙적인 치료적 레크리에이션은 장애 아동에게 스스로에 대해 좋은 감정을 갖게 하고 하나의 성취감을 느끼게 하여 자신을 사랑하고 아낄 수 있도록 애정을 갖게 할 수 있다. 또한 특히 스포츠의 경우 웰빙(well-being) 개념에서 더욱 더 좋은 영향을 끼친다. 또한 베타-엔톨핀과 같은 신경전달 물질의 생성에 도움을 주기 때문에 즐거운 무드를 유지할 수 있다.

스포츠를 통한 경쟁과 성취는 아동에게 자아-개념, 자아-존중, 자기-신뢰를 갖게 하여 주기 때문에 도움이 되는데 정상 아동에게서도 나타나지만 특히 장애 아동에게 있어서는 더욱 더 중요하다고 보고되었다.[16, 17] 운동에 대한 심리적 반응은 불안감 감소, 우울감 감소 및 근육의 긴장도 감소 등 이완 작용을 한다고 할 수 있다. 특히 우울감 감소는 청소년기에 매우 중요하다고 할 수 있으며 장애 아동에서 더 필요하다.

IV. 소아청소년기에 추천할 만한 국내의 장애인 스포츠 종목

장애가 있는 아동 및 청소년들에게 스포츠 및 레크리에이션 활동은 신체기능 향상 뿐 만 아니라, 심리적 안정에도 매우 효과적이라고 알려져 있지만, 국내에서 장애인 스포츠 및 레크리에이션을 시작하기엔 어려움이 많은 것이 현실이다. 하지만, 2006년도 대한장애인체육회가 설립된 이후, 장애인 스포츠에 대한 투자 및 관심도 증가하였으며, 장애인 스포츠에 대한 기본 인프라 및 저변도 점차 넓어지고 있다. 이에 대한장애인체육회에서 발간한 자료를 참고하여[18], 소아청소년 영역에서 국내에서 비교적 쉽게 시작할 수 있는 장애인 스포츠를 소개하고 이를 담당하는 국내 단체에 대한 기본적인 정보를 제공하고자 한다.

1. 농구

농구는 국내외로 활성화된 대표적 장애인 스포츠로서 휠체어농구는 장애인올림픽대회에, 청각장애농구는 농아인올림픽대회에, 지적장애농구는 스페셜올림픽에 정식종목으로 채택되어 있다. 각각의 장애가 있는 소아청소년들이 참여할 수 있다. 농구는 달리기, 던지기와 같은 신체동작의 기본적 요소를 가지고 있어 신체의 각 부분을 균형 있게 발달시킬 수 있으며 게임 중 판단력, 지구력, 민첩성 등의 기능 발달에도 효과가 있다. 또한, 게임 중 상대방을 파악하고 이해하는 심리적 훈련 및 팀플레이를 통한 협동심과 동료애를 느낄 수 있다는 장점이 있다. 대한장애인체육회(http://www.kosad.or.kr) 및 대한장애인농구협회(홈페이지: http://www.kwbf.or.kr)를 통해 구체적인 정보를 얻을 수 있으며, 문의도 가능하다.

2. 배구

장애인 배구경기는 지체장애인들이 참가하는 좌식배구, 청각 및 지적장애인들이 참가하는 일반배구로 구성되어 있다. 배구는 용구가 간단하고, 비용이 저렴하며, 좁은 장소나 야외에서도 할 수 있어 쉽게 배울 수 있다. 공을 다루기 위한 민첩성, 순발력, 근력 및 근지구력, 유연성 등을 향상시킬 수 있으며, 단체 경기로서 팀플레이를 통한 협동심과 동료애를 느낄 수 있다는 장점이 있다. 대한장애인체육회(http://www.kosad.or.kr) 및 대한장애인배구협회(홈페이지: http://kovad.kosad.kr)를 통해 구체적인 정보를 얻을 수 있으며, 문의도 가능하다.

3. 보치아

뇌성마비 및 중증장애인(근이영양증, 외상성 뇌손상)을 위한 스포츠로 표적구에 공을 던져 표적구로부터 가까운 공의 점수를 합하여 승패를 겨루는 경기이다. 심한 중증 뇌성마비 장애인들도 할 수 있으며, 좁은 장소나 야외에서도 가능하고 쉽게 배울 수 있다. 현재 전국적으로 100개 이상의 시설 및 단체, 특수학교에서 실시되고 있을 정도로 저변이 넓다. 대한장애인체육회(http://www.kosad.or.kr) 및 대한장애인보치아연맹(홈페이지: http://k-boccia.kosad.kr)를 통해 구체적인 정보를 얻을 수 있으며, 문의도 가능하다.

4. 수영

수영은 척수장애, 뇌성마비, 절단 및 기타 장애, 시각장애, 청각장애, 지적장애 등 모든 유형의 장애인이 참가 가능한 스포츠이다. 수중 활동은 체중에 대한 부담감이 적고 비교적 적은 힘으로 동작을 수행할 수 있게 하여 중증 장애인에게도 적용이 가능하다. 또한 수영은 대표적 유산소운동 중 하나로 심폐지구력 및 근력의 향상을 가져올 수 있으며, 비교적 동작이 단순하기 때문에 신체기능뿐만 아니라, 지적 기능이 저하된 장애인들도 짧은 시간에 배울 수 있다. 국내에서 장애인 수영은 생활체육으로 전국적으로 활성화되어 있고 일반 수영장을 사용하므로 접근성도 매우 좋은 편이다. 대한장애인체육회(http://www.kosad.or.kr) 및 대한장애인수영연맹(홈페이지: http://swimming.kosad.kr)을 통해 구체적인 정보를 얻을 수 있으며, 문의도 가능하다.

5. 알파인 스키

스키는 친환경적인 겨울스포츠로서 겨울 동안 위축되기 쉬운 장애인들의 신체활동을 증진시킬 수 있다는 장점이 있다. 또한, 스키는 이동의 제한이 많은 장애인에게 민첩한 몸놀림과 빠른 속도의 움직임을 경험하게 하며, 근력 및 근지구력뿐만 아니라 균형감각을 향상시킬 수 있다. 장애인 스키는 입식, 좌식, 시각장애 3부문으로 구성되어 있으며, 대한장애인체육회(http://www.kosad.or.kr) 및 대한장애인스키협회(홈페이지: http://kasa.kosad.kr)를 통해 구체적인 정보를 얻을 수 있고, 문의도 가능하다.

6. 승마

치료적 승마는 말의 리듬 및 따뜻함 등으로 기승자의 긴장도, 운동범위, 근력, 조절, 균형 등을 개선하는 것이며 말의 움직임은 사람의 보행과 매우 유사한 것을 이용한 것이다. 승마는 전문

강사에 의해 이루어지는 레크리에이션 승마와 자격을 갖춘 치료사에 의해 이루어지는 치료승마(hippotherapy)의 두 가지 종류가 있다. 승마는 근긴장도, 근력, 운동능력에 영향을 미칠 수 있는 질환이 있는 소아에서 효과적일 수 있다. 소아청소년기 주요 적응증으로는 뇌성마비, 척수수막류이상, 뇌혈관질환, 외상성 뇌질환, 척수손상, 절단, 신경근육질환, 지적장애, 주의력결핍 과잉행동장애 등으로 매우 다양하다. 하지만, 척추의 불안정성이 있는 경우, 잘 조절되지 않는 뇌전증, 심한 인지 및 행동 장애가 있는 경우에는 금기증이다. 승마의 신체적, 인지적, 감정적 효과에 대해서는 현재까지 많은 보고가 있었으나, 가장 많이 연구되고 보고된 질환은 뇌성마비이며, 뇌성마비아의 균형, 자세 조절력, 고관절 내전근의 근경직, 자세 조절, 대근육 운동 기능 및 보행을 호전시키는 것으로 보고되었다.[19, 20] 이에 승마는 뇌성마비 아동들에게 국내에서도 활발하게 적용되고 있다. 대한장애인체육회(http://www.kosad.or.kr) 및 대한장애인승마협회(홈페이지: http://cafe.daum.net/kpha119)를 통해 부가적인 정보를 얻을 수 있으며, 문의도 가능하다.

7. 육상

장애인 육상경기는 휠체어 레이싱으로부터 시작이 되었으며, 트랙 및 필드 종목으로 나뉜다. 트랙 종목은 척수장애(휠체어) 경기, 시각장애 경기, 절단 및 기타 장애 경기, 청각장애 경기 등으로 구분되며, 필드종목은 척수장애 경기, 시각장애 경기, 절단 및 기타 장애 경기, 뇌성마비 경기, 지적장애 경기, 청각장애 경기 등으로 나뉜다. 육상은 대표적인 유산소 운동으로 심폐지구력 발달과 단순한 경기 기술로 단기간에 쉽게 기술 습득이 가능하다. 또한, 모든 유형의 장애인들이 참여하여 달리고 뛰고 던지는 자연스러운 신체활동으로 재활과 치료의 목적으로도 효과적이다. 대한장애인체육회(http://www.kosad.or.kr) 및 대한장애인육상연맹(홈페이지: http://www.kafd.or.kr)을 통해 구체적인 정보를 얻을 수 있으며, 문의도 가능하다.

8. 조정

조정은 친환경적인 스포츠로, 규정된 보트를 타고 노를 저어 속도를 경쟁하는 경기이다. 척수장애, 절단 및 기타 장애, 뇌성마비 등의 뇌병변 장애, 지적장애, 시각장애 등 거의 모든 유형의 장애인이 참가 가능한 스포츠이다. 근력 및 근지구력 향상에 효과적이며 개인 경기뿐만 아니라 2인 및 4인의 단체경기도 있어 협동심 증진을 통해 사회성이 향상될 수 있다. 또한, 호수, 강, 바다 등과 같은 자연을 체험함으로써 스트레스 해소에 도움이 될 수 있다. 대한장애인체육회(http://www.kosad.or.kr) 및 대한장애인조정연맹(홈페이지: http://http://kara.kosad.kr)을 통해 구체적인 정보를 얻을 수 있으며, 문의도 가능하다.

9. 축구

장애인 축구는 시각장애(5인제), 뇌성마비(7인제), 지적장애(5인제, 11인제), 청각장애(11인제) 등의 다양한 장애 별로 나누어서 경기가 진행된다. 축구는 많은 양의 달리기 등을 통해 심폐능력 및 근지구력을 향상시킬 수 있으며, 팀 스포츠로서 협동심을 키울 수 있다. 순간 대처가 중요하므로 이를 통해 순발력 및 판단력을 기를 수 있고, 드리블, 슈팅, 패스, 트래핑 기술 등의 연습을 통해 민첩성 및 협응력 등을 키울 수 있다. 대한장애인체육회(http://www.kosad.or.kr) 및 대한장애인축구협회(홈페이지: http://kofad.kosad.kr)를 통해 구체적인 정보를 얻을 수 있으며, 문의도 가능하다.

10. 태권도

태권도는 우리 민족 고유의 무술로, 신체 및 정신적 단련을 목표로 하는 스포츠 종목 중 하나이다. 신체장애, 지적장애 및 청각장애 등의 장애인들이 참가 가능하며, 태권도를 통한 신체활동의 증진은 신체적인 건강뿐만 아니라, 정신적 긴장 및 불안을 해소시켜 심리적 안정을 가져올 수 있으리라 추측된다. 대한장애인체육회(http://www.kosad.or.kr) 및 대한장애인태권도협회(홈페이지: http://kotad.kosad.kr)를 통해 구체적인 정보를 얻을 수 있으며, 문의도 가능하다.

▶ 참고문헌

1. 대한장애인체육회 Available at: https://www.koreanpc.kr/ index.do.
2. Deaf ICoSft. Available at: http://www.deaflympics.com/.
3. 김권일 최승권, 성문정, 조재훈, 김권일, 한민규, 한태룡, 오광진. 장애인 체육백서: 문화관광부, 2007.
4. 조창옥. 한국장애인체육의 현황과 발전방향모색 2006.
5. 배하석. 장애인스포츠 : 역사와 등급분류 Hanyang Medical Reviews 2009; 29.
6. Guttmann L. Textbook of sport for the disabled. Oxford. HM & M Publishers. 1976;12-13.
7. Rowland TW. Aerobic response to endurance training program in prepubescent children: a critical analysis. Med Sci Sports Exerc 1985;17:493-497.
8. Keens TG, Krastins IRB, Wannamaker EM. Ventilatory muscle endurance training in normal subjects and patients with cystic fibrosis. Am Rev Resp Disb 1977;166:853-860.
9. Powell KE. Thmpson PD, Caspersen CJ. Physical activity and the incidence of coronary heart disease. Ann Rev Public Health 1987;8:253-287.
10. Sewall L, Micheli LJ. Strength training for children. J Pediatr Orthop 1986;6:143-146.
11. Sisicovick DS, LaPorte RE, Neuman JM. The disease-specific benefits and risks of physical activity in exercise. Public Health Rep 1985;100:180-188.
12. Linder CW, DuRant RH, Mahoney OM. The effect of physical conditioning on serum lipids and lipoproteins in white male adolescents. Med Sci Sports Exerc 1983;15:232-236.
13. Nelson MA, Harris SS. The benefits and risks of sport and exercise for children with chronic health conditions, in Golderg B(ed): Sports and exercise for children with chronic health conditions. Chanpaign IL: Human Kinetic Publisher. 1995, pp14-29.
14. Peterson CA, Gunn SL. Therapeutic recreation program design: principles and procedures 2nd ed. Englewood Cliffs. New Jersey: Prentice-Hall, Inc., 1984;11-52.
15. 채준안, 이복희. 치료 레크레이션의 이해. 서울; 홍익제.1995.
16. Gruber JJ, Physical activity and self-esteem development in children: a meta-analysis. In: Stull GA, Eckert HM. eds. The effects of physical activity on children. Campaign, IL; Human Kinetics; 1986;30-48.
17. Wind WM, Schwend RM, Larson J. Sports for the physically challenged child. J Am Acad Orthop Surg. 2004;12:126-137.
18. 대한장애인체육회. 장애인 스포츠백과. 서울: 대한미디어, 2011.
19. 대한소아재활발달의학회. 소아재활의학 2판. 서울. 군자출판사, 2013.
20. Michael A. Alexander, Dennis J. Matthews: Pediatric Rehabilitation, Principles and Practice, 5th ed., 2015. p205-6.

CHAPTER

31 장애 진단

Disability Evaluation

정한영, 김동아

I. 장애의 정의

우리나라 장애인복지법에는 장애인의 정의로 '장애인이란 신체적, 정신적 장애로 오랫동안 일상생활이나 사회생활에서 상당한 제약을 받는 자'라고 기술하고 있으나 장애에 대한 정의는 기술하고 있지 않다.[1] 미국 사회보장법에 기술되어 있는 장애(disability)의 정의는 '의학적으로 확인할 수 있는 육체적 혹은 정신적 손상(장해)(impairments)이 있으며, 이것이 적어도 12개월 이상 지속될 것으로 예상된다. 또한 이것에 의해 실질적인 소득행위를 수행할 수 있는 능력이 없는 상태'라고 표기하고 있다.[2] 또한 소아장애(disability in children)란 '18세이하의 아동에게 신뢰성이 입증된 평가도구를 사용하여 의학적으로 확인할 수 있는 육체적 혹은 정신적 손상(장해)이 단독 혹은 복합적으로 발현하여 이것이 표준 동년배 아동에 비해 중등도 이상의 기능적 제한(functional limitations)이 있거나 동년배 아동에 비해 통계적으로 두 단계 표준편차(two standard deviation) 이상을 보이는 경우이며, 이런 기능적 제한(들)이 적어도 12개월 이상 지속될 것으로 예상되는 경우' 이어야 한다고 되어 있다.[2] 의학적으로 확인할 수 있는 육체적 혹은 정신적 손상이란 해부학적, 생리학적, 그리고 심리학적 이상상태가 존재하며, 이것들은 의학적으로 받아들일 수 있는 임상적인 혹은 의학적 진단 방법들에 의하여 수행되어야만 하며, 장애에 대한 개인적인 기술이나 의견만으로는 성립될 수 없다고 명시하고 있다. 또한 이들은 소아 정신장애의 경우는 1~3세(영유아기), 3~6세(학년전기), 6~12세(학년기), 12~18세(청소년기)로 분류하고 소아장애 평가 영역도 달리하고 있다.

II. 소아기 발달장애

소아가 성인과 다른 특징 중 하나는 성장과 발달과정에 있다는 사실이다. 그래서 특정 연령대의 또래 아동에 비해 키가 너무 작다거나 발달이 너무 늦은 경우에는 깊은 관심이 필요하며, 이런 발달지연이 지속되거나 이런 성장과 발달지연의 지연이 일상생활과 사회/경제적인 활동에 제약이 생기면 이것을 발달장애라고 명명할 수 있을 것이다. 그런데 "발달장애(developmental disability)"라는 용어는 학문적, 그리고 문화적/사회적 체계에 따라서, 다소 다르게 정의하고 있는 듯하다.

가장 널리 사용되고 있는 발달장애의 정의는 미국 등에서 사용되고 있는 개념으로 22세 이전의 청소년기에 발병한 육체적, 정신적 장애, 혹은 육체/정신적 복합장애로 인하여 일상생활 및 사회생활에 상당한 제약을 만성적으로 갖고 있는 장애를 총칭하는 용어이다. 즉, 이런 의미에서의 발달장애에는 지적장애, 뇌성마비, 간질, 뇌손상, 자폐증, 학습장애, 청각장애, 시각장애 아동이 모두 포함될 수 있다(표 31-1).[3]

DSM-V의 분류에서는 신경학적 발달장애의 하부 범주에 지적장애(intellectual disability, ID), 전반적인 발달장애(global developmental disability, GDD), 기타로 분류하고 있다. 이때 전반적인 발달장애란 두 가지 이상의 발달영역에서 두 단계 표준편차이상의 발달지연이 있는 5세이하의 아동을 지칭하는 용어인데, 이들 중 상당수의 아동은 5세 이후에 지적장애(과거의 정신지체, mental retardation, MR)로 진단을 받는다고 알려져 있다.[4] 임상에서도 부모들이 처음에는 자식의 지적장애 진단을 받아들이기 쉽지 않은 경우가 적지 않아 5세 전후의 학년전기 아동에서는 발달장애라는 용어가 지적장애와 혼용하여 사용되는 경향이 있다고 알려져 있다.

또한 DSM-V에서는 지적장애와 지적/발달장애(intellectual and developmental disability, IDDs)라는 용어를 혼용하여 사용되고 있으나, 지적/발달장애(IDDs)는 보통은 출생 때부터 시작되며 그 이후 소아의 육체적, 지적, 그리고 정서적 발달 영역에 동시에 부정적인 영향을 미치는 질병군(disorders)을 총칭하고 있다.[4] 이런 개념에 따라 지적/발달장애(IDDs)는 기본적으로 지적장애를 가지고 있으면서 동시에 다른 장애를 중복으로 갖고 있는 경우를 지칭하는 듯 하다. 이에 해당하는 질환들로는 다운증후군, 뇌성마비, 자폐증, 청각장애, 시각장애, 대사장애, 그리고 소아시기에서 시작하는 진행성 퇴행성 질환 등이 포함될 수 있다.[5] 발달과정에 따라서, 그리고 질병의 진행여부에 따라서 장애의 양상이나 중증 정도가 변화할 수 있기 때문에 장애평가를 하는 것이 쉽지 않다. 그러나 이런 지적/발달장애 아동(환자)에 대한 명확하고 보다

표 31-1 발달장애의 정의

정신적 또는 신체적 손상, 또는 정신적, 신체적 중복손상이 원인이다. (지적장애, 뇌성마비, 간질, 뇌손상, 자폐증, 학습장애로 인한 중증의 만성장애)
1. 5세 이상 22세 이전에 발생하며 만성적으로 지속되는 경우
2. 다음의 주된 일상생활영역에서 세 가지 이상의 상당한 기능적 제한을 갖는 경우 ㄱ. 자기관리 ㄴ. 수용언어와 표현언어 ㄷ. 학습 ㄹ. 이동능력 ㅁ. 자기결정 ㅂ. 경제적 자급자족
3. 특수한, 다학문적, 혹은 일반적인 서비스, 개별화된 지원이 필요하거나 장기간에 걸쳐 일생 동안 지속되거나 포괄적인 서비스의 병합이 필요한 경우

포괄적인 정의는 사회통합(social inclusion)의 개념, 즉 서비스 제공자, 정책입안자, 산업현장, 그리고 여러 관련분야의 연구자들 사이에 의사소통과 관련 분야의 통합, 발전을 촉진시킬 수 있다.[6]

III. 세계보건기구의 국제소아건강기능장애분류체계(ICF-CY)

1. 국제소아건강기능장애분류체계(ICF-CY)의 개발

국제기능장애건강분류체계(International Classification of Functioning, Disability and Health, ICF)는 네 가지 기본틀, 즉 신체구조, 신체기능, 활동과 참여, 그리고 환경 요소들을 활용하여 사람과 환경의 상호작용의 관점에서 장애를 표현하고 다학제적인 접근을 위해 2001년 세계보건기구에 의해 만들어진 새로운 패러다임의 건강분류체계이다. 1980년도에 발표된 국제손상장애핸디캡분류(International Classification of Impairment, Disability, and Handicap, ICIDH)는 건강(health)을 주로 의학적인 관점(medical model)으로 설명하고자 하였다면, 국제기능장애건강분류체계는 건강을 의학-심리-사회적 관점(bio-psycho-social model)에서 서로 대등한 관계로 설명하고자 하였다(그림 31-1, 2).[7,8]

그 후 성인에는 없는 소아의 성장과 발달, 교육 등, 그리고 성인과 달리 보호되어야 할 여러 가지 요소들이 있다는 것을 알게 되었고 이를 국제기능장애건강분류체계에 포함시키는 작업을 하게 되

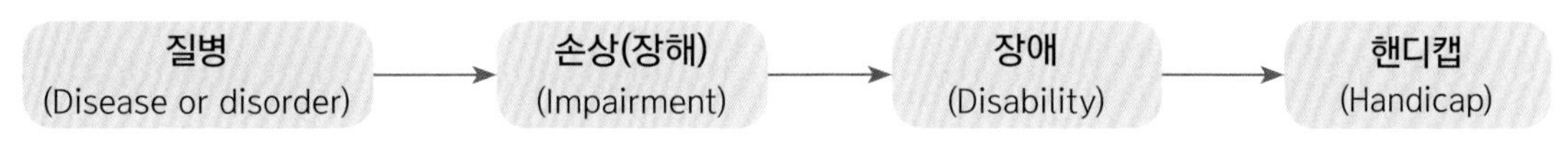

그림 31-1 국제손상장애핸디캡체계(ICIDH)의 분류

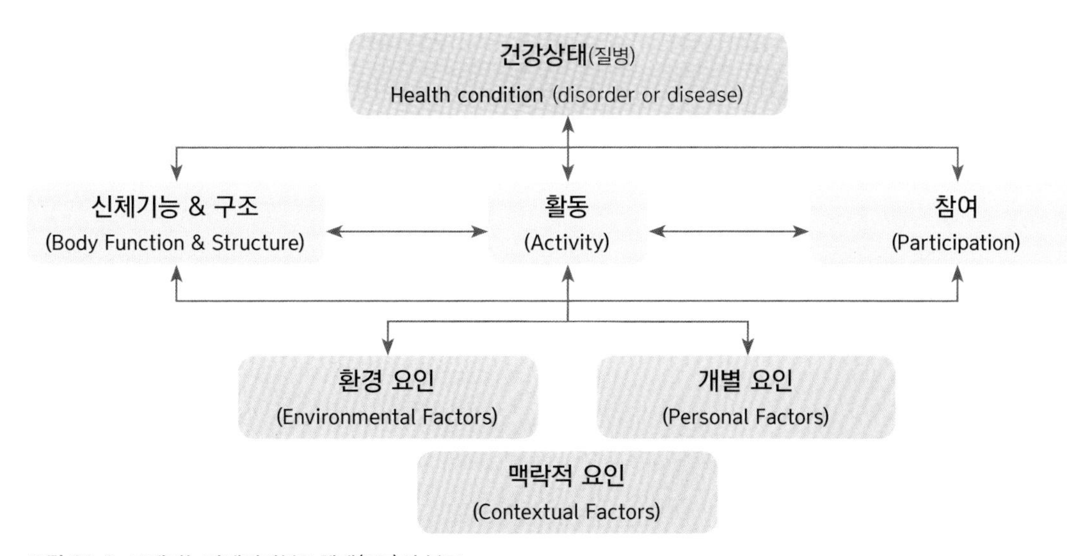

그림 31-2 국제기능장애건강분류체계(ICF)의 분류

었다. 즉, 소아장애의 예방은 국제사회 공공의료의 핵심 요소이며, 장애아동도 모든 아동들과 동등하게 교육을 받을 권리가 있고 이를 위해 장애아동을 체계적으로 평가하고 분류하는 체계가 필요하다는 것을 인지하게 되었다. 또한 아동의 성장과 발육은 아동 개인수준의 문제가 아니라 가족이나 이들을 돌보는 환경과 함께 고려하여야 한다는 점과 소아에서만 볼 수 있는 발달지연을 평가/분류할 수 있는 중증도 지표(severity qualifier)의 필요성이 대두되었다. 이에 따라 2007년 세계보건기구는 성인들을 위한 ICF이외에 국제소아건강기능장애분류체계(International Classification of Functioning, Disability and Health - children and Young, ICF-CY)라는 소아청소년을 위한 새로운 국제건강기능장애분류체계를 개발하였다.[9]

국제소아기능장애건강분류체계는 크게 두 부분으로 구성되어 있다(그림 31-3). 첫 번째 부분은 기능수행(functioning) 혹은 장애(disability)를 설명하는 요소들인 신체구조, 신체기능, 활동과 참여 요소들이 포함되어 있다. 이들 네 가지 요소들의 긍정적인 면을 설명하는 개념이 기능수행(functioning)이며, 부정적인 면을 설명하는 개념이 장애(disability)이다. 두 번째 부분은 구조적인 요소들, 즉 환경과 개인 요소들로 구성되이 있으나 개인 요소는 실제로 활용할 수 있을 정도로 구체적으로 분류되어 있지 않다. 이러한 국제소아기능장애분류체계(ICF-CY)는 건강, 교육, 그리고 사회적인 서비스 제공 등을 위한 하나로 통합된 공통의 언어체계라는 점에서 의미가 있다.[10]

2. 국제소아 기능장애건강분류체계의 활용

국제소아기능장애건강분류체계(ICF-CY)는 다음과 같은 기능을 갖고 있기 때문에 활용을 권장하는 것이다.[9, 10] 첫째, 소아 관련 주제들에 대한 다학제적인 의사, 치료사, 간호사, 특수교사, 임상심리사, 사회복지사 등 의사소통의 공통언어(common

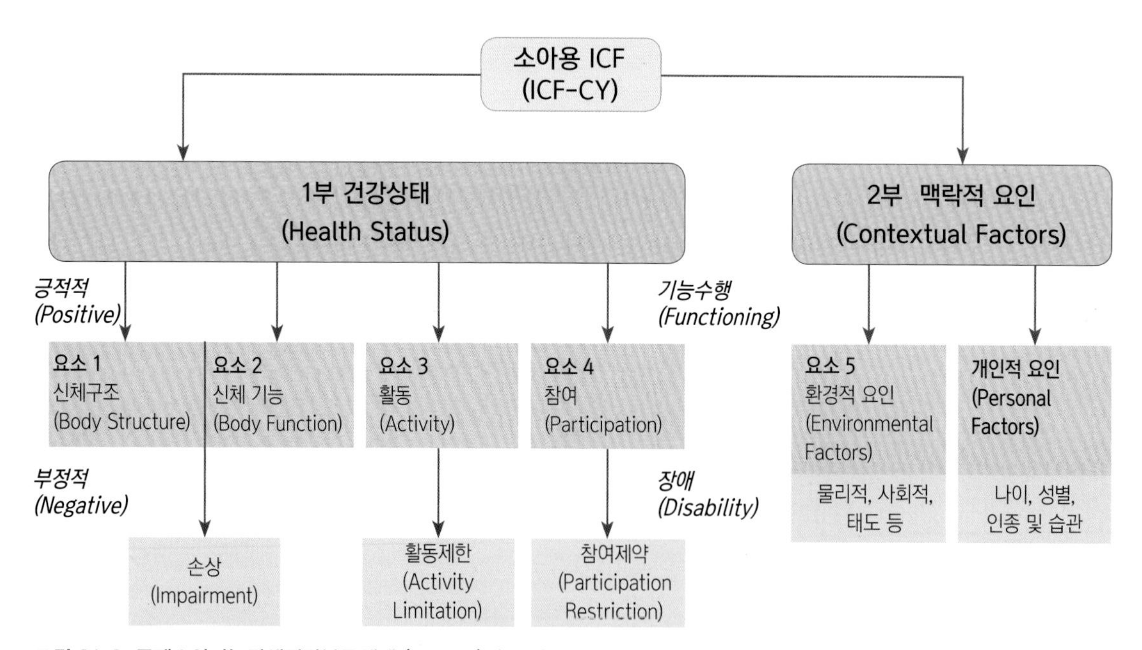

그림 31-3 국제소아기능장애건강분류체계 (ICF-CY)의 모식도

language)를 제공하며, 또한 진단중심의 논의에서 아동의 기능적 특성에 초점을 맞출 수 있게 해준다. 둘째, ICF-CY는 단순히 아동을 분류하는 것을 넘어서 아동들이 경험하고 있는 신체구조와 기능의 손상, 활동제한, 참여제약들을 분류하고 나아가 환경적인 방해요소와 촉진요소들에 관심을 갖기 때문이다. 셋째, 자폐증 등과 같이 특정 증상의 복합여부(DSM-IV)에 따라 진단을 내리는 병증의 경우, 복합된 증상의 차이, 정도, 합병증 유무에 따라 아동의 기능수행 정도가 차이를 보이는데, ICF-CY는 이런 아동의 진단을 넘어 아동의 기능손상의 중증도를 표현할 수 있으며, 이런 연유로 ICF-CY는 소아재활영역에 매우 적합한 분류체계이다. 넷째, 아동들의 성장에 따라서 맞춤형 치료나 처치를 계획하기 위한 기능적 토대를 제공해 준다. 즉 기능제한을 가지고 있는 아동에게는 가정이나 환경적인 요소들을 포함하는 치료나 적응 훈련 프로그램을 포함하는 포괄적인 중재 계획을 수립하는 틀을 제공해 준다. 다섯째, 처치 후의 평가(assessment)나 성과(outcome)를 추적할 수 있는 체계를 제공해 주며, 나아가 개인적인 독립성은 물론 사회적 융합 여부, 특수교육수행기능의 난이도를 서술할 수 있는 기본을 제공해 준다. 마지막으로 ICF-CY는 다학제적인 연구의 각종 변수들을 근거중심의 표준화된 개념적 틀로서 활용할 수 있기 때문이다.

IV. 우리나라의 장애정도 판정기준

장애인복지법은 장애인의 정의 및 장애인 범주를 규정하고 있으며 보건복지부는 동 법 시행규칙에 의해 장애정도판정기준을 고시로 제정하여 시행하고 있다. 장애인의 범주는 1981년 심신장애자복지법에서 처음 지체장애, 시각장애, 청각장애, 언어장애, 정신지체 5가지로 정의되었으며, 이후 장애 범주의 확대가 이루어져 2005년 7월부터 장애인복지법시행규칙 제2조에서는 15가지 유형의 장애로 확대되었다. 이 규칙은 장애를 신체적 장애와 정신적 장애로 분류하며, 신체적 장애는 외부 신체기능의 장애와 내부 신체기관의 장애로 나뉜다. 외부 신체기능장애에는 지체장애, 뇌병변장애, 시각장애, 청각장애, 언어장애, 안면장애가 있으며 내부 기관장애로는 신장장애, 심장장애, 간장애, 호흡기장애, 장루・요루장애, 뇌전증장애가 있다. 정신적 장애에는 발달장애로서 지적장애, 자폐성장애가 있으며, 정신장애가 따로 분류되어 있다(표 31-2). 심신장애자복지법에 의해 처음 장애인의 범주를 규정했을 때는 장애 정도를 6단계(1급-6급)로 분류하여 판정하였으나 2019년 7월 장애등급제 폐지 이후에는 장애 정도가 심한 장애인(심한 장애)과 장애 정도가 심하지 않은 장애인(심하지 않은 장애)으로 나누고 있다.[11, 12]

1. 장애진단서 발급기준

재활의학과 전문의에 의해 장애진단서 발급이 가능한 분야는 지체장애, 뇌병변장애, 언어장애, 지적장애 등이며 시각장애는 안과 전문의, 청각장애는 이비인후과 전문의, 자폐성장애는 소아정신건강의학과 전문의, 간질장애는 소아청소년과 전문의에 의해 발급하도록 규정하고 있다(표 31-3).

2. 유형별 장애판정 시기

장애진단을 하는 전문의는 원인 질환 등에 대하여 6개월 이상의 충분한 치료 후에도 장애가 고착되었음을 진단서, 소견서, 진료기록 등으로 확인하

표 31-2 장애인복지법시행규칙에 따른 장애인의 분류

대분류	중분류	소분류	세분류
신체적장애	외부 신체기능의 장애	지체장애	절단장애, 관절장애, 지체기능장애, 변형 등의 장애
		뇌병변장애	뇌의 손상으로 인한 복합적인 장애
		시각장애	시력장애, 시야결손장애
		청각장애	청력장애, 평형기능장애
		언어장애	언어장애, 음성장애, 구어장애
		안면장애	안면부의 추상, 함몰, 비후 등 변형으로 인한 장애
	내부기관의 장애	신장장애	투석치료 중이거나 신장을 이식받은 경우
		심장장애	일상생활이 현저히 제한되는 심장기능 장애
		간장애	일상생활이 현저히 제한되는 만성 중증의 간기능 이상
		호흡기장애	일상생활이 현저히 제한되는 만성 중증의 호흡기기능 이상
		장루·요루장애	일상생활이 현저히 제한되는 장루·요류
		뇌전증장애	일상생활이 현저히 제한되는 만성 중증의 뇌전증
정신적장애	발달장애	지적장애	지능 지수가 70 이하인 경우
		자폐성장애	소아청소년 자폐 등 자폐성 장애
	정신장애	정신장애	조현병, 조현정동장애, 양극성 정동장애, 재발성 우울장애

여야 하며, 필요시 환자에게 타 병원 진료기록 등을 제출하도록 요구할 수 있다. 또한 향후 장애정도의 변화가 예상되는 경우에는 반드시 재판정을 받도록 하여야 한다. 이 경우 재판정의 시기는 최초의 진단일로부터 2년 이상 경과한 후로 한다. 2년 이내에 장애상태의 변화가 예상될 때에는 장애의 진단을 유보하여야 한다.

소아청소년의 경우 뇌병변장애, 언어장애는 만 1세 이상부터, 자폐성장애는 만 2세 이상부터 판정 가능하다. 지체장애중 신체가 왜소한 사람(키가 작은 사람)에 대한 장애진단은 남성의 경우 만 18세부터, 여성의 경우 만 16세부터 가능하다.

또한 어릴 때 진단을 받은 뇌병변장애, 언어장애, 지적장애 및 자폐성장애 소아청소년은 성장발달에 따라 재판정을 해야 하는데, 만 6세 미만에서 장애판정을 받은 경우는 만 6세 이상~만 12세 미만 사이에 재판정을 하고, 만 6세 이상~만 12세 미만에 최초 장애 판정을 받은 경우는 만 12세 이상~만 18세 미만 사이에 재판정을 하여야 한다. 뇌전증장애의 경우는 만 18세 미만과 만 18세 이상의 판정 기준을 별도로 제시하여 발달에 따른 특성이 반영되도록 하였다.

3. 장애판정 기관

장애인등록제도의 객관성과 수용성을 향상시키고 장애인에 대한 서비스를 확대하기 위하여 장애등급심사방식 및 심사절차가 2011년 4월 1일부터 변경되어 병/의원에서 장애유형별 장애진단, 장애판정기준의 해석 및 장애등급부여 방식에서 병/의

표 31-3 장애유형별 장애진단 전문기관 및 전문의

장애유형	장애진단기관 및 전문의 등
지체장애	1. 절단장애: X-선 촬영시설이 있는 의료기관의 의사 2. 기타 지체장애: X-선 촬영시설 등 검사장비가 있는 의료기관의 재활의학과, 정형외과, 신경외과, 신경과 또는 내과(류마티스분과) 전문의
뇌병변 장애	- 의료기관의 재활의학과, 신경외과 또는 신경과 전문의
시각장애	- 시력 또는 시야결손정도의 측정이 가능한 의료기관의 안과 전문의
청각장애	- 방음부스가 있는 청력검사실, 청력검사장비가 있는 의료기관의 이비인후과 전문의
언어장애	1. 의료기관의 재활의학과 전문의 또는 언어재활사가 배치되어 있는 의료기관의 이비인후과, 정신건강의학과 또는 신경과 전문의 2. 음성장애는 언어재활사가 없는 의료기관의 이비인후과 전문의 포함 3. 의료기관의 치과(구강악안면외과), 치과 전속지도 전문의(구강악안면외과)
지적장애	- 의료기관의 정신건강의학과, 신경과 또는 재활의학과 전문의
정신장애	1. 장애진단 직전 1년 이상 지속적으로 진료한 정신건강의학과 전문의(다만, 지속적으로 진료를 받았다 함은 3개월 이상 약물치료가 중단되지 않았음을 의미한다.) 2. 1호에 해당하는 전문의가 없는 경우 장애진단 직전 3개월 이상 지속적으로 진료한 의료기관의 정신건강의학과 전문의가 진단할 수 있으나, 장애진단 직전 1년 이상의 지속적인 정신건강의학과 진료기록을 진단서 또는 소견서 등으로 확인하고 장애진단을 하여야 한다.
자폐성장애	- 의료기관의 정신건강의학과(소아정신건강의학과) 전문의
신장장애	1. 투석에 대한 장애진단은 장애인 등록 직전 3개월 이상 투석치료를 하고 있는 의료기관의 의사 2. 1호에 해당하는 의사가 없을 경우 장애진단 직전 1개월 이상 지속적으로 투석치료를 하고 있는 의료기관의 의사가 진단할 수 있으나 3개월 이상의 투석기록을 확인하여야 한다. 3. 신장이식의 장애진단은 신장이식을 시술하였거나 이식환자를 진료하는 의료기관의 외과 또는 내과 전문의
심장장애	1. 장애진단 직전 1년 이상 진료한 의료기관의 내과(순환기분과) - 소아청소년과 또는 흉부외과 전문의 2. 1호에 해당하는 전문의가 없는 경우 의료기관의 내과(순환기분과) - 소아청소년과 또는 흉부외과 전문의가 진단할 수 있으나 장애진단 직전 1년 이상 내과(순환기분과) - 소아청소년과 또는 흉부외과의 지속적인 진료기록 등을 확인하고 장애진단을 해야 한다.
호흡기장애	- 장애진단 직전 2개월 이상 진료한 의료기관의 내과(호흡기분과, 알레르기 분과) - 흉부외과, 소아청소년과, 결핵과 또는 직업환경의학과 전문의
간장애	- 장애진단 직전 2개월 이상 진료한 의료기관의 내과(소화기분과) - 외과 또는 소아청소년과 전문의
안면장애	1. 의료기관의 성형외과, 피부과 또는 외과(화상의 경우) 전문의 2. 의료기관의 치과(구강악안면외과), 치과 전속지도 전문의(구강악안면외과)
장루/요루장애	- 의료기관의 외과, 산부인과, 비뇨기과 또는 내과 전문의
뇌전증장애	- 장애진단 직전 6개월 이상 진료한 의료기관의 신경과, 신경외과, 정신건강의학과, 소아청소년과 전문의

원은 장애 상태에 대한 진단소견만 제시하고, 장애심사전문기관에서 장애진단서 및 의사 소견서를 토대로 장애판정기준의 해석, 장애등급부여 업무를 수행하기로 하였으며 장애심사전문기관으로는 국민연금공단 장애심사센터에서 수행하게 되었다.

4. 장애등급제의 변화

1988년부터 시행되었던 기존 1~6급, 즉 장애등급으로 분류하여 왔으나 2019년 7월부터 장애 정도에 따라 두 단계, 즉 중증(심한 장애), 경증(심하지 않은 장애)으로 바뀌었다. 그동안 복지카드의 장애등급이 의학적 기준에 따라 1~6급으로 구분되어 장애인 개인의 다양한 특성이나 생활형태 등을 반영하지 못한다는 점과 장애인을 등급에 따라 차별하여 왔다는 지적이 있었으며, 이를 보완하기 위해 정부는 기존 1~3급은 중증, 4~6급은 경증으로 재 분류하였다.[13] 과거에는 장애 1, 2급만 휠체어 리프트가 장착된 장애인 콜택시를 사용할 수 있었으나, 이제는 중증(심한 장애) 장애인은 모두 사용할 수 있으며, 건강보험 할인율도 중증 장애인 30%, 경증 장애인 20%로 바뀌었다. 기존에 복지카드를 발급받았던 장애인들이 장애인 등급 심사를 다시 받을 필요는 없다.

5. 유형별 장애분류

15개 유형의 장애 중 소아에서 특히 많이 진단되는 경우는 뇌병변장애, 언어장애, 지적장애, 자폐성장애 등이다.

1) 뇌병변장애: 심한 장애, 심하지 않은 장애

뇌병변 장애의 판정은 뇌성마비, 외상성 뇌손상, 소아뇌졸중 등 뇌의 기질적 병변으로 인한 경우에 한한다고 기술되어 있으나, 이밖에 스터지웨버증후군, 기타 선천성 뇌신경 발육부전 등으로 인한 뇌의 기질적 병변이 확인된 경우에는 뇌병변장애에 속한다고 할 수 있다. 장애의 진단은 주된 증상인 마비의 정도 및 범위, 불수의 운동의 유무 등에 따른 팔·다리의 기능저하로 인한 앉기, 서기, 걷기 등의 이동능력과 일상생활 활동(동작)의 수행능력을 기초로 전체 기능장애 정도를 판정한다. 그리고 뇌의 기질적 병변으로 시각·청각 또는 언어상의 기능장애나 정신 지체에 준한 지능 저하 등이 동반된 경우는 중복장애 합산 인정기준에 따라 판정한다. 소아청소년의 경우는 만 1세 이상의 연령부터 장애판정이 가능하며 판정 시기는 해당 의사의 판단에 따라 결정하면 된다. 뇌병변은 여러 가지 영상촬영검사로 확인되고, 신경학적 결손 부위와 검사소견이 서로 일치하여야 하지만, 소아뇌성마비의 경우는 임상적 증상을 우선으로 한다.

2) 언어장애: 심한 장애, 심하지 않은 장애

음성장애는 단순한 음성장애, 발음(조음)장애 및 유창성장애(말더듬)을 포함하는 구어장애를 포함하며, 언어장애는 언어중추손상으로 인한 실어증과 발달기에 나타나는 발달성 언어장애를 포함한다. 말더듬, 조음 및 언어 장애는 객관적인 검사를 통하여 진단한다. 1) 유창성 장애(말더듬)는 말더듬 심도 검사, 2) 조음장애는 그림자음검사, 3위치 조음검사, 한국어 발음검사, 3) 언어능력은 그림어휘력검사, 취학 전 아동의 수용언어 및 표현언어발달척도(PRES), 영유아 언어발달검사(SELSI), 문장이해력검사, 언어이해·인지력검사, 언어문제해결력 검사, 한국-노스웨스턴 구문선별검사 등을 실시하여 평가한다.

3) 지적장애: 심한 장애

장애의 원인 질환 등에 관하여 충분히 치료하여 장애가 고착되었을 때에 진단하며, 그 기준 시기는 원인 질환 또는 부상 등의 발생 후 또는 수술 후 6개월 이상 지속적으로 치료한 후로 한다. 발달단계에 있는 아동의 경우에 지적장애의 원인이 명확하지 아니하여 측정한 지능지수가 앞으로 변화될 가능성이 있는 경우에는 판정시기를 연기하거나 아니면 재판정을 실시하여야 한다. 지적장애는 웩슬러 지능검사 등 개인용 지능검사를 실시하여 얻은 지능지수(IQ)와 사회성숙도 검사 등에 따라 판정하는데 지능지수는 언어성 지능지수와 동작성 지능지수를 종합한 전체 검사 지능지수를 말한다. 지적장애를 초래하는 원인 질환을 갖고 있는 유아의 경우 너무 어려서 상기의 어러 검사가 불가능할 경우 발달검사를 시행하여 산출된 발달지수를 지능지수와 동일하게 취급하여 판정한다.

4) 자폐성 장애: 심한 장애

자폐성 장애는 정신과 전문의에 의해 장애등급을 실시하게 되어 있다. 자폐성 장애의 장애등급 판정은 (1) 자폐성장애의 진단명에 대한 확인 (2) 자폐성장애의 상태(impairment) 확인 (3) 자폐성장애로 인한 정신적 능력 장애(disability) 상태의 확인 (4) 자폐성 정도의 종합적인 진단의 순으로 이루어진다.

6. 중복장애의 합산

같은 등급이 두 개 이상의 중복장애가 있는 경우 1등 위의 등급으로 한다. 서로 다른 등급에 둘 이상의 중복장애가 있는 경우는 의료기관의 전문의가 장애의 정도를 고려하여 보건복지부장관이 정하는 바에 따라 주된 장애등급보다 1등급 위의 등급으로 조정할 수 있다. 그러나 다음의 경우에는 위 내용에도 불구하고 합산 판정할 수 없다. (1) 동일부위의 지체장애와 뇌병변장애, [뇌병변장애(포괄적평가)와 지체장애(개별적 평가)가 중복된 경우에는 뇌병변장애 판정기준에 따라 장애정도를 판정한다. 다만, 지체장애의 정도가 더 심하며, 뇌병변장애가 경미한 경우는 지체장애로 판정할 수 있다.], (2) 지적장애와 자폐성장애, (3) 지적장애, 자폐성장애, 정신장애와 그에 따른 증상의 일환으로 나타나는 언어장애, (4) 장애부위가 동일한 경우[눈과 귀는 좌 · 우 두 개이나 하나의 기능을 이루는 대칭성 기관의 특징이 있으므로 동일부위로 본다. 팔과 다리는 좌 · 우를 각각 별개의 부위로 보나 같은 팔의 상지 3대 관절과 손가락관절 및 같은 다리의 하지 3대 관절과 발가락 관절은 동일 부위로 본다.][12]

7. 보행상 장애

보행상 장애인이란 도로 교통을 하는데 있어 걷기 및 이동능력이 저하된 사람으로 다리(또는 팔)나 척추 부위의 장애로 인하여 보행에 제한이 있는 사람, 시각 및 평형기능에 장애가 있어 보행에 제한이 있는 사람, 정신 및 인지 행동장애로 도로 교통을 이용할 때 타인의 지속적인 보호 관찰이 필요한 사람, 내부기관의 장애로 인하여 보행에 현저한 제한이 있는 사람 등을 대상으로 한다(표 31-4). 보행상 장애 판정은 도로 교통을 이용하는데 있어 편의 지원을 목적으로 한다. 보행상 장애의 판정 개요 등은 장애유형별 판정기준에 의거한다.

표 31-4 보행상 장애 표준 기준표

<table>
<tr><th>구분</th><th colspan="2">장애 유형</th><th>중증(심한) 장애</th><th>경증(심하지 않은) 장애</th></tr>
<tr><td rowspan="21">신체적장애</td><td rowspan="8">지체장애</td><td>상지 절단</td><td>△</td><td></td></tr>
<tr><td>하지 절단</td><td>○</td><td>△</td></tr>
<tr><td>상지 관절</td><td>△</td><td></td></tr>
<tr><td>하지 관절</td><td>○</td><td>△</td></tr>
<tr><td>상지 기능</td><td>△</td><td></td></tr>
<tr><td>하지 기능</td><td colspan="2">○</td></tr>
<tr><td>척추 장애</td><td>○</td><td>△</td></tr>
<tr><td>변형 장애</td><td></td><td>△</td></tr>
<tr><td colspan="2">뇌병변장애</td><td>○</td><td>△</td></tr>
<tr><td colspan="2">시각장애</td><td>○</td><td>△</td></tr>
<tr><td rowspan="2">청각장애</td><td>청력</td><td></td><td></td></tr>
<tr><td>평형</td><td colspan="2">○</td></tr>
<tr><td colspan="2">언어장애</td><td></td><td></td></tr>
<tr><td colspan="2">신장장애</td><td>○</td><td></td></tr>
<tr><td colspan="2">심장장애</td><td>△</td><td></td></tr>
<tr><td colspan="2">호흡기장애</td><td>△</td><td></td></tr>
<tr><td colspan="2">간장애</td><td>△</td><td></td></tr>
<tr><td colspan="2">안면장애</td><td></td><td></td></tr>
<tr><td colspan="2">장루, 요루장애</td><td>△</td><td></td></tr>
<tr><td colspan="2">뇌전증장애</td><td></td><td></td></tr>
<tr><td rowspan="3">정신적장애</td><td colspan="2">지적장애</td><td>△</td><td></td></tr>
<tr><td colspan="2">자폐성장애</td><td>△</td><td></td></tr>
<tr><td colspan="2">정신장애</td><td>△</td><td></td></tr>
</table>

〈보행상 장애 표준 기준표〉에 해당 'ㅇ'인 경우 당연히 보행상 장애를 인정하되, '△'로 표시된 경우는 보행상 장애 판정기준에 따라 판정한다.

▶ 참고문헌

1. The Developmental Disabilities Assistance and Bill of Rights Act of 2000; Sec. 102. Definitions [42 USC 15002], http://www.acl.gov/Programs/AIDD/DDA_BOR_ACT_2000/p2_tI_subtitleA.aspx.
2. Disability evaluation under social security. Social security administration, Office of Disability, SSA Pub. No 64-039,1999.
3. http://uscode.house.gov/download/pls/42C144.txt,
4. Bélanger SA, Caron J; Canadian Paediatric Society, Mental Health and Developmental Disabilities Committee. Evaluation of the child with global developmental delay and intellectual disability. Paediatr Child Health 2018; 23: 403–410.
5. https://www.nichd.nih.gov/health/topics/idds/conditioninfo/default.
6. Angela NA, Roger JS, Mary M, Philip M. Social inclusion and community participation of individuals with intellectual/developmental disabilities. Intellect Dev Disabil. 2013; 51: 360-375.
7. Buñuales MTJ , Diego PG, Moreno JMM. International classification of functioning, disability and health (ICF) 2001. Rev Esp Salud Publica. 2002; 76:271-279.
8. Schuntermann MF. International Classification of Impairments, Disabilities and Handicaps ICIDH--results and problems. Rehabilitation 1996; 35: 6-13.
9. Simeonsson RJ, ICF-CY: A Universal Tool for Documentation of Disability. Journal of Policy and Practice in Intellectual Disabilities. 2009; 6: 70-72.
10. Mweshi MM. Use of the International Classification of Functioning, Disability and Health – Children and Youth (ICF-CY) in the Management of Children with Disabilities. International Journal of Neurologic Physical Therapy. 2016; 2: 5-11.
11. 보건복지부: 장애인복지법 시행규칙, 장애정도 판정기준, 2020 장애정도판정기준 (보건복지부 고시 제2020-59호) (www.mw.go.kr).
12. 2020 장애등록심사 규정집, 보건복지부.
13. 장애인복지법 시행령 및 시행규칙 개정, 제2조, 제31조, 별표2, 2019.

찾아보기

INDEX

ㄱ

가로성 척수염 ······ 587
가성 연골 무형성증 ······ 712
가성비대 ······ 533, 537
가위변형 ······ 257
가족력 ······ 665
각성 집중력 ······ 326
각성시의 전신성 강직간대발작 뇌전증 ······ 750
각인 ······ 624
각인센터 결함 ······ 626
각인질환 ······ 174
간대성 근경련증 ······ 38
간접 열량계 ······ 230
간질 ······ 737
간헐적 도뇨 ······ 269
간헐적 청결 도뇨법 ······ 269
갈고리 쥐기 ······ 365
갈란트 반사 ······ 39
갈퀴족 ······ 581
감각 발달 ······ 26
감각 프로파일 ······ 361
감각레벨 ······ 567
감각신경 ······ 206
감각통합 ······ 359, 372
감각통합 및 실행검사 ······ 361
감각통합치료 ······ 348
감각평가 ······ 565
감수분열 ······ 165
감염성 뇌염 ······ 610
강도장애 ······ 294
강제폐활량 ······ 538, 552, 553, 554, 555
강직성 척추염 ······ 699
개구리 호흡법 ······ 554
개구리자세 ······ 530, 531
개방고리모형 ······ 344
개방성 척추유합부전 ······ 101
개인적 요인 ······ 798
거고근반사 ······ 46
거대세포바이러스 ······ 472

거대세포봉입체 질환 ………… 654
거울뉴런시스템………… 656
건 연장술 ………… 510
건 이전술 ………… 510
건 절제술 ………… 510
건강상태………… 798
건강의 국제적 분류 ………… 358
건반사………… 530, 531, 532
건선 관절염 ………… 716
격막-안 이형성증 ………… 79
견인 반응 ………… 201
결손………… 170
결장………… 272
결장결장반사………… 272
결장창냄술………… 279
결절성 경화증 ………… 87, 654
결정적 시기 ………… 495
경계구역………… 468
경골 길이 ………… 227, 228
경골근 건의 분리 이전술 ………… 516
경골근의 근육내 건 연장술 ………… 516
경골의 과상부회전 절골술 ………… 516
경골의 염전 변형 ………… 516
경두개 자기장 자극 ………… 412
경두개 전기자극 ………… 412, 413
경련………… 649
경막내 지방종 ………… 101
경막동맥………… 469
경미한 기형 ………… 160
경직………… 34, 189, 197
경추부 척추관 협착증 ………… 775
경축………… 35, 197
경한 신경학적 증후 ………… 676
경한 신체 이상 ………… 674, 676
경흉요천추 보조기 ………… 444
계획된 상징행동 ………… 381
고관절 변형 ………… 491
고관절 보조기 ………… 431
고관절 스파이커 석고 붕대 ………… 518
고관절 아탈구 ………… 491, 572
고관절 연결 장하지 보조기 ………… 584
고관절 이형성 ………… 692, 775
고관절이동지수………… 492
고리염색체………… 171
고빈도 흉벽 진동 ………… 555
고삼투압성………… 275
고위슬개골………… 256
고위험 영유아 ………… 369
고유감각수용성 신경근육촉진법 ………… 347
고유감각신경근육 촉진법 ………… 498
골 연령 ………… 116
골간………… 688
골간단………… 688
골간단 연골 이형성증 ………… 712
골교………… 133
골다공증………… 491, 506, 548, 551, 552, 558, 713, 762, 774
골단………… 688
골단판………… 688
골던반사………… 47
골반 방사선 촬영을 통한 전위지수 ………… 492
골반 벨트 ………… 450
골볼………… 784
골분절………… 685
골수 전환 ………… 121
골육종………… 724, 729, 730

골절 774
골형성부전증 711
공 쥐기 365
공간 구역성 329
공간 집중력 330
공기누적운동 553, 554
공뇌증 469, 472
공동주의 282
공존장애 664
공쥐기 365
과부하의 원리 342
과잉불안장애 674
과잉행동 668, 670
과잉행동장애 668
관절 고정술 510
관절 모멘트 250
관절 일률 250
관절낭 봉합술 510
관절낭 절개술 510
광섬유 내시경 연하검사법 225
교과과정중심평가 360
교뇌-소뇌 형성저하증 86
교수 집중력결핍과다행동이상 평가척도 60
교정연령 18
구강 감각 237
구강 자극 치료 234
구강 준비기 216
구강기 216
구개열 222, 393
구개인두기능부전 636
구루병 714
구문 285
구문론 309
구문의미 이해력검사 309
구속유도운동치료 348
구속치료 502, 503
구아닌 164
구아확신 677
구축 606
구해면체 반사 144
국소 손상 592
국소적 비정상 신호변화 89
국소적/다초점 허혈성 뇌괴사 467
국제기능장애건강분류체계 797
국제뇌성마비협회 784
국제소아건강기능장애분류체계 798
국제손상장애핸디캡분류 797
국제시각장애인 경기연맹 784
국제장애인올림픽위원회 785
규칙을 준수하는 행동 675
그리젤 증후군 692
그림교환 의사소통 체계 391
그림어휘력검사 311
그림자음검사 307
근 이전술 510
근 후전술 510
근간대 소발작 뇌전증 747
근간대성 무정위성 뇌전증 746
근감소증 763, 770, 775
근거 중심 전략 378
근거 중심의 임상 7
근골격계 변형 491, 762
근긴장도 34
근긴장성 근디스트로피 153, 535, 536, 539, 540, 542, 543, 556, 557
근긴장성 전위 153

근긴장이상증 35, 197, 476, 506
근긴장저하 35, 529, 530, 531, 532, 543, 547, 556
근긴장증 533
근긴장항진 34
근긴장항진증 197
근디스트로피 445, 536, 540, 698
근력강화 운동 499
근막 연장술 510
근무력 증후군 156
근섬유다발수축 532
근위 발달 구역 377
근위약 540
근육 생검 536
근육 절제술 510
근육긴장퇴행위축증 173
근육-눈-뇌병 82
근육병 152
근육병증성 보행 534, 537, 539, 547
근절 685
근접발달영역 356
글라스고우 혼수 계수 592
글루타민산염 467
글리코피롤레이트 238
급성 골수성 백혈병 727
급성 림프구성 백혈병 725
급성 염증성 탈수초 다발성 신경병증 544
급성 일과성 활액막염 131, 704
급성 파종성 뇌척수염 587
급성 횡단성 척수염 103
급성파종뇌척수염 101
기관형성 685
기능 358
기능소실 168
기능수행 798
기능적 언어치료 378
기능적 전기자극법 501
기능적자기공명영상 105
기능평가 53
기능획득 169
기도흡인 225
기립기 442, 585
기립성 저혈압 572
기억 흔적 343
기울어진 고관절 492
기초대사량 230
기침유발기 554, 555
긴장성 미로반사 40, 474
길랑 바레 증후군 103, 154, 544
김사 분염법 162
꼬임 움직임 56
꽉쥐기 근긴장증 543

ㄴ

나비척추 698
나비형척추 124
난독증 668
난자 167
난조세포 167
남용의 위험성 678
납 뇌변경증 654
내반슬 690, 708
내반첨족 492, 580
내배엽 685
내성 678
내전근건 절단술 511

내족지변형 ······ 251
내측 항문괄약근 ······ 271
노던블롯팅 ······ 165
노화 ······ 773
놀이 ······ 401
놀이 발달 모형 ······ 381
놀이 의자 ······ 452
놓기 ······ 362, 367
뇌 발달 ······ 11
뇌 형성 ······ 13
뇌가소성 ······ 14, 398, 598
뇌갈림증 ······ 82
뇌구멍증 ······ 83
뇌량 무형성 ······ 84
뇌량 형성부전 ······ 576
뇌량의 형성이상 ······ 84
뇌막염 ······ 654
뇌성마비 ······ 5, 296, 370, 381, 446, 465, 471, 476, 481, 488, 494, 495, 520, 654, 698, 773, 786
뇌성마비 데이터베이스 ······ 6
뇌신경의 진찰 ······ 43
뇌실막밑 ······ 470
뇌실막밑 거대세포 별아교세포종 ······ 87
뇌실주위 회색질 이소증 ······ 77
뇌실주위백질연화증 ······ 467, 468
뇌심부자극술 ······ 205
뇌염 ······ 655
뇌이랑없음증 ······ 81
뇌전증 ······ 297, 488, 737
뇌전증발작의 분류 ······ 737
뇌전증수술 ······ 756
뇌전증의 치료 ······ 750
뇌전증증후군 ······ 739, 741
뇌졸중 ······ 381
뇌종양 ······ 724, 728
뇌질환 ······ 654
뇌척수액 배액술 ······ 613
뇌피질척수로 ······ 109
뉴클레오솜 ······ 164
뉴클레오티드 ······ 164
능동적 의수 ······ 455

ㄷ

다발성 경화증 ······ 587
다발성 골단 이형성증 ······ 712
다발성 낭종성 뇌연화증 ······ 469
다배수체 ······ 169
다상성 운동단위 활동전위 ······ 152
다소뇌회증 ······ 82, 472
다수관절형 ······ 716
다운증후군 ······ 161, 301, 324, 411, 619, 663
다이옥틸설포산나트륨 ······ 274
다중결찰의존프로브증폭 ······ 536, 547
다지증 ······ 702, 710
단기시각기억수행 ······ 673
단섬유근전도 ······ 156
단순수막류 ······ 101
단순언어장애 ······ 292, 298, 300, 303
단염색체증 ······ 169
단일 상징 행동 ······ 381
단일 신경학적 손상레벨 ······ 567
단일염기다형성 어레이 ······ 175
단일유전자질환 ······ 171
단하지 보조기 ······ 434, 548, 550, 583
담화 ······ 285

대근육운동 20, 53
대근육운동 기능 분류 체계 66, 484
대근육운동 기능평가법 69
대근육운동 발달 20, 673
대기침유량 555
대뇌 자극 증후군 597
대뇌피질 발달기형 80
대근육운동 기능분류체계 66, 360
대동작기능평가 69
대두증 17
대리석양상태 468
대변 연하제 275
대사성 질환 774
대상 영속성 23
대식세포활성증후군 715
대장 271
대장 약제 275
대장통과시간측정법 274
대칭성 긴장성 목반사 40
대퇴 족부각 690
대퇴 직근 이전술 515
대퇴골 전경 491
대퇴골 전경증 707
대퇴골두 피복지수 129
대퇴골두골단분리증 131
대학진학률 522
대한장애인체육회 790, 791
대행자 놀이 381
대후두공 711
댄디-워커 기형 85
댄스스포츠 784
데옥시리보오스 164
데제린-소타스병 545
데플림픽 786
덴버발달선별검사 54, 58, 360
도구적 일상생활동작 355
도뇨 776
도약보행 256
도큐세이트 274
도파-반응성 근긴장이상 494
독립적인 생활 522
돌연변이원 172
동 효과 678
동공 44
동공성 백질 손상 94
동기화된 경련 움직임 56
동명성운동 44
동안신경 44
동원체 162
동적 근전도 249, 250
동적 단하지 보조기 435
두기 반응 40
두위 15
뒤쉔 근디스트로피 533, 535, 537, 538, 539, 540, 548, 549, 550, 551, 552, 553, 555, 556, 557, 558, 560
뒤축 라커 247
뒤축 접지 243
등속성 342
등완염색체 171
등장성 342
등척성 342
디스트로핀 535, 537, 538, 540, 556, 558
디스트로핀병증 539, 547, 558
디스페린 541, 542
딤플 102

ㄹ

라커 작용 ········ 246
랩 쟁반 ········ 452
레그-깔베-페데스 병 ········ 704
레트증후군 ········ 647
레퍼토리 부족 ········ 56
로벗소니안 전좌 ········ 170
론볼 ········ 784
류마티스성 관절염 ········ 715
리보좀 ········ 164
리증후군 ········ 98
리클라이닝 휠체어 ········ 447
린네검사 ········ 45

ㅁ

마그네슘 ········ 275
마비말장애 ········ 392
마시기를 보조하기 위한 도구 ········ 431
마음이론 ········ 656
마이크로바이옴 ········ 415, 416
마판증후군 ········ 713
막내 골화 ········ 115
만곡족 ········ 580
말 ········ 291
말기유각기 ········ 245, 248
말기입각기 ········ 244, 248
말더듬 ········ 293, 298
말더듬 인터뷰 ········ 312
말더듬의 심한 정도 평가 ········ 312
말명료도 ········ 301
말생성기 ········ 384
망울해면체근반사 ········ 273
맥락적 요인 ········ 798
머리 받침 ········ 449
먹기와 마시기 기능 분류 시스템 ········ 484
메이스너신경얼기 ········ 272
메칠페니데이트 ········ 677, 678
멘델성 ········ 172
모국어 ········ 286
모노카르복실레이트 ········ 476
모로 반사 ········ 39
모자이크현상 ········ 623
목욕 의자 ········ 452
몰딩형 장치 ········ 448
무뇌수두증 ········ 90, 469, 472
무도증 ········ 37
무력성장폐색증 ········ 272
무릎 높이 ········ 227, 228
무릎 보조기 ········ 433
무엽성 전전뇌증 ········ 79
무증상 흡인 ········ 223
무지외반증 ········ 492
문장이해력검사 ········ 309
물조작능력 분류체계 ········ 360
미국정신지체협회 ········ 662
미나마따병 ········ 473
미디어 노출과 인지발달 ········ 419
미만성 축삭 손상 ········ 592
미세 움직임 ········ 56
미세두뇌기능장애 ········ 668
미세두뇌손상 ········ 668
미세아교세포 ········ 467
미숙아 뇌 손상 ········ 92
미숙아 뇌출혈 ········ 92

미숙아 백질 손상 ········· 94
미주신경 자극요법 ········· 758
미측퇴행증후군 ········· 101, 103
밀겨 ········· 274
밀폐 기포 T폼 ········· 448

ㅂ

바빈스키반사 ········· 47
바이랜드 적응행동척도 ········· 323
바이킹 언어척도 ········· 484
반 높이 단하지 보조기 ········· 437
반사 배뇨 ········· 263, 265
반사성 신경인성 장 ········· 278
반수체 ········· 165
반엽성 전전뇌증 ········· 79
반척추 ········· 122, 698
반척추뼈 ········· 692
반항장애 ········· 674
반향언어증 ········· 281
발 떼기 ········· 244
발 보조기 ········· 439
발달 ········· 18, 19
발달검사 ········· 54
발달력 ········· 658
발달성 뇌전증성 뇌증 ········· 742
발달성 말실행증 ········· 381
발달성 언어장애 ········· 292
발달성 읽기 장애 ········· 286
발달성 고관절이형성증 ········· 128
발달성 고관절 탈구 ········· 691
발달성협응장애 ········· 372
발달장애 ········· 55, 306, 416, 796
발달적 적응 ········· 355
발달지수 ········· 18
발달지연 ········· 18, 19, 55, 371, 532
발달지표 ········· 19, 20, 32
발달진단검사 ········· 54
발달평가 ········· 53, 316
발달협응장애 ········· 364
발뒤꿈치밀기 ········· 251
발들림 ········· 246, 251
발보조기 ········· 442
발살바조작 ········· 272
발의 파악반사 ········· 39
발작 ········· 737
발판 ········· 451
방광 결석 ········· 270
방광 유순도 ········· 267
방광 종양 ········· 270
방광 최대용적 ········· 569
방광근-외요도괄약근 부조화 ········· 267
방광요관역류 ········· 267
방광확대술 ········· 270
방사선핵종 타액검사 ········· 504
방추사 ········· 161
배뇨 훈련 ········· 265
배뇨관리 ········· 776
배뇨근-괄약근 부조화 ········· 269
배뇨일지 ········· 266
배뇨장애 ········· 263 489
배뇨지연행동 ········· 266
배변 ········· 271
배변관리 ········· 776
배변장애 ········· 271
배변훈련 ········· 273, 276

배선세포 161
배아기 685
배아기질-뇌실 내 출혈 467
배열비교유전체보합 175
배측 회로 329
백질연화증 94
백혈병 725
베일리영유아발달검사 61, 360
베커 근디스트로피 533, 537, 539, 557
벤더게슈탈트검사 63
변기 의자 452
변비 505
변실금 776
별아교세포종 88
병행말 377
보상기전인 260
보상적 접근 359
보속증 303
보스턴 보조기 444
보완대체 의사소통 379, 381, 453
보이타 42, 347, 498, 499
보장 249
보조 기침 549, 555
보조기 427
보치아 784
보툴리눔 독소 주사 196, 238, 269, 505
보폭 249
보행 22
보행 반사 39, 243
보행 보조 로봇 457
보행 실조증 648
보행상 장애 803
보행속도 249
보행의 가능성과 경과 520
보행주기 244
보행훈련 500
보호반사 272
보호반응 43, 475
복벽반사 46
복사상 보조기 439, 583
복사하 보조기 439
복압배뇨 266
복외측전전두엽 656
복측 회로 329
부모 60
부모 교육 398, 403, 495
부모 작성형 유아 모니터링 체계 58
부분보존구역 568
부분체중부하 트레드밀 훈련 500
부착부염 연관 관절염 716
부하반응기 243, 244, 246
분속수 249
분열뇌증 472
분자 유전학적 검사 666
불수의운동 38
불안장애 674
브리스톨 대변차트 570
비낭성백질병변 476
비대칭 성장판 성장 억제술 514
비대칭성 긴장성 목반사 40, 474
비디오투시연하조영검사 224, 504, 543
비상동재조합 166
비정상적인 행동패턴 657
비침습적 인공호흡기 554, 560
비타민 C 결핍증 713
비타민 D 551, 553, 556, 559

비타민A 과다증 ······ 713
비호지킨림프종 ······ 727
빈뇨 ······ 266
빌리루빈뇌증 ······ 470
빌리루빈산 ······ 471
빨기 ······ 219, 235
뻗기 ······ 362, 366
뻗정다리 보행 ······ 252
뼈의 과성장 ······ 457

ㅅ

사경 ······ 691
사립체 근육병증 ······ 533
사물조작능력 분류체계 ······ 69
사배수체 ······ 170
사지구제술 ······ 729
사회 참여 ······ 369
사회/정서발달 ······ 53
사회기술훈련 ······ 681
사회문화적 이론 ······ 356
사회성 감정 ······ 20
사회성 발달 ······ 24 653
사회성숙도검사 ······ 32, 63, 306
사회적 뇌 ······ 655
사회참여 ······ 765
산화효소 ······ 340
살코글리칸 ······ 540, 541, 542
살코글리칸병증 ······ 542
삶의 질 ······ 766
삼배수체 ······ 170
삼염색체증 ······ 169, 170
삼차신경 ······ 44
삼킴치료 ······ 504
삼환계항우울제 ······ 677
상동염색체 ······ 161
상동재조합 ······ 165
상동적 분절 ······ 165
상동행동 ······ 647
상반 보행보조기 ······ 585
상사근 마비 ······ 692
상염색체 ······ 161
상염색체 우성 Opitz G/BBB 증후군 ······ 632
상완신경총 손상 ······ 154, 700
상지 보조기 ······ 428
상지 의지 ······ 455
상지 의지 착용 시기 ······ 456
상지기능 수준검사 ······ 360
상징 ······ 384
상징행동 조합 ······ 381
상호전좌 ······ 170
상황이야기 ······ 391
생거염기서열법 ······ 165, 179
생애주기 ······ 341
생존율 ······ 521
생태심리학 ······ 344
샤독반사 ······ 47
샤르코-마리-투스 신경병증 ······ 544
서던블롯팅 ······ 165
서술 기억 ······ 332
서울장애인아시아경기대회 ······ 785
서울장애인올림픽대회 ······ 785
서울패럴림픽 ······ 785
서파수면시 지속적인 극-서파를 보이는 뇌전증 ······ 749
서화감각 ······ 48

석고고정 및 부목 ······ 193
석고붕대법 ······ 502
섞임증 ······ 167
선단 염색체 ······ 162
선천다발관절굽음증 ······ 530
선천성 감염 ······ 99
선천성 근긴장증 ······ 533
선천성 근디스토피 ······ 152
선천성 근무력증후군 ······ 533, 543
선천성 근육병 ······ 152
선천성 근육성 사경 ······ 691
선천성 근이영양증 ······ 82
선천성 기형 ······ 163
선천성 다발성 관절구축증 ······ 714
선천성 만곡족 ······ 705
선천성 상위 견갑골 ······ 700
선천성 상하지 결손 ······ 454
선천성 수직 거골 ······ 706
선천성 요골 결손 ······ 701
선천성 요골 곤봉수 ······ 701
선천성 요골두 탈구 ······ 702
선천성 요척골 골 결합 ······ 701
선천성 저수초성 신경병증 ······ 533, 545
선천성 종외반족 ······ 705
선천성 중족골 내전 ······ 706
선천성 척골 결손 ······ 701
선천성 풍진 ······ 654
선천성 피부동 ······ 77, 101
선천성근육병 ······ 698
선천성기형 ······ 160
선택 집중력 ······ 326
선택적 신경원 괴사 ······ 467
선택적 후근 절제술 ······ 150, 256, 517, 519
선형 장치 ······ 448
선회보행기 ······ 442
설구착증 ······ 305
설상척추 ······ 122, 698
설소대 단축 ······ 293
설하신경 ······ 46
섬유속자발수축 ······ 531, 533
섭식의자 ······ 447, 452
성과중심 ······ 54
성상세포 ······ 467
성염색체 ······ 161
성염색체열성 부신 백질이영양증 ······ 97
성인기 ······ 341
성장 ······ 15, 457
성장 곡선 ······ 226
성장 부전 ······ 17
성장 지연 ······ 678
성장저하 ······ 226
성장판 ······ 116, 118
성장판 골절 ······ 133
성장판 손상 ······ 133
세 손가락 쥐기 ······ 365, 366
세계농아인체육대회 ······ 784
세균성 뇌수막염 ······ 100
세뇨 ······ 266
세포 분열 중기 ······ 161
세포유전학검사 ······ 163
센나 ······ 274
션트술 ······ 613
소-관장 ······ 275
소근육운동 ······ 20, 53
소근육운동 발달 ······ 23
소뇌성 함구증 ······ 730

소두증 17, 79
소수관절형 715
소아기 류마티스관절염 128
소아기 소발작 뇌전증 747
소아기 실어증 297
소아기 특발성 관절염 715
소아기능평가 54
소아류마티스관절염 699
소아마비 5
소아발달 53
소아발달평가 56
소아암 723, 724
소아용 기능적 독립성측정 64
소아의 인지 발달 661
소아의 하지 의지(의족) 457
소아장애 795
소아장애평가목록 65
소아재활 연구모임 6
소아재활발달의학회 6
소아재활연구회 6
소아재활의학 3
소아재활의학의 역사 6
소아청소년의 삶의 질 측정도구 66
손 기능 366
손 안에서의 조작 362, 366, 367
손가락 끝 쥐기 365
손가락 보조기 430
손가락끝 쥐기 366
손기능 분류 체계 484
손등 보조기 429
손목-손 보조기 429, 504
손바닥 보조기 429
손바닥쥠 반사 474
손상 798
손상중심 54
손의 파악반사 39
쇄골 두개 이형성증 701
수동휠체어 447
수두증 578, 612
수두증발작 728
수면과 인지 419
수면장애 491, 505, 650
수부 안정 보조기 430
수소뇌성조화운동못함증 173
수술 중 전기생리학적 모니터링 148
수신증 270
수용 · 표현 어휘력검사 311
수용어휘 303
수정된 억제유도운동치료 371
수지배변제거법 278
수초화 17, ,77, 468
수행 기억 332
순목 반사 144
스터지-웨버 증후군 88
슬개골 이상 고위 514, 775
슬관절의 강직 변형 515
슬와 각도 514, 690
승마치료 349, 506
시각 26, 673
시각경로의 신경교종 89
시각-운동 발달검사 63
시각운동통합기능 63
시각유발전위 148
시각장애 373, 488
시공간 지표 249
시냅스 14

시상 329, 467
시상 주위 대뇌 손상 467, 468
시선추적장치 453
시신경 43
시지각 기능 329
시지각 능력검사 360
시지각 발달 검사 360
시토신 164
식도기 217
식염수 관장 276
식염수 완하제 275
식욕과다 625
식이요법 274, 757
식이훈련 231, 232
신경 반복 자극 검사 143
신경가소성 356
신경관 12, 13
신경관 형성 685
신경근 발인 손상 155
신경근육 전기자극 353, 501
신경근육질환 445
신경근접합부 질환 543
신경기원판 102
신경능선 685
신경발달치료 345, 359, 498
신경섬유종증 제1형 89
신경아교증 470
신경영상학적 검사 476
신경원이동질환 472
신경인성 방광 263, 266, 568
신경인성 장 271, 570
신경전달물질 409, 656
신경전도검사 139
신경절제술 205
신경조절 411
신경조절치료 278
신경차단 155
신경피부증 87
신경학적 진찰 33
신생아 구강운동 평가척도 70
신생아집중치료실 369
신장 15
신장운동 500
신체계측 227
신체기능 & 구조 797
실행 기능 333
심건반사 46
심리적 섭식 거부 239
심적 회전 330
쌍생아 472
쓰기 366, 367

ㅇ

아데닌 164
아델리슈트 349, 506
아동 중심 접근법 377
아동균형척도 70
아동용 기능독립성평가 361
아동용웩슬러지능검사 323
아동장애평가척도 361
아우어바흐신경얼기 272
아중부 염색체 162
악성 고열증 531, 533, 552
악성 림프종 727
안구운동 44

안구진탕 44
안면견갑상완 근디스트로피 533, 539, 540
안면신경 44
안와전두피질 656
알렉산더 병 99
알버타영아운동척도 62
알파 1차단제 269
암페타민 677
암호가닥 173
압력 측정 장치 448
앙겔만 증후군 624, 628
야간뇨 266
야간발작이 648
야간웃음 648
야뇨증 266, 674
약물치료 505, 660
양다리딛기 245
양성 신생아 경련 743
양성 영아기 근간대성 뇌전증 746
양성 지지반응 40
양성 특발성 까치발 494
양성부분뇌전증 747
양손 쓰기 362
양손집중치료 348
양손훈련 502, 503
양측 음부신경 271
양판 흉요천추 보조기 446
어깨 보조기 428
어휘력 311
억제유도운동치료 370
언어 291
언어 유전학 298
언어 획득 286
언어/의사소통 20
언어문제해결력검사 310
언어발달 25, 53, 673
언어발달장애 281, 386
언어실행증 299
언어이해-인지력검사 310
언어장애 284, 291, 490, 668
언어치료 402
언어평가 306
엄지 보조기 430
에너지 필요량 229
에머리드레이푸스형 535
여린 X 증후군 410, 411, 642
역동적 시스템 이론 356
역류성 식도염 237
역방향 관장 276
역설호흡 531, 532
역연쇄 359
역위 170
역진자운동 245
역치 전기자극법 501
연골 무형성증 711
연골내 골화 115
연속적 석고고정 253, 255
연쇄 359
연인두폐쇄부전증 294, 304
연하 215
연합반응 37
열성경련 745
열쇠 쥐기 365
염기치환 173
염색분체 161, 165
염색질 164

염색체 15q11.2-q13 부위 ······ 625
염색체 7q11.23 부위 ······ 637
염색체 Xq27.3 부위 ······ 643
염색체 마이크로어레이 검사 ······ 174
염색체 변이 ······ 169
염색체미세배열분석 ······ 532
염색체질환 ······ 159
염증성 탈수초 다발성 신경병증 ······ 536
염증성 탈수초성 척수병증 ······ 587
엽산 ······ 575, 576
엽성 전전뇌증 ······ 79
영아연축 ······ 744
영양 평가 ······ 226
영양결핍 ······ 226
영양장애 ······ 489
영유아 언어발달선별검사 ······ 313
영유아기 ······ 341
예기발현 ······ 173
옮기기 ······ 362
옷과 신발 착용을 위한 보조기구 ······ 430
옹알이 ······ 281, 283
완하제 ······ 274
외반슬 ······ 690, 708
외배엽 ······ 685
외상성 뇌손상 ······ 273, 381
외요도괄약근절제술 ······ 270
외인성 신경조절 ······ 272
외전 쐐기 ······ 448
외전신경 ······ 44
외측 항문괄약근 ······ 271
외측방추회 ······ 656
요골-소두선 ······ 127
요근건막 연장술 ······ 511
요로 결석 ······ 270
요로감염 ······ 268, 270
요실금 ······ 265, 266, 270, 776
요역동학검사 ······ 267
요절박 ······ 266
요족 ······ 581, 709
욕구 계층 이론 ······ 356
우리말 조음 ······ 307
우리말조음 · 음운검사2 ······ 307
운동과다 움직임 ······ 37
운동능력검사 ······ 360
운동레벨 ······ 567
운동배제 시지각검사 ······ 360
운동신경원질환 ······ 545
운동신경전도속도 ······ 141
운동역학 ······ 249
운동유발전위 ······ 147
운동재교육프로그램 ······ 346
운동조절 ······ 359
운동조절 이론 ······ 343
운동조절기능 ······ 673
운동처리기술평가 ······ 361
운동치료 ······ 399
운동평가 ······ 566
운동학습 ······ 457
운동형상학 ······ 249
웅크림 보행 ······ 515
원반 쥐기 ······ 365
원시반사 ······ 22, 23, 38, 475
원시생식세포 ······ 167
원위 대퇴 직근 유리술 ······ 515
원위 슬괵근 유리술 ······ 514
원통형 쥐기 ······ 365

원형 이중 염색체 ········ 161
웨버검사 ········ 45
웩슬러 아동지능검사 ········ 62
웩슬러 유아지능검사 ········ 62, 323
위결장반사 ········ 272, 276, 570
위관자고랑 ········ 656
위루관 ········ 231
위루술 ········ 231
위식도 역류 ········ 222, 225, 556
위장운동촉진제 ········ 275
위험 신호 ········ 23
윌리암스 요정얼굴 증후군 ········ 637
윌리암스 증후군 ········ 637
윌리암스-뷰렌 증후군 ········ 637
윌리엄 증후군 ········ 302
유각기 ········ 244
유뇨증 ········ 674
유도교육 ········ 348
유모차 ········ 447
유발전위 ········ 146
유사분열 ········ 165
유전성 ········ 654
유전성 경직성 하반신마비 ········ 476, 494
유전성 골격계 질환 ········ 711
유전성 운동 감각신경병증 ········ 154, 533, 535, 536, 544, 545
유전자 돌연변이 ········ 172
유전자 수변이 ········ 174
유전적 재조합 ········ 165
유전질환 ········ 619
유전체 ········ 161
유전체 돌연변이 ········ 168
유전학적 검사 ········ 477
유창성 ········ 312
유창성 검사 II ········ 312
유창성장애 ········ 291, 293, 388
윤곽형 장치 ········ 448
융모양막염 ········ 472
음도장애 ········ 294
음성 ········ 285
음성검사 ········ 314
음성장애 ········ 294, 389
음성치료 ········ 389
음소 ········ 287
음식 섭취 거부 장애 ········ 239
음질장애 ········ 295
응용행동분석 ········ 403
의미론 ········ 310
의사소통 ········ 25, 657
의사소통 기능 분류 체계 ········ 484
의사소통발달 ········ 285
의사소통을 위한 보조 장치 ········ 452
의사소통장애 ········ 291, 316
의존형 휠체어 ········ 447
의지 ········ 453
의지의 교환주기 ········ 456
의학적 검사 ········ 659
이동판 ········ 452
이배체 ········ 165
이분척추 ········ 273, 573
이수배수체 ········ 169
이염색백질이영양증 ········ 96
이차 골화 중심 ········ 115, 686
이차 언어 ········ 289
이치암 ········ 727
이형성증 ········ 702

익상견갑 534, 539, 542
인간유전체사업 160
인공호흡기 555
인두기 216
인두뒤농양 693
인어체기형 103
인접유전자증후군 171
인지 20 397, 409
인지 발달 25, 53, 672
인지 발달 이론 355
인지 이론 356
인지이정표 474
인지장애 397, 411, 604
인지재활 397
인지적 평가 659
인지치료 397
인지-행동요법 680
인지훈련 397, 405, 406, 408
일 단계 다수준 수술 507
일과성 활액막염 693
일상생활 보조기구 430
일상생활동작 355, 367
일상생활동작 치료 367
일일 영양 요구량 230
일차골화중심 686
읽기 검사 315
읽기장애 295, 298, 301, 390
입각기 244
입체인지 48

ㅈ

자가면역 뇌염 610
자극제 275
자긍심 675
자기공명분광검사 656
자동 상징 행동 381
자세 반응 42, 606
자세성 사두증 692
자율신경 이상반사증 571
자율신경계 반사이상 273
자폐 증상 647
자폐범주성장애 391
자폐선별검사 54, 60
자폐스펙트럼장애 296, 303, 364, 371, 381, 538, 560, 653, 654
자폐증 296, 653, 655, 669
자폐증 진단 관찰 척도 64
작업 355
작업 기억력 330
작업중심훈련법 345
작업치료 400, 770
잔탐검 점도정진제 232
잠재성 척추유합부전 101
잠재이분척추 688
장관영양 231
장내신경 조절 272
장내신경계 272
장-신경계 축 416
장애 358, 795, 798
장애 요인의 변화 7
장애인 스포츠 783
장애인복지법 795, 799, 800
장애인올림픽 783, 785
장애진단서 799
장애판정 800

장하지보조기 550, 551, 584
장확장성 약물 275
저산소성 허혈성 뇌병증 91, 466, 529, 530
저산소성-허혈성 467
적응능력 26
적응스포츠 783
전기 치료 193
전기자극치료법 235
전기진단학적 검사 477
전뇌분할이상질환 476
전동스쿠터 447
전동휠체어 447
전문체육 경기 종목 784
전반슬 253
전반적 발달지연 321, 371
전반적 언어발달검사 313
전반적발달장애 654, 796
전방 상완선 127
전신 진동치료 194
전신형 715
전염 706
전위 621
전유각기 245, 248, 251
전자간증 472
전장엑솜 염기서열분석 182
전장엑솜분석 532, 536
전장유전체 염기서열분석 182
전전뇌증 77, 90
전중기 161
전하방 상장 골극 막대보호대 450
절골술 510
절충법 377
점막하 구개 파열 293
접형골 이형성 89
정밀 쥐기 365
정상보행 243
정서 · 행동치료 402
정신분열 증상 678
정신지체 669, 674, 796
정신치료 681
정위반응 42
정자세포 168
정조세포 168
정형외과적 수술 후 재활 518
젖먹이 219
젖병 훈련 231
젖병수유 233
젖병수유 시의 자세 233
제1극체 167
제1난모세포 167
제1중족골의 절골술 516
제1형 키아리기형 613
제2난모세포 167
제2형 키아리기형 613
젭슨-테일러 손기능 평가 360
조기 개입 335
조기 근간대성 뇌증 743
조기 멀티미디어 노출 304
조기 완전 동원 양식 152
조기 중재 370
조끼형 지지대 449
조약돌 기형 82
조음 · 음운론 307
조음 · 음운장애 291, 292, 387
조음장애 293
조현병 669

조혈모세포이식 ········· 727
족간대성 경련 ········· 46
족관절 굴곡-슬관절 신전 커플 ········· 247
족부진행각 ········· 690
족저반사 ········· 47, 474
족하수 ········· 253, 531, 542, 544
족하수보행 ········· 534
종말끈의 섬유지방종 ········· 101
종족 변형 ········· 582
종판잡음 ········· 146
좌석 벨트 ········· 450
좌석 쿠션 ········· 448
좌심실보조장치 ········· 557
좌위 ········· 161
주관절 보조기 ········· 429
주버트 증후군 ········· 86
주시운동장애 ········· 471
주의력결핍 과잉행동장애 303, 364, 538, 668, 670
주의산만 ········· 671
주의집중력 ········· 668
준거지향평가 ········· 360
중간유각기 ········· 245, 248
중간입각기 ········· 244, 247
중배엽 ········· 685
중복 ········· 171
중복장애 ········· 803
중부(metacentric) 염색체 ········· 162
중심가설 ········· 164
중심측두엽 극파를 보이는 양성소아뇌전증 747
중족골 내전 ········· 690
중증 근무력증 ········· 156
중증 영아기 근간대성 뇌전증 ········· 746
중증장애인 ········· 791
중추신경자극제 ········· 677
중추신경흥분제 ········· 667
중합효소연쇄반응 ········· 165, 536, 547
쥐기 ········· 23, 362, 366
지능과 인지적 결손 ········· 657
지대 근디스트로피 533, 535, 540, 541, 542, 557
지면 반발력 ········· 250
지면반발형 단하지 보조기 ········· 584
지방척수류 ········· 102
지방척수수막류 ········· 102
지방패드징후 ········· 125
지적장애 296, 321, 381, 390, 487, 661, 664, 796
직업 ········· 522
직업 전망 ········· 609
직장 ········· 271
직장결장반사 ········· 570
직장수지자극법 ········· 276
직장역동검사 ········· 274
직장항문억제반사 ········· 272
진단검사의학적 평가 ········· 666
질병통제예방센터 ········· 654
집게 쥐기 ········· 365, 366
집단 놀이 활동 ········· 681
짝짓기 ········· 173

ㅊ

차세대염기서열분석법 ········· 165, 179, 547
차전자 ········· 274
참여 ········· 797
참여제약 ········· 798
참조적 의사소통 ········· 385
창자배 형성 ········· 685

척수 근위축증 …… 151, 445, 531, 533, 534, 535, 536, 545, 546, 547, 548, 550, 551, 552, 553, 556, 558, 559, 698
척수강내 바클로펜 펌프 …… 205
척수결박 …… 582
척수공동증 …… 692
척수낭류 …… 101
척수류 …… 102
척수부신경 …… 45
척수손상 …… 266, 273, 445
척수손상환자 신경학적 분류 국제 표준 …… 564
척수수막류 …… 77, 102, 156, 258, 266, 573
척수원뿔 …… 206
척수의 결박 …… 156
척수이분증 …… 101
척수이형성증 …… 573
척수지방종 …… 102
척추 변형 …… 517, 547, 552, 553
척추 보조기 …… 552
척추 융합 …… 124
척추공동증 …… 699
척추변성증 …… 775
척추변형 …… 537, 539, 551
척추분리증 …… 699, 775
척추이분증 …… 101, 698
척추측만증 …… 122, 445 ,537, 538, 546, 547, 548, 552, 558, 572, 695, 775
척추후만증 …… 446, 699
천성 근무력 증후군 …… 536
첨 내반족 변형 …… 516
첨족 …… 251, 253, 255, 492, 515, 580
청각 …… 673
청각계 …… 27
청각기억수행 …… 673
청각신경 …… 45
청각유발전위 …… 147
청각장애 …… 295, 374, 392, 488
청소년 근간대성 뇌전증 …… 750
청소년 소발작뇌전증 …… 749
청소년기 …… 341, 762
체간 보조기 …… 443, 446
체성감각유발전위 …… 147
체육 …… 777
체중 …… 15
초기유각기 …… 245, 248
초기접지 …… 244
초기접지기 …… 246
초분절효과 …… 209
초최대자극 …… 140
촉진적 접근 …… 358
최대기침유량 …… 554
최대발성시간 …… 315
최소폐포농도 …… 509
추간판 탈출증 …… 699
축삭절단 …… 155
충동성 …… 671
충수맹장문합술 …… 278
취약 골절 …… 774
취학전 아동의 수용언어 및 표현언어발달 척도 …… 313
측두두정접합 …… 656
측만변형 …… 517
측면 지지대 …… 449
치골 상부 방광루 …… 269
치골직장근 …… 271
치료사 중심 접근법 …… 377

치료적 레크리에이션 ·························· 786
침근전도·························· 145
침흘림·························· 238, 505

ㅋ

카바마제핀·························· 608
카시트·························· 452
칼로리검사·························· 45
캐나다작업수행평가·························· 361
캥거루 케어 ·························· 370
컴퓨터 기반 인지훈련 ·························· 407
콜히신·························· 161
크기원칙·························· 340
크레드 방법 ·························· 269
크레아틴 키나아제 ·························· 532, 535, 547
크레틴병·························· 473
큰결장증·························· 273
큰뇌이랑·························· 81
큰직장증·························· 273
클로니딘·························· 677
클로닝·························· 165
클리펠 페일 증후군 ·························· 692, 694
키아리 2형 기형 ·························· 77

ㅌ

타진 근긴장증 ·························· 543
타진 환기법 ·························· 555
탄력 덮개 ·························· 433
태블릿 기반 컴퓨터 인지프로그램 ·························· 407
태아알코올증후군·························· 324
톡소포자충증·························· 472
톡소플라즈마병·························· 654
통증·························· 775
퇴행성 변화 ·························· 521
투명격막·························· 79
튜브영양법·························· 231, 232
트렌델렌버그 보행 ·························· 534
트위스터 케이블 ·························· 432
특발성 사춘기 척추측만증 ·························· 443
특발성 척추측만증 ·························· 552, 696
특정발달장애·························· 674
티민·························· 164
틸트형 휠체어 ·························· 447

ㅍ

파괴성 뇌증 ·························· 472
파라포디움·························· 442, 585
파열수·························· 702
팔 받침대 ·························· 452
페놀/알코올 신경차단술 ·························· 196
페몰린·························· 677
펠리제우스-메르츠바허 병 ·························· 99
편측 미분절 척추봉 ·························· 124
편평 외반족 변형 ·························· 516
편평족·························· 709
평평뇌증·························· 81, 476
평형반응·························· 43
폐쇄 신경 전지 절단술 ·························· 511
펠리제우스-메르츠바하병 ·························· 476
표상적 구조 ·························· 661
표적 유전자 ·························· 163
표준염색체 검사법 ·························· 174
표준편차·························· 662

표현어휘 303
품행장애 669, 674
풍진 472
퓨린 164
프라더 윌리 증후군 624
프레틀 전반적운동평가 56
프로그래머블 펌프 210
피리미딘 164
피바디운동발달평가 61
피부 표징 103
피부절 685
피질하띠이소증 81

ㅎ

하두정소엽 656
하사근 걸림 692
하위운동신경원병 278
하전두이랑 656
하지 의지 457
하퇴 삼두건 연장술 516
학교기능평가 361
학교기반 770
학령기 341
학령기 아동 언어검사 285, 314
학습 399
학습된 비사용 495
학습장애 284, 560, 672
한걸음 244
한국 보완대체의사소통 평가 385
한국-노스웨스턴 구문선별검사 309
한국어 읽기검사 315
한국어발음검사 307
한국영유아발달선별검사 59
한국웩슬러아동지능검사 306
한국판 시지각발달검사 63
한국판 자폐선별검사 60
한국형 부모 작성형 유아 모니터링 체계 59
한어버이이체성 169
할로베스트 695
합지증 702, 710
항NMDA수용체 뇌염 611
항뇌전증약 605, 751, 753
항문 271
항문 괄약근 271
항문결장반사 272
항문반사 47
항문직장 협동장애 273, 276
항문직장각도 271
항문피부반사 273
항우울제 605, 667
항정신병 667
항콜린작용제 273
항콜린제 269
해당효소 340
해마 467
해머스미스 신생아 신경학적검사 56, 57
해머스미스 영유아 신경학적검사 56, 58
핵형 161
핸디캡 797
행동장애 595
행동접근법 344
행동주의 356, 378, 380
행동치료 379 607, 660, 667
현병력 658
혈액학적 검사 477

혈우병성 관절염 ································ 718
협동작용 ·· 271
협응 운동 ······································ 343
형태론 ·· 309
호지킨병 ································ 724, 727
호프먼징후 ····································· 47
혼자말 기법 ···································· 377
홀염색체증 ····································· 170
홀터 견인 ······································ 695
화용 ·· 285
화용론 ·· 310
화학적 신경 차단술 ··························· 196
확산텐서 신경섬유로 ························· 106
확산텐서영상 ·································· 105
환경적 요인 ···································· 798
환경중심 언어치료 ···························· 386
환경치료 ·· 379
환추 축추 아탈구 ····························· 692
환축추 회전성 아탈구 ························ 693
환축추 회전성 탈구 ··························· 694
활동 ·· 797
활동제한 ·· 798
활동형 휠체어 ································· 447
활보 ·· 244
활보장 ·· 249
활차신경 ·· 44
회색질 이소증 ······························ 81, 472
횡과각 ·· 690
후각신경 ·· 43
후근 절제술 ························ 205, 206, 517
후기 반응 ······································ 143
후두 근긴장증 ································· 295
후두연화증 ····································· 222
후두엽 극파를 보이는 소아뇌전증 ·········· 748
후생유전 ·· 173
후염 ·· 706
후천성 절단 ···································· 454
훼인골드식이법 ································ 682
휘돌림 ··································· 243, 251
휠체어 ·· 447
휠체어컬링 ····································· 784
휠체어럭비 ····································· 784
휠체어테니스 ··································· 784
휠체어펜싱 ····································· 784
흉쇄유돌근 ································ 125 691
흉요천추 보조기 ··················· 443, 444, 446
희소돌기아교전세포 ··························· 469
힘있는 쥐기 ···································· 365
힘판 ····································· 249, 250

A

abdominal reflex ········ 46
abducens nerve ········ 44
abduction wedge ········ 448
acetabular index ········ 703
achondroplasia ········ 711
action approach ········ 344
activities of daily living ········ 355
activity ········ 797
activity Limitation ········ 798
acute disseminate encephaomyelitis ········ 101
acute lymphoblastic Leukemia ········ 725
acute transient synovitis ········ 704
acute transverse myelitis ········ 103
adductor tenotomy ········ 511
adeli Suit ········ 506
adeli suit therapy ········ 349
adenine ········ 164
adynamic ileus ········ 272
agenesis ········ 84
agenesis of corpus callosum ········ 576
ages & stages questionnaires ········ 58
agyria ········ 81
AIS 척도 ········ 567
Alexander disease ········ 99
alobar holoprosencephaly ········ 79
American Associationon Mental Retardation 662
aneuploid ········ 169
angelman syndrome ········ 624, 628
ankle clonus ········ 46
ankle foot orthosis ········ 550
ankle rocker ········ 246 247
ankle-foot orthosis ········ 583
anocolic reflex ········ 272
anocutaneous reflex ········ 47, 273,
anorectal angle ········ 271
anorectal dyssynergia ········ 273
anterior branch neurotomy ········ 511
anterior humeral line ········ 127
anteversion ········ 706
anticipation ········ 173
anti-epileptic drug treatment ········ 750
aponeurotic leng-thening ········ 510
apparent diffusion coefficient ········ 107
apparent equinus ········ 256
appendicocecostomy ········ 278
applied behavior analysis ········ 403
apraxia of speech ········ 299
arousal attention ········ 326
array comparative genomic hybridization ··· 175
arthrodesis ········ 510
arthrogryposis multiplex congenita ········ 530, 714
Ashworth scales ········ 190
ASIA 손상척도 ········ 267
assessment of motor and process skills ········ 361
associated reaction ········ 37
astrocyte ········ 467
asymmetric tonic neck reflex ········ 40, 474
athetosis ········ 38
atlantoaxial instability ········ 621
atlanto-axial rotatory fixation ········ 694
atlanto-axial rotatory subluxation ········ 693
attention ········ 326
attention deficit hyperactivity disorder, ADHD ········ 60, 303, 364, 668, 670

attention deficit hyperactivity disorder
rating scale, ADHD-RS ··· 60
auditory evoked potential ··· 147
auditory memory test ··· 673
Auerbach' s plexus ··· 272
augmentative and alternative communication 379
autism diagnostic observation Schedule ··· 64
autism spectrum disorder, ASD 303, 364, 653, 654
autonomic dysreflexia ··· 273, 571
autosome ··· 161
axonotmesis ··· 155
Ayres Sensory Integration ··· 373

B

babbling ··· 283
Babinski ··· 47
backward chaining ··· 359
basal energy expenditure ··· 230
base substitution ··· 173
Bayley scales of infant and toddler
development, BSID ··· 61, 306, 323
Beevor 징후 ··· 539
behavioral theory ··· 356, 379
Bender Gestalt test ··· 63
benign idiopathic toe walking ··· 494
benign myoclonic epilepsy in infancy ··· 746
benign neonatal convulsions ··· 743
benign rolandic epilepsy ··· 747
Benik suit ··· 443
benzodiazepines ··· 753
bilateral hand use ··· 362
bilirubin acid ··· 471
bimanual training ··· 503
blink reflex ··· 144
block vertebra ··· 124
Blount disease ··· 708
body Function & Structure ··· 797
bone age ··· 116
bone bridge ··· 133
bone marrow conversion ··· 121
border zone ··· 468
Botulinum toxin ··· 269
botulinum toxin injection ··· 196
bristol stool chart ··· 570
Bruininks-Oseretsky 운동능력검사 ··· 360
bulbocavernous reflex ··· 144, 273
bulk-forming agents ··· 275
butterfly vertebra ··· 124
butterfly vertebrae ··· 698

C

cadence ··· 249
calcaneal deformity ··· 582
calcaneal osteotomy ··· 516
calcaneal valgus ··· 709
callosal dysgenesis ··· 84
caloric test ··· 45
Canadian Occupational Performance
Measure, COPM ··· 361
capsulorrhaphy ··· 510
capsulotomy ··· 510
carbamazepine ··· 754
carry ··· 362
caudal regression syndrome ··· 101, 103

cavus ··· 581
Cayler cardiofacial 증후군 ··· 632
Center for Disease Control and Prevention ··· 654
central dogma ··· 164
central pattern generator ··· 49
centromere ··· 162
centronuclear myopathy ··· 152
cerebral Palsy ··· 465
cervical stenosis ··· 775
cervicothoracolumbosacral orthosis ··· 444
CGH array/comparative genomic
hybridization microarray ··· 163, 742
chaddock ··· 47
chaotic GM ··· 50
chemoneurolysis ··· 196
chest harness ··· 449
Chiari 2 malformation ··· 77
childhood absence epilepsy ··· 747
childhood autism rating scale ··· 60
childhood epilepsy with occipital paroxysm 748
childhood health assessment questionnaire ··· 718
chorioamnionitis ··· 472
choroidal hemangioma ··· 88
chromatid ··· 161
chromatin ··· 164
chromosomal microarray ··· 174, 532
chromosomal mutation ··· 169
circumduction ··· 243, 251
CK ··· 532, 540
clastic encephalopathy ··· 472
clawing ··· 581
cleft palate ··· 222
cleidocranial dysplasia ··· 701
cloning ··· 165
closed spinal dysraphism ··· 101
clubfoot ··· 705
coached group play ··· 681
cobb angle ··· 122
cobblestone malformation ··· 82
coding strand ··· 173
cognition ··· 397
cognitive development ··· 355
cognitive milestone ··· 474
cognitive rehabilitation ··· 397
cognitive training ··· 397, 405
cognitive-behavioral therapy ··· 680
colchicines ··· 161
Coleman's block 검사법 ··· 516
colocolic reflex ··· 272
colon ··· 272
colon transit time study ··· 274
colostomy ··· 279
communication function classification system 484
compensated Trendelenburg gait ··· 260
computerized cognitive training ··· 407
conduct disorder ··· 669
conductive education ··· 348
congenital anomaly ··· 160
congenital calcaneovalgus foot ··· 705
congenital myopathy ··· 698
congenital talipes equinovarus ··· 705
congenital vertical talus ··· 706
conjugate movement ··· 44
conotruncal anomaly face 증후군 ··· 632
constraint-induced movement therapy
··· 348, 370, 503

constructive play ········ 368
contextual factors ········ 798
contiguous gene syndrome ········ 171
contracture ········ 775
conus medullaris ········ 206
conventional karyotyping ········ 174
coos ········ 281
copy number variation ········ 174
coronavirus disease 2019 (COVID-19) ········ 559
cramped synchronized movement ········ 56
cramped-synchronized GM ········ 49
cranial nerve ········ 43
creatine kinase ········ 532
creatinine kinase ········ 477
cremasteric reflex ········ 46
cretinism ········ 473
criterion-referenced assessment ········ 360
critical period ········ 495
crouch gait ········ 256
crouch knee ········ 253
curriculum-based assessment ········ 360
custom-molded high-temperature plastic orthosis ········ 429
cylindrical grasp ········ 365
cytomegalovirus ········ 472
cytosine ········ 164

D

dandy-walker malformation ········ 85
deaflympics ········ 786
declarative memory ········ 332
deep Brain Stimulation ········ 205
deep tendon reflex ········ 46
Dega 절골술 ········ 514
degenera-tive arthritis ········ 775
Dejerine-Sottas disease ········ 545
delayed development ········ 18, 55
deletion ········ 170
denver developmental screening test, DDST ········ 58, 306
deoxyribose ········ 164
dermatomes ········ 685
derotation osteotomy of tibia ········ 516
development in children ········ 53
developmental adaptation ········ 355
developmental assessment ········ 53
developmental coordination disorder ········ 364
developmental diagnostic test ········ 54
developmental disability ········ 796
developmental dysplasia of the hip ········ 702
developmental epileptic encephalopathy ········ 742
developmental Language Disorder ········ 281
developmental milestone ········ 19, 32
developmental quotients ········ 18
developmental test of visual perception ········ 360
developmental test of visual-motor integration 63
diaphysis ········ 688
diastematomyelia ········ 101
diffusion tensor ········ 106
DiGeorge syndrome ········ 632
digital grasp ········ 363
dimple ········ 102
diploid ········ 165
disability ········ 795, 797, 798
disability and health ········ 358

disc grasp ········ 365
disease ········ 546
disorders of forebrain cleavage ········ 476
distal hamstring release ········ 514
distal rectal stimulation ········ 276
distal rectus femoris release ········ 515
dive bomber sound ········ 153
DNA methylation analysis ········ 626
DNA sequence analysis ········ 739
docusate ········ 274
Doman-Delacato treatment ········ 498
Dopa-Responsive Dystonia ········ 198, 494
dorsal dermal sinus ········ 77, 101
dorsal pathway ········ 329
dorsal splint ········ 429
double simultaneous stimulation ········ 48
double-stranded DNA ········ 161
Down syndrome ········ 301, 619
drop foot ········ 253
Duchenne muscular dystrophy ········ 549
Duncan-Ely test ········ 690
duplication ········ 171
Dwyer 종골 절골술 ········ 516
dynamic AFO ········ 435
dynamic EMG ········ 249
dynamic system theory ········ 356
dyslexia ········ 298, 301, 668
dysplasia ········ 702
dystonia ········ 35, 197, 476

E

early complete recruitment pattern ········ 152
early intervention ········ 370
early myoclonic encephalopathy ········ 743
eating and drinking ability classification system ········ 484
echolalia ········ 281
ecological psychology ········ 344
elastin ········ 302
embryonic period ········ 685
end-effector ········ 458
endochondral ossification ········ 115
engram ········ 343
enteral feeding ········ 231
enteric nervous system ········ 272
environmental Factors ········ 798
epigentics ········ 173
epilepsy ········ 737
epilepsy surgery ········ 756
epilepsy with continuous spike and wave during slow sleep ········ 749
epilepsy with myoclonic absence ········ 747
epileptic seizures ········ 737
epileptic syndromes ········ 739
epilesy with GTCS on awakening ········ 750
epiphyseal plate ········ 688
epiphysis ········ 688
equilibrium reaction ········ 43
equinovarus ········ 492, 516, 581
equinus deformity ········ 492, 515
equinus foot ········ 580
Erb 마비 ········ 154, 700
Ethosuximide ········ 754
evidence-based Practices ········ 378
executive function ········ 333

exoskeletal ··· 458
expandable prosthesis ··· 457
external anal sphincter ··· 271
extrinsic neural control ··· 272

F

F 반응검사 ··· 143
facial nerve ··· 44
fasciculation ··· 531
fascioscapulohumeral muscular dystrophy ··· 539
fat pad sign ··· 125
febrile convulsion ··· 745
Feingold diet ··· 682
femoral anteversion ··· 707
fiberoptic endoscopic evaluation of swallowing ··· 225
fibrolipoma of the filum terminale ··· 101
fidgety movement ··· 49, 56
figure of eight ··· 429
flat foot ··· 709
focal abnormal signal intensity ··· 89
focal and multifocal ischemic brain necrosis 467
foot clearance ··· 246, 251
foot off ··· 244
foramen magnum ··· 711
force plate ··· 249, 250
forced-use therapy ··· 503
forefoot rocker ··· 246, 248
forward chaining ··· 359
fractional anisotropy ··· 107
Fragile X mental retardation 1 gene, FMR1 ··· 302, 642
Fragile X mental retardation protein, FMRP ··· 410, 644
Fragile X Syndrome ··· 302, 642
fragility fractures ··· 774
frog-like posture ··· 530
Fukuyama ··· 82
functional approach ··· 378
functional assessment ··· 53
functional electrical stimulation ··· 501
functional independence measure for children ··· 64, 361
functioning ··· 798

G

Gabapentin ··· 754
gain of function ··· 169
gait cycle ··· 244
Galant reflex ··· 39
Gastaut type idiopathic childhood occipital epilepsy ··· 748
gastrocolic reflex ··· 272, 570
gastrulation ··· 685
gaze abnormality ··· 471
gene mutation ··· 172
General movement ··· 49
genetic disorder ··· 619
genome ··· 161
genome-wide association studies ··· 175
genomic imprinting disorder ··· 174
genomic mutation ··· 168
genu valgum ··· 708
genu varum ··· 708

germinal matrix hemorrhage-intraventricular hemorrhage ······ 92
germinal matrix-intraventricular hemorrhage 467
germline cell ······ 161
giemsa banding ······ 162
gliosis ······ 470
global developmental delay ······ 55, 321, 371
global developmental disability ······ 796
glossopharyngeal breathing ······ 554
glutamate ······ 467, 656
glycolytic enzyme ······ 340
glycopyrrolate ······ 238
Gordon reflex ······ 47
Gowers 징후 ······ 534, 547
graphesthesia ······ 48
grasp ······ 23, 362
grasp reflex ······ 23
gray matter heterotopia ······ 77, 81, 472
GRBAS 척도 ······ 315
grip ······ 23
grip myotonia ······ 543
grisel ······ 692
gross motor function classification system, GMFCS ······ 66, 360, 484
gross motor function measure, GMFM ······ 69
ground reaction force AFO ······ 584
growth failure ······ 226
growth plate ······ 116
guanine ······ 164
guarding reflex ······ 272
guillain-Barré syndrome ······ 103
gut-brain axis ······ 416

H

H 반사 ······ 143
hallux valgus ······ 492
Halo vest ······ 695
Halter traction ······ 695
Hammersmith infant neurologic examination ······ 56, 58
Hammersmith neonatal neurologic examination ······ 56, 57
hand-arm bimanual intensive training ······ 348
handicap ······ 797
haploid ······ 165
haptic perception ······ 362
health ······ 797
health Status ······ 798
heel rocker ······ 246, 247
hemivertebra ······ 122, 692
hemivertebrae ······ 698
Hereditary motor and sensory neuropathy ··· 154
hereditary spastic paraplegia ······ 476, 494
heritability ······ 654
hierarchy of basic needs ······ 356
high frequency chest oscillation ······ 555
high guard ······ 243
hip migration index ······ 492
hip spica cast ······ 518
hip subluxation ······ 572
hip-knee-ankle-foot orthosis, HKAFO ······ 584
hippocampus ······ 467
hippotherapy ······ 349, 506
Hodgkin's disease ······ 727
Hoffmann sign ······ 47

holoprosencephaly ································ 77, 90
homologous chromosome ························ 161
homologous recombination ····················· 165
homologous segment ···························· 165
hook grasp·· 365
human genomic project ························· 160
hydranencephaly ······························· 90, 469
hydrocephalic fit ································ 728
hyperactivity ································ 668, 670
hyperkinetic movements························· 37
hyperosmolar ···································· 275
hypertonia ·· 34
Hypertonia Assessment Tool (HAT) ··········· 198
hypoglossal nerve································· 46
hypotonia ··· 35
hypoxic-ischemic encephalopathy·············· 466

I

impairment·· 798
imprinting ································· 624, 626
impulsivity ······································· 671
inattention ······································· 671
indirect calrorimetry ···························· 230
infant passive mitt······························· 455
infantile spasm ·································· 744
inferior frontal gyrus···························· 656
inferior parietal lobule ·························· 656
inflammatory demyelinating myelopathy ······ 587
inframalleolar orthotics ························ 439
in-hand manipulation ···················· 362, 366
initial contact ···································· 244
initial swing ······································ 245
instrumental activities of daily living ··········· 355
intellectual disability ··················· 321, 661, 796
intermittent clean catheterization ·············· 269
internal anal sphincter ·························· 271
internal tibial torsion ··························· 707
International Blind Sports Federation ········· 784
International Cerebral Palsy Society ··········· 784
International classification of functioning
·· 358, 797, 798
International Classification of Impairment ··· 797
International Paralympic Committee ··········· 785
International Standards for Neurological
Classification of Spinal Cord Injury ········· 564
in-toeing ··· 251
intradural lipoma ······························· 101
intramembranous ossification ·················· 115
intramuscular psoas lengthening over the
pelvic brim·· 511
intramuscular tendon lengthening ·············· 516
intraoperative electrophysiologic monitoring 148
intrapulmonary percussive ventilation ········· 555
intrathecal baclofen pump ······················ 205
inversion·· 170
inverted champagne bottle ····················· 545
inverted pendulum movement ·················· 245
isochoromsome··································· 171
isokinetic ·· 342
isometric·· 342
isotonic ·· 342

J

jargon ·· 282

jaw thrust ··· 228
Jebsen-Taylor hand function test ··· 360
joint attention ··· 282
Joubert syndrome ··· 86
jump ··· 253
jump knee ··· 255, 256
juvenile absence epilepsy ··· 749
juvenile idiopathic arthritis ··· 715
juvenile myoclonic epilepsy ··· 750
juvenile rheumatoid arthritis ··· 699

K

Kangaroo care ··· 370
karyotype ··· 161
K-DST ··· 59
K-DTVP-2 ··· 63
KEDI-WISC ··· 323
ketogenic diet therapy ··· 757
key pinch ··· 365
kinematic ··· 249
kinetic ··· 249
Klippel-Feil ··· 692, 694
Klumpke' s 마비 ··· 154
knee ··· 253
knee recurvatum ··· 253
knee-ankle-foot orthosis, KAFO ··· 550, 584
Korean ages & stages questionnaires ··· 59
Korean childhood autism rating scale ··· 60
Korean developmental screening test for infants & children ··· 59
Korean developmental test of visual perception ··· 63
Kugelberg-Welander disease ··· 546
K-Vineland-II ··· 323
K-WPPSI, K-Wechsler Preschool and Primary Scale of Intelligence ··· 323

L

Lacosamide ··· 754
Lamotrigine ··· 754
Landau 반응검사 ··· 201
Landau-Kleffner 증후군 ··· 749
language ··· 291
language disorders ··· 668
Language Scale for School-aged Children, LSSC ··· 285
laryngeal dysphonia ··· 295
laryngomalacia ··· 222
late responses ··· 143
lateral fusiform gyrus ··· 656
lateral pinch ··· 365
lateral support ··· 449
laxatives ··· 274
learning disabilities ··· 284
left ventricular assist device ··· 557
Legg-Calvé -Perthes disease ··· 131, 704
Leigh syndrome ··· 98
Lennox-Gastaut 증후군 ··· 746
Levetiracetam ··· 755
lipomyelocele ··· 102
lipomyelomeningocele ··· 102
lissencephaly ··· 81, 476
loading response ··· 244
lobar holoprosencephaly ··· 79

locus ··· 161
loss of function ··· 168
low profile TLSO ··· 444
lower motor neuron disease ··· 278
ludwig Guttman ··· 784

M

macrocephaly ··· 17
macrophage activation syndrome ··· 715
Magnetic Resonance Spectroscopy ··· 656
major anomaly ··· 160
malformations of the cortical development ··· 80
malignant hyperthermia ··· 531
malignant lymphoma ··· 727
malnutrition ··· 226
manual ability classification system, MACS ··· 69, 360, 484
manual evacuation ··· 278
Marfan syndrome ··· 713
mechanical insufflation-exsufflation (MIE) device ··· 554
MECP2 유전자 ··· 648
megacolon ··· 273
megarectum ··· 273
meiosis ··· 165
Meissner's plexus ··· 272
melatonin ··· 505
Mendelian ··· 172
meningeal artery ··· 469
meningocele ··· 101
meningomyelocele ··· 266
mental retardation ··· 796
mental rotation ··· 330
metachromatic leukodystrophy ··· 96
metaphase ··· 161
metaphyseal chondrodysplasia ··· 712
metaphysis ··· 688
metatarsus adductus ··· 706
Methyl CpG binding protein 2 ··· 648
methylphenidate ··· 409
microbiome ··· 415
microcephaly ··· 17, 79
microglia ··· 467
mid-stance ··· 244
mid-swing ··· 245
Mileu therapy ··· 379
Minamata disease ··· 473
mini-enema ··· 275
minimal brain damage ··· 668
minimal brain dysfunction ··· 668
minimum alveolar concentration ··· 509
minor anomaly ··· 160
minor physical anomalies ··· 674, 676
mirror neuron symtem ··· 656
miss pairing ··· 173
mitosis ··· 165
mitotic spindle ··· 161
MLPA/multiplex ligation dependent probe amplification ··· 547, 742
Mobility opportunities via education, MOVE ··· 359
modified CIMT ··· 371, 503
modified tripod grasp ··· 363
monocarboxylate ··· 476
monochorionic twin ··· 472

monosomy ······ 169, 170
Moro reflex ······ 39
mosaicism ······ 167, 623
motor bender gestalt test ······ 63
motor control ······ 359
motor evoked potential ······ 147
motor learning ······ 457
motor relearning program ······ 346
motor-free visual perception test ······ 360
multiple cystic encephalomalacia ······ 469
multiple epiphyseal dysplasia ······ 712
multiple sclerosis ······ 587
multiplex ligation-dependent probe amplification ······ 536
muscle recession ······ 510
muscle transfer ······ 510
muscle-eye-brain disease ······ 82
mutagen ······ 172
MVPT-3 ······ 360
myeleloblastic leukemia ······ 727
myelination ······ 468 77
myelocele ······ 102
myelocystocele ······ 101
myelomeningocele ······ 77, 102, 258, 573
myoclonic astatic epilepsy ······ 746
myoclonus ······ 38
myopathy ······ 152
myotomes ······ 685
myotomy ······ 510
myotonic discharges ······ 153
myotonic dystrophy ······ 173, 542
myotonic dystrophy protein kinase ······ 542

N

narration ······ 285
nemailne myopathy ······ 152
neonatal oromotor assessment scale ······ 70
neural crest ······ 685
neural placode ······ 102
neural plasticity ······ 14
neural tube ······ 12, 13
neurapraxia ······ 155
neuroablative procedure ······ 205
neurochemical system ······ 327
neurocutaneous disease ······ 87
neurodevelopmental therapy ······ 359
neurodevelopmental treatment ······ 345
neurogenic bladder ······ 263, 568
neurogenic bowel ······ 570
neuromodulation ······ 278, 411
neuromuscular electrical stimulation ······ 235, 501
neuronal migration disorder ······ 472
neuroplasticity ······ 356
neurotransmitter ······ 409
neurulation ······ 685
next generation sequencing ··· 165, 179, 547, 742
non-cystic white matter abnormality ······ 476
non-Hodgkin lymphoma ······ 727
non-homologous recombination ······ 166
non-invasive prenatal testing, NIPT ······ 624
non-nutritive suck ······ 235
non-sister chromatid ······ 165
Northern blotting ······ 165
nucleosome ······ 164
nucleotide ······ 164

nusinersen ······ 552, 559
nutritive suck ······ 235
nystagmus ······ 44

O

object permanence ······ 23
obturator nerve ······ 511
occupation ······ 355
ocular movement ······ 44
oculomotor ······ 44
olfactory nerve ······ 43
onion bulb ······ 545
oorgonia ······ 167
open spinal dysraphism ······ 101
Oppenheim ······ 47
optic nerve ······ 43
optic pathway glioma ······ 89
orbitofrontal cortex ······ 656
organogenesis ······ 685
orthostatic hypotension ······ 572
osteogenesis imperfecta ······ 711
osteoporosis ······ 713
osteotomy ······ 510
overgrowth ······ 457
ovum ······ 167
Oxcarbazepine ······ 755
oxidative enzyme ······ 340

P

pachygyria ······ 81
pad-to-pad pinch ······ 365, 366
palmar grasp ······ 363
palmar grasp reflex ······ 39, 474
Panayiotopoulos syndrome ······ 748
paradoxical breathing ······ 531
parallel talk ······ 377
Paralympics ······ 785
parapodium ······ 442, 585
parasagittal cerebral injury ······ 467
parasports ······ 783
Parawalker ······ 585
partial body weight support treadmill training 500
participation ······ 797
participation Restriction ······ 798
patella alta ······ 256, 514, 775
Patrick 검사 ······ 690
Peabody develop-mental motor scales ······ 61
pediatric balance scale ······ 70
pediatric developmental assessment ······ 56
pediatric evaluation of disability inventory, PEDI ······ 65, 361
pediatric functional assessment ······ 54
pediatric Prosthesis ······ 453
pediatric quality of life inventory ······ 66
PedsQL ······ 66
Pelizaeus-Merzbacher disease ······ 99, 476
pelvic hike ······ 251, 260
Perampanel ······ 755
percussion myotonia ······ 543
pericapsular acetabuloplasty ······ 514
periventricular leukomalacia ······ 94, 467
perseveration ······ 303
personal Factors ······ 798
pervasive delopmental disorder ······ 654

pes cavus ········· 709
pes equinus ········· 251
pes planus ········· 709
Phenobarbital ········· 755
phenol/alcohol neurolysis ········· 196
Phenytoin ········· 755
phonemes ········· 287
phonology and lexico-semantics ········· 289
phytohemagglutinin ········· 161
Picture Exchange Communication System ··· 391
pincer grasp ········· 365, 366
placing reaction ········· 40
planovalgus deformity ········· 516
plantar grasp reflex ········· 39
plantar reflex ········· 47
plantar response ········· 474
PMP-22 ········· 545
polydactyly ········· 710
polymerase chain reaction ········· 165
polymicrogyria ········· 82, 472
polyploid ········· 169
pontocerebellar hypoplasia ········· 86
poor repertoire ········· 56
popliteal angle ········· 514
porencephaly ········· 469
porencephaly ········· 83
positional plagiocephaly ········· 692
positive supporting reaction ········· 40
postural reaction ········· 42
power grasp ········· 365
Prader-Willi syndrome ········· 624
Prechtl' s general movement assessment ······ 56
precision grasp ········· 365
preeclampsia ········· 472
preoligodendrocyte ········· 469
pressure mapping system ········· 448
preswing ········· 245
preswing phase ········· 251
primary oocyte ········· 167
primitive reflex ········· 38, 475
primodial germ cell ········· 167
procedure memory ········· 332
programmable pump ········· 210
prokinetic agents ········· 275
prometaphase ········· 161
proprioceptive neuromuscular facilitation ··· 498
protective reaction ········· 43, 475
pseudoachondroplasia ········· 712
pseudohypertrophy ········· 533
psyllium ········· 274
puborectalis muscle ········· 271
pudendal nerve ········· 271
pupil ········· 44
purine ········· 164
push off ········· 251
pyrimidine ········· 164

Q

quality of upper extremity skills test ········· 360
quantitative PCR ········· 547

R

radial palmar grasp ········· 363
radiocapitellar line ········· 127

radionuclide salivagram ··· 504
reach ··· 362
rebound effects ··· 678
reciprocal translocation ··· 170
reciprocating gait orthosis ··· 585
recombination ··· 165
rectal agents ··· 275
rectoanal inhibitory reflex ··· 272
rectocolic reflex ··· 570
rectodynamics ··· 274
rectrograde enema ··· 276
rectus femoris transfer ··· 515
recurvatum knee ··· 253
red flags ··· 23
reflexic neurogenic bowel ··· 278
Reimers' migration index ··· 492
release ··· 362
repetitive nerve stimulation ··· 143
representative scheme ··· 661
resting hand splint ··· 430
retropharyngeal abscess ··· 693
retroversion ··· 706
Rett syndrome ··· 647
reciprocating gait orthosis, RGO ··· 585
ribosome ··· 164
rickets ··· 714
righting reaction ··· 42
rigidity ··· 35, 197
ring chromosome ··· 171
Rinne test ··· 45
Risser 등급 ··· 697
Robersonian translocation ··· 170
Rood 치료법 ··· 498
root avulsion ··· 155
rubella ··· 472
Rufinamide ··· 755
rule-governed behavior ··· 675

S

saline enema ··· 276
saline laxatives ··· 275
Salter-Harris 분류법 ··· 133
sampling reflex ··· 272
Sanger sequencing ··· 165, 179
scaffolding ··· 356
scapular winging ··· 534
Scheuermann 병 ··· 124
Scheuermann's kyphosis ··· 699
schizencephaly ··· 82, 472
school function assessment ··· 361
scissoring ··· 257
sclerotomes ··· 685
scoliosis ··· 122, 517, 572, 695, 775
secondary oocyte ··· 167
secondary ossification center ··· 115
Segawa 병 ··· 198
seizure ··· 737
selective dorsal rhizotomy ··· 150, 205, 517
selective neuronal necrosis ··· 467
selective posterior rhizotomy ··· 256
self-esteem ··· 675
self-talk ··· 377
semilobar holoprosencephaly ··· 79
senna ··· 274
sensory integration ··· 359

sensory integration and praxis test ··· 361
sensory profile ··· 361
septo-optic dysplasia ··· 79
septum pellucidum ··· 79
serial cast ··· 253
severe myoclinic epilepsy in infancy ··· 746
sex chromosome ··· 161
silent aspiration ··· 223
Silfverskiold 검사 ··· 690
single event multilevel surgery ··· 507
single fiber electromyography ··· 156
single gene disorder ··· 171
single nucleotide polymorphism array ··· 175
sirenomelia ··· 103
size principle ··· 340
slipped capital femoral epiphysis ··· 131
social brain ··· 655
social cognitive learning ··· 356
social maturity scale ··· 63
social play ··· 368
social stories ··· 391
sodium dioctyl sulfosuccinate ··· 274
soft neurological sign ··· 676
somatosensory evoked potential ··· 147
Southern blotting ··· 165
spasticity ··· 197 34
spatial attention ··· 330
spatial localization ··· 329
specific ··· 326
specific language impairment ··· 292, 298, 300
speech ··· 291
speech generating devices ··· 384
speech intelligibility ··· 301
spermatid ··· 168
spermatogonia ··· 168
sphenoid dysplasia ··· 89
spherical grasp ··· 365
spina bifida ··· 273, 573
spina bifida occulta ··· 688
spinal accessory nerve ··· 45
spinal cord injury witout radiologic abnormality (SCIWORA) ··· 564
spinal deformity ··· 517
spinal dysraphism ··· 101
spinal lipoma ··· 102
spinal muscular atrophy, SMA ··· 151, 545
spinocerebellar ataxia ··· 173
split transfer of the tibialis posterior tendon to the peroneus brevis ··· 516
spondylosis ··· 775
Sprengel deformity ··· 700
standard deviation ··· 662
standing frame ··· 442, 585
status marmoratus ··· 468
step length ··· 249
step width ··· 249
steppage gait ··· 534
stepping reflex ··· 39
stereognosis ··· 48
sternocleidomastoid muscle ··· 125
stiff knee ··· 253, 256
stimulants ··· 275
stool softeners ··· 275
stride ··· 244
stride length ··· 249
Sturge-Weber syndrome ··· 88, 89

stuttering ········ 298
subanterior superior iliac spine bars ········ 450
subcortical band heterotopia ········ 81
subependyma ········ 470
subependymal giant cell astrocytoma ········ 87
submucous cleft palate ········ 293
sucking ········ 219
superior temporal sulcus ········ 656
supramalleolar orthosis ········ 583
supramalleolar orthotics ········ 439
supramaximal stimulation ········ 140
suprasegmental effect ········ 209
survival motor neuron 1, SMN 1 ········ 547
survival motor neuron 2, SMN 2 ········ 546, 547
surviving motor neuron, SMN ········ 152, 153
sustained attention ········ 668
swallowing ········ 215
swivel walker ········ 442
symbolic play ········ 368
symbols ········ 384
symmetric tonic neck reflex ········ 40
syndactyly ········ 710

T

Tardieu scale ········ 191
target gene ········ 163
Targeted multi-gene panel sequencing ········ 182
task oriented approach ········ 345
temporal-spatial parameters ········ 249
temporoparietal junction ········ 656
tendon leng- thening ········ 510
tendon reflex ········ 530
tendon transfer ········ 510
tenotomy ········ 510
terminal stance ········ 245
terminal swing ········ 245
test of visual-perceptual skills ········ 360
tethered spinal cord ········ 582
tetraploidy ········ 170
thalamus ········ 329, 467
the International Committee of Sports for the Deaf ········ 784
theory of mind ········ 656
Theratogs ········ 443
thigh-foot angle ········ 707
Thomas test ········ 690
three-jaw chuck grasp ········ 365, 366
three-point pinch ········ 365, 366
threshold electrical stimulation ········ 501
thumb opposition ········ 363
thymine ········ 164
tibial length ········ 227
tibial torsion ········ 516
Tillaux 골절 ········ 134
tip pinch ········ 365, 366
tonic biting ········ 228
tonic labyrinthine reflex ········ 40, 474
Topiramate ········ 756
toxoplasmosis ········ 472
traction reaction ········ 201
transcranial electric stimulation ········ 412
transcranial magnetic stimulation ········ 412
transcription ········ 164
transfer board ········ 452
transient synovitis ········ 693

translocation ··· 621
transverse myelitis ··· 587
Trendelenburg ··· 690, 703
trigeminal nerve ··· 44
triplane fracture ··· 134
triploidy ··· 170
tripod grasp ··· 363
trisomy ··· 169, 621
trochlear ··· 44
true equinus ··· 253, 255
tube feeding ··· 231
tuberous sclerosis ··· 87
Tumble Form Feeder Seat ··· 224
two-point discrimination sensation ··· 48
two-point pinch ··· 365, 366

U

unilateral unsegmented bar ··· 124
uniparental disomy ··· 169, 175, 624
unstable repeat expansion ··· 173
utensil ··· 430

V

vagal nerve stimulation ··· 758
Valproic acid ··· 756
Valsalva maneuver ··· 272
vaulting ··· 251
velocardiofacial 증후군 ··· 632
velopharyngeal incompe-tence ··· 636
ventral pathway ··· 329
ventrolateral prefrontal cortex ··· 656
verbal dyspraxia ··· 299
vestibulocochlear nerve ··· 45
Videofluoroscopic swallowing study ··· 224
Vigabatrin ··· 756
Viking speech scale ··· 485
visual evoked potential ··· 148
visual memory task ··· 673
visual motor integration ··· 63
visuospatial processing ··· 329
VO_2max ··· 787
Vojta ··· 42
volar splint ··· 429
Vulpius 술식 ··· 515

W

Walker-Warburg 증후군 ··· 82
Weber test ··· 45
Wechsler intelligence scale for children, WISC 62
Wechsler preschool and primary scale of intelligence, WPPSI ··· 62
wedge vertebra ··· 122, 698
WeeFIM ··· 64
Werdnig-Hoffmann disease ··· 546
wheat bran ··· 274
white matter injury of prematurity ··· 94
whole body vibration therapy ··· 194
whole exome sequencing ··· 182, 532, 536
whole-genome sequencing ··· 182
Williams elfin faces syndrome ··· 637
Williams syndrome ··· 302, 637
Williams-Beuren syndrome ··· 637
Williams-Beuren Syndrome Critical Region ··· 639

windswept hip ··· 492
working memory ··· 330
wrist hand orthosis ··· 504
writhing movement ··· 49, 56

X

xantham gum thickeners ··· 232
X-linked adrenoleukodystrophy ··· 97

Z

zone of proximal development ··· 356, 377
Zonisamide ··· 756